中国环境科学学会学术年会

论 文 集

（2010）

第二卷

中国环境科学学会　编

中国环境科学出版社

·北　京·

中国环境科学学会学术年会

论文集

（2010）

第二卷

中国环境科学学会 编

中国环境科学出版社
北京

目　录

（第二卷）

二、环境影响评价

三、清洁生产

四、环境监测

五、环境信息

六、室内环境与健康

第八章 环境污染防治技术研究与开发

一、水环境污染防治与措施

新经济开发区区域总量控制规划模式研究

曾维华

（北京师范大学环境学院水环境模拟国家重点实验室　北京　100875）

摘　要　本文从环境容量约束角度，对区域发展规划提出约束，为区域规划与新经济开发区新建项目布局、管理提供科学依据与管理方法，丰富和完善区域环境规划的理论与方法，提高其在区域发展规划中的地位。

关键词　环境容量分异规律　总量控制　大气环境容量空间分异指数　虚拟实体

本文从环境容量资源的时空分异规律研究入手，结合区域土地资源等其它约束条件，进行区域发展适宜性分区。在此基础上，设计虚拟实体，并结合各类型区发展水平，设计各虚拟实体的不同发展情景；进一步，以环境容量为约束条件，通过离散规划模型，选择区域总体效益最佳的发展情景；以此确定各虚拟实体污染物总量控制指标及其相对应的发展规模。这就从环境容量资源角度，对区域发展规划提出约束，为区域发展规划指明方向。

一、基于环境容量分异规律的区域污染物排放总量控制规划技术路线

基于环境容量资源分异规律的区域污染物排放总量控制规划技术路线如图1所示。

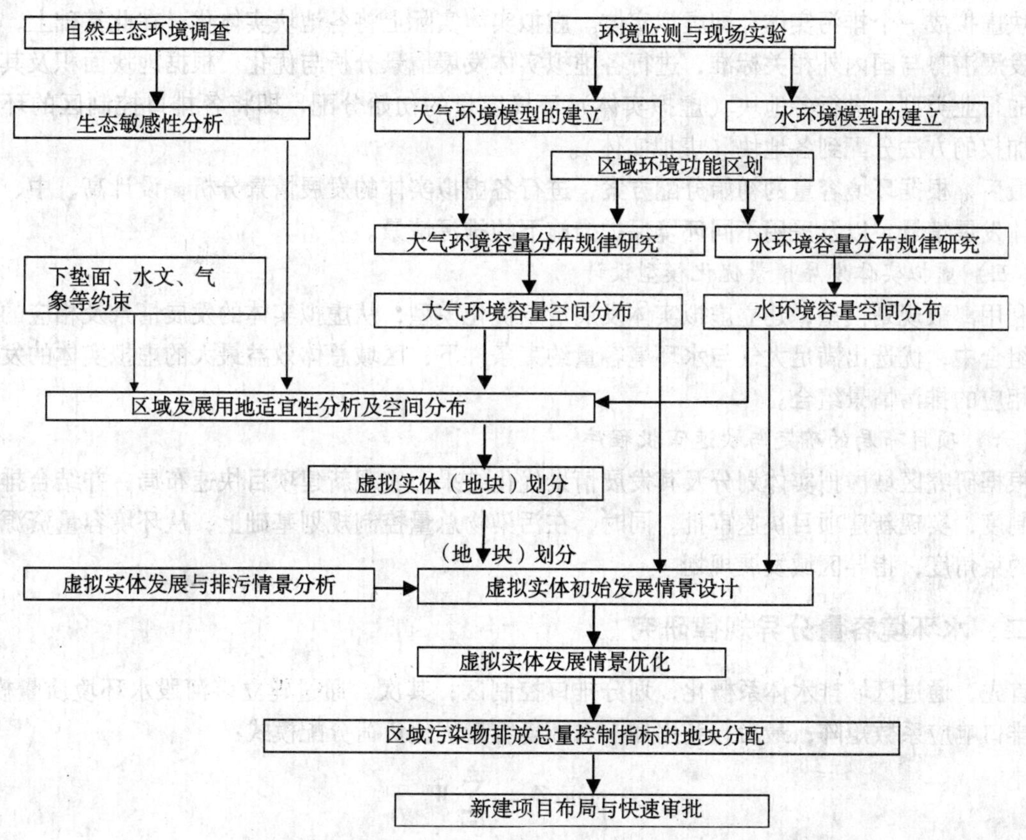

图1　基于环境容量分异规律的区域污染物排放总量控制规划技术路线

（一）水环境容量分异规律研究

根据排口分布与区域内水网与排水管网分布情况，划分排口控制区；分别建立排口与控制断面水质间“输入—响应”关系；在此基础上，建立水环境容量计算模型；确定满足控制断面水质功能标准的各排放口允许排污负荷，即排口优化的水环境容量；将排口优化容量分配到排口控制区，并以此为依据绘制区域水环境容量空间分布图。

（二）大气环境容量分异规律研究

首先，在大气污染物长期平均浓度模式研究基础上，确定烟源与大气环境质量的“输入—响应”关系，也称转移矩阵；其次，确定由外源与自然背景所造成的本底浓度，在此基础上建立大气环境容量规划模型；计算不同指定高度下各网格虚拟源的允许排放量，各网格虚拟源的污染物允许排放量与烟源高度的关系为：$Q_i = a_i \times h^{-\alpha}$；最后，利用线性回归技术，计算各网格的大气环境容量空间变异指数 a_i 与研究地区的虚拟源高系数 α；其中大气环境容量空间变异指数的空间分布即可反映大气环境容量的空间分布。

（三）区域发展用地适宜性分析

区域发展用地适宜性分析，即指综合考虑研究区域内大气与水环境容量的空间分布，以及该地区下垫面、生态敏感区分布与社会经济规划等多方面因素，构造区域发展适宜性分析指标体系，通过建立一定区划规则，利用 GIS 叠图分析工具，进行研究区域发展适宜性分析，绘制区域发展适宜性分区图。

（四）虚拟实体划分及其发展情景分析

在区域发展用地适宜性分区基础上，结合该地区社会经济发展总体规划，划分地块，并将每个地块虚拟成一个排污实体，即虚拟实体。虚拟实体实际上将各地块实体化；在此基础上，结合地区发展潜势与国内外相关标准，进行各虚拟实体发展情景分析与优化。根据地块面积及其虚拟实体的行业类型，进行各地块（虚拟实体）环境容量的初始分配，即将各排口控制区的环境容量按加权的方法分配到各地块（虚拟实体）。

最后，根据环境容量的初始分配方案，进行各虚拟实体的发展情景分析，设计高、中、低虚拟实体发展情景，以及采用不同环境保护措施下的排污情景。

（五）虚拟实体发展情景优化模型设计

利用离散规划模型，建立虚拟实体发展情景优化模型，从虚拟实体的发展情景及相应的排污情景组合中，优选出满足大气与水环境容量约束条件下，区域总体效益最大的虚拟实体的发展情景及相应的排污情景组合。

（六）项目布局的确定与快速审批程序

根据研究区域虚拟实体划分及其发展情景优化结果，实现新建项目快速布局，并结合排污许可证制度，实现新建项目快速审批。同时，在污染物总量控制规划基础上，从环境容量资源时空分布约束角度，指导区域发展规划。

二、水环境容量分异规律研究

首先，通过区域排水体系概化，划分排口控制区；其次，通过建立多河段水环境质量模型，确定排口响应系数矩阵；最后，利用如下水环境容量优化负荷分配模式：

$$\begin{cases} \max Z = \sum_{i=1}^{n} W_i \\ G^{-1}\vec{W} \leq \vec{L}_s \end{cases} \tag{1}$$

式中：决策变量为 W_i 是第 i 排污口的污染物单位时间排放量。约束条件为河流的水质目标，这些水质目标要根据河流环境功能区划制定；$\vec{L}_s$ 为各河段环境功能区的水质目标的污染物允许浓度值；G 为排污口响应系数矩阵。

将排口优化容量分配到排口控制区，并以此为依据绘制区域水环境容量空间分布图。

三、大气环境容量分异规律研究

首先，根据研究区域特点，划分网格坐标系；其次，通过利用大气长期平均浓度模式，建立计算不同高度层的传递函数矩阵 T 与本底浓度分布；在此基础上建立大气环境容量优化负荷分配模式：

$$\begin{cases} \max Z = \sum_{i=1}^{n} Q_i \\ T\vec{Q} \leqslant \vec{C}_0 - \vec{C}_B \end{cases} \tag{2}$$

式中：$\vec{Q}$ 为各网格大气污染物排放量矢量；T 为传递函数矩阵；$\vec{C}_0$ 为各网格大气环境质量目标矢量；$\vec{C}_B$ 为各网格大气环境质量背景浓度矢量。

由于 T 是各网格虚拟源高 h 的函数，因此对于不同的 h，Q_i 也是不同的。在不同高度下，网格允许排放量虽然不同，但网格对地面浓度的贡献是相等的。根据大气污染扩散规律，不同指定高度 h 对应的允许排放量的比例关系可作为不同高度排放量的转换函数：

$$\ln Q_i = a_i - \alpha \ln(h) \tag{3}$$

式中：a_i 为第 i 网格的大气环境容量空间分异指数，它反映各网格大气环境容量的空间差异性；虚拟源高一定，各网格的大气环境容量与其大气环境容量空间分异指数成正比；α 为不同源高的转换系数。

a_i 和 α 可用线性回归分析方法求得。给定一高度序列，某一高度 h 下可求得允许排放量为 Q，可得到高度序列对应的允许排放量序列。根据转换函数 $\ln Q_i = a_i + \alpha \ln(h)$ 做线性回归分析，可求得某个网格的 a_i 和 α，这样指定排放高度 h 各网格允许排放量为：

$$Q_i = a_i \times h^{-\alpha} \tag{4}$$

这样通过各网格的大气环境容量空间分异指数可反映大气环境容量的空间分布。

四、基于环境容量变异规律的区域发展用地适宜性分析与虚拟实体划分

在大气与水环境容量资源分异研究基础上，兼顾考虑地势、林地与地基承载力等下垫面约束条件，从大气与水环境容量资源约束角度，进行区域发展用地适宜性分析；将研究地区划分为不同的工业类型区（一般工业、轻污染工业与微污染工业）。具体方法分析采用定量与半定量分析调整相结合的方法，在各单指标模糊分级基础上，通过 GIS 叠图分析实现（如图 2 所示）。

区域发展用地适宜性分析从环境容量资源约束角度，提出了该地区工业发展类型的（微污染、轻污染与一般污染工业区）空间分布。这样，一方面可对目前该地区总体规划提出调整建议；另一方面还可为区域规划及社会经济发展规划，从充分利用环境容量资源角度，提供科学依据。最后，为了更好地指导区域社会经济发展规划，更方便快捷地完成该地区新建项目的审批及排污许可证管理；在此基础上，按总体规划提出的给区域工业发展的主导行业，将各发展用地适宜性分区（微污染、轻污染与一般污染工业区）进一步划分成一个个虚拟实体（地块）。

所谓虚拟实体是对未来研究地区工业布局的一种概化或称规划，它是一个或多个行业类型相近的排污单位的集合体。虚拟实体的划分原则包括：处于同一工业发展适宜性分类区，以及行业类型、工艺水平与污染治理措施相近。

虚拟实体在污染物排放总量控制规划中的作用包括：对研究区域未来发展情景实体化，便于与现有污染源共同优化分析；符合同类产业集中布局与污染联片集中处理的发展趋势要求；便于排污权交易的实施，排污权交易可在虚拟实体（地块）内，或在虚拟实体间进行。

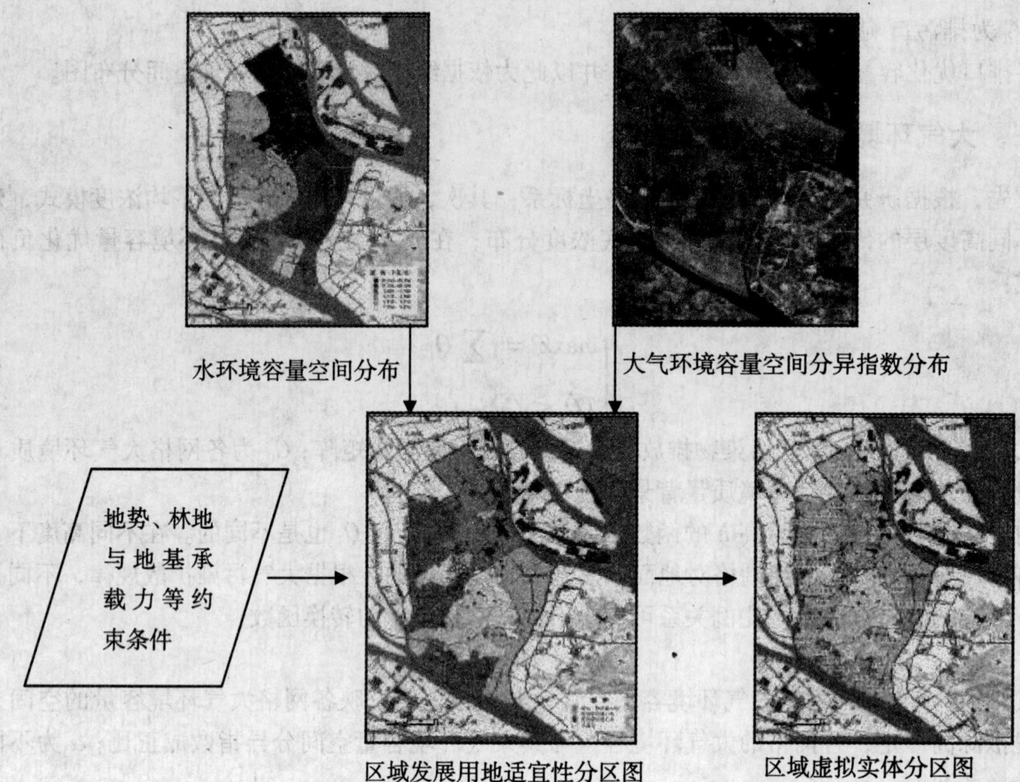

图 2　基于环境容量变异规律的区域发展用地适宜性分析与虚拟实体划分

五、虚拟实体发展情景优化设计

根据各虚拟实体的行业类型与面积，首先进行初始分配；在初始分配基础上，根据不同标准（欧洲水平、国内领先水平与国内平均水平）设计各虚拟实体发展情景，包括不同发展规模（从年产值体现）的一次性投资、年运行费与污染物排放量。

本文选用离散规划模型作为虚拟实体发展情景优化模型：

目标函数：$\max P = \sum_{i=1}^{M} \sum_{j=1}^{N(i)} P(i,j,k(i,j))$

$$\text{约束条件：}\begin{cases} \sum_{j=1}^{N(i)} W(i,j,k(i,j)) \leqslant W_p(i) \\ i = 1,2,\cdots,M \\ j = 1,2,\cdots,N(i) \\ k(i,j) = 1,2,\cdots,L(i,j) \end{cases}$$

式中：M 为研究区域内排口控制单元数，$N(i)$ 为第 i 个排口控制单元的虚拟实体数；$P(i,j,k(i,j))$ 为第 i 个排口控制单元的第 j 个虚拟实体（虚拟实体）采用第 $k(i,j)$ 种发展情景时，在运行年限内（例如 10 年）总体效益现值。

最后，利用离散规划方法，从各虚拟实体的发展情景组合中，优选出满足环境容量资源约束前提下，总体效益最佳的发展情景组合。由此就得到了区域各地块的优化排污总量，及相应的工艺水平与发展规模。

六、区域总量控制指标的地块分配

（一）水环境总量控制指标的地块分配

对于水污染源的总量控制指标地块分配，可按该企业及其所处虚拟实体的发展与排污情景，利用初始排污权分配模型，确定该企业的初始排污权。

对于大气源的总量控制指标地块分配，考虑到烟源高度的不确定性，本文引入大气环境容量空间分异指数与烟源系数，在此基础上进行区域大气污染源的总量控制指标地块分配。

（二）大气环境总量控制指标的地块分配

对于那些已具有一定规模的工业区，假设该网格内有 N 个烟源，每个烟源的烟筒高度为 h_i；另外，该网格的大气环境容量分异指数与烟源高度系数分别为 a_i 与 α。

为节约土地资源，鼓励发展占地少且经济效益好的企业。可利用企业单位面积产值加权方法，对网格内烟源进行初始排污权分配，其中第 i 烟源的大气污染物总量控制指标可由下式确定：

$$W_{pi} = (a_i \times h_i^{-\alpha}) \times (\beta_i / \sum_{i=1}^{N} \beta_i)$$

$$\beta_i = Y_i / (A_i \times M_i)$$

式中：Y_i 为第 i 烟源的有效产值；A_i 为第 i 烟源的有效面积；M_i 为第 i 烟源所属企业的烟源数。

对于同一企业有多个烟源的情况，忽略企业内部烟源所产生的效益差异，采用同一单位面积产值系数。

对于新工业区内的新建企业，首先考虑该新建企业是否占有整个网格，如占有整个网格，以后网格内新建烟源是企业内部的事，可将企业作为一个“气泡”，内部交易即可。

如果企业没有占有整个网格，仍可按单位面积产值系数加权方法，进行企业初始排污权分配，则该企业的大气污染物总量控制指标为：

$$W_{pi} = (a_i \times h_i^{-\alpha}) \times (\beta_i / \sum_{i=1}^{N} \beta_i)$$

$$\beta_i = Y_i / (A_i \times M_i)$$

式中：β_i 为企业单位面积产值系数，包括网格内已建成企业、新建企业与剩下的虚拟企业。

对于新建企业占有多个网格的情况，首先利用 GIS 工具，按面积与虚拟实体的产值分配汇总企业所占网格的大气环境容量空间分异指数 a，如其烟源设计高度为 h，则该企业的大气污染物总量控制指标为：

$$W_p = a \times h^{-\alpha}$$

七、结　论

在区域规划中，环境容量资源是其发展的重要制约因素，是区域发展规划的先决条件。如何在污染物总量控制规划基础上，进行区域发展规划，实现新建项目快速布局与审批，是目前区域发展规划与环境管理所急需解决的问题。基于这一考虑，本文从区域环境容量的分异规律研究入手，结合区域土地资源与生态敏感等其它约束条件，进行区域发展用地适宜性分区。在此基础上，设计虚拟实体；并结合各类型区发展水平，设计各虚拟实体的不同发展情景。最后，通过离散规划模型，选择区域总体效益最佳的发展情景。这就从环境容量资源角度，对区域发展规划提出约束，为区域规划与新经济开发区新建项目布局、管理提供科学依据与管理方法，丰富和完善区域环境规划的理论与方法，提高其在区域发展规划中的地位。

参考文献

马小明，李诗刚，栾胜基，等．中国城市大气污染物总量控制方法及案例研究［J］．北京大学学报（自然科学版），1999，35（2）：265－271.

公众对突发性污染事故风险支付意愿的实证研究

路超君　吕连宏

（中国环境科学研究院　北京市朝阳区安外大羊坊8号　100012）

摘　要　突发性污染事故的发生会对环境和人体健康产生破坏和影响。本文以南京化工园区为例，运用心理测试范式和支付意愿调查方法，研究公众对突发性环境污染事故的风险认知水平，了解不同人群对突发环境污染事故的认知特征，并计算出公众对化工园区突发性水污染事故风险的平均支付意愿为292元/月·人。

关键词　突发水污染事故　风险认知　支付意愿

一、化工园区突发性污染事故风险分析

突发环境污染事故通常是指由于违反环境保护法律法规的经济社会活动以及意外因素的影响或不可抗拒的自然灾害等原因，突然发生并使环境受到污染、人体健康受到危害、社会经济与人民财产受到损失的事件。突发环境污染事件具有时间上的突发性、形式不确定性、危害严重性和处置复杂性的特点。化工园由于集聚了危险化学品的生产、使用、储存、运输等各个环节的企业，使得园区内重大危险源数量多、密度大，存在着潜在的事故风险，也是发生突发性污染事故的集中地。

根据风险源不同，将化工园区突发性污染事故风险划分为自然环境风险和人为环境风险两类，自然环境风险是由自然界发生的地震、洪水等引起化工园区泄漏、爆炸、火灾等事故而造成的人员伤亡、财产损失和环境污染，人为环境风险是人为活动引发的危害人体健康和环境质量的突发性事件。根据环境风险受体的不同，化工园区环境风险可以分为健康风险、生态风险、经济风险等类型。根据环境风险传播途径不同，化工园区环境风险划分为水环境风险、大气环境风险、土壤环境风险等类型（见表1）。

表1　化工园区突发性污染事故风险分类

序号	分类原则	类　型
1	按照风险源划分	自然环境风险、人为环境风险
2	按风险受体划分	人体风险、环境/自然资源风险、设施风险等
3	按风险传播途径划分	水环境风险、大气环境风险、土壤环境风险等
4	按风险后果划分	生命风险、生态环境风险、经济风险等

二、问卷设计及被试

（一）问卷设计

问卷由三个主要部分组成，主要内容有：①人口学变量：在问卷中通过选择题的形式对年龄、性别、受教育程度、职业、收入水平等相关变量进行直接的测量；②突发性环境污染事故风险认知调查：涉及11项突发环境污染事故可能产生风险项目；③调查公众对园区管理的态度和风险管理信息的公开度和了解程度；④调查公众对化工园区突发性水污染事故风险的支付意愿。

基金项目：国家高技术研究发展计划（863）项目（2007AA06A405）

采用 Likert 5 点计分法，通过公众对南京化工园区中可能发生的环境风险从可能性和影响程度 2 个特征维度进行打分，计算出每种风险的平均等级，等级越高（认知程度越高）表示对环境风险的担忧程度越高，并运用心理测量法对测量结果进行相关分析，确定影响公众风险认知的个体因素。

（二）被试

在南京化学工业园区采用随机抽样的方法，总样本为 857 人，具体被试信息见表 2。

表 2　被试人口特征

<table>
<tr><th>条目</th><th>分类</th><th>人数</th><th>条目</th><th>分类</th><th>人数</th><th>条目</th><th>分类</th><th>人数</th><th>条目</th><th>分类</th><th>人数</th></tr>
<tr><td rowspan="5">年龄</td><td>20 以下</td><td>10</td><td rowspan="5">职业</td><td>党政机关</td><td>22</td><td rowspan="5">学历</td><td>小学及以下</td><td>3</td><td rowspan="2">性别</td><td>男</td><td>555</td></tr>
<tr><td>21 ~30</td><td>451</td><td>事业单位</td><td>44</td><td>初中</td><td>34</td><td>女</td><td>302</td></tr>
<tr><td>31 ~40</td><td>233</td><td>社会团体</td><td>17</td><td>高中（职高）</td><td>212</td><td rowspan="3">住所距风险场距离</td><td>500 米以内</td><td>92</td></tr>
<tr><td>41 ~60</td><td>161</td><td>企业</td><td>750</td><td>大专或大学</td><td>546</td><td>500 ~3000 米</td><td>155</td></tr>
<tr><td>60 以上</td><td>2</td><td>学生</td><td>24</td><td>硕士及以上</td><td>62</td><td>3000 米以外</td><td>610</td></tr>
</table>

三、公众风险认知水平和支付意愿分析

（一）公众对化工园区突发性污染事故风险认知特征

公众对各个突发环境污染事故所引发风险的认知水平进行排序（见表 3），结果显示，公众对影响到人体健康和生活的环境风险最敏感，对这两个条目的风险程度评价最高，即公众认为一旦发生突发性环境风险，大气污染事故和水污染事故的可能性和影响程度最大，而最担心的是这些风险对人体健康和生活的影响。对于环境风险事件造成的损失，公众最关注的依次是人体健康、生态环境破坏和财产损失。

表 3　南京化学工业园区公众认知水平排序

序号	环境条目	认知水平	排序
E1	突发性大气污染对人体健康和生活的影响	3. 72	1
E2	突发性水污染对人体健康和生活的影响	3. 71	2
E3	突发性环境污染事件引发生态环境破坏	3. 60	3
E4	突发性环境污染事件引发水环境问题	3. 49	4
E5	突发性环境污染事件引发饮用水问题	3. 28	5
E6	突发性噪声污染对人体健康和生活的影响	3. 26	6
E7	突发性环境污染事件引发水源地问题	3. 25	7
E8	突发性环境污染事件引发地下水问题	3. 14	8
E9	突发性固废污染对人体健康和生活的影响	3. 12	9
E10	洪水引发的环境污染问题	2. 79	10
E11	地震引发的环境污染问题	2. 78	11

公众对南京化工园区突发环境污染事故的风险认知特征主要有以下几点：

1. 女性对各个突发环境污染事故的影响程度和其发生可能性认知普遍高于男性（见图 1），这说明女性对于环境风险比男性更敏感。

2. 不同年龄人群对各类突发环境风险的认知水平不同（见图 2），对风险评价程度由高到低依次为“61 岁以上” > “31 ~ 40 岁” > “21 ~ 30 岁” > “41 ~ 60 岁” > “20 岁以下”。

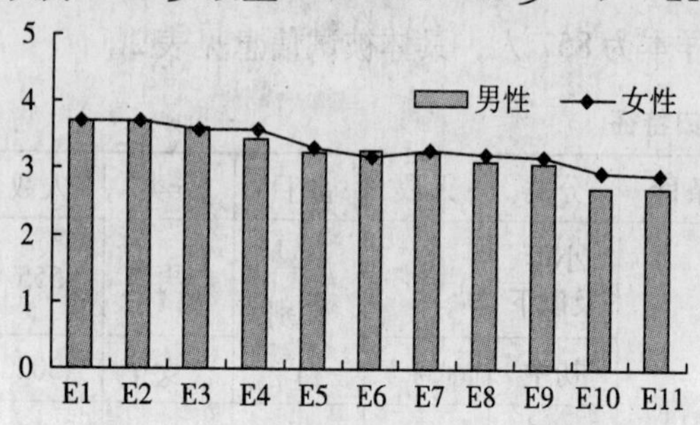

图 1　不同性别的人群风险认知水平

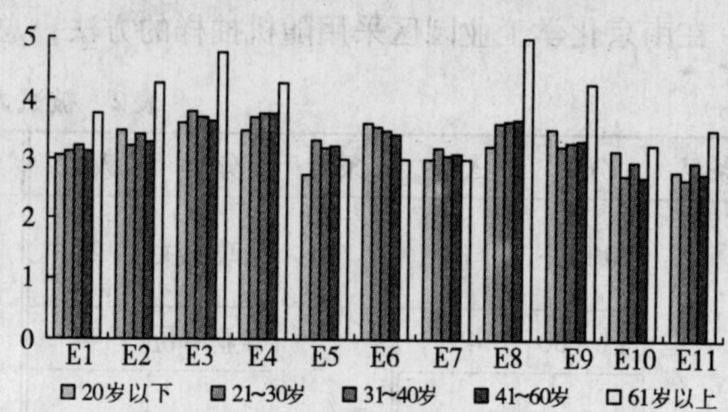

图 2　不同年龄的人群风险认知水平

3. 不同学历人群对各项环境风险的认知水平（见图 3）由高到低依次为：“小学及以下” > “硕士及以上” > “大专或大学” > “高中（职高）” > “初中”学历，说明公众的认知水平是随教育程度的增长呈阶梯状增长的。

4. 不同职业人群对各项环境风险的认知水平由高到低依次为：“社会团体” > “事业单位” > “学生” > “党政机关” > “企业”（见图 4）。调查发现，“社会团体”、“事业单位”样本人群工作单位主要是从事环境管理和环境监测方面的工作，“学生”样本人群主要是环境专业在校生，因此，这三个样本人群对风险评价较高。

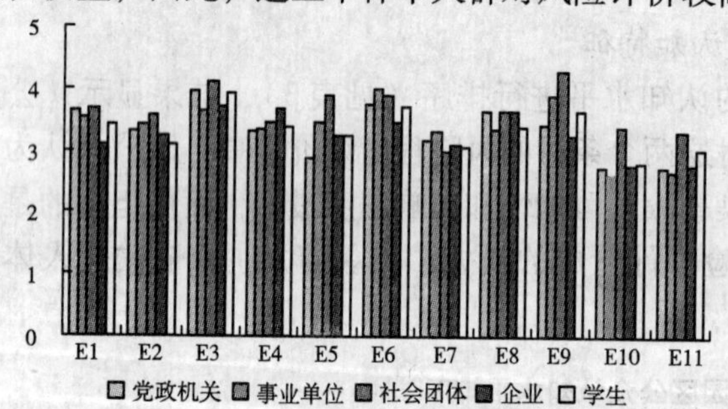

图 3　不同学历的人群风险认知水平

图 4　不同职业的人群风险认知水平

5. 居住地距离风险源越远，公众对风险的感知越低。图 5 显示随着住所离化工园区越近，样本人群对各项风险的评价等级越高，这也说明人们更关注身边可能发生的环境问题。

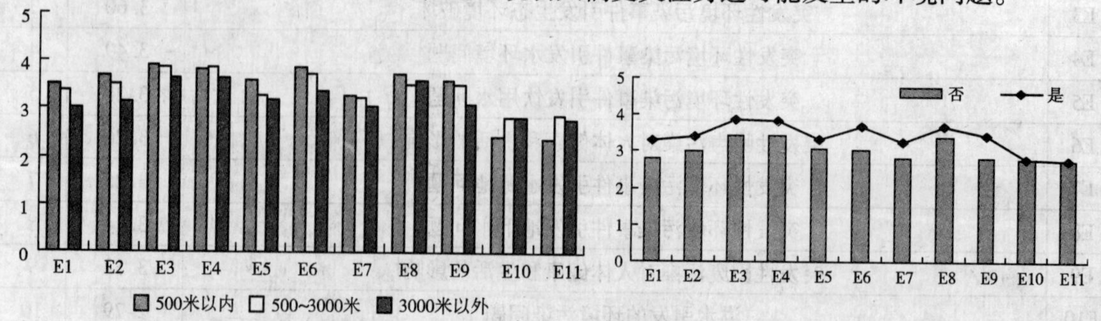

图 5　不同住所距离的人群风险认知水平

图 6　是否遭遇过环境风险不同人群风险认知水平

6. 除自然灾害引起的环境风险外，遭遇过风险事件的人群对风险认知值要高于未遭遇过风险事件人群（见图6）。除自然灾害引起的环境风险外，其他各风险事件均呈现出遭遇过风险事件的人群样本的风险评价等级要高于未遭遇过风险事件人群样本。

经过方差分析，与公众对突发环境污染事故的认知水平显著相关是学历、职业、住所离风险源距离以及是否遭遇风险。

（二）公众对突发性污染事故风险的支付意愿分析

在857份有效问卷中，833人表示同意支付，24人表示不同意支付，其中不同意支付者的原因是被调查者认为应该由他人（包括政府、造成污染的单位和个人）支付。

同意支付的样本中，不同人群对突发性污染事故风险的平均支付意愿见表4。从统计结果来看，①男性和女性的平均支付意愿分别为304元和272元，男性高于女性。②不同年龄人群中，“31～40”岁样本人群的支付意愿高于其他年龄样本人群，而“20岁以下”和“60岁以上”2个样本人群的支付意愿较低。③在不同受教育程度人群的支付意愿中，随着受教育程度的增高，人们的支付意愿不断增大。调查中，“硕士以上”教育程度人群为在校研究生，受收入水平影响，其支付意愿低于平均水平。④在职业类型人群支付意愿中，“党政机关”、“事业单位”、“社会团体”三个样本人群的支付意愿较高。⑤收入水平是支付意愿的重要影响因素，收入水平越高，支付意愿越高。

表4　不同人群支付意愿统计

变量		人数					平均支付意愿/（元/月·人）
		0～100元/月	100～300元/月	301～500元/月	501～1000元/月	1000元/月以上	
性别	男	221	147	60	35	72	304
	女	124	95	31	18	30	272
年龄	20岁以下	5	3	1	1	0	200
	21～30岁	176	138	50	28	50	288
	31～40岁	93	58	26	15	35	321
	41～60岁	69	43	14	9	17	272
	60岁以上	2	0	0	0	0	50
学历	小学及以下	3	0	0	0	0	50
	初中	19	8	4	2	1	196
	高中（职高）	95	56	18	16	24	283
	大专或大学	204	155	63	31	76	313
	硕士及以上	24	23	6	4	1	210
职业	党政机关	3	9	7	3	0	318
	事业单位	13	16	6	5	4	318
	社会团体	7	5	0	1	4	359
	企业	308	204	76	44	94	294
	学生	14	8	2	0	0	129

变量		人数					平均支付意愿/（元/月·人）
		0～100元/月	100～300元/月	301～500元/月	501～1000元/月	1000元/月以上	
收入水平	1000元/月以下	30	19	4	4	4	228
	1000～3000元/月	253	169	55	35	64	276
	3001～5000元/月	52	43	25	9	28	356
	5001～10000元/月	9	11	6	4	3	335
	10000元/月以上	1	0	1	1	3	700
住所距离工厂	500米以内	36	28	10	7	9	285
	500～3000米	61	43	14	13	19	307
	3000米以外	248	171	67	33	74	290

将五个支付区间的组平均值分别设定为50、200、400、750、1000，使用计算平均值法，将调查完成后的问卷数据进行处理分析，最终得出受访者对化工园区突发性污染事故风险的平均支付意愿为292元/月。

四、结　论

调查结果表明，公众关注到化工园区的环境风险问题，对突发性环境污染事故风险有比较充分的认识，学历、职业、住所离风险源距离以及是否遭遇风险这几个变量对公众的风险认知有显著影响。另外，97%的被调查者愿意支付金钱来避免突发性环境污染事故的发生，公众的平均支付意愿为292元/月。公众的支付意愿受学历和收入水平两个因素的影响最大，随着公众的学历和收入的提高而增加。该调查可为在其他区域调查公众对避免突发性污染事故环境风险发生的支付意愿研究提供了依据。

参考文献

[1] 李静，吕永龙，等．我国突发性环境污染事故时空格局及影响研究［J］．环境科学，2008，29（9）：2684－2688.

[2] 谢东海．重大环境污染事故防范和应急预案费用效益分析——以流域水安全应急预案为例［D］．华南热带农业大学，2006.

[3] Slovic. Perception of risk［J］. Seience，1987，236：280－285.

[4] 谢晓非，徐联仓．公众风险认知调查［J］．心理科学，2005，6（25）：723－724.

[5] 毕军，杨洁，李其亮．区域环境风险分析和管理［M］．北京：中国环境科学出版社，2006.

[6] 杨开忠，白墨，李莹，等．关于意愿调查价值评估法在我国环境领域应用的可行性探讨——以北京市居民支付意愿研究为例［J］．地球科学进展，2002，3（17）：420－425.

[7] 蔡春光，郑晓瑛．北京市空气污染健康损失的支付意愿研究［J］．经济科学，2007，1：108－115.

[8] 阮俊华．区域环境污染经济损失评估［D］．杭州：浙江大学，2001.

农业非点源污染综合控制措施探讨

李强坤　孙　娟　胡亚伟

（黄河水利科学研究院引黄灌溉中心　河南　郑州　450003）

摘　要　农业非点源污染控制是一项非常困难而复杂的系统工程。结合当前农业非点源污染研究现状，对农业非点源污染控制最佳管理措施（BMPs）的指导思想进行阐述，从政策层面探讨了国内外关于农业非点源污染控制的相关规定，集成总结了当前农业非点源污染具体控制技术，包括科学地施肥用药技术、节水灌溉及保护性耕作技术、生态工程技术等。

关键词　农业非点源污染　最佳管理措施　节水灌溉　生态工程

近年来，随着水环境问题的突出以及点源污染治理水平的相对提高，非点源污染尤其是化肥、农药的大量使用而引起的农业非点源污染问题日益引起人们的关注和重视。农业非点源污染是指农业生产活动中所引起的各种污染物（盐分、营养物、农药、病菌等），通过农田地表径流、农田排水和地下渗漏等，以低浓度、大范围的形式从土壤圈向水圈扩散的过程[1]。大量研究表明，农业非点源污染已成为当前影响水体环境质量的主要因子。我国是一个农业为主的国家，地表水污染中农业非点源污染占很大比重。农业非点源污染控制已经成为当前农业水土环境领域的一项重要工作。

一、BMPs 及其指导思想

最佳管理措施（Best Management Practices，BMPs）是 20 世纪 70 年代由美国国家环保局（USEPA）提出的，它是对非点源污染综合控制措施的一种统称，美国环保局将 BMPs 定义为“任何能够减少或预防水资源污染的方法、措施或操作程序，包括工程、非工程措施的操作与维护程序”。可以看出，有效控制非点源污染的 BMPs 包含能够削减或控制非点源污染的一切工程与非工程性措施，是一系列独立的 BMP 的综合，其核心是防止和削减非点源污染负荷，维持并促进养分的最大利用和最少损失，保护土壤资源和改善水质，BMPs 主要着重于污染源的管理而不是污染物的处理；BMPs 的目标是缓解并改善现有水质，使由土地利用引起的水质、水量问题达到最小；实现农户个人收益与社会收益、环境收益之间的均衡；同时，根据新获得的信息寻求 BMPs 措施，及时处理环境问题。BMPs 实质上是一套既不损害生产者的经济利益，又能将农田营养物质对环境的危害降至最低限度的管理措施。BMPs 的提出和研究使农业非点源污染防治工作走出了单一方法、技术难以应对的窘境，随着研究的深入，BMPs 实质上已经演变成一种思想，而并非一种确定的方法或手段。或者说，BMPs 是一个日趋完善的预防、应对、治理农业非点源污染的措施集对具体区域、具体问题的响应。

二、非点源污染控制的政策层面探讨

1972 年，美国《清洁水法》303（d）条款及目前 EPA 法规要求各州、准州及部族每两年必须向美国环保局汇报当地水体的整体卫生情况及水体是否达到了水质标准。如果未达到水质标准，则需制定并实施最大日负荷总量（Total Maximum Daily Loads，TMDL）计划[2]。TMDL 定义为：在满足水质标准的条件下，水体能够接受的某种污染物的最大日负荷量。它包括污染负荷在点源和非点源之间的分配，同时还要考虑安全临界值和季节性的变化[3]。TMDL 过程涉及确定可采取的措施以减少来自可管理污染源的过量负荷，使水体达到水质要求[4]。随后，《安全饮用水法》及其修正案、《总统水质动议法》、《联邦环境杀虫剂控制法规》、《农业农村发展法案》、

《露天采矿管理及开发法案》、《联邦土地政策及管理法案》等都有明确针对各类非点源污染的条款和规定。1987 年，国会首次将非点源污染问题变为行动计划，采取了一系列控制非点源污染的国家行动。同年，《清洁水法修正案》规定，各州要将非点源污染治理规划列入州政府议事日程并由州污染治理机构提交，许多州政府制定了具体的非点源污染控制法规和方案，作为联邦法规的补充[5]。

20 世纪 80 年代末，欧盟在一些成员国的推动下，进一步立法以治理排入水体的营养物污染源，1991 年出台了《欧盟硝酸盐法令》，要求成员国将硝酸根含量超过 50 mg/L 或已发生富营养化的水体标定出来，将这些水体的集水流域划定为易受硝酸盐污染区，区内采取强制性的措施以减少营养物质的进一步流失，其中对农业经济影响最大的一项规定是有机肥料施用量（以 N 计）不得超过 170 kg/（hm^2 · a），各成员国根据自身的养分污染问题制定了相应的政策措施[6]。例如：丹麦政府采取了一系列措施：①植物生产严格按照作物轮作表进行，要求将每块田地 4 ~ 5 年的作物轮作表提前上报给农业组织；②在动物饲养方面，农场主所拥有的家畜数量和他所拥有或租赁的土地之间必须有一定的关联，即“协调需要”；③畜牧废弃物的储存和施用，农场必须有储存畜牧废弃物的设施以保证较少量的氮的流失；④土壤管理方面，在丹麦政府和农业咨询中心监督控制的农场账户并不只有经济账户，还包括肥料账户（N、P、K)、农药使用账户、能源（电力、油料、热能等）、水（包括灌溉水）、废弃物、自然和文化遗产等内容；⑤实行农业补贴政策，为了使农民能够从环保意识出发，按国家规定生产，对造林地、溪河边的低氮田或无氮肥池、有机农业等都给予一定的环保补贴。

近年来，我国也相继制定、修订了一些环境保护方面的法规、条例。《中华人民共和国环境保护法》第二十条明确规定，要“加强对农业环境的保护，合理使用化肥、农药及植物生产激素”；《中华人民共和国清洁生产促进法》第二十二条“农业生产者应当科学地施用化肥、农药、农用薄膜和饲料添加剂，改进种植和养殖技术，实现农产品的优质、无害和农业生产废物的资源化，防止农业环境污染”；2008 年我国新修订的《中华人民共和国水污染防治法》提出要“防治农业面源污染，积极推进生态治理工程建设”，第四十八条第二款要求“合理地施用化肥和农药，控制化肥和农药的过量使用，防止造成水污染”；另外，原国家环保总局于 20 世纪 90 年代末先后在巢湖、太湖、滇池流域全面禁磷[7]，2002 年、2003 年又先后发布了《畜禽养殖污染防治技术规范》和《畜禽养殖污染物排放标准》等，这些法规、条例的出台对我国的农业非点源污染防治都有很好的积极促进作用，但相对于日益严峻的非点源污染形势来说还是远远不够的，有必要进一步的补充完善。

三、具体控制措施

（一）科学的施肥用药技术

农业生产过程中，化肥、农药等的过量、不当施用是农业非点源污染的主要来源，合理施用化肥可以有效地减少污染。氮、磷、钾肥混施可以减少营养元素的渗漏损失量；配施有机肥可以有效降低营养元素的淋失，减少元素从土壤中渗漏损失的数量；有机肥经过氧化分解处理后也可以降低营养元素的淋失率，因此，施用有机肥能明显提高土壤有机质的含量，并随施用量的增加而呈上升的趋势[8]。因而，科学施肥提倡有机、无机肥料配合施用。

农药的化学特性是影响农药渗漏的最重要的因素，在生产中应尽量选用被土壤吸附力强、降解快、半衰期短的农药，减少对土壤和地下水的污染风险。在农药施用时应尽量减少直接施到土壤表面[9]。基于“源头治理”的思想，环境友好的、符合现代生态要求的微生物农药、无毒、低毒、低残留农药的开发研制已成为当前国内外研究的热点。目前，国际市场已有 30 种商品微生物农药[10]，且相关研究还在继续。

（二）节水灌溉及保护性耕作技术

研究发现，灌溉方式与盐分、化肥、农药的流失程度密切相关，当水田灌溉水量减少31%～36%时，地表排水量减少78%～90%，氮负荷减少76%～80%，渗漏水氮负荷减少34%～40%[11]，在灌溉相同水量的情况下，农田养分、农药流失量一般以下列顺序递增：喷灌＜淹灌＜沟灌，在灌溉深度减少50%、氮施用量减少50%的同时农作物产量可以提高。合理灌溉是农民生产和畜禽废弃物处理要求与节约用水、保护环境之间最好的均衡。农作中营养元素的淋失一般随着农田水分渗漏强度的增加而增加。在农业生产中采用科学灌溉方法，可以控制水分的渗漏强度，延缓和减少由于灌溉超渗所产生的农业化肥、农药及田间土壤有机质的淋失[12]，减少农业非点源污染的生成和扩散。科学的灌溉方式不仅具有节水功能，还可同时减少农业非点源污染[13]。

农业生产中，不同的耕作方式对土壤养分的利用、化肥农药流失的控制也有显著影响。实施保护性耕作可以有效地防治水土流失。保护性耕作措施包括免耕、少耕、间套复种技术等。免耕、少耕法可大大减少土壤侵蚀和土壤有机碳的流失，亦相应地减少了氮和磷的流失量[14]。间套复种技术的使用，可以利用不同作物对营养物需求比例的差异，充分利用土壤养分，减轻养分残余对周围水体造成的富营养化程度，调节土壤中各养分的比例，避免土地板结和盐碱化。等高线条带种植技术，以及在坡面地区实施横坡耕作也可有效减少污染物向受纳水体运移。

（三）生态工程技术

常用的生态工程措施包括植被过滤带、湿地系统、生态拦截型沟渠等。

植被过滤带是一种特殊的土地利用方式，在径流进入目标水体之前利用带状植被滞缓径流，通过沉积作用、过滤作用、化学作用、吸附作用、微生物间的相互作用等，可以有效地拦截、削减地表径流中的营养物、病原体、重金属和农药等非点源污染，具有很好的减污效果。此项技术于1997年由美国农业部国家自然资源保护局（NRCS）向公众推荐并提出倡议，目前在欧美国家已得到应用。根据Peterjohn和Correl的研究结果[15]，农田与水体间50m宽的沿岸植被缓冲带能减少进入地表水89%的氮和80%的磷。

湿地是一独特的土壤—植物—微生物系统，当农田排水流经湿地时，水中的有机质、氮、磷等营养成分将发生复杂的物理、化学和生物的转化作用。自然和人工湿地对非点源污染物的净化主要通过三条途径：土壤的吸附和截留、植物吸收及根区反应、微生物降解[16]。非点源污染物随地表径流和下渗进入湿地后，首先通过土壤及砂石的吸附、过滤、离子交换、络合反应等物理化学作用截留、转化一部分污染物质；水生植物在湿地去除农业非点源污染过程中起着十分重要的作用，植物不仅可以通过其呈网络状的根系直接吸收农田排水中的NH_4^+，NO_3^-和PO_4^{3-}离子，更重要的是，水生植物可通过其生命活动改变根系周围的微环境，从而影响污染物的转化过程和去除的速度。

生态拦截型沟渠是指在农业区的排水沟渠根据生态工程学原理，在其岸壁和沟渠内种植氮、磷高效富集植物，或在沟渠末端串联一小块湿地，建成生态型沟渠系统，增加沟渠对农田流失氮磷的拦截作用，减轻农田流失氮、磷养分对水体的污染，近年来在太湖治理中生态拦截型沟渠塘系统的运用得到了重视。杨林章等的试验结果表明[17]，生态拦截型沟渠通过工程设施和植物措施对沟壁、水体和沟底中养分的立体式拦截作用实现对农田流失氮磷的控制，对农田排水中氮磷的平均去除率达48.36%和40.53%。

四、结　论

农业非点源污染已成为当前影响水体环境质量的主要因子之一，但由于其产生和迁移过程的不确定性，使得农业非点源污染控制成为一项非常复杂的系统工程。切实提高对农业非点源污染的重视程度，加强政策层面的宏观指导和调控，对一些行之有效的具体控制技术进行集成示范和推广，是现阶段我国农业非点源污染控制的重要手段。

参考文献

[1] 李强坤，李怀恩，胡亚伟，等. 农业非点源污染田间模型及其应用［J］. 环境科学，2009, 30 (12)：3509 - 3513.

[2] USEPA. Guidelines for reviewing tmdls under existing regulations issued in 1992 [EB/OL] . http：//www. epa. gov/owow/tmdl/guidance/final52002. html/，2006 - 10 - 30.

[3] USEPA. Overview of current total maximum daily load - TMDL - Program and regulations [EB/OL] . http：//www. epa. gov/owow/tmdl/overviewfs. html/，2006 - 10 - 30.

[4] Santhi，C.，Arnold，J. G.，Williams，J. R. et al. Application of a watershed model to evaluate management effects on point and nonpoint source pollution [J] . Transactions of the American Society of Agricultural Engineers，2001，44 (6)：1559 - 1570.

[5] 曹丽萍，王晓燕，广新菊. 非点源污染控制管理政策及其研究进展［J］. 地理与地理信息科学，2004，20 (1)：90 - 94.

[6] 高超，张桃林. 欧洲国家控制农业养分污染水环境的管理措施［J］. 农村生态环境，1999，15 (2)：50 - 53.

[7] 钱少猛，蔺启忠，陈雪. 改进的混合像元分解法用于快速水污染遥感评价研究［J］. 地理与地理信息科学，2003，19 (2)：36 - 38.

[8] 贾继元，吴建军，张苗. 肥料结构对红壤氮素淋失的影响及防治措施［J］. 农机化研究，2005 (1)：56 - 58.

[9] 林超文，陈一兵，黄晶晶，等. 成都平原蔬菜生产中灌溉水对农药渗漏的影响研究［J］. 生态环境，2005，14 (5)：710 - 714.

[10] 刘萍萍，闫艳春. 微生物农药研究进展［J］. 山东农业科学，2005 (2)：78 - 80.

[11] 陈文英，毛致伟，沈万斌，等. 农业非点源污染环境影响及防治［J］. 北方环境，2005，30 (2)：43 - 45.

[12] 张小朋，李援农，江红梅. 未央区地下水污染问题及防治对策［J］. 西北农林科技大学学报（自然科学版），2004，32 (增刊)：137 - 138.

[13] 李强坤，孙娟，胡亚伟，等. 青铜峡灌区农业非点源污染控制措施及其效果分析［C］. 第三届全国农业环境科学学术研讨会，2009.

[14] L Phillips D. 农业耕作措施对非点源污染的影响［J］. 水土保持科技情报，1994 (3)：6 - 7.

[15] Pelerjohn W T，Correll D L. Nutrient dynamics in an agricultural watershed：Observations on the role of a riparian force [J] . Ecology，1984，65：1466 - 1475.

[16] 姜翠玲，崔广柏. 湿地对农业非点源污染的去除效应［J］. 农业环境保护，2002，21 (5)：471 - 473.

[17] 杨林章，周小平，王建国，等. 用于农田非点源污染控制的生态拦截型沟渠系统及其效果［J］. 生态学杂志，2005，24 (11)：1371 - 1374.

探析产业转移的环境动因——以微电子产业为例

曹丽君[1]　彭理达[1]　钟　钢[1]　王少平[2]

（1. 同济大学环境科学与工程学院　上海　200092；2. 上海市杨浦区环保局　上海　200093）

摘　要　本文以微电子产业为例，从定性的角度探讨了微电子产业转移的环境动因作用机理，结论有：在微电子产业生命周期的不同阶段，产业转移的主要环境动因不同；环境风险、资源消耗、环境污染是微电子产业转移的主要内在环境动因；环境管制的特征构成了微电子产业在转移国与承接国间的环境成本内部化梯度力。根据结论，为制定针对性强的环境管理政策，提供了理论上的依据。

关键词　产业转移　微电子产业　环境管制

一、国际产业转移及环境管制

国际产业转移已成为当今国际经济关系中的主要现象之一。它是指发生在国家之间的产业转移，既包括某些产业由某些国家或地区转移到另一些国家或地区的现象，也包括国际产业由于全球竞争在某些新兴国家成长的同时而在老产业基地关闭或消失的情况[1]。市场经济改革开放以来，我国开始逐步融入国际产业转移体系中。2004 年，流入中国的 FDI 为 606.3 亿美元，在全球 FDI 总流入量中所占的比重达到了 9.36%[1]。

国际产业转移起步于 19 世纪末 20 世纪初的资本输出，但国际产业转移大规模开展还是出现在第二次世界大战后。经济学中已经涌现了很多关于产业转移理论，主要有：雁行理论、边际产业转移理论、产品生命周期理论、国际生产折中理论、重合产业理论等[2-7]。但经济学理论并不是国际产业转移的充分必要条件，只是部分地解释了发达国家对外的直接投资动因，却无法解释发展中国家的对外投资。随着 20 世纪 60 年代公民环境意识的提升和公民环境运动的兴起，环境管制如何作用于产业转移，日益引发人们的关注。

环境因素构成了一国的资源禀赋，是产业发展的基础，影响着一国的竞争比较优势。微电子制造业有别于传统产业，被有意无意地标榜为现代“高新产业、清洁产业”的楷模，其潜在的环境问题被忽视了，因此，本文选取微电子产业作为研究对象，从环境角度来研究微电子产业转移现象，为制定针对性强的环境管理政策，提供参考价值。

二、微电子产业生命周期环境动因分析

微电子技术是指利用微细加工技术，基于固体物理、器件物理和电子学理论和方法，在半导体材料上实现微小型固体电子器件和集成电路的一门技术[8]。微电子产业产生于 20 世纪 60 年代，在产业发展的过去几十年中，以跨国企业为主导，经历了多次集群大转移。我国现已发展了比较完备的集成电路产业链，集中分布于长江三角洲、京津环渤海以及珠江三角洲地区，近年来又显现出向西部扩展的趋势，如国际著名半导体公司 Intel、Infineon 等纷纷落户成都、西安等[9]。

根据 Raymond Vernon 产品生命周期理论[10]，产业如同生命体一样，也要经历形成期、成长期、成熟期和衰退期。一国产业生命周期并不一定与国际产业生命周期同步，这种差异性正是产业在国际转移的表征现象。微电子产业的产业转移轨迹基本上是与各国的产业生命周期相吻合的，微电子产业处于成长期的国家和地区往往处于微电子产业转移的承接阶段（美国除外），而对于处于成熟期的国家，往往意味着其将成为新一轮产业转移国。

（一）微电子产业成长期的环境动因分析

考察过去各国微电子产业成长期的历史背景，发现一个普遍现象，微电子产业转移的环境动

因往往是来源于外部的环境因素。在美国微电子产业处于成长期的20世纪五六十年代，正是日本及欧洲国家承接美国纺织业、钢铁、化工等传统产业的时候，这种产业转移导致了产业转出国和转入国之间的贸易摩擦；而微电子的兴起，则使美国出现了一种可能以避免采用贸易保护主义带来的纠纷。更为重要的是，微电子产业在当时从各方面来说，都暗示着是未来的主导产业；工业革命中产生的钢铁、化工等行业的高污染，对环境的破坏作用日益加剧，发生在1930—1970年著名的世界八大公害，引发了人们对传统工业产业污染的关注，也引发了70年代严格的环境管制；从而加重资本的生产成本，致使资本出走和产业转移；在这一背景下，集成电路产业由于是新兴产业，从一产生开始就承载着“高科技”的光环，人们理所当然地认为集成电路产业也是绿色产业，这不仅在美国，在随后的微电子产业承接国的情况则是惊人的相似。

（二）微电子产业成熟期的环境动因分析

随着国内微电子产业向成熟期过渡，环境动因则向内因进化——微电子产业本身所带来的环境压力。成长期的微电子产业的发展，微电子技术深入渗透到社会的每个角落，传统产业纷纷在微电子技术的应用下进行自动化、信息化改造，而随着微电子产业生命周期向成熟期转变，这时候的传统产业信息化、自动化改造基本完成，从而使传统工业与依赖先进技术和研究的新工业之间的差别逐步消失[11]，日益取得与微电子产业本身同等的重要地位。同时，传统产业在微电子技术的作用下，能源、资源消耗以及污染产生向着更为绿色的方向发展；可是微电子产业本身这个曾经被标榜为“高科技、无污染”的形象被现实打破——能源、资源消耗以及污染产生远大于一般产业，更有甚者，长期对微电子制造业污染问题的认识不足，导致污染风险日积月累，最终终于暴露在公众面前，这种现象在过去的几次产业转移过程中都发生了重要的作用，无疑是微电子产业转移的直接导火索。

三、微电子产业转移的环境动因分析

微电子制造业本身的资源高消耗以及污染密集产生是其发生转移的主要内在环境动因。本节将从环境风险、资源消耗、环境污染三个方面阐述微电子产业转移的环境动因作用机理。

（一）环境风险动因分析

微电子制造所使用的大量化学品，大多被列入国家《危险化学品名录》，某典型5英寸IC工厂月产1万片时使用酸性试剂如氢氟酸等、碱性试剂如氨水等，以及有机溶剂如异丙醇等，在运输、储存、管理和使用过程中都具有一定的环境风险，可能给人体造成健康危害。

1981年，San Jose南部居民震惊地发现他们的饮用水受到三氯乙烷、氟利昂等化学品污染，矛头直指微电子业两大巨头——FairChild半导体与IBM公司。FairChild - IBM地下储罐数以万加仑计的有机溶剂，渗入土层以及地下含水层，受影响人群达65 000之众。

FairChild - IBM案对公司的冲击是明显的，并且迅速波及整个圣克拉拉谷，以及整个半导体产业。尽管并没有决定性的证据表明有机溶剂的泄漏是胎儿流产、先天性缺陷等疾病的直接诱因，但是却使半导体产业内部本身的环境风险第一次暴露给公众。泄漏事件发生以后，当地很快成立了环保联盟，迫使这些公司采取补救以及防治措施。当公众认识到这一产业的危害性的时候，甚至希望其直接迁移。在FairChild - IBM案中，两家公司不得不移除其泄漏储罐，还有数千立方米的受污染土壤，民事赔偿金额以千万美元计。FairChild - IBM案件的爆发进一步导致了当地以及加州对地下储罐更为严格的法律管制，这些法令随后还成为联邦管理条例。这些大大增加了企业的防治成本，公司在当地的利润空间被压缩。显然，产业转移的动力进一步加大。

（二）资源消耗动因分析

微电子产业属于高资源消耗产业，主要反映在水耗和能耗两方面。在微电子产业转移的初期，承接国由于微电子产业尚处于其生命周期的成长期，因而产量并不大，并没有对当地的资源供应系统形成多大的压力。而更为重要的是，由于当地政府在引进微电子产业之时总是把其描绘成低消耗产业，掩盖了其巨大资源消耗的事实。以下将以台湾新竹科学工业园为例，说明微电子产业转移的资源消耗动因。

台湾有关晶圆制造厂的资源使用统计资料显示，单片 6in. 晶圆的耗水量为 2t 左右，单片 6in. 晶圆耗电量高达 2.0 万 kW[12]。成长期的微电子产业，往往以动辄 50% 的惊人速度开创一个又一个的增长神话，而同时也造成越来越紧张的资源供应压力。

资源压力的增长，必然导致资源纠纷，并进一步恶性地加剧资源压力。竹科园区管理局于 2003 年 3 月 5 日成立“园区救灾紧急应变小组”[13]，但应变中心并不能完全解决供水问题，新竹地区爆发了多次争水事件，如 1993 年 3 月争水事件激起农业用水或工业用水之争辩，最终由水公司以“休耕额外补助款”补偿农民的损失[14]。电争方面，1999 年 9 月 21 日台湾中部发生大地震后，苗栗以北供电不足，台电灾后采取限电与供电措施，其背后是微电子产业用电与其他产业用电以及民生用电间相互博弈的过程[12]。

微电子产业巨大的资源消耗给当地的资源供应系统造成的压力很容易使微电子产业面临两种严峻后果——要么使当地政府沦为资源寻找工具，要么受到更为严格的资源政策管制；另外，微电子产业巨大的资源消耗很容易使得资源成为稀有品，从而不可避免地与其他产业以及民生形成竞争，这些纷争使得微电子企业的“和平”环境不复存在，最终落实到微电子企业的必然是资源消耗成本增加，加大其对微电子产业转移出去的作用力。

（三）环境污染动因分析

在集成电路制造、封装业中，使用消耗性原材料 362 种，其中有相当数量的高纯化剂、特种气体、封装材料及电镀液等。这些材料除部分形成有用反应物或集成电路实体物外，其他都会以不同方式形成废气、废液、废渣，具有排放量大、污染物杂、变化快的显著特点。

微电子产业存在着巨大的潜在环境污染问题，但是在产业转移过程中，环境管制政策却没有同步承接。各地在产业性的环境管制政策出台以前，实行的都是源自于传统产业污染的法令与政策。如废水管制中的指标为 pH、COD、BOD、SS；废气排放管制指标为 NO_x、SO_2、PM_{10} 等，而这些物质与半导体制造业的特征污染物如 VOC、有毒有机溶剂、HF、HCl 等相去甚远。各承接地区的微电子产业环境管制政策与法令的制定，都是在环境污染成为既成事实，造成公众影响之后才得以进行。在中国内地，大量承接各方的微电子产业转移始于 20 世纪 90 年代后期，张江园区则从 2000 年始，随后的产业环境压力和问题逐渐暴露，才开始实行专门的产业环境管制，如 2007 年上海开始实行《半导体行业污染物排放标准》。

另外，即使在环境管制建立以后，仍然存在管制滞后于污染的问题。微电子产业污染排放量大的特点决定了对某些污染物只进行浓度管制是不行的；污染物杂的特点表明如果要对所有污染的排放进行监测是一件十分浩大的工程，而处于产业承接阶段的各地区政府是没有动力去做这些监测的；而变化快的特点则表明许多潜在的环境风险需要更为详细的管制方案。内有大量污染产生，而外无环境管制，微电子产业环境污染的发生只是早晚的事，而环境污染产生的影响一般远超过污染本身，其产业转移就深受其影响，微电子产业本身的环境污染是其最终发生转移的最为重要的内部动因。

四、结　论

通过上述分析，在微电子产业生命周期的不同阶段，产业转移的环境动因是不同的。微电子本身带来的环境压力，即环境风险、资源消耗以及环境污染是微电子产业转移的主要内在环境动因。环境管制的特征是微电子产业转移的环境动因的制度因素来源，构成了微电子产业在转移国与承接国间的环境成本内部化梯度力。在早期，该地区/国的微电子产业处于生命周期的成长阶段时，环境管制比较落后，梯度力表现在承接母国与该地区间的产业转移；而随着该地区的产业成长，向产业周期成熟期进化，环境管制则渐趋严格，该地区的环境成本内部化越发充分，致使构成该地区与其他地区间的梯度力，形成新的一轮的产业转移。

参考文献

[1] 吕政．国际产业转移与中国制造业发展［M］．北京：经济管理出版社，2006：3－11.

[2]［日］赤松要．我国羊毛工业品的贸易趋势［J］．东京：商业经济论丛，1936（8）．

[3]［日］赤松要．我国产业发展的雁行形态［J］．东京：一桥论丛，1957（5）．

[4] Kojima，K. Direct Foreign Investment：A Japanese Model of Multinational Business Operations［M］．New York：Praeger，1978.

[5] Vernon，R. International investment and international trade in the product cycle［J］．Quarterly Journal of Economics，1966，80：190－227.

[6] Dunning，J. H. Global Capitalism，FDI and Competitiveness［M］．MA：Edward Elgar Publishing Limited，2002.

[7] 卢根鑫．国际产业转移论［M］．上海：上海人民出版社，1997.

[8] 郝跃，贾新章，吴玉广．微电子概论［M］．北京：高等教育出版社，2003.

[9] 俞忠钰．我国 IC 产业现状分析［J］．中国集成电路，2006（1）：1－8.

[10] 芮明杰．产业经济学［M］．上海：上海财经大学出版社，2005.

[11] 京特·弗里德里奇，亚当·沙夫．李宝恒，等译．微电子学与社会［M］．北京：生活·读书·新知三联书店，1982.

[12] 陈慧敏．解构竹科与高科技产业之环境神话［D］．台北：国立政治大学，2002.

[13] 新竹科学工业区管理局网站：http：//www. sipa. gov. tw/news/upload/920305. html，2003－03－05.

[14] 陈板．水问题与社区重建——新竹科学园区的污水事件［J］．竹堑文献，1998（7）：21－33.

中国节能环保汽车的发展状况和对策

于启武

（首都经济贸易大学工商管理学院）

摘　要　发展节能环保汽车是中国汽车业应对全球金融危机和实现汽车产业振兴的一项重要技术经济措施。为了提高中国汽车产业竞争力和满足日趋严格的环境保护要求，建议修订现行的中国环境标志汽车标准、汽车污染物排放限值标准和汽车燃料消耗量限值标准，制定《低碳汽车》标准。政府对符合上述标准的节能环保汽车给予一定补贴，对不符合上述标准的非节能环保汽车征收排污税，以扶持节能环保汽车的发展，促进低碳经济的实施。

关键词　环境标志汽车　低碳汽车　汽车标准

一、全球金融危机背景下中国汽车市场变化的启示

2008—2009年，中国汽车市场在全球经济危机的背景下，经过了明显的市场低落后迅速崛起，成为全球第一大汽车市场，令全世界瞩目。回顾这一段历史，有利于人们发现汽车产业发展的规律，探寻促进全球经济走向复苏的途径。

2008年下半年以来，受全球金融危机影响，中国国内汽车销售一路走低，全年汽车销量938.1万辆，低于年初行业所预计的1000万辆的目标。对汽车市场的低迷，人们普遍认为是由于金融危机导致消费者收入减少和购买力下降所致。但实际上，汽车销售量下降并不意味着汽车市场整体购买力下降，下降的只是不符合市场需求的高油耗汽车。如果汽车业能迅速调整产品结构，及时推出高质量、低油耗、低污染排放的汽车，政府对这类节能环保汽车出台鼓励措施，那么汽车的销售情况就会迅速回暖。中国汽车市场2008年第四季度和2009年全年的市场变化证实了上述观点的正确性，同时也向人们昭示了汽车产业走出经济危机和走向复苏的途径。

2009年，中国政府针对节能环保汽车出台了一系列鼓励措施。从1月1日起正式实施燃油税。从1月20日至12月31日，对1.6升及以下排量乘用车减半征收车辆购置税。2月17日，财政部、科技部、发改委、工业和信息化部在北京为13个节能与新能源汽车示范推广城市授牌，明确对节能与新能源汽车的财政补贴政策。长度10米以上的城市公交车为补贴重点，混合动力客车最高每辆补贴42万元，纯电动和燃料电池客车每辆分别补贴50万元和60万元；对乘用车和轻型商用车，混合动力车按混合程度和燃油经济性分为5级，最高每辆补贴5万元，纯电动车每辆补贴6万元，燃料电池车每辆补贴25万元。从2009年3月1日至12月31日，国家安排50亿元，对农民报废三轮汽车和低速货车换购轻型载货车以及购买1.3升以下排量的微型客车给予一次性财政补贴，鼓励汽车下乡。国务院颁发了汽车业振兴规划，实施积极的消费政策，稳定和扩大汽车消费需求，以结构调整为主线，推进企业联合重组，以新能源汽车为突破口，加强自主创新。2009—2011年，中央将安排100亿元专项资金，重点支持汽车技术创新、技术改造和新能源汽车及零部件的发展。

中国政府上述措施有力地促进了中国车市回暖。2009年3月以来，全国每月汽车销量一直保持在110万辆以上，见图1。“2009年，汽车产销1379.10万辆和1364.48万辆，同比增长48.30%和46.15%。乘用车产销1038.38万辆和1033.13万辆，同比增长54.11%和52.93%；商用车产销340.72万辆和331.35万辆，同比增长33.02%和28.39%”[1]。在2009年欧洲和北美地区汽车市场大幅下滑的情况下，中国汽车产销量以前所未有的高增长一举达到1370万辆，占全球汽车销量6500万辆的22.8%，成为全球第一大汽车市场。

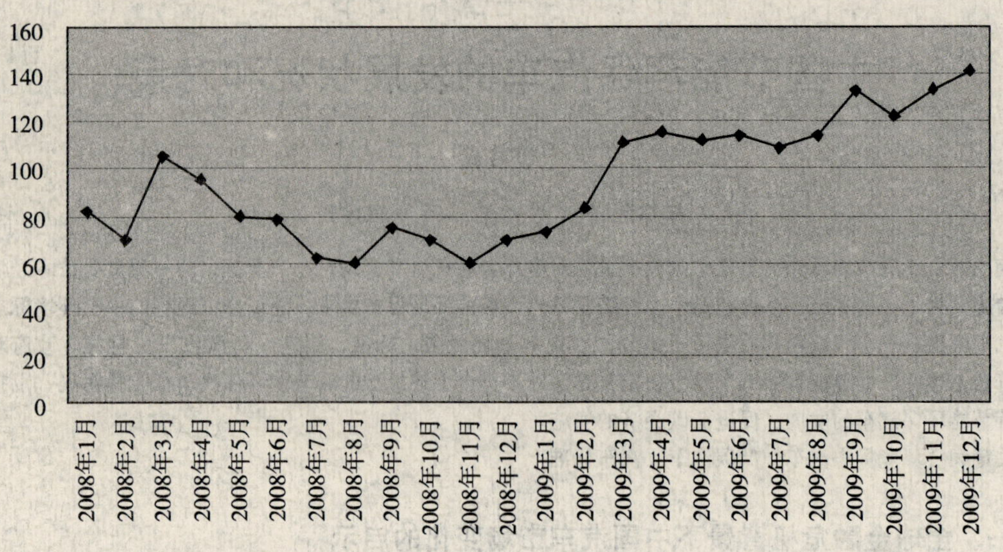

图1　2008年1月—2009年12月全国汽车销售情况（单位：万辆）

中国汽车市场自1998年以来的增长见图2。2009年中国汽车市场出现的井喷式增长绝不是偶然的。在国际上，经济危机引发了高质量、低油耗汽车替代高油耗、高污染汽车的市场变化；在国内，中国经济经过持续高速发展后，汽车开始走入千家万户，汽车普及意味着中国汽车市场面临未来5～10年内持续稳定增长的发展机遇。在这种情况下，中国政府审时度势推出了针对中国消费者的汽车产业刺激政策，其显著成效充分表明中国汽车产业政策对促进小排量经济型汽车发挥了强有力的影响。根据中国汽车工业协会的统计分析报告，“1.6升及以下乘用车购置税减半政策对汽车产销增长影响的力度最大，2009年该类车型销售为719.55万辆，同比增长71%，销售增长贡献度70%”[2]。

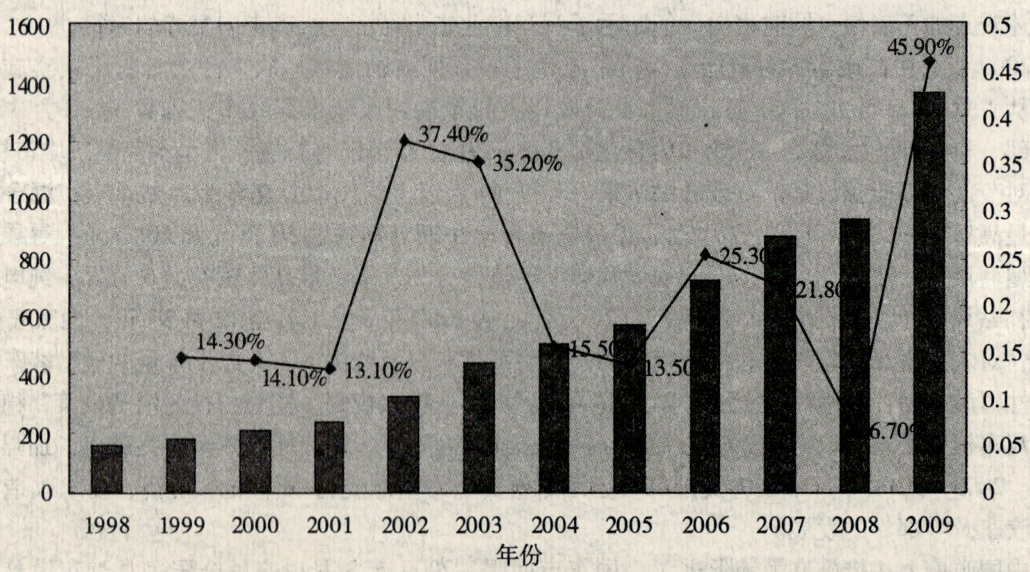

图2　1998—2009年中国汽车销售量及增长率（单位：万辆）

金融危机对全球汽车市场的影响是高质量、低油耗和低污染排放的汽车将取代高油耗和高排放的汽车，这是时代发展的趋势。但是，任何一家汽车企业都很难在短期内实现产品转型，新车型汽车开发设计、生产工艺和技术装备准备、巨额资金筹措等通常需要较长时间。市场的迅速变化并不给企业留出足够多的调整时间，这是市场对汽车企业发展战略的考验。只有那些把握住市场前景和技术发展趋势并做好充分准备的企业，才可能在这一场变化中脱颖而出。

什么是高质量、低油耗和低污染排放的汽车？任何一家汽车生产厂商对自己产品质量、油耗水平和污染物排放的自我说明都缺乏权威性。目前，只有按 ISO 14020 系列国际标准获得环境标志认证的汽车才能被汽车全行业和广大消费者公认为是高质量、低油耗和低污染排放的汽车。因此，大力发展环境标志汽车是中国汽车业应对全球金融危机和实现汽车产业振兴的一项重要技术经济措施。

二、中国环境标志汽车的发展状况

近年来，中国环境标志汽车迅速发展。2005 年全国获得汽车环境标志认证的生产企业只有 2 家，2008 年发展到 37 家，2009 年发展到 39 家，这些企业在各省市自治区的分布见图 3。其中，上海市环境标志汽车生产企业最多，有 6 家。从总体上看，获得环境标志汽车认证的生产企业约占全国汽车生产企业总数的 12%。但是，这些企业生产的汽车并不都是环境标志汽车，环境标志汽车在中国整个汽车产业中的比重还不大。然而，环境标志汽车已经得到了各大汽车生产企业的重视，其引领中国汽车发展的趋势已经开始显现。

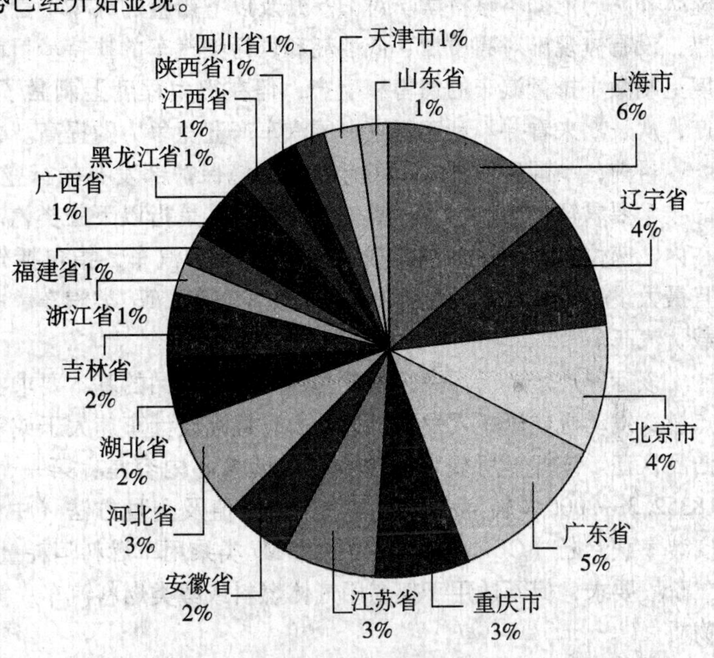

图 3 中国环境标志汽车生产企业在各省市自治区的分布

在环境标志汽车生产企业逐年增多的同时，各企业生产的环境标志汽车车型也迅速增多。中国环境标志汽车生产从 2005 年起步，2006 年环境标志汽车车型有 20 种左右，2007 年环境标志汽车车型迅速增加到 300 多种，2008 年环境标志汽车车型进一步增加到 500 多种，2009 年环境标志汽车车型累计达到 1000 多种。其中，1.6 升及以下排量的汽车车型约占所有环境标志汽车车型的三分之一。

北京市环境标志汽车生产企业和汽车车型的增长从一个侧面反映着中国环境标志汽车发展的状况。2006 年，北京只有北京现代汽车有限公司 1 家企业获得环境标志汽车认证，环境标志汽车车型有 18 个。2007 年，北京获得环境标志汽车认证的生产企业新增加了 2 家：北京奔驰—戴姆勒克莱斯勒汽车有限公司，环境标志汽车车型 10 种；北京汽车制造厂有限公司，环境标志汽车车型 4 种。2008 年，上述 3 家企业的环境标志汽车车型达到 41 种。2009 年，北京环境标志汽车生产企业发展到 4 家，新增加北汽福田车辆股份有限公司，环境标志汽车车型增加到 116 种。

北京汽车行业相关企业有 200 多家，其中整车制造企业 11 家，改装车企业 37 家，零部件企业及与汽车配套相关企业有 150 家。其中，核心企业有 4 家，即北京现代汽车有限公司、北京奔驰—戴姆勒克莱斯勒汽车有限公司、北汽福田车辆股份有限公司和北京汽车制造厂有限公司。目前，这 4 家企业都已经成为环境标志汽车生产企业。

三、购车优惠政策与促进节能环保汽车发展的问题

2010 年，中国延续了 2009 年年初推出的购车优惠政策，并作了部分调整，主要包括：对 1.6 升及以下排量乘用车由按 5% 征收车辆购置税调整为按 7.5% 征收；同时享受汽车以旧换新补贴，以旧换新单车补贴金额提高到 5000 元至 18000 元；节能与新能源汽车示范推广试点城市由 13 个扩大到 20 个；选择 5 个城市对私人购买节能与新能源汽车给予补贴试点；汽车下乡补贴政策继续延续一年。可以预测，上述政策对 2010 年中国汽车市场发展将发挥积极的促进作用，中国汽车市场将会出现持续平稳增长的态势。但是，上述政策在促进汽车产业调整和促进节能环保汽车发展方面作用不明显，特别是在促进环境标志汽车和新能源汽车销售和使用方面存在不够科学合理的地方。

例如，同是 1.6 升排量，但不同品牌型号汽车的油耗不同，污染物排放也不一样。某种质量好的 1.8 升排量的车，其油耗和污染物排放可能比某种 1.6 升排量的车还低，特别是当车辆使用一年以后，这种情况更为明显。也就是说，仅用 1.6 升排量这个指标作为减征车辆购置税和发放财政补贴的依据不够科学。对 1.6 升及以下排量的汽车不管质量好坏和环保特性高低一律给予优惠，没有体现出对高质量、低油耗和低污染汽车的扶持。目前这种政策可以在短时期内在一定程度上刺激小排量汽车的销售和生产，但在很大程度上刺激了低档的非节能环保汽车的销售和生产，从长期来看并不利于促进中国汽车产业竞争力的提高。

目前，中国环境标志汽车标准是环境保护部发布的行业标准 HJ/T 182—2005《环境标志产品技术要求轻型汽车》。所谓“轻型汽车”是指以下三类汽车：M_1 类汽车，指包括驾驶员座位在内，座位数不超过 9 座的载客汽车；M_2 类汽车，指包括驾驶员座位在内，座位数超过 9 座，且最大设计总质量不超过 5000kg 的载客汽车；N_1 类汽车，指最大设计总质量不超过 3500kg 的载货汽车。

该标准规定了低污染轻型汽车环境标志产品的基本要求、技术内容及其检验方法，适用于以点燃式发动机或压燃式发动机为动力，最大设计车速大于或等于 50km/h 的轻型汽车的环境标志产品认证。该标准所规定的技术要求的核心内容是：第一，汽车污染物排放符合国家标准 GB 18352.3—2005《轻型汽车污染物排放限值及测量方法（中国Ⅲ、Ⅳ阶段）》中第Ⅳ阶段要求，安装车载诊断（OBD）系统；第二，M_1 类乘用车燃料消耗量符合国家标准 GB 19578—2004 中第二阶段要求，但不适用于仅燃用气体燃料或醇类燃料汽车；第三，离合器片中不得含有石棉纤维物质[3,6]。

目前，中国的汽车燃料消耗量限值国家标准包括 GB 19578—2004《乘用车燃料消耗量限值》和 GB 20997—2007《轻型商用车燃料消耗量限值》。这两个标准所规定的技术要求的核心内容是：自 2008 年 1 月 1 日起，新乘用车应达到该燃料消耗量限值第二阶段的要求[4]；自 2009 年 1 月 1 日起，新轻型商用车应达到该燃料消耗量限值第一阶段的要求；自 2011 年 1 月 1 日起，新轻型商用车应达到该燃料消耗量限值第二阶段的要求[5]。这两个标准都是强制性标准，也就是说，不符合上述标准要求的汽车不能进入市场。

相对于迅速发展的汽车技术和日益严格的大气环境保护要求，特别是相对于建设低碳社会和发展低碳经济而言，上述标准的环境要求已经不能满足迅速发展的中国汽车产业技术进步要求、大气环境保护要求和降低能源消耗要求。“目前，中国人均汽车拥有量仅为世界水平的 1/3，但年耗油量已接近全国成品油总量的 60%。专家指出，按照目前的增长速度和油耗水平，我国汽车在 2020 年时，年耗油量将突破 2.5 亿吨。中国各大中型城市汽车尾气排放造成的空气污染已占到 50% 左右。大部分大中型城市一氧化碳、氮氧化物浓度超标[7]。”因此，应对目前的汽车技术经济政策进行调整，鼓励高质量、节能环保汽车的消费和生产，大力推广使用环境标志汽车，

积极倡导开发和使用低碳汽车；同时，对燃油经济性差和污染排放量大的汽车，包括1.6升及以下排量的乘用车，在一定程度上对其生产和使用进行限制，并对其浪费能源和污染环境的后果适当收取补偿费用。

四、促进中国节能环保汽车发展的对策

中国政府的汽车产业发展政策应从目前刺激1.6升及以下小排量乘用车调整为刺激节能环保汽车，重点包括两方面：第一，制定节能环保汽车相关标准；第二，实施促进节能环保汽车发展的财政税收政策和其他技术经济措施。

（一）制定和修订节能环保汽车相关标准

1. 制定和实施有区别的强制性汽车污染物排放限值标准和统一的燃料消耗量限值标准。北京、上海等特大城市应实施最严格的汽车污染物排放限值标准，大中型城市和东部地区应实施较严格的汽车污染物排放限值标准，西部地区应实施普通的汽车污染物排放标准。全国实施统一的汽车燃料消耗量限值标准。新车不能达到各省、直辖市、自治区规定的污染物排放限值要求的，不能在相关地区销售；在用车不能达到各地区规定的污染物排放限值要求的，不能通过年检；新车不符合燃料消耗量限值要求的，禁止进口、生产、销售和使用。

2. 修订环境保护行业标准HJ/T 182—2005《环境标志产品技术要求轻型汽车》，适当提高"中国环境标志汽车"的污染物排放限值要求和燃料消耗量限值要求，确保"中国环境标志汽车"的先进性。

3. 修订国家标准GB 19578—2004《乘用车燃料消耗量限值》。一方面规定用于市场准入的乘用车燃料消耗量限值，不符合该限值要求的乘用车不得进口、生产、销售、使用；另一方面还应规定节能乘用车的燃料消耗量限值以及能效等级，凡是符合该燃料消耗量限值要求的，属于"节能汽车"。不同等级的"节能汽车"燃料消耗量限值为制定和实施"节能汽车"优惠措施提供科学依据。

4. 修订国家标准GB 18352.3—2005《轻型汽车污染物排放限值及测量方法（中国Ⅲ、Ⅳ阶段)》。一方面规定用于市场准入的轻型汽车污染物排放限值，不符合该限制要求的轻型汽车不得进口、生产、销售、使用；另一方面还应规定低污染物排放轻型汽车的污染物排放限值，凡是符合该限制要求的，属于"低污染汽车"。"低污染汽车"的污染物排放限值为制定和实施"低污染汽车"优惠措施提供科学依据。

5. 制定《低碳汽车》标准。"有数据表明，一辆燃油车年平均耗油两吨，每年排出的二氧化碳大约为5 000kg，同时产生其他大量有害气体。""根据国际气候组织提供的研究数据，使用全混合动力的汽车可削减56%的耗油量，电动汽车的削减量则达到了50%～100%；而同一汽车使用改进的压缩天然气、改进的汽油和改进的柴油只能分别削减51%、50%、41%的耗油量"[7]。《低碳汽车》标准应规定"低碳汽车"的质量安全要求和能源环境要求，以及相应的检测方法。例如，低碳电动汽车的质量要求包括最高时速限值、一次充电后行驶里程限值，充电电池的电压、电池容量、规格尺寸、接口等；低碳电动汽车的能源和环境要求包括单位行驶里程碳排放量限值，单位行驶里程能源消耗量限值和污染物排放限值等。

上述标准将形成一套完整的节能环保汽车标准体系，为促进发展节能环保汽车提供科学依据。有区别的强制性汽车污染物排放限值标准和统一的燃料消耗量限值标准将成为中国各地区汽车市场的准入条件，有利于加快淘汰高耗能和高污染的汽车；"中国环境标志汽车"标准将有力地促进中国大中型城市和东部发达地区汽车节能减排；《低碳汽车》标准将促进中国汽车产业技术创新和提高竞争力，引领中国汽车产业走上低碳之路。

（二）制定和实施促进节能环保汽车发展的技术经济措施

1. 完善现行的购车减税和财政补贴政策

目前中国购车优惠政策的主要内容是：对 1.6 升及以下排量乘用车减按 7.5% 征收车辆购置税；对新能源汽车，按纯电动车、燃料电池车、混合动力车这三类分别进行补贴，其中对混合动力车按混合程度和燃油经济性分为 5 级进行补贴。显然，这些优惠措施是针对汽车减少燃油消耗的节能减税和补贴。

鉴于目前中国 1.6 升及以下排量乘用车质量参差不齐，某些 1.6 升以上排量乘用车比某些 1.6 升及以下排量乘用车的燃油消耗量还少，建议以修订后的国家标准 GB 19578—2004《乘用车燃料消耗量限值》为依据，凡是符合 1.6 升及以下排量"节能汽车"燃料消耗量限值要求的，无论实际上是 1.6 升以下或是 1.6 升以上排量的汽车，都给予车辆购置税减税优惠；凡是事实上不符合 1.6 升及以下排量"节能汽车"燃料消耗量限值要求的，尽管事实上是 1.6 升及以下排量的汽车，也不给予车辆购置税减税优惠。通过措施，切实体现出对高质量"节能汽车"的扶持，倡导引领国内"节能汽车"发展的新潮流。

2. 制定和实施有区别的汽车排污税政策

2010 年 1 月，北京市政府相关主管部门负责人向媒体透露，"国家已经开始着手研究机动车环境税费改革的问题。""一旦实施，北京的机动车车主也要为尾气排放埋单。机动车的环境税在征收时，车主将按照机动车不同的污染排放量情况，缴纳不同的税费。购买高排量汽车的车主，肯定会比购买低排量机动车的车主缴纳更多的机动车环境税，类似于车辆征收购置税"[8]。

对汽车征收排污税的根本目的是鼓励人们使用污染物排放少的汽车。如果征收汽车排污税也向征收车辆购置税一样，仅对 1.6 升及以下排量车实行税收优惠，显然对 1.6 升以上排量的高档车不公平，因为目前路上行驶的许多 1.6 升以上排量高档车的尾气污染物排放和行驶噪声排放要比 1.6 升及以下排量车的排放少。

鉴于目前中国轻型汽车污染物排放情况比较复杂，建议以修订后的国家标准 GB 18352.3—2005《轻型汽车污染物排放限值及测量方法（中国Ⅲ、Ⅳ阶段）》为依据，凡是不符合污染物排放限值基本要求的，不得进口、生产、销售、使用；凡是符合污染物排放限值基本要求，但不符合"低排放汽车"排放限值要求的，无论是 1.6 升以下或 1.6 升以上排量的汽车，都按照污染物排放实测值分档，再按年行驶里程计算征收车辆排污税；凡是符合"低污染汽车"排放限值要求的，无论是 1.6 升以下或 1.6 升以上排量的汽车，都按照"低污染汽车"污染物排放等级减免车辆排污税。通过上述措施，鼓励"低污染汽车"的使用和生产。

对北京、上海等特大城市，鼓励制定比国家标准 GB 18352.3—2005《轻型汽车污染物排放限值及测量方法（中国Ⅲ、Ⅳ阶段）》更为严格的轻型汽车污染物排放限值地方标准。这些地方标准应与国际先进标准接轨，在国内领先。通过这些标准，规定这些城市的汽车准入要求，以及车辆排污税的减免措施。

3. 对节能减排性能优越的"低碳汽车"实施"低碳汽车"标志制度

《低碳汽车》标准规定的能源消耗和污染排放要求是普通燃油汽车在目前技术水平下达不到的。只有那些在质量特性、安全特性、能源消耗和污染物排放等方面都符合要求的新能源汽车，才能成为"低碳汽车"。

对符合要求的"低碳汽车"，国家应实施"低碳汽车"标志制度，即按照 ISO 14020 系列环境标志国际标准要求，按照国家相关合格评定的法规规定，由企业自我申报，由第三方合格评定机构进行合格评定，对符合要求的汽车授予"低碳汽车"标志。

4. 对"低碳汽车"给予多项减税、财政补贴和其他优惠政策

（1）对"低碳汽车"免征车辆购置税，同时给予国家和地方二级财政补贴。目前，中国国

内有5个试点城市对私人购买节能与新能源汽车给予补贴。在此基础上，应尽快把这种政策扩大到国内主要大城市。随着“低碳汽车”标志制度的实施，应进一步把目前这5个试点城市中对私人购买节能与新能源汽车给予补贴的政策转变为对“低碳汽车”的补贴。“低碳汽车”补贴分别由国家财政和地方财政二级实施。国家鼓励对能源消耗和污染排放要求严格的省、直辖市和自治区在国家补贴的基础上再次给予不同的地方财政补贴。

（2）制定和实施对“低碳汽车”免收停车费和过路费、过桥费的优惠政策。“低碳汽车”的环保性能十分优越，但是价格昂贵制约了这类汽车的推广使用。为了鼓励开发、生产和使用这类汽车，北京、上海等特大城市应在国家财政补贴的基础上，进一步出台地方鼓励措施。从国外经验看，美国除了分别制定对纯电动（BEVs）汽车、燃油电动汽车（FCEVs）、混合电动汽车（HEVs）规定不同的税收优惠外，美国政府还设立了联邦政府车队购车专项款，专门用来购买电动汽车，并给予电动汽车在城市市区内停车的便利，对电动汽车免收停车费，通过收费高速公路和大桥时免收过路费和过桥费。根据国外的经验，北京、上海等地方政府可以考虑制定相关政策，根据“低碳汽车”目录（目前可根据新能源汽车目录），对“低碳汽车”（目前可以是新能源汽车）实行免收停车场停车费、收费高速公路过路费和收费大桥过桥费的优惠政策。

（3）把“低碳汽车”（目前是新能源汽车）和“中国环境标志汽车”列入政府采购目录，各级政府机构、国有企事业单位优先采购“低碳汽车”（目前是新能源汽车）和“中国环境标志汽车”作为公务用车，为全国人民作出表率。

参考文献

[1] 中国汽车工业协会行业信息部.2009年12月汽车工业产销情况简析［EB/OL］.2010-01-14. http：//www. caam. org. cn/zhengche/20100114/1405034499. html.

[2] 中国汽车工业协会行业信息部.2009年汽车产销及经济运行情况信息发布稿［EB/OL］.2010-01-11. http：//www. auto-stats. org. cn/ReadArticle. asp？NewsID=6234.

[3] 环境保护部标准 HJ/T 182—2005，环境标志产品技术要求轻型汽车［S］.

[4] 国家标准 GB 19578—2004，乘用车燃料消耗量限值［S］.

[5] 国家标准 GB 20997—2007，轻型商用车燃料消耗量限值［S］.

[6] 国家标准 GB 18352.3—2005，轻型汽车污染物排放限值及测量方法（中国Ⅲ、Ⅳ阶段）.

[7] 张海燕.中国汽车业需走出一条低碳之路［N］.中国质量报，2008-04-24（6）.

[8] 李立强.机动车将征收环境税排量越大缴税越多［N］.新京报，2010-01-27. 搜孤汽车网 http：//www. auto. sohu. com/20100127/n269848776. shtml.

对发展报废汽车资源化产业的思考
——以德国梅塞德斯－奔驰汽车拆解中心调查为例

毛 欣 商 博

（山东环境监测中心站 山东 济南 250013）

摘 要 通过对梅塞德斯－奔驰汽车拆解中心的调查和德国报废汽车处理技术和管理体系的研究，结合我国的实际情况和当前存在的突出问题，提出了政策引导、完善监管、利用好经济和环境杠杆等建议。

关键词 汽车 拆解 调查 思考

一、引 言

作为世界汽车大国的德国，2008 年汽车产量 605 万辆，目前汽车保有量为 4660 万辆。是较早实行报废汽车回收利用的国家之一，有报废汽车拆解企业 4000 多家，已经建立了比较完整的法律法规、拆解回用技术和管理体系。德国梅塞德斯－奔驰汽车拆解中心已有 10 多年的历史，是德国第一家由汽车制造商成立的用于本品牌的汽车拆解中心，拥有 2.1 万 m^2 的拆解场地，每年拆解 2000 多辆报废汽车，销售的报废汽车拆解后的零部件包括 1980 年以来生产的所有型号汽车，种类达 30 多万件。

随着我国经济的快速持续发展，已提前进入汽车消费时代，汽车市场需求爆发式膨胀。据中国汽车工业协会统计[1]，我国 2009 年累计生产汽车 1379.10 万辆，销售 1364.48 万辆，产销量居世界第一；汽车保有量高达 6962 万辆，报废汽车数量亦同比增长。2009 年商务部估计为 270 万辆，据测算[2]可回收的废钢铁 648 万吨和有色金属 12 万吨，报废汽车的回收利用年产值达 300 亿元以上，但回收利用环节所带来的环境污染和资源浪费等问题也开始凸显。迫切需要借鉴发达国家成功经验，研究制定和完善符合国情的报废汽车拆解回收利用管理与安全环保、资源再生相适应的政策制度，引领我国报废汽车资源化产业发展，对于发展循环经济、延伸汽车工业产业链实现可持续发展、构建资源节约和环境友好“两型”社会具有不容忽视的地位和作用。

二、德国报废汽车拆解回用技术和管理体系框架与特点

德国对报废汽车的拆解、回收利用等先后制定了相关的法律、法规、技术标准等，对其行为进行了规范，并创造出了巨大的社会和经济效益。

（一）拆解回用技术体系流程

报废汽车拆解主要分状况及性能检测、“脱干”处理、拆解、无害化处置、分类管理、压扁等步骤。

1. 状况及性能检测

报废汽车在拆解前经过专业的设备检测，包括发动机性能、变速器、车轴、传动轴、启动机、发电机、动力转向泵、轮胎、轮毂、电子器件和内饰等，检测部件共达 100 多个。对汽车的同步性和离合器的性能也进行检测诊断，还有技术部件如车窗玻璃升降器、天窗、车灯、燃料泵和座位调节装置等。通过规范化的测试方法，确定各自部件的质量水平，梅塞德斯－奔驰汽车拆解中心为报废汽车制定了 A、B、C 三类质量级别，根据质量级别的不同提出拆解具体的建议。

2. “脱干”处理

报废汽车被检测完毕，进入“脱干”处理，即抽走车内动力油、冷却液、机油、制冷剂等

液体及各类油脂。在这之前首先拆除轮胎，这个过程始终保持在一个密闭的系统内，防止对周围环境造成污染。工艺流程见图1。

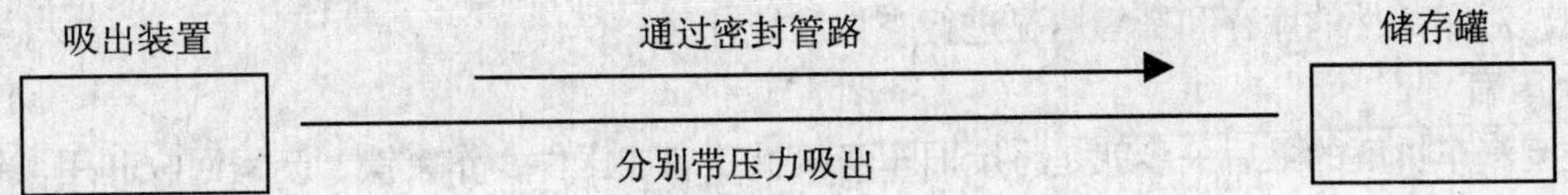

图1　液体及油抽取原理

车内液体及各类油的抽取效率的高低，主要取决于外界的温度和压力[3]。根据物理特性，控制外界的温度，对车内油类等的抽取有大的帮助，因为发动机油、变速器油和制动油等对黏稠度和温度有很大的依赖，很低的外界温度，抽取的时间会增加。另一方面也会使残留在车内剩余油量增加。适当控制外界较高温度，才能更好地将车内的剩余的液体和油类排除干净，有效地提高收集的效率。

3. 拆解

被拆解的汽车分为报废汽车和发生过车祸的汽车、用于测试的本品牌新车型和新流水线的产品两类。第一类汽车，将需要的部件拆除用于销售，其他的部件拆除后进行处理或者回收再利用；第二类汽车将所有部件全部拆除。报废汽车根据检测提供拆解方案，按发动机、底盘、车身、电气系统等利用电动和手动工具进行拆解。

4. 无害化处置

鉴于报废汽车有蓄电池、废机油和化工产品等危险废物以及不可分解的塑料件等，若不经处置任意外排，将会对环境造成极大的污染。因此对可用作原材料利用的部件和可修复或再制造对外销售零部件中含毒部件、催化剂等进行无害化处置。比如尾气处理器、蓄电池和轮胎，这些配件虽然可以直接使用，但必须进行无害化处置方可销售；对于车载的电器等部件按照电子产品安全的相关法律，送由专业人员来处理；对一些只存在物理反应的部件，如安全带拉紧器和安全气囊可送交事先签约生产企业进行无害化处理。

各类危险废物的处置必须送由签约的废物回收利用企业进行无害化处理再利用。如被分类收集的液体和油类必须进行特殊的无害化处理，将它直接送到签约的专业废油处理公司。该类物质的回用基本上是通过蒸馏、酯化、分离等步骤进行处理的。见图2。

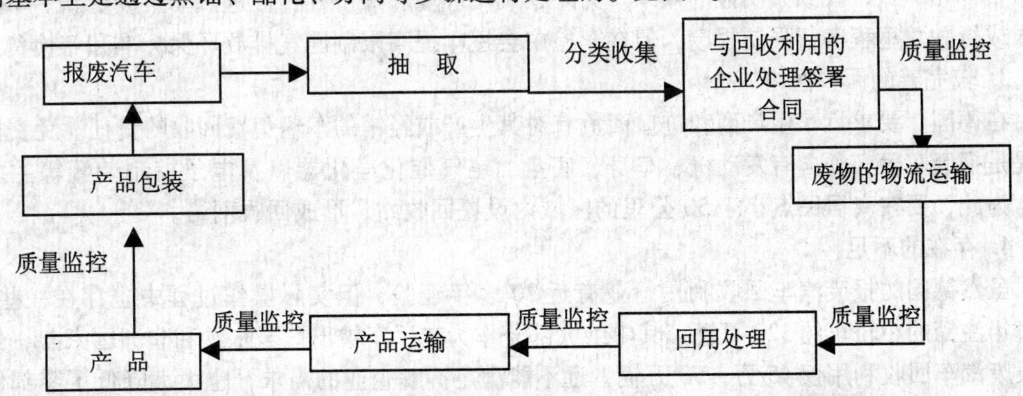

图2　油类回用处理的示意图

5. 分类管理

可作为原材料的废物回用和危险废物的无害化处理必须进行分类管理，如储藏危险废物的储藏箱大小和是否带储藏盖、储存湿度、签约方的回收周期等。所有的部件首先本着回收利用的目的，对其进行分类收集，同时进行必要的测试，检测合格或经修理合格的零部件直接注册登记，相关信息录入零部件销售管理系统后存入仓库。报废汽车的数据信息和零部件信息都分别被输入两个管理系统程序，经过授权以后都可以通过管理程序软件对报废汽车拆解的各个环节进行监督和观测，对零部件的库存和销售情况进行查询和统计。

6. 压扁

报废汽车拆解的最后一步就是将废旧车身机械压扁成压件，作废铁、废钢回收利用。钢铁等金属在汽车制造材料中所占比例达 80% 左右，主要包括钢板、结构钢、铸铁、铝及其合金、铜及其合金、锌、铅等。

（二）拆解回用管理体系框架

1. 法律法规

欧盟成员国家进行报废汽车拆解管理的框架是按照是 2000 年 9 月 18 日制定并实施的《报废汽车指令》（EG – Richtlinie 2000/53）来执行的，目的在于对日益增加的报废汽车进行有效的管理，以减少对环境的污染。成员国可以根据各自国家的具体情况制定更加详细的法律法规。德国按照欧盟指令的框架修订了《报废汽车处理法规》，并于 2002 年 6 月颁布实施，该法规中对从事报废汽车拆解企业的资质认证和回收利用率等方面做了明确规定。

欧盟在 1997 年 7 月共同签署制定实施的《报废汽车的管理条例》（AAVO）是指导性法律的组成部分。要求签署成员国必须保证：最迟从 2006 年 1 月 1 日起被淘汰的报废汽车的回收和再利用平均净重量不小于总重量的 85%，可回用部件的回收和再利用率不小于总重量的 80%；最迟从 2015 年 1 月 1 日起，报废汽车回收和再利用率不小于总重量的 95%，可回用部件的回收和再利用率不小于总重量的 85%。

如梅塞德斯 – 奔驰汽车拆解中心早在 2004 年报废汽车的回用处理率就达到了总重量的 84%，其中 30% 的零部件被二次利用。2006 年德国报废车辆的回收利用率为 86.8%。

2. 激励性财税政策

德国已不对旧车回收站和拆解厂提供财政补贴，企业收入来源主要是旧车车主和生产商支付的费用以及出售拆解后的零部件及废钢废铁所得。2009 年为应对金融经济危机，德国出台了“以旧换新”购车环保补贴政策。主要是对本国公民报废 9 年以上旧车并购买符合欧 4 排放标准的环保型新车提供一次性 2500 欧元的补贴。使汽车销量大幅上升，引导德国汽车消费与政府的减排目标相一致，收到了明显的效果。另外，利用环境和经济杠杆促进汽车报废更新。不按车辆年限或行驶总里程实行强制报废，但在车检中会逐年提高限制尾气排放环保标准和年检费用。

3. 较完善的回收网络

在德国，要求汽车生产商和进口商负有对其生产或经销的车辆免费回收的责任。免费回收的前提是报废车辆必须含有发动机、车身、底盘、尾气催化净化器以及电子控制装置等主要零部件。为此，要在离居民点小于 50 公里的区域内设置回收站，形成回收网络。

4. 存在的不足

虽然德国的报废汽车回收利用行业有近 20 多年经验，但实际操作过程中也存在一些问题。如每年注销的小轿车约 320 万辆，其中绝大部分作为二手车被出口至东欧和非洲国家[4]，每年实际报废汽车回收利用仅 45 万 ~ 50 万辆，远不能满足拆解企业的需求，也大大降低了零部件的回用效率。

三、对我国报废汽车资源化产业发展的建议

近年来，我国在报废汽车资源化产业方面积极探索，建立了一套有中国特色的报废汽车产品回收制度。2001 年我国颁布了《报废汽车回收管理办法》；2005 年颁布了《汽车贸易政策》；2006 年制定了《汽车产品回收利用技术政策》；2007 年制定了《报废机动车拆解环境保护技术

规范》；2008 年制定了《报废汽车回收拆解企业技术规范》。这些政策法规确立了我国报废汽车拆解回收的基本框架，基本明确了管理部门、生产企业、拆解企业的义务和责任。

但由于现阶段报废汽车回收行业科技投入少、设施设备落后、拆解手段原始、有害物质处理不当、污染和资源浪费较严重等，目前仍然存在回收率低、再利用率低、环保水平低[5]和拆解技术水平低[6,7]等主要问题。因此需要进行提升，为此提出以下建议。

（一）坚持政府政策引导

在国内报废汽车资源化产业规模小、盈利空间较窄、利润较低且前期设备等投入较大的发展初期，主管部门应积极研究修订报废汽车回收利用的相关标准和优惠政策，一方面规范企业形象，在软、硬件上按高起点、高标准要求，完善报废汽车拆解企业准入制度，引入“绿色”拆解理念；另一方面落实政府的优惠政策，拨付专项资金推进企业升级改造，搭建二手车及零部件市场销售渠道，为拆解企业创造盈利空间，及时协调和解决行业发展中存在的问题。

（二）完善环保审批和监管

环保主管部门要把好报废汽车回收处理行业（主要是拆解企业及粉碎企业）的环保准入关，制定颁布报废汽车的废弃物处置的政策规定及具体标准，认真组织项目的“三同时”验收工作，加强对报废汽车回收利用企业的监督；尤其是对含有镉、汞、铅等重金属的汽车零部件的无害化收集和分类处理，以确保对环境不产生危害，做到既实现资源的循环使用又安全环保。

强化主管部门的行政处罚职能，打击取缔非法报废汽车回收拆解市场和经营，查处伪造、变造《报废汽车回收证明》的违法犯罪行为，维护良好市场秩序，形成权责统一、职责明确、分工负责的监管体制。

（三）充分利用好经济和环境技术杠杆

可以充分利用环境和经济杠杆促进汽车报废更新，解决报废汽车回收率低问题。如逐年加强机动车年检环保标准（尾气排放标准），未达标者不予通过；逐年增加使用年限长的车辆的年检、保险、维修费用；加大对驾驶已达到报废标准汽车上路行驶的违法行为的处罚力度；完善财税政策，扩大汽车购买“以旧换新”政策，加快老旧汽车报废更新速度。

应在《汽车产品回收利用技术政策》的基础上，研究出台汽车部件回用补偿奖励机制，明确汽车制造（进口、销售）商和处理商的关于报废汽车回收和拆解回用义务和责任，运用经济手段和政策相结合的手段提高再利用率，解决报废汽车再利用率低的问题。

运用财政补贴政策；激励汽车制造（进口、销售）商和处理商采用市场经济手段成立地区性的汽车危险废物处理中心和健全回收网点，解决就近回收拆解和就近监管的问题，防止非法企业对报废汽车的不规范处理，有效解决汽车拆解过程中产生的不能二次利用有毒有害废物；开展报废汽车拆解企业环境管理体系认证，接受政府、公众和各相关方的监督，提高环保意识和技术水平。

汽车生产商积极开展清洁生产，协助报废汽车拆解企业开展拆解设备、工具和技术的研发，同时引进国外先进拆解技术和设备，提高拆解技术水平，使汽车回收利用率指标得到提高。

参考文献

[1] 国家工业和信息化部. 2009 年汽车工业经济运行报告［R］. 2010.

[2] 沈永峰，等. 中国废旧汽车回收产业的现状与前景分析［J］. 汽车配件，2009，41：33－35.

[3] Beschreibung des Stand der Technik bei der Vorbehandlung，insbesondere der Trockenlegung von Altautos gem? Al-tautoV，tec4U Ingenieurgesellschaft mbH，2002.

[4] 商务部驻德国经商参处. 德国汽车报废管理制度［N］. 国际商报，2007－02－26（D02）.

[5] 钱卫东，等. 我国报废车回收拆卸业存在的问题及对策［J］. 交通企业管理，2009，1：28－29.

[6] 蔡勇. 我国报废汽车回收利用现状及对策建议［J］. 中国资源综合利用，2009，2：6－7.

[7] 刘彬霞. 我国报废车回收拆卸业现状及应对策略研究［J］. 汽车与配件，2008，49：43－45.

中国碳交易市场的不确定性与约束条件分析框架

廖　玫　杨铧铧　刘会政

（中国碳交易市场研究课题组①
北京工业大学经济与管理学院能源经济研究基地
北京朝阳区平乐园100号　100124）

摘　要　处在发展中的中国的碳交易市场存在着技术上的不确定性和在市场体系和结构上的条件约束。同时如何界定和定量评价环境资源要素在经济活动中的社会和经济成本也是经营决策者、政府和国际经济组织所面临的理论难题。作者通过借鉴国内外的最新研究成果，提出从产业组织的价值创造过程入手，将环境污染问题纳入企业的投资回报测量范畴，把社会环境回报纳入投资成本核算体系，建立污染排放的产权基础，为解决未来碳交易市场的技术和市场所面临的不确定性和约束条件提供分析框架。

处在发展中的中国的碳交易市场存在着技术上的不确定性和在市场体系和结构上的条件约束，以及作为市场决策者的政府和国际经济组织所面临的如何界定和定量评价环境资源要素在经济活动中的社会和经济成本的理论难题。作者通过学习对国内外的最新研究成果，提出从产业组织的价值创造过程入手，将环境污染问题纳入企业的投资回报测量范畴，把企业的社会环境回报纳入投资成本核算体系，建立污染排放的产权基础，为解决未来碳交易市场的技术和市场所面临的不确定性和约束条件提供分析框架。

一、碳交易市场的不确定性与约束条件

碳交易市场，又称碳排放市场或碳市场，是指在联合国1997年通过的《京都议定书》框架下建立起来的以温室气体排放量为交易标的物的市场交易体系。从经济学的角度分析，在结构上，碳交易市场的主要载体是排放权市场、技术市场、资金市场和信息市场。在市场运行上，是在《京都议定书》规定的三个交易机制下，即国际排放贸易机制（ET）、联合履行机制（JI）和清洁发展机制（CDM），以有限制的供求、价格和竞争等市场手段建立起来的交易体系。这一市场不是一个完全开放的动态系统，价值规律的作用方式受制于制度和政策环境，而其市场规则，包括监管和调控系统已经基本具备，但还处在完善和发展之中。

中国目前还没有形成完整的碳交易市场，所开展的碳交易项目是建立在国际碳交易市场体系的清洁发展机制基础上。根据联合国环境规划署Risoe中心的数据，2007年中国通过清洁发展机制所进行的排放交易量已经占据了世界全部交易量的63%，成为目前世界上第一大清洁发展机制排放项目交易国。虽然中国目前无需承担减排义务，但随着《京都议定书》第一阶段承诺期即将在2012年结束，围绕第二阶段的减排承诺谈判即将展开，中国面临着建立碳交易市场的客观不确定性和市场机制的约束性挑战。

首先，虽然《京都议定书》的目标是通过灵活的合作机制实现与一般商品市场相当的市场效率，但由于进行交易的“经核证的减排量”（CER）所产生的信用额度是依据对该项目“正常情况下”排放量的推断得出的基线，这就可能由于客观或人为的环境技术评价差异使基线确定产生不确定性或带有“水分”；其次，由于碳信用在初级交易市场上是一种期权交易，而且项目

① 本课题为2010年教育部人文社科项目。

执行在中国，交易在外国，在市场信息和监管机制等条件约束下，CER 的交易价格具有很大的溢价空间。据世界银行 2007 年的一项研究报告显示，CER 可以两倍于初级市场的价格进行交易，这就给碳交易市场带来很大的商业风险。最后，尽管《联合国气候变化框架公约》要求与世界贸易组织规则兼容，但由于《京都议定书》的交易机制是建立在共同但有差别责任原则基础上，与世界贸易组织的普惠制相冲突，在贸易补贴、能源效率标准、生态标识、政府采购和关税等方面都存在潜在的贸易冲突。

二、分析不确定性的理论和实际应用价值

由于碳交易市场在技术上所存在的不确定性和在市场体系和结构上的条件约束，作为市场决策者的政府和国际经济组织所面临的理论难题是如何界定和定量评价环境资源要素在经济活动中的社会和经济成本，解决了这个问题，也就相应解决了在市场结构约束下的国际经济组织、政府与企业的关系问题。

按照经济学的解释，污染所带来的社会成本是经济活动的负外部经济结果。对于污染物排放量的控制是根据污染成本和治理成本之和曲线的最低点而设定。这就意味着企业不必为其所造成的污染支付所有的社会成本。不论是科斯的产权观点，还是庇古的税收理论，都是依靠政府采取管制措施将这种负外部经济内部化，然而这样做的结果往往是将成本最终转嫁给消费者。

对此，本课题研究的理论基础是产业组织的价值创造过程包括企业的私人经济利益回报和社会环境回报。从理论体系上将环境污染问题纳入企业的投资成本核算体系，修正以私人回报为导向的外部经济理论。其应用意义在于通过构建企业投资回报的二元体系，将企业的排污行为从理论上纳入价值创造过程，将企业的社会责任内化为资本投入成本，并以此作为评定环境污染的成本标准，为评价碳交易项目的环境成效、成本效益、分配效果（包括公平性）和体制上的可行性提供理论依据和决策路径，也为中国参与国际碳排放权交易谈判提供理论依据。

三、目前国内外研究的现状和趋势

本课题所涉及的研究内容包括在对碳排放交易权的定价问题上有关投资回报的构成问题和相关碳交易市场的制度体系问题。从所搜集到的文献资料上看，主要的理论成果都来自国外，中国国内的相关研究还处于起步认识阶段。

关于碳排放交易权的定价问题。目前国际市场已有的两种定价体系，即以项目为基础的 CER 和 ERU 定价体系和以芝加哥气候期货交易所、挪威电力库交易所、欧洲气候交易所和欧洲能源交易所进行的期货交易和期权合同交易定价体系。就此，国际学术界开展了“在气候政策问题上国际合作的可行及理想的边界”问题的讨论（2005）。美国著名经济学家 David Bradford（1939—2005）提出建立“全球公共产品采购体系”（GPGP）以解决目前国际社会在控制温室气体减排问题上的不一致性，他主张建立一个世界碳交易价格体系可以解决诸如各国的国际参与问题、公平竞争问题以及环境与贸易等问题。而以美国哈佛大学 W. Pizer 为代表的另一派学者则认为目前的国际减排贸易体系不能真正起到促进各国政府改进气候政策的目的，应该采取差别定价的办法，区别不同地区的碳交易价格，这样才能使各国不但在制定国内政策上有更大范围的选择空间，而且在选择世界交易价格信号时也有更多的选择余地（2007）。

如何确定碳交易价格的公平性和竞争性，这涉及对于向温室气体这类属于外部经济的产品的定价问题，与投资回报的评价问题相关。这涉及两个方面的内容，一是生态资源的资本观；二是投资回报的社会回报评价。把整个地球的生态资源作为创造价值和生产率的资本要素这一观点是由三个美国学者 A. Lovins、L. Lovins 和 P. Hawken 提出的。在他们共同撰写的“Natural Capitalism：Creating Next Industrial Revolution”（1999）中，将自然资本和人力资本作为在货币资本和

货物资本之外两个重要的生产资本要素，把污染和社会正义等问题看作是对这两种资本滥用的结果。按照这一观点，资本主义社会的财富积累实质上都是以地球的整个生态系统提供的自然资源为代价的。这部被誉为具有与亚当·斯密的《国富论》具有同等重要历史地位的著作还提出了以变革人类财富观、变革生产方式和消费模式等为主要目标的产业革命目标。这一观点是本课题理论体系构建的一个主要理论来源。

把社会回报作为评价投资回报的一个指标内容是近年国际学术界和产业界共同研讨和实践的一个内容。目前国内还停留在以私人回报评价投资回报的经济收益，而在国外，已经在逐步推广采用社会回报对产业组织的环境增值影响和人力资源的影响进行经济评价。

投资的社会回报（Social Return On Investment，SROI），也称投资的社会收益率，是用于衡量企业，包括非营利机构、非政府组织等所创造的社会和经济价值的一种方法。与经济学中投资回报率（return on investment）的测量目标不同，对投资进行社会回报评价的目的是用货币化方法对经营企业所造成的社会环境影响进行评价，特别是与公共产品相关的内容，如环境污染、资源保持等，通过将这些影响后果进行价值量化分析，将其纳入经营企业的市场经济核算范畴，同时也纳入政府的资源配置决策过程中，解决目前所面临的由于经济的外部性所造成的公共损害。

根据从 EconLit 所检索到信息，最早介绍采用模型计量方法对投资的社会回报进行测度的是 N. Oulton 和 G. Young 发表在“Oxford Review of Economic Policy”（1996）上的文章，随后这一方法被逐步推广。美国的哈佛商学院在 2001 年在教学中将其作为衡量产业组织，尤其是非营利组织的价值创造的方法。这一方法的核心思想是对一个项目、组织或政策的评价要通过对那些不具市场价值的利益相关方所承受的影响进行货币化计量，用于评价其在资源配置中的位置。目前，欧美国家的一些基金会和研究机构，如新经济基金（NEF）、罗伯特企业发展基金（REDF）和伦敦商学院（LBS）等都采用这一方法评价企业投资的环境回报和人力资源回报。NEF 的第二版“Measuring Value：a Guide to Social Return on Investment”（2008）是目前比较完整的分析手册。这一方法体系是本课题在构建社会环境成本回报分析方法的重要实践数据来源。

有关碳交易市场的制度体系问题的研究主要来自国外，分为两个类别，一是以联合国环境规划署（UNEP）和世界气象组织（WMO）、世界银行（WB）为代表的国际组织机构的研究；二是各学术机构和团体开展的研究，以英国经济学家为首撰写的“Stern Review：Economics of Climate Change”（2007）最为著名。在有关世界温室气体排放问题的技术和政策研究方面，由 WMO 和 UNEP 联合成立的政府间气候变化专门委员会（IPCC）从 1990 年开始已经连续四次发布世界气候变化评估报告以及各类专题研究报告，是目前从事环境问题研究的主要技术、政策参考文献来源。世界银行近年来在从事碳排市场制度研究方面有很多成果，其中，“Carbon Markets，Institutions，Policies and Research”（2008）综合评述了围绕《京都议定书》的执行和国际碳交易市场体系的各种不确定性及研究进展，揭示了当前的主要研究发展趋势。其中的热点问题包括：国际碳交易市场体系与世界贸易规则的兼容问题；环境技术评价的不确定性问题；三种灵活机制间的协调问题；初级碳交易市场和二级交易市场以及相关金融衍生产品的市场操作和监管问题；碳信用定价机制及其市场操作的分线问题等。

在有关后《京都议定书》时代的国际碳交易市场发展问题上，由麻省理工学院出版社（MIT）2008 年出版的“The Design of Climate Policy”和“Institutions and Environmental Change”更进一步从理论上探讨了国际碳交易市场所面临的发展问题，提出了许多前沿的观点。但从整体上看，目前国际学术界上还没有对国际碳排放交易市场的制度体系形成一套完整的理论框架。

四、对碳市场不确定性和约束条件的分析框架

针对中国的碳排放交易市场的发展所面临的国内、国际环境的各种不确定性和市场机制的约

束条件，借鉴国际前沿理论观点，从理论与实践的角度分析和论证环境资源的经济属性，构建投资回报的二元体系，在现有的环境评价分析技术基础上，根据中国的实践，进一步完善碳排放权定价技术，建立新的可持续发展理论，并以此作为理论基础为中国在参与国际碳交易市场活动中解决所面临的各种不确定性和约束条件提供决策分析工具。着重构建以新产业观为核心，以私人回报和社会环境回报为内容的投资回报二元结构，并在此基础上构建可持续发展的新理论评价体系。这是一个新的理论体系，如果成立，将使对环境的认识超越目前的主流经济理论体系观点，为解决环境问题提供更加有利的理论根据。在完成构建新的投资回报二元结构评价基础上，改进现有的环境成本效益分析方法，构建完整的碳交易权定价体系并加以实证检验。这一体系的建立将意味着中国在参与国际减排配额谈判中掌握了讨价还价的定价工具。

参考文献

[1]［美］埃德温·曼斯菲尔德．管理经济学［M］．北京：经济科学出版社，1999.

[2]［美］迈里克·弗里曼．环境与资源价值评估，北京：中国人民大学出版社，2002.

[3] 联合国政府间气候变化专门委员会．气候变化 2007 年综合报告．联合国政府间气候变化专门委员会出版，2008. http：//www. ipcc. ch.

[4] A. Lovins，L. Lovins，P Hawken，“Natural Capitalism：Creating Next Industrial Revolution”，Copyright Material，1999.

[5] D. F. Larson，P. Ambrosi，A. Dinar，“Carbon Markets，Institutions，Policies，and Research”，The World Bank，Oct. 2008.

[6] N. Stern，“The Economics of Climate Change – The Stern Review”，Cambridage，2007.

[7] A. Lingane，S. Olsen. “Guidelines for Social Return on Investment”，California Management Review 2004，46 (3).

[8] N. Oulton，G. Young. “How High is the Social Rate of Return to Investment”，Oxford Review of Economic Policy，Summer 1996.

[9] G. Atkinson，S. Mourato. “Environmental Cost – Benefit Analysis”，Annual Review of Environment & Resources，2008，33.

[10] R. Guesnerie & H. Tulkens edited. “The Design of Climate”，The MIT Press，2008.

中国温室气体减排政策分析

薛 婕 裴莹莹

（中国环境科学研究院 北京朝阳区安外北苑大羊坊 8 号 100012）

摘 要 气候变化是当前全世界关注的焦点问题，为应对气候变化，许多国家和地区已经制定或正在制定各项温室气体减排的政策措施。本文通过文献研究，对比发达国家温室气体减排相关政策，深入分析中国应对气候变化已经采取或者计划采取的有关政策和措施，评估其政策与措施的实施效果，找出其中的不足，并结合我国的实际情况，提出中国温室气体减排政策的完善建议。

关键词 温室气体减排 减排政策 政策评估

一、发达国家温室气体减排政策概述

温室气体过度排放引起的全球变暖，引起了世界各国的高度重视。西方发达国家特别是主要的石油进口国，开始重视能源节约利用，提倡提高能源效率。许多国家在《京都议定书》框架下或者在自愿的基础上，实施了各种措施，达到了减少二氧化碳排放的目的。

美国虽没有签订《京都议定书》，但近 20 年美国十分重视节能减碳。如美国 1990 年实施《清洁空气法》，2005 年通过的《能源政策法》，2006 年 9 月，美国发布了《气候变化技术计划战略规划》，2007 年 7 月美国参议院提出了《低碳经济法案》。美国政府在寻求一个综合、平衡和对环保有利的能源安全长期战略中，把低碳经济的发展道路可能成为美国未来的重要战略选择[1]。

欧盟迄今为止在气候变化问题上的总体态度是非常积极的，温室气体减排初见成效[2]。欧盟启动了欧盟气候变化计划，在其内部建立了温室气体限排制度，其主要措施包括排放贸易、标准、财政等手段。减排措施主要针对减排潜力大且成本低的领域，重点是能源、民用和服务业、工业和交通等领域。

日本的温室气体减排政策在自愿性减排政策和公众参与政策方面尤为突出。到 2000 年日本已有约 3 万个企业、行业与地方政府签订了减少温室气体排放和防止污染的自愿协议[3]。在个人和家庭减排方面，日本政府通过了《2007 年版环境和循环型社会白皮书》[4]，日本前首相安倍晋三提出“每人每天减少 1kg 二氧化碳排放量”的口号，呼吁民众提高应对气候变化意识，改变个人传统消费方式，倡导国民减排运动，从而达到自觉减排的目的。

二、中国温室气体减排政策分析

近年来，在贯彻落实科学发展观、建设生态文明的大背景下，我国对气候变化问题高度重视，不仅参与了多个国际气候变化大会，签订气候变化国际公约，还积极制定了若干与低碳经济发展相关的规划方案、法律法规和政策措施。

（一）主要政策框架

中国鼓励温室气体减排的政策根据内容性质大体上可以分为三个层次：法律法规、规范性文件和其他指导性文件，规划属于规范性文件，方案纲要等属于指导性文件。见表 1。

（二）政策实施

1. 碳交易政策

我国清洁发展机制尚处于起步阶段。2004 年 10 月，国家四部委将《清洁发展项目运行机制

中国环境科学研究院中央级公益性科研院所基本科研业务专项“中国低碳标志认证框架研究”（2009KYYW17）。

管理办法》赋予新的内容，对项目的许可条件、管理和实施机构以及实施程序等均作出了明确的规定；科技部也发出了《关于推荐清洁发展机制候选项目的通知》，要求各地政府推荐合适的项目。我国在参与国际碳排放交易方面，取得了较好的进展。CDM 在我国涉及的项目有能源、化工、建筑、制造、交通、废物处置、林业和再造业及农业等领域。截至 2009 年 10 月，中国政府已批准 2232 个清洁发展机制（CDM）项目，其中 663 个已在联合国清洁发展机制执行理事会成功注册，预期年减排量为 1.9 亿吨，约占全球注册项目减排量的 58% 以上，注册数量和年减排量均位居世界第一。

表 1　中国温室气体减排政策框架

政策层次	政策名称	颁布机关	实施机构
法　律	节约能源法（2007）	全国人大常委会	各级人民政府
	可再生能源法（2005）	全国人大常委会	各级能源主管部门
	清洁生产促进法（2002）	全国人大常委会	各级人民政府
	循环经济促进法（2009）	全国人大常委会	各级人民政府
规范性文件（规划）	核电中长期规划（2007）	国家发改委	
	可再生能源中长期发展规划（2007）	国家发改委	国务院有关部门、相关企业
	能源发展“十一五”规划（2007）	国家发改委	国务院能源主管部门
	可再生能源“十一五”规划（2008）	国家发改委	国务院有关部门、相关企业
	节能中长期专项规划（2004）	国家发改委	国务院有关部门、相关企业
其他指导性文件（纲要、方案）	2010 年我国新能源和可再生能源发展纲要（1996）	原国家计委、国家科委和国家经贸委	各级人民政府
	国民经济和社会发展“十一五”规划纲要（2006）	全国人大	各级人民政府
	中国应对气候变化国家方案	国家发改委	国务院有关部门、相关企业
	气候变化国家评估报告（2006）	科技部、中国气象局、国家环保总局和中国科学院等六部委联合发布	

2. 融资贷款政策

财政部发布《可再生能源发展专项资金管理暂行办法》，自 2006 年 5 月 30 日起施行，发展的专项资金重点扶持潜力大、前景好的石油替代，建筑物供热、采暖和制冷，以及发电等可再生能源的开发利用。发展专项资金的使用方式包括：无偿资助和贷款贴息。能源效率贷款是一款在中国内地首创的产品，目前，能源效率贷款产品已涉及建材、化工、电力等多个行业，适用的项目也非常广泛，分布于能源生产、能源输送、能源使用的各个环节，既包括能源节约项目，又包括新能源的开发和利用项目；既可以是对原有设备及工艺的改进项目，也可以是新建项目。2006 年 5 月，兴业银行与国际金融公司签署能源效率金融项目合作协议，率先在国内推出“能效贷款”产品。兴业银行共发放贷款 27 笔，金额 4.35 亿元，可实现每年节约标煤 54.07 万吨，年排放二氧化碳 184.25 万吨。该行在“十一五”期间还安排了 100 亿元支持能效项目贷款，节约标准煤超过 1000 万吨。

3. 税收优惠政策

国家发改委于 2007 年 6 月发布的《可再生能源中长期发展规划》提出，到 2020 年可再生能源在能源结构中的比例要达到16%，目前这一比例尚不足1%。规划把“加大财政投入，实施税收优惠政策”作为可再生能源开发利用的一项原则确定下来。2007 年中央安排 235 亿元，2008 年增加到 418 亿元用于支持节能减排，同时在增值税、消费税、企业所得税、资源税和出口退税方面进一步明确趋紧节能减排的具体措施。我国已经出台了 4 大类 30 余项促进能源资源节约和环境保护税收政策。

4. 能效标识政策

2004 年 8 月 13 日，由国家质量监督检验检疫总局和国家发展和改革委员会正式颁布《能源效率标识管理办法》(以下简称《办法》)，标志着我国能效标识制度的启动。到目前为止，国家发展改革委、国家质检总局和国家认监委依据《办法》已联合发布了 4 批实行能效标识的产品目录及相应的实施规则，涉及的产品共 15 类，其中制冷空调领域包括：房间空气调节器和家用电冰箱（2005 年 3 月 1 日实施），单元式空气调节机（2007 年 3 月 1 日实施），冷水机组（2008 年 6 月 1 日实施），转速可控型房间空调器、多联式空调（热泵）机组（2009 年 3 月 1 日实施）。

5. 补贴政策

我国的一些城市对购置替代用燃料出租车或公交车、普通车改装成替代燃料汽车以及利用陈化粮生产替代生物燃料等行为给予直接财政补贴；对生产车用替代燃料的企业和加气站建设用地给予优先审批和优惠政策；对加气站用气用电优惠供应等经济激励措施。这些补贴和经济激励政策的实施一定程度上鼓励了替代燃料的使用。

（三）实施效果

中国目前采取的温室气体减排政策主要是从节能方面入手。自 1980 年中国政府提出能源“开发与节约并重，近期把节能放在优先地位，提高资源利用效率”的方针以来，通过诸多节能政策的执行，取得了巨大的效果。

20 余年来，我国实现了 GDP 翻两番而能源消费仅翻一番的成就。1980—2006 年，中国能源消费以年均 5.6% 的增长支撑了国民经济年均 9.8% 的增长。按 2005 年不变价格，万元 GDP 能源消耗由 1980 年的 3.39t 标准煤下降到 2006 年的 1.21t 标准煤，年均节能率 3.9%，扭转了近年来单位 GDP 能源消耗上升的势头。能源加工、转换、贮运和终端利用综合效率为 33%，比 1980 年提高了 8 个百分点。单位产品能耗明显下降，其中钢、水泥、大型合成氨等产品的综合能耗及供电煤耗与国际先进水平的差距不断缩小[5]。

节能成就的取得一方面有赖于市场经济改革，以市场为导向的资源配置提高了资源的利用效率，带动了产业结构优化、升级。而另一个方面就是始终坚持执行节能政策的结果，通过节能政策的实施，极大地推动了我国在节能领域工作的开展，节能技术的升级、高效能设备的制造等都有了长足进展，有些领域甚至走在了世界的前列。

三、结论及建议

（一）存在问题

1. 政策主体较为混乱

中国 1990 年设立了国务院环境保护委员会下的国家气候变化协调小组；2007 年 6 月，成立国家应对气候变化及节能减排工作领导小组，作为国家应对气候变化和节能减排工作的议事协调机构；2008 年，国家发展和改革委员会设立应对气候变化司，负责组织拟定应对气候变化重大战略、规划和政策，与有关部门共同牵头组织参加气候变化国际谈判，负责国家履行联合国气候变化框架公约的相关工作。中国的应对气候变化的领导机构环境保护部也设有“环境保护部气候影响研究中心”。另外，国家节能中心将在近期挂牌成立，这个隶属于国家发改委的机构将负责组织全国范围内的节能减排工作，并提供相应的监督和服务。在该工作领域我国长期以来没有形成一个集中统一的、全国性的统筹规划、领导机构。目前，如何理顺国家气候变化协调小组、发改委应对气候变化司、环保部气候影响研究中心、地方节能减排主管部门等之间的关系，建立和完善促进节能减排工作的合理、有效的运作机制是摆在我们面前的一个现实而紧迫的问题，也是必须解决的问题。

2. 强制性政策有待完善

与发达国家相比，中国关于专门针对于温室气体减排的法律法规、政策措施等很多领域几乎处于空白状态。2008 年 11 月，英国正式发布了全球首部应对气候变化的专门性国内立法文件《气候变化法案》，2007 年 7 月美国参议院提出了《低碳经济法案》，而中国还未建立相关法律法规，温室气体减排面临着无法可依的处境；温室气体标准、温室气体指标体系、碳预算等政策与实施方面也存在明显差距，严重影响了有关行业、企业的生产向低碳转型。

3. 经济激励政策过于陈旧

我国现行温室气体减排政策中经济激励政策相对弱化，一些涉及节能方面的财政、税收、金融等优惠政策基本失效。如现有财税政策不够灵活，对节能减排技术研发与扩散支持力度不够；对固定资产投资激励较多，而对项目建成后的运营成本关注不够，存在大量“买得起，用不起”、“平时不运转，检查来了才运转”的现象。其次，碳排放交易市场尚未建立，市场类政策工具应用不够。我国排污权交易进展太慢，没有发挥市场机制的作用。

4. 自愿性政策存在缺失和缺位

相对于日本的温室气体减排政策，中国减排政策的自愿性政策存在缺失和缺位。如在政府采购和产品标识认证中，缺少温室气体减排的相关规定，不能很好地引导企业和公众绿色消费意识，推进中国经济向低碳经济模式转型。此外能源消费政策、公众公开与公众参与等措施也有待于进一步加强。

（二）政策完善建议

1. 提高节能减排工作的管理能力

节约能源和实现温室气体减排涉及国内、国外，涉及政治、经济、社会、环境，涉及各部门、各行业、各地方，事关国计民生和国家长远发展，需要强有力的组织领导、系统归口管理、全面的统筹协调、统一的对外行动。建立专门的温室气体减排政策研究机构，加强部门间的横向协作配合、中央和地方上下联动，强化宏观调控，分类指导、综合协调、系统管理；进一步加强各级政府的组织领导能力，建立有效的协调和决策机制，强化温室气体减排政策的实施手段和管理能力。

2. 出台节能减排强制性政策

在国家层面上完善与中国国情相适应的温室气体减排的法律法规，是实现节能减排的一个基本的保障。完善温室气体减排法律法规必须根据低碳经济的不同层面，理性地划分和配置权力界限和功能，构筑良性互动的权力体系。制定促进工业企业降低能耗、降低污染、减少排放的法律法规以明确政府、企业和消费者的责任、权利和义务。对于涉及能源、环保、资源等的法律需要作进一步修改建议，增加温室气体减排的内容，比如《环境保护法》、《环境影响评价法》、《大气污染防治法》、《矿产资源法》、《煤炭法》、《电力法》等，抓紧制定和修订节约用电管理办法、节约石油管理办法、建筑节能管理条例等，实现节能减排的政策目标。

3. 完善节能减排激励性政策

我国正处于国民经济快速发展时期，能源供应紧张，目前正是研究和制定节能减排激励政策的大好时机，无论从近期能源供需平衡的需要，还是从实现温室气体减排的目标来说，切实有效的节能减排经济政策都是急需的。根据国外经验和我国节能减排政策演变的经验教训，我国应尽快完善碳基金、减免税、燃油税、碳交易、补贴等激励性政策。

4. 加强节能减排自愿性政策

民众的行为方式和消费选择，是企业生产的方向盘，也是政府决策的指南针。实现节能减排不仅需要政府和企业的参加，更需要全民参与，才能从根本上实现向低碳经济的转变。建议加大低碳产品标志认证制度的力度，提高现有的能效标准和认证机构的能力和范围，制定专门的低碳标志认证制度，以低碳产品认证制度来促进企业技术产品结构升级和节能减排，引导消费者走向高效节能之路。同时，出台政府机构率先节能的法规条例，将节能产品采购纳入政府采购体系中。

5. 实行温室气体与大气污染物协同控制政策

温室气体减排与污染物总量控制存在较强的关联性，通过实施温室气体与空气污染物协同控制战略，可以提高政策效率，达到温室气体减排和空气污染物总量控制的双重目标。协同减排是解决我国以及其他发展中国家大气污染物和温室气体双重环境问题的新思路、新途径。

参考文献

[1] 任力．国外发展低碳经济的政策及启示［J］．发展研究，2009，2：23－27.

[2] 於俊杰，郝郑平，朱玲等．发达国家温室气体减排现状及对我国的启示［J］．环境工程学报，2008，9（2）：1281－1286.

[3] 刘虹．国外工业节能政策与措施［J］．中国能源，2007，29（3）：41－43.

[4] 光明日报．日本开展节能减排全民运动．http://www.gmw.cn/content/2007－06/12/content_621860.htm. 2010－02－26.

[5] 郁聪，康艳兵．国内外节能政策的回顾及强化我国节能政策的建议[J]．中国能源,2003,10(25):4－6.

钢铁绿色生产国内外现状及发展趋势

苗沛然　杨晓东

（北京京诚嘉宇环境科技有限公司/冶金清洁生产技术中心　北京　100053）

摘　要　本文阐述发展绿色钢铁的基本理念，介绍钢铁绿色生产的国内外发展状况，针对我国现阶段发展特点，分析实现钢铁绿色生产的主要内容、途径及措施，探讨我国绿色钢铁工业发展方向。

关键词　钢铁　绿色生产　状况趋势　实现途径

钢铁工业是国民经济的支柱产业，在当前我国高速工业化和城市化进程中发挥着重要作用。钢铁工业同时又是资源、能源密集型产业，能源消耗大，生态破坏及环境污染较重。钢铁工业的发展面临着来自社会、政府、国际公约的压力，承担着繁重的减排任务。面对挑战，钢铁工业必须综合地解决包括成本、能耗物耗、质量、生产效率等市场综合竞争力和包括资源－能源可供性、污染防治、环境生态和谐性在内的可持续发展等集成性命题。

一、绿色钢铁的基本理念

（一）绿色钢铁的概念及内涵

1. 绿色钢铁的概念

绿色钢铁是一种综合考虑资源、能源消耗和环境影响的钢铁现代制造模式，目标是使产品设计、制造、运输、使用到报废处理和再利用的整个生命周期对环境影响最小、资源利用率最高，并使企业经济效益、环境效益和社会效益相协调。

2. 绿色钢铁的内涵

绿色钢铁的内涵主要包含3个层次的内容：

（1）通过制造装备的大型化、连续化、自动化以及绿色制造工艺技术的应用，实现企业内部清洁生产；

（2）钢铁企业的功能转换，参与区域生态工业建设，按照生态代谢原理，使得资源利用效率最高，减少资源浪费与耗散，企业效益最佳，环境持续改善；

（3）实现企业与外部环境和谐相处，促进组织结构优化和行业区域布局合理化，实现经济、社会和生态环境的均衡协调发展。

（二）发展“绿色钢铁”的基本原则

1. 遵循清洁生产的原则

绿色钢铁的主要发展领域在于钢铁生产从开采到制造过程的绿色化，要转变生产发展方式和污染防治方式，通过技术进步和提高管理，优化钢铁生产流程，实施清洁化生产。

2. 遵循循环经济的原则

按照“减量化、资源化、再利用”的模式，由过去的“资源－产品－废弃物”变为“资源－产品－再生资源”，构筑经济与环境和谐的工业生态链。

3. 遵循“低碳经济”的原则

在“碳基”钢铁生产为主流的情况未改变之前，以提高能源效率为主要目标，同时进行新技术的研究开发，持续优化和最大化“废弃物”的循环利用，最大限度地实现低碳。

（三）钢铁工业绿色化管理

实现钢铁工业的绿色发展，必须实现“两个转型”。对行业而言，实现发展模式的转型，即从传统的资源消耗、环境负荷线性增长的粗放发展模式，向更加注重资源环境影响最小化和发展循环经济的科学发展模式转型；对企业而言，实现功能的转换，即由单纯的产品制造功能向具有钢铁产品制造功能、能源转换功能和社会大宗废弃物处理消纳功能的生态型钢铁企业转变。

实行绿色管理的途径：

1. 绿色研发

绿色的研究开发是在企业的研究开发活动中，应对环境影响最小化和再生资源的综合利用以及工业生态链的搭建进行研究开发。

2. 绿色设计

绿色设计就是在设计过程中，将环境影响作为一个最重要的设计参数，在生产地点、原材料、工艺、产品性能、构造及后处理等各个方面，以对环境的破坏作用最小为准则进行一系列设计和决策。

3. 绿色制造

绿色制造是一种综合考虑资源、能源消耗和环境影响的现代制造模式，目标是使产品从设计、制造、运输和使用到报废处理的整个生命周期对环境的负面影响最小，资源利用率最高，并使企业的经济效益、环境效益和社会效益协调优化。

4. 绿色再循环

绿色再循环就是将在生产过程、消费过程中所形成的“废物”—再生资源加以充分有效的再利用，使对环境的影响最小化的一系列活动，目的是从中回收尽可能多的价值。

（四）绿色管理与环境管理

传统上的环境管理往往单纯“为环保而管理”，注重企业内部生产过程中的过程控制、清洁生产及末端治理，主要致力于减少污染物的排放。

随着环境管理由生产阶段—消费阶段—环境承受阶段的逐步深入，环境管理的领域也逐步由生产领域向消费领域乃至整个社会领域逐步拓展；绿色管理就是企业全员参与、全社会参与，监督涉及产品生命的全过程、采用多种管理方法的综合性环境管理，绿色管理的内容更深、范围更广、综合效益更高。

二、钢铁绿色生产现状

（一）国外钢铁绿色生产状况

1. 国外工业绿色化的由来

发达国家在工业化进程中，出现了工业污染日趋严重、污染物数量大增的情况，工业污染物逐渐发生了质的变化——趋向微量毒性物质的污染；工业污染发生了区域性变化，污染从局部地方性过渡到长期全球性；新的环境问题不断出现，如全球变暖、酸雨和臭氧层的破坏等。

发达国家的工业企业从 20 世纪 70 年代到 80 年代中期，受到了来自包括政府环境规则、社会及公众信任度、市场压力和财政等方面的压力，来自市场及非政府组织的压力逐渐成为主导驱动力量。为了确保对资源更深层次的利用，公司或企业需要对各方的压力做出响应，这个响应的过程就是工业绿色化过程。

20 世纪 80 年代中期开始，一些重大的环境污染事件激化了公众对企业的不信任，从而激发企业制定新的规则和新的商业行为。一些企业开始把环境问题看做一种会威胁到企业生存的不容忽视的问题，逐渐把解决环境问题看做自身的一种责任。由于来自消费者和投资者的压力越来越明显，大多数企业把环境问题看做是自身必须解决的问题，逐步接受了开明的环境政策，采取了环境创新策略；其次是将创新技术运用于减少废物排放，致力于达到零排放；三是做到公开透明，允许外部的监督者对其进行评估管理并公布结果。

20 世纪 90 年代末至今，多数公司从被动服从的环境管理方式转向主动创新的方式。鉴于公众和市场的压力越来越大，同时环境因素更强有力地进入市场，企业必须不断创新才能获得竞争优势；为了减少财政风险，投资者也开始关注企业的环保行为。在这种形势下，企业逐渐认识到环境保护和经济竞争力冲突的观点是静止的和狭隘的，严格的环境规则不会妨碍反而会增强企业竞争优势。

2. 国外钢铁企业的绿色化状况

从 20 世纪 90 年代中期开始，发达国家的钢铁企业逐步进入集成度更高的绿色生产时代，节能环保工作的目的不再是单纯地通过环保措施降低污染物排放、通过新技术降低能耗，而是把企业效益和竞争力、保护环境、节约资源能源、降低温室气体排放作为一个整体来考虑。

以日本新日铁为例，新日铁提出了“Three ECOs - Eco - processes、Eco - Products、Eco - Solutions”的理念，即为了建立循环型社会、减缓全球气候变化，通过采用生态友好的钢铁生产过程、有利于节能、减排的途径，生产出环境友好的钢铁产品。

（1）Eco - processes：致力于在环境友好的前提下，通过以更高能源效率方式，建立生态友好的钢铁生产过程；

（2）Eco - Products：利用世界先进的技术生产环境友好产品，这样可以减少资源、能源消耗，也为减少环境影响和社会的可持续发展作出贡献；

（3）Eco - Solutions：为减少环境影响提供节能和减排的途径，并为减缓气候变化和保护环境提供技术转让。

（二）国内钢铁绿色生产现状

进入 21 世纪以来，钢铁工业通过产业结构调整、新技术的应用等，使劳动生产率不断提高，能耗显著降低，污染物排放逐步减少，同时很多企业采取多种形式不断进行循环经济和工业生态建设的尝试，清洁生产和绿色化生产水平有很大提高。

1. 大中型钢铁企业能耗下降

全国重点大中型钢铁企业从 2001—2007 年间吨钢综合能耗及吨钢可比能耗呈逐年下降的趋势，具体情况如图 1 所示。

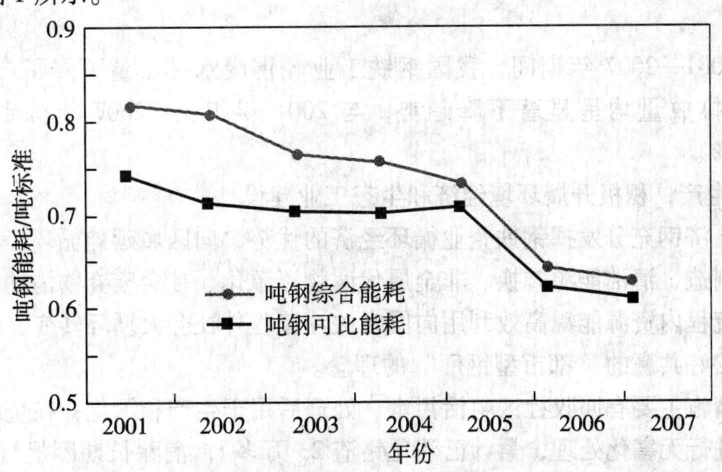

图 1　全国重点大中型钢铁企业吨钢综合及吨钢可比能耗

2. 大中型钢铁企业新水消耗降低

2008 年钢铁行业吨钢耗用新水 5.09 吨，比上年下降了 5.11%。我国很多钢铁企业的吨钢耗新水指标已经达到世界先进水平。

3. 污染物排放减少

2001—2007 年我国钢铁工业吨钢废水、废气中吨钢 SO_2、烟尘和工业粉尘排放量分别见图 2 ~ 图 5。

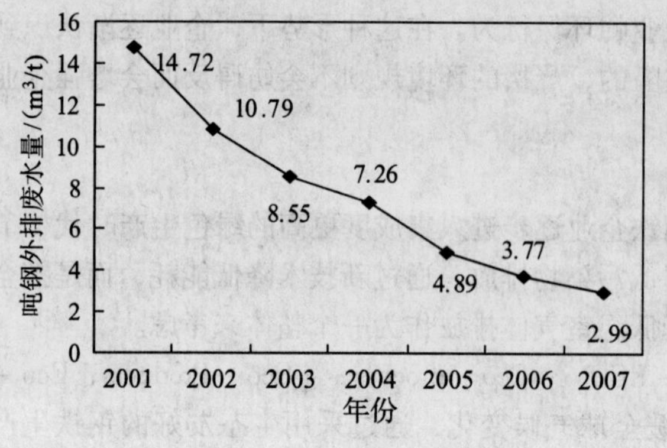

图 2　2001—2007 年中国钢铁工业吨钢外排废水量变化图

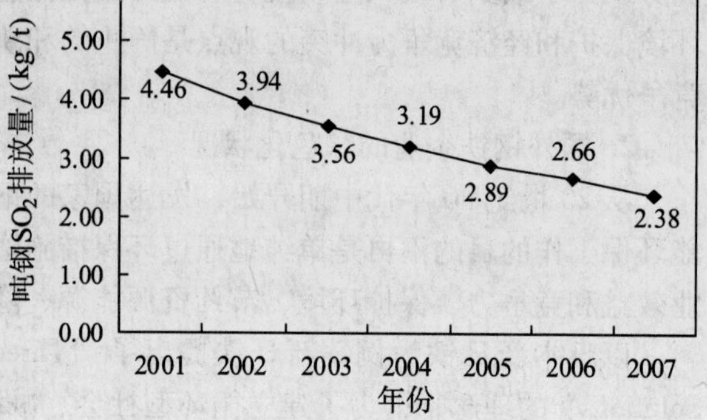

图 3　2001—2007 年中国钢铁工业吨钢 SO_2 排放量变化

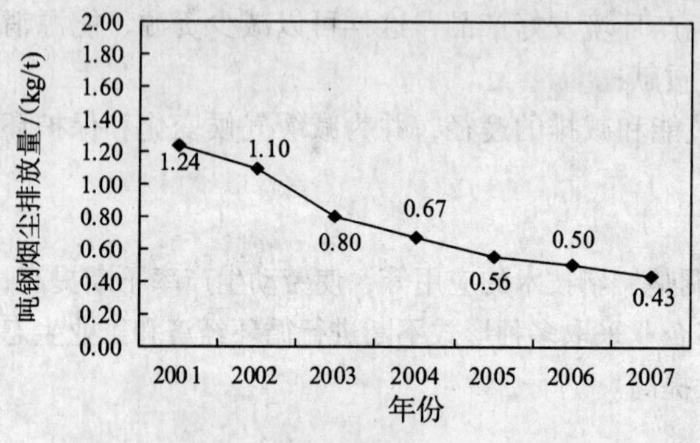

图 4　2001—2007 年中国钢铁工业吨钢烟尘排放量变化

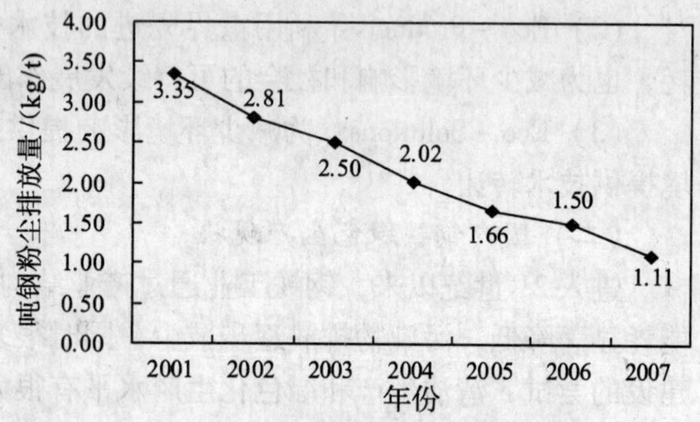

图 5　2001—2007 年中国钢铁工业吨钢粉尘排放量变化

可以看出，2001—2007 年期间，我国钢铁工业吨钢废水排放量下降了 79.7%。吨钢 SO_2、烟尘和工业粉尘排放量均呈显著下降趋势，与 2001 年相比，2007 年分别下降了 46.67%、65.20% 和 66.96%。

4. 实施清洁生产，积极开展环境经济和生态工业建设

以济钢为例，济钢充分发挥钢铁企业循环经济的优势，向区域延伸循环经济的产业链，提出了开展绿色产品制造、清洁能源转换、非金属代谢物资源化、社会废弃物消纳处理四项功能转换的实践，由关注流程内资源能源高效利用向同时关注流程外社会大循环转变，提出了努力构建与城市和谐共生、友好共赢的“都市型钢厂”的理念。

济钢采取的措施主要有回收社区生活污水，处理后用于生产和绿化；在烧结工序配加济南裕兴化工厂铬渣，进行无害化处理，累计已消化铬渣 23 万多 t，消除长期困扰济南市的环保难题；对电解铝厂赤泥进行资源化开发，建成了炼钢脱硅剂、赤泥造球项目，有效解决了电解铝厂赤泥污染环境、大量占用农田的问题。

三、实现钢铁绿色生产的主要途径及措施

（一）加快产业结构调整

1. 加速淘汰落后和低水平工艺装备

我国钢铁行业普遍存在规模过小、工艺装备水平低、能源环保设施不到位等问题，导致我国钢铁工业工艺装备总体水平不高，从而造成了能耗高、二次能源回收率低、污染处理难度大。因此加速淘汰落后和低水平工艺装备，推进工艺装备的大型化、现代化是钢铁绿色生产的主要发展途径之一。

2. 调整能源结构，推广节能技术，实行集约化管理

我国钢铁工业一次能源以煤炭为主，占能源消费总量的70%左右，而且煤炭发热量、灰分、硫分等质量指标与美国、德国、日本相比，存在比较明显的差距。石油类能源和天然气所占比例比其他国家低15%～25%，从而造成能源利用效率相对较低，初步估算由此造成的能耗差距在15～20千克标准煤/吨钢。

随着技术水平的逐渐发展，应大力发展新型能源，降低煤炭的消耗，提高能源利用效率，降低温室气体的排放。

在钢铁绿色化生产发展过程中，应继续大力推广重点节能措施，如高风温、富氧喷煤、连铸新工艺和热装热送、干熄焦、煤调湿、转炉煤气回收、高炉煤气余压发电、蓄热式加热炉、烧结低温余热回收等技术，进一步降低能耗水平，加速钢铁绿色生产的发展进程。

为实现控制、协调企业能源管理，用信息化管理节约能源，宝钢等多家钢铁企业建立了能源管理中心，通过集约化的能源管理，提高各类能源的使用效率，实现能源介质的优化调控，促进节能降耗，提高工作效率和能源管理水平。

（二）研发推广新型绿色生产技术

目前行业大中型钢厂的综合装备、技术水平已经达到世界先进水平。高炉利用系数、入炉焦比、高炉喷煤比、转炉炉衬平均寿命、连铸比、轧钢综合成材率等技术指标都接近或达到了世界先进水平。

推广新型生产技术如COREX等在提高工艺技术水平的同时，具有降低能耗、污染物排放少的特点。同时按照绿色钢铁的发展要求，注重加快钢铁生产功能转换支撑技术，结合我国特点，开发再生资源的利用技术，包括大宗社会废物等。

（三）深化行业污染防治

当前钢铁工业环境管理是以治理“三废”为主要内容，以达标排放为目标，以末端治理为主要手段，行业污染控制主要存在问题一是总量控制污染物SO_2的控制刚刚起步，氮氧化物控制没有形成思路，二是废气污染物控制面太窄，废气中重金属、二恶英和多氯代二苯呋喃以及CO_2没有控制或有效控制，以及废水中重金属和有毒有害危险废物的处置利用不完善等。按照钢铁绿色化生产的要求，必须深化行业污染防治。

四、钢铁工业的绿色发展方向

（一）建立有特色的钢铁工业创新体系

工业创新系统是以市场需求为动力，以政策调控为导向，以良好的国内外环境为保障，以创新性技术供给为核心，以实现特定工业创新为目标的网络体系。钢铁工业创新系统的建设应注重完善有利于创新的钢铁工业创新政策系统，健全有利于钢铁工业创新的技术体系和评价体系，最终建立起具有特色的钢铁工业创新系统，服务于“绿色钢铁”的研发、设计、制造等过程。

（二）加强绿色冶金技术在钢铁企业的研发与应用

鉴于目前传统钢铁生产工艺的能源效率已经接近极限，许多国家和企业正在转换思路，致力于开发新型冶金技术，提高工艺过程的能源效率，更多地减排温室气体。目前正在开发的部分新型冶金技术如熔融氧化物电解（MOE）技术、H_2还原高纯铁技术、生产粒铁的ITmk3工艺等均有不同程度的进展，部分技术已经进入试生产阶段，可供我国钢铁绿色化生产实践借鉴。

（三）开发新型环保技术及装备

随着新技术的不断涌现，近年来钢铁企业使用的环保技术和装备不断更新，使钢铁企业的污染物排放量逐年下降，但是在钢铁生产的某些环节仍旧缺少适用的治理技术。在这种情况下，开发廉价高效的综合治理技术和设施成为一种趋势。

例如烧结烟气的脱硫、脱硝、控制重金属等，一般少有适宜技术一次完成，同时存在占地面积大、总投资过高、操作条件不易匹配、催化剂中毒等问题。因此开发烧结烟气综合净化技术已经成为烧结烟气控制的发展趋势。

（四）开源节流、加大力度降低水资源消耗

钢铁行业是耗水大户，目前其水耗占全国工业水耗的9%左右。因此在水资源极度紧缺的形势下，降低钢铁行业的水耗是一项艰巨的任务，也是发展绿色钢铁的基本任务之一。应拓宽水资源利用途径，加快城市中水、矿井水、电厂水的梯级利用，有条件的地区企业，可开发利用海水资源，以降低淡水消耗。

（五）积极参与生态工业园区建设，与相关工业形成工业生态链

生态工业园区（Eco－Industrial Parks，EIP）是依据循环经济理念和工业生态学原理而设计建立的一种新型工业组织形态。目前我国批准建设的国家级生态工业园区已达24个，其中包括包头钢铁国家生态工业示范园区。钢铁企业应因地制宜积极参与到生态工业建设实践当中。

五、结　语

由于发展阶段的不同，国外绿色钢铁发展的经验和做法不能够完全适用我国，当前我国发展“绿色钢铁”的首要任务是转变发展观念和转变生产发展模式，按照建设资源节约型、环境友好型社会基本国策的要求，加快创新钢铁生产体系和绿色化管理体系，努力建设企业与区域、生产与环境和谐共生的行业健康发展之路，推进钢铁工业的绿色发展。

参考文献

[1] 谢红彬，陈雯．发达国家工业绿色化过程及其启示［J］．环境科学动态．2002，3.

[2] 济钢公司．发展循环经济，推进节能减排．2009.

[3] 徐乐江．钢铁工业的绿色发展内涵［J］．中国投资，2008，7.

[4] 胡望明．大型钢铁企业可持续发展研究．武汉理工大学管理学院，2005，5.

[5] 单尚华．推进节能减排建设绿色钢铁［J］．冶金管理，2008，6.

[6] 索贵彬，王延增．基于自主创新和绿色制造的我国钢铁工业发展策略研究［J］．科学管理研究，2008，8.

[7] 王贤林．面向绿色制造的钢铁流程优化及其评价［J］．机电工程，2007，6.

建设项目竣工环境保护验收监测在环境监管中的任务对策分析

张 强 商 博

（山东省环境监测中心站 济南市历山路50号 250013）

摘 要 分析了建设项目竣工环境保护验收监测在环境管理制度中重要意义、作用和当前存在的突出问题，对明确验收监测性质和定位，创新机制，建立健全制度，规范和提高验收监测管理水平等，提出了具体对策措施。

关键词 建设项目 验收监测 管理 对策

一、建设项目竣工环保验收监测的现状与问题

建设项目竣工环境保护验收监测（以下简称验收监测）是“三同时”管理制度的重要组成部分，是环境监督执法的标尺、依据，是防止污染物超标排放和实现总量控制的一道“闸门”，是环境保护工作落实科学发展观，适应全面推进、重点突破新形势的重要内容。

近几年来，为贯彻落实《中华人民共和国环境影响评价法》和《建设项目环境保护管理条例》(国务院令第253号)，各级政府将落实环境影响评价和“三同时”等制度作为年度环保执法检查的重要内容，环保部门强化环境监管，切实把住建设项目环保准入关，“三同时”执行率明显提高。为保证验收监测质量，原国家环保总局在试行［1995］335号文的基础上，制定发布了《建设项目环境保护竣工验收监测技术要求》（环发［2000］38号，以下简称38号文），并于2001年12月颁布了《建设项目竣工环境保护验收管理办法》（以下简称13号令）；自2006年起，陆续颁布了电解铝、火电厂、造纸工业和港口等10多项建设项目竣工环境保护验收技术规范，对重点行业的建设项目竣工环境保护验收工作和竣工后日常监督管理做出了规范要求。

但一些地方在建设项目竣工环境保护验收管理上仍存在不少问题，突出表现在几个方面：

一是“三同时”制度审批把关不严，执法监管不力。尽管环保部13号令和38号文中对竣工验收的时限做出了明确规定，但在实际执行过程中，由于管理部门对建设单位未按期申请验收的疏于查处，对时限执行的要求缺乏强制性，加上建设单位自身验收积极性不高，造成少数企业未经过竣工环保验收即违规投入生产和长期处于试生产阶段，或敷衍塞责难以在规定时间内完成验收监测。

二是重视程序，疏于严防死守。部分环评现状监测流于形式，数据失实，分析预测不当，评价结论不明，环评审批不落实，环保设施擅自变更或运行不正常，难以符合验收条件，影响验收正常进行。

三是主管部门对建设项目竣工验收监测工作性质界定不清，定位模糊，验收监测是属政府职能行为还是为项目建设单位提供监测技术服务没有明确的界定。38号文规定“建设项目环境保护设施竣工验收监测有环境保护行政主管部门所属的环境监测站负责组织实施”；但在随后颁布的13号令中却规定验收监测由建设单位委托有相应资质的监测机构承担，将政府职责转成法人责任，将组织验收监测推向市场化。

四是目前全国没有统一的验收监测收费标准，各地方收费标准差别较大，且对于验收监测工作中的方案和报告编制、环境管理检查、公众调查等方面没有明确的收费规定，造成了收费政策商业化，各地在验收监测收费过程中掌握的尺度不一，对于同行业、同规模的建设项目，验收监测收费水平差距较大。

五是验收监测机构准入制度亟待规范，由于对验收监测资质管理的配套措施和实施细则等没有具体规定，致使有些不具备条件的社会机构参与验收监测工作，造成验收监测质量下降，存在总量失控和超标排放的隐患，项目建成验收后成为新的污染源，致使地区环境质量长期得不到改善，环境管理难度加大。

六是验收监测成果应用不广泛。验收监测对每个竣工建设项目的环保设施建设、运行情况、主要污染物排放浓度、总量情况、环评批复落实情况、环境管理等都做出了全面详细的监测与核查，其结果客观反映出企业正常生产条件下“常态”排污情况，不仅是竣工环保验收的技术依据，还是企业投产运行后环保部门进行日常监管的“镜子”和“标尺”，是检查企业的生产、治污和排放是否正常，发现偷排现象和监测数据背离实际的主要途径。但在 13 号令和 38 号文中未对验收监测成果的使用做出更进一步的规定，各级环保部门大多也没有在环境监管中使用验收监测数据，验收监测报告成为建设项目投产运行的“敲门砖”和“通行证”。

二、加强建设项目竣工环保验收监测管理的对策探讨

（一）进一步明确验收监测管理的性质、定位

各级环保部门对建设项目环评和“三同时”的审批权和监督管理权是政府责任和依法行政行为，竣工环保验收的性质是行政主管部门组织进行的政府验收而不是法人验收，验收监测是政府环保验收的基础，具有执法监督性。原国家环保总局《污染源监测管理办法》（环发［1999］246 号）中明确规定了“三同时”项目与现有污染源治理项目竣工验收监测等是污染源监测的重要内容，以及各级环境保护局所属环境监测站具体负责对污染源进行监督性监测的职责要求。因此各级环保部门应明确定位，履行职责，严格管理建设项目竣工环保验收工作，下达竣工验收计划并委托有关机构实施竣工验收监测，不宜实行建设项目法人委托制，从源头上把住建设项目投产环保准入关。

（二）强化对建成项目试生产和验收的监管

各级环保部门应按照“分级审批、属地监督管理”原则，加强对辖区内建成项目“三同时”制度落实情况的监督检查，清查未通过环保验收的试生产项目，监督、督导超期试生产项目限时向有审批权的环保部门申请完成竣工环保验收；对于故意减少环保投资，缩小污染防治设施规模或不按规定配建到位，以及未经环保部门验收擅自投入生产或使用等违反“三同时”制度的建设项目，不姑息迁就，严肃依法查处并追究责任，或按审批权限及时报告上级环保部门；对符合竣工环保验收条件的，及时组织验收监测；严把验收监测关，明确验收程序、职责、标准；对达不到要求的，一律不予验收合格，并责令限期整改；将严格控制新建项目的污染物排放和总量控制要求贯穿于验收监测过程中。

（三）建立建设项目验收监督管理评估机制

建设项目的监督管理是一项错综复杂的系统工程，技术含量高，周期长，环节多，程序复杂，需要环评、监测等部门严格按照规定的程序、技术规范做好相关工作，才能科学、高效地实施好监督管理的重任。各级环保部门应建立和落实项目监督管理责任制，实行对项目的环评审批、试生产（运行）和竣工验收监测的全过程跟踪评估，纳入监督管理的重要内容。

一是严把验收监测质量关，防止建设项目竣工后成为超标排污的新污染源。验收监测是反映建设项目环评审批和“三同时”执行结果的标志，是建设项目监督管理的技术依据，对预防和减少环境影响起到至关重要的作用。验收监测在作为建设项目“三同时”管理技术依据的基础上，环保主管部门应对竣工验收监测的组织形式、验收程序、验收标准的执行情况及结论等进行监督检查，考核评估验收监测工作成效。发现有违反国家规定的或质量不合格甚至弄虚作假行为的，应当责令监测单位进行整改，降低或取消其验收监测资质。

二是尽快实行环境影响评价后评估制度。环境影响评价法实施以来，对抑制“两高一资”项目无序扩张，保护生态环境起到了积极有效作用。但由于环评体制和机制尚不完善，且不少建设单位环保意识淡薄，项目投产后出现了超标排放、严重污染环境等问题。环境保护主管部门可依据验收监测结果，结合建设项目正式运行后的污染源监督监测数据，对建设项目的环评质量和落实效果予以评估，落实责任追究制，作为完善建设项目的监督管理的一项重要环节。

三是拓展验收监测数据使用范围，建立常态排污监控机制。验收监测是在建设项目竣工后生产负荷、环境设施正常运行下实测的结果，代表了该建设项目常态下的污染物排放水平，可以作为新建企业日常环境监管、核定企业排污总量指标，发放排污许可证等方面的依据。因此，可依据验收监测结果，建立企业常态排放水平和总量指标管理台账的纸质和电子档案，结合污染源在线自动监测系统的实时监测数据，对排污企业偏离正常生产、治污状态下的排放情况进行监控，及时调整数据，实行动态管理，有效控制排污企业偷排偷放、超标排污的环境违法行为。

（四）慎重推行验收监测向社会机构开放

建设项目监督管理是环保部门的法定职责，竣工环保验收监测是污染源监督性监测的重要内容，是防止污染物超标排放和实现总量控制的最后一道“闸门”。各级环保部门应建立健全各项建设项目监督管理机制并严格把关，其所属环境监测站严格按照规定负责组织实施竣工环保验收监测，为政府监管提供技术支持是环境监测分内的工作职责。在当前验收监测管理配套规章制度不健全，社会服务机构技术水平参差不齐，建设单位对环保认识自律性不强的情况下，不宜将验收监测盲目推向市场，防止建设项目监管制度性的失责。

第一，明确以验收监测工作以各级环保部门所属的环境监测机构为主，分级承担，各负其责；如果同级环境监测站不具备验收监测能力，则由上一级环境监测站负责组织实施。第二，强化责任意识，慎重推行非环保系统环境监测机构和社会第三方机构承担验收监测工作，选择少数监测能力和技术水平较高的社会服务机构进行试点；建设项目管理职能部门应对其允许涉足的行业范围与相应的责任追究作出明确的规定，并委托所属环境监测站对其验收监测质量进行审核，确保验收监测工作质量，不符合规定的监测报告，不得作为环保部门项目验收的依据。第三，随着社会经济发展的阶段性变化和企业环保责任意识的提高，坚持在恪守政府职责的框架下对验收监测机构社会化要求作出相应的变革，在国家和省级环境保护主管部门统一管理前提下，逐步形成环境监测机构和社会服务机构共同承担的良性发展格局，主动适应时代进步的要求。

（五）加强验收监测机构管理

建立验收监测机构等级资质认可和人员持证上岗制度，提高建设项目验收监测准入门槛。依据国家对建设项目进行分级管理、分级验收的规定，对验收监测单位实行分国家、省、市、县四级管理。除各级环保部门所属环境监测站具有同级审批权限建设项目验收监测的资格外，非环境保护部门所属的环境监测业务机构和社会服务机构，根据其技术能力、仪器装备、人员素质和质量管理水平，经省级环境保护部门认定考核合格者，颁发相应的验收监测等级资质。获得等级资质的验收监测机构受环保部门委托，可从事本级及以下所规定范围内的验收监测工作，并接受所在地环境保护部门所属环境监测机构的监督检查。验收监测应实行持证上岗制度，监测人员要获得省级环境保护主管部门颁发的资格证书。建立验收监测工作的监督考核机制，保证验收监测质量。对获得验收监测资质的机构，所在地环境保护部门所属环境监测机构应定期组织监督检查，并结合建设项目投产运行后的监督性监测结果，考核评估验收监测工作成效。发现在验收监测中有弄虚作假、玩忽职守、徇私舞弊行为的，建议省级环境保护主管部门依照有关规定责令监测单位进行整改，降低或取消其验收监测资质。

（六）提高验收监测机构内部管理水平

各级验收监测机构应结合环保竣工验收要求变化的特点，进一步细化完善验收监测专项工作制度。一是严格执行验收监测资料提交制度，验收监测机构收到委托书后，凡是建设单位未按规定要求提供资料不全或虚假的，应在送交单上签章和注明日期。二是建立验收监测条件责任认可程序，验收监测机构在进行现场踏勘调查时，要认真对照环评报告书（表）和批复的要求，初步判断是否具备验收监测条件。如发现项目实际建设中有地址变更、产品或工艺重大调整、生产规模大幅增加、燃料类型改变、污染防治设施未建、项目建设周期超过 5 年以上等原则性变化的，均需进行勘察登记并要求建设单位责任人签章，明确责任；并向环保行政主管部门提交书面报告，待监管部门依法对建设单位进行相应处理并完成整改之后，再重新申请该项目的竣工验收监测工作。三是严格验收监测报告制度，切实加强验收监测全过程的质量控制和保证。验收监测方案和报告应严格按照国家和地方有关依据编制，全面说清企业对环评批复要求落实情况，实际负荷和工况条件的污染物排放浓度和核定总量情况，以及企业存在的环保重大问题；落实验收监测方案与报告的预审制度，方案与报告应经环境保护主管部门审核后实施或印发。四是建立验收监测调度制度，监测机构内部负责验收的管理科（室），应对每个实施验收监测中的建设项目单独建档，并进行全程、动态的计划管理，协调、调度验收监测工作进度，并及时将信息向环境保护主管部门汇报。

（七）健全验收监测收费管理制度

验收监测是建设项目竣工环境保护验收工作的重要依据，技术性强、内容繁杂，既有现场监测和采样，又有实验室仪器分析；既有现场勘察、调查产生的交通食宿费用，又有方案与报告编制、印刷的费用，耗费大量的人力物力成本。对验收监测实行有偿收费并要求由建设单位承担，是落实“谁污染、谁治理”环境责任的具体体现，也是节约财政开支，增加财政收入的一条渠道。但环保行政主管部门对验收监测收费只有原则性规定，缺乏相应的管理制度，对收费性质、标准、程序及使用等没有明确规定。如原国家环保总局环发［1999］246 号文中规定了“建设项目‘三同时’竣工验收监测等所需经费由排污单位承担，收费持省级以上物价部门颁发的收费许可证并按国家规定的监测服务收费标准执行”；环发［2000］38 号文中却只提出“建设项目环境保护设施竣工验收监测收费按有关规定执行”。由于没有统一的收费标准或原定标准已经严重背离了我国市场经济条件下物价水平，验收监测单位在经费预算编制时依据不足，随意性强，造成建设单位提出异议拒签委托合同，导致监测机构难以在规定期限内进行现场监测和提交报告，影响了政府公信形象和建设项目监督管理工作的顺利进行。为规范验收监测收费行为，维护监测机构和建设单位的合法权益，建议环保部应完善现行的收费管理制度，遵循公开公平、有偿服务的原则，协调财政、物价部门制定全国统一要求、分类指导、可操作性强的验收监测收费标准和管理办法，明确收费程序、成本开支和使用原则，加强对收费的审计监督管理，地方政府借鉴国家关于收费的有关规定，按照建设项目的行业、投资额和环境监测调查内容，结合当地价格水平制定政府指导价，把收费纳入规范化、法制化的管理轨道，使验收监测工作按照管理规范顺利进行。

参考文献

[1] 山东省人民政府办公厅．关于加强环境影响评价和建设项目环境保护设施“三同时”管理工作的通知［Z］．2006－07－10.

[2] 山东省人民政府办公厅．关于加强建设项目污染物排放总量控制有关问题的通知［Z］．2007－08－22.

[3] 山东省人民政府办公厅．关于加强危险化学品建设项目安全管理工作的通知［Z］．2006－12－21.

[4] 江苏省环境保护厅．关于加强建设项目竣工环境保护验收监测工作的通知［Z］．2006－02－20.

[5] 林帅．关于环评和环保“三同时”制度落实情况的经常性监管问题［OL］．青岛市人民政府法制网．2008－10－09.

满足环境风险可保性的措施：美国的经验与借鉴

陈冬梅　夏座蓉

（复旦大学经济学院保险系　上海市杨浦区国权路600号　200433）

摘　要　环境风险很难全部满足传统的可保性条件。美国的经验是建立风险共担架构解决连带责任问题，利用科学模型给环境风险定价，利用索赔型环境责任保单降低环境法规演化的风险，利用保单条款而非司法判决确定保险人的责任范围，从而满足环境风险的可保性。

关键词　环境风险　可保风险　风险共担架构　科学模型

保险是一种无形商品，投保人获得的唯一好处是保险人偿付其未来损失的承诺。保险人必须要能够精确地估计这种承诺所带来的成本并以此为保险产品定价。因此并非所有的风险都是可保的。可保风险需要满足一定的要求。包括：①必须有大量的风险单位。②损失必须是意外造成的。③损失必须是可以确定和衡量的。④非灾难性损失。⑤损失的几率必须可以预测。⑥保险费必须是经济可行的。但环境风险很难全部满足以上可保性条件。美国采取了一些措施满足环境风险可保性，为我们提供了有益借鉴。

一、建立风险共担架构解决连带责任问题

之所以要制定连带责任是因为现有技术很难确定因果关系和责任人，从而很难界定每一个潜在责任人应该承担的责任份额。然而一旦与污染事故有一点关系，就可能承担所有的赔偿和清理费用，等同于企业必须为其他人的错误负责，这不仅会挫伤企业防灾防损的积极性，而且还会使企业的环境风险难以衡量。

如果能够在潜在责任人之间事先确定污染事故的赔付比例，至少可以在一定程度上降低单个企业面临的环境风险的不确定性。潜在责任人可以利用污染物的排放量、污染物的毒性和持续时间、污染物是否易于扩散等指标确定各自应该承担的比例。为了避免出现诉讼发生时有的企业已经破产的情况，可以事先按照这一比例向各个潜在责任人收取一定的费用作为偿债基金。

Paul Bennett（2000）详细讨论过名为保护和赔偿俱乐部（Protection and Indemnity Clubs）的风险共担组织，笔者认为对解决连带责任问题具有很强的借鉴意义。最早的保护和赔偿俱乐部产生于英国，是船主之间的一个非营利性的互助协会，用于汇聚和分摊第三者责任（包括环境责任）风险。世界上共有14个这样的俱乐部，囊括了世界上90%的商船队[1]。保护和赔偿俱乐部的风险共担架构分为三个层次。第一层次，船主事先按照一定的标准向俱乐部缴纳“份额”，并且按照“份额”的比例分摊这一年里的索赔额。每一个船主应该缴纳的“份额”取决于

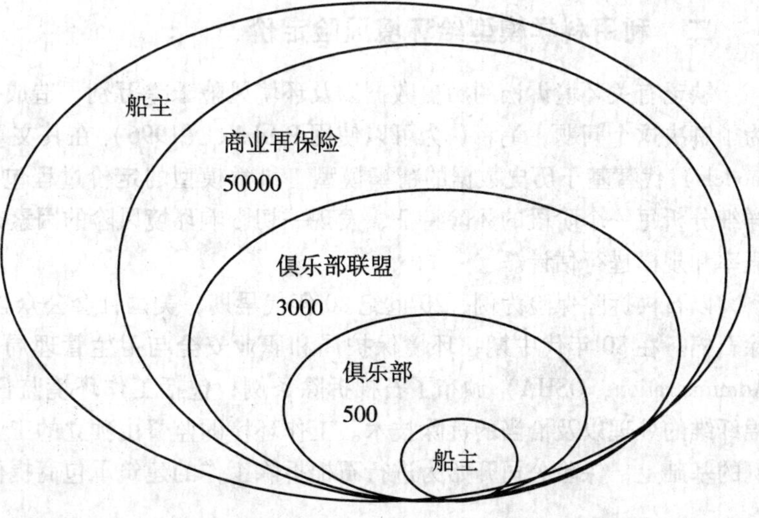

船舶的容积、船舶装载的物质、航程等因素。第二个层次，保护和赔偿俱乐部之间相互提供保险。第三个层次，所有的保护和赔偿俱乐部作为一个整体，向保险公司购买再保险。

一旦发生索赔，首先由单个船主赔付免赔额范围内的金额，其次免赔额以上500万美元以下的部分在单个俱乐部之内由成员分摊，之后500万美元以上3000万美元以下的部分由所有的俱乐部分摊，最后由商业再保险公司承担3000万美元以上的部分。不过商业保险公司承担石油污染责任的最大限额为5亿美元，超过5亿美元的部分由单个船主支付（如图所示）。

笔者认为可以建立类似的风险共担架构，用于购买汇聚和分散环境风险。让具有类似环境风险的企业①组成环境风险共担组织，按照风险指标确定各自应该缴纳的“份额”，规定按照“份额”分摊索赔；风险共担组织可以相互之间“保险”形成联盟；单个环境风险共担组织或者联盟可以作为整体向保险人购买再保险。

这种架构的优势在于：

首先，有助于分散环境风险。三层风险分摊机制可以使环境风险最大限度的分散，减少企业的不确定性。

其次，有助于保险人确定风险。企业可以按照事先商定的比例支付索赔，而不需要因为连带责任支付所有赔偿和清理费用。保险人在承保的时候，对潜在责任人整体进行保险，避免了承保一个企业，却不得不承担所有潜在责任人风险的情况，有助于保险人精确地计算环境风险，降低每一个潜在责任人支付的保费。

最后，有助于环境风险研究和防治污染。企业的环境责任越来越受到合作伙伴、竞争者、上下游企业的影响，因此有必要在环境保护、污染防治方面建立合作关系和相互监督的机制。环境风险共担组织的成员熟悉彼此的生产流程和工艺技术，能够更好地相互监督。企业必须分摊组织中其他的成员的环境责任，激励组织制定和实施行业规范，要求成员执行。这样的组织构架也有助于整个行业联合起来研究新的生产流程和制造工艺以降低环境污染。

最重要的一点在于，成员缴纳的“份额”，反映了成员对彼此之间环境风险的评价。保险人估计企业的环境风险只能使用一些“硬信息”（例如：排污量）。相反，成员之间还掌握着一些“软信息”（通过长期的合作，或者对行业的了解获得），所以制定的“份额”比保险公司制定的“保费”更能够反映被保险企业的环境风险。因此引入环境风险共担组织可以更好地实现“污染者埋单”，也更能够激励企业采取措施降低环境风险。

二、利用科学模型给环境风险定价

缺乏有关环境诉讼的历史数据以及环境风险千差万别，造成传统的精算定价模型难以使用。为了解决这个问题，笔者认为可以使用Paul K.（1996）在其文章中提到的科学模型（Scientific models）代替基于历史数据的精算模型。科学模型的定价过程包括，梳理风险产生的整个过程，详细分析每一个阶段的风险特征，发现一切影响环境风险的因素，在此基础上对环境风险发生的概率和规模进行估计。

以石棉拆除保险为例，20世纪80年代早期，美国社会公众强烈地要求在已有的建筑物中拆除石棉。在80年代中期，环境保护局和职业安全与卫生管理局（Occupational Safety and Health Administration，OSHA）颁布了石棉拆除条例，包括工作环境监督细则、建筑工人保护程序、石棉纤维的处理以及恰当的拆除技术。工作环境的监督由独立的工业卫生公司执行。在石棉拆除条例的基础上，保险公司开始为进行石棉拆除工作的建筑承包商提供保险，承保由于工作场所的石

① 这里所指的具有类似环境风险的企业，可以是指同一个行业的企业，也可以是指可能同时成为环境事故潜在责任人的企业，例如：往同一条河流中排放废水的不同行业的企业。

棉纤维释放量超过了可以允许的范围而造成的财产损失和人身伤害。要估计石棉拆除风险必须要回答两个问题：有多大的可能性有人吸入了建筑物中释放出的石棉纤维并因此患病；如果有人因为吸入石棉纤维而患病，需要为此支付多少赔偿。首先，由于政府机构规定了石棉拆除的施工规范和技术要求，这使空气中石棉含量超标的可能性非常的小，而且易于预测。其次，根据医学研究，吸入（或吞入）过量的石棉会造成肺癌、间皮瘤、石棉沉滞症以及肠胃癌等疾病。这些疾病的发病率和死亡率都与石棉的吸入量有关。石棉的吸入量又取决于空气中石棉的浓度和接触石棉的时间。通过医学模型（例如 OSHA 模型）可以估计石棉吸入量同各种疾病的发生率（死亡率）之间的对应关系。另外，按照建筑物内单位面积的人员密度和建筑物的总面积可以估计一旦石棉纤维含量超标受影响的总人数。最后通过对法律体系的诉讼费用、赔偿标准以及曾经的石棉诉讼赔偿的分析，可以估计每一个受害者的赔偿数额。通过这些数据就可以衡量石棉拆除的预期损失，即石棉拆除的预期损失 = ∑石棉含量超标的概率 × 发病率 × 受影响的人数 × 赔偿数额，并在此基础上为石棉拆除保单定价。

从石棉拆除保险的例子可以发现要使用科学模型定价需要满足一定的条件。

1. 要根据特定的环境风险建立明确的法定规范，包括标准和行为要求。标准是指生产技术要求，排放标准，污染物浓度的规定等。行为要求是指生产流程监督细则和风险报告制度等。建立法定规范主要有两个目的。首先，自动甄别不同的被保险人。不能满足法定规范的被保险人往往环境风险很大，保险公司拒绝承保没有满足法定规范的被保险人。其次，降低环境风险的不确定性，企业遵守规范会降低企业面临的环境风险，同时在法定规范的范围内，保险公司能够更好地估计损失发生的概率和程度。法定规范不要使用模糊的、意思不明确的表达，其执行结果要易于衡量和监测。例如最好不要出现“在现有最优技术下进行生产”类似的条款，因为“现有最优”本身很难界定。

2. 保单的条款要清晰、无歧义。法定规范是针对整个行业或是一个群体，而每一个特定的投保者都有自身独特的风险特征。环境责任保单可以通过制定比法定规范更加严格、更具有针对性的承保条件，减少风险预测的不确定性。为了避免模棱两可的措辞给保险人带来的司法解释风险，保险人要用清晰的、无歧义的语言界定事件、损害机制以及免责条款等要素。

3. 建立科学的风险因素定价模型

在石棉拆除风险中，肺癌的发病率主要取决于石棉纤维吸入量，通过医学模型可以建立“石棉纤维吸入量”这个风险因素和“发病率”之间的对应关系。同样地，其他的环境风险也必须要依赖医学或者是工程学上的专业研究，将风险因素和损失对应起来，因此如果说前面两个条件是合理定价的基础的话，无疑基于风险因素的定价模型就是合理定价的关键。这些模型的建立往往超过了保险人的知识范围，必须要借助于医学以及工程学方面的专家。同时模型的建立又可以反过来指导法定规范和承保条件的制定。

总的来说，如果不能很好地满足以上条件，保险人就不能精确地估计损失的概率和程度，为此保险人常常会采用最坏的场景分析或者收取“风险溢价”，无论是哪一种都将增加投保人支付的保费。

三、利用索赔型环境责任保单降低环境法规演化的风险

事故型环境责任保险（claim occurrence basis liability coverage）以事故发生在保险期限之内作为保险人承担责任的基础，即如果引起诉讼的保险事件是发生在保单的有效期内，保险公司有义务在保单的限额内承担赔偿责任，而不考虑是否在这一期间提出索赔。由于环境污染的特点，其致人损害而发生索赔的时间往往是在保险合同失效若干年甚至几十年后，这使保险公司无法预计未来的保险给付责任，对保险人非常不利。美国规定环境污染责任保险索赔时效最长为 30 年。

但对于一些后果明显并确定的，保险索赔时效可规定为3年，自危害后果发生之日起计算。即便规定了最长的索赔期限，保险人面临的不确定性仍然很高，环境法规的不断演化更是增加了保险人面临的风险。例如新的环境法扩大了被保险人的责任范围或者是赔偿金额，保险人在承保的时候并没有考虑到企业因此而增加的环境风险，因此承担了保单意图之外的责任。

许多学者认为使用索赔型环境责任保险可以减少保险人承保环境责任保险的不确定性。索赔型环境责任保险（claim occurrence basis liability coverage）以索赔发生在保险期限之内作为保险人承担责任的基础，即如果某项索赔是在责任保单有效期提出，保险公司有义务在保单限额内进行支付，而不考虑引起诉讼的事件发生在什么时间。保险人多在保单上订有“追溯期”（Retroactive date），约定在追溯期以前所发生的事故不负赔偿责任。采用索赔性环境责任保险的方式承保环境责任风险保险人只需要预测保险期限内的环境法规变动就可以了，更容易估计保险责任。但是也有学者并不赞同采用索赔型环境责任保险，因为这种保险方式不能激励被保险人减少环境污染，进行防灾防损。

笔者认为环境责任保险被应用于环境风险的管理的一个重要的目的就是建立“奖优罚劣”的激励机制，鼓励被保险人减少污染。如果环境责任保险仅仅具有分散风险的功能，还不如直接由政府直接收取环境税，并且统一支付赔偿和清理费用更有效率，因此笔者并不赞同采用索赔型环境责任保险，只要能够有办法降低环境法规演化给保险人带来的不确定性，事故型责任保单将会更合适。也许正是因为这个原因，在法国以索赔型形式来重写保单的尝试被最高法院判否决，比利时和西班牙也在努力限制索赔型保单。

Kenneth（1988）曾经提及通过分两步收取保费和建立追溯性指数来降低环境法规演化造成的风险。具体思路是分两步收取保费，第一次收取保费是在承保的时候，保费反映的是在当时的立法下保险公司承担的环境风险；第二次收取保费是在多年之后，保费反映的是从承保到第二次收取保费这段时间，环境法规的变化造成的保险人环境责任的变化。构造追溯性指数，用于衡量由于法规演化造成的环境责任的增加或者减少，并且根据追溯性指数收取第二次的保费。这种方法的关键问题是在如何构造具有普遍意义的指数来反映环境法规的变动。

四、利用保单条款而非司法判决确定保险人的责任范围

环境责任保险是责任保险的一种。责任保险是指以被保险人对第三者依法应负的民事损害赔偿责任为保险标的的保险。因此保险人最终的赔付取决于法院对被保险人损害责任的认定。由于环境风险的特殊性，很难确定受害人的损失和特定的环境污染之间的因果关系。要通过民事诉讼体系获得补偿，需要经过漫长的时间，花费巨额的法律费用。在最终责任人支付的总金额中，交易成本和诉讼费用占了非常大的比例，而支付给受害人的赔偿（或是清理费用）仅占总支出的很小一部分。RAND曾经针对CERCLA诉讼进行了多项研究，调查交易成本在总支出中所占的比重。有数据显示，在与CERCLA相关的诉讼中，交易费用占到了总支出的60%，而法律诉讼费用占到了所有交易费用的75%。也就是说律师从环境污染的民事诉讼中获得的收入比清理费用还要高5%。

1998年，荷兰责任保险协会推出了承保土壤和水污染的第一方保单。Lucas（2003）认为这款保单的优势在于保险责任范围由保险人而不是法院来界定。与第三者保险相比，第一方保险的保险人更能够控制责任范围。例如，在什么情况下赔偿以及赔偿多少都可以通过保单的条款事先规定，而不用依赖司法判决。这样不仅可以减少保险人风险的不确定性，而且也可以不必支付高昂的法律费用。根据皮尔森皇家委员会（Pearson Royal Commission）的调查，在英国，1971—1976年间保险公司平均每年支付约2亿英镑的民事诉讼赔偿，而与之相伴的管理费用就高达1.75亿英镑，也就是说每单位英镑的责任保险保费仅有53%用于赔偿损失，有47%被用于支付

律师的费用或者是其他成本。

根据 Paul K.（1996）提供的数据，1983—1992 年间，保险公司在“其他责任保险”产品上的承保费用占保费收入的比例平均为 25.1%，也就是说约有 75% 的支出被用于支付赔偿和清理费用。因此，如果保险人能够按照保单条款而不是司法判决支付赔偿（或清理费用）的话，保费中用于赔偿（或清理费用）的部分将提高 22%。

所有美国保险公司“其他责任保险”产品的管理费用

年份	承保费用占保费收入的比例
1983	0.319
1984	0.303
1985	0.238
1986	0.204
1987	0.223
1988	0.241
1989	0.255
1990	0.263
1991	0.279
1992	0.275
总和	0.251

资料来源：Best's Aggregate and Averages—Property and Casualty，1993，p. 157。

保险人按照保单条款对被保险人进行支付，还可以降低确定损害和污染之间因果关系的重要性。例如地产转让保险（Property Transfer Liability，PTL）就以有害物质的含量超过可以允许的标准作为支付的标准，而不用考虑造成的实际损害。

采用保单条款作为支付赔偿的依据要注意以下几个问题。首先，保单的条款必须要清晰、具体、没有歧义，否则可能因为不同的司法解释而使保险人承担预期之外的责任。其次，如果保险人按照保单条款支付赔偿，那么保单条款和最终司法判决之间的差异，将造成被保险人的风险。不过被保险人可以按照自己的风险管理要求和保险人协商适合的保单条款和对应的保费，有针对性地满足自身的风险偏好。

参考文献

[1] Paul Bennett. Anti－Trust? European Competition Law and Mutual Environmental Insurance［J］. Economic Geography，2000，76（1）：50－67.

[2] Paul K. Freeman and Howard Kunreuther. The Roles of Insurance and Well－Specified Standards in Dealing with Environmental Risks［J］. Managerial and Decision Economics，1996，17（5）：517－530.

[3] Dixon，Lloyd S.，Deborah S. Drezner and James K. Hammitt. Private Sector Cleanup Expenditures and Transaction Costs at 18 Superfund Sites［R］，Santa Monica CA：Rand Institute for Civil Justice，1993：31.

[4] Lucas Bergkamp. Environmental Risk Spreading and Insurance［J］. Reciel，2003，12（3）：269－283.

[5] 别涛，王彬．环境污染责任保险制度的中国构想［J］．环境经济，2006（11）：49－55.

非点源污染定量化方法研究

谈俊益[1,2]　邵孝侯[1,2]　吴俊峰[3]　陈丽娜[3]　李圆圆[1,2]　文　涛[1,2]

（1. 河海大学南方地区高效灌排与农业水土环境教育部重点实验室　南京　210098；
2. 河海大学水利水电学院　南京　210098；3. 江苏省环境科学研究院　南京　210036）

摘　要　非点源污染是导致水环境恶化的重要原因之一，非点源污染控制技术和措施已经成为环境保护工作的重要内容。本文着重阐述了非点源污染定量化研究方法，并从理论与应用角度分析了非点源污染定量化研究的发展趋势。

关键词　非点源　定量化　环境保护

非点源污染可以定义为污染物以广域的、分散的、微量的形式进入地表及地下水体[1]。也可以表述为溶解性或固体污染物，从非特定的地点随暴雨生成的径流进入受纳水体所造成的污染[2]。综合各种非点源污染的定义，非点源污染可以较为精确地表述为在降雨径流的冲刷和淋溶作用下，大气、地面和土壤中的溶解性或固体污染物质（如大气悬浮物，城市垃圾，农田、土壤中的化肥、农药、重金属，以及其他有毒、有害物质等），进入江河、湖泊、水库和海洋等水体而造成的水环境污染[3]。污染的发生具有随机性、排放途径及污染物排放的不确定性、污染负荷的时空差异性以及监测、控制、管理难度大等特点[4]，也有研究者称其为面源污染。

大量研究表明，非点源污染是导致水环境恶化的重要原因之一。目前，农业非点源污染影响了全球陆地面积的 30% ~50%，在全球 $12\times10^8 hm^2$ 退化耕地中，约有 12% 由农业非点源污染引起[5]。在我国的滇池、巢湖、太湖，以及黄河、淮河、汉江等水域，非点源污染的比例均已超过点源污染，成为威胁生态环境的主要原因[6]。近来，在点源控制技术和措施相对成熟之后，非点源污染控制技术和措施已经成为环境保护工作的重要内容。而有效的非点源污染控制技术有赖于科学可靠的非点源污染定量化计算和评价体系[7]。

一、非点源污染研究方法

非点源污染模型是实现非点源污染定量评价的有效工具之一。它通过对整个流域系统及其内部复杂污染过程的定量描述，帮助我们分析非点源污染产生的时间和空间分布特征，识别其主要来源和迁移途径，预报污染负荷量及其对水体的影响，并评价土地利用变化以及不同管理措施对非点源污染和水质的影响，为流域规划和管理提供决策支持[8]。

20 世纪 70 年代以来，国内外学者针对非点源污染估算开发了大量的数学模型，主要分为两大类，一类是统计性经验模型，另一类是机理性过程模型。

（一）统计性经验模型

1. 输出系数法[10]

20 世纪 70 年代，美国、加拿大在研究土地利用—营养负荷—湖泊富营养化关系的过程中就提出并应用了早期的输出系数模型，其表达式为：

$$L = \sum_{i=1}^{m} E_i A_i$$

式中：L 为各种土地某种污染物的总输出量，kg/a；m 为土地利用类型的数目；E_i 为第 i 种土地利用类型的该种污染物输出系数，$kg/hm^2 \cdot a$；A_i 为第 i 种土地利用类型的面积，hm^2。

由于早期的输出系数模型存在一些不足，如土地利用分类比较简单，不细分各类农业用地等，很多更为完备的输出系数法模型建立起来。Johns 在以往模型的基础上提出了以下模型：

$$L = \sum_{i=1}^{n} E_i[A_i(I_i)] + P$$

式中：L 为营养盐的流失量；E_i 为第 i 营养盐的输出系数；A_i 为第 i 类土地利用类型的面积或第 i 种牲畜的数量或人口的数量；I_i 为第 i 种营养盐源的营养物输入量；P 为降雨输入营养物的数量。

改进后的输出系数模型丰富其内容，提高了模型对土地利用变化的灵敏性，在非点源污染的模拟过程中有令人满意的结果。

2. 水质水量相关法[11]

由降雨径流污染形成的过程可知，在降雨过程中，只有形成径流，才有可能产生非点源污染。因此降雨径流污染负荷量与降雨径流量有密切的关系。另一方面，可知年径流量可以分为地表径流和地下径流，如果能够得到地表径流和地下径流的平均浓度，即可算出年污染总负荷量。其计算公式如下：

$$W_T = C_{SM}W_S + C_{BM}W_B$$

式中：C_{SM}、C_{BM} 为地表径流和地下径流的平均浓度；W_S、W_B 为年地表和地下径流。

3. 平均浓度法[12]

从以上水质水量相关法的介绍可知，年污染负荷量可以由地表和地下径流的平均浓度和相应的径流量的乘积求得，对于径流量可以由长系列实测水文径流资料查出，对于水文资料不足的也可以采用当地水文手册中的等值线图推求。

对于地表径流的平均浓度，可以先计算每次暴雨各种污染物非点源污染的平均浓度，以各次暴雨产生的径流量为权重，求出其加权的平均浓度即为地表径流的平均浓度。

一次暴雨径流过程非点源污染平均浓度的计算公式为：

$$\overline{C} = W_L/W_A$$

式中：W_L 为该次暴雨携带的负荷量，g：$W_L = \sum_{i=1}^{n}(Q_{Ti}C_i - Q_{Bi}C_{Bi})\Delta t_i$；$W_A$ 为该次暴雨产生的径流量，m^3：$W_A = \sum_{i=1}^{n}(Q_{Ti} - Q_{Bi})\Delta t_i$；$Q_{Ti}$ 为 t_i 时刻的实测流量，m^3/s；C_i 为 t_i 时刻的实测污染物浓度，mg/L；Q_{Bi} 为 t_i 时刻的枯季流量，m^3/s；C_{Bi} 为 t_i 时刻的基流浓度，mg/L；Δt_i 为各个变量的代表时间，s。

$$\Delta t_i = (t_{i+1} - t_{i-1})/2$$

则多次暴雨非点源污染物的加权平均浓度为：

$$C = \frac{\sum_{j=1}^{m} \overline{C}_j W_{Aj}}{\sum_{j=1}^{m} W_{Aj}}$$

求得该加权平均浓度，即地表径流平均浓度后，可以算出非点源污染的总污染负荷量，加上枯季径流所携带的负荷量，可以得到年总负荷量。

（二）机理性过程模型

为了能更加精确地研究非点源污染，从机理过程出发，逐日地模拟非点源污染物在渗透性和非渗透性的土壤、河网、水库和湖泊等介质中迁移转化的复杂综合过程，从统计性模型发展而来的机理性过程模型迅速发展，并得到广泛的运用。机理性过程模型又可以分为集总式模型和分布式模型：集总式参数模型考虑系统内部相关的土壤、气候、地形等地理要素采用空间平均的处理；分布式参数模型考虑了流域内部的地理要素和地理过程在时间和空间上的差异，并以格网或子流域的空间单元划分方法将大流域或流域离散化成更小的地理单元。在这些地理单元中，地理要素被看做是均匀的，因而有更强的物理基础[13]。

1. CREAMS 模型[14]

CREAMS（Chemical Runoff and Erosion from Agricultural Management Systems）模型是由美国农业部开发的一种集总式模型，主要用于研究土地管理对水、泥沙、营养物和杀虫剂的影响，适用范围为 40 ~400hm^2。模型由 3 个功能模块组成：水文模块、侵蚀或泥沙模块和化学污染物模块。水文模块采用 SCS 曲线法和 Green – Ampt 入渗方程：侵蚀模块引用了 USLE 方程，污染物负荷采用概念模型。CREAMS 广泛应用于计算农田污染物的流失。但由于模型的参数比较单一，而且没有考虑流域土壤、地形和土地利用状况的差异性，所以它只能用作粗略的计算和预测预报。

2. AGNPS 模型[15]

AGNPS（Agricultural Nonpoint Source Pollution）模型于 1986 年由美国农业部农业研究署和土壤保护署以及明尼苏达州的污染控制处联合开发。

AGNPS 模拟一次降雨过程时，可以模拟集水区内径流、侵蚀和营养物质迁移等内容。主要有 3 个模型组件：推求径流和水量的水文组件；推求侵蚀和泥沙输移的组件；推求营养盐输移和浓度的化学组件。水文组件采用美国农业部土壤保护署的 CN 方法，以格网离散单元为计算单元；泥沙输移组件采用通用的土壤流失方程 USLE；而营养盐的输移主要基于富集率和提取系数的概念估测氮（N）、磷（P）和 COD。

3. ANSWERS 模型[16]

ANSWERS（Areal Nonpoint Source Watershed Environment Response Simulation）模型是一个基于降水事件的分布式参数模型，用于评估和预测农业流域的水文和侵蚀过程，氮、磷等营养物质用化学浓度、产沙量和径流三者之间的关系来模拟。模型采用网格方法对研究区进行空间离散化。改进后的该模型能够模拟侵蚀过程中的泥沙分布；并且增加了基于事件的氮磷输移模型，同时还考虑了可溶性、吸附性硝酸盐、铵和 TKN 的输移过程。

4. SWAT 模型[13]

SWAT（Soil and Water Assessment Tools）是由美国农业部农业研究署研究开发的一个连续时间的分布式模型，适用于包含各种土壤类型、土地利用和农业管理制度的大流域。主要用来模拟和评估人类活动对水、沙、农业污染物的长期影响。SWAT 模型在离散化的空间单元中，应用传统的概念性模型来推求水文、污染物输移和转化等过程。其由 8 个组件组成，包括水文、气象、泥沙、土壤温度、作物生长、营养盐、农药和农业管理。可以模拟地表径流、入渗、侧流、地下水流、回流、融雪径流、土壤温度、土壤湿度、蒸散量、产沙、输沙、作物生长、氮、磷等营养盐流失、流域水质、农药等多种过程以及耕作、灌溉、施肥等多种农业管理措施对这些过程的影响。模型可以模拟 5 种形态的氮和磷，包括矿物态和有机态的氮磷，不但考虑了氮磷在上层土壤和泥沙中的集聚，同时利用供求方法计算了作物生长的吸收。

统计性经验模型和机理性过程模型各有其优缺点。对于统计性经验模型，它较少考虑中间过程和内在机制，以“黑箱”研究方法为主导；模型应用的优势是基础数据需求较低，计算简便，但难以描述污染物迁移的路径与机理，而区域特征的经验性也限制了模型的广泛应用。而机理性过程模型考虑了中间过程的内在机制，以“白箱”研究方法为主导，模型应用的优势是计算时间序列性强、空间分布特征清晰，但模型变量较多，基础数据量大，精度要求高，往往由于资料有限，参数率定困难，限制了这类模型在大尺度非点源污染负荷估算中的推广和应用[9]。

二、非点源定量化研究趋势

非点源的污染过程与流域土地利用、土壤性质、地形特征等下垫面情况有着密切的关系，而对这些具有空间特性参数的表达正需要地理信息系统（GIS）的空间支持，参数以及基本数据的输入都可以在GIS的环境下生成。用GIS处理非点源时，动态数据更新快，易于实现数据共享，结果显示形象直观；能对海量数据进行分析；能够通过空间分析与统计，方便地确定各参数的空间分布及参数间的空间相关性[17]。与GIS相结合的非点源污染模型能够更好地对非点源污染进行模拟。

随着以GIS为核心的遥感技术（RS）、全球定位系统（GPS）的发展，3S技术与非点源污染模型的结合成为了未来非点源污染研究的必然趋势[18]。GIS的发展使其空间信息管理的综合分析能力得到不断增强。RS以多时段、多光谱、大范围监测和灵活的空间统计能力，为数据资料的获得提供了一种经济有效的方法。GPS具有高精度、速度快、全天候、自动化程度高等优点。对数据采集点、污染物监测点和遥感信息中心的特征点进行实时的、快速的精确定位并提供地面高程模型，以便形成信息进入GIS，3S技术与非点源模型的结合必然为非点源污染的定量化研究提供了广阔的前景。

参考文献

[1] Lee S I. Nonpoint source pollution［J］. Fisheries，1979（2）.

[2] 李怀恩，沈晋. 非点源污染数学模型［M］. 西安：西北工业大学出版社，1996.

[3] 王飞儿，陈英旭，吕唤春. 基于GIS的非点源污染模型的类型、组成及其发展方向［J］. 水土保持科技情报，2002（3）.

[4] 张瑜英，孙丽云，李占斌. 城市非点源污染研究进展与展望［J］. 人民黄河，2006，28（3）.

[5] Dennis L，Gorwin et al. Nonpoint pollution modeling based on GIS［J］. Soil and Water Conservation，1998，1：75－88.

[6] 郝芳华，杨胜天，程红光，等. 大尺度区域非点源污染负荷估算方法研究的意义、难点和关键技术［J］. 环境科学学报，2006，26（3）：362－365.

[7] 李怀恩，沈晋，刘玉生. 流域非点源污染模型的建立与应用实例［J］. 环境科学学报，1997，17（2）：141－147.

[8] 邢可霞，郭怀成，等. 流域非点源污染模拟研究［J］. 地理研究，2005，24（4）.

[9] 郝芳华，杨胜天，程红光，等. 大尺度区域非点源污染负荷估计方法研究的意义、难点和关键技术［J］. 2006，26（3）.

[10] 李怀恩，庄咏涛. 预测非点源营养负荷的输出系数法研究进展与应用［J］. 西安理工大学学报，2003，19（4）.

[11] 洪小康，李怀恩. 水质水量相关法在非点源污染负荷估算中的应用［J］. 西安理工大学学报，2000，16（4）.

[12] 李怀恩. 估算非点源污染负荷平均浓度法及应用［J］. 环境科学学报，2000，20（4）.

[13] 赖格英，于革. 流域尺度的营养物质转移模型研究综述［J］. 长江流域资源与环境，2000，14（5）.

[14] 金鑫. 农业非点源污染模型研究进展及发展方向［J］. 山西水利科技，2005（1）.

[15] David P，Darrew S. Towards integrating GIS and catchments models［J］. Environment Modeling & Software，2000，15：451－459.

[16] Beasley D B，Huggins L F，Monck E J. ANSWERS；A model for watershed planning［J］. Trans of the ASAE，1980，23（4）：938－944.

[17] 代晋国，王淑莹，李利生，等. 基于GIS的非点源污染的研究及应用［J］. 安全与环境学报，2003，3（6）.

[18] 王伟武，朱利中，王人潮. 基于3S技术的流域非点源污染定量模型及其研究展望［J］. 水土保持学报，2002，16（6）.

关于重大生态建设工程系统整合的思考

张力小

（北京师范大学环境学院　北京　100875）

摘　要　生态建设工程是进行区域生态建设战略的重要载体和实施方式。本文首先梳理了我国当前实施的各项重大生态工程，并对其建设过程中存在的问题进行了分析。项目目标、组织实施、项目管理以及绩效评估等方面存在的隔离，是这些问题产生的深层次根源。最后，从纵向整合和横向整合两个角度，对重大生态工程整合提出了新的思路和制度设计建议。

关键词　生态工程　系统整合　生态系统退化

生态建设工程是进行区域生态建设战略的重要载体和实施方式，其规划时间长、投资规模大、涉及范围广，在我国社会经济发展中扮演着越来越重要的地位。但是，持续不断恶化的生态环境，迫使我们对实施的一系列生态建设工程进行重新审视，并亟须对其涉及的技术体系、管理方式以及绩效评价等问题进行研究（刘德晶和司洪生，2003）。

一、我国实施的重大生态建设工程

新中国成立初期，我国的“生态建设”很大程度上等同于“林业建设”。在“普遍护林、重点造林”的方针指导下，由北向南相继营造了各种防护林，如防风固沙林、农田防护林、沿海防护林等。1978 年，国务院决定在我国的西北、华北北部、东北西北部风沙和水土流失严重地区建设防护林体系，即“三北”防护林体系，标志着我国从单纯利用林业资源转向为利用与生态建设并重的阶段（张力小和宋豫秦，2003）。1986 年，林业部（现林业局）又提出绿化太行山工程、沿海防护林体系工程、长江中上游防护林体系工程等十大林业生态工程，规划区总面积 705.6 万 hm^2，占国土总面积的 73.5%，覆盖了我国的主要水土流失区、风沙侵蚀区和台风、盐碱危害区等生态环境脆弱地区。与此同时，1985 年国务院指出“25°以上的坡耕地要有计划、有步骤地退耕还林还牧……”（国家林业局，1987）并在家庭联产承包责任制的带动下，局部地区开展了小流域水土流失治理工程，逐渐扩展为黄河、长江等七大流域水土流失综合治理工程。

1998 年 11 月国务院通过《全国生态环境建设规划》，该规划将天然林等自然资源保护、植树种草、水土保持、防治荒漠化、草原建设、生态农业等均纳入生态环境建设的范畴；将全国生态环境建设分为八个类型区，并将黄河上中游地区、长江上中游地区、风沙区和草原区作为 1999—2010 年生态建设的重点区域，并为各重点区域制定了重点建设工程及建设任务①（见表 1）。2000 年 12 月，国务院印发了《全国生态环境保护纲要》，提出：到 2030 年，全国 50% 的县（市、区）实现秀美山川、自然生态系统良性循环，30% 以上的城市达到生态城市和园林城市标准，到 2050 年，力争全国生态、环境得到全面改善，实现城乡环境清洁和自然生态系统良性循环，全国大部分地区实现秀美山川的宏伟目标②。

在《全国生态环境建设规划》和《全国生态环境保护纲要》的指导下，我国生态建设进入一个全新的发展阶段，开展了一系列生态环境建设重点工程（见表 2）：首先林业局将原有的 17 项建设工程进行了系统整合，确立了林业六大重点工程（见表 3），并被整体纳入了“十五”国民经济和社会发展计划（黄清，2003）；水利部继续重点实施长江和黄河上中游在内的水土流失

① 国务院，《国务院关于生态环境建设规划的通知》，1998.

② 国务院，《全国生态环境保护纲要》，2000.

综合防治试点工程，农业部在继续完成退牧/耕还草以及草原生态建设，协调林业局和水利部完成林业生态建设和水土保持生态建设的同时，将生态建设与农业资源保护、面源污染治理相结合，在全国范围内开展了生态农业建设工程（傅玉祥和梁书升，2006）。2006 年国家“十一五”规划纲要将天然林资源保护工程、湿地保护与修复工程等生态保护重点工程列入国家经济和社会发展计划（见表4）。

表1　《全国生态环境建设规划》重点区域与重点工程①

重点区域		重点工程
名称	范围	
黄河上中游地区	晋、陕、蒙、甘、宁、青、豫的大部或部分地区	以黄土高原地区为重点，优先建设天然林保护工程、水土流失综合治理工程、重点水土流失区林业与草地治理工程、节水灌溉工程、以旱作农业为主的生态农业建设工程等
长江上中游地区	嘉陵江、云南金沙江流域，洞庭湖、鄱阳湖、川西和三峡库区	优先建设一批林果和水土流失综合治理工程，实施天然林资源保护工程，加快天然林区森工企业转产，停止天然林砍伐，大力开展营林造林，建设生态农业工程，推广水土保持耕作技术
风沙区	东北西部、华北北部、西北大部干旱地区	与提高农牧业生产水平相结合，增加风沙区林草植被，生物措施、工程措施和农艺措施综合配套，优先建设“三北”防护林工程、防治荒漠化工程、水土流失综合治理工程、生态农业建设工程等
草原区	蒙、新、青、川、甘、藏等地区，总面积约 4 亿公顷	优先建设内蒙古呼伦贝尔、锡林郭勒、鄂尔多斯，青海环湖、青南，甘肃甘南，四川甘孜、阿坝，新疆天山等重点地区的“三化”草地治理工程、草地鼠虫害防治工程等

表2　各主要部门生态工程建设情况

部门名称	重点工程
林业局	“六大重点工程”：天然林资源保护工程、退耕还林工程、京津风沙源治理工程、“三北”及长江中下游地区重点防护林工程、野生动植物保护及自然保护区建设工程、重点地区速生丰产用材林基地建设工程
水利部	黄河水土保持工程、长江流域水土保持工程、地方国债水土保持重点工程、晋陕蒙砒砂岩区沙棘生态工程，并逐步启动了首都水资源水土保持项目、黄土高原淤地坝、珠江上游石灰岩地区和东北黑土区水土流失综合防治试点工程（朱尔明，2006）
农业部	协助林业局、水利部完成林业生态建设、水土保持生态建设的同时，退牧还草工程、草原建设、生态农业建设

表3　林业局六大生态工程汇总（中国可持续发展林业战略研究项目组，2003）

工程名称		建设期限	建设任务/万亩	规划投入/亿元
天然林资源保护工程		2000—2010	19097	968
“三北”、长江等防护林体系	三北防护林体系四期工程	2000—2010	14250	354
	长江防护林体系二期工程	2000—2010	10316	180
	沿海防护林体系建设二期工程	2000—2010	2040	39
	珠江防护林体系建设二期工程	2000—2010	3419	53
	太行山绿化二期	2000—2010	2194	36
	平原绿化二期	2000—2010	624	12
退耕还林		2000—2010	48000	3550

① 国务院.《国务院关于生态环境建设规划的通知》，1998.

工程名称	建设期限	建设任务/万亩	规划投入/亿元
京津风沙源治理工程	2000—2010	11360	369
野生动植物保护工程	2000—2030	—	1356
重点地区速生丰产用材林建设工程	2000—2015	9270	10725

表 4　国家“十一五”规划中的生态重点工程

负责部门	重点工程
林业局	天然林资源保护工程，防护林体系建设工程
林业局、水利部、农业部、海洋局	湿地保护与修复工程
西部开发办、林业局、农业部	退耕还林还草工程
西部开发办、农业部	退牧还草工程
林业局、环保总局	野生动植物保护及自然保护区建设工程
发改委	京津风沙源治理工程，青海三江源自然保护区生态保护和建设工程，水土保持工程，石漠化地区综合治理工程

二、生态工程建设存在的主要问题

生态环境建设在我国社会经济发展中的地位越来越重要，其规划时间长、投资规模大、涉及范围广，目前基本与我国“寸寸国土、每每部门、个个民众”密切相关，同时目前的生态工程建设存在着一些亟待解决的问题。

（一）缺乏与其他建设活动的协调与有机结合

现有的生态工程目标较为单一，通常是就某一地区的特定生态问题来决定上马什么样的生态工程，常常处于“生态破坏（出现问题）—工程治理（问题得到一定程度上解决）—生态再破坏（传统的生产、生活和社会组织方式没有改变）”的模式之中。如《全国生态环境建设规划》生态功能区域的划分、重点工程的制定就是针对某一区域的生态环境问题建立的。这种以解决问题为出发点的生态工程建设使得工程项目更具有针对性，但也容易使生态工程建设陷入“头疼医头，脚疼医脚”、“治标不治本”、“末端治理”的尴尬境地。

我国大部分地区的生态环境恶化除当地的生境脆弱、气候恶劣等自然因素外，与该地区的生产方式也是密切相关的，其主要特征就是生产方式与生态属性不相匹配与短期化策略，如毁林开垦、陡坡种植、围湖造田以及滥垦草原等生产经营方式必定会加重该地区自然灾害造成的损失，使这些地区陷入“生态环境恶劣—贫穷落后—无节制开采资源—生态环境更恶劣”的恶性循环。

虽然在《全国生态环境建设规划》等已经认识到“坚持把生态环境建设与产业开发、农民脱贫致富、区域经济发展相结合”，但在实际操作过程中却难以把握，往往就生态论工程，这种表象医治方法收效甚微。因此，在制定生态建设项目过程中，应把握建设区生态恶化的根源，将当地生态工程建设与国家生态补偿机制、扶贫项目、地方经济产业结构调整以及现有技术水平等考虑在内。

（二）部门化管理引发的系列问题

目前我国重大生态工程的实施多采用多部门管理、县乡政府统一实施的方法，这充分调动了各部门开展生态建设的积极性，加快了生态建设的步伐。但生态建设是一项宏大的系统工程，涉及领域多、涵盖面广，在工程实施过程中，各部门受自身权力职能的限制，难以跨区域、跨工程从整体上把握生态环境建设，各部门间又缺乏沟通配合机制，并由此引发了一系列的问题。

1. 生态工程实施过程中工作量重复计算、资金分配不合理，工程效绩评定时又难以论功行赏或追究责任。例如：2001 年水利部关于黄河和长江流域水土保持生态工程的工作总结中指出①：“1991—2001 年，长江上游水土流失重点防治工程通过对治理区内大于 25°陡坡耕地的退耕还林还草……共治理水土流失 57 万 km^2……黄河流域 10 年来经过不懈努力，林草覆盖率增加，初步治理了 18 万 km^2 的水土流失面积”，而林业局开展的六大生态工程中：“三北”及长江防护林建设工程主要解决的是“三北”地区风沙危害、水土流失等生态问题，退耕还林工程主要解决的是重点地区的水土流失问题。可见，退耕还林还草、坡耕地改造，提高治理区林草覆盖率是水土保持工程的重要措施，同时也是林业、农业部门生态建设的主要内容；而防治建设区域的水土流失又是林业部门退耕还林、“三北”及长江防护林建设工程的目标。此案例说明在生态建设过程中，林业建设、水土保持和农业改造三者密不可分，单一部门受职能限制难以操作；多部门分工又会因为缺乏有效的沟通，从而出现重复操作，资源、资金浪费，工程效绩难以评估的情况。

2. 同一生态建设区工程间缺乏有机结合。生态工程作为改善生态环境的载体应充分考虑到生态系统的整体性和系统性，而不应该将各生态工程剥离开来分别实施。将某一区域的生态建设分成若干工程，有利于生态建设工作的分配实施，但是却违背了生态系统固有的关联属性。如表 1 所示，黄河上中游地区生态建设的重点工程包括：林业局主管的天然林保护工程、重点水土流失区林业治理工程；水利部监督实施的水土流失综合治理工程；农业部监督实施的重点水土流失区草地治理工程、节水灌溉工程、生态农业建设工程。但是在实际操作时会发现，天然林的保护、退化草地的治理、生态农业的建设、水土流失的防治间相互重叠、互相交叉，在治理和改善该地区的生态环境状况过程中缺一不可，而不是分别实施后效果相加的过程。

3. 不同生态建设区域间工程缺乏有机结合。生态建设存在区域的差异性，为了便于把握各地区的特色，通常将全国划分为若干功能区，但应该看到各功能区间没有本质的区别，甚至一些相似或相邻的功能区间存在着密切的相关性。因此生态建设区划，突出区域特色的同时，跳出功能区的束缚，从整体上把握各区域生态建设、生态工程间的相互促进或相互制约的作用，将全国生态建设综合效益最大化。例如，风沙区和草原区的生态工程项目存在密切的相关性，两者区域上也没有明确的界限，应跨区域综合考虑生态建设目标，增强区域间的合作、互动，将风沙区的“三北”防护林工程、防治荒漠化工程、水土流失综合治理工程、生态农业建设工程与草原区的“三化”草地治理工程、草地鼠虫害防治工程相结合，对治理效果综合评估。又如黄河上中游、长江上中游以及其他流域的水土流失综合治理工程应在方法技术、经验教训上建立共享机制。

当然，目前的生态建设过程中各部门之间的不乏协作配合，国家在制定重大生态工程时也会召集相关部门研究讨论，建立全国生态环境建设部际联席会议制度等，但是这些措施，远未达到生态建设所需要的“整体规划、综合管理、系统实施”的水平。

（三）重建设，轻管理，缺乏持续性

我国生态环境建设始于建国之初，远景规划到 2050 年，历时百年。以六大林业重点工程为例，自 1998 年陆续启动实施到 2005 年，已累计完成造林面积 2532.90 万公顷，累计完成投入资金 1263.63 亿元，其中完成国家投资 1088.85 亿元（国家林业局，2005），仅退耕还林一项就涉及林业、计划、财政、农业、水利与粮食等诸多部门。截至 2005 年水土保持生态建设国家累计安排中央投资也已达到 82 亿元（傅玉祥和梁书升，2006）。如此浩大的工程，到目前为止仍没有一套完整的评估体系，这极有可能造成我国的生态工程建设出现“虎头蛇尾”、夸大生态建设成效的现象；同时对生态建设成果的巩固、生态工程的可持续性评价也值得高度关注，如果缺乏

① 中国水土保持生态建设网，http：//www.swcc.org.cn

成果的巩固，生态建设不具有持续性，将造成巨大的社会、经济和生态损失。例如，部分地区在大力开展生态建设的同时，乱砍滥伐、占用林地、捕猎野生动物、采挖野生植物等现象屡禁不止，仅第四次和第五次全国森林资源清查期间，就有1080万公顷的林业用地因改变用途或征用而转为非林业用地，从而抵消了林业生态建设的成果（黄清，2003）。

三、生态工程整合机制

生态工程整合涉及部门间、工程间、区域间多层面、多结合点的协调和配合，根据整合角度的不同可分为纵向整合和横向整合。其中纵向整合是从调整生态工程管理方式的角度，解决目前生态工程部门化管理所带来的系列问题；横向整合则在纵向整合的基础上，针对生态建设与其他建设活动相隔离以及重建设、轻管理、缺乏持续性的问题，建立协作、评估以及监督机制。

（一）纵向整合

生态工程纵向整合的基本原则是建立统一领导与部门分工相结合的管理体制。生态环境建设涉及部门众多，单一部门实施不具操作性，部门化管理又缺乏有机性。以往为了解决跨部门操作的问题多会建立协调小组或领导办公室，基本上都是临时性的机构，考虑到生态建设目前及今后很长一段时间内都将是一项重大工程，应考虑筹建综合管理全国恢复与生态建设的直属部门，即“生态建设局”，或“生态恢复与建设总公司”，多维度综合规划管理全国的生态环境建设基础上，通过各层面部门间的职能整合、功能区内的问题整合、功能区间的功能整合，最终达到高效一体化的生态工程管理体制（见图1）。

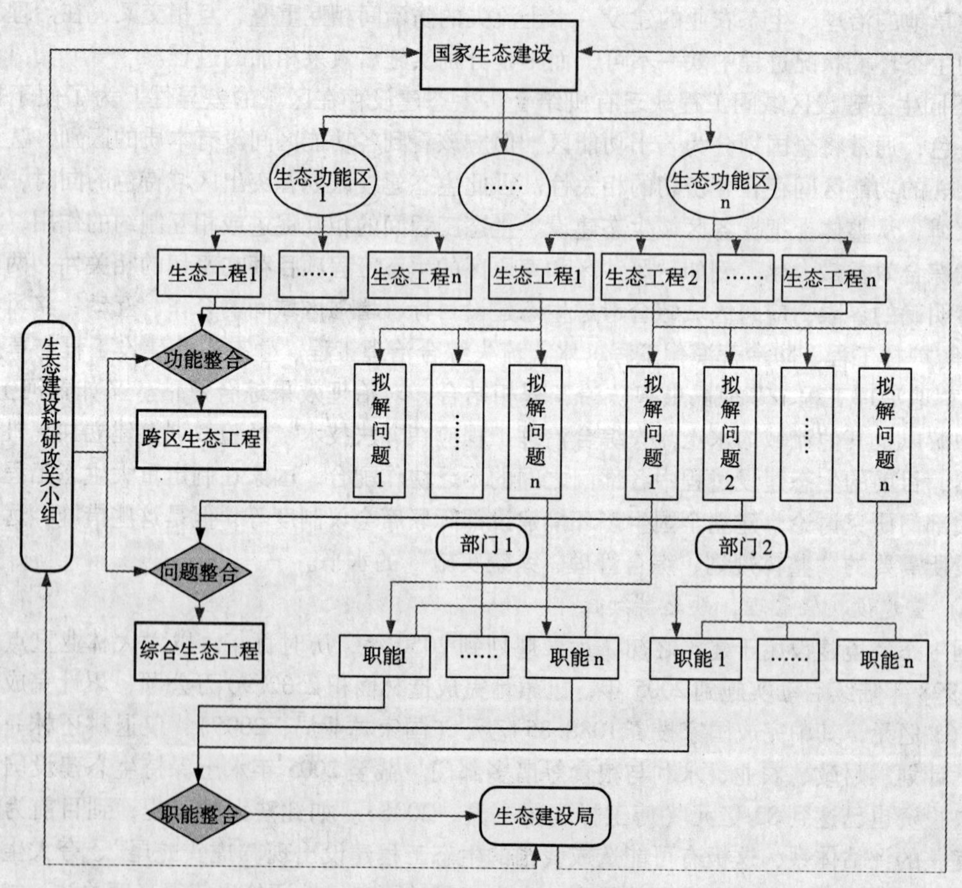

图1　生态工程纵向整合概念图

1. 职能整合。职能整合是以细化各相关部门在生态建设中的职能为基础，根据生态工程实施过程中的具体需要选择职能，由生态建设局（或者生态恢复与建设总公司，下同）项目负责人将任务分到相关部门的职能范围内，该职能的负责人以生态工程责任人的身份参与生态工程的实施，组建生态工程协作小组，共同讨论，多角度论证该生态工程的可行性，并协商制订优化方案，建立工程实施过程中的任务分工、资金分配以及效绩评估机制。职能整合过程中，应强调“部门配合项目”的原则，而不是项目配合部门。

2. 问题整合。问题整合是经过生态建设科研攻关小组专家研究讨论，在明确某功能区内待解决或需改善的生态环境问题的基础上，将可解决相似或相关问题的生态工程进行整合，并对未涉及的生态环境问题提出的修复方案，最后将整合/补充后的区域生态工程优化方案提交区域生态建设局，使得区域的生态建设更为高效、全面的开展。问题整合针对性强，具较强的操作性，对区域某一具体生态问题的改善和解决具有重要意义。

3. 功能整合。功能整合是从国家层面上整体把握生态工程建设，充分考虑到相邻或相关功能区生态工程间的相互影响，考虑大尺度生态功能定位，打破行政区限制，开展跨区生态工程项目，建立信息共享平台，使得全国的生态工程建设更具系统性和整体性。功能整合有利于生态建设由问题导向转为功能导向，由纵向管理转为系统整合。

（二）横向整合

生态工程横向整合的基本原则是整体考虑、监督管理、公众参与（见图2）。横向整合主要包括：目标整合，即制定目标过程中与生态环境现状以及其他因素（如经济发展、相关政策、技术支持、人员配置以及工程意义）相结合；效绩整合，包括效绩保障（如工程实施过程的监督）、效绩评估及效绩巩固。同时目标整合是实现工程效绩的前提，效绩整合又促使工程目标更科学、客观地制定。

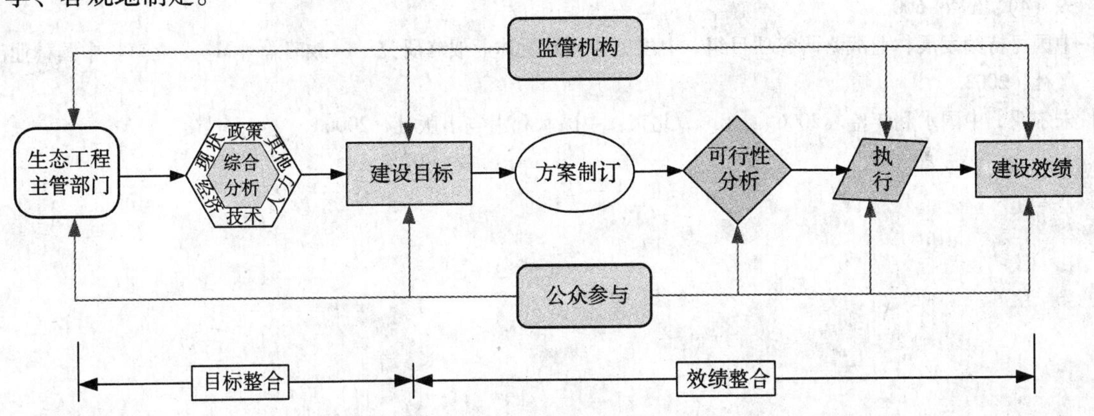

图2 生态工程横向整合概念图

1. 目标整合。目标整合是在综合分析生态环境问题根源的前提下，将生态工程的目标与国家政策支持力度、地方经济发展模式、现有技术水平等相关因素整合，使得生态工程的目标更具可操作性、全面性和长远性。目标整合能够较好地避免生态建设“就问题论工程”的表面导向、脱离客观实际盲目夸大或缩小工程意义等问题，能够对工程的最终效绩以及可能遇到的困难做出较准确的预测，从而为方案的科学制订和工程的顺利实施起到良好的指导作用。

2. 效绩整合。效绩整合包括工程实施过程的监督、工程效绩的评估以及工程效果的巩固三个方面。监督应从行政机构和公众两个层面同时进行，以提高监督力度和效果。工程效绩的评估则需要建立公平公正的评估平台，在构建效绩奖惩机制的前提下，制定评价指标、量度基准，并赋予评价结果以特征意义，由监督机构和公众群体对工程实施单位进行效绩评估，结合评估结果，应严格按照奖惩机制的规定对实施单位及工程负责人给予奖励或惩罚。效果的巩固，首先要摒弃保存“胜利果实”与工程建设相脱离的观念，应把效果巩固放在工程目标制定、方案设计及工程实施的全过程中来，从而在很大程度上改变重建设、轻管护现状，从而降低区域生态建设的成本。

四、结论与展望

生态工程是一项很具有中国特色的生态恢复与建设政策，本文通过对我国当前实施的重大生态工程进行了初步的梳理与分析，认为其存在缺乏与其他建设活动的协调与有机结合、部门化管理引发的系列问题以及重建设，轻管理，缺乏持续性等问题，并从纵向与横向两个方面进行系统整合的制度构想。但生态建设工程是一项复杂的系统过程，涉及的层面很多，任何将其简单化、表面化甚至政绩化，都可能会干出破坏生态的事情（当然这种破坏可能是无意识的），甚至引发严重的社会问题。但是，当前最紧迫的任务是建立健全生态工程项目的评价体系，做好生态工程建设的生态绩效、经济绩效和社会绩效评估与动态监控工作，降低生态建设的经济风险、生态风险甚至社会风险。

参考文献

[1] 国家林业局．中国林业统计年鉴（1949—1986）［M］．北京：中国林业出版社，1987.
[2] 国家林业局．中国林业统计年鉴（2005）［M］．北京：中国林业出版社，2005.
[3] 傅玉祥，梁书升．中国农业年鉴（2006）［M］．北京：中国农业出版社，2006.
[4] 刘德晶，司洪生．中国生态环境建设工程的系统整合［J］．东北林业大学学报，2003，31（1）：42-43.
[5] 黄清．跟踪中国林业生态建设［M］．哈尔滨：东北林业出版社，2003.
[6] 张力小，宋豫秦．“三北”防护林体系工程政策有效性分析［J］．北京大学学报（自然科学版），2003，39（4）：594-600.
[7] 中国可持续发展林业战略研究项目组．中国可持续发展林业战略研究——战略篇［M］．北京：中国林业出版社，2003.
[8] 朱尔明．中国水利年鉴（2006）［M］．北京：中国水利水电出版社，2006.

建立健全可持续发展战略的环境教育

王小玉　孙学良　谢　静

（河南省环境科学学会　郑州市纬二路2号　450002）

摘　要　环境问题归根于人们的环境行为，而对具有主观意识的人类，改变其行为的有效途径之一就是教育。目前，全世界都在进行环境教育的探索与实践，本文从我国的现实情况出发，阐释了环境教育的必要性和紧迫性，介绍了环境教育的历史发展过程，初步分析了环境教育的含义和基本内容，并提出建立健全可持续发展战略的环境教育。

关键词　环境教育　可持续发展

一、环境教育的必要性和紧迫性

（一）环境保护的需要

随着经济的快速发展，人们的生活及环境正在急剧地发生变化。当代经济的发展是以资源的过度采用和使用以及环境的污染和破坏为代价的。一方面我们在努力创造一个舒适的物质生活世界，而同时我们也在加速破坏我们赖以生存的环境。每个人都想生活在高度物质文明的环境里，享受高科技带来的美好生活，然而我们在不经意间也为此付出了沉重的代价——温室效应、厄尔尼诺现象、臭氧层空洞、日益严重的大气污染和水体污染等环境问题，这不但现实地影响着人们的各种生产和生活活动，而且还造成了人们精神上、思想中的不良环境心理影响。种种环境损害行为归根结底是由于人们缺乏对环境正确认识。“要消除人类生存的威胁，只有通过每一个人的内心的革命性变革”。也就是说，欲使人们正确认识环境，解决各种环境问题，提高人们的环境意识，使人的行为与环境和谐则是必由之路。

（二）增强可持续发展能力

党的十六届三中全会提出了科学发展观，并把它的基本内涵概括为“坚持以人为本，树立全面、协调、可持续的发展观，促进经济社会和人的全面发展。”2007年10月召开的党的第十七次全国代表大会根据新形势、新任务的要求提出，“加强能源资源节约和生态环境保护，增强可持续发展能力。坚持节约资源和保护环境的基本国策，关系人民群众切身利益和中华民族生存发展。必须把建设资源节约型、环境友好型社会放在工业化、现代化发展战略的突出位置，落实到每个单位、每个家庭。”根据科学发展观和发展道路方针的指引，我们党和人民努力实现的目标是人与自然和谐的可持续的发展和人的全面发展。然而，无论是科学发展的落实，还是可持续的协调发展或是人的素质的提高，都有赖于加强环境教育，逐步提高人们的环境意识。

（三）我国的环境教育现状

在2008年1月公布的《中国公众环保民生指数（2007）》显示，我国公众的环保意识总体得分为42.1分，环保行为得分为36.6分，环保满意度得分为44.7分。2008年4月，中国社会科学院社会所和中国环境意识项目组联合公布《2007年全国公众环境意识调查报告》[3]显示，收看电视、收听广播是公众接受环保知识信息的首要渠道，其次是阅读报纸、杂志、图书，而亲友、同事之间的交谈列第三位。总体来看，公众从各相关部门及组织举办的环保宣传活动中获得环保知识信息的比例相对较低，其中政府部门的环保宣传活动占13.5%，学校有关环保的教育占10.7%，民间环保组织的宣传活动占7.1%，单位的普及教育活动占4.8%。另外，虽然目前中国网民数已达1.62亿，但人们通过互联网主动获取环保知识信息的比例却较低，仅占9.3%。

从上述公众调查可以看出，虽然随着我国环保事业进一步发展，我国公众对于环境保护的重要性、必要性、责任感和紧迫感均有所提升，但公众的环保意识、环保行为和环保满意度仍然很低，3 项指标均不及格，其中两项刚过 40 分和一项低于 40 分的现实，无疑为中国公众的环保意识与行为又敲响了一记警钟。同时，我国对公众进行环保知识的教育普及还很欠缺，而且公众主动了解环保知识、参与环保活动行为不足。

（四）环境保护法制建设的要求

从 19 世纪 70 年代我国开始环境立法工作，目前，可以说是已经做到了“有法可依”。然而，我国环境保护中存在的问题是“有法不依”和“执法不严”。归根结底也是环境意识的问题。公众环境道德素质低，导致随意破坏环境的行为随处可见，乱扔垃圾的，随地吐痰的等；企业管理者的环境价值观不正确，导致其为了企业的经济效益而不惜以污染环境和滥用自然资源为代价；行政执法人员的环境责任感淡薄，导致其在环境执法中，玩忽职守甚至放任纵容。此外我国的环境法律中规定了公众参与制度，如在环境行政许可中，环境行政听证制度是典型的公众参与环境保护的表现，此外，公众也是对其他社会主体履行保护环境义务的主要监督者。然而，公众环境意识的高低和对环境法律知识及环境科学知识的掌握程度决定了公众参与的效果和水平，决定着这一制度作用的真正发挥。当今法治建设的发展要求赋予和保障公民的环境权益，不论国家为保护公民的环境权做了多少立法上和执法上的努力，公民的环境维权意识是决定公民能否真正享有这一权益的决定性因素。

以上我们可以看出，加强对公众的环境教育，提高人们的环保意识不容忽视，且迫在眉睫。

二、环境教育简介

（一）环境教育的历史发展过程

环境教育萌生于 20 世纪 60 年代发达国家的“生态复兴运动”，随着世界各地相继出现几起重大的环境污染事件，人们开始真正关注环境问题，一个很重要的体现就是全世界各国都开始对国民进行环境教育。1972 年联合国在斯德哥尔摩召开的“人类环境大会”则是环境教育发展史上的里程碑，会议通过的《人类环境宣言》提出了“只有一个地球”的口号，并正式将“环境教育”（Environmental Education）的名称确定下来，同时指出，为保护和改善日趋严重的环境问题，教育是不可欠缺的，通过环境教育“要培养这样的人，他们能够对自己周围的环境在本身可能的范围内进行管理，并在每一步都要坚定地采取符合规范的行动。”1975 年联合国教科文组织和环境规划署国际环境教育规划司在贝尔格莱德召开的国际环境教育研讨会则使环境教育得以确立。会议通过了《贝尔格莱德宪章》，提出了全球规模环境教育的基本理念和框架，即环境教育的目的、目标、对象和指导原则。1977 年在第比利斯召开的有 68 国代表参加的国际环境教育大会则使“环境教育”趋于完善和成熟。在此之后，1980 年，在日本东京召开了世界环境教育会议。1987 年，在莫斯科召开了国际环境教育和培训会议，会议倡议：20 世纪 90 年代为国际环境教育 10 年。伴随上述过程，一个全世界普遍重视“环境教育”的热潮勃然兴起。

相比之下，我国的环境教育开展较晚，伴随着环保事业的开创而起步，又随着环保事业的发展而成长。在 1972 年斯德哥尔摩联合国“人类环境会议”的推动下，我国于 1973 年召开了第一次全国环境保护会议，会议制定了《关于保护和改善环境的若干决定（试行草案）》，环境教育工作也随之开始起步。1979 年 11 月，中国环境科学学会环境教育委员会确定在国内部分省、市、自治区进行中小学环境教育的试点工作。1980 年 5 月，国务院环境保护领导小组与有关部委共同制定了《环境教育发展规划》，并纳入国家教育计划。1992 年，全国首届环境教育工作会议在苏州召开，标志着我国已初步形成了具有中国特色的环境教育体系。1995 年国家环保局制定的《中国环境保护 21 世纪议程》指出，保护环境是中国的一项基本国策，加强环境教育是贯彻基本国策的基础工程。该议程提出了“环境保护，教育为本”的基本理念。2003 年教育部正式颁布了第一份国家级环境教育文件《中小学环境教育实施指南》，为环境教育的全面普及提供了重要保障。

（二）环境教育的含义和基本内容

广义的环境教育是指借助于教育手段使人们认识环境，了解环境问题，培养环境意识，并获得治理环境污染和防止新环境问题产生的知识和技能，在人与环境的关系上树立正确的态度，以便通过社会成员的共同努力保护人类的环境。狭义上讲，环境教育是指环境教育者对受教育者实施环境知识、环境技能、环境心理和环境素质形成及发展的各种活动。但是，笔者更喜欢用“AIF”来定义环境教育。“A”即是“about”，也就是说环境教育首先是关于环境的教育；“I”即是“in”，也就是说环境教育是在环境中的教育，这说明了环境教育的场所；“F”即是“for”，也就是说环境教育是为了环境的教育，这道出了环境教育的目的。还可以再做进一步的延伸，即：about——关于环境的教育，我们要知道；in——在环境中的教育，我们要思考；for——为了环境的教育，我们要行动。

要深入探讨环境教育，需要清楚地界定以下几个方面的内容：

第一，环境保护社会、物质和生物三个方面，因此，其内容必然涉及各个领域。环境内容之广，决定了环境教育的过程必定是一个整体的过程。因此，环境教育也必定具有跨学科性质。

第二，环境教育研究的对象是各级各类教育领域中的环境方针和政策，环境教育的规划、课程、教学方法和手段等。

第三，环境教育的构成要素包括四个方面：意识、理解、技能和价值观与态度。也就是说，在环境教育进程中，要逐步唤起受教育者对环境问题的意识，随着教育层次的提高使人们理解人类活动与环境相互作用的复杂性。在培养起受教育者的环境意识和理解力之后，还必须培养他们掌握解决环境问题的技能，然而这种技能的运用取决于人们的道德观念和经济、社会的知识。因此，环境教育还必须使人民树立环境道德观念和环境责任感，进而形成正确的积极的环境价值和态度，这是环境教育成败的关键所在。

第四，环境教育的学科归属，第比利斯会议将其确定为属于教育范畴。然而，笔者认为，它是对教育领域的冲击和挑战。这体现在：首先，传统的学校教育通过再生产当前社会主流的道德规范和价值观以维护当前社会的稳定。而环境教育则强调“从目前有助于环境恶化的价值观转变到有助于人类尊严的生活在支持可持续发展的地球上的价值观的革命性目的。”其次，学科课程倾向于学科基础和抽象理论的传授。通常比较注重于叙述事实、概念和特征等，教师的角色是知识的分配者。然而在环境教育中，必须有特定的教学实践，学生是知识的发现者和积极的思考者。此外，由于环境知识非常广泛，《第比利斯报告》把环境教育看做是“在自然和应用方面，各学科间和整体教育的一种方法而不是一门课程。”《我们共同的未来》声明“环境教育应提供综合知识，包含和穿插社会科学、自然科学和人文科学，这样才能对自然资源和人类资源之间、发展和环境之间提供敏锐的洞察。”然而，在事实上，我们目前都是在科学领域的范围内进行和开展的。最后，大概也是在我国表现得更为明显，也就是环境教育中，如何合理处理知识的传授与考察之间的关系。传统教育中，为了考察接受教育者尤其是青少年对知识的掌握情况，我们通常采取的并认为是比较有效的方式是考试，但是环境教育的效果则体现在环境意识是否提高，是否掌握了一定的处理环境问题的技能，环境价值观是怎样的，以及其环境行为是否符合环境保护的理念等。然而，这些内容都不是通过考试能够测试出来的。

三、建立健全可持续发展战略的环境教育

（一）转变教育观念，促进环境教育的全民化

现代环境教育是一种面向大众的、全面的终身教育，是一种跨学科的教育措施。针对其特点，环境教育应是一种面向全社会包括各个层次的所有年龄的人的教育体系。采取一种综合的、

统一协调的教育方法，才能使人们理解当今世界的主要问题，加强生态文明观，增强国情与忧患意识。树立资源环境价值和可持续发展意识，提高公众参与环境问题的积极性与主动性，使人人都能意识到自己的行为同整个社会的利益和生存、子孙后代的利益息息相关。在学校环境教育中，培养学生的环境意识，是提高全民族环境意识和环境素质的基础。

（二）扩增环境教育内涵

环境问题涉及社会的政治、经济、科学、技术、文化等众多领域，因此环境教育的内涵也应扩增，环境教育不应为单一的学科教育，环境工程专业教育在学习专业技术的同时，要与其他学科相互渗透，融法律、经济、管理为一体，其他学科也应该相互交叉，接受更多的环境教育。环境教育要改变现有教育的重校内，轻校外；重智育、轻德育（素质教育）；重知识、轻能力的教育方式。一种以解决环境具体问题为目标的教育，不仅必须是以发展知识和技术为前提，而且更要是以既定环境进行集体实践为条件。环境教育应密切联系当地环境实际问题，实践活动是开展环境教育不可缺少的组成部分，它体现了环境教育的实践性和参与性等基本原则，有利于提高认识、分析和解决环境问题的能力，从而，加大环境教育的广度、深度和力度。理论联系实际是可持续发展背景下环境教育发展的唯一途径。

（三）设立专门的环境教育管理机构

到目前为止，世界各国除了英国设有专门的国家环境教育委员会，美国设有国家环境教育咨询委员会、联邦环境教育工作委员会及环境教育司以外，其他国家（包括工业化国家和发展中国家）都没有类似专门的环境教育机构。有关环境教育工作的设计和开展多是由教育主管部门或环境保护主管部门将其作为其工作内容的一部分进行管理的。笔者认为，受教育机构和环境保护主管部门工作目标的限制，由两个部门监管环境教育的开展，无形中，就会降低环境教育在公民心目中的地位和重视程度，必然无法取得良好的社会效果。我国应当借鉴美国和英国的做法，专门设立一个类似于环境教育司的行政机关，隶属于教育部，这样，既不至于造成机构过于庞大和臃肿，同时又将环境教育置于比较高的地位，有利于环境教育的发展和落实。

（四）环境教育立法

随着环境教育的发展，环境教育立法被世界各国重视。1970 年美国政府制定了《环境教育法》，进入 80 年代，有 8 个州制定了州教育法。20 多年来，我国制定了一系列有关的环保法律，1989 年颁布的《中华人民共和国环境保护法》对环境教育作了原则性的规定。制定一个全国性的环境教育法律性文件，从法律上将保证环境教育的贯彻落实，建立面向大众、终身教育的教育体系，通过教育，形成人与自然和谐相处的可持续发展的思维观念和意识，树立资源环境价值观。

（五）发展有特色的环境教育

环境教育要符合区域性特点，我国经济、文化发展各地区的差别很大，各地区环境千差万别，因此，各地区要根据自身的特点来开展环境教育。对于发达地区，经济、文化发展快，与国外联系较多，这些地区环境教育起点目标要高，要跟踪国外最新的发展动向，努力提高公众的环境意识，专业教育和在职教育应当传授最新的环境治理知识。较发达地区应当以课堂教育与专业培训为主，有意识地开展一些有关环保活动。欠发达地区环境教育开展较为困难，在职教育力争突出实用、能够解决实际问题，提高各层次人员的环境保护意识。

总之，环境教育作为一门新的交叉学科，本身也处在不断的发展过程中。因此，应及时关注新进展和发展的新热点，大力发展环境教育，不断开辟新的研究领域和研究方向。

美国、德国与中国的综合交通网规划中环境保护工作的对比分析研究

秦晓春　李宗禹　邵社刚

（交通部公路科学研究院公路交通环境工程研究中心　北京　100088）

摘　要　“十二五”阶段，在综合交通网发展规划中，把环境保护摆上更加突出的战略位置，与经济社会发展统筹考虑、对于建设资源节约型、环境友好型交通行业、建立“畅通高效、安全绿色”的交通运输体系具有重要意义。研究从资源节约和环境保护角度，将我国综合交通网中长期发展规划（2007）与美国交通网发展规划——2030年运输愿景（2008）和联邦德国交通发展规划（2003）进行对比分析，分别从目标、层面和技术三个层面，对三个国家的综合交通网发展规划中在环境保护方面所考虑的内容进行分析，对所采用的环境保护方案和改善措施进行比较研究，针对我国综合交通网发展规划在环境保护方面与发达国家的差距和存在问题，提出“十二五”期间完善我国综合交通网发展规划在环境保护工作方面的基本建议。

目前，我国交通发展规划已形成了一个完整的规划体系，最高层次的是综合交通网中长期发展规划（国家发展和改革委员会，2007）。该规划作为交通运输基础设施空间布局的总体规划，是指导各种运输方式布局和发展规划的依据。

“十二五”期间（2011—2015年）我国经济社会发展的新特征，对交通运输的需求、交通运输基础设施建设规模、方向和布局，以及运输服务的组织与管理等产生较大的影响。而“十二五”期间公路交通运输发展将面临资源约束和环境压力凸显的局面，促使交通运输对资源的占用和生态环境的影响将引起社会的进一步关注，这必将带来公路交通运输发展从主要考虑能力提升向更高水平的综合协调发展的重大转变。

因此，在“十二五”阶段，如何促进环境与经济的高度融合，在综合交通网发展规划中把环境保护摆上更加突出的战略位置，与经济社会发展统筹考虑、统一安排部署，对于贯彻落实科学发展观，建设资源节约型、环境友好型交通行业、建立“畅通高效、安全绿色”的交通运输体系具有重要意义。

鉴于此，研究从资源节约和环境保护角度，将我国综合交通网中长期发展规划（国家发展和改革委员会，2007）与美国交通网发展规划——2030年运输愿景（美国运输部研究和科技创新管理局，2008）和联邦德国交通发展规划（联邦交通、建设与住房部，2003）进行对比分析，分别从目标层面、准则层面和技术层面，对三个国家的综合交通网发展规划中环境保护内容、方案和改善措施进行比较研究，针对我国交通网发展规划在环境保护方面与发达国家的差距和存在问题，提出了未来我国交通网发展规划中工作主线和发展方向的建议。

一、美国、德国与中国综合交通网发展规划综述

（一）美国

美国交通网发展规划从旅客运输、货物运输、融资与合作和技术创新四个方面，对发展趋势、未来之路和亮点工程进行论述，把安全作为运输第一要素考虑，将安全性融入每一个运输决策之中，通过改善可预见性和可靠性来提高整个运输网络的性能和品质。并通过引入新概念、引进新技术，采用高效的、一体化的、可持续的、多式联运的以及成本有效的运输方案来解决所面临的复杂挑战，以确保运输系统充满活力、持续可行，营造一个让每一个美国公民自由选择的运输系统，提供一个在安全、效率方面无与伦比的运输系统。

（二）德国

德国在“扩大西部和建设东部”的主题下，将交通发展规划的重点放在利弊权衡和面向未来的区域分配上，一方面使交通设施资产保值，另一方面通过有目标的扩建和新建措施扩大必要的运输能力。德国交通网发展规划将消除交通瓶颈，通过绕城路的建设改善城乡居民的生活质量，通过改善与内地的联系加强德国的沿海地区，同时建设必要的交通基础设施来完成正在扩大的欧洲的跨国界运输。并对所有利益，尤其是自然、环境、区域发展和城市建设利益进行全面考虑。

（三）中国

中国综合交通网中长期发展规划，以构建一体化整体最优的综合交通系统为目标，遵循交通运输发展的客观规律，结合我国基本国情和经济地理特征，对各种运输方式按照其经济技术特征进行合理布局、分工协作和优势互补，突出各种运输方式优化、衔接和协调，在此基础上，提出了综合交通基础设施网络到2020年的发展目标、网络总体规模与构成、综合运输大通道和综合交通枢纽布局方案，以及发展重点和政策措施，促进各种运输方式从局部最优上升到整体最优，进而提高我国交通系统的整体效率和综合效益。

二、美国、德国与中国综合交通网发展规划中环境保护工作的对比分析

（一）目标层面

1. 美国

（1）10年20%目标：强化能源安全、保护环境

美国前总统布什在2007年5月宣称启动“10年20%目标”。即在下一个十年里降低20%的石油用量，减少对进口石油的依赖，确保能源的独立。

交通系统将使温室气体的排放最小化，并准备好应对气候变化带来的影响，抑制温室气体排放，实现环境可持续。

（2）提供高品质公共交通

安全、高效、可靠的旅客运输系统和基础设施将达到世界一流水平，将为高峰时期的出行提供更多的高品质的公共交通，为交通工具提供替代燃料，为其提供新的节能技术。

（3）发展氢动力交通系统

政府各部门正通力合作努力使氢经济变为现实，氢燃料为实现美国运输战略目标提供了机会：使用燃料电池汽车和中型汽车，减少交通对环境的影响，提高公路交通的安全性能，提高公路交通的效率。

2. 德国

在“建设东部和扩大西部”的最高准则下，新的联邦交通规划以如下交通政策和社会的核心目标为依据：

（1）减少对自然、景观和不可再生资源的占用

（2）降低噪声、有害物质和废气（特别是二氧化碳）的排放

3. 中国

（1）根据党的十六大提出的全面建设小康社会总体任务，加快建立便捷、通畅、高效、安全的综合运输体系，以最小的资源和环境代价满足经济社会对运输的总需求。

（2）根据全面建设小康社会目标要求，努力构建资源节约型、环境友好型交通体系，促进交通可持续发展。

（3）通过综合运输通道和枢纽的优化与衔接，确立优势互补的一体化综合交通体系发展模式，倡导低能耗、高效率，土地占用少、环境友好型的交通方式，促进交通科技进步，提高资源利用效率，减少对环境的污染和保护生态，从而有效促进交通运输可持续发展。

4. 对比分析

美国和德国在资源节约和温室气体排放方面都提出了具体的量化目标；我国根据党的十六大任务和十六届五中全会精神，提出保护生态环境，建立资源节约型、环境友好型交通体系的目标，但目标较为宏观，缺少具体的实施愿景和量化指标。

（二）准则层面

1. 美国

（1）空气质量规划

交通运输系统的运行是影响地区空气质量的重要因素之一，预计机动车辆污染物排放量是交通运输规划中要考虑的关键问题。美国法典《清洁空气法案》（CAA）第23条和第49条规定，美国环境保护署（EPA）指定地区与空气质量不合格地区及维护地区，要把交通运输规划和空气质量规划结合起来。美国空气质量不合格地区和维护地区的交通运输规划、计划和项目要确保污染排放量保持稳定，并符合州空气质量规划，即州执行计划（SIP）设定的标准。

（2）《国家环境政策法》

联邦公路管理局和联邦公共交通管理局执行《国家环境政策法》的过程，是40多条环境法律、法规和行政命令合成的"伞"，为评估交通运输项目对人类和自然环境的影响提供了完整的方案。国家环境政策法的目标是帮助制定有利于环境保护的交通决议，是交通运输规划选择设计和建设最终方案的基础。如果交通运输规划过程中形成的完整可靠的分析和决议直接或间接写入《国家环境政策法》的话，联邦公路管理局和联邦公共交通管理局必须要支持这些分析或决议。

2. 德国

在联邦交通规划中，在法律可能性范围内与环境和自然保护相关的利益的重要性比以往起到更加重要的作用。在现代化的操作程序中，按照以下标准对联邦交通规划中确定的所有扩建和新建项目进行统一的评估，包括效益成本分析标准、环境和自然保护专业标准以及区域规划（含城市建设）标准。

3. 中国

（1）以人为本，强化枢纽衔接和一体化运输设施配置，促进现代综合交通体系的建立，满足便捷、通畅、高效和安全的运输服务需求。

（2）注重节约和集约利用土地，节能减排，整合既有资源，保护生态环境，加强交通安全。

4. 对比分析

美国将交通网发展规划的制定和实施与国家一系列环境政策法联系起来，进行监督和检查；德国在法律可能性范围内非常重视与环境保护相关的利益；相比之下，我国只是在战略层面上提出了若干资源节约和环境保护的准则，在环境与资源保护政策上尚未有相关配套法律的具体指导和约束。

（三）技术层面

1. 美国

（1）10年20%目标：强化能源安全、保护环境

到2017年，美国将降低20%的年度汽油消耗量。其中15%通过使用替代能源实现，5%通过使用节能型汽车和轻型卡车实现。美国将通过以下行动实现10年20%目标：

①增加可再生能源和可替代能源的供应。通过制定强制性燃油标准，运用可再生能源和替代能源，替代大约15%的年度汽油使用量。新的替代能源标准将包括如氢、乙醇、生物柴油等其他可替代能源在内的国内资源。

②改革小汽车平均燃油经济性标准（CAFE），拓展现有轻型汽车使用规则。

③面对气候变化，到2017年，基本控制小汽车、轻型卡车和SUV车的二氧化碳排放量的增长。具体内容包括：运输部与地方政府通力合作，节约能源、减少通勤时间，探寻降低交通拥堵

的良方；采用环保方式加速对国内原油的开采，在现有能源保护战略（SPR）基础上实现原油产量翻倍。

（2）下一代空中交通系统（NextGen）

通过实施 NextGen，实现更大的航空吞吐量，提高航空生产力，降低使用成本，确保航空安全，实现航空系统与环境的和谐发展。

（3）提高能源利用率，增加替代能源

提高能源利用效率，辨别有替代能源需求的基础设施，评估使用替代能源车辆及其支持系统的安全性和对环境的影响。

目前，运输部正在寻找为重型汽车提供动力的使用燃料电池的最佳方法。这一工作已经在公路燃料电池汽车上得以应用，并且很快就会在铁路和水运方面付诸实施。

运输部设立商业飞行替代燃料行动（CAAFI），旨在为航空运输制定开发替代能源可能性的发展路线图。两大主要替代航空燃料的研究正在进行：第一项研究围绕有关向替代燃料过渡的可行性、过渡成本、主要障碍以及技术问题展开；第二项研究探讨对环境的影响。

（4）交通整合

当地方污染物排放量不超过当地汽车污染物排放量的预定标准，就需要对交通运输规划和交通运输改进计划进行整合。交通运输整合过程是保证交通运输规划和计划符合空气质量目标，使其符合联邦基金的资格并获得联邦资助基金。对大城市交通运输规划或交通运输改进计划进行修订或更新时，必须要符合整合要求。

（5）绩效评估

绩效评估是衡量交通运输系统决策过程影响的一种途径，是对交通运输系统的运行是否符合交通运输网络的公共目标和期望的评估。绩效评估方法包括跟踪平均速度和事故发生率。通过绩效评估，可以监控具体目标的实现情况，如主要地区人口、就业、文化和娱乐中心的可通达性；残疾人口的机动性，空气质量水平，经济的健康发展。

（6）美国交通运输规划过程

2. 德国

（1）环境风险评估（URE）

经过预调查（联邦自然保护局选择存在生态问题项目的早期识别系统），对所有公路项目，只要有可能发生自然保护方面的冲突，不论项目大小都应进行环境风险评估。

环境风险评估是对所有运输方式在方法上对比的应用，即更多地考虑文化景观和高敏感度区域以及未分割的低交通量区域。它按照与环境和自然保护相关的环境风险划分为非常低、低、中等、高和非常高的五级环境风险。

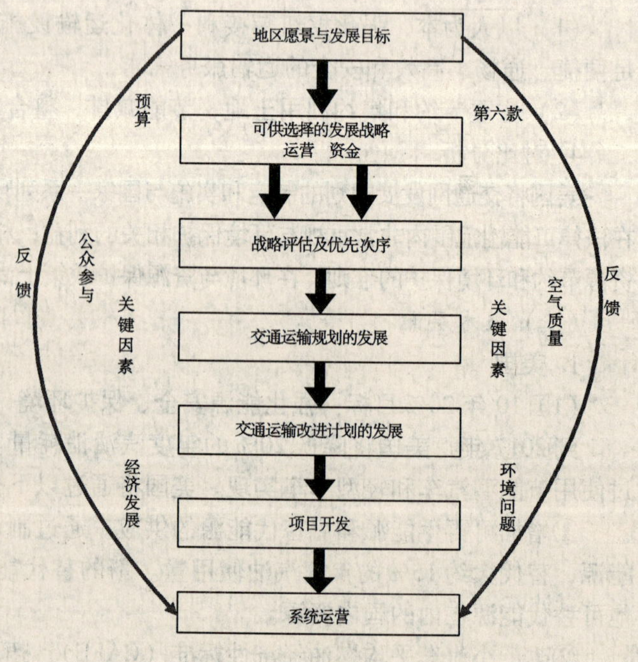

图 1 交通运输规划过程

（2）自然生存空间及野生动植物保护相容性评估（FFH - VE）

在联邦交通规划的总体规划阶段，尽早对环境和自然保护方面的冲突作出评估，有助于将错误地实施一个项目的风险降到最低限度。自然生存空间及野生动植物保护相容性评估 FFH 在形式上分为 3 级：排除严重影响、不排除严重影响和不可避免严重影响。FFH 相容性评估的结果是一个指标，衡量在以后的定线或规划确定阶段是否有必要进行 FFH 相容性检查。根据欧洲法院的判决，欧盟鸟类保护区也被预防性地纳入 FFH 相容性评估中。

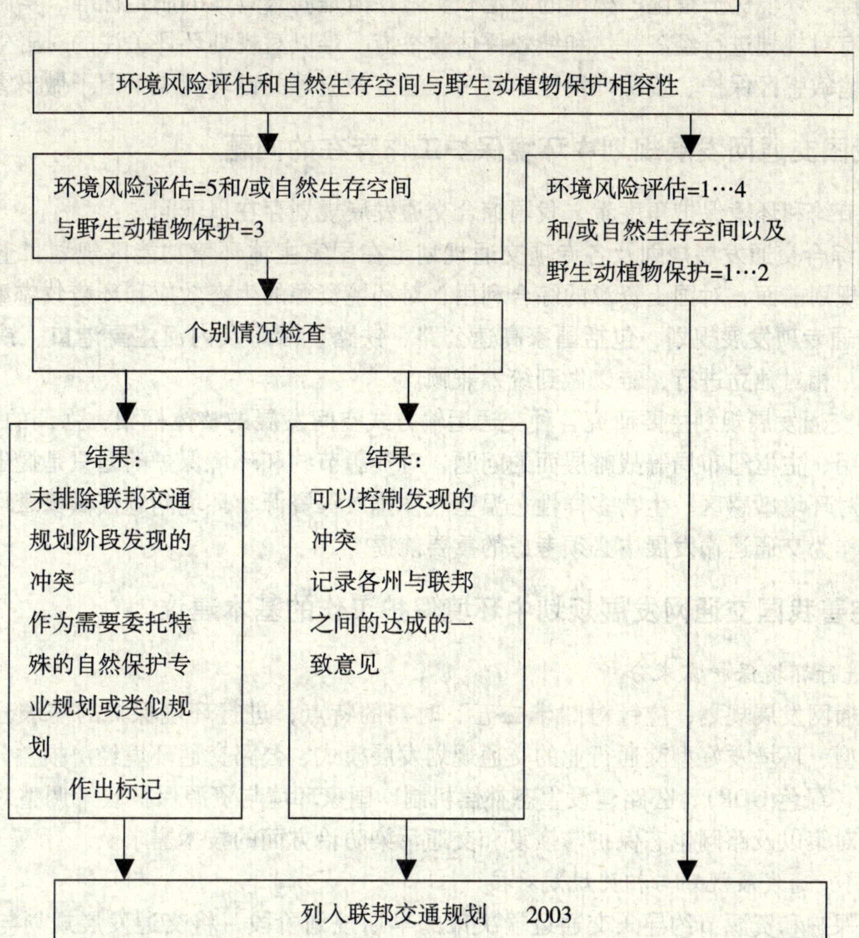

图 2　环境风险评估和自然生存空间与野生动植物保护相容性评估的流程图

（3）二氧化碳与环境相关作用的评估

与 1997 年相比，到 2015 年，放任情形下交通部门二氧化碳排放量将增长 17%。在交通规划基础设施投资的整合情形下的制度政策框架条件和国库政策措施以及交通规划中迫切需要的投资性计划下，这个增长数字可以降到 11%，使二氧化碳的排放量比放任情形下明显减少。

3. 中国

（1）促进交通科技进步

加强高速列车、洁净能源车辆、大型专用船舶、磁悬浮列车、干支线飞机、高黏原油及多相流管道输送等新型运载工具的研究开发和应用，加速淘汰落后技术和高耗低效运输装备。

（2）促进交通资源节约和环境保护

研究制定并实施交通设施建设使用中的资源保护、节能减排，特别是节约集约利用土地、提高能源利用效率和减少污染排放的工程技术措施、标准及政策。

4. 对比分析

美国通过发展氢动力交通系统和下一代空中交通系统、增加替代能源、进行交通整合和绩效评估等一系列措施，来提高综合交通的安全性能和效率；德国按照确定建设价值和迫切性的统一标准对已列入计划的铁路、公路和水路项目进行总体经济评估，包括效益成本分析、区域有效性分析、环境风险评估和自然生存空间及野生动植物保护相容性评估，以最大限度地减少交通建设与环境的冲突；与发达国家相比，我国提出新型节能运载工具的研究开发和应用以及各项资源保护、节能减排、环境保护措施、标准的制定和实施，但是尚未具体的制定标准、实施方案和治理方法，也没有对规划进行经济评估和绩效评估的举措，难以对规划环评关注的对野生动植物资源和重要的环境敏感区保护、资源环境科学利用、温室效应等关键环境决策因子做出客观评价。

三、我国交通网发展规划中环境保护工作存在的问题

从资源节约和环境保护角度看，我国综合交通发展规划存在以下问题：

1. 我国综合交通发展规划及各专项交通规划走在国家主体环境功能区规划、土地利用规划和城市总体规划前面，对国土资源的综合利用，对环境资源的生态效应和环境效应重视不够。

2. 各交通专项发展规划，包括国家高速公路、铁路、沿海及内河主要港口、铁路和公路主枢纽等规划，相对独立进行，难以做到统筹兼顾。

3. 我国交通发展规划主要研究各种交通运输方式空间发展的整体框架，强调的是性质功能、线位资源利用、主枢纽布局等战略层面的问题，对资源节约和环境保护问题只是提出宏观性的目标和措施，对环境敏感区、生物多样性、温室气体排放等资源、环境问题仅做概念性描述，没有将保护环境作为交通运输发展中必须考虑的重要前提。

四、完善我国交通网发展规划中环境保护工作的基本建议

（一）进行环境保护需求分析

我国交通网发展规划，应针对“十二五”时期的特点，进行环境保护的需求分析，包括建立资源节约型、环境友好型交通行业的交通规划发展模式、公路交通环境经济损益分析和环境要素价值核算（绿色 GDP）、公路建设生态补偿机制、国家环境与资源保护政策调整对交通行业发展的影响与对策以及路网生态保护与恢复和交通污染防治方面的技术需求。

（二）将交通发展规划与相关规划对接

将环境保护和资源节约导入交通运输决策的早期规划阶段，将交通发展规划与《国家中长期科学和技术发展规划纲要》以及能源、环境、工业等相关规划进行衔接。今后根据交通运输内外部条件和环境的变化，适时对规划的有关内容进行修订和调整。

（三）完善我国交通规划环评制度

在“十一五”规划总结和“十二五”规划制定的战略机遇期，各交通部门将对已批复的各类专项规划进行评估和调整，如何采取到位的管理和激励措施，实现绿色交通发展战略同国家资源、环境政策的对接，促进交通规划环境影响评价工作良性发展，显得尤为迫切。目前，我国开展各交通专项规划环评的范围尚不明确，没有统一编制规划的方法和审批的程序。因此，应按照《规划环境影响评价条例》要求，分层次、分阶段地开展确定的专项交通发展规划的环境影响评价工作。

（四）重视环境影响评估和审查工作

在国家履行全球应对气候变化等国际公约和我国自身资源环境紧缺的大背景下，必须重视交通发展规划的环境影响的评估和审查工作，以便从区域、主体环境功能区的战略高度，重新审视各交通基础设施的规划规模、功能定位问题，合理确定各交通方式的可持续发展目标，尽快解决各交通运输方式产能过剩、重复建设、无序竞争等问题，为各专项交通发展规划及其规划环评奠定政策基础。

（五）加强与资源机构和公众的合作

交通运输机构在执行规划活动的时候要考虑到资源情况，加强与规划部门和资源机构及公众的交流，有效进行交通运输规划与自然和文化资源信息的比较，与资源机构和公众建立积极的合作关系，制定出有效服务大众交通需求的交通运输计划和项目，从而能减少负面影响，更有效地保护环境。

参考文献

[1] 国家发展和改革委员会．综合交通网中长期发展规划，2007.11.

[2] U.S. Department of Transportation, Research and Innovative Technology Administration. Transportation Vision for 2030, Ensuring personal freedom and economic vitality for a Nation on the move, 2008.1.

[3] 联邦交通、建设与住房部．联邦德国交通规划，2003.

[4] 中华人民共和国国务院．规划环境影响评价条例，2009.8.

[5] 张德江．全国交通运输工作会议，2010.1.

[6] 江泽民．党的十六大报告：全面建设小康社会，开创中国特色社会主义事业新局面，2002.11.

[7] 胡锦涛．中国共产党第十六届中央委员会第五次全体会议报告：中共中央关于制定国民经济和社会发展第十一个五年规划的建议，2005.10.

[8] 胡锦涛．中国共产党第十七次全国代表大会报告：高举中国特色社会主义伟大旗帜，为夺取全面建设小康社会新胜利而奋斗，2007.10.

[9] 北京国际发展研究院．中国城市“十二五”核心问题研究报告［M］．北京：中国时代经济出版社，2010.

[10] 李盛霖．建设创新型交通行业工作会议的讲话.2006.

[11] 中华人民共和国国务院．国家中长期科学和技术发展规划纲要，2006.

[12] 91st United States Congress. National Environmental Policy Act, 1969.

[13] United States Federal Government. Air Quality Act. 1990.

[14] United States Environmental Protection Agency. National Ambient Air Quality Standards, 1971.

国内外居民生活消费碳排放估算方法比较

冯 蕊 陈胜男

（南开大学战略环境影响评价中心 天津 300071）

摘 要 随着城市化进程的加快，居民生活消费领域方面的能源消耗日益增长，有的地区甚至超过了工业能源的需求。我国2009年底在哥本哈根大会宣布“到2020年单位国内生产总值 CO_2 排放比2005年下降40%～45%”，为履行我国的减排承诺，探索寻求新的 CO_2 减排路径，有必要对我国居民生活消费碳排放进行核算。本文拟通过对当前国内外居民生活消费碳排放估算方法进行对比，从居民生活消费能源的界定和估算方式的选择两方面入手，分析各种估算方法的优缺点，为我国合理准确地估算居民生活消费碳排放提供参考借鉴。

关键词 居民生活 碳排放 估算方法

一、引 言

化石燃料燃烧排放出大量的以二氧化碳为主的温室气体，导致了全球变暖现象的出现。我国在哥本哈根大会宣布 CO_2 的减排目标为“到2020年单位国内生产总值二氧化碳排放比2005年下降40%～45%。”

随着工业化进程的加快，产业结构调整和经济增长方式转变，第二产业能耗会大幅降低，同时，随着社会经济的发展和人民生活水平的提高，人均用能的大幅增加和人口的激增，都将导致城市生活能源消费量的大幅增加。据欧盟的统计，欧盟家庭能源需求在20世纪90年代就已超过了工业能源的需求。

中国科学院科技政策与管理科学研究所、地理科学与自然资源研究所、大气物理研究所3家研究所联合提出的《关于我国碳排放问题的若干政策与建议》显示，1999—2002年我国每年全部能源消费量的大约26%、CO_2 排放的30%是由居民生活行为及满足这些行为需求的经济活动造成的。

因此，合理准确地估算当前居民生活消费碳排放水平成为当务之急，但因居民生活消费消耗能源的综合性和复杂性，国内外鲜有具有代表性的估算方法，所以本文试图通过当前国内外对居民生活消费能源消耗碳排放估算方法进行综述比较，分析归纳总结各种估算方法的优缺点，为我国合理准确地估算居民生活消费碳排放提供参考借鉴。

二、国外研究综述

（一）模型法

当前国外对于碳排放的估算主要是依据投入产出模型。Parikh et al.（1997）根据不同的收入水平，应用投入产出模型估算了1990—2010年印度农村和城市家庭二氧化碳的排放，结果表明收入较高的阶层会产生较多的 CO_2 排放[1]。Lenzen（1998）针对不同的家庭类型，应用投入产出模型估算了澳大利亚1993—1994年家庭温室气体排放情况，认为收入和温室气体的排放呈正相关关系；同时，他在1992—1993年中的研究发现，间接能源消耗及其温室气体排放占总的能源消耗和温室气体排放的65%[2,3]。Munksgaard et al.（2000，2001）应用投入产出模型估算了丹麦1966—1992年的 CO_2 排放，研究表明 CO_2 排放量的增长是因为消费量的增长[4,5]。Weber和Perrels（2000）应用投入产出模型估算了1990年荷兰、德国和法国的家庭 CO_2 排放情况，并应用情景分析法估算了2000年、2010年的 CO_2 排放量，结果表明影响 CO_2 排放量的主要因素有职业、收入以及消费水平[6]。Wier et al.（2001）应用投入产出模型估算了丹麦家庭消费产生的 CO_2 排放，认为不同的家庭消费类型会产生不同的 CO_2 排放量以及 CO_2 的排放和收入呈正相关性[7]。Kim（2002）估算了韩国 1985 年、1990 年和 1995 年的家庭消费 CO_2 排放量，研究表明 CO_2 的减排应当着眼于消费类型的改变和产品需求链的管理，以及加强节能减排技术的研发和制定控制过度消费的政策[8]。Alfredsson（2004）应用投入产出模型，在同等消费水平的基础上，估算了瑞士推行绿色消费后产生的 CO_2 排放，结果表明同等消费水平下，实行绿色消费的家庭可以产生更少的 CO_2 排放[9]。Bin 和 Dowlatabadi（2005）应用投入产出模型，估算了 1997 年美国的二氧化碳排放情况，认为间接消费产生的二氧化碳排放在居民生活消费中占有很大比例，在能源节约利用和 CO_2 减排方面，应当着力减少间接消费产生的 CO_2 排放[10]。Kok 等（2006）使用了投入产出法研究了居民能源消费和碳排放之间的关系，并发现城镇居民碳排放明显高于农村居民[11]。

随着投入产出模型在碳排放估算方面的大量应用，出现了大量以投入产出模型为基础，加以改良优化后的模型，本文将介绍英国学者 Druckman 等于 2009 年提出的类多维区域投入产出模型。

英国学者 Druckman 等（2009）依据以投入产出模型为基础的类多维区域投入产出模型估算了英国 CO_2 排放情况。该模型将家庭生活消费碳排放的计算分为直接和间接两部分。直接消费的计算是指家庭中直接使用的能源中的 CO_2 的排放（空间取暖、照明等）、个人交通（包括个人车辆和飞行）；间接消费的计算包括英国家庭购买的上游产品和服务的能量，分为 12 个部分：空间加热、住宅、食品和烹饪、衣物和鞋类、健康和保健、休闲和娱乐、教育、交流、通勤车。其不同于传统之处在于将英国贸易壁垒产生的排放量纳入了计算，即考虑英国家庭消费的所有排放，不论他们发生在英国或国外。

研究发现 CO_2 的排放和收入水平、居所、职位和家庭组成的类型不同有关，还与城市和乡村的地理位置有很大关系。文章以当前每年增长 3% 的速度估算英国家庭和能源及 CO_2 的关系，结果表明在 1990—2004 年的研究周期内，二氧化碳和家庭支出之间的绝对脱钩不是很明显，当前只有较小的相对脱钩。一半以上的英国平均家庭碳足迹是内嵌的 CO_2，这个比例还在不断上升[12]。

（二）碳排放系数法

随着国际上对 CO_2 排放的广泛关注正在转化为对个体贡献的关注，网上很流行使用计算器估算个体 CO_2 的排放，很多的网站开发了计算个体“碳足迹”或估算个体特定时间内直接责任的 CO_2 排放的计算器。这些计算器将个体排放分为家庭活动和交通，以不同的方程量化使用者的输入产生的 CO_2 量或温室气体等量的 CO_2 的排放，这一转换通常是通过乘以一定的碳排放系数实现。

选取进行比较的十个美国碳计算器分别为 American Forest、Be Green、Bonneville Environmental Foundation（BEF）、CarbonCounter. org、Chunk Wright、Clear Water、The Conservation Fund、EPA、SafeClimate、TerraPass。这些计算器基本都分为两个部分，一是家庭能源的使用，包括电力以及其他诸如天然气、燃油、丙烷、煤油或木材等家庭燃料的消耗，二是个人交通行为产生的排放。

各个计算器都以家庭能源消费的电力总量乘以转换系数转化为二氧化碳排放量。大部分的转换系数以美国国家平均值为准，Be Green、BEF、CarbonCounter. org、SageClimate 和 TerraPass 使用各州独立的转换系数，其中，BEF 提供的计算器对于碳排放的估算还包括电力输入过程中 6% 的电力线路上损失。除了电力，其他家庭能源的消耗产生的碳排放均以燃料的使用量乘以相应的转换系数得出，但各个计算器使用的不同燃料的转换系数均不同，这使得结果变化很大。

对于交通产生的 CO_2 排放，各个计算器基本都要求使用者输入特定时间段之内的平均旅行距离和车辆平均效率（mpg）。Be Green 和 TerraPass 利用 EPA 的燃料经济数据库获得平均里程数。相较于其他计算器及研究不同，American Forests 和 The Conservation Fund 进一步通过区别车辆是否安装空调来精确估算 CO_2 排放。American Forests 的计算包括汽车空调每年排放 195 磅（88.65kg）CO_2。

除了 EPA 以外的所有碳计算器都包括个人航空旅行产生的 CO_2 排放。大部分的计算器通过获得年度里程输入值或旅行次数来定量。Be Green、SafeClimate 和 TerraPass 以单位旅行长度的转换系数来定量排放，Be Green 提供的转换系数来自温室气体议定书，TerraPass 的转换系数来自世界资源研究所的数据。BEF 估计每次旅行的平均长度是 1660 英里（2671km），使用者输入每年的旅行次数，据此估计 CO_2 的排放情况，该计算器还包括飞行过程中排放的其他温室气体的排放情况，它们将近是 CO_2 排放量的 3 倍；CarbonCounter. org 通过加倍他们的每英里 CO_2 排放的转换系数以计算包括其他温室气体的影响；American Forests 根据使用者输入每年乘坐的航班号，计算飞行每次航班 830.5 英里（1337km）每个座位 48mpg（20km/L）的 CO_2 排放。除了个人汽车和航空旅游，American Forest 是唯一一个包括摩托车、出租车、铁路、地铁、城市公交和州际公交的计算器。

值得一提的是，美国这些碳计算器都给出了具体的 CO_2 抵消措施，American Forests 和 The Conservation Fund 提出植树造林来作为主要的排放迁移方式；Be Green 提供个体可再生能源存款（REC）来补贴可再生能源发 1MWh 电力的费用；BEF 通过绿色标签项目提供对绿色能源的支持来定量迁移 CO_2；CarbonCounter 的措施包括改革能源效率，可再生能源项目和植树造林；TerraPass 支持在风能、生物质能和提高工业效率方面的项目[13]。

英国环境、食品及农村事务部的 CO_2 排放量计算器，根据访问者家内供暖设备、能源类型及费用；家用电灯数量、节能型灯泡的数量；短途出差和长途旅行的次数，使用交通工具情况；开车里程、车型以及燃料情况；电视、洗衣机等家用电器的待机状况和使用频率等估算居民生活消费产生的 CO_2 排放，并为访问者提供节能降耗的建议[14]。

三、国内研究综述

（一）模型法

投入产出模型多应用于对家庭生活能源消费产生的综合碳排放进行估算，鲜有其他模型多着眼于交通出行产生的碳排放的估算，目前应用的主要模型有 MOBILE、COPERT 和 IVE 等，如我国学者利用 IVE 模型研究了上海[15]和杭州[16]城市车辆及其污染排放特征，但并不是直接估算 CO_2 的排放，只是将 CO_2 只作为其中的一个排放指标略加分析，并未详细探讨居民交通出行产生的碳排放情况。

（二）碳排放系数法

与国外情况类似，我国应用碳排放系数法估算居民生活消费 CO_2 排放情况也主要是应用于各个网站的碳计算器。

我国科技部推出的“全民节能减排计算器”将居民生活消费排放出的碳划分为 5 个部分：衣物消费、食品消费、住宅消费、出行消费和日常使用消费。其中衣物消费包括购买衣服的数量，每件衣服洗涤次数及方式；食品消费包括每年节约的粮食量和畜产品量及烟酒的年消费量；住宅消费包括建筑过程中的能耗和空调耗电量，出行消费包括使用的交通工具及行驶的相应里程数，还有平时的诸如停车时是否及时熄火这些用车习惯；日常使用消费包括居民日常家用电器耗电量和家庭用水消费情况[17]。

山水自然保护中心—你好自然网提供的碳足迹计算器，主要考虑了交通和家居方面可能产生的碳排放。就交通方面来说，根据选择不同的交通工具，输入所行驶的里程数、燃料种类，来核算 CO_2 的排放量；就家居方面来说，主要考虑家用电器用电量、日常烹饪所需要的燃料量和冬季供暖耗费的燃料量，根据所使用的燃料的种类数量，乘以相应的转换系数来估算得出 CO_2 的排放量。同时计算者提供相应的应该抵消这些 CO_2 所需要种植的树木的棵数[18]。

除了应用于网站的计算器外，我国学者对于我国居民生活消费产生的碳排放的估算，大多也是应用碳排放系数法。

赵敏等（2009）采用的方法是由 IPCC 温室气体排放计算指南中提供的关于交通能源消费碳排放量的计算方法，根据居民不同出行方式，估算了上海市居民出行产生的碳排放。结果表明，2002 年以来上海市因居民出行导致的交通 CO_2 排放总量呈显著增长趋势[19]。邢芳芳等（2007）根据终端能源消费清单，应用 IPCC 的参考方法，即能源消费的碳排放量等于能源消费量与碳排放因子的乘积（能源的含碳量）减去碳固定部分。研究表明与 1995 年相比，2005 年城镇居民生活消费的能源碳排放量增加了 2.02 倍[20]。陈飞、诸大建（2009）将居民生活消费分为居住建筑碳排放和交通碳排放。居住建筑碳排放主要包括采暖、空调、热水、家电及炊事产生的碳排放。与赵敏等（2009）和邢芳芳等（2007）的研究不同，陈飞、诸大建并未将能源分类别计算，而是将不同类型的能源使用量折算为标煤总量，再根据标煤的碳排放系数估算碳排放情况。但因不同国家、地区和技术条件以及能源结构的不同，以及不同能源的燃烧效率和燃烧方式不同，这种计算会造成较大的误差[21]。

四、讨论与结论

国内外居民生活消费碳排放估算方法中居民生活消费能源的界定基本都分为住宅能源消耗碳排放和交通出行能源消耗碳排放。部分国外的研究不仅考虑了居民生活消费产生的直接碳排放，而且纳入了居民生活消费产生的间接碳排放。国内居民生活消费碳排放的估算一般都只考虑了直接消费产生的碳排放，并未考虑服务及产品中包含的间接消费产生的碳排放。据欧盟、Lenzen（1998a，b）、Bin 和 Dowlatabadi（2005）以及 Druckman 等（2009）的研究可知，间接能源消费产生的碳排放在总的碳排放中占有越来越大的比重，其迅猛趋势不能忽视，我国居民生活消费碳排放的估算应尽快将间接能源消费产生的碳排放纳入计算。

国外的碳排放估算主要以模型为主。相较于国外利用模型估算居民生活消费碳排放来说，我国只有极少部分交通出行方面的碳排放是利用模型估算的，且这些模型都是源自国外相关机构的研究，其车型、燃料燃烧方式等均与国内水平有一定差距，因此会导致较大的误差出现。我国应尽快建立符合我国国情的碳排放估算模型。

国内网络提供的碳计算器与国外的相比，首先是计算过程不够透明，没有给出计算公式中碳排放系数的具体数值；其次是缺乏为广大民众提供相应的碳减排措施，美国和英国的网络碳计算器都给出了不同的碳减排措施，我国的碳计算器则缺乏这一方面的相关信息，只有山水自然保护中心—你好自然网给出了植树造林这一单一途径。

普遍存在于国内外居民生活消费碳排放估算中的问题是碳排放系数的确定。国外估算的碳排放系数基本都是各个地区采用不同方法获得的数据。The Conservation Fund 甚至提供了两种不同转换系数，分别为每千瓦时电力排放 1.397 磅和 1.37 磅 CO_2。就全国范围来看，不仅缺乏一致的碳排放系数，更加缺少适合于普遍情况的系数确定方法，使得计算的一致性和透明性难以得到保障。国内的碳排放系数除了诸大建采用标煤的碳排放系数 2.45tCO_2/t 标煤以外，其余均采用 IPCC 提供的碳排放系数，这虽然保证了数据选取的一致性，但因我国能源利用水平与国际主要国家尚有较大差距，这些数据并不符合我国国情，因此也会导致较大的误差。

建立一种透明的、一致的以及可验证的碳排放方法，不仅是朝着我国实现 2020 年碳减排目标迈出的重要一步，更将为我国以及全世界更好更精确地估算碳排放提供了有力保障。

参考文献

[1] Parikh, J. K. , Panda, M. K. , Murthy, N. S. , 1997. Consumption patterns by income groups and carbon – dioxide implications for India：1990 – 2010. International Journal of Global Energy Issues 9（4 – 6），237 – 255.

[2] Lenzen, M. , 1998a. Energy and greenhouse gas cost of living for Australia during 1993/1994. Energy 23（6），497 – 516.

[3] Lenzen, M. , 1998b. Primary energy and greenhouse gases embodied in Australian final consumption：an input – output analysis. Energy Policy 26（6），495 – 506.

[4] Munksgaard, J. , Pedersen, K. A. , Wien, M. , 2000. Impact of household consumption on CO_2 emissions. Energy Economics 22，423 – 430.

[5] Munksgaard, J. , Pedersen, K. A. , Wier, M. , Changing consumption patterns and CO_2 reduction. International Journal of Environment and Pollution，2001，15（2），146 – 158.

[6] Weber, C. , Perrels, A. , Modelling lifestyle effects on energy demand and related emissions. Energy Policy，2000，28：549 – 566.

[7] Wier, M. , Lenzen, M. , Munksgaard, J. , Smed, S. , Effects of household consumption patterns on CO_2 requirements. Economic Systems Research，2001，13（3），259 – 274.

[8] Kim, J. H. , 2002. Changes in consumption patterns and environmental degradation in Korea. Structural Change and Economic Dynamics 13（1），1 – 48.

[9] Alfredsson, E. ,“Green”consumption—no solution for climate change. Energy，2004，29：513 – 524.

[10] Bin, S. , Dowlatabadi, H. , 2005. Consumer lifestyle approach to US energy use and the related CO_2 emissions. Energy Policy 33（2），197 – 208.

[11] Kok, R. , Benders, R. M. J. , Moll, H. C. , 2001. Energie – intensiteiten van de Nederlandse consumptieve bestedingen anno 1996. IVEM Research Report No. 105，Groningen.

[12] Angela Druckman, Tim Jackson. The carbon footprint of UK households 1990 – 2004：A social – economically disaggregated quasi – multi – regional input – output model. Ecological Economics，2009（68）：2066 – 2077.

[13] J. Paul Padgett, Anne C. Steinemann, James H. Clarke, Michael P. Vandenbergh. A comparison of carbon calculators［J］. Enviornmental impact assessment revies，2008（28）：106 – 115.

[14] http：//carboncalculator. direct. gov. uk/index. html.

[15] WANG HK，CHENCH，HUANG C，et al. On – road vehicle emission inventory and its uncertainty analysis for Shanghai，China［J］. Sci Total Environ，2008，398（1/2/3）：60 – 67.

[16] Zhang Qy，Xu J F，Wang G，et al. Vehicle emission inventories projection based on dynamic emission factors：a case study of Hangzhou，China［J］. Atmos Environ，2008，42（20）：4989 – 5002.

[17] http：//www. acca21. org. cn/eser/counter/index. htm.

[18] http：//www. hinature. cn/co2.

[19] 赵敏，张卫国，俞立中. 上海市居民出行方式与城市交通 CO_2 排放及减排对策［J］. 环境科学研究，2009（6）：747 – 752.

[20] 邢芳芳，欧阳志云，王效科，等. 北京终端能源碳消费清单与结构分析［J］. 环境科学，2007（9）：1918 – 1923.

[21] 陈飞，诸大建. 低碳城市研究的理论方法与上海实证分析［J］. 城市可持续发展，2009（10）：71 – 79.

航空运输业碳排放交易机制的理论研究

杨　涛　李艳梅

（北京工业大学经济与管理学院　北京　100124；
北京工业大学循环经济研究院　北京　100124）

摘　要　论文从理论视角研究航空运输业碳排放交易机制。首先，分析航空运输业中碳排放交易权配置的过程阶段和市场化路径。其次，研究碳排放交易权初始配置方式，指出分配方式的公平与效率是影响配置方式的主要影响因素；其中分配成本、分配效率以及专用性投资激励又是影响效率的重要因素。最后，分析碳排放的二次配置方式，指出碳排放交易权的流动是把“双刃剑”，既要考虑自由流动带来的资源配置效率提高的积极效应，又要关注因自由流动带来的排放权囤积及歧视性交易等反竞争行为的消极作用。

关键词　运输业　碳排放交易　理论研究　初始配置　二次配置

碳排放交易机制的研究和实践已成为可持续发展和环境保护的重要内容。同样航空运输业的碳排放也被日益重视，并具有重要的现实意义。2008 年欧盟将航空运输业纳入了碳排放体系，从而给中国航空业带来了巨大的竞争压力[1,2]。于是学者倡导快速建立中国航空业的碳排放交易体系，以期望对抗欧盟的碳排放体系，以实现最终的相互豁免[3]。同时，国内许多环境交易所也已建立。因此，从理论上深入研究航空运输业碳排放交易的过程、主要影响因素，以及流动性的积极与消极作用就显得尤为必要。

一、航空运输业碳排放交易权的配置过程

（一）航空运输业碳排放交易的可供选择方式

从配置方式角度来讲，碳排放交易可以分成两大类：市场机制和非市场机制。市场机制的典型形式是定价方式和拍卖方式；非市场机制的范围比较广泛，例如使用者的历史身份、抽签[4]。从配置过程的角度来讲，碳排放交易可以分成前后相继的两个阶段：初始配置阶段和二次配置阶段。初始配置是指碳排放交易权从政府配置给交通运输运营企业，例如航空公司和班轮公司。二次配置是在初始配置完成之后才开始进行，它是碳排放交易权在交通运输企业之间的流动。综合上述两个角度可以得到碳排放交易权的配置过程—机制组合，如图 1 所示。

		排放权配置机制	
		市场机制（定价、拍卖等）	非市场机制（历史身份、抽签等）
碳排放权配置过程	初始配置	类型Ⅰ	类型Ⅱ
	二次配置	类型Ⅲ	类型Ⅳ

图 1　排放权配置的过程—机制组合

图 1 显示，类型Ⅰ表示排放权的初始配置方式为市场机制，例如定价、拍卖等；类型Ⅱ表示排放权的初始配置方式为非市场机制，例如历史身份、抽签等；类型Ⅲ表示排放权的二次配置方式为自由的二级市场交易，此时排放权可以被销售、购买、租赁和抵押等；类型Ⅳ表示排放权的二次配置方式为非市场机制，此时排放权不能被买卖。

（二）航空运输业碳排放交易的市场化过程

按照图 1 中的分类，我们可以得到碳排放交易的市场化程度差异及路径过程，如图 2 所示。

图 2 显示，碳排放交易存在一个市场化程度由低到高的过程，它们依次为 A 点（初始配置的非市场机制 + 二次配置的非市场机制）、D 点（初始配置的非市场机制 + 二次配置的市场机制）或 C 点（初始配置的市场机制 + 二次配置的非市场机制）、B 点（初始配置的市场机制 + 二次配置的市场机制）。从而碳排放交易的市场化过程存在三个路径：第一种是 ADB 路径，先进行二次配置的市场化，再进行初始配置的市场化；第二种是 ACB 路径，先进行初始配置的市场化，再进行二次配置的市场化；第三种是 AB 路径，同时进行初始配置的市场化和二次配置的市场化。

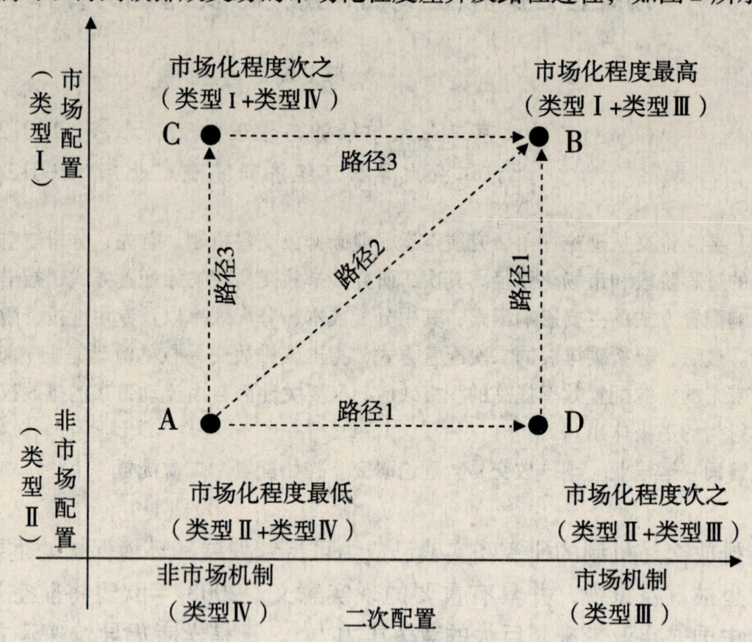

图 2　碳排放交易权配置的市场化程度、现状及路径

二、航空运输业碳排放交易的初始配置方式选择

排放权的初始配置方式，可以分成两大类。一类是基于市场的配置机制，典型代表是定价方式和拍卖方式。另一类是非市场的配置机制，例如历史身份、抽签等，如图 3 所示。

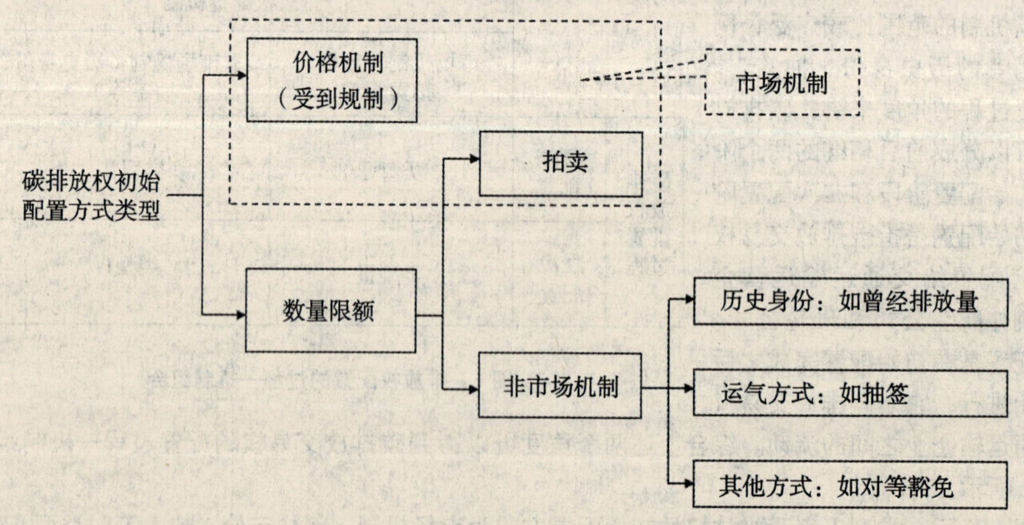

图 3　排放权初始配置方式的类型

图 3 显示，排放权的初始配置方式分类包括两个前后相继的层级：第一个层级是，价格机制与数量限额之间的选择；第二个层级是，确定数量限额之后发生在拍卖与非市场机制之间的选

择。由于价格机制无法限定确切的排放数量，从而不利于环境管理；因此数量限额被更多地采用。

排放权初始配置的拍卖机制，是指通过竞价的方式将固定数量的排放权分配给竞价者。学术界提出了许多不同的拍卖方式，例如升价拍卖、降价拍卖、一级密封拍卖、二级密封拍卖、组合拍卖等。非市场机制，则包括了许多子类类型，其中历史身份方式最为普遍，也就是依据某运输企业的历史排放数量来确定未来排放权数量或排放权的比重，其次是依赖于运气的抽签。

（一）航空运输业碳排放交易的初始配置方式的影响因素

鉴于排放权是交通运输企业展开运营所必需的投入，因此可以从经济学上的配置效率与公平角度来分析影响碳排放权的初始配置方式的影响因素。

1. 初始配置方式的效率分析

由于排放权是交通运输企业的必须投入，因此排放权初始配置的效率除了考虑传统意义上的分配效率之外，还要考虑分配方式对交通运输企业专用性投资激励的影响。此外，排放权的初始配置过程本身是花费成本的活动，因此排放权初始配置方式的效率还应涉及分配成本。

第一，分配效率。微观经济理论经常使用的一个效率说法是“将资源分配给出价最高者，并且资源由生产成本最低者来提供”。同样排放权初始配置方式的分配效率，就是指将排放权分配给对其评价或估价最高者。如何度量排放权的分配效率，可以从交通运输企业的网络经济角度来考虑。交通运输业是网络经济显著的产业[5]，新增一个排放权意味着：①如果交通运输企业的网络越大，那么这个新增排放权带来的新增连接城市或市场的数量就越多，表现为网络经济中的幅员经济，对乘客的吸引力也会越大；②如果交通运输企业在同一车站或机场或港口更容易实现始发到站的频率经济，从而新增一个排放权给大交通运输企业带来的经济价值，可能比给小交通运输企业带来的价值更高。

第二，专用性投资激励。交通运输企业的专用性投资激励，受到制定与调整班次时刻表的技术以及相关配套设施沉淀成本的影响。如果制定与调整时刻表越困难，那么对排放权分配方式就要求更多的可预见性，或者说要求配置方式更能确保排放权产权的稳定性。如果配套设施的沉淀成本越高，那么也要求配置方式能更好地确保排放权产权的可预见性和稳定性。否则交通运输企业投资于扩大运营规模的激励就会降低，因为担心作为必须投入的排放权不稳定和不可得。

第三，分配成本。排放权的任何初始配置方式都有分配成本，即分配排放权过程本身所遭受到的成本。分配成本，受到配置方式复杂程度、需要被分配的排放权的数量及差异程度等因素的影响。如果在每个时期需要重新分配的资源数量越大，那么排放权配置的分配成本就越高。如果每个时期需要重新分配的排放权在质量上或价值上存在的差异越大，那么排放权配置的分配成本就越高。如果排放权的配置方式越复杂，那么排放权的配置成本也将更高。

2. 初始配置方式的公平分析

公平的理解有许多，如果从过程与结果来考虑的话，公平至少应包括两个先后的层次：一是机会公平或过程公平；二是结果公平。同样，排放权初始配置方式的公平要求，也应体现在机会公平与结果公平两个方面。排放权初始配置方式的机会公平，指这种配置方式能给每个交通运输企业相同的机会参与排放权的争夺，即没有交通运输企业在竞争之前就有多于其他交通运输企业的获胜机会。排放权初始配置方式的结果公平，指出于某种目的而针对已实现或可能实现的结果，进行调整的配置方式。

（二）航空运输业碳排放交易的主要初始配置方式的比较

虽然排放权的初始配置方式较多，但是使用较多也是争议较多的却是拍卖、历史权利和抽签3种基本方式。依据前面的影响因素分析，可以比较拍卖、历史权利和抽签在效率与公平方面的差异。

1. 分配效率的比较

拍卖方式是以交通运输企业对排放权的竞价作为决定胜负的标准，并且竞价最高者获得排放权。历史权利是以交通运输企业的身份作为决定胜负的标准，并且在位交通运输企业获得排放权。抽签是以运气作为决定胜负的标准，并且有好运气者获得排放权。因此，在不考虑交通运输企业在市场上的反竞争行为的话，那么出价最高者通常是最具有网络经济的交通运输企业，因为其利用排放权所产生的收益更多，它才会出更高的竞价，所以拍卖方式的分配效率最高。历史权利规则可能次之，因为在位者通常累积了大量排放权，通常也是具有大网络的交通运输企业。抽签方式最低，因为它不考虑交通运输企业对排放权的利用效率。

2. 专用性投资激励的比较

从专用性投资激励角度而言，拍卖方式和抽签方式比历史权利规则产生更少的投资激励。之所以如此是因为在拍卖方式和抽签方式下，交通运输企业的投资激励受到3个因素的影响：一是拍卖和抽签中交通运输企业获胜的不确定性：当交通运输企业获胜的概率越高时，交通运输企业的投资激励就会增强；二是交通运输企业在拍卖和抽签竞争中失败时面临的强制性折旧：这可以被认为是受资产专用性投资的影响，当交通运输企业面临的强制性折旧越高时，即这些投资的专用性程度越高时，交通运输企业的投资激励就会越低；三是拍卖和抽签的周期长度：当拍卖的周期长度较短尤其是小于投资的回收期时，这些投资的自然折旧率就会越高，从而交通运输企业投资激励就会越低。

拍卖方式和抽签方式，与历史权利规则产生的投资激励差异，与排放权的产权稳定程度相关。如果排放权的产权越稳定，那么依附于稳定产权的各种投资成本与收益就越可以准确预期。从而产权越稳定的情况下，交通运输企业的投资激励程度就会越高。

3. 分配成本的比较

拍卖方式在每期需要重新分配的排放权数量多，并且拍卖面临排放权互补性问题而变得较为复杂。尽管许多学者研究出了许多类型的拍卖如组合拍卖，但是这些拍卖方式对于交通运输企业而言，仍显得较为复杂，尤其是不同区域间匹配问题。历史权利规则面临的排放权调整数量最小，因为历史权利规则下对于交通运输企业正在使用的排放权，只需进行必需的确认和检查利用率情况即可，而且历史权利排放权占据机场排放权总量的大部分。抽签虽然面临的调整数量也较多，但是抽签过程较为简单。因此，拍卖方式在分配排放权过程中的分配成本最高，历史权利规则的分配成本最低，而抽签方式则居中。

4. 机会与结果公平的比较

（1）机会公平方面的比较。拍卖方式为每个交通运输企业竞争排放权提供了相同的竞价机会，无论是在位还是新交通运输企业，无论是大交通运输企业还是小交通运输企业。抽签方式为每个交通运输企业提供了绝对平等的机会，无论它对这个排放权的评价是多少，是否目前正在使用这个排放权。历史权利规则给予了在位交通运输企业优先获得排放权的机会，而不管这个交通运输企业是否最有效率使用这个排放权。因此，拍卖带来机会公平居中，历史权利的机会公平最低，而抽签的机会公平最高。

（2）结果公平方面的比较。拍卖方式为每个交通运输企业竞争排放权提供了相同的竞价机会，但是，也为大交通运输企业提供了通过提出更高的竞价来获取更多排放权、囤积排放权，甚至买光排放权的机会；从而导致配置的结果为小交通运输企业因买不起排放权而无法展开竞争。历史权利规则，导致新交通运输企业因不具有在位者身份而无法分配到排放权。抽签方式则使得各类交通运输企业平均地获得排放权。由于排放权是交通运输企业展开生产运营的一种必须投入，因此如果从鼓励新交通运输企业和小交通运输企业参与竞争的角度考虑，那么拍卖方式的结果公平居中、历史权利规则的结果公平最低，而抽签方式的结果公平最高。

综上所述，得到排放权三种基本初始配置方式在效率与公平方面的比较结果，如表1所示。

表1　拍卖、历史权利及抽签方式的效率与公平比较

	效率		公平		
分配效率	投资激励	分配成本	过程公平	结果公平	
拍卖	高	中	高	中	中
历史权利	中	强	低	低	低
抽签	低	弱	中	高	高

表1表明，在排放权的初始配置方式选择上，主要取决于效率和公平目标的权衡。如果从效率目标考虑，那么可以选择拍卖或历史权利；如果从公平目标考虑，那么可以选择抽签。但是，如果与排放权相关的专用性投资比较大，那么应考虑选择历史权利，而不是拍卖。

三、航空运输业碳排放交易的二次配置方式选择

排放权的二次配置是排放权在初始配置完成之后，排放权在交通运输企业之间，或交通运输企业与非航空运输企业如金融机构之间，例如买卖或交换，甚至被禁止自由流动。

（一）航空运输业碳排放交易权流动的效率分析

排放权流动的效率，涉及两个方面的议题：一是排放权流向对其评价更高的交通运输企业；二是排放权的流动又要防止排放权流动过程中出现反竞争行为，例如排放权的囤积。

1. 交易权流动的潜在效率收益

排放权流动的潜在收益，来自于当排放权流向对其评价更高的交通运输企业时，排放权利用效率的提高。这种效率提高体现在以下两个方面。

第一，弥补排放权初始配置方式中可能存在的效率损失。科斯定理表明，只要产权得到明确界定，以及交易成本为零，那么产权的初始配置并不影响实现最优效率；但是如果交易成本不为零，那么产权的初始配置就会影响经济效率。排放权的配置会经历初始配置与二次配置两个先后阶段，因此当碳排放交易权的初始配置方式中存在效率损失时，只要二次配置方式具有较低的交易成本，那么初始配置中的效率损失就会被有效率的二次配置部分所弥补。

第二，满足排放权使用过程中的碳交易权的需求与供给要求。排放权在初始配置中被分配给交通运输企业之后，交通运输企业在使用这些排放权期间，可能因经营不善而缩小经营规模，从而产生排放权销售或出租的要求；也可能因经营有方而扩大经营规模，从而产生对排放权购买或租赁的要求。因此，如果允许排放权在使用期间的自由交易，那么就能实现排放权向更能利用和更需要这些资源的交通运输企业流动，从而提高排放权的利用效率。

2. 交易权流动的潜在效率损失

排放权是交通运输企业的必须投入，因此如果交通运输企业无法获取排放权，那么这个交通运输企业将无法开展生产运营活动；如果交通运输企业获取的排放权数量有限，那么交通运输企业将无法实现航线网络的轴辐结构、取得网络经济、频率经济等。从而，无法与现有大型交通运输企业进行竞争。因此，从竞争角度而言，排放权可能会成为进入航空运输市场的一种资源性进入壁垒。排放权的流动，在促进排放权流向对其评价更高者的同时，也为交通运输企业通过购买排放权来囤积排放权，甚至买光排放权提供了机会。从而，这些交通运输企业垄断了作为交通运输企业运营所必需的投入要求，形成进入航空运输业的进入壁垒。

此外，还容易引发碳排放交易中的歧视性交易行为。由于二次配置中排放权流动的供需方都是交通运输企业，它们之间存在着竞争关系。因此排放权的提供者具有将排放权提供给那些不与

之竞争的交通运输企业以及设置限制性使用条款的歧视行为。这些排放权的囤积行为以及交易中的歧视性行为，形成了进入运输业的资源性进入壁垒，限制了下游航空运输市场的竞争，构成排放权流动的潜在效率损失。

3. 交易权流动的潜在效率收益与损失的影响因素

前面的分析表明，二次配置的交易成本将影响排放权流动的效率收益，而二次配置中的反竞争行为将带来排放权流动的潜在损失。而交易成本与反竞争行为，受到交通运输业市场结构和交易中介组织发育程度的影响。

第一，交通运输市场结构的影响。微观经济理论将市场结构简要地分成四种类型：完全竞争、垄断竞争、寡头和垄断。如果市场中的企业数量越少，那么它们之间进行策略性行为的特征就越显著，越可能实施反竞争的行为。

第二，中介组织发展程度的影响。排放权的流动过程中，在排放权的需求者与供给者间存在着信息不完全和信息不对称问题。①信息不完全导致排放权的需求者与供给者，可能无法相遇；例如尽管 A 交通运输企业有多余排放权，却可能无法找到排放权的购买者；反之，B 交通运输企业需要排放权来扩大规模时，却可能无法找到排放权提供者。②信息不对称导致排放权销售者与购买者间就交易条款的谈判失败；例如尽管 A 交通运输企业和 B 交通运输企业实现了彼此发现，但是他们在关于交易条件的谈判中，可能因各自对排放权的估价差异或策略性行为，而导致存在交易剩余的谈判破裂。丹尼尔·斯普尔伯提出并完善了企业的中间层理论，他认为市场交易中的信息不完全和信息不对称问题，可以通过那些充当销售者与购买者的中介组织或中间层组织来解决或弱化。中间层组织不仅可以充当市场匹配者，它担当撮合需求者和购买者之间见面，以及协助双方谈判，例如经纪人；还可以充当市场制造者，通过买进与卖出资源，以促进资源的流动性[6]。因此，是否存在一个有效率的排放权交易的中介组织市场，也会影响二次配置活动的经济效率和二次配置方式的选择。

（二）航空运输业碳排放交易权二次配置主要方式的比较

排放权流程程度存在着一个由完全不可转让到完全可流动的变化过程，如图 4 所示。

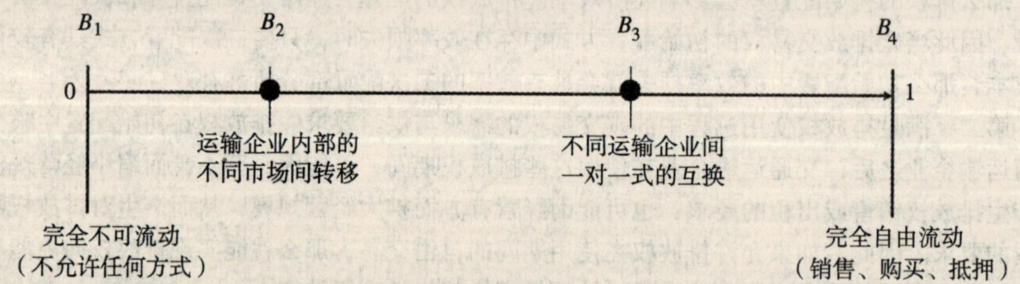

图 4　排放权产权的可转让性程度

图 4 中，排放权流动程度最强的是 B_4 点，此时排放权可以被销售、购买和抵押；可转让程度最弱的是 B_1 点，此时排放权不允许任何转让；两者之间是一些过渡状态 B_2 点和 B_3 点。B_2 点，允许在同一个交通运输企业的不同市场间转移。B_3 点允许排放权在不同交通运输企业间以一对一的方式进行互换，但不能出现货币支付或补偿等。实践中，过渡状态还可以有许多选择，而不限于 B_2 点和 B_3 点。

表 2　排放权二级交易市场与一对一交换的比较

	潜在交易利益	潜在垄断损失
二级市场交易	多	大
一对一交换	少	小

表 2 表明，在排放权的二次配置方式选择上，主要取决于政策制定者对排放权流动带来的潜在交易利益与潜在垄断损失的权衡。如果更关注资源流动带来的交易收益，那么可以采取资源流动性更强的市场交易方式。如果更担心资源流动带来的排放权囤积及反竞争行为，那么可以采取资源流动性较弱一些的市场交易方式。并且，政策制定者对二级交易市场的监管信心与能力也会影响二次配置方式的选择，如果相信排放权的二级市场交易能够通过较好的立法来规制，那么就会更偏好于二级市场交易的配置方式。但是，如果对排放权交易的监管缺乏信心，那么就会偏好采取一对一交换。

参考文献

[1] 王子元、黄蔚．航空公司面临温室气体减排压力［J］．中国民用航空，2008（10）：19－22.

[2] 李楠，黄健康．我国民航业节能减排面临的国际形势与行动对策［J］．综合运输，2009（11）：32－35.

[3] 冯志．解读欧盟航空碳排放交易体系及其影响［J］．国际航空，2009（8）：91－94.

[4] 张红亮．碳排放权初始分配方法比较［J］．环境保护与循环经济，2009（12）：16－18.

[5] 荣朝和．关于运输业规模经济与范围经济问题的探讨［J］．中国铁道科学，2001（4）：97－104.

[6] Danniel. F Spulber. Market Microstructure and Intermediation［J］. Journal of Economic Perspectives，1996（10）：135－152.

环境规划中的预测方法与技术

肖翠翠　杨姝影

（环境保护部环境与经济政策研究中心　北京　100029）

摘　要　环境规划中环境预测是根据现实的环境统计资料，采用一定的模式对其加以模拟，采用科学的预测方法，研究环境未来的发展变化趋势，得出准确的预测结果。本文主要研究了环境预测的方法和技术，包括系统仿真法、灰色关联分析法等以及应用计算机技术等。

关键词　环境预测　环境规划　方法　技术

一、引　言

环境规划中的一个重要任务，是对地区的社会—经济—环境发展过程进行全面、系统的评价，并结合发展目标进行未来状态的预测和估计，以提高环境规划的相对适用性、准确性。环境预测是科学制定环境规划和决策的重要手段。无论对一个国家、一个地区或者一个部门的管理，都需要通过环境预测正确判断未来经济、社会的发展对环境的影响，从而做出切实可行的环境规划。

二、环境预测在环境规划中的意义

环境预测是为环境规划决策服务的。环境预测是在环境统计资料的基础上，不仅运用各种统计方法描述和分析过去的规模、结构和数量关系，而且根据事物发展的规律性，根据统计资料的稳定结构，采用一定的模式加以模拟，类比现在和推测未来，避免了决策目标的落空，为决策和规划提供了科学的前提。

环境规划并不仅仅限于做出决策和制订计划，还包括经常性的指挥调度，协调各方面关系和控制监督某些现象的发生和发展。为了有效地进行环境质量的控制和监督，也需要科学的环境预测，通过前瞻性的工作更科学地对环境进行指导。

三、环境规划中的预测方法

环境预测需要科学的方法对环境规划做出指导。按预测方法分，大致分为定性预测和定量预测。定性预测是指对预测事件未来状况做出性质上的判断，或者依靠人的直观判断能力对预测对象的未来状况进行直观判断的方法，而不考虑其量的变化。常用的定性预测方法有头脑风暴法、德尔斐法、主观概率法、关联树法、先行指标法等。定量预测是使用较多的统计调查资料，借助于数学方法，建立数学模型，然后根据预测对象的边值调节，进而确定预测对象的未来状态与现时状态之间的数量关系。比较常用的定量预测方法有系统仿真法、灰色预测法、回归预测法、投入产出模型法等。这里着重介绍以下几种定量预测模型方法。

（一）系统仿真法在环境规划预测中的应用

系统仿真方法的一个重要方面是系统动力学的创建，由美国麻省理工学院的福瑞斯特（Forrest－er J. W.）教授在1956年提出。系统动力学能全面、系统地描述社会—经济—环境系统的多重反馈回路、复杂时变、非线性等特征，能很好地反映区域经济系统对环境发展的动态效果及敏感程度，有效避免事后控制所带来的震荡。

系统仿真法模型的建立过程中，对基础数据的收集和对系统行为的描述是关键，模型建立步骤一般如下。

1. 确定系统变量

在环境规划预测中应用此模型方法需要确定的系统变量一般包括：规划功能区的人口、流动人口；工业投入、GDP 产出；工业用地、劳动力需求；工业能源消耗、工业用水、重复利用水量；城市扩张、市政设施投入；废水产生量、废水中污染物产生量；废气产生量、大气污染物产生量；固体废物的产生量、处置量、综合利用量；环境治理设施投入、污染治理费用；环境空气质量、水环境质量等。

2. 确定系统中的控制变量

环境规划预测中运用此模型要确定的控制变量一般包括：经济增长速度和产业投入的增长速度；环境投入占 GDP 的量等。

3. 分析系统变量间的关系

对系统关键变量进行归一化处理，分析系统变量和控制变量之间的关系，例如 GDP 增长和工业投入之间的关系，GDP 和污染物排放间的关系，以及环境质量的变化情况。

4. 运用动态仿真软件对模型进行模拟计算，得出模拟结果

在环境规划的预测中，运用系统仿真法模型，将经济、社会和环境三方面的资料结合起来，对未来的环境状况进行模拟预测分析，其分析结果不仅可以作为环境规划和决策的依据，而且可以将采取的策略反馈到模型之中，观察其效应，评价采用策略的作用，更好地对环境规划的目标进行现实性评估。

（二）灰色关联分析法在环境规划预测中的应用

灰色系统方法是 1982 年由邓聚龙教授首创的，在环境科学领域的应用也比较广泛。如对大气污染、城市固体废弃物、水环境质量等的预测。灰色系统是指信息不完全和不确定的系统，它介于信息完全确定的白色系统和信息完全未知的黑色系统之间。从系统论的角度出发，一个区域的环境系统可以看做一个灰色系统，其环境因子可以应用灰色理论进行预测。

灰色系统方法中可用 GM（1，1）模型对环境因子作单一因素分析，现在已经发展到 GM（1，N）模型，在经济、社会中筛选出主要影响因子，对环境做多因子预测分析。

灰色系统模型的建立步骤一般如下（以建立某城市道路交通噪声污染预测模型为例）。

1. 根据选定环境功能区域（如某一个城市）的不同年份的环境监测数据（道路交通平均声级的监测数据），确定需要预测因素的原始数据序列。

2. 确定影响此区域要预测的环境因子的相关因素序列

影响城市道路交通噪声的相关因素序列可以选定为：城市人口数量、机动车数量、机动车流量、道路总长度、工业总产值、基础设施投资等。将所需要的这些原始数据予以收集。

3. 建立环境规划预测模型

根据以上相关因子的数据，按照 GM（1，N）模型的计算方法，运用 BASIC 语言编程后，得到所要预测的环境因子的 GM（1，N）预测模型。

4. 对建立的灰色系统预测模型进行精度检验

根据相对误差、均方差比值、小误差概率等检验方法对此灰色预测系统进行精度检验，写出检验报告，并报告此模型预测结果的可信度。

运用灰色系统模型方法对环境进行预测时，将影响所需预测的环境因子的相关因子进行准确界定，如对影响城市道路交通噪声变化的相关因子有：城市人口数量、机动车数量和流量、道路总长度、工业总产值、基础设施投资等。并计算相关因子的灰色关联序，然后分别对这些相关因子对所预测的环境因子的影响作分析说明，根据预测的结果做出相应的环境决策。

（三）人工神经网络方法在环境规划预测中的应用

人工神经网络（Artificial Neural Network）是一门崭新的信息处理科学，是用来模拟人脑结

果和智能的一个前沿研究领域，因其具有独特的结构和处理信息的方法，使其在许多实际应用中取得了显著成效。近年来，有学者提出用人工神经网络技术进行环境预测的新思路，建立了环境预测的多层神经网络模型，并根据预测结果对未来的环境规划的决策进行分析。

环境预测的多层神经网络模型（MLPEF）的结构一般包括以下内容。

1. 确定环境预测的指标体系

按照《2000年中国环境预测技术规定》中的经济－环境指标体系，共有5类指标：经济－人口数据、环境污染预测指标、生态环境预测指标、环境资源破坏和环境污染造成的经济损失指标、对策研究指标。

2. 确定人工神经网络模型的参数

BP算法所构成的BP网络实际上是一个多层感知器（Multiple Layer Perceptron，MLP），把学习的结果反馈到中间层次的隐单元，改变它们的权系矩阵，从而达到预期的学习目的。BP算法训练MLP时，可以任意选择隐层数和隐神经元数，所以MLP模型中隐层数目和隐神经元个数的确定尚无统一方法。

3. 确定人工神经网络模型的输入输出单元数

将所有认为可能相关的数据作为输入数据输入网络，并逐一对各变量作强制为0的检验，根据误差变化情况，判断出相关与不相关数据，利用上述方法最终确定输入单元和输出单元。

4. 对人工神经网络模型进行模拟，得到对环境因子的预测结果

遵循软件工程学的方法论，经过系统分析、系统设计和程序设计3个阶段，最后得到了一个用C语言编码的MLPEF的计算机软件模拟系统，并检验该系统能否较好地模拟根据环境经济数据预测环境指标的现实的物理模型。

整个人工神经网络模型系统框架图如图1：

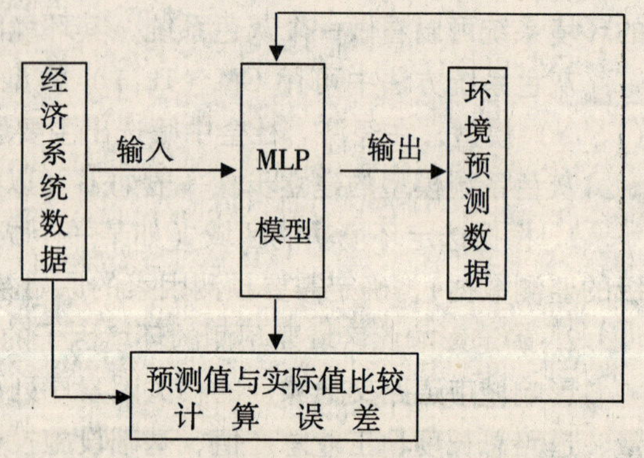

图1　MLPEF模型的系统框架图

（四）最近邻抽样回归模型方法在环境规划预测中的应用

以上介绍了系统仿真法、灰色系统预测法和人工神经网络模型方法，这些新理论新方法考虑了研究对象的灰色模糊性和非线性，因而预测精度有所提高，但它们仍然没有摆脱“从假定出发—按一定规则拟合—由模型预测”这种过于形式化和数学化的约束。

为摆脱这些缺点，有学者提出了最近邻抽样回归模型（NNBR）。模型避免了对研究对象的相依形式和概率分布形式作某种假定，是一类基于数据驱动的不需识别参数的非参数模型。根据研究对象不同将最近邻抽样回归模型分为单因子最近邻抽样回归模型和多因子最近邻抽样回归模型两种形式。它是一类基于数据驱动的非参数统计模型，避免了模型选择和参数不确定性问题，反映了研究对象的真实内部结构。因此在环境规划预测预报中具有潜在的优势。本文只是将这种方法引进环境规划预测中，不对其作进一步研究。

（五）小结

本部分主要介绍了环境规划预测的方法如系统仿真法、灰色系统预测法和人工神经网络模型方法和最近邻抽样回归模型方法。另外，环境规划预测方法还有最小二乘法、联立方程法等，这里不作详细论述。

四、环境规划中预测的技术

针对以上所研究的预测方法如系统仿真法、灰色系统预测法等，在环境规划中作预测模型所采用的技术一般运用计算机作为支撑，采用电子数据处理系统、管理信息系统、决策支持系统、专家系统和地理信息系统等。这里主要研究地理信息系统（Geographic Information System 或 Geo - information System，GIS），它是在计算机硬、软件系统支持下，以地理空间数据库为基础，对整个或部分地球表层（包括大气层）空间中的有关地理分布数据进行采集、储存、管理、运算、分析、显示和描述，并采用地理模型分析方法，适时提供多种空间和动态的地理信息，为地理研究和地理决策服务而建立起来的计算机技术系统。

（一）环境规划预测中运用 GIS 技术的目标和任务

环境规划 GIS 总体设计是在需求分析的基础上，寻找能够实现环境管理和决策支持特定功能的最佳软件结构，解决如何把一个软件系统划分成多个功能模块，形成优化的、完整的系统构图，并回答模块间调用关系如何，传送什么数据，如何实现等一系列具体设计问题。

环境规划 GIS 总体设计目标是充分利用先进的 GIS 技术、数据库技术、网络通信技术、分布式计算技术等，建设一个科学、高效的环境规划 GIS。在充分整合与利用环境空间数据和基础地理信息的基础上，实现对环境空间信息的科学组织和有效管理，使环境规划人员能够方便地对各种环境空间信息进行可视化管理，并实现环境空间信息的查询、维护以及专题分析、专题图制作、信息服务等功能，并结合环境规划业务和技术应用需要，为环境规划 GIS 的开发和建设提供全面的解决方案。

环境规划 GIS 系统设计的根本任务是将系统分析阶段提出的逻辑模型转化为相应的物理和数学模型。一般而言，系统总体设计可以分为三个部分进行。首先是功能设计，根据系统研制目标，确定系统必须具备的空间操作功能；其次是数据库设计，在进行数据分类和编码处理的基础上，进行数据采集设计、数据库结构设计、数据存储和检索设计等，确定空间数据的存储和管理模式；最后是应用设计，包括制订系统开发和系统集成方案，建立系统的应用模型和产品的输出。

（二）城市环境规划预测中运用 GIS 技术的主要功能

在环境规划预测中，城市环境规划管理信息系统（UGIS）的建设和应用是一项涉及面广，工作量大、周期长的复杂工程，根据具体的城市情况，运用 GIS 技术对城市环境规划进行相应的预测。

城市规划管理信息系统的主要功能包括：①城市建设用地规划与评价；②交通流量预测分析；③城市环境质量评价；④景观分析；⑤城市灾害的预防分析评价；⑥建设项目选址分析；⑦竖向规划分析；⑧市政管线规划管理与分析。

环境规划预测中 GIS 系统的设计是一个极为复杂的工作。从技术的角度讲，要做好系统设计，必须进行充分的用户需求调查，对用户运行机制、信息流程、现有数据基础、用户对系统和产品的要求方面做详细研究并写出用户需求分析报告。

五、总　结

要对一个区域进行环境规划，对其进行环境预测是必不可少的一部分。环境预测在环境规划中的作用是不容忽视的。本文主要研究环境预测的方法和技术，其中，关于环境预测的方法主要研究了系统仿真法、灰色系统预测法和人工神经网络模型方法和最近邻抽样回归模型方法等，技术上主要点出计算机技术在环境预测中的重要性，重点分析了 GIS 系统技术在环境预测中的作用。

参考文献

[1] 陈伟国，陈翠芝．城市固体废物的灰色预测与评价［J］．上海环境科学，1996（1）．

[2] 季海波，曹尚兵．地理信息系统在环境噪声影响评价中的应用［J］．中国科协年会会议论文，2006.

[3] 李开伟．城镇环境规划地理信息系统研究［D］．昆明：昆明理工大学，2006.

[4] 王郁平，孙金陵，张军杰．2010 年前郑州城市道路交通噪声污染预测和治理对策［J］．重庆环境科学，2000（8）．

[5] 孟清旭，陈卫玉．城市废水排放量的灰色预测［J］．中国环境监测，1995（5）．

[6] 马占青，崔广柏，杨宏杰，等．城市污水排放的灰色马尔柯夫预测模型［J］．河海大学学报，2000（9）．

[7] 张磊，普智晓，张波．灰色关联分析模型对大气环境质量预测的应用研究［J］．上海环境科学，1996（8）．

[8] 灰色系统预测“九五”期间牡丹江市的环境空气质量［J］．北方环境，1996（3）．

[9] 王郁平，魏荣锋，范相阁．灰色新陈代谢 GM（1，1）模型在城市道路交通噪声预测中的应用［J］．中国环境监测，1999（2）．

[10] 刘学山．浅谈环境预测与环境预测的意义与方法［J］．山东环境，1995（3）．

[11] 于俊海，傅泽田．区域经济发展规划预测决策支持系统的应用［J］．系统工程理论与实践，1996（11）．

[12] 叶英，范炳全．区域社会经济发展的系统动力学模型研究——以上海宝山区为例［J］．上海经济研究，2007（5）．

[13] 王瑛，桑大勇，孙林岩．人工神经网络方法在我国环境预测中的应用［J］．环境科学，1997（9）．

[14] 李梅，毛善君，马霭乃．三维灰色地理信息系统（3DGGIS）研究与应用［J］．全国地图学与 GIS 学术会议论文，2004.

[15] 汤江龙．土地利用规划人工神经网络模型构建及应用研究［D］．南京：南京农业大学，2006.

[16] 臧鸿晓．系统仿真方法在环境规划预测中的应用［J］．污染防治技术，2006（8）．

[17] 吴信才．新一代环境监测与管理信息系统的支撑技术［J］．测绘学院学报，2003（6）．

[18] 王世安．一种新的预测方法——灰色系统预测模型［J］．化工技术经济，1995（3）．

[19] 王文圣，袁鹏，丁晶．最近邻抽样回归模型在水环境预测中的应用［J］．中国环境科学，2001（21）．

浅析辐射应急工作现状及应对措施

赵　锋

（天津市辐射环境管理所）

摘　要　随着科学技术的迅猛发展，民用非动力核技术的利用领域越来越广，已形成了一个新的高技术产业领域——民用非动力核技术应用产业，在工业、农业、医学、环保等诸多领域发挥了不可替代的作用。另一方面，由于辐射影响是看不见、摸不着的，放射源管理不善造成隐患，必然对社会和公众带来危害，环境安全和应急管理工作面临的形势更加严峻。本文重点阐述了天津辐射环境应急工作的现状和应对措施。

关键词　核技术应用　应急工作　现状　措施

一、核技术应用介绍

核技术是基于原子核科学基础知识、粒子加速与射线产生的原理和方法，利用射线与物质相互作用而产生的物理、化学或生物效应为人类各项事业服务的交叉学科领域。核技术主要应用于三大领域：核武器技术、核能技术和民用非动力核技术。除核武器与核电之外的民用非动力核技术的应用涉及工业、农业、医疗健康、环境保护、资源勘探和公众安全等领域。现今，世界上有近 90 个国家和地区开展了核技术应用的研究、开发和利用。

民用非动力核技术的发展不仅有力推动了其应用领域如医学、环境等高技术领域的发展，也形成了一个新的高技术产业领域——民用非动力核技术应用产业。主要包括：核探测成像装置、新型放射性诊断和治疗装置及创新药物、烟道气辐射脱硫脱氮关键技术及设备、辐射加工、辐射灭菌、材料改性、新型辐照加速器等辐照装置以及同位素制品等。

我国核技术应用已有 40 多年的发展历史，20 世纪 90 年代后，我国核技术应用步入产业化进程，尤其在放射源生产、核医学诊断和集装箱检测系统等方面进展较大。

核技术作为新兴技术，不仅是加强国防建设，改善人民生活质量的重要保障，同时在国民经济发展中也占据着十分重要的地位。面对加入 WTO 后日趋激烈的国际竞争，尽快培育、壮大我国核技术应用产业，使其成为国民经济新的增长点，是我国高技术产业发展的重要任务，也是我国 21 世纪经济和社会发展的重要目标。

据有关资料显示，目前我国核技术应用产业年总产值已达到 150 亿元，其中核农业约 40 亿元，辐射化工产品 25 亿元，同位素仪器仪表 20 亿元，同位素及其制品 3.5 亿元，γ 辐照产品 50 多亿元，初步形成具有一定规模和水平的科研开发与产业化体系。有关部门预测，到 2010 年，我国的同位素及其制品、火灾报警产品、辐射加工及处理技术和核农业应用等总计年产值将达到 1400 亿元。

二、放射源应用领域及可能出现的辐射应急情况

随着经济的迅速发展，核技术、新工艺不断更新换代，新的污染源、污染形式不断涌现出来，而辐射环境应急防护措施和辐射环境监测的发展就显得相对滞后。突发性辐射污染事故最显著的特征是发生突然、无感知性、不可控，鉴于放射性物质半衰期特性，对环境、人群及生物危害严重，造成辐射污染、影响深远。因此要求应急监测及时，根据监测数据迅速判断核素、定级定性，确定环境污染范围的广度和深度，采取有效防护措施和去污手段，以期将污染控制在最小的范围内。

（一）主要放射源应用领域

我市密封源主要应用在油田测井、仪器仪表、辐照灭菌、工业探伤、医疗卫生等领域。开放型同位素应用主要集中在油田测井及医疗卫生部门。

（二）管理模式

根据《放射性污染防治法》和国家环保总局《放射源编码规则》等法律、法规和文件的要求，借助于对核技术应用单位核发《辐射安全许可证》工作，对我市的密封放射源实行统一编号，发放编码卡，一源一码一卡，“终身”不变。同时要求放射源使用单位建立应用档案，编制辐射安全应急预案。凡涉及放射源的送贮、转移或报废回收，其编码卡、档案必须一并转送，使放射源的生产、运输、使用等环节得到全程监控，确保安全。对全市所有密封放射源的编码和编码卡发放工作，标志着我市已初步确立了对放射源统一、全面的监控体系。

（三）可能出现的辐射应急情况

1. 一般来说，在医学、工农业研究和教学应用中可能发生的事故可分为以下三类：放射源的错放、丢失或被盗；例行操作中发生失误使得放射源的辐射屏蔽丧失造成放射性物质的泄漏释放。

2. 放射性物质运输中可能发生的事故：严重的撞击致使包装包容系统破坏；严重的火灾可能使包装的屏蔽或包容物丧失；包装上的缺陷可能会降低其承受通常事故条件下产生的应力；放射源在运输途中由于被盗或失落而脱离运输工具。

3. 辐照装置卡源事故：辐照装置机械故障，造成辐照应用放射源不能有效下降水井中。

三、辐射应急措施

（一）放射性事故源的确定与控制

核技术应用中放射性事故的防护措施与核电厂可能发生的核事故比较，核技术在医疗、工农业研究和教学应用中的事故后果一般较小，但放射源丢失事故和辐照卡源事故后的人员误入均可能导致人员的伤亡。

放射性事故源的确定与控制首先应立即采取有效的措施消除事故源，防止放射性物质的扩散，以便控制可能被放射性污染的人数以及今后去污工作的规模和范围。例如，放射性贮源罐渗漏时，应尽快将其中的料液转移；对半衰期较短的放射性核素可以借助于核素的放射性衰变特性降低放射性污染水平；对于放射源丢失或被盗的情况，首要任务是判定放射源的可能去向，并采取有效的措施找回丢失或被盗的放射源。

1. 通道控制。在核事故和辐射应急情况下，为保障公众的健康安全和保护环境，应首先划定污染区域，对事故现场附近和受事故影响区域的通道实行有效的出入控制。

2. 人员的去污。如果衣服和皮肤受到放射性污染，更衣和淋浴是有效的防护措施。如果皮肤污染特别严重，则需要使用专用的去污剂，并需在医生和有关专业人员的指导监督下进行。

3. 迁避。迁避主要是指使公众免受沉积放射性核素产生的较高剂量率水平的长期辐射照射而从被污染的地区迁出，迁避行动一般在事故发生后的几周或几个月内执行。迁避的持续时间取决于剂量率的下降速度和其他有关影响因素。

4. 建筑物和土地表面的去污。去污可以降低建筑物和土地表面的放射性污染水平，这种方法对公众可能产生的风险较小，但去污工作人员可能受到一定的辐射剂量。要根据所避免的集体剂量对去污措施进行正当性和最优化分析。

5. 污染水源。对可能污染的水源采样、监测、分析，采取必要的措施。

（二）放射性物质运输事故的防护措施

公路运输事故：要注意对公众、对水源和农作物的保护，被污染的运输车辆不得离开警戒区，应急响应人员应由出事现场的上风向接近现场等。

铁路运输事故：依据出事现场的特点确定应急范围和应急措施。

空运运输事故：视空运事故的具体情况，可能需要采取有效的措施在较大的范围内收集散落的放射性物质。

（三）建立放射源远程监控系统

针对放射源流向不易监控、放射源停用、废弃不易及时掌握和辐射危害不易被人感官所辨识等情况，应利用现代化科技手段来解决放射源监控的难题。

放射源远程监控系统是将监测终端安装在每个放射源的罐体上，实时监测放射源的位置信息和剂量信息。系统利用射线探测设备，对放射源存在环境进行24小时持续在线监测，监测结果通过现场显示屏即时显示；该系统定位精确，能够实时显示放射源当前位置，并可以查询其移动轨迹；具有现场探测显示、即时自动声光报警、远程监控及信息化管理功能，并且可对监控数据进行汇总、保存、分析，为放射源管理和决策提供可靠依据。

在线式监测系统可对高活度放射源应用单位、涉源单位的放射源转移、维修或由于意外造成辐射安全事故情况进行监控，并根据监控结果按事故预案进行及时处置，起到规范管理、防范事故、减少损失、提高监管效率的作用。另外，在线报警也避免了放射源对操作人员及公众环境的伤害及污染，直接减少了人员辐射伤害事故的发生。

四、结 论

目前，辐射应急还刚刚起步，还没有形成一套完整的体系，如何在快速反应、保证监测的准确度的同时，对污染事故的类型及污染状况作出准确的判断，采用正确防护措施，今后还需探索。本人观点可能尚未成熟或缺乏有效的实践基础，不妥之处，请指正。

产业共生网络结构的量化分析

钟 钢[1] 曹 俊[1] 曹丽君[1] 王少平[1,2]

（1. 同济大学环境科学与工程学院 上海 200092；
2. 上海市杨浦区环境保护局 上海 200093）

摘 要 本文首次将社会网络分析和复杂网络理论综合应用到产业共生系统的结构分析中，初步构建了产业共生网络的结构分析的基础理论体系，体现出很强的适用性。利用本文的理论方法，可以清楚地分析网络的基本特征、中心性特征和复杂性特征，并能在一定程度上识别出网络的关键节点——核心节点、薄弱节点与较独立节点。通过选取典型的产业共生案例对本文提出的基础理论进行了实证应用和分析，定量地分析了产业共生网络的基本结构特征。

关键词 产业共生网络 共生模式 结构分析 中心性 复杂性 节点 特征

一、引 言

在现代世界的工业化进程中，工业园区在全球经济发展中具有至关重要的地位，工业园区已成为许多国家发展战略的一个重要组成部分，对其经济发展起到不可替代的作用。目前，无论在发达国家还是在发展中国家，推进工业园区发展的趋势仍在继续，尤其工业化或现代化发展迅速的地方这种趋势显得尤为强烈[1]。本文从组织结构的角度研究产业共生网络的结构特征，通过典型案例来认识共生网络的内部组织结构和企业关系，在此基础上分析网络中各企业的地位，识别出关键节点，将为生态工业园区的规划和建设提供决策依据。国内外经验表明，区域经济的凝聚力和竞争力，关键在于这个区域产业的关联度高低。关联度高，则区域经济凝聚力强，产业之间可以相互促进，取长补短，企业生产成本低，产品在市场上具有竞争力[1,2]。

二、产业共生网络的组成

广义的“网络”[4]是指由有关联的个体组成的系统。本文所分析的产业共生网络是指由企业之间或企业与所处环境之间，通过建立“生产者—消费者—分解者”的“产业生态链网”，使企业之间以及该地区的物质和能量充分利用，总体资源增值，以实现当地的可持续发展。产业共生网络由共生单元、共生模式和共生环境构成。

（一）产业共生网络的共生单元

共生单元[3]是指构成共生体或共生关系的基本能量生产和交换单位，它是形成共生体的基本物质条件，构成工业系统的各个企业都是共生单元。本文研究的产业共生网络中的共生单元不仅包括企业，还包括与网络整体物质、能量的流动密切相关的节点，例如网络中废弃物资源化的关键技术和主要的共生环境。同时，网络中所有的企业之间必须存在生态关联[6]。

（二）产业共生网络的共生模式

共生模式，也称共生关系[3]，是指共生单元相互作用的方式和相互结合的形式。王志宏等[10]人按照企业的利益关系，结合生态学中生物共生的相关理论，对企业之间的共生关系进行了划分：专性互利共生模式，兼性互利共生模式和附生模式。

三、产业共生网络结构特征的表征与测度

（一）基本特征的表征与测度

网络的基本特征是对网络整体结构的初步分析，包括节点数和关系数，反映网络规模；网络

关系密度和簇系数，反映网络集聚程度；特征路径长度，反映信息传递速度[11,12]。

1. 关系数　节点指网络的基本共生单元。两节点之间的直接邻接性质称为关系（网络内的边）。关系数为所有关系的总数。

2. 关系密度　网络关系密度指网络各节点真实关系数占可行关系数的比例。计算公式为：

$$den = \frac{realr}{fearsr}$$

式中：den 为关系密度，取值区间为［0，1］；$realr$ 为真实关系数；$feasr$ 为可行关系数。

3. 网络簇系数　网络簇系数，反映节点的局部关联能力。设节点 v 有 k_v 个邻接节点，邻接节点之间实际关系数为 E_v，节点簇系数 C_v 即是指 E_v 与由邻接节点组成的完全图的边数之比，即：

$$C_v = \frac{E_v}{\dfrac{k_v \times (k_v - 1)}{2}}$$

遍历所有节点，计算 C_v 的均值，可得网络簇系数 C。

4. 特征路径长度　网络中第 u 和第 L 节点之间的特征路径长度 duv 定义为连接这两个节点的最短路径的边数。网络特征路径长度 L 的计算方法：为先对所有节点对之间的距离求和，再计算出节点对间距离的平均值，即：

$$L = \frac{\sum_{u \leqslant v} d_{uv}}{\dfrac{n \times (n + 1)}{2}}$$

（二）中心性的表征与测度

1. 点度中心性

（1）点度中心度　与某节点相邻的点称为该点的邻点，一个点 n_i 邻点的个数成为该点的“度数”，记作 $d(n_i)$。点度平均值是网络中所有节点度数的平均值，表达式为[13-15]：

$$\bar{d} = \frac{\sum_{i=l}^{g} d(n_i)}{g} = \frac{2L}{g}$$

式中：$\bar{d}$ 为点度平均密度；g 代表网络规模；$d(n_i)$ 指 n_i 点的密度；L 为网络图中线的总数。

（2）点度中心势指数　点度中心势指数为图中最大中心度（$C_{\max}$）与任何其他点中心度（C_i）的差值的总和，与各个差值总和的最大可能值的比。表达式为：

$$C = \frac{\sum_{i=1}^{n}(C_{\max} - C_i)}{\max\left[\sum_{i=1}^{n}(C_{\max} - C_i)\right]}$$

2. 中间中心性

（1）点的中间中心性　如果一个点处于其他许多点对的特征路径上，称该点具有较高的中间中心度，反映对资源控制的程度。假设点 j 和点 k 之间存在的测地线数目用 g_{jk} 来表示。第三个点 i 能够控制此两点的交往能力用 $D_{jk}(i)$ 来表示，即 i 处于点 j 和点 k 之间的测地线上的概率。点 j 和点 k 之间存在的经过点 i 的测地线数目用 $g_{jk}(i)$ 来表示，则：

$$D_{jk}(i) = \frac{g_{jk}(i)}{g_{jk}}$$

点 i 的绝对中间中心度（记为 C_{ABi}）表示为：

$$C_{ABi} = \sum_{j}^{n} \sum_{k}^{n} b_{jk}(i), \qquad j \neq k \neq i \text{ 并且 } j < k$$

若某点中间中心度为0，则该点处于网络边缘；为1，则该点处于网络核心。

（2）网络的中间中心势指数　一个整体网络的中间中心势指数表达式为：

$$C_B = \frac{\sum_{i=1}^{n}(C_{AB\max} - C_{ABi})}{n^3 - 4n^2 + 5n - 2} = \frac{\sum_{i=1}^{n}(C_{RB\max} - C_{RBi})}{n - 1}$$

式中：$C_{AB\max}$ 为点的绝对中间中心度；$C_{RB\max}$ 为点的相对中间中心度。

3. 接近中心性

（1）点的接近中心度　点的接近中心度是该点与图中所有其他点的特征路径长度之和。表达式如下：

$$C_{APi}^{-1} = \sum_{j=1}^{n} d_{ij}$$

式中：d_{ij} 为点 i 和点 j 之间的特征路径长度（即最短路径中包含的线数）。

（2）网络的接近中心势　一个整体网络的接近中心势指数表达式为：

$$x_i = a_{1i}x_1 + a_{2i}x_2 + \cdots + a_{ni}x_n$$

4. 特征向量中心性

特征向量作为刻画行动者中心度以及网络中心势的一种标准化测度，它的目的是在网络整体结构的意义上，找到网络中最核心的成员，同时也可以测量出“特征向量中心势”指数。每个行动者相应于每个维度上的位置就叫做一个“特征值”（eigenvalue），一系列这样的特征值就叫做特征向量。

令 A 为邻接矩阵，其元素 a_{ij} 的含义是行动者 i 对 j 的地位（或者权力；中心度等）贡献量，令 x 代表中心度值向量。那么。上述说法可以表达为：

$$x_i = a_{1i}x_1 + a_{2i}x_2 + \cdots + a_{ni}x_n$$

5. 核心 - 边缘分析

核心 - 边缘结构分析的目的是对现实社会现象中表现出来的核心 - 边缘模式进行量化处理。

（1）核心 - 边缘全关联模型　核心 - 边缘全关联模型来源于以下观念：从直觉上说，核心 - 边缘结构的一种情况是，网络中的点分为两组，其中一组中的成员之间联系紧密，可以看成是一个子群（核心），另外一组的成员之间没有联系，但是，该组成员与核心组的所有成员之间都存在关联，这就是核心 - 边缘全关联模型。

一个简单的测度由如下两个等式构成：

等式1：$\rho = \sum_{i,j} \alpha_{ij}\delta_{ij}$

等式2：$\delta_{i,j} = \begin{cases} 1 & \text{如果 } c_i = \text{核心} \quad \text{或者 } c_j = \text{边缘} \\ 0 & \text{其他情况} \end{cases}$

在等式中，α_{ij} 表示在观察的数据中关系的存在与否，如果 i 和 j 之间存在关系，则 $\alpha_{ij} = 1$，否则为0。c_i 指的是行动者 i 所隶属的类型（核心或边缘），δ_{ij}（称为模式矩阵）值是一种关系在理想情况（即上述理想模型）下的存在与否。如果各个值有固定的分布，那么，当且仅当由各个 α_{ij} 组成的矩阵 A 和由各个 δ_{ij} 组成的 Δ 矩阵相等的时候，ρ 这个测度才会达到最大值。这样，就 ρ 达到最大值而言，这种结构就是一个核心 - 边缘结构。

（2）核心 - 边缘无关联模型　所有的关系仅仅存在与核心成员之间，其他点都是孤立点。核心成员之间不存在任何关联，这种模型为核心 - 边缘无关模型。

等式3：$\delta_{i,j} = \begin{cases} 1 & \text{如果 } c_i = \text{核心} \quad \text{并且 } c_j = \text{核心} \\ 0 & \text{其他情况} \end{cases}$

(3) 核心–边缘部分关联模型 另外一类介于上述两类模型之间的理想模型，即从核心到边缘与从边缘到核心的密度是介于0和1之间的一个特定值的模型，也就是核心成员和局部成员之间存在局部关联的模型。

(4) 核心–边缘关联缺失模型 在实践上，我们往往没有很好的理论依据来设定核心与边缘之间的密度值，为了弥补这个缺陷，较好的选择是把矩阵中除了核心区域以及边缘区域之外的非对角线区域看成是缺失值，因此，这种算法只需要试图使核心成员之间的密度最大，并且使边缘成员之间的密度最小，而不考虑这两个区域之间以及非对角线区域的关系密度。可以用等式4表达如下（·表示缺失值）。

$$\text{等式4}: \delta_{i,j} = \begin{cases} 1 & \text{如果 } c_i = \text{核心} \quad \text{并且 } c_j = \text{核心} \\ 0 & \text{如果 } c_i = \text{边缘} \quad \text{并且 } c_j = \text{边缘} \\ \cdot & \text{其他情况} \end{cases}$$

（三）产业共生网络复杂性的表征与测度

复杂网络的研究[16-18]，在大量网络现象的基础上抽象出两种复杂网络：一种即小世界网络，另一种即无标度网络。这两种网络都同时具有两个基本特征：高平均集聚程度、小的最短路径，而无标度网络的度分布又具有幂律分布特征。小世界性判定将主要依据网络簇系数和特征路径长度两个指标，无标度性的判定将主要依据网络的度分布特征[20-23]。

四、案例分析——以贵港（制糖）产业共生网络为例

（一）园区概况

广西贵港国家生态工业（制糖）园区是最典型的复合实体型产业共生网络。其产业共生网络物质流动图如图1所示。

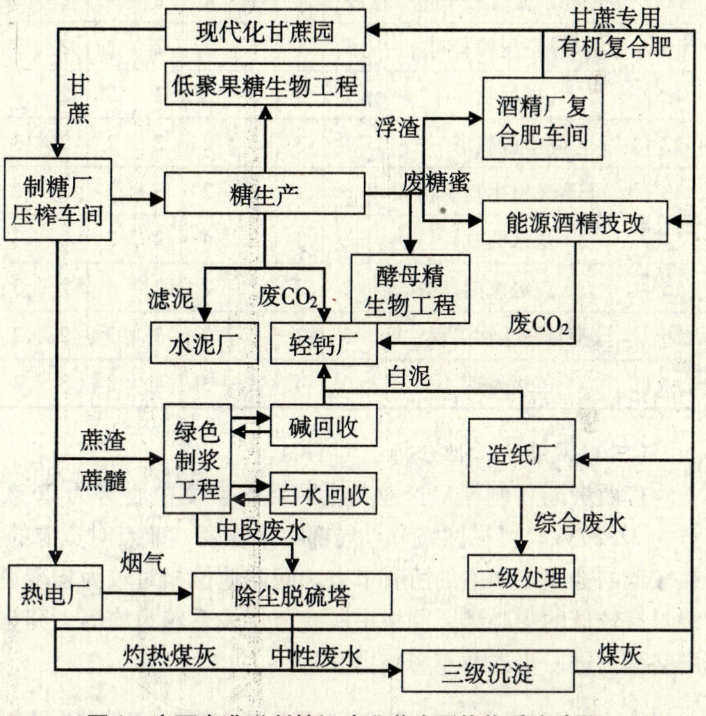

图1 广西贵港（制糖）产业共生网络物质流动图

（二）基本特征分析

1. 工业共生特征分析 广西贵港（制糖）产业共生网络中共存在17个主要节点，28条主要共生关系，其中23条为专性互利型共生关系，5条为兼性互利型共生关系。

网络总体由6个系统组成，分别为蔗田系统、制糖系统、酒精系统、造纸系统、热电联产系统和环境综合处理系统。所有的环节几乎都在规模和设计上相互匹配，环环相扣，表现出很强的兼性互利型。

2. 密度与网络簇系数 广西贵港（制糖）产业共生网络的密度为0.21，平均簇系数为0.23，整体集聚水平与局部集聚水平相近。其中，能源酒精技改具有最高的网络簇系数，与能源酒精相关联的环节中，相互之间具有很高的集聚程度。

3. 特征路径长度 网络的特征路径长度为2.19，网络的信息传递速度很快。

观察表1，可见网络任意两个节点间的最大特征路径长度为4，节点之间最多需通过3个环节就可联系起来。糖生产、热电厂和绿色制浆工程这3个节点可以与7个其他节点直接连接，初

步可见其在网络中地位很重要。

表1　广西贵港（制糖）产业共生网络的特征路径矩阵

		1	2	3	4	5	6	7	8	9	10	11	12	13	14	15	16	17
1	绿色制浆工程	0	2	2	3	1	1	1	2	2	1	1	1	3	1	2	3	2
2	糖生产	2	0	2	1	2	2	1	1	1	1	2	3	1	3	3	1	3
3	热电厂	2	2	0	1	1	2	1	2	1	1	3	1	3	3	1	3	2
4	能源酒精技改	3	1	1	0	2	2	2	2	1	2	3	2	2	4	2	2	3
5	造纸厂	1	2	1	2	0	2	2	1	2	2	2	2	3	2	2	3	1
6	现代化甘蔗园	1	2	2	2	2	0	2	3	1	1	2	2	3	2	3	3	3
7	水泥厂	1	1	1	2	2	2	0	2	2	2	2	2	2	2	2	2	3
8	轻钙厂	2	1	2	2	1	3	2	0	2	2	1	3	2	3	3	2	2
9	酒精厂复合肥车间	2	1	1	1	2	1	2	2	0	2	3	2	2	3	2	2	3
10	制糖厂压榨车间	1	1	1	2	2	1	2	2	2	0	2	2	2	2	2	2	3
11	碱回收	1	2	3	3	2	2	2	1	3	2	0	2	3	2	3	3	3
12	除尘脱硫塔	1	3	1	2	2	2	2	3	2	2	2	0	4	2	1	4	3
13	低聚果糖生物工程	3	1	3	2	3	3	2	2	2	2	3	4	0	4	4	2	4
14	白水回收	1	3	3	4	2	2	2	3	3	2	2	2	4	0	3	4	3
15	三级沉淀	2	3	1	2	2	3	2	3	2	2	3	1	4	3	0	4	3
16	酵母精生物工程	3	1	3	2	3	3	2	2	2	2	3	4	2	4	4	0	4
17	二级处理	0	4	3	3	4	3	3	3	3	2	3	3	1	3	2	3	2

（三）网络中心性分析

广西贵港（制糖）产业共生网络的点度中心势为26%，居间中心势为24.98%，接近中心势为22.57%，可见网络节点局部集聚程度、节点对资源的控制能力和不受他人控制的能力均存在较低的势差，网络的所有节点之间的地位相对较为均衡平等。三个中心势指标值，均反映出网络具有较低的中心势，网络中所有节点关系较为均等。究竟网络中是否存在核心节点，我们将对网络展开进一步的节点影响力分析。

表2　广西贵港（制糖）产业共生网络的中心势特征

广西贵港	接近中心性		居间中心性		点度中心性	
	绝对值	标准化	绝对值	标准化	绝对值	标准化
平均	35.06	46.87	9.53	7.94	3.29	20.59
方差	5.87	7.39	11.92	9.93	1.99	12.46
总和	596.00	796.72	162.00	135.00	56.00	350.0
Variance	34.41	54.67	142.01	98.62	3.97	165.2
中心势	22.57%		24.98%		26.00%	

（四）节点影响力分析

表3　广西贵港（制糖）产业共生网络的节点中心性特征

序号	节　点	特征向量中心性		接近中心性		居间中心性		点度中心性	
		绝对值	标准化	绝对值	标准化	绝对值	标准化	绝对值	标准化
1	绿色制浆工程	0.35	50.01	28.00	57.14	33.13	27.61	7	43.75
2	糖生产	0.35	49.76	29.00	55.17	37.74	31.44	7	43.75
3	热电厂	0.42	58.86	29.00	55.17	26.31	21.92	7	43.75
4	能源酒精技改	0.25	35.89	34.00	47.06	2	1.66	3	18.75
5	造纸厂	0.24	33.52	30.00	53.33	20.10	16.75	4	25
6	现代化甘蔗园	0.23	32.79	34.00	47.06	3.12	2.59	3	18.75
7	水泥厂	0.27	37.75	30.00	53.33	6.77	5.64	3	18.75
8	轻钙厂	0.17	24.01	33.00	48.49	11.70	9.75	3	18.75
9	酒精厂复合肥车间	0.30	42.20	31.00	51.61	5.87	4.89	4	25.00
10	制糖厂压榨车间	0.32	45.56	29.00	55.17	9.36	7.80	4	25.00
11	碱回收	0.13	17.62	37.00	43.24	1.58	1.32	2	12.50
12	除尘脱硫塔	0.22	31.00	36.00	44.44	4.32	3.60	3	18.75
13	低聚果糖生物工程	0.08	11.84	44.00	36.36	0.00	0.00	1	6.25
14	白水回收	0.08	11.90	43.00	37.21	0.00	0.00	1	6.25
15	三级沉淀	0.15	21.38	40.00	40.00	0.00	0.00	2	12.50
16	酵母精生物工程	0.08	11.84	44.00	36.36	0.00	0.00	1	6.25
17	二级处理	0.06	7.98	45.00	35.56	0.00	0.00	1	6.25

1. 度和点度中心性　网络中节点的最高度数为7，分别为绿色制浆、糖生产与热电厂，说明这三个节点在整个网络中与其他环节的相关性很强，他们在网络中具有至关重要的地位。网络中节点的最低度数为1，分别为低聚果糖生物工程、酵母精生物工程、白水回收和二级处理。网络的平均度为3.29，具有较高的平均度，整个网络所有节点之间的整体关联程度很紧密。

2. 介数和中间中心性　节点中间中心性分析结果与点度中心性分析结果相吻合，糖生产、绿色制浆与热电厂具有相对较高的介数，对整个网络中的资源控制能力较强。其中介数最大的为糖生产，其次为绿色制浆。可见在园区中最能控制资源的节点为糖生产和绿色制浆，可见糖生产和制浆在园区中处于关键地位。热电厂在此的地位，充分体现出共享平台的重要性，几乎所有的生产环节都需要用电，热电厂作为基础设施，在此起到了至关重要的作用。

3. 接近中心性　所有节点的接近中心性指数相差不大，水平极为相近。仔细分析，可以看到，网络中最不受他人控制的节点分别为绿色制浆工程、糖生产、热电厂、制糖厂压榨车间；最容易受他人控制的节点依然为低聚果糖生物工程、酵母精生物工程、白水回收和二级处理。

4. 特征向量中心性　按照特征向量中心性分析结果，该网络中居于核心地位的节点为热电厂、绿色制浆、糖生产、制糖厂压榨车间、酒精厂复合肥车间。很明显地可以看到整个产业网络的核心产品为糖、纸和酒精。其中酒精厂复合肥车间作为副产物资源化的一个环节，在此具有很高的特征向量中心性，体现出废弃物资源化技术的重要性。

5. 核心－边缘分析　根据核心－边缘分析，可得到以下结论：绿色制浆工程、糖生产、热电厂、能源酒精技改、造纸厂、现代化甘蔗园、水泥厂、轻钙厂、酒精厂复合肥车间、制糖厂压榨车间、除尘脱硫塔为网络的核心成员，碱回收、白水回收、三级沉淀、酵母精生物工程、二级处理和低聚糖生物工程处于网络的边缘地位。核心成员之间的关系密度为 0.364，边缘成员的关系密度为 0，核心与边缘成员之间的关系密度为 0.121。如表 4 ~ 表 6 所示。

表 4　广西贵港（制糖）网络核心 - 边缘分析系列组成

1	1	2	3	4	5	6	7	8	9	10	12	
2	11	13	14	15	16							

表 5　广西贵港（制糖）网络核心 - 边缘分析密度矩阵

	1	2
1	0.364	0.121
2	0.121	0.000

表 6　广西贵港（制糖）网络核心 - 边缘分析关系矩阵

		1	2	3	4	5	6	7	8	9	10	12	11	13	14	15	16	17
1	绿色制浆工程					1	1	1			1	1	1		1			
2	糖生产				1			1	1	1	1			1			1	
3	热电厂				1	1		1		1	1	1				1		
4	能源酒精技改		1	1						1								
5	造纸厂	1		1					1									1
6	现代化甘蔗园	1								1	1							
7	水泥厂	1	1	1														
8	轻钙厂		1			1							1					
9	酒精厂复合肥车间		1	1	1		1											
10	制糖厂压榨车间	1	1	1			1											
12	除尘脱硫塔	1		1												1		
11	碱回收	1							1									
13	低聚果糖生物工程		1															
14	白水回收	1																
15	三级沉淀			1								1						
16	酵母精生物工程		1															
17	二级处理					1												

从图 2，我们可以清楚地看到数据结构的如下三方面：首先，核心成员之间关联程度很强，形成一个“派系”；其次，核心成员与某些边缘成员之间存在关系；最后，边缘成员之间不存在关系。这种模式正是核心 - 边缘部分关联结构的特点，是该结构的重要性质。同时，与沱牌酒业产业共生网络相似，核心成员要多于边缘成员。

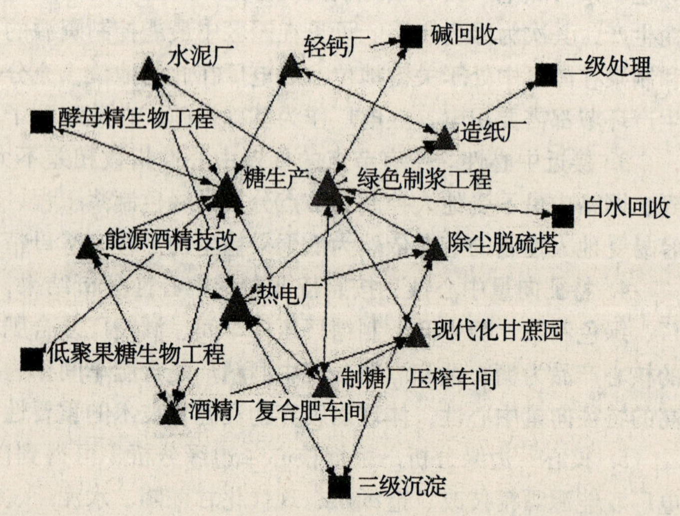

图 2　广西贵港（制糖）产业共生网络核心 - 边缘网络图

6. 关键节点识别　在以上五个指标分析的基础上，我们可以识别出该网络的关键节点。

核心节点。该网络中居于核心地位的节点有 5 个，为热电厂、绿色制浆、糖生产、制糖厂压榨车间、酒精厂复合肥车间。

较独立节点。水泥厂和酒精能源技改。水泥厂的接近中心性位居第三，而居间中心性位居第七，可见水泥厂虽然对于资源的控制能力较弱，但是其不受他人控制的能力很强，也就是说水泥厂具有较高的独立性，在该网络中其他产业和环节的变动很难影响到水泥厂的发展。此外，能源酒精技改也表现出与水泥厂较为相像的情形。

薄弱节点：低聚糖生物工程。低聚糖生物工程作为该园区将要重点发展的环节，需要进一步加强保护。

（五）网络复杂性分析

1. 小世界性分析　如表7所示，可见其具有较高的网络簇系数和很短的特征路径长度，具有小世界性。

表7　广西贵港（制糖）产业共生网络小世界特征指标分析

名称	节点数	平均度	密度	网络簇系数			特征路径长度		
				随机	真实	正规	随机	真实	正规
贵糖	17	3.29	0.206	0.19	0.23	0.75	2.38	2.19	2.58

2. 无标度性分析　广西贵港（制糖）产业共生网络的度分布曲线如图3所示，该曲线既不呈现Poisson分布，也不呈现幂率分布，网络不具有无标度性。

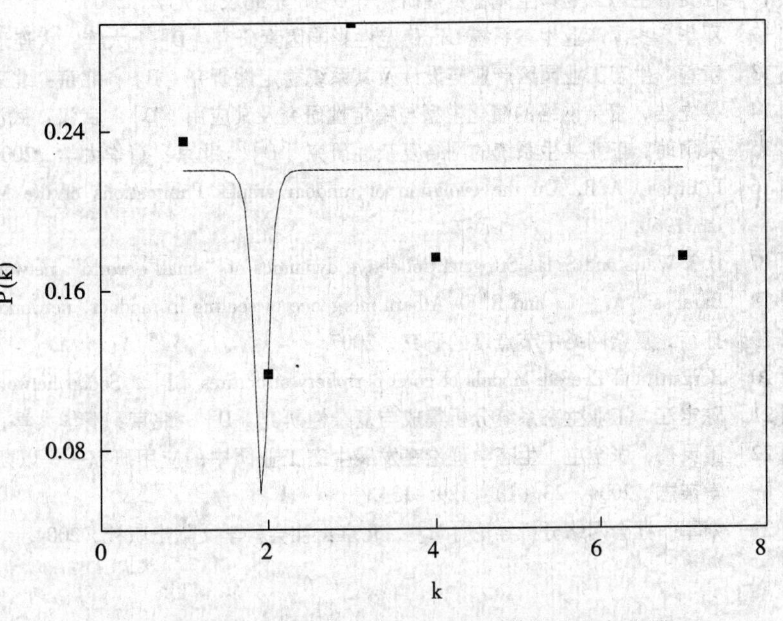

图3　广西贵港（制糖）产业共生网络的节点度分布曲线

五、结果与分析

1. 广西贵港（制糖）产业共生网络共有节点17个，关系28条，平均度为3.29；密度与簇系数相近，约为0.2，整体集聚水平与局部集聚水平相近；网络的特征路径长度为2.19，网络的信息传递速度很快；网络具有较低的中心势，约为25%，网络中所有节点关系较为均等；存在核心节点5个、较独立节点2个、薄弱节点1个。网络具有很强的小世界性，但是不具有无标度性。

2. 网络分析方法的适用性。社会网络分析的方法初步应用于产业共生网络分析，体现出很强的适用性。可以清楚地分析网络的基本特征和中心性，并能在一定程度上识别出网络的关键节点——核心节点、薄弱节点与较独立的节点。但是该工具目前无法将网络之间的联系进行加权计算，也就是说，网络中各节点之间的关系只能表示有无，不能对其中的重要性进行量化，这在一定程度上影响了网络分析的准确性。

3. 网络分析可进一步简化。在网络中心性分析中，选取点度中心势、居间中心势和接近中心势中的任意一个指标进行分析即可。

参考文献

[1] UNEP, United Nations Environment Programme Industry and Environment ; The Environmental Management of Industrial Estates 1997, 2.

[2] 2008 年度国家生态工业示范园区建设工作进展报告.

[3] [美] 劳爱乐，耿勇译. 工业生态学和生态工业园 [M]. 北京：化学工业出版社，2003.

[4] Friedkin, The development of structure in random networks. Social networks, 1981 (3).

[5] Patten, B. C., Network integration of ecological extremal principles: exergy, emergy, power, ascendency, and indirect effects [J]. Ecological Modelling, 1995, 79 (1-3): 75-84.

[6] 何文佳. 循环经济视角下企业之间的生态关联研究 [D]. 上海：上海同济大学，2006.

[7] T. E. Graedel and B. R. Allenby.，施涵译. 产业生态学（第2版）[M]. 北京：清华大学出版社，2004.

[8] 王兆华，武春友. 基于工业生态学的工业共生模式比较研究 [J]. 科学学与科学技术管理，2002 (2): 66-69.

[9] 王兆华，尹建华. 生态工业园中工业共生网络运作模式研究 [J]. 中国软科学，2005 (2): 80-85.

[10] 王志宏，张桂凤. 虚拟企业仿生化组建模式初探 [J]. 辽宁工程技术大学学报（社会科学版），2004，6 (1): 42-44.

[11] 杜旻. 生态工业共生体稳定性研究 [D]. 东北农业大学，2003.

[12] 邓华. 我国产业生态系统 IES 稳定性影响因素研究 [D]. 大连：大连理工大学，2006.

[13] 童莉. 生态工业园区产业链设计及其系统稳定性研究 [D]. 北京：北京化工大学，2006.

[14] 晏先浩. 复杂网络的演化模型与稳定性研究及其应用 [D]. 武汉：武汉理工大学，2007.

[15] 宋雨萌. 工业共生系统的网络复杂性研究 [D]. 北京：清华大学，2006.

[16] P Erdos, A. R. On the evolution of random graphs. Publications of the Mathematical Institute of the Hungarian. 1960.

[17] D. J. Watts and S. H. Strogatz. Colleetive dynamics of "small-world" networks. Nature, 1998, 393: 440-442.

[18] Barabasi, A. -L. and R. E. Albert. mergence of scaling in random, networks. Science, 1999.

[19] 孙颖. 复杂网络中节点度的研究. 2007.

[20] Borgatti and Everett. Models of core/periphery structures [J]. Social networks, 1999, 21: 375-395.

[21] 陈定江. 工业生态系统分析集成与复杂性研究 [D]. 北京：清华大学，2003.

[22] 王灵梅，张金屯. 生态学理论在发展生态工业园中的应用研究——以朔州生态工业园为实例 [J]. 生态学杂志，2004，23 (1): 129-134.

[23] 刘军. 社会网络分析导论 [M]. 北京：社会科学文献出版社，2004.

从危险废物产生单位及申报登记谈我国危险废物管理

孙绍锋　郑　洋

（环境保护部固体废物管理中心　北京市育慧南路1号　100029）

摘　要　分析了我国危险废物产生单位管理的基本情况，讨论了危险废物申报登记制度对危险废物的作用，并对我国危险废物管理提出了建议。

关键词　危险废物　产生单位　申报登记

根据新修订的《固体废物污染环境防治法》（以下简称《固体法》），我国危险废物管理提出进一步完善并实施危险废物申报登记、转移联单、经营许可证和事故应急等一系列全过程管理制度，使危险废物管理能力得到显著提高。但我国固体废物管理起步相对较晚，工作基础较薄弱，对危险废物的产生量和利用处置等情况一直没有系统掌握，使危险废物管理基础性依据不足。原国家环保总局于2006年通过组织开展“全国工业危险废物申报登记试点及工业危险废物产生源专项调查工作”，基本掌握危险废物产生源的情况。

一、危险废物产生单位管理基本情况

（一）危险废物产生单位管理制度执行情况

《固体法》明确规定了我国危险废物产生单位管理的主要制度，包括危险废物申报登记制度、制定意外事故应急预案和转移联单制度。据不完全调查，上述三项关于危险废物产生单位管理的主要制度执行率较高，均超过了70%，说明《固体法》得到了较普遍的贯彻执行，但尚需进一步提高。

（二）重点危险废物产生源情况

根据危险废物的年产生量，可将危险废物产生单位分为四类，即年产生量1t以下的，1~10t的，10~50t的，50t以上的。据估算，我国危险废物年产生量50t以上的单位所产生危险废物占全国危险废物产生总量的90%以上；另外，危险废物产生量主要集中在少部分危险废物产生单位，并已被各级环保部门列为重点监管对象。

（三）危险废物产生单位利用处置危险废物情况

危险废物产生单位利用处置危险废物分为自行利用处置和委托外单位利用处置两种情况。据不完全统计，近70%的危险废物产生单位自行利用或处置危险废物，也就是说，我国危险废物产生单位是危险废物利用处置的主体。

（四）危险废物主要类别及利用处置方式情况

《危险废物名录》（以下简称《名录》）共将危险废物分为49类，各行业产生的主要危险废物类别不尽相同。例如，据调查，我国化工行业危险废物产生量排前五位的分别为：废酸、废碱、精（蒸）馏残渣、含铬废物和含铜废物。

我国已初步将危险废物的利用处置方式主要分为三大类：利用、处置和其他方式。各大类危险废物利用处置方式又可细分为多种具体的方式（如溶剂再生、物化处理、焚烧、填埋、生产建筑材料等），方式较为多样，但在我国多数采取利用方式处理危险废物。

（五）危险废物产生过程和形态

我国当前的危险废物申报登记增加了危险废物产生来源信息，细分为：生产工艺过程产生，事故（如泄漏）产生，设备检修清库过程产生等。我国危险废物主要来源于生产工艺过程，这也是《名录》中危险废物按照产生源来分类的主要依据。

危险废物按照形态分为固态废物、液态废物、半固态废物和气态废物四类；其中固态废物和液态废物占绝大多数。

二、申报登记对危险废物管理的作用

（一）有利于完善国家危险废物名录

危险废物的认定采取《名录》与危险特性鉴别标准相结合的方法。对于未在《名录》中列出的工业固体废物，产生单位有责任根据危险废物鉴别标准鉴别所产生的固体废物是否属于危险废物，并依法向环保部门申报登记所产生的危险废物。

环保部门可根据申报登记情况，分析汇总危险废物类别，并进一步完善《名录》。2008 年 8 月 1 日起施行的新修订的《名录》，就是在申报登记的基础上进行了验证和完善，取得了较好效果。

（二）有利于规范危险废物管理

我国按照“抓住源头、管住贮存与流动、确保无害化最终处置的”全过程控制方针管理危险废物，而申报登记又是全过程控制的关键。只有通过申报登记，才能掌握各行业危险废物管理现状，才能管理好危险废物的产生、转移以及处理处置，为我国更好地开展危险废物管理工作奠定了基础。

（三）完善申报内容，丰富决策支持信息

开展申报登记，是强化危险废物源头控制的重要措施，可摸清危险废物底数，有利于建立危险废物数据库和现代化管理的信息系统，实现危险废物信息动态传输，提高信息交换能力，实现信息资源共享；也有利于为环保部门作出危险废物管理决策提供支持。

三、建　议

（一）进一步加强和完善申报登记制度

申报登记是危险废物管理起点和宏观决策的基础，应在危险废物产生单位推动实行危险废物台账制度，建立危险废物原始台账，记录危险废物产生、利用处置情况。台账制度是完善申报登记的基础性内容，能促进危险废物产生单位掌握危险废物产生、贮存、利用、处置的实际情况，提高危险废物管理的水平以及危险废物申报登记数据的准确性、可靠性。

（二）建立危险废物产生源风险监管机制

危险废物产生单位数量巨大，全面监管到位并不现实。要以危险废物有序流动和无害化利用处置为目标，建立风险监管机制，确定合理的抽查比例和重点监管对象，实行风险监管。要加强培训和指导，促进危险废物产生单位知法守法。

（三）分行业，深入企业内部细化管理

危险废物产生行业较多，应当制订计划，突出重点行业（如化工、有色金属、电子等），有计划分步骤地加强各危险废物产生行业的管理，促进产业结构调整，从而推动危险废物减量化工作。同时，充分利用《固体法》关于危险废物管理计划等相关制度，对产生单位内部管理危险废物提出明确要求，提高产生单位危险废物的管理水平。

（四）进一步加强危险废物利用处置管理

应加强危险废物产生单位自行利用处置危险废物的管理，必要时修改《固体法》，将其纳入危险废物许可证管理之中。突出对危险废物利用活动的管理；在继续加强对危险废物焚烧和填埋管理的同时，加强对物化处置、水泥窑共处置危险废物的管理。要进一步完善危险废物利用处置的相关标准和技术规范，特别是水泥窑共处置危险废物、利用危险废物生产建材等相关标准和准入条件。

借鉴欧盟垃圾处理经验完善我国废弃物管理制度的探讨

吴　宣　刘秋妹

（南开大学环境与社会发展研究中心　天津　300071）

摘　要　从我国废弃物管理现行实践及政策分析入手，结合欧盟垃圾管理的政策框架、废弃物管理制度、城市垃圾管理体制、投资方式、环境政策工具的应用及实践经验，对比并提出我国废弃物管理存在的问题主要体现在政策及实践两方面，从我国实际情况出发，提出相应的对策措施，以更好地促进我国再生资源的利用和废弃物管理。

一、我国废弃物管理存在的问题

随着经济发展、人口增长以及人民生活水平不断提高，城市垃圾产生量日渐增多。目前，我国城市垃圾已达1.4亿t以上，人均垃圾年产量在450～550kg，还在以每年8%～10%的增长率不断增加[1]。一方面大量垃圾已成为城市一个长期存在的污染源，对垃圾缺乏处理或处理不当，不仅造成严重的大气污染、水污染和土壤污染，并将占用大量的土地。另一方面，城市垃圾既是危害环境的污染物质，又是可以被回收利用的再生资源，因此城市垃圾减量化、资源化、无害化处理已成为环境综合治理工作中的新难点、新挑战，引起各级政府的高度重视与公众的极大关注。我国废弃物管理存在的问题主要体现在政策和实践两方面。

（一）实践方面

国内学者对我国城市垃圾管理现状及存在的问题进行了大量的探讨，实践方面的问题主要有以下几种观点。

1. 城市垃圾收集方式不规范，分类回收不到位

由于我国城市环卫意识不足，公众环卫意识淡薄，环卫知识匮乏，对于垃圾的分类回收，国内除个别试点地区，仍采用混合收集的方式，加大了资源化、无害化处理的难度。虽然一些城市实行垃圾的分类收集，但由于缺乏必要的技术、设备，最终仍然是混合清运和处置[2]。

2. 城市垃圾循环利用存在隐患

传统的回收系统萎缩，规范的以市场为依托的回收系统尚未建立。现在的回收渠道主要是通过拾荒大军。由于只从经济出发，感兴趣回收的对象多集中为废旧金属、废纸等利润高的物资，而废塑料等对环境有害对垃圾处理不利的物质却不回收。回收环节多，废品从居民手中到最终用户要经过多次转卖，增加回收成本。我国目前规范废旧物资回收的现有一些法律体系不系统、不配套，绝大部分电子垃圾被游走于大街小巷的小商贩收走，经过拆解分类后卖给一些没有任何资质的“地下工厂”，为未来的环境治理留下巨大的隐患。而以废旧物资为原料的再生资源企业缺乏技术和相关标准，无法实现废旧物资的综合利用，既损失资源又造成了环境污染，在某种程度上限制了再生资源产业的发展壮大。

3. 城市垃圾管理缺乏有力的技术支撑

目前我国城市垃圾处理的科技支撑能力不足，满足不了我国对垃圾处理的环保要求。据有关专家分析，我国真正符合国际卫生标准的垃圾处理量只占整个垃圾产生量的10%左右，垃圾填埋场设计存在缺陷，处理设施和环保措施不到位。我国不少城市是利用自然凹坑和自然塌陷区形成的填埋场来处理生活垃圾的，不少填埋场环保设施没有按设计要求完成，无垫层处理、无渗滤液收集系统等环保设施[3]。另外，我国的垃圾成分同国外的有很大差别，就是我国各个城市，由于气候的差异、经济水平等的不同也使得垃圾成分相差很大。我国没有积累起足够的基础数据

用来直接论证技术路线的选择。很多城市在招标时提供的数据也是从个别城市的数据参考获得的，这些数据同实际情况相差很大。而且，国家及各级政府部门，以及许多企业，缺乏对现有各种技术使用实际状况的了解，不能对现有的技术做出正确的、明确的评价和比较，从而导致了技术选择上的盲目性[2]。

4. 城市垃圾管理缺少足够的资金支持

我国城市垃圾治理（收运及处理）经费主要来源于国家和地方财政，渠道单一，不能满足处理量日益增长的需要，给政府财政造成巨大压力。我国垃圾处理费开征时间晚，并不是每个城市都征收与垃圾处理相关的费用；已经开征垃圾处理费的城市，收缴率也很低。收缴的垃圾处理费不足以支付垃圾处理成本，符合市场经济要求的垃圾处理运行机制远未形成，难以吸引社会资金投资于垃圾处理行业[5]。

（二）政策方面

1. 再生资源管理法律法规体系不健全

虽然2007年5月1日起实行的《再生资源回收管理办法》初步建立了针对再生资源回收行业的监管制度，但尚未形成完备的法律法规体系，如对于再生资源循环利用所涉及的加工处理、再生资源产品的市场流通等环节仍需配套立法加以规范和指导。由于在实践中缺乏系统的执法依据，我国目前的再生资源管理工作主要靠政策和行政手段推行，这就使再生资源的循环利用处于一种被动和比较落后的状态，加大我国的资源损耗和环境治理难度。

2. 再生资源管理体制不健全

目前我国城市垃圾管理体制导致垃圾处理始终由政府扛着，一方面是政府压力很大，另一方面限制了那些想投资垃圾行业的企业。这种体制不能在环卫行业形成有效的监督和竞争机制，制约城市生活垃圾产业化的发展；而且由于旧的管理体制不能适应市场运行机制的要求，新的管理体制没有建立起来，使得我国的再生资源产业长期处在无序管理和无序竞争的状态下。加之我国再生资源产业的经营、管理体制涉及许多机构和组织，相互之间的分工协作仍不清晰，这在很大程度上阻碍了再生资源产业的健康有序发展。

3. 收费制度不合理

截至2005年底，我国661座城市中有260个实行了垃圾收费制度，占城市总数约40%[6]。虽然我国已基本建立按期收费或均量收费的垃圾收费制度，但同城市垃圾处理处置费用和管理费用相比，仍然是杯水车薪。再加上收费行为的不规范等原因，资金缺口仍然较大。

二、欧盟的垃圾管理政策与实践

（一）欧盟城市垃圾管理的相关政策框架

为了寻求促进废弃物更有效的循环和处置的综合性方案，欧盟委员会首先提出建立一套关于废弃物循环利用的标准，同时要求成员国在该标准的基础上制定各自的国家废弃物防治规划。2006年4月5日，欧盟出台了关于废弃物管理的框架指令（Directive 2006/12/EC）[8]。新指令中并没有设定产生废弃物数量的具体数字，而是允许其成员国在该框架下，根据本国国情，采取不同的实施形式和方法来确保框架指令的落实。这一综合考虑便于不同的实施方式和方法可以在全局战略中各自起到应有的作用。

（二）欧盟城市垃圾管理体制及模式

1. 源头管理，实现垃圾综合治理

欧盟的垃圾管理规划全面、综合地考虑了垃圾管理的不同阶段，立足于可持续发展的高度，首先是避免产生垃圾，即使产生也要控制产生量的最小化；其次是对产生的垃圾进行最大限度地回收利用，最后才是填埋等清除工作；垃圾管理的每个环节都有明确的责任方和应承担的义务，垃圾管理战略目标明确，实现垃圾综合治理。

2. 废物优先等级制度

当前欧盟的废弃物管理政策是建立在“废物分级”（亦称废物优先等级）这一原则的基础上。该原则强调资源化是垃圾处置的首选方式和最终发展目标。强调必须进行废物的回收利用，减少用于填埋和焚烧等的垃圾处理费用及土地面积。

3. 政企权责明确，各司其职，协调运作

欧盟各成员国的垃圾管理模式各有不同，但都突出了政企分开、各司其职、协调运作的特点。政府职能部门负责城市垃圾管理的规划、法规的制定及监督执行、社会投资引导、环境质量监控及协调参与垃圾管理的各种利益团体的关系，确保整个管理体制的有效运作。企业则在有关的法律框架内，自主经营、自负盈亏。由于责、权、利明确，因此促进了各方的高效运作[7]。典型的例子有负责包装废弃物处置的双向回收系统有限责任公司（DSD）。政府除对该公司规定回收利用任务指标以及进行法律监控外，其他方面均按市场机制运行，有利于推动再生资源产业化和规模化。

（三）市场激励手段等充分应用

1. 税费制度

欧盟各国普遍制定了较完善的税费制度。如法国、荷兰、意大利以及丹麦、英国等国家对填埋垃圾进行征税。法国、德国规定使用包装的公司向废物管理商业机构缴税[9]。例如垃圾分类收集，意大利22/97法令以提供达到分类目标和填埋税之间的比例作为经济鼓励，促进企业积极开展二次分类收集。

2. 多元化的投资方式

欧盟的城市垃圾管理以当地政府财政投入为主，结合鼓励以政府特许权形式引入私营资本形成多元化的融资渠道，进而为城市垃圾的处置和循环利用提供资金保障。如负责包装废弃物处置的双向回收系统有限责任公司（DSD）。

（四）公众的积极参与

公众环保理念和优患意识强，对垃圾分类收集工作的全面开展进行积极参与和配合，大大降低了垃圾处理的难度及成本，最大限度地实现了可回收利用资源的再利用。

三、欧盟城市垃圾管理实践对我国的启示

我国废弃物管理与欧盟相比，其产生背景、发展模式和发展阶段等方面都存在不同。借鉴其先进的废弃物管理的发展历程及经验对于促进我国再生资源产业健康发展，逐步建立健全废弃物管理制度具有积极意义。

（一）由末端治理向减量化、再利用和资源化的垃圾管理理念转变

在解决垃圾问题上，我国较关注如何处理产生的垃圾，也就是末端治理，而国内外实践证明末端治理处理量大，投资也大，运行费用也高，不符合可持续发展战略。以荷兰为例，堆肥和填埋的成本相当，在45~50欧元/t，焚烧100欧元/t[10]。在垃圾处理问题上，欧盟几乎所有的国家都经历了由单纯的处理向综合治理的转变，注重垃圾减量化、再利用和资源化，并以垃圾资源化为垃圾处理的最终发展目标。我国虽然提出了减量化、再利用和资源化，但只停留在技术层面上，应积极推进垃圾管理理念和方式转变。

（二）完善废弃物管理的政策法规体系，加强垃圾产生源头控制，规范废弃物回收

目前，我国已颁布实施了《循环经济促进法》、《再生资源回收管理办法》以及《可再生能源法》等法律法规，已公布的《废弃电器电子产品回收处理管理条例》也将于2011年1月1日起施行。但是从源头上控制垃圾产生的法律缺失，如何能因地制宜，加强源头控制的法律体系建

设是我国废弃物管理亟待解决的问题之一。同时，我国不同地区因经济发展水平和产业布局不同，城市垃圾产生情况及成分等有着较大差异，这就需要各地方可以在现有立法的基础上，制定综合再生资源回收利用的《再生资源回收利用管理条例》及配套办法，积极建立健全再生资源市场规范化管理制度，制定相应法规，使再生资源市场有序发展。

（三）直接管制与间接调控相结合，积极运用经济激励促进废弃物资源化和再利用

在我国，经济激励手段只是政策法规等直接管制的辅助手段，而在荷兰和法国等国家，经济手段是构成环境政策的基石。实践表明，直接管制和经济激励结合运用，能够激发企业改进生产技术、提高资源利用率的积极性。适当运用税费、财政补贴等经济积极政策可为废弃物收集和处理等提供来源，使直接管制得以完善。政府还可以通过信贷杠杆，提供优惠贷款来引导厂家减少垃圾排放。

（四）积极引导公众参与废弃物管理

充分的公众参与是欧盟废弃物管理战略决策形成过程的重要环节和显著特点。在欧盟，政府、研究机构、企业、社区、非政府组织以及个人都有各自的途径发表观点，进一步保证了废弃物管理战略的可接受性和可实施性。我国的环境管理机制以传统的政府和企业双边制约形式为主，在公众和社会参与方面稍显不足。提高我国公众对垃圾分类回收的认识及自觉性，积极参与垃圾分类回收，减轻现有混合垃圾处理成本高、污染大、利用率低的压力。

（五）环保部门必要的监督及管理。

在我国垃圾治理和管理上条块分割严重，建设部门主要分管垃圾产生后的收集、运输和处理，国家发改委负责垃圾处理项目投资，国家环保总局负责对环境污染的监督和除城市生活垃圾外的所有固体废弃物管理，而垃圾的减量化、再回收和资源化工作就需要环保部门加强监督和统一管理，避免因处理手段过于简单和技术含量不高带来的二次环境污染，规范垃圾回收和资源化利用行为。对大型的垃圾焚烧及发电项目开展规划环评，强化其环评管理[11]。

（六）我国废弃物管理与欧盟合作展望

借助 Switch Asia 项目这一纽带，中欧双方在再生资源和循环产业技术上有进一步合作的潜力。为更好地加强中欧双方经验及信息交流，合作开发并建立再生资源产业相关数据库，将成为新技术、新成果引进和推广的平台，为其他发展中国家提供共性技术等可借鉴的发展经验，并设立再生资源产业发展专项基金，主要用于支持中欧合作开展的再生资源产业、相关科技成果产业化及应用等，推动建立中欧长期合作平台。

参考文献

[1] 昌鹏．垃圾焚烧稳定性自适应控制研究［D］．武汉：华中科技大学，2004.

[2] 杨凌．我国城市垃圾管理现状和问题［J］．再生资源研究，2007，2.

[3] 李丽．城市生活垃圾综合管理体系研究——以广州市为例［D］．广州：暨南大学，2009.

[4] 刘长青．福州市城市生活垃圾管理体制与政策措施探讨［J］．中国人口资源与环境，2003（4）．

[5] 王琪．我国城市生活垃圾处理现状及存在的问题［J］．环境经济，2005，10（22）．

[6] 周宏春，等．城市生活垃圾处理现状及对策建议［J］．经济研究参考，2008，25.

[7] 郑如苹．欧洲城市垃圾管理对我国的启示［J］．中国环保产业，2005，7.

[8] Directive 2006 /12 /EC of the European Parliament and of the Council of 5 April 2006 on waste（Text with EEA relevance），（OJ L 114，27. 4. 2006，9 － 21）．

[9] 赵由才．论欧盟生活垃圾管理与中国的生活垃圾产业化发展前景［J］．中国城市环境卫生，2003，4.

[10] 宋言平．荷兰垃圾管理理念变革及借鉴经验［J］．城市管理与科技，2008，6.

[11] 姜华．城市生活垃圾处理现状、趋势及对策建议［J］．电力环境保护，2008，2（24）．

工业固体废物申报登记工作若干问题探讨

陈　群　杨丽丽　潘伟斌　刘　利

（华南理工大学环境科学与工程学院　广东　广州　510006）

摘　要　结合工业固体废物申报登记工作技术协助的实践，对工业固体废物申报登记工作的工作程序、存在问题等进行探讨并提出建议。提出申报登记的工作程序：准备→动员培训→填报表、收表及初审→电话核查和数据录入→现场核查→数据统计与分析总结；指出企业在申报登记工作过程中主要存在填写报表不规范和对固体废物管理不善两方面的问题。建议固体废物管理部门从宣传力度、指导强度、信息交流、档案管理、激励机制等方面进一步加强和完善固体废物申报登记工作；鼓励企业进行清洁生产或 ISO 14000 认证；积极推进工业固体废物资源化及处理技术的发展。

关键词　固体废物　申报登记　工作程序　问题　建议

本文结合2004—2008年度对广东省广州市工业固体废物申报登记工作技术协助的实践，探讨工业固体废物申报登记工作的程序、存在问题及其解决措施等内容，以期对工业固体废物的管理提供借鉴经验。

一、申报登记工作程序

在工业固体废物申报登记工作过程中，有三种角色参与其中：固体废物管理部门的工作人员，技术协助单位，工业企业。工作程序主要分为六个阶段：准备→动员培训→填报表、收表及初审→电话核查和数据录入→现场核查→数据统计与分析总结，具体工作程序见图1。

（一）准备

制定工作方案和工作计划表，准备培训资料。

（二）动员培训

首先，对政府固体废物管理人员进行最新的工业固体废物处理处置技术的培训；其次，针对辖区内工业企业的相关负责人员，进行与工业固体废物申报登记工作相关的法律法规知识和填表技术要求的培训。

（三）初审

对有条件上网的工业企业，建议其先填写电子登记表，经初审并反馈意见后再修改并提交纸质文件；对于直接提交纸质登记表的企业，经初审后，对填报不完整、存在逻辑错误的登记表返回企业修改。

（四）电话核查和数据录入

针对回收登记表中存在的基本问题（如填报不完整、逻辑错误、量纲单位混淆等），经与企业电话联系核实后对原有数据进行补充或调整修改。将经核实确认后的企业数据录入到企业固体废物数据系统。

（五）现场核查

现场核查的直接目的在于提高数据质量，反映企业实际情况；间接作用在于促进企业改善固废管理。

1. 筛选原则：电话核查后仍存在较大疑问；前一年现场核查情况不好，仍有遗留问题，需要今年追踪；企业的危险废物没有按照合理的方式进行处理；废物产生量大。

2. 核查内容：申报的废物种类是否齐全、产生量数据是否真实、处理处置方式是否符合相关要求、危险废物转移情况（转移联单）等。

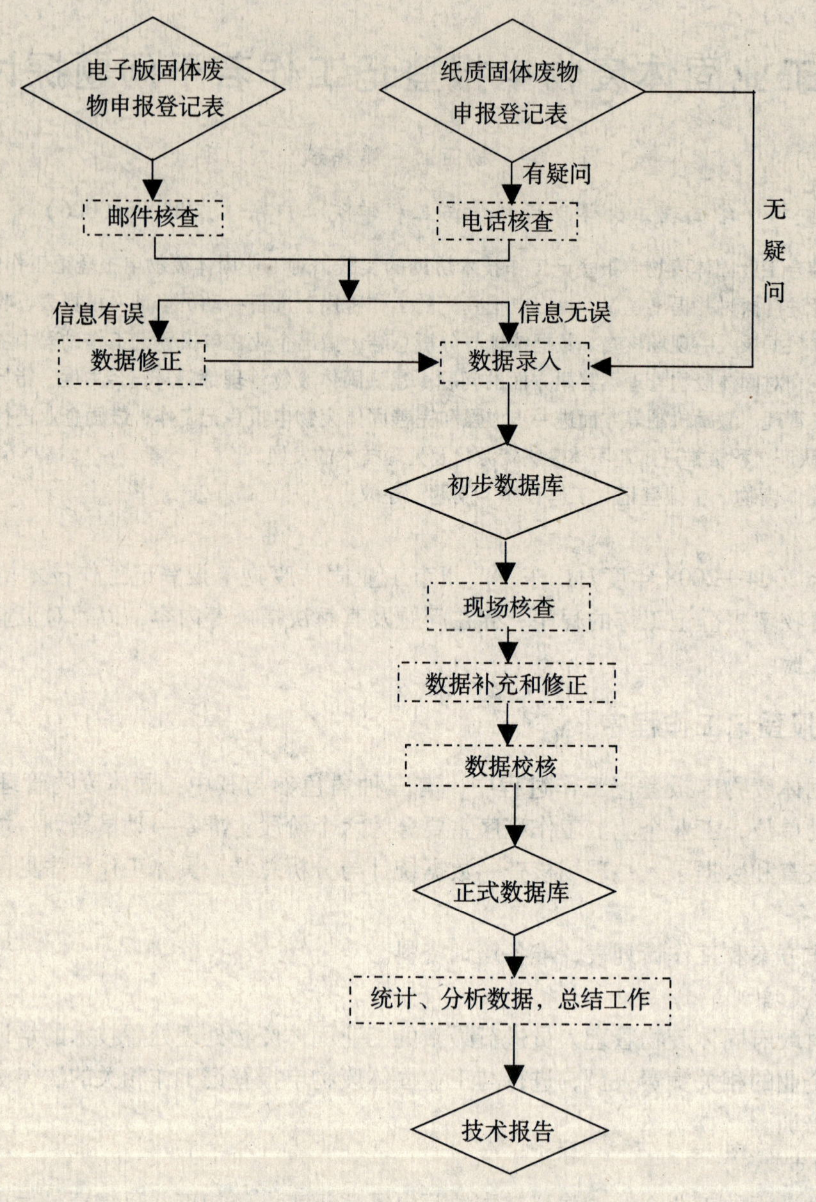

图 1　工业固体废物申报登记工作程序

（六）数据统计与分析总结

分别从行政区、行业、废物类别、企业 4 个角度来统计分析数据，以便于在管理中重点监管；对各因素（行政区、行业、废物类别和企业）进行交叉分析，以明确各行政区的主要固体废物污染源的行业所属及主要废物类别情况；综合跨年度数据，对其进行经济分析和纵向比较，有利于剖析区域内工业固体废物产生及处理处置变化原因。

二、存在主要问题

根据技术协助单位的实践工作经验，企业在进行工业固体废物申报登记过程中主要存在填表不规范及固体废物管理不善两个方面的问题。

（一）企业填表不规范

目前尚无全国性统一的固体废物申报登记表，广州市使用的是由市环保局编制的《广州市固体废物申报登记表》。企业在填报固体废物登记表的过程中主要存在以下问题：

1. 申报登记年份混淆不清：将不同年份的数据混淆上报。

2. 填报数据逻辑关系不清：对综合利用、处置、贮存、排放的区别认识不清，填报的数据不符合基本的逻辑关系，缺填报综合利用和处置措施、贮存的场所等相应的信息。

3. 数据的量纲单位混乱：使用企业内部常用的计量单位来填写产生量、排放量等。

4. 漏报、瞒报：在原辅材料、废物种类、数量等的上报中存在一定的漏报瞒报现象。产生该现象的主要原因是填报人员缺乏必要的专业知识或存在瞒报心理，另有某些企业不敢如实申报或者没有保留相关的资料。这说明这些企业在日常的固体废物管理过程中存在问题，不了解全过程管理的要求，对“出了门的固体废物”实际上就不管理了。

通过每年对企业进行技术培训，对解决上述问题起到一定的积极作用。但是，部分企业仍对申报工作重视不够，其中，企业负责环保的工作人员的稳定性对本项工作有直接影响。

（二）固体废物管理方面的问题

1. 对产生数量小的危险废物的处理：当企业的生产规模较小、危险废物产生量较少时，有处理资质的单位不愿意接收，于是部分企业将其混入生活垃圾中，交给废品回收站或是环卫中心，具体去向及用途不明，甚至自行处理。以上两种处理方式都存在着安全隐患[3]，特别针对一些剧毒的危险废物。企业负责人虽然在寻找有资质公司方面存在疑问，却并没有及时向固体废物管理部门反馈情况，说明部分企业对固体废物管理工作的重视程度不足。

2. 对固体废物的贮存：部分企业没有合格、安全的贮存条件[4]（硬质化地面、加顶棚、一般废物与危险废物分类放置、专人管理等），对固体废物的贮存采取一种消极对待的态度，并不积极地寻找转移途径。

3. 企业固体废物申报登记工作无专人负责：部分企业内部没有专门负责固体废物申报的工作人员或负责人员经常更换，导致工作人员对固体废物管理及申报登记工作不熟悉，从而使得填报的数据不准确甚至出现偏差。

三、建　议

（一）加强和完善固体废物申报登记工作

1. 加大宣传力度，提高指导强度

固体废物管理部门要将固体废物申报登记工作的重要性和登记工作程序要求向企业进行广泛宣传，督促、指导企业按照要求完成申报。要求企业在平时将固体废物的管理工作做到细处，建立固体废物的专门档案；加强对相关负责人的培训与指导。继续坚持现场核查工作有利于提高数据质量，同时也有利于促进企业加强对工业固体废物的管理。

2. 增强信息交流

（1）政府部门间的信息交流：相关的不同政府管理部门在日常提供便利的相互学习和咨询条件，如部门之间建立资源共享平台，多维度地掌握企业情况，再进一步实现资料整合，这样也可减少企业的重复工作。

（2）固体废物管理部门与企业间的信息交流：通过政府网站提供一些便捷的服务和相关的文件，如企业代码查询服务，提供关于固体废物管理的政策和法律文件，提供填表过程中常见问题解答以及申报登记表的填写样板、固体废物管理工作手册等。

（3）固体废物管理部门与科研机构间的信息交流。进一步细化和完善固体废物申报登记工作模式，将政府的管理经验和科研机构的科研实力有机结合，建立长期的合作关系，从而更全面、系统、深入地开展该项工作，并能更科学地积累申报数据，及时掌握管理动态，为长期研究打下坚实的基础。

3. 建立危险废物重点产生源档案

为加强对固体废物尤其是危险废物的管理，可通过对企业建立“一源一档”的固体废物管理制度，要求企业将所有固体废物管理的相关文件归类存档，主要包括固体废物申报登记表、危险废物转移审批表、危险废物转移联单等，该档案一式两份，分存在企业内部和环保部门，并及时同步更新，以促进企业完善其内部的固废管理，也方便环保部门及时掌握跟踪企业固体废物管理的状况。

4. 建立激励机制

加强惩罚及奖励力度，提供固体废物管理工作的网上通报及网上投诉板块，进而提高企业参与固体废物管理及申报工作的积极性和配合度。

（二）鼓励企业进行清洁生产或 ISO 14000 认证

大力推行源头削减政策[2]，促进清洁生产和开展 ISO 14000 认证，可从源头减轻工业固体废物的产生量。可以树立一些“模范企业”，大力宣传清洁生产或 ISO 14000 认证对企业自身发展的好处，通过实施相应的清洁生产方案，可有效地解决生产过程对环境造成的污染问题，提高企业的经济效益，实现企业的可持续发展。

（三）推进工业固体废物资源化及处理技术的发展

1. 扶持工业固体废物回收处理业

通过实践工作得知，工业固体废物回收处理业仍处于不饱和状态，政府应制定鼓励性的政策和措施，以吸引更多投资者经营工业固体废物回收处理业；可以提供土地及基础配套设施，或通过减免税收及低息贷款等经济措施，降低该行业的经营成本；并将该项工作作为环保产业规划的重要内容之一。

2. 加强对特殊危险废物处理技术及对策的研究

在实践工作中得知，废光管、废电池这两种特殊危险废物大量贮存而得不到及时有效的处理，需从收集体系、资金机制、可工业化的技术研发及推广等角度加大对废光管、废电池等特殊危险废物的污染防治力度[3]。

3. 建立工业固体废物资源化综合管理系统

对固体废物进行综合处理是经济、环保、可行的技术政策[4]。工业固体废物的综合利用和供需调配是一个系统工程，根据不同城市自身的工业结构、工业发展水平和资源结构，通过构建工业固体废物资源化综合管理系统，应用一定的分析方式对比各种工业固体废物资源的综合利用方案，从而得到优化的资源化途径，对提升工业废物回收处理业的技术水平、提高企业效益、减少环境污染等方面具有重要的作用[5]。

参考文献

[1] 李艳华，梁立达，田宏. 危险化学品仓储存在的问题和安全对策［J］. 工业安全与环保，2009，35（2）：60－62.

[2] 邓琪，王琪，黄启飞，等. 青岛市一般工业固体废物的现状分析与评价［J］. 环境保护，2008，408（22）：43－45.

[3] 张波. 特殊危险废物处理技术及对策研究［J］. 中国高新技术企业，2008（17）：109.

[4] 席北斗，苏婧，姜永海，等. 城市固体废物优化管理模型及管理成本影响因素研究［J］. 环境污染与防治，2007，29（8）：561－565.

[5] 邓琪，王琪，黄启飞，等. 基于 AHP 的工业固体废物资源化途径的评价研究［J］. 中国矿业，2009，18（1）：73－77.

垃圾焚烧发电厂的建设之争

吕晓蕾

（北京大学深圳研究生院　深圳市循环经济重点实验室
深圳市南山区西丽镇深圳大学城北大园区 E－210　518055）

摘　要　随着我国城市化进程的加快、土地资源的紧缺、城市人口的增加和居民生活水平的提高，城市生活垃圾的产生量也急剧增加，垃圾围城形势严峻。本文针对番禺垃圾焚烧发电厂的建设争论为出发点，研究和总结国内外垃圾分类回收经验和焚烧发电厂的运营现状，探讨采用垃圾焚烧方式处理垃圾的必备条件。同时本文从公共政策的角度，考察政府与公众之间的博弈，以到达有效解决我国垃圾问题和维护公众利益的纳什均衡，实现经济环境和谐发展的社会。

关键词　生活垃圾　焚烧发电厂　二恶英　博弈　纳什均衡

一、引　言

随着我国城市化进程的加快、土地资源的紧缺、城市人口的增加和居民生活水平的提高，城市生活垃圾的产生量也急剧增加，成为严重的环境和社会问题。按照目前我国城市人均年产440kg[1]生活垃圾的水平推算，若垃圾不得到妥善处理，“垃圾围城”的局势将日趋严重。目前我国垃圾主要处理方式是填埋占82.7%，焚烧15%。垃圾焚烧技术以处理量大、减容性好、无害化彻底且能回收热能的优点，成为经济发达的大中城市垃圾处理技术关注的焦点。但焚烧也带来了二次污染，尤其是焚烧尾气中的二恶英，属于一级致癌物，给民众带来了恐慌。

近期，关于广州番禺垃圾焚烧发电厂的建设之争闹得沸沸扬扬，北京六里屯垃圾焚烧发电厂自2005年立项到如今迟迟未能推进。垃圾焚烧发电厂犹如“过街老鼠，人人喊打”，已经到了“谈虎色变”的程度。广州番禺垃圾焚烧发电厂而起的官民博弈，已成为一个全国性公共政策事件。垃圾焚烧发电厂究竟有怎样的危害，焚烧厂的建设争论的焦点在哪儿，中国的垃圾处理的出路在哪儿？本文将番禺垃圾焚烧发电厂的建设争论作为出发点，对比国外垃圾处理处置情况，旨在寻找中国垃圾的处理出路。

二、广州垃圾焚烧厂建设的争论立场

2003年，广州市番禺区政府计划兴建一座日处理2000t生活垃圾的焚烧厂。规划选址位于大石会江村和钟村镇谢村之间的山坳。选址地原为大石镇垃圾填埋场，已于2007年封场，该地附近3km范围左右，有南碧桂园、丽江花园等多个楼盘。选址地附近的数百名居民严重反对焚烧厂在家门口建设，甚至就焚烧厂建设问题到广州市城管委上访，抗议情绪高涨，一时间，民众与政府关系紧张。最终广州市政府表示，国家有完整的法律法规规定垃圾焚烧厂这类重大项目的建设流程，垃圾焚烧厂的建设肯定会依法依规进行。

关于番禺垃圾焚烧发电厂的建设争论的焦点是政府的“民心工程”的解决垃圾围城问题和公众的自我权利的维护之间的博弈。公共的博弈必先了解双方的立场和观点，调动全社会智慧，在社会监督和利益分享的基础之上，寻找合适的公共政策的解决之道。

（一）政府支持建设立场

该区居住人口已达250多万，日产垃圾1600多t，垃圾年增长率12%。再过两三年，以目前的垃圾处理设施容量和日处理能力，将无法解决每日2000多t的生活垃圾，番禺将面临垃圾围城的威胁。此外，该区已无大面积用地可供建设垃圾填埋场，垃圾焚烧方法因占地少、处理量大和处理彻底的优点，在发达国家广为采用。该选址已经过广泛的考察和评估。此地四面环山，以前是垃圾填埋场，废地再利用可减少土地消耗和净化周边环境。最后，只要在焚烧过程中采用先进的炉排和烟气管理技术，欧盟（排放）标准之内的二恶英含量是没有风险。

（二）公众反对建设立场

番禺的公众尤其是选址地附近3km范围左右的楼盘里的居民和开发商严重反对焚烧厂在家门口建设。他们认为番禺地区的垃圾未完全分类，垃圾中含有塑料、橡胶制品等，焚烧不彻底产生二恶英影响居住环境，危害生命安全。选址不具有科学性，为何选址人口密集的居住区附近，损害业主利益。垃圾焚烧将污染转移，且产生爆炸等危险，因而其市场在欧美发达国家逐渐萎缩，已被逐渐摒弃。居民对政府没有效通过“公众参与”和未完全公开环评结果表示不信任。

三、垃圾焚烧发电厂何去何从

针对番禺垃圾焚烧厂的建设之争，不仅关乎垃圾焚烧厂是否该建、该建在哪儿，更是中国的垃圾处理的出路的问题。垃圾作为城市化和城市人口膨胀的必然产物，而如何采用最有利的处理方式成为社会的难题。必须正确认识我国垃圾的产生、处理和处置的基本情况，选择合适的方法来解决这一难题。

（一）我国垃圾分类回收特点

1979年以来，我国城市生活垃圾的产生量以每年平均9%的速度增加，2001年城市生活垃圾的清运量已经达到7835万t。大、中城市，尤其是特大城市的人均垃圾产生量相对较高，其城市垃圾的增长速度有的已经高达20%[2]。由于传统的历史和原因，我国的垃圾分类回收具有自己的特点，收集方面以混合收集为主，绝大多数未实施垃圾分类和分选，这些与欧美等发达国家有很大的不同，详情参见图1。

由图1可知，生活垃圾先经过家庭回收有用物质（纸箱、酒瓶、废旧家电等），卖给废品站产生利润，剩余的垃圾被扔入垃圾桶；经过拾荒者第二次回收有用物质（矿泉水瓶、塑料、纸张等），同意进入垃圾中转站，进行初步的分选，一部分废品再次经拾荒者回收；剩余垃圾采用填埋（主要）、焚烧、堆肥等方法，进行最终的处理处置。在此过程中，垃圾经过三次的回收，有用的资源已被利用，剩余的垃圾都被统一处理。在此过程中，拾荒者通过拣垃圾维持自己的基本生活。据统计，北京市总共有十几万拾荒者，每年创造的利润15000元/人，维持了近万个家庭的生活，目前这种垃圾回收方式有存在的价值和意义。

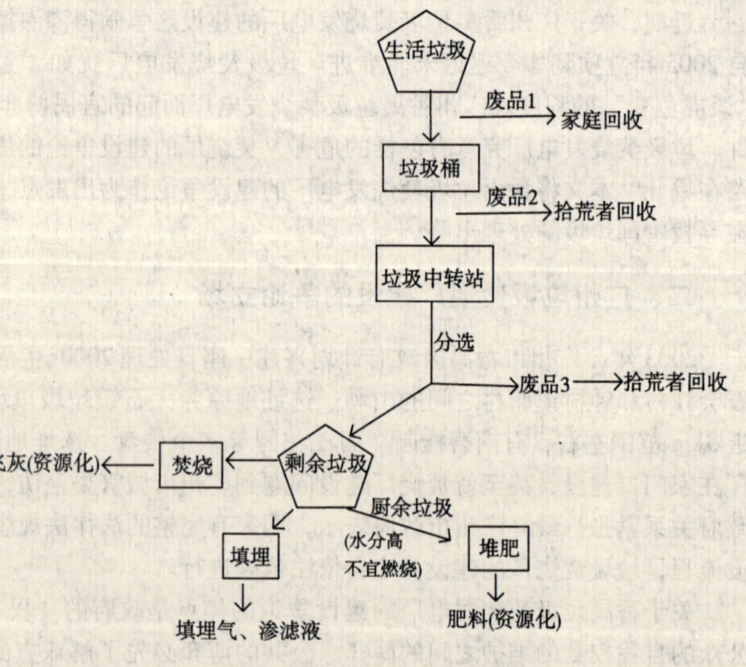

图1　中国特色的垃圾回收与处理方法

我国大部分城市经济水平和居民生活方式的不同，垃圾的热值也不同。部分大城市如北京垃圾的热值为8230kJ/kg（1998年），上海为5756kJ/kg（1999年），深圳为7740kJ/kg（1999年），广州为6520kJ/kg（1999年），远远达到垃圾焚烧的热值要求4000kJ/kg[3]。但其他大部分城市垃圾含有大量的水分，其热值较低、毒性较大、数量较大，从资源的合理利用和垃圾处置方式的适宜性选择方面，要求根据垃圾种类在源头进行初始分类，并推行垃圾回收产业化，解决拾荒者就业问题。

（二）垃圾焚烧发电厂的国外建设情况

焚烧法是一种建立在政府大量补贴、垃圾源头严格分类、垃圾热值较高的情况下的垃圾处理方式。美国EPA研究表明[4,5]，低剂量的二恶英与人体致癌没有直接的相关性，达到“三致”效应需要达到累积剂量。一般标准化现代的焚烧炉产生的二恶英低于0.1ng，远远低于人体的安全阈值。

美国21个州都把垃圾焚烧定义为可再生能源发电，垃圾发电也是减少温室气体排放的有效手段，美国、欧盟、日本都是如此。例如，丹麦总面积43096km^2，人口543万。2007年焚烧发电厂数量有33个，67条焚烧线。总处置能力每小时444.5t，每天焚烧量10668t（图2）。从1979—2004年，日本小型焚烧炉不断关闭，大型焚烧炉持续增加，并且焚烧处置规模持续增大（图3）。同时2004年二恶英的排放量还不到1997年的1/20。因此，大型连续焚烧炉的采用大幅度地降低了二恶英排放。

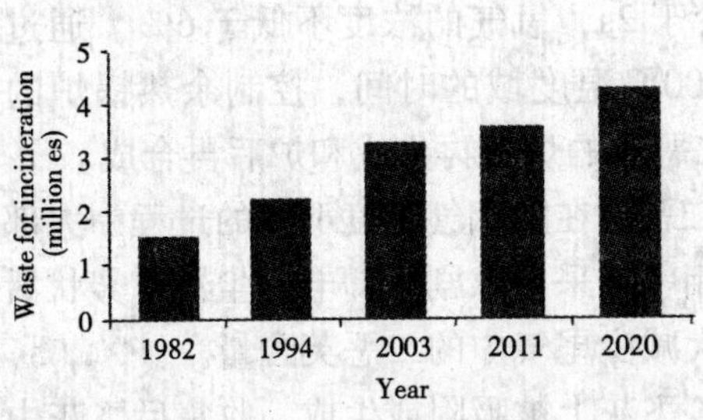

图2　丹麦国家环保局废物管理发展战略（2003）

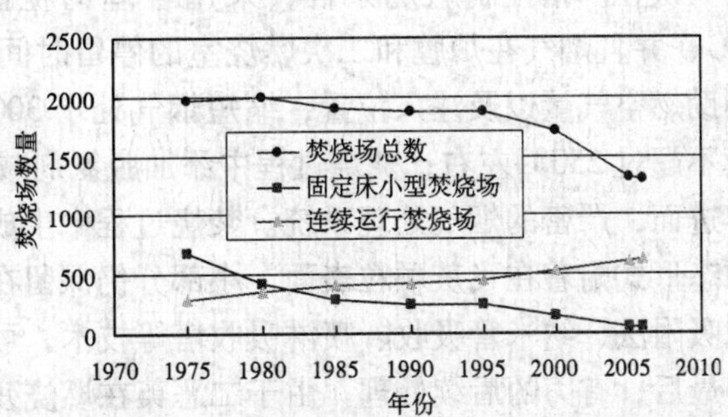

图3　日本垃圾焚烧场数量（日本环境部）

（三）垃圾焚烧发电厂正常运作的必要条件

由上述分析可知，垃圾焚烧是一种有效的垃圾减容减量的处理方法，在国内外被广泛采纳，但垃圾焚烧发电厂正常运作必须具有以下的条件，才得以让民众接受和认可。

1. 选址的公平性

我国《生活垃圾焚烧污染控制标准》（GB 18485—2001）规定，生活垃圾焚烧发电厂的选址应符合房地城乡建设总体规划和环保规划，并符合当地大气污染防治、水资源保护、环境保护的要求。国家环保部2008年底将垃圾焚烧炉的安全距离定为300m，这个距离引起争议。垃圾焚烧发电不可避免的环境风险，其影响的群体既包括项目服务半径内的受益群体，也包括选址地附近的利益受损的居民。在保证大多数人的利益同时，也要正确保障焚烧厂周边的少数人的利益。利益只能置换，不能被牺牲，无论当事的是多数人还是少数人。这里面就涉及环境补偿的公平性问题，引入市场化补偿机制是核心。在选址的科学性、决策程序透明之外，更应建立在周边居民平等自愿的基础上达到补偿协议，平衡贡献与补偿间关系。通过完善居住设施、提供工作岗位、减免水电气费用、给予经济补偿等多种方式，达到整体利益与个人利益之间的协调，保证公民基本权益。

2. 技术设备的合理性

要减少城市垃圾焚烧厂二恶英的排放，必须做好城市生活垃圾的分拣，减少含氯物质和含重金属物质进入垃圾焚烧炉；同时控制好燃烧条件，使垃圾完全燃烧并采用适当的烟气处理和灰渣处理措施。垃圾分类的合理性，技术的先进性，设备的完善性，后续处置的严密性是保证一个垃圾焚烧厂科学健康运作的前提条件。

（1）合理的垃圾分类

健全的垃圾分类是垃圾焚烧发电的前置条件，首先推广先进完善的生活垃圾分类收集制度，建立家庭—小区—街道收集中心—垃圾转运站—焚烧厂一系列层层递进的垃圾分类收集制度。可参考欧美、日本发达国家的经验，结合地区特点，从源头完成合理的垃圾分类回收制度，在焚烧厂采用先进的垃圾分选技术，将垃圾二次分类处理，分选出垃圾中的物质，最大限度地将有用资源回收利用，从源头减少垃圾焚烧二恶英生成的氯来源。

（2）先进的技术设备

首先，引进先进的设备。国外经验证明，小型简易的垃圾焚烧厂产生的二恶英等危害严重，大型焚烧厂因具备先进的技术设备，严密的监测器材，完全可以达到欧盟的标准。例如，上海江桥垃圾焚烧发电厂，采用德国的炉排炉焚烧技术，烟气净化采用半干法和袋式除尘器，并辅以活性炭喷射的工艺系统，其二恶英排放量为 0.038ng - TEQ/m^3。此外，上海御桥垃圾焚烧发电厂为 0.018；中山中心组团垃圾焚烧发电厂为 0.049（上述各厂数据均是国家核准的监测单位监测）。采用先进的焚烧设备，实现二恶英排放量达到≤0.1ng - TEQ/m^3 的欧盟标准是可行的[6]。

其次，严格控制燃烧条件。采用合理的控制系统，保证炉膛和二次燃烧室温度不低于850℃，并且烟气在炉膛和二次燃烧室的停留时间不少于2s，氧气的浓度不低于6%。通过合理控制助燃空气量以及注入位置，缩短烟气处于300～500℃温度域的时间，控制余热锅炉的排烟温度不超过250℃左右；焚烧过程中添加脱氯剂减少二恶英的炉内再生成和炉后再合成。

进而，严密的烟气处理系统。焚烧过程中生成的二恶英在随烟气温度下降的过程中大部分是以固态形式附着在飞灰颗粒表面，小部分仍保留在气相中。采用急剧冷却电除尘器、雾状活性炭粉末吸附法、纳米管吸收、喷淋吸收塔等技术，可大大减少尾气中的二恶英含量。

最后，有力的后续处理。由于二恶英在燃烧残渣、飞灰上被吸附或生成，收集后飞灰中二恶英的浓度也较高，必须作为有毒有害物质送安全填埋场进行无害化处理，或作为资源将其固定化，做水泥、陶粒或铺设路基等。

3. 专业的技术人员

一个运作良好的垃圾焚烧厂，除了硬件的完善，专业的技术人员是必要条件之一。技术人员上岗以前必须经过深入的培训和严格考试，并定期进行考核，督促技术人员不断深入了解垃圾焚烧厂的运作机制、焚烧的原理和设备的各项性能及使用情况，严格遵循设备使用和操作原则，保证安全科学规范的操作。

4. 完善的监督管理机制

完善的监督管理机制是保证垃圾焚烧厂安全正常运作的必要条件。包括焚烧全程的公开透明化，焚烧设施的品牌、来源、价格等公开，焚烧厂每隔两月发布一次运行指标，方便市民质询；焚烧厂所在地成立民间的监督委员会，定期进行参观考察；场内人员管理及考核机制的完善性，定期工作汇报；设备实施应定期维修和检查，并将检查报告发布到官方网站。从垃圾入场、分选分类、焚烧过程、后续处置，整个过程保证监管有力、数据公开、运行透明，从而监督焚烧厂严格按标准运行，减少对环境的污染、增加民众对其的信任。

四、建立良性的公共博弈——实现纳什均衡

针对我国垃圾围城困境，需要认识到生活垃圾是所有公众共同产生的，安全合理解决垃圾问题是全社会的责任，关系到每一个公民的利益和责任；而处理垃圾又是政府实现行政职能的工作之一。垃圾产生既需要长远的垃圾处理理念，更需要近期的垃圾处理设施建设，通过政府与公众的共同努力，认清利益博弈，寻求纳什均衡，才能为垃圾处理寻找到正确出路。

利益博弈的过程中，政府应该牢记为人民服务的职责，建设服务型政府，充当政策的制定者、倡导者和实践者。政府的做法：①对待垃圾处理问题，各级政府应予以重视，选择合适的垃圾处理处置方式，尽早规划垃圾处理设施选址规划应长远考虑，并纳入城市总体规划；②在垃圾处理设施选址方面，保证科学性和公平性，严格执行“环境影响评价制度”，保证环境补偿的公平性，平衡多方利益，加强选址透明度，环评邀请公众参与，运营实现公众监督；③积极推进垃圾分类措施，在分类运输、分类处理等方面出台更为具体的配套措施，加大垃圾分类收集等基础设施的投入；④有效推广市场机制，鼓励发展循环经济，调动大批资源回收利用的企业和公司的积极性，实行产业化；⑤做好政策推行宣传工作，引导公众正确认识垃圾危害、垃圾分类和各种处置方法的优缺点，普及科学知识。

公众作为垃圾的生产者，在利益博弈的过程中，焚烧厂服务半径内的大部分人是受益者，选址地居民则为利益受损者。在公共决策中，公民参与有利于强化政府与公民间的沟通与良性互动，增强政府对公众需求的回应性，有效地整合公民的公共选择和价值认同，提升政府公共服务的绩效，从而有效地增强公众对政府的认同感与满意度[7]。公众的做法：收集民意，反馈信息到社区及政府；参与政府选址的听证会，具有表决权；焚烧厂所在地成立民间的监督委员会，定期进行参观考察；要求利益的补偿，与政府协商推进环境补偿机制。

在公共政策的定制和执行中，除利益攸关的政府和公众通过博弈进行最优策略组合的探寻中，专家学者和社会舆论媒体需要站在一个客观的立场分析问题，不应该偏袒任一方。专家学者，应保持公正中立的立场，普及科学知识，减轻民众对未知事物的恐慌。社会媒体需要利用网络报纸电视等舆论媒介客观公正的揭示事物最真实的情况，通报政府、公众和专家之间的沟通和进展，充当纽带的作用，从而更有利于决策的合理合法推进，促进和谐社会的发展和进步。

五、结　论

垃圾焚烧是一种经济有效的处理方式，其推广的趋势不可阻挡，但其运行的必备前提条件是：科学公正透明的选址，合理的垃圾分类回收，先进的技术设备，专业的技术人员和完善的监督管理机制。在这场公共利益的博弈中，政府应发挥决策者和执行者的职能，并要倾听民声、了解民意，强化公众参与力度。公众应充当监督者和维权者，在保证私人利益不受损的前提下，监督焚烧厂的运作，促进其健康安全科学的运营发展，维护公众的利益。专家学者和社会舆论媒体需要站在一个客观的立场分析问题，不应该偏袒任一方。专家学者，应保持公正中立的立场，普及科学知识，减轻民众对未知事物的恐慌。只有全社会联合起来，实行多方之间的良性互动和公共博弈，选择最合理的方式，取得利益的纳什均衡，才能突破我国垃圾围城的困境，实现社会和谐的发展。

参考文献

[1] 上海统计局．上海统计年鉴（2001）[M]．北京：中国统计出版社，2001.

[2] 张宪生，沈吉敏，厉伟，等．城市生活垃圾处理处置现状分析①[J]．安全与环境学报，2003，3（4）：60－64.

[3] 孙培锋，李晓东，池涌，等．城市生活垃圾热值预测的研究[J]．能源与环境，2006（5）：39－42.

[4] Philip Cole，Dimitrios Trichopoulos，Harris Pastides. Dioxin and cancer：a critical review. Regulatory Toxicology and Pharmacology，2003（38）：378－388.

[5] EPA. A Cancer Risk－Specific Dose Estimate 2，3，7，8－TCDD. External Review Draft. 1988，6.

[6] 赵树青，黄文雄，谢力．我国生活垃圾焚烧行业二恶英排放现状及趋势[J]．城市管理技术，2009（2）：58－59.

[7] 姜晓萍．构建服务性政府进程中的公民参与[J]．社会科学研究，2007，4：1－7.

南宁市环境污染事故应急管理综合平台的研究

余　戈　吴小寅　范宇航　莫荣旭　尹琦明　刘　茜

（南宁市环境保护局环境信息中心　广西　南宁　530022）

摘　要　随着突发性环境污染事故发生频率逐渐增多，对环境应急管理水平和信息体系提出了更高的要求。南宁市建立一套事前监控预警、应急准备、应急响应、事后管理为一体的环境污染事故应急管理的综合平台，综合平台还与空气自动监控、水自动监控、污染源在线监控系统有机地结合起来，形成了环境污染监控预警防控体系。本文对该平台的设计与实现进行了较详细的介绍与分析，说明平台给环境应急管理、预防和妥善处置突发环境事件工作带来的便利，并对平台的发展前景作了展望。

关键词　污染　事故　预警　应急　平台

一、引　言

我国环境应急管理法制不完善、体制不顺畅、机制不健全的问题依然突出。应急预案不科学、保障措施不落实的情况相当普遍，应急管理工作基础薄弱，防范和处置重大突发事件的能力欠缺，与加强环境管理的需要严重不适应，已经成为推进环保历史性转变的短板和瓶颈。如何加强环境应急管理工作，积极防范和妥善应对突发环境事件，加快建立健全突发环境事件应急机制，提高政府应对涉及公共危机的突发环境事件的能力，维护社会稳定，保障群众健康和环境安全，保护环境，促进社会全面、协调、可持续发展，是目前刻不容缓的一项重要责任。特别是近年来发生的重大环境污染事件反映出环境应急管理和信息体系建设等方面存在的问题仍然十分突出，严重影响了对突发环境事件的响应速度和效率，给社会和经济带来了很多不必要的损失。因此，为有效提高对各类环境污染事故的应急能力和处置效率，最大限度地减少事故带来的危害和损失，确保政治稳定、社会安定和城市安全，加快城市现代化建设步伐，建立一个统一指挥、规范有序、科学高效的环境污染事故应急体系是最紧迫、最直接、最现实的。能够有效地预防环境污染事故以及发生事故后的抢险、救援信息，有利于有关领导及时、准确地决策，最大限度地减少发生重大事故的可能性及事故后造成的各项损失。

目前，南宁市突发性环境污染事故发生频率逐渐增多，而环境应急管理水平落后和信息体系建设滞后等问题十分突出，严重影响了对突发环境事件的响应速度和效率，给社会和经济带来了很多不必要的损失。因此，为有效提高对各类环境污染事故的应急能力和处置效率，最大限度地减少事故带来的危害和损失，确保政治稳定、社会安定和城市安全，加快城市现代化建设步伐，建立一个统一指挥、规范有序、科学高效的环境污染事故应急体系是十分必要的。

二、系统分析与设计

（一）系统目标

南宁市建立一套事前监控预警、应急准备、应急响应、事后管理为一体的环境污染事故应急管理的综合平台，整合利用空气自动监控、水自动监控、污染源在线监控数据，实现对各种环境风险源进行监控。特别对重点风险源进行警情评估，根据自动监控数据进行评估、判定、报警、发布警情；对突发环境事件处理的全过程跟踪和支持，根据事故发生上报和调查所得数据，采用基于案例与规则推理的重大环境污染事件应急响应策略挖掘技术进行数据挖掘分析，并应用各种不同层次环境模型进行环境模拟预测和评价，提供事件处理辅助决策依据。为此，提出以建设结构合理、功能齐全、网络健全、信息流转畅通的系统为总体目标，为加强环境应急管理，预防和妥善处置突发环境事件提供支持服务。

（二）系统结构

环境污染事故应急管理综合平台总体功能结构如图1所示。

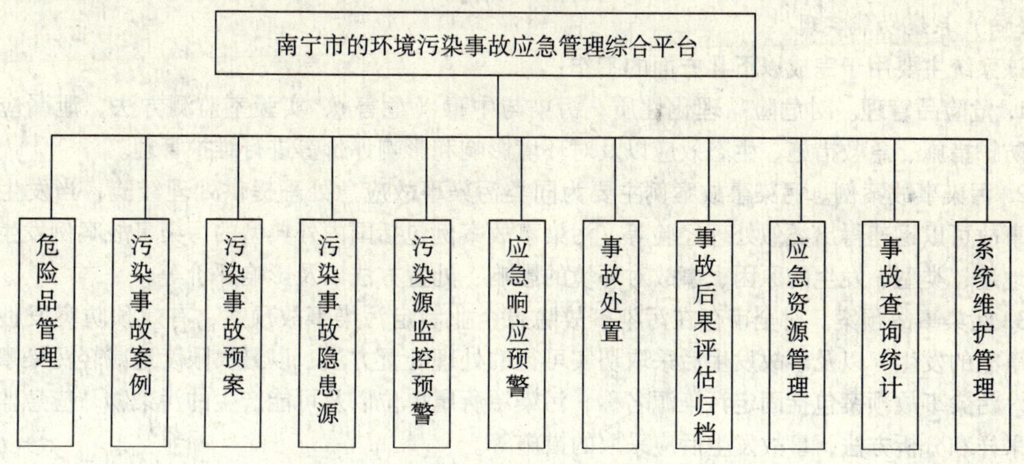

图1　系统总体功能结构

系统设计为浏览器/服务器模式（B/S模式），采用三层结构设计，用户界面层通过统一的接口向业务层发送请求，业务层按逻辑规则将请求处理后进行数据库操作，将数据库返回的数据封装成类的形式返回给用户界面层。用户界面层甚至可以不知道数据库的结构，不需要进行任何数据库操作，只要维护与业务层之间的接口即可，在一定程度上增加了数据库的安全性，同时也降低了对用户界面层的开发人员的要求[1]。

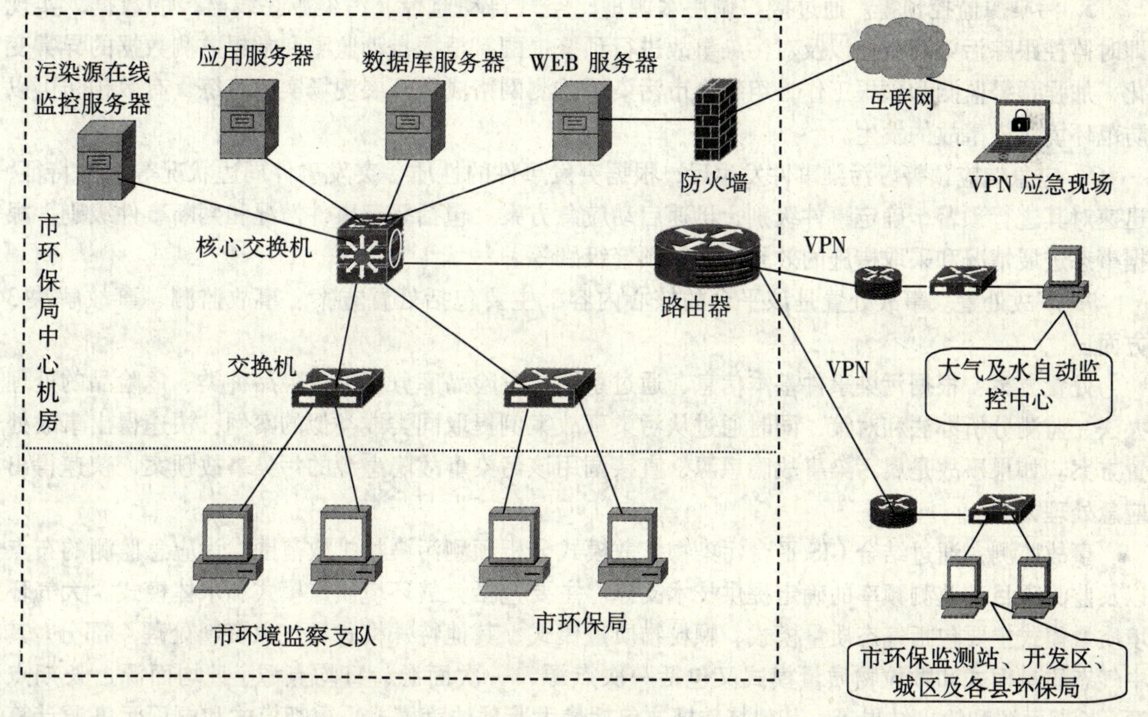

图2　网络结构

（三）网络架构

环境污染事故应急管理综合平台网络是以市环保局中心机房的为核心，由市环保局办公大楼的以太网星形100M局域网为中心，市环保监测站、各开发区、城区及各县环保局、大气及水自动监控中心通过 VPN 隧道在 INTERNET 上建立安全、稳定的联网接入南宁市环保局中心机房。应急现场通过 VPN 隧道在 3G 移动网络上建立安全、稳定的联网接入南宁市环保局中心机房，实现现场应急响应、事故处置等。网络结构如图 2 所示。

（四）系统功能实现

该系统主要用于完成以下几方面的工作：

1. 危险品管理。对危险品理化性质，污染与中毒（危害）、实验室监测方法、泄漏应急处理、防护措施、急救措施、生态效应以及对环境影响和影响评价等进行维护管理。

2. 污染事故案例。污染事故案例主要为同类污染事故应急处理提供处理经验，当发生同类污染事故可以迅速得出类似处理经验等。污染事故案例包括国内外典型的污染事故案例发生的时间、地址、类型、发生的原因、事故对环境的影响、处置方法以及影响评价等。

3. 污染事故预案。对全市存在污染事故隐患企业制定污染事故预案，有效预防突发性环境污染事故的发生，以及事故发生后采取切实可行的处理处置方法，以最大限度地减轻污染事故的危害。污染事故预案包括固定污染源名称、污染源所属单位以及可能产生的污染物，应急监测布点、采样和分析方法，事故发生后应采取的措施等。

4. 污染事故隐患源。避免突发性环境污染事故发生的关键在于预防为主，而开展突发性污染事故隐患的管理则是有针对性做好预防工作的关键。通过对污染事故隐患管理，在全市电子地图上直观反映全市的突发性污染事故隐患企业，掌握突发性环境污染事故防范的重点及方向，进而制定相应的严格的防范措施，为突发性环境污染事故的预防工作打下坚实的基础。污染事故隐患管理包括污染事故隐患源类型、排放污染物名称、可能产生的危险品种类和有毒化学品数量、所处位置及周围环境状况，以及相应的防范措施等。

5. 污染源监控预警。通过接口调用水源地、空气自动监控、污染源在线监控的数据，实现即时监控跟踪污染源企业以及对污染事故进行预警提醒。根据自动监测和常规监测数据的异常变化，加强预警监测和预报工作，组织全市污染源监测网络成员开展现场实战演练，有效预防可以防范环境污染事故的发生。

6. 应急响应预警。污染事件发生后，根据突发事件的性质、突发事件周边状况等基本特征，迅速对其进行预警，确定事件级别，迅速启动应急方案。包括登记事件情况和判断事件级别，根据事态进展情况和采取措施的效果，调整预警级别等。

7. 事故处置。事故处置是该平台的核心内容，主要包括处置方案、事故监测、事故解决 3 方面。

处置方案：根据污染事件基本信息，通过系统从危险品库分析出危险品种类、危险品的处理办法、监测分析办法和对策，同时通过从污染事故案例提取同类或类似的案例，快速得出事故处置方案。如果事故是属污染事故隐患源，直接调用该污染事故隐患源的污染事故预案，快速得出应急处理方案。

事故监测：通过结合 GIS 平台污染物扩散模式分析预测污染物扩散范围，为应急监测的布点以及监测项目和监测频率的确定提供技术支撑。主要包括大气环境质量模式和水体模式。大气环境质量模式主要包括气态质量模式、颗粒物质量模式、其他特殊模式和气象资料处理 4 部分。其中气态质量模式和颗粒物质量模式又包括一次点源、一次面源、日均点源、日均面源、长期点源、长期面源和输出结果等。其他特殊模式包括最大落地浓度模式、熏烟模式和电厂污染源计算模式。水体模式包括：已知控制区各排放口的入河排污量，求控制断面水质及控制区环境容量；已知控制断面水质，逆推控制区各排放口的入河排污削减量；对普通河道已知排放口，求混合区大小及敏感点水质；感潮河段已知排放口，求混合区大小及敏感点水质；特殊水域（库、闸、堰控水域、湖泊）的水质模拟。

事故解决：通过监测分析、污染物扩散分析，结合 GIS 掌握事故周围复杂的环境状况，及时了解现场各种环境因素，对事故的应急处理提供支持等。

8. 事故后果评估归档。污染事故应急工作中，灾后评估工作是十分重要的一部分，该模块其目的是根据污染环境相关数值[2]，通过风险模型分析事故经济损失、生态效应、受灾人口、环境影响等情况，收集现场、监测结果、图像及污染事故处理结果，编制事故总结报告并归档。

9. 应急资源管理。完善的应急资源库可以在污染事故发生时，根据污染事故种类，迅速查询出有关专家进行咨询，可迅速派出有专长的分析成员到现场准确分析判断及处理问题等。应急资源管理是对应急专业队伍人员、物资及防护设施、监测装备管理和专家库管理等。

此外，环境污染事故应急管理综合平台还提供系统维护和一些决策分析功能，比如查询统计等。

三、系统建设的关键技术

在系统的构建过程中，分别使用网络技术、数据库技术、智能化全文检索技术、AJAX 技术、动态并行检索技术、. NET 技术、地理信息系统（GIS）技术等技术；其中. NET 技术是新一代的技术，也是作为系统的核心技术。

该平台是以 Microsoft Windows server2003 以上版本作为网络操作系统，Microsoft IIS + Microsoft . NET Framework 3. 0 作为 WEB 服务系统；后台数据库服务器采用 Microsoft SQL Server 2005 以上版本；ArcGIS_ Server9. 3 为 GIS 应用服务系统。在前端的开发平台，选择 Microsoft Visual Studio . NET（CJHJ、C + +）、PowerDesigner、Microsoft FrontPage、Dreamweaver 建立环境污染事故应急管理综合平台。

四、结　语

南宁市环境污染事故应急管理综合平台的建立，加强了环境应急管理，预防和妥善处置突发环境事件；加强了环境风险应急预案体系动态管理，开展应急预案检查，督促主要风险企业开展应急演练，有针对性地建立突发环境事件的救援方法、物资及装备来源台账；加强了预警监测和预报工作，组织全市污染源监测网络成员开展现场实战演练；完善核应急监测方案和核应急监测管理制度，加强了核应急监测培训，举行核应急监测演练等。相信随着南宁市环境污染事故应急管理综合平台的深入应用，处置突发环境事件应急能力水平将会再上一个新台阶。

参考文献

[1] 郭瑞军，郭磬君. ASP. NET2. 0 数据库开发实例精粹［M］. 北京：电子工业出版社，2006：10－14.

[2] 韩素芹，李培彦，等. 天津市的突发性大气污染事故预警应急系统研究［J］. 灾害学，2009，24（2）：34－36.

欧盟第二波碳关税压力与中欧贸易中隐含碳的估算
——基于 EDR 的隐含碳系数

王絮絮　徐　鹤

（南开大学环境科学与工程学院　天津　300071）

摘　要　本文利用 1999—2006 年中国投入产出表中进出口 8 项制造业所对应的商品贸易数据，采用物料衡算法，物质流分析法，结合能值/货币比率对隐含碳排放系数的修正，分析进出口贸易向中国流入的隐含碳的量。结果表明，中国该 8 项商品对外贸易产生的隐含碳顺差从由 1999 年的 1.995×10^7 吨增至 2006 年的 1.243×10^8 吨，总增长 5.228 倍，年平均增长率高达 29.860%。其中，中国与欧盟贸易中产生的隐含碳顺差的年平均增长率为 25.761%，是产生制造业贸易中隐含碳排放巨大顺差的重要原因。

关键词　中欧贸易　CO_2 排放　隐含碳　投入产出表　能值/货币比率　碳关税

2009 年 6 月，美国众议院 6 月 26 日最终以 219 票对 212 票通过《清洁能源安全法案》，这标志着美国在气候变化问题上的立场已出现根本转变，同时这也意味着美国已经着手“后京都时代”的国际竞争战略布局[2]。这是国际社会上第一次提出了“碳关税”相关条款，当即引起轩然大波，但最终并没有马上出台具体实施细则。

就在全球失意哥本哈根气候大会后，全球气候政治的激烈博弈并没有随着哥本哈根大会的结束而停止，欧盟或将马上采取“单边行动”——启动碳关税。2010 年 1 月 15 日到 17 日，欧盟各成员国的环境部长们聚集在西班牙塞维利亚，讨论失意哥本哈根大会后的欧盟气候政策[1]。

显然，碳关税一旦实施，“中国制造”的处境将很不利。作为世界工厂，中国出口高碳强度和高能耗加工产品，承担了生产和加工这些产品的全部排放成本，包括能源燃料排放成本、加工过程排放成本以及交通运输排放成本。

一、中外贸易中的隐含碳排放

某种产品的获得，在整个生产链中所排放的二氧化碳，称为“隐含碳”。从对外贸易角度来看，“隐含碳”和“碳排放转移”含义基本相同。对出口贸易中隐含碳的计算来说，常用的有两种方法，一种是基于投入产出表的“由上自下”的计算方法，另一种是基于产品单耗的“由下自上”的计算方法，即物料衡算法。相比较投入产出法而言，采用产品单耗计算方法虽然很难做到全面估算，但可以分产品进行估算，避免了采用平均化方法进行处理而产生的误差，结果相对准确，并且能够获悉产品的情况，因此也更利于为相关决策提供较好的支持。因此本研究从产品角度对中国出口贸易隐含的碳排放量进行了分析，即选取主要的出口贸易产品，通过物质流分析的方法，对它们单位产品碳排放量进行分析，以此来分析这些产品出口所负载的能源量以及内含的碳排放量，为相关决策部门调整出口贸易产品结构提供参考。要做到隐含碳的准确计算，受资料的限制，以往比较精细的中国对外贸易隐含碳排放量的测算一般采取上限和下限的分别测算方法，如齐晔等对中国进出口贸易中的隐含碳估算就分别采用了中国内地和日本的排放系数来作为单位产品的碳排放的上限和下限[3]。因此在本文的技术处理中对于隐含碳排放系数的修正中也采用了系数的上限和下限的测算方法，以提高数据范围的可信度。

二、研究方法和技术改进

（一）物料衡算法

物料衡算法是对生产过程中使用的物料情况进行定量分析的一种方法。这是一种将资源、能源的综合利用及环境治理结合起来，系统地、全面地研究生产过程中排放物的产生、排放的一种科学有效的计算方法。该方法是以详细的燃料分类为基础的，也称为自下而上法[4]。

根据中国的能源消费特点，文中选取煤炭、燃料油、汽油、煤油、柴油、天然气六种主要能源，采用燃料燃烧的二氧化碳排放系数法来估算二氧化碳排放量。本文采用 Carbon Trust 以及徐国泉、胡初枝等所确定的各种能源的热量系数和排放系数，具体见表 1。煤炭的二氧化碳排放系数计算方式为：首先将煤炭转化为标准煤，煤炭标准煤系数为 0. 7143，再根据标煤的碳排放系数 0. 7476t（C）/t 标煤计算碳排放系数，再根据碳排放系数计算煤炭的二氧化碳排放系数为 1. 96t（CO_2）/t 标煤。

表 1　各种能源的热量系数和二氧化碳排放系数[5]

	煤炭	燃料油	汽油	煤油	柴油	天然气
热量系数/（kWh/t）		12087	11973. 46	11973. 46	12668	11
排放系数/（$kgCO_2$/kWh）	1. 96t CO_2/t 标煤	0. 26	0. 24	0. 24	0. 35	0. 19

（二）技术处理

能值/货币比率指一个国家全年能值利用量与国民生产总值之间的关系，即一个国家的单位货币相当的能值。其单位是 sej/MYM，表示系统每流通 1 美元货币所能购买到的商品与劳务能值数。该比值从某种程度上，体现了系统的货币购买能力大小，该数值越小，表明单位货币可购得的能值越少。

根据 Howard T Odum 的理论：农村或不发达地区的总利用能值中，有较多的取自当地的自然环境而无需付费，因而这些地区的能值/货币比率较高；发达国家或地区驱动经济花费了大量的能值财富，其能值货率仍然比较低，表明这些国家货币循环迅速，国民生产总值数额巨大。通常来说，花费同样多的钱在不发达地区可以购买到较多的能值。因此许多发达国家习惯于从其他国家购买资源，因为他们支付的货币在本国能够购得的能值大大低于采购资源本身所含的能值，即相同数量的美元在发展中国家或地区就可以购买到较多的能值财富[6]。国家资源要素禀赋、能值/货币比率、投入产出、与进出口之间的正负反馈关系如图 1 所示。

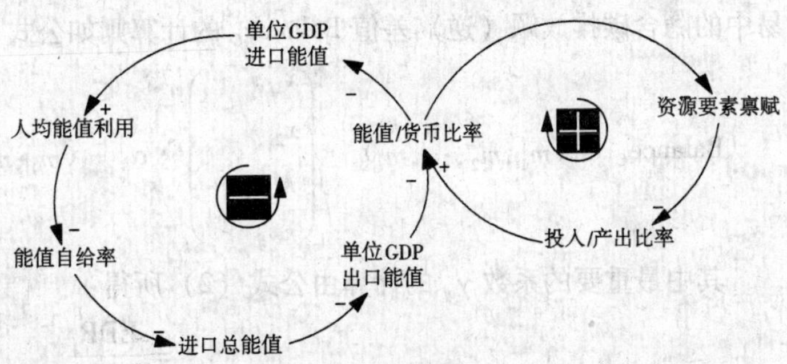

图 1　国家资源要素禀赋、能值/货币比率、投入产出、与进出口之间的正负反馈关系图

一般而言，发展中国家具有较高的能值/货币比率，而发达国家的能值/货币比率较低。同样，同一种产品的单位 GDP 的隐含碳排放总量比较中，发展中国家有时几乎为发达国家排放量的好几倍，见表 2。

本文在全球化贸易中研究隐含碳的排放情况和顺逆差时，除了应用行业关联和物料守恒的方法来计算了各行业单位 GDP 的排碳量外，在隐含碳的流入流出核算上应用了评价整体经济发展水平状况的综合指标——能值/货币比率（Emergy Dollar Ratio，EDR）来对各个国家的隐藏流排放量进行了一定的修正。

表 2　欧洲、亚洲重点贸易国的能值/货币比率（部分）[6-8]

所属大洲	国家或地区	总能值/（E20sej）	国内生产总值 /（E9 $/年）	能值/货币比率 /（E12sej/$）
亚洲	中国内地	71900	376.00	8.70
	印度	6750	106.00	6.37
	泰国	1509	43.10	3.50
	日本	15300	715	1.50
欧洲	意大利（15）	12650	865.38	1.46
	荷兰（15）	3702	16.60	2.30
	原联邦德国（15）	8027	715.00	1.12
	西班牙（15）	2090	139.00	1.50
	瑞士（25）	733	102.00	0.72
	瑞典（15）	4110	160.00	2.57
	前苏联（25）	43150	1300.00	3.32
世界	世界平均	202400	5000.00	4.05

（三）核算体系的建立

设第 k 年 $\begin{pmatrix} x_{1j} \\ x_{2j} \\ M \\ x_{ij} \end{pmatrix}_k$ 和 $\begin{pmatrix} y_{1j} \\ y_{2j} \\ M \\ y_{ij} \end{pmatrix}_k$ 分别为中国第 k 年从国家 j 出口和进口商品 i（$i=1$，2，…，8）的贸易总额（单位为美元），α_k 为第 k 年的美元汇率，$(m_1, m_2, \cdots, m_i)_k$ 为第 k 年中国第 i 项制造业单位 GDP 的隐含碳排放量，γ_{oj} 为贸易国的相对于中国的隐含碳排放系数，则中国对外贸易中的隐含碳排放顺（逆）差值 Balance_C 的计算则如公式（1）所示：

$$\text{Balance}_C = (m_1, m_2, \cdots, m_i)_k \cdot \begin{pmatrix} x_{1j} \\ x_{2j} \\ M \\ x_{ij} \end{pmatrix}_k \cdot \alpha_k - (m_1, m_2, \cdots, m_i)_k \cdot \begin{pmatrix} y_{1j} \\ y_{2j} \\ M \\ y_{ij} \end{pmatrix}_k \cdot \alpha_k \cdot \gamma_{oj} \tag{1}$$

其中最重要的系数 γ_{oj} 的计算由公式（2）所得：

$$\gamma_{oj} = \frac{\text{EDR}_j}{\text{EDR}_0} \tag{2}$$

式中：EDR_0 和 EDR_j 分别是中国和相对应的贸易国的能值/货币比率。

（四）γ_{oj} 上限和下限的设定

由于本文中研究的主体是具有阶段性的，即 1999—2002 年间欧盟是由英国、法国、德国、意大利、西班牙、葡萄牙、奥地利、芬兰、瑞典等 15 国组成，且不同国家的能值/货币比率差别不容忽视，故分别选取瑞典和德国的能值/货币比率作为排放的上、下限，而 2003 年东扩后，欧盟拥有 25 个成员国，共 4.5 亿人口，面积增加了 23%，国内生产总值和贸易额分别占世界的 30%，成为全球最大的贸易集团和进口市场。综合考虑各个国家的投入产出状况、资源要素禀赋和贸易份额，之后的排放上限修正系数采用俄罗斯的能值/货币比率，下限仍然采用德国的能值/货币比率进行修正。

三、结果和讨论

（一）中国单项制造业单位 GDP 碳排放量逐年走势

工业部门的排碳量除与能源消费量、能源利用效率、能源消费结构及能源使用方式等因素有直接关系外，还与生产工艺、技术发展、人口变动、固定资产投资及社会可提供原材料、国家宏观经济政策、行业发展趋势等间接因素相联系，因而本文依据投入产出表的部门分类，结合《世界经济年鉴》（2002/2003—2008/2009）中的产品分类，从《中国统计年鉴》（2001—2007）中的宏观的行业 GDP 和《中国能源年鉴》（2001—2007）中行业终端能源使用出发，测算 8 项制造业 2000—2006 年以来单位 GDP 碳排放量的变化并分析其影响。具体数据情况如表 3 所示。

表 3　中国各制造业单位 GDP 的隐含碳量　　单位：吨

年份	皮革、毛皮、服装制造业	金属制品业	办公及机械、运输设备制造业		食品、烟草加工及食品、饮料制造业	纺织业	化工品	
			机械、电器、设备制造业	造纸及纸制品业			医药制造业	化学原料及化学制品制造业
1999	0.12	0.35	0.59		0.35	0.42	1.30	
2000	0.11	0.32	0.58		0.29	0.38	1.26	
2001	0.10	0.32	0.55		0.23	0.38	1.23	
2002	0.10	0.34	0.53		0.26	0.37	1.19	
2003	0.09	0.33	0.15	0.70	0.38	0.36	0.28	1.39
2004	0.09	0.27	0.13	0.69	0.37	0.35	0.23	1.20
2005	0.08	0.24	0.12	0.59	0.34	0.30	0.21	1.01
2006	0.07	0.23	0.11	0.48	0.31	0.27	0.19	0.98

注：2000—2002 年《世界经济年鉴》中 8 项制造业被合并为 6 项。

经过作图可以看出在测算的重点制造业行业中，单位 GDP 的碳排放量呈现出逐年递减的趋势，个别产业的单位 GDP 碳排放量呈现出不规律的变化，但是基本趋势是逐年递减的。在研究的 8 项制造业中，化学原料及化学制品制造业的单位 GDP 排碳量一直居于最高，其次是造纸及纸制品业，再次是食品、烟草加工及饮料制造业和纺织业。具体见图 2。

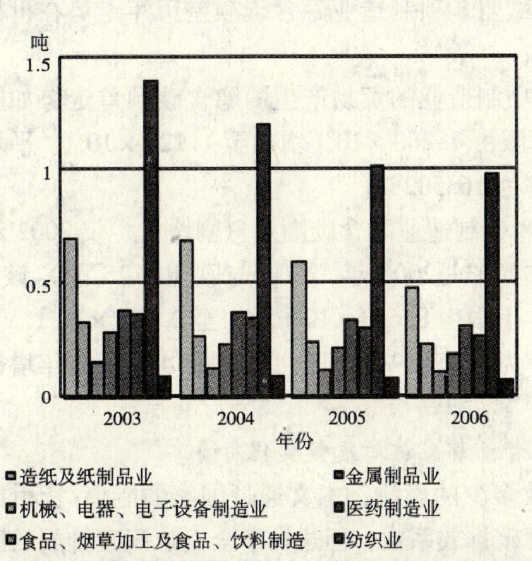

图 2　8 项制造业历年单位 GDP 排碳量

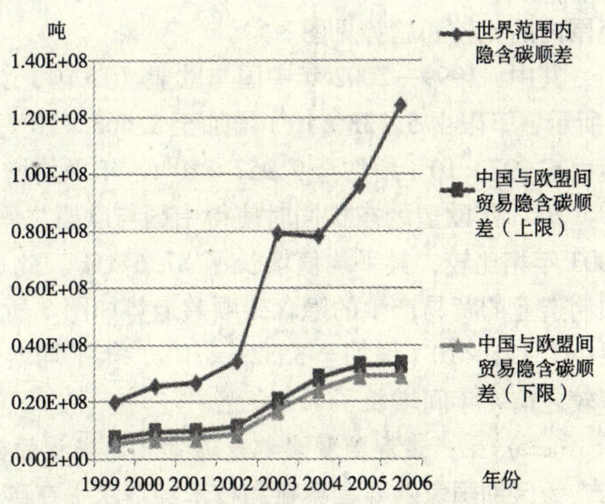

图 3　中国与欧盟 8 项制造业隐含碳顺差历年走势在世界范围内的比较（1999—2006）

（二）中国对外贸易中 8 项制造业隐含碳顺差逐年走势

利用中国区域投入产出表中的商品和产业分类依据，对中国 8 项制造业进出口贸易产生的隐含碳排放顺差分别进行和总体进行分析。研究时段定位于中国对外贸易快速发展的 1999—2006 年，仅仅本文研究的 8 项制造业而言，1999—2006 年，中国对外贸易顺差从 99.7 亿美元飙升到 1986.3 亿美元。随着投资和消费需求的拉动，一些刺激经济发展的高耗能和高碳强度而低附加值的产品和行业出口也在增加。对于目标对象制造业，世界范围内的隐含碳排放始终呈现顺差，并且从 1999—2006 年只增不减，由 1999 年的 1.995×10^7 吨增至 2006 年的 1.243×10^8 吨，总增长 5.228 倍。2000—2006 年，世界范围内的隐含碳顺差增长率高达 29.860%，且短时间内顺差的增长趋势难以逆转。

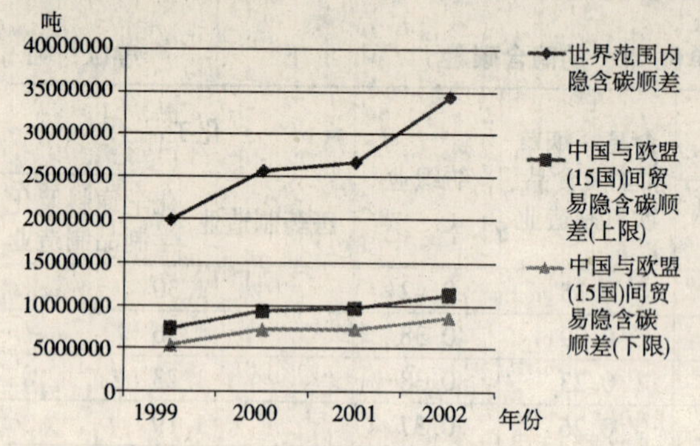

图 4　中国与欧盟（15 国）8 项制造业隐含碳顺差历年走势在世界范围内的比较（1999—2002）

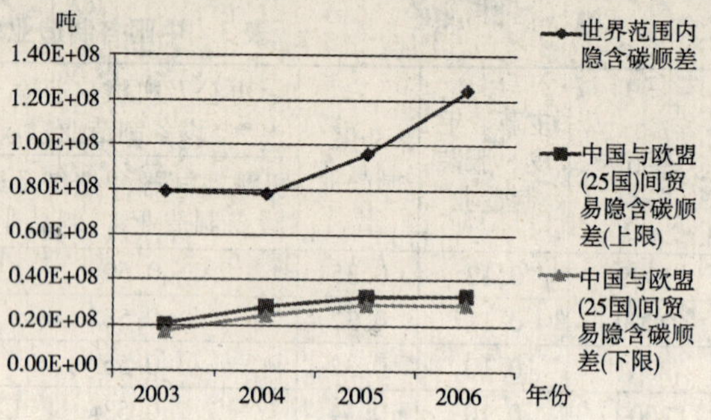

图 5　中国与欧盟（25 国）8 项制造业隐含碳顺差历年走势在世界范围内的比较（2003—2006）

贸易会导致“碳泄漏”。以欧盟为例的发达国家经济体将高污染、高能耗及资源型行业转移到发展中国家，再从这些国家进口低附加值产品或半成品，这样虽然可以减少发达国家自己的排放量，实现他们单个的或局部的排放目标，但发展中国家及全球的碳排放总量却增加了。以中国与欧盟之间的贸易为例，1999—2006 年，仅此 8 项制造业产品产生的碳隐含顺差下限就由 5.333×10^6t 增加至 2.937×10^7t，上限由 7.260×10^6t 增加至 3.329×10^7t，平均值由 6.297×10^6t 增加至 3.133×10^7t，平均年增长率为 25.761%。中国与欧盟 8 项制造业隐含碳顺差历年走势在世界范围内的比较和趋势见图 3。

其中，1999—2002 年中国与欧盟（15 国）该 8 项制造业的贸易产生的隐含碳顺差走势如图 4 所示，下限由 5.333×10^6t 增加至 8.663×10^6t，上限由 7.260×10^6t 增加至 1.125×10^7t，平均值由 6.297×10^6t 增加至 9.957×10^6t，年平均增长率为 16.502%。

2003 年欧盟的东扩同时使得中国与欧盟之间该 8 项制造业隐含碳顺差急剧增大，仅 2002 和 2003 年相比较，其平均值增长了 87.641%。此后的 2003—2006 年，中国与欧盟（25 国）该 8 项制造业的贸易产生的隐含碳顺差走势如图 5 所示，下限由 8.663×10^6t 增加至 2.937×10^7t，上限由 1.125×10^7t 增加至 3.329×10^7t，年平均增长率为 46.538%。即东扩使得该 4 年间的年增长率较之前 4 年间增长了 1.820 倍。

（三）生产者和消费者都是温室气体排放的受益者，都应该对气候变化负责

为区别国家的要素禀赋和技术经济水平在碳排放多少的影响，本文通过国家的能值/货币比率估算了中国和欧盟，中国和世界范围的不同的隐含碳排放系数，但这对于全面认识碳排放的区域性和迥异性具有重要意义。

发达国家技术水平较为先进，生产低能耗低排放产品，发展中国家技术水平较低，却生产高耗能高排放产品，这种分工增加了全球碳排放。由于国家贸易碳排放的变化，不仅受进出口规

模、进出口结构的影响，更受部门能源利用结构和能源强度等生产技术因素的影响，考虑到国家现阶段经济发展及能源结构特点，中国在未来的对外贸易中，除要适当控制出口规模外，尤其是对高能耗、高碳排的部门，更要积极引进先进生产技术，提高能源利用效率，降低部门能耗强度，从更有利于国家发展和环境保护的角度减少碳污染。同时，鉴于中国在对外贸易中为世界其他国家，尤其欧美发达国家，所做出的环境牺牲，以及本着为世界环境保护负责的态度，发达国家也应积极地向中国等发展中国家转让先进的生产技术，以降低世界的平均能耗水平，减少全球 CO_2 等温室气体的排放。

参考文献

[1] 碳关税成哥本哈根气候峰会争议焦点［EB/OL］. http：//www. news. sina. com. cn/w/sd/2010 - 01 - 11/125719443593. shtml，2010 - 01 - 11.

[2] 朱棣文矛头直指中国 中美公开交锋“碳关税”［EB/OL］. http：//www. cn - em. com/news/？1831. htm，2009 - 07 - 24.

[3] 齐晔，李惠民，徐明. 中国进出口贸易中的隐含碳估算［J］. 中国人口资源与环境，2008，18（3）.

[4] IPCC. Good Practice Guidance and uncertainty Management in National Greenhouse Gas Inventories［R］. Japan. 2000.

[5] 冯相昭，邹骥. 中国 CO_2 排放趋势的经济分析［J］. 中国人口资源与环境，2008，3（18）：43 - 47.

[6] Odum H T. Environment Accounting：Energy and Environmental Decision Making［Z］. New York：John Wiley& Sona，1996.

[7] 蓝盛芳，钦佩，陆宏芳. 生态经济系统能值分析［M］. 北京：化学工业出版社，2002：91 - 95.

[8] 赵桂慎. 生态经济学［M］. 北京：化学工业出版社，2009：118 - 125.

中国化石燃料物质流分析（2000—2007 年）

戴　婧　陈　彬

（北京师范大学环境学院环境模拟与污染控制国家重点实验室　北京　100875）

摘　要　本文采用物质流方法，分别考虑煤炭、石油、天然气的隐流所造成的物质生产环节损失量，对中国2000—2007年化石燃料的物质需求总量、资源消耗强度和资源生产力三项指数进行分析，以反映我国当前能源需求与人口、国内生产总值之间的关系。研究结果表明：化石燃料的物质需求总量、资源消耗强度和资源生产力均呈上升趋势。同时，资源消耗强度的增长速率超过资源生产力的提升速度，都将直接影响我国未来能源利用的可持续性。最后，根据相关性分析得出GDP与资源生产力和资源消耗强度的关联度，反映出GDP的增长需要大量资源消耗作为支撑，同时也促进资源生产力的提升。

关键词　物质流分析　隐流　物质需求总量　资源消耗强度　资源生产力

物质流分析是建立在工业代谢和社会代谢理论基础之上，以重量单位取代货币单位，追踪物质从自然界开采到进入人类经济系统，流经经济系统各个环节并最终回到自然环境的一种研究方法[1]。其基本观点认为，当前一切社会经济活动所产生的环境影响很大程度上取决于进入经济系统的自然资源和物质的数量与质量，以及从经济系统排入环境的废物的数量与质量。

物质流分析可以看作研究经济生产活动中物质资源新陈代谢的方法。Ayres 和 Kneese 于1969年第一次基于经济学的观点进行了国家尺度的物质流分析[2]。而20世纪70～80年代，随着物质平衡、工业代谢等理论的提出和不断完善，使得物质流分析方法应用于整个经济系统的研究有了更加坚实的理论基础。90年代，奥地利、日本和德国应用物质流分析方法对各自国家经济系统的自然资源和物质的流动状况进行了分析[3]，此后，荷兰、美国、澳大利亚等发达国家也先后完成了国家层面的物质流分析[1,4]。2001年，欧盟统计局出版了第一部经济系统物质流动分析研究方法手册[5]，该手册的出版对经济系统物质流分析的深入研究起到了很大的推动作用。近年来，我国在物质流分析方面也进行了必要的研究，取得的成果多集中在国家尺度的总物质投入与消费关系上[6-8]。

20世纪90年代初，德国 Wuppertal 研究所的 Weizsaecker 提出了生态包袱（ecological rucksacks）的概念[9]，后来普遍称其为隐流（hidden flows），即在开采一次资源过程中所不可避免产生的废弃物，它们一经产生就被废弃，不进入社会经济系统，不产生经济效益，但是对自然环境会产生巨大影响。在此基础上，物质流分析的核算方法得到进一步完善，成为系统分析资源环境与经济社会相互作用的有效工具[10]。

基于上述国内外物质流研究进展和我国面临的能源利用现状与问题，本文选择2000—2007年我国国民经济系统运行所用的化石燃料为对象，运用物质流方法进行分析，以考察这一国民经济快速发展时期化石燃料的利用状况，并为今后对化石燃料的利用由资源消耗型（materialized）向物质减量化（dematerialized）发展模式的转移以及创建国家低碳经济和应对全球气候变暖提出建议和对策。

一、分析方法及数据来源

当前，国际上已初步建立起一套比较系统的基于国家或地区经济系统的物质流分析框架，并在欧美发达国家得到了多种方式的应用。在物质输入端，进入经济系统的自然物质分为直接物质输入和隐流[10]两个部分。而在物质输出端，物质输出总量由区域内物质输出、区域内隐流、出口物质三部分组成。

本文选择时间跨度为2000—2007年，这一时期为我国近年来国民经济和社会发展取得快速发展的重要时期。系统边界为全国范围内的经济系统。物质投入包括国内开采的化石燃料及外部进口两部分。输入的化石燃料包括原煤、原油、天然气，不包括外部输入的二次能源。用化石燃料直接投入量描述输入过程，即指前面所述国内开采量和国外输入量两部分。通常描述输出过程的指标有输出量和污染排放量，而化石燃料的输入量又直接决定其系统输出量以及对环境的污染状况。鉴于目前不同产业、不同地区对三种化石燃料的利用效率存在显著差异，对系统输出量的统计产生明显误差，而系统输出量最直接作用效果是反映在对经济和环境的影响力上。所以，本文在统计化石燃料输入量的基础上，将化石燃料物质投入与全国人口、国内生产总值等指标结合，得到化石燃料投入强度及投入效率，以评价其物质流输出产生的社会效益、经济效益和环境效益。

研究所用原始数据均来自各类官方统计年鉴与报告。考虑到经济数据在时间序列上受通货膨胀或通货紧缩因素的影响，而物质流度量不随时间变化，因此综合两者的比较时，需要将经济流数据换算成以某一既定时间价格为标准的基价（constant price）。本文国内生产总值按2000年可比价格计算，这样可以统一核算标准。

此外，德国Wuppertal研究所对全球隐流平均比率进行了估计，其中原油为1∶1.22，天然气为1∶1.66[11]。中国煤炭资源以硬煤为主[12]，在计算煤炭隐流时取硬煤的隐流平均比率为1∶2.36。所以，各类化石燃料的生产量与全球生态隐流比率的乘积才是该物质的实际开采量。对生产量与开采量之间的生态隐流平均比率纳入计算后，得出数据如表1所示。

表1　中国煤炭、石油、天然气的开采量与进口量（2000—2007）　单位：万吨标准煤

种类／年份	煤炭			石油			天然气		
	生产量	开采量	进口量	生产量	开采量	进口量	生产量	开采量	进口量
2000	129921.0	306613.56	217.9	16300.0	19886.00	9748.5	272.0	451.52	0
2001	138152.0	326038.72	266.0	16395.9	20003.00	9118.2	303.3	503.48	0
2002	145456.0	343276.16	1125.7	16700.0	20374.00	10269.3	326.6	542.16	0
2003	172200.0	406392	1109.8	16960.0	20691.20	13189.6	350.2	581.25	0
2004	199232.4	470188.46	1861.4	17587.3	21456.51	17291.3	414.6	688.24	0
2005	220472.9	520316.04	2617.1	18135.3	22125.07	17163.2	493.2	818.71	0
2006	237300.0	560028	3810.5	18476.6	22541.45	19453.0	585.5	971.93	9.5
2007	252597.4	596129.86	5101.6	19453.0	22730.80	21139.4	692.4	1149.38	40.2

二、结果与讨论

对于一个国家或地区的可持续性，一般而言，物质需求总量TMR（total material requirement）越小，输出到环境中的废物就越少，生态环境的质量也就越好，经济系统运行的可持续性则越强；反之，物质需求总量越大，输出到环境中的废物就越多，生态环境的质量也就越差，经济系统运行的可持续性也越弱。同时，如果将人口资料与TMR结合，可获得人均消耗自然资源的统计指标即资源消耗强度（resource consumption intensity）。综合经济指标GDP与TMR，可进一步分析资源利用效率，将每单位质量的物质需求总量所产生的GDP定义为资源生产力（resource productivity）。2000—2007年的化石燃料物质需求总量、资源消耗强度以及资源生产力计算结果如表2所示（其中，按2000年可比价格的国内生产总值GDP（元），根据2000年人民币对美元的

汇率为8.26进行折算，便于与世界其他国家统一单位进行比较）。

表2　人口、GDP、TMR、资源消耗强度和资源生产力（2000—2007）

课程 \ 指标	人口/（万人）	GDP（2000年基准）/亿美元	TMR/（万t）	资源消耗强度/（t/人）	资源生产力/（美元/t）
2000	126743	12011.50	336917.48	2.66	356.51
2001	127627	13275.42	355929.40	2.79	372.98
2002	128453	14568.16	375587.32	2.92	387.88
2003	129227	16443.46	441963.85	3.42	372.05
2004	129988	19355.69	511485.91	3.93	378.42
2005	130756	22165.25	563040.12	4.31	393.67
2006	131448	25529.18	606814.38	4.62	420.71
2007	132129	30209.44	646291.24	4.89	467.43

（一）物质需求总量的变化

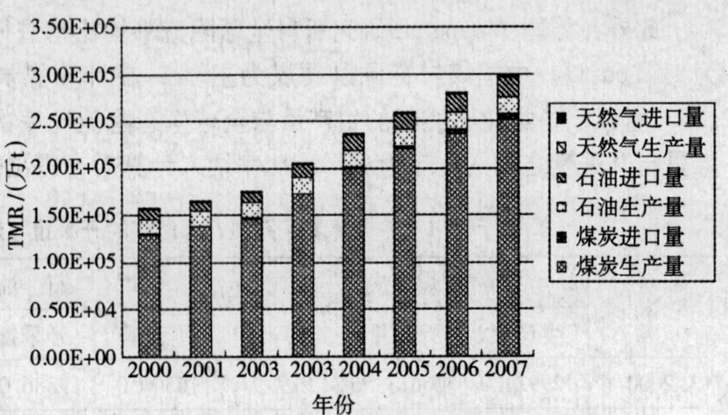

图1　化石燃料的生产量和进口量（2000—2007）

2000—2007年，化石燃料的物质需求总量TMR呈明显上升趋势，2007年的系统输入量是2000年的1.87倍，而其中煤炭国内生产量的显著增加又是这一结果最主要的影响因素，由此说明，我国以煤炭为主的能源燃料结构基本没有变化，煤炭的国内产量占总输入量的比例一直在上升，到2007年已达到93.39%，说明煤炭需求的国内依赖性很强，缺乏国际间的合作与依存，虽然我国的煤炭储量丰富，但从平衡长远的能源需求与消耗关系来看，不利于我国煤炭能源的可持续发展。就三种能源结构的输入量关系而言，石油的国内开采量和国外进口量的绝对值都有小幅增长趋势，但从整个能源结构的比例来看8年间由10.54%下降到6.42%。这与欧美等发达国家石油消耗占总能源需求的35%[9]的比例还相差甚远，如果再将风能、生物能、潮汐能等新型能源的利用情况计入总量，那么我国石油需求量占总能源利用的比例将进一步下降。长期以来，鉴于我国石油供应并不乐观，政府应该通过政策倾斜鼓励有实力的公司积极融入国际市场，开发国际优质能源。另外，天然气的开采量在逐年提高，国外进口量也从无到有，对丰富我国能源利用结构，从避免过度依赖单一能源和国内开采的角度看，是进步的改善。以上可以看出，我国能源结构存在明显的不合理因素，具有很大的优化配置空间。

（二）资源消耗强度的变化

资源消耗强度反映了人均对资源消耗量的情况。从表2可以看出，我国的资源消耗强度在逐年增加，2007年的消耗强度已经是2000年的约1.80倍。这反映了我国在达到小康社会后，对生活的目标已经不仅局限于满足基本生活需求，如各种私家车辆、耗能电子产品需求量的不断增加，在提高国人生活质量的同时，也加剧了对能源的消耗。如果不在能源利用效率和开发新型能源方面有所改善，那么不可再生能源的耗竭速度将进一步加快，能源危机的出现将在所难免。此外，我国是世界上人口最多的发展中国家，因人口问题引发资源总量的巨大消耗和人均资源占有量处于世界低水平之间的矛盾，一直是制约我国经济发展极大的瓶颈问题。

（三）资源生产力的变化

表3　发达国家资源生产力情况　单位：美元/t

国别＼年份	1975	1980	1985	1990	1995	1996
奥地利	649.9	887.8	620.3	1197.9	1415.7	1362.2
德国	649.8	984.6	751.6	1451.6	1296.6	1313.9
日本	472.1	700.6	852.8	1410.2	2543.3	2255.7
荷兰	460.5	670.9	437.1	884.2	1018	949.1
英国	1487.01	1714.01	1012	1517.1	1482.2	1513.2

以单位自然物质产生的GDP所表征的资源生产力，将是度量资源环境与社会经济相互关联作用的重要指标。从表3可以明显看出，我国在资源生产力方面与世界上众多发达国家存在明显差异，其中我国在2007年的资源生产力仅相当于日本和荷兰在1975年的水平，而英国、奥地利、德国在1996年的水平已经是我国2007年的约3倍。中国资源生产力的低水平现状不仅意味着物质投入的巨大浪费，同时大量污染物和废弃物在加重环境污染的同时也对生态环境造成巨大压力。我国在消耗单位质量化石燃料所产生的经济价值的能力上，与发达国家的差距十分明显，这反映了我国在能源利用和产出方面存在效率偏低的现状，以粗放的资源消耗拉动经济增长不是可持续发展的内在要求，加快资源回收体系的建设，推广高效节能产品的使用，积极参与国际合作，切实加强双边、多边和区域在节能、新能源和低碳技术研发[13]等方面的合作，另外通过改善能源利用路径，达到循环经济所提倡的趋近于闭路循环的物质流动模式[14]，并提高单位能源消耗的GDP产值，这些都是解决中国当前能源低效生产的必然途径。

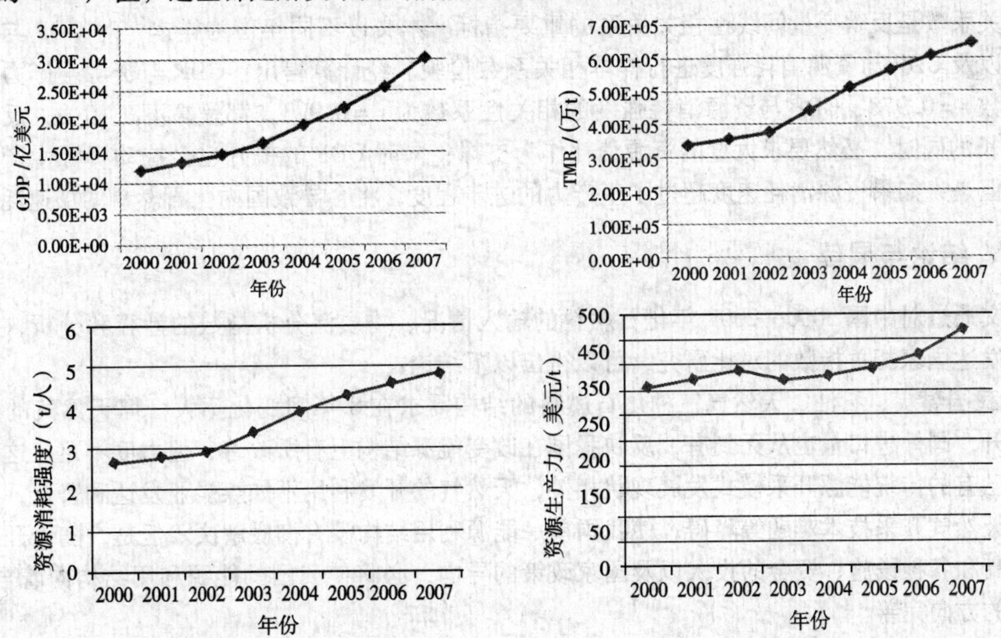

图2　GDP、化石燃料总需求量、资源消耗强度和资源生产力的综合比较（2000—2007）

（四）各指数综合比较及相关性分析

自2000—2007年，我国GDP、物质需求总量、资源消耗强度和资源生产力在时间序列上的变化趋势如图2所示，TMR与资源消耗强度的变化同GDP基本保持相同增长趋势，2002年后，即“十五”后期与“十一五”前期，化石燃料的投入量明显加速，这与我国当时的社会经济状况是吻合的。自2001年，中国加入WTO以及申奥成功，提高了中国的国际影响力，增强了国内外投资者与消费者的信心，冶金、建材和化工等高耗能产业迅速扩张，使得国内的经济发展呈现活跃的上升趋势，从而推动了煤炭、石油和天然气以及以化石燃料为基础的电力产业等国民经济运行必需能源的需求与消费。另外，2002年世界经济增速保持加快的增长势头，个人消费支出的增加、国际石油价格的大幅攀升，国内需求的强劲增长以及供给资源趋紧等因素的拉动下，天然原油及天然气开采业增长速度明显加快。另外，世界主要经济国采取扩张的财政政策和货币政策，都稳步推进了世界经济结构调整，这为我国经济增长和能源消耗提供合理的外部环境。反映在化石燃料需求总量和资源消耗强度在2002年以后呈加速上升趋势。但是，资源生产力的变化在2005年以前处于波动不前的状态，反映了我国能源投入产生的经济效益增速滞后于能源投入量的增长，2002—2005年的经济增长更多地依赖于粗放型资源消耗，特别体现在工业化推进过程中高耗能产业的快速扩张不是建立在技术革新和集约效率的基础之上。另外，由于能源建设周期较长，从2003年开始的大规模电力和煤炭建设尚难在短期内发挥效应。因此，虽然我国经济呈现持续快速增长，但是粗放型增长方式难以迅速转化，资源生产力不可能在短时间内有飞速的提高。而从长远来看，正在建设和已经建成的能源基础设施必将在今后一段时间内对经济发展和能源消费产生积极的影响。

2000年以后GDP的年均增长率稳定在8%左右，而化石燃料需求总量和资源消耗强度在2002年后明显加速上升，根据资源生产力的计算方法，必然会引起其在2002年出现转折点。以后几年间，特别是2005年“十一五”规划出台后，明确提出节能减排目标，刺激工业部门和企业降低能源消耗强度，改善生产条件和工艺水平，提高单位能源的利用率和产出效益，减少能源浪费和末端废物排放，这是2005年后资源生产力明显提升的主要原因。

相关系数是反映变量间线性相关关系的重要指标。本文以不同年份为样本，对GDP与资源生产力以及GDP与资源消耗强度进行样本相关系数检验。经计算得出：GDP与资源生产力的相关性系数$r=0.978$，GDP与资源消耗强度的相关性系数为$r=0.923$，都呈高度正相关，反映出GDP增长的同时，必然要求大量的资源消耗作为支撑；同时GDP的提升也会拉动资源生产力的进步。但是，如果资源消耗速度超过了生产力的进步程度，将会导致国内化石燃料的加速耗竭。

三、结论与展望

本文通过对中国2000—2007年化石燃料的输入情况、物质流分析指数的计算和分析，以及与国外发达国家相关指数的对比研究，可以得出以下结论：

1. 我国煤炭、石油、天然气三种化石燃料的结构需求在8年间变化不大，但天然气的开采有所上升，国外进口量也从无到有，反映我国在改变能源结构上有所改善，但力度不足。这可能与国内已有的传统能源开采模式发展现状相关，天然气的开发利用不如煤炭业发达和普及，再加上海洋天然气开采技术难题等障碍，使我国单一能源利用结构没有彻底解决。但是，随着开采技术的提高和各种设施、资金的投入以及国家政策的导向，必将使我国的能源利用结构向着合理、可持续的方向完善。

2. 物质流账户系统考虑资源消耗所带来的环境压力，认为资源进口只支付了资源生产量的经济价值，而没有考虑生产过程存在隐流的耗费以及由此造成的环境代价。以此推断，一国可通过进口把环境成本转嫁给别国，以降低本国资源开采对环境的破坏，因此我们应逐步转变过去以出口为导向的能源生产战略，增加出口能源的环境附加值和适当提高进口比重可以在一定意义上减轻国内能源开采造成的环境负荷。

3. 资源生产力的变化在2002年出现转折点，并在2005年起开始呈明显上升趋势，这是由所在年份的国际经济形势和国内生产现状决定的。2002年国内借助良好的国际经济形势以及入世后对国内投资和消费的刺激，能源消耗加速上升。之后的三年间，GDP稳步增长，资源加速开采，但技术进步和效益增长状况相对滞后，导致资源生产力波动不前。2005年后节能减排的深入开展，使得企业转变生产观念，高效利用能源以降低成本和提高收益，技术改进、可再生能源的开发、废物回收与多级利用等逐步推广应用，总体拉动了国内资源生产力的提升。但是与德国、日本等节能大国相比，我国的资源生产力还有巨大的提高空间。

4. GDP的变化与资源消耗强度和资源生产力存在必然联系，借助国家近几年GDP强劲的增长势头，依靠国内研发和国际引进节能高效的生产技术，带动资源生产力的快速提升和资源消耗强度的稳步降低，是我国完成节能减排任务、走可持续发展道路的必然选择。

通过对化石燃料物质流指标的分析，可以获得当前经济系统基准年的能源消耗和利用效率，以及一段时间内的变化趋势及分析结果，据此可规划出能源污染物削减计划，以及逐步提高能源利用效率的近期目标和远期规划。本文仅进行物质流指标的分析与应用，旨在为节能减排等政策的制定提供一定依据。同时，单独的物质流分析不足以识别环境——经济系统的能源使用状况。综合应用能流分析和物质流分析，可对区域的资源流动进行更综合全面的解析，从不同角度理解社会代谢模式，该分析有待进一步研究。

参考文献

[1] Matthews E, Amann C, Bringezu S, et al. Weight of Nations: Material Outflows from Industrial Economies [M]. Washington D C: World Resources Institute, 2000.

[2] Ayres R U, Kneese A V. Production, Consumption and Externalities. American Economic Review, 1969, 59 (3): 282 – 297.

[3] Fischer – Kowalski M. The Intellectual History of Material Flow Analysis, Part I, 1860 – 1970 [J]. Journal of Industrial Ecology, 1998, 2 (1): 61 – 78.

[4] Adiranse A, Bringezu S, Hammond A, et al. Resource Flows: The Material Basis of Industrial Economies. Washington DC: World Resources Institute, 1997.

[5] European Communities. Economy – wide Material Flow Accounts and Derived Indicators: A Methodological Guide. Luxembourg: Official Publications of the European Communities, 2001.

[6] 陈效越，乔立佳. 中国经济——环境系统的物质流分析 [J]. 自然资源学报, 2000, 15 (1): 17 – 23.

[7] 徐明，张天柱. 中国经济中化石燃料的物质流分析 [J]. 清华大学学报（自然科学版）, 2004, 44 (9): 1166 – 1170.

[8] 夏传勇. 经济系统物质流分析研究述评 [J]. 自然资源学报, 2005, 20 (3): 415 – 421.

[9] Schmidt – Bleek F. The MIPS – Concept: Bridging Ecological, Economic, and Social Dimensions with Sustainability Indicators [R]. Tokyo: United Nations University, 1999.

[10] 陈跃，邓南圣. 面向21世纪的环境管理工具——物质与能量流动分析 [J]. 重庆科学, 2003, 25 (3): 1 – 5.

[11] 陈效逑. 自然地理学 [M]. 北京：北京大学出版社, 2001.

[12] 陈武，唐辛，张希诚. 中国煤炭资源及其开发利用研究 [J]. 煤炭经济研究, 2003 (7): 6 – 11.

[13] Aubauer HP. A Just and Efficient Reduction of Resource Throughput to Optimum [J]. Ecological Economics, 2006, 58 (3): 637 – 649.

[14] 段宁. 物质代谢与循环经济 [J]. 中国环境科学, 2005, 25 (3): 320 – 323.

建设项目主要污染物总量控制与政策研究

魏康霞 廖 兵

（江西省环境保护科学研究院 江西省南昌市江大南路280号 330029）

摘 要 本文从管理层面分析了建设项目总量控制过程中存在的一些问题和不足，并针对这些问题，结合各地好的做法和经验，提出了分解落实总量指标、严格总量审核确认、加强运行监管、建立管理台账、出台管理办法等管理政策。

关键词 建设项目 总量控制 政策

引 言

总量控制是指以控制特定区域一定时间内排污单位排放污染物的总质量为核心的环境管理方法体系。早在1996年，国务院批复的《国家环境保护“九五”计划和2010年远景目标》中就包括《全国污染物总量控制计划》，这标志着我国污染物排放总量控制制度正式建立。“十一五”期间，我国又提出了COD和SO_2总量削减10%的约束性指标，并根据区域纳污量和环境质量状况确定各省2010年主要污染物排放总量，要求各地将总量指标逐级分解落实到每个排污单位，严格排污许可证管理，实行建设项目总量控制。从目前各地实施情况看，建设项目总量控制得到了较好的执行，在严格控制新增污染物排放量、完成主要污染物减排任务等方面发挥了应有的作用。但在实际执行中，还存在一些指标分解不到位、总量指标审核不完善等问题。

一、存在的问题

（一）区域总量控制指标分解不到位

按照国务院关于“十一五”期间全国主要污染物排放总量控制计划的批复要求，各地应按照《主要水污染物总量分配指导意见》和《二氧化硫总量分配指导意见》的分配原则，将上级下达的总量逐级分解。从各地实际执行情况来看，还普遍存在一些问题。一是对排污量较小的排污单位未分配总量，而往往这些排污单位的数量较多；二是由于历史遗留问题，各地存在很多未履行环评审批手续或者经环评审批进入试生产却未按时申请环保竣工验收的老企业，对于这些排污单位，大部分未分配总量指标，也未发放排污许可证。三是对现有排污单位的总量分配不科学、不合理。

（二）建设项目总量控制指标审核

按照国务院《节能减排综合性工作方案》提出“把总量指标作为环评审批的前置性条件”的要求，所有新、改、扩建项目在履行环境影响评价审批手续前，必须申请主要污染物总量控制指标。但有些建设单位为避免总量大而引起的总量调剂问题或囤积总量指标用于排污交易目的，人为地在环评报告中改变计算参数和预测排放量，导致核定的总量与投产后实际排放量不符。而环保部门在总量核定时往往仅确定一个总的污染物排放量，未将总量转化为废水、废气排放浓度、废水排放量、燃料硫分等具体指标，在竣工验收和日常监管中不具备实际操作性。

（三）建设项目监督管理与总量控制

建设项目总量控制是以浓度控制为基础的管理方法，排污许可证制度是总量控制的有效手段。但是，从目前的实施情况来看，很多地区的排污许可证发放并未到位。环保部门在日常监管时，对企业是否违法排污往往是以行业排放标准或综合排放标准来界定，并没有做到真正的总量控制。

二、管理政策

针对建设项目总量控制方面存在的一些普遍问题，按照国家有关文件要求，结合各地好的做法和经验，提出以下几方面的管理政策。

（一）分解落实建设项目总量控制指标

分解落实建设项目总量控制指标是总量管理、排污许可证发放的基础性工作，其分解结果也是作为新、改、扩建项目总量控制指标审核的重要依据。各地应高度重视，认真组织实施，在优先分配生活总量指标的基础上，将总量真正分解落实到每个排污企业和建设项目，分配的总量不得突破当地的总量控制值。其中，生活总量指标原则上不得低于上年环境统计排放量与新建城镇污水处理厂削减量的差值。凡纳入上年环境统计的发表调查单位，除上年淘汰关停的或列入今年减排计划确定淘汰关停的外，不论排放量大小，原则上均应分配总量控制指标。现有企业的总量控制指标原则上以环境影响评价审批文件为准，同时参考污染源普查与环境统计数据；对环境影响评价审批文件中未核定总量指标但确有主要污染物排放的，按照实际排放量和有关排放标准核定总量控制指标。

对总量未按规定分解落实到位，以及不落实国家有关总量减排管理规定，存在总量指标管理混乱的地区，应严格控制当地建设项目的审批，并予以通报。

（二）严格建设项目主要污染物总量指标审核确认

各级环保部门应根据国家下达的总量指标，在确保完成区域总量减排目标任务的前提下，对辖区内新、改、扩建项目核定总量控制指标，实现“增产减污”。环保部门在审核过程中应把握两个方面：一是依照国家主要污染物总量排放指标核定的有关技术要求，参照环境影响评价报告书（表）的预测排放量和有关排放标准核定建设项目总量控制指标。若有行业排水定额、污染物排放定额或清洁生产标准的，核定总量的相关参数不得超过行业定额和清洁生产标准。同时根据COD总量核定项目的外排废水量和废水浓度，根据SO_2总量核定项目的原料和燃料品质，项目在建成运行后不得突破核定的外排废水量、废水浓度和原料、燃料的硫分。二是建设项目总量控制指标来源的有效性。若建设项目的总量指标占用当地总量分配后的剩余指标，则要按照工业、生活COD和电力、非电SO_2分开的原则，核定已分配的总量和剩余总量，明确剩余总量控制指标数量。若当地已经没有总量指标余量的，建设项目总量指标可通过区域调剂解决，或通过排污权交易获得，也可通过其他污染减排项目（必须是列入当年的减排计划，并已完成且已形成稳定减排能力的项目）腾出总量指标获得。同时鼓励企业采取工程、结构、管理等手段减少主要污染物排放，该减排项目应列入年度减排计划，腾出的总量指标优先用于满足该企业新扩改建项目总量要求，也可进行排污权交易。对于主要污染物排放总量超过当地总量控制指标，又无具体的污染物总量削减措施的地区，应暂停审批该地区新增污染物排放总量的建设项目。

（三）加强建设项目试生产和验收环节以及日常运行的监管

加强对建设项目试生产和验收环节的监督管理。建设项目的主体工程完工后，其配套建设的环保设施必须与主体工程同时投入生产或运行。建设单位提出试生产申请后，环保部门应组织试生产现场检查，在检查合格、批准试生产后，方可同意试生产申请，并按环评审批文件发放排污许可证。建设项目竣工验收时，若突破核定的外排废水量、废水浓度和原料、燃料的硫分，原则上应不予通过。对确需增加总量控制指标的建设项目，环保部门根据实际情况，重新核定其总量控制指标，并明确总量指标的来源。若该项目的总量控制指标来源涉及淘汰关停小水泥、小钢铁等落后产能，试生产和竣工验收申请报告中应提供证明材料说明有关落实情况，对未按要求落实到位的项目应不予通过。

加强建设项目日常运行的监督管理。环保部门应督促企业落实并稳定运行各项环保设施，确保建设项目污染减排措施落实到位，排放污染物的浓度和总量符合规定要求。

（四）建立建设项目总量控制指标管理台账

建立建设项目总量控制指标管理台账，设立建设项目总量管理的纸质和电子档案。不论污染物排放量大小，所有建设项目均应入账备案；定期对新审批的建设项目总量控制指标核定情况、在建项目环保设施和“以新代老”等措施落实情况、新批准试生产和通过“三同时”验收的项目引起的区域总量变化情况进行及时调整和汇总分析，实行动态管理。

（五）尽快出台排污许可证管理办法

排污许可证制度是以改善环境质量为目标，以污染物排放总量控制为基础的一项环境管理制度，包括排污单位申报登记、排污指标分配、许可证申请颁发、执行情况监督检查四项内容，贯穿于建设项目全过程，是实现项目总量控制的有力手段。目前对于排污许可证的发放原则、程序、核定等方面，国家并未出台具体的管理办法。各地在发放和管理等实际操作时存在无法定规章可循的问题，不利于排污许可证制度的全面实施。

三、结　论

总量控制是以浓度控制为基础的管理方法，贯穿于建设项目的全过程。各地应落实责任，严格监管建设运行的每个环节，真正实现总量控制。

参考文献

[1] 国务院．节能减排综合性工作方案［Z］．2007.

[2] 国家环保总局总量控制办公室．主要污染物总量减排管理实用手册［M］．北京：中国环境科学出版社，2008.

[3] 宋国君．论中国污染物排放总量控制和浓度控制［J］．环境保护，2000，6：11－13.

[4] 王江玲，李鱼，赵文晋，等．建设项目总量控制探讨［J］．环境保护，2007，9（B）：44－46.

论欧盟法中的预警原则

褚晓琳

（上海海洋大学海洋学院 上海 201306）

摘 要 欧盟法对预警原则的纳入是一个渐进的过程。在欧盟成立之初，欧盟基础性条约并未提及预警原则。然而，随着欧盟法的发展，其中的预警原则也不断成熟，并逐渐发展成为欧盟环境保护的基本原则。另外，欧盟法中有关预警原则的规定和相关欧洲法院判例对预警原则的适用和阐释也进一步促进了预警原则的完善发展，提升了预警原则的国际法地位。

关键词 欧盟 欧盟法 预警原则

一、预警原则概述

在环境法中引入预警原则源于对环境危险不确定性，以及科学欠缺对人类活动影响进行准确评估的能力的认定。也就是说，虽然目前人类拥有较为先进的科技，并对环境危险有一定的认识，但是自然界是纷繁复杂的，人类不可能对其完全认知。因而，在面对诸多不确定时应采取谨慎的态度，以更好地保护环境，预防危险的发生。早在1966年，便有学者指出，“一项管理性的原则应是：在对改变了的自然现象加以研究，并合理明确其性质和作用之前，人类也不应受制于危险，消极等待危险的发生。如违反这项原则将导致灾难性的后果[1]。”

关于预警原则的定义，很多学者认为，《里约宣言》原则15对预警原则作了最为权威的表达，其规定“为了保护环境，各国应按照本国的能力广泛适用预警措施，遇有严重或不可逆转的损害威胁时，不得以缺乏充分确实的科学证据为理由，迟延采取防止环境恶化的符合成本效益的措施[2]。”

其他一些国际条约、国际组织宣言或决议以《里约宣言》原则15为范本，对预警原则也作了规定。例如在海洋环境保护领域内，1992年《保护波罗的海海洋环境公约》第3条规定，“当有合理根据认为直接或间接引入海洋环境的物质或能量可能对人类健康带来灾难，危害生物资源和海洋生态系统，损害舒适性，或者干扰海洋的其它用途，即使在没有结论性证据证明引入与后果之间的因果关系时，缔约方也应通过采取预警措施以适用预警原则。”

1992《保护东北大西洋海洋环境公约》为防止废物污染和交通污染，“要求各缔约方在有合理理由认为直接或间接排放到海洋环境中的物质可能危害人类健康、损害生物资源和海洋生态系统、破坏优美环境或妨碍海洋的其他正当用途时，应采取预警措施，即使关于排放物质与危害结果之间的因果关系还未形成最终的科学结论。”

在海洋生物资源养护和管理领域中，1995年《联合国鱼类种群协定》第6条规定，“会员国应通过预警方法养护、管理并勘探跨界鱼类和高度洄游鱼类种群。并强调各国在资料不明确、不可靠或不充足时应更为慎重。不得以科学资料不足为由推迟或不采取养护和管理措施。”

1995年FAO《负责任渔业行为守则》则将预警原则列为“一般原则”，规定：“各国、分区域和区域渔业管理组织，应当利用目前最佳的科学依据，普遍采取保护、管理和利用水生生物资源的预警方法。不应当把缺乏足够的科研资料，作为推迟采取或不采取措施，来保护目标物种、与之相联系的物种或对其依赖的物种以及非目标物种及其环境的理由。”

虽然不同的国际条约、国际组织宣言或决议对预警原则的表述各不相同，但是它们存在一定共性，都对预警原则的基本特征作了描述。首先，预警原则对环境保护决策具有指导意义，有助于决策者解决包含科学不确定性的环境问题。然而，这并不是说，根据预警原则，所有可能导致损害的活动都应被禁止。而是应根据举证责任倒置，如果行为方能够证明其计划采取的活动不会对环境造成危害，那么该项活动可以继续进行，否则管理者应及时采取预警措施。

其次，根据预警原则，在环境决策中不仅需要解决那些明显的确定的危害，而且对那些可能发生的环境危险也应谨慎处置，从而更好地保护环境与资源。显然，较为明确的危害容易成为环境决策的考量因素，而具有不确定性的危险则较难被观察，也很难在决策过程中予以确定。然而，虽然这些不确定性的危害可能在短期内表现为微不足道或具有临时性，但是经过一段时间的累积却可能演变为严重的灾难。

最后，预警原则要求在采取行动之前应先进行评估。评估先于行动，即应先对某项活动所造成的环境影响进行评价，并考虑到其它可能对环境影响较小的行为方式。同时预警原则还要求将危险和花费内在化，根据成本收益分析原则判断进行某项活动的必要性与合理性[3]。

总之，预警原则的本质是当存在严重的或是不可恢复的环境危险时，即使没有充足的、确定的证据表明相关活动与危害之间的因果关系，也有必要采取措施以减少潜在的危险，同时还应对相关措施可能的收益和花费加以考虑。

二、欧盟法中的预警原则

欧盟法现已逐渐形成了一个较为完整的体系，主要为两部分。一是“宪法性条约”，是指欧洲一体化过程中所缔结的基础性条约。宪法性条约的地位相当于主权国家的宪法，因而其法律效力高于其他欧盟法律；二是欧盟次一级立法，包括条例、指令、决定、建议和意见。由于欧盟宪法性条约本质上是一个框架性条约，因而欧盟的很多问题都是通过根据宪法性条约制定的次一级立法解决的。此外，欧洲法院判例虽然并不是《欧盟条约》所规定的欧盟法渊源，但是其对欧盟法律体系的形成发挥了重要的判例造法的作用，并且有效保障了欧盟法律的统一解释和实施。因而，以下主要从欧盟基础性条约、次一级立法和法院判例这三个方面分析欧盟法中的预警原则。

（一）欧盟基础性条约中的预警原则

1986 年《单一欧洲法令》（Single European Act，SEA）将预防原则（preventive principle）引入《欧洲经济共同体条约》（The European Economic Community Treaty，EEC Treaty，以下简称为《欧盟条约》），并暗示地提到了预警原则。虽然 SEA 并没有改变 EEC 条约第 2 条有关共同体任务的规定，环境保护和可持续发展依然没有被列入欧盟任务，但是 SEA 第 130 条第（r）－（t）款首次为共同体环境保护措施提供了法律根据，自此环保成为欧盟协调发展的手段之一。

SEA 第 130 条（r）款（1）项对环境保护的目的作了规定，“保护并改善环境质量，促进人类健康，确保对自然资源谨慎且合理的使用”，而且还规定了一些环境保护原则，如预防原则、污染源头控制、污染者付费和统一原则。第 130 条（r）款（2）项还对预防原则的含义作了阐释，预防原则是指应采取行动防止损害的发生，而不是等到损害发生之后再去修复，即应事先预防，而非事后补救。但是该条规定仅提到“预防”，并未出现“预警”。第 130 条（r）款（3）项规定共同体在采取相关环境行动时应注意以下因素：可以获得的科技资料；各区域的环境条件；行动的成本与收益；共同体经济和社会的健康发展，以及区域发展和环境需求之间的平衡。“可获得的科技资料”表明应将措施建立在可获得的数据基础上，而非基于怀疑和假定。而“行动的成本与收益”则意味着应考虑项目潜在的成本和收益。欧盟预警原则委员会也指出，SEA 第 130 条的解释是符合预警原则的[4]。

1993 年生效的《欧洲联盟条约》［The Treaty on the European Union，TEU，又称为《马斯特里赫特条约》（Maastricht Treaty）］令 EEC 条约发生了第二次重要变动。首先，TEU 将 EEC 条约第 2 条所规定的共同体任务明确扩展至环境保护。环境持续性发展成为共同体的基本任务之一。

其次，TEU 还将预警原则纳入 EEC 条约第 130 条（r）款中。该条规定欧盟环境政策应建立在预警原则基础之上。一些学者认为根据此条规定，预警原则仅是一般政策性规定，尚未成为具有法律约束力的规则。因为 TEU 用“政策”一词代替了原 EEC 条约第 130 条（r）款中的“行动”一词，这表明经 TEU 修订后的 EEC 条约第 130 条（r）款所规定的不再是有关具体问题的行动，而是一般性政策。其他学者则认为《欧盟条约》第 130 条（r）款中有关预警原则的规定是一种法律规则，从“行为”到“政策”用语的改变仅具有象征意义，不应作实际意义的探讨[4]。

实际上，《欧盟条约》第 130 条（r）款“欧盟环境政策应建立在预警原则基础上”的规定，并不意味着只有不具有法律约束力的政策计划应依据预警原则制定，而实施该政策计划的具体措施却不必然以预警原则为基础。对于“政策”一词应作广义理解，其不仅包括政策或规定，而且包括具体的执行措施。因而，《欧盟条约》第 130 条（r）款中的预警原则应被视为法律规则，政策文件与个别措施都应建立在该原则基础之上。

在 1999 年《阿姆斯特丹条约》（Amsterdam Treaty）生效之后，EEC 条约中有关环境保护的规定又出现了一些新的变化。《阿姆斯特丹条约》将可持续发展列为欧盟的优先发展目标，并规定可持续发展与更高水平的环境保护是欧盟未来发展所必须依据的原则，而且环保原则应贯彻于欧盟经济、社会政策的制定与执行中。《阿姆斯特丹条约》还修订了 EEC 条约第 100 条（a）款，修订后的条文规定，“除了保持现行的各国与自然环境或工作环境有关的规定以外，成员国还可以在科学基础上引入新的国家规定，用于解决在第 100 条（a）款所规定的措施采纳以后所产生的新问题。”据此，成员国只要能够表明欧盟有关环境或人类健康保护的措施并不十分严格，并提出一些新的证据，它们并不需要是充足的，便可以不依赖欧盟而引入标准更高的的措施。这实际上赋予了成员国基于预警原则采取临时性措施的权力。

从以上欧盟基础性条约中可以看出，相关规定基本呈现出从预防到预警的发展趋势。1987 年 SEA 将预防原则纳入了《欧盟条约》中；1993 年 TEU 在预防原则的基础上，又加入了预警原则，使其上升为共同体的一项法律义务，并成为欧盟环境政策的基础；1999 年《阿姆斯特丹条约》则进一步认可了欧盟成员国在必要情况下可以采取标准更高的预警措施。因而，在欧盟基础性条约中，预警原则基本处于一种上升的态势。

（二）欧盟次一级立法中的预警原则

欧盟次一级立法包括条例、指令、决定、建议和意见。条例是由理事会和委员会制定的，具有普遍适用性，全面的拘束力，在各成员国直接适用的特点。“在各成员国直接适用”意味着条例一经制定，便立即生效，自然成为各成员国法律的一部分，不需要各成员国立法机构将其转化为国内法。指令对接受指令的成员国就它所规定取得的结果有拘束力，但是以什么方式或方法实现该目标，则由各成员国自行决定。因而相对于条例，指令更具灵活性。而决定是欧盟法在具体情况下的实施方式。总之，欧盟的条例、指令和决定都是具有法律拘束力的二级立法形式。相比之下，建议和意见并不具有法律拘束力。以下将分阶段地研究欧盟次一级立法中的预警原则。

1. 在《欧洲经济共同体条约》生效之后

在 1958 年 EEC 条约生效之后至 1987 年 SEA 生效之前这段期间内，预警原则并没有被纳入欧盟基础性条约中，然而在欧盟次一级立法中已经出现了一些采用预警措施的例子。如欧盟第 83/189 号决定针对成员国进口海豹幼崽毛皮和相关制品的问题规定了预警方法，其序言指出对海豹和其他动物的利用开发是一种合法的职业，然而这种合法性需依赖于海豹和其他动物所能够承受的开发水平，并且这种使用不应破坏生态系统的平衡。这实质上指出了海豹等动物开发利用的安全界限。针对当时某些开发者对缺乏充足科学资料的海豹种群保护措施的质疑，该决定还指出，应对海豹幼崽的保护作进一步调查研究。如果相关调查研究未果，也并不影响采取或持续采取临时性措施。该决定虽然没有明确提出预警原则，但是针对科学不确定性，规定了一些符合预警原则的措施。

2. 在《单一欧洲法令》（SEA）生效之后

在 1987 年 SEA 生效之后至 1993 年 TEU 生效之前这段期间内，SEA 虽没有明确提及预警原则，但暗含一些预警性规定。相应地，欧盟次一级立法在一定程度上也体现了预警理念。如欧盟第 92/43 号栖息环境指令除规定采用预警方法以进行生物多样性保护之外，还指出预警原则的具体操作程序。该指令第 6 条（3）款规定如果成员国的相关计划或项目可能对周围生态环境的完整性造成重要影响，则应采用环境影响评估，而该计划或项目应受到评估结果的约束。根据评估结论，在确认该计划或项目不会对周围生态环境完整性造成危害之后，才能对该计划或项目予以批准。虽然该指令在字面上并没有出现“预警”，但是相关规定是符合预警原则的。

在海洋渔业管理方面，欧盟的决定也体现了预警原则。如 1992 年欧洲理事会第 3760/92 号条例规定了一系列促进渔业发展，缩减捕捞量的制度，包括设立保护区，限制开发率，设定最高捕捞量，确定捕捞网具最小尺寸及渔业捕捞许可制度等，从而减少对鱼类种群的大规模捕捞[5]。

3. 在《欧洲联盟条约》（TEU）生效之后

在 1993 年 TEU 生效之后至 1999 年《阿姆斯特丹条约》生效之前这一段期间内，随着 TEU 对预警原则的引入，并将其确立为一项具有法律约束力的欧盟义务，越来越多的欧盟次一级立法也明确接受了预警原则。例如，1996 年 5 月 6 日欧洲委员会第 847/96 号决定规定了“预警性总可捕捞量”（Precautionary TACs）。1996 年 9 月欧洲理事会通过了第 96/61 号综合污染防治指令，其规定根据预警原则和可持续发展原则，针对传统污染治理方法的不彻底性，有必要寻求一种综合性方法（integrated approach）。该指令附件四还要求成员国应依据预警原则对相关行动进行评估，以决定是否授予许可。为了确保在签发许可时预警原则得以充分适用，该指令还要求成员国应考虑将预警原则纳入国内法中。

4. 在《阿姆斯特丹条约》生效之后

1999 年 5 月 1 日《阿姆斯特丹条约》的生效不仅进一步明确了预警原则在欧盟的地位，而且确认了成员国适用预警原则的必要性和可能性。在此之后的欧盟次一级立法不仅采纳了预警原则，而且对预警原则的适用作了进一步解释说明。如 2001 年欧洲委员会关于转基因生物第 2001/18 号指令的序言与实体部分均明示或暗示地对预警原则作了解释。该指令第 1 条规定预警原则为转基因生物管理的目标之一。第 4 条（1）款也规定，成员国应根据预警原则，确保采取适当措施以避免对人类健康或环境造成负面影响。而且该指令附件二还指出考虑到相关活动对环境的累积性和长期性影响，应对相关活动实施环境影响评估。这实际上是预警原则的一种具体适用方式。

随着欧盟基础性条约对预警原则的逐步认可，该原则在欧盟次一级立法中也逐渐被接纳。事实上，在这一过程背后，欧盟内部对预警原则一直存在两派观点，一派担心存在过分的环境保护谨慎，会阻碍经济的发展；另一派则提倡采取更多的预警，以更好地实现环境保护和资源的可持续利用。最终，欧盟采取了适当的预警，即既要考虑到潜在的不确定危险，同时也不应高估它们所能带来的危害[4]。

（三）欧洲法院判例中的预警原则

在欧洲法院判例中，预警原则的适用也历经了一个逐步发展的过程。在 20 世纪 70 年代最初的一些欧盟环境保护案件中，欧洲法院（European Court of Justice，ECJ）认为由于缺乏相应的欧盟法律依据，所以应由成员国自己确定环保力度。但是成员国的环境保护措施需遵守欧盟内商品自由流通的规定，这意味着各成员国的国内环保措施不应对其他成员国的商品流通造成限制，除非相关成员国能够证明这些措施对环境保护是十分必要的。这实际上增加了预警原则适用的难度。然而，在此期间的一些案件，如荷兰乳酸链球菌肽（Nisin）案，以及荷兰维生素食品案，

ECJ 均采用了预警方法，肯定了成员国为保护人类健康所采取的较为严格的措施[4]。

在 1987 年 SEA 生效后，ECJ 在一些判例中明确表示了对预警措施的支持，如法国金枪鱼流网捕捞禁令案。该案是关于法国政府拒绝授予采用流网捕捞金枪鱼的许可。对此，法国法院认为基于欧盟第 345/92 号决议有关禁止使用长度超过 2.5 千米流网的规定，法国政府有权拒绝授予许可。而申请者则认为流网捕鱼禁令并没有建立在充分的科学资料基础之上，对流网捕鱼一律禁止是不合理的。之后法国法院请求欧洲法院就欧盟第 345/92 号决议进行初步裁判。

ECJ 认为，渔业资源养护措施需要考虑到可获得的最佳科学资料，但是并不需要与科学建议完全一致。养护措施的确定除了需考查相关科学知识之外，还应关注社会和经济因素，以及合理开发海洋生物资源等问题。本案中，禁止流网捕鱼的规定是符合欧盟谨慎利用自然资源的目标的，对实现共同体可持续性渔业政策也是必要的。而且，鉴于流网捕鱼所带来的一系列危害，如附带捕捞等问题，其他国家以及一些国际组织也发布了大规模流网作业的禁令，如联大 46/215 号决议。可见，国际社会已经普遍认识到流网捕鱼的危害，即使对此还未有充分的科学资料予以证实。所以欧盟委员依据预警原则采用禁止流网捕鱼的决定是具合理性的。

1993 年 TEU 的生效标志着预警原则正式纳入《欧盟条约》中，此后的欧洲法院判例对预警原则的适用也更加明确。例如，在西班牙鸟类栖息地一案中，ECJ 虽没有明确提到预警原则，但实际上适用了预警方法，认为西班牙违反了欧盟有关保护鸟类栖息地的法规。在法国核试验案中，ECJ 则对预警原则的适用范围作了解释，认为预警原则应限于严重的危害情形。在《阿姆斯特丹条约》生效之后，ECJ 在有关转基因玉米、化学物质、药品，以及荷尔蒙牛肉等案件中均适用了预警原则。

从这些判例中可以看出，预警原则已经形成了共同体具有法律约束力的标准，当然，预警原则并不能直接适用于成员国。但是，由于 ECJ 相关裁决事实上对欧盟法作出了解释，因而成员国也有义务采取措施以遵循欧盟法中相关预警原则的规定，并且有义务令国内活动与预警原则保持一致。总之，欧洲法院适用预警原则的结果是令人满意的，当然也存在未能完全确认预警原则含义和价值的缺陷，因而欧洲法院对预警原则的适用还存有较大的发展空间。

三、结　论

预警原则是 20 世纪后半叶发展起来的环保新理念，其在欧盟法中的发展经历了一个渐进的过程。首先，在欧盟基础性条约中，相关规定基本呈现出从预防到预警的发展趋势；其次，在欧盟次一级立法中，预警原则也得以逐步认可；最后，在欧洲法院判例中，预警原则也逐渐发展成为欧盟具有法律约束力的环保标准。当然，欧盟法中有关预警原则的规定以及欧洲法院判例中有关预警原则的阐释还存在一些不完善之处。因而，欧盟法中的预警原则还有待于进一步发展。

参考文献

[1] Teouwborst, Ane. Evolution and Status of the Precautionary Principle in International Law [M]. The Hague: Kluwer Law International, 2002: 10 - 11.

[2] Marr, Simon. The Precautionary Principle in the Law of the Sea—Modern Decision Making in International Law [M]. The Hague: Kluwer Law International, 2003: 2.

[3] Caron, David D. & Scheiber, Hanyn N. Bringing New Law to Ocean Waters [M]. The Hague: Martinus Nijhoff Publishers, 2004: 358.

[4] Zwarts, F. The Precautionary Principle—Its Application in International European and Dutch Law [M]. Leiden: Wybe Theodorus Douma, 2003: 258 - 259, 273, 326 - 327, 332 - 333.

[5] Berg, Astrid. Implementing and Enforcing European Fisheries Law [M]. The Hague: Kluwer Law International, 1999: 45.

美国危险废物分类管理制度及对我国的启示

许冠英[1,3] 罗庆明[2] 温雪峰[2] 胡华龙[2] 周少奇[3]

（1. 广东省废物管理中心 广州 510630；2. 环境保护部固体废物管理中心 北京 100029；3. 华南理工大学环境科学与工程学院 广州 510641）

摘 要 介绍了美国危险废物分类管理现状，结合我国危险废物管理实际进行了对比分析，在此基础上提出了完善中国危险废物分类管理体系的建议。

关键词 美国 危险废物 分类管理

1976 年通过的《资源保护与回收法》（RCRA），奠定了美国固体废物管理的基础。RCRA 副题 C 对危险废物管理做了详细规定，目的是通过从“摇篮”到“坟墓”的管理，确保危险废物得以安全处置，保护人类健康和环境。该法案实施 30 多年来，美国建立了较完善的危险废物分类管理体系，成功地控制了危险废物的污染，实现了管理效益最大化和环境风险最小化，其经验值得研究和借鉴。

一、美国危险废物的分类管理

（一）危险废物分类

1. 类别分类：危险废物来源于从制造过程、大学、医院到小型商业和实验室等各种类型设施和工商业活动。根据产生来源和风险程度，RCRA 将危险废物分为名录废物、特性废物、普遍性废物和混合废物。特性废物指的是未列入名录但显示出可燃性、腐蚀性、反应性、毒性等一种或几种特性的废物。2007 年美国产生的危险废物中特性废物占 69%，名录废物占 12%，同属二者的废物占 19%[1]。普遍性废物是指废电池、杀虫剂、含汞装置（如恒温器）和废灯具（如荧光灯管）。此类废物量小面广收集困难，为促进其收集处置，美国环保署（EPA）放宽了累积储存量和贮存期限等要求，转移过程也不需要联单。混合废物是指来源于医院、实验室、大学等使用放射性物质的单位，同时含有放射性和危险性成分的废物，受 RCRA 和原子能法案的共同管制。

名录废物按产生来源分为三类：①F 类是一般工业或制造业工艺过程的非特定源产生的，共 28 种，如废弃溶剂、电镀及金属加工过程中的废物等；②K 类是工业及制造业工艺过程中一些特定部门、车间等特定行业来源产生的，共 116 种，如木材防腐剂、有机化工制造业废物；③P 类及 U 类均为废弃的商用化学品，区别在于 P 类为急性毒性废物，有 239 种；U 类为一般毒性废物，共 521 种。

2. 风险分类：EPA 为列入名录的每种废物分配一个风险代码，表示列入名录的原因和对人类健康与环境的风险程度。分为可燃性、腐蚀性、反应性、毒性特性、急性危险性和有毒 6 个风险等级，分别以代码 I、C、R、E、H、T 表示，在废物处理时执行不同的管理要求。如急性危险废物是指那些量小，但危害性大，需要采取与产生量大的废物同样的管制方法的废物，这类废物含有低剂量致死人类的物质或致死实验室动物的当量浓度，被赋予代码 H，要求必须实施更严格的管理。

3. 形态分类：形态是描述废物的物理化学特性的常规指标。EPA 将危险废物形态分为无机液体、有机液体、有机固体、无机固体、有机污泥、无机污泥以及混合介质、残渣和器件（指液固、有机与无机废物的混合物以及不易归类的器件）7 个组，每一组有若干代码并有详细的物质含量、pH 等性状描述。如无机液体组中 W103 指废浓酸（≥5%）[2]。

4. 产生源分类：EPA 将废物产生的过程或活动分为生产过程或检修工序、其他间歇性活动或过程、污染控制和废物处理过程、泄漏和事故排放、对过往污染的修复、实质上非现场产生（如进口）6 个组，每一组有若干代码并有具体的工序、活动或过程描述。如污染控制和废物处理过程组别中 G21 指空气污染控制装置（从烟气洗涤塔或除尘器产生的布袋尘或灰；蒸汽收集等）。

5. 管理方式分类：管理方式是指危险废物处理、利用或处置的方式，分为回收与再生、到另一场所处置之前的分解或处理、处置和运输中转 4 组，每一组有若干代码并有详细的管理方式描述。如回收与再生组中 H020 指溶剂回收（蒸馏、提取等）。

（二）产生者分类

考虑到少数产生量大的产生者产生了大部分的危险废物，且产生量不同环境风险也不同，应承担的环境责任也不同。早在 20 世纪 80 年代初期，EPA 就着手建立一套管理规范，对大数量产生者实施重点管理，以最大限度减少对环境和人类健康的威胁[3]。EPA 根据每月危险废物产生量及危害程度，将产生者划分为三类，实施差别化管理。最初小数量产生者是获得豁免的，但考虑到豁免会导致环境危害，国会通过《危险固体废物修正案（HSWA）》要求 EPA 对小数量产生者也实施管制，这样就形成了三类产生者的划分[3]。

1. 大数量产生者：危险废物产生量≥1000kg/月或急性危险废物产生量≥1kg/月的设施。2007 年，美国有大数量产生者 14549 个。

2. 小数量产生者：危险废物产生量在 100～1000kg/月或任何时间内危险废物累积 6000kg 以下的设施[4]。2001 年，美国大约有 20 万个小数量产生者。

3. 有条件豁免小数量产生者：危险废物产生量≤100kg/月或急性危险废物产生量≤1kg/月的设施。另外，设施在任何时间内危险废物累积量≤1000kg/月，急性危险废物累积量≤1kg/月，或清理剧烈危险废物洒落产生的任何残渣累积量≤100kg。1997 年，全美有 40 万～70 万个此类产废者。

（三）产生者的分类管理

1. 对大数量和小数量产生者的要求

RCRA 要求两类产生者识别、计量、标识、跟踪每种废物，确保产生的废物得到安全处置。考虑到产生量少风险也小，在贮存期限、应急计划、个人训练等方面，对小数量产生者的管理略有放宽。第一，产生者必须识别产生的每种废物、判断所适用名录及特性，汇总计量每月危险废物产生总量，以确定当月其设施属哪一类产废者；第二，必须获得环保署识别码（EPA ID），禁止将危险废物交给无 EPA ID 的任何运输者或处理、贮存和处置设施。第三，遵守累积和储存要求（包括训练、意外事故计划和应急安排），详见表 1。第四，要求做好运输前准备，遵守美国交通部规定正确包装以防止危险废物泄漏，并贴好标签、标识和告示等防范运输风险，确保危险废物从源头安全运输到最终处置场。第五，跟踪联单。联单是危险废物管理系统的重要一环，由环保署统一设计，并让涉及危险废物管理的所有当事人（包括产生者、运输者、设施运营者、EPA 和州）都参与从产生到处置全过程的转移跟踪。第六，遵守记录保存和报告制度，以便 EPA 和州能跟踪危险废物的产生和转移情况。要求：①2 年 1 次的报告（小数量产生者不需要）；②异常报告（小数量产生者 60d 之内、大数量产生者 45d 内没有收到废物接受者返回的联单，必须向 EPA 报告）；③资料收集要求；④记录保存 3 年。

2. 有条件豁免的小数量产生者

此类产生者不要求获得 EPA ID，没有遵守累积和储存要求、执行联单系统以及达到记录保持和报告的要求，但要遵守产生者最低的废物管理标准，也要遵守运输、危险废物识别以及储存限制等要求，并要确保废物在获得许可的设施内安全处理处置。

表1　美国危险废物大数量和小数量产生者的不同累积和储存要求[5]

管理要求	大数量产生者（LQGs）	小数量产生者（SQGs）
贮存期限	一般累积储存≤90d；特殊情况下可延长30d；若自行回收处理电镀污泥可储存180～270d	一般累积储存≤180d；委托处置且距离≥200英里储存≤270d
正确管理	废物要全部储存在容器、储罐、防漏衬垫或防漏建筑内。容器应保持密闭并注明开始堆积的日期。储罐和容器要求标上“危险废物”字样	废物要储存在储罐或容器里并标上“危险废物”的字样。容器应保持密封且注明开始堆积的日期记号
应急计划	必须有应急协调人，要经常检查和维护应急装备；要有正式书面的意外事故计划和应急程序来处理洒落或排放事故	要有特殊应急程序但不需要有书面的意外事故计划，要求确保突发事件协调人在现场或随时随叫随到，并有基本的容易理解的安全设施信息
个人训练	制订训练计划并通过培训使产生设施的员工能正确处理危险废物	不要求制订训练计划，但应确保相关雇员能熟练正确操作应急程序

（四）管理设施的分类

1. 回收利用设施分类

在确保安全处置的前提下，RCRA鼓励危险废物的回收利用，对可回收的危险废物实施差别化简化管理。大部分可回收的危险废物适用于整套RCRA管理要求，但再利用单元本身除外。如废溶剂的再蒸馏提纯活动，再利用过程本身不需要遵守RCRA设计和运营标准，但运营者必须在再利用之前遵守RCRA对容器或储存区储罐的所有管理要求；对一些本身危害性不大，且回收过程环境安全有保障或受其他环境法规管制的可回收危险废物，RCRA对其实施豁免，如工业酒精、废金属、精炼过程产生的废物衍生燃料、未精炼的废物衍生燃料和石油精炼油等；对一些回收过程有一定风险的危险废物，RCRA对特定的回收过程设立专门的管理标准。如采用指定的处置方式（如废油回收）、贵金属回收、废旧铅蓄电池回收、焚烧回收能量（使用锅炉和工业熔炉）。

2. 处置设施分类与管理

RCRA对处理、贮存和处置设施的管理极其严格，有包括设施选址、设计、构造、操作、管理、事故应急、人员培训、设施关闭及关闭后的维护等内容的一般性设施运营管理要求；考虑到设施类型的多样性，也有针对从容器到填埋等各类危险废物管理单元制定的详细的技术标准，目的是确保设施的规范建设和安全运营，防止泄漏污染环境。

RCRA要求不论是集中式的还是企业内部的处理、贮存、处置设施都必须获得许可证，许可证分临时许可证和正式许可证两种。临时许可证适用于分期建设、投产的设施中已建成的部分或法定的其他设施。分期建设、投产的设施全部建成、投产后，必须申请正式许可证。获证企业必须获得EPA ID，并遵守废物分析、安全防范、员工培训等规定。

二、启　示

综观美国危险废物法律法规和管理实践，分类管理思想贯穿始终。RCRA以保障环境安全和人类健康为首要考量，以危险废物的危害程度和环境风险为基础，充分考虑实际情况，建立了系统科学的分类管理制度，其经验值得借鉴。

（一）加强危险废物分类管理的基础研究

中国危险废物管理的政策法规体系与美国类似，但在实施的可操作性、明晰性和系统性上还有待提高，具体表现在分类体系不完善、分类不明确，没有体现出分类管理、重点控制的原则。

“国家危险废物名录”相比修订前有较大改善，但危险废物产生来源分类不够清晰，没有明确分出间歇性活动、污染控制、废物处理等过程危险废物产出情况的说明，甚至出现同一废物代码却可能是不同的废物的现象，如802－006－49危险废物物化处理过程中产生的废水处理污泥和残渣；现行名录中标出了每一种废物的危害特性，但却没有划分风险等级，也没有差别化的管理要求，既容易低风险性废物保护过度问题，又容易出现高风险性废物防范不足的问题。我国危险废物形态分类较简单，一般分为固态、液态、半固态及其他。与美国相比，分类不具体不完善，缺少必要的物质含量、性状、构成等理化特性描述，影响危险废物的鉴别和判断。建议加强危险废物分类管理的基础研究，尽快建立完善的危险废物分类管理体系。

（二）实施对危险废物产生者的分类管理

据全国污染源普查统计，2007年，广东省占产生企业数8%的企业产生了全省95%的危险废物，产生量在1.1t以下、占全省产生企业数60.6%的企业，仅产生了全省0.2%的危险废物。危险废物产生企业与产生量的累计比例分布曲线见图1。

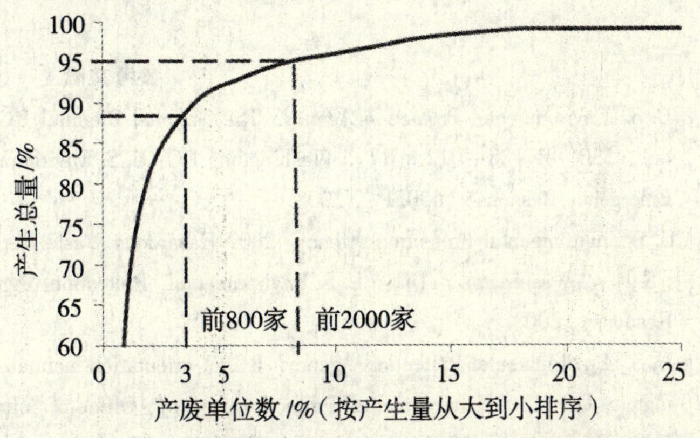

图1　危险废物产生企业数与产废量之间的关系

可见，管理好产生量大的少数产生者，在管理资源有限的情况下可最大限度地降低环境风险、提高管理效益。借鉴美国经验，可采取以下措施：一是建立产生者分类管理制度。在污染源普查数据的基础上，按危险废物的产生量及危害程度分类，将产生量较大或产生量虽小但危害大的产生者列入重点监管企业名单，将产生量较少的列为一般监管企业，将产生量很小的企业作为第3类，实施差别化管理。产生者类别每年再根据新、改扩建项目环保验收情况及企业生产和工艺改造情况适当调整。二是完善危险废物申报制度。美国危险废物申报内容丰富、信息量大，且代码化、标准化程度高，能较好地监测废物的产生及流向情况。我国现行环境统计只有危险废物产生量指标，没有废物类别、来源、处置方式等信息，不能满足全过程管理的要求，建议利用先进的计算机网络技术，建立专门的危险废物网上申报制度，对危险废物实施全过程监管。三是完善危险废物储存期限和数量限制及设施的要求。我国《固废法》规定危险废物厂内贮存期限不得超过一年，但在储存数量和设施方面没有明确要求，一些企业将危险废物长期堆存在厂内不处置，造成二次污染和管理上的漏洞。有必要制定详细的危险废物厂内储存期限、数量限制和设施要求，为行政代执行制度提供明确的执行依据，确保危险废物及时正确的处理。

（三）实施对危险废物处理处置设施的分类管理

美国按照危险废物生命周期管理理念，将所有产生、处理、贮存和处置危险废物的设施纳入统一的管理系统中，建立EPA ID制度，实施从产生到处置的全过程监管。EPA非常重视在确保安全处置基础上的分类管理，对回收利用设施放宽要求，重点加强对处置设施的监管。与之相比，我国应在以下方面加以完善：一是借鉴美国经验，建立危险废物识别码制度，作为监测和跟踪废物的一种方式和追踪设施管理者的法律责任的依据。要求所有废物产生者、运输者以及回收利用、处理、贮存或处置设施的运营者必须申请获得唯一的永久性识别码。识别码作为设施的身份证，与地理位置绑定，设施管理者必须据此向环保部门报告其废物管理情况。企业（设施）搬迁需要申请新的识别码，原识别码分配给下一个在此地的产生者。二是完善对集中处置设施的分类管理。我国危险废物经营许可证分为收集、贮存、处置综合经营许可证和收集经营许可证。

目前绝大多数获证企业属于综合利用类企业，处置设施较少，处置方式单一，没有形成多样化、多途径的危险废物处置格局。由于没有差别化的管理要求，地方环保部门把大量时间和精力花在危险废物跨市转移审批上，往往忽略了对处置设施运行状况的监管，许多设施一年连一次监督性监测都很难保证。建议对综合利用类企业减少管理程序，减轻企业负担，促进资源回收；对一些废矿物油（包括含油污水）、废铅酸蓄电池等特殊的废物流，应制定专门的管理规定。三是完善产生者自建利用、贮存或处置设施的建设和管理制度。现行法律法规没有明确的管理要求，产生者自建设施按一般设施建设要求进行评估和审批验收，其日常运作的监管没有纳入危险废物环境管理，造成管理上的真空。建议借鉴美国经验，在对危险废物相关设施竣工验收后，发给唯一的永久性识别号码作为设施的身份标记，方便进行各类数据收集和监督管理。

我国危险废物管理工作仍处于起步阶段，要迅速提高管理水平，应广泛研究不同国家先进的管理经验和实践，制定出符合国情的高效的危险废物管理体系，迅速提高我国的危险废物管理水平。

参考文献

[1] U. S. Environmental Protection Agency. The National Biennial RCRA Hazardous Waste Report (based on 2007 data), 530 - R - 08 - 012 [R]. Washington, DC: U. S. Environmental Protection Agency, Office of Solid Waste and Emergency Response (5305P), 2008.

[2] U. S. Environmental Protection Agency. 2007 Hazardous Waste Report Instructions and Forms, Form 8700 - 13 A/B [R]. Washington, DC: U. S. Environmental Protection Agency, Office of Solid Waste and Emergency Response, 2008.

[3] U. S. Environmental Protection Agency. RCRA orientation manual, 2008 edition, 530 - R - 02 - 016 [R]. Washington, DC: U. S. Environmental Protection Agency, Office of Solid Waste and Emergency Response, 2008.

[4] U. S. Environmental Protection Agency. Hazardous Waste Generator Regulations: A User - Friendly Reference Document [R]. 2007.

[5] Blackman, W. C. Basic hazardous waste management [M]. Boca Raton, Florida: CRC Press, 2001.

[6] Agency, U. S. E. P. (November 2008). The National Biennial RCRA Hazardous Waste Report (based on 2007 data).

[7] Agency, U. S. E. P. (2008). 2007 Hazardous Waste Report Instructions and Forms. In EPA Form 8700 - 13 A/B (Washington, DC).

[8] U. S. EPA (2008). RCRA orientation manual, 2008 edition [530 - R - 02 - 016, Environmental Protection Agency, Washington, DC (USA). Office of Solid Waste].

[9] USEPA (2007). Hazardous Waste Generator Regulations: A User - Friendly Reference Document.

[10] Blackman, W. C. Basic hazardous waste management, CRC, 2001.

强化各级政府环境责任　保障环境规划顺利实施

龙　灿

（宁夏环境科学设计研究院　银川市上海西路99－9号615室　750004）

摘　要　环境规划是人类为使环境与经济社会协调发展而对自身活动和环境所做的时间和空间的合理安排。环境规划的目的就是保护和改善生态环境质量，为经济社会又好又快发展提供环境容量和环境安全保障，从而实现科学发展、可持续发展。在环境形势依然十分严峻，污染突发事件潜在风险依然存在的攻坚时期，科学制定“十二五”环境保护规划，应注重深入探索和完善环境规划保障措施，尤其是分解细化规划实施主体——各级政府的环境责任，构建与完善提高规划执行力的保障体系。这样，就牵住了规划实施的“牛鼻子”，许多负面消极影响就会迎刃而解，才会有力推动“十二五”环境保护事业加快发展。

一、地方政府履行环境责任的现状与问题

从我国开展环境保护起，就围绕环境责任主体进行了多年的不懈探索，并根据形势发展需要做出了许多重大调整。其中确认、完善各级政府在环境保护中的地位、作用与责任，创建符合我国国情的环境管理制度成为大趋势之一。同时，这些有益探索也在环境法律和环境规划中得到体现，为推动环境规划实施起到了积极的作用。

法律规定了政府的环境责任，各级政府统领各地政治、经济和社会发展的特殊地位，使其成为环境保护主体中具有决定作用的主导力量，它的环境责任是否明确，直接影响到环境保护的成效。因此，我国环境保护法律制度中逐步完善了政府承担环境责任的规定。对于地方政府而言，改善本地区环境质量、完成约束性指标的前提是负有相应的法律职责。地方政府承担环境责任的直接法律依据是：《环境保护法》第十六条，《大气污染防治法》第二条、第三条和《水污染防治法》第四条、第五条。

环境规划中明确了政府的环境责任，体现了环境立法原意和精神。《国家环境保护“十一五”规划》在规划实施保障措施中指出：“坚持地方政府对行政区域环境质量负责，落实政府环境责任。建立环境保护目标责任制，加强评估和考核。”其他经国务院批复的各专项规划，也做出了加强政府环境责任的阐述，并把它作为推动环境规划有效实施的保障措施之一。近期公布的中期评估结果表明，“十一五”环保规划实施首次达到进度要求，部分指标超额完成，主要规划目标有望如期完成，是我国历史上执行得最好的一个五年环保规划。

政府环境责任在实践中得到丰富和发展，为贯彻实施“十一五”环保规划和总量控制计划，各地纷纷建立了环境保护责任制和总量控制目标责任制，层层签订责任书，分解落实责任，产生了积极的效果。此外，还大胆地进行了探索与创新，河北省的断面目标考核补偿、无锡市的“河长制”，都极大地丰富了政府环境责任的内涵，促进了这些地区“十一五”期间水环境质量的明显改善。

但是，由于政府承担环境责任起步较晚，各地做法不尽相同，参差不齐，存在着一些亟待改进的问题，有必要通过各层级的规划不断加以引申与完善。一是对环境规划“重编制，轻实施”。“规划规划，墙上挂挂”的现象在一些地方仍程度不同地存在，政府环境责任未引起足够重视；二是规划中政府的环境责任过于笼统，定性的多定量的少。在诸多环境要素中各级、各地政府究竟应负哪些责任、负责到什么程度不够具体明确，也缺乏差异性和针对性；三是政府履行环境责任缺少压力和动力。除总量控制外，没有建立配套的激励约束机制，各级政府缺乏全面履

行环境责任的积极性；四是“环保统一战线”尚未建立起来，环境责任仍独自压在环保部门肩上。一些地方“党委领导、政府负责、环保部门统一监管、有关部门协调配合”的意识不强，机制也不完善。五是公众没有真正动员和组织起来。广大群众对环境的要求日益增长，但保护环境的主动性、积极性没有被充分调动起来，大多还置身于“圈外”。

二、环境规划中强化政府环境责任的必要性

解决严峻复杂的环境问题，有必要在法律规定各级政府负有环境责任的同时，针对不同地区、不同时期要解决的突出环境问题，按照环境容量和改善环境质量的要求在环境规划中予以具体化、多元化、系统化。否则，各级政府的环境责任会因为太抽象而“不便”落实，以致被边缘化。因此，要通过各层次环境规划来弥补这方面的缺失与不足，层层细分政府环境责任，落实到“人”，形成一级对一级负责、系统完备的环境责任体系。这样做，至少有以下积极意义。

第一，有利于调动各级政府执行规划、保护环境的积极性、主动性。完善环境规划中政府的环境责任，包括在各环境要素中不同层级的政府各自应承担什么具体责任、责任的量化指标以及是否尽责、将要产生的有利或不利后果等内容。从而使各级政府和主要领导肩上有担子，心中有目标，脚下有行动，激发出极大的热情和空前的积极性，具有牵一发而动全身的作用。

第二，有利于整合环境管理资源，形成合力。首先是有助于政府与环保部门、环保部门与相关部门实现联动。在现实中，地方政府的 GDP 责任非常明确，而环境责任则比较模糊，二者不在同等重要的位置。为了避免影响第一政绩，有些地方往往巧立名目进行地方保护，使环保部门经常陷入两难境地。环境责任进一步分解、量化到地方政府后，目标趋于一致，在政府的统一领导和精心部署下，环保部门才能放开手脚，各部门才能同心协力开创经济建设与环境保护新局面，实现发展与保护的和谐共赢。其次是有助于各级环保部门实现纵向联动。地方政府真正担负起环境责任后，必然督促环保部门尽职尽责，努力完成目标任务，下级环保部门就会主动密切与上级环保部门的联系，积极争取指导、帮助和支持，从而改变渠道不畅、上下联系松散的状况，各级环保部门之间就能步调一致。

第三，有利于把法律规定的政府环境责任转化为环境保护现实成果。完善、科学的环境责任体系，必然囊括各级政府的具体责任、量化指标、考核与奖惩，三者缺一不可。特别是严格实行考核与奖惩，在强烈的激励与约束导向下，就会促使政府环境责任的进一步落实，最终转化为加强环境保护，改善环境质量，争当环保模范的内生动力，推动环保事业蓬勃发展。

三、环境规划中强化政府环境责任的切入点

完善的政府环境责任体系是一个不断充实、动态调整的过程，需要根据不同时期、不同地区环境保护的重点任务，所要解决的突出环境问题而相应变化。建议在环境规划中增加约束性指标，并通过年度计划适时进行调整。目前，政府环境责任除总量控制、重点城市环境空气质量外，大部分还停留在省级层面。水环境、工业园区大气环境、可吸入颗粒物、重金属、土壤、噪声、固体废物等方面的污染防治仍存在市、县政府责任不清晰的弊病。“十二五”期间，国家将推行总量＋质量＋风险控制的环境责任体系，各省、自治区、直辖市除继续深化总量控制和重点城市环境空气质量责任考核外，可从以下几个方面来完善，以此响应国家环境保护“十二五”规划。

一是实施江河跨市界断面水质考核，试点江河支流、主要排水沟跨县（区、市）界断面水质和入河（湖）口水质考核，到点源面源污染防治，逐步建立污染源—入河排污口—断面三位一体、流域区域相结合的综合责任系统。

二是城市集中式饮用水水源地和农村饮用水水源地保护关乎民生，也极易突发环境污染事

件，影响社会稳定，始终是环境保护的重中之重，应尽快列入各地政府环境责任中，以加快保护步伐，落实保护措施。

三是监测、考核各设区市以及重点县（市、区）的城市环境空气质量，促使其在治污减排的过程中得到同步改善，让老百姓切实感受到经济社会发展和环境保护事业发展的成果。

四是考核规划、建设项目环评执行率，“三同时”执行率，切实加强源头控制，有效遏制未批先建和环保与生产设施建设不同步的违法行为。各地要做好应当进行环评的各类规划的甄别与统计，要以建设部门准许开工名录为建设项目环评口径，增强考核的真实性，切实发挥环评和“三同时”制度在调结构、促转变中的“闸门”作用。

五是考核环境规划确定的重点污染治理项目完成率和运行负荷率，解决建设项目进展迟缓和运行效率低等问题，以重点项目按期建成带动快治理，最大限度地尽早发挥治污设施应有的环境效益。

六是不得发生重特大环境污染突发事件，有效防范环境风险。按照属地管理，辖区政府负责的原则，把化工、制药、重金属等环境污染事件多发高发行业和持久性有机污染物作为重点，常抓不懈，竭尽全力杜绝突发环境污染事件。

七是考核公众环境教育普及率、公众保护环境参与率等指标，推动公众共同参与环境保护和生态文明建设。

八是除共性考核指标外，根据环境功能区划对不同地区适当增加差异性考核指标，增强规划的针对性，推动不同地区重点解决各自不同的突出环境问题。

把上述责任和总量控制像任务一样，作为约束性指标载入环境保护规划和年度目标责任制，同部署、同检查、同考核。同时，积极创造条件，逐步增加农村环保、不同时期水体和大气污染因子、危险废物、重金属、一般工业固废、城市污水处理、土壤污染防治、辐射环境安全等元素。

四、环境规划中强化政府环境责任要解决好的问题

完善政府环境责任体系是一个系统工程，既要勇于实践，大胆创新，又要统筹兼顾，协调推进。要着重解决好以下问题。

1. 民生为先，突出质量。要把喝上放心水、呼吸上新鲜空气等关系老百姓切身利益的环境质量、环境安全问题作为政府环境责任的重点。

2. 责权同步，完善配套。在分解、细化各级政府环境责任中，环保部门应逐级下放相应的权力，把管得过细、统得过死而又管不好的事权放下去，或者调整到相关部门。还要配套进行监测、监察等相关机构的职权调整，促使环境管理重心下移。

3. 循序渐进，分步实施。在设置各级政府环境责任体系上，一哄而起，追求大而全，甚至一步到位是不可取的，应当以可监测、可核定、可统计、可检查、可考核为前提，条件成熟的先行一步，条件暂不成熟的积极筹划准备，逐步推进。

4. 量力而为，经济可行。在确定环境责任具体指标上，要尽可能科学合理，符合实际。要在满足国家规划要求的前提下，综合考虑污染防治的复杂性、曲折性和反复性，以及环境自净能力和环境经济性，切忌刻意拔高。

5. 周密部署，考核问责。分解、落实政府环境责任的关键是通过考核问责等一系列激励约束措施来保障，考核不严、奖惩不力就会流于形式，起不到促进环境质量改善的作用。因此，要仔细研究、认真确定考核主体、考核方式、考核流程和奖惩办法，使考核结果能够真实准确反映工作实绩，推进环境规划的顺利实施。

商务区碳中和机制设计

——以上海虹桥商务区为例

詹歆晔　唐忆文

（上海市发展改革研究院　上海　200031）

摘　要　研究区域定位为区域商务中心，能量和物质循环高度开放。研究从消费过程界定研究范围，从建筑和公共事业用能、交通用能、水系与园林绿化、废水、固体废弃物等5个方面编制温室气体排放清单。研究同时核算现有减排措施的减排量。在此排放清单和减排核算基础上，研究建立了一个由政府派出机构主导的自愿参与机制，以碳中和基金的捐赠和运作为操作平台，通过投资区外减碳项目抵消区内温室气体排放，目标是实现商务区的碳中和。研究同时讨论了定量研究的不确定性分析，在机制设计中引入适应性管理，并讨论了研究在应用推广中存在的局限性。

关键词　温室气体管理　碳中和　机制设计　上海

碳中和（carbon neutral）最早由英国未来森林公司提出，一些研究将其理解为零碳及低碳的技术[1]或能源形式[2,3]，但更多研究倾向于认为这是一种通过购买可认证的碳减排来抵消（carbon offset）碳排放的方式，并研究了在交通[4]、家庭生活[5]和个人行为[6]领域实现碳中和的途径。在社区和城市实践领域，美国亚特兰大 The Corner – Virginia Highland 创建了世界首个碳中和社区，2008年北京奥运会期间也有国内学者提出了“碳中和奥运”[7]。总体来看，碳中和的国内实践较少。李迅等认为应当从区域功能定位出发发展低碳城市[8]，李善同等也提出要结合功能区定位发展低碳城市，其中优化开发区域要把提高增长质量和效益放在首位[9]。本研究赞同这些思路，通过对商务区这一功能区域的碳中和机制设计，为国内低碳城市研究提供方法参考。

一、研究区域概况

虹桥综合交通枢纽区域（以下简称“枢纽区域”）位于上海市区西侧，包含虹桥机场和未来的高速铁路上海站，定位为面向长三角的综合交通枢纽和区域商务中心。枢纽区域规划用地面积2634.0hm^2，除水域外均为城市建设用地。研究区域（以下简称为“商务区”）是枢纽区域中除对外交通用地以外的区域，总面积1557.9hm^2，主要承担长三角区域商务中心职能，规划开发规模770万m^2，建筑限高为吴淞高程48m。

二、研究方法

研究区域是一个能量和物质循环高度开放的复合系统，能量和物质都高度依赖于外部输入，处于生命周期的末端环节。研究从消费过程分析和确定研究范围，除电力生产外，只考虑能源和物质终端消费带来的温室气体排放，而不追溯其在区外生产过程中的排放。电力生产只考虑其对一次能源的消费排放，不考虑一次能源在生产过程中的排放。在边界确定后，研究做两项基础工作：①编制温室气体排放清单；②核算温室气体减排量。研究关注 CO_2 和 CH_4 两种温室气体。在此基础之上，研究建立适用于研究区域的碳中和机制，关注解决以下问题：①机制的主导作用；②机制的参与方式；③碳中和的实施途径；④机制的操作准则和政策保

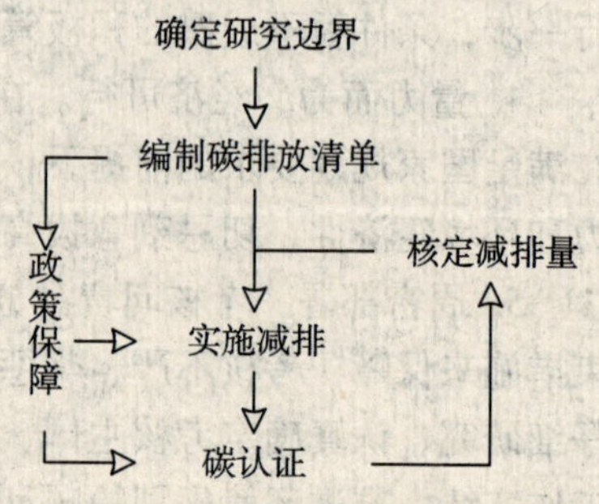

确定研究边界
编制碳排放清单
核定减排量
政策保障
实施减排
碳认证

图1　研究方法框架

障。整个研究方法框架如图 1 所示。

三、研究结果

（一）商务区温室气体排放清单

政府间气候变化专门委员会（IPCC）于 2006 年更新发布《国家温室气体排放清单指南》（以下简称“IPCC 指南”），从能源、工业过程和产品使用、农业林业和土地利用、废弃物、其他 5 方面编制温室气体清单[10]。本研究参照 IPCC 指南要求，系统分析了商务区各项碳排放相关活动，并结合商务区管理体制与数据获取途径确定了碳排放清单，如表 1 所示。

表 1　商务区温室气体排放清单

温室气体排放源	二级分类	数据来源	对应 IPCC 分类
建筑和公共事业用能 *CE*	区外电力供应 *CE_ EP*	商务区能源主管部门或物业管理	能源
	区内能源活动 *CE_ EU*		
	交通供能部分抵消 *CE_ TS*		
	绿色屋顶 *CE_ GR*		
交通用能 *CT*	区内区属公共交通用能 *CT_ IT*	城市交通主管部门	能源
	区内城市公共交通用能 *CT_ OT*		
	区内私人交通用能 *CT_ OC*		
水系与园林绿化 *CL*	城市森林 *CL_ F*	商务区园林主管部门或园林承包公司	农业、林业和土地利用
	城市湿地与水系 *CL_ W*		
	其他园林 *CL_ O*		
废水 *CWW*	废水 *CWW*	城市市政主管部门	废弃物
固体废弃物 *CSW*	固体废弃物 *CSW*	城市环卫主管部门	废弃物

注：1. 无农业与林业用地；2. 无工业单位；3. 不考虑服务业和商业在产品使用过程中的温室气体排放

商务区建筑和公共设施用能主要依靠城市电网供应，部分由冷热电三联供的分布式供能系统、并网或非并网的新能源示范项目供应。城市电网电力在生产过程中的温室气体排放将按照上海市的排放因子计算。区内能源活动采用能源平衡表和排放因子计算。区域内的交通供能设施如加油站、充电站的售能主要用于供给交通用能，为避免重复计算在本部分予以扣除。商务区将在开发地块推广绿色屋顶，归属物业管理，出于数据获取途径考虑，这部分碳汇在本部分计算。建筑和公共事业用能部分的计算方法如式（1）~式（5）所示。

$$CE = CE\_EP + CE\_EU - CE\_TS - CE\_GR \tag{1}$$

$$CE\_EP = \text{电力供应} \times (1 + \text{电力输送损耗系数}) \times \text{单位发电量碳排放} \tag{2}$$

$$CE\_EU = \sum \text{能源消费量} \times \text{排放因子} \tag{3}$$

$$CE\_TS = \sum \text{交通供能设施能源销售量} \times \text{排放因子} \tag{4}$$

$$CE\_GR = \sum \text{各类型绿色屋顶面积} \times \text{单位面积碳汇量} \tag{5}$$

商务区交通系统高度开放。区内区属公共交通用于商务区内的短驳交通，以新能源汽车为主，除燃油外还涉及电力、天然气、液化石油气等能源消耗，这部分温室气体排放将主要根据能源消费表计算。区内的城市公共交通和私人交通发生的温室气体排放将根据商务区交通流量计算。交通用能部分的计算方法如式（6）~式（9）所示。

$$CT = CT\_IT + CT\_OT + CT\_OC \tag{6}$$

$$CT\_IT = \sum \text{区属公共交通能源消费量} \times \text{排放因子} \tag{7}$$

$$CT\_OT = \sum\sum \text{各种公共交通车型行驶里程(车公里)} \times \text{单位行驶里程能源消费量} \times \text{排放因子} \tag{8}$$

$$CT\_OC = \sum\sum \text{各种私人车型行驶里程(车公里)} \times \text{单位行驶里程能源消费量} \times \text{排放因子} \tag{9}$$

枢纽区域绿化覆盖率约为36%，其中15.6%为公共绿地，面积为407.9hm^2，包括城市森林、城市湿地陆域部分和其他园林等3种利用类型；其余约20%为开发地块附属绿地。水域面积为126.1hm^2，占枢纽区域面积4.8%，包含城市河道和城市湿地水域部分。水生生物群落是CH_4的重要排放源，使城市湿地可能成为温室气体的净排放源[11,12]，则此项为负数。水系与园林绿化部分的计算方法如式（10）~式（13）所示。

$$CL = CL\_F + CL\_W + CT\_O \tag{10}$$

$$CL\_F = \text{城市森林面积} \times \text{单位面积碳汇量} \tag{11}$$

$$CL\_W = \text{城市湿地面积} \times \text{单位面积碳汇量} + \text{河道面积} \times \text{单位面积碳汇量} \tag{12}$$

$$CL\_O = \sum \text{各类园林面积} \times \text{单位面积碳汇量} \tag{13}$$

商务区污水集中纳入市政管网输送到区外白龙港污水处理厂集中处理。研究将计算运输能耗、处理能耗和处理过程中的温室气体排放。废水部分的计算方法如式（14）~式（17）所示。

$$CWW = \text{运输能耗排放} + \text{处理能耗排放} + \text{处理过程排放} \tag{14}$$

$$\text{运输能耗排放} = \text{废水排放量} \times \text{单位运输能耗} \times \text{运输距离} \times \text{排放因子} \tag{15}$$

$$\text{处理能耗排放} = \text{废水排放量} \times \text{单位处理能耗} \times \text{排放因子} \tag{16}$$

$$\text{处理过程排放} = \text{废水排放量} \times \text{单位处理过程排放因子} \tag{17}$$

商务区固体废弃物进入城市环卫系统集中收运处理。研究将计算运输能耗、处理能耗和处理过程中的温室气体排放。商务区内的危险废物源尚不确定，待商务区开发建设后按需纳入清单。固体废弃物部分的计算方法如式（18）~式（21）所示。

$$CSW = \text{运输能耗排放} + \text{处理能耗排放} + \text{处理过程排放} \tag{18}$$

$$\text{运输能耗排放} = \text{固废处置量} \times \text{单位运输能耗} \times \text{运输距离} \times \text{排放因子} \tag{19}$$

$$\text{处理能耗排放} = \sum \text{各种固废处理方式处置量} \times \text{单位处置量能耗} \times \text{排放因子} \tag{20}$$

$$\text{处理过程排放} = \sum \text{各种固废处理方式处置量} \times \text{单位处理过程排放因子} \tag{21}$$

商务区温室气体排放量等于各项碳排放源的和减去碳汇，如式（22）所示。

$$C = CE + CT - CL + CWW + CSW \tag{22}$$

（二）商务区温室气体减排量核算

商务区在规划阶段即注重低碳发展方式，设计了一系列替代工程实现温室气体减排，主要包括区域分布式供能、新能源示范项目、雨水收集系统、交通系统优化设计和商务区碳汇建设5方面。

商务区拟采用冷热电三联供分布式供能系统满足商务区部分用能需求，其温室气体减排主要来自于2方面：①能源利用效率提高；②燃气机组替代火电为主的城市集中供电系统。

商务区将引入部分太阳能或风光互补照明系统，应用于建筑照明和部分道路照明，降低商务区的传统电力消费。

商务区收集雨水、河道水和部分污水，经城市湿地处理后补充景观用水，力争景观用水不消耗新鲜自来水，其温室气体减排来自于2方面：①减少新鲜水耗，减少自来水生产过程中的温室气体排放，这部分减排量不计入商务区温室气体减排；②处理少量污水，减少废水区外运输和处理产生的温室气体排放。

商务区优化交通系统设计，减少拥堵，提升步行和自行车等慢行交通比例。研究表明这些措施能够有效减少温室气体排放[13]，但由于缺少基准情景，本研究不计算这部分减排量。区属公共交通将通过上海2010年世博会车辆的后续利用等途径全部采用新能源汽车。这一措施将从以下两方面分析：①减少燃油消耗；②增加电力和其他能源消耗。

商务区碳汇包括公共绿地和开发地块附属绿地两方面。出于增强碳汇能力考虑，商务区将建设大面积城市森林[14,15]。

除园区工程外，商务区在招商过程中将通过硬性约束条件，推动开发单位实现温室气体减排。这些约束条件包括强制性的建筑节能标准和更严格的绿色照明要求。

在计算温室气体减排量时，研究将根据减排措施的出资方分配减排量。替代工程建设和公共绿地建设主要由商务区主管部门所属的开发公司投资完成，因此计入主管部门减排量。建筑节能、绿色照明和开发地块附属绿地建设将提高地块的开发成本，因此计入开发商减排量，并根据开发商的租售情况分配给最终用户如商务区入驻企业等。

（三）商务区碳中和机制设计

碳中和机制建立首先需要明确机制运作的推动力量。虽然我国已提出了到2050年单位GDP的二氧化碳减排目标并计划列入“十二五”的约束性指标，但国内尚没有法律法规对二氧化碳减排作出强制要求。温室气体减排将增加额外的成本。而CDM机制尚不足以覆盖所有的减排行为。因此，在现有条件下，无论是法律手段还是市场方式，都不足以推动温室气体减排机制的长效运作。研究建立的碳中和机制由商务区的主管部门即政府派出机构来负责推动，其内在动力为行政力量，起到3个作用：①派出机构承担相当部分的自愿减排责任，树立温室气体减排的示范形象；②为自愿参与碳中和的企业提供政府引导、信息公布、标签等鼓励性政策工具；③通过规章政策、人力物力等措施保障机制的落实实施。

商务区碳中和机制遵循“自愿参与”原则。通过自愿协议的形式，商务区主管部门、开发单位、地块开发商、地块物业、入驻企业等单位自愿承担温室气体减排责任。机制的目标是实现商务区排放量与减排量相等，即“碳中和”。自愿减排责任没有数量要求，但鼓励在前面研究基础上，根据本单位温室气体排放量确定。自愿减排责任的优势在于不需要维护一个对参与方赋予强制责任的机制，不削弱商务区的市场竞争优势；而劣势在于自愿参与的方式必然导致减排义务与排放权利不对等，一部分单位自愿承担了比自身排放更多的减排责任，而另一部分企业少承担或不承担责任，整个机制需要持续不断的推动力，其自发运作的能力不足。

各单位自愿承担的温室气体减排责任可以通过3种方式完成：①根据上面研究核实的温室气体减排量；②通过可认证的途径减排，认证由第三方机构完成；③捐赠商务区碳中和基金，由基金运作温室气体减排项目。作为自愿减排示范，建议商务区主管部门自愿承担商务区内所有公共设施和自有建筑的减排责任，包括公共绿地、水系、公共交通、分布式供能、市政设施、行政办公楼等。

碳中和基金的建立与运作是整个碳中和机制的核心部分。基金从属于商务区主管部门专职专业管理，依照国家相关法律法规实现市场化运作。基金管理应当公开接受全体捐赠人监督，投资项目必须是公开的，减排量能够通过第三方机构认证。基金将主要用于区外温室气体减排项目投资，也可进行碳金融投资。

商务区管委会作为政府派出机构，不具备立法能力。因此，商务区碳中和机制将主要根据商务区实际情况，从招商要求、功能配套上给予鼓励性支持。整个碳中和机制将通过商务区主管部门正式公布，并融合到招商和开发的要求与管理中。同时，商务区将积极争取相关政策支持，如各级政府的新能源补贴政策、碳汇林建设政策等。

四、讨 论

（一）不确定性分析

研究在温室气体排放清单编制和减排量核算中运用了定量研究方法，不确定性主要来自于3个方面。①方法的不确定性。计算方法参照IPCC指南编制，该指南基于国别清单，对区域和城市系统缺少适应方案。我国正参照IPCC指南，根据我国国情确定相关参数，从能源活动、工业过程、农业、动物N_2O排放、林业碳汇、废弃物排放6方面计算，但正式的标准或指南尚未出台。整个温室气体的定量研究工作还需要深入研究。②数据来源的不确定性。本研究需要的数据主要来自于社会经济统计，数据质量风险较大。③数据的随机性。研究拟从3方面控制不确定性：①引入适应性管理，及时根据效应变化反馈和修正方法；②加强数据质量控制，加大数据核查力度；③运用蒙特卡罗模拟计算结果的置信空间。

（二）适应性管理

商务区碳中和机制中将引入适应性管理，通过合理的规则设计，提高机制的自适应能力。适应性管理主要起到两方面作用。①加强利益相关者（stakeholder）参与。商务区目前仍处于前期规划阶段，因此机制建立只有商务区主管部门一方参与，而机制运作后将涉及区内承担自愿减排责任的单位和区内其他单位，如果二氧化碳减排作为行政约束指标在“十二五”推行，则还将涉及相关市、区两级政府。因此，机制需要通过适应性管理逐步听取涉及的利益相关者诉求并自我修正。②完善计算方法。根据实际统计结果验证区内单位排放量和减排措施的有效性，并及时反馈给核算方，完善下一阶段的减排责任分配。

（三）研究的局限性

碳中和机制尚不具备市场化运作条件，需要借助强大的外力推动。因此，商务区主管部门的行政支持是本研究应用和推广的前提。主管部门通过招投标限制等行政手段将减排成本计入开发成本，这一做法实现外部成本内部化，是对碳中和机制的一个重要推动。

商务区以服务业为主的产业结构和土地利用方式，使碳中和不能依靠区内碳汇建设，只能采用区外减排和认证。当各级政府承担减排责任后，该机制实施可能会遇到政策阻力。

研究将边界限制在了商务区以内的活动。但研究也注意到，商务人士的出行排放正成为关注重点，“飞机+小汽车+酒店”的商务模式带来大量排放，而其中相当部分可以用低碳方式替代。商务区将鼓励企业和个人对商务出行实施碳中和，这部分自愿捐赠基金也将进入碳中和基金统一管理。这部分内容在本研究范围之外，将在相关研究中予以讨论。

参考文献

[1] 付允，马永欢，刘怡君，等．低碳经济的发展模式研究［J］．中国人口·资源与环境，2008，18（3）：14－19.

[2] Halloran J. W. Carbon－neutral economy with fossil fuel－based hydrogen energy and carbon materials［J］. Energy Policy，2007，35（10）：4839－4846.

[3] Zeman F. S.，Keith D. W. Carbon neutral hydrocarbons［J］. Philosophical Transactions of the Royal Society A－Mathematical Physical and Engineering Sciences，2008，366（1882）：3901－3918.

[4] Johansson B.，Ahman M. A comparison of technologies for carbon－neutral passenger transport［J］. Transportation Research Part D－Transport and Environment，2002，7（3）：175－196.

[5] Salazar J.，Meil J. Prospects for carbon－neutral housing：the influence of greater wood use on the carbon footprint of a single－family residence［J］. Journal of Cleaner Production，2009，17（17）：1563－1571.

[6] Vandenbergh M. P.，Steinemann A. C. The carbon－neutral individual［J］. New York University Law Review，82

(6)：1673－1745.

[7] 曾少军，岑宁申．“碳中和”与北京绿色奥运［J］．北京社会科学，2008（2）：4－8.

[8] 李迅，曹广忠，徐文珍，等．中国低碳生态城市发展战略．// 中国城市科学研究会．中国低碳生态城市发展战略［M］．北京：中国城市出版社，2009：22.

[9] 李善同，孟延春，杨永恒，等．基于主体功能区的中国区域和城市发展战略研究．// 中国城市科学研究会．中国低碳生态城市发展战略［M］．北京：中国城市出版社，2009：144.

[10] IPCC. 2006 年 IPCC 国家温室气体清单指南［R］. ISBN 92－9169－520－3.

[11] Brix H，Sorrell B. K.，Lorenzen B. Are Phragmites－dominated wetlands a net source or net sink of greenhouse gases?［J］. Aquatic Botany，2001，69：313 － 324.

[12] Mandera，ü.，Lõhmus K.，Teitera S.，et al. Gaseous fluxes in the nitrogen and carbon budgets of subsurface flow constructed wetlands［J］. Science of the Total Environment，2008：343 － 353.

[13] 赵杰，殷广涛，陈莎，等．中国公共交通引导城市发展策略研究．// 中国城市科学研究会．中国低碳生态城市发展战略［M］．北京：中国城市出版社，2009：710.

[14] 谢军飞，李玉娥，李延明，等．北京城市园林树木碳贮量与固碳量研究［J］．中国生态农业学报，2007，15（3）：5－7.

[15] 王丽勉，胡永红，秦俊，等．上海地区 151 种绿化植物固碳释氧能力的研究［J］．华中农业大学学报，2007，26（3）：399－402.

浅析西安市地铁一号线项目施工期环境监理工作的内容

许 维 高 兵 王义林

（西安市环境保护科学研究院 710002）

摘 要 西安市地铁一号线项目是由西安市皓盛环境工程监理有限公司来进行环境监理的项目，地铁施工期主要的环境监理工作包括5方面内容：污染类环境问题、资源类环境问题、生态类环境问题、文物类环境问题和社会类环境问题。本文主要论述了地铁施工期环境监理的主要内容，分析了环境监理工作应关注的环境问题及解决方法。

关键词 地铁 环境监理 环境污染

引 言

随着落实建设项目全过程监管要求的提出，建设项目环境监理制度已成为我国建设项目环境保护管理体系中的重要环节。2002年，国家环境保护总局对“青藏铁路”、“西气东输管道工程”等13个建在生态敏感地区、生态环境影响突出的国家重点工程实施施工期工程环境监理试点[1]，通过环境监理，工程各项环保措施得以有效落实，取得了防止生态破坏和环境污染的良好效果。根据国家环保部、陕西省环保局及西安市环保局的有关规定，西安市地铁一号线工程由西安市皓盛环境工程监理有限公司进行环境监理工作。

一、工程概述

西安地铁一号线项目起自西安市后围寨，经新城区、莲湖区、未央区、灞桥区，止于纺织城。全长25.34km，设车站19座、风亭29处、冷却塔30处。而西安市是人口稠密的大城市，如地铁施工期管理不善，会引起沿线居民的不满和投诉，甚至可能会破坏生态。因此，在地铁施工期开展环境监理制度是很有必要的。

二、西安市地铁一号线环境监理内容

（一）西安市地铁一号线施工准备阶段环境监理的内容

1. 参加设计交底，熟悉环评文件和设计文件，了解项目建设过程的具体环保目标，调查工地周围的情况，对敏感点做出标识，并关注敏感点的环境问题，要求各承包方采取切实有效的预防控制措施避免或减轻施工产生的环境影响，确保施工生产与环境保护的和谐统一。

2. 审查各标段施工单位提交的施工组织设计、施工技术方案和施工进度等计划，重点关注废水、废气、粉尘、扬尘、噪声、固体废物、油品、危险品的控制方案和文明施工措施的制定。

3. 组织编制环境监理大纲、规划和实施细则；组织环境监理人员学习、培训，合理分工、明确职责，努力提高环境监理人员的综合素质。

（二）西安市地铁一号线施工阶段环境监理的内容

对施工现场、施工作业进行巡视，检查环评和设计中提出的环保措施的落实情况。包括的内容有以下5个方面。

1. 污染类环境问题及控制措施

（1）大气污染

地铁施工期产生的大气污染有：土方开挖、堆放、运输过程产生的扬尘；水泥、黄沙等建筑材料在风力作用下的扬尘；施工机械和运输车辆排放的燃油废气；炉灶燃烧、食堂油烟产生的废气。采取的控制措施如下：项目施工道路、场地要进行硬化处理，及时清扫，适度洒水以减少二次扬尘；拆除建筑、构筑物要采用隔离、洒水等措施，并在规定期限内将废物清理完毕；施工土方作业要采取防尘措施，风速过大应停止作业；土方、渣土、施工垃圾运载车辆应密闭或进行必要的覆盖；施工现场出入口应设洗车台，车辆出场冲洗车身、车轮，减少车轮携土；水泥和其他易飞扬的细颗粒物建材应密封存放或采取覆盖等措施；裸露场地和集中堆放土方应采取覆盖、固化或绿化措施。混凝土搅拌及灰搅拌场所应采取封闭、围挡、降尘措施，防止粉尘污染；施工现场严禁焚烧废弃物以免产生有毒有害气体、烟尘、臭气；施工现场的机械设备，车辆尾气应符合国家环保排放标准的要求。检查油品、危化品专库存放及相关消防措施，应急措施落实情况。

（2）水污染

地铁施工期产生的水污染有：施工场地施工作业产生的泥浆水、施工机械和运输车辆的冲洗水、下雨时冲刷浮土及建筑泥沙产生的高浊度雨水等；项目部工作人员的生活污水。采取的措施如下：建设单位和施工单位应对污水的排放进行组织设计，严禁施工污水乱排污染道路及周围环境；施工场地要设置临时沉淀池，将含泥沙的雨水，泥浆水经沉淀池处理达标后排放，也可以进行水的重复利用，如用沉淀后的上清水来浇洒路面、土堆、施工面、洗车等；施工设备检修会产生油类污染，应将油类回收利用；项目部的厕所应经化粪池后排入市政管网、餐厅应设隔油池。

（3）噪声污染

地铁施工期的噪声污染有：工程土方施工阶段的道路切割机、翻斗车、装载车、推土机和挖掘机产生的噪声；基础施工阶段的平地机、空压机、风镐产生的噪声；结构施工阶段的振捣棒、电锯产生的噪声。采取的措施为：合理安排施工时间，对主要噪声设备（如装载车、空压机、振捣棒等）要求其安放位置尽可能远离敏感点，并采取相应限时作业，尽量避开居民休息时间，夜间禁止施工，因特殊需要必须连续作业的必须到当地环保部门办理夜间施工许可证，且必须公告附近居民。

（4）振动污染

地铁施工期的振动污染来源于施工机械（盾构机、空压机、装载机、挖掘机、推土机、钻孔灌浆机等）作业产生的振动。采取的控制措施为：对施工振动影响较大的敏感点（如名城墙）应事先做好记录，采取加固等预防措施；其余控制措施与噪声基本相同。

（5）固体废弃物

固体废弃物的主要来源是拆迁建筑产生的建筑垃圾、工程弃土及施工人员的生活垃圾等。采取以下措施来控制：建筑垃圾应按《西安市建筑垃圾管理办法》执行，不得在施工场地外擅自堆放建筑垃圾，做到工完场清；及时清运弃渣（土），外运车辆进行严密遮盖，出场时清洗轮胎和车厢挡板，严禁超高超载及沿途洒漏，防止中途乱倒；生活垃圾集中收集，委托环卫局及时清理、清运；危险废弃物（如废柴油、润滑油、蓄电池等）委托回收单位集中进行处理；严禁在工地焚烧各种垃圾废弃物。

（6）危险品的管理

危险化学品应存储在专门仓库，而且要标识明确，与其他物品保持安全距离，隔离存放；运输危险化学品时要防泄漏、防火、防爆、防撞击、防倾倒，装卸时须轻举轻放；委托有资质单位处理废弃化学品；施工过程中使用的汽油、柴油等应妥善存放，防止着火、爆炸等事故的发生。

2. 资源类环境问题及控制措施

施工过程中用电、用水，会增加沿线地区用电用水负荷，施工单位应提前与有关部门联系，防止临时停电、停水，影响附近地区的正常生活；审查施工所用材料的各项环保指标是否符合环保标准的要求，确保使用环保材料，绿色施工。

3. 生态类环境问题及控制措施

西安市地铁一号线项目各工地的弃渣（土）委托市容园林局统一处理，避免乱堆乱弃，破坏自然环境和产生水土流失；停车场位于灞河一级阶地区，施工时要做好防护，避免大量水土流失至河内，影响水质；砍伐或迁移树木要报批，不得随意修剪树木；施工结束后要恢复植被和绿化。

4. 文物类环境问题及控制措施

西安市地铁一号线项目经过了全国重点文物保护单位——西安明城墙的玉祥门和朝阳门，施工过程中要密切关注盾构通过玉祥门、朝阳门段的施工情况，收集施工方及第三方进行沉降监测的数据，并及时上报市文物局和市环保局；西安市是一个文化古都，在施工过程中可能会发现古遗迹、古墓葬或其他文物，遇到此类情况时，应立即停止施工，保护现场，及时将有关情况报告当地文物保护部门，待文物得到妥善解决后再恢复施工。

5. 社会类环境问题及控制措施

做好各种准备工作，对沿线所涉及的道路和各种地下管线（供电、通信、给排水、天然气等）进行详细调查，并提前协同有关部门确定拆迁、改移方案，确保施工时不致影响沿线区社会生活的正常状态；项目所涉及的征地、拆迁，必须按照国家，地方的有关政策执行，对所有受影响的房屋、其他设施的补偿费均按财产的现行重置价计算，在进行补偿时不进行折旧；做好与地方政府、社区居民的协调沟通工作，减少由于施工给市民带来的不便，创造和谐施工外部环境。

三、结　语

良好的生态和自然环境，是人类生存和发展的需要。西安市地铁一号线项目建设在人口稠密的西安市城区，西安市的地质情况非常复杂，而且地铁建设一般持续时间长、结构复杂、技术要求高、涉及面广。这些情况都会对周围环境造成很大的影响，因此在进行环境监理工作时，遵循“最大限度地减少对环境的影响”的原则，对施工过程中产生的各种环境问题要进行严格的控制，将地铁施工期的环境质量得到优化。

参考文献

[1] 曹晓红，李继文．建设项目工程环境监理中的问题和建议［J］．环境与可持续发展，2006，2：14－15.
[2] 付娟．地铁建设期环境保护工作程序和特点［J］．科技信息，2007，29：15－16.

我国应对气候变化立法的体系建设

徐寅杰[1]　林　震[2]

（北京林业大学人文社会科学学院　北京　100083）

摘　要　近年来，由于人类社会工业化进程中温室气体排放的大量增加，全球气候变暖日益威胁人类的生存环境。应对气候变化，各国除了通力合作，制定并遵守有关国际公约外，还要制定具体的国内法，以实现本国的节能减排目标。西方一些国家已经具备了较完整的气候变化法律体系；我国虽然有不少单行法，但还没有形成法律体系。因此，采用环境法领域常见的“伞形立法”结构，建立一个以“气候变化基本法”为统摄的多层次的法律体系，显得尤为必要。

关键词　气候变化　立法　法律体系

应对全球气候变化需要全球各国的共同努力，其中特别要重视和加强应对气候变化的法律制度建设。而法律制度体系又可以分为国际法体系和国内法体系。国际法体系由人们所熟知的《气候变化框架公约》、《京都议定书》等国际条约或协定所构成；由于并不是全球所有国家都认同并签署国际法体系中的某一部或某几部法律，加之某些国家在批准这类国际条约后执行不力，导致国际法在应对气候变化方面显得力不从心。与国际法不同，国内法由某国自行颁布，因此对本国政府、企业和公民的行为有很强的约束作用；同时，国内法也能够为《京都议定书》等国际条约付诸具体实施提供必要的国内环境。因而，加强应对气候变化的国内立法，并在此气候变化基本法的基础上形成一整套法律体系，对政府应对气候变化的公共职能进行规范，已经成为世界各国科学应对气候变化的主流趋势。我国已经在国际场合多次表明，要在应对气候变化问题上，做一个负责任的大国，为此需要构建一整套应对气候变化的国内法制度体系，对气候变化国内法的立法原则和体系的探讨也就显得十分必要与紧迫。

一、制定应对气候变化的国内法是大势所趋

1998 年，日本国会通过了世界上第一部应对气候变化的专门法律——《地球温暖化对策推进法》。该法明确了全球变暖的含义，阐释了温室气体的种类，明确了中央和地方政府、企业以及市民的相应责任，还制定了相应的罚则[1]；经过 2002 年的修订后，该法明确提出要实现《京都议定书》的承诺目标，即 2012 年比 1990 年温室气体排放量削减 6%，减至 11. 55 亿 t 二氧化碳[2]。为了减少化石能源利用产生的温室气体，促进可再生能源的利用，日本自 1997 年以来，先后颁布了《关于促进新能源利用的特别措施法》、《电力事业者新能源利用特别措施法》等法律。在节能方面，企业界要根据《节能法》，落实和扩大自主行动计划，政府则对引进节能设备的从业者给予税收和金融方面必要的支持。此外，日本还就限制温室气体排放制定了有关碳税的规定，同时也立法规范指定工厂的能源管理，对建筑物实施严格的强制性节能设计标准等等。因此，日本已构建了由“气候变化基本法”为指导，由新能源利用立法、节约能源立法、碳排放市场化立法等为中心内容，相关部门法实施令等为补充的气候变化法律制度体系。

英国是较早采取立法、税收等措施应对气候变化的发达国家之一[3]。2007 年 11 月，英国正式公布了《气候变化法案》，成为世界上第一个以立法框架确定减排目标的国家。《气候变化法案》为英国制定了一个清晰而连贯的中长期减排目标：到 2020 年，将英国的二氧化碳排放量在 1990 年的水平上减少 26. 96% ~32%，到 2050 年，在 1990 年的水平上削减至少 60%；制定了碳收支 5 年计划新体系和至少未来 15 年的碳收支计划，成立具有法律地位的气候变化委员会，引入新的排放贸易体系，建立新的温室气体排放报告机制，对英国温室气体减排进展情况进行监

督。在这一法律约束下，英国政府必须定期向议会汇报如何达成这一目标，采取行动的领域将包括所有的工业设施和来往英国的所有国际航空和航运交通。这一法律也赋予了英国政府实行排放交易、推广生物燃料、减少建筑能耗甚至强制零售业减少塑料袋使用的权力。

在整个气候变化议程中具有决定性，但同时又最不确定的美国的态度也逐渐朝着积极应对的方向发展。由民主党领导的国会更是不断推动美国应对气候变化的立法进程。目前，美国的《能源政策法》、《清洁能源法》等法律实际上都为温室气体的削减起到了积极的作用。2009 年 6 月 26 日，由美国总统主导的《清洁能源安全法案》在众议院以微弱优势获得通过，只待参议院通过即可成为法律。相对于联邦立法的踟蹰与犹豫，加州、缅因州等地方专门法律已经走在了前面。2006 年加州通过的《全球温室效应治理法案》给加州规定了强制性的减排义务，即到 2020 年，加州二氧化碳气体的排放量要减少 25%，控制在 1990 年的排放水平。除了专门的气候变化立法外，在美国出现的新兴诉讼类型——气候变化诉讼[4]也会援引《清洁空气法》、《濒危物种法》和《国家环境政策法》等作为起诉依据，因此这些法律也可以被当作是应对气候变化法律体系的一部分。

二、我国现有的应对气候变化的法律制度

目前，相对于已经具备较为完整的应对气候变化法律体系的日本，以及具备“气候变化基本法”的英国而言，我国与美国的境况相似，都缺乏一部“气候变化基本法”从总体上适应逐步变暖的自然环境，并采取措施减缓这一进程；但两国的政府都致力于尽快推出这部法律。与美国不同的是，我国除了欠缺“基本法”之外，与此相关的“能源法”、“石油和天然气法”、“原子能源法”等特别法也迟迟没有诞生，而《电力法》、《煤炭法》、《气象法》等也因制定年代过于久远，很多规定不符实际而亟待修改。虽然我国尚未建立一套应对气候变化的法律制度体系，但某些立法工作依然是卓有成效的。

2009 年 8 月 27 日，十一届全国人大常委会第十次会议表决通过了《全国人大常委会关于积极应对气候变化的决议》，这是中国最高立法机构首次就应对气候变化问题作出决议。这项决议提出，要把加强应对气候变化的相关立法作为形成和完善中国特色社会主义法律体系的一项重要任务，纳入立法工作议程，适时修改完善与应对气候变化、环境保护相关的法律，及时出台配套法规，并根据实际情况制定新的法律法规，为应对气候变化提供更加有力的法律保障。

在能源法方面，迄今为止，我国已经制定了《电力法》、《煤炭法》、《节约能源法》、《可再生能源法》等能源法律，20 多部能源行政法规和大批能源行政规章、能源地方性法规和规章以及能源规范性文件。另外，《矿产资源法》、《矿山安全法》、《环境保护法》、《刑法》等也调节与能源有关的领域。与国际趋势相适应，我国能源法的生态化进程也在逐步推进：《节约能源法》规定了编制节能计划、节能管理监督、合理用能标准、节能设计规范等一系列制度。《可再生能源法》则确立了总量目标制、强制上网制、分类电价制、费用分摊制、专项资金制等五项基本制度；2009 年修改后的可再生能源法规定，国家实行可再生能源发电全额保障性收购制度，同时还规定，国家财政设立可再生能源发展基金，资金来源包括国家财政年度安排的专项资金和依法征收的可再生能源电价附加收入等[5]。

在立法保障节能减排和可持续发展方面，全国人大常委会于 2002 年通过了《清洁生产促进法》。《清洁生产促进法》规定了国家发布清洁生产导向目录和实行强制回收的产品和包装物的目录，限期淘汰浪费资源和严重污染环境的生产技术、工艺、设备和产品以及要求企业实行清洁生产审核制度等内容，有力地促进了企业清洁生产，提高了资源利用效率，从源头上减少了污染物的产生和排放。2008 年，全国人大常委会审议通过了《循环经济促进法》。该法的出台预示我国将发展循环经济的主体从企业扩展到全社会，确立了循环经济发展规划制度、总量调控制度、

循环经济评价指标体系和考核制度、以生产者为主的责任延伸制度、重点企业监督管理制度以及循环经济统计制度、标准体系和产品资源消耗标识制度等发展循环经济的基本管理制度，力图以尽可能小的资源消耗获取较大的经济、社会和环境效益，实现可持续发展。

与节能减排、应对气候变化密切相关的法律还有《大气污染防治法》、《森林法》、《草原法》等一系列法律。为控制大气污染造成气候有害变化，我国颁布实施了《大气污染防治法》，为适应大气、气候环境变化该法已经进行了两次修改。我国现行的《大气污染防治法》主要是针对燃煤产生的气体、其他工业生产废气的排放、机动车船排放的尾气以及粉尘、恶臭气体排放而实施的法律控制，在进行末端治理的同时实行源头管理，包括清洁能源使用和清洁生产。《森林法》和《草原法》则为增加森林、草原碳汇提供了可靠的法律支持。

近年来，我国一些地方在应对气候变化立法方面也做了很多有益探索，青海、黑龙江、四川等地应对气候变化的地方立法工作已经启动，其中《青海省应对气候变化办法》已于2008年颁布施行，这也为在国家层面上研究制定应对气候变化法提供了实践基础。

三、我国应对气候变化立法体系的构建

在应对气候变化方面，尽管我国已经有了一些法律法规和政策性文件，取得了初步的成就，但是总体而言，缺乏高位阶、成体系的规范性法律文件、政府相关部门职责权限不够清晰、专业人才匮乏、公众意识落后等仍然是中国应对气候变化国家能力的国家瓶颈。在新的战略机遇期，随着我国经济增长模式的转型和我国在应对气候变化问题上国家战略的逐步明确，应当在修改现有立法的基础上，通过借鉴国际经验和总结我国国情，采用环境法领域常见的“伞形立法”结构，建立一个以“气候变化基本法”为统领的多层次法律体系。在构建这一法律体系时，以下5个方面尤其值得重视，并应当纳入立法体系。

（一）立法明确我国应对气候变化的基本原则

在国际合作的基本方针和原则方面，我国首先应当坚持《联合国气候变化框架公约》确立的“共同但有区别”的责任原则。因为我国作为一个发展中国家，工业化、城市化、现代化进程远未完成，发展经济、改善民生的任务尤为艰巨，所以我国的气候变化立法不仅涉及管理体制和经济结构的调整，也必须考虑对民生的实际影响，不应该也不可能为应对全球气候变化采取超出其责任和能力的措施[6]；其次是积极主动寻求合作原则，因为气候变化是全球性问题，我国要积极开展政府、议会等多个层面和多种形式的国际合作，共同应对气候变化带来的挑战。在国内协调的基本方针和原则方面，第一，应坚持生态优先兼顾经济发展原则，在经济发展和环境保护的悖论中，应当选择生态优先原则，同时兼顾经济发展；第二，应当提高公众意识，在全社会基本普及气候变化方面的相关知识；第三，应坚持政府主导与市场激励相结合的原则，要通过完善多部门参与的决策协调机制，形成与应对气候变化工作相适应的、高效的组织机构和管理体系，与此同时，还需要综合运用碳排放交易、财税政策等激励制度，引导企业和公民参与应对气候变化的行动。

（二）立法规范我国应对气候变化的专门规划

为了应对气候变化行动，越来越多的国家注重通过制定专门的战略或者规划，统筹协调相关政策措施。例如，芬兰政府早在2005年就制定了《实施京都议定书的国家战略》。此外，一些发展中国家，如印度也制定了《应对气候变化国家方案》。如前文所述，我国也于2009年出台了《全国人大常委会关于积极应对气候变化的决议》。为了将制定气候变化战略规划工作制度化，有必要在未来的“气候变化基本法”中明确规定相关规划的核心内容。另外，城乡规划、重点领域以及区域发展建设规划等规划的制定程序中，也应当引入气候变化的可行性论证制度，从而更好地进行气候适应性、风险性以及可能对局地气候产生影响的分析、评估活动。

（三）立法明确我国各级政府应对气候变化的主导作用

从各国气候变化立法的比较研究来看，大多数政府专门规定成立高层议事协调机构负责制定气候变化相关政策，统筹协调各部门的工作，同时设立气候变化专家委员会，发挥专家咨询的作用。在“气候变化基本法”的制定中，也有必要借鉴各国的经验，对我国现行的气候变化管理体制进行总结，充分发挥各级政府在应对气候变化的主导作用，明确各级政府和有关部门在应对气候变化工作中的职责和分工，从而更好地统筹协调各级政府及其部门的应对气候变化行动。此外，可以考虑成立一个专门的机构，而且目前是以政府为主导，也可以考虑吸纳金融、法律等方面人才，提供跨学科的研究与支持。我国在2007年成立的气候变化小组也反映了政府主导的趋势。“国家应对气候变化领导小组”由温家宝总理担任组长，负责制定国家应对气候变化的重大战略、方针和对策，协调解决有关重大问题；发改委承担领导小组的具体工作，并内设专门职能机构，负责统筹协调和归口管理国家应对气候变化工作。

（四）立法明确我国减缓气候变化的各种措施

在减缓气候变化方面，需要综合采取调整经济结构，转变发展方式，提高能源利用效率、发展可再生能源，优化能源结构，促进循环经济、加强植树造林等方面等多种政策措施。提高能源效率、发展可再生能源和核能、促进循环经济等具体政策措施宜由《节约能源法》、《可再生能源法》和《循环经济促进法》等相关法律中进行明确和具体的规定。在减少温室气体排放方面，除了政府监管的手段之外，还可以引入市场化工具，其中就以碳排放权交易制度为代表。截至2008年，全世界已有28个国家执行排放权交易计划。我国也需把重点放在构建自愿减排性的碳排放权交易市场，规范相关交易场所的运作，并建立相应的自律规则。综合来看，未来的“气候变化基本法”在设计减缓气候变化相关制度时，应更多地侧重于碳排放信息统计监测考核制度、森林碳汇相关制度、碳排放权交易制度和碳税制度。

（五）立法规范我国应对气候变化的人才培养与科技研究

我国已有的科技研究基础、布局、内容和前瞻性等不足以支撑现在和将来复杂的气候变化形势，这些不足从根本上来讲是专业人才的欠缺和素质的低下造成的。因此，为了加强气候变化领域的基础研究，有效制定应对气候变化战略和政策，积极参与应对气候变化国际合作，在“气候变化基本法”中应当规定加强对相关专业与管理人才的培养等措施，并建议国家考虑在适当时候，在现行的专业学位框架内设立气候变化专业方向，培养相当数量具有理工科、经济金融、外语、法律等综合背景的专业人才，为应对气候变化提供智力支持和人才保障。为有效应对气候变化提供有力的技术支撑，还需要加强气候变化技术自主创新，可以规定综合运用财政税收等政策，支持能源开发、节能和清洁能源等领域的技术创新，加快先进技术产业化步伐，提高农业、水利、林业等部门适应气候变化的技术水平。

参考文献

[1] 孙磊．日本应对法律气候变化的法律对策［J］．科协论坛，2008（3）：122.
[2] 刘江永．日本应对气候变化的战略、措施与困难［J］．世界经济与政治，2003（6）：73.
[3] 刘恕．英国这样应对气候变化［J］．中国减灾，2009（9）：45.
[4] ［澳］大卫·希尔曼，约瑟夫·韦恩·史密斯．气候变化的挑战与民主的失灵［M］．北京：社会科学文献出版社，2009：211.
[5] 龚向前．气候变化背景下能源法的变革［M］．北京：中国民主法制出版社，2008：22.
[6] 秦天宝．我国环境保护的国际法律问题研究——以气候变化问题为例［J］．世界经济与政治论坛，2006（2）：109.

公路隧道能源管理研究

韩　直[1]　林利安[2]　曾祥平[3]　游　婷[2]

（1. 重庆交通科研设计院；2. 重庆交通大学交通运输学院　重庆　400067；
3. 广东省高速公路有限公司京珠北分公司）

摘　要　在参考相关行业能源管理经验的基础上，结合公路隧道的特点，提出了公路隧道能源管理的概念。通过分析公路隧道能源管理的目标、对象、内容和管理机构的设置和适用条件，给出了公路隧道能源管理的框架结构形式。

关键词　公路隧道　能源管理　理论框架

截至2008年底，全国公路隧道为5426处、318.64万延米。我国已成为世界上公路隧道最多、最复杂、发展最快的国家之一。公路隧道的节能问题，已成为低碳经济时代、新交通时代交通行业普遍关注的问题。随着国家相关节能法规政策、节能目标和交通行业的相关节能规划的相继出台，作为高能耗的公路隧道，能源使用无计量，消耗无定额，考核无标准，致使能源利用率不高，能源严重浪费，能源成本占据了运营成本的绝大部分，节能刻不容缓。但公路隧道节能工作是一个系统性、综合性很强的工作。开发和应用节能技术和装备仅仅是节能工作的一个方面，单纯地依靠节能技术，并不能最终解决能源供需矛盾等问题。应用系统的管理方法降低能源消耗、提高能源利用效率，推动行为节能，进行公路能源管理体系建设成为能源管理的关键。

一、公路隧道能源管理的概念

广义的能源管理是指对能源生产过程的管理和消费过程的管理。狭义上的能源管理是指对能源消费过程的计划、组织、控制和监督等一系列工作。公路隧道能源管理是指在满足隧道安全和能源需求的条件下，通过建立和健全一套科学能源管理制度、管理方法，以及行之有效的组织措施和经济手段，从系统节能角度，对公路隧道建设和营运过程中的用能，进行全面审核、计划、控制和评估，实现以最小的能源消耗取得最大的经济效益的系统节能手段。

隧道能源管理可大致划分为三个阶段：第一阶段：通过加强管理，减少能源损耗。如：杜绝“偷”“漏”电现象。第二阶段：局部节能技术升级改造。如对照明系统进行改造，采用高效节能灯具或智能照明控制系统。第三阶段：系统节能，是包括建设与运营全过程、节能技术和管理手段三位一体的全面系统性节能管理阶段。

二、公路隧道能源管理的对象和目标

（一）能源管理的对象

能源的特点决定了能源和能源管理的重要性，以及能源管理工作的复杂性和特殊性。因此，在进行公路隧道能源管理工作时必须明确管理的对象。按能源本身的性质分类，公路隧道能源管理的对象主要为电、水和石油。在隧道运营期，隧道主要能耗为电能。因此，必须对其进行重点管理。

（二）公路隧道能源管理的目标

公路隧道的能源管理是一项长期的、战略性的工程，必须有一个明确的核心目标来统领和指导能源管理工作。目标的设定是整个公路隧道能源管理的关键环节，也是建立和实施公路隧道能源管理的前提和基础。制定出既符合公路隧道能源利用的实际情况，又有利于能源工作长远发展的目标，才能使公路隧道能源管理活动获得好效果和高效率。此外，目标必须充分考虑隧道运营的安全、节能、环保、经济和高效 5 个方面来进行设定。不同类型、工况和长度的公路隧道对这 5 个方面的要求和关注程度是不一样的，因此不同的公路隧道实施能源管理的具体目标应该是各有差异的。

三、公路隧道能源管理的内容

能源管理主要应包括能源供应管理和能源节约管理两个方面内容[1]。这两种管理的对象虽同属能源，但其管理的内容、性质、范围、目的和意义，都有很大的区别。供能管理主要是保证供应完成或超额完成生产任务所需的能源，是确保隧道是否能够正常营运的关键。节能管理的目的主要是在完成任务的条件下，节约能源消耗，或在同量能源供应的条件下，创造更大的效益。节能管理将直接影响公路隧道的经济效益，在能源供应紧张的今天，尤其显得重要。根据公路隧道的特点，其对能源的供应，特别是电力的供应，有着特殊的要求。要求不间断供电。因此，在隧道能源管理应将重心放在能源节约管理上。

公路隧道能源管理，主要包括公路隧道供能管理、公路隧道能源计量、公路隧道能源统计、公路隧道能源平衡、公路隧道能耗定额管理、公路隧道节能技术管理、规章制度管理、节能宣传及教育以及节能改造项目的管理等内容。

（一）隧道供能管理

公路隧道能源供应特别是电力供应是隧道正常运营的必备条件，对于长大隧道的供电，规范也有特殊和严格的要求，必须确保隧道的不间断供电。公路隧道的供能管理主要包括：①能源的供给管理，保证隧道的不间断供电。②能源的储存管理，在隧道特殊的供电要求下，必须做好电力的储存工作。如使用 UPS 做好储存备用电能的工作。③能源分配管理，是能源有效利用，提高能源利用率，降低设备能耗的一个重要环节。④能源的运输管理，主要工作是减少能源运输损失，杜绝跑、冒、滴、漏现象；对电力线路除减少输配电损失外，还要注意保证供电质量。

（二）公路隧道能源计量

公路隧道实行能源全面计量是隧道能源科学管理的必要条件之一。由于目前公路隧道没有相关的能源计量管理办法和规范，因此，可参照《全国厂矿企业计量管理实施办法》和《用能单位能源计量器具配备和管理通则》GB 17167—2006[2] 的要求，建立直属主要领导的计量管理机构，充实计量器具安装维护的技术机构，健全计量器具维修和定期检验制度，编制能源计量器具网络图和能源信息反馈网络图，做到统一抄表，“数”出一门，“量”出一家，按国家规定，做好能源计量器配备工作、明确隧道能源计量器具准确度的要求和确定能源计量器具的检定周期。

（三）公路隧道能源统计

隧道能源统计是整个公路隧道能源管理的基础，隧道能源的监督、控制、节能潜力挖掘和隧道能耗定额的制定都离不开能源统计。为了做好隧道能源管理工作，一定要建立既切实可行，又能全面、真实反映实际情况的能源统计指标体系。

隧道能源统计工作的内容主要包括：①隧道能源需求统计；②隧道能源消费统计；③隧道各设备能耗统计；④隧道能源节约量统计；⑤能源利用率计算和分析。

（四）隧道能源平衡

隧道能源平衡是提高隧道能源管理水平，寻找节能潜力和推动隧道节能技术改造的一项基础性技术工作。通过准确完善的能源计量和统计，严格的技术参数测试和精确的计算，搞清隧道内部各种能源的来源、流向、数量和构成，绘制隧道能流图，测算出隧道主要耗能设备的能源利用效率、能源转换效率和隧道能源利用率，根据设备和隧道整体能源平衡的测定分析，找出隧道的节能潜力和部位，它不仅是判明节能方向，挖掘隧道节能潜力、制定节能措施与规划的科学依据，而且是使隧道能源管理工作走向规范化、系统化和科学化的基础。

（五）公路隧道能耗定额管理

能耗定额是指在一定的条件下，为生产单位产品或完成单位工作量，合理消耗能源的数量标准。其管理工作是隧道能源管理工作中的一项基础工作，也是考核隧道节能管理工作好坏的重要指标之一。但目前我国仍没有制定相关的公路隧道能耗定额，对公路隧道能源管理工作的开展和推广，带来了一些阻力。

隧道能耗定额必须反映运营生产过程中能源消耗的客观规律，是能源利用率考核的依据。能源消耗定额应先进合理，既反映生产技术水平，同时也反映生产组织管理水平。为此，合理的能源消耗定额，必须是正确的能源消耗规律的反映，正确的能源消耗定额必须在科学地研究能源消耗规律的基础上制定和产生。为了提高公路隧道能源消耗定额的准确性和可靠性，一般应以技术计算和实际测定法为主，来制定能源消耗定额。

（六）公路隧道节能技术管理

节能技术主要分为软技术和硬技术两种。前者主要是加强改善管理和改进操作，后者指技术改革和设备更新改造。对硬技术必须注意审查其技术先进性、可靠性和经济合理性。从而，才能针对定额管理、能源使用管理中发现的问题，提出改进办法，确定并组织实施节能技术措施，是提高隧道能源利用水平的根本，也是节能管理中工作量最大的工作。

在汇总各项技术措施基础上，制订节能计划和长远规划，确定远近期节能目标，研究实现目标的措施。

（七）规章制度管理

“无规矩不成方圆”，只有制定科学、合理、完善的能源管理制度，才能保证隧道能源管理工作的持续开展。公路隧道能源管理制度，应包括建设、运营的各个环节，并做到目标明确，职责分明，责、权、利相结合。

（八）节能宣传及教育

节能宣传及教育就是要深入宣传国家的能源方针、政策和法规，提高隧道建设者、使用者、管理者对节能工作的认识，增强节能的紧迫感和责任感，其是隧道能源管理工作中不可缺少的环节，也是提升公路管理部门节能形象的有效措施。

（九）节能改造项目的管理

公路隧道节能改造项目，不同于一般的建设项目。由于对象的特殊性，必须由专业的人员或组织进行管理。对于缺乏相关技术力量的业主单位，可采取第三方委托管理或采用合同能源管理的手段对项目进行改造。力图以最少的投入完成节能项目，并达到预期的节能目标。

四、公路隧道能源管理的组织机构

隧道能源管理这一涉及面广的综合管理工作，没有一个负责机构协助领导来推动工作，是很困难的。因此，为了使隧道能源管理工作经常化、科学化，必须建立职责分明、功能完善、工作高效的能源管理机构。从能源供给到使用、节约等各个工作环节的管理都必须有明确的能源管理岗位和人员。相关行业的节能先进经验表明[3]，主要领导亲自过问和重视能源大计是很关键的，只有在这种情况下，节能工作才比较容易开展。

（一）隧道能源管理的组织机构设置的形式

目前我国现行的公路隧道能源管理大多采用由公司到隧道管理处再到具体的隧道管养班组的三级的管理体系。隧道能源管理是隧道管理中的一部分，为避免管理体制上的冲突，可参照当地管理体制进行设置，宜将隧道能源管理设置成由公司领导组成的隧道节能领导小组（能源委员会）、隧道能源管理小组和节能员组成的三级能源管理体系。如图1所示。

（二）公路隧道能源管理组织机构的人员配备

隧道节能领导小组应当由隧道运营公司的主要领导组成。并设置专门的能源管理办公室负责日常的能源管理工作，但配置的人员不宜过多，建议设置2～4人。隧道能源管理小组可由隧道养护部（队）的相关主管人员兼任，并设置专门的能源审核员和管理员。负责现场作业的节能员可以是电工或养护人员，通过培训后担任。

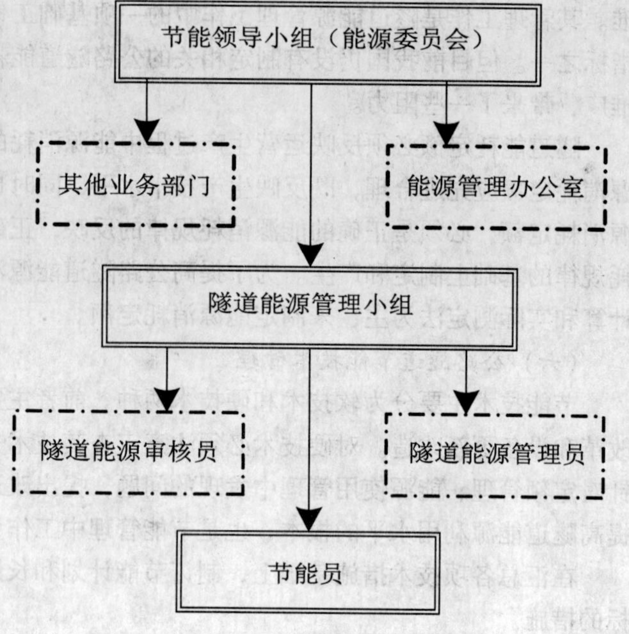

图1　公路隧道能源管理组织结构图

（三）公路隧道能源管理机构的适用条件

出于管理成本和管理效率考虑，对于不同规模的公路隧道，应根据隧道长度和交通情况等，妥当设置能源管理机构，妥善解决节能专职机构设置的合理性。因为，作为隧道能源委员会的日常办事机构和能源管理业务的综合部门，没有专职机构和人员是不能适应正常工作需要的。但专职人员也不宜过多，宜选用精通业务、有责任心和组织能力强的人员。笔者建议：

1. 对于长大隧道和隧道较多（数量大于三个或总长度超过5km）的公路，可采用上述的管理机构设置办法进行设置。在隧道节能领导小组的领导下，成立专门的节能办公室，全面督促隧道能源管理小组和节能员的日常节能工作。

2. 对于隧道较短和用能较少的公路，可只设置隧道节能领导小组，其他机构可设在总工程师室和隧道养护部等部门内，不进行专门设置，适当节约人员。由隧道节能领导小组负责推动隧道的节能工作。

五、公路隧道能源管理的框架结构

（一）框架结构

目前，我国公路隧道能源管理尚属起步阶段，没有形成相关的理论架构。因此，笔者在参考相关行业的研究成果[4,5]基础上，通过综合分析，提出公路隧道能源管理的理论框架结构。如图2所示。

如图2所示，整个公路隧道能源管理是建立在国家制定的相关节能政策及法规和行业标准、规划和节能目标的基础上，再由公路管理部门根据自身的特点，制定所辖隧道的节能目标。进而，构成以节能目标为动力，并以节能目标作为考核指标的能源管理闭环体系。闭环体系中两个循环代表两个持续改进的过程。小循环中的三个环节的工作构成一个相对独立的公路隧道节能项目，是整个隧道能源管理中不可或缺的组成部分。相对其他工作而言有其自身的特点，管理灵活开放，能够采用传统项目管理的模式或合同能源管理模式对其进行更为有效的管理。其他环节的工作均属于日常管理或是企业管理的范畴，并且必须更多地依靠整个组织的力量来完成。

（二）公路隧道能源管理框架结构的特点

1. 充分利用项目管理和企业管理各自的优点，有机地融合到公路隧道能源管理中，为组织能源管理工作的开展提供了较强理论依据，有普遍性的指导意义。

2. 具备较大的灵活性，对节能项目的管理可根据项目的特点，采用多种管理模式（如：合同能源管理、BT 模式等），为能源管理工作开展，提供了较为灵活的空间。有助于节约成本、降低项目风险和提高管理的效率。

3. 管理框架结构包括公路能源管理的各个环节以及每个环节的主要工作内容，为公路隧道能源管理工作的开展提供了一套可供参考的流程。

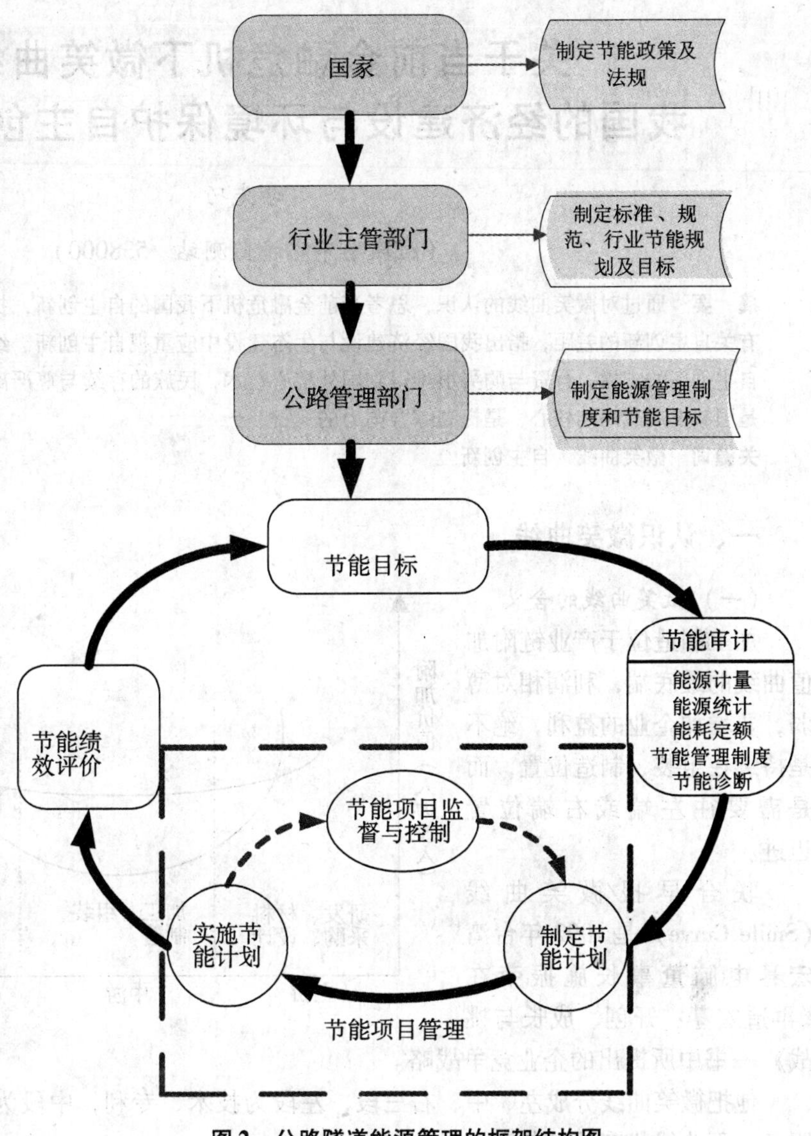

图 2　公路隧道能源管理的框架结构图

六、结束语

本文的工作主要有 5 点：①通过分析公路隧道能源管理的现状和特点，提出研究隧道能源管理的必要性和迫切性；②在参考相关行业能源管理的基础上，提出公路隧道能源管理的概念，并将公路隧道能源管理划分为三个阶段；③综合分析了公路隧道能源管理的目标、对象、内容和管理机构的设置、人员配备以及适用条件；④融入项目管理的理论思想，提出公路隧道能源管理的理论框架结构；⑤对公路隧道能源管理的框架结构的特点进行分析，以期对将来开展相关的研究和工作起到抛砖引玉的作用。

参考文献

[1] 龚焕曾．企业能源管理［M］．上海：上海科学普及出版社，1991.

[2] 中华人民共和国国家标准．《用能单位能源计量器具配备和管理通则》GB 17167—2006，2007，1.

[3] 唐克嶂．工厂能源管理［M］．大连：大连理工大学出版社，1994.

[4] R. Kannan，W. Boie. Energy management practices in SME – case study of a bakery in Germany. Energy Conversion and Management，2003（44）：945 – 959.

[5] 罗璋．公共建筑能源管理系统模型探讨［D］．天津：天津大学，2006，12：6 – 8.

关于当前金融危机下微笑曲线在我国的经济建设与环境保护自主创新的思考

李先巧

（防城港市环境监测站 538000）

摘　要　通过对微笑曲线的认识，思考当前金融危机下我国的自主创新，找出我国在科学发展应用中有关自主创新的差距，指出我国经济建设与生态建设中应重视自主创新、经济发展方式的升级离不开自主创新的支撑、合资与购买很难得到国外核心技术，民族的存续与尊严离不开自主创新、自主创新是国家发展战略的核心，是提高综合国力的关键。

关键词　微笑曲线　自主创新

一、认识微笑曲线

（一）微笑曲线的含义

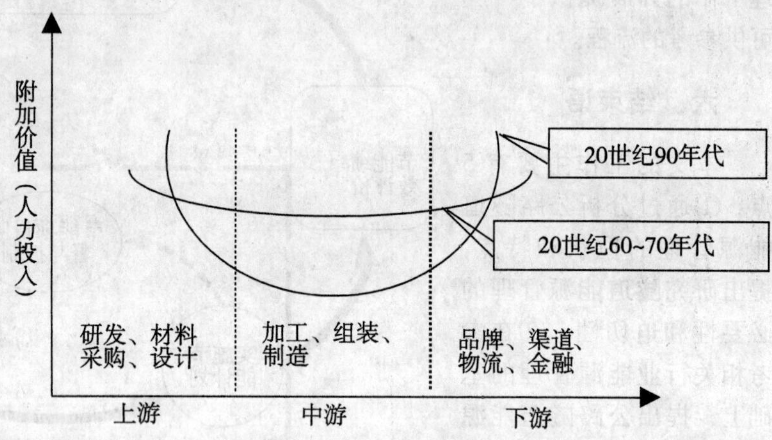

加工制造位于产业链附加值曲线的最底端，利润相对薄弱，要增加企业的盈利，绝不是持续在组装、制造位置，而是需要往左端或右端位置迈进。

联合早报/微笑曲线（Smile Curve）是1992年台湾宏碁电脑董事长施振荣在《再造宏碁：开创、成长与挑战》一书中所提出的企业竞争战略。

他把微笑曲线分成左、中、右三段，左段为技术、专利，中段为组装、制造，右段为品牌、服务，而曲线代表的是获利。

微笑曲线在中段位置为获利低位，而在左右两段位置则为获利高位，如此整个曲线看起来像是个微笑符号。微笑曲线的含义即是：要增加企业的盈利，绝不是持续在组装、制造位置，而是需要往左端或右端位置迈进。

当把微笑曲线应用在产业经济学时表明，加工制造位于产业链附加值曲线的最底端，利润相对薄弱，企业如果要获得更多的附加值，就必须向两端延伸——要么向上游端的零件、材料、设备及科研延伸，要么向下游营销端的销售、传播、网络及品牌延伸。

总体而言，越向两边走，企业获得的附加值就越多。微笑曲线得到大量国际贸易数据的印证：在全球产业链中，高端环节获得的利润占整个产品利润的90%～95%，而低端环节只占5%～10%。目前，中国一些加工贸易企业获得的利润甚至只有1%～2%。

（二）微笑曲线在各国经济建设与环境保护中的应用

欧美及日本、“四小龙”企业基本上是处于“微笑曲线”的两端，我们处于曲线底部。

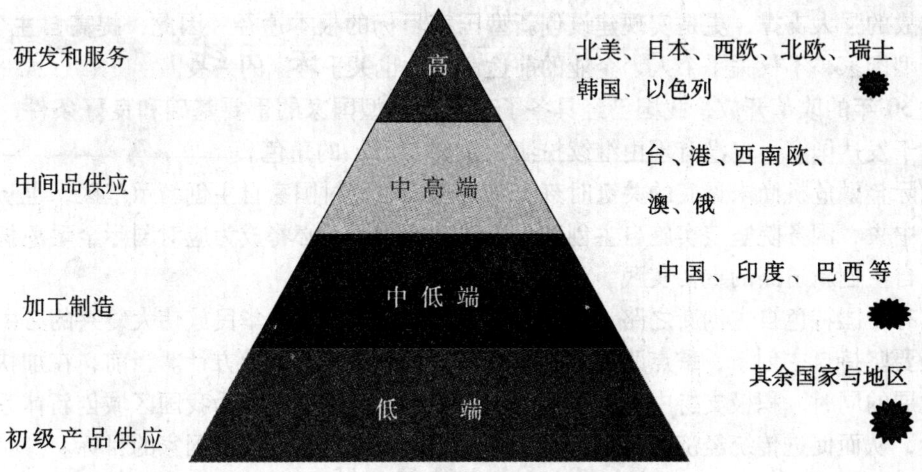

二、经济危机的剖析与自主创新的发展道路思考

（一）处于价值链波谷的“中国制造”

中国在短短20年内迅速发展成为全球一个新的庞大的加工制造中心，制造水平确有较大幅度提升，这是不争的事实。但是，我们必须清醒地看到，“中国制造”目前存在着整体技术水平不高、过于依赖引进技术、创新技术不足三大技术软肋，市场繁荣出口红火的背后潜伏着自主创新能力严重不足的危机，已经显现出制约经济社会长期稳定发展的若干征兆。对于一个立足中国出口到世界的制造商来说，这是一个艰难的时期。

（二）“苦力”角色使我国的国际贸易条件很不利

全球产业链中，高端环节获得的利润占整个产品利润的90%～95%，而低端环节只占5%～10%。目前，中国一些加工贸易企业获得的利润甚至只有1%～2%。

（三）经济发展方式的升级离不开自主创新的支撑

“高投资”、“高增长”、“高耗能”和“低效益”是前30年经济增长方式，我们依托劳动力密集型的产业来参加国际贸易竞争。

廉价劳动力模式的外向型经济的潜力已释放殆尽，低技术经济发展模式已走到末路 。

（四）合资与购买很难得到国外核心技术

西方国家不管是出于意识形态的政治偏见还是出于一种维护自身技术优势的利益考量都不会把关键技术、核心技术转让给中国。

从政治上来看，在冷战时期，有所谓的“巴统联盟”，对当时的社会主义国家实行军事技术和战略物资禁运，涉及12000种，中国列入其中。冷战结束之后，有所谓的《瓦森纳协议》，对敏感国家包括中国，禁止高技术、关键技术的转让。从经济上来看，发达国家在国际贸易中拥有的就是技术优势，它不可能轻易拱手相让。

（五）民族的存续与尊严离不开自主创新

一位韩国驻北京记者在《以新中国的速度前进》一书中写道：“中国成为世界工厂，那我们应该做什么呢？我们只管开发这座工厂里制造产品的技术就可以了。如果说中国是世界工厂，就应该把我们的国家培育成庞大的研究开发中心”。

（六）自主创新是国家发展战略的核心，是提高综合国力的关键

在现代工业社会，一个国家的财富，主要靠它的科技和工业来创造。

三、经济建设与生态建设中建设示范区是走中国特色自主创新道路的重要实践

自主创新能力不仅是企业实力的象征，更是国家竞争力的核心之所在；不仅是我国应对各种

危机和挑战的强大支撑，更是实现建设创新型国家目标的根本途径。因此，提高自主创新能力、建设创新型国家，不仅关乎个人、企业的前途命运，也关乎国家的兴衰。

经过30年的改革开放，我国已经具备了建设创新型国家的重要基础和良好条件，没有理由继续依附于发达国家，也没有理由继续扮演“世界工厂”的角色。

在国际金融危机尚未见底的关键时刻，着力建设中关村国家自主创新示范区，也从一个侧面体现出党中央、国务院坚定实施自主创新强国战略的决心，必将成为应对国际金融危机，坚持走中国特色自主创新道路的重要实践。

走具有中国特色自主创新之路，建设创新型国家，是实现中华民族伟大复兴的必由之路，其核心就是要坚持自主创新、重点跨越、支撑发展、引领未来的指导方针。当前，在加快推动国家高新区发展的同时，积极支持中关村国家自主创新示范区建设，将为我国区域创新体系建设提供宝贵经验，从而促进传统经济体向创新经济体过渡，最终实现创新型国家的目标。

四、应用微笑曲线与环保自主创新范例

（一）在“微笑曲线”两端“跳舞”——新江南环保被客户“倒追”

最近，从苏州新江南环保科技有限公司传出好消息，该公司与一家大型上市公司达成了一项战略合作协议：今后，新江南环保将成为该上市公司所使用的环保除尘设备的唯一供应商，其产品享受“一路绿灯”，这意味着新江南在市场开拓之路上又迈出了一大步。抓住“微笑曲线”的两端，在研发和营销两个“高地”上跳起绚丽的舞步——凭借这一秘诀，新江南环保始终保持着业内翘楚的地位，公司的订单排到了明年，甚至出现被客户“倒追”的现象，预计今年全年公司的销售收入有望在去年2000万元的基础上实现翻番。

2005年入驻国家环保产业园的苏州新江南环保科技有限公司，是一家专业制造电除尘器、布袋除尘器的具有较高知名度的环保公司，产品“诺朋”牌除尘器广泛应用于冶金、电力、建材、有色冶炼、矿山、化工等国民经济发展的各行各业。近年来，公司把“微笑曲线”的两端——研发和营销视为生命线，并在苏州和无锡建立了3个产品生产的外包基地，走上了可持续发展的良性循环之路。

公司形成了三级研发团队，即组建自有研发中心和北京劳动保护科学研究所开展合作研发以及与客户进行技术交流合作研发，每年投入近百万元用于新产品和新技术的引进开发。最近，公司还投入1000多万元，买下了环保产业园内1700多平方米的办公楼，准备建立自己的总部，内设研发中心、产品展示中心等。通过技术革新，目前该公司生产的除尘设备实现的烟尘排放浓度远远低于“每立方米50毫克”的国家标准，达到了“每立方米30毫克”的欧盟标准。最近，公司又在和日本一家企业合作，引进并完善新技术，力争把产品的排放浓度进一步降低到“每立方米10毫克”，成功后将使企业的竞争力大大提高。近年来，公司产品荣获了中国驰名品牌、中国优质名牌产品、中国节能减排重点新技术、新产品等多项荣誉。

在狠抓研发的同时，公司也十分注重营销。公司在云南、四川、新疆、北京等地区成立了办事处，客户群定位为上市公司等高端客户。凭借“诺朋”品牌的知名度，公司拥有中国铝业股份有限公司、中国有色矿业集团、云铜科技股份有限公司、云南冶金集团公司、云南驰宏锌锗股份有限公司等几十家长期合作对象。在巩固国内市场的基础上，公司把眼光瞄准了国外市场，产品走向了新加坡、印度尼西亚、泰国等东南亚地区。印尼的班加岛是一个资源型岛屿，主要产业是开发冶炼有色金属，以前岛上没有安装配套的环保设备，环境污染很严重。自从2006年云南锡业集团在班加岛投资开发矿产后，也把新江南的产品带到了岛上。目前班加岛已经采用了公司的20套价值近2000万元的设备，大大改善了当地的环境。公司准备在岛上设立自己的首个国外办事处，进一步开拓当地市场。公司今年还拿下了一个中国政府援建老挝政府试验项目中的配套环保项目，9月份工

作人员将起程赴老挝施工安装，这也为公司未来进军老挝市场打开了一扇门。

（二）微笑曲线与中国太阳能行业自主创新

“世界工厂”的标签给中国带来了繁荣，也带来忧伤：13 亿人因此获得了生活水平的改善，1.2 亿进城农民工因此用血汗扛起了全球的微笑曲线。但如果“世界工厂”标榜的永远只是最廉价劳动力贩售地和靠近最大市场的一个地址，那么这个听起来一点“创意”都没有的词语绝对是一个愚蠢标签，作为目前世界上最大的太阳能热水器生产国，中国正面临新的挑战……

正是全球微笑曲线的中低端位置，全球化顶点和底端的落差让中国的未来存在不确定性。如何尽快摆脱“同质低价”的恶性竞争局面，已成了许多中国企业苦苦思索的难题。正是由于中国企业在全球产业价值链中的地位，已经有舆论将中国企业比作“奶牛”，吃的是草，被挤走的却是高价值的奶。中国太阳能将沦落成国外太阳能企业的贴牌基地，随着世界能源日益紧张，可再生能源正迅速从“替代能源”向“主流能源”转变，中国等发展中国家在可再生能源利用方面发展迅速，太阳能利用越来越受到国际关注，经历了十几年的发展，中国已经逐步跻身世界太阳能热利用大国行列，中国太阳能热水器推广保有量也占世界第一位。自世界首支太阳能真空镀膜管诞生以来，中国在这方面的技术发展堪称是引进、吸收、再创新的典型成功案例，特别是清华大学殷志强教授对改进太阳能全玻璃真空镀膜管作出的突破性贡献，使中国的产品在技术性能上有了飞跃式的提升，这为中国太阳能热利用的发展奠定了坚实的基础。

（三）微笑曲线在废水污染水环境治理上的应用

2009 年 8 月 7 日，在太湖水危机暴发两年多后，温家宝总理再一次亲临太湖考察。他说：“太湖治理的成效是太湖区域经济结构调整的重要标志。太湖区域经济结构调整和发展方式转变，是太湖治理的根本保证。太湖治理和太湖区域经济发展的目的都是为了提高太湖流域人民群众生活质量。”事实上，两年多来，逐步走进记忆深处的那场太湖生态危机，也把对危机的反思引向理性考量的深处。痛定思痛，人们更加自觉、更加主动地探寻科学规律的现实意义。如今放眼江苏太湖周边，星罗棋布的高新产业集群，正释放出转型发展的无穷活力。

走进无锡（太湖）国际科技园，白鹭穿梭在摇曳的芦苇和氤氲湖水之间；安静的 Park 园区内，微纳传感物联网中心等世界科技前沿的高端产业“箭步前行”；具有江南“水巷”、“庭院”特色的静湖水岸则成为高端科研创意人群的配套服务区域……一个以科技、研发、创意为主体功能的滨水型科技新城跃然眼前。

驱车常州城，“科技提升产业、创新成就未来”，四处可见的巨幅广告标语，诉说着常州的发展个性。目前，常州传统产业比重逐步下降，全市规模以上高新技术产业产值从 2002 年的 394 亿元发展到 2008 年的 2330 亿元，年均增长 34.5%。去年高新技术产业比重达 42%，比 4 年前提高 10 个百分点，建起 9 个国家级高新技术特色产业基地。

短短三年，苏州工业园内的国际科技园形成了软件开发、集成电路设计、数码娱乐等高新科技龙头产业，区内 53% 的企业拥有研发能力、具有自主知识产权产品。园区国际科技园则以 $0.33km^2$ 实现企业产值 40 亿元，平均每平方米的产出高达 1.2 万元。

正如一枚金币的两面，“高”、“轻”、“绿”、“优”产业在太湖之域大显身手，其背后是“高筑门槛”和“铁腕治污”的强力显效。

沿湖各地充分认识到，只有加快淘汰落后产能，才能给新兴产业、高端产业腾出资源、让出空间、创造条件。环境容量作为最宝贵的资源，在太湖之域得到前所未有的珍视。正如一位地方官员私下坦言：“如果 1 吨 COD 能产生 1 万元 GDP，我为什么要让位给 5000 元的呢？污染小，附加值高的高新技术产业当然是我的首选。”

来自省发改委的数据显示：2008 年，苏南五市高新技术产值占本地区的工业产值比重，从 2007 年的 30.8% 上升到了 32%；而服务业增加值与上年相比，增长幅度全部在 13% 以上。

政府生态人格特征与管理体系研究

李　鸣

（桂林电子科技大学生态文化研究所　广西桂林市金鸡路1号东区　541004）

摘　要　21世纪不仅是知识经济的时代，而且是生态文明的时代。生态环境问题的严峻形势和人类的理性反思，使得人类社会从工业文明时代向生态文明时代迈出了坚实的步伐。各国政府正在运用不同手段保护着自然环境和生态平衡。政府生态责任是新阶段一种新的责任；政府生态人格是生态文明时代一种新的角色。本文以构建生态文明时代为背景，以科学发展观为指导，对政府生态人格特征与管理体系的内涵特征、分类以及实现机制进行了探究。

关键词　政府生态人格　管理体系　内涵特征　构建策略

一、政府生态人格的特征

我们认为，人格理论与机制不仅适用于自然人，而且适用于社会组织和其他社会主体。比如，企业人格、团体人格、事业单位人格、政府人格、国际组织人格等。构建自然人人格理论与机制有利于自然人的自我人格定位与管理；有利于家庭、学校、组织、社会对自然人的教育、引导、规范、评价、监督与管理；同样，构建社会组织和其他社会主体人格理论与机制，也有利于社会组织和其他社会主体的自我人格定位与管理；有利于对社会组织和其他社会主体的人格教育、人格引导、人格规范、人格评价、人格监督与管理；从政治学和公共管理的意义上，我们看到了政府的“政治人”的属性，认为政府属于上层建筑，是公共管理的工具。回顾历史，政府在不同的历史阶段扮演了不同的角色，诸如“政治人”、“守夜人”、“经济人”、“管理者”等[1]。所谓政府人格，也称国家行政人格。在学术界还没有统一而权威的界定。有学者认为，“党政机关和国家公务人员等公共行政主体与其他部门、其他职业者相区别的内在规定性，是公共行政主体的尊严、品格、品质及所理解与实现的行政价值的总和，也是公共行政主体在社会生活特别是公共行政领域中的地位和作用的统一[2]。有学者认为，政府是一种代表公众利益行使公共权力的组织，因此政府的人格首先是一种组织人格；其次，政府人格是公众人格的转化形式，政府人格的实质是追求公众利益的最大化[3]。有学者认为，行政人格，就是指行政人员与社会其他成员相区别的内在规定性，主要包括两个方面：其一，在行政人员个体层面上，是行政人员在行政行为中自我价值与行政价值的统一和共同实现，是行政人员心理、观念、意识、理想等与行为相统一的存在形态，体现了行政人员的自我价值、尊严和品格等；其二，在行政人员整体的层面上，是一种职业人格，是行政人员在行政管理职业活动中所形成的、作为这一职业的从业者所具有的职业特征，行政人员因拥有这一人格而区别于其他社会成员以及其他职业的从业者[4]。我们认为，政府人格，是政府区别于自然人、区别于其他社会组织的标志，是政府行为的理念、情感、信仰、意志、行为、习惯、道德、法律、价值追求等特征定位的总和，是政府个体人格与政府群体人格的统一。作为个体意义上的行政人格，表现为政府公务人员的个性化特点，强调个体遵循法律、行政、道德规范基础上发挥个性的作用，形成区别于其他个体的独特行政人格。作为政府群体人格，他是国家行政人员这一社会群体与一般群众和其他职业群体相区别的内在规定性，同时也表明这一群体中的部分个体的行政人格具有某些基本相似的共性，他们在心理结构、道德境界、角色规范、价值取向等某些方面呈现出共同的特征。政府人格的特征表现为：公共性、管理性、服务性、责任性、政治性、宏观性、法治性、动态性、多元性、有限性[5]。

在农业文明时代，政府对经济发展和生态环境保护采取的是不干预、放任的态度；工业文明时代，政府对经济发展采取的从放任到干预的态度与政策（宏观调控有形之手），对生态环境保护采取的是人类中心主义态度与不作为。只有到了生态文明时代，国家才有了新的责任——生态责任，于是，生态文明时代赋予了政府生态人格新的生命内涵。从这一论题出发，可以看出，政府人格在人类历史上出现的一次大的转型：从对生态环境保护采取的是人类中心主义态度与不作为的政府人格转向尊重自然、和谐自然、保护生态、保护环境、构建资源节约型和环境友好型社会的政府生态人格。1972 年联合国《人类环境宣言》指出：保护和改善人类环境是关系全世界各国人民的幸福和经济发展的重要问题，也是全世界各国人民的迫切希望和各国政府的责任。

所谓政府生态人格，是指在生态文明时代，政府在面对日益严重的生态环境危机进行理性反思的情况下，在生态哲学、生态伦理学、可持续发展观、科学发展观的指导下，确立政府保护生态环境的执政理念、执政价值取向、执政信念、执政机制、执政模式、执政行为、执政形象等特征定位的总和。他是政府人格内涵体系中新生的一种重要人格。其主要特征如下：

1. 政府生态人格化。法学上有法人理论、法人制度与法人机制；经济学有经济人格理论、经济人制度与机制。因此，在政府管理学的意义上构建政府主体人格理论与机制具有可能性与现实性。这样有利于社会组织和其他社会主体的自我人格定位与管理；在生态文明时代，构建政府生态人格理论与机制，对于充分发挥政府的生态环境保护管理的功能，具有可能性、现实性、客观性和紧迫性。

2. 生态环境管理的公共政策性。现代政府是责任政府，而政府的主要职责就是制定、执行与管理公共政策。因此政府的生态责任必然体现为公共政策性。一方面向社会提供有形的保护生态环境的公共性产品，诸如全民的公共生态环保教育、公共生态环保基础设施、公共生态环境监测与保护机制等；另一方面向社会提供无形生态环保公共产品，诸如生态文明理念、生态环保价值观、伦理观、生态环保法律制度、生态文明社会引导氛围等。

3. 生态环境管理的国家权威性。生态人格是生态文明时代每一个社会主体都应具备的人格，诸如政府生态人格、各类社会组织生态人格和自然人生态人格等。由于政府具有无与伦比的地位公权力和庞大的公共资源，决定政府的生态人格具有国家号召力、影响力、强制力和权威性。因此，政府的生态人格的权威性显得特别的神圣和重要。

4. 双重性。传统意义的人格观，政府限于对君主或对社会或对人民负责，这是人类中心主义的价值观取向所致。在生态文明时代，政府既要对人民负责任，又要对生态环境负责；既要对当代人负责，又要对子孙后代人负责；既要对本国的生态环境负责，又要对国际生态环境负责。“我们不是继承父辈的地球，而是借用了儿孙的地球”[6]。

5. 战略性。在生态文明时代，生态环境危机直接威胁着当代和子孙万代的生存与发展，各国政府不得不把构建良好生态提升为战略重点。因此，世界各国政府正在把可持续发展、保护生态环境作为基本的发展战略。各国正在加快生态现代化的建设步伐。可见，政府的生态人格已经具有了战略性定位。

6. 国际性。由于生态环境的全球性、流动性、整体性（如温室效应）使得任何地区、任何国家、任何单位、任何人都无法独善其身、置身度外，如何应对生态环境的危机成为摆在全球各国政府、单位和公众面前的最为紧迫的问题。因此，政府生态人格具有国际性色彩。

二、政府生态人格管理体系

从政府生态人格的内在构成体系看，包括政府生态伦理认知、政府生态管理理念、政府生态管理情感、政府生态管理信念、政府生态管理意志、政府生态管理行为习惯等。政府生态伦理认知是指政府全体公务员，尤其是政府高层决策者通过学习、体验、理性反思、深思熟虑所形成的关于强化生态文明建设，构建资源节约型，环境友好型社会的共识。政府生态管理理念是指公务员，尤其是政府的决策者、管理者、立法者在具备一定水平的生态环境保护理论知识的基础上，将生态文明建设、环境管理的理念融入政府管理的日常工作之中的政府生态管理理念、生态责任理念、保护生态环境，促进可持续发展的理念。政府生态管理情感是指政府全体公务员通过学习、体验对自然界的山、水、森林、土地、空气、植物、动物所产生的情感（感恩自然、热爱自然）；对生态文明建设、可持续发展、循环经济、清洁生产所产生的情感（尊重自然、保护自然）。政府生态管理信念是指政府全体公务员在政府生态伦理认知、政府生态管理理念、政府生态管理情感的基础上所形成的对生态文明的信仰，对政府生态人格的向往与追求。政府生态管理意志是指政府全体公务员在政府生态伦理认知、政府生态管理理念、政府生态管理情感、政府生态管理信念的基础上所形成的对生态文明建设与管理百折不挠、坚定不移的精神状态。政府生态管理行为习惯是指政府全体公务员在生态文明理念从内化转为外化的政府生态人格的行为状态，是一个知道政府生态人格——做到政府生态人格——习惯政府生态人格的过程。

从政府生态人格的外部构成体系看，包括公共管理生态人格、经济管理生态人格、政治生态人格管理、教育生态人格管理、政府生态人格常规管理、政府生态人格危机管理、政府生态人格组织管理、政府生态人格制度管理、政府生态人格道德管理、政府生态人格法治管理、政府生态人格行为习惯管理等。公共管理生态人格是指在政府公共管理人格之中增加政府生态人格在公共管理领域的内容。比如，政府直接管理公用事业和公共产业，承担其资源配置，对市场供应不足或供应不够有效的货物予以补充。政府控制战略性资源和为公众提供服务，在某些产业发挥主导作用和弥补市场缺陷的调节作用；积极发展公益事业（如邮政通信、供水供电、市政环卫，以及海关、审计、税务管理等行政和社会服务性部门），优先满足社会目标，较少体现盈利目标；培育新兴产业和先进技术。在市场经济基础上由政府主导经济结构演进的政策被称为“产业政策”，它是国家在发展的赶超阶段采取的经济政策。政府出面对产业间资源配置进行干预并扶植新兴产业，以帮助本国企业进行国际竞争，缩短经济现代化进程。发展基础设施，调整收入政策，健全社会保障体系等。在生态文明时代，所有的政府公共管理都必须体现政府生态人格的价值取向，政府经济管理生态人格是指现代政府在从事经济管理的过程中增加政府生态人格在经济管理领域的内容。比如，提高经济效率、实现社会公平、促进宏观经济的稳定与增长、执行国际经济政策、经济战略引导，平衡协调对生产者、消费者的保护，对农业产业给予扶持，保护知识产权，查处假冒伪劣，维护市场秩序，保护公平竞争等。在生态文明时代，所有的政府经济管理都必须体现政府生态人格的价值取向，政治生态人格管理是指将政府生态人格提升到政治的高度来重视和管理。无论是中央政府，还是地方政府，都必须将政府生态人格的塑造、培养与管理当做政治任务来完成；教育生态人格管理是指对政府公务员生态人格的教育、培育、监督、评价、奖惩的过程。由于政府公务员生态人格、政府组织的生态人格不是天生具有的，因此，必须经过规范、严格、全面系统的政府公务员生态人格教育、培育过程。比如，公务员资格考试应当渗透生态文明、环境伦理、可持续发展观、科学发展观的内容；公务员、政府机关的行为测评、考核，绩效评价一定有生态环保的指标等。政府生态人格常规管理是指在政府管理主观、客观条件正常状态下的政府生态人格管理。比如，对政府机关、对公务员在生态人格方面的行政管理、法律管理、群众监督、媒体监督等。政府生态人格危机管理是指在政府生态人格出现危机情况下的管理。比如，个别政府机关违法占用耕地新建办公楼、个别政府机关违法审批高污染、高能耗的工业项目、个别公务员利用职权大肆浪费资源等，与此相对应构建的危机管理预案和紧急处理机制。政府生态人格组织管理是指在建立政府组织结构，规定职务或职位，明确责权关系，以使组织中的成员互相协作配合、共同劳动，有效实现组织目标的过程中强化生态人格管理。比如，对公务员人事组织考核中增加生态环保的内容。政府生态人格制度管理是指建立健全政府机关、公务员有关生态人格管理的制度体系。比如，《政府机关、公务员有关生态人格管理规定》、《政府机关、公务员节能减排考核管理规定》《政府机关、公务员绿色发展管理规定》、《政府机关、公务员绿色绩效考核管理规定》。政府生态人格道德管理是指对政府机关、公务员生态道德人格的教育、培育、监督、评价、奖惩的过程。比如，政府机关、公务员的生态道德教育的管理，政府机关、公务员生态道德行为的记录、评价、奖惩管理，每年评选中央、地方、单位的生态人格道德先进集体与个人等。政府生态人格法治管理是指充分运用法律手段进行政府生态人格管理。政府生态人格管理不仅需要道德的价值观的支撑，而且需要法律的力量导向、推进。比如，制定《绿色政府机关、绿色公务员促进法》。

参考文献

[1] 彭澎．政府角色论［M］．北京：中国社会科学出版社，2002：5.
[2] 王伟．行政伦理概述［M］．北京：人民出版社，2001：97.
[3] 田云刚，张元洁．论现代市场经济条件下的政府人格［J］．山西农业大学学报（社会科学版），2002（1）：8－9.
[4] 张康之，杨艳．论行政人格的历史类型［J］．江海学刊，2004（6）：87－93.
[5] 李建华，夏方明．论行政人格的基本类型［J］．湖南科技大学学报（社会科学版），2005（9）：45－51.
[6] 钱易，唐孝炎．环境保护与可持续发展［M］．北京：高等教育出版社，2000：184.

环境关心与亲环境行为及其关系的研究进展

刘贤伟　吴建平

（北京林业大学　北京市海淀区清华东路35号　100083）

摘　要　环境关心和亲环境行为是当今环境心理学的研究热点。本文将对如今环境关心和亲环境行为及其关系的研究理论和研究结果进行梳理总结，并展望了环境关心和亲环境行为研究的发展趋势。

关键词　环境关心　亲环境行为

一、序　言

随着全球环境问题不断恶化，环境运动不断高涨，人们不断意识到很多环境问题是由于人类活动导致的，因此人们也对各种环境问题表现出不同程度的关心并采取一系列行动以保护环境。20世纪70年代以来，社会心理学家们一直致力于探索环境关心的驱力，对环境关心与亲环境行为关系的研究也成为当今社会心理学和环境心理学的研究热点。对于环境关心（environmental concern）的定义，研究者们意见不一，Dunlap和Jones对环境关心的定义得到了最广泛认同，所谓环境关心是指："人们意识到环境问题并支持解决这些问题的程度，或者指人们为解决这些问题而做出个人努力的意愿"[1]。对于亲环境行为（pro－environmental behavior）国内研究中一般称之为环境友好行为，是指个体在日常生活实践中所表现出来的对环境产生积极作用并与环境直接相关的友好行为[2]，简单来说就是指自觉地减少由于个人行为对环境造成的负面影响并构建美好的世界[3]。

二、国外环境关心与亲环境行为关系的研究

（一）对环境关心的研究

Inglehart（1990）[4]和Buttel（1992）[5]提出"后物质"理论，认为环境关心是在富裕人群中发展、建构起来的态度，也就是说环境关心基于最基本的食物和安全需要的满足，Schultz（1999）在美国和拉丁美洲14个国家的跨文化研究有力反驳了该理论，并认为在研究环境关心时，应当考虑到其他因素[6]。

Stern和Dietz（1994）根据Schwartz的"规范—激活"模型提出了环境关心的价值基础理论，该理论认为对环境的态度基于人们最基本的价值取向，这些基本环境价值取向有三个：个体取向、他人取向和动植物取向，因此就有三种基本环境关心，分别命名为：利己环境关心（egoistic environmental concern）、利他环境关心（altruistic environmental concern）和生态圈环境关心（biospheric environmental concern）。利己环境关心基于对自身利益的考虑，保护环境是因为认为环境破坏会对自身产生影响；利他环境关心基于对人类的考虑，保护环境是因为对他人有着深远的影响；而生态圈关心集中于自然环境的内在价值之上，人类保护环境是因为人类也是自然的一部分，所有的物种都有权延续下去[7]。价值基础理论为环境关心的社会心理学研究提供了新的方向。

Schultz（2000）认为具有生态圈关心的个体不一定会更担心环境问题，而具有利己关心的个体不一定就会漠视环境问题，它们彼此的基础不同，但是生态圈关心为亲环境行为提供了更为广泛的动机[8]。这样我们可能会看到具有利己关心的个体和具有生态圈关心的个体同时出现在地方垃圾填埋场选址的活动中，但是在保护藏羚羊的野外活动中可能就不会见到具有利己环境关心的个体了。Stern和Shultz的发现与Merchant（1992）提出的环境态度的三分法（个人中心的、

人类中心的和生态圈中心的)[9]相类似。

同时，很多研究致力于探讨不同人口学变量对环境关心的影响。Van Liere 和 Dunlap（1980）研究指出年龄、受教育程度、政治信仰与环境关心有很强的相关[10]。Mohai（1980）认为种族可以作为环境关心的预测变量[11]，在 1992 年的研究中 Mohai 指出女性有较高水平的环境关心，但是在环境行动上，女性显著低于男性[12]。Schultz 在 2001 年的研究中同样发现在三类环境关心量表中（利己关心、利他关心和生态圈关心）女性得分显著高于男性，年龄与三类环境关心皆为负相关，宗教信仰差异检验显示，“天主教徒”得分显著高于“新教徒”，而政治信仰、受教育程度以及收入水平与各维度皆无显著相关[13]。

（二）对环境关心的测量

从 20 世纪 70 年代起，出现了大量测量环境关心的量表，但是这些量表与潜在环境行为之间相关较低，信度较低，测量间的一致性程度也不高，并且缺乏完整的理论建构[14]。20 世纪 90 年代以后，新的理论研究为环境关心的测量提供了更广阔的视角。

在现在很多社会范式中，人与自然被看成是分离的，Dunlap 和 Van Liere（1978）讨论了人与自然关系的新观点，认为人类是自然的一部分，进而提出了“新环境范式量表”（New Environmental Paradigm Scale，简称 NEP 量表）[15]，该量表整合了环境态度研究的成果，在测量环境关心中得到了广泛应用，但是它所测量的是普遍的环境关心。

Thompson 和 Barton（1994）提出了“生态中心主义—人类中心主义”量表测量环境关心，他们把利他和利己汇聚为一个基本价值取向：人类中心主义，并指出人类中心主义与亲环境行为负相关，环境关心测量的一个效标应当是其预测行为的能力，因此环境关心应与亲环境行为联系起来[16]。

Stern 等人（1995）使用了 Schwartz 的价值观量表中的“自我超越”维度的题目来测量生态圈关心和利他关心，使用“自我强调”维度的题目来测量利己关心，通过因素分析得出的是一个两因素结构，其中利己关心构成了首要因素，而利他关心和生态圈关心构成了另一个因素，这并未很好地支持环境关心三分法[17]。

Schultz（2001）围绕自我、他人、生态圈构建起 3 类 12 个价值客体，测量人们对每个客体的相对关心程度来检验三分法，研究为环境关心三分法提供了有力的证据，并认为对环境问题的关心围绕自我、他人、生态圈构成三个相关因素，同时该结论在美国大学生样本、美国公众样本以及其他 10 个国家大学生样本中是适合的[18]。

（三）对环境关心与亲环境行为关系的研究

1. 环境关心与亲环境行为的关系理论模型

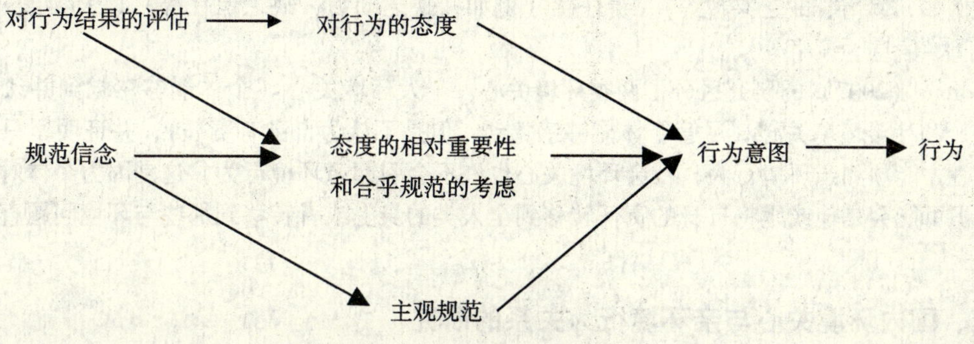

图 1　合理行动理论模型图示

Fishbein 和 Ajzen（1980）提出“合理行动理论模型”（图 1），该理论认为人们在本质上是理智的，人们对一个事物的信念构成了对这个事物的态度（喜欢或不喜欢），进而构成了他或她对该事物的行为意图，最终以这个行动采取行动[19]。

对于环境关心与亲环境行为的关系应用最广泛的是 Swhwartz 的“规范—激活”模型（图2），该理论认为价值观（利己关心、利他关心、生态圈关心）引导亲环境行为，在这个引导过程中，对环境破坏所产生的结果的意识、责任归因起到了调节作用。Schultz（1998）研究指出个体对结果的意识越强，并将该结果归因于自己时，会表现更多的亲环境行为[20]。

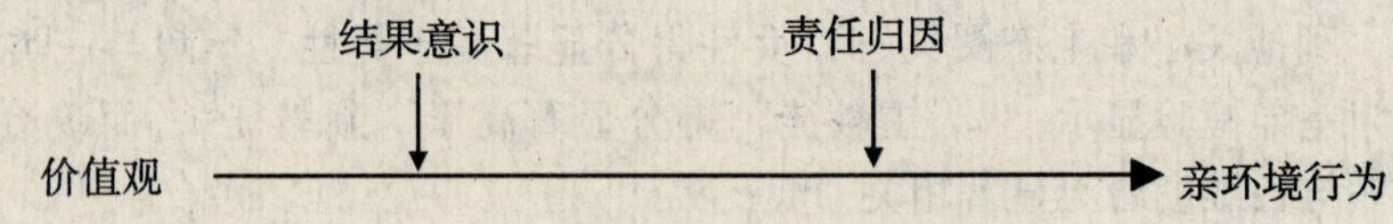

图2　规范激活与亲环境行为的模型图示

Hines 等人（1986，1987）在合理行动理论模型的基础上研究发现亲环境行为与对问题的知识、控制力、态度、行为意愿、个人责任感等变量有关，提出了环境行为责任模型（图3）[21]。

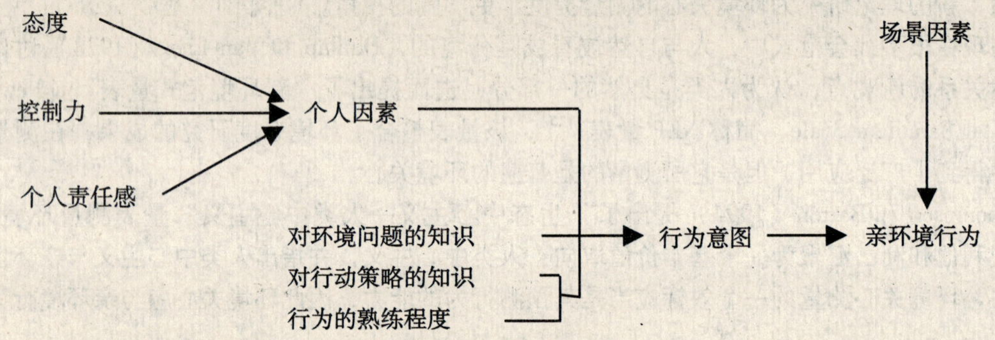

图3　环境行为责任模型

2. 环境关心和亲环境行为之间的不一致

有很多研究显示在环境关心和亲环境行为之间存在不一致，Rajecki（1982）总结出 4 个原因。①直接经验与间接经验：直接经验对人的行为有更强的影响，换句话说学习环境问题不如亲自去感受环境问题；②规范的影响：社会规范、文化传统、家庭习惯等会影响、塑造个体的态度；③暂时性的不一致：也就是指人们的态度会随着时间而改变；④态度—环境的测量：通常态度的测量范围（例如，你认为你关心环境问题吗?）比行为的测量范围（例如，你有节约用水的习惯吗?）要广，这就会导致在研究结果上出现差异[22]。

另外，Black（1999）指出大多数的亲环境行为模型存在很大的局限，因为它们未能综合考虑到个体、社会、制度约束等因素，同时他指出了在环境关心与亲环境行为之间的阻碍分别是：个人（例如，懒惰、缺乏兴趣等）、责任感（例如，缺乏动力、缺乏信任等）以及实践（例如，缺乏时间、信息、策略等）[23]。

Bedrous（2007）的研究区分了两类环境关心：个人环境关心（个体能够感觉到并认为自己有责任）和社会环境关心（尽管个体能够感觉到，但是不认为自己有责任），并证明了只有个体环境关心才能预测亲环境行为，社会环境关心也许不会引起亲环境行为，这是因为个体对环境问题的认识可能会是他或她将自身的责任转移到全人类的身上或者转移到那些与环境问题直接有关的人身上[24]。

三、国内环境关心与亲环境行为关系的研究

国内关于环境关心的研究较少，我国学者洪大用（2006）基于 2003 年中国综合社会调查（城市部分）资料，对修订过的 NEP 量表在中国的应用效果进行了评估[25]。龚文娟等（2007）研究发现，中国城市居民的环境友好行为存在社会性别差异：中国女性城市居民的一般抽象环境

关心水平低于男性；女性比男性更倾向于从事一些私人领域内的环境友好行为；男性在某些成本较高的公共环境友好行为上比女性积极一些，但表现也十分微弱；相对公共环境友好行为而言，不管男性还是女性都更多地从事私人环境友好行为[26]。胡洁瑛（2008）提出了环境关心与亲环境行为关系的综合模型[27]。这些研究对进一步的研究探讨、政策制定具有重大的借鉴作用和意义。

四、总结与展望

如今环境关心和亲环境行为的研究已经成为环境心理学的一个研究热点，很多社会学或社会心理学的理论用于解释环境关心和亲环境行为，研究集中于环境关心的测量以及亲环境行为的决定因素。纵观这40年的研究，出现了很多测量环境关心的量表，也出现了很多环境关心—亲环境行为的理论模型。在过去的10年中出现了一些新的研究方法与视角，很多研究者开始关注具体环境关心，并充分考虑到影响环境关心与亲环境行为的诸多因素。时至今日对该领域的研究取得了丰硕的成果，为环保政策的制定，亲环境行为的推广提供了有力的支持。

综合国内外关于环境关心与亲环境行为的研究现状，本文提出以下几点展望：①对环境关心和亲环境行为进一步的跨文化研究。如今关于环境关心和亲环境行为的跨文化研究集中在欧洲和拉丁美洲，对亚洲特别是中国、日本等东亚国家和地区的跨文化研究很少，这些国家和地区的文化、价值观与西方存在着比较大的差异，因此更广泛的跨文化研究是很有意义和价值的。②整合各种环境关心与亲环境行为理论模型，明确界定有关的概念，尽可能建构统一的测量工具。③中国研究者应当加快有关测量工具的本土化修订，对环境关心、亲环境行为与各种社会因素（如性别、年龄、收入、受教育程度、政治信仰等）的关系进行更广泛的探讨和研究。④充分应用各种研究成果指导环境政策和环境项目的制订和实施，指导环保教育的有效开展，指导人民群众塑造亲环境态度和行为。

参考文献

[1] Dunlap, Riley E. and Robert Emmet Jones. Environmental Concern: Conceptual and Measurement Issues [M]. Westport, CT: Greenwood Press. 2002: 482 – 524.

[2] 刘辉. 环境友好行为 [J]. 黑河学刊, 2005 (4): 123 – 125.

[3] Anja Kollmus and Julian Agyeman. Mind the Gap: why do people act environme – ntally and what are the barriers to pro – environmental behavior [J]. Environmental Education Research, 2002, 8 (3): 239 – 260.

[4] Inglehart, R. Culture Shift in Advanced Industrial Society [M]. Princeton, NJ: Princeton University press. 1990.

[5] Buttel. F. H. Environmentalization: Origins, processes, and implications for rural social change [J]. Rural Sociology, 1992, 57, 1 – 27.

[6] P. Wesley Schultz and Lynnette Zelezny. Values as Predictors of Environmental Attitudes: Evidence for consistency across 14 countries [J]. Environmental Psychology, 1999 (19): 255 – 265.

[7] Stern, P. C., &Dietz, T. The value basis of environmental concern. Journal of Soci – al Issues [J]. 1994 (50): 65 – 84.

[8] P. Wesley Schultz. Empathizing with Nature: The effect of perspective taking on concern for environmental issues [J]. Journal of Social Issues, 2000, 56 (3): 391 – 406.

[9] Merchant, C. Radical Ecology [M]. New York: Routledge, 1992.

[10] Van Liere, Kent D. &Riley E. Dunlap. The Social Bases of environmental Concern: A review of hypotheses, explanations, and empirical evidence [J]. The Public Quarterly, 1980, 44 (2): 181 – 197.

[11] Mohai, Paul. Black Environmentalism [J]. Social Science Quarterly, 1980, 71 (4): 744 – 765.

[12] Mohai, Paul. Men, Women, and the environment: An examination of the gender gap in environmental concern and activism [J]. Society and Natural Resources, 1992, 5 (1): 1 – 19.

［13］ P. Wesley Schultz. The Structure of Environmental Concern：Concern for self，other people，and the biosphere ［J］. Journal of Environmental Psychology，2001（21）：327 – 339.

［14］ Stern，P. C.，Dietz，T.，Kalof，L. &Guagnano，G. A. Values，Bliefs，and Proenvir – onmental Action：Attitude formation toward emergent attitude objects ［J］. Journal of Apply Social Psychology，1995（25）：1161 – 1636.

［15］ Dunlap，R. E. &Van Liere，K. The New Environmental Paradigm ［J］. Journal of Environmental Education，1978（9），10 – 19.

［16］ Thompson，S. C. G &Barton，M. A. Ecocentric and Anthropocentric Attitudes to – ward the Environment ［J］. Journal of Environmental Psychology，1994（14）：149 – 157.

［17］ Stern. P. C.，Dietz，T. &Guagnano，G. A. The New Ecological Paradigm in Social – Psychological Context ［J］. Environment and Behavior，1995（27）：723 – 744.

［18］ P. Wesley Schultz.. The Structure of Environmental Concern：Concern for self，other people，and the biosphere ［J］. Journal of Environmental Psychology，2001（21）：327 – 339.

［19］ Ajzen，I. &Fishbein，M. Understanding Attitudes and Predict Social Behavior ［M］. E – nglewood Cliffs，NJ，Prentice Hall，1980.

［20］ P. Wesley Schultz. &Lynnette. C. Zelezny. Values and Proenvironmental Behavior：A five – country survey ［J］. Journal of Cross – Cultural Psychology，1998（29）：540 – 558.

［21］ Hines，J. M.，Hungerford，H. R. &Tomera，A. N. Analysis and Synthesis of Resea – rch on Responsible Pro – environmental Behavior：A meta – analysis ［J］. The Journal of En – vironmental Education，1986 – 1987，18（2）：1 – 8.

［22］ Rajecki，D. W. Attitudes：themes and advances ［M］. Sunderland，MA，Sinaner，1982.

［23］ Black，J. Overcoming the 'Value – Action Gap' in Environmental Policy：Tensions between national policy and local experience ［J］. Local Environment，1999，4（3）：257 – 278.

［24］ Andrew V. Bedrows. Environmental Concern and Pro – environmental Behavior：The relationship between attitudes，behavior，and konwledge ［R］. Paper presented at the annual meeting of the American Sociological Association Annual Meeting，Sheraton Boston and the Boston Marriott Copley Place，Boston，MA，2008.

［25］ 洪大用. 环境关心的测量：NEP 量表在中国的应用评估［J］. 社会，2006，26（5）：71 – 92.

［26］ 龚文娟，雷俊. 中国城市居民环境关心及环境友好行为的性别差异［J］. 海南大学学报（人文社会科学版），2007，25（3）：340 – 345.

［27］ 胡洁瑛. 浙江省环境意识研究：公众现状调查及环境行为模型的建构［D］. 杭州：浙江大学，2008.

环境监察精细化管理的探讨

王海芳

（石家庄市环保局正定分局　正定镇恒州南街37号　050800）

摘　要　粗放的环境监察管理模式已不能适应环境管理需要，通过规则的系统化和细化，运用程序化、标准化、数据化和信息化的手段，使组织管理各单元精确、高效、协同和持续运行，达到环境监察精细化管理。本文着重分析了环境监察精细化管理的方法、步骤，提出了实施环境监察精细化管理。

关键词　环境监察　精细化　管理

近年来，随着经济社会的发展，环境监察由于人员编制、监控机制和管理能力等方面的原因，宏观的、粗放的管理机制已不能适应环境管理需要，在严峻的环境形势下显现得苍白无力、捉襟见肘。由于人手紧、手段弱，造成了环境状况不清，监控半径狭小，管理盲区较大。随着环境监察发展的新形势，环境监察人员要树立从粗放式执法管理向精细化执法管理转变的理念。通过实施精细化管理，全面加强环境监察执法队伍建设，加强环境监察人员思想政治、党风廉政、环保业务知识和规范性执法等多方面的学习；做到执法工作的重点突出规范两个字，即执法行为要规范、执法技术要规范、语言表达要规范、文字表述要规范、处罚程序要规范。

一、精细化管理概念

精细化管理是一种管理理念和管理技术，是通过规则的系统化和细化，运用程序化、标准化、数据化和信息化的手段，使组织管理各单元精确、高效、协同和持续运行。精者，去糙也，不断提炼，精心筛选，从而制订解决问题的最佳方案；细者，入微也，究其要由，由精及细，从而找到事物内在联系和规律性。精可以理解为：对待任何事情的一种态度，不找到最好办法不罢休的一种态度，或者说是一种对自己工作的专业程度；“细”是对待事情细心细致，关注细节；而“化”是一种工作职业化的程度，实施精细化管理可以使管理工作从人治向法治转变。

（一）精细化——精细见于数据

精细化的最重要的体现就是数据化。任何一名环境监察人员认真对待各自业务，用数据明确目标，确定工作计划，保证工作的精确性。在对各类管理活动开展过程中的记录清晰明了，就会为环境执法工作开展提供依据，比如每个月要对那些企业进行检查，制定检查频次，下一步工作如何开展，形成制度等；只有忠实地记录真实情况，用完整真实的记录来发现可能存在的问题，才能保证各项制度能够得到良好的执行。

（二）把小事做细，把细事做透

“在工作中，没有一件事情不值得去做，也没有一个细节细到应该被忽略”，这句话应该成为日常工作的原则，只有这样的思想在脑海里，才能时刻提醒自己，始终让自己处于正确的路线上。另外，只有每个人都安心本职工作，做好每个细节，做好每件小事，养成认真做事，踏实做事的职业态度和职业习惯，才能将工作做到更好。

二、环境监察精细化管理方案

（一）明确职责

根据职能职责，设置相应的环境监察工作岗位。并按照各自的职能、职责把各项工作进行了细化并责任到人，责任科室领导负责科室工作的具体督办，科室人员按照自己的职能职责抓好各项工作落实，确保各项工作的正常运转。

规范工作制度和工作程序，要求每名执法人员严格遵守工作制度，并按程序依法履行职责。进一步完善《排污费征收工作程序》、环境监察工作程序及《学习制度》等环境监察内部管理制度，并把收费标准上墙公布，设立排污费征收、环境违法行为查处公示栏，接受社会的监督。

（二）强化学习

按照“内强素质，外塑形象”的原则，提高环境监察人员素质。坚持学习制度，每次针对一个专题进行讲解，要求监察人员做好学习笔记。可请管理、监测等部门负责人对企业生产工艺、产排污系数进行讲解，通过开展现场环境监察和环境执法等实战演练，逐步提高全体人员的环境监管能力和执法水平；着力加强监察人员的政治修养，要深化政治理论学习，树立政治意识；深化爱岗敬业教育，树立使命意识；深化党纪法规教育，树立廉洁意识；深化勤政为民教育，树立服务意识。实施环境监察“六不准”、切实加强环境监察行风建设。

（三）工作思路

理清工作思路和改进工作方法，制定科学合理的管理制度。克服因循守旧的思想，增强环境监察工作的创新意识和主动意识；克服作风不够深入，抓工作不够大胆，管理不够到位的问题，彻底解决怕得罪人，当老好人的思想；认真履行好自己的岗位职责，增强干好本职工作的信心和决心，克服知识面窄，思想观念陈旧和工作方法不够灵活以及遇事不冷静、易急躁等问题。

1. 摸清底数　要在辖区内展开排污企业“普查”和建档设卡工作，做到一企一档一卡，规范环保档案，建立企业动态档案。组织人员对各个排污企业进行清查，收集整理企业环保档案，以澄清企业环保底子。从5个方面狠抓落实。即①企业的基本情况，具体内容有企业简介、厂区平面图、企业规模（附生产设施照片）、生产工艺流程图；②企业证照，具体内容有该项目环保机构审批文件、环境影响评价书或表、排污许可证、工商执照、机构代码证、税务登记证；③污染治理情况（“三同时”），具体内容有环保组织及岗位责任制（都设立了监督员）、污染治理计划或方案、污染治理技术方案、污染治理工艺流程图、污染治理机械设施照片、污染治理运行记录、污染事故处理应急方案。污染治理设备操作管理制度，在线监控操作管理制度；④环境监测情况，具体内容有污染治理工程项目验收审批文件、污染物排放验收报告、常规监测报告；⑤环境监察情况，具体内容有排污申报审查核定资料、排污费征收情况、常规监管文书。

根据排污单位污染物的种类、数量和特征，将管理对象分成“重点污染源、轻度污染源、一般污染源、清洁环保型单位”，并用红、橙、黄、绿四种颜色进行分类，对排污量特别大或环境影响严重的用红色标示、对排污量大或环境影响较大的用橙色标示、对排污量较小和环境影响较小的用黄色标示、对环境无明显影响或通过治理达标并符合总量控制要求的用绿色标示，本着“狠抓重点、规范一般、鼓励环保”的原则，根据不同颜色状况和环境保护法律所规定的相关时限，制定不同监察周期，对监察管理人员适时预警，提醒其及时进行监控监察，避免了管理盲区和死角，使环境监察工作达到情况明、家底清、资料全、数据准，为工作全面开展创造条件。

2. 网格化管理　实施工作指标定量化、责任落实具体化、内部运转规范化、执法监管人性化、民生工作经常化、服务发展高效化、应急处理实用化、队伍建设制度化建设。推行条块结合的片区环境管理模式，对环境监督管理机制进行了整合、重组，实行环境保护辖区管理责任制，根据排查的企业污染源档案，严格落实网格化监管机制，把每个污染源落实到具体监察人员头上管理，实行“第一责任人”制度，切实加强对污染源的监管，确保工业企业达标排放。规范环境监察工作的全过程、全方位管理，打造一支具有强大向心力、凝聚力和战斗力的环保执法队伍。

3. 规范现场执法　一些环境执法人员缺失责任心，工作不积极、不主动，对环境违法问题视而不见、见而不管。有的对群众反映的污染问题麻木不仁，缺少执法者应有的基本责任感。还有一些环境执法人员面对复杂情况，不敢依法执法。所以要以加大执法力度为立足点，通过媒体曝光和加强后督察等执法手段，实行执法建议书制度（预警—整改—处罚），逐步解决了监管不到位以及以罚代管的问题；对企业违法排污问题，采取不定时的检查手段，加大对违法排污企业的监管力度，督促企业增强环保意识，完善污染治理设施；规范执法，需要确定现场检查标准化流程，确定采样记录标准化流程，确定违法行为发现处理标准化流程。要按行业制定环境监察技术指南，加强对减排企业的技术管理，增强处罚行为的技术性；细化调查取证，严格环境执法，进一步规范现场取证、笔录制作工作，对监察单位开展全方位检查。违法证据是立案、定性、处罚的重要依据，监察文书语句严谨，用法适当是文书效力的保证；为严格执法管理，成立案件审查组。要求违法事情要真实，定性要准确，违法事实的六要素要清晰明了，直接证据和间接证据衔接紧密，符合逻辑，形成证据链。并要求企业法人对违法事实认可签字材料，经审查且通过后，再进入立案程序或监察文书下发，从而提高环境监察执法质量和效力，办铁案。努力提升了执法管理水平，保证执法处罚效果，很好地捍卫了环境执法权威。

4. 排污收费　加强监督性监测，根据环境监测、环境监管情况，认真开展排污企业排污费核征工作。综合运用行政、法律、经济等综合手段，放大现场监察效果，强化排污费征收工作。要积极探索和建立完善排污费征收管理六大程序，即：依法告知程序、据实申报程序、依法审核程序、依法核定程序、依法征收程序和归档立卷程序。要体现依法收费、公平合理、公开透明、阳光操作、集体用权，做到“清清楚楚申报、明明白白收费”。积极实施“上门交费”制度，并全面扩宽收费面，对家具、固废、餐饮、建筑施工等行业开展排污费征收工作。实施排污费半月调度，月总结制度，随时解决排污费征收工作中出现的问题。

5. 强化监控设施建设　准确、全面地摸清污染物排放底数，为排污总量控制和主要污染物减排提供管理平台，使用数据库管理软件系统，改人工管理为数字化软件管理，使污染源数据采集、监测、监察和统计分析纳入同一管理平台，监测、监察、统计数据共享。充分利用现代化的信息技术和数字化技术提升管理水平，不断扩大环境监管人员的活动半径和管理半径，实现排污与监控报警同步，不断解决环境管理人员不足与环境保护任务繁重之间的矛盾，达到及时监控、快速反应的环境监管和污染控制的高效运作模式；提高 GPS 卫星定位和 GIS 电子地图的技术功能，实现污染源可视监控与声控报警同步化。

6. 强化宣传工作　对企业的环境保护意识加大宣传。企业作为社会活动行为的主体，在创造利益、获得利益的同时也有责任，有义务肩负起回报社会，保护环境的责任。对企业的日常监察毕竟是有限的，但企业自身的环保意识的增强、自我环保意识的落实与实施却是恒久的。对于企业在环保意识的提高与增强方面，可以加大相关环保法律法规宣传的力度，增加组织相关法律法规知识集中培训的次数；定期组织相关企业进行现场的对于污染防治设施、危险废弃物、医疗废弃物等相关项目现场监察要求的讲解，以此来巩固企业在污染防治设施及废弃物方面的认识；加深企业对于法律法规的理解，使得企业能够在日常的生产过程中自觉按照环保法律法规的规定生产经营，确保不发生环境安全事故。

7. 重视信访工作　加快信访处复的速度，提高信访处复的满意度。信访案件处理是环境监察的重要组成部分，信访处复的好坏直接影响人民群众对工作的满意程度，也是监察精细化成果的体现。为此，应将信访处理纳入精细化监察范畴。实践证明，信访案件处理及时与否已作为群众评价工作的重要指标，应打破原有的条条款款，加快信访处复速度，具体做法：收到投诉当天即与投诉人沟通，了解基本情况，五日内到现场调查，发现问题或处罚或要求整改或协调等，及时与投诉人沟通。

环境监察作为一支现场执法队伍，只有在工作中突出“现场”，深入开展精细化监察，综合运用法律、经济、技术和必要的行政手段，才能切实加大执法力度，确保环境安全。

感知环保、科技监管相结合的无锡新区环境监察业务自动办公执法管理系统

王 卓[1] 严 勇[1] 张殿元[1] 王向天[2] 王师杨[2]

（1. 无锡新区环境监察大队 无锡 214028；2. 北京环信恒辉科技有限公司 北京 100083）

摘 要 环境执法对环境保护很重要，由于环境执法是环境管理系统中较新的领域，环境执法的进行，执行尺度、直接与污染企业经济利益相关联，环境执法的实现，直接影响到环境的改善，所以，如何用科学的环境执执法手段来提高环境执法的透明度和执法的科学性，是环境执法管理工作的重中之重，无锡新区环境执法大队，从实际监察工作业务出发，与北京环信恒辉科技有限公司联合研发了感知环保、科技监管相结合的无锡新区环境监察业务自动办公管理系统。系统本着“人防”与“技防”相结合的人性智能化建设思想，针对环境监察业务开发了一整套基于环境法规查询及任务跟踪管理等流程的办公系统。

关键词 环境监察 自动办公 执法管理系统

无锡国家高新技术产业开发区位于无锡东南角，1992 年经国务院批准设立。1995 年在高新区基础上成立无锡新区。在不断发展各类高新技术产业，创造高 GDP 的同时，环境保护监察也成我们区的重点工作，面对新区环境管理范围广、对象多、要求高，环境管理人员相对较少的实际情况，如何能把环境保护与环境监察工作开展得更好呢?

无锡新区环境大队在环境信息化建设中，在完成基于 GIS 系统的监控管理和基于 B/S 系统的应急、监控等管理业务建设后，从实际监察工作业务出发，与北京环信恒辉科技有限公司联合研发了感知环保、科技监管相结合的无锡新区环境监察业务自动办公管理系统。系统本着“人防”与“技防”相结合的人性智能化建设思想，针对环境监察业务开发了一整套基于环境法规查询及任务跟踪管理等流程的办公系统。整体系统镶嵌于无锡电子地图和污染源线自动监控及环境应急等业务数据库中。是国内首创监察业务电子流程化办公，电子笔录流程化跟踪，任务跟踪提醒等的信息化系统的建设。从任务开始到监察意见的生成，全过程实现了无纸化操作，形成了一条电子环境监察信息链，大大简化了工作流程，节约了时间，提高了工作效率。

一、逻 辑

无锡环境自动在线系统的子系统，主要完成无锡新区环境监察大队现场执法开始到执法结束的笔录自动管理，审核等流程，满足无锡新区环境监察执法大队信息化办公的特点。

无锡新区环境监察大队在线监测业务平台的子系统，整体数据参与无锡新区环境综合数据库逻辑开发，系统可独立使用，通过网络，为环境执法人员提供信息化移动执法系统。

二、系统特点

（一）实现执法现场协同办公

系统分为两部分，一部分是基于 GIS 下的环境信息管理，一部分是基于 B/S 下的环境监察管理。涵盖了在线监控数据、应急管理系统、监察管理、监控数据查询、风险品库管理、风险源管理、核与辐射管理、企业信息、危废管理、监测数据和系统管理。

系统可以在执法现场随时调阅企业数据、企业属性、企业排污核定、企业排污实时数据等环境执法数据，实现了现场协同办公。

（二）智能与人工相结合的任务分配系统

无锡新区现有50家重点企业，80家次重点企业，一般企业84家，重点企业监察科每月进行1次检查，非重点企业是一个季度一次检查，一般企业需要一年检察一次。系统自动从每个月第一个工作日开始自动按照监察支队划分的区域，分别向三个支队分发监察任务，每个支队1天分发2个重点企业，1个次重点企业，1家一般源建设项目。

环境监察业务系统，按照无锡新区环境监察大队的工作业务特点和业务内容，设计开发了从任务下达开始智能选择派发任务的系统。

系统根据自定义流程，过滤已经检察过的企业，按照地理信息最近距离原则，每天自动或者半自动向三个中队分配一个重点企业及周边最近的次重点企业。

随即抽取需要检察的重点企业，再根据地理信息下查询周边企业，选择需要一起检察的企业，既保证了执法的科学性，又本着科学管理，节约了时间和路耗资金，提高了工作的科学性和时效性。

（三）移动现场执法的公开性

系统从任务派发后，到现场提取电子笔录，提取后，系统按照数据编号自动生成电子编号，并按照笔录模板添加，自动生成现场调查笔录后现场打印业主签字，系统自动保存在监察大队环境执法库中，保持了环境执法的公开和透明性。

（四）业务流程系统化

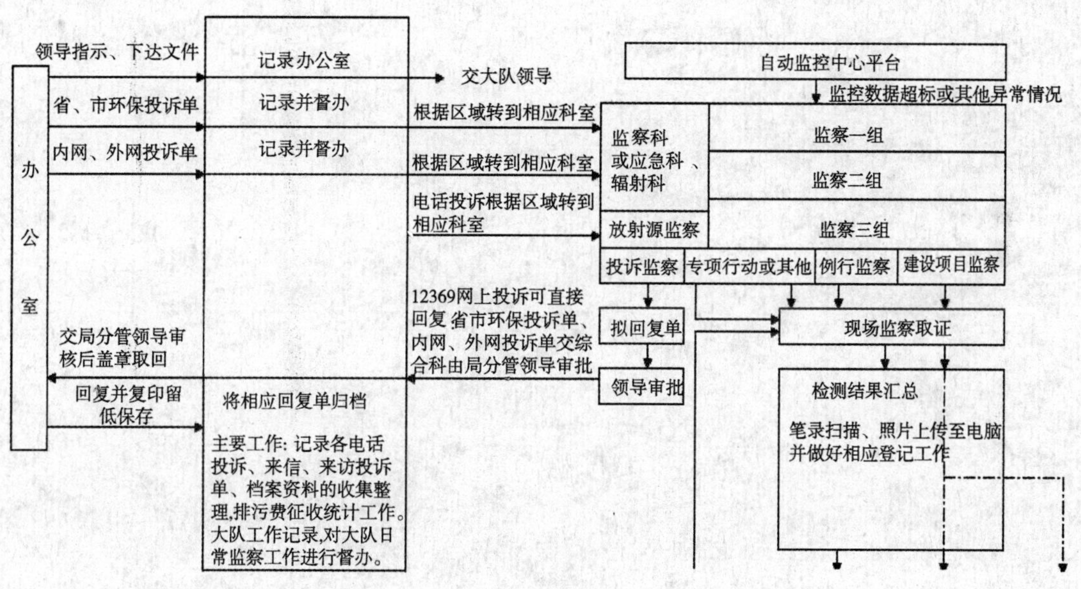

无锡新区环境监察大队环境监察工作流程图

系统按照新区环境监察大队的业务流程，从任务分配开始，自动进入电子流程，当前任务、任务提醒、已完成任务，对任务整体进行自动化跟踪、催办、通知公告、当前任务表、已完成任务、任务提醒区域。从会议、任务管理、统计报表、重点工作、最新公告、需要领导协调、统计行政处罚、建设项目跟踪查询、一周重点工作任务、例行监察任务自动形成、建设项目任务完成等流程化的建设。系统从智能派发任务开始，进入整体信息化管理流程。

（五）业务流程统一规范化

按照工作流程和任务，信访、放射源、专项行动、例行监察、土建、试生产、“三同时”等统一笔录模板格式，保持企业属性名称的唯一性，自动生成电子整改通知书，涉水企业监测数据、审批意见、“三同时”意见等所有业务单据。环境违法案件查处审批表，并审核签字后，生成行政处罚移交单。保持数据库数据的唯一性和执法的科学性和便捷的数据管理系统。

（六）完整的数据文档分析调阅系统

系统管理建立了完善的数据归档、调阅、统计、查询、分析等功能。最大限度地实现了人机对话高端开发。按照企业信息等检索，对环境执法案件可以多角度调阅、统计、分析等。并按照管理权限，设置了合理的分级查阅、审评权限。

三、系统展望

在环境执法工作中，我们认为要在环境执法信息化建设中，本着“感知环保，科技监管”相结合的原则，才能在环境执法工作中，把环境污染减到最少。环境移动执法建设应该完善如下：

1. 人机对话需要做更深度的开发，审批权限及审批流程等做深度的细化。
2. 增加业务性强大的搜索引擎，按照多项输入条件进行能满足综合业务查询。
3. 建立更人性化的法规查询体系，强大的法律法规搜索引擎可以使环境执法更科学化。

可再生能源：应对气候变化的新能源对策

张建华[1]　周　彭[2]

（1. 黄石理工学院　435000；2. 湖北蕲春李时珍文化研究会　435300）

摘　要　人类自工业革命以来，短短200多年间，生产能力特别是开发与制造能力得到了成百上千倍的增长。自然界通过几十亿年形成的各种陆地化石资源，尤其是煤炭、石油和天然气，被大量开采，几乎消耗殆尽。一个工业革命所产生的污染物和碳排放，相当于几个世纪的排放量，以致地球的自净系统出了问题，已经无法再通过自行的净化系统来吸收碳原子。

为了减少温室效应，人类需要寻求新的替代能源。而碳原近乎零排放的可再生能源，是有效应对气候变化的最佳能源，风能、太阳能、地热能、海洋能、生物质能、沼气等非化石能源必须加大开发规模，林业生物质能源也具有广阔前景。目前，应对全球气候变化的形势不容乐观，中国除了运用政治和外交智慧努力争取国际合作之外，还应坚定不移地实施新能源战略，完成自己的节能减排目标任务，谋求绿色发展。

关键词　能源　减排　环境　气候变化

一、可再生能源的战略地位

（一）高碳能源面临枯竭

现代能源中，煤、石油、天然气在化学结构式上都是以碳元素为骨架组成的有机碳化合物，以这种高含碳的化石能源推动的经济发展方式，被称为高碳经济。这一类能源是不可再生的。

据估计，世界化石能源可维持的年数是：石油40a，天然气65a，煤169a。中国现有的石油资源只够开采13a，天然气40a，煤60a。现在，中国每年需要的近4亿t石油，一半以上靠进口，大洋中每驶过的3艘油轮中，就有一条是中国的，航线遍布各大洋。为了输入石油和天然气，中国耗资数百亿美元在地面上架设了直通俄罗斯的油气管道。

中国能源对外的依赖程度逐年增高，且有逐步上升的趋势。与伊拉克、委内瑞拉、哈萨克斯坦等都订有购买或开采原油的长期合约。但从长远来看，这并不是根本的解决办法：目前地球上这些化石能源按现有的消费方式计算，最多只够人类开采百年就会告罄。

这是我国今后可持续发展的一个瓶颈。要解决这个问题，不能光依靠石油这样的化石资源。最好的办法就是依靠技术进步，打破对石油的过分依赖，寻求新的替代能源——主要是开发可再生能源，如水电、风能、太阳能等清洁能源，同时还应该提高能源效率，转换燃料。比如，把煤炭转变为天然气，从而降低碳排放；把排放出来的二氧化碳捕获，然后埋藏等，从而逐渐摆脱石油经济的桎梏，谋求绿色发展。

（二）被逼出来的低碳经济

翻阅《京都议定书》、《蒙特利尔议定书》等国际条约，我们会发现，目前已有六种气体遭到管制。其中，二氧化碳是最主要的被管制对象，其次是甲烷、氧化亚氮、氢氟碳化物、全氟化物及六氯化物。

为什么二氧化碳应首要被禁止呢？专家指出，人类活动使得地球温度变暖的气体中，三分之二来自于二氧化碳的排放，还有四分之一来自甲烷气体。所以，随着全球温室效应越来越明显，各种自然灾害越来越频繁，人类面对窘境，不得不“勒紧裤腰带”，开始研究“低碳”。低碳发展的道路是中国乃至世界的必然选择。

1997年，日本京都，149个国家和地区的代表未雨绸缪，制定了旨在限制发达国家温室气体排放量的国际公约——《京都议定书》。议定书指出：到2010年，所有发达国家二氧化碳的排放量要比1990年减少5.2%，相较于1990年，各发达国家2008—2012年必须完成的削弱目标为：欧盟8%、美国7%、日本8%、加拿大8%、东欧各国5%～8%。

2001年美国退出了《京都议定书》，理由是议定书对美国经济发展带来过重负担，减排经济代价过高。但是，随着全球人口和经济规模的不断增长，能源使用带来的环境问题及其诱因不断地为人们所认识，大气中二氧化碳浓度升高带来的全球气候变化，已被确认为不争的事实。

为此，早在2003年，“低碳经济”就已见英国能源白皮书《我们能源的未来：创建低碳经济》。2006年10月，英国政府又发布《气候变化的经济学：斯特恩报告》，呼吁全球向低碳经济转型。2009年，中国环境与发展国际合作委员会也发布了《中国发展低碳经济途径研究》，把“低碳经济”界定为“一个新的经济、技术和社会体系……能保持经济和社会发展的势头”。

（三）低碳经济呼唤新能源

既然高碳能源面临枯竭，且它的使用正日益加剧着全球温室效应，那么正处于探索中的低碳经济，必须需要新型能源的支撑，风能、太阳能、生物质能等可再生能源发电是当今能源发电的主流技术。作为化石能源发电和水力发电的重要补充，新能源发电受到世界各国的关注。在可再生能源发展上，中国面临着很大的机遇。

中国新能源发电事业近年来发展迅猛。以其中发展最快的风电为例，已以连续3年实现翻倍增长，截至2008年底，全国风电装机总量达到1217万kW，居世界第四位。而在2002年，我国的风电装机总量还只有47万kW。

其他各类新能源发电虽然没有风电的发展规模，但自身的发展速度也相当惊人。比如我国太阳能光伏电站，仅西部地区就已经建了622座，靠这些新能源，已经解决了西部地区134.5万户居民的基本用电。

中国目前已是生产太阳能热水器、太阳能电池最多的国家，中国生产的太阳能电池板90%出口到欧美发达国家的市场。而且，中国已经成为现在世界风电装置最多的国家之一，这几年都以百分之百以上的速度发展。在未来10～20年，中国的可再生能源将成为主力能源之一，在新能源这个领域，中国完全可以站在世界前列，成为这个行业的领军者。而想要做到这一点，则必须鼓励科技创新，成为一个创新型国家，没有鼓励创新的体系和环境，不可能做到世界领先。

二、可再生能源的战略发展空间

（一）可再生能源的发展空间

可再生能源，就是既可以再生，又可以持续进行使用的环境友好型清洁能源。主要包括风能、太阳能、水能、海洋能、地热能、核能、沼气、甲醇、乙醇、氢能、生物质能等，不同的地理条件，不同地域环境各有其发展优势。如海岸线较长的国家有海洋能（潮汐发电等）的发展优势，铀资源丰富、核技术成熟的国家有核能发展优势，草原或沙漠地区有风能发展优势。我国幅员辽阔，西北、西南地区适宜风能发电，长江、黄河等大江大河流域，水能发电大有可为，农牧业发达地区，农作物秸秆多，畜禽粪便存量大，沼气生产前景可观。“十五”、“十一五”期间，风能、太阳能、水能、地热能、核能、海洋能、沼气等清洁能源均有一定规模的开发，但甲醇、乙醇、氢能等新能源开发滞后。作为新能源战略重点，氢能潜力无限，但技术难度大，发达国家尚处在研究攻关阶段，只能作为长远战略发展目标加以考虑。太阳能最大的问题是分散，而且绝大部分地球表面是海洋。目前主要是利用光伏电池吸收太阳能，成本较高，不过，太阳能集热管热水系统（太阳能热水器）的推广应用已有相当规模，应当加大推广力度。

生物质能源是一种脱颖而出的新能源。所谓生物质能，就是以生物质为载体的能量。生物质是指通过光合作用而形成的动植物、微生物等各种有机体。可转化为常规的固态、液态和气态燃料。沼气就是生物质转化而成的气态燃料。生物质能源是一种可再生的碳源。它的原始能量来源于太阳，所以从广义上讲，生物质就是太阳能的一种表现形式。生物质能源主要包括生物柴油、生物乙醇、生物颗粒原料、生物基化工产品等。生物柴油是利用种子油料（如油菜籽、大豆、花生等油料作物、油棕、黄连木等油料林木果实）制成的液体燃料。生物柴油是可代替石化柴油的一种环保燃料油，工程海藻等油料水生植物也可以提炼生物柴油。生物乙醇是利用淀粉水解发酵制成，可掺和到柴油里面，或直接用于汽车燃料。

目前很多国家都在积极研发生物质能源，甚至将生物质能源产业作为国家战略来推进。美国提出了"2025"和"2030"生物质能源发展规划。即到2025年和2030年，美国将用生物乙醇代替25%和30%的汽油。2030年，美国的生物乙醇产量将达到2271亿升。又如发展中国家巴西，2005年用甘蔗生产乙醇1250万t，70%汽车使用了掺和生物乙醇的汽油。2025年，巴西生物乙醇产量将达到7200万t，远景规划目标是3.2亿t。

生物质能源是一把双刃剑。由于目前的生物质能源主要是用粮食作物制成，它的负面作用不小，尤其是引起全球粮价的上涨和粮食恐慌。美国20%～25%的玉米产量，6%的大豆产量，变成了燃料乙醇。2006年4月—2008年4月，全球粮价以美元计上涨了69%，联合国认为全球粮价上涨的主要责任在发达国家。因此，在世界粮食生产还不是很安全的情况下，利用淀粉水解发酵生产生物乙醇这条路是走不长的，在我国这个人多地少的大国更是走不通的，必须谨慎取舍。

（二）生物质能源－可再生能源的"新大陆"

由于粮食安全的压力、农业生物质能源的发展空间有限。所幸的是，科学家们已经找到了生物质能源的"新大陆"——林业生物质能源。

近几年来，网络和传媒上出现了一个使用频率较高的词："森林碳汇"。所谓"森林碳汇"就是指"森林生态系统减少大气中二氧化碳浓度的过程、活动或机制"。森林植物在生长过程中通过光合作用吸收二氧化碳，放出氧气，并把大气中二氧化碳固定在植被和土壤中。森林是陆地最大的储碳库和最经济的吸碳器。据联合国政府间气候变化专门委员会（IPCC）估算，全球陆地生态系统中约储存了2.48万亿t碳，其中1.15万亿t碳储存在森林生态系统中。科学研究表明，林木每生长1m^3，平均约吸收1.83t二氧化碳。由于人们对森林的过量砍伐，全球森林资源锐减，减弱了森林对大气中二氧化碳的吸收，成为导致全球气候变暖的重要因素之一。恢复和保护森林作为低成本减缓全球气候变化的重要措施之一写入了《京都议定书》。

林业生物质能源发展前景广阔。它一不与人争粮，二不与粮争地，三是资源丰富。我国有43亿亩林地，尚有宜林荒山荒地5000多万hm^2。此外，还有近1亿hm^{2}盐碱地、沙地、矿山、油田复垦地等边际性土地。其中相当一部分可用于发展特定的能源林。统计表明，"十一五"期间，全国每年可收集的林业剩余物约有2亿多t，大部分可以用来开发林业生物质能源。现已查明的油料植物（种子植物）种类为151科697属1554种，其中种子含油量在40%以上的植物154种。发展林业生物质能源资源优势和潜力明显。

对林业生物质能源进行产业化开发，主要是工业化利用途径，将富含油脂、木质纤维、非食物类果实淀粉的林木生物质原料转化为多种形式的能源产品和生物基产品，包括液体生物柴油和燃料乙醇、固体成型燃料、生物颗粒燃料以及无公害生物塑料等。生物颗粒燃料也主要是利用灌木、林业废弃物等压缩成颗粒燃料发电。

发展林业生物质能源，现在的主攻方向，一是突破纤维素水解技术难题，通过水解林木纤维素、木质素来生产燃料乙醇，这是一个世界性的难题，各国都在寻求突破。如果哪一个国家突破这一技术难题，就可能抢先占领林业生物质能源产业的制高点。

（三）"低碳经济"对生活的创新是可再生能源发展的必然趋势

目前普遍的看法，导致气候变化的过量碳排放是在人类生产和消费过程中出现的，那么，要减少碳排放就要相应优化和约束某些消费和生产活动。对占主流、有共识的"低碳经济"生活，可以概括为“适度吃、住、行，不浪费，多运动。”“低碳经济”这一理念着眼于人类未来。近几百年来，以大量矿石能源消耗和大量碳排放为标志的工业化过程让发达国家在碳排放上遥遥领先于发展中国家，而正是这一工业化过程使发达国家在科技上领先于其他国家，也令它们的生产与生活方式长期以来习惯于“高碳”模式，并形成了全球的“样板”，最终导致其自身和全世界被“高碳”所绑架。在首次石油危机、继而在气候变化成为问题后，发达国家对高耗能的生产消费模式和“低碳经济”理念才幡然醒悟，有了新认识。尽管仍有学者对气候变化原因有不同的看法，但由于“低碳经济”理念至少顺应了人类“未雨绸缪”的谨慎原则和追求完美的心理与理想，因此“低碳经济”理念也就逐渐被世界各国所接受。

“低碳经济”最根本的挑战是，它要求人类改变自工业化以来形成的生产消费理念，特别是那种消费至上的消费文化。现有世界流行的主流经济理论基本建立在消费至上、消费者至上、竞争优先的基础上，它提高了社会生产的效率，却也导致了生产与消费领域不受控制的高碳排放，以“低碳经济”理念来看，它是牺牲人类长远利益和整体利益的短视行为。所以，选择“低碳经济”，就意味着我们必须拿出足够的政治勇气来进行一次资源和利益的再协调与再分配，而且我们必须要有足够的能力并准备相应的行动手段来审视我们的消费习惯，创造一种新的生活方式。

三、低碳经济实践下的中国

（一）低碳时代，我们淘汰什么

什么是“低碳经济”，现在的教科书并没有现成答案，但人们普遍认为它是以低能耗、低污染、低排放为基础的经济模式，而且是人类社会继农业文明、工业文明之后的又一次重大进步。

用这个词汇来衡量“低碳经济”，以水泥、玻璃为代表的中国建材业就很落伍了。因为它是典型的“高碳”行业，一年要消耗 1.95 亿 t 标煤。而水泥的高碳属性尤为突出，不仅耗能高，而且在生产过程中要产生大量的二氧化碳。据不完全统计，建材工业一年消耗的标煤中，水泥占 70% 左右，去年全国二氧化碳排量 51 亿 t，建材是 9 亿 t，水泥在里面占 7 亿 t。

在“低碳经济”时代，“高碳”行业遭遇了产能过剩，但只要政府下决心，淘汰落后产能，进行结构调整是可行的。在人类社会已经非常重视能源高效利用的时代，那些即使能够在淘汰中幸存的高耗能高排放企业，按照自身的发展模式又能走多远呢?

想走得更远，水泥、玻璃这样的高碳行业就要跳出产量来思考结构调整，要为即将到来的低碳时代做好准备，寻找更适宜的发展和生存模式，要在产能结构、产品结构、企业组织结构以及发展思路上，多管齐下共同调整。其实，这样的理念已经有企业在践行。在水泥行业，一些企业已经向下游制品延伸产业链条，走上了水泥高标号化、特种化、制品化、减量化发展道路。在玻璃行业，一些企业早已把触角伸到了太阳能膜电池、风力发电机叶片等新能源产品领域。

面对全球控制温室效应的实践和努力，面对中国转变经济发展方式、建立“两型”社会的实践和努力，只有正视高碳的现实，思考低碳的挑战，才能洞悉先机、抓住机遇，产能过剩行业的结构调整才会有更长远的目标。而结构调整要做到执行有力，还需要做好 4 方面工作：一是提高准入门槛，尽快修订并发布新的行业准入条件，严格市场准入制度，定期公示落后产能淘汰情况；二是加强抽检、处罚力度，坚决打击非标生产和非标使用；三是在新产品开发、节能环保等方面进一步加大支持和鼓励的力度，对环保绩效优秀的企业给予适当的奖励，对环保和能耗不达标的企业限期整改，整改仍不达标的予以淘汰；四是尽快制定入选大型骨干企业的标准，落实支持大型集团企业发展的具体措施。

（二）“十一五”节能减排目标能够实现

中国“十一五”节能减排的目标，具有导向性、挑战性、约束性。这在历史上没有任何一个国家做到过，在中国这样一个发展阶段做这些事实际上是很困难的。

国际社会一开始对中国不了解，指责特别多。但由于中国政府、学者在国际上的交流沟通，使得国际社会对中国的认识不断深化，理解不断加深。许多人逐渐认识到中国的节能减排目标是非常具有挑战性的，成本也非常高，这些成本不光是经济成本，更重要的是社会成本。但实际上中国的节能减排做得很好，类似发展阶段世界上没有任何一个国家做得像中国这样好，在开发利用可再生能源方面，世界也很少有国家做得比中国好。所以总体上讲，目前国际社会对中国的努力是认同的、赞赏的。

对中国来讲，对结构实行调整实际上非常困难，这是由结构的刚性与惯性决定的。

结构的刚性是指中国现在的发展阶段，工业化、城市化进程中需要大量的基础设施，需要大量的原材料，需要大量的消费品，因而工业所占的比重必然高，我们不可能依靠中国以外的一个世界工厂来为中国的城市化、工业化提供巨量的原材料产品。这是结构调整的刚性所在，不是想调就调的。

结构的惯性是指因为调整需要时间，只能一步一步来，不可能一步到位。我们不要寄希望于调整结构立竿见影，关键是要提高能效，改变消费模式，提高清洁能源的比例。这样才能节能减排，减少温室气体排放，实现对世界的承诺。

随着全球经济的复苏，能源消费和污染物排放必然会增加。中国需要注意几个问题：一是保证新型工业化中节能减排型的经济恢复，而不能够凡是取得“保八”资格就大上硬上。金融危机的冲击让高耗能的产业、产品萎缩了一些，中国要抓住机会，把产品和产业结构已经转型的成果固定下来，并避免其反弹；二是在新的投资中，一定要注意投向高能高碳生产力的，单位碳的产出越高越好；三是消费方面要倡导节能减碳型的生活方式，不能像美国的消费方式学习，否则会积重难返；四是中国要有长远的规划，在投资方面，注重清洁能源、可再生能源的发展。中国现在是新兴的、上升的重要经济体，是全球经济一体化的重要一员，在这方面应该走在世界前面，引领发展。

中国作为一个负责任的大国，在哥本哈根气候谈判中自主行动拿出自己的减排目标，是非常真诚的。从现在公布的单位 GDP 能耗数据来看，目前是时间过半，目标却没有过半，这表明现在的进度有些滞后。

但这个滞后中国并不担心，因此投资有一个迟滞效应，过去的投资可能要在明年、后年才能体现出来，特别是在国家 4 万亿元投资里面，有 15% 左右的投资直接用于节能减排。所以，2010 年底实现节能减排目标是可以实现的，这个约束性目标的实现，将为“十二五”的进一步深度节能减排打下非常好的基础。

（三）大力发展新能源，引导企业转型

面对当前的国际金融危机，世界主要发达国家和新兴经济体纷纷调整能源战略，大力推动能源产业变革，将发展新能源作为拉动经济复苏、抢占经济科技制高点的主导力量。中国把发展新能源与节能环保产业作为调整结构、增加投资、促进消费、稳定出口、提高国际竞争力的一个重要切入点和结合点，前所未有地加大了扶持力度。

大力发展新能源，引领企业转型，既要充分考虑到中国以煤为主的能源结构在较长时期内不会根本改变，重视发展清洁煤利用技术，提高能效、降低消耗、减少排放；又要积极发展核电、水电、风电等清洁优质能源，大力调整优化电源结构，坚持吸收引进和自主创新相结合，依托重点项目建设，积极推进新能源科技装备技术进步，发展有中国特色的新能源产业体系。

大力发展新能源，引领企业转型，要突出“五个着力”。

1. 着力建设节能环保燃煤电厂。中国以火电为主的电力结构，决定了节能减排重点是煤炭的清洁利用，这也是推进能源利用方式变革的关键，是发展新能源的应有之义。一要大力发展大容量、高参数火电机组和热电联产机组；二要加强在运电厂节能环保技术改造；三要大力发展新型清洁煤发电技术。发电企业要瞄准世界清洁煤利用的前沿技术，不断推进管理创新和技术创新，综合利用各种清洁燃料和节能环保技术，建设一批具有中国特色的绿色电站。

2. 着力提高水电开发的规模和质量。我国水电资源丰富，开发利用程度低，如果拥有成熟的水电开发技术和管理模式，那么水电将是最具备大规模开发利用条件的可再生能源。稳步推进大型水电基地建设，积极开发中小型水电站，利用和推动建立促进水电清洁开发的机制。同时，一方面要重视利用清洁能源发展机制，积极争取更多的中小水电项目在联合国注册成功，进一步提高碳减排交易收益；另一方面，要密切跟踪我国水火电网同价等清洁能源补偿政策，努力提高水电开发的经济性，力争 2020 年，我国水电装机规模达到 3 亿 kW 左右，开发程度达到 55%。

3. 着力发展核电、风电、太阳能等清洁可再生能源。核电具有清洁、经济、稳定、集中的特点，风电是当前能够规模开发并有明显效益的可再生能源，太阳能发电是未来重要的替代能源，它们都是国家重点支持发展的新能源。一要加快推进核电开发，力争 2020 年我国核电装机规模达到 8000 万 kW 以上；二要大力发展风电，综合考虑资源条件、电网接入、电力输送和运行管理等因素，积极建设 6 个千万千瓦级和 30 个左右百万千瓦级的大型风电基地，进军海上风电，关注研究高原风电，开拓离网小型风电市场，争取 2020 年我国风电装机达到 1 亿 kW 以上；三要积极开发光伏发电项目。推进“金太阳”工程，建设独立、大型开阔地并网和屋顶并网光伏发电等示范项目，发展户用光伏发电系统，建设离网小型光伏电站，解决偏远无电地区供电问题。争取 2020 年太阳能发电总量达到 2000 万 kW 以上；四要根据各地区能源结构特点，稳步推进生物质、潮汐、地热等可再生能源发电项目，因地制宜，适度发展。

4. 着力建设大型低碳化煤炭综合利用基地。煤炭是发电产业链中重要的上游资源，与发电企业发展经营具有高度相关性。发电企业开展煤炭综合开发利用，既是为了保证发电需求，也是为了解决好拥有煤炭资源的高效清洁利用问题。一要积极参与煤电基地建设；二要优化发展煤炭资源；三要探索发展煤基多联产项目，加强与大型煤企的联合，研发应用煤基多联产等转化技术，建设煤化工示范项目，提高煤炭资源的减排效果和综合利用率。

5. 着力发展以新能源为核心的高新技术产业。要想抢占新能源的制高点，关键是要掌握核心技术，依靠技术进步促进新能源成本降低和大规模应用，实现创新驱动和产业发展结合。一要实现新能源技术的不断突破，优先发展先进适用技术；二要加强新能源技术创新的体制机制和队伍建设，建设新能源研究机构，做好基础性、共性技术和相关产业核心技术的研发，增强新能源产业发展的技术支撑能力；三要大力培养新能源产业集群，在强化自主创新、提高技术含量、避免低水平重复建设的前提下，依托发电主业的发展，带动风电设备制造产业的发展，积极推进太阳能发电产业链的建设，做大做强电力节能、环保、信息等高新技术产业。

四、应对气候变化，中国积极负责

2009 年 11 月 25 日，国务院常务会议决定了到 2020 年我国控制温室气体排放的行动目标：到 2020 年我国单位国内生产总值二氧化碳排放比 2005 年下降 40% ~50%，作为约束性指标纳入国民经济和社会发展中长期规划，并制定了相应的国内统计、监测、考核办法。

中国是一个发展中国家，现在既面临着发展经济、摆脱贫困、改善民生方面的任务，又面临着适应气候变化和减缓温室气体增长速度的挑战。随着经济的增长，中国的能源消耗总量可能还会相对增加，这种增加是一种合理的增加，二氧化碳排放还会有所增加，控制温室气体排放面临着巨大的困难。

尽管如此，中国政府本着对全人类长远发展高度负责的态度，在全面考虑中国国情和发展阶段、社会经济发展趋势、能源消费总量、节能降耗和可再生能源发展现状及发展趋势的前提下，从建设资源节约型、环境友好型社会的目标和任务出发，在国际社会对中国期望的基础上制定了上述目标。

这是中国根据国情采取的自主行动，也是中国为全球应对气候变化做出的巨大努力，充分表明了中国政府在应对气候变化方面积极负责任的态度，中国采取的行动与确定的目标符合巴厘路线图关于发展中国家减缓行动的要求。虽然实现上述行动目标特别是碳排放强度下降目标需要付出艰苦卓绝的努力，但是中国实现上述目标的决心是坚定不移的，中国将尽最大可能采取相应的政策措施和切实行动，为实现可持续发展、保护全球气候不断作出贡献。

截至2010年底，中国已顺利完成减排20%的目标任务，这意味着在未来的5年内，中国将减排二氧化碳至少15亿t，这在全世界各个国家当中减排量是非常大的。同时，中国采取措施积极发展可再生能源，包括风能、太阳能、水力发电。经过4年的努力，可再生能源占一次能源的比重从7.5%提高到目前的将近9%。中国还在大力植树造林，据最近森林普查的情况，森林覆盖率已经从18.2%提高到20.36%，这个力度也是非常大的。

中国在1990—2005年单位GDP的能耗下降了47%，现在又决定在2005—2020年单位GDP碳强度要降低40%~45%。西方有些发达国家与中国相比，似乎减排目标提高了，但是过去的目标可能是国内净减排的量，现在增加的是到国外买指标的量，也有碳交易和碳汇的作用，而中国的目标完全是靠我们降低能源消耗当中的碳排放来实现的，并未包括碳交易，也不包括碳汇。

中国在过去采取的减排行动中，并没有得到国际社会的资金和技术转让支持，但是我们根据国情，采取了积极的单位GDP能耗降低20%的措施，这主要是根据中国自身可持续发展的需要做出的决定。

中国现在决定的2020年行动目标同样没有得到发达国家的资金和技术支持，但是中国本着为本国人民负责、对世界人民负责的态度，还是要采取积极的行动。中国这个行动是自主的，是我们自己自愿采取的措施，这个措施对国内来说是有约束力的。这是中国自身可持续发展的需要，也是为了保护全人类的利益，它表达了中国的决心与信心！

参考文献

[1] 气候真相再释义 [J]．百科知识，2010，1B.
[2] 严伟伦．生物质能源：双重危机下的新能源战略．
[3] 森林碳汇 [J]．求是，2010（1）．
[4] [美] 斯塔夫里阿诺斯．致读者：为什么需要一部21世纪的全球通史?．
[5] 农村能源实用技术．湖北省生态能源培训教材．
[6] 应对气候变化，中国积极负责 [N]．人民日报，2009-11-27（2）．
[7] 低碳时代，我们淘汰什么? [N]．人民日报，2009-11-30（19）．
[8] "十一五"节能减排目标能够实现 [N]．人民日报，2009-12-03（19）．
[9] "低碳生活"创新生活 [N]．人民日报，2009-12-07（13）．
[10] 减碳，中国一直在行动 [N]．人民日报，2009-12-09（9）．
[11] 低碳经济呼唤新能源 [N]．人民日报，2009-12-14（9）．
[12] 以大力发展新能源引领企业转型 [N]．人民日报，2010-01-29（8）．
[13] "低碳"概念是怎样提出来的? [N]．新周报．

欧盟遵守国际气候变化条约的原因分析

——双层遵约的实践与趋势

唐颖侠

（南开大学法学院 天津市南开区卫津路94号 300071）

摘 要 为研究在无政府状态的国际体系下，欧盟遵守国际气候变化条约的因果机制，本文选取了国家实力、国家利益和观念三个变量，用双层遵守、单层遵守和不遵守来说明遵守变化的程度，通过国际层面的批准行为和国内层面的国家制定温室气体减排计划或立法行为来体现。得出结论：当国家实力较强，且遵守国际气候条约与其核心利益相符时，国家倾向于遵守条约，正向观念会加强这一趋势，从而更容易出现双层遵守的结果。

关键词 欧盟 国际气候变化条约 双层遵约 因果机制

欧盟是国际气候谈判的最初发动者，也是公约最主要的推动力量，并力图担当谈判领导者的角色。欧盟不仅批准了《京都议定书》，而且2003年制定《欧盟温室气体排放交易指令》为各成员国制定了详细的国家分配计划，在内部推行强制减排措施。欧盟是目前遵约较好的典范，研究其遵守的原因具有深远意义。

一、欧盟及主要成员国遵守国际气候变化条约的实践

（一）国际层面的遵约

2002年5月31日，欧盟15个成员国集体批准《京都议定书》。5月30日，希腊议会经过辩论，决定批准《京都议定书》。希腊成为欧盟最后一个批准议定书的国家。至此，欧盟内部已就批准《京都议定书》达成了共识。《京都议定书》允许采用“集团方式”，即欧盟内部的许多国家可视为一个整体，采取有的国家削减、有的国家增加的方法，在总体上完成减排任务。

（二）欧盟内部的遵约

批准《京都议定书》是欧盟在国际层面的遵约行为，履行《京都议定书》中规定的义务是国内层面的遵约。

1. 欧盟应对气候变化的温室气体减排目标方案 为履行《京都议定书》中对附件一国家的要求，欧盟委员会提出应对全球气候变化的温室气体减排目标方案，该方案也包括推进使用生物燃料措施。所提出的措施包括对欧盟化工业、化肥业和制铝工业的要求，要求到2020年与1990年水平相比，减少二氧化碳和其他温室气体排放10%。

2. 欧盟《温室气体排放交易指令》 《温室气体排放交易指令》（*The Directive on Emission Trading in EU*）是2003年7月2日欧盟与国际环境委员会达成的协议。该协议于10月13日被委员会开始采用。该指令涵盖了约占欧洲温室气体排放46%的能源密集型产业，主要规定了欧洲排放贸易计划，制定了两个减排期和强制性减排目标（第一期从2005—2007年，第二期是从2008—2012年）以及国家分配计划（National Allocation Plan，NAP）和完成期限。该指令要求各成员国在经过批准的前提下，制定各国详细的国家分配计划，对于违反计划或者未达标的企业在第一期将受到40欧元/t的超标罚款；在第二期未达标的企业，将受到100欧元/t的超标罚款。此后，欧盟又发布了《欧盟排放贸易计划》以保障该指令的实施。

3. 市场化手段——欧盟排放贸易计划 欧盟排放贸易计划的运行通过配额分配和温室气体排放许可额度的交易实现。许可额度被分配给成员国，再分配给准确的排放者。而排放者也可以买卖多余的许可配额。在其实施的第一阶段，95%的配额免费发放，这严重限制了拍卖竞价的空

间。2004—2007 年期间，共有 771 个注册项目，其承诺的目标是减少 1.625 亿二氧化碳当量。飞速的体制发展是欧盟排放贸易计划的一个积极经验。在第一阶段，该机制占欧盟二氧化碳总排放量的一半，覆盖了 25 个国家，涉及大量部门中 100000 个以上的设备（包括电力、冶金、矿业和造纸业）。在 2006 年碳交易市场上，成交量达到了 11 亿 t 二氧化碳当量，价值为 187 亿欧元。

（三）几个主要的欧盟成员对公约的国内遵守

1. 德国　2000 年德国的《可再生能源法》取代了《电力强制性上网法》，这部新法要求公共事业必须接受风能和其他可再生能源的电力。德国政府采取干预政策的目的是到 2010 年将可再生能源的使用比例提高到占德国全部能源的 12.5%。到 2010 年，德国减少的二氧化碳排放量据估计将达到 0.52 亿 t。可再生能源部门的快速发展极大地帮助了德国实现其在《京都议定书》中所作的承诺。

2. 英国　英国议会于 2008 年 11 月 26 日批准了《气候变化法案》，英国成为世界上首个通过立法进行强制减排温室气体的国家。《气候变化法案》为英国今后 50 年应对气候变化规定了具体计划和目标。根据法案，到 2020 年，英国二氧化碳排放量必须在 1990 年的基础上削减 26% ~32%；到 2050 年，将削减至少 60%。法案提出，要通过制定 5 年一次的“碳预算”，使投资者和政策制定者有明确的目标和方向。

二、欧盟双层遵约的原因分析

欧盟对国际气候变化条约的遵守一方面表现为欧盟在国际层面上对落实公约的《京都议定书》的批准，同时欧盟又制定了《欧盟排放贸易计划》来推动公约在成员国国内的遵守。尽管欧盟在向发展中国家提供资金和技术转让方面仍不尽如人意，但依旧是全球遵约的典范，其根本原因在于遵守国际气候变化条约与欧盟的核心利益相符。而与国际气候变化条约一致的正向观念加强了这一趋势。欧盟做出双层遵约的决策是实力、利益和观念三个变量之间平衡的结果。

（一）欧盟的实力

欧盟的实力评估离不开其一体化的进程。经过半个多世纪的努力，欧洲一体化进程取得了骄人的成绩，欧盟已经成为世界上一体化程度最高、综合实力最强的国家联合体。

1. 物质实力　从经济实力看，自 20 世纪 90 年代以来，经济全球化迅速发展，而欧盟国家似乎失去了昔日的活力，经济增长乏力。欧盟各国在国际竞争中遇到的最大不利条件就是产品成本高昂，而这与长期形成的高福利体制以及与之匹配的严格的劳动力管理机制密切相关。德、法、意三国的福利支出占国内生产总值的 35% 左右。从 1970 年以来，美国人均工作时间增加 20%，达到每年 1840h，而欧盟 15 国（老成员国）同期内人均工作时间下降 20%，平均为每年 1550h。结果，高昂的劳动力成本大大削弱了产品竞争力，使欧盟主要国家的出口在国际市场上所占份额明显下降。要降低劳动力成本，提高劳动生产率，就必须削减福利，裁减员工，而这必然会触及公众的切身利益，从而引发社会动荡，致使改革举措难以落实。此外，外来移民的压力更是加重了开放劳动力市场的难度。据世界经济论坛公布的《里斯本报告》表明，依据里斯本标准，美国的平均竞争力高于欧盟。无论采用总体指标还是单项指标衡量，美国虽然排名于欧盟最强的六国之后，但在各方面仍强于其他欧盟成员国。特别是在与经济增长及竞争力密切相关的创新领域，美国仍占据绝对优势，远远超过包括北欧在内的所有欧盟成员国。

2. 软实力　欧盟作为世界经济多极化多中心中的一支强大力量，作为国际规制的主要创建者，作为探索创建国际关系民主化新秩序的积极推动者，作为人类某些社会基本价值观的引领者，正在当前国际体系的变革和转型中占据相当重要的地位，发挥其他国际行为体无法取代的重大作用。至少欧盟称得上是世界走向多极化的重要推动力量，在今后相当长一个时期里努力寻求建构一个合作性的力量趋于均衡的国际体系，对美国推行单边主义全球霸权是一个制约力量或扮演平衡者角色。进入21世纪以来欧盟的国际形象与美国相比形成越来越鲜明的反差，这无疑表明欧盟在国际体系变革转型中，在21世纪国际力量竞争格局基本定型的进程中占据不可替代的关键地位，可以发挥举足轻重的积极作用。

由此可见，一方面，尽管一体化进程不断深化，欧盟的物质实力不断增强，但是与美国相比仍有较大差距；另一方面，欧盟不断增加的软实力也为其在国际力量对比中增加砝码。实力决定着欧盟在国际体系中的地位，同时也会对欧盟核心利益的形成起到重要影响。

（二）欧盟的核心利益：基于实力的利益诉求

欧盟成员国认识到靠单个国家的力量不可能应对全球化的挑战和解决发展与国际地位问题，于是推动欧洲联合，谋求发展成为一支对美国具有平等地位的独立的超强力量，在未来的世界格局中占有一席之地，这是其追求的最高目标。欧盟的核心利益可以反映在2000年欧盟15国领导人在里斯本首脑会议上通过的《里斯本战略》中：承诺加快经济改革，创造更多的就业机会，并使欧盟在2010年前超过美国而成为世界上最有竞争力的经济体。

对于国家利益的效用可以由重要性和紧迫性两个因素来衡量。

1. 重要性指标　欧盟遵约既有物质利益的考量也有谋求世界主导地位的非物质利益诉求。第一，在物质利益方面，主要包括经济利益和安全利益两方面。首先，借助于在能源环保领域的竞争优势，遵约有助于增强欧盟重要的经济利益。欧盟大部分成员国的社会发展程度较高、环境较好，能够承受一定的减排任务，而且欧盟企业在可再生能源开发等领域拥有世界领先的技术，减排给这些企业创造了巨大的商业机会。目前欧盟占有的世界能源环保技术设备市场的份额已经超过40%。欧盟的能源结构合理，能源利用效率较高，可再生能源所占比重高，不仅有利于实现公约和《京都议定书》制定的减排目标，而且增强了欧盟的国际竞争力。其次，随着近年来由于全球气候变化导致的极端天气事件频发，环境问题上升为国家安全问题，而国家安全利益是最根本、最重要的国家利益。国家环境安全的实质也就是国家生存安全。一旦国家环境安全出现危机，就将直接危及整个国家和民族的生存和发展，其遏制和恢复将需要很长的时间，甚至会付出很高的经济代价和社会代价。国家环境安全不仅是国家生存安全的保证，同时也是国家发展安全的最根本条件，在国家综合国力竞争中的作用越来越明显。良好的自然条件、丰富的自然资源支持和参与经济发展，是经济安全的必要条件；反之，一个生态环境安全问题严重的国家，不可能是一个经济健康持续迅速发展的强国，也就没有发展安全可言。因此，遵约符合欧盟的安全利益。第三，在非物质利益方面，欧盟作为应对气候变化的“先行者”，采取积极参与国际气候谈判、推进强制减排的遵约行为可以树立良好的国际形象，提升其在国际事务中的主导力，加强其国际影响力。可以说，这是欧盟摆脱“经济巨人、政治矮子、军事侏儒”的形象，“努力使自己成为多极化世界中强大的一极”的重要战略，是符合欧盟核心利益的。

欧盟积极推动建立国际气候机制，首先可以降低达成气候变化国际合作协议的交易成本，同时在遵守国际机制、履行国际承诺方面声誉的好坏也会直接决定欧盟在以后的国际合作中达成国际协议的能力，从而对合作收益的获得产生影响。因此，通过对国际气候变化条约的双层遵守，欧盟争夺了在环保领域的话语权，赢得了良好的国际声誉，符合欧盟的非物质利益诉求。

2. 紧迫性指标　紧迫性指标分为当前的利益和未来的利益。一般来说，在环保领域的任何努力都需要付出经济成本，对气候公约的遵守是以可持续发展为原则的，会不可避免地牺牲一部分现实的当前利益。欧盟一直是气候变化行动的积极推动力量，但其积极倡导遏制气候变化的一个很重要的打算，就是取得相对美国、日本等国的国际竞争力优势。欧盟的能源技术水平以及可再生能源的发展水平都比美国要高，但是在化石能源价格低廉、高排放技术盛行的条件下，欧盟相关企业无法占据市场和扩大投资。如果国际气候协议要求各国推进减排，那么将有利于欧盟企业实现其竞争优势，进一步改进能源效率，增强企业的创新能力。但是获得新的国际竞争力优势只有在长期条件下才能实现，在短期条件下，环境管制本身会对经济造成一定的负面影响。环保措施提高了产品的生产成本，迫使企业增加投资，从而导致产出和利润的降低。工艺流程复杂度的加大还会使得管理难度和费用增加，分散管理者的精力，影响对其他事务尤其是公司战略和长远发展等方面的关注；在市场竞争异常激烈的情况下，环境保护甚至还会阻碍企业开展技术创新活动。所以严格的环保措施会增加企业成本，形成新的约束，从而降低竞争力。

综上，用重要性指标衡量，遵守气候变化条约符合欧盟的重要利益；用紧迫性指标衡量，遵约符合欧盟的长远利益。因此，遵约符合欧盟未来重要的利益。

（三）不可忽视的观念作用

在国际关系中，欧洲人倾向于通过和解、协商、外交和说服的方式，而不是使用武力的方式解决问题。因此，对于全球问题的治理和国际秩序的建构与维护，欧洲不像美国那样怀疑和漠视国际制度的作用，把联合国看做是束缚手脚的障碍；欧洲则对国际法和国际组织情有独钟，不仅尊重联合国的权威，而且坚信国际制度有能力也有效率维护世界和平与稳定。与美国相比，欧洲倡导的是一种强调共同利益、权力分享、相互照应，与其他国家协调利益，并以有约束力的共同游戏规则和合作为准则的全球治理结构。美国与欧洲之间在世界观、安全观和治理观方面的分野正在形成两种不同的战略文化。

欧盟生态与环境的话语权是其发挥国际影响力，维护欧盟利益的重要战略资源。在气候变化问题上，欧盟认识到人类发展与气候变化的关系，以及气候变化将会给人类生存发展带来的灾难。在接受“共同但有区别”责任原则的前提下，通过国际合作应对气候变化，发达国家应率先承担减排责任，并为发展中国家提供资金和技术帮助其减排。尽管发达国家和发展中国家排放量日益趋同，但是发达国家在工业化过程中累积的排放量造成了今天的气候变化，应当承担排放的历史责任。因此，欧盟在气候变化问题上的观念基本与公约一致，是正向观念。观念也起到了促进遵约的作用。

三、小　结

欧盟作为实力较强的国家集团，一方面，尽管一体化进程不断深化，欧盟的物质实力不断增强，但是与美国相比仍有较大差距；另一方面，欧盟不断增加的软实力也为其在国际力量对比中增加砝码。实力决定着欧盟在国际体系中的地位，同时也会对欧盟核心利益的形成起到重要影响。从国家利益分析，欧盟遵约既有物质利益的考量也有谋求世界主导地位的非物质利益诉求。用重要性指标衡量，遵守气候变化条约符合欧盟的重要利益；用紧迫性指标衡量，遵约符合欧盟的长远利益。因此，遵约符合欧盟未来重要的利益。与公约精神一致的正向观念也增强了欧盟遵守条约的可能性。欧盟不仅在国际层面上批准了《京都议定书》，而且在欧盟内部出台计划和立法推进温室气体减排。可以说，欧盟基本达到了双层遵约。

虽然欧盟在发达国家中对推动气候变化谈判表现得比较积极，但其在技术转让方面消极的态度还是受到了广大发展中国家的批评。发展中国家认为，欧盟等发达经济体可以通过财政、税收等措施，鼓励私营企业将相关技术以优惠的价格转让给发展中国家，帮助它们提高应对气候变化的能力，而不应该以知识产权为借口，拒不履行向发展中国家提供资金和技术援助的承诺。

欧盟在遵守气候变化条约方面的不足之处说明：当国家（集团）实力较强，且遵守国际气候条约与其核心利益相符时，国家（集团）倾向于遵守条约，正向观念会加强这一趋势，从而更容易出现双层遵守的结果。因为上文分析得知遵约符合欧盟未来的重要利益，而不是当前的重要利益，因此，欧盟也没有全面地遵守气候公约的规定。

企业突发环境污染事故应急预案评估研究

李　慧　赵艳博　林逢春

（华东师范大学资源与环境科学学院环境科学系　上海　200062）

摘　要　近年来突发环境污染事故频繁发生，对于高质量环境污染事故应急预案的需求越来越迫切。根据《环境污染事故应急预案编制技术指南（征求意见稿）》，参考国外应急预案评估指标，构建企业突发环境污染事故应急预案评价评估方法和指标体系，对某市116家企业编制的突发环境污染事故应急预案进行了评估。评估结果表明现有企业突发环境污染事故应急预案中缺少环境敏感区描述、应急疏散方案、应急信息公开等关键内容，对应急监测、应急保障等内容重视不够，严重影响企业突发环境污染事故应急预案的有效性。

关键词　突发环境污染事故　应急预案　评估方法

引　言

近年来，突发环境污染事故频繁发生，环境污染事故应急预案（以下简称应急预案）的重要性日益凸显。2008年，环境保护部公布了《环境污染事故应急预案编制技术指南（征求意见稿）》（以下简称《指南》），用来指导工业企业制定单位的应急预案[1]。国外在20世纪80～90年代已发布了不同类型应急预案的编制指南和应急预案评估标准，主要内容包括编制应急预案的过程、应急预案的内容、应急预案的使用、应急预案的修订、应急预案响应人员的沟通、市民的自我保护等[2-4]，且编写较为详细具体。国内对应急预案的研究主要集中于如何编制应急预案、编制过程的注意事项、企业应急组织体系及各部门职责[5-10]、事故发生应急救援和救治、通信交通、医疗后勤保障、应急资源的储备管理等方面[10-16]，对企业已编制的应急预案的评估等方面的研究较为缺乏。本文根据《指南》，并参考国外应急预案评估标准和应急预案编制指南，尝试构建了企业突发环境污染事故应急预案评估指标体系，以某市116家企业为具体案例，开展企业突发环境污染事故应急预案评估研究。通过评估，找出现有企业应急预案的缺点和不足，为有关单位编制应急预案提供参考。

一、构建评估方法

目前我国尚未建立企业应急预案评估制度。政府尚未发布应急预案管理与评估规定，尚未规定企业应急预案要定期更新。应急预案在事故中暴露出内容不全、操作性差、对突发环境污染事故处置工作指导性不强的问题，因此有必要建立应急预案专家评审制度，以通过专家评估来指导企业提高应急预案的有效性。

（一）评估指标体系

《指南》适用于存在发生环境污染事故风险的企业事业单位，包括：向环境排放污染物的单位，生产、贮存、经营、使用、运输危险物质的单位或产生、收集、利用、处置危险废物等可能发生环境污染事故造成对环境（或健康）影响的单位。它的内容包括预案的适用范围、编制程序以及预案的主要内容[1]。根据《指南》中对应急预案的编制要求，参考国内应急预案相关研究文献和国外有关危险化学品事故应急预案评估标准，建立了企业突发环境污染事故应急预案评估指标体系（见表1）。指标体系构建程序如下：

1. 根据《指南》要求企业应急预案中包括的内容，编制出评估指标体系初稿；
2. 对照国内外编制指南和评估标准，筛选出国外文献中值得借鉴、对企业编制应急预案有指导作用的信息。若《指南》中未包括这类信息，则补充在指标体系中；

表1　企业突发环境污染事故应急预案评估指标体系

	一级指标	二级指标
企业突发环境污染事故应急预案评价指标	企业基本情况	1. 详细地理位置介绍
		2. 危险源介绍
		3. 所在地的气候特征
		4. 所在地所处的地形地貌情况
	风险源及事故影响	1. 涉及的危险品情况
		2. 潜在危险源、应对措施
		3. 重点危险源的位置
		4. 自然条件可能造成的污染事故
		5. 可能发生的事故后果和波及范围
		6. 运输过程可能泄漏的危险品情况
		7. 环境敏感区描述
	应急组织机构	1. 工作小组和个人职责
		2. 指挥机构和职责
		3. 应急组织体系
	预防和预警	1. 经费来源和使用计划
		2. 保护目标和保护级别
		3. 危险源监测监控方案
		4. 事故预警的程序、方法
		5. 事故信息报告和通知程序
		6. 应急监测方案
		7. 应急响应的人力资源
		8. 应急宣传、培训计划和演习
		9. 各种保障计划
		10. 应急物资和装备
		11. 信息公开计划
		12. 可能发生的（伴生）环境事件
	应急响应和救治	1. 事故的分级
		2. 现场保护和现场洗消
		3. 应急响应程序与措施
		4. 现场救护救治方案
		5. 人员安全防护
		6. 应急疏散措施
		7. 应急终止后善后处置计划

3. 对国内学者在如何编制企业应急预案方面的研究文献进行调研，参考国内学者提出的应急预案编制过程、注意事项等内容，进一步完善指标体系；

4. 梳理指标体系，删除重复指标；

5. 对企业应急预案进行试评估，通过试评估发现指标体系中的问题并进行修改完善。

（二）企业环境污染事故应急预案评估方法

在仔细阅读116家企业的应急预案的基础上，对表1中每项评估指标逐一评分，评分采用5分制，计算每个企业综合得分以及综合得分平均值，评价企业应急预案总体水平。根据可能发生的事故情况和企业编制的应急预案的实际情况，并依据《环境污染事故应急预案编制技术指南（征求意见稿）》，建立突发环境污染事故评估指标评分标准，见表2。

表2 突发环境污染事故评估指标评分标准

完备性评估指标体系三级标准	指标等级				
	A（5分）	B（4分）	C（3分）	D（2分）	E（1分）
详细地理位置介绍	有对应内容	—	—	—	无对应内容
危险源情况	有详细危险源介绍	—	有简单危险源介绍	—	无对应内容
所在地的气候情况	有对应内容	—	—	—	无对应内容
所在地地形地貌情况	有对应内容	—	—	—	无对应内容
涉及的危险品情况	有危险品名称和危险特性		有危险品名称，无危险特性		无对应内容
潜在危险源、应对措施	有潜在危险源介绍和详细应对措施	—	有潜在危险源介绍，无应对措施	—	无对应内容
重点危险源的位置	有对应内容	—	—	—	无对应内容
自然条件可能造成的污染事故	有对应内容	—	—	—	无对应内容
可能发生的事故情况	明确了可能发生的事故后果和波及范围		有可能发生的事故后果，无其他对应内容	有可能发生的事故介绍	无对应内容
运输过程泄漏的危险品情况	详细说明了运输过程泄漏的物质对环境影响	—	仅简单说明了泄漏物质对环境的影响	—	无对应内容
环境敏感区描述	有对应内容	—	—	—	无对应内容
工作小组和个人职责	有专门的工作小组和各小组的职责	有专门的工作小组，无职责	仅有负责人员，无专门的工作小组		无对应内容
指挥机构和职责情况	明确了指挥机构和各部职责	—	仅有指挥人员，无专门指挥机构	—	无对应内容
应急组织体系	有对应内容	—	—	—	无对应内容

完备性评估指标体系三级标准	指标等级				
	A（5分）	B（4分）	C（3分）	D（2分）	E（1分）
经费来源和使用计划	明确了经费来源和使用范围	—	仅有使用范围，无经费来源	—	无对应内容
保护目标和保护级别	有对应内容	—	—	—	无对应内容
危险源监测监控方案	明确了对危险源监测监控的方式方法及预防措施	—	仅有危险源监测监控的方法，无预防措施	—	无对应内容
事故预警程序、方法	明确了事故预警的条件、方式、方法				无对应内容
事故信息报告和通知程序	明确了事故信息和通报程序	—		—	无对应内容
应急监测方案	明确了应急监测方案方法和标准、监测仪器、监测人员的安全防护	明确了监测仪器和监测方法，无监测人员的安全防护	仅有监测方案，未明确专门监测仪器和方法	仅有监测负责人，无其他对应内容	无对应内容
应急响应的人力资源	明确了应急响应的专业应急队伍和兼职应急队伍的组织和保障方案	明确了应急响应的专业队伍的组织和保障方案，无兼职应急队伍	明确了应急响应的专业队伍，无组织和保障方案	仅有应急响应的负责人，无其他对应内容	无对应内容
应急培训和演习计划	有详细的应急培训和演习计划	—	有简单应急培训和演习计划	—	无对应内容
各种保障计划	明确了各种保障计划（通信、技术、医疗等）	—	缺少通信、技术、医疗等保障计划中的一种或多种	—	无对应内容
应急物资和装备	明确了应急救援物资和装备的类型、数量、位置和责任人	明确了应急救援物资和装备的类型、数量和位置	仅有应急救援物资的类型、数量		无对应内容
信息公开计划	有专门的信息公开章节，内容详细	—	仅有提及信息公开	—	无对应内容
可能发生的伴生环境事件	有对应内容	—	—	—	无对应内容
事故的分级	针对不同危害程度对事故进行分级并有相应的分级响应措施	—	对事故进行了简单分级，无对应的分级响应措施	—	无对应内容
现场保护和现场洗消	有现场保护和现场洗消装置及措施	—	有现场保护措施和现场洗消装置及措施的其中之一	—	无对应内容

完备性评估指标体系三级标准	指标等级				
	A（5分）	B（4分）	C（3分）	D（2分）	E（1分）
应急响应程序和措施	全部事故类型均有连续有效的响应程序和可行的救援措施	有部分事故类型的响应程序和救援措施	仅有通用的应急响应程序和救援措施	仅有简单的应急救援措施，可操作性差	无对应内容
现场救护救治方案	明确了现场救助程序、救治措施、医疗器械和药品	仅有现场救助基本程序和救治措施，无其他对应内容	仅有现场救治措施，无其他对应内容	仅有现场救助程序，无其他对应内容	无对应内容
人员安全防护方案	制定了详细的人员安全防护措施	—	人员防护措施简单，可操作性差	—	无对应内容
应急疏散措施	疏散程序、疏散路线详细，有疏散路线图	有疏散程序和疏散路线，无疏散路线图	仅有疏散程序，无其他对应内容	仅简单提及应急疏散，无其他对应内容	无对应内容
应急终止后善后处置计划	明确了受伤人员的安置和赔偿、事故结束后的环境影响评估和对生态环境进行修复	仅有受伤人员的安置和赔偿、事故结束后的环境影响评估，无其他对应内容	仅有受伤人员的安置和赔偿，无其他对应内容	仅有受伤人员的安置，无其他对应内容	无对应内容

采用算术平均法计算企业应急预案综合得分：

$$I_i = \frac{1}{n}\sum_{j=1}^{n} I_{ij}$$

式中：I_{ij}为第i家企业第j个指标的得分；n为指标个数。

m个企业综合得分平均值：

$$I = \frac{1}{m}\sum_{i=1}^{m} I_i$$

式中：I_i每个企业综合得分：m为企业个数。

二、评价结果分析

（一）评估样本的地区分布和行业分类

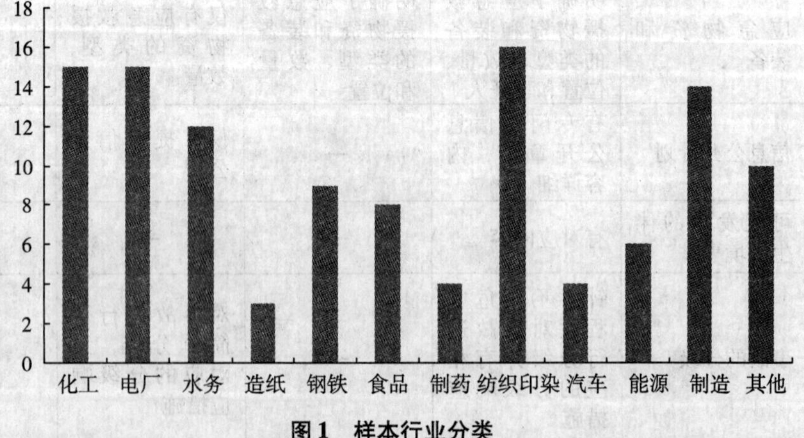

图1　样本行业分类

根据《环境污染事故应急预案编制技术指南（征求意见稿）》适用范围，在中国某大城市已编制应急预案的企业中筛选116家符合《指南》适用范围的企业，作为评估对象。

按照行业分类，把116家企业分为12大类，包括化工企业15家、电厂15家、水务企业12家、造纸厂3家、钢铁企业9家、食品业8家、制药企业4家、纺织印染业16家、汽车行业4

家、能源企业6家、制造业14家和其他10家，见图1。

（二）企业突发环境污染事故应急预案评价指标分析

根据表1评估指标矩阵和表2评分标准，对116家企业进行评分，得出总评分结果。116家企业应急预案综合评分分布情况见图2。最高分3.3，最低1.2，平均值2.4，表明某市116家企业应急预案编制总体水平有待提高，企业间应急预案编制水平差异较大。参与评估的116个企业中，仅50个达到平均分，66个在平均分以下，达到平均水平的企业不到总数的二分之一。

全部指标的平均得分排序结果见图3。全部指标平均得分均值2.5，高于均值有15个指标，占总数44.1%。根据评分标准，把3分作为达标，可知仅有11项指标达标，达标率为32.4%，达标率较低。

（三）对评估指标的具体分析

1. 二级指标分析

（1）高得分指标分析

这些指标在多数企业应急预案中都有对应的内容（所有企业平均得分≥3），包括：①详细介绍了企业地理位置、企业生产产品和危险源、生产过程和非生产过程涉及的危险品名称、危险特性等；②确定了应急组织体系，明确指挥机构和职责，指挥和协调机制及内容；③成立了应急工作小组，并有小组中每个人的职责及具体联系方式；④明确事故预警的条件和方法；⑤对可能产生重大环境污染事故的潜在危险源进行辨识，并有相应的应对措施；⑥明确各类应急响应的人力资源；⑦明确通信和信息保障、技术保障、交通运输保障、治安保障、医疗保障等；⑧事故发生现场的救援措施详细、充分。

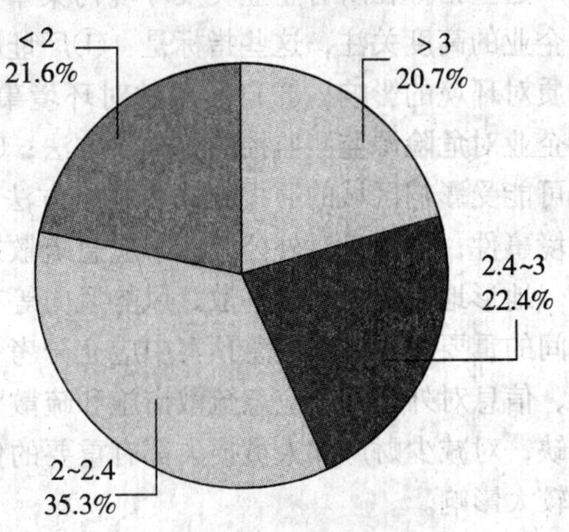

图2 企业综合评分的分布情况

上述指标涉及环境风险源、应急组织体系、预警和应急响应等应急预案中较为重要的内容。事故发生后，由应急组织体系统一指挥，各类应急响应的人力资源共同发挥作用，救援措施充分具体，后勤保障紧紧跟随，可最大限度地减少事故损失。

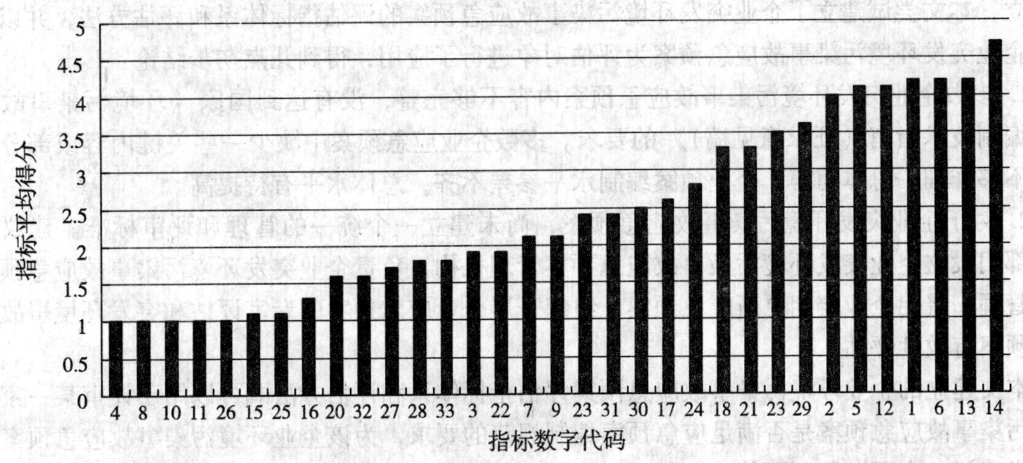

图3 各项指标平均分排序

（2）中等得分指标分析

这部分指标只有少数企业的突发环境污染事故应急预案中有涉及（1.6<所有企业平均得分<3），包括：①厂址所在地的气候特征；②是否有可能发生事故的重点危险源的位置；③是

否有现场保护和现场洗消设备和措施；④可能发生的事故后果和波及范围。⑤应急宣传、培训计划和演习；⑥应急救援需要使用的应急物资和装备的类型和数量、性能、存放位置、管理责任人及联系方式；⑦受伤人员现场救护救治和医院救治措施是否及时、具体；⑧应急终止后的行动和善后处置。

这些指标对预防事故的发生、事故后的救援有较大的作用。突发环境污染事故发生后，可以快速确定事故发生位置以及紧急疏散处于危险区的人员，及时把受伤人员送往医院救治，并妥善处理好应急终止后的行动，也是应急预案中比较重要的方面。

（3）低得分指标分析

这些指标在所有企业突发环境污染事故应急预案中几乎都未提及（平均得分≤1.6），需引起企业的高度关注，这些指标是：①厂址所处地的地形地貌情况；②运输过程中可能泄漏的危险物质对环境的影响；③自然条件对环境事件可能造成的影响；④经费来源和使用范围及数量；⑤企业对危险源监测监控的方式、方法；⑥应急监测设备、器材和环境监测人员以及监测方法；⑦可能受影响区域的通报方式、联络方法、内容和防护措施；⑧可能发生（伴生）的其他突发环境事件；⑨信息对外公开；⑩应急疏散措施和疏散路线。

地形地貌会对气体扩散、风势风向等有较大的影响，是影响大气污染事故的影响范围和持续时间的重要因素，在应急预案中应充分考虑。应急监测设备、器材和环境监测人员以及监测方法、信息对外公开、应急疏散措施和疏散路线等指标在突发环境污染事故应急处置过程中也不可或缺，对减少财产和人员损失都有重要的作用。因此这些指标缺失对事故预防和应急救援效果会有较大影响。

2. 一级指标分析

根据五个一级指标对应的二级指标得分，利用算术平均法计算出一级指标平均得分，由一级指标得分图可知：应急组织机构得分较高，其他指标得分均低于3分，有待于今后预案更新时改善和提高。

三、结论与建议

频繁发生的突发环境污染事故使得应急预案越来越受到重视，但应急预案的评估体系目前尚未建立，本文尝试建立了企业突发环境污染事故应急预案的评估指标体系和评估方法，并以某市部分企业突发环境污染事故应急预案为评估对象进行了应用，得到几点初步结论：

1. 多数企业突发环境污染事故应急预案内容不够完整，没有达到国家《环境污染事故应急预案编制技术指南（征求意见稿）》的要求。多数企业应急预案中缺少一些关键内容或部分关键内容不够详细。总体而言，企业预案编制水平参差不齐，总体水平有待提高。

2. 对于企业突发环境污染事故应急预案，尚未建立一个统一的管理和评审标准。建议环保监管部门设立企业突发环境污染事故应急预案管理机构，负责企业突发环境污染事故应急预案的日常管理，督促企业定期更新应急预案，组织开展企业应急预案的专家评估和突发环境事故发生后的预案有效性评估。

本文建立的企业环境污染事故应急预案评估指标体系和评估方法既可以用于评审某一家企业环境污染事故应急预案是否满足应急预案编制规范的要求，为该企业环境污染事故应急预案的完善提供建议，也可以用于评估一个行政区域内多家企业环境污染事故应急预案的总体编制质量，为区域突发环境污染事故应急管理部门提供管理建议和决策支持。

由于本文建立的评估方法是根据评估指标体系对企业突发环境污染事故应急预案进行打分，评估过程中存在较大的主观性，会出现不同的人对同一个企业的应急预案评分不同的情况。在企业环境污染事故应急预案的评估实践中可采用多人评分后取平均值或专家小组讨论后共同打分的方法来降低评分中的主观性。

参考文献

[1] 中国环境保护部．环境污染事故应急预案编制技术指南（征求意见稿）[S]．2008.

[2] NRT - 1A. Criteria for Review of Hazardous Materials Emergency Plans [S]．1988，5.

[3] Federal Emergency Management Agency. Emergency Management Guide for Business and Industry [S]．1998.

[4] NRT - 1. Hazardous Materials Emergency Planning Guide [S]．2001.

[5] 魏科技，等．突发性环境污染事故防范与应急研究进展及体系构建 [J]．安全与环境学报，2008，8（6）：64 - 70.

[6] 宋国君，马中．论环境风险及其管理制度建设 [J]．环境污染与防治，2006（2），100 - 103.

[7] 朱俊，周树勋．建立环境风险防范体系 加强对环境风险的管理 [J]．环境污染与防治，2007，29（5）：387 - 389.

[8] 廖振良，刘宴辉，徐祖信．基于案例推理的突发性环境污染事件应急预案系统 [J]．环境污染与防治，2009，31（1）：86 - 89.

[9] 刘功智，耿凤，邓云峰．企业重大事故应急预案编制探讨 [J]．中国安全生产科学技术，2005，1（5）：59 - 63.

[10] 曾维华．中国环境应急响应体系建设的探讨 [J]．环境保护，2005（12）：42 - 47.

[11] 范娟．新的形势考验环境应急能力《国家突发环境事件应急预案》亟须修订 [J]．环境保护，2008（11A），57 - 58.

[12] 陈荣庆，佟瑞鹏．企业生产事故应急预案编制技术 [J]．中国安全科学学报，2006，16（12）：55 - 60.

[13] 王飞跃，徐志胜，等．企业生产安全事故应急救援预案编制技术的研究 [J]．中国安全科学学报．2005（15）：101 - 105.

[14] 徐彭浩，吴敏华，徐建宏．突发性环境污染事故应急系统及其响应程序 [J]．中国环境监测，1998，14（5）：31 - 34.

[15] 王明贤，张莉莉，李俊．层次分析法在应急救援预案评价指标体系中的应用 [J]．矿业安全与环保，2008，35（6）：86 - 88.

[16] Li Hua, He Jin - sheng, Zhu Xian - min. Multi - formal and Information - based Emergency Resource Reserve System in China [J]．Chinese Journal of Population, Resources and Environment，2008（4）：52 - 58.

浅析地铁施工期环境监理的作用及存在的问题

——以西安市地铁二号线工程为例

高　榕[1,2]　王义林[2]　刘　罡[2]

（1. 西安市环境保护科学研究院　陕西　西安　710002；

2. 西安市皓盛环境工程监理有限公司　陕西　西安　710002）

摘　要　以地铁二号线工程施工期环境监理为例，阐述了地铁项目施工期环境监理工作内容及污染物防治措施，分析环境监理实施过程中存在的问题，并提出相应对策。

关键词　环境监理　地铁施工　存在问题

引　言

根据国家环保总局、铁道部、交通部、水利部等6部委联合发布的《关于在重点建设项目中开展环境监理试点的通知》（环发［2002］141号文）的要求，国家环境保护总局（环审［2006］293号文）关于西安市城市快速轨道交通二号线（铁路北客站—韦曲段）环境影响评价书的批复，陕西省环境保护局（陕环发［2004］243号文）“关于在建设项目中加强工程环境监理的通知”，以及西安市环境保护局（市环函［2007］97号文）“关于西安市城市快速轨道交通二号线工程实施环境监理的函”，西安市皓盛环境工程监理有限公司于2008年10月开始对西安市地铁二号线工程实施施工期环境监理，目前环境监理工作已进行了一年，在此，就环境监理在地铁二号线中的作用及存在的问题做简要的分析。

一、地铁工程的建设特点

地铁工程的建设将改善城区交通状况和空气环境质量，地铁工程涉及面广，施工时间长，标段多，参建单位多，其施工期建设将会对生态环境产生一定的影响，包括废水、粉尘、噪声、振动、固体废弃物及化学品管理等。若施工期管理不善，必将对外环境造成污染和破坏，引起周围群众的不满和投诉。因此根据《陕西省实施〈中华人民共和国环境影响评价法〉办法》中指出“已经批准的施工周期长、生态环境影响大的水利、交通、电力、化工、矿产资源开发项目，在其建设过程中应当进行环境监理”的要求，在地铁建设施工期引入环境监理，加强施工期环境管理，对建设单位的施工活动实施有效监管。目前我国已经开展的环境监理项目如三峡工程、新建青藏铁路、小浪底工程和西部通道等，均收到明显的效果。

二、西安地铁二号线施工期环境监理工作

目前环境监理在地铁二号线做的主要工作有以下几个方面：

（一）施工期大气污染的控制

1. 监督检查，承包方文明施工管理计划及专项资金落实情况。

2. 检查施工项目主要道路，场地硬化处理及防尘措施的落实。道路应固定专人及时清扫，适度洒水，进入现场的车辆要减速慢行，减少二次扬尘。

3. 检查土方、渣土、施工垃圾运载车辆的密闭或覆盖措施及施工现场出入口保证车辆清洁的措施落实情况。

4. 检查水泥和其他易飞扬的细颗粒建材密闭存放或采取覆盖等措施。

5. 混凝土搅拌及灰土搅拌场所应采取封闭、围挡、降尘措施，防止粉尘污染。

6. 裸露场地和集中堆放土方应采取覆盖、固化或绿化措施。

7. 检查油品、危化品专库存放及相关消防设施，应急措施落实情况。

除此之外，环境监理积极检查督促，帮助各施工单位建立渣土清运制度；对同地段不同施工单位，进行沟通协调，解决了公用道路洒水互相推卸不及时问题以及对土方施工量大的标段进行定期监测，确保对施工扬尘的控制等。

（二）施工期噪声污染的控制

1. 合理安排施工进度和作业时间，对主要噪声设备，如搅拌机、装载机、打桩机、切割机、电锯、振动棒等采取相应限时作业，尽量避开居民休息时间、夜间禁止打桩机等强噪声设施作业施工。

2. 因特殊需要必须连续作业的，要求施工单位必须到当地环保部门办理夜间施工许可证明，且必须公告附近居民。

3. 检查施工机械安放位置，尽可能远离敏感点，对安放位置不合理的应建议施工单位进行必要的调整。

4. 定期检查施工设备的维修、保养情况，确保各种施工机械、设备保持良好运作状态。

5. 控制好施工区的汽车数量、行车密度、汽车鸣笛。

由于地铁施工段长，涉及的敏感点多，根据实际走访和观测，在部分标段进行了噪声监测，并在环境监理中引入了公众参与，调查项目周边单位民众的反映。协商施工单位调换低噪设备作业，在保证施工进度的同时，将施工噪声对周围环境影响降到最低。

（三）施工期固体废物的控制

1. 督促检查施工方按土方规划要求组织实施。对土方合理利用，合理堆放，尽可能减少因长期堆放产生二次污染。

2. 监督检查建筑垃圾的清运手续，督促垃圾及时清运，定点倾倒，并防止清运过程的垃圾抛洒。

3. 检查固体废物存放设施的建立、维护及正常使用，垃圾实行分类收集，合理处置。

4. 生活垃圾定点存放及时清运，防止蚊蝇孳生。

5. 危险废弃物必须按规定统一收集，合理存放处置。不得将危险废物混入非危险废物中。

地铁出土（渣）全部委托市容园林局清运，环境监理相继追踪全部弃土场共计 12 个，进行拍照取证，GPS 定位，并对全线土方的挖方量、回填量、弃土量以及土方去向进行统计核查。

（四）施工期废水污染控制

1. 检查施工现场管网与市政管网的连接，且保证其畅通无阻。

2. 检查施工生产废水沉淀设施是否满足生产要求，生产废水未经沉淀处理不得直接外排。

3. 检查食堂含油废水，隔油池运行控制措施。

4. 检查厕所化粪池的修建及防渗漏措施。

环境监理通过对各标段地下降水情况调查发现，地铁二号线全线共 795 口降水井，高峰期日最大降水量可达到 17 万 ~ 20 万 m^3，总的综合回用率却不到 1%，造成资源的极大浪费，为此环境监理对此做出专项调查报告并上报地铁公司，要求其重视降水回用。

（五）化学品管理

1. 危险化学品应存储在专门仓库，与其他物品保持安全距离，隔离存放。

2. 使用现场不得存放多余化学品，确需一定数量备用，须有专门暂存场所，限定最大存量，制定使用说明及应急措施并张贴现场。

在地铁施工工程主要使用的化学品有发泡剂（盾构施工）、防水涂料等，环境监理根据 GB 16483—2000《化学品安全技术说明书编写规定》，要求发泡剂、防水涂料等生产厂家提供化学品安全技术说明书（MSDS），查阅资料并向相关专家咨询了解其毒害性及降解特性。目前通过咨询了解，对加有发泡剂的盾构出土，其降解机理、速率及其环境影响尚无定论，作为弃土进行填埋处置。

（六）文物保护

西安地铁二号线沿线主要的重点文物保护单位有钟楼、明城墙及护城河等，环境监理密切关注盾构施工穿越永宁门、安远门以及钟楼时的施工进展，收集穿越文物保护点时施工点以及第三方沉降监测的数据。

关注施工过程中可能发现古遗址、古墓葬或其他文物时等特殊情况，并应立即要求停止施工，并做好记录，所有人员不得移动和收藏文物，保护现场，将有关情况报告当地文物保护部门，待文物得到妥善解决后再恢复施工。

关注通过文物保护单位时在轨道铺设中的防震、减震措施的落实，做好记录，必要时应进行旁站监理。

（七）培训计划

1. 建设单位定期组织一次参建方环保知识培训，可由环境监理实施。

2. 施工单位内部应定期组织一次环保知识教育培训，并将培训内容，以书面形式报环境监理，审查留底。

3. 环境监理内部定期组织业务培训考核，并将考核结果留底备案。

地铁二号线引入环境监理在西安重大项目建设中是第一次，各标段施工单位环保理念参差不齐，定期培训不可或缺。在环境监理进驻地铁开始，对地铁二号线全线各标段施工单位以例会的形式，阐述了环境监理理念，工作内容、形式、目标等，这不仅是对环保理念的宣传，也为今后的环境监理工作打开了局面。再次借助“6.5”世界环境日，大力宣传，要求各施工单位内部组织教育培训，并以书面形式总结归档。

总的来说，西安地铁二号线建设属重大项目，备受瞩目，政府部门也相当重视，管理力度很大。建设单位及施工单位环保意识和社会责任感与日俱增，对环境监理也相当配合，在施工中不断改进技术方案，很多努力都日见成效，其施工行为基本符合环保要求。

三、地铁工程环境监理工作中存在的问题

在地铁二号线这一年的环境监理过程中，经过不断摸索和尝试，环境监理工作有了一定的成效和初步的模式，也存在一定的问题和缺陷，现在就西安地铁二号线建设项目环境监理工作中的运用，谈谈地铁环境监理工作中所存在的问题。

（一）与政府各部门应加强跨部门合作

在环境监理过程中发现，地铁二号线北客站，处于西安市未央区与北经济开发区交界处，处于待开发地区，城市道路未完善。道路雨天泥泞一片，晴天尘土飞扬，对周围环境、居民以及施工单位影响都很大。经环境监理多次协商稍有所改善，但对于地处西北，气候干燥的西安来说，稍微放松管理，此种情况必将更加严重。这需要政府各部门加强合作，从严管理，方能杜绝此类情况。

（二）危险废弃物的管理

在环境监理过程中发现，由于各施工单位大型施工设备，如：挖掘机、打桩机等设备，非其自身所有，为租赁设备。对其产生的废柴油、润滑油等危险废物，环境监理不便于控制和管理。这需要施工单位进行严格的控制和管理，协助环境监理做好危险废物的控制。

（三）弃土外围整体状况无法更好掌控

在环境监理过程中发现，地铁出土由多家单位清运，运输至各个弃土场多达 12 个，有些施

工单位在环保意识不到位的情况下，很容易将其他一些废弃物如生活垃圾，一并外运处理，环境监理对于整个现状，无法更好地监控。

（四）地下降水回用

在环境监理过程中发现，地铁全线降水量相当大，总的综合回用率却不到1%，造成资源的极大浪费。有些施工标段地下降水不连续，施工场地有限，无法建造蓄水池，进行降水回用；有些标段地下降水量特别大，日最高降水量可达9万m^3，只能回用少部分，大量降水资源白白浪费。对于降水资源的回用需要地铁公司、各施工单位及各政府部门相互紧密协调、配合，争取做到资源的最大化利用。

（五）建设方、施工方、监理方应加强沟通合作

参建各方是合作伙伴，应加强沟通协调，工作态度决定环境管理效果。各单位应能够及时有效地做好沟通协作，确保工程进度和环境保护质量。

四、结　语

环境监理在我国尚处于尝试和探索阶段，这需要环境监理工作者在环境监理工作中不断地探索和创新，努力寻找一套适合实际建设情况的环境监理运作模式。同时希望国家尽早出台相关规范，对环境监理工作予以规范化管理，能够充分发挥建设期环境监理的作用。

参考文献

[1] 陕西省环境保护局环保产业管理中心．建设项目环境监理培训教材（试用）．

[2] 戴明新．交通工程环境监理指南［M］．北京：人民交通出版社，2005.

强化污染防治设施运行管理的思考和建议

王锦慧[1]　董　丽[2]

（1. 河北省环境保护宣传教育中心；

2. 河北省环境信息中心　石家庄市裕华西路106号　050051）

摘　要　随着污染减排工作的不断深入，强化管理减排，确保投运的治污减排设施能够长期稳定运行，已经成为打赢污染减排战役的关键。但由于各地也不同程度地存在着运行不稳定、监管不到位等问题，严重影响和制约了污染防治设施治污减排效能的充分发挥。本文对污染防治设施运行管理中存在的主要问题进行了系统的归纳分析，并就如何强化污染防治设施运行管理机制提出了相应的建议。

关键词　污染防治设施　运行管理　建议

随着污染减排工作的不断深入，强化管理减排，确保投运的治污设施能够长期稳定运行，已经成为打赢污染减排战役的关键。2010 年全国环境保护工作会议提出，将保运行作为污染减排的中心任务，狠抓已建成的城镇污水处理厂、火电厂脱硫设施和企业污染治理设施的正常有效运行。这是环境保护部正确分析判断污染减排新形势，对 2010 年减排工作做出的重要部署，同时，也是进一步巩固、扩大污染减排成果的根本要求。如何强化污染防治设施运行管理，已经成为当前和今后一个时期环保监督管理的一项重要任务。

一、污染防治设施建设及运行现状

我国将污染防治建设作为推进治污减排的主要举措，特别是“十一五”以来，国家将化学需氧量和二氧化硫两项主要污染物减排指标作为约束性指标，各地不断加大投入，治污设施建设步伐明显加快。截至 2009 年底，全国设市城市、县及部分重点建制镇累计建成城镇污水处理厂 1993 座，总处理能力超过 1 亿 m^3/d；正在建设的城镇污水处理项目 2360 个，可新增污水处理能力约 6400 万 m^3/d。在建和已建项目处理能力总和预计可达 1.6 亿 m^3，基本与美国的处理能力相当。治污工程的建设对推进污染减排和促进环境质量改善发挥了至关重要的作用，有资料显示，“十一五”前 4 年，我国化学需氧量、二氧化硫排放量分别下降了 9.66% 和 13.44%。

污染防治设施是总量减排的基础，而治污设施能否转化为实际减排能力，关键则在于其能否正常、稳定运行。事实上，我国一些地方建设了不少污染治理设施，但是由于运行管理不好，治污效果打了折扣。一些地方由于缺少运行经费，治污设施成了“晒太阳”工程；一些污水处理厂为了赚钱而偷排污水，成为新的污染源；有的则由于技术不过关、管理不到位，污水、废气难以达标排放。由于运行不正常，严重影响和制约了污染防治设施治污减排效能的充分发挥，而且造成了严重的资金浪费。

尽管我国污染减排取得了很大进展，但我国粗放型的经济增长方式仍未得到根本扭转，产业结构中“两高一资”企业的比例仍然很重，污染减排的压力仍然很大。随着大量治污设施的建成，工程减排空间越来越小，强化污染依靠强化管理挖掘减排潜力，在继续推进结构减排、工程减排的同时，确保治污设施正常运行，对于巩固和扩大已取得的减排成果则显得尤为重要和迫切。

二、目前污染防治设施运行存在的主要问题

（一）企业对污染治理工作重视不够，导致污染防治设施运行不正常

许多企业以追求经济利益最大化为其经营目的，在现有产业层次和技术水平的条件下，污染

治理或多或少与眼前经济利益相冲突，加上目前我国现有的环保法律法规不够健全的条件下，往往造成企业违法成本低，守法成本高的局面，企业污染治理缺乏内在动力。同时，很多企业主对环保法律法规学习了解不够，忽视了环境保护的重要性。造成企业污染治理目标不明确，制度不健全，管理不到位，责任不到人。一些企业无视环保法律法规，从自身经济利益出发，在未报经环保部门批准的条件下，擅自改变处理工艺或者闲置甚至拆除部分治理设施。个别企业还存在故意偷排偷放现象。

（二）污染治理设施建设滞后或配套设施不完善，不能充分发挥减排效益

污染治理设施的正常运行能力应与产污数量、性质等相匹配。但是，在市场经济条件下，企业产品的种类、生产规模及生产工艺变化较快，这与原来设计的污染治理设施的规模和工艺要求的差别越来越大，直接造成超负荷运行或低效运行。几年过去了，很多企业的生产工艺和生产规模已发生重大改变，然而污染治理设施却是“以不变应万变”，超负荷运行现象普遍。同时，由于管网不配套，污水处理厂收水率大大低于设计能力，造成污染防治设施“吃不饱”，导致污染治理设施资源的极大浪费。

（三）污染治理设施疏于维护管理，达不到预期治理效果

通过调查分析发现，许多治污设施的设计处理能力、工艺等符合企业现有的污染治理要求，但超标排放现象依然严重，究其原因是设施疏于维护管理所致。很多企业认为只要通过环保验收就可以高枕无忧了，而忽视了污染治理设施的日常维护管理。例如，有的企业污水治理设施底部污泥沉积严重，没有及时清理，引起设施有效容积严重不足，污水停留时间过短，造成超标排放；有的企业废气吸附处理装置内活性炭长期未更换，早已饱和，起不到吸附作用，致使污染防治设施达不到预期治理效果。

（四）操作管理人员业务素质偏低，污染防治设施运行水平效率不高

污染治理设施操作管理人员承担着企业污染治理的重任，是企业落实环保措施的重要岗位，事关环境安全，责任重大，需要较强的责任意识。同时，污染治理设施的运行维护管理又是一项技术性很强的工作，操作管理人员需有一定程度的专业文化素质。可目前污染治理设施操作管理人员大多未经过专业培训，且学历普遍较低，甚至有很多企业无专职治理设施操作人员。许多操作人员只会一些机械化的简单操作，对于起码的环保知识都不甚了解，更不用说应急处置一些事故排放。由于治理设施操作管理人员缺少专业知识、操作不规范而引起的超标排放现象较为普遍。

三、关于强化污染防治设施运行管理的几点建议

强化污染防治设施运行管理是一项紧迫而艰巨的任务，必须综合运用法律、经济、行政、技术等手段，切实提高现有污染防治设施运行管理水平，才能确保污染防治设施长期稳定运行。

（一）加强环境监管，严惩重罚违法排污行为

积极转变“重审批，轻监管”的模式，强化执法监察和监督性监测，加快完善污染源自动监控设施建设，加强对建设项目污染治理设施运行情况的日常监督管理。健全建设项目及污染治理设施档案资料，建立重点污染源监督性监测数据库，完善长效管理机制，及时掌握污染治理动态。采用经济与行政相结合的手段，严厉打击环境违法行为，实施严管重罚，提高企业违法成本。同时，要加强对不法企业的服务指导工作，避免出现以罚代管，真正做到柔性管理和刚性执法相结合。政府与环境执法部门还应兼顾环境和市场经济目标，制定严格的惩奖措施，违法者罚，守法者奖，科学执法，公平执法。

（二）完善经济激励与约束政策，建立有利于污染治理设施正常运行的长效机制

一是应积极完善污染减排税价政策。协商有关部门研究出台污水处理厂运行电价、非电行业

脱硫和火电行业脱硝电价优惠政策；适度提高城镇污水处理收费和排污收费标准；建立完善企业和地区减排财政补贴激励机制。通过经济的办法促进减排。二是要加强排污权交易试点步伐。积极完善环境产权制度，合理确定企业排污权责，逐步规范排污交易管理办法，强化排污总量控制，促进外部环境成本内部化，推进污染减排可持续发展。

（三）推进污染治理市场化运营，充分发挥污染防治设施治污减排效能

污染治理运营市场化就是将市场经济机制引入环境保护设施运营之中，根据"污染者付费"的原则实行社会化的有偿服务。要坚持市场化改革方向，制定环境保护公益性社会服务行业的准入标准，开放环境污染治理和基础设施建设市场，鼓励社会资本参与污水、垃圾处理等基础设施的建设和运营，实现投资主体多元化、运营主体企业化、运行管理市场化。推动城市污水和垃圾处理单位加快转制改企，采用公开招标方式，择优选择投资主体和经营单位，实行特许经营。建立有益于污染治理市场发育的价格体系，合理调整城市污水、垃圾处理和危险废物集中处置的收费标准，保证"保本微利"运营。要在市场的引导下，使环境保护活动成为社会公众自觉参与、自我约束、自我发展的社会化、专业化、企业化的行为，逐步走上产业化的发展道路。

（四）规范企业内部设施运行管理，切实提高污染防治设施运行管理效率

各城镇污水处理企业要建立健全包括运营标准、岗位职责、技术规范、操作规程、监测办法、安全要求等在内的系统管理制度，建立健全包括进出口流量和水质、运行时间、处理水量、生产用电量、污泥产生和处理量、药剂投加量、自动监测仪器的校验报告等在内的运行档案。燃煤发电企业要建立健全脱硫设施运行管理规章制度，明确脱硫设施运行、维护和管理责任；建立脱硫设施运行管理档案，准确记载并及时报送煤质、脱硫剂品质和脱硫设施检修、停运、使用旁路排放烟气及非正常运行等情况；控制燃煤煤质，规范操作流程。各类重点排污企业都要建立污染防治设施运行档案或台账，组织开展专业技术人员岗位培训，建立岗位责任、操作技术规程、运行信息公开、事故预防和应急管理制度，特别是要建立和落实定期维修制度，制定合理的检修计划，落实维修资金，确保各类重点污染源污染防治设施稳定、达标运行。

（五）加大环保科技帮扶力度，为治污设施长期正常运行提供强有力的技术支撑

优化整合技术创新资源，积极组织科研院所、高校和优势企业开展环保技术合作与攻关，切实加大环保实用技术的研究力度，加快高新技术在企业污染治理上的应用。积极开展技术示范和成果推广，向企业推介环保最佳实用技术和设备，加强对重点企业环保管理人员的技术培训，深入企业具体帮助指导提高污染治理设施运行管理水平。帮助企业解决污染治理难题。鼓励企业采用新工艺、新技术，加快防治设施的技术改造，降低设施运行费用，从而调动企业对防治污染设施正常运行的积极性。

石家庄市环境突发事件应急处置技术支持平台研究

李月彬　樊小龙

（石家庄环境信息中心　河北　石家庄　050021）

从石家庄市环保局处理环境突发事件的实际工作入手，着重于平台支撑架构、技术及运行机制的构建，利用现代计算机技术、通讯技术、3S技术等高新科技手段，结合环保行业的特殊性，研究并建立了环境突发事件危险源数据库、环境突发事件应急处理技术预案库（包括应急监测与应急救援），完成了环境突发事件应急决策支持系统开发，建立了石家庄市环境突发事件应急处置技术支持平台。

一、工作思路

石家庄市环境突发事件应急处置技术支持平台研究内容包括建立重大环境污染事故危险源数据库、重大环境污染事故应急处理技术预案、重大环境污染事故应急决策支持系统开发三大重要组成部分。它是一项利用现代应用计算技术、通信技术、地理信息技术等高科技技术，结合环保行业的行业特殊性，构建环境突发事件应急处置技术支撑平台的高新课题。

课题研究以应用为主，从石家庄市环保局处理环境突发事件的实际工作入手，着重于平台支撑数据、技术及理念的研究。

我们首先通过各种危险源的辨识理清平台的支撑数据，然后就企业和政府部门两个方面来研究论述应急预案的关键技术，最后针对危险源的不同讨论制定相应的应急事故相应程序。

同时，环境突发性事件预案和应急响应行为也是非常复杂的，并会随着污染源、应急资源、影响程度等的不同而要求相应的变化。在预案及应急处置过程中，包括了对时间、地点和人员，以及对现有资源充分利用的一系列应急对策。因此，我们认为引起重大环境污染事故的因素是有限的，可以在平台中列举这些风险模式，并根据事件的等级动态制定预案及应急响应处置方案，以提供其对重大环境污染事故决策的支持。

二、研究方法

本课题的研究包括三个重要部分：

（一）石家庄市重大环境污染事故危险源数据库的建立研究

建立重大环境污染事故危险源数据库是进行环境突发事件应急处置的基础，数据库中的数据涵盖了相关行业的重点企业的地点、规模、生产状况、储运情况、主要的事故易发环节，以及源本身的理化性质、毒性毒理、环境行为、环境标准、监测方法、环境影响对象及危害性质、基本应急处置方法等，具有录入、修改、查询、检索、统计等功能。它是一套独立、完备的重大环境污染事故危险源数据仓库。

1. 建库步骤和方法

首先，我们通过调查和筛选，得出全市重大环境污染事故危险源的种类、性质、分布、数量、潜在影响、处置措施等基础信息，建立危险源数据库，并借助GIS系统建立全市危险源的空间信息查询系统。

其次，通过结合城市布局和规划，对全市重大环境污染事故危险源进行区划和评价。

最后，在数据辨识的基础上，通过对数据的抽取、提炼、复制、关系迁移等手段，建立一个提供环境突发事件应急处置决策支持的危险源数据仓库。

2. 数据来源关键技术分析

重大环境污染事故危险源数据库的关键数据之一当然是危险源、危险品数据。控制突发环境事件的关键一步，就是风险源企业中风险的辨识和评价，提炼危险源、危险品、危险环节等重要数据。

（1）风险企业的系统分割

企业是一个大的系统，系统的复杂程度与企业的生产技术和产品有关，也与风险管理的要求的详细程度有关。在风险辨识和分析时需要把企业分割成小的系统。

分割的依据是：

①产品；

②工序；

③危险物质种类产生和处理流程等。

（2）风险辨识方法的选择

将风险企业分割后，按照分割的子环节辨识各项风险源。风险识别主要以定性（半定量）方法为主，常用的方法有层次分析法、专家评议法、FMEA 和 FMECA 法分析法等。

①层次分析法（AHP）

层次分析法（Analytical Hierarchy Process，AHP）是美国运筹学家 Saaty 教授在 20 世纪 70 年代提出来的一种定量与定性相结合的多目标决策分析方法。这一方法的核心是将决策者的经验判断量化，从而为决策者提供定量形式的决策依据，AHP 在目标结构复杂且缺乏必要数据的情况下更为实用。它是管理科学中实用的数学方法，已被成功地用于规划，调解冲突、利润成本分析和群体决策等领域。

在一个给定的系统中，各种影响因素对目标实现的重要性有所不同，将这些因素之间的关系条理化，并按重要性次序排队，对系统分析来说十分重要。AH 户的基本思想就是把复杂的事物看作一个大系统，系统中相互关联、相互制约的因素按照它们之间的隶属关系排成从高到低的若干层次。在建立不同层次元素之间的相互关系的基础上，请专家、学者、管理者根据各自对客观现象的判断，对每一层次各因素的相对重要性给出定量评价，然后利用数学方法综合众人的意见确定出同一层中各元素的相对重要性的权重值，再层层排序，最后对排序结果进行分析，以此作为决策的依据。

②专家评议法

此方法又称为“专家调查法”、“德尔斐法”、“函询调查法”等。它是美国兰德公司于 20 世纪 40 年代首创的综合有关领域专家意见而进行预测的一种定性预测方法。因其简单易行、比较客观而被广泛采用。

③FMEA 和 FMECA 法分析法

故障类型和影响分析（Failure Mode Effects Analysis，FMEA）是一种归纳的、定性的系统安全分析方法。它是根据系统可分的特性，按实际需要分析的深度，把系统分成一些子系统、单元，逐个分析各部分可能发生的各种故障和故障类型，查明各种故障类型对相邻元件、单元、子系统和整个系统的影响。根据故障影响的严重程度和发生概率，排列各个故障的顺序。

FMEA 用于辅助系统分析时，其主要目的在于逐个分析与安全有关的各个辅助系统潜在的危险因素及其触发条件、故障后果、影响范围等。

在 FMEA 分析的基础上，将故障类型和影响分析方法与故障发生概率分析方法结合起来构成故障类型、影响和严重度（危险性或致命度）分析（Failure Mode Effects and Critical Analysis，FMECA）。只要能确定各子系统或元件故障发生的概率，就可以确定系统故障发生的概率，从而定量地描述故障的影响。

（3）风险评价方法的选择

在识别除企业水环境的风险源以后，接着进行每个风险源的风险估算与评价。风险估算与评价常常是风险分析的核心内容。风险估计又称为风险衡量，是指在风险识别的基础上，通过对所收集的大量的失事资料加以分析，运用概率论和数理统计方法，对风险发生的概率及其损失程度做出定量的估计。

风险评价可以根据实际需要采用定量评价或定性（半定量）评估。定量评价是用设备、设施或系统的事故发生概率和事故严重度进行评价的方法，主要依靠历史统计数据，运用数学方法构造数学模型进行评价。按对危险性量化方式的不同，定量评价方法又分内指数评价方法和概率风险评价方法。

（二）石家庄市重大环境污染事故应急处理技术预案研究

突发性环境污染事故应急预案是为了规范突发性环境事故应急管理和应急响应程序，及时有效地实施应急救援工作，最大限度地较少人员伤亡、财产损失，维护人民群众生命财产安全和社会稳定。

重大环境污染事故应急处理技术预案的研究，主要包括以下几个部分：

1. 重大环境污染事故应急监测技术预案研究

要完全杜绝环境污染事故是不大可能的，但做好应对准备可在事故一旦发生时有效减轻其危害，制定一个好的预案是做好应急处置的关键准备，而预案的落实要确定在健全的组织机构和科学合理的运作机制上，还要通过演练检验预案的完备性，通过教育和培训把事故应急知识灌输给相关的每个人。

我们可以将环境污染事故应急处理预案分为企业预案和政府预案两大类。企业级环境污染事故应急预案在环境污染事故发生时可能需要投入整个企业的量来控制，但可依靠企业自身的力量对事故进行遏止和控制，其影响局限在企业的一定界区内。如企业无法控制，则应启动相应的政府预案。现场环境污染事故应急预案仍然由企业负责。

环境污染事故应急预案是整个事故应急管理工作的具体反映，我们可以将事故应急管理的过程划分成预防、预备、响应和恢复4个阶段。然后根据此过程归纳确定应急预案的各项要素，动态生成环境污染事故应急预案。

2. 重大环境污染事故影响预测技术

重大环境污染事故影响的预测关键采用地理信息的空间分析、缓冲分析、影像、投影及栅格分析等技术来实现，本课题的研究主要采用国际最为流行的 Esri ArcGis 系统软件进行分析。

各种扩散模型从时间上模拟污染分布在空间上的动态变化，可以为环境事故处理提供最为重要的依据。我们将根据污染事故的不同类型，采用不同的污染模型来模拟预测事故的影响情况。

3. 重大污染事故的处置技术研究

完全杜绝重大污染事故的发生是不可能的，因此一旦发生重大污染事故，必须立即采取有效的针对措施。如果采用的技术和方法得当，则大大有利于对事故的控制，甚至可以化险为夷，避免大范围的污染事件。

事故源的表现是多样的，因此，对应急处置技术也不相同。应此，在辨析危险源及各种危险模式后，要有针对性地做处置方案。污染的处置方案可以按照污染的不同类型针对性的处理。

在重大事故处置技术中，要重点辨析事故的后果、污染泄漏量的计算和把握事故处理环节中的要点。

（三）石家庄市重大环境污染事故应急决策支持系统开发研究

因为重大环境污染事故应急的空间特性，因此，突发性环境污染应急决策支持系统可以是一种空间决策支持系统（SDSS），由空间决策支持、空间数据库等相互依存、相互作用的若干元素构成，并进行空间数据处理、分析和决策的有机整体。空间决策支持系统中最主要的行为是空间决策支持。

我们可以将决策支持系统分为5个部件组成：人机接口、空间数据库、模型库、知识库、方法库，在此基础上又开发了各自的信息管理系统，这些部件可以组成不同层次和级别的SDSS系统，以提供对重大环境污染事故应急决策的支持。

1. 研究的总体目标

石家庄市重大环境污染事故应急决策支持系统开发的研究，是一项跨学科、综合性理论及技术应用的研究，研究的主要目标包括：

（1）研究并提出石家庄重大环境污染事故危险源数据库方案

①第一任务是通过调查和筛选，得出全市重大环境污染事故危险源的种类、性质、分布、数量、潜在影响、处置措施等基础信息，建立危险源数据库，并借助GIS系统建立全市危险源的空间信息查询系统。

②第二任务是结合城市布局和规划，对全市重大环境污染事故危险源进行区划和评价。

（2）研究并提出石家庄市重大环境污染事故应急处理技术方案

①提出石家庄市重大环境污染事故应急监测技术预案库；

②提出石家庄市重大环境污染事故影响预测方法库；

③提出石家庄市重大环境污染事故处置技术方案库。

（3）研究并提出石家庄市重大环境污染事故应急决策支持系统方案

①提出石家庄市重大环境污染事故应急处置方法数据库；

②提出石家庄市重大环境污染事故应急决策专家系统，由相关的知识库、模型库和方法库组成；

③提出石家庄市重大环境污染事故应急处置效果评估方案。

拟设计的“石家庄市环境突发事件应急处置技术支持平台”将具有以下功能：

A. 建立基于GIS/GPS环境监控平台，实现对危险源和环境质量的监控、实现空间信息的查询，如污染源、排污口、监测站的空间分布信息；环境信息数据统计，专题图的制作、环境污染突发事件的应急处理；预留环境功能区规划、生产力布局调整、建设项目选址、环境风险因素识别、环境敏感点确定等功能的接口；

B. 建立石家庄市环境污染应急指挥系统，建立基于网络通信技术，数据库技术和地理信息系统技术的环境突发事件应急响应的GIS，进行计算机网络环境下重要风险源、危险品的管理和突发事件应急响应的预案管理，同时实现突发事件相关空间信息和属性信息的查询、检索、统计和专题制图；

C. 完成相应基础数据处理、工程项目技术资料的整理和建库等工作。

2. 技术路线及实现方案

（1）石家庄重大环境污染事故危险源数据库方案

石家庄重大环境污染事故危险源数据库系统总体结构由3个平台和2个保障体系构成，同时这个总体结构已将系统进一步扩充为决策支持系统考虑在内。其框架如图1所示。

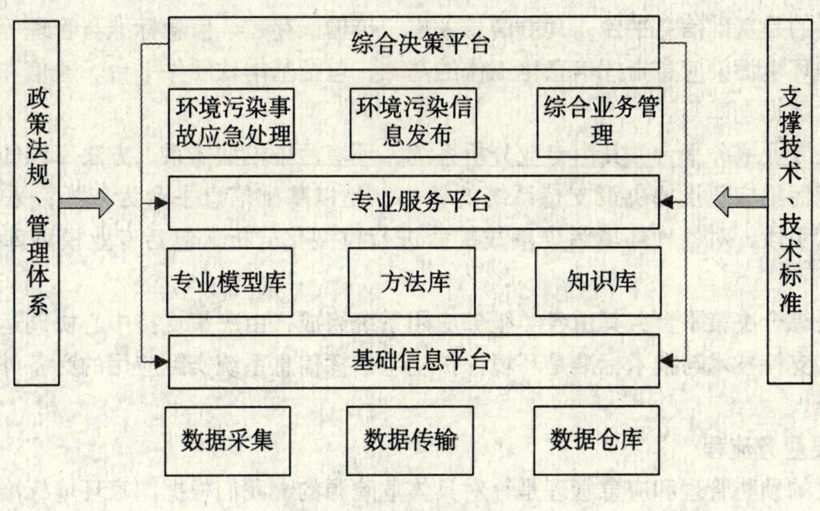

图1 系统总体框架图

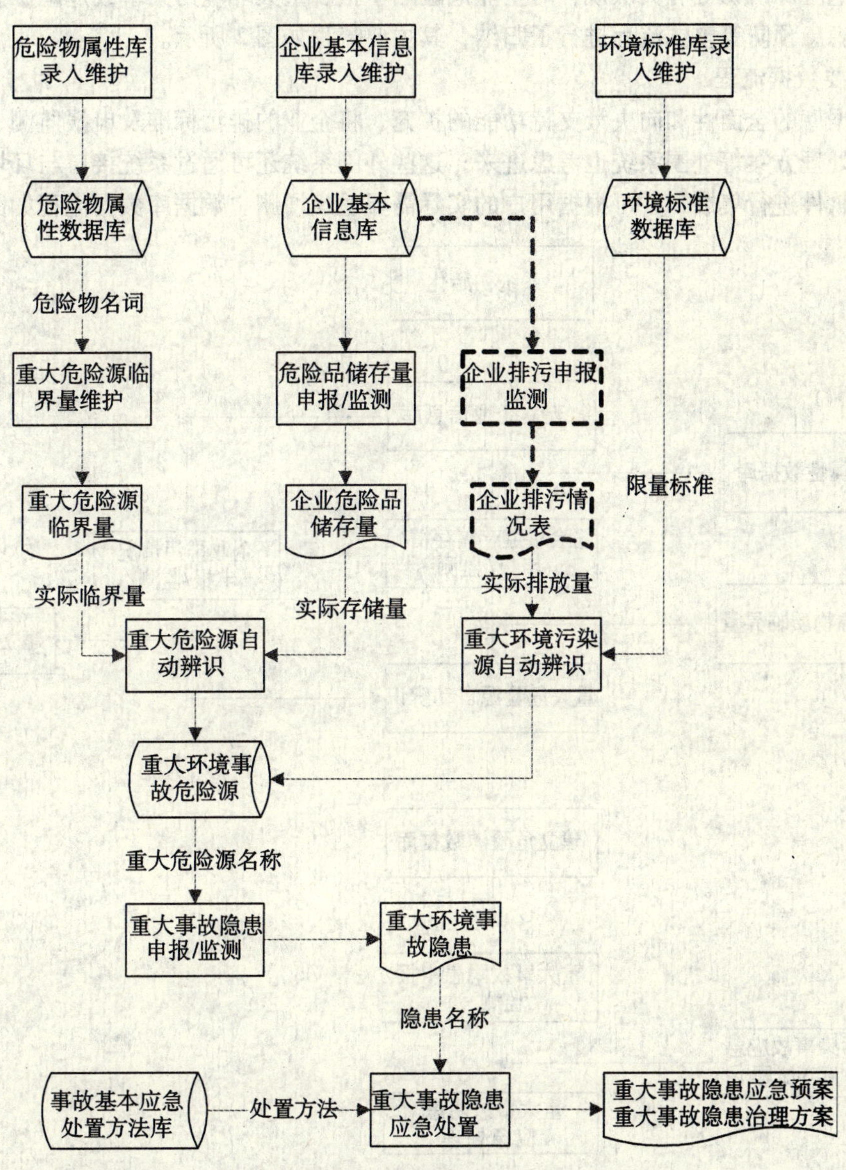

图2 系统主要流程图

处于底层的是基础信息平台，其由信息采集、传输、存贮、信息标准与管理等部分组成；基础信息平台是环境污染应急指挥信息化工作的基础，包括基本软硬件平台、通信和网络设施、数据采集系统、数据仓库等。

第二个是专业服务平台，其由专业分析系统、环境污染模型体系、方法库和知识库组成；服务平台是环境污染应急指挥决策支持系统的核心，是以基础信息平台为依托，采用系统科学方法、模拟技术手段，对各种环境污染事故扩散进行模型化分析，包括专业模型库、方法库和知识库。

第三个是综合决策平台，其由各类服务应用系统组成，由决策支持中心协调运行，政策法规与管理体系、支持技术与技术标准是环境保护应急指挥信息系统实际应用的必备外部条件，亦即两个保障体系。

（2）主要业务流程

由于事故的预防管理和应急管理是针对具体危险源的，我们根据国家环境标准与污染物排放标准、重大危险源辨识等有关法规，对企业危险品申报、重大环境污染事故危险源确定和重大环境污染事故隐患预防等整体流程进行了归纳，其主要流程如图 2 所示。

（3）主要数据流程

为了数据库的全面性和向决策支持功能的扩充，将企业的排污标准及申报监测、重大环境污染事故应急处理方案等外围系统也考虑进来，这些外围系统还可通过系统接口与环境监测、环境统计等现有软件进行集成，并可根据用户的实际需要适当增删。数据库数据流程如图 3 所示。

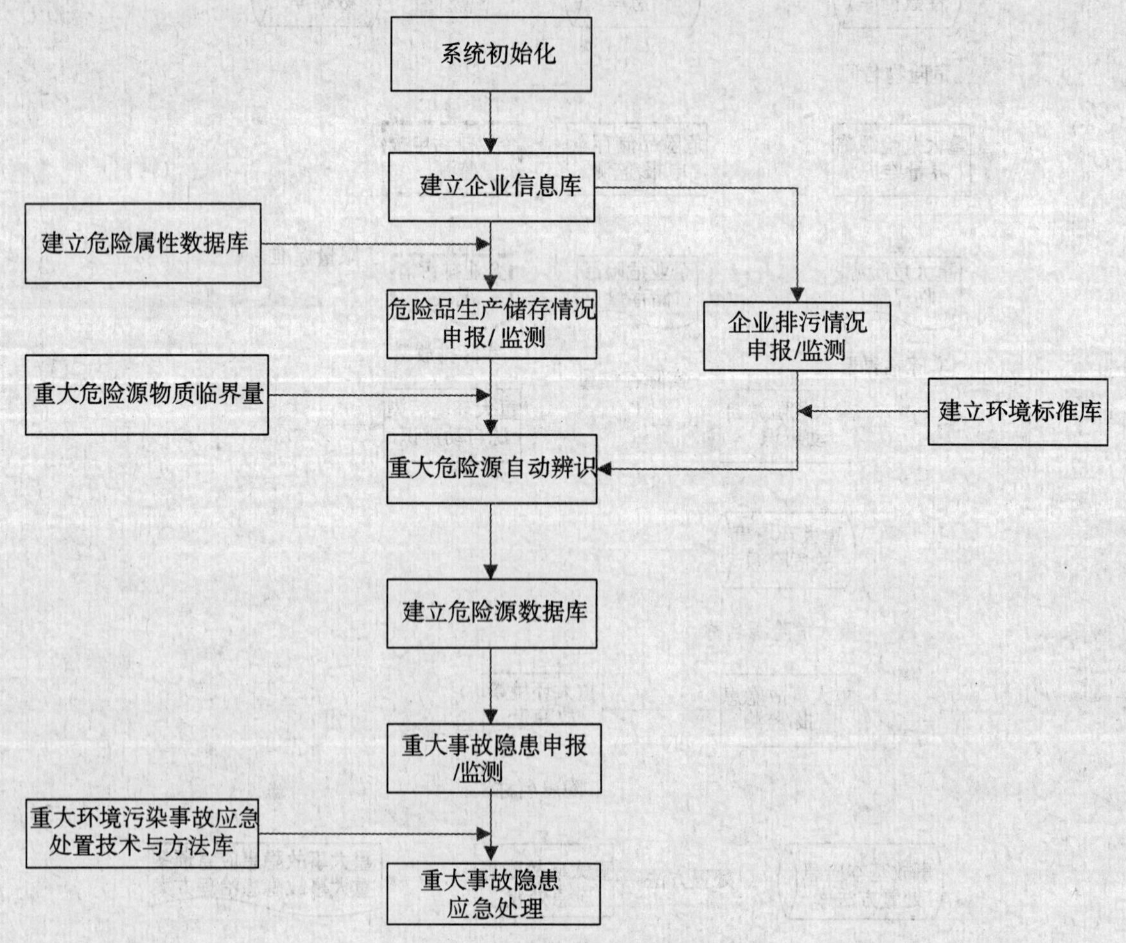

图 3　数据库数据流程图

（4）数据库系统功能模块

重大环境污染事故危险源数据库将包括以下模块：

①企业危险源申报管理：包括企业基本信息，危险品申报信息，排污单位基本信息等信息。

②危险源属性管理：包括危险货物品名登记，常用化学品贮存登记，化学品及企业标识，化学品组成成分，化学品危险性概述，急救措施，消防与应急处理，理化特性录入维护，毒理与生态学资料，废弃处理与运输信息，法规信息录入等信息。

③重大危险源管理：包括重大危险源物临界量，危险单元基本情况，单位危险品储存登记，重大危险源基本情况，重大危险源周边情况，重大事故隐患管理系统等信息。

④环境标准信息管理：包括事故隐患基本情况，事故隐患评估，事故隐患预防措施，事故隐患应急预案，事故隐患治理方案。

功能模块组成图可用图 4 表示：

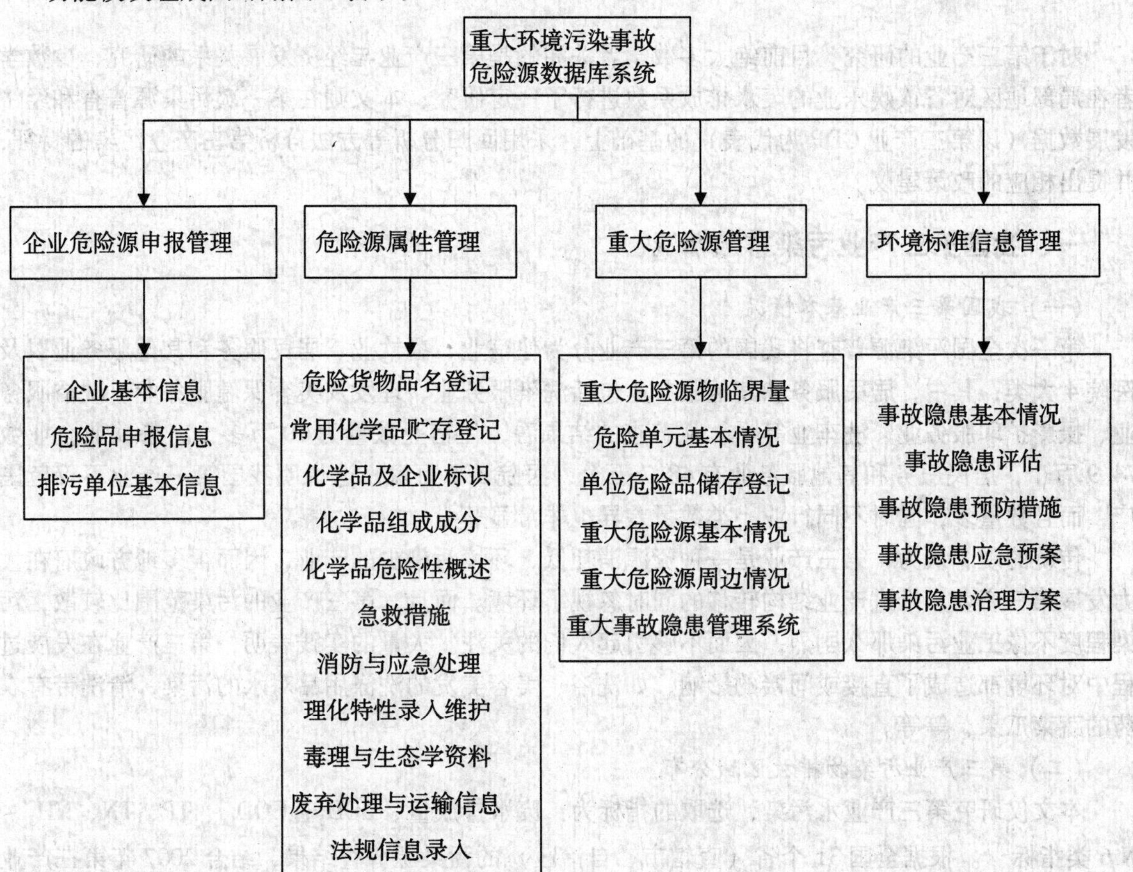

图 4　功能模块组成图

我国第三产业污染物排放特征及原因分析

程 欢[1] 彭晓春[1,2] 陈志良[1]

（1. 环境保护部华南环境科学研究所 广东 广州 510655；
2. 湖南农业大学 湖南 长沙 410128）

摘 要 本文对我国31个省（直辖市、自治区）第三产业污染物排放量的特征进行研究，发现其具有明显的区域特征；随后，从区域地理位置、经济发展水平、饮食文化等方面对出现这种特征的原因进行了分析；并提出了促进我国第三产业良性发展的相关建议。

关键词 第三产业 污染物排放 特征分析

对于第三产业的研究，目前绝大多数学者关注的是第三产业与经济发展关系的研究，少数学者在局部地区对餐饮娱乐业的废水排放系数进行了一定研究；本文则在第一次污染源普查和经济发展数据（以第三产业GDP为代表）的基础上，采用回归分析等方法分析第三产业污染的特征，并提出相应的政策建议。

一、我国第三产业污染排放情况

（一）我国第三产业基本情况

第一次全国污染源普查将我国的第三产业分为住宿业、餐饮业、居民服务和其他服务业以及医院4大类；其中，居民服务和其他服务业包括洗染服务业、理发及美容保健服务业、洗浴服务业、摄影扩印服务业、洗车业等[1]。从普查的结果看，住宿业数量为10万多个，餐饮业企业数74.9万个，居民服务和其他服务业有48.7万个，医院3.2万家。这说明我国第三产业不仅范围广，而且数量多，同时不同行业小类数量差异也非常显著。

传统的观念认为，第三产业是一种资源消耗低、环境污染少的产业，因而很多地方政府在大力发展第三产业、推进产业结构转移的同时忽视了环境。而且，第三产业的污染范围比较散，污染程度不像工业污染那么剧烈，因而不够引起人们的关注。大量的实践表明，第三产业在发展过程中对环境都造成了直接或间接的影响，如洗浴、美容美发的洗涤用品对水的污染，清洗带有农药的蔬菜瓜果，等等。

（二）第三产业污染物排放区域分布

本文仅研究第三产业水污染，选取的指标为：废水排放量、BOD_5、COD_{Cr}、TP、TN、NH_3-N 6类指标[1]。根据全国31个省（直辖市、自治区）的污染源普查结果，结合2007年第三产业GDP[2]，得出我国第三产业污染物排放具有明显的区域特征。

1. 东部地区（按区域经济带1划分）[3]11个省市，第三产业污染物排放量排名前10的就有7个，它们分别是广东、江苏、浙江、上海、山东、北京和辽宁。河北和福建虽然不在前10之列，第三产业的污染物排放量仍是比较大的。海南虽被划入东部地区，实际是我国最南边的岛屿省份，经济结构以农业为主、旅游业为辅，而且海南倡导生态旅游[4]，因而第三产业污染相对很轻，在全国排名较后。

2. 中部地区第三产业污染物排放量从整体上看也不乐观，湖南、河南的排放量位于前10，安

基金项目："十一五"国家科技支撑计划重点项目（2007BAC16B08），公益性科研所基本科研业务专项（ZX-200809-06）。

徽仅次于河南。黑龙江、吉林是东北的老工业基地，产业结构是以钢铁、汽车、石油为主的第二产业；山西则是著名的煤炭工业基地，这些省的工业污染很严重，第三产业的污染却不是那么明显。

3. 西部地区整体排名靠后，第三产业的污染比较轻微，相对于东、中部优越的地理位置、发达的交通，西部深处内陆、交通不便，尤其是西藏、青海，这两个省的第三产业 GDP 在全国最低，相应的第三产业污染物排放量也最少。值得注意的是，四川因位于我国西南地区而被划到西部地区，其第三产业污染排放量却高居全国第 4 位。

二、第三产业污染排放区域特征原因分析

（一）区域地理位置

我国第三产业污染物排放与区域经济发展水平显现出相似分布态势，表现出东部、西部差异显著和不平衡性。广东、江苏、浙江等省地理位置优越，是我国改革开放的前沿阵地，城市化进程最快，随之而来的以服务为主的第三产业的发展也最迅速，由此带来的污染问题也非常严重。广东经济持续高速增长，第三产业总产值在全国遥遥领先，相应地，其第三产业污染也最为严重。西部地区第三产业污染很轻，这在很大程度上归因于地理位置，最典型的是西藏，地处全国海拔最高处，交通不便，第三产业的发展水平一直全国最低，因此，其第三产业的污染也最小。

（二）经济发展水平

1. 相关分析是研究两组数据之间共同变化的密切程度的统计分析，通过计算变量之间的相关系数来判断变量之间的相关程度。本文利用 SPSS 17 软件对我国 31 个省（直辖市、自治区）的第三产业污染物排放量和 GDP 作相关分析，得到第三产业污染排放量和 GDP 的 Pearson 相关系数为 0.935，并且相关系数在一尾概率小于 0.01 的显著水平 P 小于 0.001，拒绝它们不相关的零假设，并且认为它们之间高度相关（见表 1）。

表 1　我国第三产业污染物排放量与第三产业 GDP 之间的相关分析

		第三产业 GDP（$\times10^9$）	污染排放量/10^6t
第三产业 GDP（$\times10^9$）	Pearson 相关系数	1	0.935**
	显著性水平 P（一尾）		0.000
	个数	31	31
污染排放量/10^6t	Pearson 相关系数	0.935**	1
	显著性水平 P（一尾）	0.000	
	个数	31	31

2. 回归分析研究因变量与引起其变化的自变量之间变化的函数关系的符合程度，它可根据自变量的已知固定值来预测因变量的总体平均值。以第三产业的 GDP 为自变量，第三产业污染物排放量为因变量进行线性回归分析，见表 2。

表 2　我国第三产业 GDP 对第三产业污染物排放量的简单线性回归分析

解释变量	回归系数	标准误	*T* 统计值	显著性水平 *P*	评价指标	数值
常数项	1139.769	763.974	1.492	0.147	*F* 统计值	201.552
第三产业 GDP（$\times10^9$）	2.345	0.165	14.197	0.000	显著性水平 *P*	0.000

从表 2 可以得出，在这个线性回归模型中，对第三产业 GDP 回归系数的显著性检验中，*T* 统计值为 14.197，显著性水平 *P* 小于 0.001，检验结果变量显著，通过检验，拒绝第三产业 GDP 回归系数为零的假设，第三产业 GDP 系数不为零；对常数项回归系数的显著性检验中，*T* 统计值为 1.492，显著性水平 0.147，检验结果变量不显著，不能通过检验，接受常数项回归系数为

零的假设，常数项为零。回归方程的检验中，F 统计值 201.552，显著性水平 P 小于 0.001，检验结果方程通过了显著性检验，从而判断变量回归的综合贡献是显著的，即第三产业 GDP 和第三产业污染物排放量线性关系显著，且两者的关系可以用一条过原点的直线表示，回归方程为：

$$Y\text{（第三产业污染物排放量）}=2.345X\text{（第三产业 GDP）}$$

从中可以看出第三产业 GDP 每增加 1 单位，第三产业污染物排放量就增加约 2.345 单位。

（三）饮食文化、民俗习惯差异

根据不同的菜系，餐饮业的污染物排放量不同；湘菜和川菜，其饮食用料广泛，特色是油多、味重、色浓，因此，COD、BOD 排放量高于其他省市，典型的是四川、湖南。民俗习惯也由于气候的干湿而不同，南方气候湿热，习惯浴足、桑拿等洗浴行为，因而洗浴行业发达，所使用的洗涤用品污染较重，典型的湖南、广东，长沙更被冠以“浴足城”的称号；西北地区的气候干旱、水资源缺乏，居民梳洗次数较之其他地区少，洗浴行业的污染也较轻。

（四）空间相关影响

根据 Anselin（1988）[5]空间计量经济学理论，一个地区空间单元上的某种经济地理现象或某一属性值与邻近地区空间单元上同一现象或属性值是相关的；也就是说，一个地区的样本观测值与其他地区的样本观测值相关。运用空间计量经济模型（SEM），将中国 31 个省（直辖市、自治区）第三产业污染物排放量作为空间截面数据，来分析邻省第三产业经济的增长对本省污染物增加量的贡献。这一部分将在以后的研究中作出具体的分析。

三、结论与建议

1. 从整体上看，我国第三产业污染物排放量具有明显的区域分布特点，表现出从东到西逐渐减少的趋势。这与区域地理位置、经济发展水平、饮食文化特色以及空间相关影响是密不可分的，其中，经济发展水平（第三产业）差异是主要因素，第三产业污染物排放与第三产业发展水平存在显著的正相关，第三产业 GDP 每增长 1 单位，污染物排放相应地增长约 2.345 单位。

2. 当今世界，第三产业已经成为衡量一个国家或地区经济发展和社会进步的重要标志；我国的第三产业发展很不平衡，东西差距很大；因此，要加快城市化进程，促进第三产业经济发展。当然，在追求经济高速增长的同时，不能忽略对环境的污染；针对当前我国的实际情况，应系统、综合地研究第三产业产排污系数，将其纳入环境统计体系，这是当前的迫切需要；地方政府要做好排污收费工作，对污染严重的企业，要加倍罚款，并限期整改；浓度控制与总量控制相结合，并做好环境监测的基础工作；加大资金投入，保证环境监测能力的建设；对餐饮业推广清洁能源，等等。

3. 在研究第三产业污染时，采用的是水污染的指标，没有考虑气体污染和固体垃圾污染，因此有待进一步研究；对第三产业污染物的空间相关影响，将在以后的研究中作出具体分析。

参考文献

[1] 第一次全国污染源普查城镇生活源产排污系数手册［S］. 2008.

[2] 国家统计局. 2008 年中国统计年鉴［M］. 北京：中国统计出版社，2008.

[3] 住房和城乡建设部综合财务司. 2007 年中国城市建设统计年鉴［M］. 北京：中国建筑工业出版社，2008.

[4] 宋莎莎. 海南省生态旅游的现状与保护措施［J］. 黄河水利职业技术学院学报. 2009，21（1）：94－95.

[5] Anselin L. Spatial Econometrics: Methods and Models. Dordrecht: Kluwer Academic, 1988.

完善节能减排环境政策再探讨

王昕杰

（河南省社会科学院　郑州市文化路50号　450002）

摘　要　环境政策是减缓环境破坏、改善环境质量最重要的手段，完善节能减排环境政策具有重要的现实意义；本文从财政、税收、环境收费、生态补偿机制、产业结构调整、推进绿色资本市场建设、技术支撑体系、公民节约用水用电8个方面提出了完善节能减排环境政策的建议。

关键词　完善　节能减排　环境政策

一、完善节能减排环境政策具有重要的现实意义

《2010年政府工作报告》提出："打好节能减排攻坚战和持久战。"环境政策是减缓环境破坏、改善环境质量最重要的手段。我国面临的严重环境问题和西方工业化国家走过的道路已经证明，除自然灾害外，环境政策和方针对于保护环境具有决定意义。但任何环境政策都具有时效性，当条件变化时，它很可能会部分甚至全部失效，随着经济和社会的发展，环境政策必须不断充实及时调整和完善。

经查计，自1978年《中华人民共和国宪法》明确规定"国家保护环境和自然资源，防治污染和其他公害"发布以来，中国已颁布的与节能减排密切相关的政策、法规在50部（种）以上，其中保护环境与自然资源的法律25部。环境保护政策初步形成完整体系，具体包括"预防为主、防治结合"、"谁污染谁治理"、"强化环境管理"三项政策和"环境影响评价"、"三同时"、"排污收费"、"环境保护目标责任"、"城市环境综合整治定量考核"，"排污申请登记与许可证"、"限期治理"、"集中控制"八项制度。这三大政策和八项制度，把环境保护的国策地位和同步发展方针具体化了，是对中国特色环境保护道路的新开拓、新发展，是我国环境管理从理念到实践逐步走向成熟的重要标志，也是环境管理由一般号召到靠制度管理的重要转变。2007—2008年中国政府连续推出"绿色信贷"、"绿色保险"、"绿色证券"三项新的环境经济政策。2009年，增值税转型的全面推开，燃油税费改革等一系列措施对于促进节能减排也有着积极的作用。但实施中一个突出问题是"政府机构执行力偏软"，政策执行效率低，企业难以依法运行，政府难以依法行政，"有法不依，执法不严，违法不究仍然是一个相当普遍的现象"（曲格平）。

一些环境经济政策尽管已在中国环保工作中被应用，但仍然只是法规制度和行政手段的补充，实施中还遭遇制度阻隔和技术障碍，环境税收政策还处于起步阶段，反映资源稀缺程度和供求关系与环境成本价格机制还未建立，更没有形成一个完整独立的政策体系。监管体制不顺，影响环境监管效率，管理职能交叉，影响环保工作进程和效果，中央缺乏对地方政府和环境政绩的监察机制，节能减排责任难以追究。一些具有法律效力的政策规定还难以落实，执行中还须依赖行政"规定"；节能减排技术改造项目的信贷支持力度还不够等，解决这些问题必须进一步完善和创新节能减排的环境政策。

我国已经是《联合国气候变化框架公约》和《京都议定书》的签约国，作为世界第二大二氧化碳排放国，在各框架内享有应有权利的同时，势必也要承担更多的义务。节能减排是应对全球气候变化的迫切需要，完善节能减排环境政策，是充分借鉴国外成熟经验，做到与世界接轨的必然结果，也是顺应能源发展国际化、环境保护全球化的必然要求。

二、完善节能减排环境政策的对策建议

1. 完善节能减排的财政政策。增加资金投入，形成中央专项资金为引导、地方财政资金相

配套、企业自筹资金为主体的节能减排投入机制；完善以奖代补等方式和强制政府采购政策，完善政府采购节能和环境标志产品目录制度，加大对节能产品的认证力度；建立高效节能产品的财政补贴机制，制定具体实施方案，充分发挥财政补贴资金对节能节排的引导作用；完善扶持企业节能减排的财政补贴方式，如物价补贴、财政贴息、税前还贷等。

2. 完善节能减排的税收政策。开征森林与草场资源、黄金、地热和水资源税，增加碳排放、硫排放、垃圾填埋等危害环境污染税种，土地使用税、增值税、耕地税等应并入资源税。调整资源税计征依据，改以销售量和自用量为开采量，完善以从价计征为主、从价与从量相结合的征税政策；扩大资源和污染产品计征范围，继续推进燃油税改革。完善废旧物资和资源综合利用产品的增值税优惠政策；实行税率与企业节能减排挂钩，制定节能节水、综合利用和保护产品目录，对列入目录的产品实行减免税优惠政策，对使用节能环保设备的企业给予企业所得税优惠政策，节能减排效果明显的产品实行增值税优惠政策；对各种垃圾生产的电力和热力实行增值税即征即退政策，对利用废动植物油生产的生物柴油实行增值税先征后退政策；完善出口退税政策，严控高耗能、高污染、资源性产品出口，严控高耗能设备进口，取消或降低这类产品的出口退税（率）；允许企业抵扣其购置的节能减排设备所含增值税进项税等。

3. 完善环境保护收费政策。当前，环境保护收费政策，一是按单因子收费的依据落后，而国际上通用的是多因子收费，二是收费标准低；三是实行超额征收制，只有超标排放才收费，而国际上通行的做法是只要有排污就收费，四是征收对象还不完善，五是资金使用的对象不全面，收费资金不能仅仅用于生态环境的整治与恢复，还要对因保护环境或受环境破坏而遭受损失的组织和个人进行补偿。按照“排污者付费，治污者受益”的原则，提高收费标准，扩大收费范围，规范收费用途，完善收费依据、制度和对象，提高收费资金使用效果，加快环境成本内部化进程，改变企业排污成本与治污成本倒挂的状况，形成利于企业自主治污的收费价格机制和利益驱动机制。完善征收方式和计算方法，提高征缴率，健全稽查制度，杜绝寻租可能。

4. 完善生态补偿机制政策。探索生态补偿的市场化途径，建立政府、市场和社会的多元化补偿模式。明确生态补偿和被补偿主体，细化补偿对象、标准、范围、方式和资金来源，建立生态补偿责任保险机制，按照“谁开发、谁保护、谁受益、谁补偿”的环境使用和“责、权、利”相一致的原则，开展跨省水流域生态补偿机制试点，建立起下游对上游水资源、水环境保护的补偿和上游对下游超标排污或环境责任事故赔偿的双向责任机制。

5. 完善产业结构调整政策，严格控制高耗能、高排放行业产能总量。优化产业布局，严格市场准入，强化投资管理。发展低碳产业，改造提升传统产业，加大对节能环保行业碳消费为负的行业的支持力度，发展新能源、新材料、生物技术、信息服务等新兴产业。严把项目产业政策、环评、土地、节能等关口，确保新上项目技术水平和节能等关口，确保新上项目技术水平和能耗水平达到国内或国际先进水平，提高节能环保市场准入门槛，建立高耗能高污染行业企业新上项目与地方节能减排指标完成进度挂钩、与淘汰落后产能相结合的机制。

6. 推进绿色资本市场建设，完善相关配套政策，严格控制对高耗能、高污染行业、企业贷款。绿色信贷、绿色证券、绿色保险 3 项环境经济政策推出，标志着中国“绿色资本市场”逐步形成。建立绿色资本市场，能够斩断污染者的资金链条，是一个可以直接遏制高污染高能耗企业资金扩张冲动的行之有效的政策手段。加快推出绿色贸易、绿色税收、区域流域环境补偿机制、排污权交易等政策步伐，最终形成完整的中国环境经济政策体系。积极研究和解决实施中存在的制度性和技术性障碍；借鉴国际绿色信贷、绿色保险和绿色证券经验，制定绿色信贷指导目录、污染企业贷款索引和环境风险评级标准，推进金融绿色信贷制度建设，建立环保、金融部门信息沟通和共享机制；完善和建立绿色证券的环境审核与监管标准，制定公司初始准入，上市后再融资限制的退市、绿色增发和发配制度，开发环境绩效评估系统，制定环境绩效的评估指标和方法，确定等级划分标准和程序，编制和发布中国证券市场环境绩效指数，建立环境绩效披露制度等；开展重点行业、企业强制性绿色保险试点，完善操作规程，建立环境责任勘查、评估与认定机制，完善风险识别与量化手段，规范理赔程序和市场秩序，强化企业环境保险责任，建立信息公开渠道和制度等，建立和完善绿色资本市场的法律制度、条款、管理体制和行政支持手段，推进绿色税收、绿色贸易、区域流域和绿色环境收费制度建设。

7. 完善节能环保技术开发应用政策，鼓励科技创新，加快构建节能环保技术支撑体系。加大投入，集中力量研究开发提高能源资源利用效率的技术，进一步增强对资源节约和循环利用关键技术的攻关力度，重点开发一批有重大推广意义的资源节约和综合利用技术，努力取得关键技术的重大突破，并高度重视这些技术在资源开发利用领域的应用。提升产业及其项目准入的技术标准和环保标准，所有新上项目的资源消耗和污染排放都要达到国外或国内先进水平。积极推进以节能环保为主要目标的设备更新和技术改造，引导生产者消费者使用有利于节能环保的新设备、新工艺、新技术、新能源、新产品。

8. 推行居民阶梯电价和阶梯水价，改革污水垃圾处理收费制度。形成“节约光荣、浪费可耻”的良好风尚，使节能、节水、节材、垃圾分类回收、减少一次性用品使用成为每个公民的自觉行动。

三、完善相关法律法规，充分发挥法律手段的作用

完善《节约能源法》等法规配套法规和标准，制定和完善相关法规、规章和标准。强化法律责任，提高处罚标准，加大执法力度，切实解决政策实施中“违法成本低，守法成本高”和有法不依、执法不严、违法不究的问题。与此同时，还要强力推进环境管理体制改革，完善节能减排统计体系、监测体系、指标责任体系和监督体系，健全各级节能减排组织体系和工作机制，建立上下联动、左右配合、齐抓共管的协调机制，形成一级抓一级、层层抓落实的工作格局。强化企业主体责任，完善企业自觉节能减排的内部机制，形成以政府为主导、企业为主体、全社会共同推进的节能减排工作格局。

参考文献

[1] 中华人民共和国国民经济和社会发展第十一个五年规划纲要 . 2006，3.

[2] 国务院 .《关于印发节能减排综合性工作方案的通知》及《节能减排综合性工作方案》. 2007，6.

[3] 国务院批转节能减排统计监测及考核实施方案和办法的通知 . 2007，11.

[4] 温家宝 . 2010 年政府工作报告［R］.

[5] 曲格平 . 中国环境政策思路的演变与发展［N］. 中国环境报，2009 - 09 - 30.

[6] 周生贤 . 打好决胜战，谋取新发展，积极探索中国环境保护新道路［N］. 中国环境报，2010 - 01 - 29.

[7] 环境保护法 . 1989 年 12 月 26 日实施 . 节约能源法 . 2008 年 4 月 1 日实施 .

[8] 国家环保总局，等 .《关于环境污染责任保险工作的指导意见》，2007 年 12 月，《关于落实环境保护政策法规防范信贷风险的意见》，2007 年 7 月，《关于加强上市公司环境保护监管工作的指导意见》，2008 年 2 月 .

[9] 中华人民共和国循环经济促进法 . 2008 - 08 - 29.

[10] 潘岳 . 谈谈环境经济政策［J］. 求是，2007（20）.

[11] 李京文 . 我国节能形势与对策研究［J］. 北京城市学院学报，2008（2）；节约资源是个新兴大产业［N］. 人民日报，2008 - 04 - 18.

[12] 王金南 . 积极探索新时期环境经济政策体系［J］. 环境经济，2008（1）.

[14] 张卓元 . 以节能减排为着力点推动经济增长方式转变［J］. 经济纵横，2007（8）.

[15] 环境保护收费政策存在的问题［EB/OL］. 2009 - 07 - 24. www. 9ask. cn.

面向异构环境监测网络的构件管理系统设计

赵坤荣[1,2]　全鼎余[1,2]　林　奎[1]　杨大勇[1,2]　杨　剑[1]

（1. 环境保护部华南环境科学研究所　广东　广州　510655；
2. 中山大学　广东　广州　510275）

摘　要　本文根据国内外对环境监测信息化技术研究和应用现状，针对环境监测网络的异构异质性、复杂性等问题，基于环境监测体系结构分析，应用构件化技术，构建了面向异构环境监测网络的构件管理系统，包括异构环境监测网络构件库设计标准、异构环境监测网络构件库、异构环境监测网络构件扩展框架和环境设施驱动库。此系统有效实现环境监测系统开发的平台化、标准化和复用性，明显改善了环境监测系统的综合性能，满足现有环境监测网络异构异质的整合与升级需要。

关键词　环境监测　异构融合　构件化技术

一、引　言

近20年来，随着经济的飞速发展，面对环境保护的严峻形势，我国的环境监测也相继经历了被动监测、主动监测和自动（在线）监测3个阶段[1]，现今环境自动监测信息技术领域的研究已成为全球环境监控技术领域的热点之一。本文应用构件化技术，构建面向环境监测网络的构件管理系统，实现环境监测系统开发的平台化、标准化和复用性。

构件技术和软件复用技术是软件产品工业化进程的必由之路[3]。"构件"就如同传统产业中符合标准的零部件，只要按照统一的规则进行零部件的生产，再结合相应的业务逻辑，按照统一的规则对零部件进行组装，就可以生成不同的应用系统。每个构件和软构件都定义了若干接口，并通过接口与外部进行信息交互。软构件技术就是以面向对象的、嵌入后马上可以使用的即插即用型软构件概念为中心，通过构件的组合来建立应用的技术体系，它通过构件组装以形成不同的应用系统。目前国际上流行的三种分布式构件技术是COM/DCOM、Java Beans和CORBA[4]。构件库管理系统是为构件库的建立、使用和维护而配置的，它对构件库进行统一的管理和控制。通过构件库管理系统，用户可以方便、高效地检索和引用构件库中的构件，并且易于维护其安全性和完整性[5]。

二、面向异构环境监测网络的构件管理系统框架

本文设计的环境监测网络的构件管理系统主要包括4个部分，即环境监测设施构件库设计标准、环境监测设施构件库、环境监测设施构件扩展框架和环境设施驱动库。面向异构环境监测网络的构件管理系统框架如图1所示。

三、面向异构环境监测网络的构件管理系统详细设计

（一）环境监测设施构件库设计标准

环境监测平台应用构件提供了一组面向应用的功能接口，每一个构件都对应一个功能需求的实现，是一个封装的服务提供者（Service Provided），通过良好的接口定义，与其他构件进行协作；从构件通用模型结构上看，构件实现并提供了一系列的功能服务，但具体的实现细节（行为Behavior），即内部处理逻辑对外是不可见的，构件对外只提供对应于服务的接口，包括提供服务的接口和获得服务的接口。面向异构环境监测设施的应用构件标准形式描述如下。

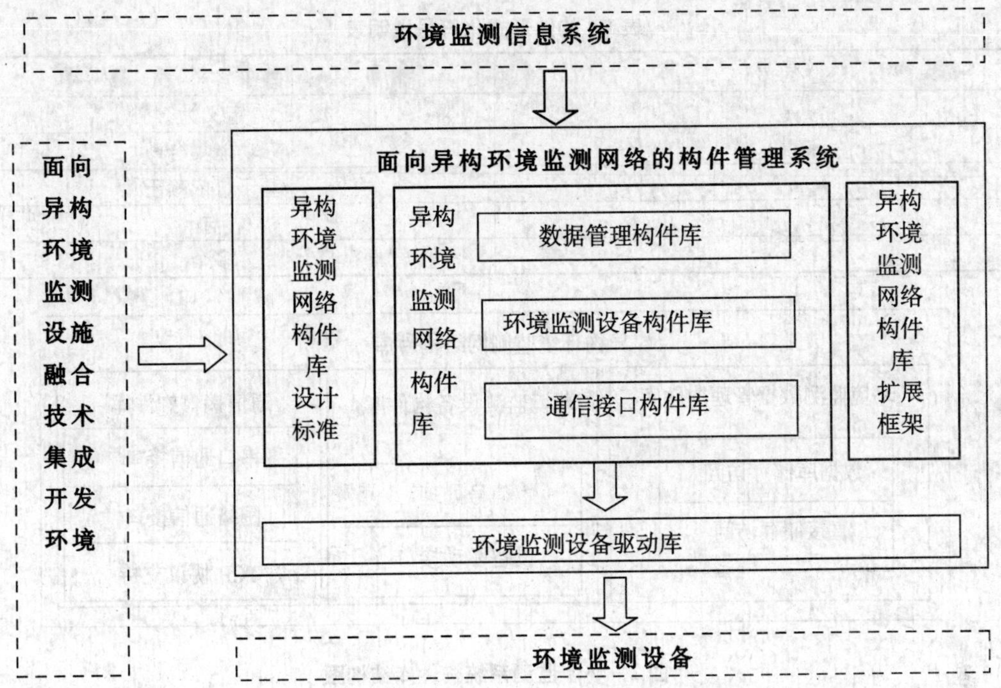

图1 面向异构环境监测网络的构件管理系统框架

```
COMPONENT <class name>% 构件名
{
DESCRIPTION <function, capability, object, ... >//构件描述
PARAMETERS <parameters list>//构件参数列表
INTERFACES <interfaces list>//接口列表
INTERFACE1 <interface name>//接口 1 名
FUNCTION1 <function description>//接口功能描述
DIRECTION1 <input or output>//接口功能描述
PARAMETERS1 <parameters list>//接口参数列表
LOGICALFLOW <processing>//接口逻辑流程处理
MEMORYALLOC1 <allocation>//接口储存分配
ALGORITHM1 <algorithm>//接口设计的算法
REMARK1 <attended problems>//备注，接口有关限制
INTERFACE1 <interface name>//接口 2 名
...
INTERFACE1 <interface name>//接口 n 名
INTERFACE END
} COMPONENT END
```

为了更清晰地描述构件的需求分析和概念设计，实现构件库的体系结构，本文定义了简单的字符和字符串来组成描述工具，对构件设计进行形式化说明。形式化符号的意义如表1所示。

（二）异构环境监测网络构件库

基于环境监测网络体系，本文特定的设计模型进行系统开发，构建各底层构件库，融合数据管理、通讯接口和环境监测仪表底层异构监测设施，有效屏蔽底层的硬件平台异构异质问题，实现环境监测数据采集系统与底层的硬件平台的分离。异构环境监测网络构件库如图2所示。

表 1　构件形式化符号说明表

符号	含义
::=	定义为
{}	功能集合
^	基于，依赖于
| |	与
…	多个

异构环境监测网络构件库
环境监测数据管理构件库
数据库储存访问
直接储存访问
环境监测设备构件库
信号处理
设备驱动接口
通信接口构件库
串口通信接口
网络通信接口
TCP 协议支持

图 2　环境监测系统构件库结构图

1. 环境监测数据管理构件库设计

环境监测数据管理构件库为环境监测系统提供数据管理功能，包括：数据库的打开关闭，数据表的打开关闭，数据记录的访问、插入、删除和修改。用户可以根据系统数据管理的需求选择底层数据库建立相应的数据库，也可以选择基于 Flash 等存储设备的直接数据存储访问操作，具体如图 3 所示。

构件功能需求形式化描述如下：

数据管理构件库::＝{数据库操作构件| | 直接数据操作构件}

数据库操作构件::＝{连接| | 断开| | 打开| | 关闭| | 插入| | 删除| | 修改| | 提取}^底层数据库

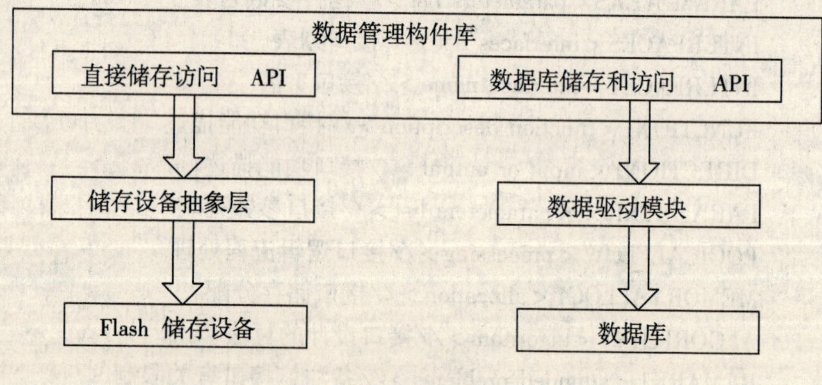

图 3　数据管理构件库

底层数据库::＝{数据库 1| | 数据库 2| | ……}

直接数据操作构件::＝{打开| | 关闭| | 创建| | 插入| | 删除| | 修改| | 提取}^存储设备抽象底层驱动

2. 环境监测设备构件库设计

环境监测设备构件库为嵌入式环境监测平台应用开发提供环境监测仪表与监测指标互换信号处理算法及环境监测驱动库，其提供算法包括：线性预测、平均计算（算术平均、调和平均、几何平均）、方差分析等，其结构具体如图 4 所示。

构件功能需求形式化描述如下：

数据管理构件库：：＝｛信号处理构件｜｜环境监测设备构件｝

信号处理操作构件：：＝｛线性预测｜｜平均计算｜｜方差分析｝^底层数据库

底层数据库：：＝｛数据库1｜｜数据库2｜｜……｝

环境监测设备操作构件：：＝｛创建｜｜插入｜｜删除｜｜修改｝^环境监测设备抽象底层驱动

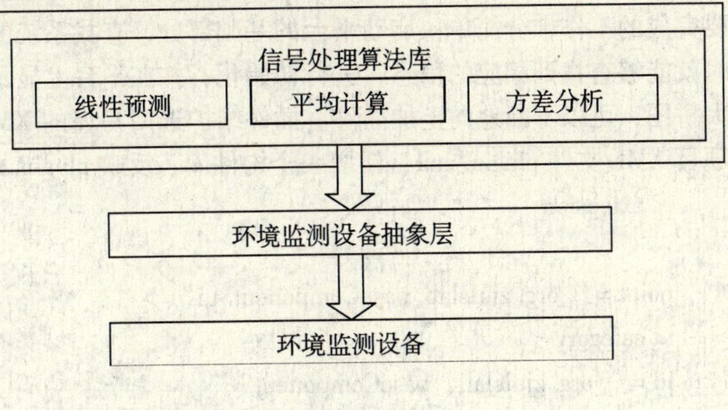

图4　环境监测设备构件库结构图

3. 通信接口构件库设计

通讯接口构件库提供环境监测仪器仪表对外部设备的输入输出操作，包括对UART、Modem、GPRS、以太网等接口的支持，同时支持RTP/RTCP实时传输协议，其结构如图5所示。

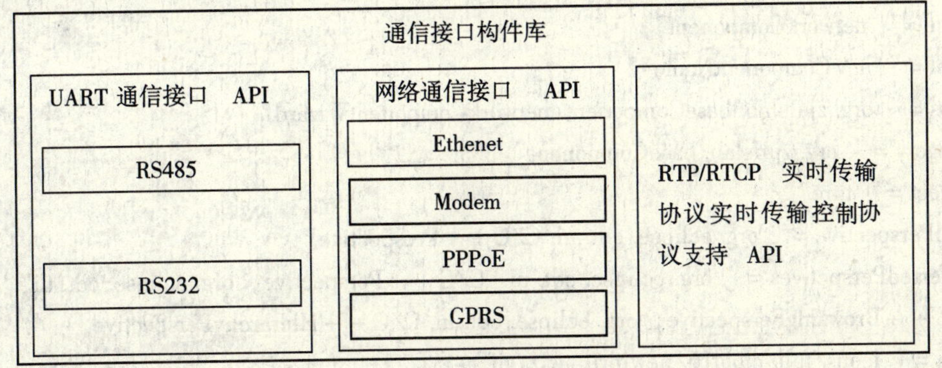

图5　通信接口构件库结构图

构件功能需求形式化描述如下：

通信接口构件库：：＝｛UARTI｜｜网络｜｜RTP/RTCP｝

（1）UART

主要是针对RS232、RS485等接口的通讯支持。

（2）网络

主要是针对Ethenet、PPPoE、GPRS、Modem等网络通讯接口的支持。

（3）RTP/RTCP实时传输协议

支持实时传输协议/实时传输控制协议（RTP/RTCP），实现了RTP数据的读写，获取RTP会话的同步源标识SSRC（Sychronization souree），RTP头部以及头部长度的获取和设置，指定负载类型的RTP头部以及头部长度的获取和设置，获取RTCP会话的SSRC，获取RTP会话的对方地址，RTP数据的接收/发送通知RTCP等。

（三）环境监测设施构件库扩展框架设计

面向环境监测设施应用构件库除了使用上文提出的几类构件库，还可以根据开发需要扩展新的构件库，主要通过在图形化IDE中增加扩展点（extension poinis）项目来实现。本文设计的IDE是根据扩展点插件这种概念而建立的，扩展点是系统中严格定义的点，同时IDE提供的工具（比如新构件库）也可以通过它添加。扩展点在IDE插件体系中为插件提供接口，每一个插件都是在现有扩展点上开发的，同时还留有自己的扩展点，以便再开发。每一个插件都需要提供相关信息，如插件名称、版本号、提供者名称和类名等。有了插件，监测平台核心部分在启动的时候要完成的工作十分简单：启动平台的基础部分，查找系统的插件。对于增加的构件库，系统启动时就能够查找到相应的信息，进行初始化，并在平台上显示出来。整个系统的体系结构就像一个大拼图，可以不断地向上加插件。插件维护选用易懂的 XML 文件。构件库扩展，有一个相应的项目 XML 文件 phigin. xml，新增一个构件库，反映 plugin. xml 文件信息如下：

```
<extension
…
point =” org. zjuIslab. baseComponent. ui”  >
<category
id =” org. zjuIslab，baseComponent”
name =” baseComponentWizardCategoryName”
</category >
<Component
id =” org. zjuIslab. baseComponent. networkComponent”
name =” networkComponent”
label =” newComponentName”
class =” org. zjuIslab. baseComponent. networkComponentWizard”
category =” org. zjuIslab. baseComponent”
project =” ture”
finalPerspective =” org. eclipse. cdt. ui. C/C + + Perspective”
preferredPerspctives =” org. eclipse. cdt. ui.  C/C + + Perspective，org. eclipse. cdt. ui”
C/C + + BrowsingPerspective，org. eclipse. cdt. ui. C/C + + HierarchyPerspective
Icon =” icons/full/ctool16/newjprj_ wiz. gif”
<description > % NewC/C + + Project. description </description >
</Component >
…
</extension
```

（四）环境监测设备驱动库

为了满足环境监测信息系统对设备驱动程序的性能、稳定性和可扩展性的要求，本文采用基于动态链接库技术的设备驱动程序的设计方法，把各种设备的驱动程序实现为相应的动态链接库，环境监测信息系统为这些 DLL 定义了统一的协议接口，当环境监测信息系统要访问某一 I/O 设备时，先加载设备驱动程序 DLL 从而得到一个 DLL 模块的句柄，然后调用 GetProcAddress 函数得到输出函数的指针，再根据统一的设备驱动程序接口，按照既定的流程调用接口中定义的各个函数，实现环境监测信息系统与设备的通信。这些动态链接库都以进程内服务的方式创建，与环境监测信息系统运行在同一个进程中，从而在环境监测信息系统和设备驱动程序之间建立起一条高效、无缝的通信连接。此外，新设备只需要提供相应的、符合统一接口要求的设备驱动程序动态链接库就可以平滑地接入到环境监测信息系统中。

1. 设备驱动库的接口函数

对于不同类型的 I/O 设备，它们的设备驱动库中相同功能的函数都是同名同参数的，也就是说，各种不同设备的接口函数是相同的，这样便可统一接口规范，实现环境监测信息系统对各种设备驱动程序的兼容。

根据环境监测信息系统与 I/O 设备间的基本通信流程和对实时数据库中数据项的分包处理要

求，环境监测构件库设计了以下的接口函数：

（1）int OpenDevice（const char * addr）

函数说明：打开设备，返回设备描述符

（2）int TryConnect（int devid，int trycount = 1，CONNECT_ CALLBACK = 0，DWORD data = 0）

函数说明：连接设备，阻塞连接时返回零成功，其他失败，异步连接返回零成功，连接结果在回调函数中通知

（3）BOOL GetRegisters（char * szDeviveName，LPVOID * * ppReg，int * pRegNum）

函数说明：得到由 szDeviveName 确定的设备的寄存器的名字和个数，如果 szDeviveName 有效则返回 TRUE，否则返回 FALSE

（4）BOOL CheckConfig（DbItem * lpDbItem）

函数说明：对用户的配置信息进行合法性检查，如果合法则返回 TRUE，否则设置出错信息，返回 FALSE

（5）int GetDevice（int devid，int * deviceID = 0，int * deviceNum = 0）

函数说明：读取设备参数，查询设备的信息，设备 ID 号，返回零成功

（6）BOOL AddVarToPacket（LPVOID lpVar，int nVarAccessType，LPVOID lpPacket）

函数说明：确认变量是否能够与某个包的其他变量一起进行采集，以进行变量的打包，如果可以加入则修改包的起止地址并返回 TRUE，否则返回 FALSE

（7）int ProcessPacket（LPVOID lpPacket）

函数说明：根据协议及包状态对包中数据进行相应的处理

（8）const char GetLastErr（int devid = -1）

函数说明：获取设备最近发生的错误的相关信息

（9）int CloseDevice（int devid）

函数说明：关闭设备，关闭之后设备描述符即不再可用，返回零成功

2. 驱动程序的工作流程及其实现

下面以针对 TCP/IP 通信协议的驱动程序为例说明它的工作流程，其他通信协议只要修改接口函数中相应的代码即可以实现，驱动程序的结构不变。典型的环境监测信息系统通常包括开发环境和运行环境，下面分别介绍驱动程序在它们中的工作流程及实现过程。

（1）环境监测信息系统开发环境下的驱动程序

1）当用户定义数据项时，开发环境将调用 GetRegisters 函数获得驱动程序中定义的寄存器列表（根据目标 I/O 设备的硬件特性，驱动程序为每一个输入输出通道定义了相应的寄存器），供用户选择。

2）当用户定义完一个数据项，开发环境将调用 CheckConfig 函数对用户的配置信息进行合法性检查，如果合法，则把新的数据项保存到环境监测信息系统的实时数据库中，否则设置出错信息，返回 False。

3）在开发环境中调用的函数，不论哪一个返回 False，开发环境均调用 GetLastErr 函数，显示错误信息。

（2）环境监测信息系统运行环境下的驱动程序

1）初始化采集变量链表，将实时数据库中相应的数据项转化为与之对应的 PlcVar 内存变量，这些变量按照一定的数据结构（多链表）存放于内存中（按设备地址、访问频率、寄存器类型、访问模式构成链表），这种数据结构能明显提高处理数据项的速度。由函数 BOOL CProject::RunQuene_ init（CPointList &listPoint）实现。

2）若 1）中函数执行无误，则调用 OpenDevice 函数，初始化通信设备，在本例中就是加载

WinSock 环境，为后面建立 TCP 连接做准备。

3）运行环境扫描由 PlcVar 变量构成的多链表结构，每当有变量的采集时间到，即调用 AddVarToPacket 函数，该函数判断变量是否能够加入到当前包中一起处理：如果可以加入（包和变量在同一台设备，且访问类型和寄存器类型相同），返回 TRUE；否则返回 False。运行环境根据返回值采取响应的动作：若返回值为 TRUE，则把 PlcVar 变量以 IdNo 节点的形式加入到当前数据包的数据项链表中；若返回值为 False，则新建一个数据包，并将当前 PlcVar 变量相对应的 IdNo 节点作为新数据包的数据项链表中的第一个节点，同时将新数据包按写包优先的原则插入到包处理队列中。

4）循环调用 ProcessPacket 函数，处理从包处理队列中取出的数据包，每次处理一个。整个通信过程中的数据收发就在该函数中实现。

```
BOOL ProcessPacket（PPACKET IpPacket）
if（还没有与设备建立 TCP 连接）{
调用 TryConnect 函数建立连接；
if（建立连接失败）return FALSE；
if（判断包访问属性 = = 读包）}
向设备发送采集数据的命令；
接收设备返回的数据；
if（接收成功）{
遍历当前包的数据项链表，给每个 IdNo 节点的 PlcValue 字段赋值；
} else { return False；}
else { //包的访问属性为写包
遍历当前包的数据项链表，从每个 IdNo 节点的 PlcValue 字段中取值，并把取得的值用写包命令发送到设备；
if（写包不成功）{ return False；}
retrun TRUE；//表示当前包已被成功处理
```

5）当 ProcessPacket 函数返回 False 时，调用 TryConnect 尝试恢复连接，若函数返回 TRUE，则转至 3)，若在用户定义的尝试恢复连接的次数内还没有建立新的连接，则不再与此设备通信。

6）运行环境退出时，调用 CloseDevice 函数，结束通信。

四、小　结

基于构件技术，构建了面向环境监测网络的构件管理系统，包括环境监测设施构件库设计标准，环境监测设施构件库、环境监测设施构件扩展框架和环境设施驱动库，有效地融合了数据管理、通讯接口和监测仪表底层异构异质监测设施，提高环境监测网络的平台化、标准化和复用性，屏蔽底层的硬件平台，进一步促进现有环境监测网络异构异质整合与升级。

参考文献

[1] 刘建国，刘文清，魏庆农．环境监测技术及其发展方向［J］．光电子技术与信息，2001，4：7－11.

[2] 李祥，周雄辉，阮雪榆．协同设计动约束求解策略．上海交通大学学报，2001，35（7）：1008－1010.

[3] Andert R.，Mendgen R. Modeling with constraints：theoretical foundation and application［J］．Com－puterA idedD esign，1996，28（3）：155－168.

[4] 蒋伟进，许宇胜．基于构件技术的分布式协同设计系统研究［J］．机械设计与研究，2004，20（z1）：1－6.

江汉平原河网区河渠水环境容量研究
——以湖北某市河网水环境容量计算为例

叶　紫　陈伟亚

（武汉工程大学　430074）

摘　要　针对不同时期的江汉平原河网区河渠分别构建相应的水质数学模型及水环境容量模型，由此提出河网区河渠各时期以及全年水环境容量计算方法。以湖北某市河网区河渠为例进行了实证研究，计算水环境容量并结合水质预测，提出应以闭闸期的河渠水环境容量作为制定总量控制指标的依据。

关键词　江汉平原　河网　水环境容量　水质预测

一、引　言

江汉平原由长江与汉江冲积而成，位于湖北省中南部，两湖平原的北部，西起枝江，东起武汉，北至钟祥，南与洞庭湖平原相连，面积3万多平方千米。

汉江自古有“曲莫如汉”之说，其洪水量不及长江，但下游河槽呈漏斗状，上宽下窄。当外江汛期，又适逢内湖水位上涨、地下水位增高的季节，外洪内涝，极易造成严重洪涝灾害。

1949年以来，国家调整了原有水系，开挖了西起天门市魏家台，东至汉阳县新河镇，长近100km的汉北河；四湖地区长126km的总干渠；东、西干渠、田关渠等几十条大、中型骨干排灌渠道。至20世纪80年代初期，平原的排灌系统初步形成，减轻了旱涝灾害，同时也形成了平原内独特的人工河网交织、垸堤纵横的水系特征。

随着区域经济的发展，平原地区污染物排放不断增多，越来越多的人工河道作为工业企业及污水处理厂的纳污水体，其水质状况已不容乐观。水环境容量的计算是区域水污染控制规划的基础工作，而平原河网地区大量的人工构筑物（堰、水闸、泵站等）使得平原河网区的水流受自然和人为两类因素的影响，为其水环境容量的计算带来了一定的特殊性。因此，合理地确定江汉平原河网区河渠水环境容量对于区域水污染综合整治具有重要的理论意义及实践价值。

二、水环境容量计算方法

（一）水环境容量的概念

水环境容量是指在不影响水体的正常功能的情况下，水体所能容纳的污染物的量或自身调节净化并保持生态平衡的能力。它反映了污染物在水体中的迁移、转化和积存规律，也反映了水环境在满足特定功能条件下对污染物的承受能力。

江汉平原的河网区河渠兼具排水及灌溉的功能，在汛期可分洪泄流，大大减轻洪水对平原地区的威胁，在春灌及秋灌时期又可引汉江水作为农田的灌溉水源。排灌时期河网涵闸开放，河道流量较大，一般不低于$60m^3/s$；其他时期涵闸关闭，河道基本处于封闭状态，流速缓慢，流量明显减小，降至不到$6m^3/s$，有些河渠甚至出现断流现象。

鉴于江汉平原河网区河渠在不同时期存在的两种截然不同的水文特征，水体对污染物的降解、净化能力也随之改变，因此，其水环境容量及相应水质参数的核算应针对两种情况分别考虑。

（二）河网区水环境容量计算模型的构建

根据江汉平原河网区水文特点，大致可分为开闸引水的排灌期（丰水期）以及非排灌季节的闭闸期（枯水期）。

1. 排灌期（丰水期）

排灌期河网内水体流向、流量基本稳定，且一般为小型河渠，因此其污染物浓度变化可采用一维水质模型进行模拟，公式如下：

$$C = C_0\exp(-Kx/86.4u) \tag{1}$$

式中：C 为距离初始断面 x 时污染物浓度，mg/L；x 为排污口到控制断面的距离，km；C_0 为 $x=0$ 处河段的污染物浓度，即污水与河水完全混合后的水质浓度，mg/L；u 为河流断面平均流速，m/s；K 为水质降解系数，1/d。

令污染物完全混合并经降解自净后浓度 C 等于水质标准 C_S，由（1）式可得排灌期水环境容量计算公式如下：

$$W = 31.54\left[C_s(Q_E + Q_p)\exp\left(K\frac{x}{86.4u}\right) - C_P Q_p\right] \tag{2}$$

式中：W 为水体允许纳污量，t/a；Q_P 为排污断面的入流流量，m^3/s；Q_E 为污水流量，m^3/s；C_P 为排污断面上游来水污染物浓度，mg/L；C_S 为水体水质标准下的污染物浓度，mg/L。其余符号同（1）式。

2. 闭闸期（枯水期）

当河道的首尾两闸均不开放时，河网内沟渠基本为封闭的河流，流速很小，流量主要依靠沿岸污水的排放，近似于狭长湖库，因此，采用定常条件下的河流稀释混合模型对闭闸期的河网沟渠进行水质模拟，即：

$$C = \frac{C_P \cdot Q_P + C_E \cdot Q_E}{Q_P + Q_E} \tag{3}$$

式中：C 为完全混合后污染物浓度，mg/L；Q_P 为排污断面的入流流量，m^3/s；Q_E 为污水流量，m^3/s；C_P 为排污断面上游来水污染物浓度，mg/L；C_E 为排放污水的污染物浓度，mg/L。

令污染物完全混合并经降解自净后浓度 C 等于水质标准 C_S，同时考虑河流的自净作用，则可得闭闸期水环境容量计算公式：

$$W = 31.54[C_s(Q_E + Q_p) - C_P Q_p] + 3.65KVC_S \tag{4}$$

式中：W 为水体允许纳污量，t/a；C_S 为水体水质标准下的污染物浓度，mg/L；K 为水质降解系数，1/d；V 为排污断面到监控断面的水体体积，万 m^3。其余符号同（3）式。

分别计算得排灌期及闭闸期的理想水环境容量后，还需对其进行时间上的分配与叠加以得到实际全年的水环境容量：

$$W = (t_1W_1 + t_2W_2)/12 \tag{5}$$

式中：W 为实际全年水体允许纳污量，t/a；W_1 为排灌期水体允许纳污量，t/a；W_2 为闭闸期水体允许纳污量，t/a；t_1 为排灌期在全年中持续的月份数；t_2 为闭闸期在全年中持续的月份数。

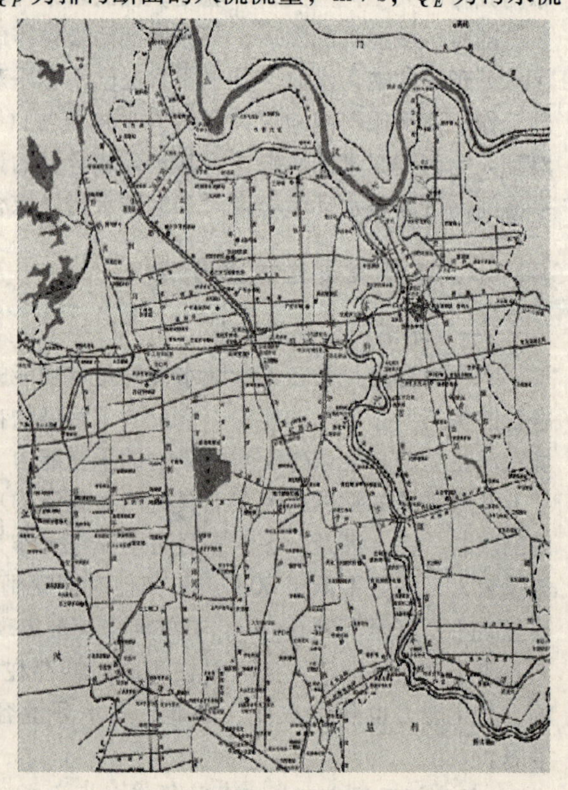

图 1　湖北某市河网河渠分布图

（三）模型参数的确定

本文采用实测资料反推法计算模型中的污染物降解系数 K 值，即选择某一河段，根据上下断面邻近时段的监测数据计算。为排除入河污染物量和入河水量随机波动对水质监测结果的影响，应选择没有排污口、支流口的河段作为计算河段。

K 值计算公式如下：

$$K = 86.4u(\ln C_1 - \ln C_2)/L \tag{6}$$

式中：K 为污染物降解系数，1/d；C_1，C_2 为河段上下断面污染物浓度，mg/L；u 为河流断面平均流速，m/s；L 为上下断面距离，km。

三、实证研究

（一）水环境概况

湖北某市地处江汉平原腹地，境内天然水体主要为汉江和 D 河。为建立相对独立完善的防洪、排涝、抗旱工程体系，新中国成立以来，全市共开挖干、支、斗渠 2760 条，总长 4000 余公里，兴建电力排灌泵站 211 处，提灌泵站 29 处，排灌两用泵站 11 处，兴建大中小型排水涵闸 586 座以及灌溉涵闸 657 座。市内主要引水水源为汉江和 C 湖，水系以 D 河为界分属四湖流域和江汉流域，大小沟渠纵横交织，具有典型的江汉平原河网特征。该市水系图见图 1。

（二）主要纳污水体水环境容量计算及分析

根据该市水功能区划报告，市内主要河网区河渠水质目标及其纳污情况见表 1。

表 1　潜江市主要河网区河渠水质目标及纳污情况

水体		主要功能	水质功能区划
1	H 河	一般工业用水，人体非直接接触的娱乐用水	Ⅳ
2	C 河	农业用水区，一般景观要求水域	Ⅴ
3	Z 渠	集中式生活饮用水源保护区，渔业用水及游泳区	Ⅲ
4	S 渠	一般工业用水，人体非直接接触的娱乐用水	Ⅳ
5	X 渠	集中式生活饮用水源保护区，渔业用水及游泳区	Ⅲ
6	L 河	集中式生活饮用水源保护区，渔业用水及游泳区	Ⅲ
7	X 河	集中式生活饮用水源保护区，渔业用水及游泳区	Ⅲ
8	B 渠	一般工业用水，人体非直接接触的娱乐用水	Ⅳ

以上纳污水体水环境容量的计算采用 2008 年常规断面水质监测资料，以总量控制指标 COD 和 NH_3-N 作为计算因子，排灌期及闭闸期各计 6 个月，控制断面取概化排污口下游 5km。同时根据该市总体规划要求预测的不同规划年污染物入河总量控制目标得到剩余环境容量，计算公式为：剩余环境容量 = 理想水环境容量 - 污染物入河总量。该市主要河网区河渠不同时期及全年剩余水环境容量计算结果见表 2、表 3。

从表 2、表 3 可看出，该市主要河网区河渠中 C 河与 L 河在全年各时期的剩余环境容量均为负值，应为重点整治河道；闭闸期由于河流流量普遍较小，水环境容量相应比排灌期小，H 河、S 渠及 X 渠虽在排灌期和全年总体水环境容量尚可，但在闭闸期其水环境容量难以满足纳污需求。为使水体水质在各时期均能满足功能要求，应考虑将闭闸期的水环境容量作为制定总量控制指标的依据。

表2　该市主要河网区河渠不同时期剩余水环境容量计算结果　单位：t/a

序号	河渠名称	排灌期剩余水环境容量				闭闸期剩余水环境容量			
		COD		NH_3-N		COD		NH_3-N	
		2015年	2020年	2015年	2020年	2015年	2020年	2015年	2020年
1	H河	12131.73	12127.72	1069.54	1066.84	390.68	386.67	-62.84	-65.54
2	C河	26665.53	24865.53	-2440.09	-3140.09	-6941.53	-8741.53	-2628.52	-3328.52
3	Z渠	7206.87	7156.87	3663.56	3623.56	442.156	392.156	47.37	7.37
4	S渠	44490.69	43990.69	1588.71	1538.71	2172.34	1672.34	-362.14	-412.14
5	X渠	23980.5	23930.5	500.29	460.29	968.94	918.94	5.04	-34.96
6	L河	33830.67	34078.09	-397.24	-389.85	2084.35	2331.42	-59.16	-51.81
7	X河	13543.7	13493.7	601.71	601.71	2315.26	2265.26	76.93	76.93
8	B渠	13108.38	13088.38	661.36	641.36	2043.04	2023.04	69.69	49.69

表3　该市主要河网区河渠全年水环境容量计算结果　单位：t/a

序号	河渠名称	全年剩余水环境容量			
		COD		NH_3-N	
		2015年	2020年	2015年	2020年
1	H河	6261.2	6257.19	503.35	500.65
2	C河	9861.2	8061.2	-2534.31	-3234.31
3	Z渠	3824.51	3774.51	1855.46	1815.46
4	S渠	23331.52	22831.52	613.29	563.29
5	X渠	12474.72	12424.72	252.67	212.67
6	L河	17957.51	18204.76	-228.2	-220.83
7	X河	7929.48	7879.48	339.32	339.32
8	B渠	7575.71	7555.71	365.52	345.52

（三）水质预测与分析

水环境容量的计算是使水体能否满足功能要求、制定总量控制目标的基础，河渠60%流域长度的水质指标达到功能水质标准则是水体水质符合标准要求的前提，且在排灌期中用于农田灌溉的河渠水质也应满足《农田灌溉水质标准》（GB 5084—1992）中的相关要求，因此采用数学水质模型对该市主要河网区河渠2020年水质进行预测，预测结果见表4。

表4中同时列出了各水体相应的功能水质标准以及农田灌溉水质标准，通过与预测比较可看出，排灌期除C河氨氮浓度略有超标，其余主要河渠水质浓度均满足相应功能标准限值，灌溉水质能够满足农田灌溉水质标准；闭闸期河渠水质达标情况整体较差，C河、Z渠、L河均有超标现象。因此，在现有规划条件下，该市主要河网区河渠不能完全满足水质功能要求，污染源总量削减水平仍需提高。

表 4　湖北某市主要河网区河渠 2020 年水质预测　单位：mg/L

序号	河渠名称	排灌期预测水质		闭闸期预测水质		相应功能水质标准		农田灌溉水质标准
		COD	NH_3-N	COD	NH_3-N	COD	NH_3-N	COD
1	H 河	24.81	1.02	23.24	1.21	30	1.5	200
2	C 河	22.75	2.03	37.71	3.66	40	2	
3	Z 渠	17.62	0.44	24.03	1.23	20	1	
4	S 渠	10.43	0.62	13.25	1.01	30	1.5	
5	X 渠	10.32	0.79	11.93	0.76	20	1	
6	L 河	6.68	1.01	15.52	1.94	20	1	
7	X 河	2.93	0.19	3.71	0.28	20	1	
8	B 渠	14.70	0.64	16.23	0.78	30	1.5	

四、结　论

由于大量人工构筑物的影响，江汉平原河网区河渠存在其特殊性，针对在排灌期与闭闸期河渠的两种截然不同的河流形态，分别构建水环境容量模型，提出不同时期与全年水环境容量计算方法。本文以湖北某市河网区为例进行了水质预测。结果表明，C 河与 L 河各时期的剩余水环境容量均为负值，需重点整治；H 河、S 渠及 X 渠在闭闸期剩余水环境容量为负值；河渠在闭闸期的水环境容量整体小于排灌期，且闭闸期水质超标情况较排灌期严重，该市主要河网区河渠在现有规划条件下，不能完全满足功能要求，应加强污染源总量削减力度，因此建议采用闭闸期的水环境容量作为制定区域总量控制指标的依据。

参考文献

[1] 郭怀成，尚金城，张天柱．环境规划学［M］．北京：高等教育出版社，2001.
[2] 金腊华，徐峰俊．水环境数值模拟与可视化技术［M］．北京：化学工业出版社，2004.
[3] 姚瑞珍．人工控制的半封闭河流水环境容量测算研究［D］．武汉：华中科技大学，2006：30－31.
[4] 罗缙，冯勇，罗清吉，等．太湖流域平原河网区往复流河道水环境容量研究［J］．河南大学学报（自然科学版），2004，32（2）：144－146.
[5] 全国水环境容量核定技术指南［Z］．北京：中国环境规划院，2003.
[6] 张红举，瞿淑华．平原河网纳污能力核算方法研究［J］．水资源保护，2009，25（5）：24－27.
[7] 潘再东．小清河济南段水环境容量研究［D］．济南：山东师范大学，2008：37－39.

流域突发水环境事故污染态势预测系统研究

姜国强　李开明　林　奎　杨大勇　杨　剑

（环境保护部华南环境科学研究所　广东省广州市员村西街七号大院　510655）

摘　要　本文针对我国的流域水环境管理存在的突出问题与薄弱环节，以流域重点污染源日常排放和突发性环境污染事故产生的水污染问题为研究对象，研究实现流域污染源风险管理与水环境智能决策支持的关键技术，建立流域突发水环境事故污染态势预测系统，有针对性遏制流域水环境污染，为污染事故的应急处置服务。

关键词　流域　水环境模拟　决策支持系统

造成水环境严重污染且难以短期解决的原因是多方面的，其一是污染负荷日趋增长，入河污染物负荷超过环境承载能力，导致流域水环境恶化；流域污染源管理技术体系不能适应流域水环境综合管理需求，管理部门不能及时根据环境的反馈信息制定出合理管理策略是流域水环境恶化的原因之二。另外，频发的水污染事故也对河流水质构成巨大威胁。

由于水资源时空分布、污染源与排污口分布的复杂性，通过水环境模拟仿真和 GIS 技术耦合，建立流域污染源管理与水环境决策支持系统，对于改变和提高流域水资源管理工作的效率、质量和科学决策水平都非常重要。

一、关键技术介绍

（一）水环境预测与评价决策模型体系

流域水环境污染管理和污染事故应急具有复杂的决策环境，要对水环境污染物在受纳水体中的发展演化趋势做出合理预测和分析，需要构建能灵活适用于不同污染特征、预测条件和信息需求的水环境预测与评价决策模型体系。

水环境预测模型体系分为快速预测工程模型库和精细模拟预测模型库两大类，评价决策模型体系中包括水环境评价模型和水环境容量测算与分配模型。具体模块及原理功能介绍见表 1。

（二）水环境预测模型与 GIS 耦合技术

地理信息系统（GIS）与数据库管理系统、水环境数学模型的结合，既能够弥补 GIS 不能进行复杂分析和运算的缺点，又能弥补原有数据库系统和水环境数学模型在空间查询和空间表现上的不足，为此，将 GIS 与数据库管理系统、水环境数学模型的结合已成为流域水环境决策支持系统研究的主导方向[10,11]。

本系统采用紧密方式来实现 GIS 与数据库管理系统、水环境数学模型的集成。采用 Visual. Net 开发系统界面集成环境，系统界面集成环境负责调用 ArcGIS Engine 和计算模型调用；ArcGIS Engine 控件负责水质模型运算结果的空间分析和数据可视化表达；与数据库接口采取 ActiveX Data Objects（ADO）接口方式，把空间数据与属性数据通过应用空间数据引擎 SDE 及数据库软件 SQL Server 统一管理；水环境模拟预测模型在 Visual Fortan 编译环境下以 Fortran 语言编写，通过加入伪编译命令编译成动态链接库，以 DLL 文件形式存储由用户界面调用，它接收系统提供的输入数据，进行模型的计算，并将结果以文本的形式保存，由系统读入并处理。系统的集成框架见图 1。

表1　水环境预测模型库

快速预测工程模型库	
主要模块	原理及功能描述
河流一维稳态水质模型	这类模型是通过对污染混合、扩散特征的合理假设，得出污染物对流扩散方程解析解，具有对预测条件和信息需求少，简单实用，预测预报速度快等特点，可适用多种纳污水体水污染突发事故初期预测预警基础数据尚未收集不全面，在较短时间内就需提供基本决策信息等情况
直河道二维稳态水质模型	
弯曲河道二维稳态水质模型	
零维湖库水质模型	
一维稳态湖库水质模型	
二维稳态湖库水质模型	
未确知水质数学模型	这类模型是以水质解析解模型为基础，运用未确知数学理论，建立的水质未确知数学模型。由模型不仅可以获得水质模拟预测值，还能得到水质模拟值所对应的主观可信度，从而为水环境污染事故的预测和决策提供更丰富的水质信息[1,2]
数值计算精细预测模型	
主要模块	原理及功能描述
潮汐河网一维非稳态水质模型	模型以水流圣维南方程和污染物对流扩散方程为控制方程，采用 Preissmann 加权四点隐格式进行离散，采用河网非恒定流三级联合解法，结合数据平滑、滤波等技术，可有效处理河网存在复式断面等问题，提高了计算的稳定性。适用于河流水系呈现出河道纵横交错、存在大量环状结构、水流变化是非稳态不均匀的，流向顺逆不定等情况[3,5]
二维非稳态河口及海湾模型	模型以二维水流连续性方程、动量方程和污染物对流扩散方程为控制方程，采用空间交错网格。应用 ADI 法对模型控制方程进行求解，具有无条件稳定、计算速度快、存储量小和适用范围广的优点。对河口及海湾洪枯变化和潮汐涨落出现的水陆动边界采用“预估水深”的方法进行干湿判定，可更准确估计浅水处水体的蓄留能力，产生更少的数值振荡，同时会减少实际参与计算的区域面积，提高计算效率[6,7]
水环境评价模型库	
主要模块	原理及功能描述
水环境单因子评价模型	即在所有参加评价的项目中，只要有一项（或数项）不符合某类水质标准，则判定该水体达不到该类水质的功能要求
水环境多级灰关联评估模型	该模型将系统广义不确定性问题的多级灰关联理论引入水环境综合评价之中，灰因子间的关联度分析是多级灰关联评价方法的理论基础。它用灰色系统理论中的关联测度来反映水质样本序列与水质标准序列的接近程度，以此确定待评价系统的优劣。这种评价方法的结果具有连续性，能更准确地反映系统状况，特别是对于系统状况变化不明显的情况，更容易看出系统变化趋势的细微差异[8]
水环境容量测算与分配模型	该模型采用总量最优化法。通过建立污染源与水质浓度场的响应关系，确立以入河/海污染源为变量的目标函数和总量控制约束，利用线性规划方法求出最优解，测算水环境容量[9]

二、系统设计介绍

（一）系统实现目标

本系统主要服务对象为流域水环境管理部门，其设计应满足其日常管理和污染事故应急处置的需要。对于日常管理：必须使管理者能够方便地进行流域重点污染源和水环境信息的查询、录入、修订、评价，确定流域污染源风险级别；能够从重点污染源综合作用的角度分析水环境容量，从而制定容量分配、总量控制及调整和区域平衡方案和管理策略。对于污染事故应急：要使环境应急决策部门及时、准确和形象地了解流域突发性重大水环境污染事故中污染团发展态势，帮助决策者在发生事故时做到判断准确、处置及时和措施有效[12]。

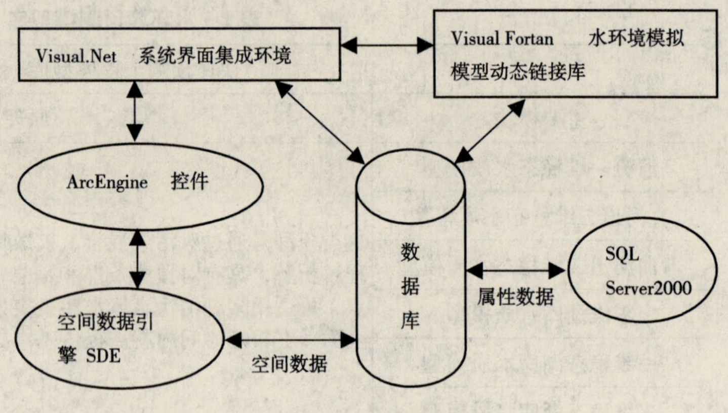

图 1 系统的集成框架

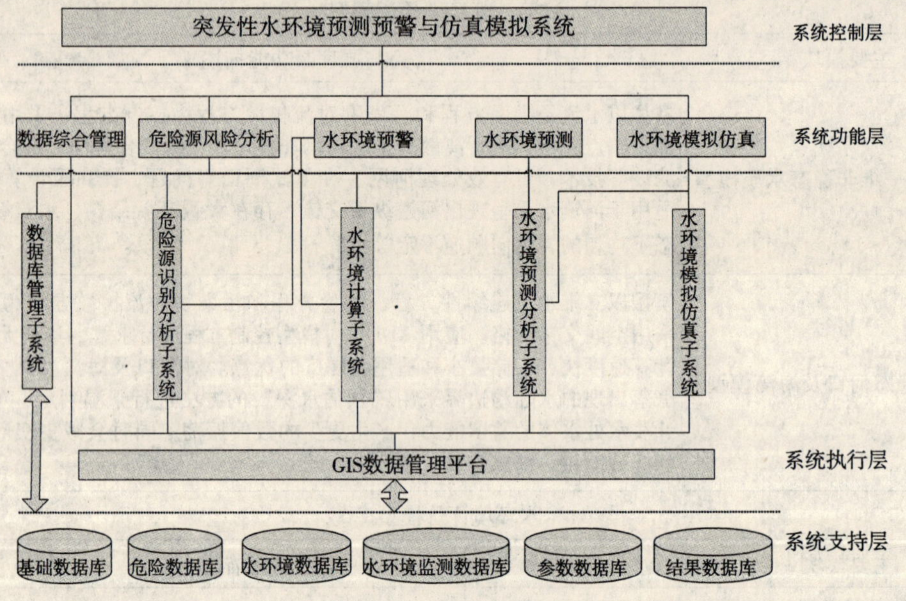

图 2 系统逻辑结构

（二）系统组成与功能

流域污染源管理与水环境决策支持系统主要结构如图 2 所示，主要分为四层结构。第一层是系统控制层，用于人机交互；第二层是系统功能层，是系统主要应用种类，有数据综合处理、水污染事件模拟仿真、水污染事件预测预警等；第三层是系统执行层，即系统应用模型，由 5 个子系统构成；第四层是系统支持层。

（三）系统的功能设计

①污染源与水环境信息数据的管理与应用，是本系统的数据基础，根据数据库结构按专题管理数据，为评价、预测、决策分析等子系统提供与数据库的接口，同时为 GIS 查询分析、空间分析等功能提供功能接口，完成系统所需的对污染源的空间定位、预测结果的动态显示等功能；②水环境的各因素进行定性分析和定量计算，以辅助决策者把握水环境现状，并对未来的水环境状况做出预测；③根据预测结果对影响水环境的各个因素进行分析评价；④环境数据输入、输出和修改更新功能，对每年的水环境数据库数据查询更新，并把水环境监测数据更新保存到数据库。

三、珠江三角洲河网案例实践

（一）案例研究范围及河网概化情况

珠江三角洲地区河道纵横交错，水系众多，水流互相沟通，是典型的河网三角洲。主要水系大致有，东江河网、西江河网、北江河网与潭江河网，三角洲内诸河自东而西汇集于虎门、蕉门、洪奇门、横门、磨刀门、鸡啼门、虎跳门和崖门8个口门入注南海，形成了“诸河汇集、八口分流”的壮丽景观。珠江三角洲河网如图3（a）所示。根据实际研究范围，模型概化设定6个上游流量边界，分别为：东江的博罗、增江的麒麟嘴、流溪河的鸦岗、北江干流的三水、西江干流的马口、潭江的石咀；8个下游水位边界为八大口门，即为虎门、蕉门、洪奇门、横门、磨刀门、鸡啼门、虎跳门和崖门。河网经概化后，共有254条直河段，161个汊点，划分河道断面2722个。具体概化图如图3（b）所示。入河排污口位置如图3（c）所示。

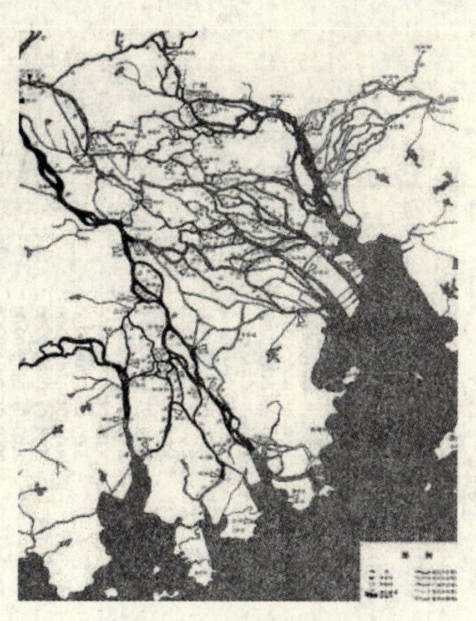

图3（a）　珠江三角洲河网

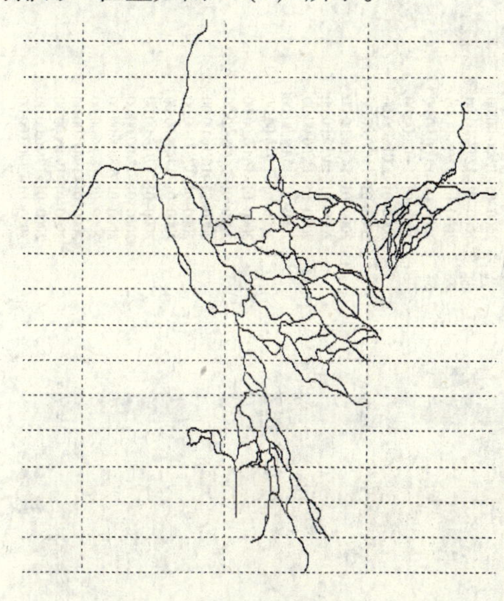

图3（b）　珠江三角洲河网概化图

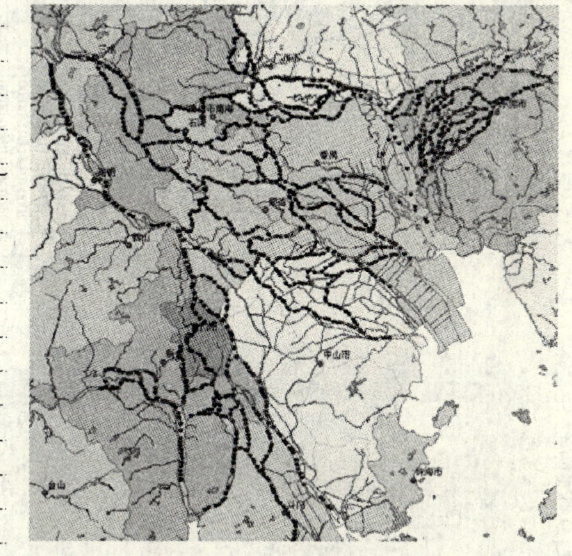

图3（c）　入河排污口位置示意图

（二）模型率定及验证情况

研究选取“1999.7”中水大潮和“2001.1”枯水大潮两组资料较齐全的潮型作为数学模型的率定和验证资料[13]。根据率定计算珠江三角洲河网区的糙率约在0.015～0.045。水动力模型取的上游糙率值较大，约为0.030～0.045；河口附近河道糙率较小约为0.020。水质模型计算采用的衰减系数为：河流COD为0.1～0.2/d，氨氮为0.05～0.2/d。

限于篇幅，文章仅给出了枯水期的水文和水质预测结果。图4为珠江三角洲网河区部分站点“2001.2”枯水200余小时（包含了大、中、小潮过程）的实测与计算水位过程的比较，可见，模型非恒定流率定结果与实测水（潮）位在相位上基本一致，计算值曲线与实测值曲线吻合较好。从枯水期预测与实测的水质水期平均结果对比来看（图5、图6），水质模型对珠江三角洲河网污染态势的预测基本准确。主要总量控制污染物在各监测断面的相对误差平均值小于40%。

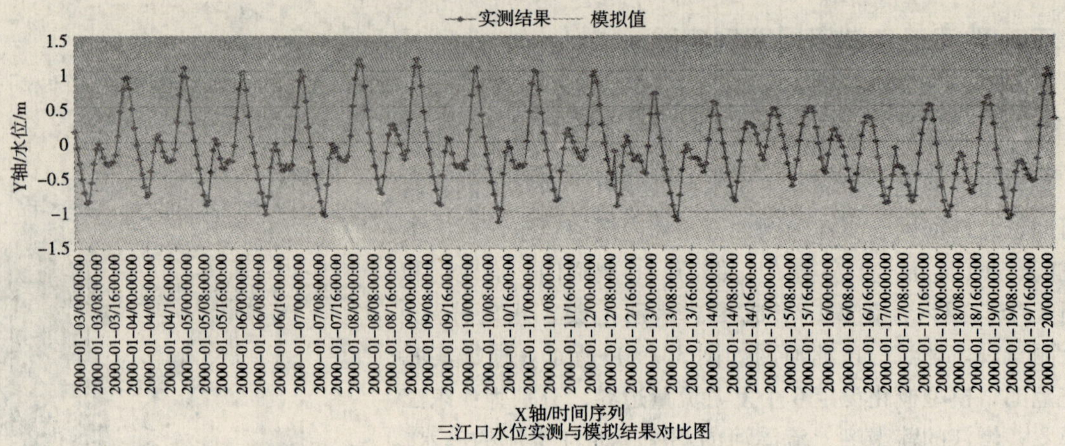

三江口水位实测与模拟结果对比图

（a）

实测结果 模拟值

Y轴/水位/m

X轴/时间序列

五斗水位实测与模拟结果结对比图

（b）

实测结果 模拟值

Y轴/水位/m

X轴/时间序列

板沙尾水位实测与模拟结果对比图

（c）

图4　（a～c）枯水期实测与计算水位过程比较

四、结　语

研究通过将GIS技术、数据库管理技术和水环境数学预测模型的紧密结合，采用Visual. Net开发系统界面集成环境，建立起流域突发水环境事故污染态势预测系统，可为流域污染源与水环境信息数据的管理、空间定位、水污染事故的预测预警提供技术支持。

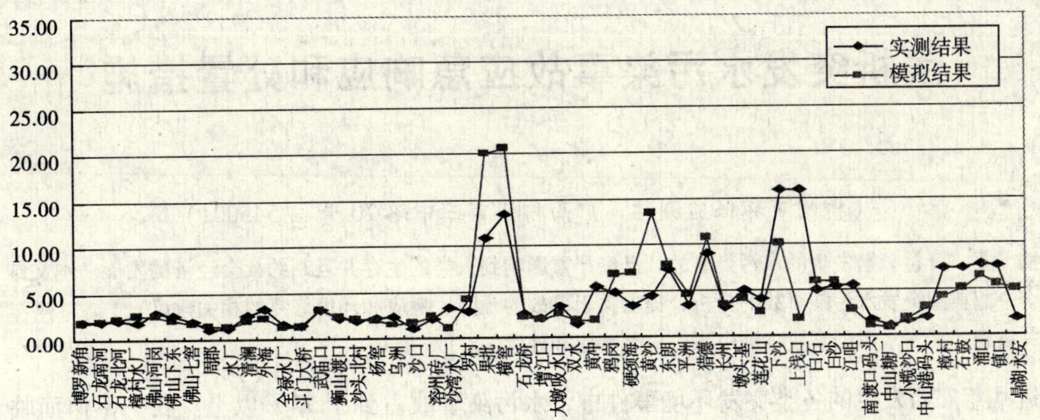

图5　枯水期水质验证断面COD结果对比（单位：mg/L）

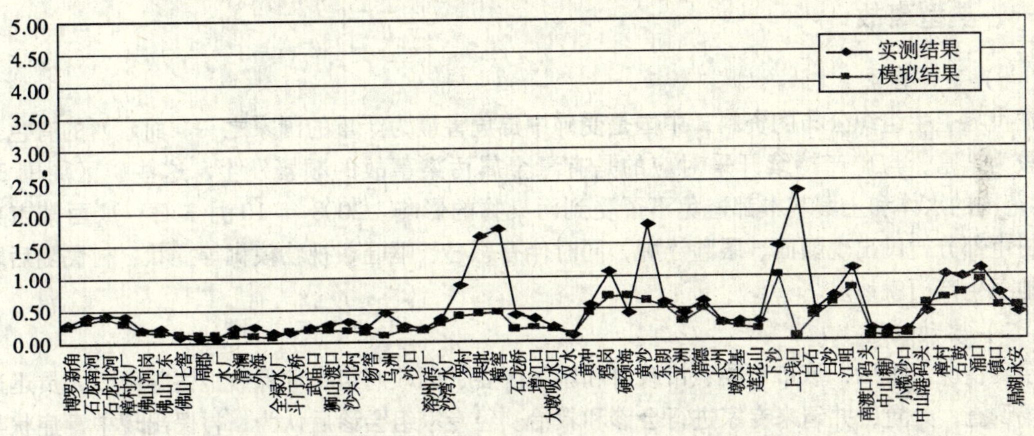

图6　枯水期水质验证断面氨氮结果对比（单位：mg/L）

参考文献

[1] 李如忠，王超，汪家权，等．基于未确知信息的河流水质模拟预测研究［J］．水科学进展，2004，1.

[2] 刘开第，吴和琴，王念鹏，等．未确知数学［M］．武汉：华中理工大学出版社，1997.

[3] 褚君达，等．河网水质模型及其数值模拟［J］．河海大学学报，1992，1.

[4] 李义天．河网非恒定流隐式方程组的汊点分组解法［J］．水利学报，1997，3.

[5] 李岳生，等．河网不恒定流隐式方程组稀疏矩阵解法［J］，中山大学学报（自然科学版），1997，3.

[6] 姜国强，李开明，等．河口、海岸带环境经济综合管理模型研究［J］．中国资源环境与水利水电工程，2007，12.

[7] 孙建，陶建华．潮流数值模拟中动边界处理方法研究［J］．水动力学研究与进展A辑，2007，1.

[8] 夏军．区域水环境及生态环境质量评价［M］．武汉：武汉水利电力大学出版社，1999.

[9] 孟伟．流域水污染物总量控制技术与示范［M］．北京：中国环境科学出版社，2007.

[10] 唐崇杰，林继发．区域水环境管理决策支持系统的研究和开发［J］．环境科学与管理，2007，5.

[11] 蒋海琴，陈锁忠，等．WebGIS与一维水质模型的集成研究［J］．环境污染与防治，2002，10.

[12] 杨大勇，林奎，姜国强，等．基于GIS的突发性重大水环境事故预测模拟技术研究［J］．测绘科学，2008，4.

[13] 郑国栋，黄东，等．珠江口河网、河口区水文资料收集及模型测算与地形数字化专题研究报告．广东省水利水电科学研究院，2007，7.

浅析突发水污染事故应急响应和处置措施

韩　梅

（柳州市环保监测站　广西柳州市三中路70号　545001）

摘　要　日益频繁发生的水污染事故，已经严重影响到人类的生存并且制约社会经济的发展。本文结合一起典型突发水污染事故的分析，提出关于事故的预防、响应和环境修复的相关建议。

关键词　突发水污染事故　砷中毒　应急响应和处置

近几年广西发生的各类突发环境事件中，水污染事故占到了75%以上。我们不但面临着发展的机遇，同时面临着环境的压力，处理好这两者之间的矛盾，成为了急需解决的焦点和难点。

一、典型事故

（一）事件背景

据世界卫生组织公布的资料，中国是受砷中毒危害最为严重的国家之一。而广西的有色金属矿藏较为丰富，与矿产持续开采对应的是有毒金属污染事故的频繁发生，这些矿区周围30～40km范围的水体和土壤基本都避免不了受到污染物的影响。2008年10月3日，广西某市某城区一村屯部分村民出现颜面、眼睑浮肿，同时伴有恶心、呕吐、视物模糊等症状，村民随后陆续到当地卫生部门就诊。

（二）启动应急

接到情况汇报后，该市市委、市政府和城区区委、区政府组织环保、卫生等部门人员迅速赶赴现场调查、处置，并请来专家进行会诊和救治。经专家组会诊后认为，村民出现中毒症状与村民饮用砷含量超标的水有关，初步判断为砷中毒。经过调查，认定为是附近一家冶金化工企业（该企业为国有企业，产品为：铅锭、锑锭、高铅锑锭、银锭、粗铜、粗铋、黄丹等，综合生产能力达15000t/a）的含砷废水溢出，外泄进入周边村屯水塘，并通过消水洞污染到地下水。

（三）抢险和救援

此次集体砷中毒事故涉及两个村庄，最终认定有四百余名村民尿砷超标，有的超标100多倍。病人均处于一个临界的状态，已有砷吸收，而且有尿砷超标的表现，部分出现了一定的轻微砷中毒临床表现。政府一方面制定紧急救治方案，做好中毒筛查工作，另一方面及时地对患病村民进行了免费的干预治疗。

（四）应急监测

经环境监测部门检验，水源水、末梢水检出砷含量分别为2.89mg/L和3.26mg/L，相较我国饮用水标准中规定砷的最高允许浓度0.05mg/L，分别超标50多倍和60多倍。

（五）控制污染

该市有色金属年采选能力达到530万t，年冶炼能力70万t。从10月8日起，该市全市冶炼厂停产整顿。此次停产共涉及该市50万t的铅锌产能，占到全国总产能的20%左右。

二、事故应急处置建议

回顾上述典型事故，总体而言还是处置得比较好的，不过还存在有一些疏忽的问题，比如某些环节的缺失，某些工作不够细致不够到位等，从根本上来讲，还是缺乏系统化的理念和规制。从一定意义上来说，突发环境污染事故不同于一般的社会公共事件，因其具有一系列独特的属性：如不确定性（包括突然爆发性，连锁扩散性，致灾多源性），应急性，综合性，复杂性等，加上我们目前认识上和技术发展上的局限性，所以也给应急处置工作这样一个复杂而艰巨的系统工程增加了很多的可能和不确定。应急处置首先需要有很强的一个技术支撑，其次需要统一指挥，协调有序，科学高效的应急响应机制，才有可能比较圆满地处理好事件。一个相对比较完善的事故处置流程包括：

1. 参照污染事故应急预案（比如《城市饮用水水源污染事故应急预案》）成立应急指挥中心。

2. 环保等部门立即勘察现场，提出抢险和救援建议，迅速获取第一手调查资料：事件类型，发生时间，地点，地理条件和气象条件，污染源（根据生产过程中的原材料，中间体和产品以及生产工艺，排污环节来寻找污染源，污染因子并估算排污量），污染因子（特性，泄漏量，泄漏方式，迁移和转化规律，传播载体，是否会发生次生衍生事件），污染原因，人员危害情况，对环境敏感区（饮用水源地或居民区等）和生态脆弱区是否存在潜在威胁及其威胁程度，可能的发展趋势等情况。如果影响到饮用水源地的，对其分布情况，供水范围，级别，规模及危害的情况进行综合分析，对事件的发展趋势及时作出判断。就本事故来说，分析实际污染影响时考虑污染物的总体特性及周围环境非常重要，因此评价砷污染情况时至少需要包括如下的因素：

砷污染的影响				
评估指标	环境理化指标	环境暴露指标	环境毒理指标	环境控制指标
	水溶性、化学稳定性、分配系统数、化合物特性	污染物总量、污染物释放率、环境持续性、环境迁移性、生物富集系数、环境背景浓度	急性毒性、慢性毒性、致突变性、致畸形、致癌性	控制难易性、人为干预去除率
备注	1. 污染的影响不是完全由污染物的最初特性决定的，它是许多因素综合形成的一个结果，这些因素的作用可以是协同的，也可以是对抗的 2. 环境持续性是污染产生的一个特别重要的因素，常常和迁移性、生物富集性相关 3. 在污染物的总体作用中，富集、分散还是消失是一个非常重要的因素，因为会直接影响到浓度			

3. 环境监测部门开展应急监测工作：立即启用应急监测方案，出动专业技术人员和环境应急监测专用车，进行动态跟进监测，快速监测和实验室监测同步进行。监测在时间和空间上都具有代表性的数据为下一步的决策提供理论上的依据。

4. 控制和消除污染：事件已经发生，后果也已经产生，要完整地还原整个事件的前因后果，就需要根据污染的总体情况来排查行业内的所有相关企业。接下来就是切断与控制污染源并对同类污染源进行限排、禁排。筛选最优的措施来降低污染的影响，避免造成二次污染。就本事故来说，至少确定地下水和土壤都被污染的情况下，可以考虑两种比较理想的除砷方法，一种是化学除砷法：这也是比较常用的方法，在水中加入铁盐和石灰，在生成砷酸铁的同时还会产生大量氢氧化铁沉淀絮凝物，溶液中的砷酸根与氢氧化铁还可发生吸附共沉淀，从而使砷分离出来，得到较高的除砷率。另一种是生物除砷法：利用某些植物的天然特性也可以吸收或是降解有毒金属。比如国内有一种名叫鳞盖凤尾蕨（*Pteris vittata*）的杂草性蕨类，通常生长于竹林、人工林、次生林下开阔地或林缘、破坏地、人工砌的墙缝中。其生长处较为空旷，习性也较耐干旱。其累积砷的浓度能达到每1kg干物质中含有5g砷，该植物生长得非常快，并且金属聚集在根和茎组织中，很容易通过收获植物达到从最初污染到永久性去除的目的。不过收获后的该类植物还需要用一些方法进行处理或降解。比如通过再生的方法将植物中的金属回收。或是堆肥，如果要使最终的堆肥达到许可的水平，必须依靠混合其他的材料以稀释含大量金属的超积累植物的影响。生物修复的优点在于可持续发展，去除和破坏污染物的同时可实现大面积处理而对环境影响很小。

5. 应急指导：成立专家组，全局性多角度地对突发环境污染事故应急处置做出有针对性的指导，尤其是环境应急评价工作，需要进行事件的中长期环境影响评估。

6. 环境医学监测是环境质量评价的一个重要方面，是从人体健康的角度来评价事故的影响。就本事故来说，由于发生的是群体性的中毒，因此有必要做个案调查。全面掌握健康危害特点及相关因素，尤其对首发病例要进行横断面和回顾性环境医学调查，寻求因果关系。由于砷中毒包括慢性中毒和急性中毒两种情况，因此不排除四百余名村民两种情况均存在的可能性，这就需要进行大量而细致地调查才可以得出结论。

7. 惩罚和赔偿：从政策上和经济上都应制定可行的惩罚和赔偿的措施。

8. 突发环境污染事故信息的公开：建立准确、科学、透明的污染事故信息发布制度。促进各级政府、企业和单位做好环保工作的责任感和紧迫感，提高公众的环境意识以及对紧急事件的响应能力。

三、防范事故风险的方法

（一）通过定性和定量的一些指标界定环境高风险企业来防范环境风险

突发水污染事故应急响应和处置涉及的方面非常多，包括预警预测、应急监测、处置、后期评估、环境修复等许多方面，因此预防永远比发生污染事故后再去弥补要来得重要。最值得借鉴的例子就是湖南长沙于2009 年 8 月 23 日正式发布《环境风险企业管理若干规定》，这也是国内第一部环境风险企业管理办法。该规定通过环境风险企业等级管理制度、定期报告制度、专家评审制度，环境风险项目定期监察与监测制度、公众监督与责任追究制度 6 大长效机制防范环境风险。并首次对在全国范围内尚无定性的环境风险企业进行界定：生产过程中涉及剧毒、危险化学品的，黑色金属、有色金属及涉及重金属采选和冶炼的，使用放射性物质的，仓储有毒、有害及化学危险品的，电镀、制革、医疗、有色冶金等危险废物综合利用及处置的企事业单位即认定为环境风险企业。界定之后再对其工艺环节、操作安全和环保设施等进行评估，进而创建并执行与评估结果相配套的安全计划。

（二）建立水质自动监测站和区域水污染路线图来防范环境风险

我国水资源总量为 2. 8 万亿 m^3，但水资源极不均匀，南多北少，东多西少，南方人均水资源量为 3 487m^3，看起来很富余，但由于受污染非常严重，已经呈现出水质型的缺水。因此有必要逐步建立能真实反映环境质量状况的水质自动监测站，实时监控地表水和地下水的水质状况，提高科学化监控和预警能力。另一个可行的方法是绘制区域水污染路线图：该路线图能够及时准确地显示污染企业的基本信息、历年排污情况、排污的动态变化及污染物参与流域的水系循环情况。这种信息公开旨在督促企业承担自身不可推卸的环境责任，及时消除事故的隐患，也为公众参与完善企业行为提供了途径。

由于突发水污染事故发生频率高，环境破坏性强，社会波及面大，因此需要我们加强环保意识，更多地关注此类事件的发生和发展，也期待有更进一步的探索和研究。

参考文献

[1] 国家环境保护总局环境监察局．环境应急响应实用手册［M］．北京：中国环境科学出版社，2007.

[2] 傅桃生．环境应急与典型案例［M］．北京：中国环境科学出版社，2006.

[3] 环境科学大辞典编辑委员会．环境科学大辞典［M］．北京：中国环境科学出版社，1993.

RS 与 GIS 在突发性水环境事故应急处置中的应用

杨 剑 林 奎 杨大勇 赵坤荣 姜国强

（环境保护部华南环境科学研究所 广州市员村西街 7 号大院 510655）

摘 要 当前我国水环境污染事故频有发生，引起了社会和政府的广泛关注。水环境污染事故应急是一项复杂的工作，要综合考虑的内容十分复杂。本文阐述了水环境事故应急处置的一般特点，探讨了 RS（遥感）与 GIS（地理信息系统）技术应用于水环境事故应急处置的可行性及主要途径。

关键词 水环境事故 RS GIS

近年来，随着社会经济的高速发展和人口的不断膨胀，河流和湖泊的污染状况日益严重，突发性水污染事故时有发生，不仅给我国的经济、社会和生态环境造成了不可估量的损失，也威胁着我国水环境质量。如 2005 年松花江污染事件、2007 年太湖蓝藻暴发事件、2009 年盐城水污染事件等一系列重特大水环境突发事件频发，引起了政府的高度重视及社会的广泛关注。

环境污染事故的应急处置，不但要快速了解事故类型，还要快速了解事故的发生地点、污染范围、可能的扩散面积等空间信息。高分辨率卫星遥感技术具有的适时、精准的特点，以及 GIS 与水环境模型有效集成后，可视化的时空模拟，在应对突发性水环境事故中具有重要作用和价值。

一、突发性水环境事故的概念与特点

（一）突发性水环境事故概念

突发性水环境事故是指水体因一种或多种物质非正常突然的介入，而导致其化学、物理、生物等方面特性的改变，造成水质急剧恶化的现象，从而影响水的有效利用，危害人体健康或者破坏生态环境[1]。

（二）突发性水环境事故特点

突发性水环境事故主要是由水、陆交通事故，企业排放和管道泄漏等原因造成的，其特点表现为突发性、扩散性、长期性和危害性[2]。

1. 突发性。由于可能发生水污染事故的主体相当部分属于运动源，使得事故的发生难以预料，发生的时间和地点具有不确定性，污染物的类型、数量、危害方式和环境破坏能力也难以确定。给事故模拟和预防工作带来了困难。

2. 扩散性。水体的流动性决定了污染物在水中的扩散性。水域的水流状态直接影响污染物的扩散方式和扩散速度。水域的不同类型和水文变化也影响着污染物的扩散。水体被污染后呈条带状，线路长，危害容易被放大。一切与该流域水体发生联系的环境因素都可能受到水体污染的影响，如河流两侧的植被、饮用河水的动物、从河流引水的工农业、用户等，流域内的地下水由于与地表水产生交换，也可能被污染。

3. 影响的长期性和危害性。突发性水污染事故处理涉及因素较多，且事发突然，危害强度大，必须快速、及时、有效地处理，否则将对当地的自然生态环境造成严重破坏，甚至对人体健康造成长期的影响，需要长期的整治和恢复。尤其是大型流域，其处理难度相当大，很大程度上依靠水体的自净作用减缓危害，这对应急监测、应急措施的要求更高。

二、RS 与 GIS 在水环境事故应急处置中的作用

（一）RS 在水环境事故应急处置中的作用

RS 即遥感技术，是指从不同高度和角度探测地面目标的特征。RS 的主要功能是对地面信息

的获取、观测资源、传输、存储的处理。高分辨率卫星遥感数据，涵涵准确、精细的自然环境与生态背景的地理空间信息，能观察到地表的细节特征，可有效用于指导环境应急监测点位布设、人员疏散，防止污染物对河流、水源、土壤的生态破坏，减少污染带来的生命、财产及生态损失。因此，高分辨率卫星遥感数据在应对突发性水环境事故中具有很大的应用潜力，成为具有保障国家环境安全、科学防范和应对重大水环境污染事故的基础数据支撑[3]。

（二）GIS 在水环境事故应急处置中的作用

水环境污染事故的应急处置离不开基础污染信息的支持。污染处置信息不仅包括空间背景信息，还应包括应急处置涉及的环境信息、人员信息、设备信息、预案信息、监测信息、评估信息、政策法规、专家知识以及各种模型信息等[4]。RS 为 GIS 提供高质量的空间数据，而 GIS 则是管理这些数据的理想平台。GIS 在水环境事故应急处置中的作用包括以下几个方面：

1. 提供空间数据和相关属性数据的快速存取和管理功能。环境污染应急处置需要快速处理大量空间、属性数据，GIS 提供高速的空间、属性数据一体化处理和管理能力，能满足污染数据查询、更新、统计、模拟分析和预测评价的需要。

2. 提供分层的可视化的显示功能。可直观地将污染属性信息以图形方式显示在屏幕上。

3. 提供空间和属性数据间的互动查询。

4. 提供空间、属性数据一体化的统计分析功能。如可对污染源及相关参数进行相关分析或聚类分析，找出环境污染事故的原因。

5. 提供多种空间决策功能。应用 GIS 图形叠加分析，如河流水系与污染源分布图的叠加，可确定污染的扩散方向。由查询结果并结合评价分析结果可制作各种专题图，给应急处置人员提供直观的决策依据。此外，在污染事故的救护过程中，最佳路径分析可用于确定距离最近的医院，缓冲区分析可以分析污染事故周围地区的污染程度，评价污染结果等。

6. 除上述 GIS 的基本功能外，GIS 还可与水质预测模型相结合，进行污染物时空分布预测、污染物浓度随时间变化预测以及污染物浓度变化趋势分析，并且能够根据各种需要和可能做出多方案的模拟和比较，以获得不同参数或策略因素输入时系统动态变化的行为和趋势，能科学、有效和方便地辅助应急处理的决策指挥。

三、应用案例

（一）研究背景及概况

2005 年 11 月 19 日至 12 月 16 日韶关冶炼厂废水处理系统停产检修，在 27 天的检修期间内，约 1000m^3 镉浓度 197 mg/L 的废水排入北江，据测算，超标排入北江的镉总量约为 3.63t，造成北江韶关段镉严重超标。经监测分析，污染带长度近百公里。另外，枯水期北江韶关段众多小冶炼企业所排含镉污水也加重了镉污染程度。

为了准确了解事故点的周边自然生态环境背景状况，利用高分辨率遥感影像库数据对现场进行图像分析，制定监测方案。GIS 与水质模型集成，实现了污染物扩散随时间和空间变化的实时动态可视化，为各水库最佳的水量与时间调控方案的提出，为闸库系统调水控污方案的优化决策提供了科学依据。

（二）事故地点确定

环保部门每年都进行环境统计，建立了重点污染源数据库，事故发生后，从数据库中查询出该企业地理位置、原辅材料、经纬度等基本信息。根据经纬度信息，在高分辨率遥感图上标注该企业的位置（图 1），从图 1 可以了解事故点周边的地形地貌等信息。

图1　事故位置图

图2　监测点位布设图

（三）环境监测点位布设

由于事故点的排污口位于北江上游，排入水体中有毒污染物对沿江的饮用水源、河流水质、土壤造成严重影响。事故发生后，立即启动了应急监测方案，针对污染事故点现场河流分布情况，在北江流域共设立了孟洲坝、白沙、高桥、白石窖、飞来峡等21个监测断面（图2），统一时间，每2h监测一次，并根据水质变化及时调整监测方案，增加监测断面，加大监测频率。及时了解污染物浓度，为抢险指挥提供了数据支持和决策依据。

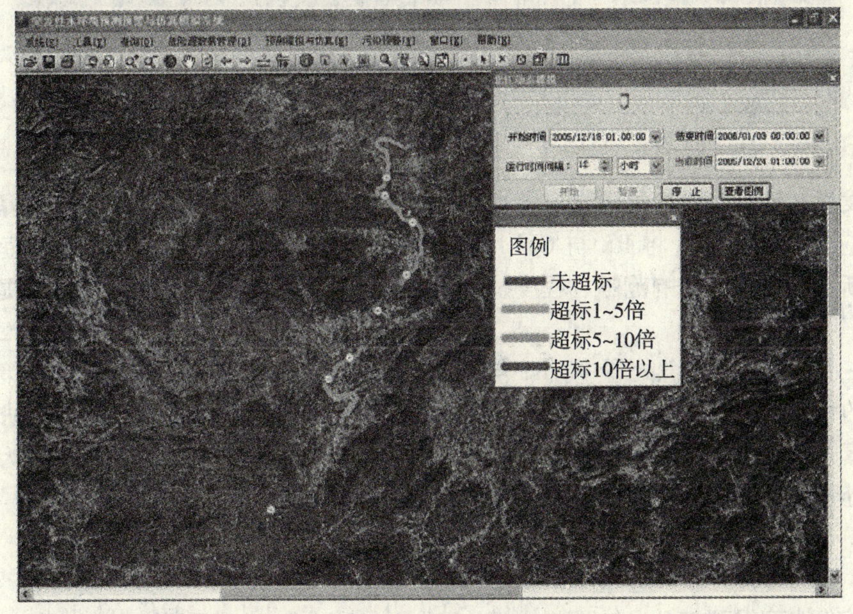

图3　污染物扩散态势模拟效果图

（四）污染事故模拟情境分析

事故处理过程中，通过反复计算和核定，确定河流镉污染物的总量，建立了流域梯级系统水量、水质动态预报模型。水质模型与GIS集成，不仅较准确地预测预报出污染带前锋到达时间、污染峰值及出现时间、超标天数等污染态势，还能模拟出各种处理措施实施前后污染峰值和历时的削减效果，实现了污染物扩散随时间和空间变化的实时动态可视化[5,6]。

本文基于三种不同的情境进行了模拟。情境1：未采取任何处理措施的情况下计算的污染物在河网中的运动；情境2：采取联合调度流域水利设施，控制污染水团移动；情境3：采取投放絮凝剂对超标水团进行工程处置，通过絮凝沉淀作用使污染峰值削减并采取联合调度流域水域设施，调水控污。模拟计算的结果中包括了不同时刻、不同位置的污染物浓度，利用 GIS 技术根据污染物浓度值的大小以颜色的深浅动态显示各时刻的污染物扩散运移过程。参照污染物种类和污染浓度分级标准，本文将污染物浓度划分为 4 个级别，不同浓度以不同颜色表示。模拟效果图如图 3 ~ 图 4 所示。

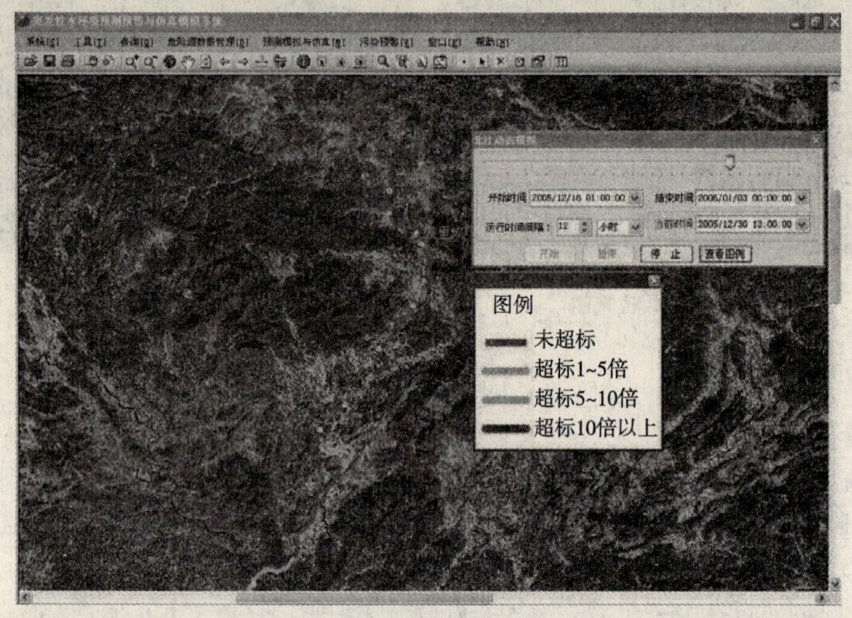

图 4　实施联合调度后模拟效果图

四、结　语

由于突发性水环境污染事故的自身特点，需要多方面的协调配合，为事故处理赢得时间，提高事故处理应急决策水平。将 RS 与 GIS 应用于水环境事故应急处置中，可以缩短事故响应时间，及时判断污染事故的影响范围、程度，为科学制定监测方案和防止污染扩散，提高环境应急管理工作效率[7]。

总之，在水环境事故应急处置中，RS 与 GIS 在数据管理、信息可视化，辅助决策支持等方面发挥了重要的作用，但基本上都是一些二维的应用。随着我国水环境应急工作的需求，可以进一步在三维仿真模拟以及水质模型与实时监测数据的接入方面进行研究，才能更好地为水环境污染事故的应急处置提供更高层次的辅助决策支持作用。

参考文献

［1］万本太．突发性环境污染事故应急监测与处理处置技术［M］．北京：中国环境科学出版社，1996.
［2］王立章．突发环境污染事故应急体系与预案［J］．中国环境科学，2005（2）．
［3］李旭文．高分辨率卫星遥感数据在突发性环境污染事故应急处理中的应用［J］．污染防治技术，2007，20（3）：34 – 36.
［4］杨凌．地理信息系统在环境应急管理中的应用［J］．环境与可持续发展，2007（5）：49 – 50.
［5］张波．基于 GIS 的水污染事故水质模拟系统动力学模型研究与应用［D］．北京：中国科学院遥感应用研究所，2007.
［6］丁贤荣，徐健，姚琪，等．GIS 与数模集成的水污染突发事故时空模拟［J］．河海大学学报（自然科学版），2003，31（2）：203 – 206.
［7］闫志刚，盛业华，左金霞．3S 技术及其在环境信息系统中的应用［J］．测绘通报，2001（增刊）：17 – 20.

流域水环境与水资源综合管理规划初探

余向勇[1]　吴舜泽[1]　张晓岚[2]　孔　亮[3]

（1. 中国环境规划院　北京　100012；2. 北京师范大学　北京　100875；
3. 中国矿业大学（北京）　北京　10083）

摘　要　水资源短缺与水环境恶化问题的复杂性、系统性、科学性、社会性，必须进行综合的规划与管理才可解决其面临的问题。流域或地区水综合规划管理是一个综合的过程，监测是实施调整规划的基本手段，数据共享与模型工具的使用极大提高了水资源综合规划管理的科学性。

关键词　流域　水环境　水资源　综合管理规划　系统性　科学性　社会性

一、美国水资源综合管理规划分析

（一）加州水资源综合管理计划

综合水资源管理计划是一个长期的5年计划，并有年度的更新，增加必要的内容和计划的标准，融合各利益相关方的资金来支持州政府的水资源综合规划与管理。该计划每5年制订一次，目前的规划是2005—2010年周期的，在2009年进行了更新。

1. 该计划范围广、内容丰富，涉及水资源综合管理的诸多因素，有其优先的领域。

2. 该计划的主要内容涉及水供给保证、饮水水质、保护与提高水质、超采对地下水资源的威胁、保护地下水水质和特殊社团对水的需求。该计划的主要标准包括管理、分区描述、可考核的指标、资源管理战略、整合与综合、项目选择过程、费用效益分析、计划实施与监测、数据管理、融资、技术可行性分析、与地方水规划的关系、与地方土地利用的关系、利益相关者的参与、协调、气候变化的影响等。

3. 该计划的优先领域包括干旱预防、气候变化应对、减少温室气体排放、减少发展的影响、洪水综合管理、盐化与富营养化管理计划、水循环与暴风雨再控制。

4. 该计划的文本有获得广泛支持的目标、战略、行动和程序，从事满足水供给、提高水质和保护环境与栖息地资源的长期计划。

5. 该计划的实施首先须由州议会通过成为法令、主要目的帮助州政府组织地方及公众来完成地区的长期水需求。清洁饮用水、水质与供水、洪水控制、河流与海岸保护行动于2006年11月通过，加州水资源部授权了10亿美元（MYM1 billion），其中9亿美元用于该州的11个区，1亿美元用于地区间的总体协调，该规划的实施帮助组织地方公众来完成地区的长期水需求。

实施该计划是一个让各区接受认同的过程，逐步让各区接受计划是水资源局全局计划的第一步。2009年该州35个区成为接受区，11个区成为有条件接受区。各区不是基于单一行政管辖的区，而是通过水管理事务与利益相关者的成分。82%的土地包括在一个区内，这与2002年的计划相比提高了很多（原来是54%），98%的人口包含于一个区内，这与2002年的计划相比提高了很多（原来是50%）。其中，水资源部为该计划发挥更大作用的主要贡献有：该计划的战略计划制订、区间协调、区的参与和融资支持。

（二）加州水资源部在三角洲地区水质监测行动与其角色

加州水的基本困难是降水分布与人口分布的不相匹配，三角洲地区降水丰沛占总降水的三分之二但人口较少，三角洲以南降水稀少但人口较多占总人口的三分之二。因此除了自然的水从三角洲流入海湾外，还存在非自然的从三角洲向南部的人工泵站输水，但泵水带走了保护的鱼类、破坏了大马哈鱼的洄游，同时导致了入海湾淡水的减少导致的咸水倒灌影响农业用水水质，泵水的主要水源是 SAC 河流，是最大的集水区和最大水坝所在地。

因三角洲水的多种用途（生态用水、饮用水和农业用水——该区是美国的“面包篮子”）使得水的质量变得非常的重要。不同的水质监测项目在三角洲与南方水库上实施，水质监测数据主要用于评价水质是否满足环境和规定的要求。这些规定涵盖水量与水质两方面的要求（一年中不同的季节有不同的指标规定），大部分是属于从三角洲泵到南部水的要求，其他是基于保护受影响的鱼类和为保护河口与三角洲地区农业用水的水质用途所需。

远洋有机质的降低导致了三角洲地区很多鱼类于 1970 年数量上的总体降低。监测表明三角洲地区监测到无脊椎动物的有毒性的站点有 5 个。

加州水资源部在三角洲地区有很多的方式用来收集水质、流量、水文和气候的数据——这每个信息都用来完成他们的委托权（通常委托权没有包括向公众提供数据）和目标，通常来说很难获得电子格式的数据。如果可以比较幸运地在网上找到谨慎与连续的样本，但是监测程序不相关联，需要从不同的程序中将相关数据汇集在一起，许多利益相关者不知道到哪里去寻找，或者没有时间提取和整合这些监测数据。通常自动监测站监测叶绿素、溶解氧、温度、电导率、浊度和 pH，先进小巧的监测设备已经代替了笨重的旧设备。监测此 5 项指标已经有很多年了，对于饮用水，关心的参数在实验室进行分析，对于检测业来说是一种挑战，几乎到了其技术的极限。

在线监测站的水质、数量数据与数据处理模型（Delta Simulation Model 2，DSM2 Aqueduct Extension Model）相关联，通过模型分析后的数据除了保存起来外，需要将数据进行可视化和分发给利益相关者（让其知道环境状况）和信息的其他使用者。模型分析可以帮助管理者正确地看到他们的水从哪里来，并且可以了解到模型有多好并将在线数据与其相协调，收集在线监测数据的主要原因在于其具有的优势，每月一次的监测会错过发生在月监测的事件。

海湾盐度监测和数学模型用于该项目的运行，城市人口的扩张导致三角洲水质的类别下降，鱼类与其他物种的减少归于北水南调与水质的下降，在线监测与数据的扩展以及预测模型的发展有利于预测长期与短期输水水质。

（三）GUAHSI 水数据服务

一个利用网页服务来发布和共享数据的简易方法，水信息系统（HIS）项目是由美国自然科学基金会资助，由来自 16 个分别属于大学、计算中心、政府机构（比如美国地质调查局和美国环境保护局）的数十位专家联合开发完成。

它的主要目的是：1. 实现大容量高质量的水文数据访问；2. 为一个地区的水文观测数据提供储存和整合；3. 为水文科学研究提供较好的信息基础设施；4. 为水文学教育提供更多的学习资料。

水观测资料包括水量、水质、土壤水、地下水、降水和气象数据 6 大类，这些数据以不同的数据格式在该网络页面进行发布，该页面是基于应用大容量、分布式信息系统的概念建立起来的，属于一种面向服务的结构，同时有多个所有者，该结构相当复杂并且是异构的，从 2007 年建立作为一种遗产发展至今，它多样的组成部分已经得到了很好的发展。

开发了一个水数据的网络服务导向架构，欢迎全球合作伙伴参与并发展促进该系统；发布数据，开发客户端；鼓励采用加强数据系统互用性的数据标准。

（四）水资源评估与规划（WEAP）工具软件介绍

该系统为斯德哥尔摩环境研究所开发出来的，可以免费下载使用，它将集水区水文模型和水规划模型整合在了一起，基于地理信息系统（GIS）开发，采用了图形拖曳的界面，可以进行水需求与供给的物理模拟、具有用户设置变量建模与电子表格或其他模型关联的功能，也有情境管理能力。分为集水区水文数据库、水文模拟和投资计算 3 个模块。

WEAP 在水规划中的应用主要有 3 个方面：1. 提供了一个可以被全部利益相关方和决策者

访问浏览的公共管理框架和开放的数据集合。2. 可以进行未来情况的情境模拟与分析。3. 可以进行不同的政策影响评估。

WEAP 可以分析的功能和应用的领域包括地区需水分析、土地利用及气候变化对水文的影响、水土保持、水权与优先分配管理、地下水河与径流模拟、水库运行、水电开发、污染示踪和生态系统需求等。

基于 WEAP 成功开发的应用系统包括水系统规划、跨界水体政策制定、气候变化研究、生态流量估算和用水决策支持系统。

二、海河流域水资源与水环境综合管理规划的做法

（一）海河流域水资源与水环境综合管理规划的基本理念

1. 用水排水与耗水统筹。其中耗水管理对于缺水地区的节水管理至关重要，只有有效减少蒸腾蒸发才可实现“真实”节水。水生态（包括河道和渤海）的修复鉴于海河流域水环境的恶化程度高（有河皆干、有水皆污）单方面的污染源达标排放，仍然不能实现地表水的功能质量达标，减少排污必须与节水增流紧密结合，排污许可与取水许可联合审批，才能从长远解决水生态环境的恶化并实现修复的目标。从社会经济角度来衡量就是将工业生活与生态用水均衡配置，保证经济的可持续发展、人与环境的和谐相处。

2. 横向整合。依托现有行政体制建立水资源与水环境综合管理合作机制，并保证每年更新，合作交流协议的签署和知识管理的开发和应用，进一步实现排污总量和环境容量协调一致，取水许可与排污许可结合的行政和机制的保证，水文数据与排污数据的长期共享机制保证，这些都是部门间横向整合的机制措施的重要方面。其中水质水量数据与信息的共享和整合为知识挖掘工作准备现实可靠的数据和信息支撑，为实现减少污染和水生态修复提供实用可行的途径和方法，保证了县、市、省及流域等不同层次用水耗水排水（污染）、生产生活生态和入海水（含质量）七大总量（以下简称七大总量）的横向绑定。

3. 自上而下与自下而上的不同层次的（国家层次、流域子流域层次、省市层次和县层次）水资源与水环境综合管理行动计划的编制。具体体现在七大总量的目标制定和目标分解的过程中，通过此方式可以将总体目标全局和局部最大限度地协调起来。自上而下就是从流域全局出发，将流域内的上下游，河流海湾各省市区的用水耗水与排水综合协调，包括节水目标的合理分配和污染总量控制的合理控制，比如用水和排水总量分配到每个用水户。社会驱动（CDD）和农民用水者协会（WUA）等的建立和发展，保证了水资源和水环境广泛的公众（利益相关方）参与和民主决策。为目标的分解和实现给予了充分监督与集思广益，使经济目标得以保证，避免行动计划的盲目与蛮干，对农民等利益相关方的伤害而导致政策和管理的落空。类似组织应广泛建立，带动广大利益相关方自愿节水和保证水资源可持续发展和水生态的修复与好转。

总之，全球环境基金（GEF）海河项目的核心贯穿以上三个基本理念，围绕水资源水环境综合管理制定海河水资源和水环境综合管理战略行动计划，以行动计划指导今后的水环境管理和水资源的各项管理工作。

（二）海河流域水资源与水环境综合管理规划的总体目标与具体目标

1. 总体目标

在用水耗水排水三水合一与生产、生活和生态用水协调配置保证之下，应用知识管理系统、遥感监测 ET 等新技术，坚持以耗水为核心的水资源与水环境综合管理理念，通过自上而下、自下而上、纵横协调的工作方法，充分吸收总项目中其他课题/专题的先进经验和研究成果，推进海河流域水资源与水环境综合管理（IWEM），逐步调整和建立起有效的各级别水资源和水环境综合管理体制与机制，提出今后各级别水资源和水环境可持续发展的新思路，实现水资源合理配

置，提高水资源利用效率和效益，修复生态环境，有效缓解水资源短缺，减轻流域陆源对渤海污染，真正改善海河流域及渤海水环境质量，保证和促进各级流域和地区经济和社会的可持续发展。

2. 具体目标

（1）管理目标：建立和完善可持续的水资源与水环境综合管理的合作机制，包括建立不同层次的综合管理协调例会制度；针对综合管理提出政策对策上的一些重大举措，在行动计划制定和实施中检验和完善“机制”效果。具体来说，就是搭建一个水利、环保合作的平台，两个部门共同治水、合作治水，实现水质水量综合管理，突破海河流域“有河皆干、有水皆污”的严峻局面。

（2）节水：推动流域水资源综合管理由需水管理向耗水管理转变，按照建立节水型社会的要求，提出区域工农业节约用水的具体目标。包括：城市社区节水、回用，农业灌溉节水，耗水指标减少情况等，要求在2010年前地下水超采量减少10%，远期（2020年）实现采补平衡。耗水降低至水资源可持续利用水平，可持续分配地表水，满足生产、生活与生态用水要求。

（3）减污：污染物（COD和NH_3-N）入河排放量近期（2010年）减少10%，远期（2030年或较长远的时间）达到水（环境）功能区的纳污总量要求。研究提出近远期间将采取的有效减污措施，对于排污口、点源、面源污染的排污量减少进行方案对比，最终实现地表水水质目标（功能）达标。

（4）水生态修复：针对本区域地下水超采、土壤污染等生态回复问题，研究重要水源地保护，南水北调实施后恢复地下水以及恢复水域、河道与湿地等。结合各县（市、区）的具体情况提出10年、20年生态恢复目标，通过对不同方案分析论证，提出若干设想以供政府领导决策时参考。

（5）社会经济目标：保证人饮水安全与粮食安全，实现区域间均衡发展，实现粮食不减产，农民不减收，经济持续发展。

（三）海河流域水资源与水环境综合管理规划的主要技术方法

1. 数据整合方法——河流编码系统

以河流编码系统为技术支持，实现了水功能区与水环境功能区的整合，为水资源与水环境综合管理架起了一座桥梁，将基线调查的各类数据以河段编码为线索构建的海河河段编码数据库在整个知识管理系统中发挥着数据整合集成的关键作用，各种数据库通过海河河段编码实现紧密联系，点类数据和线类数据通过事件表与海河河段编码建立关联，面类数据通过GIS叠加分析与海河河段编码建立关联，二元或SWAT等分布式水文模型基本上都是通过该方式将土地、土壤利用数据与子流域联系起来的。可以看出，海河河段编码为数据综合分析和情境分析结论的有效表达准备了一个良好的基础平台，该基础平台的作用随着知识管理及其他项目的深入开展会逐渐显现出来。

共享平台——知识交流平台，以知识管理系统为支撑，实现了水利、环保部门对GEF项目成果和基础资料的共享，该系统为IWEMP在项目期和项目后发挥作用，提供技术平台，同时成为数据共享的平台。是实现部门间横向绑定数据共享与整合的重要的桥梁工具。

2. ET遥感监测技术的应用

水资源在国民经济各部门（工农等行业）和自然生态系统的合理平衡分配是水管理的一个基本问题。在流域背景下，对土地利用、水利用和水供给之间的关系，必须进行定量描述，这是开展流域水平衡的基础，而遥感估算的耗水值为这一定量描述提供了依据。

遥感信息具有5大优点。第一，来自遥感的测量是客观的；第二，遥感以系统化的方式收集信息，并能形成长时间序列的信息，以利于互相比较；第三，遥感可覆盖大区域，如整个流域的面积，而地面测量则常常由于昂贵的费用和后勤供给条件的约束被限制在狭小的实验区内；第四，遥感所获得的信息能按行政单元、流域单元汇总，也能被细化成比例适度仍具空间特性的更详细的信息；第五，这些信息能通过 GIS 进行空间描述和表达。

3. 分布式水文水质模拟和用水排水优化模型应用

知识挖掘工具——地表地下分布水文水质模型的开发与运用。高强度的人类活动，使流域自然水循环过程受到强烈干扰，其循环特性由自然“一元”水循环演变为自然—人工“二元”特性。海河流域在人类活动的影响下水资源水环境问题尤为突出。根据海河流域二元驱动性开发的二元模型，集成分布式水文水质（含地表水地下水）模型（WEP 模型，类似 SWAT 模型）和基于规则水资源配置模型（DAMOS）以及多目标决策模型（ROWAS）组合而成。WEP 模型，在二元核心模型中处于最为基础的地位，主要用来模拟不同方案下海河流域水循环和水环境状况，为方案的合理性和可行性提供基础分析平台，水平结构上，坡面汇流计算根据等高带高程、坡度与 Manning 糙率系数，坡面汇流采用一维运动波法追迹计算，河道汇流采用一维运动波法或动力波法追迹计算。地下水分山区和平原区分别进行数值解析，并考虑其与地表水、土壤水及河道水的水量交换。

二元模型为实现流域具体目标制定的在不降低经济发展水平下不同节水、减污和水生态修复各种方案进行综合模拟分析和可实现性和多目标协调提供了强有力的工具和方法。对不同的情境方案从上到下从下至上、水质水量综合考虑，用水耗水排水三水合一、满足生产、生活、生态“三生”用水提供了方案的比较、修改和经济评价，为科学合理提出技术经济可行的战略行动制定提供保证，与知识管理平台结合在后期的规划执行期间进行监测评价提供了行动目标实现程度的动态显示，为行动措施调整提供依据。

三、结　论

1. 水环境问题的复杂性、系统性、科学性、社会性，必须进行综合的规划与管理才可解决其面临的问题。水问题的根源是自然和社会系统（经济、价值与规范、管治、水质、水量、生态系统）里 6 个变量之间动态的竞争、相互联系和反馈的结果。

2. 流域地区水环境与水资源综合规划管理是一个综合的过程，需要基于流域整体制定战略计划，协调流域内各行政区的利益。规划范围广泛、内容丰富，涉及水资源综合管理的诸多因素。应该将水作为一个系统（淡水与咸水结合、“绿水”与“蓝水”结合、地表水与地下水结合、供水与排水结合、水质与水量结合、上下游相结合，同时考虑气候变化），并综合考虑社会经济的运行（结合环境、机构与设施的规划、政策形成、规定、监测和执行），即综合管理的社会性（所有利益相关方参与到规划和决策中）与建立水综合数据索引、共享服务和政策情境分析软件（充分利用科学技术）作为水综合规划管理的有效工具进行社会经济、生物物理和工程的综合分析研究，提出应对具体地区水资源问题的有效措施。

3. 监测是实施调整规划的基本手段，在线监测、数据扩展和预测模型的发展有利于预测长期与短期用水水质。

4. 数据共享与模型工具的使用极大提高了水资源综合规划管理的科学性。

我国南方沿海水体污染与生境退化的经济损失

郭振仁 刘明清

（环境保护部华南环境科学研究所 广州 510655）

摘 要 引入直接使用价值、间接使用价值、选择使用价值等使用价值概念和类选择价值、馈赠价值、存在价值等非使用价值概念定义红树林、海草床和滨海湿地等典型生境的经济价值，采用市场价格、享乐价格、旅行费用、替代费用、影子工程、应急评估等方法计算上述典型生境的价值，特别是产品价值和生态服务价值，以及生境退化的损失。根据文献、政府报告及现场调查取得的数据进行研究，得出：广东、广西、海南三省区沿海每排放 1t 污水入海仅造成渔业损失就达 0.19 元；将 2005 年与 20 世纪 50 年代作比较，因红树林、海草床和滨海湿地面积减少造成的年经济损失约为 342 亿元。

关键词 经济损失 生境退化 污染 近岸海域

一、引 言

现代经济的发展往往伴随着沿海地区的大规模快速开发，进而造成近岸水体污染和生态破坏，我国过去数十年沿海地区的发展基本上也是这种情况。目前不少岸线已改变了原来的自然特征，某些区域水质污染和生境丧失甚至已经很突出。虽然在很多情况下需要对这种环境污染和生态破坏从经济的角度做出评估，但至今这方面的方法还很不完善，定量的结论就更少。

本文结合我国实际对国际上较普遍采用的 Costanza[1] 方法进行了适当完善和参数斟定，以广东、广西和海南三省区沿海为研究对象，利用来自于有关部门的报告和科研文献中的资料[2,3]，结合现场补充调查取得的数据，计算了上述三省区沿海水体污染和生境退化的经济损失，这对于正确定量地认识人类活动的环境影响，提高决策的科学水平具有重要意义。

二、水体污染引起的经济损失

监测和统计数据表明，在过去数十年间南海三省区排入海洋的污水数量一直在增加，而近岸海域水质逐渐下降，近几年才表现为波动式稳定。从 1990—2003 年的 13 年中，南海三省区沿海地区污水排放入海增加了 169.4%，年增长率为 7.9%，COD、BOD、NH_3-N、TP 和 SS 等的排放分别增加 114%、113.7%、120.6%、122.5% 和 111.6%，年增长率均超过 7%。由于污染负荷持续增加，一些河口和海湾已明显污染。例如，珠江口水体的 N、P 浓度在 30 年中增加了 30 倍，至 2006 年内伶仃洋水质已变成劣Ⅳ类。

由于营养物质的增加，导致一些河口和海湾赤潮频发，污染还直接对海产养殖和捕捞业造成损失。根据广东省海洋渔业局的统计数据，2003—2005 年由于污染造成的海产养殖损失年均为 1.36 亿元，相当于年水产总值的 0.27%。假如其他两省区因污染造成海产养殖损失与广东相当，则三省区年均总损失约为 4 亿元。此外，据报告，近年珠江口渔业捕获量比 20 世纪 50 年代减少了 90%。一般认为 20 世纪 90 年代以前渔获量减少主要因过度捕捞造成，之后则主要因污染造成。从 20 世纪 90 年代到 21 世纪初珠江口因渔获量减少年减少收益 3.6 亿元。如果保守地假定南海其他区域的渔获量减少相当于两个珠江口，则南海三省区渔获量减少年损失约为 10.8 亿元。进一步假定上述渔获量减少仅一半是由污染造成，则海产养殖和渔业捕捞因污染造成的年总损失约为 9.4 亿元。这期间南海三省区沿海排放入海的污水年均为 49.9 亿 t，也就是说每排入 1t 污水入海相当于造成 0.19 元的渔业损失。

三、典型生境的价值评估方法

这里讨论的典型生境主要包括红树林、海草床和滨海湿地。这些典型生境可以提供多种具有经济价值和生态价值的产品或服务，可根据图1所示的分类来分别进行评估。对于不同的生境，表中的每一个分类都意味着不同的具体内容。

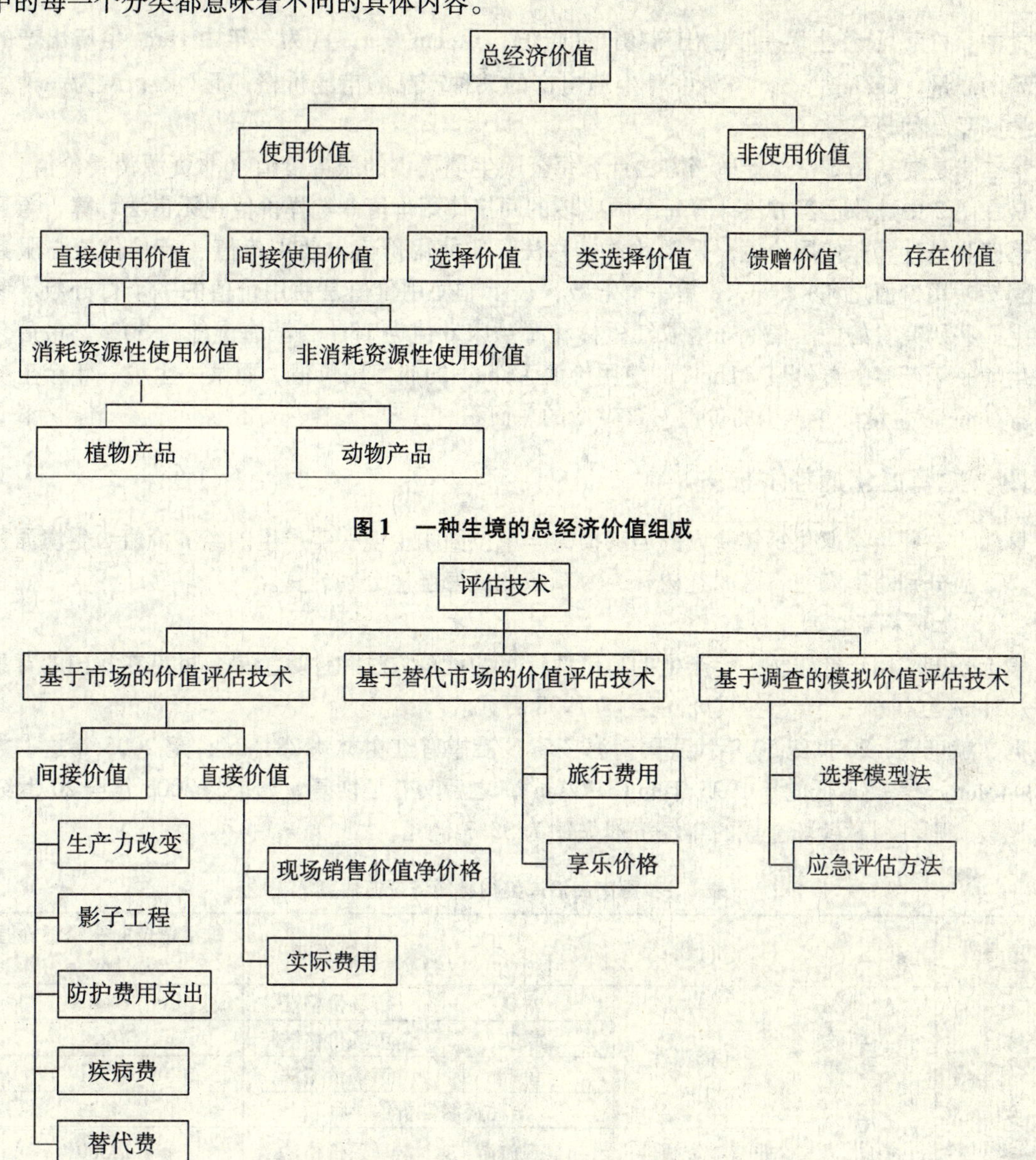

图1　一种生境的总经济价值组成

图2　经济评估技术分类

对不同的生境一年中产生的各种产品或服务价值要采用很多不同的方法来计算，如图2所示，而一种生境的某种产品或服务价值的计算往往需要相对应的特定方法。例如，红树林具有防风浪的功能，为了计算这种功能的服务价值就可以采用“影子工程法”及假定如果没有红树林人们就得建造海堤来防止风浪侵蚀海岸，建造和维护海堤的投入就是红树林提供的服务价值。进一步，红树林具有防止海啸的作用，如果没有红树林，人们又得进一步采取更多预防措施防止海啸，于是，就可以采用“应急评估法”来计算红树林提供的防止海啸的服务功能。又如滨海湿地通常是最重要的生物多样性载体，如果滨海湿地被毁掉就需要采取另外的替代措施以维持生物多样性，采取替代措施的费用就是滨海湿地提供维持生物多样性服务的价值。

一种生境能产生的总价值等于各种产品和服务价值之和。计算一种生境一年中产生的总价值需要五个步骤。第一步是采用式（1）计算每公顷生境提供的产品价值（资源消费价值）：

$$V = \sum_{i=1}^{n} Y_i \times P_i \tag{1}$$

式中：V 为 $1hm^2$ 生境一年中出产的产品价值，元/$hm^2 \cdot a$；Y_i 为一年中 $1hm^2$ 生境出产的某种产品的产量，kg/$hm^2 \cdot a$；P_i 为一种生境出产的某种产品的市场价格，元/ kg；N 为一种生境出产的产品品种数。

第二步是要从图 2 中选择适当方法计算每公顷生境提供的服务价值（非资源消费价值）。第三步是在图 2 中选取适当方法计算每公顷生境的间接使用价值。选择价值现无良法计算，暂且忽略。第四步是计算非使用价值，采用效益转移法：非使用价值 = 使用价值（产品价值与服务价值及间接使用价值之和）×p，p 是一个常数，表示非使用价值是使用价值的一个百分数。参照国际上一些研究者的做法偏保守地取红树林和海草床 p 值为 15%，滨海湿地为 30%。最后，一公顷生境一年产生的总价值 = $1hm^2$ 的使用价值 + $1hm^2$ 的非使用价值，而某一生境一年产生的总价值 = $1hm^2$ 该生境一年产生的价值 × 该生境的总面积。

四、生境退化的经济损失

显然，一种生境退化每年造成的经济损失 = 单位面积生境一年产生的经济价值 × 生境面积的减少。下面分别对南海三省区的红树林、海草床和滨海湿地分别计算。

（一）红树林毁坏的经济损失

表 1 列出了用于红树林一年产生的总价值计算的计算方法和计算结果。可见在我国的背景条件下，$1hm^2$ 红树林一年产生的总价值约为 19.8 万元。

据文献记载，20 世纪 50 年代我国南海三省区沿岸有红树林 $41281hm^2$，至 2005 年这一数字是 $23446hm^2$，其间最低的是 1995 年的 $13172hm^2$，之后又有了恢复。如果将 2005 年与 20 世纪 50 年代比较，则红树林毁坏造成的年经济损失约为 35.3 亿元。

表 1　我国南海沿岸红树林经济价值估算

序号	价值类型			估算方法	每年单位面积经济价值/（元/$hm^2 \cdot a$）
1	直接使用价值	消耗资源性	木材	市场价格法	1054.8
			果实	市场价格法	772.1
			鱼虾	市场价格法	32511
			消耗资源性价值小计		34338
		非消耗资源性	景观旅游	享乐价格法	14300
		直接使用价值合计			48638
	间接使用价值		养育场所	市场价格法	9762
			营养保持	市场价格法	86902
			岸堤防护	替代工程法	17194.7
			固碳	市场价格法	2500.6
			释放氧	市场价格法	3331
			间接使用价值合计	119690	
	使用价值合计				168328
2	总非使用价值			效益转移法	29705
3	总价值				198033

（二）海草床毁坏的经济损失

表2列出了用于海草床一年产生的总价值计算的计算方法和计算结果。可见在我国的背景条件下，1hm^2 海草床一年产生的总价值约为30.1万元。

海草床虽然是一种相当重要的生境，但在我国过去一直未受到应有的关注，因而有关记载十分缺乏。据2001年进行的调查，当时南海三省区沿海海草床为2471hm^2。另据有关资料推算，1999年约为2605hm^2，2005年仅剩1098hm^2。由此估算2005年与1999年比较，海草床损毁造成的年经济损失约为4.54亿元。

表2　我国南海沿岸海草经济价值估算

<table>
<tr><th>序号</th><th colspan="3">价值类型</th><th>估算方法</th><th>每年单位面积经济价值/（元/hm^2·a）</th></tr>
<tr><td rowspan="12">1</td><td rowspan="7">直接使用价值</td><td rowspan="5">消耗资源性</td><td>饲料原料</td><td>市场价格法</td><td>138</td></tr>
<tr><td>化妆品原料</td><td>市场价格法</td><td>6900</td></tr>
<tr><td>工艺品原料</td><td>市场价格法</td><td>3833</td></tr>
<tr><td>海草床经济动物</td><td>市场价格法</td><td>7787</td></tr>
<tr><td colspan="2">消耗资源性价值小计</td><td>18658</td></tr>
<tr><td>非消耗资源性</td><td>海草区养殖业</td><td>市场价格法</td><td>7560</td></tr>
<tr><td colspan="3">直接使用价值合计</td><td>26218</td></tr>
<tr><td colspan="2" rowspan="4">间接使用价值</td><td>养育场所</td><td>市场价格法</td><td>70436</td></tr>
<tr><td>营养循环</td><td></td><td>157717</td></tr>
<tr><td>岸堤防护</td><td>替代工程法</td><td>1587</td></tr>
<tr><td>间接使用价值合计</td><td>229739</td><td></td></tr>
<tr><td colspan="4">使用价值合计</td><td>255957</td></tr>
<tr><td>2</td><td colspan="3">总非使用价值</td><td>效益转移法</td><td>45169</td></tr>
<tr><td>3</td><td colspan="4">总价值</td><td>301126</td></tr>
</table>

表3　我国南海滨海湿地经济价值估算序号价值类型估算

<table>
<tr><th>序号</th><th colspan="3">价值类型</th><th>估算方法</th><th>每年单位面积经济价值/（元/hm^2.a）</th></tr>
<tr><td rowspan="11">1</td><td rowspan="5">直接使用价值</td><td rowspan="4">非消耗资源性</td><td>养殖业</td><td>市场价格法</td><td>3089</td></tr>
<tr><td>休闲娱乐</td><td>旅行费用法</td><td>1290</td></tr>
<tr><td>教育科研</td><td>权变估值法</td><td>3898</td></tr>
<tr><td colspan="2">非消耗资源性价值小计</td><td>8277</td></tr>
<tr><td colspan="3">直接使用价值合计</td><td>8277</td></tr>
<tr><td colspan="2" rowspan="5">间接使用价值</td><td>防灾减灾</td><td>替代成本法</td><td>5949</td></tr>
<tr><td>净化水质</td><td>影子工程法</td><td>2338</td></tr>
<tr><td>维持生物多样性</td><td></td><td>3634</td></tr>
<tr><td>水分调节</td><td></td><td>3200</td></tr>
<tr><td>间接使用价值合计</td><td>15121</td><td></td></tr>
<tr><td colspan="4">使用价值合计</td><td>23398</td></tr>
<tr><td>2</td><td colspan="3">总非使用价值</td><td>效益转移法</td><td>10028</td></tr>
<tr><td>3</td><td colspan="4">总价值</td><td>33426</td></tr>
</table>

（三）滨海湿地减少的经济损失

根据Ramsar公约的定义，这里讨论的滨海湿地包括了河口、潮间带、潟湖、小于6m水深的浅海及岩石海岸。表3列出了用于滨海湿地一年产生的总价值计算的计算方法与计算结果。可见在我国的背景条件下，$1hm^2$ 滨海湿地一年产生的总价值约为3.34万元。

根据文献发表的数据统计，我国南海三省区20世纪50年代有滨海湿地24447.79km^2，至2005年这一数据是15396.64km^2，其间最低的是20世纪90年代仅13459km^2，之后又有所恢复。如果将2005年与20世纪50年代相比较，则滨海湿地减少造成的年经济损失达302亿元。需要说明的是，在计算滨海湿地提供的价值时，已排除了红树林和海草床提供的价值，以避免重复计算。

五、结　语

根据本文研究结果，南海近岸海域污染和生境破坏所造成的经济损失是惊人的。每排放1t污水入海仅造成渔业损失就达0.19元，几乎相当于处理1t污水的费用的1/5。将2005年与20世纪50年代比较，仅南海三省区沿海的红树林、海草床与滨海湿地减少造成的年经济损失至少达342亿元。这说明了保护近岸海域和海岸带环境的极端重要性。

本文以2005年为计算年，所采用的价格只是当年的现价，加上有些价值或损失并未全部计算，如典型生境珊瑚礁的价值以及各生境的选择价值就未予计算，而污染损失仅计算了渔业损失，事故污染造成的损失也未纳入考虑。因此总起来说，计算结果是偏保守的。

本文采用的方法可以应用于那些需要进行生境价值和污染损失计算的情况，如建设项目的环境经济损益定量分析，但也需要在实际工作中进一步完善。例如滨海湿地可根据GIS和RS数据及现场调查，进一步按河口、潮间带、潟湖、浅水和岩石海岸分类以分别估算其产生的经济价值。计算方法和参数越合理计算结果当然就越精确。

参考文献

[1] Costanza R., d' Arge R., Groot R. D., et al. The Value of the world' s ecosystem services and natural capital. Nature, 1997, 387: 253-260.

[2] 刘国华，傅伯杰，陈利顶，等．中国生态退化的主要类型、特征及分布［J］．生态学报，2000，20（1）：13-19.

[3] 张乔民，隋淑珍．中国红树林湿地资源及其保护［J］．自然资源学，2001，16（1）：28-36.

简析我国建设项目环境监理工作的开展状况

丁真真[1,2]　高　榕[1,2]　王文东[3]　高　兵[1,2]

（1. 西安市环境保护科学研究院　陕西　西安　710002；
2. 西安市皓盛环境工程监理有限公司　陕西　西安　710002；
3. 西安建筑科技大学市政与环境工程学院　陕西　西安　710055）

摘　要　综述了我国建设项目环境监理工作的开展状况，从环境监理的发展背景、主要内容、适用范围、形式及工作程序等方面入手对建设项目环境监理进行了系统介绍。论述了我国建设项目环境监理工作目前存在的主要问题，并针对这些问题提出了行业发展的建议。

关键词　环境监理　建设项目　发展状况

一、建设项目环境监理的发展背景

我国对建设项目的环境管理实行的是建设项目环境影响评价和“三同时”两项制度[1]。由此现行的建设项目环境管理模式主要是针对项目环境影响报告的审批及工程竣工环境保护验收阶段的管理，即“事前”和“事后”的管理，而对环境影响报告批复之后、竣工环境保护验收之前的“事中”阶段产生的环境问题，没有行之有效的环境管理手段。

随着我国经济的快速发展，一些大型建设项目（如水利、交通、电力、化工、矿产资源开发等）发展迅速，这些建设项目建设周期长、占地面积大，主体工程配套的环保工程投资巨大，在施工阶段对当地生态环境的影响十分剧烈。如果处理不当，容易造成当地环境污染、景观环境破坏、生态环境功能恶化、配套的环保工程缺失等问题。对于这类建设项目在施工阶段造成的环境污染和破坏问题，目前以项目环境影响评价和“三同时”制度为主的现行环境管理模式并不能做到及时有效的反映。随着这一问题逐步受到人们的重视，建设项目环境监理应运而生。

在我国，将环境监理作为协调工程项目建设与环境保护的有效手段之一是从20世纪90年代开始的。当时我国为了减缓经济发展给环境带来的压力，相继在一些生态环境影响突出的国家重点工程开展了施工期工程环境监理试点，虽然此项举措取得了巨大的经济效益和环境效益，但是由于当时相关工程环境监理的法律依据、技术方法、标准规范、收费依据以及环境监理机构资质管理、人员培训及注册管理规定均未正式出台，使得环境监理作为一种环境管理手段未能大范围推广开来。直到2006年，河南省和深圳市先后颁布了《河南省建设项目环境保护管理条例（草案征求意见稿）》和《深圳经济特区建设项目环境保护条例》，首次对环境可能造成重大影响的建设项目施工期环境监理、环境监理竣工验收、工程环境监理机构的要求以及责任追究等内容作了较为明确规定。

二、建设项目环境监理的实施

（一）环境监理的目标和内容

环境监理工作的目标是确保建设项目环保设计和相关监理文件中提出的环保工作得到合理的实施，使环境影响报告中的环保要求得到落实，确保建设项目竣工后达到项目确定的环境保护要求[2]。按工程的阶段不同可将工程环境监理分为施工组织设计及施工准备阶段环境监理、施工阶段环境监理和项目试运行阶段环境监理。相关内容主要包括结合项目实际情况，协助业主进行环境管理，宣传环保知识，增强环保意识；监督施工单位采取有效措施将施工活动对环境的不利影响控制在可接受范围内，确保自然保护区、风景名胜区、水源保护区等环境敏感保护目标的保护措施落实；维护施工单位的权益，由此形成丰富完整的监理工作资料，为工程的环保竣工验收提供依据[3]。

（二）环境监理的适用范围

环境监理属于环境管理中的微观管理，目前我国环境监理是参照工程监理的做法和经验开展的，因此环境监理和工程监理在监理原则、程序、方法、手段、组织机构、运行模式上是相同的[4]。同时由于环境的复杂性和特殊性，环境监理有特殊的要求，与工程监理又有所不同。对于非污染型项目，如交通、铁路、水利、自然资源开发、林业、旅游及管线建设等，这些工程对环境的影响开始于勘探选线、重点发生于施工建设期，环境监理范围为施工区和工程影响区。

（三）环境监理的形式

对施工单位环保措施落实情况和工程质量进行监督和检查的形式主要有以下几种：

1. 旁站。环境监理人员一直坚守在现场，全过程检查施工作业可能出现的环境问题，如边坡开挖弃渣转运、表土剥离存放、基坑废水处理等。

2. 日常巡视。环境监理工程师对一些常规的项目进行巡回检查，如大气污染、噪声污染、环境卫生等。

3. 定时监理。根据工程的施工进度安排，到某一固定时段检查各项指标的执行情况，如爆破影响、蓄水前库底清理等。

4. 遥感。利用遥感信息如卫片、航片等进行解译和分析，宏观监控环境问题，如水土流失变化、土地利用变化、生态系统生产力变化等。

5. 监测。监理与监测密不可分，获取日常监理基础数据需要进行环境监测，在监理工程中若发生突发性的环境污染事故（如水处理设施停运或故障、设备噪声突变、水土流失加剧等），必须立即开展环境监测，获取可靠的现场资料，使环境监理执法有据可依。

环境监理的组织形式有两种：

1. 环境监理人员来自工程监理单位。环境监理和工程监理以项目监理单位的形式出现，监理单位中既有工程监理工程师也有环境监理工程师。

2. 环境监理人员来自独立于工程监理单位之外的环境监理单位。由于国内一般工程监理单位缺乏专业的环境监理人员且环保需进行专项验收，环境监理往往是由专门的环境监理单位承担的。

（四）环境监理的工作程序

建设项目环境监理工作已经总结出了一套较为系统和完整的管理体系和工作模式[5]。项目法人与监理单位依据已批准的环境影响报告书（表）、有关设计文件和有关法律法规签订环境监理合同；环境监理单位依据合同对各施工标段规定施工范围、环保内容和程序，建立施工期环境监理管理体系，明确有关方面的职责，通过一定的工作方式及制度开展工程环境监理工作。通过环境监理，保证将环境影响报告书（表）和设计中的环境保护措施落实到施工过程之中，实现施工期动态的、及时反馈的、全过程的环境管理，达到强化建设项目施工期环境保护的目的。

所有项目均需按照批复的环评要求开展工程环境监理工作。根据业主的监理招标文件和委托监理合同中所明确的监理单位的环境保护责任，组建项目监理部以后，根据监理规划制定环境保护监理细则，认真审批施工单位编制的施工组织设计中有关环境保护的措施、办法等。在施工阶段中，督促施工单位严格按照环境保护法律、法规、政策以及与建设单位签订的施工合同中的环境保护条款、环境影响报告书及审查意见和设计文件中的环境保护措施执行，分阶段向建设单位提交工程环境监理报告。竣工验收时，向建设单位提交工程环境监理总结报告，作为工程竣工环境保护验收的必备文件，主要工作程序如图1所示。

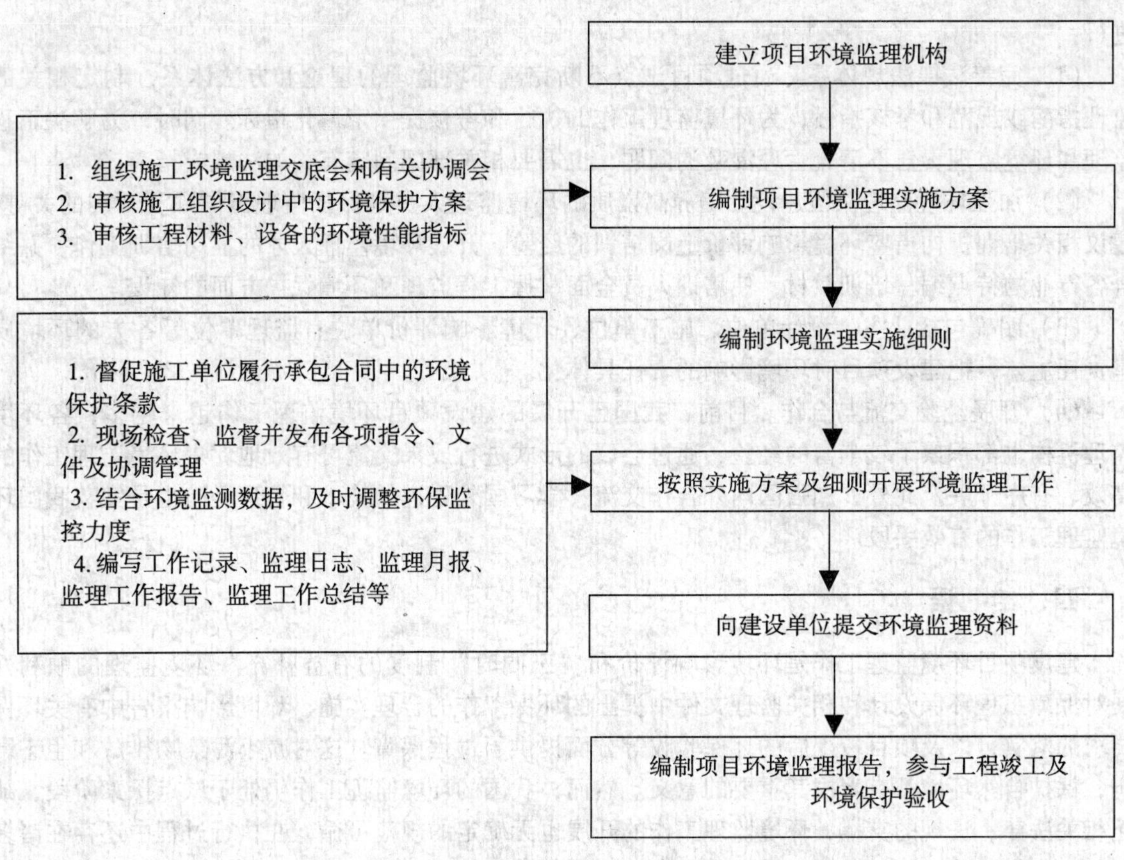

图 1　建设项目环境监理工作程序

三、建设项目环境监理存在的主要问题和建议

由于很多建设项目都具有影响范围广、影响因素多、施工标段较多等特点，使得建设项目环境监理的监理对象和外部接口也较多。这就要求环境监理人员需要具备扎实的专业知识和较宽的知识面。然而，由于我国建设项目环境监理工作目前仍处于探索阶段，既缺乏成熟的、可借鉴的经验和资料，又缺乏满足环境监理需要的工作人员，使得现有的环境监理工作存在诸多问题，主要表现为：

（1）环境监理工作内容、程序、方法以及监理组织模式等尚未发展成熟，监理缺乏依据[6]；

（2）机构之间缺乏协调。在工程建设过程中，管理体系主要由建设单位、施工单位、工程监理和工程环境监理单位组成。施工单位可能收到互相矛盾的监理指令；工程监理单位在工作中也存在一定的管理混乱现象；

（3）业主和工作人员对工程环境监理认识不够，使环境监理工作难以开展；

（4）建设项目施工期环境监理工作尚处于探索阶段，基础性研究较少[7]。

在工作方式方面，主要采取巡视检查为主，辅以必要的环境监测；但是由于行业特点不同，某些行业实施起来难度很大。例如铁路、公路项目，由于施工线路长，采取巡视的方式无法细致地开展工作。在工作记录方面，环境监理工程师要将每天的巡视结果写入监理日志、监理工作月报，由于缺乏统一的标准，各单位所做的工作记录在内容、格式等方面都差别很大；在处理环境事故方面，当环境监理单位对造成环境污染或生态破坏的施工单位下发整改通知单或指令时，往往用比较模糊的概念表述，缺乏有说服力的数据资料支撑，也会造成对同一个现象或问题，不同的人有不同的处理结果[8]。建设项目环境监理工作的制度化和规范化改革需从以下几个方面进行：

（1）完善法律法规体系。通过项目试点不断完善环境监理的理论和方法体系，制定相关的监理指南或规范和考核指标，为环境监理工作的执行和考核提供定量化指标。同时，为解决工程监理和环境监理责任不清，管理混乱的问题，也需要相关部门制定有关的法规或指南。

（2）加强环境监理队伍建设。培养高素质的环境监理人员是保证监理工作顺利开展的关键。建议相关培训机构借鉴环境影响评价上岗培训的经验，开展环境监理人才的上岗培训工作，并结合各行业的特点编写培训教材，使培训人员全面掌握工程监理和环境保护方面的知识。

（3）明确包括业主、设计单位、施工单位、环境影响评价单位、监理单位等各方的环境质量责任主体，把建设项目对环境影响的责任具体化。

（4）开展经验交流与合作。目前，我国已开展的建设项目环境监理工作越来越多，各环境监理机构也都积累了较丰富的经验，通过会议的形式进行成果交流可有效地促进环境监理工作的高效、有序开展。此外，加强国内外合作交流，学习国外先进的技术和管理经验也是完善我国环境监理工作的有效手段。

四、结　语

建设项目环境监理工作是环境影响评价和“三同时”制度的有益补充。环境监理的顺利开展对保障工程环保设计和相关监理文件中提出的环保工作的合理实施、环境影响报告中有关环保要求的落实，以及项目竣工后的环保验收等方面提供了过程保障。这对减小污染物排放和生态影响，保护自然环境都有着极其重要的意义。然而，我国的环境监理工作仍处于试点探索阶段，缺乏相关法律、法规的支撑，环境监理工作的开展也无确定的规范可循，在执行过程中还存在诸多问题。为保证建设项目环境监理工作的高效、有序进行，需要不断完善相关法律、法规，进一步提高环境监理人员的环保意识和专业技术水平，重视环境监理单位间的合作交流。

参考文献

[1] 环境影响评价岗位培训教材（试用）[Z]. 北京：国家环境保护总局环境影响评价司，2004.

[2] 张志强，焦德富，王子玉，等. 建设项目环境监理初探 [J]. 环境保护与循环经济，2009（2）：36－39.

[3] 程胜高，戴明新，安琪. 工程环境监理发展态势及其与环境评价关系 [J]. 环境科学与技术，2005，28（5）：63－65.

[4] 孔庆波. 建设项目环境监理方案初探 [J]. 中国环保产业，2008（7）：19－21.

[5] 马健，孙东坡. 环境监理在工程建设中的运作模式 [J]. 建筑经济，2008（S1）：26－29.

[6] 周闯，张蓉，史晓. 我国工程环境监理的发展态势及建议 [J]. 内蒙古环境科学，2009，21（1）：1－3.

[7] 杨超，鲍炯炯，夏文健. 工程环境监理在环境保护管理中的作用及前景展望 [J]. 环境污染与防治，2008，30（5）：104－105.

[8] 曹晓红，李继文. 建设项目工程环境监理中的问题和建议 [J]. 环境与可持续发展，2006（2）：14－15.

浅谈环境监理在建设项目环境管理中的作用及发展

朱恩云[1]　高　榕[1,2]　高　兵[1,2]

（1. 西安市环境保护科学研究院　陕西省西安市莲湖区报恩寺街中段　710002；
2. 西安市皓盛环境工程监理有限公司　陕西　西安　710002）

摘　要　环境监理可以有效地减少环境污染排放，降低建设项目资金浪费以及促进环保经济的发展，在我国环境保护工作中起着举足轻重的作用。我国环境监理工作经过短期的发展积累了许多宝贵的经验，也暴露出一些不足之处。文章总结了我国建设项目环境管理的现状，简要分析了环境监理在建设项目环境管理中的作用，并对其发展方向提出了具体的建议。

关键词　环境监理　建设项目　环境管理

引　言

长期以来我国建设项目环境管理主要是针对环境影响评价文件的审批和工程竣工验收阶段的管理，即“事前”和“事后”的管理，而对在环境影响报告批复之后，竣工环境保护验收之前的“事中”阶段的环境问题，尚没有行之有效的环境管理手段，只能靠业主的自律和政府部门的监督来进行管理[1,2]。

随着社会经济的快速发展和人们环保意识的不断提高，这种“事中”阶段管理薄弱甚至空白的“哑铃”状环境管理模式已不能满足现行的环保要求，不能及时有效地反映建设项目在施工期造成的环境污染、生态破坏及配套的环保工程缺失等问题。随着此类问题的日益加剧和人们逐步的重视，建设项目环境监理应运而生。

2002 年 10 月 13 日，国家环保总局会同铁道部、交通部、水利部等六部委联合发出《关于在重点建设项目中开展环境监理试点的通知》，决定在生态环境影响突出的国家 13 个重点建设项目中开展环境监理试点，对工程环保措施实施情况进行监理[3]。经过近 7 年的探索性发展，环境监理工作已取得了阶段性的成果。

一、环境监理的定义和内容

环境监理是指环境监理单位受业主委托，遵照国家和地方环境保护的法律法规，根据经批准的建设项目环境影响评价文件、设计文件及施工承包合同中关于环境保护的条款和与业主签订的环境监理合同，按照“守法、诚信、公正、科学”的原则，对建设项目环境保护“三同时”的实施情况和施工过程中影响环境的活动进行监督管理的行为，目的是保证工程施工阶段建设项目所在地的环境质量和“三同时”制度得到落实[4]。

环境监理的内容主要为两方面，一是对项目建设过程中污染环境、破坏生态的行为进行监督管理，如废水、废气、施工噪声等应达标，减少水土流失和生态环境破坏，可称为“施工期环保达标监理”；二是对为保护运行期和施工期的环境而建立的各环保工程的监理，确保“三同时”的实施，可称为“项目配套环保工程监理”[1,4]。

二、环境监理在建设项目环境管理中的作用

（一）监督工程建设单位在施工过程中的环境行为

环境监理单位通过对项目施工期产生的废水、废气、弃渣、噪声、扬尘等的控制管理，可有效减少项目建设过程中的污染排放，保护生态环境。如督促工程建设单位建设施工过程泥浆水沉

淀设施和生活污水处理设施、设立车辆冲洗台、定时洒水抑尘、禁止夜间施工、恢复生态、复绿植被等[5]。

（二）确保“三同时”措施的有效落实

环境监理贯穿整个项目施工阶段，可从开始阶段详细论证项目环保措施的可行性，发现问题并提出建议，监督建设单位按环评文件和相关法律法规的要求按时、按质落实“三同时”措施，并为“三同时”验收提供翔实可靠的资料，在一定程度上保证环保主管部门监管决策的正确性[6]。

（三）为企业提供技术服务，减少不必要的经济损失

目前，在大环境的影响下，企业的环境保护意识有了很大的提高，但是还很缺少专业的环保人才，在项目建设过程中单靠企业自身的努力很难做到全面地符合环保要求。此外，由于受人员数量等客观条件的限制，环保主管部门很难对建设项目的全过程进行监管，不能及时发现项目实施过程中存在的问题，经常发生项目建成后发现问题再进行整改的情况，给企业造成时间和经济上的损失。

通过引入环境监理，在项目环保工程实施过程中企业可及时得到专业的技术指导，避免此类问题的发生，减少因资金的重复投入而造成浪费。

（四）协调各方的关系

在项目建设过程中，建设方、群众、环保主管部门等各方的角度不同经常会发生一些冲突问题，如果问题得不到妥善地解决可能会影响工程进度。环境监理可通过多种方式进行调解，使得工程顺利进行。

（五）促进公众参与

为响应国家提倡公众参与环境监督管理的政策，建设项目施工期间环境监理机构可通过发放调查表、与群众交谈等方式了解公众对项目周边环境问题的意见，将问题反馈给建设方并提出解决问题的意见与建议，使项目施工过程对周围环境的影响降到最低[7]。

三、环境监理的发展建议

环境监理经过多年的摸索，在技术和管理方法上已取得了一定的成果，但仍处于探索阶段，存在一些不足之处，有待进一步规范和完善。

（一）确立法律支撑

在现有的环境法律体系中，环境监理制度还没有一个明确的法律地位，仅在一些地方性法规中得到明确。环境监理的开展可以确保环保设施的质量，并能实现企业外部经济效应内部化。但引入环境监理会给建设单位带来额外的投资负担，在我国的公众环保意识仍有一些淡薄的情况下，给环境监理的推广和普及造成了很大的障碍。因此，环境监理制度需要得到进一步的发展首先必须明确其在法律中的地位，使其“有法可依”。

（二）培训专业人员

由于环境监理的发展时间较短且综合性强，因此相关的专业人才较为贫乏。现有的大部分从事环境监理的人员要么缺乏相关的环保知识，要么在工程监理领域中知之甚浅，人员的知识结构和综合素质良莠不齐[8]。具有相关资质的环境监理单位也很少，有的单位甚至只有二、三个人，阻碍了环境监理的健康发展。培训相关的环境监理技术人员是保证环境监理工作顺利发展的前提。

（三）规范技术标准

环境监理工作的理论基础研究目前还很贫乏，在管理体系及工作方式方面不够完善，没有统一规范的技术标准。在施工过程中产生的环境污染没有统一的量化标准，对监理单位的工作评估

也无法衡量，影响了环境监理制度有效推行[9]。建立统一的环境监理技术标准，量化各项监理工作管理指标体系和监理工作评估体系，是推进环境监理工作的核心问题。

（四）拓宽环境监理范围

我国的环境监理范围还局限在建设项目的施工期。在实际工作中有很多环保方面的问题出在施工阶段前，这些问题在施工阶段解决起来非常困难。且这种事先准备不充分很容易导致项目决策的失误、浪费时间及资源，给项目施工带来不必要的麻烦。环境监理贯穿于建设项目的始末，有助于施工阶段监理工作的顺利开展，使建设项目的环境管理更加完善有效。另外，我国的环境监理工作主要是依靠试点项目带动并借助行政力量进行推动，没有在建设项目中普及。在建设项目中普及环境监理是促进我国环保工作的有力手段之一。

（五）统一资质管理

目前，环境监理管理模式及从业资质主要分三种情况：①辽宁省和青海省规定从业机构需具备建设项目环境影响评价资质，由省级环境保护行政主管部门对其环境监理资质统一审核认定，并进行工作指导和管理；②陕西省和浙江省的从业机构需具有建设行政主管部门颁发的工程监理资质证书，其工作由环保和建设行政主管部门共同组织管理；③交通行业要求业内从事环境监理的机构应具备工程监理资质并经过环境保护业务培训，其工作的组织管理由各级交通主管部门负责[6]。这种不统一的准入条件限制了环境监理从业机构的横向发展，不利于环境监理制度的推广。在明确法律地位、确定管理主体的基础上，还需制定并发布环境监理资质的管理规定。明确环境监理资质的准入条件，建立完善的考核与监督机制，将促进环境监理工作的跨行跨区域发展。

四、结　语

环境监理是一项涉及范围广、内容繁杂、专业性强的新型环保行业，在我国环境保护工作中的地位越来越显著。环境监理可以有效地减少环境污染排放，降低建设项目资金浪费以及促进环保经济的发展。然而我国环境监理工作还处于发展初期，存在许多不足之处。在今后的发展中，规范和完善环境监理工作是我国环境保护工作的重要内容。

参考文献

[1] 李凌．浅谈环境监理的发展［J］．福建轻纺，2006，(9)：47－49.

[2] 毕安波．浅谈建设项目环境监理工作的作用［J］．中国环保产业，2008，(6)：36－38.

[3] 谢建宇，马晓明．环境监理与工程监理的比较及发展建议［J］．四川环境，2007，26（2)：109－112.

[4] 姚晓军，王伯铎，高兆瑞．建设项目环境监理培训教材（试用）［M］．西安：陕西省环境保护保护厅环保产业管理中心，2009.

[5] 杨超，鲍炯炯，夏文健．环境监理在环境保护管理中的作用及前景展望［J］．环境污染与防治，2008，30(5)：104－105.

[6] 谭民强，步青云，蔡梅，等．关于建立环境监理制度的问题分析与对策探索［J］．环境保护，2009，418(4B)：60－63.

[7] 李庆华．关于建立环境工程监理制度的思考与建议［J］．中国环境管理，2007，(1)：27－28.

[8] 曹晓红，李继文．建设项目环境监理中的问题和建议［J］．环境与可持续发展，2006，(2)：14－15.

[9] 林鑫海，潘哲明，胡桂昌．工业类建设项目环境监理制度的实践与思考［J］．环境科学与管理，2008，33(2)：10－12.

中国城市生活垃圾的环境管理政策分析

肖翠翠　杨姝影

（环境保护部环境与经济政策研究中心　北京　100029）

摘　要　本文针对中国城市生活垃圾问题，对其管理政策进行了分析，首先分析了城市生活垃圾管理政策的目标，其次分析了城市生活垃圾管理的政策体系框架，然后对城市生活垃圾管理的利益相关者的责任机制以及政策的实施机制进行分析，对我国城市生活垃圾管理政策的实施效果进行评估，并提出了相关政策建议。

关键词　城市生活垃圾问题　环境管理　政策体系

城市生活垃圾（MSW）通常用来指在城市区划内各种形式收集的人类生活活动中产生的垃圾。包括居民垃圾、街道清扫物、市场垃圾、商业垃圾和建筑垃圾中可燃部分。本文针对中国城市生活垃圾问题，对其管理政策进行了分析，并针对城市生活垃圾管理政策中可能存在的问题，提出了相关建议。

一、我国城市生活垃圾问题管理的目标

由于我国经济和社会的发展，城市人口不断增加，由城市生活垃圾带来的环境问题日益突出，成为制约经济和社会发展，影响人民生活质量的重要因素。据调查由各种方法处理的生活垃圾大约只占生活垃圾总排放量的50%，而能够达到要求的无害化处理标准的就更少。很多生活垃圾仍然没有经过处理，而是露天堆放，不仅占用了大量的土地资源，也严重污染了周围的环境。

因而，对我国城市生活垃圾进行合理而规范的管理变得非常有必要。对我国城市生活垃圾管理的最终目标是为了防治生活垃圾污染环境，保护人民的身体健康和促进环境的可持续发展。具体来说，城市生活垃圾管理包括对生活垃圾逐步实行分类收集、运输和处理，采用各种相应的方法处理生活垃圾使其达到减量化、资源化、无害化，从而减少对环境的污染。

二、城市生活垃圾管理政策体系框架

《中华人民共和国固体废物污染环境防治法》适用于中华人民共和国境内固体废物污染环境的防治。固体废物污染海洋环境的防治和放射性固体废物污染环境的防治不适用本法。城市生活垃圾管理政策体系清单如下。

	政策名称	颁布机关	实施机构
法律	环境保护法（1989）	全国人大常委会	各级环境保护主管部门
	固体废物污染环境防治法（1995）	全国人大常委会	各级环境保护主管部门
	清洁生产促进法（2000）	全国人大常委会	各级发展和改革委员会
	环境影响评价法（2002）	全国人大常委会	各级环境保护主管部门
行政法规	国务院关于环境保护的决定（1984）	国务院	各级环境保护主管部门
	国务院关于进一步加强环境保护工作的决定（1990）	国务院	各级环境保护主管部门

	政策名称	颁布机关	实施机构
行政法规	建设项目环境保护管理条例（1998）	国务院	各级环境保护主管部门
	排污费征收使用管理条例（2003）	国务院	各级环境保护主管部门
	国务院办公厅关于开展资源节约活动的通知（2004）	国务院	各级发展和改革委员会与各级环境保护主管部门
	国务院关于做好建设节约型社会近期重点工作的通知（2005）	国务院	各级发展和改革委员会与各级环境保护主管部门
	国务院关于加快发展循环经济的若干意见（2005）	国务院	各级发展和改革委员会与各级环境保护主管部门
	国务院关于加快发展循环经济的若干意见（2006）	国务院	各级发展和改革委员会与各级环境保护主管部门
	国务院关于落实科学发展观加强环境保护的决定（2006）	国务院	各级发展和改革委员会与各级环境保护主管部门
	国务院关于落实科学发展观加强环境保护的决定（2006）	国务院	各级发展和改革委员会与各级环境保护主管部门
	国务院关于印发国家环境保护“十一五”规划的通知（2007）	国务院	各级环境保护主管部门
	国务院办公厅关于限制生产销售使用塑料购物袋的通知（2007）	国务院	各级环境保护主管部门
部门规章	城市生活垃圾处理及污染防治技术政策（2000）	原国家环境保护总局	各级环境保护主管部门
	清洁生产促进法（2000）	原国家环保总局、卫生部、建设部、水利部、国土资源部	各级环境保护主管部门
	排污费征收标准管理办法（2003）	国家发改委、财政部、原国家环保总局	各级环境保护主管部门
	废电池污染防治技术政策（2003）	原国家环境保护总局与国家发展和改革委员会、建设部、科学技术部、商务部	各级发展和改革委员会与各级环境保护主管部门
	排污费资金收缴使用管理办法（2003）	财政部、原国家环保总局	财政部门、各级环境保护主管部门
	地方环境质量标准和污染物排放标准备案管理办法（2004）	原国家环保总局	各级环境保护主管部门
	固体废物鉴别导则（2006）	原环保总局、发改委、商务部海关总署、质检总局	各级发展和改革委员会与各级环境保护主管部门
	再生资源回收管理办法（2007）	商务部、发展改革委、公安部、建设部、工商总局、原环保总局	各级发展和改革委员会与各级环境保护主管部门

三、中国城市生活垃圾管理的体系

我国已经初步形成了城市生活垃圾管理的体系，从政策的权威层次来看，有法律、行政法规、部门规章三个层次组成。《环境保护法》规定：我国环境保护法的目的是保护和改善生活环境与生态环境，防治污染和其他公害，保障人体健康，促进社会主义现代化建设的发展；《环境保护法》把环境保护纳入国民经济和社会发展规划；规定实施环境影响评价制度、“三同时”制度、排污收费制度等。《固体废物污染环境防治法》是针对固体废物污染防治的专门法律，在第三章第三节中专门规定了对生活垃圾污染环境的防治，对城市生活垃圾的收集、运输和管理都作了较为详细的规定。

在此基础上，有关城市生活垃圾管理的一些部门规章和行政法规也正在不断地完善和进步。近年来，随着城市垃圾处理技术的迅速发展，建设部、环境保护部、科技部等部门正在制定新的技术政策，将垃圾的污染治理的策略和方向从单纯的“末端治理”转向“源头减量”和“回收利用”，并积极推动城市生活垃圾的综合管理，以实现可持续发展的目标。

四、城市生活垃圾问题管理中利益相关者分析

城市生活垃圾管理工作中的利益相关者主要包括：立法机构、中央政府、地方（县市）政府、各级环境保护部门、城市居民。在城市生活垃圾管理体系实施的过程中，根据《中华人民共和国固体废物污染环境防治法》及其实施细则，不同干系人在城市生活垃圾管理工作中承担不同的资金责任、履行责任和监督责任。

立法机构：包括全国人大、地方人大。负责制定国家和地方层次的与城市生活垃圾管理有关的法律。

中央政府和地方政府：中央政府和省级地方政府在城市生活垃圾管理工作中应起宏观调控的作用。环境保护部负责制定城市生活垃圾处理标准等，地方政府是城市生活垃圾管理工作的实施主体。

各级环境保护部门：环保部门主要是对政策的管理实施进行监督和督促，在城市生活垃圾方面，对生活垃圾处理设施的统一监督和管理，制定垃圾处理的环境保护标准，并通过环境影响评价、现场检查、环境监测等方式监督垃圾处理单位执行国家的有关法规和标准。

城市居民：由于城市生活垃圾要进行集中收集和处理，城市居民应缴纳一部分垃圾处理费，城市中的所有单位和居民都应当维护环境卫生，遵守当地有关规定，不得乱倒、乱丢垃圾，培养良好的卫生习惯。

五、中国城市生活垃圾问题的管理机制

环境卫生行政主管部门组织对城市生活垃圾进行清扫、收集、运输和处置，通过招标等方式选择具备条件的单位从事生活垃圾的清扫、收集、运输和处置。我国大部分城市环境卫生管理目前实行市、区、街三级管理体制为主，即：市设环卫处、区设环卫所、街道设环卫站。城市环境卫生管理处是各个城市负责环境卫生管理的职能部门，主要职能是贯彻执行环境卫生管理法规、政策，制定本市环境卫生管理规划和实施计划，对全市环境卫生实行行业管理，人、财、物则下放给各区；各区环卫所负责辖区内环卫行业的业务指导，垃圾的清运、转运站管理等任务；街道环卫站主要负责辖区内主、次干道的清扫保洁，以及居民生活垃圾的收集等。至于垃圾的收集和处理，目前一般由垃圾综合处理场负责。

六、城市生活垃圾管理政策资金机制

目前中国大多数城市，城市生活垃圾管理方面的费用几乎都是由政府开支的。环境卫生的固定资产投资主要来源于城市财政；城市生活垃圾清运及处理设施的运行维护费用主要也来源于城市财政，部分是通过向垃圾产生单位提供有偿清运服务的方式筹集。近年来，部分城市开始改革环境卫生管理体制和运行机制，把政府管理职能和企业经营职能分开，把从事城市生活垃圾清运、处理的单位从事业机构转变为企业并逐步推向市场。

在城市生活垃圾管理的过程中，主要包括以下几方面成本：

1. 行政管理涉及城市生活垃圾管理机构、办公室和一般管理费用等；

2. 收集和运输包括采购车辆和辅助性设备所需要的投资及财务费用、维修费用、人力资源等方面支出；

3. 分拣中心、转运站和垃圾处理包括投资及财务费用、能源和环保措施等方面的支出。

如果不给城市生活垃圾管理予以补贴的话，城市生活垃圾管理所需的最低费用就是上述成本的总和。为了获得适当的资金，要充分考虑所有这些成本因素。

1990 年以前，城市政府在生活垃圾处理方面的投资非常少。1990 年以后，特别是 1998 年以来，政府对生活垃圾处理的投资才有了较大幅度的提高。我国用于城市市容环境卫生的固定资产投资在城市市政设施总投资中所占比例普遍偏低，市容环境卫生维护建设资金支出在城市维护建设资金总支出中的比例也偏低。

七、中国城市生活垃圾管理体系存在的问题

虽然近年来，我国城市生活垃圾管理体系正在不断的完善，生活垃圾处理技术和能力也明显提高，管理水平更有所上升，但总体而言，我国城市生活垃圾管理中仍然存在着一些问题和不足，比如生活垃圾处理能力依然偏小，技术水平偏低，垃圾处理设施不完备，城市生活垃圾污染依然较严重，而且垃圾堆置侵占土地，严重影响了城市发展。

1. 我国城市生活垃圾处理市场机制和相应的政策体系还不完善

垃圾处理的经费主要靠财政拨款，大部分城市缺口较大，没有可靠的保障。特别是城市生活垃圾处理设施的建设和运行维护费用，更是各个城市政府部门的沉重负担，垃圾处理设施建设滞后，城市生活垃圾无害化处理水平与城市经济发展水平不协调。与行业间的分割，各部门和资源的回收利用分割开来，缺乏直接的联系和统一协调，影响了城市生活垃圾的减量化和资源化。

2. 我国城市生活垃圾处理技术力量不高，技术政策没有完全适应新情况

随着经济社会的发展，城市生活垃圾成分发生了明显变化。如有机物的不断增加和由于塑料、纸张等造成的污染，还有一些可回收的资源并没有得到有效的回收利用。

3. 环境保护部门监督力量相对薄弱，城市生活垃圾处理管理需进一步完善

由于我国生活垃圾无害化处理起步晚，城市环保部门的监管力量、监管手段、监测仪器和设备比较薄弱，监测经费都比较紧张。因此，目前仅有少数城市将生活垃圾处理设施的污染防治纳入日常监管工作中。环保部门推动生活垃圾无害化处理工作的力度需要进一步加大。

4. 公众对生活垃圾的管理参与不够

一些法律法规规定的生活垃圾排放和分类标准，公众对其还不是很了解，无法更好地参与其中并发挥其应有的作用。例如，公众由于不会分辨可回收和不可回收的垃圾，造成了垃圾分类上的一些困难。

八、对于我国城市生活垃圾的管理提出的一些建议

针对我国城市生活垃圾管理体系中存在的一些问题，提出了相关建议。

1. 进一步完善我国城市生活垃圾处理管理的相关法规，为城市生活垃圾处理提供良好的政策保障。建议将法律法规中的要求和标准更加明确和细化。明确各级管理部门之间的责、权、利，尽快完成由事业单位管理向经营服务性管理的转换。

2. 实行垃圾分类收集。城市生活垃圾分类收集，是从垃圾产生的源头，按照不同的处置方式要求，将垃圾分类收集、储存及运输的垃圾收运方式。此外，分类收集还应考虑“便民性”。垃圾分类细，虽然便于垃圾综合治理，但却使市民可操作性差而不利于分类的推行。“便民性”是垃圾分类收集得以推行的关键因素之一。例如福州市实行的垃圾分类政策中，对于家庭中一般生活垃圾，将其分为两类，一类称为“厨房垃圾”，主要收集食物残羹等；另一类垃圾称为“客

厅垃圾”，主要收集除厨房之外的干垃圾（如纸张、易拉罐、玻璃瓶等）。对于垃圾投放点，每个点相应设置两个投放桶，用不同颜色标识。比如用黑色桶装“厨房垃圾”，用红色桶装“客厅垃圾”，前者最终去向用于堆肥，后者由于不受食物残羹污染便于回收利用。

3. 制定生活垃圾综合处理利用办法。建立可再生利用生活垃圾的强制制度和义务回收制度，规定可再生利用生活垃圾的最终接收单位，确保可再生利用生活垃圾得到充分回收和利用。鼓励企业参与生活垃圾资源的开发利用。

4. 在垃圾处理的资金机制方面，由于垃圾处理这项社会公益事业的特殊性，对从事这项工作的环卫职工，应在有关方面给予必要的倾斜政策，在财政、税收上给予一定的优惠政策，例如工资补贴或者物质激励，如垃圾处理费和社会服务费免收调控基金。同时，可适当加大每年对垃圾处理基础设施建设资金的投入的数额和比例。

5. 通过对公众的宣传教育，从源头上减少城市生活垃圾的产生。充分发挥公众的力量，使目前的环境状况和形势更加公开化和更具透明度。同时为他们提供垃圾分类知识的普及，利用媒体和学校等渠道，使越来越多的民众获知他们所处的环境情况和相关数据，认识目前所存在的环境问题。使人们对未来充满信心，认识到自己所做的任何对环保有利的行为都会对整体环境改善起到很重要的作用，鼓励人们坚持自己对环保所做出的努力。

参考文献

[1] 吴继霞．当代环境管理的理念建构［M］．北京：中国人民大学出版社，2003.
[2] 吕伟，阎玉虎．固体废物的环境管理［J］．环境卫生工程，1999（12）．
[3] 陶渊，黄兴华，等．城市生活垃圾综合处理导论［M］．北京：化学工业出版社，2006.
[4] 徐文龙，卢英方．城市生活垃圾管理与处理技术［M］．北京：中国建筑工业出版社，2006.
[5] 王景伟，徐金球．欧盟电子废弃物管理法立法简介［J］．国外环保动态，2004（10）．
[6] 王丽．浅谈固体废弃物的处理与污染防治［J］．江苏环境科技，2004（12）．
[7] 廖银章．国外城市生活垃圾管理政策及启示［J］．软科学，2000（1）．
[8] 李咏絮．挪威固体废弃物政策给我国的借鉴［J］．环球视角，2006（8）．
[9] 杨华峰，冯俊文．发达国家发展循环经济的经验及启示［J］．财经理论与实践，2006（2）．
[10] 王琪．我国城市生活垃圾处理现状及存在的问题［J］．环境经济杂志，2005（10）．
[11] 郭一帆．我国城市固体废弃物排放现状及其综合整治规划初探［J］．北方经贸，1997（5）．
[12] 刘常青，陈健飞．福州市城市生活垃圾管理体制与政策措施探讨［J］．中国人口·资源与环境，2003（1）．
[13] 江源．城市生活垃圾收费中的问题与对策［J］．科技导报，2001（6）．
[14] 王建明，彭星闾．城市固体废弃物规制政策研究综述——推进循环经济的前沿领域［J］．外国经济与管理，2006（9）．
[15] 邹成俊，赖长浩．固体废物资源化产业发展路径探［J］．中国环保产业，2005（11）．

中国碳减排方案及其推进机制探讨

曹　宝[1]　罗　宏[1]　王秀波[2]

（1. 中国环境科学研究院　北京　100012；2. 中国国土资源经济研究院　北京　101149）

摘　要　应对气候变化，减少温室气候排放已成为国际社会的普遍共识。当前我国的碳排放总量仅次于美国，成为全球第二大碳排放国，碳减排的国际压力日益突出。一方面，要在国际气候谈判中争取更大的发展空间；另一方面，要研究和探索经济、可行的低成本碳减排行动方案。针对我国的实际情况，在兼顾公平发展、互惠互利和低成本减排的原则下，对碳减排驱动机制进行了分析，提出了“双线一控”的碳减排行动方案，并对其配套制度与推进机制进行了分析和探讨，为我国区域碳减排行动方案的研究与制定提供了新思路和方法。

全球变暖已成不争的事实，鉴于气候变化的全球性、复杂性，以及对全人类的生存与发展构成巨大挑战，国际社会一直为如何应对气候变化问题进行着不懈的努力。1997 年 12 月通过的《京都议定书》，标志着各国政府第一次考虑接受具有法律约束力的限控或减排温室气体的义务，并把“共同但有区别的责任”作为各国开展国际合作的基本原则，在《联合国国际气候变化框架公约》下共同应对气候变化的挑战。尽管国际社会已经意识到气候问题的严重后果，但国际社会还在为“谁应为气候问题埋单”进行着艰难的博弈。对选择什么样的碳减排行动方案，以及行动方案的指标选择、阶段目标设定、技术和资金转让等问题展开激烈的竞争，以期为自身谋取更大的发展空间。在未来的国际气候谈判中，发达国家与发展中国家间对碳减排行动方案的争论将继续进行。但无论国际谈判结果如何，穷人采用技术或改变其社会行为的能力有限，在应对国际气候变化中始终处于劣势。在应对气候变化的博弈中，发展中国家与发达国家相比将面对更大的压力和挑战。我国正处于快速工业化和城市化的进程中，能源消费会进一步增加，且能源结构以煤为主、经济增长方式粗放；由于历史原因，我国经济发展中不平衡、不协调、不可持续等深层次问题尚未得到根本解决。当前我国的碳排放总量仅次于美国，成为全球第二大碳排放国，碳减排的国际压力日益突出。

一、碳减排驱动力分析

政府间气候变化专门委员会（IPCC）公布的《第四次评估报告（AR4）——“气候变化2007”》，指出人类活动尤其是化石能源燃烧带来的长生命周期的 CO_2 排放对于全球气候变化产生重大的影响，诸如冰川融化、海平面上升、洪水、干旱、生态系统破坏、粮食减产等[1]。2006 年，英国政府公布的《斯特恩的报告》对全球变暖的经济影响做了定量评估，认为气候变化的经济代价堪比一场世界大战的经济损失，如果不及早采取行动，未来将会造成高达 20% 的损失[2]。应对全球气候变化，减少温室气体排放已成为国际社会的共识。

因此，2003 年英国首先提出了“低碳经济”（low carbon economy）发展的目标[3]以应对全球气候变化，减少温室气体排放。欧盟各国、日本等发达国家纷纷响应，制定本地区、本国“低碳化”的发展目标和政策措施，抢占低碳经济发展的先机。低碳经济已成为世界潮流，将引领全球生产模式、生活方式、价值观念和国家权益所发生的深刻变革[4]。目前，中国与能源相关的 CO_2 排放已位居世界第二[5]，预计到 2030 年，CO_2 排放总量很可能超过美国，居世界第一位[6]。2005 年《京都议定书》正式生效，后京都议定书的谈判正在紧锣密鼓地进行之中。

剩余的 CO_2 排放空间严重不足以及历史上各国的不均衡排放，是当前国际气候谈判面临的最大挑战。经济腾飞需要消耗大量的能源，而化石能源在能源消费结构中占主导地位，任何国家或地区要减少温室气体排放，改变当前这种高度依赖化石能源的经济发展模式，都要在短期内付出高昂的代价。发达国家在自身发展过程中排放了大量的 CO_2，而 CO_2 在大气中具有累积效应，从而引发全球气候变暖问题。要遏制全球气候变暖的趋势，就要控制进入大气中的 CO_2 总量。由于发达国家严重透支了发展中国家在经济发展过程中应当享有的 CO_2 排放权利，导致大气中剩余的 CO_2 排放空间严重不足。

中国作为发展中国家，尽管目前没有减排义务，但感受到了非常现实的压力[7]。作为负责任的发展中大国，中国政府高度重视全球气候变化问题，积极采取有效措施减少温室气体排放，并明确提出了 CO_2 减排目标“到2020年单位国内生产总值二氧化碳排放比2005年下降40%～45%”。如何在可持续发展的前提下缓步推进工业化和城市化的进程，并实现既定的减排目标将成为中国必须面对的重大机遇和挑战。

综上所述，碳减排的驱动力主要有：应对全球气候变化，减少温室气体排放是国际社会的共识；碳减排将影响一个国家或地区的经济发展和综合竞争力，争取更大的碳排放空间成为国家和地区竞争的焦点；低碳经济已成为国际发展的主流，碳减排既是承担国际责任的需要，也是国家或地区社会经济可持续发展的重大机遇和挑战。

二、“双线一控”碳减排方案

由于气候变化的影响遍及全球、持续时间长，而且与化石能源的消费密切联系，直接关系到各国的发展空间[8]。在决定采取什么样的碳减排行动方案之前，必须要明确各个国家的可用碳排放空间，即碳排放权配额；碳排放配额确定之后，各个国家就可以根据各自的发展情况，决定采取什么样的碳减排行动方案。因此，国际组织和专家对碳排放权分配方法进行了大量的研究，比较有影响力的分配方法主要有：趋同方法、紧缩与趋同法、RIVM（荷兰国家公众健康与环境研究所）的逐渐参与法、RIVM 的多阶段法、Triptych 方法、多部门趋同方法、基于碳排放强度下降的替代方案、二元强度目标法、SD－PAMs（可持续发展政策与措施）法等[9-13]。

总括国内外提出的各种排放限额分配方案，基本属于两类。一类是部分发达国家提倡的，以当前排放现状和长期全球减排目标下的人均排放趋同为基础，是基于现实共同分担的原则，忽视公平性。另一类是部分发展中国家倡导的，以人均累积排放量为基础，考虑历史责任，并强调公平原则[14]。以上碳排放权分配方法多为国际组织或发达国家提出的，大多对发达国家有利；而中国学者提出的基于“人均”或“人均累积”标准/原则的分配方法，对发展中国家十分有利。到目前为止还没有提出国际社会普遍认可的碳减排分配方法，国际碳减排方法和行动方案还有待深入研究。笔者认为，中国应首先在国内进行碳减排行动方案的探索性研究，在兼顾公平发展、互惠互利和低成本减排的原则下，摸索低碳经济发展之路。

在对国内外碳减排行动方案及其碳权分配方法进行总结和分析的基础上，笔者提出了“双线一控”的碳减排行动方案及其碳权分配原则。所谓“双线一控”，是指以整个区域的人均碳吸收量——碳汇量（L_b）和人均累积碳排放量（L_a）为考核基准线，控制基准年到目标年期间整个区域的碳排放总量（$Q_总$）。“双线一控”碳减排方案下碳排放总预算及各地区可用碳排放配额示意图（见图1）。

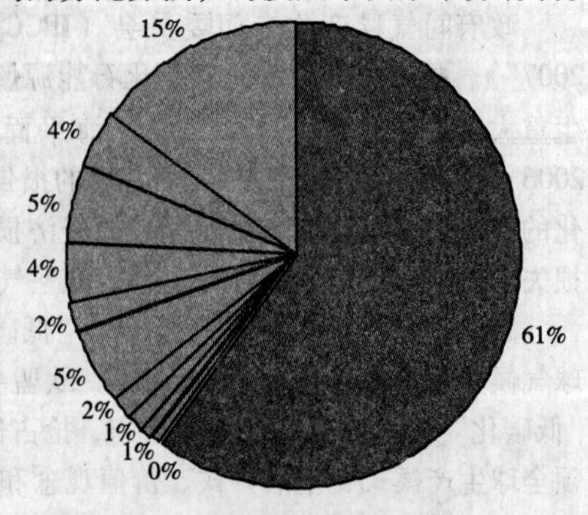

图1　碳排放总预算及各地区可用碳排放配额示意图

（一）“双线一控”碳减排方案设计思路

应对全球气候变化的主要措施是减少温室气体排放和增加碳汇，因此，“双线一控”碳减排方案的设计思路是，建立可以降低区域人均碳排放量和增加区域人均碳汇量的双线驱动机制，实现推动整个区域碳排放量递减和碳汇量递增的目标，促进低碳经济的发展。总体减排思路设计如图2所示，其中 t_0 为基准年，t_1 为规划目标年。

（二）“双线一控”碳排放权分配方法

（1）首先根据区域的社会经济发展中长期规划目标，设定不同的情景模式，预测现在至目标年期间整个区域的能源需求水平和 CO_2 排放量（Q_2）；

（2）选定某一历史年作为基准年，计算整个区域的历史累积碳排放量（Q_1）；

（3）计算从基准年到目标年期间整个区域的累积碳排放总量（$Q_{总} = Q_1 + Q_2$）；

（4）计算从基准年到目标年期间整个区域的人均累积碳排放量（$L_a = Q_{总}/P_{总}$）；

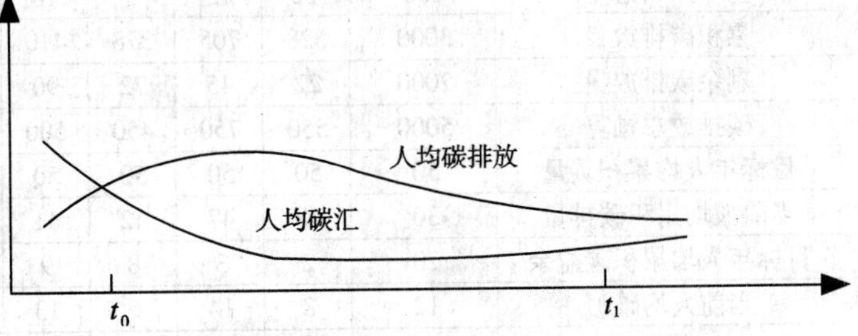

图2　碳减排方案设计思路示意图

（5）根据各地区基年常住人口数量（P_n），计算各地区的可用碳排放配额（$Q_n = L_a \times P_n$）；

（6）分别核算各地区的碳汇量（$H_{总}$）和人均碳汇量（$L_n = H_n/P_n$）；

（7）计算整个区域的碳汇总量（$H_{总}$）$= \sum H_n$）和人均碳汇量（$L_b = H_{总}/P_{总}$）。

（三）碳排放权分配及考核方法

1. 以两条基准线（L_a 和 L_b）为参考，以选定的时间单位（如一年或五年）为考核期，对地区人均累积碳排放量（L_n）和地区人均碳汇量（H_n）进行考核，可以分为四种情景：

（1）若（$L_n \geq L_a$ 且 $H_n \geq L_b$），则该地区存在人均累积碳排放赤字和人均碳汇盈余，需要承担碳减排任务，允许用本地区碳汇盈余抵扣其碳减排任务；

（2）若（$L_n \geq L_a$ 且 $H_n < L_b$），则该地区存在人均累积碳排放赤字和人均碳汇赤字，需要承担碳减排和增加碳汇的双重任务；

（3）若（$L_n < L_a$ 且 $H_n \geq L_b$），则该地区存在人均累积碳排放盈余和人均碳汇盈余，可以出售其碳排放盈余或碳汇盈余；

（4）若（$L_n < L_a$ 且 $H_n < L_b$），则该地区存在人均累积碳排放盈余和碳汇赤字，不承担碳减排任务，也不允许出售其盈余的碳排放权，但须承担增加碳汇任务。

2. 地区碳减排及增加碳汇的调控机制

（1）区域按碳权或碳汇交易的一定比例（如2%）征收管理费，用于建立碳减排基金和碳汇林的管理；

（2）地区出售碳排放权盈余或碳汇盈余所得收入不得超过其上一年 GDP 总量的一定比例（如10%），增加碳汇林所得收入不受此款限制；

（3）有碳减排或增加碳汇任务的地区，当年碳减排投资不得低于其 GDP 一定比例（如0.5%），若低于此比例，则上级政府或国家通过转移支付的形式将其差额从地区财政收入中直接划入碳减排公益金账户，用于支持该地区的碳减排公益项目；

（4）国家在每年的财政预算中安排一定比例资金，建立国家低碳经济发展基金。用于支持碳减排或增加碳汇的项目开发、新方法和新技术研究和配套政策等研究。

（四）"双线一控"碳排放权分配方法举例

假设某区域覆盖Ⅰ, Ⅱ, Ⅲ, …, Ⅹ等十个子区域。该区域基准年总人口为100个单位；整个区域历史累积碳排放为3000个单位；区域规划目标年碳排放量总预算为5000个单位；区域碳汇总量为1200个单位。根据"双线一控"碳减排方案及其碳排放权分配方法，计算区域累积碳排放量平均值 $L_a=30$ 个单位；当前人均碳汇 $L_b=12$ 个单位；详细示例数据及其计算结果见表1。

表1　"双线一控"碳排放权分配示例数据

指标	整个区域	子区域									
		Ⅰ	Ⅱ	Ⅲ	Ⅳ	Ⅴ	Ⅵ	Ⅶ	Ⅷ	Ⅸ	Ⅹ
基年人口总量	100	11	15	9	10	13	4	7	8	6	17
累积碳排放量	3000	528	705	378	410	390	104	140	136	90	119
剩余碳排放量	2000	22	45	72	90	260	96	210	264	210	731
碳排放总预算	5000	550	750	450	500	650	200	350	400	300	850
目标年人均累积碳量	50	50	50	50	50	50	50	50	50	50	50
当前人均累积碳排量	30	48	47	42	41	30	26	20	17	15	7
目标年人均累积碳盈余	20	2	3	8	9	20	24	30	33	35	43
当前人均碳汇	12	8	14	6	13	17	16	22	12	5	9
当前碳汇总量	1200	88	210	54	130	221	64	154	96	30	153

由表1和图3可知，子区域Ⅰ、Ⅱ、Ⅲ和Ⅳ为人均累积碳排放量赤字区，子区域Ⅵ、Ⅶ、Ⅷ、Ⅸ和Ⅹ为人均累积碳排放量盈余区，子区域Ⅴ的人均累积碳排放量与区域平均水平一致；子区域Ⅰ、Ⅲ、Ⅸ和Ⅹ为人均碳汇赤字区，子区域Ⅱ、Ⅳ、Ⅴ、Ⅵ和Ⅶ为人均碳汇盈余区。

根据"双线一控"碳减排方案及其考核方法，子区域Ⅰ、Ⅱ、Ⅲ和Ⅳ需要承担碳减排责任，其中，子区域Ⅱ和Ⅳ可以用碳汇盈余抵扣其碳减排任务，子区域Ⅰ和Ⅲ还要承担增加碳汇的任务，子区域Ⅴ处于碳排放盈亏平衡点，可以出售其碳汇盈余，没有碳减排任务。子区域Ⅵ、Ⅶ、Ⅷ、Ⅸ和Ⅹ为人均累积碳排放盈余区，其中子区域Ⅵ、Ⅶ和Ⅷ可以出售其碳排放权；子区域Ⅸ和Ⅹ为人均碳汇赤字区，不能出售其碳排放权盈余，但要承担增加碳汇的任务。

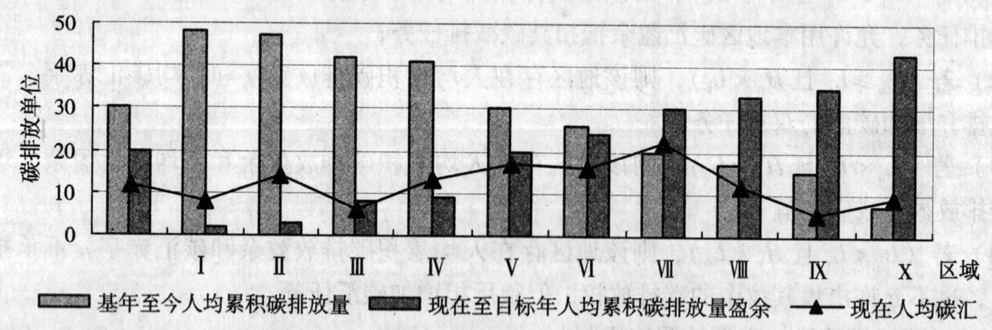

图3　人均累积碳预算和人均碳汇量示意图

三、碳减排方案推进机制

要实现碳减排的目标，仅有好的碳减排方案还是不够的，必须建立相应的碳权交易市场、碳权审核与登记制度和机制。碳排放权与碳汇服务市场由市场主体、市场客体、价值与价格、市场供给与市场需求及市场竞争5要素构成。碳权与碳汇交易机制应建立在市场交易公平有序的前提之下，利用价格杠杆的作用调节市场的供需关系，使碳权/碳汇市场与地区的经济发展和碳减排相结合，由市场参与主体决定是否进行碳权/碳汇交易还是通过其他方法实现碳减排的目标。中国碳权/碳汇市场的建立可参考国际排放贸易、清洁生产机制、联合履约等成熟的案例，改进相应的激励机制搞活国内的碳权/碳汇交易市场，形成市场主导的碳减排交易与激励机制。

作为市场的补充，还要建立碳减排基金制度和机制。建立国家和区域碳减排基金的主要目的是：引导各地区产业发展方向，鼓励有利于节能减排的生态农业、生态旅游和生态保护项目的发展；支持节能减排、绿色能源、替代能源项目开发，以及有利于促进低碳经济发展的相关新技术、新方法和配套政策的研究与示范等。

另外，碳减排成效与地方行政长官的重视程度密切相关，要探索建立相应的区域/国家政府碳减排绩效考核机制，将地方政府的主要行政长官升迁与碳减排绩效挂钩，如规定对没有完成碳减排任务的地方行政长官扣分或不得升迁等。

四、结　论

我国作为一个拥有较大经济总量和碳排放总量的发展中大国，更应该在应对全球气候变化方面扮演主导角色，在维护国际公平与正义和促进全球经济可持续发展的前提下，积极推进国际社会应对气候变化的历史发展进程。一方面，在国际气候谈判中积极争取更大的碳排放空间；另一方面，在国内积极探索碳减排的行动方案，在可持续发展的前提下实现量化减排。针对我国的实际情况，在兼顾公平发展、互惠互利和低成本减排的原则下，对碳减排驱动机制进行了分析，提出了“双线一控”的碳减排行动方案，并对其配套制度与推进机制进行了分析和探讨，为我国区域碳减排行动方案的研究与制定提供了新思路和方法。

参考文献

[1] IPCC. 气候变化2007：综合报告［R］//政府间气候变化专门委员会第四次评估报告第一、第二和第三工作组的报告［核心撰写组，Pachauri R K，Reisinger A（编辑）］. 日内瓦：IPCC，2007：1 - 104.

[2] Stern Nicolas. The Economics of Climate Change：The Stern Review［M］. Cambridge：Cambridge University Press，2006.

[3] UK Government. Energy White Paper，Our Energy Future：Creating a Low Carbon Economy［R］. 2003.

[4] 张坤民. 低碳世界的中国：地位、挑战与战略［J］. 中国人口资源环境，2008（3）：1 - 7.

[5] 陈文颖，吴宗鑫. 气候变化的历史责任与碳排放限额分配［J］. 中国环境科学，1998，18（6）：481 - 485.

[6] 陈文颖，吴宗鑫. 碳排放权分配与碳排放权贸易［J］. 清华大学学报（自然科学版），1998，38（12）：79 - 82.

[7] 李俊峰，马玲娟. 低碳经济是规制世界发展格局的新规则［J］. 世界环境，2008（2）：17 - 20.

[8] 潘家华. 满足基本需求的碳预算及其国际公平与可持续含义［J］. 世界经济与政治，2008，1：35 - 42.

[9] Elzen M，Berk M，Both S，et al. FAIR 1.0（Framework to assess international regimes for differentiation of commitments）：An interactive model to explore options for differentiation of future commitments in international climate policy making［R］. RIVM Report，2000.

[10] Jansen C，Torvanger A. Sharing the Burden of Greenhouse Gas Mitigation［R］. Final Report of the Joint CICERO - ECN Project on the Global Differentiation of Emission Mitigation Targets Amount Countries，2001.

[11] Torvanger A，Godal O. A Survey of Differentiation Methods for National Greenhouse Gas Reduction Targets［R］. CICERO Report，1999：5.

[12] Global Commons Institute. Contraction and Convergence：A Global Solution to a Global Problem［EB/OL］. http：//www. gn. apc. org/gci/contconv/cc. html. 1997.

[13] Brazil in Response to the Berlin Mandate. Proposed Elements of a Protocol to UNFCCC（United Nations Framework on Climate Change Convention）［EB/OL］. www. unfccc. int，1997.

[14] 何建坤，陈文颖，滕飞，等. 全球长期减排目标与碳排放权分配原则［J］. 气候变化研究进展，2009，5（6）：362 - 368.

公路物流园区生态足迹及生态承载力分析

魏　涛

（重庆交通科研设计院　重庆市南岸区学府大道33号　400067）

摘　要　以重庆市2008年统计数据为基础，对重庆现代公路物流园区2008年生态足迹计算结果表明，该地区人均生态足迹为3.689315hm²，人均生态承载力为0.776068 hm²，人均生态赤字为2.913247hm²。与全球平均水平相比，人均生态足迹高增加33.67%，人均生态承载力下降52.50%，生态赤字是全国平均赤字的5.32倍，表明该地区生态足迹超过了当地生态承载能力，区域经济社会发展处于一种不可持续的发展状态。另外，还分析论述了减少该园区生态足迹、提高生态承载力的对策。

关键词　重庆　生态足迹　生态承载量

一、引　言

1992年加拿大学者William及其博士研究生提出和发展的生态足迹（ecological footprint）。生态足迹的定义是任何已知人口的生态足迹是生产这些人口所消费的所有资源和吸纳这些人口所产生的废弃物所需要的生物生产性土地的总面积。生态足迹方法模型是国际上定量衡量一个国家或地区的可持续指标，是一个能在全球尺度上进行比较判别的可操作性指标。本文应用该方法以重庆公路物流园区为例，研究了区域的生态足迹和生态承载力，定量揭示了园区自然利用状况，提出了减少该区域生态赤字的相应对策，以期为重庆现代公路物流园区的建设开发、生态环境保护和建设以及科学发展提供科学依据。

二、研究区域与研究方法

（一）规划区及规划概况

规划建设区域位于长江上游，重庆市主城区南部，属重庆都市经济发达圈，地理坐标介于北纬29°07′45″~29°46′23″，东经106°25′29″~106°59′58″，地处重庆市盆地东部平行岭谷向南倾没与盆地南缘山地交接地带，山地、丘陵占总土地面积的90%以上。属亚热带湿润季风气候，降水充沛，雨热同季，生物资源种类繁多，主要自然植被类型为亚热带常绿阔叶林及人工针叶林，水资源丰富。由于区内人口密度过大，高强度利用土地与生物资源，过度农垦、放牧和樵采、陡坡耕作等因素的影响，使该地区山地生态环境退化，制约了社会经济的发展。

重庆现代公路物流园区位于重庆市巴南区东南部，规划用地总面积1602.76hm²。规划区是重庆公路物流基地及其综合配套区域，其功能集物流、仓储、商贸交易及加工、物流增值服务、居住和公共服务等为一体。形成了集多式联运、现代仓储、货运配载、展示交易、增值加工、城市配送等功能区域于一体的公路枢纽型经济集聚区。

（二）研究方法

1. 生态足迹计算

根据生态足迹的理论，人类的生产、生活消费由两部分组成：生物资源消费（主要包括农产品和木材）和能源消费。因而，生物生产性土地也由这两部分消费组成。根据统计年鉴资料，将规划区所在区2008年生物资源消费转化为提供这种消费需要的生物生产性用地面积。具体计算公式为：生态足迹（ef生物）=人均消费量/全球平均产量

将当地能源消费所消耗的热量折算成一定的化石燃料土地面积，具体计算公式为：生态足迹

（ef 能源）=（折算成标煤的能源消耗量×折算系数）/（全球平均标煤足迹×总人口）。

2. 生态承载力计量

生态承载力（或者称生态足迹供给）是与生态足迹相关的概念，它是指区域所能够提供给人类的生态生产性土地总和，计算方法是将区域内各类生态生产性土地面积乘以等量化因子及产量调整系数后，求和得到总生态承载力，除以总人口数，即为人均生态承载力，或人均生态足迹供给。生态承载力计算公式为：

$$EC = N\ (E_c)\ = N \times\ (\Sigma A_i \times R_i \times Y_i)\ (i = 1,\ 2,\ 3,\ 6)$$

式中：EC 为区域总人口的生态承载力，hm^2/cap；N 为人口数；E_c 为人均生态承载力，hm^2/cap；A_i 为 i 类型生物生产性土地人均拥有面积；R_i 为均衡因子：Y_i 为产量因子。现普遍采用的均衡因子为耕地。

三、结果与分析

（一）生态足迹与生态承载力计算结果

根据重庆市巴南区社会经济统计年鉴和全国的有关统计资料，并按照生态足迹的计算公式计算的生物资源和能源消费的生态足迹如表 1 和表 2 所示。

物流园区规划所在区 2008 年人均生态足迹和人均生态承载力的最终结果见表 3。按世界环境与发展委员会（WCED）报告《我们共同的未来》的建议，应在生态承载力中扣除 12% 的生物多样性保护面积。

表 1　规划区所在区域生态足迹计算中资源账户

消费项目	全球平均产量/（kg/hm^2）	巴南区生物量/kg	人均足迹/（hm^2/人）	生产性土地类型
粮食	2744	41259790	0. 017238	耕地
油料	1856	12238369	0. 007559	耕地
蔬菜	18000	114271300	0. 007278	耕地
禽肉	15	11252670	0. 860000	耕地
禽蛋	400	8461310	0. 024250	耕地
猪肉	74	26430690	0. 409459	耕地
茶叶	566	252967	0. 000512	林地
水果	18000	36732553	0. 002339	林地
乳品	502	18928910	0. 043227	草地
牛羊肉	33	2704130	0. 093939	草地
水产品	29	9159150	0. 362069	水域

表 2　规划区所在区生态足迹计算中能源账户

消费项目	全球平均能源足迹/（GJ/hm^2）	折算系数/（GJ/t）	巴南区消费量/t	人均足迹/（hm^2/cap）	生产性土地类型
原煤	55	20. 9	121877. 23	0. 139719	化石燃料土地
天然气	71	50. 2	10137. 81	0. 011622	化石燃料土地
油料	93	43. 1	10936. 82	0. 012538	化石燃料土地
电力（万 kWh）	1000	11. 8	39723. 04	0. 045538	建设用地

表 3　规划区所在区人均生态足迹与生态承载力

需求				供给				
人均生态足迹				人均生态承载力				
类型	人均占用/(hm^2/cap)	均衡因子	均衡面积/(hm^2/cap)	类型	产量因子	均衡因子	人均实际土地面积/(hm^2/cap)	产量校正后的面积/(hm^2/cap)
化石燃料土地	0.163879	2.19	0.358896	化石燃料土地	—	2.19	0	0
耕地	1.325784	2.19	2.903467	耕地	2.85	2.19	0.132099	0.824496
草地	0.137166	1.38	0.189290	草地	0.3	1.38	0.000894	0.000370
林地	0.002852	0.36	0.001027	林地	0.77	0.36	0.050808	0.014084
建设用地	0.045538	1.38	0.062843	建筑用地	2.85	1.38	0.010490	0.041255
水域	0.362069	0.48	0.173793	水域	1	0.48	0.003519	0.001689
合计	人均生态足迹		3.689315	合计	人均生态承载力			0.881895
				可供使用（扣除 12% 用于生态多样性保护）				0.776068

根据上述求得的 2008 年规划区所在区的人均生态足迹和人均生态承载力，求得其 2008 年人均生态赤字如表 4 所示。可以看出，规划区人均生态足迹已超过人均生态承载力的 4.75 倍。与全球平均水平相比，人均生态足迹高增加 33.67%，人均生态承载力下降 52.50%，生态赤字是全球平均赤字的 3.83 倍。因此，随着南彭、界石社会和经济的发展，区域所在区人均生态足迹（生态需求）将会越来越大，对重庆公路物流基地所在巴南区的社会、经济、环境的可持续协调发展带来了较大压力。

表 4　规划区人均生态足迹、人均生态承载力和生态赤字计算表　　单位：hm^2/人

年份	人均生态足迹	人均生态承载力	生态赤字
2008	3.689315	0.776068	2.913247

（二）规划区生态环境承载力变化分析

重庆现代公路物流园区总体规划使区域土地利用发生了变化，林地、草地、水域和耕地的面积均有减少，而建筑面积增加。通过对规划作业区的卫片进行土地利用解译，规划实施后区域的耕地减少了 1019.5hm^2，草地减少了 226.34hm^2，林地减少了 261.25hm^2，水域增加了 98.11hm^2，而建筑用地增加了 1108.61hm^2，也就是将减少的耕地、草地、林地都变成了建筑用地。再通过产量因子与均稳衡因子折算出产量校正后的各项土地面积，如表 5 所示。

引起区域的生态承载力增加的根本原因在于建筑用地的增加，减少的耕地、草地、林地大都变成了建筑用地。在生态承载力的计算公式中，实际面积乘以产量因子和均衡因子才得到校正后的有效面积，而建筑用地的产量因子和均衡因子较大，经产量较正后，建筑面积的增加引起的人均生态承载力的增加远远大于除了耕地外其他面积减少引起的人均生态承载力的减少。因此，是土地利用格局的变化，也是耕地减少和建筑用地主要的影响因子，使区域人均生态足迹供给减少了 0.002431hm^2/cap。公路物流园区规划实施后，工业向小区集中，土地利用格局更加优化，使生态环境承载力增加，有利于区域发展。但同时随着园区的运营，区域经济的发展，人口的增

长，对各种资源、能源的消费也会增加，固体废物污染物增加，这会直接导致生态足迹的增大。

表5　规划区实施后生态足迹供给变化表

土地类型	产量因子	均衡因子	实际减少/增加土地面积/hm²	产量校正后的面积/hm²
能源用地	0	2.19	0	0.00
耕地	2.85	2.19	-1019.5	-6363.209250
草地	0.3	1.38	-226.34	-93.704760
林地	0.77	0.36	-261.25	-72.418500
建筑用地	2.85	1.38	1108.61	4360.159933
水域	1	0.48	98.11	47.093190
生态承载力减少		合　计		-2122.079387
人均生态承载力减少				-0.002431

四、结　论

1. 重庆市巴南区公路物流园区的规划对自然生态系统的影响超出了其承受的范围，经济发展处于不可持续的态势。为了保证园区社会经济的良性发展和自然资源的永续利用，合理地进行土地利用规划开发，应提高生态承载力，降低生态足迹，减少生态赤字。

2. 从可持续发展的战略角度，提出应对措施如下：在区域经济的发展模式和思路上，禁止高能耗、高污染的物流企业入驻，以建立资源节约环保型的物流体系。物流加工企业产品的开发、能源的消费和废弃物的处理等都应遵循减量化（Reuse）、再利用（Reduce）和再循环（Recycle）原则，提倡低碳经济发展模式。

3. 加强生态环境的保护，地方政府应积极出台切实可行的政策措施，加强环境保护宣传、建立健全生态环境的补偿机制和恢复制度等。同时，加大污染治理和环境保护方面的资金投入和执法力度，保持和提高区域生态环境质量，以期最终实现社会效益、经济效益和环境效益三者的统一。

参考文献

[1] 重庆市统计局．重庆统计年鉴2009［M］．北京：中国统计出版社，2009.

[2] 王伟，韦苇．动态生态足迹的测度与分析——陕西省可持续发展研究［J］．重庆工商大学学报（西部论坛），2007，17（4）.

[3] 陈东景，徐中民，程国栋，等．中国西北地区的生态足迹［J］．冰川冻土，2001，23（2）.

[4] 徐中民，张志强，程国栋，等．中国1999年生态足迹计算与发展能力分析［J］．应用生态学报，2003，14（2）.

[5] 张志强，徐中民，程国栋，等．中国西部12省（区市）的生态足迹［J］．地理学报，2001，56（5）.

[6] 谢欣，吴华超．重庆直辖十年可持续发展状况的生态足迹分析［J］．重庆工商大学学报（西部论坛），2008，18（5）.

环境监理公司战略发展研究

薛 蓓[1] 高 榕[1,2] 高 兵[1,2]

（1. 西安市环境保护科学研究院 陕西 西安 710002；
2. 西安市皓盛环境工程监理有限公司 陕西 西安 710002）

摘 要 建设项目环境监理工作可以解决项目施工期间的环境管理缺位问题，将建设项目的环境管理由事后管理转变为全过程管理，在行业发展初期，环境监理企业应充分剖析当前形势，设定公司发展方向，把握机遇迎接挑战。

关键词 环境监理 企业战略管理 SWOT 分析

一、研究背景

环境监理是指环境监理机构受项目建设单位委托，依据项目环评报告及批复的要求，在项目建设及试生产过程中对项目环境保护方面的内容进行全过程的监督管理[1]。在我国经济、文化蓬勃发展的现代社会，环境问题受到越来越多的关注，作为一种新的环境管理手段，建设项目环境监理工作可以解决项目施工期间的环境管理缺位问题，将建设项目的环境管理由事后管理转变为全过程管理[2]，在这个行业的发展初期，环境监理企业应充分剖析当前形势，设定公司发展方向，把握机遇迎接挑战。

二、研究目的及意义

工程环境监理在我国属于新兴行业，很多方面还处于探索阶段，企业战略管理在公司未来发展中起到至关重要的作用[3]。企业战略是指为了更理想地实现企业的长期目标而采取的一系列行动，以及对企业资源进行的总体分配；而战略管理是指为制定和实施战略而进行的一系列决策和采取的一系列行动。

三、外部环境分析

外部宏观环境因素包括在广阔的社会环境中影响到环境监理公司发展的各种因素。可以概括为政治法律环境、经济环境、社会文化环境和技术环境四个方面。

（一）法律环境

目前，环境保护主管部门比较注重项目环境影响评价和项目环保竣工验收环节，对项目施工期和试运行期间的环境保护管理较薄弱。在现有的环保法律体系内，环境监理制度的法律地位并未明确。当前出台的文件主要有：国家环境保护总局等六部委于 2002 年发布的《关于在重点建设项目中开展环境监理试点的通知》，宗旨在于有效控制项目施工阶段的生态环境影响和环境污染；陕西省环境保护局、陕西省建设厅印发的《关于在建设项目中加强工程环境监理的通知》（陕环发［2004］243 号），文件第三条明确指出将环境监理工作纳入工程监理细则，此通知的目的即为了切实加强建设项目施工阶段的环境管理，控制施工阶段的环境污染和生态破坏，加大项目环保工程建设的管理力度，确保环保工程严格按照审查通过的设计方案建设，保证工程建成后完全达到设计要求，充分发挥投资效益；陕西省人大常委会于 2006 年 12 月 3 日颁布的《陕西省实施〈中华人民共和国环境影响评价法〉办法》中第三十一条也明确指出已经批准的施工周期长、生态环境影响大的水利、交通、电力、化工、矿产资源开发项目，在其建设过程中应当进行环境监理[4]。

（二）经济环境

在科学发展观的指导下，我国各个领域经济体制改革步伐加快，居民消费结构升级、科技进步推动产业结构调整、城市建设步伐加快等国内需求中的周期增长因素趋势不变，为我国继续保持较快增长创造了良好环境。近几年，我国经济进入稳定增长期，GDP增速呈现高位趋稳态势，固定资产投资增速高位回稳，消费需求继续平稳增长，财政金融平稳运行，今后几年，我国经济保持平稳较快增长的潜力仍然较大，整个经济朝着宏观调控的预期目标继续发展。随着经济发展，一些大型建设项目迅速发展，建设的数量越来越多、频率越来越快，其施工阶段对当地生态环境的影响十分剧烈，为了有效控制建设项目施工阶段的环境影响，真正做到项目建设与环境相协调发展，全过程的监控项目建设中的环境问题，环境监理工作的开展起到至关重要的作用。

（三）社会文化环境

社会文化环境是影响人们思想和行为的重要的因素，在党的十六届三中全会中提出的科学发展观的引导下，公众的思想观念已经转变为以人为本，树立全面、协调、可持续的发展观，促进经济社会和人的全面发展。国家发展战略的整体构想，既从经济增长、社会进步和环境安全的功利性目标出发，也从哲学观念更新和人类文明进步的理性化目标出发，几乎是全方位地涵盖了“自然、经济、社会”复杂系统的运行规则和“人口、资源、环境、发展”四位一体的辩证关系。已形成了人与自然和谐发展，重视环境管理的良好社会文化环境。

（四）技术环境

目前，陕西省环保厅环保产业管理中心印发了《〈建设项目环境监理报告〉编写技术要求》（陕环产发［2009］7号），此要求旨在进一步规范环境监理的职业行为，促进环境监理工作水平的提升，虽然环境监理目前还没有完善的工作规范、标准，对环境监理的工作内容、范围、深度等还没有一个完全统一的认识，但此规范的出台预示着环境监理技术、工作正逐步走向规范化，制度化。要在新时期稳固并提高技术水平，环境监理公司必须加强内部建设，通过引进人才和内部挖掘潜力，打造出稳定向上的高水平工作队伍，在业务数量持续增长的同时推动业务水平的不断提高。

四、内部资源与能力分析

（一）环境监理工作意义

建设项目环境监理与建设项目环境影响评价制度和“三同时”制度一样，同为目前我国建设项目环境管理模式中的内容，并是环评制度和“三同时”制度的重要补充。其重要意义为：环境监理的实施可以有效减少建设项目施工期污染排放，保护生态环境；协助环境保护主管部门做好项目建设全过程管理，提高管理效率；提供技术支持，为环境保护主管部门决策提供保障；为企业提供环境保护技术及增值服务，减少投资浪费，并提升企业管理水平等。

（二）技术水平

环境监理人员对行业熟悉，有一定的专业人力资源储备。目前环境监理公司从业人员大多为环境专业人员，主要来自高等院校，拥有丰富的环保专业知识，不仅具备较高的环境保护专业技术，对环境保护各方面的法律法规熟悉，同时在环境监理实施开展过程中能够做到熟悉工程施工工艺、方法及施工组织安排和设计文件，能对项目区域环境特点、主要环境问题和工程的主要环境影响因素有清楚的了解，但目前公司基层技术人员工程监理经验有待积累和交流，应加强技术培训、增加资深从业人员和基层技术人员的交流，从而妥善处理施工过程中遇到的各种问题，确保环评文件、设计文件中各项环保措施、设施落实到位，达到建设项目环境管理的总体目标。

（三）创新能力

鉴于对环境监理行业的熟悉，技术人员具有良好的技术能力储备，但是由于监理人员对业务的拓展方面意识较弱，造成了环境监理公司基层员工对市场的敏感性差，对公司潜在的竞争压力认识不足，因而缺乏在意识、专业技术、服务水平等方面进行创新的需求和动力。然而环境监理作为一个新兴行业，探索发展一套较为系统和完整的管理体系和工作模式本身就是一种创新，因此要求从业人员在以现有的专业知识和行业经验基础上，以环境保护、环境管理为总的指导思想，不断完善环境监理工作的方式方法，充实环境监理工作的内容，提高环境监理的经济效益和社会效益，加强其规范管理并充分发挥其作用。

五、分析及战略方案设计

战略选择是战略管理的重要组成部分，选择适用的战略是企业成功发展的关键，企业究竟选择什么样的战略，取决于企业所处的外部战略环境和自身资源能力现状。

（一）SWOT分析及战略方案设计

SWOT是一种分析方法，用来确定企业本身的竞争优势（strength）、竞争劣势（weakness）、机会（opportunity）和威胁（threat）[5]，从而将环境监理公司的战略与公司内部资源、外部环境有机结合。因此，清楚地确定环境监理公司的资源优势和缺陷，了解公司所面临的机会和挑战，对于制定公司未来的发展战略有着至关重要的意义。

表1 SWOT分析

	主要优势（S） ·对行业熟悉，技术成熟，有一定的专业人力资源储备 ·市场稳定 ·投资回报稳定	主要劣势（W） ·市场竞争意识不足 ·员工归属感弱，人力资源流动性低
主要机会（O） ·政策强力推动，发展动力巨大 ·各级政府支持行业发展	SO战略（优势－机会） ·以政策为砥柱，扩大环境监理工作影响，提升监理工作在项目建设过程中的地位 ·加强与政府各部门的合作，确保环境监理制度得以有效实施	WO战略（弱点－机会） ·为建设方提供环境保护技术及增值服务 ·提高员工归属感，增强市场竞争意识
主要威胁（T） ·在现有的环保法律体内，环境监理制度的法律地位并未明确 ·环境监理工作属于新兴行业，其技术规范不够完善	ST战略（优势－威胁） ·探索发展一套较为系统和完整的管理体系和工作模式 ·发挥技术优势，为环境保护主管部门分担更多压力	WT战略（弱点－威胁） ·加强人力资源的开放式管理，提高员工素质，改善员工结构 ·重视业务拓展延伸，成为环境保护产业中的重要组成部分

（二）SWOT分析结论

1. SO战略（优势－机会）

以政策为砥柱，扩大环境监理工作影响，提升监理工作在项目建设过程中的地位；加强与政府各部门的合作，确保环境监理制度得以有效实施。目前，建设项目环境监理的效果在很大程度上取决于业主对环境保护的重视程度。在施工阶段，个别项目的业主和施工人员的环境保护意识薄弱，“重质量、赶进度、轻环保”的思想比较严重，对环境监理认识不足，环保意识不强，使得环境监理工作难以开展。这就要求环境监理单位广泛开展环境保护宣传教育，运用各种宣传教育方式不断提高社会公民的环境意识，充分发挥社会监督作用。

2. WO战略（弱点－机会）

监督、检查工程及影响区域的环境保护工作，定期向建设方报告环境监理的工作情况，做到及时发现问题及时提出问题，并及时进行整改，避免出现环保设施漏项、缺项和工程返工等问题，确保环保设施建设内容落实到位，满足项目环评批复的要求，提高工程施工效益，为建设方提供环境保护技术及增值服务。

建立员工激励机制，充分提高员工归属感，增强从业人员市场竞争意识。

3. ST 战略（优势 - 威胁）

探索发展一套较为系统和完整的管理体系和工作模式。通过环境监理，保证将环境影响报告和设计中的环境保护措施落实到施工过程之中，实现施工期动态的、及时反馈的、全过程的环境管理，达到强化建设项目施工期环境保护的目的。

发挥技术优势，定期向环境保护主管部门报告环境监理的工作情况，提交详尽完善的监理资料和公正客观的监理报告，为环境保护主管部门决策提供保障，从而为其分担更多压力。

4. WT 战略（弱点 - 威胁）

加强人力资源的开放式管理，提高员工素质，改善员工结构。

重视业务拓展延伸，成为环境保护产业中的重要组成部分。环境监理公司在环境保护新时期的发展中应注重现有业务的拓展延伸和新业务的开发，在环境保护主管部门的领导下，通过提高业务水平和开发市场，加大环境监理的覆盖范围和实施比例，并通过发挥技术优势，在原有和新监管内容中为环境保护主管部门提供新的技术服务。

六、结　论

环境监理作为环境保护新行业，通过国家及省市政策的支持，已在环境保护管理中显示出越来越重要的作用。随着国家环境保护管理要求的日益严格，环境监理公司必须加强内部建设，实现工作的制度化和规范化，发挥技术优势，重视业务拓展，在新时期成为环境保护产业的重要组成部分。

参考文献

[1] 姚晓军，王伯铎，高兆瑞．建设项目环境监理培训教材（试用）[M]．西安：陕西省环境保护保护厅环保产业管理中心，2009.

[2] 谢建宇，马晓明．环境监理与工程监理的比较及发展建议 [J]．四川环境，2007，26（2）：109 - 112.

[3] 王玉主．公司发展战略和管理 [M]．北京：立信会计出版社．

[4] 杨超，鲍炯炯，夏文健．环境监理在环境保护管理中的作用及前景展望 [J]．环境污染与防治，2008，30（5）：104 - 105.

[5] 徐二明．企业战略管理 [M]．北京：中国经济出版社．

企业环境绩效与经济绩效关系实证研究

谢　琨

（上海应用技术学院　上海　200235）

摘　要　环境绩效和经济绩效的关系一直是环境管理研究的核心问题，在环境管理会计（EMA）中环境绩效和经济绩效的关系问题至关重要，本文根据 Wagner（2003）提出的可持续绩效和竞争力解释因素相互作用的框架设计问卷，运用 SPSS 软件对问卷进行统计学分析，指明企业以下因素对环境绩效、经济绩效的影响：企业管理（治理）、企业环境管理的压力及动力、环境管理实践，验证环境绩效、经济绩效的相关关系。

关键词　环境绩效　经济绩效　实证研究

环境绩效和经济绩效的关系一直是环境管理研究的核心问题，按照国际会计师联合会（IFAC）出版的《管理会计概念》指出，环境管理会计（EMA）是指通过发展和执行适当的环境相关的会计系统和实践，来管理环境绩效和经济绩效，在环境管理会计（EMA）中环境绩效和经济绩效的关系问题至关重要。

一、理论研究

Wagner（2000）指出，如果采用资源的消耗量和废弃物的排放量来衡量环境绩效，股票市场绩效或财务比率作为经济绩效的评价指标，那么环境绩效与经济绩效关系就有两种典型的表现。一是“传统观点”——环境绩效与经济绩效负相关。二是“修正学派观点”——环境绩效与经济绩效正相关。Schaltegger 和 Figge（2000）指出，环境绩效与经济绩效的关系并不是通常所认为的正相关或负相关，而是表现为倒“U 形”。很明显，这种观点综合了传统观点和以波特为首的修正学派的观点，因此称为“综合的观点”。正如 Schaltegger 和 Synnestvedt（2002）指出，倒“U”形曲线是最好（优）的描绘，环境绩效与经济绩效相互关系的曲线，它承认了环境绩效与经济绩效“双赢”的可能性。

二、实证研究

1. 事件研究：事件研究主要是根据好的或差的环境事件的市场反应所作的研究。

2. 组合研究：组合研究是对有不同环境绩效的企业组合进行的研究，由于环境绩效数据的有限性，通常被划分为有序等级，以这种方式产生的组合能与行业匹配（也就是说每个组合反映了相同的行业结构），与其他标准如企业规模或者出口趋向搭配，这样有相同特性的企业应该有相似的绩效。

3. 多元回归研究：一般来说多元回归研究适合研究多种因果模型，也就是相互联系的决定因素网络。

三、国内的相关研究

陈劲等人（2002）从造纸、包装、印染、水泥、机械等行业选取 55 家企业的数据，分析了环境绩效与经济绩效关系，得出了环境绩效与经济绩效相互影响。杨东宁等（2004）对企业的环境绩效与经济绩效的关系进行研究，他们认为组织能力是环境绩效与经济绩效之间内在联系的纽带，建立了基于能力的环境绩效与经济绩效关系的理论模型，论证环境绩效与经济绩效的因果关系。秦颖等人（2004）通过联立方程模型把环境绩效和经济绩效结合在一起，结果显示环境绩效与经济绩效（ROCE）表现为"U 形"曲线，比较支持传统学派的观点，但也反映修正学派观点存在。张红凤，周峰，杨慧，郭庆（2009）提出环境保护与经济发展的两难、环境承载阈值以及环境问题的负外部性等的存在，昭示以实现社会福利最大化为目标的环境规制的必要。

四、环境绩效与经济绩效相互作用的理论

Wagner（2003）提出了可持续绩效和竞争力解释因素相互作用的框架，如下图所示：

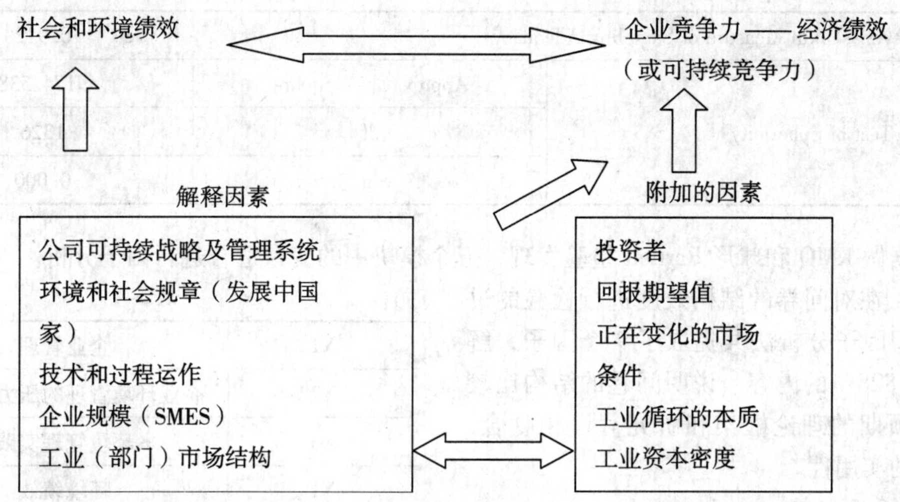

五、问卷及分析

2009 年下半年为了解中国企业经营活动对企业环境绩效与经济绩效的影响的真实看法，我们设计了一份我国企业管理活动对企业环境绩效与经济绩效的影响的调查问卷，调查问卷分四个部分。

1. 企业概况；

2. 指明企业以下因素对环境绩效、经济绩效的影响：

（1）企业管理（治理）；

（2）企业环境管理的压力及动力；

（3）环境管理实践。

3. 用于测量环境绩效的评估值；

4. 用于测量经济绩效的变量 。

本问卷发放对象为：上海市某高校 MBA 学生，上海市 ISO 14000 培训班的学生，部分环境工程专业学生。调查期间共发放问卷 300 份，收回 220 份，占发放总数的 73%，其中有效问卷 195 份，占收回总数的 89%。

表 1

内容模块	Cronbach's α 系数
企业的管理活动 A	0.9250
企业环境管理的压力及动力 B	0.8696
环境管理实践 C	0.9239
环境绩效 D	0.9440
经济绩效 E	0.9330

（一）信度和效度检验

1. 信度检验

这里所做的信度检验是利用 Cronbach's α 系数进行内在一致性检验。结果见表 1。

Cronbach's α 系数越大，表明测量的可信程度越大，一般认为，0.60～0.65 认为不可信；0.65～0.70 认为是最小可接受值；0.70～0.80 认为相当好；0.80～0.90 就是非常好。表 1 中的 Cronbach's α 系数均在 0.86 以上，可以认为问卷模块的内在一致性较好。

2. 效度检验

通常对问卷效度的检验是做结构效度的分析，指测量结果体现出来的某种结构与测值之间的对应程度。除了第一部分企业概况描述外，对整个问卷做因子分析，采用主成分分析的方法提取因子，按照方差最大正交旋转法对数据予以旋转，共提出 9 个因子，能够解释问卷全部内容的 72. 828%，见表 2。

表 2　**KMO and Bartlett's Test**

Kaiser – Meyer – Olkin Measure of Sampling Adequacy		0. 912
Bartlett's Test of Sphericity	Approx. Chi – Square	9174. 538
	df	1326
	Sig.	0. 000

对数据做 KMO 和球形 Bartlett 检验发现，五个模块中的变量适合进行因子分析。

综上，在对问卷的结构效度进行检验的过程中，利用因子分析法共提取了 9 个因子，解释问卷 72. 828% 的内容，说明问卷的结构比较合理，与预期的理论框架和研究假设相吻合，具有一定的实用性。

（二）多元回归

1. 主要变量的描述性统计

这里的主要变量指的是如下 5 个变量，见表 3。变量类型均为定距变量（表 4）。

表 3

X1	企业管理
X2	企业环境管理的压力及动力
X3	环境管理实践
Y1	环境绩效
Y2	经济绩效

表 4　**Correlations**

		X1	X2	X3	Y1	Y2
X1	Pearson Correlation	1				
X2	Pearson Correlation	0. 663（**）	1			
X3	Pearson Correlation	0. 646（**）	0. 732（**）	1		
Y1	Pearson Correlation	0. 469（**）	0. 541（**）	0. 612（**）	1	
Y2	Pearson Correlation	0. 610（**）	0. 619（**）	0. 607（**）	0. 625（**）	1

注：（**）Correlation is significant at the 0. 01 level（2 – tailed）.

通过系数矩阵发现，主要变量之间呈现较强的正相关关系。

2. 多元回归

（1）变量说明

①因变量（表 5）

表 5

变　量	含　义	变量类型
Y1	环境业绩	定距变量
Y2	经济业绩	定距变量

变量 Y1 和 Y2 是利用因子分析法，提取各因子后通过综合得分模型计算得到。其中，Y1（问卷中是 10 个指标）解释了环境绩效的 87.8%（问卷中是提取了 4 个因子），Y2（10 个指标）解释了经济绩效的 87.3%（提取了 5 个因子）。

提取方法：主成分分析法。

②自变量（表 6）

表 6

变量		含义		变量类型
X1		企业管理		定距变量
X2		企业环境管理的压力及动力		定距变量
X3		环境管理实践		定距变量
D	D1	ISO 14000 状况	没有	虚拟变量
	D2		考虑	虚拟变量
	D3		在建	虚拟变量
	D4		有的	虚拟变量
S	S1	SA 8000	是	虚拟变量
	S2		否	虚拟变量
M	M1	ISO 18000	没有	虚拟变量
	M2		考虑	虚拟变量
	M3		在建	虚拟变量
	M4		有的	虚拟变量
N	N1	行业控制变量	农、林、牧、渔业	虚拟变量
	N2		采掘业	虚拟变量
	N3		制造业	虚拟变量
	N4		电力、煤气及水的生产和供应业	虚拟变量
	N5		建筑业	虚拟变量
	N6		交通运输、仓储业	虚拟变量
	N7		信息技术业	虚拟变量
	N8		批发和零售贸易	虚拟变量
	N9		金融、保险业	虚拟变量
	N10		房地产业	虚拟变量
	N11		社会服务业	虚拟变量
	N12		传播与文化产业	虚拟变量
	N13		综合类	虚拟变量
X4		企业年龄		定距变量
X5*		企业规模		定距变量

变量 X1、X2、X3 是利用因子分析法中，提取各因子后通过综合得分模型计算得到。

其中，X1（问卷中是 10 个指标）解释了环境绩效的 86.03%（提取了 5 个因子），X2（问卷中是 12 个指标），解释了经济绩效的 85.290%（提取了 5 个因子），X3（问卷中是 10 个指标）解释了环境绩效的 87.879%（提取了 5 个因子）。

X4 是考察企业的年龄，X5* 是考察企业的规模，在问卷中是通过企业的注册资金来体现的，但是通过填写情况来看，有些数据差异较大，而且单位也不统一，故在此认为问卷对规模考察效果不好，所以模型中暂不涉及规模的因素考虑。

D、S、M 和 N 的变量类型是虚拟变量（取值为 0，1 的变量），具体变量含义见表 6。

（2）模型说明

根据上述对变量类型的分析，可知欲检验的模型设立如下：

模型 1：

$$Y1 = a + b_1x_1 + b_2x_2 + b_3x_3 + b_4x_4 + b_5d_1 + b_6d_2 + b_7d_3 + b_8s + b_9m_1 + b_{10}m_2 + b_{11}m_3 + b_{12}n_1 + b_{13}n_2 + b_{14}n_3 + b_{15}n_4 + b_{16}n_5 + b_{17}n_6 + b_{18}n_7 + b_{19}n_8 + b_{20}n_9 + b_{21}n_{10} + b_{22}n_{11} + b_{23}n_{12} + \varepsilon$$

模型 2：

$$Y2 = a + b_1x_1 + b_2x_2 + b_3x_3 + b_4x_4 + b_5d_1 + b_6d_2 + b_7d_3 + b_8s + b_9m_1 + b_{10}m_2 + b_{11}m_3 + b_{12}n_1 + b_{13}n_2 + b_{14}n_3 + b_{15}n_4 + b_{16}n_5 + b_{17}n_6 + b_{18}n_7 + b_{19}n_8 + b_{20}n_9 + b_{21}n_{10} + b_{22}n_{11} + b_{23}n_{12} + \varepsilon$$

采用多元线性回归分析（采用普通最小二乘法估计）的方法，应用 spss13.0 来实现。

（3）结果说明

对两个模型进行回归的时候采用强迫所有数据一次性进入模型的方法。

1）对模型 1 的检验

表 7　Model Summary

Model	R	R Square	Adjusted R Square	Std. Error of the Estimate
1	0.672（a）	0.452	0.370	0.45258

①Predictors：(Constant)，N12，N2，N1，N10，N9，N6，X3，N8，N7，M2，N5，M3，N11，X4，N4，S，D1，X1，D3，X2，D2，N3，M1

由于模型中的变量引入较多，因此不能仅看负相关系数 R，这里衡量方程的优劣主要关注校正负相关系数 $R_{ad,}$ 上表为 0.370，表明拟合程度一般。

表 8　ANOVA（b）

Model		Sum of Squares	df	Mean Square	F	Sig.
1	Regression	25.990	23	1.130	5.517	0.000（a）
	Residual	31.544	154	0.205		
	Total	57.534	177			

②Dependent Variable：Y1

该表中 p 值小于 0.05，表明整个模型的拟合具有统计学意义，具体来看各个系数对方程的拟合程度。通过 p 值可以看出，各个变量与因变量具有显著关系的只有 x_2 和 x_3 两个变量，其他的变量对于因变量而言没有统计学意义。

由此，方程可写作：

$$Y1 = 0.167 + 0.055x_1 + 0.337x_2 + 0.455x_3 - 0.040x_4 - 0.008d_1 + 0.161d_2 - 0.106d_3 - 0.156s - 0.133m_1 - 0.190m_2 + 0.142m_3 + 0.125n_1 - 0.081n_2 + 0.000n_3 - 0.117n_4 + 0.045n_5 - 0.172n_6 -$$

$0.083n_7 - 0.058n_8 - 0.005n_9 - 0.173n_{10} - 0.191n_{11} + 0.107n_{12}$

2）对模型2的检验

模型2的R_{ad}为0.456，相比模型1而言，拟合得更好一点。

同样，模型2的总体拟合具有统计学意义，p值小于0.05。具体看各个自变量对于因变量的影响程度。从p值来看，在模型2中只有x_1和x_2同因变量有显著影响关系，x_3也具有一定的影响，其余的自变量对因变量可以看做是基本上没有影响。

于是，模型2可以写作：

$$Y2 = 0.055 + 0.325x_1 + 0.243x_2 + 0.163x_3 - 0.038x_4 + 0.024d_1 - 0.024d_2 + 0.093d_3 - 0.003s - 0.104m_1 + 0.097m_2 - 0.054m_3 + 0.062n_1 + 0.224n_2 - 0.064n_3 - 0.151n_4 + 0.127n_5 - 0.164n_6 + 0.125n_7 - 0.089n_8 + 0.171n_9 + 0.130n_{10} - 0.071n_{11} + 0.094n_{12}$$

六、结　论

在早期许多的案例研究中表明环境绩效与经济绩效呈现适度的正相关，或者偏高的环境绩效至少对企业的财务或者股市没有负面的影响（参见 Bennett et al.，1999；Day，1998；Wagner，2000，2001）。这个结论对“修正学派”的观点提供了支持。

本文研究的主要目的是间接地解释 Porter 的学说（Porter，1991；Porter and van der Linde，1995；Estyand Porter，1998）。本文的目的在于验证分析环境绩效与经济绩效之间关系的有效性，至于两者之间存在什么关系，必须经过长期的观察，对多个行业进行测试才能得出相对合理的结论，同时后续研究需关注中国企业的环境绩效，因为目前可用资料欠缺，所以调研没有大规模展开，希望中国政府有关部门和企业建立有关环境绩效方面的数据库，以便于进一步研究。

参考文献

[1] Marcus Wagner. How to reconcile environmental and economic performanace to improve corporate sustainability：corporate environmental strategies in the European paper industry. Joournal of Environmental Management 76，2005：105－118.

[2] 陈劲，刘景江，杨发明．绿色技术创新审计实证研究［J］．科学研究，2002（2）．

[3] 杨东宁，周长辉．企业环境绩效与经济绩效前动态关系模型［J］．中国工业经济，2004（4）．

[4] 张红凤，周峰，杨慧，等．环境保护与经济发展双赢的规制绩效实证分析［J］．经济研究，2009（3）．

[5] 秦颖，武春友，瞿鲁宁．企业环境绩效与经济绩效关系的理论研究与模型构建［J］．系统工程理论与实践，2004（8）．

青海省黄南藏族自治州生态碳汇计算及其价值评价

杜加强　舒俭民　张林波

（中国环境科学研究院　北京市朝阳区安外大羊坊8号院环科院生态所　100012）

摘　要　本文采用CASA模型和经验统计模型分别计算了黄南藏族自治州净初级生产力和土壤碳呼吸，进而计算了净生态系统生产力。结果表明，黄南藏族自治州净初级生产力、土壤碳呼吸和净生态系统具有相似的空间分布特征：黄南藏族自治州区域平均净初级生产力为485.41 gC/m^2·a，土壤碳呼吸量为46.22 gC/m^2·a，生态系统碳汇强度为439.19 gC/m^2·a。扣除化石燃料释放的CO_2量，黄南藏族自治州区域年C净吸收量约为7588953.04tC。按照目前的碳交易价格，黄南藏族自治州生态系统每年净吸收的CO_2价值约在6.21亿～8.32亿元，占GDP的22.21%～29.72%。建议黄南藏族自治州探索、开展碳交易，以此收益来保护生态环境、增强碳吸收能力。

关键词　碳汇计算　价值评价　青海省黄南藏族自治州

黄南藏族自治州位于青海省东南部，从北向南依次辖尖扎县、同仁县、泽库县和河南蒙古族自治县4县。南部的两县是黄河流域重要的水源涵养地，三江源自然保护区的麦秀核心区即位于此。全州面积1.88万km^2，其中85%为草地，94%的草地为可利用草地。黄南藏族自治州草地植被类型主要是高寒草甸，是青藏高原自然载畜能力较高、耐放牧性最强的草场之一。然而近年来，在气候变化和人类活动的共同影响下，黄南藏族自治州草地出现了大面积退化、沙化、产量下降的现象，成为社会、经济以及草地畜牧业持续发展的巨大障碍，也对黄河中下游广大地区的发展产生了潜在的威胁。如何加大治理、恢复力度，增加投资，成为黄南藏族自治州提高生态环境质量、增强可持续发展能力急需解决的难题之一。

目前已有足够的证据表明陆地生态系统是“失去的碳汇”最有可能的候选者[1]，陆地生态碳汇在全球碳循环中发挥着十分重要的作用，在全球碳收支平衡中占有主导地位[2]。在气候变暖趋势日益加剧的背景下，开展区域碳收支平衡研究具有十分重要的意义。已有研究表明，青海省东南部草地生物量较高，极有可能是我国典型的碳汇地区[3,4]，但针对该区域固碳能力、土壤碳呼吸的研究较少。草地资源常规调查周期较长、更新较慢，仅根据草地资源数据很难实时评估区域植被NPP；而且在区域尺度上，无法直接全面地进行NPP、土壤呼吸的实地测定，利用模型模拟进行间接估测就成为一种重要而被广泛接受的研究方法。净生态系统生产力（Net Ecosystem Production，NEP）是生态系统碳平衡的重要指标[5]，是生态系统净初级生产力（Net Primary Production，NPP）与土壤异养呼吸（Heterotrophic Respiration，Rh）的差值，经常用来表征生态系统碳收支状况。

本文拟基于MODIS植被指数数据，采用CASA模型来估算黄南藏族自治州的NPP，利用统计模型估算黄南藏族自治州土壤碳呼吸，并以NEP来直接定性定量地描述生态系统的碳源/汇的性质和能力，最后评估黄南藏族自治州生态碳汇/源的经济价值，为黄南藏族自治州开展碳交易提供前期基础和理论依据，同时也为遥感模拟估算区域NEP提供参考。

一、研究区域与研究方法

（一）研究区概况

黄南藏族自治州地理坐标为100°34′～102°28′E，34°04′～36°10′N（图1），位于青藏高原向黄土高原过渡带，属于生态环境脆弱区[6]，兼有高寒生态系统和半干旱生态系统的特点。黄南藏族自治州地势南高北低，南部的河南县、泽库县大部分地区海拔在3500 m以上，北部同仁县、尖扎县海拔一般超过2500 m。由于深居欧亚大陆腹地，受季风、西风带和高原天气系统的共同影响，加之地形、海拔等因素复杂，区域内形成了多样的气候特征，气候差异显著（图1）。尖扎县和同仁县降水量相对较少，气温较高，相对湿度较低，而蒸发量较大，无霜期较长；泽库县和河南县则降水量较大、气温较低，湿度较高，蒸发量较低，无霜期非常短。北部属于高原温带干旱气候小区，南部属于高原亚寒带湿润气候小区。

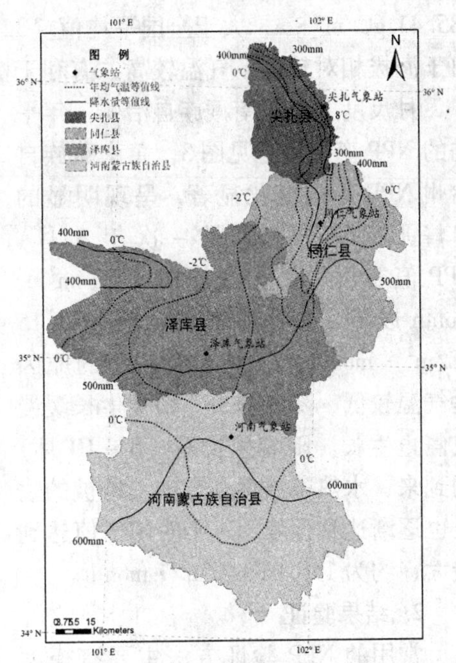

图1　黄南藏族自治州行政区域和年均降水、气温分布

（二）资料获取与处理

遥感数据使用按照统一算法开发的2006—2008年全年月尺度的最大合成的MODIS NDVI植被指数（MOD13Q1），数据来自NASA，空间分辨率为250m×250m，数据格式为HDF-EOS。气象数据来源于中国气象局，数据内容为月降水量、月平均气温、月总太阳辐射，以及各气象站点的经度、纬度和海拔高度。为了能更准确地模拟黄南藏族自治州气候因子的空间分布，本研究除了采用黄南藏族自治州区域的4个气象站外，还使用了周边玛曲、合作、西宁、贵德、民和、贵南、同德、玛沁等气象站的气象资料。黄南藏族自治州区域海拔较高，区域地势起伏度较大，考虑到海拔变化对气温的影响，在进行气温空间插值时，采用了基于DEM的IDW插值方法，获取像元大小与NDVI数据一致、投影相同的气象要素数据。DEM数据分辨率为30m，来自中国科学院。青海省能源消耗的平均增长速率来自青海省统计年鉴。

（三）研究方法

本次估算黄南藏族自治州的NPP主要采用Potter等[7]提出的CASA（Carnegie-Ames-Stanford Approach）模型，该模型将环境变量和遥感数据、植被生理参量联系起来，实现了植被NPP的时空动态变化模拟，得到了大量应用，展现了广阔的应用前景。CASA模型中的土壤水分子模型所需部分参数尚不具备，且不易求取，因此采用周广胜和张新时等[8]提出的蒸散量计算方法。土壤碳通量的变化主要受水分和温度共同调控[9]，土壤碳呼吸的大部分变化可由土壤温度和湿度解释[10]。尽管有关土壤碳通量与水热条件的统计模型得到了部分研究，但尚无公认的普适模型[11]。Raich等[12]采用全球范围的土壤碳呼吸实测数据，建立了土壤碳通量与降水量、气温的统计模型，由于数据代表性强、分布广泛，模型的适用性强，得到了较多的认可和应用[13]。本研究也采用Raich模型[12]来评估黄南藏族自治州土壤碳呼吸量。

二、结果与分析

（一）黄南藏族自治州净初级生产力估算

1. 模拟结果

NPP是陆地生态系统物质与能量循环的基础，反映了陆地生态系统碳吸收的能力及其与大气的碳交换过程[14]。将CASA模型模拟得到的2006—2008年的NPP求平均，得到黄南藏族自治州NPP的空间分布（图2）。黄南藏族自治州NPP的平均分布范围为47～714 $gC/m^2 \cdot a$，2006—2008年的分布状况十分相近，尖扎县黄河谷地和同仁县隆务河河谷的NPP值相对较高，一般均在500 $gC/m^2 \cdot a$以上，其余大部分地区的NPP较为接近，除少部分区域小于350 $gC/m^2 \cdot a$之外，大部分区域的NPP值均位于350～500 $gC/m^2 \cdot a$。黄南藏族自治州区域三年平均的NPP为

485.41 gC/m^2 · a，大于全国平均值（327.60gC/m^2 · a）[15]。北部地区 NPP 值较高的原因可能是由于海拔相对较低，气温较高，有利于植被的快速生长。

月尺度上，黄南藏族自治州三年平均的 NPP 变化趋势见图 3。黄南藏族自治州 NPP 年内变化显著，呈现明显的单峰形，冬季（11 月 - 次年 3 月）NPP 值非常小，基本都在 3 gC/m^2 · month 以下，1 月份最低，仅为 0.15 gC/m^2 · month；冬季 NPP 较小的原因是气温较低、降水较少，植被生长缓慢或停止生长。随着生长季（5 - 10 月）的到来，水热条件逐渐充沛，植被的生长也逐渐达到顶峰，7 月时 NPP 值达到最大，约为 146.91 gC/m^2 · month。

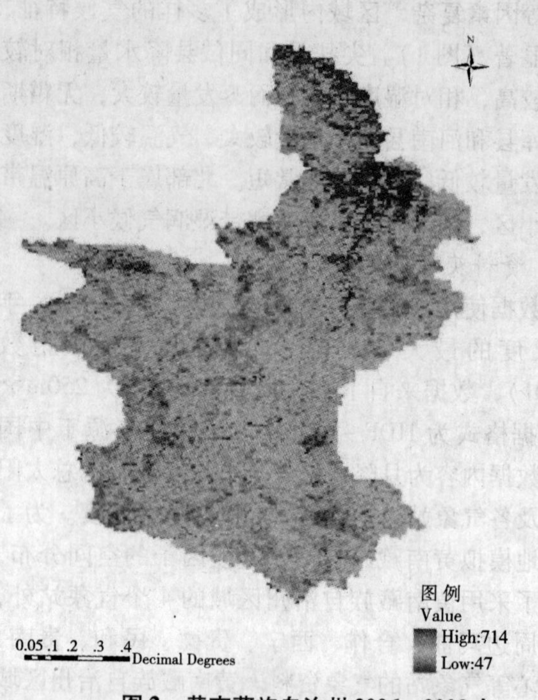

图 2　黄南藏族自治州 2006—2008 年三年平均的 NPP 空间布局

2. 结果验证

常用的 NPP 验证方法主要有模型模拟值与实测数据相比较和不同 NPP 模型间的相互比较[16]。由于缺少黄南藏族自治州植被生物量和 NPP 的实测资料，本文另外采用了 Miami 模型计算黄南藏族自治州 NPP，用于验证 CASA 模型的结果。

Miami 模型中生物量与含碳量转换系数取常用的 0.5，计算得到的黄南藏族自治州 NPP 空间分布见图 4。Miami 模型反映的 NPP 空间分布特征与 CASA 模型基本相同，北部河谷地带的 NPP 值相对较高。Miami 模型得到的 NPP 数值分布与 CASA 模型有所不同，两者最高值比较接近，CASA 为 714 gC/m^2 · a，Miami 为 695.40 gC/m^2 · a；最小值差异明显，CASA 模型为 47 gC/m^2 · a，Miami 模型为 150.10 gC/m^2 · a。究其原因，可能是 CASA 模型采用 NDVI 来反映植被的现实生长状况，而 Miami 模型则没有考虑到草地退化、沙化等相关因素。由此可见，CASA 模型模拟的 NPP 结果合理、可靠。

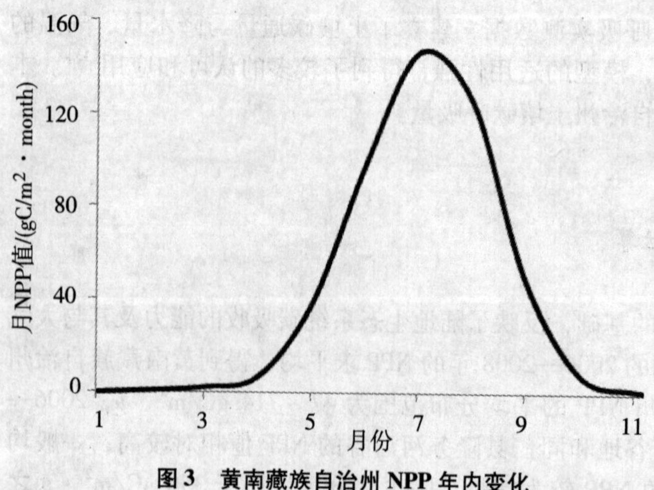

图 3　黄南藏族自治州 NPP 年内变化

（二）土壤碳呼吸估算

1. 估算结果

土壤呼吸包括根系自养呼吸，土壤生物异养呼吸和非生物学过程的矿物质氧化分解 3 个过程[17]，其中非生物学过程产生的 CO_2 量一般很小，常忽略不计。尽管有学者采用 50% 来区分土壤异养呼吸与根系自养呼吸[1]，但不同植被类型、土壤类型相差较大，这一比率并非普遍适用。为保守起见，本次估算直接采用土壤呼吸量为土壤异养呼吸值。土壤碳呼吸计算结果表明，黄南藏族自治州 Rh 的平均分布范围为 34 ~ 85 gC/m² · a，2006—2008 年的分布状况也十分相近，尖扎县黄河谷地和同仁县隆务河谷的 Rh 值相对较高，均在 60 gC/m² · a 以上；南部的黄河河谷、泽曲河两侧的 Rh 相对较高，约为 50 ~ 60 gC/m² · a；其余大部分地区的 Rh 较为接近，除少部分区域小于 40gC/m² · a 之外，大部分区域位于 40 ~ 50 gC/m² · a。黄南藏族自治州区域三年平均的 Rh 为 46.22 gC/m² · a。北部地区 Rh 值较高的原因可能是海拔相对较低、气温较高，土壤微生物的活性较强、活动时间更长，根系呼吸也较为强烈。

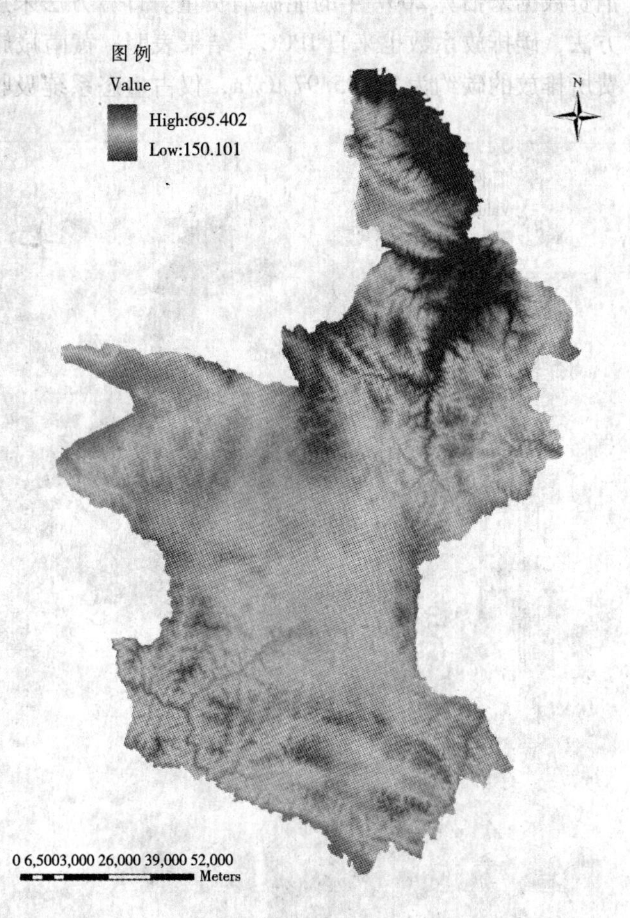

图 4　Miami 模型的计算结果

2. 结果验证

土壤碳呼吸是生态系统向大气中释放 CO_2 的重要环节，土壤呼吸作用随环境的不同而具有较大变化。黄南藏族自治州区域缺乏土壤碳呼吸的实测资料，且瞬时的土壤呼吸作用的测定也难以外推到月、年等尺度。因此，本文采用与相关研究进行对比的方法来验证土壤碳呼吸的模拟结果是否合理。根据刘立新对全球土壤碳呼吸实测文献的统计发现，温带草地土壤呼吸通量在 13.2 ~ 83.0gC/m² · a，热带草地土壤呼吸通量在 47.0 ~ 90.0gC/m² · a。本此研究得到的黄南藏族自治州土壤碳通量基本位于温带草地范围之内，从数量级别来看模拟结果较为合理。

（三）黄南藏族自治州碳平衡分析及价值评价

1. NEP 估算

黄南藏族自治州 2006—2008 年的平均 NEP 见图 5。NEP 与 NPP、土壤碳呼吸量的空间分布格局十分相似，北部的隆务河河谷、黄河两岸的 NEP 相对较高，在 500 gC/m² · a以上；南部大部分地区的 NEP 范围在 400 ~ 500 gC/m² · a，部分区域在 400gC/m² · a 以下。2006—2008 年的分布格局非常相似，最大值、最小值之间也较为相近，三年平均的 NEP 分布范围基本稳定在 0 ~ 642 gC/m² · a，区域平均的 NEP 为 439.19 gC/m² · a。因此，黄南藏族自治州大部分区域（不包括水域）都是明显的碳汇地区。

黄南藏族自治州 NEP 年内变化趋势与 NPP 十分相似，年内分配非常不均，10 月至次年 3 月的 NEP 值非常低，均小于 1 gC/m² · a，而生长季的 5 - 9 月，NEP 大幅增加，变化范围为 31.77 ~ 138.34 gC/m² · a。黄南藏族自治州冬季气温较低，基本都在 -5℃以下，是碳呼吸强度较低的主要原因。

2. 生态碳汇价值估算

由上可知，黄南藏族自治州生态系统是一个典型的碳汇。然而要计算黄南藏族自治州区域的碳平衡及其价值，还需要考虑扣除社会经济发展释放的 CO_2。由于黄南藏族自治州近年来能源消费数据的缺失，本研究采用青海省能源消耗的平均增长速率，以 2000 年黄南藏族自治州的能源消费数据来估算 2007 年的能源消费量。计算方法采用 IPCC 推荐的通过燃料消耗来计算碳排放的方法，碳排放系数也来自 IPCC。结果表明，黄南藏族自治州 2007 年的煤炭、石油等化石能源消费所排放的碳约为 22085.97 tC/a，仅占生态系统吸收量的 0.29%。部分原因是黄南藏族自治州经济不发达，人口少，以及特定的生产、生活方式化石燃料消耗较低。由此可见，黄南藏族自治州区域是一个明显的碳汇地区。

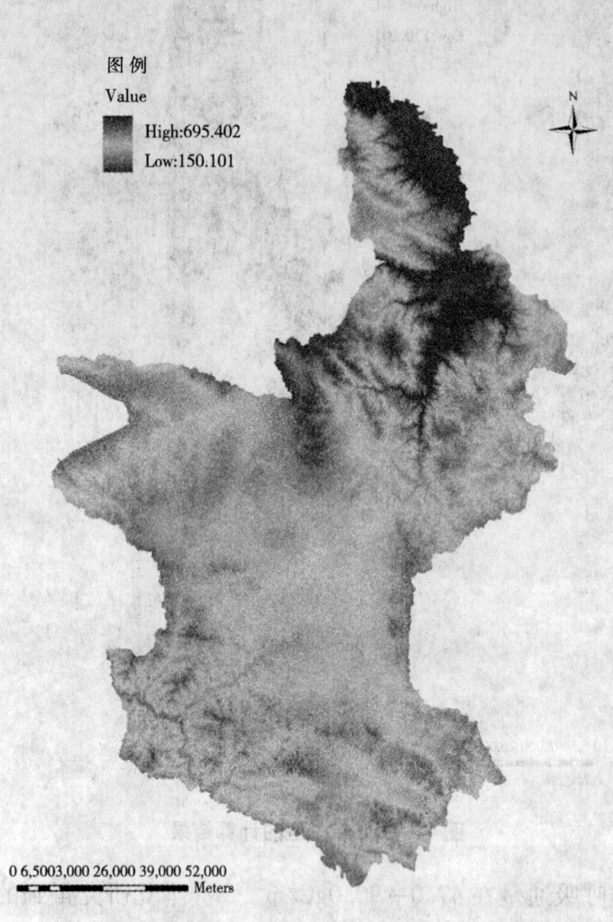

图 5　黄南藏族自治州 2006—2008 年三年平均 NEP 空间格局

扣除自身化石燃料燃烧释放的 CO_2 量后，黄南藏族自治州区域生态系统年碳净吸收量约为 7588953.04tC。根据 IPCC 的估算，2005 年每排放 1t 二氧化碳所造成的经济损失约为 12 美元。若按此计算，则黄南藏族自治州由于生态系统的净吸收，所减少的损失价值约为 9106.74 万美元。碳交易是在《京都议定书》框架下，发达国家通过投资发展中国家的温室气体减排项目，从而完成自身减排承诺的一种方法。伦敦、芝加哥、蒙特利尔等欧美城市纷纷建立了大型碳交易平台。若按照美国芝加哥气候交易所（Chicago Climate Change，CCX）2006—2007 年的碳交易价格来计算，则每吨 CO_2 约为 3.51 美元，由此得到黄南藏族自治州生态系统每年净吸收碳的价值约为 9766.98 万美元；2006—2007 年，欧洲碳交易一级市场价格约为 16 ~ 18 欧元/t，我国国内碳交易价格约在 11 欧元/t，据此计算，黄南藏族自治州生态系统固定碳的价值约为 8347.84 万欧元。由此可见，黄南藏族自治州生态系统每年净吸收的 CO_2 价值较大，约在 6.21 亿 ~ 8.32 亿元人民币，占 GDP 的比例约为 22.21% ~ 29.72%。

三、结论与讨论

本次计算的不确定性主要来自两个方面，一是模型模拟结果没有相应实测数据进行验证；二是在碳排放方面仅考虑了化石燃料燃烧，而没有考虑畜牧业、生活向大气中释放的 CO_2 量。在后续的研究中，一方面要对黄南藏族自治州的生物量、土壤碳呼吸进行长期实地观测，另一方面要详细调查畜牧业生产方式、生活模式可能产生的 CO_2。

黄南藏族自治州作为我国西部的欠发达地区，其社会经济发展一直受到国家的高度重视。黄南藏族自治州经济以农牧业为主，工业、旅游业等对黄南藏族自治州经济发展推动较小。同时，在气候变化和人类活动的共同作用下，黄南藏族自治州的草地出现了产量下降、沙化等退化现象。建立合理、持久的经济发展模式和环保资金投入制度，是保护黄南藏族自治州生态环境、促进地区经济发展的途径之一。随着对全球变暖认识的不断深入，碳交易的市场也将越来越大。在此情况下，黄南藏族自治州探索、开发碳交易市场，以碳交易的收益来保护生态环境，促进生态系统碳吸收能力，是可行的发展模式。因此，加强黄南藏族自治州林地、草地等植被的养护、管理，对于维持黄南藏族自治州生态系统碳净吸收，增强固碳能力，提高日后在碳交易谈判中的砝码，并在碳交易市场上发挥更大的作用，取得更大的效益，是非常重要的。开展碳交易，也是青海、西藏等经济欠发达、可能的碳汇地区可持续发展的潜在途径之一。

参考文献

[1] Tate K R, Scott N A, Parshotam A, et al. A multi - scale analysis of a terrestrial carbon budget Is New Zealand a source or sink of carbon [J]. Agriculture Ecosystems & Environment, 2000, 82 (1 - 3): 229 - 246.

[2] 曾永年，冯兆东，曹广超，等. 黄河源区高寒草地土地有机碳储量及分布特征 [J]. 地理学报，2004，59 (4): 497 - 504.

[3] 朴世龙，方精云，贺金生，等. 中国草地植被生物量及其空间分布格局 [J]. 植物生态学报，2004，28 (4): 491 - 498.

[4] 方精云，郭兆迪，朴世龙，等. 1981—2000 年中国陆地植被碳汇的估算 [J]. 中国科学（D 辑：地球科学），2007，37 (6): 804 - 812.

[5] 张宪洲，石培礼，刘允芬，等. 青藏高原高寒草原生态系统土壤 CO_2 排放及其碳平衡 [J]. 中国科学（D 辑：地球科学），2004，34 (增刊Ⅱ): 193 - 199.

[6] 信忠保，许炯心，郑伟. 气候变化和人类活动对黄土高原植被覆盖变化的影响 [J]. 中国科学（D 辑），2007，37 (11): 1504 - 1514.

[7] Potter CS, Randerson JT, Field CB, et al. Terrestrial ecosystem production: aprocess model base donglo balsatel lite and surface data [J]. Global Biogeo chemical Cycle, 1993, 7: 811 - 841.

[8] 周广胜，张新时. 全球变化的中国气候 - 植被分类研究 [J]. 植物学报，1996，38 (1): 8 - 17.

[9] 黄湘，陈亚宁，李卫红，等. 塔里木河中下游柽柳群落土壤碳通量及其影响因子分析 [J]. 环境科学，2006，27 (10): 1934 - 1940.

[10] 杨玉盛，董彬，谢锦升，等. 森林土壤呼吸及其对全球变化的响应 [J]. 生态学报，2004，24 (3): 583 - 591.

[11] 周广胜，贾丙瑞，韩广轩，等. 土壤呼吸作用普适性评估模型构建的设想 [J]. 中国科学（C 辑：生命科学），2008，38 (3): 293 - 302.

[12] Raich JW, Potter CS, Ghagawati D. Inter annual variabilityin global soilrespiration, 1980—1994. Global Change Biology, 2002, 8: 800 - 812.

[13] 周涛，史培军，惠大丰，等. 中国土壤呼吸温度敏感性空间格局的反演 [J]. 中国科学（C 辑：生命科学），2009，39 (3): 315 - 322.

[14] 何勇，董文杰，郭晓寅，等. 基于 MODIS 的中国陆地植被生长及其与气候的关系 [J]. 生态学报，2007，27 (12): 5086 - 5092.

[15] 朱文泉，潘耀忠，张锦水. 中国陆地植被净初级生产力遥感估算 [J]. 植物生态学报，2007，31 (3): 413 - 424.

[16] 王莺，夏文韬，梁天刚，等. 基于 MODIS 植被指数的甘南草地净初级生产力时空变化研究 [J]. 草业学报，2010，19 (1): 201 - 210.

[17] Singh JS, Gupta SR. Plantde composition and soilrespiration inter restrial ecosystem [J]. The Botany Review, 1977, 43 (4): 449 - 528.

[18] 刘立新，董云社，齐玉春. 草地生态系统土壤呼吸研究进展 [J]. 地理科学进展，2007，23 (4): 35 - 42.

推进国家环境技术管理体系建设的若干建议

孙　宁　蒋国华

（环境保护部环境规划院　北京　100012）

摘　要　环境技术管理体系是我国环境管理体系的重要组成部分。本文结合《环境技术管理体系"十一五"建设规划》提出的构建思路、体系结构和主要任务，对当前环境技术规范性文件的制定、环境技术评价管理制度、环境技术示范与推广管理制度的实施现状进行了全面分析，提出当前实施过程中存在5个方面的主要问题。在此基础上，提出环境技术管理体系建设中需要重点加强的6个方面的政策建议。

关键词　环境技术管理体系　现状　建议

一、国家环境技术管理体系建设现状与分析

（一）技术规范文件制定现状

环境技术规范文件包括污染防治技术政策、污染防治最佳可行技术导则和环境工程技术规范。到目前为止，我国共发布实施14项污染防治技术政策，涉及矿山生态环境保护、城市污水处理、城市生活垃圾处理、燃煤二氧化硫等行业的污染治理。2008年前，环境保护部颁布的环境工程技术规范仅有7项，涉及火电厂烟气脱硫、危险废物和医疗废物处置。2008年后，工程技术规范的制定发生了根本变化，一是确立工程技术规范的体系结构，通用类技术导则以及行业类、方法类、监督类工程技术规范共同组成我国环境工程技术规范体系；二是制定力度和范围明显加大，《环境工程技术规范制定技术导则》、《大气污染治理工程技术导则》等通用类技术导则都完成初稿，8个行业类工程技术规范以及污水过滤、混凝絮凝、气浮、厌氧缺氧好氧活性污泥法等方法类工程技术规范正在征求意见，《危险废物和医疗废物焚烧处置设施监督管理技术规范》等监管类工程技术规范已经发布实施；三是工程技术规范的内容发生了根本性变化，突出了过程管理和过程控制的思想，过去基本没有涉及或者很少涉及与工程设计和建设密切相关的关键内容（如处理对象的成分特性、工程设计参数和技术要求、关键设备和材料技术性能要求、关键设备采购和安装、检测自控系统等内容）要求增加到工程技术规范编制中。污染防治最佳可行技术是从2007年颁布实施的《国家环境技术管理体系"十一五"建设规划》开始的，由于制定经验的缺乏和有关技术要求的不确定，导则编制工作在我国刚刚起步，目前启动了钢铁行业（烧结及球团工艺、焦化工艺）、燃煤电厂、污水处理厂污泥、非木浆造纸、医疗废物处置、铜钴镍冶炼等行业（工艺）污染防治最佳可行技术导则的编制工作，仅有污水处理厂污泥处置技术导则正式发布。

（二）环境技术评价制度实施现状

环境保护技术评价是指按照规定的方法、程序，对环境保护技术的水平、可靠性、环境和经济效益以及风险等所进行的评估、验证、论证、评审等活动。我国环境技术评价始于20世纪90年代初，1991年国家环保局成立了最佳实用技术评审委员会和环境保护最佳实用技术推广办公室（筹），开始了对环境技术的评价工作。近20年来，我国对环境技术评估工作进行了积极的探索。

目前，我国环境技术评估主要包括两种类型，一是对某一种具体的环境保护技术（技术、产品或者设备），采取以专家评审为主要方法的专家评价体系，对其技术性能进行评价，其核心为专家评价意见，这是我国环境技术评估工作中应用最广泛、最具代表性的一类评价模式，在国

家环境保护科技成果鉴定、国家重点环保实用技术评价中都采用了专家评价模式。二是产品合格认证体系，目前已经建立和正在建立环境标志、环保产品、有机食品三类与环境相关产品的认证制度，对近43类、509个企业产品进行了环境标志认证，对近90类、1199项产品通过了环保产品认定。我国环境技术评估在评估目的、方法体系上与美国、加拿大、欧盟国家的环境技术评估相比还有较大差距。

（三）环境技术示范和推广实施现状

1992—1999年期间，国家环保局开展了环境保护最佳实用技术的评选工作，1999年国家环保总局修订发布了《国家重点环境保护实用技术推广管理办法》，将最佳实用技术修订为重点环境保护实用技术。1992—2007年，全国评审选出1349项国家重点环境保护实用技术。与此同时，2002年启动国家重点环境保护实用技术示范工程，至2007年共有209项工程列为国家重点环境保护实用技术示范工程。2007年，为贯彻落实《关于增强环境科技创新能力的若干意见》精神，国家环保总局开展“国家先进污染防治示范技术”和“国家鼓励发展的环境保护技术”申报评审工作。2009年环保部共计发布46项先进示范技术和102项鼓励技术。

《国家重点环境保护实用技术推广管理办法》中规定各级环境保护行政主管部门在环境影响评价、建设项目“三同时”、污染源及重点流域限期治理等管理中，应鼓励优先选用国家重点环境保护实用技术，污染源治理专项基金和环保补助资金应优先用于采用国家重点环境保护实用技术的建设项目，国家每年从国家重点环境保护实用技术推广计划中选择项目，推荐列入国务院有关部门的推广计划。目前已经形成了科技部科技型中小企业技术创新基金、国家重点新产品火炬计划、国家发改委中小企业发展专项资金、中央环保专项资金等不同资金渠道共同支持示范技术应用和推广的局面。据不完全统计，1999—2002年列入科技型中小企业技术创新基金项目的数量分别为14个、16个、20个、31个，资金额分别是1140万元、1185万元、1783万元、2185万元；列入科技部国家重点新产品计划分别达到其环境保护领域项目数量的43%～50%。2006—2008年，中央环保专项资金支持污染防治新技术新工艺项目的数量分别为26个、37个、32个，支持金额分别达到9840万元、8800万元、5900万元，共计2.5亿元，为国家先进污染防治技术的示范建立了一个稳定的资金渠道。

二、主要问题及分析

我国环境技术管理体系的实施还处在发展和改革阶段，新老事物之间的矛盾还比较突出，部分实施政策尚不完善，一些政策还急需制定和出台。概括起来，我国环境技术管理体系实施中存在以下5个方面的主要问题。

（一）推动最佳可行技术及其导则实施的相关法律和配套政策尚不完善

目前推进最佳可行技术实施的相关政策不是很清晰。与最佳可行技术关系最为密切的污染物排放标准、清洁生产标准、工程技术规范制定的有关规定中都没有足够体现出与最佳可行技术的关系，没有明确表达出最佳可行技术是污染物排放标准、清洁生产标准、工程技术规范制定的主要技术依据，环境排放标准制定修订过程与最佳可行技术之间的关联性不是很明显，最佳可行技术缺乏相应的法律地位，实施最佳可行技术缺乏相应的法律依据，在应用环节缺乏相应的政策支持，这对于最佳可行技术导则的制定和实施都极为不利。

（二）环境技术规范文件体系制定的时序性不够合理、协调性不够

当前，我国环境技术管理相关文件正在积极制定和发布中，但从发布的文件来看，上下级文件制定的时序发生颠倒，各个文件过于独立，关联性不能很好体现。如有关行业的工程技术规范正在制定中，但该行业相关的技术政策或者最佳可行技术导则可能还是空白；污染物排放标准正在修订中，但该行业最佳可行技术导则的制定工作还没有开始；一些技术政策未能及时修订，技

术内容与形势发展不相适应，技术路线不全面，不能很好地指导和鼓励行业技术的发展方向，给最佳可行技术导则和工程规范的制定带来困难；指导环境监督管理和执法工作的技术规范在范围、数量、种类上，与实际工作需求相比差距很大。环境技术管理文件之间的逻辑性、关联性被打乱，制定时序性上缺乏总体安排。

（三）评选技术的差异性不突出，技术示范没有抓手，技术评估、示范技术之间以及先进技术、鼓励技术之间脱节问题比较突出

目前，在国家层面上，国家重点环境保护实用技术、国家先进污染防治示范技术、国家鼓励发展的环境保护技术 3 种类型的技术同时开展评选活动。三种技术之间有重叠交叉的部分，国家重点环境保护实用技术既包含了先进技术，与国家先进污染防治示范技术有重叠，又包含了成熟适用技术，与国家鼓励发展的环境保护技术有重叠。三种技术之间各自的定位、作用差异性不明显，先进技术的先进性不突出，少数所谓的先进技术实际上是应用比较普遍的成熟技术。示范技术的确定过程与技术评估程序的要求之间不挂钩，不匹配，示范技术的评估没有很好地按照技术评估的程序要求进行；鼓励技术逻辑上分析应该脱胎于先进技术，先进技术发展和普及到一定阶段，就成为成熟技术，但现实中，先进技术和鼓励技术的出台看不出这样的逻辑关系，互相不挂钩，关联性不强。这些问题的存在也反映出过去我国环境技术管理体系的构建上缺乏整体性和逻辑性，彼此之间各自发展，不能进行有效地整合。

（四）环境技术组织申报方式局限性比较突出，与污染减排技术的需求脱节

目前，国家组织的技术评价都是按照各地申报的方式，在申报项目范围内进行评审。这种申报方式具有较大的局限性和随机性，可能会将一些符合要求的技术且为污染减排治理和环境管理急需的技术由于种种原因没能进行申报，没能出现在评选名单中，造成技术评定结果的不全面和一些认识上的误解，以为不在名录（目录）内的技术就不是先进和鼓励发展的技术。这种项目组织申报方式与环境保护整体战略和环境科技发展的需求相脱离，被申报的技术牵着鼻子走，不能面向环境管理和污染治理的需求组织技术评价。

（五）重评轻管，环境技术的推广绩效有待进一步追踪、评价和提升

环境技术的推广管理在制度建设上还有许多空白和不足。我国对示范技术几乎是一次性管理，主要在技术评审阶段，一旦成为示范技术后，后续对示范技术依托工程的跟踪、监督管理、绩效考核等工作几乎成为空白，技术示范的成功与否无法判断。示范技术推广初期阶段的管理更是空白，这对于示范技术的推广极为不利。

三、推进环境技术管理体系实施的政策建议

我国环境技术管理体系的建设有两个核心工作，一是提高技术规范文件本身的科学性、合理性和可操作性，二是有效促进先进技术的不断示范和成熟技术的不断推广，促进环境技术不断升级和创新。围绕这两个核心，针对当前技术体系构建中出现的问题，提出如下政策建议：

（一）将环境排放标准、清洁生产标准的制定和修订与最佳可行技术紧密联系起来

明确最佳可行技术的地位和作用，最佳可行技术应明确作为污染物排放标准、清洁生产标准、工程技术规范编制的重要基础和前提。必须以最佳可行技术为基础和前提，制（修）定环境排放标准，需要尽快制定最佳可行技术导则，为污染物排放标准的制（修）订与实施提供有效的技术支撑，使污染物排放标准的制定更加科学、合理，具有切实可行的操作性和经济可达性。

某行业最佳可行技术导则尚未颁布实施的情况下，又确需制定或者修订排放标准的，必须在制（修）定过程中，对国内外行业污染防治最佳可行技术进行全面、深入调查，对技术和经济进行全面分析和衡量，结合技术、经济分析结果，明确提出排放标准限值取值的依据，坚决杜绝

照抄照搬或者经济技术不相适宜的排放限值出现。以最佳可行技术导则为核心，污染物排放标准、最佳可行技术导则、工程技术规范之间应体现“三位一体”的思想，污染物排放标准、最佳可行技术导则、工程技术规范的核心内容应做到协调一致。

（二）环境技术规范文件体系的制定步伐必须统筹安排、有效衔接

鉴于我国最佳可行技术起步较晚，发展较慢，当前必须把加快制定和颁布最佳可行技术导则作为重点任务，尽快制定最佳可行技术导则。以“是什么、如何做、如何衡量”为指导思想，提高导则编制的技术含量。污染防治技术政策、最佳可行技术导则以及工程技术规范三者之间的制（修）定步伐必须统筹安排、有效衔接。凡已经颁布的工程技术规范，要对其技术路线的规定进行时效性分析，其内容和深度不符合最新要求的，要尽快安排修订；对正在制定中的工程技术规范，应同步安排其最佳可行技术导则的编制工作，在规范和导则的编制者应优先考虑委托同一单位进行。尽快对技术政策进行全面梳理，对不合时宜的技术政策应尽快进行修订，对技术政策和最佳可行技术导则均尚无制定的行业，可同时安排技术政策和导则的制定任务。

规范不同技术文件《编制说明》的编制内容和深度要求，强化对理由阐述的要求，编制说明中应重点回答“为什么”。建议技术文件正式发布实施时将其《编制说明》一并发布，提高公众对技术文件内容的理解力。

（三）尽快组织制定环境技术评估相关程序和管理规定，开展环境技术评估试点工作

科学的环境技术评估系统是制订环境保护技术政策、最佳可行技术指南、各类环境保护标准及新技术示范的基础，是环保审批的基础工作，是决策咨询，是政府职能的转移和延伸。我国开展环境技术评估的研究工作已有近10年的时间了，美国、加拿大等国家的环境技术评估与验证工作都有很好的经验可供参考和借鉴。总体来看，我国启动环境技术评估的时机已经基本成熟，需要有关部门尽快制定环境技术评估相关的工作程序和管理办法，搭建起环境技术评估管理的框架，尽快推动环境技术评估工作的开展。我国每年都有相当数量的污染治理技术和设备申请国家环保部门进行技术鉴定，可从中选择一些工艺技术相对简单、技术可考性较好、技术性能指标比较容易获得的技术和设备开展环境技术评估试点工作，不断完善技术评估的程序和管理规范。

（四）区分不同技术的含义，统一技术认定的部门和程序，提高技术认定权威性

我国在环境保护技术上先后出现国家重点环境保护实用技术、国家先进污染防治示范技术、国家鼓励发展的环境保护技术、清洁生产技术以及污染防治最佳可行技术等不同的名称和用语，需要尽快明确不同技术用语在概念、内涵、作用等方面的区别和联系。建议在国家层面上取消国家重点环境保护实用技术的评审，将其有关内容纳入到国家先进技术和国家鼓励技术的管理活动中去。进一步公开各种技术评定的标准，建立公示制度。

提高申报《示范名录》技术的评审要求，重点突出其在国际或者国内的先进性。凡是申请列入《示范名录》的技术，环保部应委托第三方评价机构对申报技术进行综合评价或验证评价，环保部明确评价的主要内容、评价重点、技术方法，提交技术评价报告。第三方评价机构应当本着客观、公正的原则对技术进行评审，提高示范技术评审门槛。建议根据污染减排工作的需要对各种技术给予全面评定，不仅仅限于申报技术的范围，主动出击寻找一些技术，采取主动寻找技术和各地申报两种模式相结合的方式进行。建立动态跟踪和评估制度，每年新开始的评定工作需要对过去有效的评定结果进行回顾性评估，对一些不再满足要求的技术要从名单中及时去除，并予以公布，保证技术名单的时效性。

（五）以《鼓励目录》和《示范名录》为抓手，加大资金力度，规范技术示范活动，促进环境技术示范推广，跟踪示范项目实施进程

环境保护部必须以《鼓励目录》和《示范名录》为抓手，特别是《示范名录》，组织开展技术示范工作。应从各种可能的渠道，加大资金支持比例，每年保证一个固定资金金额或者比

例，建立资金联动效应，在资金总额增加的情况下，保证用于技术推广的资金也能够相应提高。当前中央环保专项资金正在进行改革，建议在支持领域和支持方式上，保留对污染防治新技术新工艺示范项目的支持，环保部结合当年环保工作重点和科技技术发展的需要，每年确定支持技术的范围和名称，明确考核技术指标要求，在全国范围内采取公开招投标的方法选择技术示范单位，提高技术含金量，真正支持先进技术的工程化应用。

建议制定新工艺新技术示范项目管理办法，改变过去无人管理、企业随意的状况。建立合同管理制度，示范项目必须签订合同书和责任书，明确职责、进度和考核要求；建立跟踪评价制度，对示范项目必须进行跟踪评价，加强示范项目技术工艺运行数据、运行管理情况的跟踪和监督；建立绩效考核制度，示范项目结束后，开展技术示范效果评估，支持优秀技术的推广活动，对完成效果不佳、达不到预期效果的项目必要时应追究有关人员的责任，对国家投入的资金进行追缴和偿还。环保部要及时了解和掌握示范技术在国内的推广应用情况，逐步改变过去“重评审，轻管理”的状况。

（六）定期开展环境技术管理体系定期评估工作

环境技术管理体系的构建是我国环境科技创新三大工程之一，通过技术手段实现污染减排目标和国家环境保护目标具有重要作用。2007 年 2 月，国家环保总局发布实施《国家环境技术管理体系建设“十一五”规划》（简称《规划》），这是指导我国环境技术管理体系建设重要的纲领性文件，对我国“十一五”和“十二五”期间环境技术管理体系建设目标、建设内容进行了相应规定。应以此为基础，对《规划》实施情况开展中期和末期评估，及时了解《规划》任务实施进展、取得的主要成果、存在的主要问题，针对问题提出相应的解决建议，通过评估切实推动《规划》更好地落实和实施。

西北黄土高原乡村土地景观格局优化与生态环境功能区研究
——以宁夏固原市上黄村为例

李壁成　刘德林　张　麿

（中国科学院水利部水土保持研究所　西北农林科技大学水土保持研究所
陕西　杨凌　712100）

摘　要　以宁夏固原市上黄村为例，对黄土高原土地景观格局优化与生态环境功能区进行了研究探讨。上黄村近30年的生态环境建设试验示范表明：在半干旱生态严重退化的贫困山区，经过20～30年的综合治理和土地结构优化调整，修复生态环境和发展生态农业模式，具有重要的理论和实践意义。

关键词　黄土高原　乡村　土地景观格局　功能区

西北黄土高原的宁夏南部山区，即“西海固”地区，是回族聚居地区，由于历史和自然环境等原因，这里地域偏僻，经济发展缓慢，曾被称之为“人贫地瘠苦甲天下”的地方[1]。1972年国务院专门召开“固原地区工作会议”，调拨救济物资和派出干部支援西海固地区。1982年西海固地区列入国家“三西”农业专项计划，用10～20年的时间集中解决这一片的贫困问题。与此同时，中国科学院等科研院所和高校的大批科技人员，来宁南山区进行科学考察和长期定位试验研究，开展科技攻关，探索这里的可持续发展道路，普及和示范推广先进的科学技术[2-4]。宁南山区人民经过20多年的艰苦奋斗，胜利完成扶贫攻坚历史任务，基本解决群众温饱，向致富奔小康进发[5]。本文以宁夏固原市原州区上黄村为例，论述宁南半干旱生态退化山区乡村生态环境与生态农业建设模式及可喜变化。

一、上黄村自然环境与社会经济概况

上黄村位于宁夏南部山区的固原市河川乡，为黄土高原丘陵沟壑区，土地总面积8.01km^2，人口561人，人口密度为70人/km^2。海拔高度1534.3～1822.0m，最大高差近300m。年总辐射量5342.4MJ/m^2，多年平均降水量419.1 mm，干燥度指数1.55，年平均气温6.9℃，无霜期152天，属温带半干旱气候区。1982年试点前，上黄村黄土梁峁起伏，沟壑纵横，荒山秃岭，水土流失严重，生态环境恶化，农业生产落后，群众生活十分贫困。林地覆盖率仅1.23%，土壤侵蚀模数高达5000$t/km^2.a$；耕作粗放，不施化肥，不用良种，广种薄收，靠天吃饭，粮食亩产35kg，人均收入47.5元，仅能维系最低生活水准和简单再生产。中科院水土保持研究所在这里设立科研基地后，从调整土地利用结构和改善生态环境入手，示范和推广先进的旱作农业和水土保持综合治理技术，为脱贫致富和农业可持续发展奠定了基础。20多年过去了，经过艰苦创业，今日上黄村已实现“三化两提高”的目标，即坡地梯田化、宜林荒山绿化、平川地初步高效集约化、农民的科学文化素质不断提高，涌现一大批科技致富能手和农民技术员，通过试区系统科技培训，成长为科技兴农的主力军。目前试区水土保持治理度已达83.5%，林草覆盖率达70.3%，年土壤侵蚀模数小于1200t/km^2，基本达到土不下山，水不出沟，化害为利，控制水土流失，高效利用水土资源的要求。从根本上改善了生态环境和农业生产条件，大大增强了抗灾能力。依据“多用光、巧用水、重有机、防污染、保生态、求发展”的指导原则，发展“农、畜、果、沼”联户生态家园模式，建成生态环境良好的新农村。走出了一条生态环境全面改善与社会经济持续发展的新路子，为黄土高原综合治理和宁南山区农业经济发展树立了榜样，起到了典型示范作用。

二、上黄村近 30 年生态环境与土地利用格局动态变化与驱动力

（一）生态环境与土地利用格局动态变化与分析

我们以上黄村 1982 年 1∶10000 地形图，1987 年和 1990 年 1∶10000 彩红外航片，1995 年 1∶10000 正摄影像图，以及在上述图件基础上调查的 2002 年和 2008 年土地利用/覆被数据为基础，运用 GIS 软件建立上黄村土地利用矢量数据库与图谱（图 1）用以研究土地利用动态变化。此外，所用数据还包括该地区的 1∶10000 数字高程图及相关的社会经济调查数据。

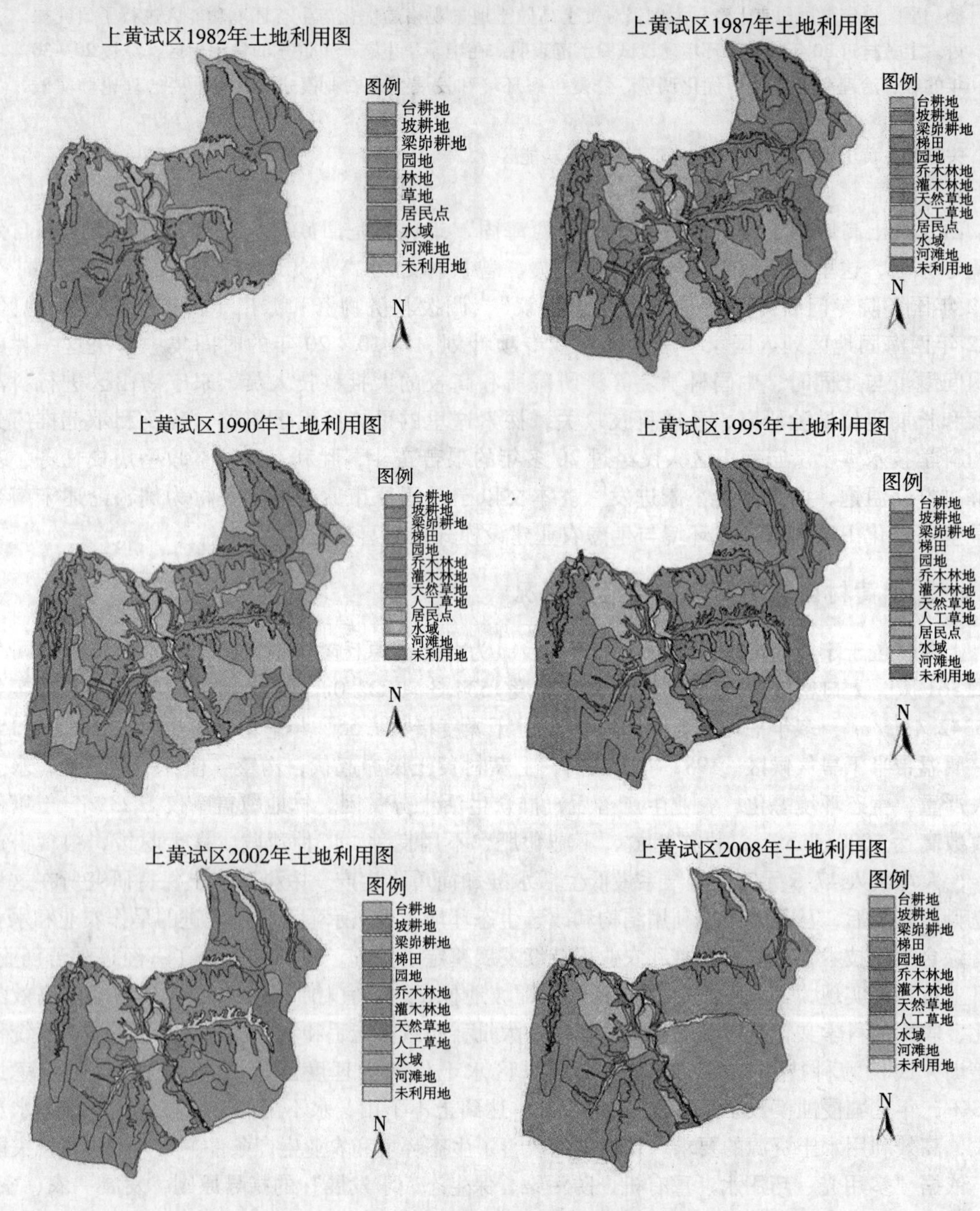

图 1　上黄试区土地利用变化图谱

通过编制遥感图谱和实地调查，我们对上黄村土地利用进行了动态监测，分析结果表明有以下三大特点（表1和图2）。

1. 林草地面积大幅度增长，生态环境步入良性循环。1982年上黄试区仅有林地5.31hm²，林地覆盖率仅1.23%，一片荒山秃岭，满目荒凉。“六五”以后大力种草，1987年人工草地面积曾达到135hm²，林草覆盖率上升到24.5%，展现了绿化黄土高原的光明前景。“七五”后期由于气候干旱，加之社会经济等复杂原因，人工草地衰败后，再未能恢复，但53.3hm²人工灌木林已旺盛生长起来，成为稳定的牧业基地。“八五”又新造柠条灌木林66.7hm²，使林地覆盖率达到18.4%，加上人工草地和改良场面积，林草覆盖率达43%。“九五”林草覆盖率达58.18%，为发展高效农业创造了良好的生态环境。到2008年林地和果园面积达到566.9 hm²，林草地覆盖率达到70.3%，荒山已全部绿化，水土流失面积已全部治理，基本建立起高效生态农业模式。

2. 坡耕地面积减少，基本农田面积扩大，农业集约化程度逐步提高。1982年耕地中基本农田很少，坡耕地面积占70.14%，1987年由于退耕60hm²陡坡地造林种草，加之坡改梯等治理措施，坡地仅占农耕地的21.8%。1995年基本农田达到144.8hm²，人均0.3hm²。2000年基本农田达到211.7 hm²，从根本上改变了农业生产的基本条件，这为提高粮食单产和抗御干旱等自然灾害，保证农业持续发展，奠定了坚实的基础。

3. 果园面积逐年扩大，经济效益成倍增长，有着发展支柱产业的潜力。过去宁南山区不仅果园少，而且由于品种差，经营管理不善，缺乏科学技术，因而果树长期不挂果或生长畸形果，商品价值低，曾被视为果树的发展禁区。“七五”期间试区科技人员经过试验研究，引选出了一批适应宁南较高海拔和温凉干旱山区的良种，示范果园达到了早实丰产抗逆性强的目标，每公顷果园收入达15000～45000元，是同等农地的6～20倍。不仅试区面积扩大，经济收益成倍增长，而且在固原地区大面积推广，因而受到当地领导和群众的欢迎，逐步形成当地的支柱产业之一。

表1　上黄村近30年土地利用类型面积变化

土地利用类型	1982		1990		2002		2008		年变化率/(%/年)		
	面积/hm²	%	面积/hm²	%	面积/hm²	%	面积/hm²	%	1982—1990	1990—2002	2002—2008
耕地	320.11	39.70	316.61	39.26	407.61	50.55	130.35	16.16	-0.14	2.13	-17.31
果园	4.68	0.58	1.05	0.13	19.38	2.40	27.68	3.43	-17.04	27.50	6.12
林地	5.31	0.66	97.13	12.02	174.50	21.64	539.22	66.87	43.81	5.00	20.69
草地	376.33	46.67	325.78	40.25	146.81	18.21	57.73	7.16	-1.79	-6.43	-14.41
居民用地	3.86	0.48	4.57	0.56	7.75	0.96	8.79	1.09	2.13	4.50	2.12
水域	9.28	1.15	11.23	1.38	12.14	1.51	12.14	1.51	2.41	0.65	0.00
未利用地	86.80	10.76	49.99	6.15	38.19	4.74	30.48	3.78	-6.66	-2.22	-3.69

（二）生态环境与土地利用格局动态变化的驱动力

研究区的生态环境与土地利用变化在不同阶段，受着不同的驱动力作用，在近30年分四个阶段：

1. 广种薄收，粗放经营（1982年前）阶段：由于农业基本生产条件差，气候干旱，生产力低下，在维系温饱求生存的压力驱动下，乱垦滥牧，广种薄收，造成愈穷愈垦，愈垦愈穷的恶性循环。

2. 调整土地利用结构，改善生态环境（1982—1990年）阶段：1982年建立科研试验示范基点后，在科学试验的驱动下，从调整土地利用结构入手，草灌先行，大力种草种树，生态环境和农业生产条件得到改善。同时推广旱作农业技术，基本解决温饱问题。

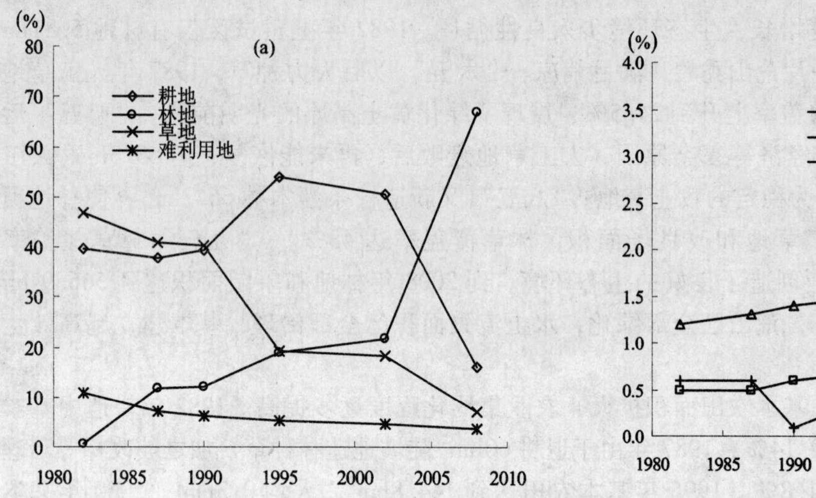

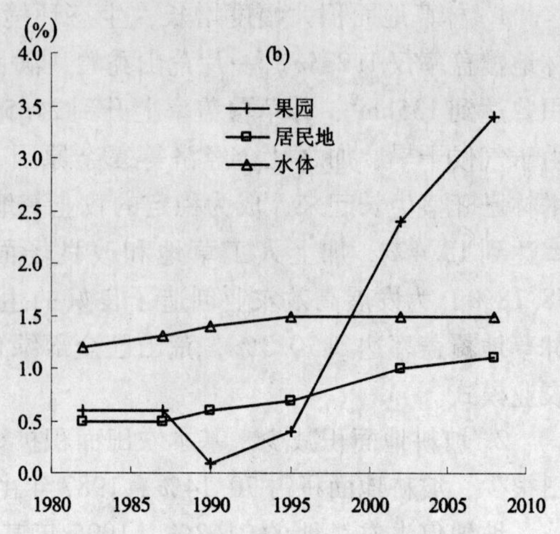

图2 上黄试区1982—2008年各土地利用类型变化曲线

3.“三化两提高”（1991—2002年）阶段：为了从根本上改变水土流失严重，生态环境恶化和掠夺式农业生产方式，在科学试验示范效应的驱动下，推行了“三化两提高”模式，即坡地梯田化、宜林荒山绿化、平川地高效集约化、农民的科学文化素质不断提高，生态经济效益不断提高。大力应用集水型农业技术，使水土资源得到高效利用。生态环境和农业生产步入良性循环。

4.退耕还林还草整体推进（2002年以后）阶段：在国家退耕还林还草政策驱动下，在总结和提高试验示范经验的基础上，基本建成了本地区生态环境保护与生态农业示范区样板。并在固原地区大面积推广应用。

三、土地生态景观格局优化调整与功能区建设

（一）土地生态景观格局结构优化调整

为了从根本上研究解决上黄试区生态失调和低产贫困问题，为宁南以至黄土高原土地合理利用提供理论依据和实践经验，“六五”期间试区科技人员就设计了土地利用优化模型，并提出了“大力造林种草，改善生态环境，有效保持水土，满足‘三料’需要，提高旱作单产，实现粮食自给，建立高效稳定的农业生态系统的理论、途径与配套综合技术”的总目标。经过“七五”~“十一五”25年的实践证明这一模型的理论和方法，不仅对上黄试区恢复生态平衡和脱贫致富发挥了重要指导作用，而且为黄土高原的土地合理利用起到了示范作用。21世纪以来，特别是2002年实施国家退耕造林种草政策以后，坚持“生态优先，整体推进，调整优化农业结构，发展城郊型高效生态农业”的思路，初步实现了生态环境步入良性循环，农村经济稳步发展的道路。

（二）土地生态经济功能区建设

上黄村距固原区仅25km，为固原市的近郊区，根据宁夏“六盘山生态经济圈规划”，本区生态经济功能定位为“城郊型生态农业”，共划分三个功能区，即：东山生态环境保护功能区、西山旱作农业功能区和平川高效生态农业功能区（表2、表3和图3）。

1. 东山生态环境保护功能区

面积418.05hm^2，占总面积的51.84%。坡面为3条支沟所切割，地形比较破碎，>15°以上

陡坡占60%以上，面蚀和沟蚀都很强烈，治理前年均土壤侵蚀模数5000t/km²，是水土流失重点防治区。主体功能为：恢复植被，保持水土，涵养水源。现已全面退耕造林种草，植被覆盖率已达89.75%，年均土壤侵蚀模数小于1000t/km²。

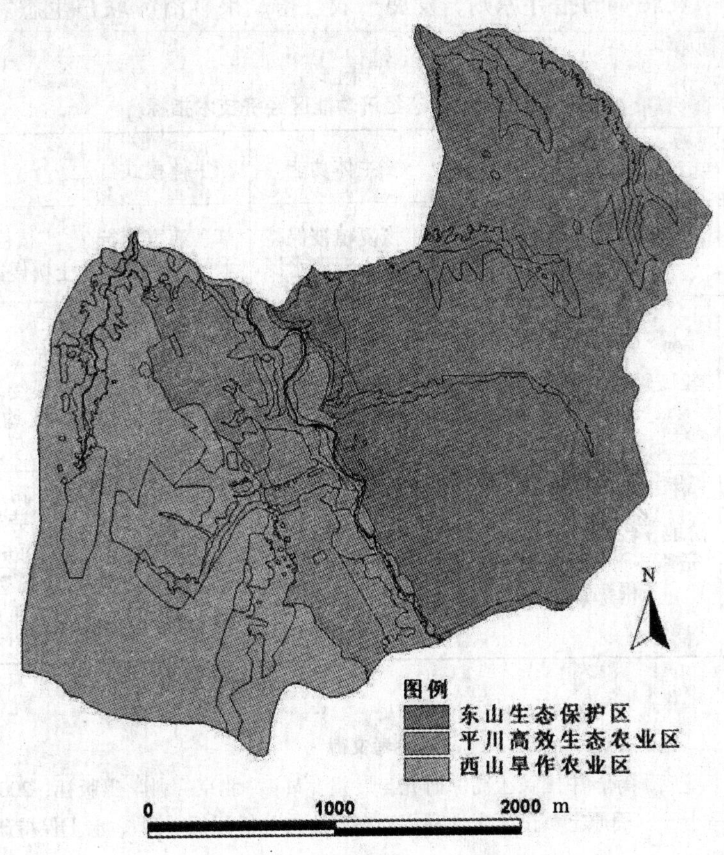

图3　上黄试区生态经济功能分区图

2. 西山旱作农业区

面积266.07hm²，占总面积的33%。坡面较为平缓，70%土地坡度低于15°，为中度土壤侵蚀，处于302国道和乡级公路一侧，交通比较方便。主体功能为：建设旱作基本农田，保障粮食生产。现已兴修水平梯田166.6hm²，多年来已示范推广了一套行之有效的旱作农业技术体系，为旱作农业的发展提供了理论依据和实践经验。

表2　上黄村不同土地生态景观类型区坡度分级

土地景观类型	00~30		30~50		50~100		100~150		150~250		≥250	
	面积/hm²	比例/%	面积/hm²	比例/%	面积/hm²	比例/%	面积/hm²	比例/%	面积/hm²	比例/%	面积/hm²	比例/%
东山区	19.5	4.7	8.0	1.9	42.7	10.2	73.2	17.5	136.3	32.6	138.3	33.1
西山区	17.2	6.5	8.6	3.2	45.3	17.0	67.3	25.3	94.9	35.7	32.8	12.3
平川区	53.9	44.1	12.2	10.0	15.1	12.3	7.1	5.8	12.2	10.0	21.8	17.8
全　区	90.6	11.2	28.8	3.6	103.1	12.8	147.6	18.3	243.4	30.2	192.9	23.9

3. 平川高效生态农业区

面积122.26hm²，占总面积的15.16%，这是研究区的白菜心。土地平整，土层深厚，土壤肥力较高，是乡村聚落区。主体模式：城郊型高效生态农业。依据“多用光、巧用水、重有机、防污染、保生态、求发展”的指导原则，发展“农、畜、果、沼”联户生态家园模式，建成生态环境良好的新农村。

表3　上黄村生态经济功能区经济技术指标

生态经济功能区	面积/hm^2	景观生态特征	主体功能	主体模式	主要目标
东山生态保护区	418.05	坡陡、强度土壤侵蚀、斑块破碎、干旱、灌丛草地、人工柠条林为主	恢复植被保持水土涵养水源	草、灌宽窄行水平带状植被	植被覆盖率 >85% 土壤侵蚀模数 <1000t/km^2
西山旱作农业区	266.07	坡缓、中度土壤侵蚀、斑块较破碎，干旱、旱作农田、一年一熟制	建设旱作基本农田，保障粮食生产	宽台水平梯田层层梯田拦蓄入渗 节节谷坊防冲防蚀	粮食亩产150~250kg 土壤侵蚀模数 <1000t/km^2 人均基本农田 >2亩
平川高效农业区	122.26	阶地、轻度土壤侵蚀、斑块完整、干旱、园地和农地、果菜畜牧生产	城郊型生态农业	“农、畜、果、沼”联户生态家园农业技术服务	亩产值 >2000元 劳产值 >5000元 每户1~2个水窖，蓄水 >100m^2 每户1个沼气池 每户有庭院集雨设施

参考文献

[1] 李锐，杨文治，李壁成，等．中国黄土高原研究与展望［M］．北京：科学出版社，2008：612-632.

[2] 李壁成，焦锋，马小云．固原上黄试区土地利用动态监测与分析评价［J］．水土保持研究，1996，3（1）：14-21.

[3] 李壁成，李生宝．半干旱退化山区生态农业建设与示范研究［J］．水土保持研究，2005，12（3）：1-4.

[4] 郝仕龙，李志萍．半干旱黄土丘陵区生态建设与经济发展模式探讨——以固原上黄试区为例［J］．中国水土保持科学，2007，5（5）：11-15.

[5] 李生宝，蒋齐，李壁成，等．宁夏南部山区生态农业建设技术研究［M］．银川：宁夏人民出版社，2006.

[6] 李壁成，安韶山，黄占斌，等．宁夏南部山区生态环境建设与科技扶贫战略研究［J］．干旱地区农业研究，2002（1）：107-110，115.

[7] 谢应忠．宁夏南部黄土丘陵区生态农业建设实践与研究［J］．生态学杂志，2000，19（1）：12-18.

[8] 李壁成，安韶山，郝仕龙．宁夏南部山区社会经济问题与农业结构调整对策［J］．水土保持研究，2005，12（3）：8-9，18.

[9] 陈序，等．可持续农业导论［M］．北京：中国农业出版社，1997.

[10] 李壁成．小流域水土流失与综合治理遥感监测［M］．北京：科学出版社，1995.

[11] Qian Bin. Li Bicheng., Spatial - Temporal and Population Driving Force of Land Use Change in liupan Mountains Region, Southern Ningxia, China［J］. Chin. Geogra. Sci., 2008, 18（4）: 323-330.

畜禽养殖对环境的污染和防治对策

邓静秋　邢志贤　张　丰　王晓昆

（河北省环境监测中心站　河北省石家庄市裕华西路106号　050051）

摘　要　随着农村经济的快速发展，农村畜禽养殖业的规模日益扩大，成为农村经济生产的支柱产业之一。在发展的同时也产生了大量养殖废弃物，对环境造成了污染，影响到人们的生存环境和社会主义新农村建设。2010年环保部、国家统计局、农业部联合公布的《第一次全国污染源普查公报》表明，畜禽养殖产生的污染已成为我国农村污染的重要来源。因此，必须加强对畜禽养殖污染的治理。本文对河北省畜禽养殖业对环境造成的影响进行了分析，探讨了畜禽养殖污染的治理对策。

关键词　畜禽养殖　环境污染　防治对策

一、河北省畜禽养殖业的现状

近年来，随着城乡人民生活水平的不断提高和农村经济的快速发展，农民畜禽养殖的热情不断高涨，河北省的畜禽养殖规模日益扩大，产量连续多年在全国名列前茅。河北省的畜禽养殖主要以猪、奶牛、羊、鸡为主，畜禽养殖场在全省11个市均有分布，生猪、奶牛及鸡养殖场主要分布在石家庄市、保定市、唐山市、邯郸市、张家口市一带，肉牛养殖场和羊养殖场主要分布在沧州、承德、石家庄、衡水、邯郸、张家口、廊坊、保定地区。统计显示，截至2008年末，河北省禽类养殖数量超过2.57亿只，居全国首位，禽蛋总产量达到411万t，占全国禽蛋产量的1/4；畜牧产值达到1411亿元，占全省农林牧渔总产值比重的40.3%。2008年末河北省奶牛存栏167.46万头，全省存栏50头以上的规模养殖场数量达到950个，奶牛小区数量达到1211个，存栏奶牛总量达到102.41万头；2008年末，全省肉牛存栏449万头，全省肉羊存栏1617万只、出栏1946.2万只，肉类总产量达到420.6万t，居全国第五位。

畜禽养殖业的持续发展，促进了农民增收、农业增效。但是，在畜禽养殖过程中产生的粪便、污水等废弃物，成为农村面源污染的主要来源，影响到人们的生存环境和社会主义新农村建设。根据2010年公布的《第一次全国污染源普查公报》数据，畜禽养殖污染在农村环境污染中占的比例偏重，畜禽养殖业的化学需氧量、总氮、总磷分别占农业源的96%、38%和56%，畜禽粪便中过量的总磷、总氮对土壤的污染尤其严重。作为畜禽养殖大省，河北省畜禽粪便排放量达4211.2万t（见表1），畜禽养殖污染问题更为突出。由于养殖场分散、粪便利用率不高、对粪便管理不规范等对环境造成了严重的污染。大量的畜禽粪便未得到处理、利用就直接排放。由于畜禽养殖业是微利经营，污染治理投入与运行费用相对较高，养殖户单独治污资金匮乏，负担过重，大多数养殖场自身很难承受。除少量的直接还田或用于水产养殖，剩余大量的畜禽粪便随意堆放或倒入河流，不仅会导致地表水的有机污染和富营养化，甚至污染地下水。遇到降水天气，在村庄内四处横流，臭气熏天，蚊蝇孳生，畜禽粪便中所含病原体对人畜健康造成了严重威胁，导致了农村人群生活环境的恶化，制约了农村环境保护工作目标的实现，给社会主义新农村建设带来了新的挑战。

表1　2008年河北省畜禽养殖场饲养量和粪便排泄量

畜禽	奶牛	肉牛	生猪	羊	鸡	其他
存栏量/（万头/只）	9413782.53	10599486.49	6718751.17	3896223.31	17579561.54	825.61

畜禽	奶牛	肉牛	生猪	羊	鸡	其他
粪便量/t	8687025.55	7765914.29	5585291.76	3000044.21	14449124.11	2624584.52

二、畜禽粪便对环境污染的现状

（一）对大气环境的污染

畜禽粪便对空气的污染主要包括恶臭、有害气体和携带病原微生物的粉尘。恶臭和有害气体主要是由于畜禽对饲料养分消化不完全，粪便排出体外后经厌氧发酵产生氨、二甲基硫醚、硫化氢、甲胺、有机酸等恶臭有害气体。恶臭的环境不仅成为蚊蝇孳生的场所，而且还严重影响大气环境质量和居民生活环境，也造成畜禽生产性能和畜产品品质的下降。同时，畜禽养殖场排出携带大量病原微生物的粉尘，还会通过空气传播到周围环境，扩大污染范围，成为危害动物和人类健康的传染源。

（二）对水体的污染

畜禽粪便具有很强淋溶性，未经处理随意堆放的粪便经过雨水冲刷，通过地表径流污染地表水和地下水。畜禽粪尿中含有大量的有机物、氮、磷、病原微生物、抗生素、重金属等，当进入水体中时，改变水体的物理、化学性质及水生生物平衡，如：水质恶化不能饮用；水体富营养化造成鱼类等水生动植物的死亡；湖泊的衰退与沼泽化；沿海港湾的赤潮等。

（三）对土壤的污染

畜禽粪尿中含有大量的氮和磷，对于规模养殖而言，大量的畜禽粪尿通过不同途径进入农田，其中过量的氮、磷排放极易造成土壤环境的破坏。如果污染物排量超过土壤本身自净能力，便会出现降解不完全和厌氧发酵产生恶臭的硝酸盐等有害物质，引起土壤成分和性状发生改变，破坏了土壤的基本功能，严重影响土壤的质量，造成农作物的品质下降和减产。

（四）疾病的传播

畜禽粪便中存在大量的病原微生物和寄生虫卵，粪便污水排到环境中时，会使环境中的病原微生物种类增多，粪便堆积又会导致蚊蝇孳生、病原菌和寄生虫大量繁殖，加快了人畜之间传染病和寄生虫病的传播蔓延，给人和畜禽的健康带来严重危害。

三、防治畜禽粪便污染的对策

1. 畜禽养殖污染防治要逐步法制化和规范化。随着国家对农村环境保护的日益重视和生态环境保护工作的深入，我国畜禽养殖业污染的防治工作开始走上了法制化轨道。原国家环保总局先后颁布了《畜禽养殖业污染防治管理办法》、《畜禽养殖业污染排放标准》和《畜禽养殖业污染防治技术规范》，从政策约束、资金扶持、技术路线等方面对畜禽养殖污染防治工作提出了基本原则，但以上办法和技术准则都是部门性规章，缺乏权威性、强制性，政府及其职能部门对畜禽养殖污染依法治理难以到位。国家应加紧制订并尽快出台《畜禽养殖业污染防治条例》，以进一步提高监管能力、加强监管手段，推动各地加强畜禽养殖污染防治。

2. 要加大对畜禽养殖业污染治理的投入力度。近年来，国家作出了对农村环境保护工作实行“以奖促治”的重大决策，国务院出台了《关于实行“以奖促治”加快解决突出的农村环境问题实施方案》，对“以奖促治”政策进行了全面部署，不断加大农村环境保护投入，逐步完善农村环境基础设施，推进农村环境综合整治。“以奖促治”政策实施以来，给畜禽养殖业的污染治理带来了契机。但“以奖促治”政策实施尚处于起步阶段，资金投入规模不大，仅能起到一定的引导和示范作用。由于养殖业是微利行业，企业难以自行筹集畜禽养殖废弃物治理资金并承担日常的运行费用，政府必须继续大力对规模养殖场的污染治理给予政策和资金方面的倾斜和扶持，鼓励农户建立养殖小区，扶持专业大户，集中处理畜禽粪便，通过规模化、商品化生产手段，实现高效优质生产，减少污染物排放，实现生态效益、社会效益和经济效益的统一。

3. 积极推广应用发展绿色养殖业和废弃物综合利用模式。通过提高畜禽粪便的利用率，使其能源化、资源化，达到减少污染、变废为宝的目的。一是高温堆肥。畜禽粪便是一种良好的有机肥料资源，采用高温堆肥法，使畜禽粪便中氮、磷、钾等多种营养成分和大量的挥发性有机物，通过厌氧发酵降解为作物能直接利用的各种营养素，提高土壤的肥力和农作物的产量。二是生产沼气。畜禽粪便和污水含有很高浓度的有机物，易于进行厌氧发酵处理，自身耗能少、运行费用低，而且沼气是极好的无污染的燃料，有一定的经济效益。畜禽粪污在沼气池中进行厌氧发酵，不但可以杀灭病毒细菌和各种寄生虫卵，而且还能生产出优质安全的有机速效肥，沼液、沼渣还田可用于无公害作物的肥料。以沼气建设为纽带，形成“畜—沼—果”等立体生态养殖模式，使养殖业与种植业有机结合，实现资源分层的多级利用，做到无污染排放。三是生产饲料。畜禽粪便中含有大量未消化的蛋白质、维生素、矿物质、粗脂肪和糖类等营养物质，可生产优质的蛋白饲料，用于水产养殖业，可提高水产品的产量，改善产品品质。

四、结　论

畜禽养殖既是农村经济发展的重要产业，也是农民增收的重要手段。在大力发展农村经济的同时，应重视畜禽养殖带来的环境问题。在现有的技术上，遵循“资源化、减量化、无害化、生态化、产业化”的原则，将畜禽粪便由废弃物变成可利用的资源，减少对环境的污染。解决畜禽粪便污染的根本在于大力发展生态经济型畜禽养殖，建立畜禽业与自然环境、人类之间良性循环可持续发展的协调关系，最终实现畜禽产业无公害化，为人类提供无污染、安全、优质的畜禽产品，改善农村人居环境，给新农村建设带来新的生机。

参考文献

[1] 河北经济统计年鉴（2008）.
[2] 河北农村统计年鉴（2008）.
[3] 黄建诚．畜禽养殖污染现状与治理对策［J］．福建农业，2005，9.
[4] 何明福．农村规模养殖的环境污染与治理对策［J］．当代畜禽养殖业，2009，1.
[5] 龚美兰．浅谈畜禽养殖业污染及防治对策［J］．引进与咨询，2005，8.

环境污染转移在消费领域的表现形式及其法律控制探析

包　晴

（北方民族大学法学院　宁夏　银川　750021）

摘　要　随着产业转移与全球贸易的加快，特别是我国近年频繁发生的食品污染事件，使消费者权益保护问题成为引人注目的话题；而消费者权益在多大程度上能为国家的法制所保障，已是现代国家文明程度的标志之一。本文试从环境污染转移的视角，对环境污染向消费领域转移的表现形式和对消费者的影响及相关法律控制措施进行初步探讨，期待能对我国消费者权益的保护有一定启示。

关键词　污染转移　消费者　表现形式

日常消费品是人类赖以生存的能源。然而近年来我国环境污染问题日趋突出，导致日常消费品特别是农产品的质量恶化，并通过日常使用和食物链的作用直接威胁消费者的健康，以致环境因素成为当前诱发癌症的主要原因，也使消费者对产品安全性的要求成为消费的第一需求。从环境科学的角度讲，食物链是人类同周围环境进行物质交换与能量传递的重要途径。因此，环境污染在很大程度上对产品特别是食品的质量产生着重大影响并直接威胁着消费者的健康[1]。由此看来，保护消费者免受污染转移影响具有重要意义。

污染转移，又称污染转嫁，其内涵并不确定，学者对污染转移也有不同的看法。笔者以为，不论争论如何不同，所谓污染转移，实质上是指一个国家、地区或行业、企业将环境污染所带来的负担和损失、危害等转移到弱势他方去承受的现象。转移的结果以牺牲和损害他人权益为代价换取自身的经济利益。目前，我国公众已为环境污染付出了极为惨重的代价，尤其处于弱势的消费者。据调查显示，中国每年因农药中毒和死亡的人数是世界上最多的国家之一。每年发生食品中毒的例数至少涉及30万~50万人[2]。从目前看，环境污染正以多种形式转移，而通过一定媒介转移至消费领域，则是我国环境污染扩大并形成深层次污染和危害的一种典型体现。这突出体现为近年发生在消费领域的公害事件上。如“三鹿”奶粉事件、瘦肉精事件等，其危害范围之广，影响之深远，都是以往所罕见的。它使这一问题更加升级，并进一步促使我们思考环境污染与食品安全问题、环境污染与消费者权益保护等问题。关于消费者的合法权益保护与环境污染转移问题，在理论和实践中探讨较少，因此笔者对此问题的论述带有一定的尝试性。

一、环境污染转移在我国消费领域的表现形式与途径

（一）通过初级农产品转移污染

根据我国《农产品质量安全法》第2条的规定：“本法所称农产品，是指来源于农业的初级产品，即在农业活动中获得的植物、动物、微生物及其产品。”这一规定明确了初级农产品是来源于农业的初级产品。

这类污染转移主要表现为对农作物等的直接污染：一是工业“三废”的不合理排放造成污染，如在与农田相邻的区域设立的高污染企业排废而引发的农田、地表水等农作物生长地、水源地的污染，使农作物在生长期遭受污染，并进而影响、损害消费者的生命健康与财产的情况；二是农产品生产中因化肥、农药、添加剂等化学物质的大量使用，污染了土壤、地表水等环境媒介，并通过这些媒介影响蔬菜、粮食作物、畜、禽等的吸收、生长而损害消费者的情况；三是大量不合理的工业废料、垃圾在初级农产品生产地的不当堆放、处置，污染农田，使得农产品在生产、制造过程中即埋下了环境公害的隐患。由于农产品污染往往是通过不同的自然环境要素作为媒介发生转移的，因而影响的范围与对象更广，对社会稳定也具有更大的冲击力和破坏性，但由于整个社会层面对污染转移的作用机理与深度尚没有足够认识，这种污染转移也往往被有意无意

地忽视和掩盖着。它所带来的消费品安全问题，是我国当前比较突出的社会问题。

（二）通过一般加工类生活消费产品转移污染

1. 通过加工食用品转移污染，包括加工食品和药品。其一，通过加工食品转移污染，包括微生物性污染、化学性污染、放射性污染。其中前两种是主要形式。如食品添加剂、食品生产配剂、介质等的食品污染现象，其污染作用时间长，危害大，是我国当前对消费者损害最广泛的一种污染转移现象；其二，通过药品转移污染。基于药品的特殊功效，生产、销售的药品必须符合安全和效能标准。但近年我国药品的生产与销售管理以及相关标准的制定与执行中存在诸多问题，有关药品质量、安全与效能方面的测试缺乏严格全面的监管程序，不少新药物的开发速度很快，而治疗效果并不理想，副作用很大，标识的说明也很简单。在生产、销售、储运与使用等过程中，药品的污染甚至是假药问题时常发生，对消费者的生命健康权造成极大的损害。

2. 通过非食用的加工产品转移污染。其一，通过玩具类产品转移。按规定，玩具需达到生理、机械、化学、不燃等要求并应具备使用说明，规定最低的使用年龄等。但一些小型玩具厂生产的产品不仅说明性不明确、标识不明显，且生产过程不科学、流程不严密及监管与原料检测消毒不到位等原因，存在因污染引发的质量问题，如塑料玩具制品，虽然颜色、样式与玩法更具吸引力，但儿童接触后极易发生慢性中毒，对其成长发育构成较大影响；其二，通过纺织产品转移。此类污染通常在服装、面料等纺织品的生产、印染、漂洗等环节中发生，例如在纺织产品面料的加工与印染过程中添加某些化学物质，使产品具备了某些特质或功能，但添加的结果却将污染负载于产品中，使消费者成为污染物的承受者与受害者；其三，通过化妆品转移。此类污染转移大多因为企业生产产品中添加物在一定程度上的有毒有害，而生产者又基于成本或者利益以及产品特殊功能等方面的考虑，往往拒绝选择或研发其他成本高的替代物来代替有污染的添加物，消费者使用后形成慢性中毒甚至毁容的损害后果；其四，通过建筑物及建筑材料、装潢材料转移。这主要指近年新建房屋中建筑材料或装潢材料有污染和质量不合格及建设技术水平等原因，使住房消费者患病致癌，严重影响其居住安全与身体健康的情况；其五，通过再生利用产品转移。此类型的污染转移是通过对废弃物的资源循环利用生成产品的方式发生的。资源循环利用行为本应鼓励，问题是在利用过程中，由于技术设计、产品开发及管理等原因的限制使污染物再次进入生产环节，并随着产品转移到了消费领域，是污染转移中较为特殊的一种情况。

（三）通过特殊公共类产品转移污染

公共类产品是因其产品的公共实用性而区别于其他类产品私权性的一类特殊产品。水作为公共使用物就是此类产品的一个典型代表。此处所指的特殊公共类产品污染转移专指水污染引发的消费者权益受损的情况，是环境污染转移中较为特殊而又普遍的现象。目前我国主要水系的2/5已成为劣Ⅴ类水质。大多数城市与农村生活用水都不同程度受到了污染，无法满足用水质量与用水安全。因此，消费者生活及饮用水的污染问题，已成为我国目前消费者合法权益受损事件中突出的问题。

（四）通过包装物转移污染

产品包装的安全是保障消费者安全权的第一道屏障，如食品包装容器、包装材料等质量低劣或使用不当，将使有害金属或有害塑料单体溶入食品而发生污染。已查出的雀巢咖啡包装袋因使用锡纸而使有害物质渗入食品的事例就是包装物引发的产品污染。这种污染转移途径特殊，防控的难度较大。所谓间接转移，是指在污染转移的过程中，污染物或者污染载体通过某些更为隐蔽的方式转移之后危害消费者的现象。主要表现为污染转移者通过设厂办企业及将落后设备、技术、容易产生污染的产品直接出口到我国等形式转移污染，间接地损害消费者健康的情况。从目前看，此类污染转移也较为普遍，大多体现为法律规制严格地区的污染向法律规制较低的地区转移，且常常采取合法的投资与贸易方式进行，指向的对象都是污染的最终承受者——消费者。其实质是在对法律规制较低地区的消费者的无声侵害。所以此类污染转移最为隐蔽。

二、几点思考

如上所述可见，当环境污染在一国范围内发生转移时，我们常常会发现生产者面对利益的诱惑，力图将污染及其治理的成本转嫁出去，这是当前企业一种普遍而低成本的污染转移形式。不仅对消费者造成危害或损害，对整个社会都是不公平的。生产者这种无视污染转移所带来的对消费者的危害，从一个侧面说明了我国法律在规制污染转移、提高产品的安全性、保护消费者的合法权益中存在着的消极态度。为此笔者以为应着重做好以下工作。

（一）制定严格的生产者责任制度

1. 严格生产者的责任。消费者使用和接受商品或服务的最低标准是该商品或服务必须是安全的，或不存在不合理的危险，这样的产品才可以在市场上流通。为此必须严格生产者的责任：一方面，即使生产者在制造或销售产品的过程中已保持应有的注意，但如产品存在人为所致污染缺陷并使消费者受到损害的，依严格责任原则，生产者仍需负责。另一方面，要加大处罚力度，提高制售污染产品的风险成本，要重罚以至取消其从业资格，使其没有从头再来的条件。

2. 细化产品召回制度。在我国过去很多的产品安全事件中，因没有法律依据，问题产品没有及时召回而持续流通，使更多人受害。新出台的《食品安全法》突破了以往的规定，确立了食品召回制度。这一规定是保障消费者安全权而设立的，确实能在某种程度上有效避免有害食品的持续流通。但因为缺少具体执行制度及后续一系列的监督监管措施，尚未从根本上达到惩治侵害消费者权益的预期效果。所以我们应该特别注意食品召回之后的持续监督和处理，避免问题食品在监管撤离之后通过某些渠道再次流入市场。同时还应看到，新《食品安全法》规定的召回制度，只适用于食品，尚无法囊括其他众多的消费品，因此建议扩大召回制度的适用范围。

3. 实行清洁生产制度，延伸生产者责任。产品在设计、生产、销售、使用直至寿命终止的不同阶段都可能消耗资源，产生环境负荷并对消费者造成危害。清洁生产就是要求生产者采用清洁的能源、原材料、生产工艺和技术，制造清洁的产品：一是在产品设计阶段，实现环境友好设计。例如原材料优先选择使用可再生能源，特别是不含对人体有毒害作用元素的材料；二是产品生产阶段，减少产品在从原料的提取到最终处置对消费者和环境的影响；三是产品的销售阶段，提供产品的环境信息。发现污染问题产品，及时召回；四是产品生命终止阶段，实现产品再利用和再制造，即延伸生产者责任。要求其对产品的整个生命周期，特别是产品使用寿命终结后的回收、循环利用和最终处理承担责任，以激励生产者更多地关注产品的环境属性与安全性等[3]。

（二）从政府而言，加强消费者权益保护的法制建设、提升监管责任

当前首要的任务就是进一步充实和完善立法，促进消费者保护立法走向完备化和具体化。

1. 赋予消费者更多的权利。根据我国《消费者权益保护法》的规定，消费者享有九项基本权利。但随着社会经济和消费形式与内容的不断发展，这些权利并不能充分体现和满足现代消费者的多样化利益需求。国际消费者组织联盟（IOCU）规定消费者享有八大权利，其中的第八个权利是：有权享受一个健康的环境。现代的消费者已不仅仅满足于商品的基本物质属性或数量的丰富，开始追求更高层次的精神文化需要和社会需要的满足。社会经济行为更加倾向于零污染和保护环境的可持续生产与消费。公民环境权的享有就是这种需求的一种反映。它包括环境使用权、知情权、参与权和请求权[4]，其核心为免受损害权和环境利用权，不仅包括与公民个人生存和健康直接相关并与个人生活密切联系的阳光权、通风权、眺望权、安静权、嫌烟权，还包括既与公民个人生存和健康直接相关又与公益性或公共性密切联系的清洁水权、清洁空气权、风景权等，而污染转移突出表现在对消费者清洁水权的威胁。可见消费者环境权实质上是公民环境权的具体体现，是公民在消费过程中所享有的具体环境权之一[5]。建议在《消费者权益保护法》中规定消费者的环境权。

2. 构建相对完善的消费产品安全法律体系。我国产品安全问题严重，是与我国产品安全法律体系不完善密切相关的。目前与产品质量安全有关的法律主要有《产品质量法》、《商检法》、《食品安全法》、《农产品质量安全法》等，构成了产品质量安全监管的法律基础。实践表明，我国今天的法律法规，对污染产品制售行为的打击力度相当有限，客观上纵容了劣质、不安全产品的生产者。为此要进一步完善消费产品安全法律体系：一是对现有法律法规进行清理、补充和完善，将散见于各法律法规中有关产品监管的内容整合，尽可能减少和避免立法和执法上的相互冲突，加快我国与国际社会的接轨；二是围绕《食品安全法》、《农产品质量安全法》等制定与食品安全相关的单行法规；三是逐步完善安全标准体系，为技术性法规特别是技术标准的实施提供条件。我国目前还没有建立专门针对污染产品缺陷的标准体系，若发现消费者受损类型是因污染产品的缺陷造成时，处理的依据不足，所以应尽快设定科学的安全标准。

3. 产品缺陷的规定应符合保护消费者权益的要求。通常，产品缺陷有指示缺陷、设计缺陷、制造缺陷及开发缺陷等。随着现代科技的渗透，产品蕴涵的危险已对人类健康和安全产生重大影响。以初级农产品为例，此类产品缺陷的发生与工业产品缺陷的发生有许多相似之处。其中已经越来越多地渗入人为因素，如在鸡鸭饲料中添加苏丹红生产蛋等造成的产品缺陷都是人工行为和技术的结果，生产者完全可以控制这些产品缺陷的产生。对此，虽然在我国新颁布的《食品安全法》和《农产品质量安全法》中有原则规定，但在《消费者权益保护法》及《产品质量法》中却没有专门规定对污染所致产品缺陷的明确、系统、具体地规定，容易引起对缺陷产品范围与界定的误解。笔者认为应明确规定污染缺陷产品的内容，使立法更符合保护消费者利益的需求。

4. 严格市场准入制度，加大监管水平。在我国当前社会信用极度缺失的情况下迫切需要制度与监管，市场准入的设置尤为必要。在具体制度构建上，应当增设相关制度予以完善。比如鉴于“我国当前环境监控存在着重城市轻农村的倾向”[6]，以及农产食品对消费者的特殊重要性和必要性，在设立农产食品生产加工企业时，应当设置比其他行业更高的进入门槛，确保产品生产源头和销售终端上的质量安全。

（三）从消费者角度，提升自身保护水平

一是强制性赋予生产者以说明的义务，保障消费者的知情权与自主选择权。现代社会产品的专业性、技术性含量越来越高。消费者为了合理选择，必须取得关于产品的正确信息，防止对污染产品不知情状况下的购买与使用；二是开展消费者教育，提高消费安全理念。即从消费内容、消费观念、消费者身份等方面，搞好消费教育，提升消费者的自我保护能力，实现最佳消费。

综上，产品质量安全与消费者的生命健康息息相关。环境污染转移无论为何种性质，其实质都会对被转移地的环境和消费者造成损害和影响并加剧污染。从长远看，保护消费者免受污染转移影响的任务是长期而艰巨的！相信在政府、企业与社会的共同努力下，消费者合法权益的保护一定会走上新台阶。

参考文献

[1] 王珊珊，张江山．食品安全与环境污染［J］．环境与可持续发展，2006（5）：5.

[2] 王世汶．中国食品安全战略分析［M］．中国环境与发展评论（第二卷）．北京：社会科学文献出版社，2004：190.

[3] 刘超．基于产品全生命周期的环境责任［J］．科技与管理，2007（3）：50－51.

[4] 吕忠梅．再论公民环境权［J］．法学研究，2000（6）：135.

[5] 问清泓．对消费者权益保护法有关问题的反思［J］．湖北大学学报（哲学社会科学版），2006（5）：593.

[6] 赵京兴，黄平，等．中国环境与发展态势分析［M］．中国环境与发展评论（第二卷）．北京：社会科学文献出版社，2004：47.

一起由废旧轮胎火灾引发次生环境污染的思考

边归国[1] 廖 屹[1] 杨建明[2]

（1. 福建省环境保护厅 福州 350003；2. 福建省沙县环保局）

摘 要 2009年2月，福建省三明市沙县发生了山林火灾，并引发福建环科集团三明市高科橡胶有限公司厂房和废旧轮胎堆场大火，导致次生环境污染。各级政府、消防、环保部门和企业5000余人紧密配合，就地取材，应急处置工作有序开展，环境污染得到有效控制。但也暴露出企业和基层环保部门在防范突发事件的基础和能力建设方面的薄弱环节。据此，提出加强应急预案和基础建设、提高应急指挥水平、准确识别主要污染物、深入分析污染成因等方面的建议。

关键词 废旧轮胎 火灾 次生环境污染 应急监测 污染成因

前 言

废旧汽车轮胎被当今人们称之为“黑色污染”，它不仅对环境造成严重污染，而且还会引起严重的火灾事故[1]。特别是废旧汽车轮胎在燃烧过程中，不仅排放大量的烟尘，还产生苯系物、硫化物、强致癌物以及许多有机物。今年初，福建省三明市沙县高砂山林大火引发了一家大型橡胶化工企业——三明（沙县）高科橡胶有限公司发生火灾。在这次突发事件的应急处置过程中，市、县两级环保部门和企业紧密配合，环境应急指挥及时到位、措施有力，环境污染得到有效控制，维护了人民群众的生命财产安全。但是在企业如何防范火灾、加强应急处置能力以及基层环保部门开展环境应急监测等方面还存在一些欠缺之处，有待于进一步加强。废旧轮胎堆场大火导致次生环境污染的研究尚未见报道，通过对三明（沙县）高科橡胶有限公司发生火灾应急处置过程的分析评估，提出相应的整改建议。

一、国内外废旧轮胎火灾引发次生环境污染概况

据中国轮胎翻修与循环利用协会统计：全世界每年约有10亿只轮胎报废，其中能够得到翻新利用的只占15%～20%。废旧轮胎回收和处理技术是一项世界性研究课题，同时也是环境保护的难题。世界各国最普遍的方法是把废旧轮胎掩埋或堆放。废旧轮胎大量堆积，极易引起火灾，造成第二次公害。在国外，每年都有废旧轮胎堆积引发特大火灾的报道。2000年在美国北加州的斯坦尼斯劳斯县，一个700万个汽车旧轮胎堆场自燃起火，废旧轮胎堆熔化出8万加仑油脂，流进附近的一口水塘，数百吨污染物还飘落到100多公里外的旧金山和萨克拉门托，附近的城市则在刮风时下起了“黑雨”。据估计，这次事件，有3600多t有害物质释放出来，其中包括120多t致癌物质，对环境造成严重污染[2]。2003年，位于日本栃木县黑矶市的普利司通公司的栃木工厂发生大火，将该厂精炼楼全部烧毁，几十万条轮胎化为灰烬，造成重大经济损失。在发生火灾时，为防止橡胶燃烧所产生的亚硫酸等有毒气体危害居民安全，工厂附近1km范围内的1708户计5032人进行安全疏散，造成了很大的社会影响[3]。2007年6月捷克乌尔斯基布罗德市一旧轮胎仓库1万t回收利用旧轮胎燃烧3天，直接经济损失70多万欧元。2008年11月，美国卡莱尔轮胎与轮毂有限公司Bowdon轮胎厂被一场无名大火焚毁，直接损失达100多万美元，附近28户居民撤离。为了减轻该地区供水不足的压力，当地的学校停课[4]。

中国再生胶是废轮胎利用的主要深加工产品。据悉，我国目前再生橡胶的产量占世界的80%以上，全国有再生胶生产企业1000多家。2008年再生橡胶、胶粉产能达到270万t左右，其中再生橡胶产量达到245万t以上，等于直接处理了300多万t废旧橡胶。但在有效利用废旧

轮胎的同时，由于各种原因，我国废旧轮胎火灾事件频发。今年 2 月，呼和浩特市回民区厂汉板村由于放礼花弹，火星溅到了轮胎回收厂院内堆放的轮胎上面引发了火灾，损失 100 多万元。2 月 25 日，新疆库尔勒市天山西路一轮胎翻新加工厂 400 余平方轮胎堆垛突发大火。4 月，烟台招远市玲珑橡胶有限公司老厂区的轮胎堆场发生火灾，过火面积 1000 余 m^2，直接经济损失 700 余万元。5 月 1 日，陕西省渭南市潼关县城东一私自翻新工程机械轮胎的橡胶厂发生火灾，橡胶厂 12 间厂房以及厂里的 350 多个大型轮胎等物被毁。5 月 7 日，浙江省台州市路桥区路南街道肖王村停放有 500 余辆废旧车及大量汽车轮胎的汽车拆解厂起火。5 月 21 日，广东省兴宁市金顺轮胎翻新厂胶粉发热发生火灾，燃烧四个多小时，火灾造成近 300m^2 厂房被烧毁亡。6 月 21 日，甘肃省白银市白银区东风橡胶加工厂突发大火，废旧轮胎火灾猛烈燃烧，火借风势燃烧非常猛烈，轮胎燃烧后的毒烟沿围墙翻卷而上，达几十米高，笼罩着整个天空，见图 1。6 月 24 日安徽省岳西县榆树镇一私营轮胎加工厂突发大火。6 月 29 日，位于河北省唐山迁安市菜园镇李庄子南一轮胎翻新厂房发生火灾，见图 2。

图 1　白银市白银区东风橡胶加工厂火灾现场

图 2　唐山迁安市菜园镇李庄子南一轮胎翻新厂火灾现场

二、三明（沙县）高科橡胶有限公司火灾引发次生环境污染概况

位于高砂镇龙江工业集中区的三明高科橡胶有限公司，距沙县城关 20km。该公司是年产 3.5 万 t 精细橡胶粉和橡胶粉改性沥青的大型橡胶化工企业，其生产原辅材料废旧轮胎、沥青、芳烃油活化剂及导热油等都是易燃、易爆物质，燃烧产生的废气对人体有害。2009 年 2 月 12 日 12 点左右，三明市沙县高砂镇发生了山林火灾，借助强大的风力迅速蔓延，很快殃及到高科橡胶有限公司以及高砂、青州两个乡镇的 8 个行政村，过火面积约 1.2 万亩。山林火灾引发福建环科集团三明市高科橡胶有限公司厂房和橡胶堆场大火，轧粉车间和近 2000t 废旧轮胎被淹没在熊熊烈火中，现场空气中弥漫着橡胶燃烧的呛人气味，严重威胁了附近小学、高速公路隧道、加油站、变电站、民房、火车站等建筑的安全。省领导和国家林业局领导分别作出重要指示和批示，市、县领导和当地的领导干部们立即赶赴现场，坐镇指挥，指导村民迅速转移，做好撤离工作，保证村民人身安全。省直有关部门领导，武警、消防、公安、电力等领导也赶赴现场。抗击火灾共出动了 27 辆战斗车、12 台手抬机动泵、190 名消防官兵和 5000 名各方参战人员，经过 31 小时的日夜奋战，终于扑灭了福建历史上罕见的山林火灾[5]，见图 3、图 4，与此同时大量的消防污水顺排污沟排入沙溪河。市、县两级环保部门和企业紧密配合，就地取材，应急处置工作有序开展，环境污染得到有效控制。

图 3　消防官兵对高科公司实施灭火　　图 4　消防官兵扑救山林大火

三、环境应急处置方法与结果

（一）环境应急监测方法与结果

废轮胎燃烧过程中会释放出大量硫化物、苯系物、多环芳烃等有毒有害气体，严重污染大气环境。消防部门灭火过程中使用 10 辆战斗车、近 30 把水枪喷出的消防污水中含有大量有机污染物，顺公司排污沟排入沙溪河，对水环境产生影响。由于我国既没有对橡胶生产企业发生火灾时应急监测的相关规定，国内也未见相关报道，同时供电设施被毁，无法开展常规项目监测。为了有效控制大气和水质污染，保障群众安全，环境监测部门使用便携式快速监测仪对大气中可能产生毒性较大的氰化氢进行现场监测，结果见表 1。同时分别采集公司排放口和下游水质断面的水样，对毒性较强的挥发酚等项目开展监测，结果见表 2。

表 1　大气氰化氢监测结果

监测项目	监测点位			
	厂内	厂界	公路	河边
氰化氢/（mg/m^3）	11.85	9.48	4.74	2.37

环境空气监测结果表明，虽然随着距离的延伸，大气中氰化氢逐渐降低，但是仍超过大气无组织排放 0.030 mg/m^3 的国家标准。

表 2　污水排放口挥发酚监测结果

监测项目	监测时间			
	第一天	第二天	第三天	第四天
挥发酚/（mg/L）	3.56	4.03	0.79	0.26

污水排放口挥发酚监测结果表明，随着时间的推移挥发酚逐渐降低，超标率从第一天的 6.1 倍到第三天的 0.48 倍，第五天达到国家污水综合排放一级标准。

（二）环境应急处置方法与结果

在环境应急处置中采取封堵、监测、吸附、氧化、报告、安保 6 项措施。

1. 封堵：在灭火期间，环境应急指挥小组组织高科公司抽调人员在公司污水排放口用沙包筑坝封堵消防污水，尽量减少污水外排。

2. 吸附：立即调运活性炭对消防污水中的污染物质进行吸附处理，先后投放600多kg。

3. 氧化：活性炭的吸附能力毕竟有限，为确保安全，又投放150kg漂白粉深度氧化处理污水中的苯酚等污染物。

4. 监测：加强大气和地表水质监测，随时掌握大气和水质状况，防范重大环境污染事故的发生。

5. 报告：及时将监测结果和火灾现场情况上报当地政府和上级主管部门，同时通报现场指挥人员。根据各级政府和上级主管部门的要求，进一步加大应急处置工作的力度。

6. 安保：根据污染物的理化性能，要求加强抢险人员的自我保护，设置警戒区、疏散无关人员，防范发生人员伤亡。由于采取的应急处置方法得当，环境污染得到有效控制，并且没有人员伤亡。

四、由火灾引发次生环境污染的思考

（一）企业应不断加强防范突发事件的基础和能力建设

1. 细化各种应急预案

编制和使用应急预案是预防事故、减少事故损失的重要手段。实践证明，应急预案的演练和应用在紧急状态下能够发挥很好的作用。但很多企业的应急预案在针对性和操作性等方面存在问题[6]。调查发现，三明高科橡胶有限公司虽然制定了似乎面面俱到的安全事故应急预案，但预案中对安全生产事故、危险化学品泄漏事故和环境突发事件等事故的应对均为浅尝辄止。在危险源的确定方面，其安全事故应急预案也有重大缺失。废轮胎堆场极易引发火灾，如何防火、怎样灭火，预案中只字未提。没有具体、详细、有针对性和可操作性的应急预案，一旦发生突发事件，手足无措、顾此失彼是在所难免的。企业必须深刻吸取“2·12”火灾的经验和教训，立即着手编撰各种专项应急预案，并根据原辅材料和生产工艺的改变，及时修订应急预案。

2. 加强防范突发事件的基础建设

从本次事故暴露出的问题看，废轮胎堆场没有设置事故储液池。发生火灾后，消防污水未能有效截留，导致高浓度的含酚污水（3.56mg/L）排入沙溪河，对地表水产生污染。对于每一个重大危险源，都应该设置高出地面的围堰，一旦发生事故每个围堰关闭，通过污水排污线导入污水厂的储液池以待处理，阻止被污染的水流入水源地，防止水污染事件[7]。

3. 减少或消除控灾过程中的环境污染

在火灾现场，可以采取一些列措施减少或消除控灾过程中的环境污染。比如在事故现场合理采取处置措施，尽量减少污染物的产生和处置难度；利用地形地物拦截污水，利用排污设备转移、处理污水；采用化学或物理手段控制毒物；收集转移污染物，对参与灾情处置的人员、装备进行洗消等[8]。当消防用水可能携带有毒有害物质时，需慎之又慎。尤应注意恰当把握用水量，处理好有毒物质的消防用水，以防其对环境造成不良影响[9]。对污水中的苯酚可按照封堵、活性炭筑堤、导流、回收、吸附、化学处理、焚烧等方法紧急处理[10]。

（二）加强基层环保部门防范突发环境事件的基础和能力建设

1. 及时修编环境应急预案

从突发事件应急处置主体的纵向层级看，基层的应急响应是关键环节。预防突发事件的关键一环在基层，突发事件的第一知情者是基层，处置突发事件的第一现场在基层，抓好基层基础工作，对于最大限度地降低造成的损失具有决定性意义[11]。基层环保部门是环境管理的基本单元，在突发环境事件的应急管理工作中发挥着不可或缺的重要作用。环境应急预案是应急管理工作的主线，编制环境应急预案关键是明确在突发环境事件发生时哪些工作谁来做、做什么、怎么做。要扩大应急预案的覆盖面，使基层环保部门应急管理工作有章可循、有案可依。环境应急预案不是一成不变的，不可能一劳永逸。要不断地提高环境应急预案的质量，紧密结合当地主要污染源和危险源的实际，及时修编，增强应急预案的可行性和可操作性，确保预案启动后信息畅通、指挥有序、救助高效[12]。

2. 不断提高应急指挥的水平

完善的应急指挥系统能够提高决策水平，提高效率降低成本，使减灾更为便利快捷。而缺乏突发事件应急指挥系统的支撑，在突发事件的应急处理上，往往容易出现人力、物力缺乏统一调度，信息、数据交换速度缓慢，决策、指挥缺乏客观支撑，现场处置人员缺乏对整体应急预案的了解及操作流程的指导等问题[13]。

单纯的突发环境污染事件指挥部由县以上地方人民政府主要领导担任总指挥，各相关政府部门、企业负责人及专家组成。主要负责突发环境污染事件应急工作的组织、协调、指挥和调度[14]。同时，现场应急救援指挥部的应急指挥工作必须详细具体，在突发环境污染事件应急处理的主要任务包括：划定隔离区域，制定处置措施，控制事件现场；进行现场调查，认定突发环境事件等级，按规定向各级政府和环保报告；查明事件原因，判明污染区域，提出处置措施，防止污染扩大；负责污染警报的设立和解除；负责对污染事故进行调查取证，立案查处，并参与对有关责任人的处理；负责突发环境事件的新闻发布；负责对环境恢复、生态修复提出建议措施；参与指挥急救、疏散、恢复正常秩序、安定群众情绪等方面的工作[13]。

对于次生环境污染的组织指挥，应视现场具体情况而定。如果次生环境污染事件占主导地位，则应按照单纯的突发环境污染事件的程序和步骤进行处置，政府主要领导担任总指挥。而次生环境污染事件占次要地位，环保部门应该在当地政府分管领导的指挥下开展应急处置工作，并由政府分管领导及时向政府主要领导汇报次生环境污染事件处置的进展情况，并按照主要领导的指示精神布置开展下一步工作。

3. 准确识别主要污染物

根据《橡胶制品工业污染物排放标准》（征求意见稿）规定，水污染物监测项目为：pH、BOD、COD_{Cr}、SS、氨氮、总氮、石油类、总磷、总锌共计9项；大气污染物监测项目：为颗粒物、非甲烷总烃、氨3项，合计12项。但对于在火灾情况下，监测哪些项目没有相应的要求。在《国家环境应急预案》中，针对应急监测工作仅原则性的提出：①根据突发环境事件污染物的扩散速度和事件发生地的气象和地域特点，确定污染物扩散范围。②根据监测结果，综合分析突发环境事件污染变化趋势，并通过专家咨询和讨论的方式，预测并报告突发环境事件的发展情况和污染物的变化情况，作为突发环境事件应急决策的依据。

由于橡胶制品在燃烧过程中发生复杂的理化反应，产生许多毒性强的无机物、有机物和致癌物，所以不能完全按照例行监测规定开展监测，而应选择橡胶制品在热分解过程中可能产生的毒性强、对人体健康影响较大的项目进行监测。美国橡胶制造者协会[15]介绍，橡胶制品的颗粒物在混炼过程中的排放量较大，金属类有害废气污染物在混炼和挤出过程中的排放量均较小，有机类有害废气在硫化过程中排放的主要污染物为甲苯、间二甲苯及对二甲苯和二硫化碳，而在其他生产工艺过程中排放的主要污染物为二硫化碳、四氯化碳和己烷。另外，橡胶制品在生产过程中使用多达2000种以上的配合剂，如补强剂、填充剂、硫化剂、促进剂、活性剂、防老剂、增塑剂、隔离剂、发泡剂、着色剂、阻燃剂等，含有苯酚甲醛树脂、五氯硫酚、苯乙烯化苯酚等酚类物质以及甲苯二异氰酸酯二聚体、三烯丙基异氰酸酯、三氯三聚氰胺、甲基氰基苯并咪唑等有机氰化物[16]。这些物质在高温条件下，易引起各种化学物质之间的热反应，形成氰化氢和苯酚类等高毒性的化合物。而氰化氢的急性毒性为LC_{50} 357mg/m^3，苯酚急性毒性为LD_{50} 317mg/kg，且致癌，比常规的12项污染物的毒性大得多。所以，在应急监测时，即要监测污染水环境的COD_{Cr}、石油类以及大气中的非甲烷总烃、氨等主要污染物，判断污染状况，更应关注氰化氢和苯酚的浓度及污染范围，以便采取应急措施，保护抢险救灾人员及周边群众的生命安全。

4. 及时总结经验和教训

在突发环境事件的监测过程中常发现“异常”数据，如扑灭废旧轮胎火灾时产生的氰化氢和苯酚等，不要轻易地认为不可思议、是伪数据，而应组织有关专家迅速认真分析其原辅材料的成分，全面分析污染成因，并提出应急处置方案和建议，供指挥部领导决策参考。同时，根据事件进展情况和形势动态，对突发环境事件的危害范围、发展趋势作出科学预测，为环境应急领导机构的决策和指挥提供科学依据。

专家组开展污染成因分析，不能仅查阅轮胎的相关数据，还应分析轮胎制作过程中使用的橡胶和配合剂（化学助剂）等原辅材料的理化性能以及在热解或燃烧过程中的产物。由此确定环境监测的项目和相应的应急处置方法。事件处理后，专家组应全面深入地分析事故原因和影响因素，处理事故的措施、过程和结果，事故潜在或间接的危害，社会影响，处理后的遗留问题，事故鉴定结论，提出今后对类似事故的防范和处置建议。

环境污染事故调查报告应附参加处理工作的有关部门和工作内容，出具有关危害与损失的证明文件等详细情况等。环境污染事故调查报告应存档，并作为今后发生类似事件的参考处置案例[17]。

五、结　语

近些年，我国环境污染事件明显增多，特别是废旧汽车轮胎在燃烧过程中引发次生环境污染的新闻报道得较多。但是，关于如何妥善处置此类事件的研究尚未见报道。通过三明市沙县发生的山林火灾所引发的废旧轮胎堆场大火并导致次生环境污染的应急处置实践，及时总结经验和教训，为今后发生类似事件的应急处置提供有益的借鉴。

参考文献

[1] 王永宏，陈鲲．黑色污染与火灾［J］．山东消防，2002（12）：38.
[2] 王永宏．环保与火灾［J］．新安全，2005（11）：71－73.
[3] 郭瑞璜．日本栃木县一家工厂发生大火［J］．消防技术与产品信息，2004（1）：57.
[4] 邓海燕．卡莱尔一轮胎厂再度被大火焚毁［J］．中国轮胎资源综合利用，2008（12）：12.
[5] 吴泽勇，宋联塘．火警就是命令　畅通就是使命［J］．安全与健康：下半月，2009（2）：14.
[6] 高士军．企业应急预案编制问题分析［J］．石油化工安全环保技术，2008，24（6）：20－21.
[7] 姜连瑞，贾定夺，刘静．化工火灾引发环境污染的分析及预防——由吉林石化分公司爆炸火灾引发的思考［J］．武警学院学报，2008，24（8）：51－54.
[8] 原海军，岳海玲．火灾对环境影响及防治对策研究［J］．消防技术与产品信息，2008，（8）：24－27.
[9] 张亮．火灾对环境的影响及对策［J］．消防科学与技术，2008，27（5）：375－377.
[10] 边归国，占益云，应善德，等．苯酚槽罐车翻车水污染事件的应急处置［J］．中国应急管理，2007，1（7）：42－45.
[11] 高小平，陈茂生，刘杰．关键环节：突发事件应急处置的重要视角［J］．中国应急管理，2008，2（2）：40－43.
[12] 梁贤龙．“5·12”汶川特大地震应急处置实践与思考［J］．中国应急管理，2009，3（5）：35－38.
[13] 刘国庆．突发环境事件应急指挥系统的研究与设计［J］．信息网络安全，2006（6）：54－55.
[14] 国家环境保护总局环境监察局．环境应急响应实用手册［M］．北京：中国环境科学出版社，2007，50.
[15] 张芝兰．橡胶制品生产过程中有机废气的排放系数［J］．橡胶工业，2006，53（11）：682－683.
[16] 佚名．橡胶用主要配合剂中英文对照［J］．助剂咨询，2008（4）：43－49.
[17] 边归国．突发环境污染事件应急监测［J］．中国应急管理，2008，2（1）：43－45.

系统聚类分析在乡镇规划中的应用
——以内蒙古卓资县为例

崔向新　成格尔　陈国清　郭玉荣

（内蒙古农业大学生态环境学院　内蒙古　呼和浩特　010019）

摘　要　本文将系统聚类分析方法应用于卓资县的乡镇规划中。通过运用 SPSS10.0 软件将级差标准化的人口规模、农业、畜牧业、道路交通的数据，以系统聚类分析方法中的类平均法将卓资县各个乡镇分为了 7 类，然后，将分类结果进行定性的分析与判定，根据分析结果给卓资县的规划提出了合理的规划建议，从而确定卓资县各乡镇合理的发展方向。由于此方法的运用使客观分析和主观认识相统一，定性分析和定量分析相统一，分类结果更具有实用性，从而能够为卓资县的乡镇规划做出正确的规划导向。

关键词　系统聚类分析　乡镇规划　类平均法

一、引　言

聚类分析，亦称群分析或点群分析，它是研究多要素事物分类问题的数量方法。常见的聚类分析方法有系统聚类法、动态聚类法和模糊聚类法等。而系统聚类分析方法是目前国内外使用最多的一种分类方法，此种方法是定量地研究地理事物分类问题和地理分区问题的重要方法。林枫、刘利军把系统聚类分析方法应用于麻黄属中药的鉴定研究；扶定、卢兆成等人采用系统聚类法，对 2002 年我国南方稻区长江中下游中籼迟熟优质组水稻品种区试汇总资料进行了分析；王霞、宁正元等人根据系统聚类的原理，对土壤样本进行分类；安军在营销分析中用聚类分析的实现技术，提出了对间隔尺度数据聚类结果进行评价的指标 SP。本文运用系统聚类分析方法对卓资县的农业、畜牧业及交通等方面进行了科学的系统分析，以达到合理分区、科学规划的目的。从而避免了人们凭借经验法进行分类、分区时带有的强烈的主观色彩对分类结果的客观性产生的影响，使所得分类结果更具有实用性，从而能得出正确的规划导向。

二、研究区域概况

（一）自然条件

卓资县地处内蒙古高原阴山山脉东南麓，全县总辖地面积 3119km^2，东西长 92.6km，南北宽 67.7km，境内多丘陵山地，少平川，其中山地占 35%，平原占 11.6%，丘陵占 53.4%，全县平均海拔 1750m。境内山丘属阴山山脉的东延部分。境内河流（道）1980 多条，多为季节性河流，雨大山洪暴发，天旱河床干涸。常年有清水的河 12 条，分属大黑河、白银河和牛角川河三大水系。大黑河是县境内的一条最大的河流，境内长 87km，年平均流量 1.0549 亿 m^3。灰腾梁上有湖泊（当地俗称旱海子）近百，大者过顷，小者近亩，史称九十九泉，共 222.3hm^2。这些海子由于受地形影响，没有泉源，只靠雨水和洪水补充，其中最大的尚属大狠素海子，水域面积 53hm^2。年平均气温 2.5℃，无霜期短，为 110 ~ 120 天，全年降水量 450mm 左右，多集中到七、八月份，年均蒸发量 1750g/s · cm^2。年日照时数为 2900 余小时。年平均风速为 2.7m/s，多发生在春季。

（二）社会经济条件

卓资县辖 5 个镇 9 个乡，即卓资山镇、旗下营镇、梨花镇、十八台镇、巴音锡勒镇和八苏木乡、梅力盖图乡、印堂子乡、六苏木乡、后房子乡、大榆树乡、复兴乡、福生庄乡、红召乡。9

个居民委员会（社区），227060 人。有蒙古族、回族、满族、朝鲜、达翰尔、锡伯与其他少数民族 4152 人，汉族为 222917 人。

全县 2006 年末，家畜总数存栏达 54.6 万头（只），其中大畜 7.5 万头（匹），小畜 36.5 万只，生猪 10.6 万头，家畜饲养量达 92.3 万（只），大小畜繁殖成活率达 98.3%。完成草原建设总规模 2.6 万 hm^2，其中人工种草 1.23 万 hm^2（多年生 0.37 万 hm^2），饲料作物 0.8 万 hm^2（青玉米 0.57 万 hm^2），饲用灌木 0.47 万 hm^2，改良草地 1 000hm^2，建设青稞贮窖（池）5840 座，购置饲草料加工机具 1500 台，青稞秋贮饲草 1.89 亿 kg。

三、系统聚类分析在区域规划中的应用

（一）系统聚类法原理

系统聚类分析是研究多要素事物分类问题的数量方法，其基本原理是根据样本自身的属性，用数学方法来比较各事物之间的性质，按照某些相似性或差异性指标，定量地确定样本之间的亲疏关系，并按这种亲疏关系程度对样本进行聚类，将性质相近的归为一类，将性质差别较大的归入不同的类。

（二）系统聚类法在区域规划中的应用

1. 聚类指标的选取

系统聚类分析在乡镇规划中应用，首先应对聚类指标进行选取，只有聚类指标有效，才有利于对聚类结果进行科学的分析判断，得出正确的结论。结合卓资县基本的自然与社会经济情况，及其发展前景，本文主要选择了人口、农业、畜牧业、道路交通方面作为聚类指标。

（1）人口规模

在乡镇规划中，人口规模是个很重要的指标。乡镇的人口规模决定了乡镇用地规模和基础设施的建设规模，合理的人口规模能促进乡镇经济、社会和环境的协调发展（见表 1）。

（2）农业、畜牧业

卓资县由于受自然、市场、社会生产习惯等条件的限制，长期以来的经济支柱产业都是以第一产业农业为主，其他产业为辅。随着生态建设、退耕还林、沙源治理的逐年实施，卓资县的畜牧业生产模式也在悄然发生着变化，舍饲圈养、为养而种已成为农牧业生产的潮流。在这样一个产业结构的乡镇，其规划的重点就应该放到农业和畜牧业方面。在农业方面的指标有：小麦、玉米、杂粮、薯类、油料、豆类、甜菜和蔬菜的总收入（见表 2）；在畜牧业方面的指标有：卖大小牲畜收入、卖猪收入（见表 3）。

表 1　卓资县各个乡镇人口数量　　单位：人

乡镇名称	卓资山镇	旗下营镇	十八台镇	巴音锡勒镇	梨花镇	八苏木乡	梅力盖图乡
人口	36763	18314	11579	15441	8954	8252	9950
乡镇名称	印堂子乡	大榆树乡	后房子乡	六苏木乡	福生庄乡	复兴乡	红召乡
人口	3289	13249	5798	5553	9398	11482	6567

表 2　卓资县的各个乡镇农产品产值　　单位：元

乡镇名称	小麦总收入	玉米总收入	杂粮总收入	薯类总收入	油料总收入	豆类总收入	甜菜总收入	蔬菜总收入
卓资山镇	9500	2113200	18000	1481000	68600	376000	0	505995
旗下营镇	36100	3768300	11700	2133500	16800	440000	9000	113715
十八台镇	11400	3514500	11700	2700500	100800	434000	90000	8750

乡镇名称	小麦总收入	玉米总收入	杂粮总收入	薯类总收入	油料总收入	豆类总收入	甜菜总收入	蔬菜总收入
巴音锡勒镇	24700	2928600	10800	3490500	190400	464000	0	7000
梨花镇	25650	1632600	18000	3835000	116200	698000	0	45500
八苏木乡	0	3098700	8100	2581000	186200	270000	0	0
梅力盖图乡	0	2768400	9900	2190500	53200	324000	0	0
印堂子乡	0	3924000	9000	4836500	22400	490000	0	525000
大榆树乡	0	817200	12600	1325000	51800	472000	0	0
后房子乡	93100	3110400	14400	3927500	145600	300000	0	49000
六苏木乡	0	1962900	11700	1321500	57400	286000	0	179200
福生庄乡	33250	1870200	10800	1614000	91000	600000	0	7000
复兴乡	0	5501700	9900	2486000	88200	314000	31500	80500
红召乡	45600	2241000	23400	2984500	75600	782000	0	0

表 3　卓资县各个乡镇畜牧业产值　　单位：元

乡镇名称	卓资山镇	旗下营镇	十八台镇	巴音锡勒镇	梨花镇	八苏木乡	梅力盖图乡
卖大小牲畜收入	42304499	4123204	4973788	4799086	3130892	2439943	8691245
卖猪收入	12007869	10881143	4936291	6520697	4025923	3230391	3629822
乡镇名称	印堂子乡	大榆树乡	后房子乡	六苏木乡	福生庄乡	复兴乡	红召乡
卖大小牲畜收入	6178364	2670769	6843327	1878929	4924435	7328564	7114116
卖猪收入	4082509	2463153	3465057	3476707	4456975	8368062	3207091

（3）道路交通

道路交通的发达程度也决定了一个乡镇的发展程度，有通达的道路，才会有富足的生活。在道路方面的指标有：国道 G110、省道 S305、高速、县公路、乡村路（见表 4）。

表 4　卓资县各个乡镇道路总长度　　单位：m

乡镇名称	铁路	国道 G110	省道 S305	高速	县公路	乡村路
卓资山镇	16600	10000	0	4250	20200	27700
旗下营镇	10400	9700	11500	0	21300	30800
十八台镇	16800	11300	0	0	14700	61700
巴音锡勒镇	0	0	0	0	34800	102600
梨花镇	14100	13300	0	12760	21800	54500
八苏木乡	12100	8500	0	8380	6100	5700
梅力盖图乡	0	0	0	380	13300	44400
印堂子乡	0	8800	0	0	0	92700
大榆树乡	0	0	0	0	0	42200
后房子乡	0	0	0	0	21700	62600
六苏木乡	0	5400	0	0	6360	32100

乡镇名称	铁路	国道 G110	省道 S305	高速	县公路	乡村路
福生庄乡	11800	11000	0	0	200	43300
复兴乡	0	0	17500	0	21900	38200
红召乡	0	0	0	0	17350	50700

2. 数据处理

将得到的数据进行列表。由于我们选取的指标有人口规模、农业、畜牧业、道路交通 4 个方面，属于不同数量级的变量，则应该先对变量进行标准化处理。我们选择的是级差标准化法将原始数据进行了标准化（见表5 ~ 表8）。

表5　级差标准化的卓资县的各个乡镇农产品产值　单位：元

乡镇名称	小麦总收入	玉米总收入	杂粮总收入	薯类总收入	油料总收入	豆类总收入	甜菜总收入	蔬菜总收入
卓资山镇	0.10	0.28	0.65	0.05	0.30	0.21	0.00	1.00
旗下营镇	0.39	0.63	0.24	0.23	0.00	0.33	0.10	0.22
十八台镇	0.12	0.58	0.24	0.39	0.48	0.32	1.00	0.00
巴音锡勒镇	0.27	0.45	0.18	0.62	1.00	0.38	0.00	0.00
梨花镇	0.28	0.17	0.65	0.72	0.57	0.84	0.00	0.01
八苏木乡	0.00	0.49	0.00	0.36	0.98	0.00	0.00	0.00
梅力盖图乡	0.00	0.42	0.12	0.25	0.21	0.11	0.00	0.00
印堂子乡	0.00	0.66	0.06	1.00	0.03	0.43	0.00	0.10
大榆树乡	0.00	0.00	0.29	0.00	0.20	0.39	0.00	0.00
后房子乡	1.00	0.49	0.41	0.74	0.74	0.06	0.00	0.01
六苏木乡	0.00	0.24	0.24	0.00	0.23	0.03	0.00	0.04
福生庄乡	0.36	0.22	0.18	0.08	0.43	0.64	0.00	0.00
复兴乡	0.00	1.00	0.12	0.33	0.41	0.09	0.35	0.02
红召乡	0.49	0.30	1.00	0.47	0.34	1.00	0.00	0.00

表6　级差标准化的卓资县的各个乡镇人口数量　单位：人

乡镇名称	卓资山镇	旗下营镇	十八台镇	巴音锡勒镇	梨花镇	八苏木乡	梅力盖图乡
人口	1.00	0.45	0.25	0.36	0.17	0.15	0.20
乡镇名称	印堂子乡	大榆树乡	后房子乡	六苏木乡	福生庄乡	复兴乡	红召乡
人口	0	0.30	0.07	0.07	0.18	0.24	0.10

表7　级差标准化的卓资县的各个乡镇畜牧业产值　单位：元

乡镇名称	卓资山镇	旗下营镇	十八台镇	巴音锡勒镇	梨花镇	八苏木乡	梅力盖图乡
卖大小牲畜收入	1.00	0.06	0.08	0.07	0.03	0.01	0.17
卖猪收入	1.00	0.88	0.26	0.43	0.16	0.08	0.12
卖大小牲畜收入	0.11	0.02	0.12	0.00	0.08	0.13	0.13

乡镇名称	卓资山镇	旗下营镇	十八台镇	巴音锡勒镇	梨花镇	八苏木乡	梅力盖图乡
卖猪收入	0.17	0.00	0.10	0.11	0.21	0.62	0.08

表8　级差标准化的卓资县的各个乡镇道路总长度

单位：m

乡镇名称	铁路	国道 G110	省道 S305	高速	县公路	乡村路
卓资山镇	0.99	0.00	0.00	0.33	0.58	0.23
旗下营镇	0.62	0.75	0.66	0.76	0.61	0.26
十八台镇	1.00	0.85	0.00	0.86	0.42	0.58
巴音锡勒镇	0.00	0.83	0.00	0.00	1.00	1.00
梨花镇	0.84	0.66	0.00	1.00	0.63	0.50
八苏木乡	0.72	1.00	0.00	0.66	0.18	0.00
梅力盖图乡	0.00	0.00	0.00	0.03	0.38	0.40
印堂子乡	0.00	0.00	0.00	0.80	0.00	0.90
大榆树乡	0.00	0.00	0.00	0.00	0.00	0.38
后房子乡	0.00	0.64	0.00	0.00	0.62	0.59
六苏木乡	0.00	0.41	0.00	0.83	0.18	0.27
福生庄乡	0.70	0.73	0.00	0.83	0.01	0.39
复兴乡	0.00	0.00	1.00	0.00	0.63	0.34
红召乡	0.00	0.00	0.00	0.00	0.50	0.46

3. 聚类结果

将级差标准化的人口规模、农业、畜牧业、道路交通的数据录入 SPSS10.0 软件，运用系统聚类分析方法中的类平均法将卓资县各个乡镇进行分类，得到系统聚类分析树状图（见图 1）。

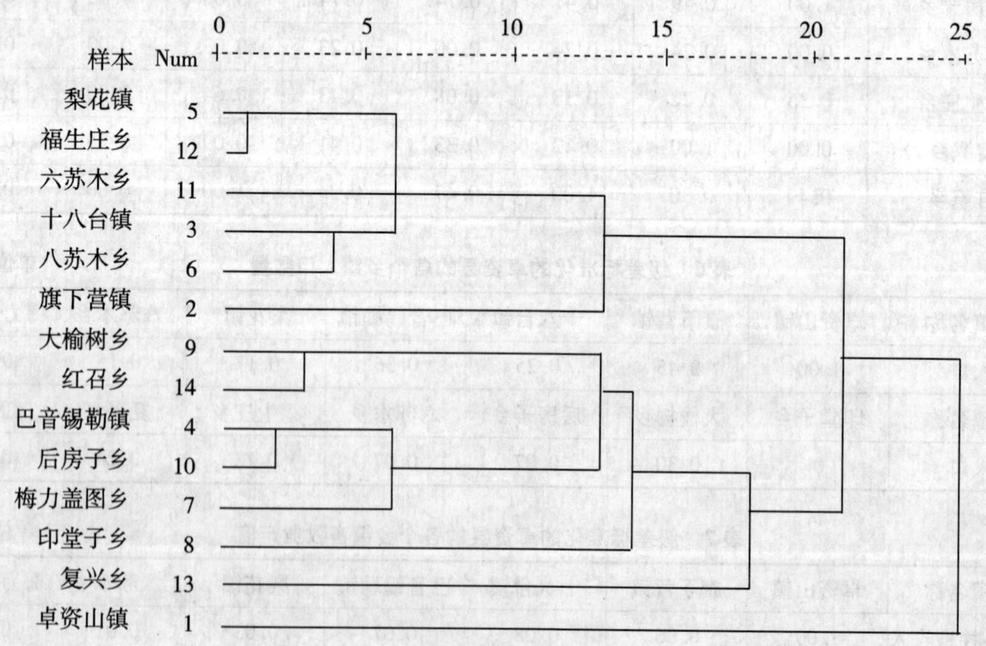

图1　卓资县各个乡镇产业结构系统聚类树状图

结合卓资县生产条件等实际情况的分析，梨花镇、福生庄乡、六苏木乡、十八台镇、八苏木乡 5 个乡镇归为一类为好。因此，以此距离为标准，则由图 1 可以看出，卓资县的 14 个乡镇可以分成7类（见表9）。

其中前4类均只包含一个乡镇，表明这4个地区的产业结构与其他乡镇的差异较为突出。进一步分析卓资县整体的地形地貌和产业结构现状可以看出，这4个乡镇由于受到地形地貌和地理位置的影响其产业结构都非常均衡。

表9　系统聚类分析结果

类别	乡镇名称
Ⅰ	卓资山镇
Ⅱ	旗下营镇
Ⅲ	印堂子乡
Ⅳ	复兴乡
Ⅴ	梨花镇、福生庄乡、六苏木乡、十八台镇、八苏木乡
Ⅵ	巴音锡勒镇、后房子乡、梅力盖图乡
Ⅶ	大榆树乡、红召乡

第一类的卓资山镇作为卓资县的县域中心城镇，是集各个功能于一身的全面发展的城镇。其通达的道路交通环境使其蔬菜种植的产量居高不下。

第二类的旗下营镇是卓资县的县域副中心城镇，也是一个综合发展的城镇。

第三类的印堂子乡薯类收入和第四类的复兴乡玉米、甜菜，成了这两个乡镇的特色产业，再加上两者都有良好的交通条件、地形条件，使二者的产业结构更为均衡，以致在聚类分析过程中，卓资山镇、旗下营镇、印堂子乡和复兴乡4个乡镇与其他乡镇的距离较远，而这几个乡镇的发展也是其他乡镇规划发展的目标。

第五类的梨花镇、福生庄乡、六苏木乡、十八台镇、八苏木乡5个乡镇在整个卓资县可以说是地形条件、地理位置、道路的通达度都较好的乡镇，但是由于都没有明确的发展目标，使得这5个乡镇没有最大限度地发挥其优势，而出现了暂时混乱的发展模式。

第六类的巴音锡勒镇、后房子乡、梅力盖图乡在自然条件和地理位置方面也处于劣势，所以在农业和畜牧业方面的产值也都不高，但是由于它们的相对位置较好，道路通达度较高，且在商业方面的发展较好。整体的发展潜力很大。

第七类的大榆树乡、红召乡，由于受到自然条件和地理位置的影响，在农业方面属于广种薄收的典型地带，在畜牧业方面的产值也不高，社会经济发展十分落后。

四、结　论

从聚类结果我们可以看出，卓资县的多数乡镇的产业结构不均衡，以致影响了整个卓资县的发展。

第一类的卓资山镇和第二类的旗下营镇分别是卓资县的中心镇和副中心镇，在政治、经济、文化、商业等各个方面都应该均衡发展，以适应整个县的发展需要。而第三类的印堂子乡和第四类的复兴乡都分别是卓资山镇和旗下营镇的邻乡，在发展方向上受到了很大的影响，综合发展的能力很强，又由于这4个乡镇的道路通达度都很好，又有发展蔬菜的潜力，建议这几个乡镇在注重综合发展的同时，可以大力发展蔬菜生产，来增加总体收入。

对于自然条件和地理位置都较优越的第五类（梨花镇、福生庄乡、六苏木乡、十八台镇、八苏木乡5个乡镇）来说，应该充分地发挥它们的优势，大力发展农业，同时也要有计划性地发展畜牧业。让梨花镇的豆类和薯类、福生庄乡豆类、六苏木乡蔬菜、十八台镇的甜菜和玉米以及八苏木乡的油料发展壮大，用规模化和机械化提高本地农业的生产效率，使卓资县的整体走向科学、高效的发展道路。

第六类的巴音锡勒镇、后房子乡、梅力盖图乡在对外交通和相对位置较好，在商业方面发展较好，应发挥它们的优势，投资发展商业及蔬菜生产。由于受自然条件影响，农业发展缓慢，在农业方面就应选择性的发展：巴音锡勒镇应主要种植油料和薯类；梅力盖图乡应主要种植玉米；后房子乡则应该以种植小麦、薯类和油料为主。而畜牧业有一定的发展前景，故应该考虑同时在这几个乡镇发展畜牧业，使其形成规模化、产业化，来增加整体收入。

第七类的大榆树乡和红召乡无论在道路交通还是自然条件上都出于劣势，所以应该在农业和畜牧业共同发展，互相促进，才会有更好的发展前景。这两个乡镇的道路状况一直没有得到改善，应该先做好道路的规划，以协调各个方面更快、更好的达到发展目标。

参考文献

[1] 林枫，刘利军．高效液相色谱——系统聚类分析方法在麻黄属药材分类中的应用［J］．化学与生物工程，2006（02）.

[2] 扶定，卢兆成，周国勤，等．系统聚类法在生态区域规划中的应用［J］．安徽农业科学，2003（05）.

[3] 刘大为，李倩．系统聚类分析在农业生产效率综合评价中的应用［J］．农业与技术，2006（01）.

[4] 王霞，宁正元，赵艳萍，等．系统聚类在土壤成分研究中的应用［J］．福建电脑，2006（02）.

[5] 安军．营销信息系统中聚类分析的应用研究［D］．硕士学位论文，2001.

[6] 周晓琦，张锦．区域物流中心系统规划的分析与聚类［D］．硕士学位论文，2005.

[7] 卓资县统计局．卓资县统计年鉴 2004［M］．乌兰察布盟统计机关印刷厂，2004：89－120.

[8] 徐建华．现代地理学中的数学方法（第二版）［M］．北京：高等教育出版社，2002：69－73.

[9] 易丙明．系统聚类分析方法的比较和其他一些方法的应用［D］．China Info 硕士学位论文库，1994.

[10] 余建英，何旭宏．数据统计分析与 SPSS 应用（第一版）［M］．北京：人民邮电出版社，2003：88－96.

[11] 金兆森，张晖，等．乡镇规划（第二版）［M］．南京：东南大学出版社，2005：36－48.

[12] 李琼．系统聚类分析中的遗传算法［J］．武汉交通科技大学学报，2000.

海岸带环境规划中保护与利用的协调

——以山东无棣为例

段晓峰　许学工

（北京大学城市与环境学院地表过程分析与模拟教育部重点实验室　北京　100871）

摘　要　海岸带社会经济的迅速发展带来了一系列的环境问题，制定合理的环境保护规划是协调海岸带经济发展与环境保护之间的关系并实现可持续发展的重要前提。以山东无棣为例，分析了海岸带环境保护中面临的主要问题，在此基础上为合理制定环境保护规划并协调保护与利用的关系提出建议。

关键词　环境保护规划　海岸带　山东无棣

随着人口剧增和经济迅速发展，我国面临的资源匮乏、空间紧张、环境恶化等问题日益严重，制约了我国经济的可持续发展进程。开发利用海洋资源，发展海洋经济并将海洋经济作为新的经济增长点，成为包括中国在内的世界许多沿海国家的重要发展战略。海岸带地区合理、高效开发利用海洋资源是保持我国海洋经济乃至国民经济稳定、高速、持续发展的关键[1,2]。海岸带是海、陆、气相互作用的生态过渡带，对全球变化和人类干扰表现得极为敏感和脆弱[3]，伴随我国近年来海洋经济的迅速发展，一系列社会、经济和环境问题日益突出，成为海岸带可持续发展的严重障碍。

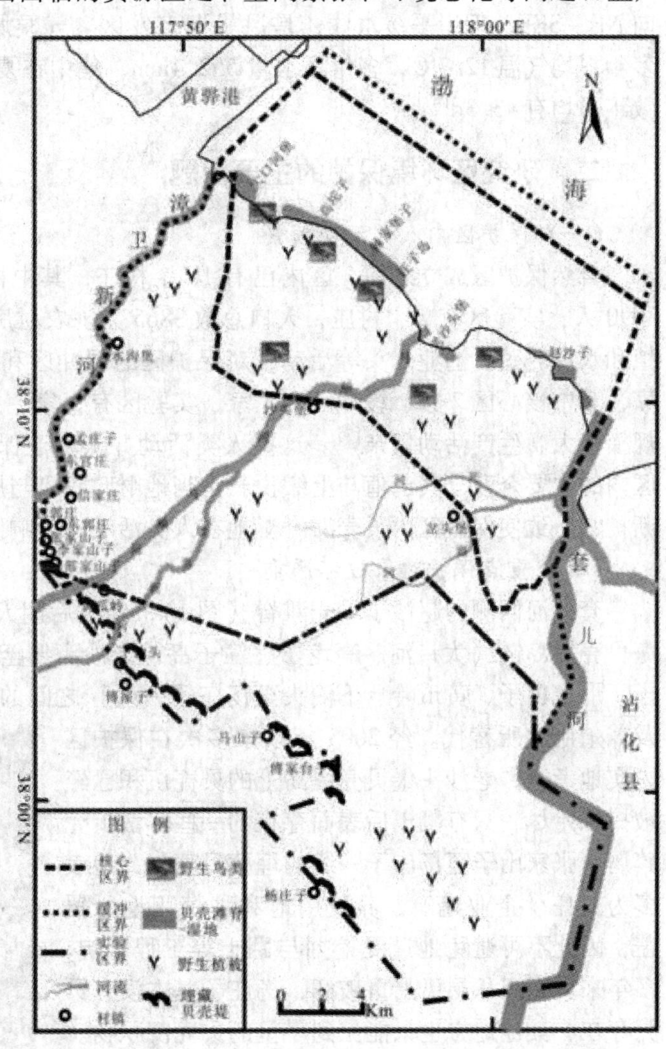

图 1　保护区功能分区与主要保护对象

制定环境保护规划是为了避免社会经济活动的盲目性和主观随意性所带来的环境破坏问题，好的环境规划不仅要使环境得到保护，还要使环境与经济协调发展，即环境问题必须与经济社会问题一起考虑，并在经济社会发展中求得解决[4]。如果不考虑区域的发展要求，保护工作也很难落实。为了在海洋经济迅速发展的趋势下保护遭受威胁和破坏的海岸带生态环境，我国建立了多个海洋自然保护区，这是一个新事物，许多问题仍在探索之中。目前保护区附近的海洋资源开发活动、人为破坏等干扰因

国家自然科学基金面上项目（40671001）与重点项目（40830746）对本研究给予支持，滨州贝壳堤岛与湿地国家级自然保护区管理局在野外考察与调研工作中给予协助。

素仍对保护区生态环境产生巨大压力，保护区管理能力亟待提高，保护区的环境保护规划也亟待制定与调整[5]。本文通过多次实地调研与访谈，以山东无棣海岸带为例，分析环境保护规划中保护与利用的协调问题并提出建议。

一、研究区概况

2006年2月国务院正式批准建立的滨州贝壳堤岛与湿地国家级自然保护区位于山东省无棣县境内，以贝壳堤岛、滨海湿地为主要保护对象（图1）。保护区北以与海岸线基本平行的 -3m 等深线为界；东以套儿河河道中心线为界；南以埕口—下泊头—朱龙河一线为界；西以漳卫新河中心线为界，总面积804.8km^2。保护区划分为三个功能区，核心区面积为285.3km^2，占保护区总面积的35.45%；缓冲区区面积为267.8km^2，占保护区总面积的33.27%；实验区面积251.7km^2，占保护区总面积的31.28%。

无棣近海潮汐属于不正规半日潮，潮流最大流速80～114cm/s，最大波高3.0～3.3m，主波向NE-SEE，近岸平缓水浅，是风暴潮多发区。气候属暖温带东亚季风大陆性半湿润气候区，多年平均气温12.7℃，多年降水量552.4mm，集中在夏季，春秋高低压系统交替频繁，大风日数年平均有43.3d[6]。

二、研究区环境保护的主要问题

（一）保护区内人类活动频繁

自然保护区成立之前，区内已有16个村庄，其中核心区两个，缓冲区有12个，人口总数8090人；实验区有2个村庄，人口总数3865人。农村房屋和道路建设、荒滩土地开垦、农业种植和水产养殖、渔业码头等活动，对保护区的缓冲区和实验区影响较大。保护区内共有企业11家，其中核心区2家、缓冲区有8家、实验区有1家，主要为盐业及盐化工，其存在历史较长，规模较大、生产活动繁杂[7]。这些人类活动并未由于保护区的建立而减少或移出，特别是保护区内的主要企业，其产值与上缴税款是当地财政收入与居民就业的重要保证，因此其发展规模不断扩大，致使保护区内贝壳滩脊湿地在人类活动的影响下，自然环境基本被人工景观所覆盖。

（二）重点保护对象破坏严重

套儿河西侧的赵沙子贝壳滩脊（图1），经过后期人类开发已被盐田和养殖池所替代，而沿海贝壳堤岛链（大口河、高坨子、汪子岛、老沙头堡至赵沙子一线）与埋藏贝壳沉积（张家山子、邢家山子、黄瓜岭、下泊头至杨庄子一线）之间的天然滨海湿地系统已经被盐场等企业以及养殖用地所替代。经2005年以来多次在保护区内实地考察，老沙头堡贝壳堤岛上的贝壳沉积已经被挖掘殆尽，只有翻土后表面存在的一些零散贝壳碎屑；张家山子至杨庄子一线的埋藏贝壳堤，地表多为村庄、企业建筑、养殖用地和种植用地所覆盖，因此不可避免地遭受挖掘与翻土等工程影响，多年来贝壳沉积层已严重破坏，杨庄子基本没有贝壳存在，其他地方也只能见到零星的贝壳沉积物。

图2　风暴潮后大口河贝壳沉积带死亡柽柳群

（三）海岸带天然湿地丧失

两道贝壳滩脊之间的天然湿地已经被盐田和养殖用地替代，虽然仍可见少量鸟类，但人类活动的干扰将逐渐破坏野生鸟类的天然栖息环境；鲁北海岸带是风暴潮多发地，大口河与高坨子的贝壳滩脊边缘生长着滨海湿地植物，如柽柳、翅碱蓬、二色补血草等，这些湿地植被资源同样是保护区重要的保护对象，风暴潮后贝壳堤带边缘的植被也受到了不同程度的破坏（图2）。天然的湿地系统已经被人工湿地替代，天然植被群落已经被严重破坏，野生动物（鸟类）生境在逐渐消失。

（四）环境保护面临更严峻的威胁

位于套儿河口的滨州港正在建设当中，目前已建成3000t级泊位2个、30000t级泊位2个，码头长422m、引堤长10350m，年吞吐量500万t，加之漳卫新河、潮河和岔尖渔港码头，对贝壳堤岛附近海域以及滨海湿地的破坏十分严重[7]。随着社会经济发展对海岸带资源的进一步需求，人类活动的影响不断增强，保护区内主要保护对象面临严峻的威胁。

三、海岸带环境保护与利用的协调

从上述分析可以看出，无棣海岸带地区环境保护面临的威胁主要来自人类活动加剧，环境保护规划应以保护和恢复滨海贝壳滩脊湿地为目标，关键问题是缓解人类活动的破坏，同时实现环境保护与经济发展的协调。为实现上述目标，提出以下环境规划建议。

（一）环境保护规划的范围与功能调整

通过多次实地调查和访问，发现目前保护区划定的范围存在一定问题，主要体现在：首先，无棣县域内的整体滨海地带均在保护区范围内，所有涉海人类活动都受到保护区管理的限制，在管理中带来诸多矛盾和问题，而且无棣县需要向海发展的通道，包括未来滨州港的发展也需要空间；其次，保护区建立之前即存在诸多村庄和企业，应在规划之初予以考虑，尽量避免保护区管理与当地人类活动之间的冲突；最后，保护区建立之初以为范围越大越好，而实际上，这样不仅将大面积的无保护对象地区规划入保护限制范围，而且面积过大对有限的保护区管理人员来说成为严重的负担，不利于具有价值的对象得到合理的保护。针对上述问题，通过实地调研，本文根据保护对象不同，对原保护区范围与功能规划提出适应性调整的原则和方法，并对调整后的各规划环境保护分区提出相应的规划目标（表1）。

表1　保护区范围与功能规划适应性调整原则与方法

保护对象	功能分区	规划范围确定	可协调度
滨岸贝壳滩脊	核心区	遥感与实地测量结合确定边界	低
贝壳近源地	核心区	潮下带与浅海贝类资源调查确定生长区域边界	低
埋藏贝壳堤	缓冲区	钻孔与贝壳含量测定结合确定尚存的贝壳沉积富集区	较低
滨海湿地恢复带	核心区	滨海土壤理化性质化验结合盐生植物生物特性	较低
人工湿地	实验区	遥感与实地考察确定盐田或养殖池分布	较高
边缘效应区	实验区	对保护对象产生间接影响的范围根据保护学原理建立缓冲地带，根据实地观测研究确定范围	中
原保护区内其他	非保护区	排除所有保护对象所需空间后的范围	高

注：可协调度指功能区范围确定与当地社会经济发展产生矛盾时可以协调解决的程度，分为5级，“低”代表范围划定不需要考虑人类活动因素，“高”代表范围是在考虑人类活动因素的基础上确定的，当出现矛盾首先考虑社会经济发展需求，“较低、中、较高”为过渡级别。

（二）保护区的管理体系

经济开发与环境保护的矛盾在研究区内日益突出，针对上述问题，保护区适宜建立相对完善合理的管理体系以应对保护管理工作中的困难与问题（图3）：首先，保护区管理部门由国家海洋局设立并垂直管理，财政与人事管理权与地方政府分开；其次，保护区管理部门设立技术、管理和协调三个机构，技术机构负责自然遗产与资源的保育、科学研究和管理规章的制定等职能，管理机构主要负责日常巡逻、安全执法和突发事件处理等，服务协调机构负责与当地政府、企业和居民协商调解、宣传教育及旅游服务等；最后，保护区管理部门需要与各方面机构加强合作，例如技术机构通过引进高等专业技术人员以及与其他科研机构建立合作的方式提升技术支持和管理水平；协调机构在环境保护相关法规的支持下得到当地政府和企业的协助，在宣传教育工作辅助下实现与当地居民的共同管理。建立完善管理体系的目的是实现保护区的有效管理，以适应正在发生和未来可能发生的各种环境变化。

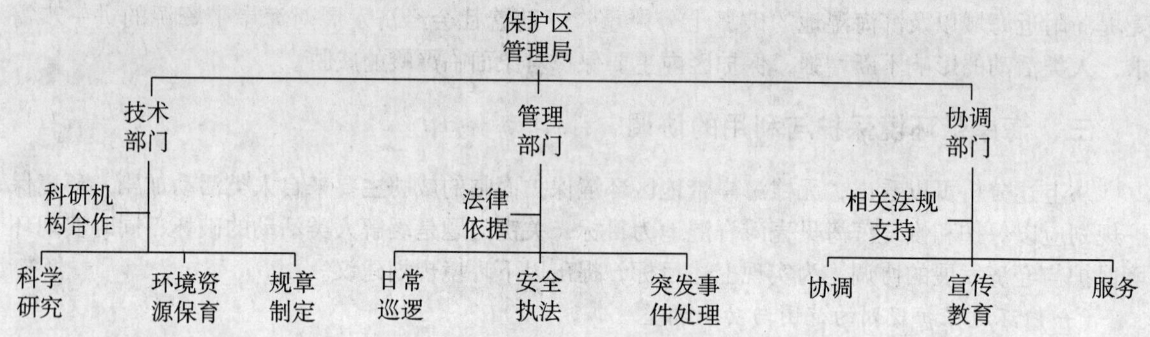

图 3　保护区适应性管理体系

四、讨论与结论

本文通过对滨州贝壳堤岛与湿地国家级自然保护区的实地调研，分析了无棣海岸带地区环境保护面临的问题，在此基础上提出环境保护规划建议，得出以下几点结论：

1. 滨州海岸带环境保护面临的主要问题是社会经济发展引起的人工景观逐渐代替自然景观，滨海贝壳滩脊湿地系统原始状态严重破坏，人类活动的进一步加剧将对环境保护构成更大的威胁。

2. 环境保护规划的制定需要因地制宜、因时而异，初始的发展规划当面临新的矛盾与问题时需要做出适应性调整，在分析了现状保护区范围、功能以及管理机构存在问题的基础上，提出了相应的协调与管理建议，为制定合理的环境保护规划提供参考。

3. 目前滨州贝壳堤岛与湿地国家级自然保护区已由起初制订规划的团队进行了范围调整，证明效果很好，海岸带保护与利用的矛盾得到协调，统筹环境保护与区域发展，是环境保护规划的成功之道。

参考文献

[1] 张鸿翔，赵千钧．海洋资源——人类可持续发展的依托［J］．地球科学进展，2003，18（5）：806 - 811.

[2] 国家海洋局．中国海洋 21 世纪议程［R］．北京：海洋出版社，1996.

[3] 储金龙，高抒，徐建刚．海岸带脆弱性评估方法研究进展［J］．海洋通报，2005，24（3）：80 - 87.

[4] 唐雪水．我国海洋环境保护规划的必要性探析［J］．海洋开发与管理，2008，25（1）：112 - 116.

[5] 郝艳萍，杨凤丽．中国海洋环境管理现状与对策［J］．海洋开发与管理，2008，25（7）：74 - 80.

[6] 山东省科学技术委员会．山东省海岸带和滩涂资源综合调查报告集——黄河口调查区综合调查报告［M］．北京：中国科学技术出版社，1991：8 - 25.

[7] 中国海洋大学，滨州贝壳堤岛与湿地国家级自然保护区管理局．滨州贝壳堤岛与湿地国家级自然保护区科学考察报告［R］．2008.

农业面源污染分析及控制对策研究

李萍萍　刘继展

（江苏大学农业工程研究院教育部农业装备与技术重点实验室　镇江　21203）

摘　要　在对农业面源污染的概念进行界定的基础上，对农业面源污染的来源、产生及传输的特点以及对水环境的危害进行了分析，根据农业面源污染控制的特殊性，提出了农业面源污染源头防治的清洁生产对策以及面源污染的“点源化”控制对策。

关键词　农业面源污染　清洁生产　点源化控制

长期以来，人们对水环境治理的重点都放在工业污染等点源控制上，而对农业面源污染控制的认识不足，研究也相对滞后。近年来，随着一些流域水体污染的加剧及对水污染治理的深入，农业面源污染控制越来越成为解决水体富营养化和污染难题的关键，对农业面源污染的研究也越来越受到重视。本文通过广泛的国内外文献查阅，结合在太湖流域的调研和面源污染控制的试验研究，对农业面源污染进行了系统分析，并提出了控制对策。

一、农业面源污染分析

（一）农业面源污染的概念与界定

面源污染是相对于点源污染而言的，即非点源污染（Nonpoint Soure Pollution）。在水环境污染问题当中，点源污染指的是通过排污管网收集并在固定排污口向水体（河流、坑塘、湖泊、海洋）集中排放的污染物[1-3]。点源污染通常包括工业污水和城市生活污水，是人类最早认识并在数十年来持续进行治理的污染源。

综合国内外对面源污染均提出的多种定义[1-3,5,11-14]，基于其最基本的特征和形成条件，面源污染即为分散和广布的各类污染物，未经管网而进入地表及地下水体造成的水环境污染。面源污染通常被分为城市面源污染和农业（农村）面源污染两大类[1,6,9,15]，而农业面源污染被公认为比重和危害性最大的面源污染。但是在不同的研究与时间中，农业面源污染的范围界定存在着明显的差异。

1. 最狭义的农业面源污染特指人们从事农田种植业生产活动时产生的非点源污染，是由于农田中的土粒、氮素、磷、农药及其他有机或无机污染物质，在降水或灌溉过程中，通过农田地表径流、农田排水和地下渗漏，使大量污染物进入水体而形成的水环境污染[13,16]。

2. 另一农业面源污染的范围为广义农业生产（农、林、牧、渔各类生产）中所产生的面源污染，这是目前应用较为普遍的界定。然而这一界定本身仍存在着范围的差异，比如规模化的畜禽养殖场集中排放的粪水，形式上已属于点源范畴，但多数情况下仍计入农业面源污染之中。

3. 最广义的农业面源污染，则为农村面源污染，泛指各类农业生产所产生的污染物、目前绝大部分未实现集中处理的农村生活污水和生活垃圾所产生的雨水径流污染。从面源污染综合治理的角度看，这种定义也有合理性。

（二）农业面源污染的主要来源

1. 种植业生产

在种植业生产活动中，农田中的土壤颗粒、化肥、农药、病菌及其他污染物，在降雨或灌溉过程中，随着地表径流、农田排水、土壤渗漏进入水体，对地表水和地下水造成潜在的污染[5]。大量的化肥、农药通过雨水冲淋、农田灌溉、土壤渗透等途径进入江、河、湖、库等水域，是造成农业非点源污染的主要原因[5,17]。种植业生产所产生的面源污染负荷与土地利用方式、耕种强度、降雨强度与频度、化肥农药的施用量、土壤类型与地形地貌等均有密切关系。如综合对太湖流域的研究报道，稻田的总氮、总磷径流损失系数分别为 19.77 ~ 34.1kg/hm^2 和 0.5 ~ 1.75kg/hm^2，露地菜地的总氮、总磷流失平均高达 22.72kg/hm^2 和 6.34kg/hm^2，而设施栽培的径流损失要低得多。

2. 畜牧业

农村和城郊的畜禽规模养殖、圈养和散养，是农业面源污染的最主要来源之一[4,5]。除了规模养殖场的畜禽养殖所产生的粪尿、饲养圈冲洗所产生的污水以点源形式排入水体以外，主要以粪便等固体废弃物随雨水径流形式进入水体造成污染。综合大量的研究和统计数据，每头畜禽粪尿的总氮、总磷和 COD 污染年排放量分别为：猪 4.5 ~8.3kg、1.7 ~3.1kg 和 26.6 ~47.9kg，牛 61.1 ~78.6kg、7.6 ~ 12.9kg 和 248.2 ~ 401.5kg，家禽 0.28 ~ 0.48kg、0.09 ~ 0.20kg 和 0.5 ~ 1.2kg。大量粪肥集中施于附近有限农田中未得以充分利用而流失造成水体污染。

3. 水产养殖业

水产养殖业人工投放的过多饵料和鱼类排泄物，已成为水体富营养化的又一重要物质来源[8,14,18-20]。围网养鱼或鱼塘养鱼，鱼用饲料的利用率不高，沉积后的有机饲料经降解后转化为水溶态养分或沉积于塘底进入水体生态系统养分循环。有研究[9]认为鱼塘系统饵料 N 素仅 13.9% 转化为渔产品，另有 13.4% 沉积于底泥，水体及损失部分占 72.7%；输入 P 素约 25.4% 转化为鱼产品，28.9% 沉积于底泥，45.7% 汇集于水体。水体所含养分通过清塘或排水进入周围水环境。湖泊内大规模的围网养殖不仅自身造成污染，还导致太湖水体交换速度缓慢，水体自净能力降低，湖泊淤积严重。

4. 农村生活污水与生活垃圾

目前我国农村地区大多没有污水管道和集中的污水处理厂，居民的生活污水一般不经过处理就任意排放[21]。农村排放的生活污水可分为“黑水”和“灰水”两类。黑水是农村居民自身排泄的粪尿及冲洗马桶一起排出的污水[8]。虽然在经济较发达的农村地区，开始广泛改用冲水厕所，有的还设立了化粪池，卫生面貌得到很大改观，但由于多数仍没有完善的排水系统，对化粪池处理过后的有机废物也没有有效地收集处理或资源化利用，最终还是随径流进入了水环境。灰水是农村人们生活活动中除“黑水”外的所有用水，包括厨房洗涤、洗衣、洗澡等产生的相对“干净”的污水，其数量比“黑水”要大得多[21]。据调研分析，太湖流域农村生活污水在整个农业面源污染中，占 COD 的 1/3，总氮的 1/4 和总磷的 1/5。

（三）农业面源污染产生及传输的特点

相对于点源污染，农业面源污染具有两个基本特征：一是分散性（广布性）[5,7]，以分散的形式分布于广阔的地域（土地或水体）之中；二是农业生产伴随性，产生于农、林、牧、渔的初级生产活动中，农业生产经营方式对其具有决定性影响。由农业面源污染的基本特征所决定，其产生与传输过程呈现出以下明显特点。

1. 影响因素多样性

农业面源污染的产生与传输受到多种因素的影响，包括可控因素如农业经营规模与结构、土地利用方式、化肥农药施用量与施用方式、粪便管理方式等，同时还受到气象条件、地质地理条件等不可控因素的影响。

2. 时间滞后性与潜伏性

农业面源污染物的形成和污染的发生大多并不是同步进行的，在降雨来临之前农业化学品的施用和其他污染物在土地上的积累都不会造成水体的污染（潜伏期），污染物主要发生在与气象事件密切相关的间歇时段，以扩散方式进入水体。点源的最严重危害发生在枯水期，而非点源的严重危害却发生在暴雨之后。

3. 空间随机性与异质性

在广袤的地域之内，农业面源污染的发生地点、传输路径具有极强的随机性，而同样的行为在不同的位置会有不同的环境影响，排放的分散性导致其地理边界和空间位置的不易识别[7]。

(四) 农业面源污染对水环境的危害类型

农业面源污染的危害表现在土壤性质恶化、农业生态系统平衡失调、毒害生物并影响食品安全等多方面，对水环境的影响主要有以下两种类型。

1. 以营养物型污染物造成水体富营养化

水体富营养化可分为天然富营养化和人为富营养化。在自然条件下，湖泊也会从贫营养状态过渡到富营养状态，不过这种自然过程非常缓慢，常需几千年甚至上万年，而人为排放的营养物质可以在短期内引起水体的富营养化。目前判断水体富营养化指标一般采用的是：氮含量超过0.2～0.3mg/L，磷含量大于0.01～0.02mg/L，BOD大于10mg/L，pH7～9的淡水中细菌总数超过10万个/L，叶绿素a含量大于10μg/L[21]。水体富营养化是我国目前存在的最突出、最严重、最普遍的水环境问题[21]。农田氮肥、磷肥的径流损失、畜禽粪便未经处理的直接排放、水产养殖的饵料投放，这些污染物都含有大量N、P和有机物，是引起水体富营养化的重要原因[5,13]。

2. 以毒害型污染物危害水环境

农药、除草剂及其降解产物、化肥中重金属、有毒有机物以及大气沉降物等，其中有机磷、有机氯等农药会引起水体生物的急性中毒，磷肥中的镉、化肥与厩肥中的汞、杀虫剂与除草剂中的砷等重金属则在水体食物链中的富集。农业面源毒性污染物（包括本身无毒，但可诱发其他污染物毒性的物质）进入地表水环境，不能被生物降解，水体对其没有自净能力，造成的不仅是污染指标的超标，而且还会产生污染物的协同作用，直接对水生生物构成危害，并通过食物链对人体产生影响。

二、农业面源污染的控制对策

(一) 农业面源污染控制的特殊性

农业面源污染具有分散性、潜伏性和随机性，农业面源发生与传输机制涉及气象学、水文学、水利学、土壤学、土壤侵蚀学、土壤化学等多个学科的研究领域[1]，产生与传输过程的复杂使得农业面源污染的管理控制难度远远大于点源污染，因此在管理控制行为和技术选择上也存在显著的差异。

1. 不易识别和监测

由于面源污染涉及多个污染者，在给定的区域内他们的排放是相互交叉的，加之不同的地理、气象、水文条件对污染物的迁移转化影响很大，同时农业面源污染物对环境的影响过程是一个量的积累过程，具有滞后性，从技术难度和过于高昂的操作成本出发，很难甚至不可能对每一污染源进行监测和跟踪[4,7,8]。

2. 治理方式特殊性

非点源的治理集中在土地和径流管理措施，而不是污水处理[4,5]。农业面源污染必须加强源头治理，低排放的农业清洁生产模式是减少农业面源污染的根本性措施。同时点源污染的集中污水处理技术无法适用于面源污染治理，取而代之的是人工湿地、生物缓冲带等防治技术。

3. 政策实施困难性

农业面源污染的空间分散性与异质性，使得目前各类统一执行政策标准的实施存在着极大困难[4,5,7]。农业面源污染的空间分散性与异质性，以及中国小规模农户经营模式和农民经济实力的弱小使得在点源污染控制领域行之有效的污染收费、排污交易、生态补偿等机制可能失效，而国外所尝试的化肥和农药投入征税等措施在我国农业面源污染控制中的可行性亦值得探讨。

（二）农业面源污染源头防治的清洁生产对策

通过农业清洁生产技术的实施，可以有效节约化肥、农药、饵料等能源的投入，提高其利用率，减少农业面源污染物对环境的排放。

要根据不同地区的农业自然、经济和社会条件，确定相应的农业清洁生产技术。如根据对太湖流域的研究，宜优先推广以下农业清洁生产技术：①测土配方平衡施肥技术，提高肥料的利用率；②病虫草害综合防治与精确施药技术，提高药剂的使用效率；③节水精准灌溉技术，在节约农业用水的同时减少养分和农药等的随水流失；④设施栽培技术，通过覆盖和精细管理减少化肥排放；⑤畜禽粪便资源化和商品有机肥开发应用技术，不仅减少养殖业的排放，而且提高土地生产力；⑥有机水产养殖技术，通过合理的水生生物种群结构及合理的饲料投入，保持水体的生态平衡。根据测算，如果在农田管理上推行清洁生产技术，则种植业进入太湖水体总磷、总氮分别可以削减50%和61%以上；畜禽养殖在规模化养殖和清洁生产条件下，按照现行《畜禽养殖业污染物排放标准》（GB 18596—2001）实现废水达标排放，则其进入水体COD、总磷、总氮可分别削减达38%、77%和57%；淡水养殖行业通过实行清洁生产，亦可削减各类污染物30%以上。

尽管各类农业清洁生产技术正在逐步走向成熟，但在推广实施上仍存在很多问题，急需建立相应的促进机制。首先要加大农业清洁生产的扶持力度，将农业清洁生产纳入各地农业产业与环保发展规划，制定和落实有利于实施农业清洁生产的产业政策、技术开发推广政策，建立农业清洁生产政策扶持机制和技术服务体系。其次，要统筹规划，部门协调，有序推进。以农林部门牵头，环保、科技、质量技术监督等部门协调配合，制定相应的养殖、种植细分行业的清洁生产分阶段推进目标和计划。此外，要建立符合国情的农业清洁生产奖励机制。如继续强化包括有机肥、低毒农药、精量喷施设备等农资生产销售的免税政策，实行化肥、农药减量施用的补贴机制等。

（三）农业面源污染的“点源化”控制对策

农业面源污染控制的最大难度在于其空间的分散性和农业经营权的分散性，造成其污染控制的不可操作性。一个有效的农业面源污染控制方式，就是面源污染的“点源化”，使农业污染源头由“无限”走向“有限”，从而大大减小农业面源污染管理控制的成本和难度。

首先，要加快推动农业的规模化经营。我国目前以农户为主的农业经营体制，使小块土地种植、散养和小规模养殖仍然是农业经营的主体，且众多农户成为农业面源污染控制中的政策接受对象和技术实施者，使管理成本和操作难度大大增加，同时农户经济的弱小性亦成为农业面源污染控制措施实施的障碍，这就在客观上对农业的集中和规模化生产提出了要求，这也是现代化农业大生产的必然方向。因此，在太湖流域等经济发达地区，要加速土地流转，积极探讨在现行体制下促进农业集中经营更快发展的有效措施，通过农业规模化和产业化经营促进农业面源污染的点源化，为流域的水环境保护提供体制保障。

其次，加强农村村庄建设规划和污水集中处理。“村容整洁”是各地新农村建设的重点任务之一，但是多数农村对于减少面源污染排放仍缺乏相应的认识和针对性的措施。如一些地区的农村改厕运动，由于没有严格达到“三格式”标准，使得人粪尿直接排入水体，反而加重了水体污染。要根据各地经济基础和实际情况，结合新农村建设，加强农村村庄建设规划，有条件的地方建设生活污水收集管网，实现城乡污水并网处理。要加大对投入少、管理简便的农村生活污水末端治理技术如人工湿地、厌氧净化池、净化沼气池等污水净化处理技术的研究，尽快形成适合不同自然和经济条件下应用的技术模式，在广大农村进行示范推广。

参考文献

[1] 洪华生，张玉珍，曹文志．九龙江五川流域农业非点源污染研究［M］．北京：科学出版社，2007.

[2] 王宗明．农业非点源污染国内外研究进展［J］．中国农学通报，2007，9：468－472.
[3] 冯庆．国内外农村非点源污染研究之比较［J］．科学时代，2007，1：17－19.
[4] Novotny V，Chester G. 面污染源管理与控制手册［M］．林芳荣，李学灵，吴亚蒂译．广州：科学普及出版社广州分社，1987.
[5] 王晓燕．非点源污染及其管理［M］．北京：海洋出版社，2003.
[6] Lee S I. Nonpoint Source Pollution［J］. Fisheries，1979，(2)：50－52.
[7] 张宏艳．发达地区农村面源污染的经济学研究［M］．北京：经济科学出版社，2006.
[8] 吴汉红．农业非点源污染研究［J］．农业环境与发展，2006，5：58－60.
[9] 郑一，王学军．非点源污染研究的进展与展望［J］．水科学进展，2002，13（1)：105－110.
[10] 柳毓梅．国外农业非点源污染研究概述［J］．科技信息（科学教研），2007，14：457.
[11] Line D E，Mclaughlin R A，Osmod D L，Jennings G D，et al. Non－piont sources. Water Environment Research，1998，70（4)：895－911.
[12] 朱娟．对我国非点源污染状况的考察及法律思考［A］．中国法学会．2005 年中国法学会环境资源法学研究会年会论文集［C］．南昌：2005：66－69.
[13] 张中杰．农业非点源污染来源及其防治措施［J］．地下水，2007，29（5)：98－100.
[14] 黄虹．中国非点源污染研究评述［J］．生态环境，2004，13（2)：255－257.
[15] Duda AM. Addressing nonpoint source of water pollution must become an international priority［J］. Water Science and Technology，1993，(3－5)：1－11.
[16] 刘纪辉，赖格英．农业非点源污染研究进展［J］．水资源与水工程学报，2007，18（1)：29－32.
[17] 徐谦．我国化肥和农药的非点源污染状况综述［J］．农村生态环境，1996，12（2)：39－43.
[18] 王健华．太湖流域面源污染控制对策研究［J］．环境保护科学，2003，29（116)：16－17，22.
[19] 王德建．基塘系统的物质循环与能量传递［M］．北京：中国农业出版社，1998.
[20] 夏立忠，杨林章．太湖流域非点源污染研究与控制［J］．长江流域资源与环境，2003，12（1)：45－49.
[21] 曹志洪，林先贵，等．太湖流域土—水间的物质交换与水环境质量［M］．北京：科学出版社，2006.

建立可持续发展的生态管理体系

赵晓光[2] 许振成[2] 王 轩[1] 韩秋萍[2] 胡习邦[3] 张修玉[3]

（1. 中国环境科学研究院 北京 100012；2. 环境保护部华南环境科学研究所 广州 510655；3. 中国科学院广州地球化学研究所 广州 510640）

摘 要 建立可持续发展的生态环境保护的管理体系是时代和我国现实情况的迫切要求。本文简要介绍了我国生态环境的基本现状，并介绍了一些生态系统管理方式的最新进展。加强生态环境管理具有现实和理论意义，因此，要采取相应措施遵循保护与开发相结合、科学规划和建设、全面协调可持续发展的原则，促进生态环境管理。

关键词 生态管理 可持续发展

一、可持续发展的生态管理体系建立的紧迫性

（一）我国生态环境的基本现状

环境污染和生态破坏与工业化相伴而生。在前工业化阶段，以农业、初级产品生产为主，制造业水平低下，经济增长缓慢，环境污染和生态破坏较轻。工业化初期，以钢铁、煤炭、纺织、食品等工业迅速发展，经济增长速度很快，环境污染和生态破坏严重。随着工业化的深入发展，在人类无限的需求和有限的生态环境供给之间产生了严重的矛盾，最终使自然界走向了退化和毁灭，导致资源短缺、能源枯竭、环境污染、生态破坏等一系列生态环境问题的产生。人类不可持续的发展方式以及由此产生的不正确的经济增长观、伦理道德观、价值观、科学观和消费观是生态环境问题的根源。这些观念指导着人们的行为，导致整个社会运行机制的失当，使得政府行为、企业行为和个人行为背离了可持续发展原则，直接或间接导致了生态环境问题的产生。因此，生态环境问题本质上是个发展问题，生态环境问题唯有在发展的过程中才能得到解决。

改革开放30多年来，我国创造了高速增长的经济奇迹。但是，也让我们付出了巨大的代价：从20世纪80年代以来，我国每年沙化土地面积从1000多km^2增加到2460km^2。1980年，我国人均耕地近2亩，2003年减少到1.43亩；在轰轰烈烈的“圈地”热潮中，最近几年全国耕地减少了1亿亩。我国目前的废水排放总量为439.5亿t，超过环境容量的82%，七大江河水系劣Ⅴ类水质占40.9%，75%的湖泊出现不同程度的富营养化。以江苏省为例，该省缺水现象越来越严重，水资源人均占有量仅为全国人均占有量的1/5，是世界人均占有量的1/20，而且可作为生活饮用水水源的地表水也越来越少。按国家标准，集中式生活饮用水地表水水源地一级保护区内的水质应符合Ⅱ类水标准，但该省严格符合Ⅱ类水标准的地表水已属“凤毛麟角”，符合Ⅲ类水标准的也仅有20%～30%。地表水（包括潜水）饮用水源95%以上均不同程度遭受污染，尤其是农村小型河湖沟塘，实际上都已不宜作为饮用水水源。

据有关组织对全国100多个省级以上的自然保护区的调查，已有82个保护区正式开办旅游业，年旅游人次在10万人以上的保护区有12个，在产生巨大经济效益的同时，也出现了严重影响保护区发展的问题。目前有22%的自然保护区因开展生态旅游而遭受破坏，11%出现旅游资源退化的现象。与1970年相比，长江流域的水土流失面积增加了1倍；全国森林面积减少了10%；四川大熊猫栖息地减少了55%，卧龙保护区大熊猫安全活动范围已缩小了30%。我国许多旅游风景区、自然保护区生态环境也出现不同程度的环境退化问题；水体流失加重，植被覆盖率下降；动植物有效保护范围缩小。在贵州草海保护区，有关部门为了加速当地人民脱贫，将铁路修到了自然保护区，严重影响了当地珍稀禽类黑颈鹤的生活。

（二）建立可持续发展的生态管理体系的意义

针对上述问题，唯一的途径就是树立科学发展观，走可持续发展之路。中央确立的科学发展观，及时提出的“统筹人与自然和谐发展”的思路，其实质就是要求在发展中实现速度和结构、质量、效益相统一，经济发展和人口、资源、环境相协调。可持续发展认为环境与发展密不可分。从根本上解决生态环境问题，必须转变传统的不可持续的发展方式。可持续发展充分认识和重视人类的主观能动性，它不是一种“坐而论道”的理论，而是促使人类共同采取行动的纲领。作为一种新的发展观，可持续发展立足于对原有的发展观进行反思或改造，它摒弃了以牺牲生态环境为代价的、纯粹满足当代人福利增长的非理性做法，强调人类生存在不超越维持生态环境系统承载能力的情况下，相应改善和提高其生活质量，并顾及后代人需要的满足。可持续发展要求人类的发展应在生态环境承载能力之内，使生态环境有能力对受到的冲击和震动通过自组织的过程加以转化、消化和淡化，最终保证生态环境的演化趋势不受影响。人类必须改变自身的基本思想观念，必须从宏观到微观对人类自身的行为进行管理，以尽可能快的速度逐步恢复被损害的生态环境，并减少甚至消除新的发展活动对生态环境的结构、状态、功能造成新的损害，保证人类与自然能够持久地、和谐地发展下去[14]。

支持生命的生态环境系统，无论大小，无论是自然的还是人造的，都是一个完整系统的一部分，在这个系统中每个成分都直接或间接地与所有其他成分相互作用，并影响整个系统的功能。经济的持续发展要与生态环境相协调，只有保证了生态的可持续性，才能使得持续的发展具有可能性。没有生态的可持续，就没有可持续发展；而通过可持续发展，又能够实现生态的可持续性。这就要求我们在追求经济发展时，必须同时注意保护环境，包括控制环境污染改善环境质量，从而来保护生命支持系统，保持地球生态的完整性，保证以持续的方式利用可再生资源，使人类的发展保持在地球的承载能力之内。资源的永续利用和良好的生态环境是可持续发展的标志[10]。

二、生态系统管理方式的最新进展

生态系统管理方式可理解为将生态、经济和社会相结合的管理战略。这种管理方式改变了传统的分要素方式，它的要求是建立综合的管理方式。生态系统管理方式的主要目的是维持生态系统功能的可持续性，以避免人类活动对环境的破坏。

（一）生态系统是非平衡的

传统的管理战略是基于自然平衡的观念，认为生态系统在本质上是平衡的，或至少是一个动态平衡的系统。这个观念主宰了生态保护与管理思想达数十年之久，认为对于给定的一个生态系统，只有一个稳定的最佳状态，一旦生态系统达到了这个稳定的状态，它将趋向于保持这种稳定的状态或保持动态的平衡。因此管理和保护战略主要是侧重于将生态系统维持在某个理想的或正常的平衡状态，当其背离这一状态时，人们就设法使其恢复平衡状态。

然而，新的观念正好与此相反，认为生态系统是动态的、非平衡的，可以以任何的稳定方式存在，内部的控制机制使得生态系统对外部条件的变化进行“自我调节”。这里重要的不是不变，而是变化。高度变化的生态系统具有灵活性，会对环境的变化产生多种反应。在变化中，一些内容或属性可能会丧失，但会产生一些新的内容或属性。生态系统会自我调节形成一个新的稳定状态，并会保持一段时间。

（二）实行综合资源管理

综合资源管理是生态系统管理思想的组成部分。这一观念认为，人类对资源的利用是可以的，也是必需的，但应以生态系统能够支持为前提。在综合资源管理方法下，人类的需求和使用被认为是最主要的，管理的目的是在对生态系统产生最小影响的情况下，尽可能多地为人类提供所需。在生态系统管理中，主要的重点是维持生态系统的完整性，人类的活动以不影响系统的完整性为前提。

（三）生态景观管理思想

近几年，生态系统管理方式被扩展到地区或景观的范围，因此被称为生态地区景观管理。其目的是在允许人类进行可持续利用资源的基础上，促进更大范围的生态完整性。在这一观念中，景观单元是最基本的管理单位，首先应关注景观单元的完整性，而对生物多样性的关注是第二位的。其理由是如果景观受到保护，则与其相关的物种自然会受到保护。只有在更大范围内的生态完整性，才能够保持生态系统的持续、健康发展，所以这一观点也可以说是对过去各种观念的一个综合与提高。

（四）倡导适应性管理

所谓适应性管理，是认为生态系统是复杂和变化的，而且人类对生态系统的认知也是非常有限的，所以对人类制定的任何管理目标，允许在实践中不断调整，以逐步达到最佳状态。也就是说，根据人类对自然界的逐步认识来调节我们制定的目标，通过适应性的变化和调整来达到最佳状态，以实现真正意义上的可持续发展。

三、建立可持续发展的生态管理体系

（一）生态环境管理体制与政策

1. 法制管理

生态环境保护工作要严格执法，坚决制止以言代法，以权应法的现象发生，维护各种环境与资源法规的严肃性。根据发达国家的经验，加强生态环境管理工作的基础在于完善的法制。因此，第一，应制定并健全环境保护和生态保护方面的法律法规，走依法保护资源的可持续发展道路。第二，要综合治理生态环境中的权力者、部门的相关者、利益相关者，要职责明确，克除含糊不清的规定。第三，对于职责、权利范围交叉重叠的部门，明确一个责任单位，杜绝利益面前争着干，出力面前推着干的情况。第四，不相干的部门不能参加执法过程，责任与义务、权利与责任密切结合，对于激发责任人、责任单位十分有利。

2. 政策管理

对于生态环境保护和建设，在启动、实施阶段需要给予政策支持。政策体现在经济支持、政策鼓励、税收调节等多方面。

在生态环境保护的经济支持方面，应贯彻国家关于“污染者付费、利用者补偿、开发者保护、破坏者恢复”的原则，要逐年提高环境污染防治投入占本地区同期国内生产总值的比例。设立环境保护资金，专项用于环境保护事业。按照“排污费高于治理成本”的原则，逐步提高现行排污收费标准。在生态环境建设的政策鼓励和税收调节方面，选择绿色外贸导向型产品（如环境标志产品）给予信贷、税收优惠；对经营环境公用设施的企业，在征收营业税、增值税和城市维护建设税方面给予优惠；允许清洁能源企业、污染治理企业、环境公用事业以及环保示范工程项目加速投资折旧。

3. 技术和人才管理

环境保护项目有专业人才管理实施。积极培养人才，充实专业人才队伍；建立市—镇—乡三级管理信息系统，实现生态环境管理的信息化；加强宣教能力建设，普及环境保护教育。鼓励有利于生态环境保护与建设的新行业，提高科学技术对生态可持续发展的贡献。

4. 加强基层环境管理

为加强基层环境保护管理，可设立独立建制的环保管理机构，实行委托执法。在乡镇层次上设立独立建制的环保管理机构，该环保管理机构应该作为当地环保部门的派出机构，受上一级环保部门的垂直领导，形成乡镇与区县市的环境管理联动管理体系，以避免地方行政干预和地方保护主义。加强乡镇级环保机构的环境管理职能，赋予乡镇以及环保管理部门执法权，以加强在最基层环保部门的环境执法能力。同时保证建立的乡镇环保管理机构的人员编制需求和经费需求。乡镇环保管理机构的人员编制应该按照所管辖地区的实际人口数、经济总量、企业个数、污染负荷等进行配备。

（二）数字化生态环境管理能力建设

根据现代环境管理新形势及更高环境安全要求需要，全面运用环境信息技术，提高处理资源管理能力，环境信息程度是环境管理现代化程度的重要标准之一。我们应该逐步建成区域性的环境信息平台，平台具备环境资源管理、环境管理业务应用、环境信息资源共享和环境信息资源服务能力，配备环境信息专业技术人员，提高环境信息为环境管理提供服务和决策支持的能力。

1. 环境信息平台的基本功能要求

首先，建立环境数据空间数据库，实现基础信息查询和维护功能。

（1）基础要素库，包括地区的基本地形、交通、行政等电子地图，及相关的社会经济基础资料；

（2）环境质量数据库，包括地区的环境功能区、环境质量现状资料；

（3）规化数据子库，包括生态、水、气等规化信息；

（4）重大环境污染事故危险源数据信息数据库，集中管理环境污染参数、危险源数据、危险源应急处理技术、应急预案与救援信息等；

（5）其他要素子库，规化数据库结构，可以随时加载不同要素内容。

其次，利用 GIS 等信息技术，实现系统的图文一体化，随着要求的进一步提高，根据下列目标考虑未来可能要实现事故应急决策和指挥功能。

（1）图文一体化的数据查询显示。用一体化形式现实数据库的空间数据，并提供数据图文互查功能，如根据地图查询制定地点或目标源的详细信息及位置。

（2）方便导入数据管理与维护子系统。为数据库的维护更新提供工具。

（3）智能数据分析子系统。根据要求制作分析专题图，如分级图、柱形图等，对查询数据进行统计分析等，并能输出成 Excel、JPEG 等通用文件。

2. 环境信息平台的基本设备要求

首先，要对硬件有一定要求。它要求有完善的网络环境和工作的电脑。

其次，对软件的要求。它要求有数据库软件（SQLsever2000 或以上）、GIS 服务相关软件（ArcGIS 系列软件）、开发工具（VB、VC、JaVa 等）。

最后，要求有足够的人员配置。要有专职人员进行数据的处理、更新和维护。

（三）环境管理能力与应急建设规化

为建立健全环境管理及安全事件应急机制，提高各级政府的应对效率，防范和有效控制各类污染事件的损害，保护公众生命，维护社会稳定，保障各地社会经济全面、协调可持续发展，必须加强环境管理能力与应急建设。

1. 健全环境保护机构

各级政府要建立健全环境保护机构，加快环境保护队伍建设，提高环境管理的规范化和现代化水平，保证环保工作实现统一立法、统一规化、统一监督管理，强化政府对跨区域综合性环境事务的宏观调控能力，尽快扭转环境管理手段落后的局面。

加快环境监督执法能力建设，提高环境监督执法装备水平，重点提高现场执法能力和应对突发性污染事件的能力，加强对生态环境监督管理能力的建设。

选派环保人员到国内外先进的同类机构或者高校进修、培训和考察，以便了解和掌握国内外先进的环保管理技术和管理经验。

2. 建设环境污染事故应急体系建设

根据国内外应对环境污染事件的经验，汇集各种应对措施，再根据各区域的具体保护目标和具体事件进行具体化，针对安全事件、突发性安全事件制定与实际相结合的应急计划。具体内容包括：

（1）事件分类与分级、预案实施原则、适用范围；

（2）组织体系与职责；

（3）预防要求和预警程序；

（4）应急响应程序与内容；

（5）应急保障有关规定：资金、装备、人员、技术、宣传、培训与演练；

（6）后期处置：事故评估、责任认定、奖惩。

3. 提高现代化水平环境监管能力

监测显然是环境管理及应急的首要的和基本的措施。提升环保管理的现代化水平应以环境监测、监察、信息、宣教为重点，强化环境管理能力建设。在环境监测方面应完善水环境、空气质量的常规监测，加强重点污染源在线监测，逐步建立水环境、大气环境的监测网络；实施噪声污染自动监测和即时报告制度，能够对各个城市的主要道路交通和区域噪声实行自动监测并即时报告；逐步开展固体废物环境监测；所有环境监测分析技术人员都必须通过省级技术考核，实行持证上岗。环境监察以加强基层环境监察能力为重点，提高执法能力和执法水平，强化快速反应能力，实现机构名称、执法范围、操作程序、执法文书和行为规范的五统一。环境宣教的主要目的是普及环境法律和科普知识，提高和增强公众环境意识，为环境保护工作起着先导、基础、推进和监督作用。当务之急是端正观念保证生态环境的良性循环。首先应该改变一些人的错误观念，认为牺牲生态环境是发展中国家快速发展经济的必然代价。应当清醒的认识到：生态环境的破坏一旦超过“临界值”就不可逆转。受到人类破坏的大自然的报复，往往不给人类纠正错误的机会和重新选择的余地，若要弥补或补偿，往往需要付出十倍、百倍于当初预防、及时治理的代价。

参考文献

[1] 吕君．旅游景区发展的生态环境管理分析［J］．内蒙古财经学院学报，2008（1）．

[2] 王国生．浅谈城市生态环境管理中“严”与“宽”的契合［J］．绿色大世界，2007（7）．

[3] 王燕茹．树立科学发展观，加强可持续发展的生态环境管理［J］．生态环境，2007．

[4] 罗明义．论我国生态旅游景区的建设和管理［J］．云南师范大学学报，2005（9）．

[5] 高吉喜．新世纪生态环境管理的理论与方法［J］．环境保护，2002（7）．

[6] 刘务林．强化生态环境管理走可持续发展道路［J］．警务研究，2002（1）．

[7] 钟永德，袁建琼，罗芬．生态旅游管理［M］．北京：中国林业出版社，2006.

[8] 黎洁．旅游环境管理研究［M］．天津：南开大学出版社，2006.

[9] 颜文洪，张朝枝．旅游环境学［M］．北京：科学出版社，2005.

[10] 孙瑛，刘呈庆．可持续发展管理导论［M］．北京：科学出版社，2003.

[11] 王昆欣．旅游景区管理［M］．大连：东北财经大学出版社，2003.

[12] 邱创．旅游景区环境污染原因及控制对策分析［J］．中国软科学，2001.

[13] 林越英．旅游环境保护概论［M］．北京：旅游教育出版社，2001.

[14] 赵丽芬，江勇．可持续发展战略学［M］．北京：高等教育出版社，2001.

[15] 洪银兴．可持续发展经济学［M］．北京：商务印书馆，2000.

[16] 万后芬．绿色营销［M］．北京：高等教育出版社，2000.

发展绿色港口促进环境与经济有效融合

张晓春　詹水芬　彭士涛

（水路交通环境保护技术交通行业重点实验室　天津塘沽新港二号路2618号　300456）

摘　要　绿色港口建设是从源头防治环境污染和生态破坏，保护区域环境的有效途径，是落实科学发展观，促进区域经济、社会与环境发展，建设生态文明的有效载体。绿色港口是未来港口发展的趋势，它的核心目标是建设良好的生态环境和高效的港口经济。绿色港口的建设应注重长远规划、合理布局、治理环境、节能减排，资源循环利用，保护生态、提高物流效率，预控风险、提升管理、绿化文化，建设良好的生态环境和经济高效的港口，实现港口及其腹地发展和谐可持续。

关键词　环境保护　节能减排　绿色经济　港口建设

一、前　言

随着我国经济建设的迅速发展，港口成为城市的重要资源、综合交通运输体系的重要组成部分、交通运输枢纽和对外开放的窗口，在国民经济中的重要地位日益显著[1]。

在相当长的历史时期中，资源、能源的粗放利用、污染物的随意排放曾是港口运营过程中的无意识作为，直至严重的环境问题出现端倪，开始末端治理的发展模式。然而，单纯依靠末端治理进行污染控制的发展模式已经越来越难以超越对环境的污染程度，其最终结果是环境受到越来越严重的破坏。港口企业生产的环境成本越来越高，并开始影响港口区域自然环境和经济水平的协调发展。

从我国港口发展的现状看，今后相当长的一段时间内，港口发展是必然趋势。在一定程度上，港口的建设发展必然对环境和资源产生影响，如对水域、岸线、土地资源的开发利用、堆场及码头的粉尘污染、港区水域污染等[2]。

未来的港口应该兼顾环境效益与经济效益，在发展的同时节约资源、能源，注重环境保护与生态友好，不断调整和优化港区产业结构、合理规划产业布局，更有效地保障港口的健康可持续发展。

二、绿色港口的内涵

绿色港口是既能满足环境要求又能获得良好的经济利益的可持续发展港口，其关键是在环境影响和经济利益之间寻求一个有效的融合点，即港口经济发展有利于提升环境水平，港口环境条件有利于促进经济发展。绿色港口是未来港口发展的趋势[3]。它的核心目标是建设良好的生态环境和高效的港口经济，建设高度绿色文明的港口，实现港口及其腹地社会—经济—环境复合系统的整体和谐和可持续发展。

绿色港口建设是从源头防治环境污染和生态破坏，保护城市环境和生态系统的有效途径，是落实科学发展观，促进区域经济、社会与环境发展，建设生态文明的有效载体。建设绿色港口是将“港口—人—自然”和谐相处的生态环境理念，渗透到港口建设发展和经营相关的各项行为之中，最大限度地提高港口经济活动的资源使用率，最大限度地减少港区对所处区域环境的负面影响，实现“环境优美，高效节能，清洁生产，综合利用”，提高港区的环境管理水平，改善港区的生态环境质量；通过绿色物流、环境保护、清洁生产、安全监督与保障系统、环境管理系统等措施，建立资源消耗低、环境污染少、增长方式优、规模效应强的可持续发展思路，进而全面提升我国港口社会、经济和环境综合效益。

三、建设绿色港口的意义

（一）绿色港口是时代发展的必然产物

自20世纪90年代以来，在国际社会、各国政府和环境保护组织的共同参与和促进下，经济发展的“绿色化”要求逐渐渗透到各国经济活动的各个层面，全球绿色意识不断高涨[4]。绿色所传递的生态环境友好和人与自然和谐的含义是人类的共识。这种共识在各个方面促使经济发展的绿色化水平不断提高。从市场上看，消费者对绿色消费的需求与日俱增[5]。绿色港口是时代发展的必然产物，是港口发展的必然阶段。积极准备、及早应对，树立绿色港口模式形象是港口应该把握住的机遇。

（二）绿色港口是适应国际国内环境的必然选择

按照联合国海洋公约、伦敦公约、国际防止船舶造成污染公约、MARPOL73/78防污公约等国际公约要求，港口必须设立足够的船舶废弃物接收处理设施；石油运输港口、码头应设立油轮压载污水的接收处理以及应急设施；散装液体化学品作业码头，应设立含化学品污水接收处理以及应急设施等。近年来，我国相继出台一系列法律、法规，如《中华人民共和国海洋环境保护法》、《中华人民共和国大气污染防治法》、《中华人民共和国海域使用管理法》、《中华人民共和国环境影响评价法》、《中华人民共和国清洁生产促进法以及港口法》等，这些法律、法规无论是对新建项目、技改项目的要求还是生产过程中的污染防治管理的要求都越来越严格。建设绿色港口，有效保护和改善港区生态环境，促进资源、环境和经济社会持续、健康发展，也是企业不断适应国际国内对港口环境要求的需要。

（三）绿色港口是实现港口可持续发展的必然选择

绿色经济不仅要寻求当代经济发展与生态环境相协调的发展途径，而且要使人们的经济活动与发展行为在不危害后代人的资源环境需要的前提下，寻求满足当代人对资源环境需要的发展途径，以解决当代经济发展和后代经济发展的协调关系[6]。只有发展绿色经济，才能长期地保持自然生态的生存权和发展权的统一，使生态资本存量在长期发展过程中不至于下降或大量损失，保证后一代人至少能获得与前一代人同样的生态资本与经济福利。港口在国民经济和社会发展中起着重要的作用，一个港口要实现可持续发展，必须合理开发利用港口资源，降低环境代价。必须做好环境保护工作，通过建设绿色港口，在港口的发展中保护环境，在环境保护中发展港口，真正做到自然资源和环境保护相协调，才能实现港口的可持续发展。

（四）绿色港口是增强港口竞争力的必然选择

随着环境问题日益突出和经济全球化的加快，环境保护工作趋于全球化，国际社会对环境保护的要求越来越高，越来越强，而且环境保护的要求已经开始影响到经济发展和国际贸易，人们的要求已不仅局限于产品的质量，而且逐步扩展到环境保护，因而产生了“绿色贸易壁垒”[7]。另外，从港口来说，随着国际贸易和世界航运的互动增长，国内港口开始的新一轮规模扩张，特别是对深水码头和航道的开发，已构成了对港口的直接挑战。港口间对集装箱、原油、矿石、煤炭等基础货源的争夺也日趋激烈。面对激烈的市场竞争，港口除了不断增强实力，苦练内功外，提升自身节能减排水平也是非常重要的，港口环境保护和能源资源节约是港口的无形资产，是参与竞争的重要条件，也是港口文明建设的重要内容。

四、建设绿色港口的措施与建议

（一）长远规划，整体布局

合理布局有利于有效保护环境和发展经济。对港口建设进行长远规划，整体进行港口功能区划，合理布局作业区域，便于空间上集中作业和进行污染治理，降低港口节能减排成本，提升环保效率。坚持集中化、区域化并重的整体布局和环境防治思路，改变作业分散、污染分散，环境保护力量难以集中的局限。开拓港口作业运营和环境保护集中化、区域化的整体布局模式，使污染防控的措施和途径力量集中、良性循环，降低港口企业环境治理成本。

（二）治理环境，控制排放

为提高环境保护效益，达到环境保护并与经济发展相协调，应积极进行港口环境治理工作，环境治理是绿色港口建设的基础和前提，是绿色港口建设的必要条件。通过对港口污染排放和环境现状进行全面调研和系统分析，主要从大气环境治理、水污染治理、噪声控制、固体废弃物处置等方面进行污染物排放和环境影响的控制，积极进行维护水质、清洁空气、保护水生生物、减轻环境压力等工作，为绿色港口的建设奠定基石。

（三）改善工艺，节能减排

注重更新港口作业设备，淘汰严重污染环境和耗费能源的设备，积极进行港口设备的现代化电气化改造和更新，积极使用清洁能源、减少传统能源消耗、降低以二氧化碳为主的温室气体的排放。此外，港口还应积极加强基础设施建设，改善港口运输工艺、港口储存工艺、港口装卸工艺等方式来缓解能源消耗和温室气体排放。积极采取措施改善工艺，调整能源结构，有效控制温室气体排放。

（四）资源循环，充分利用

港口应积极响应国家节能减排思想，开展资源循环、资源替代、资源回用和资源处置等有利于资源节约的活动。主要是通过废弃物的回收与再利用，降低废弃物对环境的影响，实现资源利用的最大化。资源的循环和充分利用主要可以从两个层面进行考虑：内部层面，积极进行港口内部的资源循环和资源回用，如建设港口污水处理循环回用系统等；外部层面，积极进行与区域企业的跨企业循环经济合作，如某港口毗邻某火电厂，那么就可以考虑进行跨企业循环经济合作，利用电厂发电余热解决港口企业的供热问题，从而节约资源，减低长远经济投入。

（五）保护生境，平衡生态

港口建设和运营过程中注重区域生态系统平衡，积极保护陆域和水域动植物生境。在港口建设中，要配备收集船舶垃圾设备、回收船舶废水及防止石油污染设备，以尽量减少水域、陆地和大气的污染源。利用疏浚淤泥，开发港口周边湿地栖息地，终止港湾任意处置淤泥，在港口周边开辟商业养殖场。此外，在围海造陆进行港口建设的同时对海域环境进行同步建设，规划海上公园、沿岸景观、野生动物栖息地、绿地空间等。总之，在港口建设的同时为动植物留出充分的生存空间，港口与自然和谐相处，平衡发展。

（六）统筹物流，提高效率

在港口物流发展过程中，抑制物流对环境造成危害的同时，统筹物流发展，使物流资源得到最充分利用，提高港口物流效率。通过拓展深化港口功能，构筑以现代综合交通体系为主的物流运输平台，加快建设港口物流基地。通过选择合适货种建立港口企业自营供应链，与航运、公路、铁路等交通运输方式共同构筑联动供应链，与生产要素市场和消费市场进行物流资源整合，建设物流信息网络、发展电子物流等措施，从环境保护和节约资源的目标出发，改进物流体系，既要考虑正向物流环节的绿色化，又要考虑供应链上的逆向物流体系的绿色化。通过统筹物流建设，提高物流效率，最终使港口可持续发展，达到经济效益、社会效益和环境效益的和谐统一。

（七）预控风险，保障安全

在港口经济发展和环境保护的过程中，同时注重风险的预防和控制，保障港口安全。建立完善的环境安全预警及应急决策支持系统，建立港口风险应急组织结构，建立事故应急决策系统，建立健全港口应急响应系统，加强应急防治队伍建设及培训，进一步完善应急体系预警机制。建设港口或区域港口群安全管理中心，负责港口安全监控系统管理、港口安全监控设备运行、港口安全管理及港口应急计划。各功能区域定期向安全管理部门提供安全运营状况信息。港口根据自身发展情况，每3~5年定期更新安全监控系统、完善应急计划、部署港口监控设备，提出具体目标、措施和实施办法，及各级明确的责任和监督措施。

（八）提升管理，保障执行

通过港口政策和管理制度的建设，尤其是有关港口经营、发展中的环境保护、节能减排的配套政策的落实，建立完善的港口管理体系，加强对港口环境保护和节能减排的管理力度；建设全过程监管、激励机制，鼓励下属企业主动参与绿色港口建设；通过开展ISO 14000环境管理体系认证和清洁生产审计等，建立有效的港口管理体系。认真执行“三同时”制度，并积极进行设计监督、施工过程管理。港口设立专职环境保护部门，同港口内外的其他机构协同合作，定期与地方环保主管部门联络沟通，针对港口的建设、发展中出现的环境问题制定合理的环保措施，强调港口的合理开发和资源利用。通过提升港口环境管理水平，保障绿色港口建设的执行力度。

（九）绿色文化，高瞻远瞩

在港口企业文化中注入绿色因子，提倡保护生态环境、节约利用资源，使企业和员工在生产实践过程中，崇尚生态环境的保护，减少港口生产的环境成本，促进港口经济的长期持续发展。绿色文化通过提升人文环境和社会意识，引导港口的生产方式，逐渐改变员工的思想意识和工作方式，使人们在生产生活中逐渐养成节约资源，与环境友好相处的习惯与理念；逐渐形成为全体职工所认同遵循、具有港口特色的、对企业成长产生重要影响的可持续发展的企业文化和核心价值观，使绿色港口的建设和发展可持续。

五、结　语

建设绿色港口促进环境与经济有效融合，是开创性的系统工程，是未来港口的发展趋势，是关乎全局和长远的港口发展战略。建设良好的生态环境和高效的港口经济，实现港口及其腹地的整体和谐和可持续发展是时代发展的必然产物，有利于港口适应国际国内环境，有利于实现港口可持续发展，有利于增强港口竞争力。

绿色港口的建设应注重长远规划、整体布局，注重治理环境、控制排放，注重改善工艺、节能减排，注重资源循环、充分利用，注重保护生境、平衡生态，注重统筹物流、提高效率，注重预控风险、保障安全，注重提升管理、保障执行，注重绿色文化、高瞻远瞩。此外，还须采取行政、法律、经济、科技、教育等手段积极配合，加强组织领导、完善政策法规、创新管理体制、拓宽融资渠道、推广先进技术、扩大交流合作，采取切实有效的措施，全面落实绿色港口的各项目标和任务。唯有如此，才能在港口的建设和发展过程中，实现环境与经济全面有效的融合。

参考文献

[1] 高琴．港口发展与区域经济关系研究［D］．武汉理工大学，2008.

[2] 张传凯，吴光宇．港口环境污染与综合治理［J］．黑龙江水利科技，2007，35（2）：154-155.

[3] 吴鹏华．第4代港口新概念与国内港口发展战略［J］．水运管理，2007，29（2）：17-20.

[4] 常杪，杨亮，周艺莹，等．企业环境经营概念与框架体系［J］．环境与可持续发展，2009，34（2）：23-28.

[5] 文启湘，张慧芳．绿色消费的环境瓶颈及环境构建［J］．消费经济，2002，18（6）：50-53.

[6] 张春霞．绿色经济发展研究［M］．北京：中国林业出版社，2002.

[7] 贾永如．绿色贸易壁垒［J］．科学与管理，2008（6）：11-12.

加强环境保护　构建生态和谐

袁建四

（湖南省政府经济研究信息中心　长沙　410011）

摘　要　环境是人类生存和发展的基础，但是伴随着人类发展的同时，环境遭到了严重破坏，人类也受到了环境的种种惩罚。因此，倡导环境保护，就是为了保护人类自身。

关键词　环境保护　生态和谐　构建

一、环境是人类生存和发展的基础

随着我国经济的迅速发展，环境问题已经成为影响经济社会发展的重要因素。作为自然界的一部分，人类的一切活动都依赖于自然界存在和发展。因此，人类改造自然的过程中，更要充分利用自然来促进自身发展，而不是破坏自然界最终又受到自然界的报复。

1. 人类的生存和发展依赖于环境。人类生存在自然环境之中，同时作用和反作用于环境，人类所需的空气、水、食物、土地等都需要从自然界获取，人类与自然界有着一定的特殊依赖关系。正如西雅图所说“大地是我们的母亲”，人类仅仅是自然界的一员，而不是自然界的主人，更不是主宰。

2. 社会的发展进步依赖于环境。经济发展需要一定的物质基础，包括生产资料、人才、生产条件等，这些条件的好坏直接影响经济的发展效率。经济基础雄厚了，人类的各种物质和精神文化需要才能得到满足，其社会属性必将推动整个社会的持续发展。

二、环境的污染和破坏，直接威胁着人类的生存和发展

人类在战天斗地中不断进步和发展，然而随着工业时代的来临，人类科学技术水平的不断提高，人与自然的关系发生了逆转，逐渐强大的人类伤害了自然：高度提纯的化学制剂对自然环境构成了重大威胁；大规模的能源消耗改变了大气的构成，进而改变了地球气候；卫生条件的改善使人口急剧增加，人类活动大量破坏了地球的森林和湿地资源。于是，自然也毫不留情地报复起了人类：畸形儿和绝症的出现比率增高、水灾、干旱、饥荒、地震等灾害降临人间。长此以往，人类又将成为“弱者”，人类和自然的关系又将回到起点。

1. 环境污染和破坏影响经济社会发展。良好生态环境是经济社会可持续发展的重要条件，也是一个民族生存和发展的根本基础。尽管经济的发展不可避免地带来生态环境的破坏，或者说近年来经济的发展都在一定程度上是以破坏甚至是牺牲生态环境而取得的，但从长远来看，加快推进生态文明建设，是转变经济发展方式的必然要求和重要着力点。近年来，我国生态文明建设取得明显成绩，节能减排和环境保护的各项工作扎实推进，“十一五”前4年累计单位国内生产总值能耗下降14.38%，化学需氧量、二氧化硫排放量分别下降9.66%和13.14%。但也要清醒地看到，目前我国生态环境形势依然严峻，部分地区生态环境恶化已成为一个突出问题。据《纽约时报》报道，在最新出炉的“全球环境指数”排名中，世界经济大国普遍表现不佳。其中，中国从2008年的第105位下滑至121位，美国也从39位跌落至61位。今年的排名冠军是冰岛，报告称，该国的全部能源需求几乎都由水电和地热等可再生能源满足。其他排名靠前的国家主要是长期以来在环保政策方面表现出色的欧洲国家，包括瑞士、瑞典、挪威和芬兰等。排名较前的非欧洲国家有哥斯达黎加和哥伦比亚，两国分别在保护热带雨林和启用节能公共交通方面表现出众。

2. 环境污染和破坏直接损害人类健康。人是生态循环系统中的重要一环，生态环境的破坏必然影响到人类健康。据2010年《中国环境发展报告》称，中国已进入环境污染导致人体健康受损事件的高发期。这部最新出炉的环发报告对2009年中国所发生的多起环境污染导致人体健康受损事件进行总结分析，包括江苏盐城水源被污染20万人饮水受影响；湖南浏阳镉污染，509人尿镉超标，引发群体事件；陕西凤翔615名儿童血铅超标；湖南武冈1354人血铅疑似超标；“铅都”河南济源1088名儿童接受驱铅治疗等。这些事件经过媒体曝光，震惊社会，也引起全社会对环境污染和人体健康关系的广泛关注。该报告认为，中国2009年环境健康事件高发并非偶然，经过30多年的经济快速发展，环境污染所造成的危害后果特别是对人体健康的危害后果正日益显现，甚至到了集中暴发的时期，今后若干年内环境健康案件都有可能频繁发生。环境污染和破坏后果的显现有一定的滞后性，只有污染积累到一定时间和一定程度后，它对人体的影响才会表现出来，当前发生的多起环境健康事件基本上均非一次突发事件造成。中国目前环境健康事件的发生与30年来经济的快速发展、环保投入严重不足、环境执法不严紧密相连。例如，改革开放30年中，中国GDP年增长率平均在10%左右，但环保投入在“十一五”期间，最高也才达到GDP的1.5%左右。环保投入的实质是对环境的一种补偿，是实现环境质量改善的重要保证。发达国家环境治理的经验表明，要控制环境恶化的趋势。环保投入须达到GDP的1.5%，要使环境改善须达到GDP的2.5%。而我国环保投入一直以来都低于GDP的1.5%，这从另一个侧面表明我国的环境“透支”已相当严重。因此，要使环境质量得到改善，就必须加大环保资金的投入，以实现环境保护与经济发展的双赢。近年我省经济迅速发展，生态建设也日益受到重视，在追求自身发展的同时开始注意保护环境可以说是人类的重大进步。

三、加快发展方式转变，加强环境保护，构建生态和谐

“正确的经济政策，就是正确的环境政策”。环境问题贯穿于生产、分配、流通和消费的全生产过程，政策制定应建立在保证经济发展的基础上，充分保护和改善环境，才能实现充分环境保护与优化经济发展的双赢。虽然近年来，从中央到地方一直在努力加快经济发展方式转变。但由于受到发展观念、社会发展阶段以及体制机制的制约，调整经济结构、转变发展方式动作比较慢、成效并不明显，甚至对环境也产生了严重的破坏。但是面对如此严重的生态环境破坏局面，我们从可持续发展的角度考虑，应该从哪些方面入手呢？

1. 积极转变经济发展方式。第一深入推进污染减排，以倒闭机制促进经济结构调整；第二深化环境营养评价制度，从源头控制推动产业优化升级；第三健全环境标准以市场准入引导新兴产业发展和技术水平提高；第四以环境成本优化资源配置；第五强化环境监管以依法行政促进发展方式转变。

2. 完善生态建设的法律机制。需要把生态建设基本制度法定化，使之具有普遍适应性和法律强制性；要明确不能破坏、如何监管、如何惩治等一系列问题。通过法律机制的协调，有效降低政策协调、经济协调和观念协调的主观随意性，从而最大限度地保持利益制度和整个社会的稳定。强调法律制度在环境保护中的重要性和权威性，对于保持生态保护和建设的可持续性，具有至关重要的意义。然而，我国环境保护的规定大多是政策层面的，而且政出多门，未形成完整统一的面向社会公布的政策文件，带来了诸多障碍和限制。实践证明，有必要及时实现“环境政策法制化”，使环保制度名副其实地成为使受损者权益得到恢复和弥补的一种法律手段和法律制度。为此，各级政府部门应以科学发展观为统领，坚持以人为本、统筹兼顾各方面的立法要求，科学合理地调整社会关系、化解社会矛盾，制定相应的生态保护实施方案以及法规，为生态建设机制的实施提供有力的法制保障。

3. 完善环保行政执法管理体制和能力建设。一是明确地方政府的权责，树立正确政绩观。

地方各级人民政府要对本辖区环境质量负责，各级环保部门依法行使环境监督管理权。要真正把环境保护的责任落实到各级地方政府，并建立相应的责任考察奖励制度，构建环保政绩考核指标体系，积极推行绿色GDP。应努力推动党委、政府和相关部门落实环保责任，将环境保护纳入政绩考核；二是理顺环境管理体制，实行环保执法垂直管理，确保地方各级环保部门作为直属国家的行政执法监督机构，独立行使环境监督管理权。三是健全环境行政执法监督机制，强化行政执法监督。《中华人民共和国环境保护法》第七条明确规定："县级以上地方人民政府环境保护行政主管部门，对本辖区的环境保护工作实施统一监督管理；县级以上人民政府的土地、矿产、林业、水行政主管部门，依照有关法律的规定对资源的保护实施监督管理。"依据上述法律法规，加大国家权力机关对环境行政执法实施检查和监督的力度，理顺监督主体之间的关系，建立有效的协调机制与内部监督机制，规范行政执法行为，提高执法水平，建立健全社会监督机制及公众参与制度，完善环境行政公开制度，保障监督主体的环境知情权等。四是完善相关法律法规，赋予环保部门一定的强制执法权。环境保护虽然被确定为我国的一项基本国策，但是就实际情况而言，环保法律、法规与这一国策地位相比并不相称，其中一个重要的方面就是对不法排污企业强制手段不硬，制约因素太多，环保部门执法难。因此，应对目前的环保法律、法规加以修改，扩大环境保护行政执法的权限，增强环境保护行政执法的强制手段，赋予一定的强制执行权。五是加强自身建设，提高执法能力。环境执法队伍应不断加强能力建设，提高环境执法水平和能力。

4. 加大生态建设投融资渠道。一是加大财政投入和财政转移支付力度。建立环境保护专项基金，改进财政转移支付结构。在目前财政政策的框架基础上，增加对重要生态功能区、生态屏障区、生态保护良好的市（县）区、完成省生态环境保护目标和生态保护工作进展迅速地区的补助和奖励，形成激励机制。要整合现有的生态保护的专项资金并统筹使用。将现有水土保持、防沙治沙、退耕还林、天然林保护等生态保护方面的专项资金整合起来，统筹使用，优先用于水源地保护、水土保持、生物多样性保护、洪水调蓄、防风固沙等重要生态功能区，集中资金进行生态保护与建设，避免分散使用。二是国家对各省市提供建立健全生态保护机制的资金、政策和智力支持；三是拓展多元化融资渠道。比如建立生态保护基金，通过支持生态保护的环保社团即生态法人向全社会募集资金，寻求国际组织、外国政府和非政府组织捐赠机构的支持，以及国内单位、个人的捐款或援助，促进生态保护主体多元化、补偿方式多样化。

5. 完善生态保护的配套措施。一是培育市场化机制，重点培育资源市场、技术市场、资金市场，促进环保技术的创新、推广和技术的升级换代，进而达到减少污染源的效应。二是完善绿色税收制度。建议国家一方面要调整和完善现行资源税，另一方面是开征新的环境税，建立保护环境为目的的专门税种，分批征收水污染税、大气污染税、污染源税、噪声税、生态补偿税等一系列专项新税种，通过实施优惠税收政策，保护环境。三是研究建立生态价值和环境资源评估机制。研究评价规则与方法，赋予环境和资源一定价值和价格，依靠制度或规则确定补偿标准及合适的比例等，减少人为干扰因素。

我国排污权交易相关法律问题研究
——从法经济学的视角分析

李博文　王群英

（中国地质大学）

摘　要　排污权交易是近年来备受各国关注的一项环境经济政策。它的出现，改变了传统环境管理制度消极和滞后的一面，给环境保护事业带来了新的生机。本文运用了法经济学分析方法来探讨排污权交易制度。首先介绍了排污权交易制度的经济学理论渊源，然后从经济学的角度分析了该制度，同时在借鉴西方发达国家经验和结合我国具体情况的基础上分析我国现有的污染控制政策和排污权交易实践中存在的问题，具体探讨我国建立排污权交易制度的可行性及构建排污权交易制度所要解决的法律问题。

关键词　排污权交易　法律问题　经济学分析

在解决环境外部性的问题上，经济手段会比行政手段产生更大的利益激励机制和效率弹性，并能够将环境外部成本内化为经济主体的生产成本。因此，在环境政策的执行中加大运用经济手段的力度是大势所趋。经济手段的作用在于通过对环境资源予以定价，将同环境污染与利用等相关的外部成本全部反映到企业的生产成本中，促使企业基于利益最大化的考虑，作出最有利于环境的经济决策。排污权交易制度是近年来备受各国关注的一项环境经济制度，其主导思想是借市场这只“无形之手”来搅动环境资源，以实现环境效益与经济效益的统一，以实现可持续发展的环境立法目标。它的出现改变了传统的环境管理规模式中单一的政府干预理念，具有极大的运作潜力。

一、排污权交易制度概述

排污权交易制度指由管制当局制定特定区域的排污量上限，按此上限发放许可，该许可可以在市场上交易的制度。其做法一般是，首先由政府部门确定出一定区域的环境质量目标，并据此评估该区域的环境容量。然后推算出污染物的最大允许排放量，并将最大允许排放量分割成若干规定的排放量，即若干排污权。在排污权市场上，排污者从其利益出发，自主决定其污染治理程度从而买入或卖出排污权。通过这种方法，减排边际成本高的公司将选择到市场上购买额外的配额，而边际成本低的公司将选择降低排放，富余配额按当时的市场价格出售。

排污权交易的思想是20世纪60年代末由美国经济学家戴尔兹首先提出，而70年代初蒙哥马利利用应用数理经济学方法，严谨地证明了排污权交易体系具有污染控制的效率成本，即实现污染控制目标最低成本的特征。从20世纪70年代开始，美国联邦环保局（EPA）尝试将排污权交易用于大气污染源和水污染源管理。随后德国、澳大利亚、英国等国家相继进行了排污权交易的实践。我国的排污权交易制度的酝酿工作可以追溯到1988年开始试点的排污许可证制度。从1994年起国家环保局开始在所有城市推广该制度，截至1996年全国地级以上城市普遍实行了排放水污染物许可证制度。后又于1991年开始在包头、平顶山、开远、上海等10个城市进行过排污权交易试点工作，取得了一定的经验。

二、排污权交易的法经济学分析

（一）传统指令控制方式的不经济性

传统的治理责任分配方式为指令控制方式，这种方式明显地存在着信息与效用之间的矛盾。

由于每个企业都有若干个污染物排放点，且每个点都有各自的排放标准，按传统做法，管理当局就得为每个污染源设置排放标准，这样环境管理部门所需要的信息量就大得惊人，沉重的信息负担使管理机构不堪重负。而且，由于企业之间的激烈竞争以及环境污染的外部不经济性，企业虽然对自己的情况了如指掌，却缺乏治理动机，因为这必然会增加成本，削弱自己在市场中的竞争力。相反他们为减少治污费用，会想方设法超标排污或逃避治理责任，使管理机构在花费大量人力物力的同时，环境质量依然没有得到好转。因此指令控制方式不能实现成本—效益比的提高。

（二）排污权交易的成本—效益分析

排污权交易市场的建立打破了这种局面，它所需的信息量较少，能够满足“理性经济人”的费效比。工厂控制污染的费用差别很大，如果排污指标可以通过市场来转让，那些治理污染费用低的工厂，就愿意通过治理，大幅度地减少排污，然后通过卖出多余部分而获利，排污交易就有存在的基础。排污权交易鼓励了某些由于各种原因迟早要关闭的工厂尽早关闭，关闭的工厂可以出售他们的排污指标，这对他们来说是笔额外的收入，是在指令控制中所没有的。因为在市场上，由于因新建或扩建污染源，对排污指标需求增加，在已有其他企业等着要填补其空缺时，排污权交易为工厂的关闭给予了最大的鼓励。同样这给新技术的采用和优化产业结构创造了良好的条件。排污权交易是实现总量控制的主要手段，它能够在既定的总量控制目标下合理地安排治污活动，使治理污染的成本发生在边际治理成本最低的污染源上，以达到成本—效益最优化。排污权限的有偿转移不仅能把污染控制在总量范围内，而且还能使污染者通过市场的激励，使污染物得到削减，还能控制新污染源的产生。因此，排污权交易既能节约费用，又能改善环境质量。

三、我国排污权交易制度的现状分析

（一）我国现有的污染控制政策

1. 排污收费制度

排污收费是按照“污染者付费”、“谁污染谁治理”等原则建立起来的一项重要的环境管理制度。它规定企业在生产经营活动中有义务防止环境的污染和破坏，并通过对企业排放的污染物征费的形式将企业的外部成本内部化[14]。企业承担的污染费列入生产成本，虽然可能会转嫁给消费者，但对企业来说，成本的增加是实实在在的，而产品市场是否可以提价具有不确定性。在竞争的压力下，这项制度将促使企业通过加强管理、改进技术、减少污染来降低产品成本。排污收费制度通过经济杠杆对企业排污行为进行调解，有效地促进了环境管理目标的实现。排污收费制度在我国已实行了十几年，是我国实行时间最长的污染控制政策，在几乎所有的污染排放控制上都得到了运用，实践证明是一种较为可行的环境污染损失的经济补偿办法，是应用经济规律管理环境的一种有效手段[15]。在我国长期的环境管理中，这项政策发挥了极为重要的作用，为我国的环境保护作出了重要的贡献。作为一项普通的环境政策，尽管相对于命令控制手段而言，排污收费体现了较大的灵活性、经济可行性和对技术改进较好的激励性。

2. 排放总量控制

排放总量控制是一项重要的环保政策，它对污染物的排放规定了一个不同于浓度管理的总量上限。这个概念起源于1988年第三次全国环境保护会议之后一系列环保行动计划。当时国家环保总局提出了在我国开始实行浓度控制与总量控制相结合的污染控制对策。1996年，国务院《关于环境保护若干问题的决定》（以下简称《决定》）出台，《决定》中要求到2000年全国各直辖市、省会城市的工业污染物排放总量应控制在国家规定的排放总量指标内，从而将环境管理从控制浓度转换到控制排放总量上[16]。正式把污染物排放总量控制政策列入“九五”期间的环保考核目标，并将总量控制指标分配到各省时，然后再层层分配，最终分到各排污单位。总量控制弥补了浓度控制的不足，有利于环境保护目标的实现。实行污染物的总量控制制度是对经济发展的一种主动适应，它使我国的环境管理工作更趋完善和科学，并为加大环境管理工作的力度注入了新的活力。总量控制是排污许可证制度的核心，总量控制以合理开发和利用水体的自净能力、环境容量为上限，不仅可以控制浓度管理对环境的滥用，而且可以使区域污染治理总的费用有较大的降低，从而达到经济上的优化。环境容量是有限的，超过环境自净能力的限制过分地排放污染物，自然会对环境造成巨大的破坏，这种破坏有时候甚至是不可逆转的，即使可逆，也要付出巨大的代价。但是环境容量同样是一种资源，在一定的限度内排放污染物是必要的，有富余环境容量的都应该积极开发这一环境资源，以降低区域治理的费用。事实上，在实践中常常出现的问题是总量控制的上限被突破，总量控制并没有对环境做到预期的保护。这其中主要的原因首先是对环境容量的估计出现偏差。其次，排放总量控制的执行力度还不够，再有就是对总量控制制度的重视不够，缺乏相关政策的配套是总量控制制度难以实现的另一个重要原因。尽管如此，总量控制政策仍然是一个控制环境质量的较好的政策选择。

3．排污许可证制度

排污许可证制度与排污权交易制度不同，它是通过许可证的形式对厂家的排污行为进行限制。一般达到条件的厂家才能获得这种排污权，厂家拥有的排污证并不必然可交易；而在排污权交易制度下，排污的权利是不言而喻的。具体做法包括以下四个方面：一是排污申报登记；二是污染物总量规划分配；三是排污许可证的申请和审批颁发；四是排污许可证的监督管理，这是实施排污许可证制度最关键的一环。排污许可证制度的实施为中国建立排污权交易制度奠定了良好的基础。

（二）我国建立排污权交易制度的可行性

1．经济效益分析

根据环境经济学理论，以市场机制控制环境污染的经济方法主要有两种：一是对排入环境的废物征收排污费。二是向排污单位分配排放许可证，以满足特定地区的总排放水平或满足某个特定的环境标准，然后准许各个排污许可证持有者相互购买或出售许可。许可排污的实质是承认许可证持有者的排污权，排污权的实质是利用环境容量的权利，如果将环境容量视为一种自然资源，则排污权可以视为一种资源产权[17]。根据科斯定理，只要政府规定了环境质量目标，利用环境容量的权利即排污权的界定明确，环境容量成为一种稀缺资源，排污权或“排放减少信用”的转让交易就能够促进环境容量资源的合理配置。从理论上讲，这将促使在那些减少污染物费用低的排污者集中减少污染物。排污权交易形成的根本原因，使排污者之间在污染治理成本上存在着差异，排污权交易的经济效益突出地表现在，可明显降低排污者和全社会的污染治理的总费用，同时还可减少环境监督管理成本。

2．环境效益分析

第一，有利于环境资源的配置。将环境容量作为一种资源进行管理，在一定的环境目标条件下，利用市场经济手段实现环境资源的优化配置，这是排污权交易理论的核心所在。从排污权的内涵来看，环境资源属国家所有、全民所有，排污权实际上只是环境资源的使用权，这与土地资源的性质完全相同。因此，排污权的确定，其实质是环境资源的核定；排污权的分配，其实质是环境资源使用权的分配。从排污交易市场来看，其主体主要是排污者，而客体是排放污染物的权利。排污权的交易所体现的只是环境资源使用权的变更，它适应了经济发展过程中不同的排污者对污染物排放量变化的需求，其实质则是顺应经济规律，对环境资源进行优化配置。

第二，有利于总量控制目标的实现。从环境科学的角度看，污染物排放总量控制的实质在于明确了环境资源的有限性，而以往实行的单一的浓度控制无法规定污染物排放总量的上限，实际上是没有把环境资源定量化，也没有体现环境质量与污染物排放总量之间的联系。从可持续发展的角度看，为了促进经济增长，保护生态环境，应当确立总量控制并且尽可能将污染物排放总量指标逐步削减。通过排污权交易的经济效应分析可见，排污者之间一部分排污权限的有偿转让并不会增加污染物排放总量，排污权交易不仅能够在既定的污染物总量控制目标下，合理地安排污染治理行动，而且能够顺应污染物排放总量不断削减的要求，通过市场经济的手段，促进现有排污者的污染物削减，有效地控制新污染源的产生，保证污染物总量控制指标的实现。

第三，有利于环境质量的提高。实施排污权交易，政府和环保部门可以依据污染物排放与环境质量的关系，确定污染物排放总量控制指标，核定排污权发放总量，从而达到逐步控制和改善环境质量的目的。同时，通过排污权的市场调节，可以对区域环境质量进行调控，适应经济建设、社会发展和人民生活水平不断提高的需要。

（三）我国排污权交易制度的实践及存在的问题

从1991年开始，原国家环保局在16个城市进行了排放大气污染物许可证制度的试点工作，在此基础上，自1994年起又在其中6个城市，即包头、开远、柳州、太原、平顶山和贵阳开展了大气排污权交易的试点。这些试点项目可以看作是中国起步阶段的排污权交易试点。1997年开始，北京环境与发展研究会（BEDI）和美国环境保护协会（Environmental Defense）合作开展了排污权交易研究项目，第一阶段整个项目以本溪和南通为案例城市，开展城市一级的排污权交易研究，着重对排污检测计量、排污权交易立法和交易管理等进行了研究[18]。2001年9月，亚洲开发银行和山西省政府共同启动了由美国RFF和中国环境科学院联合执行的“二氧化硫排污权交易机制”项目，该项目以太原为实施案例城市，太原的26家大型企业参与了示范。该项目明确针对一种污染物（二氧化硫），并在国内首次制定了比较完整的二氧化硫排放许可交易方案，包括5年内的排放全分配、企业账户、交易程序、配额的跟踪核查、储存、排放的监测申报等，建立了交易所需的全套管理文件。此项目为中国排污权交易实践提供了一个具有代表性和重要意义的案例。2002年3月1日，国家环境保护总局发环办函［2002］51号文，决定与美国环保协会一起，在山东省、山西省、江苏省、河南省、上海市、天津市、柳州市以及中国华能集团公司开展“推动中国二氧化硫排放总量控制及排污交易政策实施的研究项目”（简称“4+3+1”项目）。各参与省市相继完成总量分配、交易规则制定和案例试点[19]。

除了上述实际的排污权转让性外，试点的成果还体现在一些具体的政策上。如1991年包头市环保局制定了《包头市大气氟化物排放许可证管理办法》，该办法规定，大气氟化物排放指标在有利于区域环境总量控制管理的前提下，经环保局批准，可以在排氟单位之间互相调剂。1993年云南省开远市以市政府的名义颁布了《开远市大气污染物排放许可证管理暂行办法》，明确规定了排污交易的范围、原则和做法。市环保局在该办法的基础上出台了《开远市大气总量收费管理暂行办法》和《开远市大气排污交易管理办法》，在行政区内对二氧化硫、烟尘、粉尘实施了总量收费和排污交易，使开远市实施许可证制度的法律依据逐渐完善。

经过几年的试点工作，我国的排污权交易制度也取得一定的成效，它加快了这些地区达到环境质量标准，在一定程度上改善了环境质量。但是由于排污权交易制度在我国仍处于起步阶段，在具体实践中也暴露出一些问题。

1. 缺少足够的法律支撑与公众参与

目前我国排污权交易尚处于试点阶段，排污权交易缺少相应的法律法规支持，现行的环保法律法规中没有明确规定实施交易许可证制度。许可证交易市场不能自发形成，必须通过立法才能形成。立法的目的包括对环境容量资源使用权的限定、对排污权分配机制的确定、对市场规则的确定、与现有法规的协调等。同时，制定总量排污价格、超标准排污价格等必须明显高于相应污染物削减处理费用的处罚条例，这种高价格处罚条例的制定将迫使排污单位出于自身经济利益的考虑去寻找较经济的污染物削减办法，从而实现排污权的交易。虽然基层环保部门和企业都希望能及时出台有关排污权交易的具体规章制度，部分省市如山西、江苏等还相继出台了一些地方性的排污权交易法规，但是在国家层面上还没有针对性地立法，排污权交易从审批到交易，尚没有统一的标准。此外，排污权是企业对环境资源的使用权，是另外一种形式的产权。排污权交易制度的实行，意味着给污染企业提供了合法的“污染环境的权利”。传统理念认为，环境权是每个人的基本权利，排污权交易制度则违背了这一理念，不为民众所接受，这在客观上导致了民众与企业参与积极性不高。

2. 排污权交易市场不规范

据了解，目前要成立经营排污权出让和交易的企业，在办理工商执照和税务登记都会碰到难题。另外，目前存在着新建污染企业和已建污染企业之间，在排污权初始分配方面有偿和无偿取得“双轨并存”的不公平局面，挫伤了企业有偿取得排污权的积极性。即使是有偿取得，是通过拍卖方式还是政府定价也值得研究，前者可能会导致大企业进行市场操纵，囤积居奇；后者存在着不能及时反映市场供求关系之弊。由于环保部门掌握着排污权的分配指标和交易方式，一旦权力参与排污资源分配，会导致又一种权力寻租。而一旦有企业通过非法手段获取排污权，就会打击别的企业珍惜排污权、减少污染物的积极性，最终会出现排污权交易市场名存实亡的局面。在现行环境保护法律法规中，除了个别针对特种污染物的规定中体现有“总量控制”意图外，主要的法律法规均没有明确“总量控制”的规定。在“排污付费”的污染控制策略下，只要付费就可以排污，这样，企业显然不会再去市场上购买排污权，也不会有企业卖出排污权。也就是说，没有对排放量的总量限制，就没有市场。此外，我国各类企业数量多、规模不等、分布零散，这种状况直接决定了排污权交易市场的基础信息寻求费用过高，环境保护部门监测与执行费用也会过高，导致整个排污交易市场信息不充分。在竞争激烈的行业中，为限制竞争对手的发展，拥有富余排污指标的企业则可能不愿意出售自己的剩余排污权，造成排污权的浪费，或者漫天要价，扰乱了排污交易秩序。

3. 排污权交易范围过窄

我国目前的排污交易制度的实施范围还过于狭窄，一方面排污收费的征收范围过窄，只涵盖一部分污染物和污染源。现行排污收费的范围仅限于“三废”及放射性污染物，但是对于居民垃圾、生活污水、流动污染源等尚未全面收费，但据统计，目前在污染物的总量上，生活污染已超过工业污染，成为主要的污染源。因此排污权范围有必要扩张其他污染源，应由工业领域拓展到日常生活领域。另一方面，我国的排污权交易制度只有几个试点，这种情况，使试点区域内的排污企业经营成本上升，所以，跨区域、更大范围的交易势在必行。此外，在一些地方政府的眼中，限制排污就等于限制生产，出于对本地经济利益的考虑，往往默许企业暗中增加排污量。在一些跨市、跨省的排污权交易中，计划卖出方的行政部门常常介入交易过程，禁止把排污权指标转让给其他地区，要求只能在本地区内进行排污指标交易。这种地方保护主义也使得排污权交易受到限制，排污权交易市场难以有效运作。

4. 环境监督体制不健全

美国建立了一套较完备的排污权交易监督管理体制，从交易参加者的确定、许可证的分配到许可证交易和许可证的审核各环节都制定一系列制度保障该政策的实施。就许可证审核环节而言，美国联邦环保局对交易体系参加单位每年进行一次许可证审核和调整，检查各排污单位的当年子账户中是否持有足够的许可证用于污染物排放。而中国的监督管理机制还不健全，现有的管理制度如月报、年检、通报、企业自检等不能满足排污权交易对信息和监管的要求。已形成的初步的管理办法和管理体系有待于上升为法律法规并进一步细化使之具有可操作性。

四、关于构建排污权制度的若干建议

从以上分析可以看出，排污权交易制度在中国的实施还处于起步阶段，由于主观以及客观上的原因，该制度在实施过程中也暴露出一些问题。针对上述问题，基于我国的国情并借鉴国外在这方面的有益经验，提出以下几方面建议：

（一）健全法制

要建立排污权交易市场就必须从法律上确认排污权。一项权利之所以能在不同主体之间进行交易，原因就在于特定主体拥有对该权利的占有、使用、收益、处分，他人非经许可不得擅自行使该权利，而在我国的环境立法中，对排污权都没有明确规定，更不用说有关排污权交易制度的整体规定。当前最迫切的任务是像美国那样，对排污权交易制定详细的法规，从初始排污权的分配，到许可证的获得、许可证的交易、受影响污染源的范围、监测的要求、超许可排放的处罚等，给出一个完整的可操作的体系。同时，必须确立与环境质量直接挂钩的标准和相应的整套新的原则、形式和技术立法。

（二）培育和规范排污权交易市场

一方面，在排污权交易制度的设计过程中必须充分尊重市场的主导地位。政府也应顺应市场经济的要求，加快转变政府职能，将工作重心由直接的行政控制转变到努力培育排污权交易市场，为市场服务上来。具体而言就是排污交易的价格应由市场决定，政府不应管得太多，其主要任务是确定总量控制的目标和初始量的分配。政府应为各排污单位提供畅通的信息渠道，使各单位及时获得有关交易的信息，并可为单位之间的交易提供中介服务以促成安全和快捷的交易。借鉴美国的做法，发展环境金融事业，建立环境银行，开展环境容量及排污量存贷业务。政府要根据价值规律要求制定相应的价格评估和补偿制度、交易审批程序及相应的操作规范。另一方面，扩大排污权交易的区域范围和主体范围。环境是一个整体，一个地区的环境污染也会对其他地区造成不良影响，因此，排污权交易制度不能仅限几个试点地区。同时，排污权交易主体是指有资格进行排污权买卖的个人和各种组织，在市场经济条件下，各主体在经济活动中的地位是平等的，因此，只要是排污者，都有资格根据自身需要在市场进行排污权的交易，自然人、法人和其他组织都应享有交易排污权的权利。

（三）保证排污权交易制度的公信力

美国有一个完善的法律框架用于控制形成酸雨的罪魁祸首——二氧化硫的排放。这一法律框架1990年开始生效，规定了1995年开始实施二氧化硫排放的缩减计划，并且特别强调为完成缩减任务，电厂之间可以进行二氧化硫的排污权交易。同时，还以法律的形式规定二氧化硫的排放许可证制度，缩减指标的分配以及相关惩罚措施。由此带来的直接结果就是，美国的工厂都准确地知道他们要在多长的时间内完成多少减排任务，并且知道把通过减排节省下来的排污权拿到市场上去交易可以为他们带来实实在在的收益。他们还知道不这样做就意味着和法律对抗，等待他们的将是严厉的经济处罚。而在中国很少的企业与民众有此意识。排污权交易中最重要的方面就是，政府和排污企业存在严格的分工。政府负责设定排污的总量控制目标，这是排污权交易的一个框架。政府还负责分配排污指标，这样企业就可以知道他们在规定的时间内需要完成的减排任务。为此，政府需要提供有效的工具以帮助企业完成任务，主要包括二氧化硫排放的许可证制度、监督监测制度等。政府还需要运用合适的法律手段来对没有完成任务的企业施以惩戒。其中最关键的就是，政府应该保证这种排污权交易制度的公信力，一定要建立对违规企业的严格的处罚制度。

（四）完善政府的监管职能

排污权是一种财产权，而且从长期看，其价格将呈上升趋势，因此就很有可能出现炒卖排污权的情形，甚至可能出现垄断排污交易市场以牟取暴利的现象。排污权的价格应由市场决定，但排污权的交易市场秩序、区域环境容量的科学确定、环境容量价值的准确评价、对污染源的环境监测等都需要由政府环境保护行政主管部门维持和管理，因此政府的角色和行为也就从排污配额交易主体变成排污权市场的监督和保护者，一旦发现问题及时处理和纠正。排污权交易要顺利进行，离不开政府部门的有效管理。在监督管理过程中，政府应尽可能利用经济手段而非行政命令发挥宏观调控作用。要在两控区或重点污染源建立排污交易政策实施监督管理系统，政府应努力提高维护和管理排污权市场竞争交易秩序的能力。此外，通过买卖排污权来保护环境将使政府环境保护职能部门尤其是直接经办交易的工作人员权力扩大，其行为在一定程度上可左右排污市场，进而影响整个环境保护事业。因此，对有关工作人员的行为进行有效监督，防止他们利用许可证的买卖谋取私利，也是实现政府有效监督管理的重要保障。

（五）加大处罚力度强调环境刑事责任

环境刑事责任是指行为人故意或过失实施了严重危害环境的行为，并造成了人身伤亡或公私财产的严重损失。已经构成犯罪要承担刑事制裁的法律责任。

环境排污从本质上说是环境公害的一种，其一旦监管和控制不力，最容易造成严重的公共环境污染，往往给公共安全和环境质量造成经济价值难以衡量的重大危害，而且危害持续时间长，涉及范围广，甚至产生某种不可逆转的严重后果，因此，国家有必要用刑法这种最严厉的手段来惩罚破坏环境与资源的犯罪行为。比如 1997 年 3 月修订的新刑法特别规定设立了“破坏环境资源保护罪”，对不遵守法律污染环境、破坏自然资源的各种犯罪行为规定了相应的刑事责任。

因此，从总体上看，目前，我国的排污权交易制度的具体实践还相当落后，实践中的排污权交易基本上是处于行政法规上的规定，缺乏具体的实践执行。随着环境问题的日趋严重，现有的排污权交易制度暴露出越来越多的缺陷与不足，而同时我国现行环境立法中并未真正对排污权交易制度予以确立。排污权交易制度只有在法律的确认和执行上得到有效实施，它的存在才不会受到质疑。因而，我们的排污权交易制度的确实完善和建立是必要的。

参考文献

[1] 韩德培．环境保护法教程［M］．北京：法律出版社，2007.

[2] 周珂．生态环境法论［M］．北京：法律出版社，2001.

[3] 罗勇，等．环境保护的经济手段［M］．北京：北京大学出版社，2002.

[4] 齐可奎．论排污权交易制度［C］．2002 年中国环境资源法学研讨会论文集，2002.

[5] 魏琦，刘亚卓．我国实施排污权交易制度的障碍及对策［J］．商业时代，2006（24）．

[6] 宋丽平．论排污权交易制度的法律建构［C］. 2002 年中国环境资源法学研讨会论文集，2002.

[7] 李爱年，胡春冬．排污权初始分配的有偿性研究［J］．中国软科学，2003.

[8] 薛俭．我国排污权交易制度及存在问题研究［J］．重庆工业高等专科学校学报，2004，19（1）．

[9] 幸红．排污权交易法律制度探讨［J］．广东商学院学报，2003（4）．

[10] 张梓太．污染权交易的立法构想［J］．中国法学，1998，3.

[11] 蜀庆，张香萍．论建立我国的排污交易法律制度［J］．重庆大学学报，2007，7.

[12] 徐春艳．排污权交易制度的发展［J］．青年思想家，2004（2）．

[13] 陈建峰，王颖，张进伟，等．关于建立流域排污权交易制度的探讨［J］．北京水务，2006（5）．

[14] 吴志春．排污权交易市场将步入广阔空间——上海排污权交易额累计逾千万［N］．中国环境报，2001－08－13（4）．

[15] 张小彩．绍兴污水治理新途径［N］．中国环境报，1998－10－27（3）．

[16] 张曼，屠梅曾．排污权交易制度在中国的应用探析［J］．科学·经济·社会，2002（4）：50.

[17] 吕忠梅．再论公民环境权［J］．法学研究，2000（6），140.

[18] 叶俊荣．环境政策与法律［M］．北京：中国政法大学出版社，2003：29.

[19] 中国二氧化硫排放总量控制与排污权交易——美国环保协会中国项目办公室，http：//www.cyol.net/cydgn/content/2003－08/27/content_ 723642.htm.

我国排污费征收存在的问题及措施研究

徐芹选[1] 郑西来[1] 丁 辉[2]

（1. 中国海洋大学海洋环境与生态教育部重点实验室 山东 青岛 266003；
2. 长安大学地质工程与测绘工程学院 陕西 西安）

摘 要 通过对我国排污收费制度的起源及收费程序探析，揭示我国排污收费制度存在标准偏低、性质认识不清、收费项目不全、征收额不足、使用不规范等问题，并对创新排污收费制度措施进行探讨。

关键词 排污费 征收 问题 措施 庇古税

排污收费制度是我国环境管理的一项基本制度，是促进污染防治的一项重要经济政策。排污收费制度实施30多年来，对促进企事业单位加强经营管理、节约和综合利用资源、治理污染、控制环境恶化的趋势，提高国家环境保护监督管理能力发挥了重要的作用。但随着我国经济的迅速发展和国际联系的加强，环境保护工作的深入，人们环境意识的提高，现行排污收费制度和收费方式也存在许多不足之处。因此，改革和完善现行的排污收费制度刻不容缓。

一、排污收费制度起源

我国排污收费制度借鉴了国外环境税的经验，当环境污染的外部性造成了环境资源配置上的低效率与不公平，这促使人们去设计一种制度规划来校正这种外部性，使外部成本内部化，这就是外部性理论。英国经济学家庇古认为当存在环境污染等外部不经济现象时，其产品的私人边际成本小于社会边际成本时，将给社会带来不利影响；反之，当私人边际成本大于社会边际成本，将给社会带来有利影响。这种私人边际成本和社会边际成本之间的矛盾不可能依靠市场力量解决，需要政府采取措施把社会成本纳入到企业的生产成本，即存在外部不经济效应时，向企业征收调节环境污染行为的“庇古税”，解决私人边际成本与社会边际成本不一致的问题，通过改变价格信号来影响的生产和消费行为，促使企业和个人减少污染排放。基于庇古税理论设计的环境税，其效果被西方国家所证实。瑞典自1991年开始按照环保要求进行税制改革，增加了针对CO_2、SO_x和NO_x的征税，仅一年时间就使得SO_2排放量降低16%；美国多年来对二氧化碳税极大地刺激了新能源的开发和使用，在汽车数量不断增加的情况下使二氧化碳的排放量比20世纪70年代减少99%，二氧化硫减少了42%，悬浮物减少了70%。国外实践证明，征税可以使排放量大幅下降且效果持续，庇古税政策对环境保护的作用十分显著。

二、排污费征收对象、种类和程序

现行排污费的征收主要由基层环保部门实施，大多由环保部门执法人员去企业上门收费。排污费征收的对象是向环境排放废水、废气、噪声、固体废物等污染物的一切单位和个体工商户，征收的项目主要有污水排污费和污水超标排污费、废气排污费、噪声超标排污费、固体废物、危险废物排污费及处罚性排污费三类。

排污费征收程序一般分为排污申报登记、排污申报登记审核、排污申报登记核定、排污收费计算、排污费征收与缴纳5个阶段。具体地说就是排污者向当地环境保护部门排污申报，环保部门通过采用自动监测数据、监督性监测数据、抽样监测数据和物料衡算法、现场核查等相关方法对排污者的申报排放污染物的种类、数量和浓度进行核实，根据企业申报和核定的排污量和排放浓度按照国家有关标准计算排污费征收额，向排污者下达排污核定通知书、排污费缴纳通知书并委托银行收款，最后将排污费缴入财政金库。

三、排污收费存在的问题

（一）排污收费制度的性质认识不清

排污收费的目的就是通过经济手段促使排污者控制污染行为，以达到一定的环境目标。从现行的收费体制和方式来看，并没有达到预期效果，其主要原因是由于以行政管理为主的收费方式存在缺陷。一段时间内由于排污收费制度功效评价和科学运作体系的单一和不健全，模糊、弱化了排污收费应当具备的经济调整职能，客观上造成对其作为筹措环保资金手段或是对“环境损害的补偿”功用的片面认识，不仅使排污收费制度偏离其根本目标，也不同程度地损害了排污收费工作形象。在实际操作中存在以下达收费任务促进收费现象，违背了排污收费制度本身的科学管理需求，很多时候环境执法人员是为完成收费任务而收费，企业是为完成缴费任务而缴费。排污收费的真正目的并未达到，只是命令式而非控制式，企业往往因此产生抵触情绪或视排污收费为额外负担。

（二）排污费征收标准偏低

按照庇古税的设计，若要有效地约束环境污染行为，其税率应高到能够产生激励作用的程度。我国现行的排污费收费标准是依照2003年物价水平，根据污染治理设施运行所需的固定资产折旧、能耗、物耗、维修、管理、人工等费用，按照排污费略高于污染治理成本原则，废水和废气排污费的收费标准目标值应为1.4元/污染当量和1.2元/污染当量。考虑到当时我国经济社会发展水平及排污者的承受能力，2003年7月1日起实施的废水、废气排污费收费标准只是治理成本的一半。近年来，随着我国经济社会发展水平、物价水平的不断提高，排污收费标准与污染治理成本的差距不断加大。因为排污费标准远低于治理成本，造成私人成本低于社会成本，对企业的行为产生了逆向调节作用，变相地鼓励生产者排污，形成从“积极治理污染”转向“消极缴费排污”的反激励局面，进而造成企业“违法成本低，守法成本高”，不可避免地会使政策结果与目标发生背离而造成政策“失灵”。

（三）排污费征收项目不全

目前我国排污费的征收对象只限于部分污染项目，即废水、废气、固体污染物、噪声四大类113项，而对排放废气、噪声等不超标的单位和个人未作出收费规定；对占相当比例的第三产业以及社会公共福利事业单位向环境排污，也未全面作出收费规定；对居民生活垃圾和生活污水的收费不统一；对机动车、飞机、船舶等流动污染源暂不征收废气、噪声等排污费，农药、化肥、氟利昂等与环境密切相关的产品收费制度标准尚未建立。而实际上只要排放了污染物，就需要治理污染的费用。因此对这些污染环境行为不征收排污费，违背了“污染者付费原则”，使排污收费政策存在无法干预的“真空”。

（四）排污费不能足额征收

按照现行的排污费征收程序，排污费征收额测算的基础是排污者申报和环保部门核定，而目前在一些地方主要依靠企业自报，申报数据的可靠性、准确性、真实性难以保证，谎报、瞒报现象较为严重，再加上污染源检测也受到技术、手段、采样的瞬时性等制约，无法提供与实际排放相符的准确数据，致使排污量核定和实际情况差别较大，在实际征收过程中，少缴、欠缴、拖缴现象较为普遍；地方保护主义下的行政干预严重，部分生产企业通过当地行政领导对环保部门进行干预，以达到少缴或不缴排污费的目的，使得“协商收费”、“人情收费”的现象很普遍；环保部门执法力度不够，缺少强有力的惩罚性机制，反而造成了谁先投入先治理谁的生产成本就提高、竞争力就降低，“谁治理，谁吃亏”，“少缴费，多排污”的局面，同时，由于排污收费的公示、稽查制度执行不到位，征收排污费不按标准执行，对一些应该进行检测检查的排污单位仅仅是走形式，甚至是放任不管，严重影响了排污费的足额征收。

（五）排污费使用不规范

根据2003年国务院颁布《排污费征收使用管理条例》的规定，排污费必须纳入财政预算，列入环境保护专项资金进行管理，主要用于重点污染源防治、区域性污染防治、污染防治新技术、新工艺的开发、示范和应用等项目的拨款补助或者贷款贴息。但在实际工作中，由于政府工作不透明，对于所征排污费的用途不公开，所以很多环保部门不同程度地存在着自身建设支出挤占污染源治理资金的问题，一些环保部门甚至将全部排污费用于自身经费支出，如人员经费、办公费等。

四、创新排污收费措施

（一）创新排污收费制度

现行的排污收费是以排污单位在污染物排放后，按照其排放量来计算，先污染后控制，先排放后收费，体现出事后管理或“秋后算账”，使得收费制度变为无效或失控状态。因此，环境容量资源作为国有或公共财产，排污单位在未使用前应申请环境总量的使用权，同时缴纳使用费或排污费，将收费的核算终端前置，而不得突破总量，否则将采取行政措施，如限产、限排、停产（业）整改等，或同时实行严格的经济处罚措施。这样才能充分发挥经济杠杆作用，从源头上抓起，切实起到有效的预防和控制作用。同时，这种制度还使排污费从被动征收转变为排污者主动交纳，未交纳者将得不到环境容量使用。

在理论和实践中，确立动态的制度体系，把运用经济和行政手段调整规范排污者排污行为作为有效目标，建设科学创新的排污收费模式。应对各类主要污染物的治理进行成本调查，制定出高于治理成本的收费标准，并兼顾社会、企业的承受能力逐步实施到位。另外，收费标准应考虑地区差异，由地方环境保护局、财政局、物价局充分考虑环境管理的效果以及当地的经济状况、物价指数、污染治理运行费用等来确定；收费办法是相对稳定的，收费标准则可作合理的调整，实现排污收费从静态收费向动态收费的转变，同时促进“排污税费”改革，最终达到“收费”促“减排”的目的。

（二）扩大排污费征收范围

目前，排污费征收范围过窄，不利于所有排污者公平竞争，也不利于我国环境质量的改善。因此，按照“污染者付费”的原则，任何单位或个人，只要向环境排放了污染物，都应缴纳排污费。当前应特别把握排污收费的全面性，将排污收费对象由企、事业单位扩大到直接向环境排放污染物的所有排污者，除征收废水、废气排污费外，应加大噪声超标排污费和固体废物排污费的征收。对于新产生的各种污染源，都应规定为征收排污费的对象，以扩大排污费的征收范围，以控制污染，有效促进环境质量的改善。

（三）加强环境监察队伍建设

环保部门常常不能及时准确地核查排污者排污行为，从而影响了排污收费制度全面、正确的贯彻执行。所以需要加强环境执法队伍建设，抓好从业人员的职业道德建设，做到内提素质，外树形象。定期开展业务培训，采用“走出去”、“请进来”的办法，不断拓展工作视野，提升排污收费工作能力，切实把排污收费工作做深、做细、做到位。开展排污收费稽查既是实现“依法、全面、足额”征收的根本保证，也是促进排污收费政策全面贯彻执行的重要措施。通过稽查可及时纠正排污申报不实的现象、减少排污收费中的地方保护主义，纠正其排污收费中的违规行为。

（四）加强排污费征收使用管理

规范和严格执行“收支两条线管理”制度，确保排污费专款用于污染治理。各级环保、财政部门要进一步加强和规范排污费资金的使用管理，排污费资金必须全额纳入财政预算，作为环境保护专项资金进行管理，并按国家和省有关规定，严格环境保护专项资金的支出范围，实行专款专用，严禁截留、挪用或转作他用。要切实按照规定使用排污费，保证专款专用。对财政预算安排已指定用途的资金，要及时拨付用款单位用于污染治理，要公开排污费等资金的申请、审批、下拨、使用程序和规定，提高排污费的使用效率，切实发挥资金效用，真正促进污染防治工作，保证污染减排效果。认真开展排污费资金的绩效评价工作，加强事前、事中监控，确保排污费发挥应有的重要作用。

参考文献

[1] 刘忠庆，李淑英．排污费征管中存在的问题、原因及对策［J］．地方财政研究，2009，1：73－75.

[2] 李业东，李业春，隋雪萍．当前我国排污费征收工作中三夏的问题及对策［J］．研究建筑与发展，2009，9：195－198.

[3] 王军，高景丽，赵俊翼．建立创新型的排污收费制度［J］．环境保护，2009，21－24.

[4] 冯涛，陈华．排污费征收方式的新探索［J］．环境保护，39－40.

[5] 王萌．我国排污费制度的局限性及其改革［J］．税务研究，2009，7.

[6] 李杰，杨文选．我国排污收费制度的缺陷及对策探析［J］．中国物价，2009，1034－1037.

[7] 余红成，崔金星．我国排污收费制度评析［J］．云南环境科学，2004，3.

[8] 张岩，李波．浅析我国排污收费制度［J］．中国环境科学学会2006年学术年会优秀论文集（中卷），2006，1.

[9] 伍四安．改革和完善我国排污收费制度的探析［J］．财贸经济，2007，8.

[10] 顾瑞珍，于春生．解读2007年中国环境状况公报：“拐点”之后喜与忧．新华网，2008－06－05.

山西省火电行业二氧化硫排污权交易研究

李　婕　成　钢　贾　婷

（山西省环境规划院　山西　太原　030002）

摘　要　“十一五”规划中，我国确定了到2010年主要污染物排放总量减少10%的环保目标，山西省作为我国重要的能源重化工基地之一，环境保护工作任务重、压力大，提高环境资源配置效率、推进环境保护体制机制创新，对山西省环保工作有效开展具有重要意义。本文首先介绍了山西省火电行业概况，以此为基础提出山西省火电行业排污权一级市场初始分配方案。排污权交易制度的健康运行将为山西省带来良好的经济效益、社会效益和环境效益。

关键词　火电　二氧化硫　排污权交易

一、引　言

山西省作为我国重要的能源重化工基地之一，多年来受传统产业结构的影响，环境保护工作任务重、压力大，曾经是全国污染最严重的省份之一。“十一五”以来，为了进一步运用市场机制促进山西省的污染减排和环境保护工作，提高环境资源配置效率，推进环境保护体制机制创新，建议在山西省开展排污交易，这对于保障山西省经济社会的全面协调可持续发展具有重大的现实与战略意义。对于排污权交易，建议由便于实施的单个行业单一污染物入手，分步分批有序实施，最终全面推行排污权交易工作。通过调研发现：山西省火电行业二氧化硫排放量巨大，统计信息详细，现有燃煤电厂全部安装了脱硫设施并实现在线监测，二氧化硫排污交易条件基本成熟，因此建议首先开展火电行业二氧化硫排污权交易。

二、山西省火电行业发展概况

（一）装机容量

随着山西省社会经济的持续快速发展和工业化进程的加快，山西省的电力工业得到了快速发展。截至2008年，山西省拥有燃煤电厂120余家，发电总装机容量达到3056万kW，发电量达到1797亿kWh。2005—2008年山西省火电机组的装机容量如图1所示。

从图1可以清楚看出：2005—2008年山西省火电机组的装机容量将基本呈线性趋势增长。根据《山西省电力产业调整和振兴规划》[1]：到2011年，山西省电力行业的装机容量将达到5500万kW；到2015年，电力装机容量达到8000万kW，可以预测，山西省电力产业的发展，将给火电行业二氧化硫排污权交易带来巨大的市场。

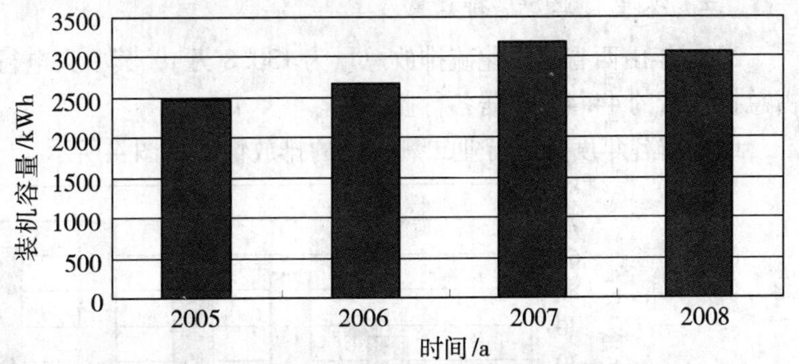

图1　山西省火电机组的装机容量发展情况

（二）机组规模

2005年以前，山西省新建小火电项目种类多、机组报装容量不清、统计口径不一、管理比较混乱。通过连续多年的电力工业结构调整，山西省燃煤机组单机容量的变化如图2所示[2]。可以看出：尽管山西省电力工业结构调整初见成效，但是小火电机组仍然占有相当比重，百万千瓦级高参数、大容量超临界机组项目尚属空白。

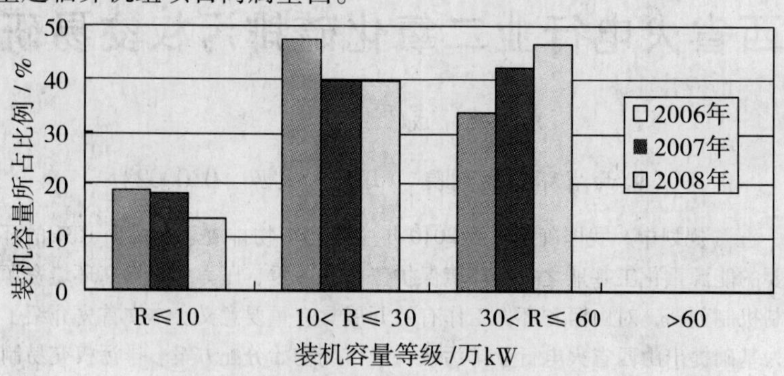

图 2　2006—2008 年山西省燃煤机组单机容量

（三）能耗水平

2006—2008 年，山西省按单机容量分级统计的燃煤机组发电标准煤耗结果如图 3 所示。

根据《山西省“十一五”电力规划》：到“十一五”末，火电平均供电煤耗控制在每千瓦时 360g 标煤。截至 2008 年，全省平均供电煤耗 357g/kWh，仍高于全国平均水平 8g/kWh。

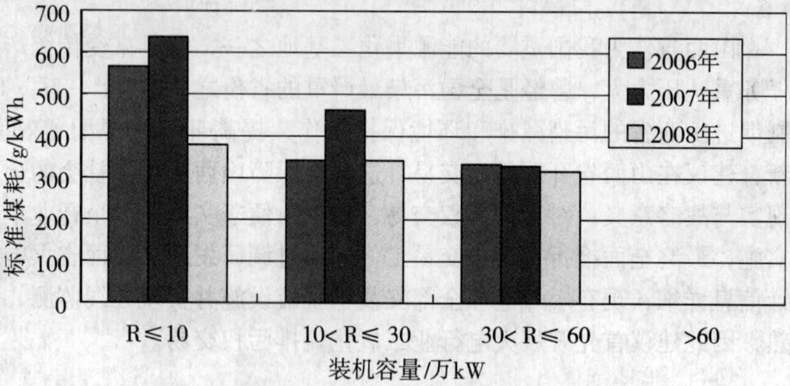

图 3　山西省燃煤机组发电标准煤耗

（四）燃煤机组电煤含硫量

山西省电厂用煤的含硫量普遍不高，最低含硫量为 0.26%，最高含硫量 1.8%，2008 年电厂用煤平均含硫量为 0.89%，约有 48% 的燃煤机组电煤含硫量稍大于 1%，其余含硫量均在 1% 以下，其中装机容量在 30 万 kW（含 30 万 kW）以上的机组电煤含硫量平均为 0.84%。

（五）火电行业 SO_2 排放量

2008 年山西省二氧化硫排放总量为 130.8 万 t，其中火电行业二氧化硫排放量为 58.04 万 t，占总排放量的 44.4%，居各行业首位。

山西省各年度火电行业二氧化硫的排放情况如图 4 所示。

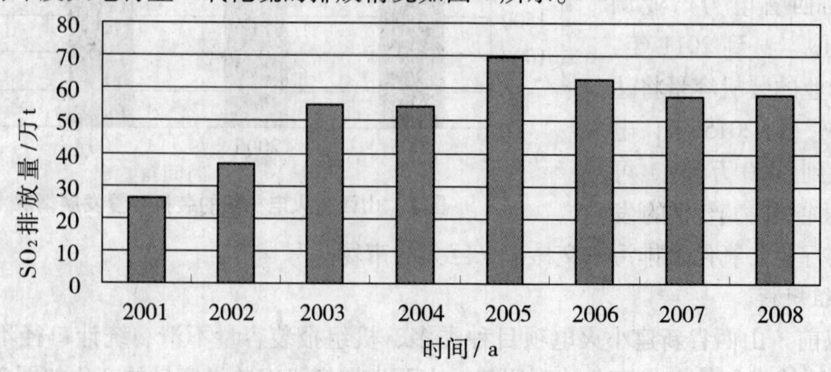

图 4　山西省火电行业分年度二氧化硫排放总量

（六）火电行业 SO_2 排污绩效

为了更好地反映不同规模单机容量的二氧化硫排放现状水平，将 2008 年山西省火电机组分为燃煤发电机组、热电联产和煤矸石发电机组 3 部分，再按照机组单机容量分为 4 个等级，不同规模等级机组的二氧化硫排放绩效水平如图 5 所示。

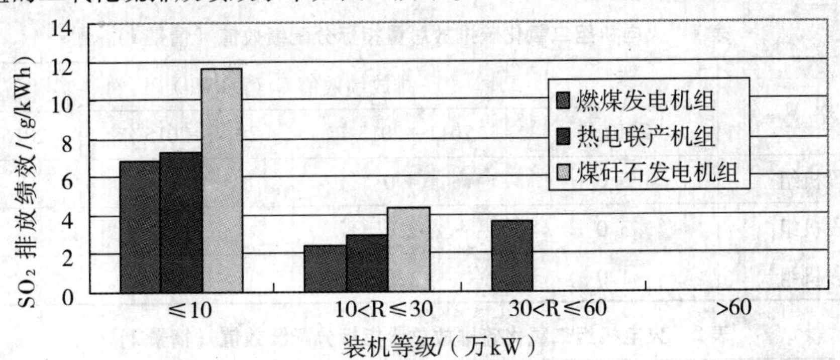

图 5　山西省燃煤机组各装机等级的二氧化硫排放绩效水平

从图 5 可以看出：在机组类型相同的时候，装机规模越大，其二氧化硫的排放绩效越好，反映了大容量机组在提高发电效率、减少污染物排放方面的优越特性。

三、山西省火电行业排污权一级市场初始分配方案

（一）火电行业排污权总量核算

排污权总量核算方式分为容量总量核算和目标总量核算。结合山西省环境容量核算结果，建议在火电行业采用目标总量核算方式。

由于国家对于“十二五”和“十三五”的总量控制目标至今尚未出台，故设计如下两个情景：

情景 1：火电行业二氧化硫的排放量在未来 10 年中每 5 年削减 10%，即 2015 年为 53.37 万 t，2020 年为 48.03 万 t。

情景 2：火电行业二氧化硫的排放量在未来 10 年中每 5 年削减 15%，即 2015 年为 50.41 万 t，2020 年为 42.85 万 t。

（二）火电行业排污权初始分配方法

综合起来，目前理论界探讨最多且基本符合上述基本原则的排污权初始分配模式主要有政府免费分配、定价出售、公开拍卖以及多种模式结合的混合分配 4 种分配方式。

结合山西省实际情况，建议山西省火电行业排污权初始分配采用混合分配法，以免费分配为主，定价出售为辅，必要时进行公开拍卖。即在预留一定比例的排污权作为储备以外，把排污权免费分配给排污权交易以前已经合法审批存在的企业；对于政府储备的排污权，平时定价出售，允许企业申购，当需求量较大时，则采用公开拍卖方式出售。

免费分配的具体公式如下[3-5]：

$$M_i = CAP_i \times 5500 \times GPS_i \times 10^{-3} \tag{1}$$

式中：M_i 为第 i 个机组的二氧化硫总量指标，t/a；CAP_i 为第 i 个机组的装机容量，兆瓦（MW）；GPS_i 为第 i 个机组的排放绩效值，g/kWh。

热电联产机组的供热部分折算成发电量参与分配，用等效发电量 D 表示。计算公式为：

$$D_i = H_i \times 0.278 \times 0.3 \tag{2}$$

式中：D_i 为第 i 个机组供热量折算成的等效发电量，kWh；H_i 为第 i 个机组供热量，兆焦。

热电联产机组总量指标为设计发电量和等效发电量之和乘以排放绩效值确定，计算公式为：

$$M_i = (CAP_i \times 5500 + D_i/1000) \times GPS_i \times 10^{-3} \tag{3}$$

式中符号同上。

按照总量控制目标情景 1 和情景 2 的要求，初步设定了两套年度二氧化硫分配绩效值表。

表 1　火电机组二氧化硫排放总量指标分配绩效值（情景 1）

时　段	排放绩效值 G（g/kWh）			
	2010 年	2011—2013 年	2014—2015 年	2016—2020 年
第Ⅰ时段机组	5.0	4.0	3.8	2.0
第Ⅱ时段机组	3.0	2.0	1.3	1.3
第Ⅲ时段机组	1.0	1.0	1.0	0.7

表 2　火电机组二氧化硫排放总量指标分配绩效值（情景 2）

时　段	排放绩效值 G（g/kWh）			
	2010 年	2011—2013 年	2014—2015 年	2016—2020 年
第Ⅰ时段机组	4.7	3.7	3.7	1.8
第Ⅱ时段机组	2.8	1.8	1.2	1.2
第Ⅲ时段机组	0.9	0.9	0.9	0.6

注：1. 燃油机组要在表中相应值的基础上乘以 0.85 计算得出。

2. 燃烧煤矸石、褐煤等低热值燃料（入炉燃料收到基低位发热量低于 12550kJ/kg）的发电机组，排放绩效值为表中规定值的 1.2 倍。

3. 机组时段按照《火电厂大气污染物排放标准（GB13223—2003）》规定的时段划分。

参考文献

［1］山西省人民政府．山西省电力产业调整和振兴规划［EB/OL］. http：//www. jzsme. com. cn/zcfg/ShowArticle. asp？ArticleID = 1562. 2009 - 06 - 08/2010 - 3 - 10.

［2］山西省环境规划院．山西省环境保护“十一五”规划中期评估报告［R］．太原：山西省环境保护厅，2009.

［3］朱法华，薛人杰，朱庚富，等．利用排放绩效分配电力行业 SO_2 排放配额的研究［J］．中国电力，2003，36（12）：76 - 79.

［4］李军红．排放绩效（GPS）在深圳火电行业 SO_2 总量分配中的应用［J］．广东气象，2007，29（4）：43 - 44.

［5］火电厂大气污染物排放标准（GB13223—2003）［S］．北京：国家环境保护部，2003.

二氧化硫排污权交易比例系数的研究及应用

蒋秋静

（太原市环境科学研究设计院）

摘　要　在二氧化硫排污交易中，考虑排污交易权比例系数是必要的。引入排污交易权比例系数后，将可以保证排污交易在等效环境影响的条件下进行，避免造成环境恶化，使排污交易健康可靠地进行下去。本文提出了排污权交易比例系数的概念，建立了排污权交易权比例系数计算模型，给出了太原市三大电力企业二氧化硫排污权交易权比例系数。研究成果对推动二氧化硫排污权交易政策在太原的顺利实施具有重要的现实意义，对全国其他城市开展二氧化硫排污权交易具有重要的指导意义。

关键词　二氧化硫　排污权交易　比例系数　研究

前　言

随着我国经济的持续高速增长，我国电力工业也快速增长[1]，但火电厂排放的二氧化硫也不断增加，对我国的大气污染不断加剧。控制火电厂二氧化硫排放的有效途径之一就是排污权交易。二氧化硫排污权交易是当前受到各国关注同时也是我国正在进行试点的一项环境经济政策，它早在20世纪70年代由美国经济学家戴尔斯提出[2]。在国际上，美国二氧化硫排污权交易是最成功的，其20多年的实践经验为其他国家实施二氧化硫排污权交易积累了宝贵财富[3,4]。

通过实施排污权交易能够以最低的成本减少二氧化硫的排放，促进二氧化硫达标和新技术的开发利用、提高治理责任费用有效性、促进经济的发展。美国二氧化硫排污权交易的实践表明，排污权交易使二氧化硫削减总费用减少30%以上。二氧化硫排污权交易的实施，将以最低的成本实现太原市二氧化硫总量控制目标，实现经济与环境的协调发展。太原市是目前我国地方政府得到国际金融组织——亚洲开发银行支持的第一个排污权交易试点城市，也是国家确定的二氧化硫排污权交易示范城市[5]。在二氧化硫排污交易中，交易企业以何种比例进行交易是开展二氧化硫排污权交易急需解决的技术问题，该研究成果对推动二氧化硫排污权交易在太原的顺利实施，同时为全国其他城市开展二氧化硫排污权交易提供技术支持。

一、排污权交易比例系数的概念

（一）排污权交易比例系数的研究意义

二氧化硫属于非均匀混合吸收性污染物。根据排污权交易理论，非均匀混合吸收性污染物污染源的位置和污染物排放特性对污染控制目标至关重要。对于这一类污染物，政策目标是根据特定监测位置上测出的污染物环境浓度的最高允许值确定的。而环境浓度不仅受到排污量的影响，也受到污染源集中程度、平均风速、风向、污染源和监测点位置、烟囱高度等因素的影响。

如果忽略地点与时间的差异而对二氧化硫污染源实行等量交易，将有可能使环境质量恶化。如销售源为多源排放，而购买源为等高烟囱单源排放，则同样的排放量在由销售源卖到购买源后，由于污染物集中在较小体积的空气中，将使环境污染浓度更大。同样，高架源销售给低架源、下风向污染源销售给上风向污染源等交易情况下，如果不考虑排污交易比例系数而进行等量交易，也会产生环境恶化的负面效应。

可见，在二氧化硫排污交易中，考虑排污交易权比例系数是必要的。引入排污交易权比例系数后，将可以保证排污交易在等效环境影响的条件下进行，避免造成环境恶化，使排污交易健康可靠地进行下去。

（二）排污权交易比例系数的概念

二氧化硫排污权交易比例系数 r_e 是指污染源 A 向污染源 B 出售排放许可证 Q_A 时，考虑地点、时间及污染源的差异的影响而引入的比例系数。其值定义为污染源 B 可得到的排放许可证 Q_B 与污染源 A 出售的排放许可证 Q_A 的比值。即：

$$r_e = \frac{Q_B}{Q_A} \tag{1}$$

为了将不同功能区、不同季节二氧化硫排污权交易比例系数纳入同一公式计算。这里将 r_e 定义为控制系数 k_c 与污染源 A 转换系数 a_A 和污染源 B 转换系数 a_B 的比值的乘积，即：

$$r_e = k_c \times k_e \tag{2}$$

$$k_e = \frac{a_A}{a_B} \tag{3}$$

式中：a_A 为污染源 A 的转换系数，表示污染源 A 与周围环境浓度的响应关系；a_B 为污染源 B 的转换系数，表示污染源 B 与周围环境浓度的响应关系；k_e 为污染源 A 转换系数 a_A 和污染源 B 转换系数 a_B 的比值；k_c 为二氧化硫排污权交易控制系数。

当排污权交易不可进行时，$k_c = 0$；

当转换系数比值 $k_e \geqslant 1$ 时，为了保证总量不会增加，取 $k_c = \frac{1}{k_e}$；

当转换系数比值 $k_e < 1$ 时，$k_c = 1$。

显然，根据上面的定义，二氧化硫排污交易权比例系数应该是小于等于1的数值。

事实上，当二氧化硫排污交易在同一功能区、同一时期进行交易，且交易控制系数等于1时，由公式（1）、公式（2）、公式（3）可得：

$$Q_B = Q_A \frac{a_A}{a_B} \tag{4}$$

此即为美国的马中所著的《总量控制与排污权交易》中给出的购买源可得到的排放许可证计算公式[6]。

同样道理，当污染源 B 向污染源 A、C、D、E 购买排放许可证时，其可得到的排放许可证为：

$$Q_B = Q_A r_{e,A} + Q_C r_{e,C} + Q_D r_{e,D} + Q_E r_{e,E} \tag{5}$$

式中：r_e，A、r_e，C、r_e，D、r_e，E 分别为污染源 A、C、D、E 与污染源 B 的排污权交易比例系数。

二、排污权交易比例系数的计算模型

污染源之间的交易主要包括点源与点源、点源与多源、面源与点源之间的交易。要确定排污权交易比例系数就要确定交易控制系数和转换系数比值。

（一）交易控制系数的确定

前面已经讨论过交易控制系数的确定问题，它的取值在不等于零时与转换系数比值密切相关；在等于零时，主要为以下几种情况：

1. 当销售源位于空气质量要求较低的功能区，而购买源位于空气质量要求较高的功能区时，为了避免较高功能区排污总量增大，应使交易控制系数取零[7]；

2. 当销售源为点源，购买源为面源时，考虑到面源对附近环境影响大，而对远处的国控点可能影响不大，为了避免交易使环境恶化，应使交易控制系数取零。

3. 当销售源为全年排放源，购买源为冬季排放源时，为了避免不利季节环境恶化，应使交易控制系数取零。

（二）转换系数比值的确定

污染源的转换系数反映了污染源与周围环境浓度的响应关系，如果将污染源作为稳定排放的连续源，转换系数可以定义为污染源的长期平均浓度与二氧化硫排放强度的比值：

$$a = \frac{C}{q} \tag{6}$$

该定义将使排污交易时，交易双方遵循等环境浓度贡献的原则，即在总量不增的情况下，遵循等环境影响的原则。

根据公式（2）、公式（3）、公式（6），可得排污交易比例系数

$$r_e = k_c\left(\frac{C_A}{q_A}\right)\left(\frac{q_B}{C_B}\right) \tag{7}$$

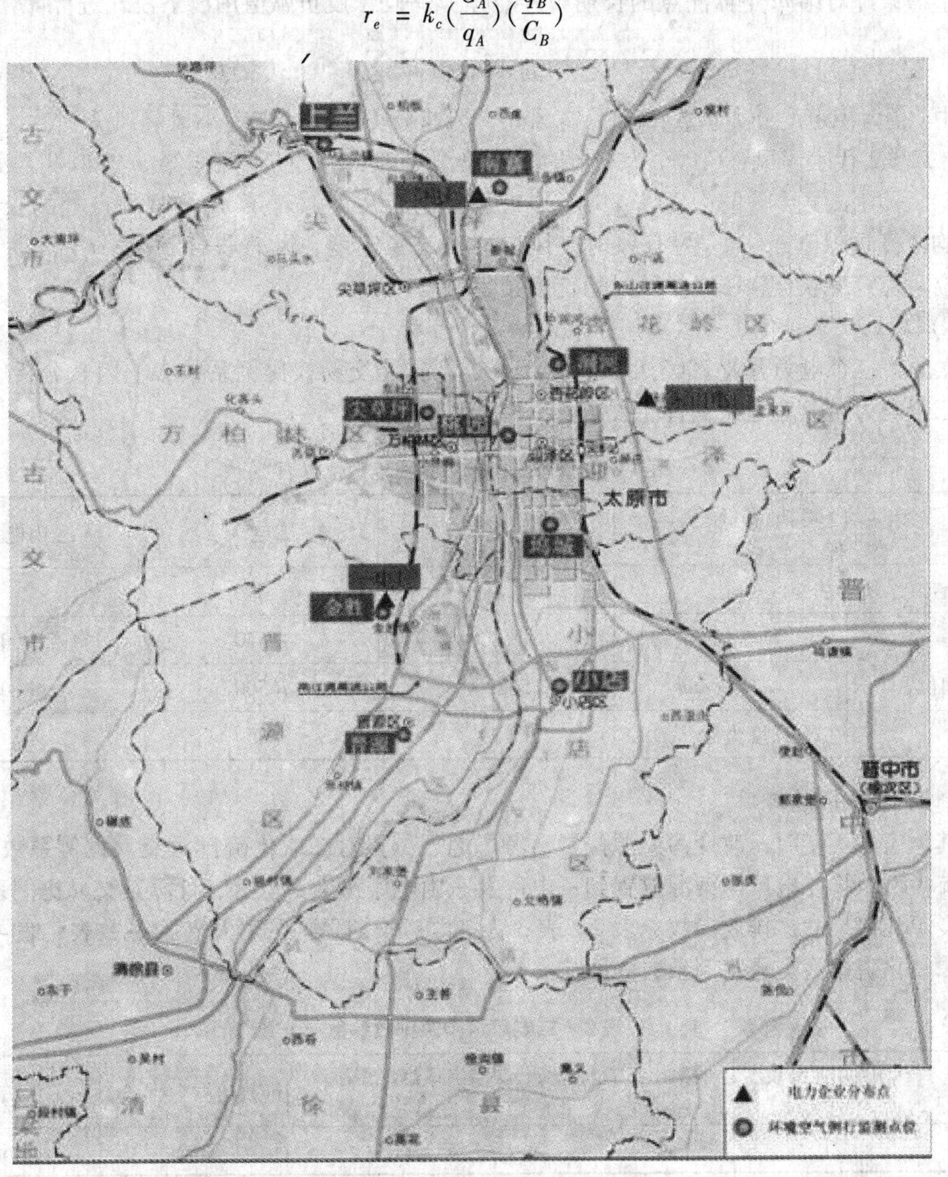

图1　太原市环境空气质量监测布点图

式中：C_A 为销售源对关心点的长期平均浓度；C_B 为购买源对关心点的长期平均浓度；q_A 为销售源二氧化硫排放强度；q_B 为购买源二氧化硫排放强度。

三、交易比例系数的应用

以太原一电厂、二电厂、东山电厂三个电力企业为例，对不同企业间的二氧化硫排污交易比例系数进行研究。

太原市市区 1460km^2，分为三个环境质量功能区。二氧化硫环境质量主要由涧河、尖草坪、金胜、南寨、桃园、坞城、小店、晋源八个点位的监测数据表征，上兰作为清洁对照点，不参加全市均值计算。太原市市区二氧化硫交易以上述八个点位作为关心点进行比例系数的计算分析。图 1 为太原市环境空气质量监测布点图。

（一）长期平均浓度的计算

单个污染源对第 m 个监测点的长期（年、季）平均浓度贡献值用以下模式进行计算。

$$C_{m,i} = \sum_{j=1}^{J}\left(\sum_{k1=1}^{k1} C_{m,i,j,k1} f_{m,i,j,k1} + \sum_{k2=1}^{k2} C_{m,i,j,k2} f_{m,i,j,k2}\right) \tag{8}$$

式中：J 为稳定度分类总数；$k1$ 为有风时，风速分类总数；$k2$ 为小风静风分类数，$k2=1$ 代表小风，$k2=2$ 代表静风；$C_{m,i,j,k1}$ 为有风时，污染源对第 i 方位的下风向第 m 个监测点处的长期（年、季）平均浓度贡献值；$C_{m,i,j,k2}$ 为小风或静风时，污染源对第 m 个监测点处的长期（年、季）平均浓度贡献值；$f_{m,i,j,k1}$ 为有风时，风向方位、稳定度、风速联合频率；$f_{m,i,j,k2}$ 为小风时，风向方位、稳定度联合频率或静风时稳定度频率。

（二）二氧化硫排污交易权比例系数影响因素分析

以太原市三个电力企业 2003 年数据为例，进行排污交易权比例系数影响因素分析。表 1 为太原市三个电力企业地理位置属性数据。

表 1　太原市三个电力企业地理位置表

属性 \ 企业名称		一电厂	二电厂	东山电厂
所属功能区		2	2	2
烟囱位置	横坐标/m	11800	15650	25000
	纵坐标/m	538200	76500	64200
	高度坐标/m	782	805	947

1. 地理位置的影响

在其他条件不变时，改变污染源位置，考虑地理位置对二氧化硫排污交易比例系数的影响。以太原市为例，将二电厂污染源放置到一电厂及东山电厂污染源位置，计算其交易比例系数。二电厂污染源几何尺寸、排放参数见表 2。表 3 为三电厂长期平均浓度及转换系数表，表 4 为地理位置对二氧化硫排污交易比例系数的影响。

表 2　二电厂污染源排放参数

企业名称	烟囱几何高度/m	烟囱出口直径/m	烟囱出口烟气温度/℃	排放速度/（m/s）	排放强度/（g/s）
二电厂	210	5.0	100	30.8	660

从表 3 可以看出，由于地理位置不同，一电厂、二电厂、东山电厂对关心点的影响不同，一电厂的长期平均浓度最大，其次是东山电厂和二电厂。

从表 4 可以看出，在污染源相同，只是地理位置不同的情况下，交易比例系数主要受风向主导频率与关心点位置的影响，当二电厂为销售源，一电厂、东山电厂为购买源时，交易比例系数小于 1，分别为 0.4937 和 0.8613。

表 3　三电厂长期平均浓度及转换系数表

一电厂		二电厂		东山电厂	
长期平均浓度/（μg/m³）	转换系数/（10^{-10} s/m³）	长期平均浓度/（μg/m³）	转换系数/（10^{-10} s/m³）	长期平均浓度/（μg/m³）	转换系数/（10^{-10} s/m³）
0.239	3.6212	0.118	1.7879	0.137	2.076

表 4　地理位置对二氧化硫排污交易比例系数的影响

销售源位置	购买源位置	转换系数比值	控制系数	交易比例系数
二电厂	一电厂	0.4937	1	0.4937
二电厂	东山电厂	0.8613	1	0.8613

2. 烟囱高度对交易比例系数的影响

假设东山电厂污染源烟囱几何尺寸、出口烟气温度、排放速度、排放强度等与二电厂相同，改变东山电厂污染源烟囱高度，二电厂为销售源、东山电厂为购买源。计算烟囱高度对交易比例系数的影响，计算结果见表 5。

表 5　烟囱高度对交易比例系数的影响

东山电厂烟囱高度/m	东山电厂		控制系数	转换系数比值	交易比例系数
	长期平均浓度/（μg/m³）	转换系数/（10^{-10} s/m³）			
100	0.185	2.8181	1	0.6378	0.6378
130	0.174	2.6364	1	0.6782	0.6782
160	0.163	2.4697	1	0.7239	0.7239
190	0.147	2.2273	1	0.8027	0.8027
210	0.137	2.076	1	0.8613	0.8613

从表 5 可以看出，随着东山电厂烟囱高度的增高，其交易比例系数在不断增大，这主要由于烟囱高度增高后，其对关心点的污染程度减小。

3. 烟囱烟气释放量对交易比例系数的影响

假设东山电厂污染源烟囱几何尺寸、出口烟气温度、排放速度等与二电厂相同，改变东山电厂污染源烟囱烟气释放量，二电厂为销售源、东山电厂为购买源，计算烟气释放量对交易比例系数的影响，计算结果见表 6。

表 6　烟囱烟气释放量对交易比例系数的影响

烟囱烟气释放量/（m³/s）	东山电厂		控制系数	转换系数比值	交易比例系数
	长期平均浓度/（μg/m³）	转换系数/（10^{-10} s/m³）			
60	0.29	4.3939	1	0.4069	0.4069
260	0.195	2.9545	1	0.6052	0.6052
460	0.157	2.3788	1	0.7515	0.7515
660	0.137	2.076	1	0.8613	0.8613
860	0.113	1.7121	0.9576	1.0442	1

从表 6 可以看出，随着东山电厂污染源烟囱烟气释放量的增大，其交易比例系数在不断增大，且增长较大，这主要由于烟囱烟气释放量的增大后，有效源高增加，其污染程度减小。

（三）太原市电力企业二氧化硫排污权交易比例系数

根据二氧化硫排污权交易比例系数计算模型，对太原市各电力企业二氧化硫排污交易时应采用的比例系数进行了计算。表 7 是太原市电力企业二氧化硫排污交易权比例系数。

表 7　太原市电力企业二氧化硫排污交易权比例系数

销售源	购买源	转换系数比值	控制系数	交易比例系数
一电厂	二电厂	2. 025	0. 4938	1
一电厂	东山电厂	1. 745	0. 5731	1
二电厂	一电厂	0. 4937	1	0. 4937
二电厂	东山电厂	0. 8613	1	0. 8613
东山电厂	一电厂	0. 5732	1	0. 5732
东山电厂	二电厂	1. 1610	0. 8613	1

四、结　论

1. 影响交易比例系数的因素包括风向主导频率、关心点位置、污染源烟囱高度、污染源烟气释放量等。

2. 在污染源相同，只是地理位置不同的情况下，交易比例系数主要受风向主导频率与关心点位置的影响。

3. 污染源烟囱高度越高、烟囱烟气释放量越大，交易比例系数越大。当一电厂、东山电厂为购买源，与二电厂进行交易时，交易比例系数分别为 0. 4937、0. 8613；当二电厂、东山电厂为购买源，与一电厂进行交易时，交易比例系数 1；当一电厂、二电厂为购买源，与东山电厂进行交易时，交易比例系数分别为 0. 5732 和 1。

参考文献

[1] 王志轩，潘荔，彭俊. 电力行业二氧化硫排放控制现状、费用及对策分析 [J]. 环境科学研究，2005 (4)：11 - 20.

[2] Tietenberg, Tom. H. Emission trading: An exercise in Reforming Pollution Policy [M]. Washington DC: Resources for the Future, 1985, 65 - 73.

[3] David M W. Markets in licenses and efficient pollution control programs [J]. Journal of Economic Theory, 1972, 5 (3): 395 - 418.

[4] Cropper M L, Oates O W E. Environmental economics: A survey [J]. Journal of Economic Literature, 1992, 30: 675 - 740.

[5] 王金南，杨金田，曹东. 中国二氧化硫排污交易研究 [R]. 中国利用市场机制削减二氧化硫的可行性报告，2002：72 - 93.

[6] 马中，杜丹德. 总量控制与排污权交易 [M]. 北京：中国环境科学出版社，1999：52 - 55.

流域环境经济学初探

罗　宏　冯慧娟　吕连宏

（中国环境科学研究院　北京市朝阳区北苑安外大羊坊8号　100012）

摘　要　针对流域系统的整体性、地域分异性、准公共物品属性和外部性等特点，根据流域环境管理的市场失灵、政府失效的经济学分析，以及理性行为、非理性行为的多方博弈分析，首次提出流域环境经济学的概念，分析了构建流域环境经济学这一新学科的目的与意义。基于传统经济学和新的经济学理论，如机制设计理论、博弈论、行为经济学等理论工具，阐释了流域环境经济学的内涵及研究框架，力图从新视角、新思维提出解决流域环境问题的途径。

关键词　流域　流域环境经济　流域环境管理　机制设计

环境经济学是环境科学和经济学发展到一定阶段，二者相互交叉的产物，是在解决环境问题的过程中、在经济学理论的指导下建立起来的。随着环境问题的逐步发展，环境经济学的研究领域也在迅速拓展。流域环境经济学就是随着流域环境资源的稀缺和环境问题的不断演化而产生的新领域之一。

一、流域系统的特征

流域是从河流的源头开始到河口结束，由分水线所包围的集水区域。是以水为核心，由水、土地、生物等自然要素与社会、经济等人文要素组成的环境经济复合系统。流域系统具有其自身特点：

（一）整体性

在流域边界范围内，由于水的自然流动，引起了流域内地理上的关联性及流域环境资源的联动性，各种自然要素之间、自然要素与社会经济要素之间、流域上下游之间、左右岸之间、干支流之间相互影响、相互制约，形成了一个不可分割的整体，系统内部某一要素的变化都会对其他要素甚至系统整体产生影响。同时，流域作为一个开放的复杂巨系统，通过不断和更大的系统、旁系统进行物质、能量和信息交换，实现流域环境经济复合系统的自组织和自维持功能，呈现出典型的耗散结构特征[1]。但流域自维持和自调控作用的发挥在客观上受到系统阈值的约束，需要对流域环境经济复合系统的耗散结构、协同、调控功能进行分析和评价，避免超出系统承载力的过度开发和人为干预[2]。

（二）地域分异性

水是流域的核心要素，水资源的状况决定了流域特定的资源环境条件。流域特别是大流域，经度和纬度跨度大，流域的水量、面积、河网密度、河流形状等自然地理要素和社会经济发展等方面都表现出明显的地域分异性，主要体现在：

1. 地理要素的地域分异性

流域从上游到下游、从河谷向两翼的海拔高程、地形地貌特征和资源禀赋均不相同，并呈现出一定的地域分异规律。河流上中游地区往往地势较高，多山地高原，一般水能资源、矿产资源和森林、草原资源比较丰富，而且也是易发生土壤侵蚀的地区；下游地区则丘陵起伏，但一般地势平坦，耕地所占比重大。同时，流域的上下游被划分为不同的行政区，流域内的政区多样性直接或间接地影响着流域的水文要素和水资源的优化配置[3]。

2. 功能的地域分异性

（1）流域主体功能的地域分异性。流域内不同区域的资源环境承载力、开发密度和发展潜力等条件各异，在全流域的空间开发、国土资源利用、社会经济发展中所发挥的作用表现出鲜明的地域分异性，分属于优化开发、重点开发、限制开发和禁止开发四类不同的主体功能区。

（2）流域生态功能的地域分异性。流域内不同区域的生态环境要素、生态环境敏感性与生态服务功能表现出明显的地域分异性，分属于不同的生态功能区。

（3）流域水功能的地域分异性。对于水资源的利用而言，流域内不同水域的水资源开发利用现状以及经济社会发展对水量和水质的需求不同，不同的水域具有特定功能，这些水域分属于保护区、保留区、开发利用区、缓冲区四类不同的水功能区。

（4）流域水环境功能的地域分异性。对于水环境的保护而言，流域内不同水域的环境容量和社会经济发展需要，以及污染物排放总量控制的要求不同，分属于自然保护区、饮用水水源保护区、渔业用水区、工农业用水区等不同功能的环境单元。

（5）流域水生态环境的地域分异性。流域内不同水域的地理、水文气象和生态一致性不同，从生态系统类型来看，分属于不同的水生态环境功能区[4]。

3. 经济发展的地域分异性

流域既是一个由分水线所包围的独立的自然地理单元，同时也是区域经济发展的空间载体，是产业集中、城市发达和人居条件相对优越的地区。由于流域内各地区的地理要素差异和流域开发利用的方式不同，以及各种社会经济因素的影响导致了流域经济发展的不平衡。其中，流域以河流为纽带带状延伸，通常沿干支流或沿交通干线的城镇首先得到发展成为区域发展的增长极，各个增长极之间又会通过交通线路、动力供应线、水源供应线等轴线相互连接，吸引流域经济活动不断向河流沿岸靠拢并形成沿江产业密集带，“点—轴”模式便成为流域经济发展地域分异的主要表现形式[5-6]。

（三）准公共物品属性和外部性

从经济学的角度看，流域的核心要素——水资源属于准公共物品的范畴，不具有明晰的产权或者对这种具有流动性和开放进入特征的资源很难清晰界定其产权，对其消费具有非排他性。同时，随着流域水资源稀缺性的加剧，对其消费具有竞争性。流域内的每一个涉水主体都受到追求各自利益最大化的经济理性驱动，以赶在其他人之前尽可能地从公共资源中获更多的利益，肆意地开发利用水资源或向水体排放污染物，而这些行为的负外部效应所产生的损失并不计入私人成本，而是由全社会来承担，使边际私人成本小于边际社会成本，由此导致水资源短缺和水环境污染的“公地悲剧”发生。而保护水资源的行为产生正的外部效应，其收益由全社会分享，使行为主体的私人收益小于社会收益甚至小于私人成本，而且消费的非排他性导致“搭便车”的动机和行为难以避免，使得市场倾向于保护水资源的行为供给不足。不论是过度使用还是供给不足，都不能实现资源配置的帕累托最优[7-8]。

二、流域环境管理的经济学分析

流域环境资源的准公共物品属性及其外部性问题的解决是经济学研究的范畴。传统的古典经济学和新古典经济学能够从市场的角度解释流域环境资源的配置问题，而制度经济学、行为经济学、博弈论、机制设计理论和社会选择理论等现代经济学的理论，突破和修正传统经济学的“理性人”假设，分析经济行为，能为流域环境管理提供更多维的视角和有力的依据。

（一）资源稀缺性及资源配置

资源稀缺性是经济学分析的前提。随着流域自然资源的过度开发利用，流域环境资源已成为一种稀缺的公共物品，主要体现在水资源的稀缺、水环境容量的稀缺和环境空间的稀缺。对稀缺资源的有效配置是经济学研究的核心内容。新古典经济学证明，完全市场条件下能够实现资源的优化配置。然而，流域环境资源的准公共物品特性、外部性，以及流域环境管理的信息不对称问题，阻碍了市场机制作用的发挥，使得市场对于资源的配置不能达到帕累托最优状态而导致市场失灵。凯恩斯主义表明，当市场不能有效地配置资源时，有必要进行政府干预，政府可以通过调控来解决市场缺陷带来的问题。但是，流域环境管理中政府为克服市场功能缺陷所采取的各种措施，在实施过程中往往可能扭曲流域环境资源的真实成本，同时政府管理机制设计上的缺陷，也会导致流域环境管理政策无法有效实施，甚至偏离预期目标，最终导致政府失效[9]。

（二）选择行为

选择行为是经济学分析的对象，这些选择行为包括理性行为和非理性行为。传统的经济学假设经济活动中的人是完全理性和自利的，是以预期效用最大化做出行为选择，其选择行为是理性行为。但是，现代经济学中逐渐兴起的行为经济学、博弈论、机制设计理论和社会选择理论在“有限理性”的行为框架下对经济人的非理性行为进行研究发现，现实中的行为选择除了受到利益驱动，还常常由于人的认知偏好、情感、信息不完全等因素很难达到完全理性，而存在非理性的一面。在流域环境管理中，“公地悲剧”的发生是个体理性行为的结果。个体与全流域环境管理的目标具有不一致性，信息不对称的条件下，各方都从自身利益出发，各方在行为达到最优时，常常导致流域管理组织的行为偏离最优点，即个体理性行为导致集体非理性的结局[10]。解决个体理性和集体理性之间的矛盾需要建立一种有效的机制，使得各方由目前的完全非合作状态逐渐转向合作，使得他们即使在追求自身利益的情况下也能达到全流域环境保护的目标。

三、从环境经济学到流域环境经济学

环境经济学作为环境科学和经济学结合的产物，严格说来没有自己独立的理论，它的主要理论基础是西方经济学的“稀缺理论”和“效用价值理论”，应用市场、价格理论，通过探讨成为环境恶化制度根源的市场失灵和政府失效两大资源配置失灵现象，揭示出环境资源的公共性、稀缺性和外部性，进一步寻求环境经济行为外部性内在化的途径[11]。

目前，我国流域尺度的生态环境问题越来越多样化和复杂化，各种流域环境问题相互影响、彼此叠加，由此引发的各种利益冲突也日益尖锐。面对流域的准公共物品属性、跨界外部性、整体性及地域分异性等特征，现有的环境经济学的理论和控制手段在解决流域环境问题时遇到了障碍，迫切需要从新的视角不断拓展环境经济学的研究领域。尤其是与空间有关的区域性的、跨学科的环境问题被认为是未来一段时期内环境经济学研究的重点内容之一[12]。而且，与流域相关的学科，如流域管理学、流域生态学、流域经济学等也都仅仅处于初创阶段，都未将流域环境和经济结合起来作为一个整体从经济学的视角研究其作用机理及调控措施[13-15]。

流域环境经济学正是以流域这一特定地理单元为研究对象，综合运用空间经济学、制度经济学、福利经济学、公共部门经济学等多种学科的理论和方法，研究流域经济发展与环境保护之间的相互关系，探索流域环境管理的机制设计[22]和合理的环境经济政策手段，优化流域环境资源配置，实现流域经济增长与环境保护协调发展。

四、构建流域环境经济学的目的和意义

（一）解决流域跨界外部性的需要

由于流域经济具有极点增长、轴线延伸的“点—轴”空间特征，使得沿江发展的城镇在利用流域水资源的同时也不断地向河流排放污染物，污染物进入水体不仅产生就地污染，而且随水流方向由上游向下游转移扩散。污染物转移和扩散不受行政边界的限制、不受人工调控影响，一方面形成了以沿江城镇增长极为污染源、以干支流为轴线的“源—轴”环境空间分布格局，并且与流域经济发展的“点—轴”空间分布特征相叠加，加剧了流域环境问题的复杂性；另一方面呈现出单向和跨界外部性[16]，这种外部性的输出将生产带来的经济收入留在本辖区，而将污

染造成的损害成本输出到其他辖区，由全流域来承担，损害全流域的社会福利。特别是大流域，常常跨越多个行政区，必然涉及上下游具有不同诉求的多元利益主体，各利益相关方出于不同的利益诉求，而产生各种矛盾和冲突[17]。随着流域资源环境压力的增大，各利益相关方的利益矛盾冲突也日益尖锐。流域环境问题的解决需要将跨界污染的外部性内部化，并且流域治理要遵循先支流后干流、先上游后下游、先源头后末端的原则。

（二）解决流域环境管理机制设计的需要

无论是外部性内部化还是产权界定，都需要相应的流域环境管理体制能在分散化信息下良好运作。然而，跨界外部性、信息不对称和不确定性，以及行政边界下的分散决策，使得流域环境问题及其解决变得复杂化。流域环境管理面临利益的分化和协调，不仅要解决一般环境问题中规制者与被规制者的理性行为与非理性行为的博弈，而且要解决规制主体之间的博弈，包括纵向博弈和横向博弈。纵向博弈是指上下级政府部门之间的博弈。目前我国水环境保护管理体制采取垂直型科层治理结构，是按照政府层级构成垂直领导，按行政区域划分管理权限[18]，中央和地方形成委托—代理关系。然而，在新的财政税收体制下，地方政府成为独立的经济主体，偏好实现本地区利益最大化。国家及其各级委托代理人利益目标不一致，产生中央政府和地方政府之间以及各级政府部门之间的博弈。不仅加大了各级政府之间的代理成本，而且可能导致不同辖区之间因经济竞争引致地方公共政策选择扭曲，也可能使各级代理人在行为选择时往往出现“道德风险”和“逆向选择”问题[19,20]。横向博弈是指流域环境管理中政府各部门之间以及流域上下游行政区之间的博弈。目前，我国流域环境管理中部门间的利益冲突和利益博弈广泛存在，而且由于流域的地域分异性，上下游各地区之间存在“功能不对称”的现象。在环境影响和生态服务方面，下游被上游所支配；而在发展关联方面，上游被下游所支配、处于依附地位[21,22]。但是流域上下游地区不存在行政隶属关系，受地区利益最大化的目标约束，都最大限度地开发利用水资源，以满足地方经济发展的需求。政府各部门之间和上下游各行政区之间的利益鸿沟以及独立决策，产生了流域环境管理的非合作博弈。

如何从多方博弈中设计有效的流域环境管理机制并进行最优化选择，是目前流域环境管理迫切需要解决的问题。机制设计理论作为现代经济学发展的重要成果为流域环境决策提供了理论依据和方法。机制设计理论就是研究在市场失灵的情况下如何设计出一种诱导机制和激励机制，来解决个体或集体之间的利益冲突问题，使之达到协调。信息论、博弈论、委托—代理理论、社会选择理论是机制设计的重要分析工具[23]。

（三）应对流域环境问题的需要

随着工业化和城镇化进程的加快，河道断流、水体污染、水土流失、河道淤塞等诸多流域生态环境问题日趋严重和突出。过去各种局部性的和区域性的问题，很多已经发展成为全流域性的问题，特别是跨行政区的流域水环境问题日益突出[24]。目前我国流域水资源短缺，污染已经成为很多流域越来越突出的问题，流域沿岸居民的饮用水安全也已经受到威胁，而且由水资源问题引发的地区间的利益冲突日益尖锐。流域环境经济学为解决形势紧迫的流域环境问题，实现流域的资源环境开发利用和经济的协调发展拓展了思路。

五、流域环境经济学框架

（一）流域环境与经济的关系研究

流域的各种要素在时间和空间上相互影响、相互制约，构成了一个开放的系统[25]。流域系统的整体性特征，要求流域环境与经济的关系研究必须置于流域环境经济复合系统的整体框架内，使流域环境保护与经济发展的双向优化、相互博弈达到一个可接受的“纳什均衡”，建立起环境友好型的流域经济发展模式。流域环境和经济的关系研究包括：流域环境经济复合系统内各子系统的结构、功能及各子系统之间的相互作用关系和规律；复合系统与外部环境经济的相互作用关系和规律；流域产业结构调整及产业转移与流域水环境质量的响应关系；不同的产业结构调整和产业升级模式对流域环境改善和经济增长的贡献度；水环境容量的空间分异与生产力宏观布局的协调。

（二）流域自然资本的优化配置研究

自然资本是指在一定时空条件下，自然资源及其所处的环境在可预见的未来能够产生自然资源流和服务流的存量。自然资本的概念体现了经济学中稀缺资源的经济价值。自然资源作为一种资本，其未来存量及相应的不确定性是自然资源利用中的重要因素，必须在一个跨期背景下进行研究。流域自然资本的优化配置研究包括：流域自然资本的评估、投资、管理；自然资本损失的经济评估；以自然资本实物量为基础的流域生态补偿理论和方法、流域生态承载力等。

（三）流域环境管理的机制设计

有效的激励机制和约束机制是调节环境和经济发展的重要手段之一。针对流域环境问题的特殊性，在自由选择、自愿交换、信息不对称和分散决策的情况下，如何进行灵活有效的机制设计（法则、政策条令、资源配置等规则），约束流域环境资源的过度使用和污染行为，同时通过有效的激励，改善和提升各利益相关方保护流域环境的意愿实现激励相容，使得各利益相关方的个人利益和流域环境管理整体利益目标一致，是流域环境经济学研究的最终目标[26]。主要包括：

1. 流域环境管理的利益博弈分析

流域环境问题的背后是多个利益相关者的博弈，各利益相关者独立选择的占优策略导致流域环境问题和流域环境管理复杂化。流域环境管理的利益博弈分析主要是引入制度经济学和博弈论的理论及分析工具，考虑各方利益和各地区排污者边际污染治理成本的差异性，研究以流域环境问题形式表现的社会利益结构、利益冲突和利益均衡问题[27]。

2. 流域环境管理体制与机制设计

有效合理的制度安排能够以较小的成本解决问题或实现目标[27]。从现代产权经济学的角度来看，流域环境管理体制和机制的有效性根本上依赖于两大因素：一是激励，能否对利益相关者提供有效激励，并使其激励相容；二是信息，能否有效克服流域管理委托—代理关系中的信息不完全、信息不对称问题[21,28]。目前我国流域环境问题没有得到有效遏制的主要原因是在科层制治理结构和环境管理属地化原则下，由于忽略了宏观层面流域之间和区域与区域之间理性目标的差异，以及由此导致的污染治理信息供给偏差、激励不足和监督缺乏等问题，而未能实现流域管理与行政区域管理之间的激励相容[29]。流域环境管理体制和机制设计主要包括：流域环境管理组织的定位、构成、主要职能；流域环境管理综合决策机制、合作协商机制、监督机制、资金机制、利益补偿机制的设计和最优化选择。

（四）流域环境管理手段设计

流域环境管理手段是实现流域环境管理目标的具体措施，其设计目标是在兼顾效率和公平的前提下，直接或间接改变利益相关者的成本收益，刺激其保护流域环境成为一种自愿行为[30]。遵循分区、分类、分级、分期的理念[31]进行流域环境管理手段的设计，主要包括：①研究基于法律、行政手段的各种命令控制型政策的效率、效果和实施条件，如排污总量分配要考虑流域的地域分异性，并与各地资源环境容量的特征相结合；②研究基于福利经济学的庇古理论和基于新制度经济学的科斯定理的经济激励政策的效率、效果和实施条件，如排污收费、环境税、排污权交易政策等；③研究环境经济政策之间以及环境经济政策与命令—控制型政策的优化选择和组合问题，如取水许可和排污许可联合的审批，水权与排污权的联合市场体系与联合交易[32,33]。

（五）环境经济分析技术的应用

主要是将投入产出法、可计算一般均衡模型、费用效益分析方法等环境经济分析技术应用于流域环境政策、流域环境规划、流域环境污染防治等流域环境决策问题中，进行定量化的环境经济效益分析。

六、结 语

流域环境问题日益突出，严重制约着流域的可持续发展。但是，流域环境系统的特殊性和流域环境管理面临的市场失灵、政府失效，以及理性行为、非理性行为的多方博弈，使环境经济学和其他相关学科无法根本解决。因此，有必要构建流域环境经济学，从新的视角分析流域环境问题产生的根源，进而提出解决流域环境问题的途径。流域环境经济学目前作为一门学科提出来尽管不是十分成熟，但是这样的尝试是有意义的。而且，从目前严重、复杂而紧迫的流域环境问题以及流域管理所面临的困境来看，流域环境经济学具有广阔的发展前景。

流域环境问题涉及多个方面、多个学科，对其整体把握还需要跨学科的综合视野。流域环境经济学不仅要充分利用环境经济学、系统科学、区域经济学、制度经济学等学科的理论和研究成果，而且近年来打破主流经济学的界线和视域的行为经济学[34,35]、机制设计理论、实验经济学[36]等新兴学科和理论也为流域环境经济学注入新的内涵，使其在现实问题的探索中逐步完善起来，为解决流域不断出现和恶化的环境问题、实现流域经济发展与环境保护双赢提供新的思路和方法。作为环境经济学的一个重要分支，流域环境经济学将成为一个新的学科增长点。

参考文献

[1] 吕连宏．流域环境经济复合系统辨析［J］．水资源与水工程学报，2009，20（4）：9－13.

[2] 刘永，郭怀成．湖泊—流域生态系统管理研究［M］．北京：科学出版社，2008.

[3] 王静爱．中国政区和流域的多样性与可持续发展［J］．北京师范大学学报（人文社会科学版），2002（4）：115－121.

[4] 孟伟，张远，郑丙辉，等．生态系统健康理论在流域水环境管理中应用研究的意义、难点和关键技术［J］．环境科学学报，2007，27（6）：906－910.

[5] 李敏纳．国内流域经济研究述评［J］．湖北社会科学，2008（7）：97－100.

[6] 陆大道．区域发展及其空间结构［M］．北京：科学出版社，1995.

[7] 鲁传一．资源与环境经济学［M］．北京：清华大学出版社，2004.

[8] 王玉庆．环境经济学［M］．北京：中国环境科学出版社，2002.

[9] 张海如．论市场失灵与政府失灵［J］．山西财政税务专科学校学报，2000（5）：34－39.

[10] 奥斯特罗姆著．余逊达，陈旭东，译．公共事物的治理之道［M］．北京：三联书店，2000.

[11] 吴玉萍，董锁成．环境经济学与生态经济学学科体系比较［J］．生态经济，2001（9）：7－10.

[12] Sterner T, van den Bergh J. Frontiers of environmental and resource economics［J］. Environmental and Resource Economics, 1998, 11（3）：243－260.

[13] 王礼先．流域管理学［M］．北京：中国林业出版社，1991.

[14] 蔡庆华，吴刚，刘建康．流域生态学：水生态系统多样性研究和保护的一个新途径［J］．科技导报，1997（5）：24－26.

[15] 张思平．流域经济学［M］．武汉：湖北人民出版社，1987.

[16] Weber, M. L., Markets for Water Rights under Environmental Constraints［J］. Journal of Environmental Economics and Management, 2001, 42, 53－64.

[17] 陈宜瑜，王毅，李利峰，等．中国流域综合管理战略研究［M］．北京：科学出版社，2007.

[18] 宗毅君，孙泽生．跨界水污染治理机制中的激励相容问题研究［J］．经济论坛，2008（10）：43－45.

[19] Missfeldt, F., Game－theoretic modelling of transboundary pollution［J］. Journal of Economic Surveys, 1999, 13, 287 - 321.

[20] 胡鞍钢，王亚华，过勇．新的流域治理观：从“控制”到“良治”［J］．经济研究参考,2002(20):34－44.

[21] Oates, W. E., 2001. A Reconsideration of Environmental Federalism, Resources for the Future, Discussion Paper, 1-54.

[22] Cai, H., Treisman, D., State corroding federalism [J]. Journal of Public Economics, 2004, 88, 819-843.

[23] 田国强. 经济机制理论：信息效率与激励机制设计 [J]. 经济学 (季刊), 2003, 2 (2): 271-308.

[24] 中国科学院可持续发展战略研究组. 2007 中国可持续发展战略报告——水：治理与创新 [M]. 北京：科学出版社, 2007.

[25] 王慧敏, 徐立中. 流域系统可持续发展分析研究 [J]. 水科学研究, 2000, 11 (2): 165-173.

[26] 田国强. 激励、信息与经济机制 [M]. 北京：北京大学出版社, 2000.

[27] 沈大军. 论流域管理 [J]. 自然资源学报, 2009, 24 (10): 1718-1723.

[28] 张维迎. 博弈论与信息经济学 [M]. 上海：上海人民出版社, 1996.

[29] 陈湘满. 论流域开发管理中的区域利益协调 [J]. 经济地理, 2002, 22 (5): 525-529.

[30] 沈满洪. 生态经济学 [M]. 北京：中国环境科学出版社, 2008.

[31] 孟伟, 张远, 王西琴. 流域水质目标管理技术研究：V. 水污染防治的环境经济政策 [J]. 环境科学研究, 2008, 21 (4): 1-9.

[32] 齐佳音, 李怀祖, 陆新元. 环境管理政策的选择分析 [J]. 中国人口·资源与环境, 2002, 12 (6): 58-60.

[33] 经济合作与发展组织. 环境管理中的经济手段 [M]. 北京：中国环境科学出版社, 1996.

[34] 董志勇. 行为经济学 [M]. 北京：北京大学出版社, 2005.

[35] 孙绍荣, 宗利永, 鲁虹. 理性行为与非理性行为：从诺贝尔经济学获奖理论看行为管理研究的进展[M]. 上海：上海财经大学出版社, 2007.

[36] 金雪军, 杨晓兰. 实验经济学 [M]. 北京：首都经济贸易大学出版社, 2006.

对我国未来碳减排推进模式的思考

张　真

（复旦大学环境科学与工程系　上海市邯郸路220号　200433）

摘　要　我国在碳减排领域付出了大量的努力但依然承受着巨大的压力。论文基于我国未来将结合节能减排推进碳减排的预期，反思现行节能减排自上而下的推进模式的有待改进之处，认为为了提高碳减排效率，应更充分发挥市场机制的作用，使之与我国行政推进机制相匹配。

关键词　节能减排　碳减排　推进模式

当前，应对气候变化，推进低碳城市建设已成为政府、学者乃至全社会热议的话题。作为全球二氧化碳的主要排放国，我国的碳减排问题已跃出了国界，成为受到世界关注的焦点。作为一项约束性指标，碳减排将被纳入国民经济和社会发展中长期规划，有关部门将据此制定相应的统计、监测、考核办法。

在我国，虽然全社会已就碳减排的重大现实意义和深远影响达成共识，但面对碳减排领域诸多重大而现实的困难，各地的减排工作存在路径不明、措施单一的问题。对此，本研究认为，我国碳减排的重心应当在全面利用现行节能减排成果的基础上，充分调动各种积极因素投入其中。提高传统能源的利用效率是碳减排的抓手，而不断降低碳减排成本则应当成为各项措施的核心目标。

一、我国在碳减排领域的努力与压力

作为碳排放的大国和《联合国气候框架公约》的发展中国家签约国，我国一直负责任地履行在此问题上所作出的承诺，在碳减排问题上做了大量工作。这其中包括在“十一五”规划提出了单位GDP能耗降低20%的约束性指标。2007年国务院发布《应对气候变化国家方案》，明确到2010年我国单位GDP能源消耗较2005年下降20%左右，可再生能源的比重将提高到10%，到2020年将提高到16%。2007年9月，胡锦涛主席在APEC第十五次领导人非正式会议上提出发展低碳经济、研发和推广低碳能源技术、增加碳汇、促进碳吸收技术。2008年6月，应对气候变化、发展低碳经济首次成为中央政治局集体学习的内容。2009年8月，国务院常务会议首次提出中国将培育低碳排放为特征的新的增长点。当月，全国人大常委会通过了《关于积极应对气候变化的决议》，强调要立足国情发展绿色经济、低碳经济，把积极应对气候变化作为实现可持续发展战略的长期任务纳入国民经济和社会发展规划；2009年11月，国务院常务会议提出2020年单位GDP的二氧化碳排放比2005年下降40%～45%，并作为约束性指标纳入国民经济和社会发展中长期规划。

虽然我国在碳减排领域取得了较为显著的成效，但在当前及未来一段时间内，我国在该领域所面临的困难不容小觑，主要表现在以下三个方面。

1. 我国在发展新能源、清洁能源等替代能源方面并不具有显著优势。“富煤、少气、缺油”使我国能源消费具有明显的“高碳”特征。近30年来，原煤在我国能源生产总量中的占比稳定在70%以上，这加大了能源结构转换的难度。如果我国在短期内大规模发展新能源产业，则核电发展可能遭遇原材料供给瓶颈；风能与太阳能可能面临核心技术匮乏与相关配套设施建设滞后的障碍；水能资源开发则可能遭遇尖锐生态环境保护矛盾。由此可见，从自然资源禀赋特征来看，我国以煤为主的能源结构特点在可预见的未来是难以改变的。在高碳背景之下，我国温室气体排放量的削减将遭遇比发达国家更大的困难。

2. 经济快速成长期加剧了碳减排的难度。目前及未来30年，我国正处在工业化中期和与之相伴随的高速城市化建设时期。我国经济的规模和成长性、密集的城市建设都会加大我国对水泥、钢材、有色金属等高能耗产品的需求，也加大了我国经济增长的碳排放强度。自1992年以来，建筑业在国内生产在总值中的占比稳定在5%以上表明，只要这一建设高潮期续存，我们就难以降低经济活动对高耗能行业的需求。可以预见，为了使当前的13亿、未来的16亿中国人拥有有尊严的生活，能源消耗与碳排放的增长都将不可避免。据预计，我国的碳排放可争取在2030—2040年达到峰值[4]。结合其他国家的经验，在这一时期试图以价格高昂的新能源替代化石能源的做法是缺乏可行性的——即使是资金与技术均显充裕的发达国家，其在历史上也未曾做到。

3. 转变经济增长方式困难。虽然转变经济增长方式被认为是解决问题的根本之策、长远之计。但是，由于这一问题涉及社会经济活动的各领域，与诸多深层次的改革相联系，因此消除经济增长方式的粗放性又是十分困难的。

综上所述，我国从实践可持续发展战略的层面认识碳减排，将其上升到转变经济发展模式高度。这意味着，碳减排不再是单纯的技术问题、项目问题，而业已成为产业发展方向的确定问题、经济发展模式的选择问题。因此，碳减排将成为我国未来一项长期而艰苦的工作，不断降低减排成本应当是其取得成功的关键。

二、“十二五”期间的减排情景预测

考虑到我国以煤为主的能源结构，可以认为，作为“十一五”规划中约束性指标之一的“节能”与未来的碳减排目标一致、推进路径类似。依据温家宝总理的讲话精神，从效率的角度出发，未来我国碳减排工作将会与现行节能减排工作结合进行。就“十二五”期间而言，目前所不确定的是在国家“十二五”规划中，碳减排的推进机制在多大程度上与节能减排机制并轨，是否会出台全面的碳减排目标和要求。据此设想，“十二五”期间，国家可能采取的碳减排推进模式有如下三种情景：

情景一：继续推进“节能减排”，即主要从控制能源碳排放的角度来推进碳减排。以能效强度指标替代碳强度指标，但可能在“十一五”的基础上加大能效强度指标的降低幅度。这就意味着“十二五”的碳减排与“十一五”的节能减排机制完全并轨。

情景二：在“十一五”节能减排工作的基础上，国家在依托现行节能减排推进模式推进碳减排的同时，鼓励地方、企业与社会因地制宜，以多种方式实现碳减排，并在此基础上形成相应的试点与示范。

情景三：“十二五”期间，国家在各个省市全面推进碳减排。这包括要求各个省市建立温室气体排放清单。考虑到与之相关的管理、评估、考核与监测体系异常复杂，短时间内难以形成有效的管理体系。因此，相对来说，这一方案目前尚不成熟，近期实施的可能性较小。

从我国当前的发展情况来看，以第二种情景模式来推进碳减排的可能性较大。由于节能减排工作已经有较好的基础，依托其推进碳减排能极大地提高相关工作的效率。而通过碳减排的试点则能为国家在更长远的未来全面推动碳减排提供经验，同时又与中国一贯的推动模式具有较大的一致性。因此，以情景二的方式来推进“十二五”的碳减排工作的可能性最大。为此，有必要反思现行节能减排的推进模式，以期更加富有效率地推进未来的碳减排。

三、反思自上而下的推进模式

由现行节能减排的推进方式可以预见，未来我国推进碳减排可能采取的推进方式——中央政府确定减排目标，编入国民经济发展规划，利用行政系统整合资源的优势，层层分解指标，自上而下地逐级推进。就我国在节能减排领域所取得的成就看，这样的做法无疑是非常有效的。从国际社会，尤其是《京都议定书》签约国的碳减排实践看，其完成国家碳减排任务的路径均是将指标落实到具体企业，政府监督企业完成预设的减排指标。

然而，从进一步提高碳减排效率的角度出发，上述推进模式的有待改进之处在于弱化条块分割，增强服务业、市场机制等对碳减排的支持，减轻政府直接承受的碳减排压力。

具体而言，现行自上而下的推进模式具有靶向性特征。具体表现在以下三个方面。

1. 减排主体与对策措施的单一性。如减排主体往往被锁定为生产力水平相对先进的重点企业。减排手段则集中于用能设备的节能改造，加装净化设备等能够直接降低能耗与排放的措施。于是，当重点企业通过完成一系列节能、降耗、减排改造，在“十一五”已取得较为明显的节能减排成效的情况下，未来的减排之路该怎样走将成为横亘于碳减排工作上的巨大困难。例如，早在2004年，上海浦东新区万元产值综合能耗就低于0.9吨标准煤，而同期上海为1.02吨标准煤，全国则高达2.37吨标准煤。当时，浦东仅为全国水平的38%。

2. 靶向性特征表现为各减排主体少有联系与合作。各减排主体、各地区满足于完成上级下达的减排任务，而较少考虑通过横向的合作，尤其是通过跨行业、跨行政区划的合作，在更大范围内交流减排技术、提供减排资金、协调减排额度，以实现边际减排成本的最小化。承担减排任务的企业几乎是在彼此孤立的情形下完成各自的减排任务，同时缺乏将自己更先进的节能减排技术、管理经验等以销售服务的形式提供给有类似需求企业的条件。

由于缺乏配套服务，缺乏市场的协同配合，作为减排主体的企业缺乏经济激励，那些规模不大的企业还缺乏必要的技术与资金。于是，政府不仅是节能减排工作的监管部门，还是资金与技术的提供者。政府因此而承受着几乎全部的节能减排压力，更为严峻的是，由于市场机制的不活跃，相关企业或产业可能无法在碳减排中获得发展机遇。

3. 靶向性特征表现在“抓重点”的工作模式之中。其不利之处在于难以顾及低碳经济运行模式、生活方式优化和碳减排理念的普及。在自上而下的推进过程中，各级政府所采取的“抓重点”工作模式常常被具体化为项目导向、工程导向，这使得碳减排工作因过度局限于技术改造项目而缺乏必要的，同时也是更宏观、更开阔、更整体的视野。其潜在的风险在于难以推动全社会的持续减排。试想，在人、财、物等资源的约束下，政府直接监管的“点”是十分有限的。如果这些“点”无法结成覆盖全社会的“网”，则难以系统的、在最广泛的程度上推动一个社会的生产方式与生活方式的低碳化。于是，碳减排工作的成就被局限于个别企业或试点的成功，而缺乏推广价值。那些未被触及的非重点企业、其他行业或普通公众，可能既缺乏减排的积极性也缺乏必要的方法、途径。

基于以上分析，笔者认为，基于公共资源与政府能力的有限性，碳减排需要充分利用市场配置资源的功能，最大限度地吸引各类资源的进入。我们需要更活跃的创新与研发，更健全的市场化服务和公共服务，更多、更有效的融资手段与更多元化的投资主体，更活跃的交易平台。目前政府单打独斗、单兵突进的现象表明，市场力量未被充分激活的局面应当被改变。从更宏观的视角观察，诸如被列为重点的大企业的减排技术与管理优势尚未充分扩散、行业协会的组织与协调作用尚未发挥、各类非政府组织对政府监管的协助作用尚需积极引导等现象均表明我国在利用市场机制为碳减排工作的推进提供专业化服务存在巨大的潜力。

由此，自上而下的推进模式应当变得更具灵活性。政府在碳减排中发挥的主导作用集中体现于在税收制度、市场准入制度、交易制度设计中融入低碳要素，充分调动社会力量与市场力量参与其中。为此，我们应当以城市这个市场力量的聚合体为载体，更充分地利用包括金融、经纪、法律等高端第三产业，衍生出支持国家碳减排目标的服务业。地方政府不应仅仅满足于完成既定的减排目标，还应通过城市综合功能的整合作用，尤其应充分利用中心城市的集聚效应和辐射效应所产生的经济效应，引导相关产业发展并形成产业链，甚至是产业集群。如果这样，当国家层面的碳减排指标被分解下达时，地方政府就可以依据当地的发展目标、转型需要、经济发展模式的调整等，进行内部微调和跨行政区划的协同与联动，更具灵活性地完成上级下达的任务。

四、结 语

与节能减排相比，未来的碳减排不仅包括以工业企业为主的能源消费所带来的碳排放，还包括其他产业，甚至是消费领域的碳排放；需要转变的不仅是生产方式，还包括生活方式。这要求政府未雨绸缪，尽早设计充分利用市场机制与社会力量的碳减排政策体系，在不放弃抓重点工业企业减排的同时，使更多的排放主体投入到碳减排之中。未来的碳减排工作的顺利实施需要建立强大而健全的、与我国自上而下的推进模式相匹配的市场机制，以利于调动全社会各类利益主体的积极性，并以此构造更具系统性、协调性的保障体系。

参考文献

[1] Sustainable Market Solutions for Global Environmental Problems，Greenhouse Gas Market 2004，International Emissions Trading Association（IETA），2004.

[2] Tobias A. Persson，Christian Azar，Kristian Lindgren. Allocatioll of CO_2 emission Permits – Econmic incentives for emission reductions in developing countries［J］. Energy Policy，2006，34（14）：1889 – 1899.

[3] Jepma C. J. and Munasinghe Mohan，Climate Change Policy：Facts，Issues and Analyses，Cambridge：Cambridge University Press，1998.

[4] Camill Abretteville Froyn，H. Asbjorn Aaheim. Sectoral Opposition toCarbon Taxes in the EU – a Myopic Economic Approach［J］. International Environmental Agreements：Politics，Law and Economics，2004（4）：279 – 302.

[5] 中国科学院可持续发展战略研究组. 2009 中国可持续发展战略报告——探索中国特色的低碳道路［M］. 北京：科学出版社，2009.

[6] 仇保兴. 我国城市发展模式转型趋势——低碳生态城市［J］. 城市发展研究，2009，16（8）：1 – 6.

[7] 王金南，严刚，姜克隽. 应对气候变化的中国碳税政策研究［J］. 中国环境科学，2009，29（1）：101 – 105.

[8] 任卫峰. 低碳经济与环境金融创新［J］. 上海经济研究，2008（3）：38 – 42.

排污权交易制度中的公民环境权研究

刘 建

（汉中市人民检察院 723000）

摘 要 排污权交易制度在环境保护方面发挥重要作用，但排污权交易制度本身便是对公民环境权的一种形式合法的威胁和侵害。通过公民环境权在排污权交易中的具体地位明确，才能更好地完善和构建排污权交易制度，明确排污权交易制度中的公民环境权的特征，明确环境权的性质，才能发挥环境权，这一宪法性基本人权对排污权这一用益物权的制约，为公民环境权的保护和救济提供基础。

关键词 环境与资源 排污权交易制度 公民环境权

伴随人类社会的发展，人类征服和改变自然能力的加强，使得人和自然的关系变得很不和谐，环境破坏与资源稀缺成为人类必须面对的问题，为了扭转这种不和谐的关系，1968 年戴尔斯在《污染财富和价格》一书中最先提出了用法律方法解决环境与资源问题的制度，尝试排污权交易制度，这项制度首先在美国《清洁空气法》中得以确立，为美国的环境保护提供了强大的法律制度支持，这项制度被各国纷纷采用①。排污权交易制度也成为解决环境资源问题的有效法律制度。公民环境权的设立与排污权交易制度都以人与环境的和谐为目标，但如果不明确排污权交易制度的运作机制，公民环境权的特征，排污权交易制度中的公民环境权的具体权利，那么环境权将得不到保证，如果不以权利对权力的制衡机制为原则，不以排污权交易制度中的具体化公民环境权制衡和限定排污权，那么排污权的天然扩张性和用益物权性，会使形式合法的排污行为造成公民环境权益的侵害，而公民没有相应的权利进行制衡和限定，进而加剧人与环境的不和谐。

一、环境与资源保护中排污权交易制度

（一）排污权交易制度渊源

排污权交易制度，简而言之就是把排污权当作一种商品进行交易，主要通过建立合法的污染物排放权利，并允许这种权利像商品一样在排污者之间有偿自由流通。由政府主导对特定区域的对环境资源中环境容量资源的一种有偿的市场化配置制度，这种配置制度以人类和自然环境不致受害的情况下其所容纳污染物的最大负荷，即环境承载能力，作为制度设计的基石，依环境承载能力确定排污指标总量，再将排污指标有偿或无偿分配给排污者。排污权作为用益物权，可以在排污市场中以价值规律进行买卖。排污权交易制度的理论和实践主要在美国，1990 年美国清洁空气法修正案采用了基于市场的控制策略。这种全新的环境法律制度给公民环境权带来了全新的挑战与机遇。各国纷纷对此项制度进行研究。

（二）排污权交易制度中排污权的性质

排污权交易制度中排污权的性质应是用益物权。其一，排污权实际上是环境资源中的环境容量使用权，环境容量是一种无形资产，其主体属于国家，是国家允许不同的主体使用一定的环境容量，是国有资源所有权衍生出的从权利。其二，用益物权以对物的占有为前提，而排污权的客体无形无体，不可以直接占有，但占有不排斥间接占有，排污者以国家许可以一定排污标准排污，排污的这种行为可以定为对国家所有的环境容量的占有，有自身特殊性。②

① 潘志平论排污权交易［J］．现代法学，2006，6：27.

② 李霞，狄琼，楼晓．排污权用益物权性质的探索［J］．现代法学，2006，5：31.

（三）排污权交易制度的作用

排污权交易制度以经济手段作为杠杆来保护自然环境和公民环境权，是一项经济和高效的法律制度，在保护公民环境权方面有不可替代的作用。其一，使全球排污行为可以得到全面综合的控制和减量化，有利于全球环境质量的提高和公民环境权的实现。排污行为引起的环境问题不是一个地区性的个别问题，而是全球性的，要进行综合治理非常困难，其致害因子多和隐蔽性强、因果关系复杂和破坏性大，以及累积性和人为性，往往付出高昂的代价而效果很差，只有全球性的综合治理才能见效。全球处于同一生态系统中，某一地区的污染会在全球扩散，迁移危害全球。因此只有协调各个地区国家组织和个人的关系，才能更好地维护公民的环境权。排污权交易制度跨越了国家政治文化地域的不同，以一种法律制度的形式，在全球扩展，从而使全球污染的综合治理得以实现。其二，排污权可以收到投资少见效快的环境效益，具有经济上的高效性和环保上的彻底性，排污权交易制度的建立，政府机关只需要确定排污权交易的份额总量及排污权交易的分配方案便可以启动排污权交易制度，制度启动后便可以发挥市场的调节作用，而不必由政府机关整日检查监督排污者的排污行为是否合法。排污权交易制度节省了大量的环保人员的培训费用，也减少了国家维护环保机构运作的大量经费支出。其三，排污权交易制度可以使环保由被动治理变为主动预防，从浓度控制变为总量控制，从根本上改变了落后的环保战略，从根源上减少了排污总量，从而保护人类的环境权益。其四，排污权交易制度启动后便可由市场自行调节，在尊重市场规律的前提下，各排污者自行购入和卖出排污指标，不像环境影响评价制度、“三同时”制度、排污收费制度等需要由政府始终主导整个环保过程。排污权交易制度更符合现代的管理和行政理念，使市场主体的排污指标交易行为和环境权益的保护更加紧密，客观上能够限制政府、排污者及其他公民和单位破坏和污染环境的行为。排污权交易制度束缚了政府和排污者肆意妄为侵害公民环境的手脚。

二、环境与资源保护中的公民环境权

（一）公民环境权的渊源

在生产力水平低、人口少的条件下，阳光、空气和水等环境构成要素都被认为是无限的，并不具有稀缺性。这些环境要素既可以满足人们的生活需要，又可以满足人们的生产需要，二者之间不构成竞争用途。但是随着生产力的发展和人类文明的提高以及人口的膨胀，自然环境的组成与结构被大规模改变，清洁的水、空气、安宁、阳光等环境要素作为稀缺性资源的特性逐渐显露出来，人类的生存利益和生产利益在对环境的需求上构成矛盾。为此，社会就有必要对人类的利益作出制度性安排，赋予主体一定的权利，平衡与制约各微观主体之间因利用稀缺性资源而发生的关系。这种权利是一种公用资源的共有支配权，也就是“环境权”。由此可见，“稀缺性”是环境权产生的最根本原因。①

环境权的研究和提出始于20世纪60年代，当时美国密执安大学的萨克斯教授提出“环境公共财产论”、“环境公共委托论”，他认为，空气、水、阳光等人类生活所必需的环境要素，在当时受到严重污染和破坏以致威胁到人类正常生活的情况下，不应再视为“自由财产”而成为所有权的客体，环境资源就其自然属性和对人类社会的极端重要性来说，它应该是全体国民的“公共财产”，任何人不能任意对其进行占有、支配和损害。为了合理支配和保护这种“公共财产”，共有人委托国家来管理。国家对环境的管理是受共有人的委托行使管理权的，因而不能滥用委托权。于是，有人便在“公共财产论”和“公共委托论”的基础上提出了环境权的观点，认为每一个公民都有在良好环境下生活的权利，公民的环境权是公民最基本的权利之一，应该在

---

① 张梓太．环境与资源法学［M］．北京：科学出版社，2005，7：52.

法律上得到确认和保护。① “四十多个国家即全球五分之一的国家通过宪法或法律中都规定了环境权。其中，70 年代以后通过的宪法和宪法修正案都没有忽视这一权利。但在国际环境法领域，只有没有约束力的文件承认环境权，如《斯德哥尔摩宣言》、《世界自然宪章》、《里约热内卢宣言》。80 年代以来通过的大多数文件都承认环境权。”②

（二）公民环境权的特征

关于公民环境权的理论尽管众说纷纭，但大体而言，其指称的环境权在排污权交易制度中仍具有以下特征③：第一，公民环境权是一项基本人权。④ 所谓基本人权是指人们在国家政治生活、经济生活、文化生活和社会生活中源于社会生活的本质，与主体的生存、发展、地位、直接关联的、人生而有之的、不可剥夺转让的、不可规避的且为社会公认的因而可以是不证自明的权利。作为一项基本权利排污权交易制度中的公民环境权具有以下特征：其一，不可或缺性。若公民没有呼吸新鲜空气、饮用干净水源的权利其自身便无法生存，更谈不上享受其他权利。其二，公民环境权的不可转让性。转让便直接威胁转让者的生存，其与其他可以转让的民事财产权具有截然不同的性质。其三，公民环境权的不可替代性。因为此项权利关乎主体的生存和发展不同于财产权的转让，不会影响主体的生存和发展。其四，公民环境权具有稳固性。无论是国家体制或法律修改一般不会影响公民环境权，因为公民环境权具有公益性，对各阶级来说都是有益的。其五，公民环境权的母体性。其他权利可以根据公民环境权予以派生，在不同的制度中派生出不同的权利，具有极大的弹性和内容的丰富性。其六，公民环境权的共似性。公民环境权在不同的国家不同的制度中有惊人的相似性，因为此项权利追求的是全人类利益的实现而不局限于某个国家某个组织，公益性是共似性强大的基石。第二，宪法位阶。主张环境权者虽不以宪法层次为限，但无论立论的基础如何，皆主张环境权应具有宪法位阶，许多学者还认为宪法层面的环境权更具理论和实践价值。2003 年 6 月，法国政府内阁会议通过了古生物学家伊夫考蓬领导的宪章委员会起草的《环境宪章》的草案。《环境宪章》共有 10 条，第一条规定“人人都有在平衡和健康的环境中生活的权利”；第二条规定“人人都有义务保护和促进自然环境”，宪章中还规定“人人必须对环境造成的损害支付赔偿。”法国总统希拉克认为，法国政府内阁会议通过《环境宪章》是一次有历史意义的进步，它将环境权奉为至高无上，使环境权取得了与 1879 年通过的政治和民事权利以及 1946 年通过的经济和社会权利同等的法律地位。我国宪法第 33 条规定“国家尊重和保障人权”⑤，大多学者认为人权入宪标志着公民环境权在中国入宪。第三，共有性。大多数环境权学者认为环境权应为公民共有。一方面，从公民环境权产生的历史背景来看，公民环境权的主张是对政府维护环境舒适能力的不信任，是对政府权力的限制。叶俊荣先生对此有独到的分析：“六十年代与七十年代处民权呼声震天，社会普遍怀有对政府企业不信任的态度，许多揭发性与警告性的论著不断出现，且受极大关注，彼时也是科技悲观主义的高峰，民间普遍对周围一切怀有不安全感，对政府解决社会问题的能力与真诚亦极度不信任”。在此种“信心危机”高涨的情况下即自然希望有高层次不可侵犯的权利，藉此获得保障。在环保领域便不难想象有识之士主张具有宪法位阶的环境权，以“锁定”政府与企业联手盲目开发活动⑥。第四，公民环境权是一项概括性权利，包含实体和程序性权利。首先，环境权是一项有诸多权能的实体权利，具

① 陈泉生．环境法原理［M］．法律出版社，1997：101,102.

② ［法］亚历山大·基斯．国际环境法［M］．张若思译．法律出版社，2000：22－23.

③ 叶俊荣．环境政策与法律［M］．台湾月旦出版社，1993：5－6.

④ 周珂．生态环境法论［M］．法律出版社，2001：88.

⑤ 窦玉珍，马燕．环境法学［M］．中国政法大学出版社，2005：42.

⑥ 叶俊荣宪法位阶的环境权：从拥有环境权到参与环境决策［M］．载于环境政策与法律［J］．台湾月旦出版社，1993：11－12.

体包括两个方面，一是和公民个人生存健康直接相关与个人生活密切联系的阳光权、通风权、眺望权、安静权、嫌烟权等，二是和公民个人生存健康直接相关又和公益和公共密切相关的清洁空气权、风景权、环境美学权、历史文化遗产瞻仰权等。① 其次，程序性权利的地位不可偏废，我国素有重实体轻程序的传统，忽视程序性权利的地位几乎使研究走向困境，要改变这种局面就必须明确细化公民环境权的程序性权利，正如基斯先生所言："公民环境保护的具体参与是环境权的真正体现，它不仅使个人行使他所享受的权利，还使他承担这方面的义务，而且公民因此不在是消极的权利享受者，而是分担管理整个集体利益的责任。"② 实体与程序性权利二者相辅相成不可偏废。

（三）公民环境权的性质

从环境权的提出来看，是将其作为一种新型人权，主要表现在国际公约中。在实践中对环境权表达多样，一是立法上有不同的表达。二是研究者对这一概念有不同的认识。③ 20 世纪 70 年代，诺贝尔奖获得者国际法著名学者雷诺·卡辛向海牙研究院提交一份报告，要求将现有人权扩展至环境权，并对此作了论述。1973 年在维也纳召开的欧洲环境部长会议通过了《欧洲自然资源人权草案》，肯定将环境权视为一种人权，作为《世界人权宣言》的补充。因此公民环境权应是从宪法层面加以保护的具有共有性，以各种实体性和程序性权利表现的公民享有在清洁、舒适、健康的环境中生产、生活的一项概括性基本人权。基于其具有的特征，在不同的法律制度中便有不同的派生性权利，结合排污权交易制度的设计，明确在此制度中，公民环境权的具体权利，是建立其他保护、救济、制约等配制度的基础，也是更好地保护公民环境权，维护人与环境和谐，协调环境效益、经济效益、社会效益的重要途径。

三、环境与资源保护中排污权交易制度下公民环境权的意义

排污权交易制度其实质是，政府主导的对环境资源中环境容量资源的一种有偿的市场化配置制度，这种配置制度以"人类和自然环境不致受害的情况下其所容纳污染物的最大负荷"④ 即环境承载能力，作为制度设计的基石，而并没有考虑环境承载能力与公民对环境期望值之间的差距，不是以生态环境的保护和公民环境权益的实现为最高行为准则。从根本上说，排污权交易制度中的用益物权性排污权便是在形式合法的外衣下侵害公民环境权，排污权交易制度的形成是道德约束和政府监管都无力之时，无法更有效地治理环境污染，对"许多相互冲突的利益需要调整"的折中与平衡，是两害相交取其轻的无奈之举。当排污权交易制度法定化后，排污权便具有用益物权的对抗性。如果公民享有的诸多与自身利益相关的利益得不到法定，那么公民的这些基本需求在受到侵害后便难以得到救助和赔偿，得到的最多是不足额的补偿，这对公民来说极不公平。要减少公民环境权利被侵害可以通过权力制衡机制加以解决，要么消灭肇事者排污权，要么对其加以必要的限制。消灭排污权短期不大具有可行性，人类总是要向前发展的，不能被问题束缚后便想着走回头路，这不符合人类的发展规律。

排污权交易制度，在保护公民环境权方面也发挥着不可替代的巨大积极作用。其一，为公民环境权的保护提供法律制度上的有力保障，把权利留在纸面上不是好的立法者的初衷，而把权利在生活中得以实现才更具价值。排污权交易制度作为一种法律制度具有法定性和长期的稳定性，通过排污权交易制度的完善，其中公民环境权的明确，才能使这一基本人权的内涵得到充实，外

---

① 吕忠梅．环境法［M］．北京：法律出版社，1997：137.

② ［法］亚历山大·基斯．国际环境法［M］．张若思译，北京：法律出版社，2000：21.

③ 窦玉珍，马燕．环境法学［M］．北京：中国政法大学出版社，2005：41.

④ 环境科学大辞典［M］．北京：中国环境科学出版社，1993：323.

延得到明确，使公民环境权的保护和救济更具可操作性，为司法实践提供有力和正确的指导。其二，为公民参与环保提供途径，避免公共绿地的悲剧发生。环境资源容量作为一种公共资源，其主体较难界定，往往形成公民环境权受到侵害，但难以找到具体的救济途径。通过排污权交易制度中排污区域的划定，该区域公民的参与权及诉讼权等派生权利，就有了行使的途径，使公民的环境诉求有表达的机制，使环境权有行使的机制和途径。其三，为公民环境权的保护提供了一种新的思路和运作模式。传统的环保都是政府主导的模式，人力和物力的调配有政府财政保障，但环境污染具有长期性、投资大和收益慢，要治理投资非常大，积极的预防一贯是环境管理的重要战略。排污权交易制度可以使环境责任原则具体化，做到污染者付费和破坏者恢复，利用市场机制自行调节，节约大量的人力和财力，可以使环保得到持久和大量的资金，减轻公民和国家的环保负担，也可以使预防为主原则得以实现。排污权交易制度与公民环境权是对立与统一的关系，减少对立，增加统一，促成二者的良性运作，才是根本出路。

四、排污权交易制度中公民环境权实现的法律路径

排污权交易制度与公民环境权是对立与统一的关系，对排污权这种用益物权加以制约可以通过具体化的环境权加以实现。设定排污权交易制度中的具体公民环境权，建立一个由实体和程序相辅相成具体环境权利体系，在保留排污权交易制度的前提下，完善和充分发挥该制度的积极作用，使环境得到保护，公民环境权得以实现，使人与环境的关系变得和谐。①公民环境知情权。公民环境知情权是公民环境参与权的前提和基础，没有环境咨询的公开和了解，公众便无法参与环境的决策和保护，在排污权交易制度中，公民有权知道排污指标总量、排污指标分配、污染物排放后环境的影响变化、排污者的治理能力等基本信息，当然法律规定需要保密的除外。公民环境知情权就如同一把打开其他权利大门的钥匙，是其他权利行使的基础，也是防止政府与排污者合谋侵害公民环境权的重要权利。②公民的环境参与权。1992 年巴西里约热内卢通过《里约宣言》承认各国公民参与环境事务的各项权利。我国也是缔约国因此也要受条约约束，排污权交易制度中的公民环境权可以具体化为立法参与权、执法参与权、环境诉讼参与权、排污份额分配参与权、环境监督参与权等。只有首先保证排污权交易制度本身设计上利益相关方利益诉求的表达参与权，才能保证制度设计的科学可行性，权利只有自己行使才是足额的，因此公民只有为自己为蓝天白云站起岗时，自己的权利才是足额的。③公民环境评价权。公民环境评价权不同于政府的环境影响评价权，它没有国家强制力保证实施，此项权利主要是对排污交易的排污行为有受影响的予以揭示、评价，形成来自社会的一种舆论压力，也可借鉴《水法》中的制度设计，由利害关系人直接评价被评对象的环境状况，并具有一定的法律强制力。应将环评结果与排污者取得排污指标，接受奖励指标联系。公民环境评价权应贯穿排污权的取得、使用、变更、消灭的全过程，切实保护公民环境权。④公民的监督权。公民的监督权包括对排污者的监督也包括对政府的监督，监督贯穿排污权交易的始终及排污后的治理监督，从环境资源容量的确定，排污指标的分配，排污者的确定，减排份额的确定，奖励指标的确定分配，排污权变更转让的全过程。权利与权力都有扩张的天性，监督是保证其运作规范的戒尺。⑤排污指标的购买权。排污指标在一定的时空内是一个定值，并遵循价值规律，数量减少时排污指标的价格必然上涨，这样就刺激排污者改进技术，淘汰落后的工艺设备，增加环保科研的投入，对环保十分有利。公民购买排污指标间接地淘汰了许多污染源，有利于环保和自身环境权的实现。⑥公民的环境收益权。排污权的分配不都是无偿的，因此政府能得到大量的收益，公民的环境如前所述具有公共性，是一项基本权利，也是受污染物直接损害的权利。依我国法律，侵权行为是不法行为，适用赔偿原则，其他致害行为是合法行为时，一般适用补偿原则。据此，政府应保护公民基于权利受损补偿性质的环境收益权。⑦公民环境诉讼权。“有权利必有救济”、“无救济便无权利”的古老法则，表明诉讼的

重要地位。依权利受损的程度和性质及受案标准可选择合适的手段，包括环境民事诉讼、环境刑事诉讼、环境行政诉讼。① 公民的环境始终是权利和义务的统一体。② 公民相应的也要负容忍和主动参与等义务。由此可见，公民环境权在排污权交易制度中发挥重要作用，是排污权交易制度设计的基石，也是公民权利受到保护的重要依据。

五、结　语

排污权交易制度中的公民环境权是环境权一个很重要的派生权利，面对满目疮痍的自然环境和日益严重的公害与环境问题，排污权交易制度虽然理论上可以把污染控制在环境承载能力之内，但环境问题具有的突发性和积累性，以及隐蔽性和伴随性、因果关系复杂性使得再精巧和合理高效的制度也显得疲于应付，因为制度与权利的设定总是有滞后性，公民环保意识才是制度的灵魂，硬件与软件的结合才是环保未来的出路。正如徐显明教授指出："环境权是宪法当代化的标志，它可以使我们产生这样的观念：我们现在所拥有的一切是从子孙那借来的。因此环境权要强制人们形成债务意识，要完好无损地将现存的环境，资源像还债那样交与后代。"③ 愿人们设计制度，设定权利的时候，请常记起徐显明教授的箴言。

参考文献

[1] 韩德培．环境保护法教程［M］．北京：法律出版社，2003.

[2] 吕忠梅．超越与保守——可持续发展视野下的环境法创新［M］．北京：法律出版社，2003.

[3] 汪劲主．环境法［M］．北京：人民法院出版社，2003.

[4] 郑少华．生态主义法哲学［M］．北京：法律出版社，2002.

[5] 窦玉珍，马燕．环境法学［M］．北京：中国政法大学出版社，2005.

[6] 罗杰·W. 芬得利，丹尼尔·A. 法伯．环境法概要［M］．北京：中国社会出版社，1997.

[7] J. G. 阿巴克尔．美国环境法手册［M］．北京：中国环境科学出版社，1988.

[8] 王灿发．环境法教程［M］．北京：中国政法大学出版社，1997.

[9] 张梓太．环境与资源法学［M］．北京：科学出版社，2005.

[10] 蔡守秋．当代环境法［M］．香港中华科技出版社，1992.

① 常纪文．环境法原论［M］．北京：人民出版社，2001：276.

② 叶明照．中国自然保护立法基本问题［M］．北京：中国环境科学出版社，1992：40.

③ 周训芳．环境立法的困境与出路［J］．时代法学，2004（2）：59.

二氧化硫总量控制与排污权交易

王红宇　梁维华　白文娟

（1. 天津市环境保护科学研究院　天津市南开区复康路 17 号　300191；
2. 天津市固体废物和危险化学品管理中心　天津市南开区复康路 17 号　300191；
3. 天津市环境保护科学研究院　天津市南开区复康路 17 号　300191）

摘　要　目前，我国正处于从传统向现代加速转型的历史时期，面临着严重的大气污染问题。实施二氧化硫总量控制与排污权交易制度，做好大气污染防治工作，已成为实现可持续发展战略的重要内容。通过公平分配初始排污权、构建统一的信息平台、制定和完善排污权交易的法制基础、建立完备的污染物监测系统推进二氧化硫排放权交易在我国的实施进度。

关键词　总量控制　排污权交易　二氧化硫

目前，我国正处于从传统向现代加速转型的历史时期，经济持续增长，市场化改革程度加深，由此也导致对自然资源的开发程度加大，污染物排放量急剧增长，我国正面临着严重的大气污染问题。1986—2009 年，我国出现暖冬，极端天气、气候事件与灾害的频率与强度明显增大。据 2006 年底发布的《气候变化国家评估报告》预测，未来我国气候变化的速度将进一步加快，很可能在未来 50 ~ 80 年全国平均温度升高 2 ~ 3℃。实施二氧化硫总量控制与排污权交易制度，做好大气污染防治工作，已成为实现可持续发展战略的重要内容。

一、总量控制的内涵

总量控制最初的定义是指把某一区域的污染物负荷总量控制在自然环境的承载能力范围即环境容量之内[1]。总量控制是污染物排放总量控制的简称，是指将某一控制区域（如行政区、流域、环境功能区等）作为一个完整的系统，采取措施将排入这一区域的污染物总量控制在一定数量内，以满足该区域的环境质量要求或环境管理要求[2]。

总量控制可以分为容量总量控制和目标总量控制。容量总量控制是以环境容量为依据，在满足区域环境质量目标的前提下，进行总量计算和分配。容量总量控制以环境目标为导向，具有较强的科学性。目标总量控制是在不能确切知道环境容量或为了适应环境管理需要而开展的一种总量控制。其依据区域污染物排放总量目标，从现状排放水平出发，通过经济技术优化，确定总量分配和污染物削减方案。目标总量控制虽然不能将污染物排放和环境质量直接联系起来，但其需要的数据资料和水平较低，易于实现和操作，同时也能起到较好的环境管理效果[3]。

二、排污权交易制度的内涵

排污权是指在满足环境要求的条件下确立量化的单位污染物排放的权利成本即排污权。这种权利可以通过政府无偿分配、有偿分配或拍卖等方式取得。

排污权交易制度是指在一定区域内，依据该区域内环境质量要求，确定一个时期内污染的排放总量（排污指标总量）及浓度控制指标，并在此基础上，进行排污权分配和允许该权利的有偿转让。由此可见，排污权交易制度就是由政府制定特定区域的排污量上限，按此上限发放许可，该许可可以在市场上交易的制度，这一制度综合运用了行政管理手段和经济手段。

三、我国实施二氧化硫总量控制与排污权交易的现状

我国于 1996 年提出了“污染物排放总量控制计划”，制定了二氧化硫、PM_{10}、COD、

NH_3-N等主要污染物的总量控制目标，并将其列入“九五”环境保护规划和2010年远景目标。在“十五”及“十一五”环境保护规划中，作为中国政府治理污染的重要战略之一，实施污染物总量控制计划又进一步得到了强调，二氧化硫仍被作为主要的大气污染物控制指标。通过实施总量控制，我国的二氧化硫总排放量有所减少，大气污染控制取得了较显著的成效。

从1990年起，原国家环保总局针对排污权交易在我国包头、太原、贵阳、柳州、平顶山、开远6个重点城市进行了大气排污权交易试点[4]，2007年11月10日，被媒体称为“国内首个排污权交易平台”就在浙江省嘉兴市揭牌。随后，浙江、江苏、北京、天津、上海等地纷纷试行二氧化硫排放权交易制度。

目前，国内与排污权交易相关的规模排名前三的交易所分别为北京环境交易所、上海环境能源交易所，还有与芝加哥交易所合作的天津排污权交易所。武汉光谷联合交易所紧随其后，位居第四，在中部地区有比较大的影响力。二氧化硫排污权交易已有不少成功的案例，在实施污染物排放总量控制、减少二氧化硫排放方面，发挥了一定的作用。

四、关于我国实施二氧化硫排污权交易的建议

（一）公平分配初始排污权

总量指标分配采用免费分配的方式进行，因此分配过程就需要兼顾现有企业排污指标分配的公平性和新老企业排污指标分配的公平性，因此将总量指标分为现状可用指标和发展预留指标两部分进行初始分配，使排污权交易成为可能。

（二）构建统一的信息平台

完整、统一、有效的信息平台是二氧化硫排放权交易制度实施的有力保证。环境管理部门应结合我国现有的大气污染源数据、环境质量状况，构建一个全国统一的信息平台，促进各地区的信息交流与沟通，并按区域环境状况和总量控制计划，对企业销售和购买二氧化硫排放权的限量问题和价格问题、二氧化硫排放权交易的程序等进行规定，为二氧化硫排放权交易市场的建立提供便利条件。

（三）制定和完善排污权交易的法制基础

在实施排污权交易之前，需建立健全排污权交易法律制度，使排污权交易有法可依，一方面保证排污权交易额合法性，另一方面保护排污权交易者的既得利益。同时，为环境管理部门的监管提供法律依据。

（四）建立完备的污染物监测系统

为了保障排污权交易制度的有效性，需采用一定的监测手段对排污单位的排污量进行监测，通过建立完备的污染物监测系统，可对各企业的污染物排放情况进行有效地监测与管理，以保证交易的顺利实施。

参考文献

［1］杨芳．关于我国大气污染物排放总量控制问题的研究［D］．浙江大学，2005.

［2］张敏．略论排污权交易制度在中国的建立［J］．经济与社会发展，2005，3（3）：92.

［3］王晓军．论排污权交易制度在我国的实施［J］．宁波大学学报（人文科学版），2005，18（3）：25－30.

［4］Daniel J. Dudek，王昊，张建宇，等．SO_2排污权交易在中国的发展与挑战［J］．电力环境保护，2007，23（2）：1－5.

构建丹江口库区生态补偿机制的思考

孔小莉　张华钢

（十堰市环境监测站　滨河巷4—A　442000）

摘　要　丹江口库区水源地保护是保证南水北调中线工程能够顺利实现的关键措施，水源地保护与当地的经济发展之间存在矛盾，建立生态补偿机制有利于协调供水方和受水方之间的利益关系。本文阐述了水源地生态补偿的理论，提出构建丹江口库区生态补偿机制的政策建议。

关键词　生态补偿　机制　思考

一、"生态补偿"的含义

生态补偿，是自然资源使用人或生态受益人在合法利用自然资源过程中，对自然资源所有权人或对生态保护付出代价者支付相应费用的固定做法。其目的在于解决好生态产品这一特殊公共产品消费中的"搭便车"现象，激励人们从事生态保护投资并使生态资本增值。生态补偿有广义和狭义之分。广义的生态补偿包括污染环境的补偿和生态功能的补偿。狭义的生态补偿，专指对生态功能或生态价值损失的补偿，包括对为保护和恢复生态环境及其功能而付出代价的区域、单位和个人进行经济补偿；对因开发利用自然资源和自然景观而损害生态功能或导致生态价值丧失的单位和个人收取经济补偿等。本文所探讨的生态补偿机制，主要指国家及生态保护受益人对为保护和恢复生态环境及其功能而付出代价的丹江口库区，进行政策或经济补偿的机制。

二、建立丹江口库区生态补偿机制的必要性和紧迫性

（一）受制约的丹江口库区发展权应当得到补偿

丹江口库区是南水北调中线工程核心水源地。国务院确定中线2010年通水目标一期有效调水量为95亿m^3，丹江口库区由此成为国家重要战略资源的承载地和全国水源保护最为敏感的地区，担负着为京津华北地区提供优质饮用水的重要使命。长期以来，丹江口库区不断加大生态环境保护和建设投人，超前开展水污染治理，保证了丹江口水库一库清水。从常年监测结果看，丹江口水库水质总体达到二类标准以上。为了维护良好的生态系统，丹江口库区主动限制了发展，致使本地经济发展速度与其他地区的差距不断拉大。2005年，丹江口库区农村人均收入仅有1900元，比全国低1755元，比全省低1699元，比全市低490元。国务院批复的《丹江口库区及上游水污染防治和水土保持规划》，对入库水质确定了严格的控制标准。我市城区及所属6县市共11个进入规划的污水处理厂项目，出水标准均为1级，而非饮用水源地的出水标准一般要求在2级即可。这意味着丹江口库区今后的发展领域将进一步受到限制，库区经济发展将受到严重影响。丹江口库区为保护生态而牺牲的这部分发展权，应该得到相应的补偿。

（二）国家相关法律法规对生态补偿有明确要求

《中华人民共和国国民经济和社会发展第十一个五年规划纲要》提出："按照谁开发谁保护、谁受益谁补偿的原则，建立生态补偿机制"。《国务院关于落实科学发展观加强环境保护的决定》提出："生态环境具有公共物品的属性，在经济建设和市场交换中要体现生态价值，要完善生态补偿政策，尽快建立生态补偿机制。"《中共中央、国务院关于推进社会主义新农村建设的若干意见》中提出要"建立和完善生态补偿机制"。《中华人民共和国森林法实施条例》第十五条规定："防护林和特种用途的经营者，有获得森林生态效益补偿的权利"。这些法律法规充分表明，建立生态补偿机制是国家确立的生态环境保护的环境经济政策和环境保护制度，应当大力倡行。

（三）实践证明建立生态补偿机制是可行的有效的

党中央和国务院非常重视生态补偿问题，已组织开展了多种形式的尝试。先后在河北、辽宁、黑龙江、山东、浙江等11个省（区）的685个县（单位）和24个国家级自然保护区开展了征收生态环境补偿费的尝试，在理论与实践方面进行了前瞻性的探索；建立了森林生态效益补偿基金，实施了天然林资源保护、退耕还林、三北和长江流域防护林体系等10大林业的重点生态体系建设工程，以加强森林资源的生态补偿；建立了耕地占用补偿制度，对实现耕地占补平衡起到了积极有效的作用；制定《草原法》，加强了对草原资源的生态补偿；通过湿地资源保护行动，使全国各类湿地保护区的生态补偿取得重要进展；通过自然保护区生态补偿的实施，使保护区建设规模与管理质量有了显著提高。

各级地方政府也积极探索，为国家制定生态补偿政策提供了实践经验和示范作用。北京市从2006年起，将每年安排2000万元的水源地保护专项资金，帮助承德、张家口两地治理密云水库、官厅水库上游地区的水环境。东江是江西、广东两省人民的母亲河，同时也是香港最主要的水源。去年东江流域协调建立了上下游区际生态效益补偿机制，广东省每年拿出1.5亿元，交给上游的江西省寻乌、安远和定南三县，用于东江源区生态环境保护。这被认为是生态补偿中极具样本意义的一次成功尝试。浙江中部的东阳和义乌位于金华江的上游和下游，2000年两市政府签订了用水权的转让协议，义乌一次性出资2亿元购买东阳横锦水库每年4999.9万 m^3 水的使用权，水库的权属关系不变，义乌每年按实际的供水量每立方米0.1元标准支付综合管理费。浙江省金华市金东区傅村镇和源东乡2004年9月签订了一个10万元金额的生态补偿协议，即傅村镇每年向位于自己两条溪水上游的源东乡提供5万元，作为对源东乡保护和治理生态环境、保护下游用水安全以及由此而造成的公共财政收入减少的补偿费用，协议期限两年。浙江省人民政府2005年9月制定了《关于进一步完善生态补偿机制的若干意见》，对生态补偿对象、区域、补偿办法，都做了明文规定，除了政府的财政转移支付，还开发了水权交易、异地开发等市场化补偿机制。黄山市人民政府于2006年2月26日在北京召开了“新安江流域生态共建共享机制研究”项目专家评审会。评估了新安江流域的生态价值，并提出未来该流域生态共建投入的分担模式。

（四）丹江口库区生态环境现状急需建立生态补偿机制

目前，丹江口水库水质状况总体良好，但由于受自然条件的限制，以及投入不足等方面的原因，库区生态环境形势不容乐观。一是水土流失状况仍很严重。根据2000年遥感调查，库区总面积13943km²，其中水土流失面积7292km²，占库区总面积的52%。由于地方财政困难，国家每年投入有限，库区每年能够治理的水土流失面积不到水土流失总面积的3%。二是城镇环境基础设施薄弱。库区各县市及乡镇目前均无污水处理厂和垃圾处理厂，大量的污水及垃圾直接进入水库，对库区水质构成威胁。三是面源污染日益突出。据1997年以来的丹江口水库水质监测结果，丹江口水库总氮浓度达到1.2mg/L左右，超过地表水环境质量标准Ⅱ类标准的1.3倍，其主要是农业面源污染所致。四是点源污染防治亟待加强。全市重点工业污染源99家，有48家未实现达标排放。西部地区生态环境恶性循环已为我们敲响了警钟。国家在2000年以来实施西部大开发战略的5年中，先后投入1100亿元用于西部地区的生态补偿。此外，淮河、渭河、塔里木河也都因为“先污染后治理”，国家为此付出了惨痛的代价。丹江口库区生态建设不能再延续这条老路，国家应该给予足够的政策扶持，使丹江口库区走出一条“边发展、边投入、边保护、边受益”的可持续发展之路。

（五）永保水质的艰巨任务迫切要求建立生态补偿机制

丹江口库区水质的好坏，直接关系到投资逾千亿元的南水北调工程能否持久发挥效益。为保水质，丹江口库区必须长期不懈地抓好生态环境建设和水污染防治工作，为此将投入大量的人力、物力和财力。库区县市均为国家扶贫开发重点县市，在南水北调中线工程建设中又作出了巨大的牺牲，是纯受损区。经济发展滞后严重削弱了库区对环境保护成本和生态建设成本的承受能力。按照“谁受益、谁补偿”及社会公平原则，国家应充分考虑库区人民所做的牺牲，通过建立生态补偿机制，明确各地水资源的保护义务及享用权利，确保库区生态功能的恢复与保育，确保南水北调中线工程综合效益的永久发挥。

三、建立丹江口库区生态补偿机制的几点建议

（一）抢抓机遇，争取国家将我市纳入生态补偿试点范围并尽早启动相关工作

当前，党中央、国务院高度重视生态补偿问题，政协与人代会也多次以议案、提案和建议的形式提出尽快建立生态补偿机制，关键发改委、环保总局、财政部等部委正着手开展生态补偿试点。我市要抢抓有利时机，本着保护地区与受益地区共同发展的公平原则，尽快将我市作为国家生态补偿试点并尽早启动相关工作。

（二）积极做好建立丹江口库区生态补偿机制的前期准备工作

生态补偿，最迫切需要解决的是“补偿多少、如何补偿”的问题。建议我市先期组织一个专家组认真开展对十堰水资源价值评估、生态保护与建设投入、生态环境资源损失等方面的专题调研，合理确定环境治理和生态恢复或保护的成本，明确生态补偿的地域范围，确定补偿的责任主体，以便向国家有理有据地提出生态补偿的请求，争取国家早日建立丹江口库区生态补偿机制。

（三）积极争取国家出台丹江口库区生态补偿政策

一是争取实行中央财政生态转移支付制度。通过增设生态补偿科目，加大对丹江口库区用于公共服务和生态环境补偿的转移支付力度。二是恳求建立生态补偿专项基金。争取国家从国民经济中按现行生态环境损失提取所需比例或通过征收生态补偿税的形式设立生态补偿专项基金，每年安排专款用于丹江口库区的生态建设。三是呼吁制定中央直属水电企业水资源费征收标准。争取国家尽快明确丹江口库区中央直属水电企业水资源费征收标准。四是呼吁建立“异地开发生态补偿区”补偿机制。在环境容量大基础条件好的受益地区划定“异地开发生态补偿区”，制定相应的政策法规和保障措施，定向允许丹江口库区前去招商引资和异地发展，并以发展所取得的利税返回支持库区生态环境保护以及其他各项社会发展事业。

（四）积极争取建立地区间生态转移支付制度

争取生态受益地区从经济增长的成果中提出相对应的部分补偿生态保护地区，形成反哺的生态补偿机制。如京津冀等受水地区可给予丹江口库区各种形式的实物转移支付（如技术、设备、资产转移等）和价值转移支付等。也可通过开征生态环境税，设立“南水北调中线水源区生态补偿与生态建设基金”的途径，对丹江口库区的生态保护与生态建设予以资金补偿。

（五）积极争取国家提高丹江口库区生态环境保护各类专项资金的额度

争取国家相关部委在组织实施的生态移民、退耕还林、天然林保护、自然保护区建设、优势农产品产业带开发、农村能源建设、饮水安全等方面的生态环境建设项目上，向丹江口库区重点倾斜。

（六）积极探索市场化生态补偿模式

一是探索建立丹江口库区水污染物、二氧化硫等空气污染物排放指标有偿分配机制，在排污总量控制和污染源达标排放的前提下，逐步探索推行政府管制下的排污权交易。二是按照“谁投资、谁受益”的原则，支持鼓励社会资金参与生态建设及环境保护基础设施投资、建设和运营，探索建立政府引导、市场推进、社会参与的生态补偿和生态建设投融资机制。

参考文献

［1］鲁传一．资源与环境经济学．2004.
［2］长江水资源保护科学研究所．丹江口库区及上游水污染防治与生态建设规划．2004.
［3］陈祖海．西部生态补偿机制研究．2008.

我国自然保护区生态补偿机制研究

李俊梅[1]　吴兆录[1]　费　宇[2]

(1. 云南大学生命科学学院　昆明　650091；2. 云南财经大学统计与数学学院　昆明　650221)

摘　要　建立自然保护区是进行生物多样性保护和生态系统服务功能恢复的重要措施之一，而生态补偿机制在自然保护区建设中的作用是目前需要关注的问题，通过生态补偿促进社区参与是实施保护区有效管理的重要途径。国内外就自然保护区生态补偿问题开展了研究，进行了一些实践活动，取得了明显成效。对自然保护区生态补偿机制要素进行分析，探讨有效的对策和措施是建立和完善自然保护区生态补偿机制的关键。

关键词　自然保护区　生态补偿　机制　实践

一、生态补偿是实施自然保护区有效管理的重要途径

生态补偿最初源于自然生态补偿，含义为“生物有机体、种群、群落或生态系统受到干扰时，所表现出来的缓和干扰、调解自身状态使生存得以维持的能力，或者可以看作生态负荷的还原能力”[1]。目前应用较为广泛的概念是：生态补偿是指“通过对损害（或保护）资源环境的行为进行收费（或补偿），提高该行为的成本（或收益），从而激励损害（或保护）行为的主体减少（或增加）和由此行为带来的外部不经济性（或外部经济性），达到保护资源的目的”[2]。

生态补偿主要包括两大领域：一是因保护导致机会成本的损失产生的生态补偿，主要有自然保护区生态补偿、重大生态功能区生态补偿和生态脆弱区生态补偿；二是因工程建设导致生态服务功能价值损失产生的生态补偿，主要有水利水电建设、矿山开采、公路建设生态补偿等。目前，国家自然保护区、重要城市水源地和重大水利水电工程建设的生态补偿问题是我国特别是云南省生态补偿实践研究的焦点和迫切需要获得合理解决的重大生态、经济和社会问题。

根据国际自然保护联盟（IUCN）的定义，自然保护区系指以保护和维持生物多样性和自然资源及相关的文化资源为目的，并通过法定的或其他有效方式进行管理的特定的陆地或海域[3]。由于受到自然条件特别是人为活动的影响，物种栖息地破坏、生物多样性减少和生态功能下降，已经成为困扰世界各国社会经济可持续发展的重要问题，建立自然保护区是进行生物多样性保护和生态服务功能恢复的最重要措施之一。保护区的设立限制了区内与区外居民的发展，因此生态补偿制度是协调自然保护区周边地区社会经济发展和生态保护的关键，通过生态补偿促进社区参与是实施保护区有效管理的重要途径。

李俊梅等[4]（2007）对西双版纳勐腊自然保护区主要生态系统服务效益，如木材生产、涵养水源、水土保持、森林净化大气等10种效益进行价值计量，得出其主要生态系统服务效益价值为 34.31×10^{8} 元/a。自然保护区设立对改善生态环境起到了很大的作用，但保护区的建立限制了保护区大多数居民收入的增加。根据“谁利用谁补偿”、“谁破坏谁恢复”、“谁保护谁受益”的政策，自然保护区的管理及保护应该得到资金补助和补偿；周边农民为保护生态环境资源，放弃狩猎、采集、侵占国有林和集体林种植橡胶等的机会所承担的机会成本应该得到补偿，可以按照市场机制和遵循农户自愿的原则由自然保护区生态补偿专项基金提供补偿。

二、国内外自然保护区生态补偿的实践活动及其成效

国外自然保护区生态补偿主要方式有政府补偿和保护区公众支付两种形式。

如在瑞典，90%的农民（欧洲平均仅为20%）得到生态补偿，补偿数额以可数量化的生物

多样性的改进为基础[5]。KARIN 等应用经济生态模型计算了德国物种保护的补偿费用，依此制定物种保护政策。类似的补偿还包括哥斯达黎加对森林恢复的投资（24US \$/hm^2·a），巴西对拥有自然保护区地区的补偿（如支付 Parana 州 1.5×10^8US \$）等。据统计，发展中国家已投入 1.5×10^8US \$用于保护区生物多样性保护。巴西在恢复退化的林地和增加保护区面积的进程中成功地发挥了经济激励手段的积极推动作用。例如，巴西的法律规定，为保护生物多样性，在亚马逊河流域范围内任何土地所有人必须保证在其拥有的土地上森林覆盖率保持在 80% 以上。为了有效利用土地资源，政府允许那些从农业生产中获得较高收益但违反了国家法律规定的农户向那些把森林覆盖率保持在 80% 以上的农户购买其开采森林的权利，从而使整个地区的森林覆盖率保持在国家规定的标准。

我国四川省青城山的生态补偿可能是我国较早开展保护区生态补偿探索并取得成功的案例之一。青城山位于成都以东，是我国著名的道教圣地，在 20 世纪 60 年代由于护林人员工资不到位放松了管理，乱砍滥伐森林十分严重。成都市决定青城山门票收入的 30% 用于护林，从而使青城山的森林状况很快好转。

以热带雨林著称的西双版纳居然开始缺水，与无节制开发橡胶林不无关系。胶价飞涨，农民纷纷毁林种胶，全州植胶总面积从 1988 年的 116 万亩增加到了 2006 年的 615 万亩。目前州政府开始着手改变这种“短视”的经济增长方式，遏制无序开发橡胶林的热潮，着手建立橡胶生态补偿机制，将向州内从事橡胶加工生产的企业开征生态补偿费用，收费标准为橡胶加工企业销售收入的 9%。由于担心加工企业因此大肆降低胶乳收购价格，从而将费用转嫁到胶农身上，在开征的前两年，减半征收，以后逐年提高至 9% 的固定费率。

另外国家在 1998 年设立森林生态效益补偿基金之后，2001 年在 24 个国家级自然保护区进行了森林生态效益补助资金的试点，为我国各种类型的自然保护区建立生态补偿机制提供了样板。一些保护区通过发展生态旅游等增加收入的做法事实上也起到了生态补偿的作用。

三、自然保护区生态补偿机制要素分析

（一）自然保护区生态补偿的原则

①坚持公平性：明确生态补偿的收支方，采用“谁利用谁补偿”、“谁破坏谁恢复”、“谁保护谁受益”的政策，对享受和使用生态服务者收取补偿费用，而对保护者和牺牲者支付补偿费用。②增加透明度：设立生态补偿专项基金，由保护区管理部门统一管理支付，专款专用。③体现协商性：生态补偿费的收取和发放应当在科学论证的基础上平衡各方的利益，既要体现生态保护的效益和保护成本，又要考虑当前社会经济发展水平和承受能力等。④提高科学性：补偿标准的确定应当综合考虑关键的生态系统服务价值、保护成本以及因保护而造成的损失等因素，补偿的方式应具有可操作性。⑤动态性：补偿标准随时间和市场变化进行。

（二）自然保护区生态补偿方式与资金来源

补偿方式可以是资金补偿，也可以是政策优惠、税收减免、生态产品认证等方式。补偿资金的来源可考虑下面 5 种方式：①对具有重要国际意义的保护区，应当充分利用来自国际组织的支持；②设立自然保护区生态补偿专项基金，依靠社会力量筹措资金，向生态保护的获益部门与地区以及对保护区产生破坏者征收补偿费用。例如：水资源费，应对所有使用水的企事业单位（农、牧、渔、水利、电力、工矿、建筑、石油等）的现有水费中再增收 0.07 元/m^3；③以国家财政预算投入补偿为主，辅以减免税费、优惠信贷、保险等形式的间接补偿。④社会公众补偿，属于当地社会人口人人有份，从就业人员工薪中交纳；⑤以项目形式补偿，如天然林保护工程、退耕还林还草工程、生态移民工程等。

（三）自然保护区生态补偿的基本方法、依据和标准

根据“谁受益，谁补偿”原则和公平原则，生态补偿数量界限应为受益者和受影响者得失大致平衡时的补偿数量。此时，受益者将一部分受益返还给建设者（受影响者），弥补建设者暂时性的损失。

以生态经济学为理论指导，以管理信息系统和地理信息系统为基础，运用环境质量评价技术和生态评价技术，分析生态建设者对受益者所产生的惠益，测试分析受益者受益范围、时间、行业、领域人群，计算出受益者的受益总量。运用经济学和计量经济学的办法和技术，分析生态建设者因结构调整、活动受限制等所产生的经济损失。将受益者的受益量减去建设者的损失量，并除以2，得出受益者应提供的补偿数量。

生态补偿的依据应包括生态建设和保护的额外成本和发展机会成本的损失。保护者损失的发展机会成本的确定可以参照国家或地区的平均发展水平、保护者的生活水平与受益者生活水平差距等指标。这两部分补偿依据的具体标准数值，可以依据受益者的经济承受能力和实际支付意愿、保护者的需求，通过协商确定。

四、建立和完善我国自然保护区生态补偿机制的对策与措施

建立和完善我国自然保护区的生态补偿机制应从以下几方面着手。

1. 理顺和拓宽自然保护区投入渠道。完善政府对自然保护区建设的投入机制，按照事权划分原则，将自然保护区基础设施、管护能力建设和基本管护费用，以及扶持保护区内原住居民进行生态移民的费用纳入相应层级的政府财政预算，建立各级自然保护区管护专项资金；加强自然保护区与国际组织、非政府组织、绿色团体、研究机构、企业、社区的交流，争取社会各界以各种方式参与和支持自然保护区的建设管理，拓展自然保护区生态补偿资金的来源和渠道。

2. 组织引导自然保护区和社区共建共享。积极组织自然保护区内及周边社区居民开展自然生态保护知识与技能培训，优先聘用保护区内及周边社区居民参加保护区的管护工作。通过资金、物质补偿、提供就业机会和优惠政策等形式，吸引和帮助自然保护区内的居民开展生态移民。国家和政府给予保护区边缘地带群众政策补偿，减免各种税负，引导保护区及周边社区居民转变生产生活方式，因地制宜发展有机食品、生态旅游等特色产业，增加就业机会，降低周边社区对自然保护区的压力；在群众分享受益过程时引导群众参与保护区的管理和保护工作。

3. 研究建立自然保护区生态补偿标准体系。根据各自然保护区主要保护对象的不同，评估保护区内居民基本生活保障，以及对维护保护区正常生态功能的基本建设、人员工资、基本运行费用、必须生态建设投入等生态保护投入和管护能力建设需求；全面评价周边地区各类建设项目对自然保护区生态环境破坏或功能区划调整、范围调整带来的生态损失，及其对自然保护区生态效益的利用情况，建立自然保护区生态补偿标准的测算方法与技术体系。

4. 在重点领域开展生态补偿试点，在试点基础上逐步推广。有必要在自然保护区、重要生态功能区、矿产资源开发和流域水环境保护四个重点领域开展生态补偿试点工作，探索建立生态补偿标准体系，以及生态补偿的资金来源、补偿渠道、补偿方式和保障体系，为全面建立生态补偿机制提供方法和经验。

参考文献

[1]《环境科学大辞典》编委会. 环境科学大辞典［M］. 北京：中国环境科学出版社，1991：326.

[2] 毛显强，钟瑜，张胜. 生态补偿的理论探讨［J］. 中国人口·资源与环境，2002，12（4）：38-41.

[3] WATTAGE P, MARDLE S. Stakeholder Preferences To wards Conservation Versus Development for a Wetland in Sri Lanka［J］. Journal of Environmental Management, 2005, 77（2）：122-132.

［4］李俊梅，朱福进，段昌群，等，云南典型自然保护区生态系统服务效益计量——以西双版纳勐腊自然保护区为例［J］．生态经济，2007，2：367 - 371.

［5］Evaluating Current European Agri - Environment Schemes to Quantify and Imp rove Nature Conservation Efforts in Agricultural Landscapes（EASY）［EB /OL］．（2006 - 05 - 15）［2006 - 06 - 30］．http：/ /www. wsl. ch / land/biodiversity/PROJECTS/EASY/project _ description. html.

［6］KARIN J，MARTIN D，FRANKW. An Ecological Economic Modeling Procedure to Design Compensation Payments for the Efficient Spatio - Temporal Allocation of Species Protection Measures［J］. Ecological Economics，2002，41（1）：37 - 49.

［7］闵庆文，甄霖，杨光梅．自然保护区生态补偿研究与实践进展［J］．生态与农村环境学报，2007，23（1）：81 - 84.

［8］张金良，李焕芳，黄方国．社区共管——一种全新的保护区管模式［J］．生物多样性，2000，8（3）：347 - 350.

［9］云南西双版纳大规模毁林种橡胶树［N］．中国青年报，2007 - 06 - 12.

［10］云南西双版纳州政府拟建立橡胶生态补偿机制．国家环境保护总局文件，环发［2007］130 号．

［11］关于开展生态补偿试点工作的指导意见．各省、自治区、直辖市环境保护局（厅），新疆生产建设兵团环境保护局．

基于主体功能区的广东省区域生态补偿机制研究

周丽旋　彭晓春　郭　梅　刘　强

（环境保护部华南环境科学研究所　广州市员村西街七号大院　510655）

摘　要　随着主体功能区战略的不断推进，各类主体功能区发展机会、利益格局发生变化，在此过程中，为了保障区域生态安全，限制开发区和禁止开发区的发展权受到较多的限制。应开展区域生态补偿，以保障不同区域间发展权公平与协调区域发展。本文在识别广东省四类主体功能区资源环境压力的基础上，探讨各主体功能区的生态补偿需求与重点，最终指导广东省区域生态补偿机制设计。

关键词　区域生态补偿　主体功能区　广东省

为落实科学发展观、建设资源节约型和环境友好型社会，“十一五”规划提出要推进形成主体功能区，按照区域的主体功能定位，规范空间开发秩序。主体功能区划是基于不同区域的资源环境承载力、现有开发密度和发展潜力，按照区域分工和协调发展原则，将特定区域确定为特定主体功能定位类型的一种空间单元规划[1]。主体功能区包括：优化开发区、重点开发区、限制开发区和禁止开发区四类。随着主体功能区战略的不断推进，不同主体功能定位直接导致区域间发展权失衡，迫切建立生态补偿机制，协调各利益相关方在不同主体功能区间的环境保护成本分担与环境效益享受上的关系。

随着主体功能区战略的不断推进，各类主体功能区发展机会、利益格局发生变化，在此过程中，为了保障区域生态安全，限制开发区和禁止开发区的发展权受到较多的限制。应通过环境有偿使用与生态补偿制度，实现受益者承担生态保护成本，构建优化开发区和重点开发区对部分限制开发区和禁止开发区进行生态补偿的渠道，具体对限制发展区和禁止开发区中的自然保护区、饮用水水源保护区、水源涵养区、生态公益林等重要生态功能区进行补偿。可见，在主体功能区战略实施的同时开展区域生态补偿，有利于统筹全省区域协调发展与保障生态安全。

一、广东省主体功能分区资源环境压力分析

（一）优化开发区——过度开发导致超承载力的环境压力

广东省优化开发区集中于珠江三角洲核心地区，也是国家层面的优化开发区。包括广州、深圳、东莞、中山、珠海五市全部，佛山市的禅城区、南海区、顺德区，江门市的蓬江区、江海区、新会区，惠州市的惠城区，共涉及 8 个地级市，28 个县区市，面积 19 714km^2，占全省总面积的 10.97%，户籍人口 1 865.71 万人，常住人口 3 066.84 万人，GDP19 695.23 亿元，耕地面积 2 314.42km^2。

广东省的优化开发区在经济高速发展、外来人口大量涌入的背景下，基本遏制了环境污染恶化的趋势。近年来，随着对该地区环境治理投入力度的持续增加与产业结构调整，局部地区环境质量有所改善，但地区整体环境污染依然严重，复合型、累积型环境问题日益突出，环境保护形势不容乐观。

广东省优化开发区定位为现代制造业基地与泛珠三角经济龙头。目前该地区通过转移高能耗产业，缓解区域资源环境压力，但产业结构的完全改变仍需较长时间，污染排放强度在未来一段时间内无法显著减少。因此，在今后一段时间内，优化开发区仍将继续面临强烈的过度发展导致超承载力的环境压力。

因此，优化开发区应解除结构性污染，严格持续实现污染物减排，做到增产减污，解决突出的环境问题，至 2020 年，保证单位生产总值能耗和环境质量达到或接近世界先进水平，创造良

好的人居环境，把优化开发区建成全面、协调的可持续发展示范区。

（二）重点开发区——快速增长将使环境压力陡增

广东省重点开发区主要分布在珠三角外围及粤东、粤西沿海，少量呈点状散布于北部山区，包括珠三角外围、粤东沿海、粤西沿海和山区点状片区四个片区。含65个县区市，区域总面积89526km^2，占全省总面积的48.75%，户籍人口4645.15万人，常住人口4700.15万人，GDP5620亿元，耕地面积19043.4km^2。

重点开发区作为广东省经济增长的新引擎，将是全省人口、产业聚集以及城市化的集中区域，也是珠三角核心区产业转移的主要承接地。然而，重点开发区局部地区环境问题凸显，表现为水环境容量利用水平较高，近岸海域生态环境破坏较严重，局部空气污染比较严重，部分城市灰霾现象严重等。同时，落后的经济增长方式与快速的增长速度更致使该区域资源环境压力陡增。

因此，重点开发区应科学合理使用环境承载力，加快环保基础设施建设，控制污染物排放总量，做到增产不增污，严防环境恶化。

（三）限制开发区——发展冲动与脆弱环境冲突产生的压力

广东省限制开发区以岭南山地为中心，包括北江上游、东江上游、韩江上游以及鉴江和漠阳江上游地区，共28个县区市。总面积58760km^2，占全省土地总面积的33.74%，常住人口1540.41万人，GDP总值1040.85亿元，耕地面积7462km^2。

限制开发区关系全省生态安全、水资源保护，既是保障全省农产品供给与生态安全的主体区域，又是全省重要的生态功能区与水源涵养区，该地区的生态环境安全关乎全省，乃至全国的食品安全与生态安全。该区域目前人口密度与经济强度均较小，人类活动的环境压力较小，然而，限制开发区人民具有强烈的发展冲动，且往往倾向于选择资源密集型与环境污染较大的发展路径，发展冲动与脆弱环境保护要求之间的冲突非常强烈，对当地资源环境安全产生较大的压力。

因此，应进一步改善水土流失，有效控制水土流失敏感区域，限制重污染产业发展，引导发展生态型产业，形成有利于当地生态环境保护的产业结构，保障全省乃至全国的食品安全与生态安全。

（四）禁止开发区——实现零负干扰的压力

广东省禁止开发区包括：①国家级、省级自然保护区；②国家级、省级风景名胜区；③国家级、省级森林公园；④世界级、国家地质公园；⑤水源保护区。共183处，总面积15064.42km^2，占全省总面积的8.65%。

禁止开发区是维护国土生态安全、保护自然资源与文化遗产、保全生物多样性、维护自然生境、促进人与自然和谐发展的核心区域。目前，禁止开发区虽基本无人类定居，但周围人民群众特别是原本依赖保护区内资源谋生的群众，具有强烈的开发冲动，已成为保护区生态安全的主要干扰因素。同时，由于保护区划定不合理、饮用水水源保护区污染风险较大、森林旅游地环境日益恶化、保护区管理机构能力不足等问题的存在，各类保护区管护能力较弱。可见，禁止开发区内人类活动的负干扰与保护区生态保护目标间的矛盾非常尖锐。

在禁止开发区内，应坚持强制性保护，依据法律法规和相关规划严格监管，严禁一切不符合区域功能定位的开发活动，控制人为因素对自然生态的干扰和破坏。

二、各主体功能区生态补偿需求与重点

生态补偿的问题总是出在区域之间难以形成承担责任机制[2]。正是区域之间的生态服务溢出效应与部分区域的发展权限制要求对目前“免费”享受其他区域提供的生态服务的地区向发展权受到限制的地区提供补偿，本节从区域生态环境保护要求及其对发展权的影响出发，分析四

类主体功能区的生态补偿需求与重点。

表1　广东省各主体功能区功能定位与环境压力表

	功能定位	发展要点	环境问题	环境压力
优化开发区	经济持续发展和人口集聚的核心区域	转变传统的工业化和城镇化模式； 提高增长质量和效益	水环境质量局部有所改善，总体呈流域蔓延趋势； 机动车尾气型空气污染凸显，灰霾天气严重； 土壤污染构成复杂； 环境痕量污染凸显	过度开发导致超承载力
重点开发区	承接人口转移、工业化和城镇化的重点区域	加速工业化与城镇化速度	部分地区可利用水环境容量较小； 局部空气污染比较严重； 近岸海域生态破坏较严重； 部分城市灰霾现象严重	快速增长将使环境压力陡增
限制开发区	保障食品安全、保障生态安全主要区域	加快生态修复； 加强农业生产	生态本底脆弱且生态功能重要； 发展冲动强烈，倾向选择资源环境负荷较大的发展路径	发展冲动与脆弱环境冲突
禁止开发区	传承文化遗产 确保本省生态平衡和自然特色 改善区域生态环境质量	实行强制保护； 禁止对自然生态进行人为破坏活动	保护区划定范围过小； 生态保护效益较低； 水源保护区污染风险日益增大； 森林旅游地环境日益恶化	实现零负干扰

（一）优化开发区

优化开发区基本不存在生态效益外溢的现象，并且由于地处流域下游，可利用水环境容量资源相对比较充足，发展权得到较充分的利用。

优化开发区是限制开发区和禁止开发区生态保护成果的享用者之一。主要表现在：优化开发区享用上中游地区进行流域水环境保护后所提供的优质水资源与水环境容量资源；优化开发区居民享受其他类型主体功能区提供的森林生态系统固氮造氧、水土保持、净化水质、生态文化价值等生态服务。优化开发区目前“无偿”享受着其他主体功能区环境保护的外溢效益。

因此，在全省区域生态补偿框架下，优化开发区应为其所享受的区外生态效益进行支付，承担其区域生态补偿支付义务。

（二）重点开发区

重点开发区是广东省社会经济发展的重要引擎，是除优化开发区外主要的人口与经济支撑地区，本区域将在增产不增污的前提下，充分利用区域环境容量资源，发展经济。随着重点开发区的发展，其生态服务的供给与利用模式将逐渐朝优化开发区方向发展，重点开发区的发展权基本不因生态环境保护而受到限制，并且该区享受限制开发区与禁止开发区两区生态环境保护的外溢效益，应承担其区域生态补偿义务，对其进行支付。

因此，在全省生态补偿制度中，重点开发区应对其获得的外部经济性进行生态补偿支付。

（三）限制开发区

在限制开发区中，强烈的发展冲动与脆弱环境冲突产生巨大的压力，该压力来自区域生态环境保护成本承担者与保护成果享受者之间的不对称。广东省限制开发区大多经济相对较落后，迫切需要发展生产力，同时，由于地方财政力量较弱，提供公共物品能力不足。在限制开发区主体功能定位确定与实现过程中，部分发展机会被剥夺，发展动力被削弱，仅靠地方自身的力量，无法实现地区财政收入的有效增加，地方政府提供公共物品的能力更无从提高。如不加以干扰，限制开发区将形成一个奇怪的“悖论”：越贫困的地区越得不到发展，而又承担着为发达地区免费提供生态服务的任务。倘若缺乏有效的制度设计以保证发达地区补偿欠发达地区提供公共物品——生态产品所付出的成本（包括机会成本），限制开发区与重点和优化两类主体功能区在资源环境使用的权利上，存在不平等，必然会加剧区域间的经济发展不平衡，形成地区发展的“马太效应”。

因此，应根据限制开发区生态环境保护效益外溢的量对该区进行生态补偿。该补偿的前提是允许在不破坏生态环境的基础上，适度开发，实现人口、经济与资源环境协调发展，构建以“造血”型生态补偿方式为主的补偿方式矩阵，利用生态补偿机制主动引导当地居民发展生态经济，增强地方经济实力，扩大地方政府财政规模，保证限制开发区生态保护成本分担与生态服务受益者的对称，实现限制开发区生态环境保护与社会经济发展双目标的共同实现。

（四）禁止开发区

作为全省生态服务的重要供给区域，禁止开发区的保护对全省生态安全举足轻重。禁止开发区内基本无常住居民，周围居民社会经济活动的干扰与旅游资源的开发是禁止开发区生态安全的主要干扰因素。如何筹措禁止开发区生态环境保护所需的经费，关乎禁止开发区生态环境安全乃至全省生态环境安全。随着近年来全省旅游业的蓬勃发展，禁止开发区发展生态旅游成为热点。如何平衡开发禁止开发区旅游、科教等资源开发与其生态平衡之间的关系，是禁止开发区生态环境保护与生态补偿工作需要回答的核心问题。

建立禁止开发区生态补偿机制的重中之重便是保证禁止开发区生态保护与环境建设投入。在该生态补偿机制中，由禁止开发区保护成果的受益者、生态旅游等资源的开发者与享受者等利益相关方承担保护成本。

三、基于主体功能区的广东省区域生态补偿机制设计

（一）区域协调发展目标下的广东省区域生态补偿制度思路

广东省开展区域生态补偿的思路是在实现不同主体功能区功能定位与发展目标的前提下，逐步实现不同主体功能区之间协调发展与生态环境全面优化，利用生态补偿制度解决地区生态环境保护成本外部性问题，由生态保护受益者承担保护成本，激励限制开发区进行主动保护，保障禁止开发区保护资金来源，同时趋于实现“谁开发、谁保护，谁污染、谁治理，谁破坏、谁恢复”的责任明确局面。

广东省区域生态补偿制度的开展应与流域生态补偿、资源环境要素生态补偿结合起来。实际上，广东省大部分限制开发区与禁止开发区便位于流域上中游。限制开发区与禁止开发区的生态保护也涉及耕地、饮用水水源、生态公益林等若干重要资源环境要素的保护。

（二）广东省区域生态补偿主客体

由全省四类主体功能区生态环境压力、生态补偿需求与重点的分析结果，可知，在广东省区域生态补偿制度中，优化开发区和重点开发区享受了其他两类主体功能区的生态服务，且自身发展权利得到较大程度的实现，是省级区域生态补偿的主体，有义务根据所享受的生态服务价值进行补偿。

限制开发区和禁止开发区所提供的生态服务具有一定的外溢性，目前上述两个区域的居民不对称地承担着生态环境的保护成本，且自身的发展权由于生态环境保护需要，受到一定的限制。因此，限制开发区和禁止开发区是生态补偿的客体，接受全省其他区域的生态补偿。

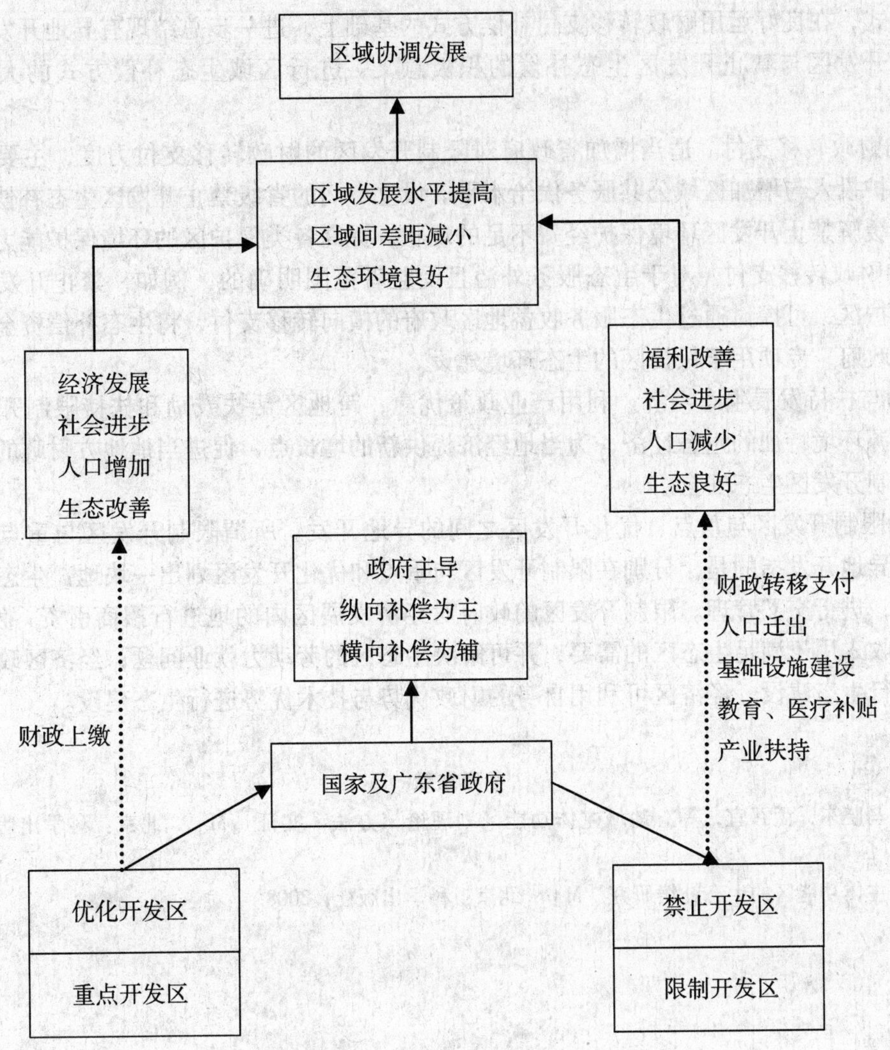

图1　基于主体功能区划的生态补偿思路与框架

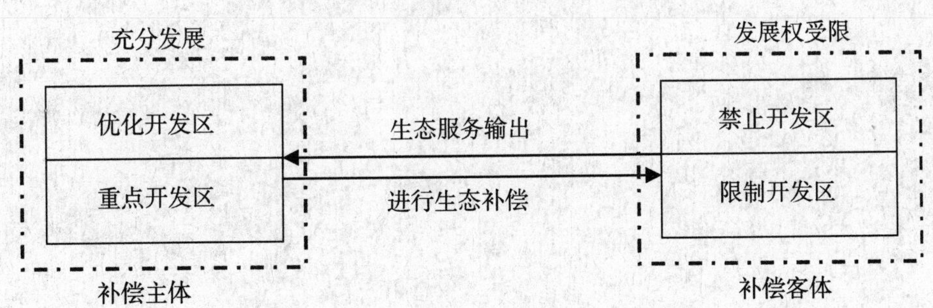

图2　广东省区域生态补偿中的责任关系

（三）政府主导为主、市场主导为辅的生态补偿方式

广东省在生态公益林效益补偿实践中积累了丰富的纵向转移支付补偿方式，在社会经济管理中积累了丰富的区域协调管理经验，并积极创新生态补偿的手段与方式，例如，探索异地开发、产业转移等生态补偿创新手段。这些实践经验构成了较完整的广东省区域生态补偿方式矩阵。

考虑广东省的社会经济发展现状与制度环境，区域生态补偿可采用政府主导型为主、市场主导型为辅的模式，其中政府转移支付以纵向转移支付为主、横向转移支付为辅。同时，创新区域生态补偿方式，在良好运用财政转移支付补偿方式的基础上，进一步总结现有异地开发、产业转移等对限制开发区与禁止开发区生态补偿的积极意义，进行区域生态补偿方式的大胆探索与创新。

1. 纵向财政转移支付。适当增加省政府对限制开发区的财政转移支付力度，主要用于区域生态环境保护投入与增加区域公共服务供给水平。设立专门的省级禁止开发区生态补偿专项转移支付科目，缓解禁止开发区环境保护经费不足的现状，提高各类保护区的环境保护能力与水平。

2. 横向财政转移支付。对于生态服务外溢且受益者范围明确的，例如，禁止开发区中的饮用水水源保护区，可探讨通过生态服务收益地区政府的横向转移支付，将生态补偿资金转移至保护区所在地政府，专项用于保护区的生态环境建设。

3. 鼓励与扶持发展生态经济。利用产业政策优惠，跨地区帮扶鼓励和扶持限制开发区发展符合当地资源环境特征的生态经济，为当地经济提供新的增长点，促进当地地方财政的扩大，同时，保障限制开发区生态安全。

4. 鼓励限制开发区与重点、优化开发区之间的异地开发。所谓限制开发区与重点、优化开发区之间的异地开发指的是，分别在限制开发区与重点和优化开发区划出一块地：生态建设区与经济发展区，进行交叉管理。限制开发区的政府对经济发展区内的地进行招商引资，发展经济，取得的财政收入用于满足生态区的需要，并可解决生态区的劳动力就业问题；经济区政府对生态区内的地进行生态建设，经济区可利用自身的财政优势与技术优势进行生态建设。

参考文献

[1] 朱传耿，马晓东，孟召宜，等. 地域主体功能区划理论·方法·实证［M］. 北京：科学出版社，2007：17－18.

[2] 丁四保. 主体功能区的生态补偿研究［M］. 北京：科学出版社，2008.

中美排污许可证交易制度的比较研究

马　宁　杨　娜

（南开大学环境科学与工程学院　天津市南开区卫津路94号　300071）

摘　要　排污许可证交易制度是国内外环境经济政策探讨的热点，本文首次运用诺斯对制度的定义，在正式规则、非正式规则以及执行机制三个方面，全面分析中美排污许可证交易制度的差别，意在为我国当前排污许可证交易实践的开展提供参考。通过与美国比较研究发现，在三个方面我国均存在一定程度的制度缺失，且规则的设计需要执行机制的配合，只有三者有效协调，我国排污许可证交易制度才能逐渐适应市场化的需要。

关键词　排污许可证交易制度　排污权　总量控制　初始分配

前　言

排污许可证交易制度于20世纪70年代在美国发展起来，经历了以补偿政策、气泡政策、净得政策、银行政策为主要内容的排污减少信用阶段和以1990年《清洁空气法》修正案中“酸雨计划”为主要标志的排污许可证交易阶段。我国自1988年就开始试点并逐步推广排污许可证交易制度，并逐步在太原、南通及太湖流域等地开展不同阶段的试点，在排污许可证交易的实践上取得了显著的成效。

由于我国处于社会主义市场经济不断成熟阶段，与美国发达的市场经济相比仍有诸多的特殊性，在排污许可证交易的制度设计上存在很大的区别，而排污许可证交易的污染治理效率在很大程度上取决于排污许可证交易制度的构成要素[1]。新制度经济学中著名的经济学家道格拉斯·诺斯（Douglass C. North），在其《制度、意识形态和经济绩效》中对制度进行了全面而深入的阐述，诺斯认为制度是为人们的相互关系而人为设定的一些制约，由正式规则、非正式规则和这些规则的执行机制所组成，这三部分构成完整的制度内涵，是一个不可分割的整体。国内也有学者运用诺斯理论对会计制度、教育制度、循环经济制度等进行广泛的研究，本文首次采用诺斯对制度的定义，在正式规则、非正式规则以及执行机制三个方面，全面分析中美排污许可证交易制度的差别。

一、排污许可证交易制度的正式规则比较

正式规则又称正式制度，是指政府、国家或统治者等按照一定的目的和程序有意识创造的一系列的政治、经济规则及契约等法律法规，以及由这些规则构成的社会等级结构，包括从宪法到成文法与普通法，再到明细的规则和个别契约等，它们共同构成人们行为的激励和约束。正式制度依据的是政府的强制手段，约束着人们的行为，具有强制性特征和规模经济特征。可以在短时间内形成、变更或废止。排污许可证交易的正式制度主要体现在排污许可证交易制度的法律法规体系的建设。

（一）排污许可证交易制度的立法比较

排污许可证交易作为一种市场导向的环境经济政策，必须在相应的法律保障下，才具有合法性和权威性。美国排污许可证交易的成功与其完善的法律基础是分不开的。1990年《清洁空气法》修正案增补的法律规定中，明确规定了排污许可证交易制度及其运作规程，将SO_2排污许可证交易制度法制化。而我国关于排污许可证交易制度的立法却相对滞后，在我国的《环境保护法》中甚至没有明确“排污许可证交易制度”的概念。但是在试点阶段，一些城市完成了地

方法规的制定，如本溪制定了《本溪市大气污染物排放总量控制管理条例》。这部法规确立了总量控制的法律基础，用法律形式规定了排放监测、申报登记、许可证分配等重要环节。但是排污许可证交易制度在我国的顺利实施还需要全国范围内立法的统一，目前国家正在修订《大气污染防治法》、《排污证管理条例》及《二氧化硫排污交易管理办法》，我国排污许可证交易制度法制化建设指日可待。

（二）总量控制制度的比较

总量控制是指以控制一定时段内一定区域中的“排污单位”排放污染物的总量为核心的环境管理方法体系[2]。在进行总量控制过程中，要全面考虑包括排放污染物的总量、排放污染物总量的地域范围以及排放污染物的时间跨度三个方面。

美国通过“酸雨计划”，以立法的形式明确了总量控制的地位，对污染物的总量、排放污染物总量的地域范围以及排放污染物的时间跨度进行了科学合理的计算及划分，为排污许可证交易的后续展开奠定了坚实的基础。而相对于美国，基于目前的经济基础及科学技术水平，我国在总量控制方面的相关工作上仍存在完善的空间。同时经济增长伴生污染物排放量急剧增加，通过总量控制的手段缓解当前的窘境显得尤为重要。在发展和完善总量控制制度方面：首先，需要划分地区的不同功能，确定控制指标前提下的总量控制目标值，目标值选择应以污染因子年日均值作为目标浓度；其次，调研气象资料，建立污染源现状数据库，确定允许的排放量；再次，确立尚存容量和需要削减的排污量；最后，建立动态系统对排放总量进行实时监控。在对国家、省级、城市进行总量控制的分层次管理中，要区别对待，使总量控制制度在经济持续发展的基础上，实现资源优化配置和环境资源保护，而非成为制约经济发展的主要障碍。

（三）初始分配规则的比较

排污许可证的初始分配是指环境保护部门在当地污染物排放总量控制的前提下，根据各污染源排放状况及经济、技术的可行性等，经排污单位的申请，核准排污单位的污染物允许排放量，对不超出排污总量控制指标的单位，颁发《排污许可证》，对超出排污总量控制指标的单位，颁发《临时排污许可证》，并限期治理，排污者必须在颁发许可证后才能进行排污活动的总称[3]。Hahn（1984）指出，在不完全竞争的市场中，排污许可证的初始分配会影响排污许可证交易制度的效率。因此，选择合适的排污许可证初始分配方案至关重要。

根据美国等发达国家的实践，排污许可证的初始分配方式有三种：拍卖、固定价格出售及免费分配。而在各国不同的经济体制及社会制度下，三种方式也有其各自存在的理由及弊端[4]。在美国，无偿分配是排污许可证初始分配的主要渠道，约占到初始分配总量的97%。美国采取了以无偿分配为主，辅之以拍卖和奖励三种方式有机结合的方式，既保证了新建企业可以顺利地投产运营，又不使排放总量增加，而且还激励了企业污染防治的主动性。

早期，我国在部分地区开展的排污许可证交易的实践中大多采取免费分配的初始分配模式。近年来，我国也开始在部分经济较发达地区进行有偿分配的试点。2002 年 10 月，浙江嘉兴市秀洲区开始进行废水排污许可证有偿分配的尝试。2002 年，该区每吨达标工业废水排污许可证的初始分配购买价格暂定为 300 元，此后根据市场供求关系每年作适当调整。2004 年 5 月起，江苏省在太湖流域的张家港市、太仓市、昆山市和惠山区开展水污染物排污许可证有偿分配和交易试点工作。在确定三市一区每个重点企业污染物排放总量指标的基础上，由当地环保局以排污许可证的形式，让各个企业来“购买”分配的排污指标[5]。

二、排污许可证交易制度的非正式规则比较

正式规则可以在一夜之间被政府组织所改变，与其相比，非正式规则的变化则很慢。诸斯指出非正式规则是人们在长期实践中无意识形成的，具有持久的生命力，并构成世代相传的文化的

一部分，具体来说包括价值信念、伦理规范、道德观念、风俗习惯及意识形态等因素。可见非正式制度主要来源于文化，通过伦理道德的软约束，激发人们内心理念来实施一定的经济行为，从而达到一定的目标。这主要取决于社会成员的相互作用和他们对某种团体习惯的自发遵从。

企业是进行排污许可证交易的主体，也是排污许可证交易制度非正式约束的主要对象。企业社会责任指的是企业或组织在赚取利润的同时，必须主动承担对环境、社会和利益相关者的责任。节能减排是国家“十一五”规划确定的约束性指标，实现这一目标，是各级政府的职责和责任所在，而完成这一任务离不开排污企业对污染指标的削减。排污许可证交易使企业变被动为主动，真正成为减排的主体，并对自己的污染排放行为作出选择。在我国，与一些企业在特定的体制缺陷下漠视企业社会责任的短视表现相比，一些成熟的公司已经纷纷把在社会责任上的投入转化为市场竞争力。2008 年，国内出现首次排污许可证捐赠案例，扬州第二发电有限公司与扬州市政府签署协议，承诺在“十一五”期间，每年向市政府赠送 3 000t 二氧化硫排污许可证。这种向政府回馈排污许可证的行为，对没有完成削减任务的企业来说，无疑是很好的鞭策。

在国外，企业社会责任这一概念早在 19 世纪末就已产生，发展至今已被认为是企业管理的重要内容之一。美国杜邦公司有句名言：“尽量不要在地球上留下脚印”，尽量少用不可再生的资源，并将所有排放物尽量减少到最低限度，不对环境造成伤害。需要注意的是，在国外企业社会责任已不再是道德呼吁，逐渐由非正式规则的“软约束”进化成正式规则的“硬约束”。国际通行的 SA 8000 标准是全球第一个可用于第三方认证的社会责任管理体系标准，内容包括环境保护、公益事业、健康安全、差别待遇、工作时间和劳动报酬等方面。目前在美国、欧盟一些国家强制推广 SA 8000 标准认证的情形下，我国的产品出口又会遭遇一道无形的“壁垒”。

三、排污许可证交易制度的执行机制比较

制度构成的第三部分是实施机制。判断制度是否有效，除了看正式规则与非正式规则是否完善以外，更主要的是看制度的实施机制是否健全。离开了实施机制，任何制度就形同虚设。实施机制是为了确保上述规则得以执行的相关制度安排，它是制度安排中的关键一环。

美国经过多年的实践，通过建立交易平台，实现了排污许可证交易的市场化推进。芝加哥气候交易所便是其中的典范。通过这个交易平台，会员能更加系统地做出减排计划，有选择地采用各种减排技术和缓解措施，卖出超标减排量，获得额外利润。在交易平台进行减排交易，成本较低，结算速度较快。交易主体可以在交易所中获得大量的市场信息，对交易行为做出理智的选择。另外，通过连续排放监测系统、排放跟踪系统、配额跟踪系统获得受限制电厂的排污信息，精确的监测结果保证了整个排污许可证交易的顺利展开，尽管跟踪检测系统成本较高，但与节约的总成本相比还比较合适。同时，连续监测系统的准确性建立和保证了公众、排污者及政府对排污许可证交易的信心。

目前国内已经在北京、天津、上海、黑龙江、嘉兴等地建立起排污许可证交易的平台，交易数量并不可观，并未完全脱离“拉郎配”的状况，市场化水平仍比较低。排污许可证交易机制是一项复杂的系统工作，涉及多主体、多部门、多机构以及多方面的问题，必须建立完整的跟踪检测系统来消除排污许可证交易政策机制前端可能出现的“失位”，而由此带来的技术成本问题成为推动排污许可证交易实施机制的重要难题。美国弗莱切学校城市和环境政策与规划中心的威廉（William Moomaw）教授认为，排污权交易政策对于污染物排放没有严格监测的国家很难实施[6]。

作为制度安排中的关键环节，实施机制确保了正式规则和非正式规则中的制度安排能有效推进与实现。制度设计的主要原则是为了实现一定的预期目标，对于排污许可证交易制度设计来说，力图利用经济手段，以最小的成本实现污染物的减排，达到环境容量资源的最优配置。无论

是美国还是我国，规则的设计也都存在一定的弊端，矛盾的出现使人们不断寻求解决问题的最佳途径。美国城市与环境中心的罗伯特（Robert Russell）认为，“酸雨政策对于控制二氧化硫排放固然成功，但没有政策热衷者想象得那么大，其他一些独立的酸雨措施对实现二氧化硫减排也作出了贡献。[7]”

四、结　论

通过比较研究，综观我国与美国排污许可证交易制度设计的差别，笔者认为，美国排污许可证交易取得的成绩固然令人称道，但完全效仿美国的做法以期达到同样的市场效率及减排效率是不明智的选择。规则的设计需要执行机制的配合，我国排污许可证交易制度之所以不能达到预想的市场化效果，不仅取决于规则的设计上的缺陷，执行机制的不健全，还取决于正式规则、非正式规则、执行机制的不协调。只有三者有效协调，我国排污许可证交易制度才能逐渐适应市场化的需要。

排污许可证交易是运用市场来解决环境问题的环境经济政策，基于不同的经济背景及社会制度，市场运行的机制和规则也显然不同。因而在考虑完善排污许可证交易制度的过程中，应尽量避免一味效仿美国的做法去提出我们“应该怎么做”，而要针对目前排污许可证交易在国内的试点情况，在当前的经济状况及相关制度约束下，探讨我们“能够怎么做”。适当借鉴美国排污许可证交易的经验，结合我国实际进一步加强排污许可证交易的可行性研究，并在当前全球金融危机的大背景下，探讨今后如何保证排污许可证交易市场的活力，这是摆在学者及政府面前尖锐的现实问题。

参考文献

[1] 陈德湖. 排污权交易理论及其研究综述 [J]. 外国经济与管理，2004（5）：46－49.
[2] 宋国军. 中国污染物排放总量控制和浓度控制 [J]. 环境保护，2000（6）：11－13.
[3] 国家环境保护局编. 排污收费制度（试用）[M]. 北京：中国环境科学出版社，1997：260.
[4] 李寿德，程少川，等. 我国组建排污权交易市场问题研究 [J]. 中国软科学，2000（8）：19－23.
[5] 张颖，王勇. 我国排污权初始分配的研究 [J]. 绿色经济，2005（8）：50－52.
[6] Chicago Climate Futures Exchange. The Sulfur Dioxide Emission Allowance Trading Program：Market Architecture, Market Dynamics and Pricing. 2004.
[7] http：//www. cbcsd. org. cn/themes/Energy_ Climate_ Change/2018. shtml.

排污权交易市场机制设计的实验经济学研究述评

卜国琴

（暨南大学珠海学院　广东　珠海　519070）

摘　要　排污权交易已被不少国家的实践证明是一种较为高效的污染治理途径。排污权交易制度在很大程度上从理论研究和实践操作两个层面推动了环境规制理论与政策的不断发展与完善。今后国内排污权交易研究的重要方向之一是采用规范的实验经济学研究方法，借鉴国外同类实验的排污权交易市场机制设计思路，研究不同交易制度包括双向拍卖、分散交易、标签价格制度等对排污权交易市场效率高低的影响，同时考察交易费用对市场运行效果的影响及如何降低排污权交易市场中垄断因素所造成的不良影响，以及排污权初始分配等问题。

关键词　排污权交易　市场机制设计　实验经济学

一、引　言

最近几年，国内环境恶化、生态破坏越来越严重。过去那种片面强调 GDP 增长，消耗大量资源、大量排污的发展模式，使经济与环境、生态处于不可调和的矛盾状态。生态问题已经不是一个简单的环境保护的问题，同时也是一个重大的政治问题。因此，胡锦涛在中共“十七大”报告中谈到面临的困难和问题时，把经济增长的资源环境代价过大列在第一位。他还在报告中首次提出要建设生态文明。同时，“十七大”报告在“深化财税、金融等体制改革”里提到，“实行有利于科学发展的财税制度，建立健全资源有偿使用制度和生态环境补偿机制”，即通过一些非行政化的行为来改进这些方面的问题。与传统行政手段的“外部约束”相比，环境经济政策是一种“内在约束”力量，具有促进环保技术创新、增强市场竞争力、降低环境治理成本与行政监控成本等优点。根据国际经验和我国的实践基础，我们可以使用的环境经济政策有7类，包括绿色税收、环境收费、绿色资本市场、生态补偿机制、排污权交易、绿色贸易政策、绿色保险等。其中，排污权交易被不少国家的实践证明是一种较为高效的污染治理途径。

排污权交易制度在很大程度上从理论研究和实践操作两个层面推动了环境规制理论与政策的不断发展与完善。排污权交易制度作为一种以市场机制为基础的环境政策，有其深厚的理论渊源，因其高效率而日益受到重视。自20世纪70年代以来，美国、德国、澳大利亚、英国等国陆续采用排污权交易制度治理空气污染及水污染问题，获得了巨大的经济效益与社会效益。近几年来我国也在不少地区与城市进行排污权交易试点。

在排污权交易体系中，核心要素之一是具体排污权交易机制设计问题。一直以来，传统的产业组织理论只重视市场结构及由此而来的不同市场行为对市场绩效的影响，比较忽视不同市场交易制度对绩效的影响。事实上，结合实验经济学研究方法，不少国外研究成果表明，在排污权交易市场中，采用不同的交易制度，将产生差异很大的市场运行效率。因此，今后国内排污权交易研究的重要方向之一是采用规范的实验经济学研究方法，借鉴国外同类实验的设计思路，研究不同交易制度包括双向拍卖、分散交易、标签价格制度等对排污权交易市场效率高低的影响，同时考察交易费用对市场运行效果的影响及如何降低排污权交易市场中垄断因素所造成的不良影响。

二、国内外排污权交易市场机制设计实验研究现状回顾

排污权交易制度是一种基于市场机制作用的环境政策，在这种政策条件下，环境管理部门根据环境管理目标，通过建立合法的污染物排放权即排污权，运用各种分配方式和市场交易机制使

排污企业取得与其排污量相当的排污权，促使企业将被动治理变为主动治理的一种高效率的环境治理政策。排污权交易制度有其深厚的理论基础。1960 年，美国经济学家罗纳德·科斯（Ronald Coase）提出著名的科斯定理，即只要市场交易成本为零，无论初始产权如何界定，市场交易总可以达到最优的资源配置，并认为通过产权界定和市场交易同样可以解决污染这一外部性问题。1966 年，Croker 对空气污染控制的研究奠定了排污权交易的理论基础；1968 年，戴尔斯（Dales）将科斯定理运用于水污染的控制研究；1972 年，Montgomery 从理论上证明了基于市场的排污权交易系统明显优于传统的环境治理政策（如庇古税等）。美国是最早实践排污权交易的国家。从 20 世纪 70 年代开始，美国环保局（EPA）尝试将排污权交易用于大气污染源与水污染源管理，逐步建立起以补偿（Offset）、存储及存量节余（Netting）等为核心内容的排污权交易政策体系。自 20 世纪 80 年代起，美国环保局逐步将排污权交易制度运用于铅淘汰计划、减少臭氧层消耗物质计划、加州区域清洁空气激励市场计划及解决酸雨问题的二氧化硫许可交易计划。以二氧化硫许可交易计划为例，自 1990 年排污权交易制度被运用于二氧化硫排放总量控制以来，获得了巨大的经济效益与社会效益。目前，德国、澳大利亚、英国等都不同程度地借鉴了美国的排污权交易制度，并有效地削减了二氧化碳等温室气体的排放。

要成功设计排污权交易系统，如何组织排污权交易市场即排污权市场交易机制问题是应被考虑的核心决策变量之一。主要涉及排污权交易制度（Emission Trading Institutions）设计、市场势力（Market Power）及交易成本（Transaction Cost）的影响等问题，尤其是交易制度的设计与选择问题。长期以来，新古典经济学主流理论将市场本身假设为一个“黑匣子”，往往忽视了对交易制度的具体运行机制及其绩效进行深入考察。Plott、Holt 及 Smith 等人采用实验经济学方法将交易制度因素作为重要变量，考察其对市场运行绩效的影响，认为市场交易制度是影响市场运行效果的核心要素，从而在很大程度上修正了传统产业组织理论长期沿用的 SCP 分析框架。这一结论也被应用于排污权交易市场制度设计的研究问题。由于很难使用实际经济运行数据区分和比较每种交易制度孰优孰劣，传统的研究方法在分析与选择排污权交易制度方面较难得出有益而明确的结论。而经济学实验方法在不需要很多现实数据、仅有少许相关经验的情况下通过在实验室中建立排污权交易市场可以比较和分析各种交易制度的效率高低及市场价格走势、成交量变化、交易者获益等具体情况。Cason（1995）和 Cason and Plott（1996）通过实验证明美国环保局针对二氧化硫排污权交易市场采用的拍卖制度所产生的价格实际上远低于有关部门的预期。Bobm（1997）首先设计了双重角色所有权（Dual Role Property）的排污权交易实验市场。Muller and Mestelman（1998）与 Godby（1999）等人得出了排污权交易实验的一些重要结论，即如果允许跨期存贷排污权可使排污权成交价格在长期内趋于稳定；拥有市场势力的交易者可以影响排污权交易市场的价格、成交数量、交易者获益多少及整个市场的效率高低。Hizen and Saijo（2001）通过实验比较了双边交易（Bilateral trading）与双向拍卖（Double auction）这两种交易制度在排污权交易市场中的不同运行情况，结论是这两种交易制度均可获得较高的运行效率，边际排污成本在两种交易制度中都实现了均等化，但双向拍卖制度可使成交价格趋近于完全竞争水平，并且降低了交易成本。另外，Godby（2000）的实验表明，市场结构会影响排污权交易市场绩效；Cason（2003）的实验证明，交易成本会提高排污权交易价格，减少交易量，而当边际交易成本不变时，排污权的初始分配不影响交易价格、交易量及市场效率。

回到国内来看，由于目前环境问题比较突出，而目前所使用的治污政策效果又比较一般，因此不少国内学者从不同角度探讨更有效率的治污政策——排污权交易制度在中国运用的可行性与具体途径。近几年来，形成了大量的相关研究文献与成果，概括起来，可分为这几方面：一是研究与介绍美国等发达国家在排污权交易实践方面的成功经验[7-9]；二是对排污权交易制度进行深入的经济学理论探讨[10-12]；三是结合具体问题对排污权交易制度进行应用性研究[13,14]；四是分析排污权交易制度在中国运用目前可能遭遇到的问题与障碍[15,16]；五是对国外排污权交易理论成果进行综述性研究[17]。综观以上研究成果，可以看出国内对于排污权交易制度问题的研究已相当活跃，成果也已相当丰富，为我们研究和探讨排污权交易制度设计问题提供了有价值的信息和参考的思路。但同时我们发现，目前国内大多研究成果仍停留于相关理论探讨、经验介绍层面，对于排污权交易制度在中国特殊市场环境下的具体操作与实施仍缺乏深入系统的应用层面的研究与探讨，同时也缺乏科学、高效的研究方法。在这一方面与国外研究成果有着较大差距。因此，借鉴国外现有研究成果与研究方法——实验经济学方法，结合中国具体实际情况，研究与设计适合中国市场运行机制现状的排污权交易制度有着很大的必要性与现实意义。

三、在中国采用实验经济学研究排污权交易市场机制设计的意义与前景

今后，在国内采用实验经济学方法研究排污权交易制度设计问题有着非常重要的理论与实践意义，同时也有着非常广阔的应用前景。

首先，采用实验方法研究排污权交易制度问题，不仅是研究内容上的重要突破，同时也是研究方法上的重要突破，对于我国尝试与建立排污权交易市场有着非常重要的理论意义。

其次，按照实验经济学从简单到复杂的原则，通过实验方法所得出的研究结论完全可以运用于实际中。更为重要的是，实验方法可以减少研究成本，改善研究效果，尤其是可以降低由于政策实施的盲目性可能导致的严重隐性成本与损失。此外，实验方法还可考察交易成本、垄断等因素对市场运行效率的影响，可帮助研究者从多方面不断完善排污权交易市场设计。因此，结合实验经济学方法研究排污权交易制度设计问题对中国这样一个市场经济还处于不断完善的发展中国家来说，有着非常重要的现实意义。

今后，在采用实验经济学方法研究中国的排污权交易市场机制设计问题时，可主要围绕如下几方面来进行：

（一）排污权交易市场不同交易制度比较研究问题

通过实验方法比较几种主要交易制度的效率情况，包括双向拍卖制度、分散交易制度及标签价格制度等。通过采用实验经济学研究方法，可进行一系列实验比较这几种交易制度的价格走势、成交量变化、买卖双方收益情况及整个市场效率高低情况，以此判断哪种交易制度具有最高的市场效率，作为设计具体排污权交易市场机制的理论依据。

（二）研究交易成本因素对排污权交易市场效率高低的影响问题

结合实验经济学研究方法，通过设置实验比较交易成本高低及有无对排污权交易市场效率高低的影响，如果实验结果表明存在交易成本会降低排污权交易市场效率，则可继续寻求降低排污权交易成本的途径，或比较不同交易制度交易成本的高低，从中选择交易成本最低的交易制度。

（三）研究垄断因素对排污权交易市场效率高低的影响问题

从市场结构角度通过实验方法考察垄断因素对排污权交易市场效率高低的影响，通过改变实验设置分析排污权交易市场中如果存在垄断力量会怎样降低市场效率，并且寻求排污权交易市场中对垄断力量进行规制的方法。

（四）研究排污权初始分配问题

排污权交易制度首先要解决的一个关键问题是排污权的初始分配。早期的大多数学者在排污权交易理论的探讨中几乎忽视了初始排污权的分配问题。近年来，随着初始排污权交易制度在美国等西方发达国家的不断实施，越来越多的经济学家开始重视初始排污权的分配问题。在实践中，美国国会在《清洁空气法》（1990）中提出了初始排污权的三类分配方式，即免费分配、公开拍卖和标价出售。在这三种分配方式中，公开拍卖和标价出售对排污权的定价都有严格的经济学基础，初始分配价格可以为排污权流通提供定价基础。而排污权的免费定价方式尽管普遍受到

厂商的欢迎和认可，却不能为排污权的二次交易提供定价基础。通过采用实验经济学方法，可以在实验室中模拟不同排污权初始分配制度，比较和评价每一种排污权初始分配制度的政策效果，为政府有关部门制订排污权初始分配方案提供参考意见。

参考文献

[1] D. Davis, C. Holt. Experimental Economics [M]. Princeton University Press, Princeton, 1993.

[2] J. Dales. Pollution, Property and Prices [M]. University of Toronto Press, Toronto, 1968.

[3] R. W. Godby, S. Mestelman, R. A. Muller. Experimental tests of market power n emission trading markets. In: E. Petrakis, E. Sartzetakis, A. Xepapadeas (Eds.), Environmental Regulation and Market Power. Edward Elgar, Cheltenham, UK, 1999.

[4] T. N. Cason, C. R. Plott. EPA's new emissions trading mechanism: a laboratory evaluation[J]. Journal of Environmental Economics and Management, 1996 (30): 133 - 160.

[5] T. N. Cason, L. Gangadharan. An experimental study of electronic bulletin board trading for emission permits [J]. Journal of Regulatory Economics, 1998 (14): 55 - 73.

[6] Y. Hizen, T. Saijo. Designing GHG emissions trading institutions in the Kyoto protocol: an experimental approach [J]. Environmental Modeling & Software, 2001 (16): 533 - 543.

[7] 管瑜珍. 美国可交易的排污许可制度 [J]. 黑龙江省政法管理干部学院学报, 2005 (4): 98 - 101.

[8] 吴建, 马中. 美国排污权交易政策的演进及其对中国的启示 [J]. 国际合作与交流, 2004 (8): 59 - 64.

[9] 罗丽. 美国排污权交易制度及其对中国的启示 [J]. 北京理工大学学报 (社会科学版), 2004 (2): 61 - 65.

[10] 沈满洪, 赵丽秋. 排污权价格决定的理论探讨 [J]. 浙江社会科学, 2005 (2): 26 - 30.

[11] 龙丽娟, 黄晴. 环境污染的经济学对策 [J]. 求实, 2004 (6): 151 - 152.

[12] 陈永成, 龚影. 环境污染治理的激励机制设计: 排污权交易 [J]. 科技创业月刊, 2005 (1): 137 - 138.

[13] 李巍, 毛渭锋, 丁中华. 大同市二氧化硫初始排放权分配研究 [J]. 环境科学与技术, 2005 (7): 58 - 61.

[14] 敖荣军. 汉江中下游流域水环境保护的经济手段探讨 [J]. 地域研究与开发, 2004 (6): 19 - 22.

[15] 瞿伟, 王溪若. 关于排污权交易运行过程中若干问题的研究 [J]. 合肥工业大学学报 (社会科学版), 2005 (8): 37 - 39.

[16] 张敏. 略论排污权交易制度在中国的建立 [J]. 经济与社会发展, 2005 (3): 92 - 94.

[17] 陈德湖. 排污权交易理论及其研究综述 [J]. 外国经济与管理, 2004 (5): 45 - 49.

省域流域水污染物排污权交易情景分析与政策研究

郝明亮[1]　冯海波[1]　万宝春[1]　赵宪伟[2]

（1. 河北省环境科学研究院　石家庄　050051；
2. 中国地质大学（北京）水资源与环境学院　北京　100083）

摘　要　应用情景分析方法，按照总量—交易模式明确情景设计基础，从总量控制、配额分配、有偿使用、交易指标、有效期限、排污许可六个方面设计了水污染物排污权交易减排5种主要情景，并对其进行情景分析，说明解决水污染物排污权交易减排的重大关键问题。针对排污权交易市场供给不足、市场不活跃等困难，提出了排污收费和排污权有偿使用制度联合实施、以灵活机制界定排污权交易的对象和范围、初始分配与市场交易并行推进、积极降低排污权交易费用、推广基于“京都灵活机制”的排污权交易运作方式5项水污染物排污权交易减排政策措施。

关键词　水污染物　排污权交易　情景分析

情景分析（scenario analysis）是建立在对研究对象的未来状态或者趋势进行多种可能性推断基础上的一种政策研究方法。情景的设计取决于研究的目的和数据条件。以河北省为例，在构建省域、流域水污染物排污权有偿使用及交易试点框架的研究中，参照国内外已有交易案例及其面临的问题，设计并选定5种水污染物排污权有偿使用和交易情景，旨在充分发挥市场调节作用，活跃市场主体参与，协调经济社会发展与流域水环境资源的优化配置，促进水污染物减排和水环境质量的改善，并从各种情景设计中分析水污染物减排政策的研究方向，解决水污染物减排交易面临的问题，为省域、流域水环境调控政府决策提供依据。

一、水污染物排污权交易减排情景设计

情景（Scenario）是对未来情形可能实现的过程描述，反映关于现有趋势以及新因素如何产生影响的不同假设[1]。情景设计针对研究对象发展的复杂性和多样性，把未来发展、决策者意图和愿望作为情景分析的重要方面，注重关键性要素的重要性和协调一致性，重点在于如何有效获取和处理专家经验知识[2]。从国内外水污染物排污权交易减排实践和发展趋势分析，具有交易市场的特殊性、交易管理的复杂性、交易主体与客体的多样性，同时面临着政府调控与市场调节、既有政策与政策创新的协调性问题。因此，必须明确水污染物排污权交易减排情景设计的基础。

（一）市场管理者及其目标

水污染物排污权交易市场具有其特殊性，是在政府调控下的准市场，其交易机制应由政府确立，并保障其有序发展。没有政府的强势介入，这一市场难以自主形成，这是水污染物的经济属性及水环境的公共物品属性共同决定的。政府是这一市场的管理者，其目标是实现水污染物的总量控制和污染减排，有效降低社会总成本的投入。

（二）市场主体与中介组织

水污染物排污权交易市场的主体是排污企业，也可以是具有减排需求的地方政府，但不能包括社会团体和个人，以避免造成排污权的虚假需求与炒作。市场主体间的交易必须经由政府指定的中介组织完成，中介组织代理政府提供交易平台和交易监管的服务。

（三）市场客体及其开发

水污染物排污权交易市场的客体是各类污染源排放的各类水污染物，包括COD、氮、磷、

重金属等，根据区域水污染物排放特征和流域水环境功能要求逐步开发，以达到发展区域经济和保护流域水环境质量的发展目标。

基于以上水污染物排污权交易减排情景设计的基础，结合国内省域、流域水污染物减排管理及交易市场发展动向，按照总量—交易模式[3]，从总量控制、配额分配、有偿使用、交易指标、有效期限、排污许可六个方面，设计以下5种主要情景（表1）。

表1 省域、流域水污染物排污权交易情景设计

项目	总量控制	配额分配	有偿使用	交易指标	有效期限	排污许可证注册或变更
情景1	排污总量＞总量控制指标	按统一技术规范审核“现有市场主体”污染物排放许可配额，完成减排任务	“现有市场主体”暂不实施有偿使用，期满后所有排放配额指标转为有偿使用	市场主体超额减排指标可上市交易；市场主体不能自主完成减排任务，则通过交易平台，申购减排指标	5年	配额或交易确认后变更
情景2	排污总量＞总量控制指标	为新建市场主体预留总量指标	新建市场主体申购总量指标，内含减排指标	所有减排指标可上市交易	5年，以后按“现有市场主体”对待	交易确认后注册
情景3	排污总量＞总量控制指标	无剩余总量指标	新建市场主体申请所需总量指标，内含减排指标	通过交易平台，申请市场主体与有减排意向的市场主体达成减排协议，为减排市场主体提供减排资金或技术，实施减排工程，按减排指标比例获得总量指标（按“京都灵活机制”实施）	5年，以后按“现有市场主体”对待	交易与减排工程评估确认后注册
情景4	政府指令性总量控制指标减少	重新核定“现有市场主体”污染物排放许可配额，完成减排任务	所有排放配额指标均为有偿使用	市场主体超额减排指标可上市交易；市场主体不能自主完成减排任务，则通过交易平台，申购减排指标	5年	配额或交易确认后变更
情景5	排污总量≤总量控制指标和环境容量	“现有市场主体”不再重新分配总量指标	按原总量指标有偿使用	所有减排指标可上市交易，转让给新建市场主体	长期，直至其注销或变更	交易确认后注册或变更

注：“现有市场主体”指该阶段、该情景下注册的企业等。

二、水污染物排污权交易减排情景分析

上述5种情景设计均体现了水污染物排污权交易减排方面政府主导、市场运作、多方参与、共同减排的技术路线，各种情景分别面对现实情况与发展趋势进行设计，旨在解决水污染物排污权交易减排的重大关键问题。以下对5种情景面向的关键问题及解决思路进行分析。

“现有企业”排污权有偿使用的问题（情景1）：现有企业在排污权市场运行前已取得合法有效的排污权许可证，其排污权无偿取得，政府通过收取其排污费对其造成的环境损失进行补偿。为解决现有企业排污权有偿使用与交易减排问题，可通过制定现有企业排污权有偿使用与交易减排政策，以及排污许可配额分配技术规范，使其产生预期，及早准备，适应新政策的要求。

新建企业有偿取得排污权的问题（情景2、情景3）：排污权市场运行后，新建企业取得排污权只能通过市场申购，其指标可能来源于政府预留总量指标，也可能来源于市场主体的减排指标，但均为有偿使用。

总量控制指标调整（减少）的问题（情景4）：由总量控制到容量管理是一个渐进的过程，在总量控制指标大于环境容量的情况下，为逐步改善流域水环境质量，政府根据经济社会发展对区域、流域总量控制指标进行持续、动态调整，这种形势下政府对“现有市场主体”排污许可配额按统一技术规范重新核定总量指标，使总量指标持续减少，以达到减排与改善水环境质量的目标。

“现有市场主体”可交易指标的问题（情景1、情景4、情景5）：“现有市场主体”可交易指标必须是其完成减排义务之外的额外指标，并遵从“可测量、可报告和可核实”的“三可”准则，但允许其申报后即进行交易，变更排污许可证之后再进行监测与核实，市场主体如存在虚报造成超指标排放，将受到严厉处罚。

排污权有效期限的问题（情景1~5）：在当前和相当长的一个时期内，存在排污总量大于总量控制指标或总量控制指标阶段性动态调整与持续减少的局面，对市场主体的排污权确定一个合理的有效期限十分必要。考虑到国民经济和社会发展规划以五年为期，总量控制指标是其中的约束性指标，也是国家和地方政府的重要考核指标，总量控制指标在下一轮五年规划中必然进行调整，并且排污权交易是以总量控制目标和指标为基础的市场，为便于对市场主体的排污权进行动态调整，将其排污权的有效期限确定为5年较为合理。当政府达到环境控制目标后，企业通过排污权交易取得的排污权可以长期有效，直至其注销或变更。

三、水污染物排污权交易减排政策措施

国内外水污染物排污权交易减排实践表明，交易减排面临的最大问题是排污权供给不足，造成市场交易不活跃等困难。为此，提出以下水污染物排污权交易减排的政策措施。

（一）排污收费和排污权有偿使用制度联合实施

排污费制度是环保部门已实施的减排制度，把排污费制度与排污权有偿使用制度联合实施，明确排污收费和排污权有偿使用的适用对象，两者共同来减少污染物排放和达到环境保护目标[4]。排污收费对象为无偿取得排污权和超标排放企业，排污权有偿使用对象为有偿取得排污权企业。把排污收费分为两个层次：一是对企业取得的排污权许可限额以同类企业同期排污权交易价格收取排污费，使排污收费与排污权有偿使用在其内涵上统一；二是对超过其许可限额的排放量以排污权交易价格10倍收取（参考美国酸雨计划），严惩超额排污者。

（二）以灵活机制界定排污权交易的对象和范围

排污权交易对象可参照“京都灵活机制”，先行确定一定的对象，如有额外减排量的企业、污水处理厂、面源削减区域政府等，通过环保部门批准的中介服务机构持续开发可交易的排污权供给方式，经政府决策部门审核后推广；排污权交易范围应突破省、市、县级行政区划，按流域建立水污染物排污权交易市场更为合理[5]。由此，扩大排污权交易的对象和范围，并以灵活机制持续开发排污权供给者，可以提高排污权交易市场的活跃度。

（三）初始分配与市场交易并行推进

综合目前企业承受能力、政府管理水平及市场信息等情况，对现有企业的排污权采用免费分配的初始分配形式，根据政府制定的统一规则合理地将排污权分配到各个经营主体，同时明确各企业的减排义务，避免引发社会利益分配不公、竞争地位不平等等矛盾。因此，建议以省域、流域总量控制为目标，根据企业所处的水环境功能区和行业清洁生产指标审核现有企业的排污权[6]，使其形成排污权有偿使用与减排预期，同时开发省域、流域统一的排污权市场交易平台，

将初始分配与市场交易并行推进，既保证总量控制目标的实现，也将企业生产技术先进性作为减排的底线，有利于提高落后企业的清洁生产水平，促进产业结构调整和减排目标的实现。

（四）努力降低排污权交易费用

交易费用是影响产权交易活跃程度的最敏感变量。如果交易成本过多、程序过复杂、时间过长，甚至高于其获得的预期收益，就会影响交易效率，就可能形成新的成本效率均衡点，降低排污许可的市场成交量，压抑排污权交易的供给与需求。因此，建议采用“免费申请、先行交易、事后核查”的管理方式，中介服务机构的经费在成交总额中按一定比例提取，最大限度地降低管理费用与交易成本，以促进企业排污权广泛交易和污染物减排的积极性。

（五）推广基于“京都灵活机制”的排污权交易运作方式

“京都灵活机制”是指《京都议定书》建立的三个机制，即联合履行机制（JI）、清洁发展机制（CDM）和排放贸易机制（ET）[7]。为最大限度地活跃排污权交易市场，推广基于“京都灵活机制”的排污权交易运作方式（图1），即在政府宏观调控与监管下，强化中介服务机构作为项目经营实体的市场开发与服务功能；相应的，政府机构应遵循“京都灵活机制”，制定水污染物交易的项目范畴与清单，指导中介服务机构项目开发方向，确保通过排污权交易实现减排目的。同时还要创建灵活的创新机制，监管与决策层对中介服务机构开发的清单外项目能够及时论证，并对项目的可行性给予正面答复。

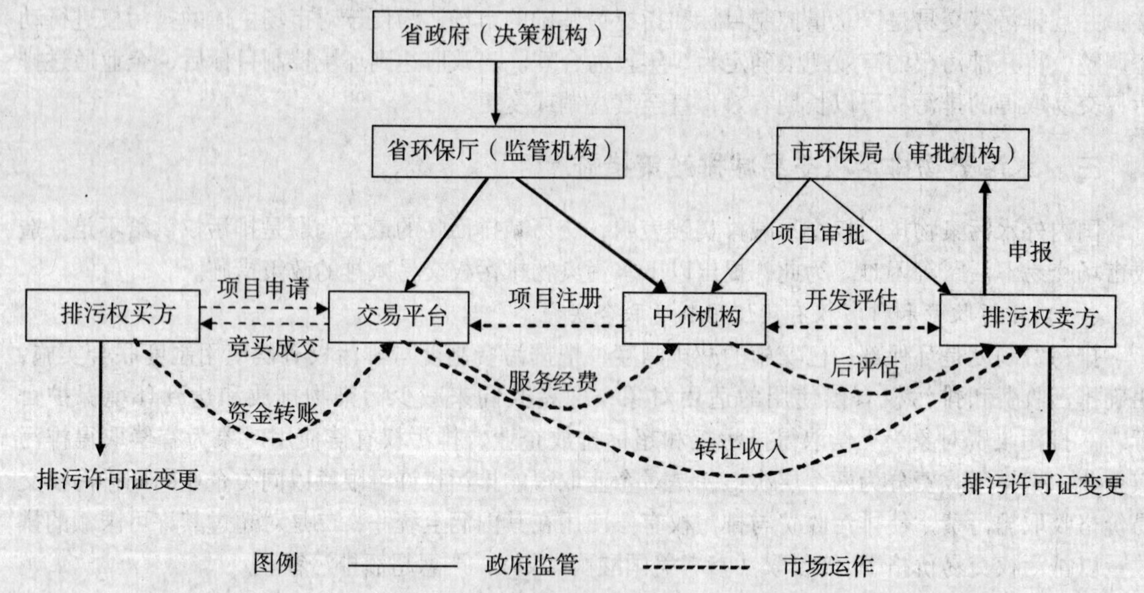

图1　基于“京都灵活机制”的省域、流域排污权交易运作方式示意图

参考文献

[1] Alcamo, T. Henrichs. Draft Guidelines for Environmental Scenario Analysis, 11, July 2002.

[2] 岳珍，赖茂生．国外“情景分析”方法的进展［J］．情报杂志，2006（7）：59－64.

[3] 瞿伟．美国排污权交易的模式选择与效果分析［J］．工程与建设，2006，20（3）：188－190.

[4] 李志学，程默．以排污权交易为主体的环境政策体系研究［J］．资源产业，2004，6（5）：47－49.

[5] 徐治雄．论我国流域水环境排污权交易制度的形成和完善［J］．科技信息（学术研究），2008（12）：343－344.

[6] 俞兴东．实施清洁生产促进排污权交易［J］．环境与可持续发展，2007（3）：14－16.

[7] 何艳梅．《京都议定书》的清洁发展机制及其在中国的实施［J］．法治论丛（上海政法学院学报），2008（2）：93－97.

生态区域补偿与排污权交易关联性的探析

石浚哲[1]　过炳峰[2]

（1. 无锡市环境监测中心站　无锡市曹张新村58号　214023；
2. 无锡市环境科学研究所　无锡市曹张新村58号　214023）

摘　要　文章主要对生态区域补偿、排污权交易的原理、实际运用中存在问题进行分析，对两者的关联性进行了探析，并提出了相关建议。

关键词　生态区域补偿　排污权交易　政策关联性

自20世纪初，经过意大利的帕累托（V. Pareto）、马歇尔（A. Marshall）、庇古（A. C. Pigou）、家罗纳德·科斯等人的发展，相关政策研究成果亦层出不穷，环境经济学作为一门新的经济学分支学科迅速发展起来[1]。环境经济学重要成果：生态区域补偿、排污权交易在我国正日益成为环境保护政策发展新方向，而且已在全国各地逐步展开。作为全新的环保政策，有着无可比拟的优点，但也存在很多值得探索的地方。

一、定义和现状分析

排污权交易是指在一定区域内，在污染物排放总量不超过允许排放量的前提下，内部各污染源之间通过货币交换的方式相互调剂排污量，从而达到减少排污量、保护环境的目的。其主要思想是建立合法的污染物排放权利即排污权（这种权利通常以排污许可证的形式表现），并允许这种权利像商品那样被买入和卖出，以此来进行污染物的排放控制。

2007年11月，嘉兴市成立了全国首家排污权交易中心——排污权储备交易中心正式挂牌成立，至2009年6月，全市有229个项目通过排污权交易获得主要污染物排放指标，有440多家企业完成了初始排污权有偿分配，总交易额突破1.33亿元；有两家企业共取得排污权抵押贷款720万元。通过开展排污权交易工作，增强了社会各界对环境资源有限性的认识，提高了企业治污的积极性，促进了环境资源配置的优化和产业结构的调整，推动了污染减排工作[2]。2008年，太湖流域在全国率先启动排污权有偿使用和交易试点；2009年下半年，江苏省成立排污权管理中心。

生态区域补偿是以“谁污染谁付费、谁破坏谁补偿”为原则，以区域政府为主体，建立环境资源污染损害补偿机制，对损害环境资源作出赔付补偿。生态环境作为公共产品，具有很强的外部性，其产生的效益外部经济性及其所处地理位置的不可改变性，从而产生了多个区域共享生态利益而本区域承担环境保护成本的不现实性问题，需要财政转移支付这样一种协调机制和均衡制度来解决地方公共产品外部性问题。据此，对生态区域的利益补偿通常采取两种方式：一是作为中央事权由中央财政直接拨款来解决；二是作为地方事权通过转移支付手段来解决。

我国最早的生态补偿实践开始于20世纪80年代，主要应用于森林与自然保护区的补偿工作起步较早，较多地为国家投入；以及在中国云南、福建、内蒙古等省、自治区的矿区生态补偿费，都是生态补偿的实践。具有生态区域补偿意义的政策开始于2003年。为了保障上游的水资源状况，厦门市实行了跨市的生态补偿。厦门市政府每年从财政收入中各划拨出500万元分别用来支援上游龙岩和漳州市的水污染综合整治、水源涵养和水环境改善[3]。2008年10月颁布了《无锡市环境资源区域补偿办法》，2009年3月颁布了《江苏省太湖流域环境资源区域补偿方案》，从此开始了真正意义的生态区域补偿。

二、生态补偿与排污权交易的关联性

（一）经济理论本质的一致

从本质而言，两者都是将环境资源的外部性价值化，利用市场手段进行合理调控，从而达到资源最优化。自然资源的稀缺性理论、效用价值论、劳动价值论、级差地租理论等都从不同角度阐明生态环境作为一种生产要素是有价值的，将其价值通过定量化地体现，并将之交易从而更好地促进资源的合理利用是两者的核心内容。根据美国“气泡”理论，排污权交易是微观的“企业气泡”，生态区域补偿则是宏观的“区域政府气泡”。本质上都需要利用环境的外部性价值。

（二）实际工作基础的一致

排污权交易与区域补偿的基石均是：明确的环境容量、翔实的环境监测数据。1982 年上海进行了排污权指标有偿转让，即是在黄浦江上游地区环境容量充分调查的情况下进行的[4]。其对新上的项目采取了污染物排放总量指标在地区内综合平衡，调剂余缺的措施，对排污权进行了有偿转让。而区域补偿的基础也是根据区域的生态容量、环境质量进行合理的价值转移。

（三）操作主体的一致

在我国，两者的操作主体也是一致的。均是由政府作为主导，建立平台，引入市场机制进行操作；在美国，虽然由政府主导，但却是由多个部门联合完成，不仅有环保局，也有国会、联邦法院、税务局等部门以及部分协会；而在中国，由于环境监测、环境统计、环境容量、排污收费等工作均由环保部门完成，因此，环保部门有能力同时完成两者的操作，一定程度上减少了部门的摩擦，提高了工作效率。

三、存在问题

排污权交易作为近年来研究热点，以及经过几年的实际运行，其存在的问题主要表现为：①定价政策不能完全反映生产成本、社会成本；②初始排污权的确定不能体现分配的合理性；③过程控制的技术难度可能造成“买少排多”的现象。

生态区域补偿制度由于没有很多实例，其存在的问题并不是很凸显，但从现有的政策可以看出以下几点问题：①没有充分体现市场作用，仅是通过简单行政划拨来反映上下游区域的生态排污关系；由于我国财政体系中仅有纵向转移，没有横向支付，导致区域补偿的行政划拨没有明确“开支栏”；形成“名虽正，言不顺”；②目前政策没有体现对因保护生态环境而牺牲自身利益的人们或地区给予不完全补偿；即没有充分体现“谁保护，谁受益”的公平原则；简单而言，目前很多水源地或山区是调节生态平衡的重要地区，但常常也是贫困地区；该地区的人们为了维持现有的环境，牺牲了发展的机会；发达地区在达到小康后，要求贫困地区提供较好的环境；而目前的生态区域补偿多为单向行为，即上游补偿下游，而单向的补偿是对贫困地区的再一次掠夺。

四、建 议

（一）统一规划与管理

排污权交易与生态区域补偿是环境容量外部价值性的宏观与微观两方面的体现。两者应该统一规划与管理，在各地区由同一部门进行协调平衡。由于环保局长期从事环境污染控制、排污收费、环境质量监测等工作，建议在环保局下设机构，建立“环境容量交易平台”，统一管理排污权交易与生态区域补偿；根据需要，对企业或地区的排污情况进行合理的过程控制；根据科斯定理：如果交易成本为零，只要产权明确，则无论最初的产权是如何分配的，资源的利用通过交易只能达到最优。因此，在管理过程中，削弱政府的控制力，更多引入市场机制，采取“老人老办法，新人新办法”，平衡排污权交易过程中出现的问题；以排污权交易资金为补充，以排污收费资金为基础，形成区域补偿专项基金，从而满足区际协调发展的需要。

（二）打破行政区划，保持自然系统的完整性

一方面，环境污染没有局部性，上游的污水会随着水流运动影响下游地区甚至于近海；另一方面，生态系统的服务功能有着明显的外延性，黄河上游地区做好了水土保持工作，也许下游地区就没有“一瓢河水，半瓢沙”的现象。但行政区划却将完整的自然生态系统分割、归属到多个行政区域中。由于利益分争、价值观不尽相同，从而给环境保护带来了困难；建议根据本地区的生态需要，从实际出发，打破行政区划的限制，以保持自然系统的完整性为依据，建立区域补偿对象，确立补偿机制。以补偿部分地区因提供生态服务而产生的效益外溢损失及发展机会不均等所造成的机会成本。

参考文献

[1] 国家环保部环境与经济研究中心研究报告．生态补偿机制：理论、经验和政策框架．2006 年 10 月．

[2] 九三学社浙江省委．关于我省排污权交易制度的建议．2009 年 10 月．

[3] 苏美蓉，等．生态城市环境管理经济方法体系研究．安全与环境学报．2006，6（4）：42－45.

[4] 曾力，刘建平．美国的排污权交易制度及其在我国的应用探析．企业技术开发，2009，28（1）：52－56.

以“三个体系”建设为依托实施超量减排补偿机制促进减排深入开展

盛若虹

（山西省环境监测中心站　山西省太原市兴华街11号　030027）

摘　要　本文提出了应采取措施鼓励市县政府及排污单位实施主要污染物超量减排，依托主要污染物减排监测、统计及考核体系进行统计核定，实施主要污染物超量减排补偿机制，促进减排工作持续深入开展。

2007 年，国务院以国发［2007］36 号文件印发了《国务院批转节能减排统计监测及考核实施方案和办法的通知》，要求建立科学、完整、统一的节能减排统计、监测和考核体系（以下简称“三个体系”），并将能耗降低和污染减排完成情况纳入各地经济社会发展综合评价体系，作为政府领导干部综合考核评价和企业负责人业绩考核的重要内容，是强化政府和企业责任，确保实现“十一五”节能减排目标的重要基础和制度保障。几年来在“三个体系”建设不断完善的基础上，节能减排工作取得巨大成效。

为了在完成主要污染物排放总量减排任务的基础上，持续实施污染减排，加速改善环境质量，应采取措施鼓励市县政府及排污单位实施主要污染物超量减排，对超量减排进行资金补贴，促进减排工作持续深入开展。

为了鼓励污水处理厂挖掘减排潜力，2008 年上海市政府就推出了城镇污水处理厂 COD 超量削减补贴政策，挖掘企业减排潜力。针对不同处理规模、不同出水浓度、不同处理标准、不同区域的污水处理厂制定了不同的 COD 出水浓度标准，通过进一步优化污水处理厂的运行管理，增加必要的投入，尽可能降低污水处理厂 COD 出水浓度，达到污染减排的“最大化效应”。虽然运行费用和投入均有所增加，但投入不大，并且有了超量减排补贴资金作为对相关污水处理厂运行费的补贴，污水处理厂有了积极性，有效地挖掘了企业减排潜力。通过政策引导和强化监督管理，全市有减排任务的污水处理厂化学需氧量出水平均浓度明显下降，实现化学需氧量超量削减。超量减排政策一是提高了污水处理厂的出厂水质，有利于进一步改善水质，具有明显的环境效益；二是降低了单位污染物去除成本，具有明显的经济效益，有效地调动了污水处理企业通过技术改造和强化管理提升减排能力的积极性，达到了经济、环境和社会效益的统一，促进了 COD 减排目标的完成。

一、主要污染物超量减排补偿的范围

主要污染物是指列入国家或省级政府的约束性考核指标范围的污染因子，如化学需氧量、二氧化硫等主要污染物。主要污染物超量减排是指对市县政府完成省级政府或环保部门下达的污染物排放量减排任务，企业完成排污许可证确定的排放量后，进一步实施污染物减排，超额完成的减排量。

对超额完成减排任务的市县政府或企业，以年度为周期进行核定，实行主要污染物超量减排补偿，使超量减排成为排污单位的自觉行为。

二、依托“三个体系”，对超量减排量进行监测、核算

可以依托“三个体系”（监测、统计及考核体系），对实施主要污染物超量减排量进行监测、

核算、验收。

主要污染物超量减排监测的范围包括排污单位在达到排污许可证确定的排放量基础上，继续采取污染治理措施实施超量减排，对排污单位的超量减排措施进行的监测。

优良的监测技术是对实施主要污染物超量减排量进行监测、核算的重要支撑。经过几年的实践，我国针对不同的排污类型企业建立了不同的监测手段，如对于大型企业实施在线监测，对于小型企业实施人工采样监测。对国控重点污染源的在线监测仪器、监控装备已广泛应用。以山西省为例，近年来抓紧建立和完善节能减排监测体系，按照国家及省环保厅要求，每季度对国控、省控重点污染源共1000余个进行监督性监测，所有电厂、污水处理厂和国控污染源都按要求安装了在线监测设备，并与省、市环保主管部门监控中心联网。同时将在线监测设备的运行、维护和考核作为强化减排管理的重要内容，加强比对测试，并作为对企业和运营商考核的重要依据。在此基础上，可以企业当年污染源自动监控数据为依据，以监督性监测为参考计算企业当年减排量及超量减排量。

对于没有安装在线监测设备的或没有开展监督性监测的污染源，可以采用其他监测（达标验收监测、竣工验收监测、专项监测等），以现场监测的二氧化硫、化学需氧量等主要污染物排放浓度和流量数据为基础，核定、统计污染源超量减排数据。

三、主要污染物超量减排量核算方法

企业主要污染物超量减排量 = 企业排污许可证许可量 − 当年实际排放量

企业排污许可证许可量是省环保行政主管部门分配给企业的污染物排放量。当年实际排放量是企业考核当年以监测数据为依据所测算的实际排放量。

市县政府主要污染物超量减排量 = 市县范围内考核当年主要污染物实际减排量 − 市县政府当年减排任务量

市县政府考核当年主要污染物实际减排量，是考核当年市县政府通过采取工程减排、结构减排和管理减排等措施，市县的主要污染物减排量，再扣除考核当年污染物排放新增量之后，实际减少的污染物排放量。市县政府当年减排任务量，是省级政府下达给市县政府的当年减排任务量。

凡超额完成主要污染物减排任务的市县政府和企业均可提出主要污染物超量减排补偿资金申请。省环保主管部门对申请材料进行预审，会同有关部门进行验收，将验收结果通过网站、媒体向社会公告。

四、超量减排补偿资金来源及使用

主要污染物超量减排补偿资金可由省政府设立专项资金安排，也可从环保排污费资金中解决。超量减排补偿资金可用于环保治理、清洁生产和改善环境的项目，也可对单位和个人进行奖励。

建立西部少数民族地区矿产开发生态损害补偿机制

周松柏[1]　胡晓登[2]

（1. 贵州民族学院民族学与社会学系　550025；2. 贵州省社会科学院城市经济研究所）

摘　要　在西部少数民族地区大规模矿产资源开发中，产生了大量的负外部性以及生态损害问题。解决负外部性和生态损害问题，亟须建立矿产资源开发生态损害补偿机制。西部少数民族地区建立矿产资源开发生态损害补偿机制应当采取的六项措施中，最重要的一项措施就是建立对资源开发区当地各族群众的“补偿还原”机制。

关键词　西部少数民族地区　矿产开发　生态损害　“补偿还原”机制

西部少数民族地区矿产资源开发，应当抓紧建立开发过程中的生态损害补偿机制，以利于促进转变发展方式，破解矿产开采导致的负外部性和环境损害的发展难题，实现又好又快发展。

一、西部少数民族地区矿产资源开发的生态环境损害

在西部少数民族地区大规模矿产资源开发中，产生了大量的负外部性以及生态损害问题。在金、银、重晶石、煤炭、石油、天然气、铁、铜、汞、铝等矿产资源开发过程中，矿区周围出现地表塌陷、地基下沉、地下水位下降、山体滑坡、崩塌、泥石流、地裂缝、住房开裂、道路下沉和中断、水土流失、水资源的枯竭等。

以煤炭资源开发为例，开发过程对环境的影响甚至破坏，主要表现在以下几个方面。

（一）水土流失加剧

煤炭资源开发建设产生的弃土弃渣，直接倾入沟谷、河道，破坏了植被，产生了大量的扰动地面。大量的废渣、废石堆积在河道，很容易在降水集中的雨季引起水土流失加剧，成为新增水土流失的重要源泉。

（二）土壤危害

煤炭开采、尤其是露天煤矿的开采，首先要剥离地表的植被覆盖层和土壤层，采矿结束后，原有的宜耕、宜种、宜林、宜牧的土壤不复存在，造成土壤严重损失。

（三）地质灾害

煤炭开采方式主要是井采，井采对环境的影响比较大。特别是大中型煤矿，虽然其开采率高，但采用回采放顶的开采方式导致煤层顶部的岩层及其上覆物发生沉陷和裂缝，造成地质灾害。地下煤层被开采后，破坏了岩体内部原有的力学平衡状态，导致岩体发生位移变形，岩体的完整性受到破坏，引起地面沉陷。陕北神东矿区补连塔矿采空塌陷区属于丘陵盖沙区地貌，最密处每25m宽的范围内就有11条裂缝，地面裂缝最宽达44cm，裂缝两侧高差最大为42cm。煤炭开采破坏地层结构后，还会引发山体滑塌、泥石流等地质灾害。目前全国因煤炭开采塌陷的土地约为1.0万~1.1万km^2。

地质灾害对百姓生产生活造成严重影响。陕北榆林市常兴煤矿，是一座年产30万t的井矿，以洞采的方式开采10年后，2004年井田范围内地面出现裂缝，有10户民房受影响，其中2户被迫搬迁。开采煤矿所引起的“地裂塌陷”，不但导致贵州省贵阳市修文县谷堡乡绿水村小营组种植的果树移位，而且土质变得非常稀松，山体滑坡随时可能发生。

（四）地下水循环系统遭到破坏，加剧水资源的短缺

陕西省榆林市中能煤矿，是一座年产能力120万t的大型矿，该矿在投产初期已经造成采空区地下水位显著下降，井田区的农地因地下水不能补给已经不能再种植小麦，只能种耐旱性较强

的玉米等作物；灌水的次数由原来的每年3~4次增加到10~12次，灌溉成本提高了3倍；当地的柳树等乔木也开始枯萎。内蒙古准格尔露天矿的煤层埋深不足100m，煤炭开采后周边的民用水井全部干枯。贵州省贵阳市修文县谷堡乡绿水村小营组煤厂附近原有两口水井，煤炭开采后完全枯竭，人畜饮水出现困难。

（五）公共设施遭到破坏，环境损失巨大

采空塌陷区范围内所有建筑物的地基，在相当长的时间内因发生位移而难以达到稳定。地面塌陷、裂缝，将使水利和水土保持治沟被破坏，或者在沟岸、沟底形成漏水通道，使水保水利工程不能发挥作用甚至不能建设，同时使道路出现裂缝、塌陷，采空塌陷区公路的运行条件长期处于不稳定状态，将严重地影响当地交通运输业和生产发展。

煤炭的燃烧导致巨大环境损失。据国际环保组织绿色和平最新发布的《中国发电集团气候影响排名》报告，仅2008年，十大发电集团消耗煤炭所造成的环境损失，高达870亿元人民币。

二、建立生态损害补偿机制应采取的措施

西部少数民族地区矿产资源丰富。矿产资源开发所造成的生态灾难已经成为严峻的现实。建立矿产资源开发的生态损害补偿机制，对于统筹兼顾当地政府、矿山企业、矿区群众三者的利益，顺利推进相关改革，构建和谐矿区，是一项非常必要、紧迫的任务。

所谓生态损害补偿，是指在金、银、重晶石、煤炭、石油、天然气、铁、铜、汞、铝等矿产资源的开发中，对开发者破坏生态或环境的行为所涉及相关利益主体，进行利益关系调整的一种制度安排。在形式上，生态损害补偿表现为从事矿产资源开发的企业或个人，在相关法规和制度的约束下，向受到损失或遭受损害的资源所有者和开发区当地各族人民支付相关费用的行为。完善生态损害补偿，关键在于形成稳定的生态损害补偿机制。

研究和建立矿产资源开发的生态损害补偿机制，不仅是国家的迫切性政策要求和实践需求，而且是促进中国生态环境保护、促进脱贫和社会公平等重大经济社会问题得以解决的有效手段。对于矿产资源丰富的西部少数民族地区而言，建立健全矿产资源开发的生态损害补偿机制，更是当务之急。

西部少数民族地区建立矿产资源开发的生态损害补偿机制，应采取以下六项措施。

（一）建立生态损害补偿保证金制度

如何使矿产资源开发摆脱粗放式线性经济模式，走资源综合利用、循环利用的可持续发展道路，是西部少数民族地区实现现代化目标的一个关键问题。借鉴西方国家的经验，建立矿产资源开发的生态环境修复保证金制度，使“谁开发、谁保护，谁污染、谁治理，谁破坏、谁恢复”的原则落到实处。

对新建或正在开采的矿山，应以土地复垦为重点建立生态损害补偿保证金制度。对企业所造成的生态损害，由企业100%承担生态修复责任。所有企业都必须在交纳一定数量保证金后，才能取得采矿许可。保证金应根据每年生态损害需要治理的成本加以征收，要能满足治理所需全部费用。保证金可以通过地方环境或国土资源行政主管部门征收，也可以采取在银行建立企业生态修复账户、政府监管使用的方式交纳。若开采企业未按规定履行生态补偿、环境修复的义务，政府可动用保证金进行生态治理。企业交纳生态损害补偿保证金，可以采取分期付款的方式，以便减轻企业负担。主要是根据每年生态损害需要治理的成本加以征收，要能满足治理所需全部费用。保证金将依据每年矿山修复治理的数量和质量，逐渐返还。在矿山企业完全履行生态修复责任并达到修复标准后，全部退还修复保证金。

（二）建立资源耗竭补贴制度，激励采矿企业及时恢复矿区生态环境

西部少数民族地区多数大中型矿山企业是在计划经济体制下由国家通过重点项目的集中投资

而形成，没有建立矿产资源耗竭补贴制度。有的资源接近枯竭的矿山，因为没有积累足够的资金，面临着寻找接替资源的巨大压力。国家不得不投入大量的人力、物力、财力等，帮助这些矿山寻找接替资源。在矿业不断深化改革的今天，这一制度上的欠缺所造成的不良影响，已越来越明显。因此，应建立资源耗竭补贴制度，从净利润中扣除一部分给矿山的经营者，形成企业的专项基金，可以用于接替资源的寻找，也可以用于产业结构调整的转产投入，从而有效降低采矿企业所承受的税负。以产业结构调整，激励采矿企业及时恢复矿区生态环境。

（三）提高矿产资源补偿费标准，促进资源开发区可持续发展

一是针对西部少数民族地区能源开发的状况，参照国际标准，大幅度提高煤炭等矿产资源补偿费标准，由原来的1%调整到10%左右。当然，这既需要取决于全国改革的步伐，也需要争取中央政府的支持。

二是向国家有关部门建议，提高西部少数民族地区矿业大省资源补偿费的地方分成比例，由现行的中央、地方各半，改为中央占40%、地方占60%。

三是在矿产资源开发中要照顾开发区地方利益。尽快建立矿产资源开采企业对开采地环境破坏补偿机制，国家应规定中央企业上缴开采地的税收比例，所有矿产资源开采企业不论企业所属地在哪里，都应在矿产资源开采地登记注册，就地缴纳所得税。对新增的矿产资源初级产品，多留一部分在当地深加工，延长产业链，走资源工业发展的新型道路，促使资源开发区能够把资源优势转化为经济优势。促进资源开发区的环境保护和可持续发展。

（四）尽快启动煤炭资源税税制改革，建立煤炭资源开发的生态损害补偿机制

应在现行税制框架下进一步调整煤炭资源税，把西部少数民族地区产煤大省的税率调整为目前适用的最高限——5元/吨。

例如西部少数民族地区的贵州省，其原煤产量从2003年的7800万吨增长到2006年的1.18亿吨，增幅为51.3%。同期电煤量和外销煤量分别从2169万吨、1678万吨增长到4052万吨和3119万吨，增幅分别达到86.8%和85.9%。贵州根据《财政部、国家税务总局关于调整贵州省煤炭资源税税额标准的通知》（财税［2005］83号），自2005年5月1日起，煤炭资源税是按每吨2.5元征收。如果按照目前的最高限——5元/吨征收煤炭资源税，2006年1.18亿吨的原煤产量，可获得财政收入5.9亿元，增收2.95亿元，那么，便能够在一定程度上为煤炭资源开发生态损害补偿机制的建立，提供资金支持。

（五）资源利益相关者应对西部少数民族地区进行生态损害补偿

以煤炭为例，我国煤炭资源在空间分布上与经济重心不匹配的特征，使得煤炭资源最为富集的贵州、山西、内蒙古等省区必然成为辐射全国的煤炭生产基地，并由此引致其他相关高耗能重工业的集聚，二者相互促进，不断加剧对煤炭资源富集省区的生态破坏和环境污染。东部地区在获取西部少数民族地区提供的能源并逐步转移其淘汰落后产业的同时，把生态破坏和环境污染的代价留在了这些省区。按照“谁受益，谁补偿”的原则，大量输入能源的东部地区，理应对贵州等西部少数民族省区进行生态损害补偿。至于生态损害的补偿标准，应以生态环境治理或修复的成本为依据确定。从实际考虑，在目前条件下，生态损害补偿，依据资源开发所导致生态损害的修复治理成本作为标准，是合理的。这样做，不仅可以达到保护与恢复生态环境的目的，也可以实现保护受损者基本利益的目标。同时，符合补偿者的承受能力，具有可操作性。

（六）建立对资源开发区当地各族群众的“补偿还原”机制

矿产资源开发给西部少数民族地区的环境造成严重破坏，严重损害了当地各族人民利益，矿/群纠纷成为重大群体性事件的基础性原因之一。对此，建议国家应当尽快制订矿产资源开发的生态补偿法规，切实保护当地各族人民的合法权益。尤其需要指出的是，西部少数民族地区矿产资源开发的生态损害补偿，必须建立对当地各族群众的“补偿还原”机制。矿产资源税、生

态损害补偿机制的理论和实践，不能仅仅停留在向东部和企业征税层面，重要的是如何科学、合理、公正地使用，将税收和补偿直接还原给受损严重的当地各族人民，确保当地各族人民的生存权和发展权。建议国家发改委、财政部、国土资源部等尽快研究制订相关法规政策并及时出台实施。

大型资源开采企业，可在企业内部成立专门机构，例如资源环境管理部，负责与当地政府协调，统筹安排资源开发区的村庄搬迁和耕地占用等补偿事宜。

企业对资源开发区当地各族群众的“补偿还原”机制，应当包括两种补偿形式：现金补偿和修复补偿。现金补偿是指，对于矿产开采造成的直接损害，如地上附着物损害、人员安置、耕地占用等容易明确受害人的，直接给予现金补偿。修复补偿是指，开采企业有责任和义务，将开采破坏的环境，恢复治理到原有生态系统的目标。

参考文献

[1] 王慧．贵州省六盘水市煤炭开发对土壤环境的影响［J］．地质灾害与环境保护，2004（3）．

[2] 魏焕成．陕北地区煤炭开发生态环境问题研究［J］．中国煤炭，2007（1）．

[3] 李新安．煤炭开发利用对环境的影响及对策［J］．中国非金属矿工业导刊，1997（1）．

[4] 蔺明华．晋陕蒙“黑三角”煤炭开发环境问题调查［EB/OL］．中国水利网，2005-09-19.

[5] 路榕，黄勇．村民头上顶个煤矿［N］．贵阳晚报，2007-06-10（6）．

[6] 中国绿色节能环保网：十大发电集团所消耗的煤炭造成的环境损失就高达870亿元［EB/OL］．http：//chinajnhb.com/News/1648.html，2009-07-29.

[7] 金三林．用生态补偿手段医治中国环境顽症［EB/OL］．中国证券网，http：//www.sina.com.cn，2007-07-18.

[8] 宋梅，王立杰，张彦平．我国矿业税费制度改革的国际比较及建议［J］．中国矿业，2006（2）．

[9] 胡振琪，程琳琳，宋蕾．我国矿产资源开发生态补偿机制的构想［J］．环境保护，2006（19）．

[10] 金三林．国外生态补偿政策四点启示［N］．上海证券报，2007-07-18.

[11] 刘铮，顾瑞珍，崔清新．专题协商会政协委员建言西部大开发六大热点［EB/OL］．新华网，http：//news.tom.com，2006-09-07.

[12] 蔡继明．应大幅度提高我国矿产资源补偿费标准［EB/OL］．中国冶金设备网，http：//china.metale.cn/Info/85252/Index.shtml，2007-03-14.

[13] 孙国强．贵州省人民政府关于解决产煤地区贫困农民生活用煤困难情况的报告［C］．2007年5月23日在省十届人大常委会第二十七次会议上．

典型国家温室气体减排政策、措施及经验

马　欣

（北京林业大学环境科学与工程学院　北京　100021）

摘　要　气候变化是当前全世界关注的焦点问题，因为气候变化不仅仅是气候本身的问题，还是一个涉及经济和政治的热点问题。目前发达国家温室气体减排履约的整体情况不容乐观，主要发达国家的排放量呈上升趋势，但一些发达国家的减排经验还是值得借鉴的。本文在总结典型国家温室气体减排政策和措施的基础上，结合我国实际情况，提出了我国温室气体减排的可能对策。

关键词　温室气体　气候变化　全球变暖　二氧化碳　减排对策

一、典型国家温室气体排放现状和减排措施

（一）欧盟——成效明显，进展顺利

为响应 IPPC 的号召，欧洲委员会要求欧共体的国家完成到 2020 年减少 30% 温室气体的目标。为了实现这一目标必须在发电厂和其他大的能源消耗行业，如钢铁、陶瓷（建材）等行业，开发提高能源效率和进行二氧化碳捕集与储存的技术。

欧盟作为一个整体对《京都议定书》的承诺是，在 2008—2012 年将温室气体排放量降至低于 1990 年 8% 的水平。在欧盟内部，通过负担分摊协议在欧盟最初的 15 国间进行了分配，至 2020 年将 CO_2 的排放降至低于 1990 年 30% 的水平。经过艰难磋商，欧盟于 2005 年 1 月正式开始实施了全球第一个也是最大的多国间的排放贸易计划（ETS，Emission Trading Scheme）。该计划涵盖了欧盟 CO_2 总排放量的 30%，涉及 25 个成员国的 1.2 万个工业设备。

（二）日本——困难重重，亟待解决

日本是全球第二大经济体和第五大温室气体排放国。日本在 2002 年 6 月核准了《京都议定书》，承诺在 1990 年的基础上降低 6%，而 2002 年日本的温室气体排放相对于 1990 年上升了 5%。为此，2002 年 3 月日本政府实施了新的气候变化计划，该计划基于以下四个原则：保持环保和发展经济的平衡，逐步实施，责任分担，国际合作。

日本政府将重点放在能源利用所产生的排放方面，并规定了各部门的排放指标。根据预测，要完成《京都议定书》的指标，日本还有相当大的缺口，缺口部分主要通过海外的碳贸易补齐。在政策方面，日本政府出台了一系列政策杠杆，其中包括碳税和排放贸易。碳税包括“石油和煤炭税”和“气候变化税”。自 2003 年 10 月起，日本开始征收石油和煤炭税，由于以经团联为主的工业界的强烈反对，环境省被迫在 2004 年 11 月放弃在 2005 年征收此税。在 2003 年 4 月和 2004 年 6 月，日本环境省实施了一项国内排放贸易的试验项目。该项目有 63 家单位参加，涉及电力和能源利用的 CO_2 直接和非直接排放，共进行 255 笔交易，总量约 240 万 t，每吨 CO_2 交易价为 10 ~ 27 美元。而经团联对排放贸易计划持强烈反对态度，认为任何强制性的排放上限将对生产活动带来影响，而工业界已经承诺通过自发行动来减少 CO_2 排放。2010 年 3 月，日本环境省汇总一套减少温室气体排放方案以达到本国的减排目标，措施包括加大可再生能源利用、推广节能住宅和环保汽车。为实现 2020 年中期减排目标，日本将加强可再生能源利用。到 2020 年，将太阳能发电装机容量从眼下的 144 万 kW 增加至最高 5000 万 kW；风能发电装机容量从 109 万 kW增加至 1110 万 kW；核能发电能力也将增强。专家组建议，到 2020 年，住宅和其他建筑物中高效热水器安装数量从 50 万台增加至 1640 万台；符合一定节能标准的新建住宅比例从 30% 提高至 100%。方案提出，将混合动力车和电动车等环保汽车销量从 6 万辆增加至 250 万辆。

如果这些减排措施得以落实，日本可以不必通过从海外购买排放指标实现减排25%的目标。

（三）美国——备受诟病，力度不大

《京都议定书》中规定美国的减排指标为7%，2001年3月，政府以承诺减排将严重影响经济为由退出了《京都议定书》，2002年美国的温室气体排放量较1990年增长13%。为回应各方的批评，2004年2月政府宣布了气候变化行动作为《京都议定书》的替代计划。该行动计划包括2002—2012年温室气体单位GDP排放量降低18%；加强能源部现存的温室气体排放自愿登记计划；增加研发方面的联邦资助；以及通过税收促进可再生能源的投资等。

2010年，美国白宫宣布将温室气体排放规模在2005年水平的基础上减少28%。声明表示，作为全球规模最大的能源消费者，美国有责任减少能源使用并提高能源使用效率，而美国的目标正是降低成本、削减污染并将联邦能源支出从石油转向清洁能源。去年10月，美国总统奥巴马曾下达了总统行政命令，要求各机构制定2020年减排目标并提高能源效率、削减公务车辆石油消耗、节约用水并减少浪费。此外，奥巴马政府支持的包括7870亿美元的庞大经济刺激计划在内的数个立法，均为美国政府及该国私营机构发展绿色经济提供了奖励。美国在克林顿执政时曾签署了《京都议定书》，但是布什2001年宣布美国不批准《京都议定书》，理由是它给美国经济发展带来过重负担。不过部分观点认为，布什政府拒绝批准这个给工业化国家定下温室气体减排目标的国际公约，深层原因是它与石油等能源公司关系密切。本届联合国气候变化大会6日刚开幕时，美国谈判代表阿朗·沃森就表示，美国在《京都议定书》上的立场在布什总统任期结束前不会有任何改变。分析人士认为，虽然美国的立场短期内不会发生改变，但是美国国内以及国际社会的呼声无疑将推动美国在应对全球变暖问题上靠近国际合作的轨道。

（四）英国——积极实践，效果明显

英国是世界上控制气候变化最积极的倡导者和实践者。《京都议定书》为欧盟规定的目标是到2012年温室气体排放量在1990年的基础上减排8%，而英国设定的目标是减排12.5%。2003年3月英国《能源白皮书》提出到2010年将二氧化碳减排20%，到2050年减排60%。为了实现这一目标，英国已经制定了一系列提高能源利用效率、降低温室气体排放量的气候政策。成立碳基金和实行温室气体排放贸易制度是其中两项重要的政策。碳基金是一个由政府投资、按企业模式运作的独立公司，成立于2001年。碳基金的工作重点是帮助企业和公共部门减少二氧化碳的排放，中短期目标是提高能源效率和加强碳管理，中长期目标是投资低碳技术。碳基金的资金主要来自英国的气候变化税。气候变化税是向工业、商业及公共部门（住宅及交通部门、居民除外）征收的一种能源使用税，自2001年4月1日开始实施，每年约有6600万英镑的气候变化税拨付给碳基金管理使用。温室气体排放贸易制度是一种市场化的环境管理手段，有助于降低减排成本。英国是世界最早制定和实施温室气体排放贸易制度的国家。作为英国气候变化政策的重要组成部分，2002年英国启动了为期5年涵盖6种温室气体的排放贸易制度。

温室气体排放贸易制度是其中两项重要的政策。英国在2001年对工、商业以及国有部门的能源使用开征“气候变化缴款”（climate change levy）。这项收入被用来弥补雇员的国民社会保险缺口并且为提高能源使用效率和开发可再生能源提供支持。对可燃气体税率是0.15英镑/m^3；对液化石油气体的税率是0.07英镑/m^3，对电的税率是0.44英镑/kWh^2，对其他任何物品的税率是0.12英镑。同时英国政府规定如果用可再生能源发电或使用优质燃料都可以免税。

（五）加拿大——手段强势，经济刺激

加拿大温室气体排放占全球排放总量的2%，人均排放量却是最高的国家之一。在1990年，加拿大人均排放温室气体21.6t，到2004年增加到23.7t。2002年加拿大签署了《京都议定书》，承担6%温室气体减排目标：以1990年为基准，在2008—2012年期间减少6%的温室气体排放量。1990年加拿大温室气体排放量为599Mt，以1990年为基准减少6%，即要将排放控制在

563Mt，而2004年加拿大温室气体排放量为758Mt，比1990年增长27%，比《京都议定书》的目标增长35%；目前的温室气体排放量与《京都议定书》规定的指标每年大约差6000万t，要实现其在《京都议定书》上承诺的减排目标，加拿大面临着一个巨大挑战。

加拿大在历史上依靠多种非义务的政策和措施来减少大气排放，但是事实证明这对于减少环境危害是不够的。从全面来看加拿大还落后于其他的一些国家。2006年10月加拿大政府提出《空气清洁法案》，根据法案，加政府将在接下来的4年内同汽车、石油和天然气工业等温室气体排放大户及相关省份进行协商，以确定温室气体减排的短期、中期和长期目标，并从2011年开始强制治理导致全球气候变暖的温室气体排放问题，争取到2050年将加温室气体排放量在2006年的排放水平上削减50%。同年，加政府提出了一个综合的全国统一规范温室气体和大气污染物排放规章制度：清洁大气规范议程。规范议程的主要内容为：从重要排放源的源头上解决温室气体和大气污染物排放问题，对工业源、交通源、消费和商品排放源进行规范；实行更加严厉的能效标准；改进室内空气质量。

加拿大因能源而产生的温室气体占总排放的82%，为减少其排放，加政府成立能源效率处，专门致力于帮助各个部门节省能源和提高能效。采取的具体措施有：对私人房主、小规模和中等规模的企业和机构提供拨款，以帮助他们投资提高能源效率和减少排放措施；帮助已建建筑选择提高能效的措施和方法，促进新建筑的高能效设计，对相关设计方提供多种工具和设计软件，并且将对其进行专业训练，及时提供信息和回访，以提高建筑物和房屋的环保节能；通过帮助企业评估他们的运行能力来减少能源消耗、为企业培训能效和节能部门的管理者、为企业推荐耗资最少的温室气体减排的措施、举办新技术和经验交流研讨会等措施活动，来鼓励和促进全体工业部门尽早采取环保节能行动；给汽车用户提供购买、驾驶和保养汽车的帮助，以减少燃料消耗和温室气体排放。同时，对购买环保型新车给予1000～2000美元的优惠，以鼓励公众选择节省燃料的交通工具；通过改进交通工具效率，推行燃料效率技术，减少政府部门运输费用，教育和引导公众使用更干净的燃料等措施，来减少交通产生的温室气体；通过修正能效规范，帮助加拿大人在购买、出售或者制造设备时，通过最低耗能等级标示，选择高能效设备，禁止低能效设备进入加拿大市场；能源效率处不仅采用了准许和激励制度，同时还为各个部门提供多种形式帮助，包括专业训练、统计和分析，并且出版了数以百计的免费出版物，来帮助各部门通过节省能源和提高能效，减少温室气体排放。

为减少工业部门温室气体排放，加政府主要采取以下措施：实行目标激励制，开展和实施多项温室气体减排项目；对各部门规定排放目标，使其在2015年工业的空气污染量减半；2006年加政府制定了工业排放源的短期目标并且在2007年春开始执行；对工业强制征税，从而达成在2020年绝对减排温室气体150Mt的目标；为将工业成本和经济影响最小化，制定相应执行机制，以方便工业部门灵活地完成规定的责任和义务，同时也要求严格的监督和报告，用于评估职责履行的结果和透明度；为评估中期和长期减排目标的完成进度，规范工业气体排放，每隔5年要进行评估。第一次评估安排在2012年，评估必须对温室气体减排和大气污染物削减，以及对采取的先进工业技术措施的效果进行评估，来决定随着目标的不断改进更深层次减排的可能性。

加拿大环境保护管理部门制定了实施和惩罚规定，对没有达到设定要求，或者没有按照设定规范执行的行为都是犯法。强制执行官核实对法律和相应规范的执行情况。如果确认违规，那么将采取一个或者多个强制措施，如警告、教育、罚款和其他处罚（包括环境保护实施命令），禁令或者起诉。对于任何违反规范的行为都要采取相应的措施。当实施起诉时，违法行为将被以即席判决或者控告进行起诉。在继续违规的情况下最高罚款为每天100万美元、关押3年以下或者两者同时执行。企业法人代表或者企业相关负责人对企业遵守法律、规范或者任何强制要求的义务要负特别的责任。

（六）中国——积极探索，不断进取

中国是世界第二大能源消费国，尽管《京都议定书》对发展中国家二氧化碳排放的标准没有进行限定，但不能回避的是，中国经济的快速发展已经是使我国成为二氧化碳排放量全球仅次于美国的第二大排放国家。中国在温室气体减排方面采取的对策与日本相似，即通过减少能源消耗来实现减排。2006 年中国能源消费总量 24.6 亿 t 标准煤（1kg 标准煤 = 29.27MJ），比 2005 年增长 9.3%。其中，煤炭消费量 23.7 亿 t，增长 9.6%；原油 3.2 亿 t，增长 7.1%；天然气 556 亿 m^3，增长 19.9%；水电 4167 亿 kWh，增长 5.0%；核电 543 亿 kWh，增长 2.4%。万元国内生产总值能源消耗 1.21t 标准煤，比 2005 年下降 1.23%。到 2020 年，GDP 比 2000 年翻两番，人均 3000 美元，一次能源年消费总量将达 30 亿 t 标准煤；到 2050 年，GDP 将比 2020 年再翻两番，人均 12000 美元，一次能源年消费总量将达 70 亿 t 标准煤。目前中国政府提出"十一五"期末（2006—2010 年）单位国内生产总值能源消耗将比"十五"期末降低 20% 左右。针对工业是我国能源消费的大户，能源消费量占全国能源消费总量的 70% 左右。千家企业是指钢铁、有色金属、煤炭、电力、石油石化、化工、建材、纺织、造纸 9 个重点耗能行业规模以上独立核算企业，2004 年企业综合能源消费量达到 18 万 t 标准煤以上的共 1008 家。据统计，千家企业 2004 年综合能源消费量为 6.7 亿 t 标准煤，占全国能源消费总量的 33%，占工业能源消费量的 47%。各省又提出了更细的指标，如上海市有 11 家入选全国千家，完成能源审计，进行跟踪检查；另外对于年耗大于 5 万 t 标准煤的 100 多家，今年开展对标管理和能源审计；大于 5000t 标准煤的 800 家，逐步建立能源消耗月报制度；大于 2000t 标准煤的由区县政府监管。

中国目前减少 CO_2 排放的主要措施和对策包括：调整能源结构（降低煤炭消费比例、适度提高天然气比例和发展核能）；提高能源生产、转化、分配和使用过程中的效率；开发利用水能、风能、太阳能和生物质能等可再生能源；通过植树造林，推广秸秆还田、平衡施肥和少（免）耕等增加陆地生态系统的碳吸收。减少 CH_4 排放的主要措施和对策包括：回收利用煤层气；改造生活垃圾填埋场地和筛选环境适应性强的 CH_4 氧化菌并接种于填埋场；改善反刍动物的营养成分；稻田合理灌溉、提高水稻的收获指数、选育和种植 CH_4 排放低的水稻品种等。减少农田 N_2O 排放的主要措施和对策包括：提高氮肥利用率；推广施用长效肥和控释肥；施用生物抑制剂和实施微生物工程等。

二、结　论

根据各国的减排历程和经验，笔者认为，就目前来讲，中国在保持经济增长的同时，控制温室气体排放迅速扩大的趋势是完全可能的，可从以下几个方面寻求解决途径：①开发并引进新能源技术，提高能源利用效率。大力发展可再生性能源和核能；②完善财税体制，加强节能减排立法工作。政府管理部门为企业和个人提供充分的减排信息和帮助；③加强国际减排合作，维护《京都议定书》现有体制；④提高民众的减排意识，发挥民众的减排主动性。经济激励能有效地鼓励企业和个人参加到减排活动中来。

参考文献

[1] 於俊杰，郝郑平，等．发达国家温室气体减排现状及对我国的启示［J］．环境工程学报，2008，2（9）：1281－1287.

[2] 刘莉，崔志强，等．加拿大温室气体减排策略及启示［J］．环境保护，2007，12B：91－93.

[3] 刘兰翠，等．温室气体减排政策问题研究综述［J］．管理论坛，2005，10：47－54.

[4] 英国实施积极政策促进温室气体减排［J］．参考资讯，2007，2：7－8.

[5] 张冠荣．我国温室气体减排矛盾及其解决途径［J］．安庆师范学院学报，2008，8：10－13.

关于深入学习实践科学发展观进一步做好环境保护工作的认识和思考

王东海　徐智勇　徐志浩　隋　强　卢　洁

（济南市环保局高新技术产业开发区分局）

摘　要　作为基层环保部门，主要任务是如何在实践科学发展观的指导下，将环保工作落到实处。本文在生态文明理念指导下，提出了建立完善环境污染预防机制、扬尘污染预防和环境应急防范预防三个方面的思考和认识。

关键词　科学发展观　生态文明　环保　预防

胡锦涛总书记在十七大报告中强调，要深入贯彻落实科学发展观，促进国民经济又好又快发展，加快推进以改善民生为重点的社会建设，把环境保护摆上了重要的战略位置。十七大会议还决定将“建设资源节约型、环境友好型社会”写入《中国共产党章程（修正案）》。这一切都充分表明环境保护作为基本国策真正进入了国家经济社会生活的主干线、主战场和大舞台，中国环保事业迎来了空前难得的历史机遇。从事环保工作的各级领导和人员，都在齐心协力抓住和利用这一重要战略机遇时期，发展和提升环保工作。如何更好地发挥组织、引导、服务、监督职能，真正做到环保工作想人民群众所想、急人民群众所急、做人民群众所需，切实为广大人民群众做实事、办好事、解难事，这就对环保工作提出了新的更高的要求。

一、当前，各级党委和政府更加重视环保，将环保工作摆上了重要的战备位置

党的十七大报告对环保着墨颇多，不仅将“经济增长的资源环境代价过大”列为我们前进中的首要问题，而且强调“必须把建设资源节约型，环境友好型社会放在工业化，现代化发展战略的突出位置”，提出实现人均国民生产总值到2020年比2000年翻两番的前提是要在“降低消耗，保护环境的基础上”，甚至在对外交往中也强调“环保上互相帮助，协力推进，共同呵护人类赖以生存的地球家园”，特别是在实现全面建设小康社会奋斗目标的新要求中提出了“建设生态文明”的目标，更是让人耳目一新。我们党将环保工作摆上了更加重要的战略位置。

我们的党和政府之所以将环境保护提到这样一个高度，是对我们改革开放近30年历程的认真反思而得到的清醒认识。我们都经历了这个改革开放的伟大历史变革，这30年，我们经济发展迅速，人民生活水平显著提高，但对经济发展速度的单一追求，也令生态环境付出了惨重代价。事实证明，以牺牲能源、破坏环境为代价，带来的只是一时的经济数字的增长，留下的却是长远的危害和隐患。这样的结果，必然会造成资源难以支撑，环境难以容纳，社会难以承受，发展难以继续。

让人高兴的是，我们按照科学发展的思路，批判反思了我们经济发展历程中人与自然的不和谐问题，清醒地认识到“经济增长的资源环境代价过大”是我们前进中首要的问题，特别强调要建立人与自然的和谐相处关系，建设生态文明，并将他上升为全面小康的硬性指标，不可谓不高瞻远瞩，这是我们党对近30年改革开放发展历程科学总结作出的正确抉择。

二、建设生态文明奋斗目标的提出，这是我们党建设和谐社会理念的进一步升华，标志着我们党的执政理念更加成熟，也可以说标志着一个新的时代的到来，具有里程碑式的重大意义

我们对环境问题的认识，主要源于改革开放中粗放式经济发展的历程，这个过程中暴露出的

环境问题给了我们真实的体验，还源于对西方发达国家走过的“先污染后治理”教训的反思和总结，它表现出一个逐步认识的过程。先是认为环境问题就是单纯的环境问题，头痛医头，脚痛医脚。然后认识到环境问题不仅仅是环境问题，它还是一个经济问题，环境治理要依赖于经济的增长，而环境问题的解决也会促进经济增长和社会进步。党的十七大报告生态文明的提出，将环保提升到文明的高度，又给我们对环境问题的认识提高到一个新的层次，将环境问题作为一种发展观念用于指导发展，这种观念的确立，标志着我们党执政理念的成熟，可以说标志着一个新时代的到来，具有重大的里程碑式的意义。

三、加强环境保护，建设生态文明，形势紧迫，时不我待

无论是个人、集体、国家，应有两个权利，一个是生存权，一个是发展权，这两个权利的实现都依赖社会的文明和社会的进步。当我们以牺牲生态环境为代价发展了几十年之后，我们发现如果生态系统不能持续提供资源能源、清洁的空气和水等要素时，我们的文明就失去了载体和基础，生存无从谈起，发展更无从谈起。大量事实证明，发展，离不开生态文明。不搞环境保护和生态文明建设，发展是没有出路的发展，发展是走向末日的发展。加强环境保护，建设生态文明，形势十分紧迫。

建设生态文明是我们既定的目标，面对目前十分严峻的环境形势，我们必须要付出辛勤的努力，这就要求我们要深入学习实践科学发展观，将加强环境保护，建设生态文明的各项要求落到实处。结合工作实际有以下几点认识：

（一）关于建立完善环境污染预防机制的思考

众所周知，在1973年第一次全国环境保护会议上提出的环境保护32字方针中，就有“预防为主、防治结合”。我国制定了多项环保法律法规，法律的名字都是“防治法”，“防”前“治”后，体现了“污染防治”的重点之所在，污染防治就是要把环境保护的重点放在事前防止环境污染和自然破坏之上，同时也要积极治理和恢复现有的环境污染和自然破坏。在今年全国污染防治工作现场会上，张力军副部长提出，污染防治是环境保护工作的重中之重，深化污染防治工作就是要更加突出污染预防，强化源头控制。“污染防治”，“防”字在先，需以“防”为主，“防”和“治”要有机结合。另外，在环保部机构设置中，污染控制司的名字更改为“污染防治司”，从污控到污防是一个重要的变化，体现了污染预防，“防”字在先，需以“防”为主的重要性，体现了源头及全过程防治，降低污染产生的理念，更加体现了环境友好、资源节约的要求。因此，在今后的工作中，我们要进一步做好环境污染预防工作，进一步建立更加完善科学的环境污染预防机制，实现由污染控制到污染防治、事后监管到事前防御、被动应对向主动防控的转变，解决环境问题更要注重在污染预防层面想办法，找对策，做足“防”的文章。

（二）关于当前扬尘污染防治工作在“防”方面的思考

当前，扬尘污染已经成为影响空气环境质量，需要常抓不懈的民生大问题。我局组织职工，特别是现场执法监察人员进行了认真讨论，前期主要做法都集中在“治”上。按照大气法规定，因建设施工造成的扬尘污染问题，由建设行政主管部门进行处罚。我市按照行政执法权相对集中的规定，目前由行政执法局进行处罚。在“治”的层面上扬尘污染防治的职责已经很明确，我们所做的工作也多是协调性、督促性工作。

我们应当把目光回到“防”上，在现有的法律框架内来看，环评法是“防”的主要依据。按照环评法的要求，建设单位应当按照环评文件和环评审批意见的要求采取一系列的环境保护措施。这其中包括施工期间的扬尘污染控制问题。严格落实环评文件和环评审批意见是项目建设单位应尽的义务。

为此，我们可以从“防”的角度来加大管理力度，在行政执法局对工程施工单位扬尘污染

防治工作进行管理的同时，我们环保部门从加强对项目建设单位落实环评文件和审批意见中的扬尘污染防治措施入手，推动当前扬尘污染防治工作深入开展。两个主攻方向互不矛盾，相互促进，同时进行。这样，使管理对象明确，部门职责清晰，管理体系更加完善科学，近期也取得了较好的效果。主要思路如下：

一是要求项目建设单位在编制环境影响评价文件过程中对施工期的扬尘污染防治内容做细、做好，对照《防治城市扬尘污染技术规范》和有关法律法规要求，逐项提出有针对性的措施。

二是更加重视项目环境影响评价文件技术评估阶段对施工期间的扬尘防治内容的审查。通过评估使项目在环评编制过程中对施工期间的扬尘污染防治措施更加具体、明确。

三是在项目环评文件审批阶段更加重视施工过程中扬尘污染防治措施的审批，并提出明确要求。通过前期我们对高新区审批的项目看，施工期间的环境保护要求过于原则和笼统，今后将在此环节加以改进，对项目建设单位在项目施工期间的扬尘防治义务给予明确规定，督促项目建设单位更加重视建设过程中的扬尘污染防治工作，发挥项目建设单位的作用，对工程施工单位进行监督、约束。

四是加大对项目施工期间的环境监察工作力度。对开工建设的项目，加大后监察工作力度，重点对项目施工期间扬尘污染防治措施执行情况进行监察。对不落实项目环评文件和审批意见中有关扬尘污染防治措施和要求的，依据山东省实施《环评法》办法第二十五条第（二）项“未落实环境影响评价文件和环境保护行政主管部门的审批意见，对环境造成不良影响的，责令限期改正，处以三万元以上十万元以下的罚款”规定对项目建设单位进行处理，达到推进扬尘污染防治工作的效果。

（三）关于环境应急防范工作中“防”的问题思考

在我们环境应急防范工作中，除环保部门应制定应急预案外，企业层面制定环境应急预案，加强应急准备，一旦发生突发事件严格执行应急预案同样十分重要。但目前来看，固废法规定了企业应当制订应急防范措施和应急预案并上报环保部门，新水法规定了企业应制定有关水污染事故的应急方案并做好应急准备但没有必须上报的规定，大气方面尚未有强制性规定。从执行情况看，企业制定了上述预案也只是停留在字面上，由于国家未制定相应应急预案的规范性要求，我们对应急预案的针对性和可操作性难以准确判断，无法监督企业把应急管理工作落到实处。因此，在环境应急防范工作中“防”的层面还需要加强，以免一旦发生环境污染事故，在第一时间企业无从应对，造成不应有的损失。主要思路如下：

一是出台地方法规或规章，对企业环境应急预案的制定、内容和上报环保部门作出规定，解决企业层面应急方案不制定、内容不全面、不具体，制订方案不执行的问题。

二是通过学习调研和加强培训等，使环保监管人员熟知企业生产工艺、污染物排放环节和相应应急防范措施，切实提高环保监管人员的应急防范能力。同时，针对可能产生突发环境事件的重点行业、重点单位，尽快研究制定企业编制环境应急预案的规范性要求，做到防患于未然。

建设项目竣工环境保护验收监测收费制度的问题分析与对策探讨

商　博[1]　张　强[1]　吕培茹[2]

（1. 山东省环境监测中心站　山东　济南　250013；
2. 山东省建设项目环境审核受理中心　山东　济南　250013）

摘　要　论述了建设项目竣工环境保护验收监测对加强“三同时”制度监管提供重要技术支持的作用，分析了在验收监测收费上存在的突出问题，提出了明确验收监测性质和定位，创新机制，建立健全收费制度，规范收费行为的对策措施。

关键词　验收监测　收费　管理

《污染源监测管理办法》中明确规定了“三同时”项目竣工验收监测（以下简称验收监测）等是各级环境保护局所属环境监测站对污染源进行监督性监测的职责要求。但现行的验收监测收费制度不能完全适应环境保护事业发展的需要，主要表现在：对验收监测收费的定性界限不清，标准不统一，行为不够规范，监督机制不完善，各地进展不平衡等。因此规范验收监测的收费行为，切实理顺政府部门与企业、市场之间的关系，建立公开公正、高效便民的收费制度，是实践科学发展观的重要举措，是促进验收监测工作良性发展的重要任务。

一、验收监测收费制度的性质与定位

我们认为，验收监测是建设项目竣工环境保护验收的重要依据，对验收监测实行有偿收费并要求由建设单位承担，是国家机关及其授权单位以管理为特定事由向直接责任人收取费用的行为，是实现依法管理服务而采取的一种经济手段，是落实“谁污染谁治理”环境责任的具体体现。验收监测技术性强、内容繁杂，既有现场监测和采样，又有实验室仪器分析；既有现场勘察、调查产生的交通食宿费用，又有方案与报告编制、印刷的费用，耗费大量人力物力成本。对验收监测实行有偿收费，其目标是强化管理而不是补偿成本，从发展趋势上应对企业“零收费”，但在目前“吃饭财政”现实条件下仍是节约政府财政开支，增加财政收入的一条渠道。

二、验收监测收费中问题及症结

长期以来，主管部门对验收监测收费的性质定性不清，对验收监测收费只有原则性规定，缺乏相应的收费制度。如原国家环保总局环发［1999］246 号文《污染源监测管理办法》中规定了“建设项目‘三同时’竣工验收监测等所需经费由排污单位承担，收费持省级以上物价部门颁发的收费许可证并按国家规定的监测服务收费标准执行”；环发［2000］38 号文中却只提出“建设项目环境保护设施竣工验收监测收费按有关规定执行”；被物价部门纳入了环境监测站开展专业服务收费的调整范围，收费政策遵循双方协商、自愿的市场化原则，各地验收监测机构基本上是采用协商收费方法。由于主管对验收监测收费标准、程序及使用等没有明确规定，没有出台统一的验收监测收费标准，验收监测单位在开展验收监测工作时经费预算编制依据不足，随意性强；加之各地物价部门制订的收费标准时间较早，标准偏低，差别较大，对于同行业、同规模的建设项目掌握的尺度不一，或因监测成本上升、项目增加，已经严重背离了当前的物价水平，调整、提高收费标准的做法不一致，易形成各级环境监测站与企业之间的矛盾。造成建设单位提出异议或拒签委托合同，导致监测机构难以在规定期限内进行现场监测和提交报告，影响了政府公信形象和建设项目监督管理工作的顺利进行。

三、健全验收监测收费制度的建议

（一）准确把握验收监测收费基本原则

一是合法、有序原则。验收监测属环保行政主管部门为达到“三同时”制度管理效能依法设定的收费事项，必须明确收费主体、标准、责任、权限、方式、时限等，实行“阳光收费”，规范各地收费“自由度量权”，依照权限和程序进行或调整。二是“管理与责任相一致”的原则，明确“谁污染，谁治理”这一企业责任，坚持管理为本，责任者付费，验收者负责，把环境责任落在实处。三是“收费合理、管理规范”的原则。要在充分调查研究、评估和论证的基础上，以增强企业治理环境污染自觉性、主动性为出发点，合理规范收费范围、等级标准、具体程序等，避免多头收费、重复收费，还应对贫困地区和困难企业以及长期守法治污的企业给予收费优惠、下浮，减少企业负担，为经济发展营造宽松的环境。要强化收费管理，明确收费成本开支和使用原则，切实加强对收费的监督检查和审计，及时纠正和查处验收单位凭借行政职权、垄断地位滥用收费等行为，使验收监测工作按照管理规范顺利进行。

（二）不断规范收费行为，纳入制度化管理轨道

强化和落实好环保“三同时”制度，规范验收监测收费行为，维护监测机构和建设单位的合法权益，直接关系到保增长、调结构、惠民生，是环保行政主管部门责无旁贷的责任。应以“坚决、稳妥、求实”为指导思想，以“治乱、减负”为中心，由环保协调财政、物价部门制定全国统一要求、分类指导、便于操作的验收监测收费办法，规范收费行为；各地要按照国家验收监测收费的有关规定，根据建设项目的行业、投资额和验收监测调查内容，结合当地价格水平制定政府指导价，把收费纳入制度化的管理轨道，保证验收监测有序健康发展。

（三）适时调整、完善现行收费标准

随着我国市场经济的发育成长和物价水平的变动，一些地区原定的收费标准已经严重背离了经济规律，对落实“三同时”制度、控制新增污染源、刺激“增产不增污”的作用不断递减，低价购买“开工通行证”的负面影响在增大。因此，应该依照相关法规的要求，根据提供服务的合理成本、质量、规模以及当地经济承受能力调整、提高验收监测费标准，使验收监测切实起到预防和控制污染的技术支撑作用。

（四）加强监督指导，实现规范管理

各级环保行政管理部门应加强对验收监测收费工作的管理与监督。在环境监测站业务经费、专项资金财政予以保障的前提下，实行收支两条线、收缴分离，纳入财政预算，列入专项管理，并加强收费的审计监督管理。各级环境监测站要严格按主管部门出台的收费项目和标准，建立健全内部规章制度，实行“四有三公开”（即有收费法规依据、许可证、收费项目和收费标准、财税部门认可的收费票据；收费许可证、规章制度、收费项目标准公开）制度，并定期对各级收费核算人员进行培训，提高职业素质和业务水平，利于正确履行职责。同时，应以收费资金“国家所有、财政管理、合理支配”为目标，研究、制定环境监测部门相关费用返还、津贴发放的优惠政策，促进环境监测部门做好相应的服务工作。

参考文献

[1] 原国家环境保护总局．建设项目竣工环境保护验收管理办法．2001－12－27.
[2] 原国家环境保护总局．污染源监测管理办法．1999－11－01.
[3] 原国家环境保护总局．关于建设项目环境保护设施竣工验收监测管理有关问题的通知，2000－02－22.
[4] 席俊清，等．论建设项目“三同时”验收监测的性质与作用［J］．中国环境监测，2003（5）．
[5] 郑鲁民，等．建设项目竣工环境保护验收监测探讨［J］．环境科学与技术，2005（3）．

水质交易与太湖流域水污染物排放交易

李家才

（汕头大学法学院　515063）

摘　要　水质交易是美国提升和保持水质的创新性政策工具。美国水质交易政策完善，实施时间长、范围广，其中不乏成功案例。太湖流域化学需氧量排放交易已在浙江省的杭州、嘉兴正式开展，江苏省太湖流域化学需氧量排放交易项目正处于积极准备中。太湖流域排放交易应该借鉴水质交易的经验，妥善解决交易基准、交易方资格、排放权价格、交易区域和交易比率等关键问题。

关键词　水质交易　太湖流域　排放交易　化学需氧量

水质交易特指美国1990年代中期以来实施的以流域治理为目标、以污染物负荷总量控制为前提的水污染物排放交易。近几年，面临巨大环境保护压力的太湖流域各地方政府开始积极推进与美国水质交易类似的水污染物排放交易（以下简称太湖交易）。鉴于水质交易政策的完备性及其实施地域的广泛性，太湖交易应当积极借鉴水质交易的经验，以少走弯路并取得预期的环境效益和经济效益。本文首先介绍水质交易的政策设计和典型案例，然后描述太湖交易的政策设计情况，最后参照水质交易，分析太湖交易政策设计的不足并提出改进建议。

一、美国水质交易

水质交易是基于市场的提升和保持水质的创新性政策工具。它利用规模经济和排放源间污染控制成本的差异性，允许排放源利用治理成本更低的其他排放源创造的多余污染物削减量而履行治理义务，从而实现污染控制的成本节约。水质交易为点源和非点源的自愿超额减排提供激励，不仅有利于提高水质，而且能够获得额外的环境利益，比如动物栖息地的恢复和创造（需要非点源参与信用创造）。

1996年，美国环保署（EPA）发布“流域政策中的排放交易”和“基于流域的交易框架草案”两份指引文件，正式启动水质交易。美国环保署于2003年1月发布“国家水质交易政策”，2004年9月发布“水质交易评估手册”，2007年8月发布“许可证管理者的水质交易工具箱”等系列政策文件。许多州和地方政府在以上文件的指引下，纷纷制定各自的实施方案并启动水质交易项目。

（一）水质交易政策要点

美国环保署政策支持营养物（例如总磷、总氮）、沉积物和热量等传统污染负荷的交易，也支持耗氧污染物之间的交易，比如削减上游的营养物排放可以用来抵消下游的生化需氧量排放。美国环保署不支持会引起毒性效应、超过人类健康标准或者引起水质受损的交易活动。所有的水质交易只能在同一流域内或者同一总量控制区内进行。水质交易基准是水质交易发生前各排放源面临的法定排放上限，只有超过基准的过度减排才能形成供出售的交易信用或减排信用——1单位交易信用代表信用购买（使用）方排放1单位污染物的权利。美国环保署一般不支持通过水质交易而达到基于技术的排放限制，即污染源必须首先达到基于技术的排放限制，然后才能通过购买交易信用去达到更严格的基于水质的排放限制。参与交易的排放源必须持有排放许可证，而且水质交易条款要在许可证中注明。水质交易政策不支持会导致当前水质恶化的交易活动，即要求避免因交易导致的局部水质恶化。

由于信用买卖双方各自的1单位污染物排放通常对目标水体具有不同的环境影响，所以出售方的过度减排量需要根据一定的交易比转化为交易信用。比如，信用购买方处于出售方的下游，因此距离目标水体更近，此时要使用大于 1 的交易比（称为“位置比”），比如 1.5∶1 的交易比，即信用购买方必须购买 1.5 个单位的减排量才能冲抵自己 1 个单位的排放。减排信用交易所是水质交易项目为方便交易而建立的非营利机构，它既减少交易成本，又履行交易监管职责。减排信用交易所又区分为中介性交易所（只充当中介人而不参与交易）、集中性交易所（买断交易信用并出售信用）和兼具前二者特征的混合性交易所。

美国水质交易政策认为，交易项目必须具备以下共同要素：明确规定的交易单位（单位时间内某种污染物的数量）；交易信用的创造与持续时间（信用使用不得早于信用创造，即信用必须是已实际发生的过度减排）；量化污染负荷及减排信用的标准化方法；应对非点源负荷及其减排信用不确定性的规定；交易的问责机制；公众参与及其信息获取；监测与项目评估。

（二）水质交易典型案例

1. 樱桃溪（Cherry Creek）流域水质交易

樱桃溪水库位于科罗拉多州首府丹佛市东南方，是丹佛地区的饮用水源地。樱桃溪流域面积约 380 平方英里，流域内有 6 家污水处理厂，它们是磷排放的主要点源。由于樱桃溪流经快速成长的都市区，樱桃溪水库中的磷超标并导致富营养化和藻类滋生。该水库的磷负荷总量控制计划规定，所有污水处理厂每年磷的最大总负荷为 2310 磅。樱桃溪流域水质局是专门为管理水质交易项目而建立的政府机构。它管理着可供污水处理厂购买的两个磷信用来源：磷银行和磷储备。磷银行拥有每年 216 磅的磷信用，该信用产生于水质局此前建设的 4 个非点源磷控制工程，其所有权属于水质局。磷储备也拥有每年 216 磅的磷信用，该信用产生于土地业主、地方政府和污水处理厂投资建设的磷控制工程。磷储备中的信用的所有权不属于水质局，因此水质局对这些信用的交易只起中介作用。

确定樱桃溪流域非点源减排信用的基准是针对非点源的“强制性最佳管理措施”，即只有超出“强制性最佳管理措施”的控制措施才能创造磷信用。水质局审核、确认磷银行信用和磷储备信用以及信用购买方的资格，审核非点源的减排效果并根据审核结果周期性地调整信用数量。每个磷储备交易适用介于 2∶1 和 3∶1 之间的交易比，以应对非点源减排的不确定性、污染源的位置差异和污染源磷构成（溶解磷与非溶解磷的相对比例）的差异。水质局根据建设成本、运行成本、监测成本和管理成本确定磷银行信用的价格，但是磷储备信用的价格由买卖双方谈判确定。在樱桃溪流域信用市场上，公众有机会获得交易信息并对交易发表意见。例如对于工程评估、信用购买和排放许可证修改等事项，水质局必须将它的意向进行公告并举行听证会，公众可以通过公开论坛而质疑和影响水质局的意向。

2. 长岛湾（Long Island Sound）流域水质交易

长岛湾流域面积大约为 16000 平方英里，包括几乎全部康涅狄格州和其他几个州（主要是纽约州）的一部分。为了实现流域总量控制计划规定的减排任务并解决长岛湾氮含量超标导致溶解氧含量偏低问题，康涅狄格州对 79 家污水处理厂实施水质交易政策，这些污水处理厂面临的减排总任务是将其 2015 年的氮排放量相对于 2000 年减少 64%，此任务通过每家污水处理厂氮排放指标的逐年递减而实现。康涅狄格州环保局为促进交易组建了氮信用交易所（因此长岛湾水质交易项目又称“氮信用交易所项目”），交易所必须买进全部的因为污水处理厂过度减排而创造的氮信用，并向减排不足的污水处理厂出售氮信用。污水处理厂氮信用产生于其年度氮排放上限与其年度实际排放的差值。氮交易所每年根据氮减排的平均成本为氮信用确定一个统一价格。

长岛湾水质交易的一个重要特色是：根据不同地点的单位排放或减排对长岛湾缺氧区的影响的差异，划定 6 个区域，赋予每个区域不同的等价因子，该因子用来将不同地点的减排或排放转化为可交易的氮信用。污水处理厂不仅总氮排放不能超出限额，氨氮排放也不能超出限额，以避免局部出现氨氮的毒性效应。长岛湾水质交易项目具有与樱桃溪水质交易项目类似的公众参与机制，而且氮信用交易所每年都印制关于氮信用交易情况的公开出版物。

长岛湾流域水质交易实现了巨大的成本节约和环境改善，是公认的水质交易成功事例，并因此获得美国环保署颁发的“蓝带奖”。该交易项目2002年启动，2005年有28家污水处理厂创造并出售氮信用，价值131万美元。

二、太湖流域水污染物排放交易

太湖流域地跨苏、浙、皖、沪三省一市，是长江三角洲的核心区域，总面积36895 km^2（其中太湖水面面积2338km^2），江苏省和浙江省内的流域面积占太湖流域总面积的86%。目前全湖平均水质为劣Ⅴ类，富营养化程度为中度富营养化。太湖流域河流水质大部分为Ⅴ类和劣Ⅴ类，主要污染物为氨氮、石油类、化学需氧量。国务院在2008年5月批复并公布实施的《太湖流域水环境综合治理总体方案》中，将化学需氧量（COD）、氨氮（NH_3-N）、总磷（TP）和总氮（TN）确定为太湖流域污染物总量控制指标。

太湖流域水污染物排放交易（以下简称“太湖交易”）包括浙江省太湖流域水污染物排放交易（以下简称“浙江交易”）和江苏省太湖流域水污染物排放交易（以下简称“江苏交易”），交易的污染物是化学需氧量（COD）。“浙江交易”总体上进展比较快，但“江苏交易”的基础工作比较扎实。

（一）浙江交易

浙江交易实际上是由杭州市、嘉兴市和湖州市分别在各自的辖区内推行的三个独立的交易项目。由于湖州市的交易政策简单粗糙，也未见公开报道的水污染物交易案例，所以下面只对杭州市和嘉兴市的交易政策进行简要介绍。

1. 杭州交易

杭州市以污染物排放绩效作为企业总量配额（初始排污权）分配依据，该总量配额继而成为可交易（出售）排污权的计算基准。一个排污权单位以“1t化学需氧量/a”表示。排污权的卖方限定为县控及以上重点排污企业，排污权的买方是具有新建、改建、扩建项目的排污企业，交易双方应根据有关规定交纳交易佣金。环保局委托杭州产权投资有限公司收回关、停、迁和破产企业与被限期治理企业的排放权，以及回购企业逾期未使用的排放权。环保局将以上收回、回购和初始分配时预留的排污权用于交易。排污权的出让实行公开挂牌交易方式。化学需氧量的排污权交易，限定在同一水域（功能区）或同一污水处理厂纳管范围内排污企业间进行。购买排污权的受让方，其建设项目所在流域或环境功能区水质必须符合国家环境质量标准要求，且增加化学需氧量总量指标后，预测的水质不超过国家环境质量标准。

企业超额减排形成的排污权在扣除20%后，其余80%可进行交易。经无偿分配取得的初始排污权，其出售收入的70%上缴财政。化学需氧量参考价格根据不同行业的污染强度分别确定：造纸、酿造、发酵行业为4万元/t；纺织、印染行业为6万元/t；化工、制药等重污染行业为8万元/t；其他行业为2万元/t。为鼓励对生活污水进行集中处理，因处理生活污水新增的化学需氧量部分由环保部门无偿划拨。2009年4月8日，杭州市主要污染物（包括化学需氧量和二氧化硫）排放权交易在杭交所正式启动，成交标的包括180t化学需氧量的排放权。

排污企业应安装污染源连续在线监测（监控）系统，并与环保局联网。环保局定期汇总上一年度全市化学需氧量排放权交易情况，向有关部门通报并向社会发布。企业剩余排污权储存期限不得超过2年，超过2年的由政府按基准价强制回购。经转让获得的排污权，闲置期（扣除项目建设期）不得超过5年。超过5年的由储备交易中心无偿收回。

杭州市产权交易所（简称“杭交所”）杭州市化学需氧量排放权交易平台，为排放权交易提供场所、设施、信息和价款结算服务。环保局负责核准排污权交易、定期发布有关主要污染物排放权交易信息和交易后排放许可证的变更工作。物价局负责确定排放权市场参考价。产权交易管委会办公室和杭交所负责排污配额交易的组织和现场监管。

2. 嘉兴交易

嘉兴市化学需氧量排放交易开始于2003年，2007年9月出台正式的交易指导文件并组建嘉兴市排污权储备交易中心，各县（市）设立分中心。嘉兴市储备交易中心是在环保局授权和指导下从事主要排污权交易的专门机构，是排污权交易的指定平台。它独家收回或收购排污权，再转手出售排污权，并具体负责可交易削减量核查、排污权证的登记、发放和变更工作。环保局会同物价局按行业类别和削减成本确定排污权统一出售价格（公开拍卖除外）。造纸、印染、化工、医药等10个重污染建设项目，每吨化学需氧量为8万元；限制类项目6万元；鼓励类项目5万元。至2008年6月，排污权储备交易中心买入化学需氧量278t，出售化学需氧量315t。2008年10月19日，嘉兴市首次将6.5t化学需氧量公开竞拍，每吨化学需氧量起拍价8万元，经过公开竞拍达到10.35万元。

新建、改建、扩建项目新增的排污权必须从储备交易中心购买。排污权的购入量应达到建设项目新增污染物排污量的1.2倍，其中化工、医药、制革、印染、造纸等重污染行业应达到新增化学需氧量排污量的1.5倍。老企业节余的排污权闲置期如果超过2年，由储备交易中心无偿收回。新项目经转让获得的排污权，闲置期超过5年的，由储备交易中心无偿收回。排污权交易实行公开报告制度，鼓励公众参与，接受社会监督。

（二）江苏交易

江苏省太湖流域包括苏州市、无锡市、常州市的全部行政区域和镇江市与南京市的部分行政区域。江苏省太湖流域化学需氧量排污权有偿使用和交易试点自2008年11月20日开始，参与企业为：太湖流域年排放化学需氧量10t以上的工业企业；接纳污水中工业废水量大于80%（含80%）的污水处理厂；需新增化学需氧量排污量的新、改、扩建各类项目排污单位。

排污权有偿使用是指，政府不再无偿分配初始排放权，而是根据污染物削减成本和行业类别等因素核定初始排污权并收取一定的使用费。核定化学需氧量初始排放指标的基本依据为：按《太湖地区城镇污水处理厂及重点工业行业主要水污染物排放限值》（DB32/T 1072—2007）、《太湖流域国家排放标准水污染物特别排放限值》和《污水综合排放标准》（GB 8978—1996），确定排污单位排放浓度标准；排污单位允许排水量主要依据环评批复水量、排污许可排水量，同时参考“三同时”竣工验收意见以及近两年的环境统计数据；还应满足企业总量削减的要求，按照从严的原则核定排污单位排放指标。新建、改建和扩建项目单位新增的化学需氧量排放指标，应在满足总量控制要求的前提下有偿获取或通过交易获得一定时间段的排污指标。排污单位获得排污指标后，环保部门按月核实、按年汇总其排污量，对于实际排污量超过其申购指标的排污单位，将依法实施处罚。

三、对太湖交易的评论与建议

（一）对杭州交易的评论与建议

杭州交易基础扎实，相关政策比较完备。杭州依据污染物排放绩效向企业分配初始排污权，较好地解决了排放交易基准确定问题。排放绩效是同类型（行业、规模）企业生产单位产品的平均排放，以此为分配依据易于操作，且能充分体现公平性。杭州明确规定排污权单位、排污权买卖方的资格、排污权有效期、避免水质恶化的要求、监测要求和公告要求，这些都是必要的和符合国际惯例的。例如，其将排污权的卖方限定为重点排污企业，这使得交易项目不至于复杂得难以管理。按交易类型划分，杭州交易项目属于混合性交易所类别——政府拥有的排放权和企业拥有的排放权在同一场所交易，这与美国樱桃溪流域水质交易类型相似。这种交易类型既能节约交易成本，又能为政府和市场发挥作用留足空间，非常适合中国国情。扣除企业20%超额减排形成的排污权是必要的，因为通常需要对企业的超额减排适用谨慎性估计。要求具有新建、改建、扩建项目的企业购买排污权，既是必要的（初始排放指标分配时此类项目不存在），也是可行的（此类项目比较清洁，经济承受力也比较高）。杭州预留一部分初始排放指标用于交易，有利于启动排放权市场和满足经济发展要求。

杭州交易政策还需要进一步完善。将老企业排除在排放权买方之外，不利于降低减排成本。其实，只要老企业实现达标排放，就应该允许其通过购买排放权去满足更严格的总量控制要求。将交易地理范围限定在同一水域（功能区）或同一污水处理厂纳管范围，会导致交易机会稀少，难以达到政策目的。杭州交易地理范围应该扩展到辖区内的太湖领域，或者划分两个交易区：笤溪流域交易区和杭嘉湖平原水网交易区，允许同一交易区内符合条件的企业互相开展交易。杭州对排污权受让方所在功能区水质的要求过于严格，会不适当地减少交易机会，应该只要求交易不恶化当地现状水质。规定无偿分配取得的初始排污权出售收入的70%上缴财政，会抑制老企业超额减排的积极性，不利于增加本来就不足的排放权供给。杭州交易的管理权分散于多个职能部门，不利于提高管理效率。应该将交易审核、定价和变更许可证的权力集中于杭交所。

杭州按行业确定化学需氧量排放权参考（基准）价格，理由不充分又难以执行。排放交易就是要利用排放者控制污染成本的差异，让成本低者多减排（因此获得补偿），让成本高者少减排（因此付出补偿），从而降低全社会的减排总成本。只有当各企业的边际减排成本相等（均衡时等于排放权价格）时，减排总成本才能最小化。差异化的化学需氧量排放权基准价格（基本脱离减排成本，主要反映供求关系），必然导致重污染行业过多减排（因为其购买排污权成本太高），而轻污染行业过少减排（因为其排污权价格偏低），减排的社会总成本因此增大。其实，不同行业排放的单位化学需氧量，在其他条件（排放位置、传输比率等）相同时，对目标水体水质的影响是一样的。因此应当对排放权（调整后的排放权或排放信用）实行统一的基准价格。政府不应该赋予排放交易调整经济结构的任务，该任务可通过其他政策完成。分类定价对于政府作为卖主的排放权是可行的，但对于企业作为卖主的排放权是不可行的，因为作为卖主的企业只会将排放权卖给出价最高的重污染企业，而只要交易不违反法规，政府没理由干预企业选择谁作为交易伙伴。

（二）对嘉兴交易的评论与建议

嘉兴交易类型属于集中性交易所——政府垄断交易（禁止企业间交易）。嘉兴交易的最大亮点是它的权能集中的排污权储备交易中心，但是设立县（市）分中心似乎没有必要。另外，嘉兴要求新增排放源超额认购排放权，规定排放权的有效期，不扣减企业的排放权交易收益，这些都是值得肯定的。嘉兴交易的最大问题是没有明确的交易基准确定方法，排放权计算陷入是依据排放行政许可还是依据环境统计数据的困惑中。为了给排放交易奠定坚实基础，嘉兴有必要借鉴杭州或江苏的经验，确立明确的具有公信力的交易基准确定方法——初始排放权界定方法。与杭州交易类似，嘉兴将老企业排除在排放权买方之外，对不同行业可出售排污权实行差异化价格，这样做没有什么道理，且具有明显副作用。比如，排污权储备交易中心可能偏爱购买轻污染企业的排污权，选择向重污染企业出售排污权，以谋求巨大差价。嘉兴交易政策未包含避免水质恶化的规定，因此交易可能偏离环境保护这一根本目标。嘉兴应该考虑将老企业纳入排放权买方，为排放权规定统一价格，强调交易不能恶化局部的和目标水体的现状水质。

（三）对江苏交易的评论与建议

江苏交易基准的确定方法为“达标排放 + 比例削减”，这种初始排放权分配方法比杭州的排放绩效法复杂得多，公平性又不如后者。尽管只将重点排污企业和新企业（项目）纳入，但排污权交易参与方的资格条件不是很明确，比如，老企业是否可以买入排污权并不明确。另外，对初始排放权收取有偿使用费，根本算不上排放交易（尽管被认为是所谓的“一级市场交易”）。由于目前的江苏交易政策完全以排放权有偿使用为中心，所以真正的交易政策还没有出台。江苏下一步应该尽快出台类似杭州政策和嘉兴政策的交易政策并扬长避短。由于江苏有明确的交易基准的确定方法，又对初始排放权收取有偿使用费，因此其未来的交易基础是牢固的。江苏太湖流域面积广大，未来交易机会和市场发展潜力可能是杭州和嘉兴交易项目无法匹敌的。

（四）其他评论与建议

太湖交易没有确立“交易信用”的概念，因此不使用或粗略使用交易比率。交易信用是指运用交易比率将排放权创造方的排放权转换为对目标水体具有等价影响的排放权使用方的排放权。太湖流域交易的目标水体可以原则上统一确定为太湖，或者其他更适合的小型共同目标水体（如水功能区）。为了避免每宗交易都要进行繁琐的测算，可以参照长岛湾水质交易的做法，把整个交易区划分为若干片区，根据每个片区单位污染物排放对目标水体的影响，赋予其一个给定的交易比率。片区内部交易适用1∶1的交易比率，跨片区交易时运用买卖双方所在片区的交易比率的比值确定交易比率。

太湖交易未把非点源纳入交易体系。太湖流域非点源尤其是农业非点源的排放对水环境具有重大影响，而且控制农业非点源排放的成本远远低于控制工业点源的成本。太湖交易项目普遍面临排放权供给缺乏的问题。太湖交易项目可以参考樱桃溪水质交易的做法，鼓励政府、农民、企业等通过投资于非点源污染控制工程而创造排放权。这样做可以实现投资者、工业排污企业和全社会都得益的多赢格局。目前，第一次全国污染源普查结果已经公布，农业非点源将被纳入总量控制，这会为其加入排放交易扫清政策障碍。

鉴于总磷和总氮也是太湖流域污染物总量控制指标，且它们与化学需氧量同属水体耗氧有机物，另外它们之间的等价关系是明确的，所以未来太湖交易应该将总磷和总氮纳入交易对象，并允许在化学需氧量、总磷和总氮之间开展交叉交易。这样会创造更多交易机会，从而有利于污染控制和经济发展。

太湖流域具有实施排放交易的良好条件，且目前排放交易的雏形已经形成。只要不断试验、改进，其前景一定是光明的。太湖交易有希望成为交易典范，促进水污染物排放交易在全国广泛铺开。

参考文献

[1] EPA. Water Quality Trading Assessment Handbook: Can Water Quality Trading Advance Your Watershed' s Goals? U. S. Environmental Protection Agency, 2004.

[2] EPA. National Water Quality Trading Policy, U. S. Environmental Protection Agency, 2003.

[3] EPA. Water Quality Trading Assessment Handbook, U. S. Environmental Protection Agency, 2004.

[4] EPA. Water Quality Trading Toolkit for Permit Writers, U. S. Environmental Protection Agency, 2007.

[5] 杭州市人民政府办公厅．关于印发杭州市主要污染物排放权交易管理办法的通知，杭政办［2006］34号．2006－9－1.

[6] 杭州市人民政府办公厅．关于印发杭州市主要污染物排放权交易实施细则（试行）的通知，杭政办函［2008］433号．2008－12－26.

[7] 嘉兴市人民政府．关于印发嘉兴市主要污染物排污权交易办法（试行）的通知，嘉政发［2007］84号．2007－9－27.

[8] 嘉兴市环保局．关于进一步规范排污权交易工作的通知，嘉环发［2008］17号．2008－3－10.

[9] 沈跃平．在水污染物排污权有偿使用和排污权交易研讨会上的发言提纲［R］．嘉兴市环保局，2008－6－16.

[10] 江苏省环境保护厅，江苏省财政厅，江苏省物价局．关于印发江苏省太湖流域主要水污染物排污权有偿使用和交易试点方案细则的通知，苏环控［2008］103号．2008－11－20.

基于渤海海洋环境承载力的生态补偿研究

马彩华[1,2] 游 奎[2] 戴星翼[1] 李凤岐[2]

（1. 复旦大学 上海 200433；2. 中国海洋大学 山东 青岛 266100）

摘 要 本文通过分析渤海的资源现状，发现造成渤海资源不可持续的主要原因在于人为因素，提出了一是加大力度治理污染，改善渤海生态环境；二是在可持续发展层面，从生态原则考虑资源的可持续利用，如土著种及生态位原则、建设海洋牧场原则、休渔期与渔具优化原则、生态补偿原则、公众参与原则，为政府有关部门提供决策参考依据。

关键词 渤海 环境承载力 生态补偿

渤海是一个近封闭的内海，地处中国大陆东部的最北端。其一面临海，三面环陆，北、西、南三面分别与辽宁、河北、天津和山东三省一市毗邻，东面经渤海海峡与黄海相通。渤海海域面积 77284km^2，大陆海岸线长 2668km，平均水深 18m，最大水深 85m，20m 以浅的海域面积占一半以上。渤海海底平坦，多为泥沙和软泥质，地势呈由三湾向渤海海峡倾斜态势。多年前辽河、海河、黄河等河流从陆上带来大量有机物质，对虾、蟹及黄花鱼等名贵海鲜相继盛产，中国渔业的摇篮和天然鱼仓的美称被赋予了渤海。如今渤海已没有一种鱼类、贝类或蟹类能够形成规模，物种至少减少了 30 种以上。有关权威专家指出：目前，渤海底层的水生物资源，只有 20 世纪 50 年代的十分之一，许多鱼种濒临绝迹。面对资源日益枯竭的境况，如何更好地保证环境承载力下资源的可持续利用是本文研究的核心所在。

一、渤海污染及破坏现状

自 20 世纪 80 年代以来，人们在追求经济高速发展的同时，环境保护的重要性被忽略了，一系列问题出现了，如赤潮发生的周期越来越短，持续时间越来越长，渤海污染已到了临界点[1-3]。如果不及时采取果断措施，有效遏止污染，10 年后渤海将变成地球上第一个“死海”。

据审计署 2009 年 5 月发布的《渤海水污染防治审计调查结果》表明，“十五”期间，国务院各部门、13 市政府及辖区企业投入污染治理基金 351.13 亿元，其中建成日污水处理能力达 466.8 万 t 的污水处理厂 78 个。

表 1 “十五”及“十一五”期间污染处理情况

项 目	总数量	未有效完成数	未处理项目占总数量/%
“十五”国务院各部门、13 市政府及辖区企业（亿元）	351.13		
“十五”投入资金（亿元）	63	14.5	23
“十五”污水处理厂（座）	86	23	27
“十一五”污水处理厂（座）	146	71	79
调查的污水处理厂	51	18	35
重点监控废水排放企业	180	41	23
经济开发区（未设环保机构）	34	17	50
（未建污染集中措施）		15	44

数据来源：据相关资料整理。

通过表1分析发现，不论是资金投入、工程项目的完工率，还是完工项目投入的运营率都不同程度地占到了一定比例，最低的占到大约23%，最高的将近80%[4]。不足主要体现在以下几个方面：第一，水污染防治措施落实不完全到位，如污水处理能力不足、部分污水垃圾处理不达标、重点监控企业超标排放等；第二，海域监管比较粗放，表现在海域整体开发利用控制计划不完备，一些地方违法违规用海问题突出，有的地方和单位对海洋倾倒废弃物的管理比较薄弱；第三，部分资金征管使用不规范、使用效益不高，海域使用金制度不完善。

渤海的纳污能力是有限的，人们在充分利用的同时，也应慎重考虑其可持续发展，使排放的污染物不超过其环境承载力范围。

近20年，环渤海地区的经济得到了跨越式发展，成为我国东部一颗耀眼的亮点。直接恶果是经济越发展，渤海污染越严重。来自国家海洋局的监测报告显示，渤海已有近一半的海域被污染的阴影所笼罩。目前，整个渤海水体中，一种或多种污染物超过一类水质标准的面积已占到总面积的56%。其一些海域海底底泥中，重金属竟超过国家标准的2000倍。如今，渤海已成为我国海域和内陆河流污染程度最严重的海区之一。

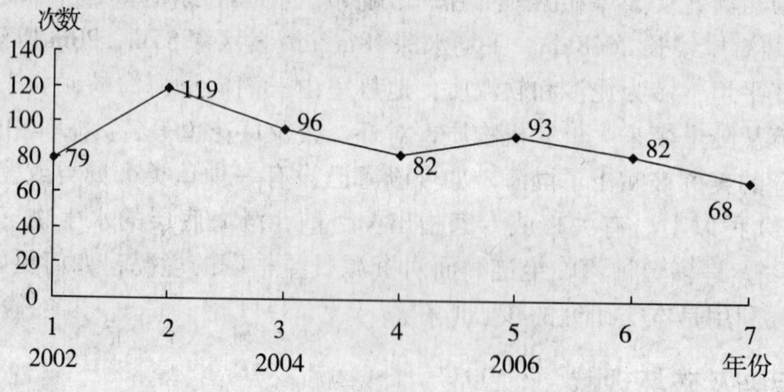

图1　2002—2008年赤潮发生的次数

（一）*赤潮与污染的影响*

据有关资料显示，每年大约有30亿t污水被排入海，导致的严重后果——赤潮。1990—2004年上半年渤海海域共发现赤潮83起，累计面积达3万多km²（如图1所示）。其中，2004年6月，渤海还发生了两起大面积有毒藻赤潮。不完全统计，2002—2008年在渤海发生的特大渔业污染事故近10起，对渤海渔业生态环境造成了极大的危害。其中，2005年渤海区渔业污染大小事故共14起，损失近27998.2万元。

赤潮的发生，除了破坏海洋的正常生态结构和海洋生物的正常生长繁殖、威胁海洋生物的生存，更重要的是有些赤潮生物分泌毒素，当鱼、贝类等摄食该区域内的生物时，会造成生物毒素在人体内积累，人如果不慎食用，就会引起中毒，严重时可导致死亡。如有毒的米氏凯伦藻可以附寄在贝类及一些生物体内，成为有毒性的生物及贝类。

（二）*石油污染的影响*

据有关报道，2004年7月8日6:45时左右，韩国籍货轮“西汉银河”号与中国籍货船“金赣6号”在渤海海峡北隍城岛东部海域大约21海里处（北纬38°21′，东经121°23′）发生碰撞，导致中国籍船“金赣6号”沉没，舱内所载燃料油大量外泄，造成渤海海峡311.5km²渔业水域严重污染，天然渔业资源损失近千万元[5]。污染除了会致鱼类死亡或使鱼类失去信用价值外，还会对渔业资源产生严重的中长期影响。至2008年年底，渤海不同区域共建海上油田17个，平台180多座，油井1300多个。尽管在勘探、开采、运行过程中对油井采取了一些措施，但不同程度地泄漏事件还是不可避免。如2008年海洋环境质量公报显示，渤海共发现12起小型油污染事件，较2007年有所上升。

通过相关资料分析发现，除了个别鱼类产量稍有上升外，其余种类皆呈下降趋势；鱼的体长变得越来越小，体重变得越来越轻，这些情况的改变无不与人类活动及环境的改变有关直接或间接的关系。

（三）固体及液体废弃物的影响

渤海每年工业生产至少3万多t铅被排放到水和空气中，造成了内陆地表水、地下水和近海水体的污染。位于山东莱州城港路街道海庙后的金兴化工厂（其前身是一个造纸厂），每天从未间断地将大量污染物直排入海，刺鼻的气味四处弥漫，堆成小山的化工厂废弃渣每天都在往地下及海里渗，对人体健康造成了严重的危害。近年来，恶性病发病率的激增、糖尿病、癌症、肾病尿毒症、心血管疾病及周身血管病变等时有发生；工业污染造成的大面积频频集体食物中毒事件，重金属铅主要是干扰人的内分泌系统、造血系统、消化系统、心血管系统、肝肾的永久损伤和诱发基因的突变等[6-8]。

（四）围海造田的影响

渤海三面环陆，在辽宁、河北、山东、天津三省一市之间，只有9万km^2的面积，平均水深25m，总容量不过1730km^3。沿岸水浅，特别是有河流注入的地方仅几米深；东部的老铁山水道最深，仅86m，如今新的港口码头又在不断地建设。2008年环渤海三省一市海洋开发用海总面积103258hm^2，围海造地2196hm^2。照此速度用海，也许过八九十年渤海就不复存在，更谈不上资源的可持续利用。

除以上列举的主要原因之外，还有其他因素的作用，在此将不再赘述。

二、污染原因分析

从辽宁到河北，再由河北到山东，渤海的鱼虾越来越少，这个天然的资源宝库正面临人类的蹂躏。人类在充分享受其提供的宜人的气候、美味的海产品及贵重的石油等，由于资源承载力的有限性，人类贪欲的无限性，渤海资源的可持续利用再次引起人们的关注。

（一）污染物对生物资源的影响

1. 对底栖生物的影响

在多个海域皆有分布的海参，温带海区以山东半岛和辽东半岛为主，生活在2~40m深的海底，繁殖期在6—7月，具有很强的再生能力。较高的经济效益，海参的养殖成为人们的首选。然而，面对环境的变化，10年前一个池可以养殖1×10^4斤海参，2008年污染使池塘养殖户损失惨重，有的居然颗粒无收。经过查找原因发现，有些工厂（如本文提到的镏金矿）为了私利，采取深埋水管、夜间排放的措施。在水量大的雨季，污水被冲入养殖池，高浓度污染物致生物死亡。

2. 对生物产卵场及孵化场的影响

不大的渤海是鱼虾产卵区域，过去约有大小河流45条，带了大量营养盐流入渤海，加上较好的软泥底质，接近比较自然的条件，催生了大量浮游生物的生长及鱼虾的产卵。水质、深度、透明度、温度、饵料都非常适合繁殖、适合于幼体在此生长，渤海被誉为生物的摇篮。

情况已今非昔比，据黄海水产研究所的调查，1983年渤海鱼类有63种，2004年渤海鱼类只有30种，带鱼、银鲳等几乎绝迹了。追根溯源，由于周边的生活用水、工业废水、农药和化肥等主要的工业污染源使其靠近河口、岸边的区域反而成了污染的重灾区[9]。2008年海洋环境公报，2003年未达到清洁海域水质标准的面积为2.1万km^2，占渤海总面积的27.3%，较20世纪末有所增加，中度和重度污染的区域面积也比2002年增加。海水质量基本为四类或劣四类，40%的海域沉积物质量劣于三类标准，海洋生物普遍受到污染。

此外，船舶、石油的滴漏、海上石油开采，养殖产品的添加剂等也对海洋环境造成了不同程度的影响，破坏了生物的栖息环境。

（二）围海造田的影响

越来越多的围海造田给渤海的生态环境造成了巨大的影响。一方面，建港筑坝、围海造田，生物的产卵场及生存环境被破坏。据2009年新闻报道围海造田用海面积为2196hm^2，足以证明这种破坏对该海区生物资源的影响是深远的。另一方面，由完全填海建成的电厂，其排出的废水温度超过了海水温度，生物原有的生态环境遭到破坏[10]，影响了生物资源的有序发展，如容易造成产卵早，成活率特别低等。

（三）环境承载力及其他方面的影响

海洋是一个大的生态系统，某一区域环境或某一要素环境子系统的功能是指其维持自身稳态或自组织的能力及其与人类系统相互作用（提供自然资源、容纳并净化废弃物）的能力和方式。如果从人类系统选取与环境最为相关的社会子系统与经济子系统，则其与环境系统的相互作用关系如图2所示[11]。

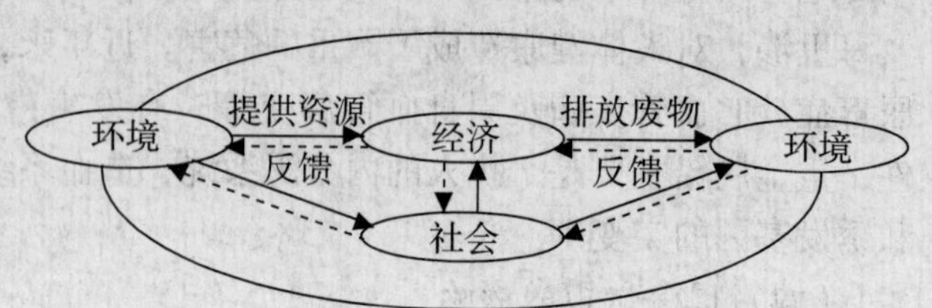

图2　环境系统与人类社会、经济系统的相互作用[11]

1. 环境承载力的量化。环境系统固有功能的表现，与其本身的结构有关，也与外界（人类社会经济活动）的输入、输出有关。如果将环境承载力EBC看成一个包括三个变量的函数，时间（T）、空间（S）、人类经济行为的规模与方向（B）：$EBC = F(T,S,B)$

将环境系统自身在一定时刻上、在一定的区域范围内的固有特征视为定值，则环境承载力随人类经济行为规模与方向的变化而变化。

2. 状态空间法为例，如图3所示的状态空间中，一定时间尺度内海洋人地系统的任何一种承载状况都可以用承载状态点来表示。表示海洋人地系统处于理想状态（是指在一定时段内，海洋人地系统中的“人”和“地”互动耦合达到最佳组合的状态）的承载状态点就是海域承载力在状态空间中的位置，如图2中的C点。所有的这些状态空间中由不同资源环境组合形成的海域承载力点构成了$X_{max}OY_{max}$曲面，可称为海域承载力曲面。根据海域承载力在状态空间中的含义可知，任何低于或高于该曲面的点表示某一特定资源环境组合下，人类的社会经济活动，如A、D点表示低于该特定海洋资源环境组合的承载能力，而B点恰好相反[12,13]。据此，可以通过利用状态空间中的原点同系统状态点所构成的矢量模数来表示海域承载力的大小，计算超载、满载、可载三种状态的量值，而后与标准值进行对比，确定补偿和赔偿的额度。

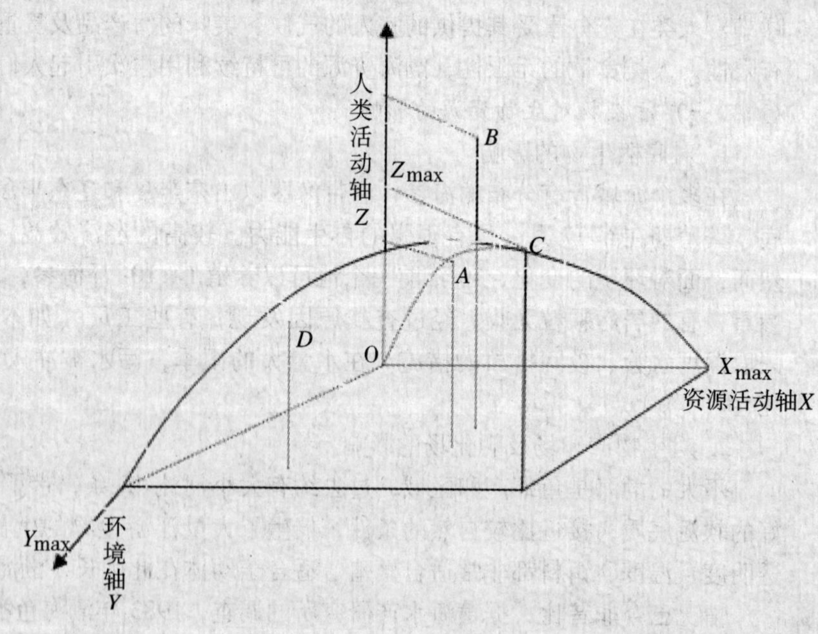

图3　海洋承载力及承载状况的状态空间换型[13]

广阔的海洋曾给人类带来充足的食物、丰富的娱乐场所、天然的废物排放场、对 GDP 的贡献有目共睹。然而，面对资源的日益枯竭，人们忽略一个问题，即资源的稀缺性、各相关指标在海洋可持续发展中对环境承载力的作用，致使海洋不堪重负，其结果不言而喻。

三、对策与建议

（一）加大污染治理力度原则

对改善渤海生态环境，从国家到地方皆有较完善的相关法律法规及政策，关键在于人们要提高自身素质、认真执行，而不是去钻政策文件的空子达到个人赚钱的目的，而把环境造成的负外部性让其他公众去承担，这是不公平的。由于篇幅限制，本文不再赘述。

（二）公众参与原则

渤海沿岸有 13 个城市，其资源的开发、利用与管理涉及渔业、盐业、农业、航运、石油、旅游、工业等多个行业，海洋、环保、交通等管理部门及三省一市的地方政府在某种程度上皆具有一定的关联指导。如何解决渤海跨地区、跨部门环境问题的关键在于多个领域的统筹协调，以达资源的合理利用。在 2008 年国家出台的《渤海环境保护总体规划》中，把保持环境承载力下资源的可持续利用作为重中之重，试想如果没有公众的参与，要想完成任务谈何容易。

（三）生态原则

1. 土著种及生态位原则

大米草、福寿螺及贻贝的引种给人们的教训至今记忆犹新。根据生态位原理，选择合适的技术、合理的放流苗种，以达充分利用多营养层次、协调整个生态系统的目的，本文认为投放土著种应成为首选。

人工增殖放流，在黄渤海区域大约有 20 多年的历史，在某种程度上增殖放流缓解了渔民无鱼可捕的尴尬局面。国家对此非常重视，2009 年中央财政投入 1 亿元对渤海生物资源进行养护，并针对有些项目做了较详细的分工。加强了对放流品种和苗种培育管理，确保生态安全。

2. 建设海洋牧场原则

目的主要有以下两点，一是为了提高某些经济品种的产量或整个海域的鱼类产量，以确保水产资源稳定和持续的增长；二是在利用海洋资源的同时，重点保护海洋生态系统，实现可持续生态渔业。我国海洋牧场的建设还处于起步阶段，可以借鉴国外此方面做得比较成功的国家，如日本、韩国、美国等的经验，从而达到渤海资源的可持续利用。

3. 完善休渔制度，优化渔具原则

实践证明，海洋伏季休渔可以使鱼类有更多的休养生息机会，渤海的休渔期也由原来的 6 月 16 日提前至 6 月 1 日，以减少海洋生物资源的总捕捞强度，这一做法是我国现阶段行之有效的资源养护措施。此外，各地还加大了对电、炸、毒鱼等非法作业方式的查处力度，限制网具的口径等，加大水生野生动物的保护和管理力度，达到资源的可持续利用。

（四）生态补偿原则

1. 指标设定

（1）指标体系的构建。渤海环境承载力评价指标，主要包括压力类指标——经济增长、环境污染、人口发展；承压类指标——资源总量、社会经济发展水平、科技潜力发展水平、环境容量；区域交流类指标——产品交换。如图 4 所示。

（2）评估各指标的价值量。针对海洋在一种理想、自然的状态下，对其生物及其他与海洋相关的产业进行价值量的评估，为了统计方便，采用货币价值为衡量单位，计算出正常情况下的环境承载力。

（3）计算实际价值量。以评估指标为依据，根据国家统计局发布的权威数据，计算其在海洋实际产值中的比例。

（4）以该海域计算出的环境承载力为依据，对比正常与实际情况下各指标的变化，确定出哪些指标是正常、哪些指标是需要改进、哪些指标保持在好的势头上继续运用。对于出现偏差的指标，采用生态补偿的原则进行纠偏。

海洋环境是一种资产，从生态价值论，生态系统的服务价值具有存量价值与流量价值，使用需要付费。对于占据大量海域的企业，由于其破坏了鱼类产卵、生长的栖息地，企业理应从获取的利润中提取一定比例的资金搞增殖放流、海洋牧场建设，为资源的可持续利用作出应有的贡献。因此，加强资源的资产化管理，强化生态补偿的力度，减少资源环境的负外部性尤显必要。

综上所述，不论资源多么丰富，人们也只有在其环境承载力的范围内进行合理开发、利用，才有可能达到资源的可持续利用。

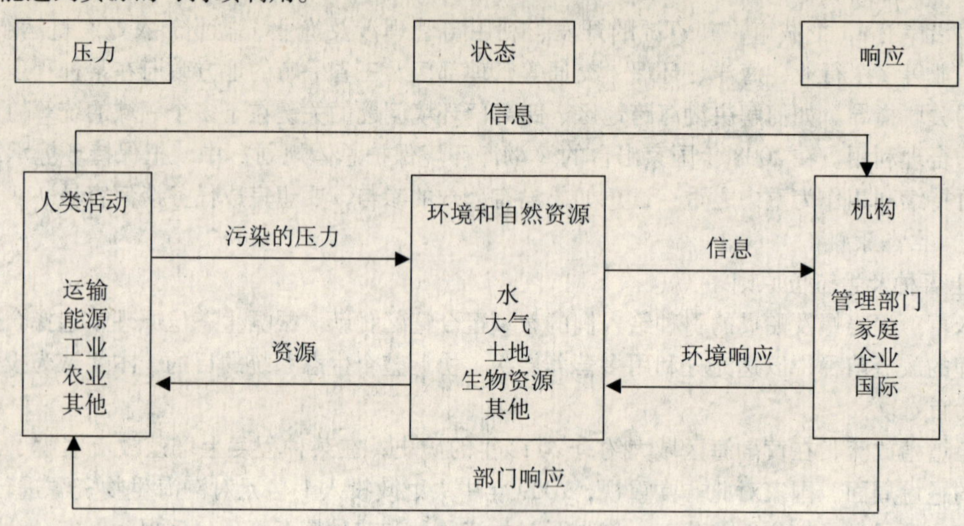

图4　压力—状态—响应框架

2. 措施的制定

（1）宏观层面。国家首先进行相关地区的环境承载力，然后在此基础上确定资源的利用规则，采取相应的激励措施。具体包括：第一，建立激励生态建设的财政转移支付制度。在目前财政转移支付项目中增设生态补偿科目，支持生态保护补助、生态保护能力建设、自然保护区建设、公益林补助、生态移民安置等。同时，将生态环境保护作为经常性预算科目，建立稳定的资金来源、顺畅的支付渠道和完善的监督管理体系。第二，将生态环境补偿机制中的生态保护工程建设列为国家和地方政府财政转移支付的重要支持对象。环渤海周边、源头地区的天然林保护和退耕还林还草工程对全国的生态安全至关重要，应成为国家财政进行生态补偿的重点地区。第三，建立环渤海流域水资源生态补偿机制。环渤海流域上下游保护与受益脱节的现象日益凸显，仅依靠水环境功能区划，难以体现流域水资源保护的公平，需要采取必要的补偿机制。第四，建立和完善环渤海经济圈建设补偿制度。政府牵头成立统一的管理委员会，协调各地方政府和林业、国土、水利、环保等部门，将环渤海经济圈的监测和科研工作纳入该保护区工作经费预算，从财政资金中予以保障，提高环渤海经济圈的管护能力。

（2）中观层面。资源的可持续利用涉及每一个团体的利益。地方政府根据本地区的实际情况，充分领会国家大政方针的指导下，在实际调研的基础上，合理规划产业布局，最大限度地利用资源，倡导循环经济的理念。在产权明晰的基础上，针对企业的不同发展及在资源利用方面所作贡献的情况，采取不同的措施，如何种情况下进行补偿或赔偿。以保证资源可持续利用的条件下，企业又好又快地发展。

（3）微观层面。最大利润是每个集团追求的目标。企业的协调发展、员工素质的提高关系到地方、国家的经济命脉。首先，企业自身要做好定位。合理规划本企业的生产布局，使每个部门充分利用资源，废物量排出量最小。其次，企业每年要自觉拿出一定数额的资金对环保做得好的部门、员工给予一定的奖励。

最后，尽快建立和完善"绿色 GDP 核算"制度，揭示生态环境补偿机制的价值基础，自然生态环境资源、效益的量化、货币化核算直接关系到"绿色 GDP 核算"制度的可行性、操作性，是实施生态补偿的核心技术，国家应该加快自然生态环境资源、效益的量化技术、货币化技术的科学研究。从而有助于实现经济建设与生态保护双赢，提高全国，特别是上游和源头地区的环保意识和建立生态环境补偿机制的积极性。

参考文献

[1] 环境保护部．环境保护部发布 2009 年世界环境日中国主题［N］．2009－06－05.

[2] 唐启升，叶惠中，等．山东近海渔业资源开发与保护［M］．北京：农业出版社，1990.

[3] 邓景耀，等．渤海鱼类种类组成及数量分布［M］．黄海水产研究，1988（9）：11－89.

[4] 张春林，等．黄渤海鱼类调查报告［M］．北京：科学出版社，1955.

[5] Jin Xianshi. Long－term changes in fish community structure in the Bohai Sea，China. Estuarine，Coastal and Shelf Science，2004，59：163－171.

[6] 赵振良，等．2006 年渤海湾近岸渔业资源调查与分析［J］．河北渔业，2007（3）：31－34.

[7] 李凡，张秀荣．黄河入海水、沙通量变化对黄河口及邻近海域环境资源可持续利用的影响Ⅱ．黄河断流和入海流量锐减所引起的海洋环境变化［J］．海洋科学集刊，2001，43：60－67.

[8] 侯玉忠．渤海渔业资源下降原因及修复建议［N］．中国海洋报，2003－11－07.

[9] 中华人民共和国水利部．中国河流泥沙公报［N］．2001—2005.

[10] 唐议，等．基于统计数据的中国海洋渔业资源利用状况及管理分析［J］．资源科学，2009（6）：1061－1068.

[11] 唐剑武　叶文虎．环境承载力的本质及其定量化初步研究［J］．中国环境科学，1998，18（3）：227－230.

[12] 毛汉英，余丹林．环渤海地区区域承载力研究［J］．地理学报，2001（5）．

[13] 韩增林，狄乾斌．海域承载力的理论与评价方法［J］．地域研究与开发，2006（2）．

淡水河流域生态补偿与污染赔偿机制研究

滕宏林[1,2]　许振成[2]　郭　梅[2]

（1. 环境保护部华南环境科学研究所　广州　510655；2. 广东省社会科学院　广州　510610）

摘　要　研究了淡水河流域生态补偿与污染赔偿机制建立的必要性。淡水河作为广东省内跨不同行政区域的一条河流，符合流域生态补偿的特征。该机制的建立以跨市交接断面水质作为考核依据，以Ⅲ类水作为水质考核与生态补偿的基准点，并给出了考核因子和相应的核算标准，最后提出了实施机制的具体措施，对淡水河流域生态补偿与污染赔偿机制的建立有一定的指导意义。

关键词　生态补偿　污染赔偿　机制　淡水河流域

生态补偿机制是一种重要的环境经济政策，是一种为改善、维护和恢复生态系统服务功能，调整相关利益者保护或破坏生态环境活动产生的环境利益及其经济利益分配关系，以内化相关活动产生的外部成本为原则，具有经济激励特征的制度。其遵循的原则是：谁污染谁治理，谁受益谁补偿，公正公平，政府主导，从点到面，先易后难同时兼顾灵活性。目前国内外都开展了生态补偿实践，但是跨流域生态补偿，由于涉及的利益相关者分属于不同行政单位，在实践上有一定的难度。

淡水河作为东江的二级支流，地跨深惠两市。随着流域内人口膨胀与经济高速发展，给淡水河流域的生态环境带来了不小的压力，尤其是工业发展对淡水河水质造成了严重的污染，因此，研究和建立淡水河流域生态补偿与污染赔偿机制，对于促进深惠两市经济社会的持续和谐发展有着重大意义。

一、淡水河流域概况

淡水河发源于深圳市梧桐山，流经深圳市龙岗区的横岗、龙岗、坪地、坑梓镇，经惠州市惠阳区的秋长、淡水、永湖后在惠州市惠城区马安汇入西枝江。淡水河全长95km，全流域集水面积约1308km^2，河床平均坡降0.57‰，其中77%的流域面积由深圳市管辖；淡水河是西枝江一级支流，东江的二级支流。具体来说，淡水河是由龙岗河、坪山河汇合后与横岭水交汇而成，其中龙岗河、坪山河分别发源于深圳市龙岗镇及坪山镇，横岭水则位于惠州市惠阳区境内，淡水河流域如图1所示。

自20世纪90年代以来，淡水河流域内特别是上游深圳龙岗地区经济的高速发展导致淡水河水质急剧恶化；同时随着经济发展，人口激增也给淡水河流域带来了不小的环境压力，流域内人口已由1999年57.5万人增加至250万人（其中深圳人口约200万人，占80%），人口增长过快，生产与生活污水的双重排放，使得淡水河水质由过去的Ⅲ类下降到目前的劣Ⅴ类，淡水河因此成为广东省境内跨界污染严重的河流之一。

二、淡水河流域生态补偿与污染赔偿机制建立的必要性

（一）确保东江水质良好的客观要求

淡水河作为东江的二级支流，其水质的好坏与东江水质有着密切的关系。10多年前，淡水河也曾是一汪碧水，然而近些年来，随着国民经济的快速发展，尤其是流域内工业的发展，使淡水河受到严重污染，生态与环境遭到严重破坏。淡水河的污染给东江流域的水质带来了严重影响。由于淡水河在紫溪口汇入西枝江，首先造成西枝江中下游的水质严重污染；再则，西枝江在惠州市惠城区东新桥断面处汇入东江干流，其水质的下降严重威胁到东江中下游的水质状况[2]。

东江水对于珠三角经济发展与港澳的繁荣、稳定起着至关重要的作用，从这层意义上讲，对淡水河进行污染治理和流域保护的意义重大，基于此，建立淡水河流域生态补偿与污染赔偿机制势在必行。

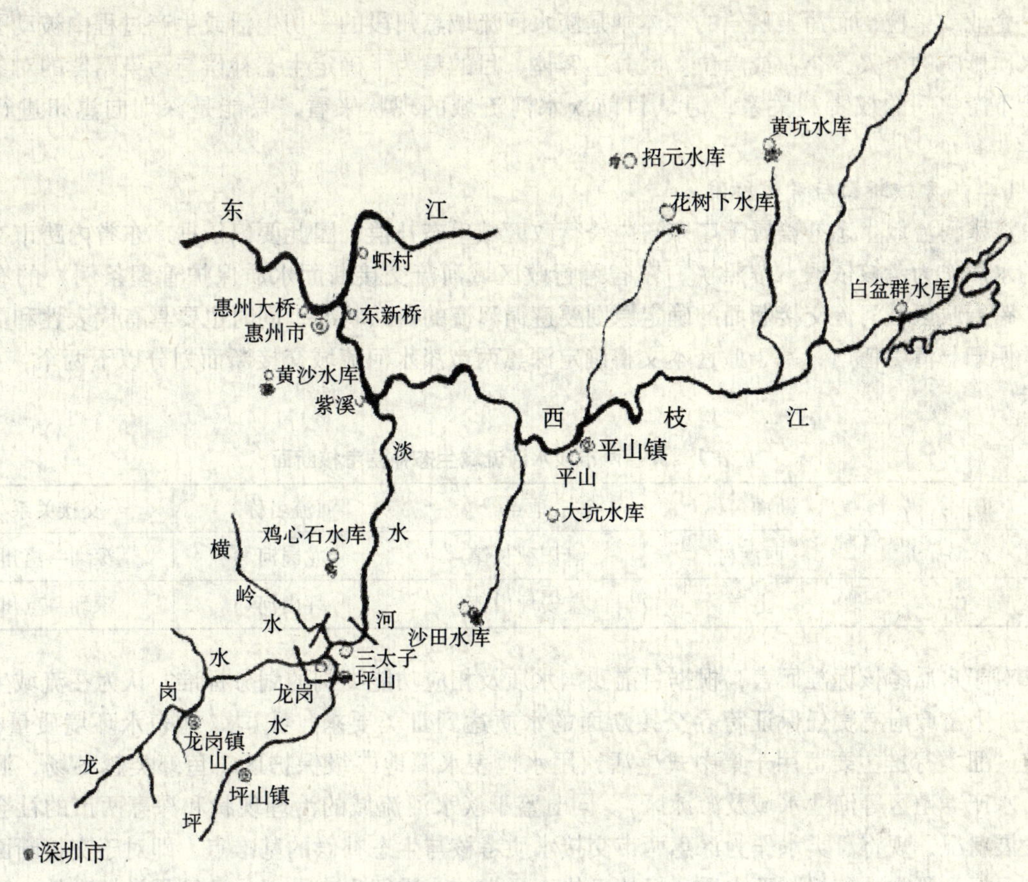

图1　淡水河流域示意图[1]

（二）落实纲要，加强区域协调的客观要求

《珠江三角洲地区改革发展规划纲要》上升为国家战略后，珠三角城市之间势必要加强区域协调。深惠两市毗邻，经济发展上联系密切，淡水河流域良好的生态环境对于两市经济发展和人民生活水平的提高都有着极其重要的作用。深惠两市同处淡水河上下游流域，只有携手走出一条跨界治污的新路子，才能使淡水河治理更加卓有成效。淡水河治理仅靠单方面行动是不够的，要加强上下游的协作；通过建立一个公平合理的激励机制，使整个流域能够发挥出整体的最佳效益。尤其是要在深惠两地政府间形成一个有效的联动机制，就显得尤为重要。

三、淡水河流域生态补偿与污染赔偿机制研究

（一）主客体的界定

目前，淡水河流域的主要污染源头在深圳龙岗，而地处下游的惠州市污染较小，属被动接受污染的地区，因此淡水河流域生态补偿与污染赔偿机制的主客体需按照“谁受益谁补偿，谁污染谁付费”的原则来进行确定，并要划分不同情形，具体分为生态补偿与污染赔偿两个层面。

当深惠交接断面水质达标后，应是惠州补偿给深圳，流域生态补偿的主体是淡水河流域惠州段的一切从利用流域水资源水环境保护中受益的群体，相应的生态补偿的客体是淡水河流域深圳段的生态建设及管理者以及其他生态建设及管理者，其主体可能是当地居民、村集体，也可能是

当地政府，同时也包括减少生态破坏者，主要指保护区内为维持良好的流域上游生态环境而丧失发展权的利益相关者；而当深惠交接断面水质超标时，则是深圳赔偿给惠州，污染赔偿的主体为淡水河流域深圳段的一切生活或生产过程中向外界排放污染物，影响淡水河流域水量和水质的个人、企业或单位；而污染赔偿的客体则是淡水河流域惠州段的一切生活或生产过程中被动受到上游水质影响的个人、企业或单位。区分主客体，目的是为了确定生态补偿与污染赔偿的对象，明晰上下游之间的权责利关系，但从目前淡水河流域的现状来看，只能是深圳向惠州进行污染赔偿。

（二）考核断面与考核标准

淡水河流域生态补偿属于广东省内跨行政区域生态补偿，因此要以依据广东省内跨市交接断面的水质作为考核依据。按照《广东省跨行政区域河流交接断面水质保护管理条例》的有关规定，跨行政区域河流交接断面的确定原则要遵循河流的自然状况；同时也要具有代表性和可操作性，便于分清责任[3]，基于此，本文将确定深惠两市淡水河流域交接断面划分以下两个，如表1所示。

表1　深惠两市淡水河流域生态补偿考核断面

序号	断面名称	地点	河流名称	交接关系
1	西湖村	惠阳秋长镇	龙岗河	深圳→惠州
2	上垟	宝安坪山镇	坪山河	深圳→惠州

对于水质考核标准而言，根据目前我国水质及相应功能类别的划分标准，认为在流域生态保护中，上游政府有责任保证跨界交接断面的水质达到Ⅲ类要求，我国《地表水环境质量标准》规定“Ⅲ类标准主要适用于集中式生活饮用水地表水源地二级保护区、鱼虾类越冬场、洄游通道、水产养殖区等渔业水域及游泳区”。同时鉴于淡水河流域的治理现状和深惠两市的社会、经济发展状况，现将Ⅲ类水作为深惠两市交接水质考核与生态补偿的基准点，即对于交接断面水质控制目标为Ⅲ类，交接断面水质达标的且优于Ⅲ类的，进行生态补偿；达到Ⅲ类标准的，不补不扣；不达标的，扣缴生态赔偿金。

（三）考核因子

从淡水河流域深惠两市近10年的交接断面水质考察情况来看（见表2），淡水河主要超标指数有氨氮、总磷、粪大肠菌群等，同时也参照广东省内跨行政区域交接水质达标考核与生态补偿试点中选择考核因子，本文中选择氨氮、COD、总磷作为考核因子。确定所监测指标主要有以下几项：氨氮、COD、总磷和断面月流量[4]。

表2　深惠淡水河流域交接断面的近10年水质状况

序号	断面名称	水质目标	1999	2000	2001	2002	2003	2004	2005	2006	2007	2008	总体评价	主要超标项目
1	西湖村	Ⅲ	劣Ⅴ	劣Ⅴ	劣Ⅴ	劣Ⅴ	劣Ⅴ	劣Ⅴ	劣Ⅴ	劣Ⅴ	劣Ⅴ	劣Ⅴ	不达标	粪大肠菌群、氨氮、总磷等
2	上垟	Ⅲ	劣Ⅴ	劣Ⅴ	劣Ⅴ	劣Ⅴ	劣Ⅴ	劣Ⅴ	劣Ⅴ	劣Ⅴ	劣Ⅴ	劣Ⅴ	不达标	氨氮、总磷等

（四）标准核算

生态补偿和污染赔偿金额的计算基准，是流域上下游断面的水质的水资源量，同时在计算生态补偿和污染赔偿时，还可适当考虑上下游地区的经济发展水平差异，具体问题具体分析。

1. 水质达标生态补偿标准测算

利用多因子指标测算模型，当某一断面水质保护效果良好，则对该断面上游行政区政府的生态补偿金额为根据单项考核因子生态补偿资金之和。即：

年生态补偿资金 = 当年月生态补偿资金加和

月生态补偿资金 = 月单项考核因子生态补偿资金之和

月单项考核因子生态补偿资金 =（考核因子的控制目标 - 断面月单考核因子水质指标实测值）× 断面月流量 × 达标补偿标准[5]

式中：氨氮、COD 和总磷的达标补偿标准参考城市污水处理厂污染物削减成本平均水平，分别取 900 元/t、700 元/t 和 5 万元/t[6]。

2. 水质超标污染赔偿标准测算

利用多因子指标测算模型，当某一断面水质保护效果良好，则对该断面上游行政区政府的生态补偿金额为根据，单项考核因子生态补偿资金之和。为了体现污染赔偿对上游污染行为的惩戒作用，提高生态补偿对流域水环境保护的激励作用，污染赔偿标准拟为生态补偿标准的 2 倍。即：

年污染赔偿资金 = 当年月污染赔偿资金加和

月污染赔偿资金 = 月各单考核因子赔偿资金之和

月单考核因子赔偿资金 =（断面月单考核因子水质指标实测值 - 考核因子的控制目标）× 断面月流量 × 超标赔偿标准

其中单因子超标赔偿标准可采用影子工程法计算，初步建议氨氮、COD 和总磷的达标补偿标准参考城市污水处理厂污染物削减成本平均水平，分别取 1800 元/t、1400 元/t 和 10 万元/t[6]。当然，这是一个建议值，其可行性还有待论证。

四、实施机制

（一）深惠交接断面水质目标考核

建立淡水河流域生态补偿与污染赔偿机制，关键点是要划定上下游双方的责任，因此要结合相关的规划定期考核交接断面、水质目标及污染物排放总量控制情况。深惠两市人民政府要采取有效措施削减污染物排放量，以确保断面水质达到规定的控制目标，其中对于跨市水质目标每月考核一次，考核结果由省环境保护行政主管部门认定和发布[7]。凡断面当月水质指标值超过控制目标的，上游地区设区的市应当给予下游地区设区的市相应的赔偿资金；凡断面当月水质达到控制目标的，下游地区设区的市应给予上游地区一定的补偿资金，补偿和赔偿标准根据上下游环境保护和生态建设成本确定。

（二）完善组织实施制度

淡水河流域生态补偿与污染赔偿属广东省内跨市流域生态补偿，应由省组织实施，加强流域生态补偿与污染赔偿的组织领导工作，同时做好各个部门之间的协调，尤其是环境保护主管部门与水利行政主管部门在技术上的协调、发展改革委、财政等部门在项目与资金上的协调。财政的支持是生态补偿与污染赔偿落到实处的关键，建议财政部门从流域生态补偿与污染赔偿的试点抓起，从资金和政策方面提供重要支持。

（三）加强对生态补偿资金的监管

对于生态补偿资金的监管，首先，深惠两市财政部门须在商业银行设立“生态补偿资金”专户，把淡水河流域的补偿资金全部纳入专户管理，对于资金的使用要坚持“专账核算、专款专用、跟踪问效”的原则，以确保资金安全、高效；其次，对于生态补偿资金实行问责制，要把生态补偿资金的管理职责具体分解到财政、环保、水利等有关部门，相关环节与部门一旦出现问题，追究其责任，目的是为了确保生态补偿资金规范使用的合理性、合法性；最后，要对生态补偿资金的使用定期进行绩效考核，委托第三方机构对生态补偿资金投入的数量、运行效率、实际效果等建立系统的指标体系和数据库，实行生态补偿资金使用年度报告制，对生态补偿资金使用绩效进行监测与科学评价。

（四）建立对话与合作机制

深惠两市的环保部门定期互通水污染防治进展、断面水质等情况。当上游地区发生污染事故或污染物排放、流域水量水质水文等出现异常并可能威胁下游水质时，除按规定上报外，上游政府或环保等有关部门应立即通知下游政府或环保等有关部门，并对重点污染源采取限产、限排或暂时关闭等措施。当下游地区发生水质恶化或死鱼等严重污染事故并确认由上游来水所致时，除按规定上报外，应及时通报上游政府和环保等相关部门。上游地区应积极采取措施控制污染，并向下游地区及时通报事故调查处理进展。

（五）建立仲裁组织与制度

淡水河流域地跨深惠两市，建立跨行政区流域环境保护仲裁制度利于纠纷问题的解决。对于淡水河流域水污染纠纷，应由省一级环境保护行政主管部门组织有关人民政府协商解决；协商不成的，纠纷任何一方可以报请流域水污染防治机构协调解决；当协调不能解决时，由纠纷一方或流域水污染防治机构报上一级人民政府即广东省人民政府裁决。因水污染引起的赔偿责任和赔偿金额的纠纷，由有关各方协商解决，协商不成的，可以请求相应的环境保护行政主管部门调解或者按有关法律程序裁决。

因跨界水污染引起的损害赔偿责任和赔偿金额纠纷按《水污染防治法》有关规定执行。对淡水河流域交接断面水质、水量、流向监测数据有异议的，分别由省环境监测机构和省水文资源勘测机构依照规定裁定。对各级人民政府及有关部门不按期报告、通报，或者拒报、谎报水质、水量监测结果的，按照规定追究有关人员的行政责任。

五、结　语

尽管在国内对于流域生态补偿已经有些探索，但还存在诸多问题，尤其是流域生态补偿涉及上下游之间的关系，涉及跨不同行政区域的问题，与此相关的理论还不是很完善，还将在实践中不断地探索与完善。

淡水河流域生态补偿与污染赔偿机制目前还存在诸多细节问题值得继续探讨，尤其是在考核因子的选取和核算标准方面还有待更深入地研究。总之，建立和完善淡水河流域生态补偿机制，对于深惠两市来说是必要的，也必将会对深惠两市经济社会的可持续发展产生深远的意义。

参考文献

[1] 鲁志文，赖志毅．淡水河污染成因初步分析［J］．人民珠江，2008，3：52－53.

[2] 环境保护部华南环境科学研究所，惠阳区环境科学研究所．淡水河流域（惠阳段）水环境综合整治规划（2009—2020年）［R］．2009，7：6－10.

[3] 广东省跨行政区域交接水质达标考核与生态补偿方案［R］．2009，6.

[4] 中山大学环境科学研究所，惠州市环境科学研究所．惠州市淡水河流域污染综合整治规划技术报告［R］．2009，9：134－139.

[5] 环境保护部环境规划院，财政部财政科学研究所，环境保护部环境与经济政策研究中心．流域生态补偿和污染赔偿试点方案设计指南［R］．2009，5：4－5.

[6] 念东，王佳伟，刘立超，等．城市污水处理厂化学除磷效果及运行成本研究［J］．给水排水，2008，34（5）：7－10.

[7] http：//www. riel. whu. edu. cn/article. asp？id＝3443，江苏省环境资源区域补偿办法．

长三角地区开展流域生态补偿的策略选择与前景分析

黄宇驰

（上海市环境科学研究院　上海　200233）

摘　要　流域生态补偿机制作为一种有效调节流域上下游环境与经济利益关系的环境经济政策，在解决流域跨界污染方面可以起到积极作用。长三角地区是我国社会经济最发达地区，同时流域跨界水环境问题却越来越困扰该地区的进一步发展。本文在分析长三角地区水环境特征以及水环境管理状况的基础上，总结了国内外流域生态补偿机制的运作模式，结合实际情况提出了在长三角流域建立双向生态补偿机制的政策设想，并在探讨该机制的现有条件和面临问题的基础上，分析了该政策的实施前景。

关键词　长三角地区　流域生态补偿　运作模式

一、前　言

长三角地区是我国社会经济发展发达地区，2008 年，长三角地区经济总量占到全国经济总量的 21.7%。长三角地区一体化发展进程逐步加快。2008 年 9 月国务院正式发布了《关于进一步推进长江三角洲地区改革开放和经济社会发展的指导意见》（国发［2008］30 号），要求进一步加快一体化进程。但同时，长三角地区的水环境污染，尤其是跨省界污染问题却日益突出，出现了“上游保护、下游发展”、“上游排污、下游治污”等环境与经济利益倒挂的现象。流域生态补偿机制作为一种有效调节上游和下游间环境与经济利益关系的环境经济政策，在解决流域跨界污染方面可以起到积极作用[1-4]。在我国一些地区，基于断面水质考核的流域双向生态补偿机制，因此，本文重点在长三角地区开展流域生态补偿机制。

二、需求分析

长三角地区自然地理条件接近，区域内河网密布、相互交错，水环境质量在流域内呈现“一荣俱荣、一损俱损”的局面。近年来，长三角地区在社会经济快速发展的同时，水环境问题却日益突出。根据上海、江苏、浙江环境质量公报[5-7]，区域内河网水质不容乐观，氨氮、总磷、总氮超标情况普遍，湖泊呈富营养化特征明显，尤其是太湖流域水系，全年期 61.3% 的评价河长水质劣于 V 类，蓝藻水华近几年每年都有爆发[8]。由于跨界水体水质的久治不善，近年来，长三角各省市间的跨界水体纠纷事件时有发生，成为长三角一体化进程的限制因素之一。

长三角地区水环境问题的凸显，尤其是跨界水体污染与矛盾纠纷，既有各自水环境保护和治理上的原因，也与流域缺乏有效协调管理有关。一方面，长三角流域水环境管理机构仍难以发挥监督监管、统筹协调的作用。尽管我国设置了流域管理机构——太湖流域管理局[9]。但是由于在流域管理上尚缺乏法律法规支撑，流域管理机构难以有效地介入地方政府决策过程、发挥监督监管和统筹协调作用，地区之间跨界水污染纠纷和矛盾难以协调。另一方面，长三角流域各地方政府间缺乏有效协调合作机制。目前，长三角地区的水环境管理仍以行政辖区为界，呈现地方政府分割管理、各自为政的状况。因此，在对待具有公共属性的流域问题时，往往从其自身利益出发，而忽略了流域上游或下游在经济发展和环境保护上的统筹协调，从而形成流域上游和下游地区之间在水资源利用、水环境功能划分等问题上的差异，导致流域内跨界水体问题的矛盾和纠纷。

因此，在现有体制下要解决综合性流域跨界水体问题，应当需要通过法规、制度、政策、经济等一系列手段进行综合考虑。建立流域生态补偿机制可以从一定程度上调整流域上游和下游各方之间利益关系，尤其是在针对长三角流域一体化发展不断加快的形势下，将会起到更加积极的作用。

三、策略选择

由于长三角流域复杂的地理、行政和管理现状，因此，在建立流域生态补偿机制时既要充分借鉴国内外成功经验，又必须符合流域实际情况。流域生态补偿的概念来源于流域生态服务市场，而流域生态服务市场最早起源于流域管理和规划，如美国田纳西州流域管理计划[1,10]。典型的实践案例包括美国纽约市清洁水交易机制、美国的流域银行、欧洲易北河生态补偿等。总体来说，目前流域补偿机制的运作模式大体上可以归纳为以下三种：第一种是产权交易模式。该模式主要是通过构建流域区际产权市场，以市场交易实现流域资源优化配置的一种纯市场化模式[11]，比如美国的流域银行机制。第二种是纵向补偿模式。该模式主要是通过公共支付手段，由上级机构或特定组织将公共支付收入以纵向转移支付的途径，向流域生态建设地区或和生态受损地区进行补偿的强制性模式，比如国家生态补偿基金。第三种是横向补偿模式。该模式主要是通过流域上下游间的内部协商和谈判，以补偿金横向转移支付为主要手段，实现流域上下游间生态补偿的一种准市场模式。它又分为单向补偿模式和双向补偿模式，当流域上下游生态受益者主体明确时，通常由生态受益方向生态保护或受损方进行单向生态补偿，即单向补偿模式。而当流域上下游受益主体不确定，并通过建立面向上下游双方的责任考核判定机制，由流域生态受益者向受损者进行补偿，这便是双向补偿模式。

从建立长三角流域生态补偿机制的目的出发，由于我国目前资源价格体系和产权交易市场的不完善，因此采用产权交易模式的条件还不成熟。同时，由于我国税费制度的不完善以及纵向财政转移支付无法解决上下游流域跨界污染问题，因此也不易采用依赖公共支付的纵向补偿模式。而基于协商谈判的流域上下游横向补偿模式，尤其是基于上下游双方的责任判定机制的双向补偿模式，由于能够准确判定流域内各方生态补偿责任，较好地体现了上下游地区公平发展的原则，达到跨界环境污染外部效应内部化的目的，所以更适用长三角流域目前跨界污染严重且污染责任不清的现状。

因此，从可操作性角度考虑，现阶段的长三角地区流域生态补偿机制应选择基于上下游责任判定方式的双向补偿模式。

四、前景分析

（一）具备的有利条件

长三角流域污染的现状使建立流域生态补偿机制日益迫切。从长三角流域目前所具有的经济、政策、合作和实践基础看，长三角地区已经为建立流域生态补偿机制提供了良好的外部条件，主要表现在以下几个方面：

从经济基础看，长三角地区发展相对平衡，经济实力雄厚。作为中国社会经济发展最具活力地区，长三角地区整体经济实力强、社会基础设施较完善、发展相对平衡，2008 年，上海、江苏、浙江的 GDP 分别为 13698 亿元、29956 亿元、21487 亿元，合计占全国总量的 21.7%，这为长三角开展生态补偿机制创造了良好的经济基础。

从政策基础看，国家政策支持，地方政府日益重视。2007 年，原国家环保总局颁布了《关于开展生态补偿试点工作的指导意见》（环发［2007］130 号），希望地方积极开展流域生态补偿试点。而长三角各地方政府也将建立流域生态补偿机制纳入重要的议事日程，并得到国家上级部门的支持。2008 年，针对上海市环保局的请示，国家环境保护部向长三角一市两省下发了

《关于长江三角洲地区流域生态补偿机制研究的复函》，明确表示支持长三角地区开展流域生态补偿机制研究和试点。

从合作基础看，长三角一体化进程加快，区域合作全面深化。随着国务院《关于进一步推进长江三角洲地区改革开放和经济社会发展的指导意见》（国发［2008］30号）的发布，长三角区域合作形式和领域不断深入拓展，已经从原先单纯的经济贸易往来，发展到目前经济、交通、旅游、环保等各个领域的全方位合作。2008年12月15日，沪苏浙环保厅（局）长正式签署了《长江三角洲地区环境保护工作合作协议（2008－2010年）》，明确将创新区域环境经济政策作为六项合作内容之一，这为开展长三角流域生态补偿机制做好了铺垫。

从实践基础看，国内外可供借鉴案例丰富，一市两省自身实践形式多样。流域生态补偿机制一直是国内外开展生态补偿探索的主要领域，成功的可借鉴案例也比较多，如美国的流域贸易机制、欧洲的易北河流域生态补偿实践等。同时，近年来长三角各个省市自身也在流域生态补偿机制方面积累了一定实践经验，其中浙江开展了水权交易、异地开发等形式多样的流域生态补偿实践，江苏率先开展了基于断面水质考核目标的上下游双向生态补偿试点，上海则针对水源地保护出台了相关财政补贴政策，这些都为建立长三角流域生态补偿机制奠定了良好的工作基础。

（二）面临的主要问题

流域生态补偿机制在我国还是一项新兴的环境经济政策，目前更多的还处于研究和探索阶段，要真正建立基于上下游责任判定机制的双向流域生态补偿机制，面临着诸多技术、法规、标准等方面的困难，需要重点解决以下几个问题：

一是上下游的责任判定问题。在流域的双向生态补偿机制中，上下游的责任判定是一个关键。目前，基于跨界断面的水质目标考核制是最常用、也是最合理的责任判定机制。但由于长三角水系处于潮汐河网地带，一些跨界河流受潮汐影响存在互流现象，使得污染责任主体的判定带来一定难度。

二是补偿标准的问题。补偿标准与最终补偿额大小密切相关，不同的补偿标准往往产生不同的补偿结果和效果。但是目前，补偿标准还缺乏科学、统一的制定方法。学术上通常认为，流域生态服务功能价值评估是制定流域生态补偿标准的主要依据。但在具体操作中，由于是生态服务功能价值的核算方法本身还不够完善，核算的基础数据也难以直接获得，因此并未得到普遍应用。目前，补偿标准更多的是通过上下游协商和谈判确定，难免受到多方面利益的影响，不能客观反应流域污染的生态补偿需求，从而导致补偿标准缺乏客观性。

三是跨省界断面功能区目标衔接的问题。由于各省的功能区水质目标是按照自身的发展需求而分别制定，因此在跨省界地区存在一些跨界断面水质目标的不衔接的情况。目前，根据长三角流域各省市的水环境功能区划，在15个主要跨省界断面中，有8个断面存在上下游功能区水质目标不衔接的情况。由于功能区目标是制定跨省界断面水体考核目标的主要依据，因此，协调好这些不衔接的跨省界断面功能区目标，是建立流域双向生态补偿机制的重要前提。

四是补偿资金运作管理的问题。生态补偿一般都是通过资金的运作实现环境成本与环境效益的跨区域协调。目前我国的生态补偿实践，大多是通过上级政府财政向下级政府财政的纵向转移支付实现的，而跨省界的资金横向转移运作还未有实践先例。因此，如何在目前财政体制下，制定补偿资金的来源、运作、管理、监督等制度，实现跨省市间的补偿资金合理运作，是长三角流域生态补偿机制实践成败的关键因素之一。

五是多部门的跨省界协作问题。长三角流域的生态补偿机制实施，涉及上海、江苏、浙江一市两省的多个部门。考虑到我国各地方行政区分割管理的现状，如何在缺乏明确的上一级政府和部门的组织协调框架制度下，让各省市间深化合作领域和方式，实现多政府、多部门的沟通与协作，并最终实现生态补偿机制的共识具有一定难度。

五、结　论

目前，长三角地区水环境问题形势严峻，并呈一体化特征，而流域环境管理却呈现行政分割管理的状态。因此，建立流域生态补偿机制对于调节上下游利益关系，促进区域水环境协同管理将起到积极的促进作用。

从可操作性角度考虑，现阶段长三角地区流域生态补偿机制应选择基于上下游责任判定方式的双向补偿模式。

从运作的前景看，长三角地区已具备了实施生态补偿机制的良好基础，但在实际操作过程中仍需解决责任判定机制、补偿标准问题、统一功能区标准问题、补偿资金运作问题、跨省多部门协调问题等。因此，该政策的实施还需要长三角各方及国家上级部门统筹考虑，建议近期在局部范围内开展试点，在妥善解决各关键问题后，再全面推进。

参考文献

［1］中国生态补偿机制与政策研究课题组．中国生态补偿机制与政策研究［M］．北京：科学出版社，2007.

［2］刘玉龙．生态补偿与流域生态共建共享．北京：中国水利水电出版社，2007.

［3］常抄，邬亮．流域生态补偿机制研究［J］．环境保护．2005（12）：59－62.

［4］李建建，黎元生，胡熠．论流域生态区际补偿的主导模式与运行机制［J］．生态经济，2006（2）：319－326.

［5］上海市环境保护局．2007年上海市环境状况公报．2008.

［6］江苏省环境保护厅．2007年江苏省环境状况公报．2008.

［7］浙江省环境保护局．2007年浙江省环境状况公报．2008.

［8］太湖流域水环境综合治理总体方案．2008.

［9］曾文慧．越界水污染规则——对中国跨行政区流域污染的考察［M］．上海：复旦大学出版社，2007.

［10］张慧远，刘桂环．我国流域生态补偿机制设计［J］．环境保护，2006（10A）：49－54.

［11］任勇，俞海，冯东方，等．建立生态补偿机制的战略与政策框架．环境保护，2006（10A）：18－28.

南水北调中线工程水源区（十堰区域）生态补偿机制研究

袁劲松　王　勇　王友安

（十堰市环境保护局　十堰市朝阳中路7号　442000）

摘　要　南水北调工程是优化我国水资源配置的重大基础工程。十堰市为丹江口水库所在地，所辖5县1市3区均在核心水源区内，是水源地水质水量安全保障区，因此十堰市生态环境的保护与建设对南水北调中线工程具有重要的影响。

生态补偿是地方生态环境保护与建设的新领域，本研究以定量的方法从投入和效益两方面分析十堰区域生态保护效益的分享和成本的分担，确定南水北调中线工程十堰区域生态补偿主体、补偿对象、补偿模型、补偿标准。

一、十堰区域生态环境对南水北调中线工程运营的影响

十堰市地处湖北省西北部秦巴山区，是南水北调中线工程水源地丹江口水库所在地及其水质安全保障区。

丹江口水库的入库水量和水质与十堰市两万多平方公里区域生态环境关系密切，丹江口水库集水范围内的十堰市域汇水面积19771.32km^2，年均入库水量274.6亿m^3，占总入库水量的80%以上（含陕西汉中方向的过境水）；经十堰市境内入库的排污量占丹江口入库污染负荷的80%以上。因此，如果十堰区域生态环境退化导致降水行洪时间过短，则水库实际入库水量要减少；如果该区域内面源和点源污染过重，超过饮用水源地标准，则丹江口水库会失去供水源地的地位，从而直接影响南水北调中线工程的实施。

二、十堰区域生态功能定位及价值估算

主导功能——水源涵养。十堰区域的主导生态功能是由十堰市在南水北调中线工程中的地位决定的，即丹江口水库南水北调核心水源地，保证丹江口水库有合格的水质和足够的水资源量。

辅导功能之一，生物多样性保护。十堰市的辅导生态功能之一为生物多样性保护功能。十堰市紧邻我国自然保护区湖北省神农架林区自然保护区的北部，是神农架自然保护区的生态支持地区，对于神农架自然保护区的生态支撑作用特别显著。

辅导功能之二，生态屏障。十堰市地处中国地理中央地带，鄂、豫、陕、渝四省（市）毗邻的鄂西北秦巴山区，从全国生态环境安全格局上看，是我国生态环境保护战略要冲之一，处在我国东西南北分界线上的十字交叉点，兼东西南北自然环境特征，是阻止西北荒漠化、半荒漠化与沙尘暴东侵南下侵袭华中的最后一道天然屏障；是北方二氧化硫控制区与西南酸雨控制区之间的陆上隔离带；是中国内陆最大的生物资源库之一，是中央山地大氧吧。十堰市在秦巴山地构筑一道绿色生态屏障，对于保障中国环境安全大局将具有重大战略意义。

引用国际公认的自然生态系统公益价值指标体系来评估十堰区域的生态系统公益价值为27.31亿美元/a、206.46亿元人民币/a。

三、南水北调中线工程水源区（十堰区域）生态环境保护与建设投入分析

十堰区域生态保护与建设投入及南水北调中线工程所带来的经济损失可以分为直接和间接两

个部分，直接投入包括水源涵养、林业建设与保护投入、水土流失治理投入和污染防治投入等；间接投入包括发展节水的投入、移民安置投入和限制产业发展的损失。

据历年十堰区域的水源涵养与生态保护的各项投入，以2008年的投入为基准，加上整体调整系数来调剂统计过程中的漏算和误差，调整系数引用新安江流域生态共建共享机制研究中的调整系数1.2，测算出2008年的十堰区域林业退耕还林建设投入，生态农业建设的投入、畜牧业生态保护和农村绿色能源建设的投入等五项投入为82188万元。

预计在未来的年份里，林业建设为33465万元；水土流失治理12510万元；生态农业建设12481万元；畜牧业生态保护投入3895万元；农村绿色能源投入19836万元。

污染源治理和防治的投入25000万元；移民安置25000万元；地质影响、气候及生物的影响投入4000万元；涉及企业关停及技术改造投入20000万元。

测算出未来十堰区域为保护生态和治理环境的总投入为156188万元/年。

四、南水北调中线工程水源区十堰区域生态补偿模型

（一）生态补偿的主体

十堰区域的生态功能定位为：主导生态功能是水源涵养，辅导生态功能为生物多样性保护和生态屏障，其生态效益表现在水源涵养、水源地水质保障、生物多样性保护、生态屏障等方面。十堰区域生态效益的作用对象包括国家、南水北调的北方受水区、汉江下游地区、华中和东南发达地区。由于十堰区域的生态屏障功能及效益、价值不明确，把华中、华东南发达地区作为十堰生态补偿的主体之一存在争议。十堰区域生态补偿的主体确定为国家政府、北方受水区、汉江下游地区。

（二）生态补偿的对象

十堰区域生态环境保护和建设依赖地方政府和农民完成，地方企业则要分摊部分投入及承担相关环境成本和损失机会成本。因此，生态补偿的对象确定为十堰市各级政府、农民、地方企业。

（三）生态补偿成本的构成

生态补偿成本的构成包括生态保护投入的直接成本（P_{I}）与间接成本（P_{II}）。直接成本考虑的是进行水源涵养与生态保护所开展各项措施的直接发生的投入成本，包括人力、物力、财力的直接投入，具体有植树造林、退耕还林、生态农业、沼气等农村新能源、区域污染治理工程等。间接成本则是为保护丹江口水源涵养区的水源涵养与生态维护功能，当地所采取的限制部分行业发展，关、停、并、转原有的部分企业，为此水源涵养保护地所遭受的潜在发展损失；丹江口水库大坝加高后蓄水，对库周地质影响修复的投入；库区水位上升后对当地气候及生物的影响而造成的损失；此外还考虑水源涵养与生态保护所涉及的移民安置项目投入成本等。

（四）生态补偿模型

1. 国家补偿模型的建立

（1）确定补偿基数

生态补偿基数由十堰区域生态保护和建设的投入成本确定的，对十堰区域的生态保护投入的成本进行了初步的统计和估算，将该值作为生态补偿的基数P_0。

（2）调整系数的确定

国家补偿属于生态公益性补偿，国家补偿的调整系数与十堰区域水域生态公益性价值占十堰区域生态系统公益性价值的总和的百分数有关，水域生态保护得越好，那么水域生态公益性价值就越高。本研究引入调整系数$f(x)$来建立国家生态公益补偿模式：

$$P_{公益} = P_0 \times f(x) \tag{1}$$

$f\ (x)$：十堰区域水域生态公益性价值占十堰区域生态系统公益性价值的总和的百分数。

上式很好地说明了国家政府补偿与生态系统公益性价值之间的关系。水资源属于国家所有，水生态系统公益性成本由国家政府来分摊。

政府分摊成本的方式可以包括财政转移支付、安排生态保护投资项目、建立生态保护基金等方式予以直接补偿，同时还可以通过各项优惠的经济政策予以间接的补偿。

2. 市场补偿模型的建立

（1）补偿成本计算模型

丹江口水库上游地区为生态保护和涵养水源所作的总成本分为直接投入（P_{I}）和间接成本（P_{II}）两部分，其投入总量为 P

$$P = P_{\mathrm{I}} + P_{\mathrm{II}}$$

式中 P_I 包括：P_1 为水源涵养区提高森林覆盖率的投入；P_2 为水源涵养区水土流失治理投入；P_3 为水源上游地区生态农业投入；P_4 为水源上游地区畜牧业生态保护投入；P_5 为水源上游地区农村清洁能源建设的投入；P_6 为生物多样性保护的投入；P_7 为南水北调（十堰区域）污染防治投入。

式中 P_{II} 包括：P_8 为限停产业发展和控制水环境容量的成本；P_9 为库区移民安置成本；P_{10} 为对地质灾害影响及治理成本；P_{11} 为水位上升后对气候及生物的影响损失成本。

（2）水资源量的核算

水资源量按照调水量和下游下泄量两部分计算：

南水北调工程竣工后，预计从丹江口水库年向京津唐地区的调水量约为 95 亿 m^3/年。

多年下泄下游水量：根据汉江中下游水文情势分析，以黄家港站流量作为下泄流量。根据《南水北调中线工程初步可行性专题研究之一》，确定 2008 年丹江口水库的多年平均下泄流量为 381.3 亿 m^3，考虑到调水的影响，2010 年和 2015 年水平年的多年平均下泄流量为 285.6 亿 m^3 和 258.7 亿 m^3。取二者均值为 272 亿 m^3。

十堰地区流入丹江口水库的水量占其总蓄水量的 87%，总蓄水量为 387.8 亿 m^3，从十堰区域入库的水量约为 $q_0 = 337$ 亿 m^3。

3. 补偿计算模型

单方水的上游生态投入成本可用下式初步计算如下：

$$P_0 = P/q_0 = (P_{\mathrm{I}} + P_{\mathrm{II}})\ /q_0 \tag{2}$$

式中：P_0 为单方水生态保护投入成本；P 为总投入量；P_{I} 为生态保护成本的直接投入量；P_{II} 为生态保护成本的间接投入量；q_0 为丹江水库从十堰区域入库的水量。

根据调水受水区和下游地区的情况不同，其相应的补偿方式也各有所异，在此，我们提出：

调水受水区补偿量和所调水水质、水量、水的行业用途和受水区的地区差异补偿系数共同决定调水受水区的补偿量值。其具体的拟合计算公式为：

调水受水区单位水资源的补偿量计算公式为：

$$P_{调}' = P_0 \times f\ (q)\ \times f\ (Q')\ \times f\ (e)\ \times f\ (w) \tag{3}$$

式中：$P_{调}'$ 为调水受水区单位水资源的补偿量，（元/m^3）；P_0 为单位水资源生态保护投入成本，（元/m^3）；$q_{调}$ 为南水北调中线工程调走水量；$f\ (q)$ 为水量的修正系数，$f\ (q)\ = e^2 k$，k 为调水系数，$k = q_{调}/q_{总水量}$；$f\ (Q')$ 为水质系数；$f\ (e)$ 为水使用效益系数；$f\ (w)$ 为地区补偿系数。

调水受水区补偿总额计算公式为：

$$P_{调} = q_{调计用} \times P_{调}' \tag{4}$$

式中：$P_{调}'$ 为调水受水区每吨水的补偿量；$q_{调计用}$ 为调水受水区计量用水量。

而下游地区由于水的天然属性的流动性，其下游的补偿量只通过水量调节系数和水质系数来共同调节补偿量的量值。其具体的拟合计算公式为：

下游地区单位水资源的补偿量计算公式为：

$$P'_{下游} = P_0 \times K_q \times f(Q') \quad (5)$$

式中：$P'_{下游}$为下游地区单位水资源补偿量，（元/m^3）；K_q 为水量调节因子；$f(Q')$ 为水质调节因子。

$$P_{下游} = q_{下计用} \times P'_{下游} \quad (6)$$

式中：$q_{下计用}$为下游地区的计量用水量；$P'_{下游}$为下游地区单位水资源补偿量，（元/m^3）。

以上两个补偿公式，对调水受水区，主要是从水质、水量和用水效益等3个主要方面来调节在补偿上的具体量值。而对于下游地区的补偿，主要考虑的是其水质和流到下游地区的水量。公式只是一个初步的估算公式，还会涉及没有考虑到的具体相关因素，但是，初步估算公式能够鲜明地提出补偿量与那些因素密切相关就行，具体一些影响小的因素在此就不一一考虑了。

（五）生态补偿标准测算

1. 国家补偿标准

国家补偿主要有国家中央政府和地方政府两个主体来共同分担。而十堰市地处鄂西北山区，地方经济贫困，政府财政吃紧。在南水北调工程上游地区的生态保护建设投入中，国家政府补偿这一部分，主要依靠国家中央政府来补偿。

国家补偿相关因素主要是水域生态系统公益性价值占十堰区域生态系统公益性价值总值的百分比。十堰市水域生态系统公益性价值占十堰区域生态系统公益性价值总值的百分比经过修正后为41.76%，按照2008年为基准预测年份，上游地区为保护生态和治理环境的总投入为156188万元，即$P_0 = 15.62$ 亿元。

因此，政府补偿量可按式（1）计算：$P_0 = 15.62$ 亿元，$f(x) = 41.76\%$，

$P = P_0 \times f(x) = 15.62$ 亿元 $\times 41.76\% = 6.52$ 亿元

由此可以计算出国家政府在南水北调工程丹江口水库上游水源区生态保护建设投入中的补偿额度应为6.52亿元/年。

2. 市场补偿标准

（1）模型系数取值

$P = 15.62$ 亿元；

总水量按流经十堰区域的入库水量计算，$q_0 = 337$ 亿 m^3

按公式 $P_0 = P/q_0 = 15.62$ 亿元/337 亿 m^3 $= 0.0463$ 元/m^3

根据调水受水区与丹江口水库的距离远近和受水地区的经济发展水平，初步拟定北京地区的$f(w) = 1.4$，天津的$f(w) = 1.3$，河北的$f(w) = 1.2$，河南的$f(w) = 1.1$。

根据不同行业用水的效益，拟定行业调整系数。居民生活用水$f(e)$生活$= 0.6$，工业用水能创造出更高的经济效益，$f(e)$工业$= 1.2$，农业用水中包括了生态农业用水拟定农业用水调整系数为$f(e)$农业$= 0.8$。

补偿计算模型中的$f(Q')$是一个很重要的补偿调节系数，当水质优于国家标准I类水平时，$f(Q') = 1.5$，当水质优于国家标准中的II类水平时，$f(Q') = 1.1$，当水质优于国家标准III类水平时$f(Q') = 1.0$；当水质低于国家标准的III类水平时，上游地区应该对调水受水区和丹江口水库下游地区进行补偿。

（2）补偿标准

按上面拟定的一些调整参数和拟定的调水受水区补偿计算公式来计算各个地区的每吨水的补偿量具体数据见下表。

调水受水区不同行业用水的补偿基准；

地区	北京			天津		
行业	生活	工业	农业	生活	工业	农业
补偿标准（元/m^3）	0.0697	0.1395	0.0929	0.0647	0.1295	0.0518
地区	河北			河南		
行业	生活	工业	农业	生活	工业	农业
补偿标准（元/m^3）	0.0597	0.1195	0.0796	0.0548	0.1096	0.0731

据中线工程供水量及水量分配表，取计量用水水量作为市场补偿的依据，按照有关公式进行核算，北京、天津、河北和河南四个区域的三个不同用水领域平均后可初步算得各地的具体补偿量（单位：亿元）：

河南：30.43 亿 m^3 ×（0.0548 + 0.1096 + 0.0731）/3（元/m^3）= 2.41

河北：30.39 亿 m^3 ×（0.0598 + 0.1195 + 0.0796）/ 3（元/m^3）= 2.62

北京：10.52 亿 m^3 ×（0.0697 + 0.1395 + 0.0929）/ 3（元/m^3）= 1.06

天津：8.63 亿 m^3 ×（0.0647 + 0.1295 + 0.0518）/3（元/m^3）· = 0.71

总计调水受水四个区域需补偿的生态保护投入额为约 6.8 亿元。

对于下游地区，根据其相关系数和拟定的下游地区补偿计算公式（5）和式（6），计算每立方米的下泄水下游补偿量和下游地区对上游地区水源保护和水生态建设投入的补偿总量：

下游地区每吨水的补偿量计算：

$P'_{下游} = P_0 \times K_q \times f(Q') = 0.0463 \times 272/337.4 \times 1.1 = 0.041$ 元/m^3

下游地区向上游十堰区域的补偿量计算：

$P_{下游} = P'_{下游} \times q_{下取} = 16$ 亿元 $\times 0.041 = 0.66$ 亿元

值得说明的是，虽然通过对上游地区已有投入的趋势分析进行预测，并利用模型对过去投入比例和未来投入分担进行计算，得出了结果。由于上游地区投入资料还不完备，在未来建立流域生态共建共享机制后，确定调水受水区和下游地区对上游生态建设投入的分担量，补偿计算需生态建设项目所投入的情况对分担量进行测算。

参考文献

[1] 国家环境保护总局政策法规司．中国环境保护法规全书（1982 - 2005）（上、下卷）[M]．北京：中国环境科学出版社，2006.

[2] 水利部．水资源与水环境承载能力 [M]．北京：中国水利水电出版社，2002.

[3] 中国环境科学学会．资源·环境与可持续发展战略 [M]．北京：中国环境科学出版社，1995.

[4] 中国地理学会．区域可持续发展研究 [M]．北京：中国环境科学出版社，1997.

[5] 中国 21 世纪议程 [M]．北京：中国环境科学出版社，1994.

[6] 水利部发展研究中心．水权与跨流域调水的法律思考（第二卷）[M]．水利部政法司，水权与水市场，2001.

[7] 国际环境与发展研究所．中国流域生态补偿：政府和市场的作用 [M]．

[8] 中国水利水电科学研究院．新安江流域生态共建共享机制研究 [M]．

[9] 中国科学院生态环境研究所．关于建立我国生态补偿制度的思路与对策 [M]．

[10] 中国自然资源研究会．自然资源研究的理论和方法 [M]．北京：科学出版社，1985.

[11] 长江水资源保护科学研究所．南水北调中线工程环境影响报告书 [M]．

[12] 王新程．水资源有计划市场配置理论 [M]．北京：中国环境科学出版社，2005.

基于系统学的区域绿色经济指标体系与评价方法初探

张雪花[1] 张宝安[2]

（1. 天津工业大学环境经济研究所 300072；2. 中国环境管理干部学院 066004）

摘 要 建立健全的区域绿色经济评价体系，有助于规范绿色经济行为，推动区域绿色经济发展。虽然关于绿色经济尚未形成统一认可的内涵和外延，但学界对绿色经济的价值取向基本一致——绿色经济的核心功能是在促进经济发展、提高经济福利的同时，促进绿色生态的发展并提高绿色福利。基于以上认识本研究提出一种新思路：将绿色经济置于系统科学框架中，进行要素、结构和功能的总结与归纳。从绿色经济的功能出发，倒推绿色经济系统的要素和结构；在绿色经济系统性的要求之下，进行绿色经济指标与评价方法研究。

一、关于绿色经济的内涵

绿色经济一词最早出现在1989年皮尔斯所著的《绿色经济蓝皮书》中，皮尔斯认为绿色经济是以传统产业生态化为基础，以资源节约环境友好的绿色产业为基本产业链，实现经济与环境双发展的一种平衡式经济。此前，1968年出现了生态经济和循环经济的概念（K·波尔丁：《一门新兴科学——生态经济学》）。2003年出现了“低碳经济”（英国能源白皮书《我们能源的未来：创建低碳经济》），这些新经济学概念都是对传统经济学批判和发展，都属于可持续发展的思想范畴，并且它们之间存在某种联系。

曲格平（1992）认为“绿色经济是围绕人的全面发展，以生态环境容量、资源承载能力为前提，以实现自然资源持续利用、生态环境的持续改善和生活质量持续提高、经济持续发展的一种经济发展形态”。王金南认为，绿色经济是以维护人类生存环境为目标、合理使用能源与资源为手段的一种平衡式经济形式，它所依赖的是绿色技术革命。绿色经济与我国提倡的资源节约和环境友好型社会、生态经济、循环经济有着异曲同工之处。吴晓青把绿色经济的内涵理解为：绿色经济是以保护和完善生态环境为前提，以珍惜并充分利用自然资源为主要内容，以社会、经济、环境协调发展为增长方式，以可持续发展为目的的经济形态。目前倡导的低碳经济和循环经济，都可以归属于绿色经济的大范畴。张世秋也认为“低碳经济也是绿色经济的一种形式”。吴季松认为“绿色经济”是一种借喻的说法，是生态经济的组成部分，主要是保护、维系和修复自然生态系统，提高自然财富对人类经济、社会活动的承载能力，使自然生态系统维系绿色的动态平衡。生态经济的另一组成部分是循环经济，而低碳经济是生态经济的结果。潘家华对绿色经济作了有意义的扩展：绿色相对于低碳经济来讲，绿色包括了很多伦理的、经济的、环境的方方面面的因素，绿色比低碳的概念要完整一点。这个扩展也暗示了绿色经济具有发展成为独立的、主要的经济形态的潜力。

还有其他一些学者如刘思华、张叶、崔如波等也对绿色经济的内涵和外延做了深入的研究。

尽管对于绿色经济的内涵在表述上未能统一，但学界对绿色经济的价值追求在方向上是一致的，如自然资源的合理使用、生态环境的保护与改善、人类经济福利和自然福利的提高以及在自然（生态）环境与经济发展之间寻求平衡等，都统一到可持续发展的思想体系当中。这些其实就是绿色经济的功能或目的性，也是绿色经济的发展目标。

二、关于绿色经济的外延——绿色经济领域

国内学界对绿色经济领域的理解区分狭义和广义两个层面。狭义的绿色经济仅指环保产业，

而环保产业又有狭义和广义之分，其中狭义的环保产业仅包括环境保护产品、资源综合利用、环境保护服务和洁净产品四项；广义的环保产业除包含上述内容外，还包括涉及产品生命周期过程中的洁净技术与洁净产品、节能技术、生态设计等与环境相关的服务。而广义的绿色经济，除包括上述产业和领域外，还包括诸如绿色消费与政府采购、绿色贸易与金融、绿色税收与财政、绿色分配、绿色技术、绿色会计与审计等除生产领域外的其他一些绿色的制度和行为。

产业界以 UNEP 为代表，给出的绿色经济主要包括环境和生态系统的基础设施建设、清洁技术、可再生能源、废物管理、生物多样性、绿色建筑和可持续交通等 8 个领域，这些部门的经济产出越大，说明经济体中绿色的成分也越高。

三、绿色经济的困境——指标及其评价

从总体上说，经济理论界和产业界对绿色经济的内涵和外延均未形成统一的界定，导致对其发展状况难于进行评价，既不清楚绿色经济对经济增长和可持续发展的贡献与潜力，也难能通过评价来鉴别不同绿色经济理论范式的优劣高下。首先，对绿色经济所包含的具体领域和行业的争论，导致了进行国家间横向对比的困难。其次，由于绿色经济中某些领域与现行国民经济核算体系中的行业并不是完全对应和存在交叉现象，比如以 UNEP 的绿色经济概念中所包含的 8 个部门而言，诸如生物多样性、可持续建筑和交通等，并没有单独的完整的行业数据，对其研究只能局限于某些地区某些具体项目，使得基础数据难于获得，而且绿色经济与环保产业之间的关系到底如何，都有待厘清，这就导致了计算绿色经济发展规模和预测绿色经济发展趋势的困难。

造成这一困境的直接原因是绿色经济尚未有健全的指标体系，目前，生态足迹、碳足迹、生态效率（或资源效率）等是评价绿色经济的常见方法，这些评价方法未能组成完整的绿色经济指标体系。

生态足迹（Ecological Footprint）也称“生态占用”。是指特定数量人群按照某一种生活方式所消费的、自然生态系统提供的各种商品和服务功能，以及在这一过程中所产生的废弃物需要环境（生态系统）吸纳，并以生物生产性土地（或水域）面积来表示的一种可操作的定量方法。它的应用意义在于通过生态足迹需求与自然生态系统的承载力（也称生态足迹供给）进行比较即可以定量的判断某一国家或地区目前可持续发展的状态。

“碳足迹”（Carbon Footprint），是指能源意识和行为对自然界产生的影响，简单地讲就是指个人或企业的“碳耗用量”，其中“碳”，就是石油、煤炭、木材等由碳元素构成的自然资源。一个人的碳足迹可以分为第一碳足迹和第二碳足迹。第一碳足迹是因使用化石能源而直接排放的二氧化碳，第二碳足迹是因使用各种产品而间接排放的二氧化碳。

生态效率（资源效率）又称生态文明程度，最初由世界可持续发展商业委员会（WBCSD）作为商业概念提出，其定义为：通过提供具有价格优势的服务和商品，在满足人类高质量生活需求的同时，将整个生命周期中对环境的影响降到至少与地球的估计承载力一致的水平上；经合组织（OECD）将其拓展至整个经济领域：生态效率是生态资源用于满足人类需要的效率；欧洲环境署（EEA）则有意用生态效率量化宏观层次的可持续发展进程：生态效率是从更少的自然资源中获得更多的福利；其他组织和机构也对生态效率从不同角度进行了定义。虽然对生态效率的定义和解释有不同版本，但其基本思想是一致的，即在最大化价值的同时最小化资源消耗和环境污染。因此，生态效率的表达方式（生态效率 = 经济价值/环境影响）被普遍接受。差异主要是对价值和环境影响的解释有所不同。

四、一种新的研究思路

评价指标和评价方法对发展绿色经济的实践意义和科学意义如上所述，那么与其等待绿色经

济内涵和外延的统一认可，不如换一种思路，引进系统科学的研究方法，将绿色经济置于系统科学框架里，从要素、结构和功能着手总结和归纳。事实上，绿色经济的理论与实践已历时多年，成果丰富，为研究者提供了丰富的素材。比如已知绿色经济的功能（价值取向或目的性），可以从功能出发，倒推绿色经济的要素和结构，所得结论应该有一定的启发意义。重要的是，可以依据系统科学的理论和方法，制定出系统完整的指标，并据此开发评价方法。那些指标无外乎要素指标、结构指标和功能指标。

基本研究思路如下图所示。

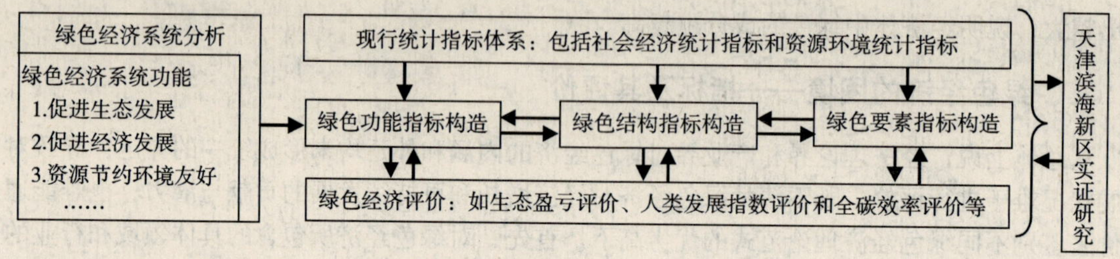

（一）研究内容的设计

研究内容设计有以下几个主要方面。

1. 绿色经济系统分析与评价体系的基本框架研究

运用系统科学的方法，进行绿色经济系统结构、功能和要素分析，在明确绿色经济功能的基础上，围绕绿色经济功能评价需求，构建绿色经济评价体系的基本框架，包括绿色经济指标体系、评价内容与评价方法。

2. 绿色经济指标体系研究

利用层次分析和相关性分析，在明确评价内容的基础上，开发绿色经济功能指标，如反映促进绿色生态发展水平的生态平衡指数，反映促进社会经济发展的人类发展指数，反映资源节约、环境友好的资源环境效率指标，等等；开发绿色经济结构指标，如反映生态福利绝对量的绿化率，反映绿色产业发展水平的绿色产业比例，反映绿色技术水平的绿色科技贡献率，等等；开发绿色经济要素指标，如能够反映绿色资源、绿色资本、绿色技术等状况的系列指标。

3. 资源环境利用整体效率评价方法研究

“全碳生产率”核算　生态效率（资源效率）又称生态文明程度，其基本思想是“在最大化价值的同时最小化资源消耗和环境污染”，它可表示为经济价值与环境影响之比。碳生产率是生态效率的一种形式，指国内生产总值（GDP）与 CO_2 排放量之比。现有的“碳生产率”研究所包含的生产投入过于狭窄，只关注能源矿物燃料的碳排放，本课题拟应用能值分析方法，通过不同种类资源之间的能量联系，将经济活动过程所投入的全部要素（包括劳动力、资本、自然资源与环境、技术等）都考虑其中，进行同一量纲（太阳能值）的转换，并建立其与 CO_2 排放量之间的响应关系，用GDP比上全部投入要素的碳排，称为“全碳生产率”，用来评价绿色经济系统资源环境利用的整体。

“全碳效率”评价　以“全碳生产率”核算为基础，围绕绿色要素指标，应用数据包络分析（DEA），进行动态的“全碳效率”评价，辨析影响“效率”提高的关键因素，为区域绿色经济的进一步发展提供科学建议。

4. 绿色功能评价方法研究

（1）开发能值——生态足迹整合模型　生态足迹法是通过生态足迹需求与自然生态系统的承载力（也称生态足迹供给）的比较，定量地判断某地区的生态盈亏情况。受其基本假设和有限的核算内容的限制，这种方法往往得出“经济越发达，赤字越明显，发展越不可持续”的悖论。本课题拟以上述同一量纲的转换为基础，开发能值——生态足迹整合模型，以便规避传统生态足迹法的缺陷，进行绿色经济系统生态盈亏分析，全面评价生态改善能力。

(2) 开发人类绿色发展指数　以传统的人类发展指数（HDI）为基础，研究 HDI 传统指标与绿色指标的衔接方法，获得 HGDI 指数，评价绿色经济促进人类福利提高的能力。

(二) 研究方法的设计

以上内容所涉及的主要研究方法如下。

1. 应用系统科学方法，进行绿色经济系统结构、要素和功能分析，建立绿色经济指标体系。

2. 应用系统分析和网络分析，建立由生产到消费的经济全过程“碳链”；应用相关性分析，考察不同种类资源之间的能量联系，建立它们与碳排之间的响应关系，进行“全碳生产率”核算。

3. 应用 DEA 方法，进行“全碳效率”分析，动态评价区域“全碳效率”水平以及绿色要素对提高“全碳效率”的影响，结合灵敏度分析方法，找出影响效率提高的关键因素。

4. 应用相关性分析和比较研究，开发能值——生态足迹整合模型。

五、小　结

我们关于绿色经济的几个基本认识：①建立健全的区域绿色经济评价体系，有助于规范绿色经济行为，推动区域绿色经济发展；②现行统计指标体系为开发绿色经济指标提供了基础，事实上，绿色经济指标体系也必须在现行国民经济统计指标的基础上构建才具有实践可行性；③就当前而言，建立绿色化与低碳化之间的联系，有助于推动绿色经济建设实践。以上研究尚停留在框架设计阶段，有待于进一步细化及实证研究的检验。

环境税理论与实践及在我国的基本构想

王　璞

（天津商业大学　天津　300134）

一、环境税的理论基础

（一）外部性理论

外部性理论是福利经济学的重要组成部分，也是环境经济学的理论支柱，一方面，外部性理论揭示了市场经济中的一些低效率资源配置的根源；另一方面它又为如何解决外部不经济问题提供了可选择的思路或框架。微观经济学理论表明，在完全竞争市场中，市场机制可以有效地在消费者之间配置产品，在生产者之间配置各种生产要素，从而实现帕累托最优。如果某个经济达到了这样一种状态，以至于一个人的境况不可能变得更好，除非使其他人至少一个人的境况变得更坏时，社会福利就不再有改善的可能，它就达到了一种最佳状态，这种状态被称为帕累托最优。也就是说，当所有的经济活动都实现了社会边际成本等于社会边际收益时，就实现了社会资源的最优配置。然而，在实际的经济生活中，由于外部性的存在，使得私人成本与社会成本，私人收益和社会收益间出现了偏离，最终导致资源配置无法达到最优化。约瑟夫·斯蒂格利茨曾指出，只要存在外部性，资源配置就不是有效的。

英国现代经济学家、福利经济学的创始人庇古在其1920年出版的著作《福利经济学》中，最早开始系统地研究了环境价格与税收的理论问题。庇古以环境污染这个最典型的例子来讨论如何解决外部性的问题。为了消除由于环境污染引起的负外部效应，就应该对产生负外部效应的单位征税或收费。这些政策措施被后人称为“庇古手段”，是环境税法理论发展的最初形态。

（二）公共物品理论

现代经济学认为，市场自由交易可以实现私人物品的有效生产，但环境、国防等公共物品则应该由政府提供。当生态环境发生了严重的污染和破坏时，作为理性的个人必定会采取相应的措施以解决污染的治理、生态的补偿问题，而不会将自己排斥在享受清新空气、幽雅环境的圈子之外。因为，在环保领域中“集体理性”和“公共选择”是必要的，污染治理和环境保护这些对大家都有好处的行为，也只能靠大家的齐心合力才能做到。然而，在环境保护中，个人理性并不必然产生集体理性，个人的最优选择与集体或社会利益往往是背道而驰的。正因为个人意识到自己的影响无足轻重，并因此而采取不负责任的态度——这种现象在公共选择理论中被称为“理性的无知”，或者希望别人都去努力而自己坐享其成——这种现象在经济学中被定义为“搭便车”，所以环境保护、生态补偿这一类对大家都有好处的集体理性就无法自我实现。可见，在环境保护领域，仅强调市场的作用是不够的，单纯的通过市场很难保证生态环境得到有效的保护，而只能由政府通过对所有使用环境公共物品的人收取价格的方式来实现，这也就是环境税形成的最初的公共物品理论。

二、OECD国家环境税制的特点

自20世纪90年代中期以来，OECD国家普遍建立了以能源税为主体的环境税制度，总结其几年来的改革与创新之路，主要有以下特点：

（一）以能源税为主体，税种多样化

环境税的种类呈现多样化趋势。从税制结构和税种设计来看，荷兰是实施环境税中较为典型和成功的国家。荷兰政府为保护环境而设计的环境税有：燃料税、噪声税、垃圾税、水污染税、土壤保护税、地下水税、超额粪便税、汽车特别税、石油产品税和消费税等。种类繁多，体系较完善。多年来，荷兰政府利用税收杠杆较有效地提高了整个国家的环境保护水平。

（二）重视税收差别和税收减免的调节作用

为了提供正确的市场和价格信号，更好地引导人们的行为，完善国家的激励机制，西方国家的环境税非常注重税收差别和税收减免的调节作用。

（三）环境税税种的选择与税率的提高都是循序渐进、有明确预期目的

发达国家的环境税制改革通常都是基于一个长远的计划，渐进的发展和实施。每个税种都按照自身的特性决定推进速度。如硫税的执行成本低，对削减排放量的效果也较显著，同时公众也比较容易接受，因此在各国的征收历史也较长。相反碳税要在减排上起作用需要较高税率，会削弱企业的竞争力，同时二氧化碳的减排需要全世界的共同努力，因此绝大部分发达国家都延缓了碳税的实施进度。同时，税率的制定不是一步到位的，而是有计划的逐步提高。一般的惯例是至少提前一年，政府向全国公布新的环境税政策，通常第一年的税率是大多数生产者和消费者能承受的低税率，以后逐年递增，让人们对税收政策有明确的预期。只有这样，环境税政策才能真正发挥作用。

（四）推行税收中性政策

在大多数的OECD国家，一般的税收水平已经很高，推行任何一种新的税种都可能遇到较多的来自于政治上和社会上的阻力。为了使环境税，特别是具有重要经济意义的环境税具有政治上的可行性，许多国家推行税收中性政策。所谓税收中性是指国家通过对纳税人进行补偿、补贴等形式，或者以减少其他类型的税收的方式，以使纳税人获得与其所支付的环境税等值的款项。其目的就是在不增加纳税人税收负担的总体水平的基础上增加环境税。因此，政府在确定新的环境税的同时，要在各种税收返还方式中进行选择。

（五）严格、规范的征管

OECD国家在环境税的征管上相对比较严格和规范。美国的环境税由税务部门统一征收后缴入财政部，财政部将其分别纳入普通基金预算和信托基金，后者再转入下设的超级基金。超级基金是美国为保护环境而设立的最大的专项基金，由国家环保局负责管理。超级基金在财政管理上被纳入联邦财政预算内管理。由于征管部门集中、征管手段现代化程度高，在美国拖欠、逃、漏税的现象很少，环境税征收额呈逐年上升趋势。

三、环境税在我国的基本构想

（一）环境税的模式

目前，在世界范围内，实施环境税主要有两种模式。第一种是“零敲碎打”的渐进方式，即以新环境税解决新产生的环境问题或取代、补充现有的规章制度；第二种方式是“一揽子式”的，包括对税收体系进行综合重构，以实现有关的环境与经济目标。根据我国目前的环境问题、税制特征与经济转型发展的情况，要在近期对整个税收体系内进行综合重构和优化以实现有关的环境与经济目标，条件尚不具备（武亚军，2002）。这主要因为：①虽然中央政府已经将可持续发展作为一项国家基本战略提出来，但真正要在经济发展与资源保护之间取得平衡仍很困难，尤其是当这些权衡受到转型发展时期现有法律与行政管理体制的约束时；②现有税收体系本身面临较大的改革要求，税务管理当局可能将注意力集中在其他方面，而没有在环境税收方面投入足够的注意力，除非它们受到立法机构、政府或公众的巨大压力；③要克服污染密集行业和受影响部门的政治阻力是有相当大难度的；④对于采取“一揽子式”的组合型政策改革方案，目前尚缺乏足够力度的理论与政策研究支持。因此，目前在我国实施环境税应主要采用渐进方式，需要着

重解决以下几个方面的问题：①我国的环境税该如何设计，包括具体税种有哪些，其税基和课税环节如何选择，各种环境税的税率应如何确定？②我国现有与环境相关的税制该如何完善？③我国的排污收费制度该如何改革？④其他问题，包括环境税的法律基础问题和征管问题。

（二）我国实施环境税的具体措施

根据我国的国情，并结合外国环境税实践的经验，笔者认为在可持续发展条件下我国环境税制的构建应该从以下几个方面进行：

1. 完善现行与环境相关的税收制度

（1）资源税。根据可持续发展的要求，对资源税的相关税收政策与制度进行完善，有利于提高资源的利用率，遏制资源的过度掠夺性开采与浪费，保障可持续发展的实现。

（2）消费税。消费税的税目设置应考虑环境保护因素。但现行消费税政策并没有充分考虑着一点，有很多对环境极易造成危害的商品并没有被列入消费税征税范围，比如电池、塑料包装袋等一次性、不可降解产品等。因此，应在现有立法基础上，更多地考虑环境因素，发挥消费税在引导绿色消费、抑制对环境有害的消费方面的作用，逐步将对环境影响较大的商品纳入征税范围，并根据商品对环境影响程度而实行不同的税率。

（3）城市维护建设税。该税种为城市环境基础设施建设提供了主要的资金来源，今后的改革方向是：首先，为了加快乡镇公共基础设施建设，把征税范围扩大到乡镇，税名相应改为城乡维护建设税；其次，改变其附加税的性质，使其拥有独立的税基，成为独立的税种；最后，提高位于市区以外的企业的税率。

（4）耕地占用税。城市化是21世纪中叶以来发展中国家发生的最引人注目的社会和物质的转化过程。我国在大规模城市化过程中，大城市有急剧膨胀的趋势，占用耕地过快过猛，缺乏必要的制约。城市的优势在于它使生产在空间上集中，形成规模经济，带来成本的降低。但我国却使规模经济转向规模不经济，因此必须用包括税收在内的各项措施加以规范，提高耕地占有税额，真正起到保护耕地和合理使用土地的作用。

（5）车船使用税。将现有按载重划分的分类分级课征的车船使用税改为按燃料动力分类分级，改变目前我国对耗用燃料的行为没有征税，以致各类机动车辆耗用燃料排放的尾气对城市环境造成极为严重的污染局面。

（6）税收优惠措施改革。我国的绿色税收优惠还远远不够，不但在受惠范围而且在优惠力度上，都应加以完善。

2. 改革排污收费制度

从理论上讲，排污费是一种“准税收”，具有税收的无偿性和强制性，同时作为排污者应承担的一种社会成本，又具有“使用费”的特征。当前排污收费制度的首要改革任务就是把全部排污收费制度纳入预算管理，严格收支两条线，同时，还应对现行排污费的征收、管理、使用范围等进行改革，以解决部分排污单位宁愿缴纳排污费也不治理污染等问题。包括：①改革收费方法和提高排污收费标准。②排污费仍将由环保部门征收，但需全部纳入预算管理，形成各级政府的环境保护专项基金。③环保专项基金应全部有偿使用，以低息贷款、贴息、贷款担保等方式对企业或地方政府的环保投资提供支持，包括综合性污染防治、重点污染源治理示范工程、区域或流域环境质量的改善等。

3. 开征新的环境税种

随着可持续发展战略的实施以及世界环境保护运动的深入，环境税制的建立和完善日显重要，我们设置的环境税收应该涉及环境保护的方方面面，尤其是要适应环境保护的需要开征以环境保护为基本目的的专门税种，但结合目前我国的国情——转型经济时期及在现行税制基础上，应重点考虑以下几种专门环境税种：

（1）能源税。由于能源的生产和消费直接影响到一个国家的社会经济发展，同时又可能对大气环境质量产生严重的影响，因此，许多发达国家对能源税的改革产生了极大的兴趣。OECD成员国的研究表明，通过征收能源税，降低所得税和资本税，既能促进GDP的增长，又能降低失业率。同时，通过能源税还能促进节约能源和“肮脏”能源的替代，从而产生巨大的环境效益，即所谓典型的“双重红利”效应。

（2）水污染税。水污染税以我国境内的企事业单位、个体经营者及城镇居民排放的含有污染物质的废水为课税对象，以排放废水的单位和个人为纳税人。对企业（含生产经营单位和个体经营者）与居民个人应分别采取不同的征收办法。对企业排放的废水，应以实际排放量为计税依据，实行从量定额课征。对于实际排放量难以确定的，可根据纳税人的设备生产能力或实际产量等相关指标测算其排放量。由于企业排放废水所含污染物质的成分和浓度不同，对环境的污染、破坏程度也有所不同，因而，应根据废水中各种污染物质的含量设计具有累进性的定额税率，使税负与废水污染物质的含量呈正相关变化。对城镇居民排放的生活废水，由于其排放量与用水量成正比，且不同居民排放生活废水中所含污染物质的成分及浓度通常差别不大，因而可以居民用水量为计税依据，采用无差别的定额税率。

（3）空气污染税。空气污染税以我国境内的企事业单位及个体经营者的锅炉、工业窑炉及其他各种设备、设施在生产活动中排放的烟尘和有害气体为课税对象，以排放烟尘、扬尘和有害气体的单位和个人为纳税人。在计税方法上，应采取与水污染税相类似的办法，即以烟尘和有害气体的排放量为计税依据，根据排放烟尘及有害气体的浓度设计累进税率，从量课征。

（4）垃圾税。垃圾税以我国境内的企事业单位和个体经营者排放的各种固体废物为课税对象，以排放固体废物的单位和个体经营者为纳税人。对不同种类、需不同方式处理的垃圾应采用不同的征税办法。对工矿企业排放的含有毒物质的废渣与不含有毒物质的废渣及其他工业垃圾应视其对环境的不同影响，分别设置税目，规定有差别的定额税率。以垃圾排放量为计税依据，实行从量课征。在税率设计上，对同一种类的垃圾，还应区分不同堆存地点、不同处理方式加以区别对待。比如，对按照环保部门的要求到远离居民区和水源的指定地点掩埋处理的垃圾应适用较低的税率；对用于回填、平整土地的垃圾应予免税。

参考文献

[1]［美］H. 范里安，费方域等译．微观经济学：现代观点［M］．上海三联书店，1992.

[2] 平新乔．微观经济学十八讲［M］．北京：北京大学出版社，2001.

[3]［美］汤姆·惕藤伯格．环境经济学与政策［M］．上海：上海财经大学出版社，2003.

[4] 王金南，等．市场经济过渡期中国环境税收政策的探讨［J］．环境科学进展，1994（2）．

[5] 计金标．生态税收论［M］．北京：中国税务出版社，2000.

[6] 武亚军．环境税经济理论及对中国的应用分析［M］．北京：经济科学出版社，2002.

[7] 沈满洪．环境经济手段研究［M］．北京：中国环境科学出版社，2001.

[8] 张会萍．环境税“双赢效应”观及其对我国的适应性［J］．税收与企业，2003（12）．

[9] 杨金田，葛察忠．环境税的新发展——中国与OECD比较［M］．北京：中国环境科学出版社，2000.

[10] 经济合作与发展组织（OECD）（张世秋等译）．环境税的实施战略 C. 1996.

[11] 廖晓靖．OECD国家的环境税及其与我国之比较．外国经济与管理，1999（10）．

[12] 中国税务学会《环保税制》课题组．关于我国建立环保税制的研究［J］．税务研究，2000（9）．

[13] 中国税务学会．在我国建立环保税制专题研究报告．2000（6）．

[14] 国家税务总局网站．http：//www. chinatax. gov. cn

[15] 国家环境保护总局网站．http：//www. sepa. gov. cn

对我国环境立法中“费改税”问题的思考

翟晓宁[1] 郭月亮[2]

（1. 河北省环境科学学会 050021；2. 河北建设勘察研究院有限公司 050000）

摘 要 目前我国的排污收费制度在收费范围、收费标准、征管体制等方面仍存在很多的缺陷，使其在实践中不能充分发挥保护环境的作用。因此，为适应市场经济和可持续发展的要求而更好地治理污染、保护环境，进行排污收费制度改革已成必然。本文分析了环境费改税的必要性，提出了费改税的具体设计思路，并从费改税后征收管辖权和征收主体等方面谈了费改税过程中应注意的问题及解决建议，以期对该制度的构建有所裨益。

关键词 排污收费 环境税 管辖权 征税主体

目前，我国在治理环境污染方面是费与税并存，并且是以费为主、税为辅的立法现状。20世纪70年代末80年代初，我国按照“污染者付费”的原则，结合我国环保工作的实际，实行了排污收费制度。但是，目前我国的排污收费制度在收费范围、收费标准、征管体制等方面仍存在很多的缺陷，使其在实践中不能充分发挥保护环境的作用。因此，为适应市场经济和可持续发展的要求而更好地治理污染、保护环境，进行排污收费制度改革已成必然。

一、环境费改税的必然性

（一）费改税加强了政府对国民收入分配的立体调节作用

收费导致了分配立体的混乱，形成政府分配多元化、政府利益部门化的格局。收费大量涌入国民收入分配领域，众多部门以政府名义插足国民收入分配，造成政出多门、多头分配，部门利益分散了政府利益，资金分散使用，政府支配权削弱的情况。据调查，收费养人的问题十分突出，如省以下的公路收费部门，70%的管理人员靠收费开支，工商部门、环保部门的65%～70%的管理人员依靠收费开支，部门利益分散了政府利益，政府的职能被大大削弱。费改税从此入手，界定了各级政府行政部门的职能，“拆庙赶和尚”是收费改革的根本环节。

（二）费改税改变了以往混乱的收费秩序

收费扰乱了分配秩序，名义上是政府收入，但实际上收费的流向主要在预算外，大量收费必然形成对政府税收和财政收入的挤占和分割。事实上由于以费挤税，财政预算外资金膨胀的过程就是财政收入削弱的过程。在一些地方，收费种类和收费数额都已超过了地方税税种与税收收入规模，这种主次不分、本末倒置的行为，造成了政府财政收入短缺的现状。费改税将归还税收收入的主导地位，确保国家财政收入，控制预算外收入的规模。

（三）费改税有利于减轻企业和农民等纳税人的负担

由于用行政办法强制收费，往往费代表权、税代表法，在权大于法的情况下，费比税多，收费部门多、项目多、层次多，如广西壮族自治区某市某镇猪肉行51户个体户每月付出的各项收费为1500元，各项税收为710元，费、税分别占总体负担的67.88%和31.12%，收费是征税的两倍，这种情况给纳税人带来了沉重的负担。对此，企业、城乡居民都极为不满。费改税取消了一切不合理收费，对既无法律、法规依据，又无正式行政文件的各种乱收费、乱摊派、乱集资，均在取消之列，大大减轻了纳税人的负担，有利于推动第三产业的发展。

二、我国环境税收制度构建的基本思路

环境税制的构建应结合我国现阶段国情，采取先易后难、先旧后新、先融后立的战略。主要

分以下几步：

（一）近期方案——改革现有的环境税收优惠政策

鉴于上部分提到的环境税收优惠措施存在的缺陷，改革现有的环境税收优惠政策主要可从以下几方面着手：

1. 增加环境税收优惠形式

除继续保留原有的减税免税和零税率等税收优惠形式外，还应针对不同优惠对象的具体情况，增加投资抵免、加速折旧、提取公积金等形式，充分运用税收优惠手段，合理有效地引导资金流向，激励企业治理污染、保护环境。

2. 取消或调整不利于环保的优惠措施

（1）在增值税制度中，一是要鼓励企业增加环保方面的资本投入。对企业治理污染和保护环境所进行的固定资产投资，给予增值税抵扣优惠；对于专门从事环境保护和污染治理的企业，增值税免征期限可以延长。二是提倡对资源的回收利用。对以“三废”为主要原料进行生产的企业，应加大税收优惠力度，减征或免征增值税；对企业生产的易回收利用或易降解的产品，降低增值税税率。三是鼓励开发节能产品。对企业生产的节能产品（如清洁汽车、低排量机动车等）给予适当的增值税优惠。

（2）在企业所得税方面，可以对增加环保投资的企业给予减征或免征所得税的优惠。

（3）在营业税制度方面，对环保成果转让、环保技术培训（无论是否在科研单位、大专院校或技术贸易机构进行）等行为，一律免征营业税及附加。

（4）在车船税制度方面，根据车船污染程度确定不同的差别税率，按污染程度分档征收，并对生产、销售以及购买环保节能型车船给予适当的税收优惠；同时，适当提高征收标准，使其缓解交通拥挤和减轻大气污染的生态效用得以充分发挥。

（二）中期方案——推进融入型环境税制

由于环境税在我国是一个全新的尝试，所以在初始的税制设计上要尽可能地与现有的税收体系相结合，尽量不调整现有税制的整体结构，而只是调整相关税种下的税目，将新的环境税收以一种融入的方式纳入我国目前业已成型的税收体制中，以减少其实施成本，增加新税实施的可行性。主要包括对消费税、资源税和城市维护建设税以及排污费的改革。

（三）长期方案——推进新的独立型环境税制

独立型环境税就是以环境保护为目的，专门针对污染、破坏环境等行为课征的独立税种。在中期方案实现的基础上，可以考虑从中期的过渡阶段转入到一个征收目标更明确、税基更清楚、刺激作用更强的独立型环境税收制度阶段。独立型主要设计形式有三种：一般环境税、污染税和污染产品税。

一般环境税又称环境收入税，是一种以筹集资金为主要目的的税收。一般环境税可以与现有的有关税种的税基相同，也可以依附于现有的税基，征收的收入应由政府统一管理，主要用于环境管理和与保护环境、改善环境质量相关的基础设施建设。

污染税，是指以环境保护为目的，对直接污染环境的行为和在消费过程中会造成环境污染的物品征收的税种。其征收原则是污染者付费，计税依据是污染物的排放量。目的是促进建立以有利于环境行为或直接限制污染排放为宗旨的环境税。因此在设计污染税时的关键是要把税基直接建立在污染者排放的污染物数量上，而且其税率应高到能够产生一种刺激作用，促进污染者采取措施削减污染物的排放量。

污染产品税是指对在使用过程中或使用后会造成环境污染和危害的产品，如有毒性、含重金属和氯氢类等污染产品所征的税。其征收原则是使用者付费。设置目的在于促进消费者减少有潜在污染的产品的消费数量，或者鼓励消费者选择使用无污染或低污染的替代消费品。污染产品税在我国虽未成为一个独立的环境税税种，但已在我国的消费税中有所体现。

三、环境费改税过程中应注意的问题

（一）税费改革应具选择性

当前进行的税费改革，并不简单地意味着“以税代费”，应有选择地进行，其核心应该是政府收入的规范化改革。

1. 收费制度也有其存在的合理性和必要性，一些数额较小的排污收费项目，以费的形式存在的成本要大大低于以税的形式存在的成本，若改为税，征收成本和监控成本都会大大提高，从符合效率的角度讲，不宜将其费改税。

2. 由于收费制度具有明确的目的性和较大的灵活性，容易被社会公众所接受，不能全部将收费改为征税。

3. 污染收费制度的运作机制本身还有待完善，因此不具备马上向税转变的条件，硬改为税不会收到实质性的效果。

以汽车燃油税改革为例，在我国燃油税改革早在十几年前就提出过，然而历经却是曲折的。从海南进行的 14 年的试税的经验，我们也可以看出，燃油税的实施不是一朝一夕就能推行下去的，关键还是选择时机、选择方式。如今时机已基本成熟，于是今年 1 月 1 日起环境税也开始正式实施。养路费到燃油税的改革是推进节能环保措施，解决目前燃油消耗和环境污染问题的有力手段，刺激了节能型汽车的发展，引导了消费者购买清洁汽车或低油耗微型汽车，同时还从主观上引导车主尽量不出车、少出车，从而减少交通拥堵，缓解交通运输压力，改善大气环境。

因此，我们应根据费和税的特点，结合我国国情，在改进、完善现行的排污收费制度的基础上，保留必要的排污收费项目，对一些条件较成熟的收费项目进行费改税。

（二）排污费改税后税的征收管辖权问题

能源网首席信息官韩晓平认为，在实现费改税后，若征收管辖权完全归国家，则地方政府在此领域工作的积极性必定会受到影响。并且，地方政府相对中央政府而言，对污染情况更了解，处理起来更能得心应手。因此为继续调动地方各级政府的工作积极性，笔者认为，在环境税收法律制度的设计中需借鉴西方发达国家的实践经验，充分给予地方权力。环境污染税的征收管辖权应取决于环境污染的范围，如果污染是全国性的，征收管辖权归属于国家；若是地方性的，则归属于地方，然后按一定比例上缴中央，用来治理全国性的污染。

（三）排污费改税后实施征税行为的主体问题

排污费改税后征税主体如何界定是环境税推出之前需要预先考虑的问题。毫无疑问，征收主体是国家，但实施征税行为还必须依赖一定的国家机关。从理论上讲，排污税的征管无非有三种方式可供选择：①由税务部门单独进行，即税务部门负责从对排污量进行定期监测到税款的计征入库全过程；②由环保部门单独进行征收，此方式和目前的排污收费方式完全相同；③由税务部门和环保部门相互配合进行，即由环保部门对污染源进行定期监测，为税务部门提供各种计税资料，然后由税务部门计征税款，并对纳税人进行监督管理。

到底采取哪种方式，学界有不同主张。笔者认为，作为环境税之一的排污税，由于其特殊性，环境税的征收行为主体应分步确定。

环境税征收之初，由税务部门与环保部门配合征收，理由如下：

1. 20 多年来，在实施排污收费制度的过程中，环保部门积累了丰富的经验。

2. 排污税的征收需要大量的专业技术人员进行监测、计量，并非像普通的工商税收那样以财务信息资料为主要的征管依据，而环保部门已拥有相关的人才和知识储备。

3. 排污税的征管需要大量的专业技术设备作为执行征管职务的基础，而环保部门已形成了较完善的环境监测系统和环境监理系统，为排污税的计算和征收打下了坚实的基础。这些条件税务机关并不具备，如果由其单独征管必将增加一笔专业技术设备的购置费用。

4. 如果单独由环保部门征收，一是其不具备征税的相关人才和知识，二是此行为违背税款征收的最基本原则。

因此，在环境税征收之初由环保部门对污染源进行定期监测，为税务部门提供各种计税资料，然后由税务部门计征税款有其存在的必要性。

但随着中立的技术服务机构的不断壮大和完善，最终环境税还是应该由税务部门征收，并将对环境的监测等一系列技术问题交由该类机构负责。原因如下：

1. 环保部门与税务部门之间存在着潜在的利益冲突，环保部门更加注重环境效果而税务部门更加注重税收收入的提高。如果大量的前期工作都由环保部门进行，而最终税款由税务部门计征，表面看来是充分发挥各部门的专长，大大提高征管效率。然而，在实际操作过程中，势必会引起环保部门的不满，难以达成两部门间的协调，出现相互扯皮现象，从而影响工作效率。浙江等地环境税试点工作的最终失败也恰恰证明了这一点。

2. 目前，这类中立的技术服务机构正处于发展壮大的过程中，专业人才倍增，技术设备逐渐齐全，再加上其专业性，最终将能够承担起为税务部门提供技术服务的重任。

3. 这类机构既不隶属行政部门，又不是一味追求盈利的私营企业，既不会因为官气太重而出现滥用职权、以权谋私等现象，也不会因为只顾追求本企业利益而损害另一方利益。

四、结 语

我国现行税制中并不是没有关于环境保护的税种，简单的统计就有资源税、城镇土地使用税、耕地占用税、城市建设维护税和同样酝酿已久的燃油税。除了这些独立的税种之外，我国其他一些税种中的部分税目也具有环境税的基本思想。如何将这些散落四方的税种进行完善，并合并到环境税之中；如何制定出符合我国国情的完善、系统、全面的环境保护税，以达到真正有效的保护环境的目的，这是我们一直极为关注的问题，也是笔者写作本文的意图所在。

参考文献

[1] 陈少英．生态税法论［M］．北京：北京大学出版社，2008.
[2] 李惠玲．环境税费法律制度研究［M］．北京：中国法制出版社，2007.
[3] 刘蓍．对我国环境税收制度的探讨［J］．环境保护科学，2007（2）：19－20.

我国固体废弃物环境税征收的思考

楼紫阳 沈奕红 李 明 袁文祥 朱南文

（上海交通大学环境科学与工程学院）

摘 要 固体废弃物具有涉及范围广、产量大、组分复杂等特点，是环境污染控制的重要组成部分。固体废弃物源头减量是固体废弃物管理最优先级处理措施，而环境税是实现其源头减量的具体方法。本文通过追述发达国家环境税的发展历程，结合我国固体废弃物特点，根据环境税的中性原则、环境税税率确定以及环境税征收过程等多方面特点，认为固体废弃物环境税的征收可作为我国环境税征收的试点；同时对固体废弃物环境税征收过程可能面临的一些基本问题，包括税率确定形式、税种征收部门的落实以及税收税款的利用等，提出了相关建议，从而为我国固体废弃物环境税的实施提供了参考。

关键词 固体废弃物 环境税 征收

前 言

随着我国经济和城镇化进程的不断发展，污染物集中排放量日益增多，给我国环境造成了巨大压力。固体废弃物是其中一个重要的组成部分。据统计：2008 年，全国工业固体废物产生量为 190127 万 t，比上年增加 8.3%；危险废物产生量为 1357 万 t，比上年增加 20%；城市生活垃圾清运量为 1.75 亿 t，并以年平均增长 5.7% 的速度增长[1]。这些废弃物在收集、清运、处置（包括随意弃置）等系列过程中给周边环境带来了巨大影响。采用生命周期分析方法，以生活垃圾填埋处理过程为例，其对地下水污染、臭氧层破坏、碳污染、土壤污染以及人体污染等方面造成了重大影响，具体结果见表 1[2]。

表 1 传统填埋场对环境的影响分析

温室效应	对水体的生态危害	通过土壤的人体危害	污染地下水	ETs	HTw
$kgCO_2$/人·a	m^3水/人·a	m^3土/人·a	m^3水/人·a	m^3土/人·a	m^3水/人·a
0.00828483	0.011603	0.001141	110.0851	1.54×10^{-7}	0.002558

酸雨	臭氧破坏	HTa	富营养化	POFh
$kgSO_2$/人·a	kgCFC/人·a	m^3气/人·a	$kgNO_3^-$/人·a	kgC_2H_4/人·a
0.009187821	9.12×10^{-7}	0.006329	0.000182	0.001652

环境的有效管理是解决环境问题的首要前提，经过近 30 余年的发展，我国确立了经济建设、社会发展和环境保护协调发展的基本原则，明确了“谁开发、谁养护、谁污染、谁治理”、“预防为主，防治结合”、“强化环境管理”三大政策，形成了以环境影响评价制度、“三同时”制度、征收排污费制度、排污许可证制度、污染集中控制制度、限期治理制度、环境保护目标责任制度、城市环境综合整治定量考核制度八项制度为基本内容的环境管理体系，在环境管理方面发挥了一定的作用，但由于大部分政策措施缺乏相应配套细化条例，实施过程随意性大，从而不能有效遏制环境持续恶化现状。

资金的有效投入是解决环境问题的另一个重要保证，但目前我国的环保投入只占同期 GDP 的 1.35%（“十一五”期间），虽然我国环保资金投入一直在持续增加，但远未达到国际上公认的环保投入占同期 GDP 的 3% 的标准（3% 只能维持环境现状，不恶化）[3]。特别是现有环保科技总体水平不高，在城市生活垃圾和固体废物污染治理过程中尤为突出，大多采用一些二次污染严重的“土方法”，如简易堆填、非法焚烧，缺乏持续环保技术研究，难以满足环境保护要求。

固体废弃物问题的解决，一方面需要相关技术的研发和资金的投入，另一方面则需要加强有效管理，而后者是解决问题的关键所在，但我国在很长一段时期内采用的是以命令控制型手段为主的环境管理模式，虽然在一定时期内部分解决了环境问题，但随着我国经济实体多元化的发展，需要更多利用基于市场机制手段的固体废弃物高效管理模式，其中环境税收是一种较为明确而有效的管理模式。

一、环境税发展过程

环境税是指国家为实现公共职能（包括环境与资源的保护、污染的治理等社会公共事业），凭借其政治权力、依法强制、无偿取得的财政收入，主要以实现特定环境政策目标、筹集环境保护资金、强化纳税人环保行为目标，向一切开发、利用环境资源或向环境排放污染物单位和个人对其环境资源开发、利用程度或其污染严重程度征收与环境相关的税收制度总称。环境税不仅可实现环境成本的内在化，而且还可对环境损失或环境损失的接受者进行环境补偿，同时通过诱导而改变纳税人的行为，使之朝有利于环境可持续发展方向改变[3,4]。

环境税形成于经济合作与发展组织（OECD）的“污染者付费原则（1972 年）”，并已在发达国家取得了较好应用，其发展大体经历了三个阶段[4]：①20 世纪 70 年代到 80 年代初，主要体现为成本补偿，要求排污者承担监控排污行为成本；②20 世纪 80 年代至 90 年代中期，出现了诸如排污税、产品税、能源税、二氧化碳税和二氧化硫税等财政功能税种。③20 世纪 90 年代中期至今，为实施可持续发展战略，在国家层面推行了利于环保财政、税收政策而进行的综合环境税制改革制度。总体来说，环境税开征在发达国家已得到普遍认同，环境税费一体化进程也在不断加快。但环境税目前主要集中于可以进行连续监控的水中 COD、SO_2 等的税费过程，针对量大面广的“固体废弃物环境税”方面研究相对较少。

二、固体废弃物环境税征收的必要性

目前我国环境形势极为严峻，节能减排任务繁重。国家“十一五”规划中，提出单位 GDP 能耗降低 20%、主要污染物排放总量减少 10% 的约束性指标[5]。而 2007 年我国单位 GDP 能耗虽然较上年同期下降 3.27%，但仍低于平均每年 4% 的指标，其中固体废弃物的有效处理对全国节能减排目标的实施具有很大贡献。同时，现有污染收费制度没有直接反映出经济增长的环境代价，特别是现行价格机制主要考虑产品成本，没有将环境成本内在化，这在另一方面还导致了污染性生产产品的国际资本流入我国，包括一些重度污染的化工企业，甚至是一些“洋垃圾”的直接进口[6]。

目前我国对于排污行为主要采取征缴排污费方式实现，但总体征收面窄（排污费只对生产经营性行为征收，不对消费性行为征收）、征收过程不规范、收费成本高，而总收入低。从理论上讲，排污费的最佳收费标准应使边际排污成本等于边际排污收益，但现有的排污费大大低于排污收益，再加上地方保护主义干扰，容易导致地方政府为恶性招商引资而随意降低环境收费标准。同时，企业排污费的征收手段自主性较大，缺乏制度性保障和有效监控，执法和收费过程完全依靠环保部门完成。另外，我国现有环境管理主要以直接管制为主，侧重于污染物达标排放，属于“末端”治理范畴，实际上仍在走西方国家早期的“先污染后治理”模式，没有有效发挥经济的“后发”优势。特别是对于固体废弃物本身的了解不够深入，例如，根据对上海工业固体废弃物的“源、流、量”调查发现[7]，其上海市污染源普查、排污申报、重点企业专项调查三者的数据严重不一致，部分企业将往年的数据用于连续几年的排污申报数据，也有企业刻意隐瞒排放量，对于一些随意处置的工业固废，如填坑、筑路等，都作为综合利用申报。因此，有必要对排污费制度进行改革，通过源头监控和末端统一标准，实现污染物的减排和全量处理。

三、固体废弃物环境税面临的问题

固体废弃物环境税开征使得垃圾产生主体必须承担必要的经济责任，从而使产生者污染的外部性内部化。征收得到的税款可用于收集和处理垃圾筹集资金，并利用利益诱导机制促使垃圾源头减量和综合利用，促进垃圾的资源化目的。但具体操作过程将面临以下一些问题：

1. 固体废弃物环境税的税率确定问题。根据庇古理论[8]，环境税率取决于私人边际成本与社会边际成本之差，或私人边际效用与社会边际效用之差，表现在环境污染方面，其差值即为环境污染或对环境的损害。正如表 1 所列，单种污染物表现出来的环境危害是多方面的，既可以对温室效应产生影响，也可能对地下水污染等产生危害，但目前对不同的损害难以进行明确的分类及精确测度，而准确估计出污染过程对环境的边际损害成本是确立合理税率的关键。目前国际上有采用生命周期分析方法对固体废弃物处理处置过程进行定量化描述，取得一定进展[2]。

2. 固体废弃物环境税技术设置落后。环境税的开征涉及许多复杂技术问题，如税目设计、计税办法、计税环节、减免条件等，另外诸如排污量的检测、污染或破坏损失程度的计算等也是环境税征收所面临的主要技术性问题。

3. 固体废弃物环境税立法进程滞后。虽然已颁布和实施了部分环境保护相关法律，但由于直接的环境税立法进程滞后，使得现有环境管理手段并没能有效缓解我国的环境压力，甚至在一定程度上影响和制约了可持续发展战略的实施。

4. 环境税执行机构分工模糊。环境税的征收需要有一个独立执行机构来行使征收权力，而目前税收是由税务部门来征收，排污费是由环保部门来收取，并定期解缴到同级财政直接转为专项基金管理。因此，有必要确定环境税由哪个部门征收、如何征收，从而保证环境税及时、足额开征。

5. 固体废弃物特点决定了其排量确定较为困难。由于固体废弃物包括生活垃圾、工业固体废弃物、商业垃圾和危险废物等多种类型，其不同来源的固废具有不同处理要求，从而使得其在环境税核定过程中源、量等的确定具有至关重要特点。例如，城市生活垃圾存在难以计量、受众面大等问题，由谁来监督自家垃圾箱的缴税？街道上公共垃圾桶的垃圾由谁来缴税？宾馆中的餐厨垃圾量的确定？不同垃圾流向中的缺失问题等是开征环境税的前提条件。

四、我国固体废弃物环境税的建议

（一）固体废弃物环境税税率确定

固体废弃物环境污染税采取以量定额税率形式，特别是其税率整体水平应高于排污费的收费标准，以强化其调控力度。在实践中可采用弹性税率，根据环境整治的边际成本变化趋势，合理调整环境税税率，同时对不同地区、不同部门、不同污染程度的企业实行差别税率。

具体来说，可从以下三种方式进行[4,9,10]：①以污染物排放量作为计税依据，污染物排放量的准确核定是环境税开征的前提条件，而且其监测成本和技术含量要求也相对较高。对于大宗常规污染物，像建筑垃圾、厨余垃圾等，可直接采用环境税进行征收，而对于小宗的非常规污染物（比如重金属污染物以及有机污染物等），则可以改以罚款为主，实现抓大放小。②以排污企业生产产量作为计税依据，主要是基于污染物排放量与企业产品总量之间的正相关性，符合源头征管原则，但各不同工艺间税率需要区别对待。③以生产要素或消费品中所包含的有害物质类型为计税依据，根据生产要素或消费品中所包含有害物质含量与污染物排放总量存在一定比例关系为依据，从而降低高含量有害物质原材料的使用。总的来说，在固体废弃物环境税征收过程中，税率可采用多种方法组合，通过其与产量、有害物质类型、含量等为基础，确定固体废弃物税的相应税率。

（二）固体废弃物环境税的征收措施与过程

固体废弃物环境税征管过程需要有明确的职能分工，通过环保部门、税务部门和财务部门的通力合作来实现，即由环保部门或者环卫局对污染源进行定期监测，为税务部门提供各种计税资料，然后由税务部门计征税款，并对纳税人进行监督管理。具体措施包括：首先，立法确定环境税收的专款专用性质，其税收收入应及时纳入政府环保专项基金，全部用于环境保护方面开支。其次，综合考虑目前我国各级政府之间的事权划分情况、环境税特点，暂定环境税为中央与地方共享税。最后，明确环境税征缴与环境违法行为的非一致性。鉴于生态环境的唯一性以及不可逆性，在环境税征管过程中，对于环境污染和生态破坏行为，不应以其已履行纳税义务作为而解除其违法行为的标准，对于违法行为严重者依法给予行政和经济处罚。

另外，固体废弃物税率制定可能需要有计划的逐步提高。一般需要至少提前一年，政府向全国公布新的环境税征收政策，并先选择低税率，然后随着治污技术的进步逐步提高，直至最佳水平。

（三）环境税征收的国际化功能

环境税的征收需注意与国际环境税收的接轨，通过与贸易规则的协调，减少环境政策与贸易政策之间的冲突。目前我国不少地区[11,12]，如台州的温峤镇与广州的贵屿，存在大量进口国外电子废弃物等问题，甚至作为一个产业在当地得到迅速发展，开征固体废弃物环境税可有效遏制此种现象的发生，通过发挥环境关税调节功能，降低洋垃圾的进口量。因此，在固体废弃物环境税考虑过程中，制定以下一些环境关税制度内容：①开征环境进口关税。环境进口关税要根据我国当前的环境标准，对环境有一定的污染或可能造成环境污染的产品在进口环节加征关税。目前最为关注的是电子垃圾的大量进口，给我国的环境造成了严重的危害，如何调动环境关税杠杆对其进行增收，成为重要的关联因子。②开征环境出口关税，其主要征税对象是国内资源或产品，比如稀土等稀有资源，增加相关的环境税税率，提高出口价格从而用于有效保护短缺资源和不可再生资源，减少此类商品的出口比例。

（四）实施固体废弃物环境税收中性原则

固体废弃物环境税作为一种特殊的税种，其征收应不以增收为主要目的，通过积极推行环境税返还制度，刺激相关部分的经济发展，因此保持税收中性是固体废弃物环境税顺利实施的重要前提。具体措施可包括[13-15]：①调整增值税制度：一是鼓励企业增加环保资本投入。对企业治理污染和保护环境所进行的固定资产投资，给予增值税抵扣优惠，如对企业购置用于固体废弃物综合利用等环保设备进项税额给予抵扣。二是提倡对资源的回收利用。对以“三废”为主要原料进行生产的企业加大税收优惠力度，如对以可再生资源或替代品为原料产品，给予减免税优惠。对企业生产的易回收利用或易降解的产品，降低增值税税率。三是鼓励开发节能产品。对生产节能产品（如节能型汽车、摩托车的发动机等）的企业给予适当的增值税优惠。②在企业所得税和个人所得税方面，对企业和个体经营者为治理污染而调整产品结构、改进工艺、改进生产设备发生的投资，给予税收抵免优惠；对实行企业化管理的污水处理厂、垃圾处理厂（场）的厂房和设备给予加速折旧的税收优惠。③在营业税制度中，对环保成果的转化、环保技术培训等有利于环保的行为，一律免征营业税及附加税。④全面检查和纠正有害于环境的扭曲性补贴，例如上述的农膜使用和农药的开发等，剔除不利于环境污染控制的税收政策。

五、结 论

固体废弃物环境税作为环境税的一个重要科目，具有很强的紧迫性和可操作性，其有效实施可以为我国环境税的全面实施提供重要样板。

1. 完善现有税制中与环境资源保护相关的科目、税率，通过增加特定的税目、调整适合税率或改变计征方式等来完善固体废弃物环境税收制度。

2. 通过制定环境税收优惠政策，促进资源环境保护措施的跟进和改善，注重固体废弃物环境税税收中的中性原则。

3. 明确固体废弃物从产生—收集—运输—处置的全过程特点，由税务部门完成税率确定并实施征收，经财政部把关后，全部实施返回于环境部进行统筹安排，实现环境税收的专款专用。

4. 保持固体废弃物的环境税改革的循序渐进，从而保证税收的实际实施过程，能够逐步得到公众和企业的认识和支持。

参考文献

[1] 2008 年中国统计年鉴.

[2] Lou Ziyang, Li Xinzhu, Zhao Youcai, Zhu Nanwen, Jia Jinping. Renewable landfill – anovel waste treatment process for greenhouse gas emission reduction, the Third International Symposium on Novel Carbon Resource Sciences: Advanced Materials, Processes and Systems toward CO_2 Mitigation, Fukuoka, Japan.

[3] 周增峰. 构建和完善节约能源资源及保护生态环境税制体系的设想 [J]. 经济研究参考, 2009, 18: 17 – 18.

[4] 戴璐, 朱雯, 卢楠. 从我国资源与环境的现状谈开征环境税的必要性, 现代农业科技, 2009, 5: 277 – 278.

[5] 范光羽, 刘彩华. 也谈我国环境税收制度 [J]. 中国管理信息化, 2009, 7: 61 – 63.

[6] 刘晔. 环境税返还: 国际实践经验与我国制度设计 [J]. 税务研究, 2009, 4: 91 – 94.

[7] 马淑文, 李光明, 黄菊文. 上海市固体废弃物资源化的现状及对策 [J]. 粉煤灰, 2006 (2): 43 – 45.

[8] 常纪文, 裴晓桃. 外部不经济性环境行为的法律责任调整 [J]. 益阳师专学报, 2001, 22 (4): 30 – 34.

[9] 曲卫国, 杨占书. 西方发达国家的环境税收政策及启示 [J]. 团结, 2009, 1: 38 – 40.

[10] 杨向英, 杨丽琼. 构建适合我国国情的环境税收制度 [J]. 商场现代化, 2009, 6: 336 – 337.

[11] 毛玉如, 李兴. 电子废弃物现状与回收处理探讨 [J]. 再生资源研究, 2004 (2): 11 – 14.

[12] 郭淑华. 完善我国环境税收制度的探讨 [J]. 经济技术协作信息, 2009, 6, 14.

[13] 易远宏. 我国设立环境税面临的问题及解决对策. 2009, 3: 65 – 66.

[14] 王金南, 葛察忠, 高树婷, 等. 中国独立型环境税方案设计研究 [J]. 中国人口 · 资源与环境, 2009, 19 (2): 69 – 72.

[15] 于丽娜. 中国税制的绿化趋势——开征环境税 [J]. 电子财会, 2008, 9: 11 – 12.

碳关税争端及其对中国工业品出口的影响分析

黄媛虹　沈可挺

（浙江工商大学经济学院　杭州市下沙高教园区学正街18号　310018）

摘　要　欧美国家提议的针对高耗能进口产品特别征收的碳关税可能使中国制造业面临较大的潜在冲击。本文在分析碳关税争端国际背景的基础上，通过对中国工业品的出口结构及其隐含碳排放量的分析，评估了碳关税对制造业可能造成的冲击程度。碳关税政策违背 UNFCCC 的基本原则和 WTO 的国民待遇原则。针对欧美国家试图利用 WTO/GATT 一般例外条款推动碳关税政策的问题，本文进一步对碳关税政策与 WTO 规则的冲突问题进行了探讨。

关键词　气候变化　碳关税　碳密集型产品　WTO 规则

一、引　言

碳关税的提议最早源于欧盟，其用意是试图针对来自未履行《京都议定书》国家的进口产品征收特殊的二氧化碳排放关税，以消除欧盟碳排放交易机制运行后欧盟国家的碳密集型产品可能遭受的不公平竞争。在全球气候变化问题的相关文献中，对于碳关税有一个较为含蓄的称谓，即所谓“基于碳排放量的边界调节税”（Carbon – Motivated Border Tax Adjustment）。欧盟有关碳关税政策的最初提议在很大程度上直接针对的是美国和澳大利亚等拒绝加入《京都议定书》的国家（澳大利亚于2007年12月签署《京都议定书》），但是也包括中国、印度等未承担约束性温室气体减排目标的主要发展中国家的碳密集型产品。

2009年6月26日，美国国会众议院通过一项《2009年美国清洁能源安全法案》。该法案除了设定国内二氧化碳等温室气体的减排目标之外，还涉及一项以“边界调节税”命名的碳关税条款，法案提出将从2020年开始实施此项碳关税政策。美国提出碳关税议案的目标非常明确，就是要借此对中国、印度等未承担约束性温室气体减排目标的主要发展中国家通过惩罚性关税实施贸易制裁。11月24日，法国政府在欧盟成员国环境部长非正式会议上提出从2010年1月1日开始对来自环保立法不及欧盟严格的发展中国家的进口产品征收碳关税，试图在哥本哈根联合国气候变化大会到来之前预先向发展中国家施加政治压力。

尽管美国的法案尚未最终通过，法国的提议也遭到欧盟其他成员国的一致反对，但是哥本哈根气候变化大会上欧美发达国家为迫使中国、印度等主要发展中国家承担约束性减排目标所表现的强硬姿态以及大会最终未能达成有法律约束力的一致协议的结果，预示着未来应对气候变化的国际争议将更趋激烈。欧美国家的碳关税提议更意味着气候谈判可能在未来引发较为严重的国际贸易争端。中国是最大的发展中国家，同时又是重要的制造业出口大国，按照目前的经济发展格局，如果欧美国家在2020年前后实施碳关税政策，可能对中国制造业的国际竞争力产生较为严重的影响。为此，需要对碳关税政策争端的产生背景、政策意图及其可能造成的影响进行审慎评估，以便寻求有效的应对策略。

二、碳关税争端的国际背景分析

一些国际观察家认为，美国提出碳关税政策的主要目标可能是为缓解设定全国性中长期温室气体减排目标的国内政治压力。这种看法有失偏颇。通过对美国政府相关政策演变过程的分析不难看出，美国承担约束性减排目标最重要的政治考量实际上是以退为进，试图在不损害国内经济发展状况的条件下，服务于其提升对世界经济发展格局控制力的战略目标。

沈可挺（2010）指出，美国政府当前通过调整应对气候变化的国际谈判策略至少试图实现以下几个层面的政策目标：一是通过承担一个形式上的约束性目标从欧盟手中夺回应对全球气候变化问题的国际领导地位；二是通过推行碳关税政策迫使中国、印度等国承担约束性减排目标，继而利用其在新能源领域的技术优势提升其对国际政治和经济格局的控制力；三是尽可能降低美国经济对海外石油的依赖度，鉴于美国主导的金融资本对国际石油衍生品市场的操控能力，未来美国资本将能够更加后顾无忧地通过控制国际石油价格走势掌控世界经济发展格局。

美国政府曾经对欧盟的碳关税提议明确表示反对。例如，美国贸易代表苏珊·施瓦布在2007年12月初的巴厘岛贸易部长会议上曾经指出，以应对气候变化为借口采取单边贸易措施将会导致贸易保护主义盛行。但与此同时，美国国会却在尝试把欧盟的政策提议在本国立法中付诸实践。2007年12月参议院环境与公共事务委员会通过的《气候安全法案》（《利伯曼－华纳法案》）在设定国内温室气体减排目标的同时要求从2020年开始对未承担类似的温室气体减排目标国家的进口品实施碳排放许可证。2009年6月众议院通过《2009年清洁能源安全法案》（《沃克斯曼－马基法案》），该法案除设定国内温室气体减排目标（这个目标直接被美国政府用于在哥本哈根联合国气候变化大会上对国际社会做出的减排承诺）之外，还提出将从2020年开始将对来自未承担约束性减排目标国家的碳密集型产品征收碳关税。

美国政府之所以发生这种大跨度政策转向的原因不能简单归结为所谓“府院之争”。美国政府多年来一直在对通过提高能源利用效率和发展新能源技术促进温室气体减排的潜在影响问题进行持续评估。早在1997年第三次缔约方会议通过《京都议定书》之前，美国参议院就已经一致通过一项《伯德－哈格尔决议》，规定美国政府不得签署任何将严重损害美国经济并且不要求发展中国家承担约束性减排目标期限的气候变化国际条约；2001年，布什政府正式宣布退出《京都议定书》。

值得注意的是，从2007年12月提出《能源独立与安全法案》议案之后，美国参议院曾连续审议多宗提议设立全国性强制减排目标的综合立法议案。尽管《利伯曼－华纳法案》2008年6月被参议院否决，但在2008年总统大选中奥巴马和麦凯恩均曾对该法案提出的“总量控制与排放交易”体系明确表示支持。可见，随着时间的推移，新能源技术的储备积累已经使美国的战略利益重心悄然发生转变。如果认为当前美国在气候变化问题上的政策调整主要是由奥巴马政治团队的价值取向所致，并因此忽略美国过去10年间在新能源领域的技术储备以及由此引发的利益格局调整，可能会使我们在国际气候变化谈判中对美国试图以新能源技术优势谋求战略利益的策略性行为产生严重误判。

三、中国工业品的碳密集度、碳关税税率及其影响

综合分析目前欧美国家拟议或即将实施的碳关税征收方案，我们认为如果发达国家在2020年前后实施碳关税，其碳关税征收水平很可能会在30～60美元/t碳（更为详细的分析可以参阅沈可挺和李钢（2010）对此问题的讨论）。中国将是欧美碳关税政策的主要针对对象。不容乐观的是，从此次哥本哈根会议欧美各国的表现来看，碳关税的政策提议今后也可能像人民币汇率和反倾销诉讼问题一样，引发其他一些国家的跟风行为。

中国面临的难题在于，中国的工业发展具有显著的高能耗、高排放、高投资、高出口特征。改革以来，中国工业总产值年均增长11.2%，工业资本存量年均增长9.2%，工业能耗和二氧化碳排放量年均分别增长6%和6.3%；工业GDP约占全国GDP总量的40.1%，但是工业能耗却占全国总能耗的67.9%，工业排放的二氧化碳占全国二氧化碳总排放量的83.1%。研究表明，中国2004年大约23%的碳排放是由净出口所致。由于碳关税提议可能针对出口占比较高的众多制造业行业，而不是像反倾销税那样针对个别特定产品，因此其影响可能要比特保或反倾销更为

严重。

分行业的估计结果表明，通信电子设备、电气机械器材、纺织业、服装皮革羽绒制品加工业以及化学工业等出口占比相对较高的几个行业，每万元产出的隐含碳排放量分别处在2.5～5.5t碳的水平。以每吨碳30～60美元的碳关税税率测算，相当于每出口万元产值将加征6%～14%甚至12%～28%的关税。值得注意的是，每吨碳60美元的碳关税税率已经接近甚至超过部分出口产品遭遇的反倾销税。例如，欧盟2006年8月对中国产皮鞋提出的反倾销税率为16.5%，2009年6月对中国产铝合金轮毂提出的反倾销税率最高为33%，美国2009年6月对中国产轮胎提出特保案的3年特别关税方案中第1～3年额外征收的关税分别为55%、45%和35%。

四、碳关税对中国工业品出口的潜在冲击评估

利用动态CGE模型对30美元和60美元两组不同碳关税情景下15个工业品生产部门的生产、出口和就业状况进行模拟，测算结果表明，在30美元的碳关税征收标准下，第一年工业品出口减少3.53%，总产量下降0.62%，第二年出口减少3.01%，总产量下降0.49%；在60美元征收标准下，第一年出口减少6.95%，总产量下降1.22%，第二年出口减少5.97%，总产量下降0.97%。在30美元征收标准下，中国制造业需要5年以上时间才能逐渐消化开征碳税对产量造成的负面影响，需要经过7年以上的时间才能逐步消除对制造业产品出口造成的冲击（具体参见沈可挺和李钢，2010）。

在15个工业品生产部门中受碳关税影响产量下降比例最高的5个行业依次分别为：仪器仪表办公机械、纺织业、服装皮革羽绒制品、电气机械器材和通信电子设备制造业；其中受冲击最为严重的仪器仪表办公机械制造行业在30美元碳关税税率下产量下降3.5%，在60美元碳关税税率下产量下降6.96%；纺织行业在30美元碳关税税率时产量下降1.6%，在60美元碳关税税率时产量下降3.18%。

出口下降比例最高的7个行业（超过工业部门平均降幅）依次分别为：石油加工业、非金属矿物制品、金属冶炼加工、化学工业、金属制品、电气机械器材以及仪器仪表办公机械制造业。尤其值得注意的是，通常被认为不属于碳密集型行业的电气机械器材和仪器仪表办公机械制造业，在30美元碳关税税率的情境下出口降幅分别为3.97%和3.85%；在60美元碳关税税率的情境下出口降幅则分别达到7.79%和7.66%。

对工业部门就业影响的测算表明：在30美元的碳关税税率下，第1年就业岗位减少1.22%，第5年减少1.18%；在60美元的碳关税税率下，第1年就业岗位减少2.39%，第5年减少2.33%。就业岗位减少比例最高的5个行业依次分别为：仪器仪表办公机械、通信电子设备、电气机械器材、纺织业、服装皮革羽绒制品；在60美元的碳关税税率下，第1年就业岗位分别减少12.14%、6.14%、5.41%、5.48%和5.10%。

碳关税之所以会对不属于碳密集型行业的电气机械和仪器仪表等行业造成较大冲击，主要是由于碳关税针对的是整个生产环节的全部碳排放，而不仅仅限于直接生产这些产品的生产环节。比如生产用于制造汽车的中间投入品钢铁所需要排放的二氧化碳，同样是汽车出口时碳关税的课征对象。这样，由于中间产品生产环节的高排放，尽管最终产品看起来不属于碳密集型产品，但是它在整个生产环节的全部碳排放量会比较高，因而受到碳关税冲击也就相应较大。

五、碳关税、WTO规则与政策建议

碳关税政策不仅违背UNFCCC的基本原则，也不符合WTO的非歧视原则。WTO规则允许成员国通过边界税收调节机制对于因营业税、增值税等间接税政策造成的国产品与进口品之间的价格差异予以调整，但不允许利用边界税收调节机制针对跟产品本身无直接关系的生产过程或工艺

实施歧视和进口限制。由于碳关税针对的生产过程中的温室气体排放程度差异对最终产品本身没有直接影响，因而碳关税与 WTO 规则明显冲突。

但是，WTO/GATT 第二十条第二款“为保护人类、动物或植物的生命或健康所必需的措施”以及第七款“与保护不可再生的自然资源相关的措施”可能被用于支持碳关税政策。WTO 上诉机构在解释 50 年前制定的 GATT 第二十条第七款时曾特别指出：“不可再生的自然资源”是一个不断发展的概念，必须根据现在各成员方对环境保护的理解来判断其内容，而也不应该仅仅把“不可再生的自然资源”限定于“矿产资源和非生物资源”。沈可挺（2010）的讨论指出，按照这个思路，把气候变化问题纳入 GATT 第二十条的解释范围也不是没有可能。

因全球气候变化问题引发的碳关税争端可能会使国际气候谈判和制造业产品的国际贸易发生一些微妙的变化。哥本哈根气候变化大会未能达成具有法律约束力的一致性协议，预示未来围绕气候变化问题的国际争论将更为激烈，更容易引发贸易争端。针对美国等相关国家试图利用碳关税把气候变化谈判与国际贸易进行捆绑的政策动向，为了避免未来遭遇较大的潜在冲击，中国需要加快推进经济结构调整，提高经济体系对抗外部冲击的耐受力。从中长期角度看，调整对外贸易政策、改变工业品出口结构、促进产业结构变革，提高能源利用效率、开发新型能源、改进传统能源利用方式、降低工业部门的能源密集度和碳排放密集度，倡导并促进可持续的消费模式，这些都是颇为必要的政策措施。

参考文献

[1] 陈诗一．能源消耗、二氧化碳排放与中国工业的可持续发展［J］．经济研究，2009（4）．

[2] 沈可挺．碳关税争端及其对中国制造业的影响［J］．中国工业经济，2010（1）．

[3] 沈可挺，李钢．碳关税对中国工业品出口的影响——基于可计算一般均衡模型的评估［J］．财贸经济，2010（1）．

[4] 沈利生．我国对外贸易结构变化不利于节能降耗［J］．管理世界，2007（10）．

[5] 王军．气候变化经济学的文献综述［J］．世界经济，2008（8）．

[6] Barrett, S. International Cooperation for Sale［J］. European Economic Review, 2001（45）.

[7] Jordan－Korte, K. and S. Mildner. Climate Protection and Border Tax Adjustment: Economic Rationale and Political Pitfalls of Current U. S. Cap－and－Trade Proposals［R］. FACET Analysis No. 1, 2008.

推行绿色保险势在必行

黄国宝

（福建省环境保护厅 福州市华林路环保路8号 350003）

摘 要 针对当前我国现行法律下环境污染造成的损失与污染企业赔偿金额的巨大落差，提出推行环境污染责任保险的可行性和必要性。政府推动，健全制度，加快立法，“绿色保险”就会迈上健康的轨道。

关键词 环境污染 绿色保险 企业责任 政府推动

随着我国经济建设的快速发展，不可避免地带来了环境污染和生态破坏，我国现在正处于环境污染事故高发期。污染事故发生后，如果没有善后处理保障机制，企业应承担的赔偿和恢复环境责任往往难以落实，污染受害人不能及时获得赔偿，极易引发社会矛盾。最近几年来，太湖蓝藻污染事故，以及波及多省市的重金属污染、儿童血铅污染事故频发；2006 年 11 月，中石化吉林分公司双苯厂的爆炸事故，含苯废水直排松花江，直接危害沿岸群众饮用水安全，扰乱群众正常的生产生活，严重侵犯公民的环境权益。但环保部门在现行法律下，能对这家企业开出的最大罚款额度只有 100 万元。这个数字相对中央和地方政府为阻隔污染恶化以及后期投入的治理费用来说，简直是杯水车薪。现行制度下的结果，使企业违法排污获利，环境损害社会埋单。据有关部门估算，我国每年由于环境污染造成的直接经济损失高达 1 200 亿元，而实际赔偿数额却少得可怜，绝大部分损失都由政府、社会埋单。

据原国家环保总局 2007 年的一项调查，我国 7 555 个大型重化工业项目中，81% 企业布局在江河流域、人口密集的环境敏感区域；45% 为重大风险源，但相应的防范机制却存在缺陷，导致污染事故频发，严重污染环境，危害公众健康和社会稳定。2007 年原国家环保总局接报处置的突发性环境事件达 108 起，平均每两个工作日一起事件。

松花江污染事件直接引发了一批环境经济学家上书环保部门，建议我国引入国外已经成熟的“环境污染责任保险制度”。这项被称为“绿色保险”制度，让企业就可能发生的环境事故风险在保险公司投保，由保险公司对污染受害者进行赔偿。

“绿色保险”即环境污染责任保险，把赔偿引向社会化，是以企业发生的污染事故对第三者造成的损害依法应负的赔偿和治理责任为标的的保险。环境污染责任险可以使被保险人（造成污染事故的单位和个人）把对第三者的赔偿责任转嫁给保险公司，被保险人可以避免巨额赔偿的风险，同时，环境污染受害者又能够得到迅速、有效的救济。

“绿色保险”能有效扭转企业污染政府埋单的被动局面，降低社会成本。以往我国的环境污染纠纷、诉讼案件日益增多，致害方与受害方之间就赔偿问题长时间耗战，有时为了解决污染责任事故纠纷，个人、集体、政府均会长期卷入其中，导致社会成本猛增。近几年来，甚至出现了政府频繁为环境污染责任事故“埋单”的现象。“绿色保险”能有效解决环境污染责任赔偿等方面的法律纠纷，不仅可以使政府部门从繁杂的事故处理工作中得以解脱，大大减轻政府部门的行政和财政压力，而且能提高解决环境污染纠纷效率的作用。

在过去，一旦发生重大污染事故，在巨额的赔偿和污染治理费用面前，事故企业只得被迫破产，受害方又不能及时得到补偿救济。而“绿色保险”既能帮致害人分散风险，避免企业陷入破产的困局，又能由保险公司及时给受害者提供赔偿，政府又减轻了财政负担，这符合三方的共同利益。环境污染责任保险是当前国际上普遍采用的制度，已被许多国家证明是一种行之有效的环境风险管理市场机制。

用保险工具来参与环境污染事故处理，有利于分散企业经营风险，促使其快速恢复正常生产；有利于发挥保险机制的社会管理功能，利用费率杠杆机制促使企业加强环境风险管理，提升环境管理水平；有利于稳定社会经济秩序，促进政府职能转变。

作为一种科学的、社会化的风险分散机制，理应得到企业的赞同。2008 年 2 月环境保护部与中国保监会联合出台《关于环境污染责任保险工作的指导意见》，这是环保部门继“绿色信贷”后推出的第二项环境经济政策。按照两部门的意见，生产、经营、储存、运输、使用危险化学品的企业，易发生污染事故的石油化工企业，经营危险废物的企业，尤其是近年来发生过重大污染事故的企业，将被要求参与近期此项制度的试点。但是，指导意见出台以来，企业跟进者甚少，市场反应较冷淡。看似污染企业、保险公司、社会“三赢”的绿色保险，在我国却举步维艰。中国保监会主席吴定富说，我国责任保险的业务量，仅占产险业务的 4% 左右，而这一比例在欧盟为 30% 左右，美国为 45% 左右。

造成这一现象的原因：

一是企业缺乏环境风险意识。有的企业负责人认为，只要企业坚持安全生产，就不会出污染事故，就不用花钱为事故投保。若出了小事故，企业自己会解决，而保险公司的介入只会将问题扩大化。还有的企业负责人担心保险公司到时会找出种种理由拒赔。

二是保险费率高免赔条款多。据悉，绿色保险免赔条款有近 20 条。一些保险公司的条款规定，水体、大气、土壤等生态污染的损失不赔，企业或雇佣人员故意或重大过失行为造成的损失不赔。另外，保险费率高也是企业不买账的原因。据悉，我国目前的环境污染责任保险费率较高，污染责任保险费率是按行业划分的，最高为 2%。较其他险种只有千分之几的费率相比，要高出好几倍。如此高的费率，赔付率又低，势必会影响企业投保的积极性。

目前，我国环境责任保险正处于起步阶段，作为一种新事物，在其成长的过程难免会遇到各种各样的困难和问题，关键是发现问题，提出对策，及时解决，使这一制度日趋完善。

一是要加强管理，确保环境污染责任保险实施。各级环保部门和保险监管部门应充分认识到环境污染责任保险工作的重要性，要在当地政府的统一组织下，积极开展环境污染责任保险工作。结合当地实际，制订工作方案，认真履行职责，推动本地区环境污染责任保险工作的落实。

二是要制定相关财税政策，规范和壮大保险市场。各级政府应把环境污染责任保险工作作为一项重要的民生工程来抓。在税务方面，减免开办此项业务税款；在财政方面，设立此项公共性保险基金等，以提高保险公司开办环境污染责任保险业务的积极性。

三是要加强对重点企业的指导，增强企业负责人的环境风险意识。“绿色保险”意在防患于未然，让企业负责人头脑中多绷一根安全生产的“弦”。对社会负责、对人民负责，是企业义不容辞的责任和义务。

四是将持续性环境污染纳入保险。我国目前只把突发性污染事故造成的民事赔偿责任作为保险标的，这是因为突发性环境风险一旦发生，受害人容易发现，损害容易认定。本着先易后难的原则，应当先行发展对于突发性环境风险的保险。但在实践中，因污染造成的民事赔偿不仅仅限于突发性污染事故，还有渐进性污染事故，污染物累积到一定程度，同样会对第三人造成人身和财产损害，且后者出现的频率和损失额要比前者大得多。因此，对持续性的环境污染事故给予保险也是客观要求。

五是对于不同污染企业实行差别费率。有专家建议，针对我国目前的情况，对重点污染区域、一般污染区域、轻度污染区域的排污企业实行差别费率，并且对每个区域的排污企业的排污程度不同实行可浮动的保险费率，这样不仅可以照顾到不同污染区域不同污染程度企业的公平，同时还有利于企业不断提高技术水平，积极推行清洁生产，大力发展循环经济，实行低碳生产，削减污染物排放，有效防范事故风险，将污染事故降到最低。

环境污染责任风险的广泛性，不仅要求增强企业的环境风险管理和环保部门的环境行政监管能力，还要充分发挥保险公司和保险中介机构在防范企业环境风险方面的特殊作用。

六是要确定“绿色保险”的法律地位。作为一个刚刚起步的新生事物，“绿色保险”必须有法律“撑腰”。目前面临的一个突出的问题是，如果没有明确的法律规定，强制险就难以推出。由于目前的《保险法》中没有关于环境污染责任保险的条款，因此，必须先健全相关法律。建议立法部门、保险部门、环保部门、司法部门共同研究，在地方法规中增加“环境污染责任保险”条款。待条件成熟后，出台专门法规，以确保“绿色保险”的法律地位。

七是要推行强制投保。对严重危害环境的企业，实行强制投保方式。环境污染责任保险制度是维护公众利益和社会公平的一种新险种，因为它的投保对象大都是环境风险高、污染隐患大，同时又是实力雄厚的大公司和大企业。如果不强制投保，这样的企业往往会以资金充足、能够承担赔偿责任为由拒绝参保，这在无形中导致企业环境风险由社会承担，由政府埋单。

八是建立环境污染专项风险基金。由财政、排污企业、保险公司共同出资，每年投入并积累，用于支付重大环境污染事故超赔部分以及垫付应急处理费用等。

经济发展靠市场，环境保护靠政府。推行“绿色保险”需要政府推动。诚然，环境责任保险的经营风险大大高于其他商业保险，其发展需要各级政府的扶持和一些措施的保障。例如，地方政府、人大、政协以及相关部门要先期作些调研，完善相关地方法规，将“绿色保险”制度作为强化高环境风险企业环境管理的重要行政手段，并纳入当地突发事件应急工作体系。财税部门给予保险企业优惠的税收政策，壮大保险基金，鼓励和引导保险公司尽早承担起环境责任保险工作。

政府推动，加快“绿色保险”立法，健全制度。环保部门、保险监管部门和保险机构三方各司其职，全力推进绿色保险。环保部门与保险监管部门应规范理赔程序和信息公开制度。环保部门要严格执法，加强对污染企业的环境监管，督促企业认真履行环境污染事故预防和事故处理等职责，促进企业提高防范污染事故的水平；开展高污染、高环境风险企业和工艺设施的调查，充分评估其环境风险和影响，制定环境污染事故损失核算标准和相应核算指南。保险公司应加大人力、财力和物力的投入，切实抓好环境污染责任保险全过程的各项工作，保证赔付过程信息畅通。保险公司开发环境责任险产品，合理确定责任范围，分类厘定费率。事故发生后及时介入，确保赔款及时支付给事故受害者。平时要指导投保企业开展环境事故预防管理。承保前，应对投保企业进行风险评估，根据企业市场性质、规模、管理水平及风险等级等要素合理厘定费率水平；承保后，要主动定期对投保企业环境事故预防工作进行检查，及时指出问题和不足，并提出整改意见，督促投保企业加强事故预防能力建设。保险监管部门要加强对保险公司实施环境污染责任保险的指导、监督和管理，制定行业规范，督促保险公司加强对投保企业的污染事故预防能力的审查，督促其认真履行保险合同，为投保企业提供优质便捷的保险服务。相关企业应积极主动地利用保险机制，抵御污染事故带来的经营风险，承担起社会责任。如是，“绿色保险”就能迈上健康的轨道。

参考文献

[1] 蔡守秋．可持续发展与环境资源法制建设．北京：法律出版社，2003.

[2] 曹明德．环境侵权法．北京：法律出版社，2000.

[3] 邹海林．责任保险论．北京：法律出版社，1999.

[4] 阚小冬．环境责任保险是环境侵权损害社会化赔偿机制的重要手段．海峡环境，2008，5（1）：23-26.

[5] 王敏．我国建立环境强制责任保险制度探讨．海峡环境，2009，6（3）：21-23.

绿色金融与可持续发展

王顺庆

（南京财经大学金融学院　江苏　南京　210046）

摘　要　本文研究绿色金融与经济可持续发展的关系。探讨中国经济社会可持续发展的条件，比较新经济与传统经济的区别，分析绿色金融的内涵、功能、结构、特点及其作用意义，讨论关于绿色信贷、绿色证券、生态保险的一些问题。

关键词　可持续发展　新经济　绿色金融

当前中国正在重视节能环保，建设生态文明，自主创新，促进新兴产业发展，把调整经济结构作为转变经济发展方式的战略重点，旨在提高经济发展的质量和效益，保持经济社会平稳协调持续发展。

金融业充分发挥金融的杠杆作用，优化金融结构[1]，就能适应经济社会发展方式的转变。为经济社会持续发展服务是金融业的大势，因此绿色金融应运而生，成为金融未来发展的方向之一。

本文探讨绿色金融的内涵、结构、特点和作用，讨论绿色金融与经济可持续发展的关系。

一、可持续发展

（一）可持续发展的概念

1972 年在斯德哥尔摩举行的联合国人类环境研讨会上讨论了可持续发展的概念。此后，各国学者赋予可持续发展众多含义[2]。1987 年挪威首相布伦特兰夫人在联合国世界环境与发展委员会的报告《我们共同的未来》中，把可持续发展定义为：既满足当代人的需要，又不对后代人满足其需要的能力构成危害的发展。这一定义得到广泛的认同、接受，并在 1992 年联合国环境与发展大会上取得共识[2]。

（二）可持续发展的条件

本文认为要在中国真正实现社会、经济、人口、资源、环境相互协调、持续发展，必须具备以下条件：

1. 颁布实施可持续发展的一系列政策、法律

1997 年中共“十五大”把可持续发展战略确定为中国现代化建设中必须实施的战略。2007 年中共“十七大”规定科学发展观为指导思想。可持续发展为科学发展观的基本要求之一，构建资源节约型和环境友好型社会是可持续发展的组成部分。从 20 世纪 70 年代起，中国开始实施计划生育国策，90 年代逐步实施了一系列环境经济政策。1999 年出台了节约、保护自然资源的国策，并大规模开展退耕还林还草、退田还湖、恢复林草植被。2007 年 7 月至 2008 年 2 月，国家环保总局（现环境保护部）相继联合银监会、保监会、证监会等部门，推出了绿色信贷、绿色保险和绿色证券这三项环境经济政策，要在中国实现可持续发展，必须严格执行上述政策、法律，并且在实施过程中逐步补充完善。

2. 建设生态文明

人类经历了长期的农业文明——黄色文明，三百多年的工业文明——黑色文明，现在进入生态文明——绿色文明时代。中共“十七大”做出在中国建设生态文明的战略决策。生态文明是指人与自然、人与人、人与社会和谐共生、全面发展、持续繁荣为基本宗旨的文化伦理形态。

传统的经济学人是逐利的，要追求自身利益的极大化，因此不顾及子孙后代的利益。改革开

放以来，中国的各种企业、各级政府逐渐接受了传统经济学的思想，谋求经济效益的极大化，因而经济建设取得了举世瞩目的伟大成就，但企业及一些地方政府在把自身变成经济学人的同时，推卸自己应承担的生态环境侵权责任，也忽视了自己对后代的社会责任。

建设生态文明就是要使全体国民树立正确的生态观，把生态环境保护作为自己的社会责任，不损害子孙后代的利益。

3. 转变经济增长方式

转变经济增长方式，就是要扬弃传统经济发展模式，形成节约能源资源和保护生态环境的产业结构、增长方式、消费模式，其宗旨是既能满足当代人的需求，又不能对后代人的发展构成危害。

4. 提高生态经济效益

在中国倒 U 型环境库兹涅茨曲线[2,3]上，生态环境成本接近了最高点，如果加快经济发展方式的转变，促进社会经济又好又快地发展，那就会助推生态环境成本越过拐点而下降[3]。

前苏联学者 Тупыщя（1980）建立了评估生态经济效益的公式，БобровАД（1992）进行了改进。在估算自然资源价值的时候，既要考虑其经济价值，又要估计其生态价值。假设自然资源经济效益为 u_i（$i=1, 2, \cdots, M$），其生态效益记为 v_j（$j=1, 2, \cdots, N$）。生态经济效益的评估公式可表示为

$$\sum_{i=1}^{M} u_i + \sum_{j=1}^{N} v_j \geqslant w_0 \geqslant 0, \sum_{i=1}^{M} u_i \geqslant u_0 > 0, \sum_{j=1}^{N} v_j \geqslant v_0 > 0, w_0 = f(u_0, v_0)$$

上式兼顾了总经济效益和总生态效益。其中 u_0，v_0 需要通过实际部门测定，w_0 是 u_0，v_0 的函数。如果在经济建设中按上式核算，就会达到经济—社会—生态全面、协调、可持续发展的目标。

上述可持续发展的条件相辅相成，要达到可持续发展的目标，4 个条件缺一不可。

二、新经济与绿色金融

（一）新经济与可持续发展

为便于与传统经济区别，本文把生态经济、循环经济、自然资源经济、环境经济、绿色经济、低碳经济等一些新的经济形式统称为新经济。对应的分支学科中生态经济学（1966）最早产生，随后出现了循环经济学、自然资源经济学，20 世纪 70 年代中期环境经济学形成，绿色经济（Jacobs，Postel，1990）形成的比较晚，而低碳经济最早出现在的英国能源白皮书《我们能源的未来：创建低碳经济》（2003）中。新经济学的这些分支密切联系，又相对独立，它们产生的背景不一样，研究对象、研究方法不尽相同。但它们具有相同的基础，它们脱胎于传统经济，或者与传统经济交叉整合，以合理利用自然资源和能源、保护生态环境，以经济、社会与生态环境协调、持续发展为目的。

（二）新经济与传统经济的区别

传统经济是以生态破坏、环境污染、损害人体健康为特征的经济，是一种损耗式经济；绿色经济是以维护人类生存环境、合理利用、保护资源与能源、有益于人体健康为特征的经济。传统经济是一种由资源—产品—污染排放形成的物质单向流动的经济；循环经济建立在物质循环利用的基础上，使经济与生态学生物地化循环相吻合，把经济活动组织成资源—产品—再生资源的物质循环过程，其特征是低物耗、低能耗和废弃物低排放，从根本上化解长期以来环境与发展之间的尖锐冲突。自然资源经济解决处理自然资源的保护、合理利用和优化配置。环境经济解决处理经济发展与环境保护的关系，用环境经济手段发展环保产业，治理污染，提高环境质量。生态经济与传统经济有较大的差异，生态经济强调在发展经济的过程中遵循生态学原理。低碳经济是以

低能耗、低污染、低排放为基础的经济模式。低碳经济的实质是节能环保、追求绿色 GDP，其核心是能源技术和减排技术创新、产业结构和制度创新以及人类生存发展观念的根本性转变。循环经济、低碳经济实际上是生态经济的组成部分，要求提高生态经济效益，要求遵循生态系统能量流动、物质循环、信息传递和价值取向规律，维护良性生物地化循环。下面以地球生物圈中碳循环为例说明，地球上绝大部分碳以无机态存在于岩石圈中，有机态碳极少，多数碳呈化石态（煤、石油）。煤、石油燃烧放出大量 CO_2，生物呼吸或腐烂也放出 CO_2。大气中的这些 CO_2 经植物光合作用，使碳合成为有机物储存在植物体内。大气中少量 CO_2 扩散到水中，以碳酸钙的形式沉积于水下。碳酸钙经地质运动露出地表，被雨水溶解、植物根系作用使其中的碳再循环。要使得碳在生物圈中良性循环，必须减少煤、石油的燃烧，增加植被覆盖率，从而降低碳排放。煤、石油是我们主要的能源，2007 年以前中国能源消费结构中煤炭石油占 90% 以上，它们的燃烧是大气污染（CO_2、SO_2 等居高不下）的主要原因[3]。中国政府已提出了控制温室气体排放的行动目标：到 2020 年单位国内生产总值 CO_2 排放比 2005 年下降 40% ~45%。为实现上述目标，利用绿色金融的杠杆，发展新经济成为中国能源持续发展的战略性选择。

（三）绿色金融的概念、内涵

绿色金融（green finance）亦称可持续性金融（sustainable finance），有时称为环境融资（environmental financing）。绿色金融一词出现于《金融业关于环境可持续发展的声明》（UNEP FI，1997），但关于绿色金融的内涵，至今国内外还没有统一的界定。近期出现的低碳金融实际上是绿色金融的分支，也可以视为绿色金融的延伸。有人认为：绿色金融是指金融部门把加强环境保护作为自己的一项政策，通过金融业务动作同加强资源环境保护、加快产业结构调整优化、强化节能减排有机地结合起来，以确保能源安全和促进经济社会可持续发展的一种金融营运战略（高建良，2009）。绿色金融是指金融经营活动要体现绿色，即在投融资行为中要注重对环境污染的治理及对生态环境的保护，通过其对社会经济资源的引导作用，促进经济社会的可持续发展（金荣，2009）。

本文认为绿色金融是金融业为适应新经济发展而形成的一个金融新分支。绿色金融是指运用直接融资和间接融资以及生态保险的方式，为合理利用能源、自然资源、保护生态环境服务，是实现节能、减排、降耗的金融业务，它促进产业结构调整优化，以达到经济、社会与生态环境协调、持续发展为目的。

三、绿色金融

（一）绿色金融的功能与结构

绿色金融具有为新经济发展进行融资服务、中介的基本功能，有合理配置资源的核心功能和调节经济结构、规避风险的扩展功能，还具有风险交易、信息传递、引导消费、区域协调、财富分配的金融衍生功能。现阶段绿色金融具有独特的金融结构，就是以银行为主导的绿色信贷、在资本市场上运作的绿色证券和管理生态经济风险的生态保险等结构层次。

绿色信贷、绿色保险和绿色证券的目的是利用金融杠杆推进节能环保产业的发展。绿色信贷从源头上把关，限制高污染企业贷款，对节能环保产业增加贷款，以扶持它们迅速发展；绿色保险强制高污染企业购买保险，使它们承担环境侵权责任，补偿受害人：绿色证券则对上市融资的企业设置环保门槛，并通过环境信息披露，对上市公司经营行为加强监管。

（二）绿色金融的作用意义

加快转变经济发展方式是中国 2010 年的战略重点。国家出台了一系列政策法令。1 月 27 日国家能源委员会成立，职责是拟定国家能源发展战略，审议能源安全和能源发展的重大问题。

1. 通过绿色金融的杠杆作用，转变经济发展方式，推进经济结构调整。淘汰产能落后的产业，重组改造经济建设必需的一些高能耗、高物耗、高污染产业，促进它们自主创新，采用新材料、新技术，转变成低消耗、低排放、高效率产业，扶持节能减排、保温、太阳能集热的绿色建筑产业。

2. 利用财政金融工具，改变中国以燃煤燃油为主的能源结构[4]，限制并逐年减少煤生产与消费的投资，适度增加使碳低排放或零排放的煤液化、煤气化技术的投资，减少并适度回收火电融资，经过20~30年的努力使中国煤炭生产与消费降低到目前的1/2以下；有计划地增加风能、太阳能、核能的直接融资和间接融资，经过20~30年的努力使中国的能源结构以太阳能为主，风能、核能为辅。

3. 利用绿色金融的杠杆，可以加快发展战略性新兴产业，促进环保产业增长，刺激区域经济发展。实现绿色GDP。

（三）绿色金融的特点

1. 绿色金融突出的特点是注重人类社会生存环境的利益，将生态因素纳入金融业的核算和决策体系中，关注环保产业、生态产业等长远效益的产业，以提高生态经济效益，也利于金融长远发展。

2. 绿色金融多数投融资期限属于中长期，短期投融资较少。例如，尽管光伏电池生产成本呈逐渐下降趋势，但核心技术掌握在德、日等国。近两年来重复大量引进国外技术此起彼伏，使得中国光伏产业跃居世界第一。但生产成本高而国内消费不足，受出口的约束。因此需要集中投资，集中高水平的专业技术人员，用3~5年时间攻关，在攻克核心技术的基础上降低生产成本，全面推广，当前应适度控制投融资，避免利润损失。

3. 许多项目处于探索和创新阶段，属于风险投资，风险管理难度较大，为避免出现不良资产，项目投融资评估需要建立专家系统；制定把以燃煤为主的能源结构转变为以太阳能、风能、核能为主的能源结构的战略规划，进行试点。当前风电的成本已低于火电成本，应大力推广。而太阳能还需攻克关键技术，降低成本。在许多地方核电已进行了长时间的试点，但切尔诺贝利核电站核泄漏的阴影人们长期挥之不去，因此要在确保高度安全的基础上进行推广。

4. 在较长的一段时期，绿色金融具有政策金融的性质。需要政策引导，出台并完善相关律法，制定金融业促进产业结构调整的相关制度。因为涉及各方利益的重新组合，绿色金融制度建设是一个漫长艰难的过程。

（四）绿色信贷

银行信贷是以偿还本金和付息为条件的特殊价值活动，这是银行各项业务的核心和主体，是银行盈利的主要来源。在绿色信贷决策、经营活动中注重生态经济风险管理、环境污染治理和生态环境保护，是银行业的长期社会责任目标。

实行绿色信贷机制，银行可以严格控制对高耗能、高污染行业的信贷投入，对高耗能、高污染企业施加持久的约束力，加大对环保产业和节能减排技术改造项目的信贷支持力度，优先为符合条件的项目提供投融资服务。这里关键的问题是：一方面要有较为完善的政策、法律制度；另一方面要获得专家系统对产业投融资项目的合理评估。绿色信贷会增加高污染企业获取资金的成本，甚至切断严重违法者的资金链，有力地遏制其投资冲动。

（五）绿色证券

绿色证券是指上市公司在上市融资和再融资过程中，经由环保部门进行环保审核。对从事火电、钢铁、水泥、电解铝行业以及跨省经营的13类重污染行业的公司，在申请首发上市或再融资时，必须先过环保核查关；同时，环保部及时公开上市公司的环境信息，由证监会裁决，供公众参考。

符合国家产业发展方向概念的低碳经济、循环经济等行业众多，其中包括节能环保、风电、太阳能、核能、建筑节能、新能源汽车、新材料等诸多新兴产业。截至 2010 年 2 月 12 日我国上市公司共 1728 家，上述行业的上市公司约占 1/10。其新兴的特性决定它们是长期的、持续发展的，其发展过程肯定不会因为估值问题丧失投资价值。应允许有发展前景且具有上市条件的新兴产业上市，或发放企业绿色债券。

（六）生态保险

绿色保险即环境污染责任保险，是指以被保险人因污染环境而应承担的环境赔偿或治理责任为标的的责任保险。环境污染责任保险是环境责任保险的主要组成部分。生态保险是指被保险人在生产、经营过程中，因为意外的或非故意的生态经济危险造成生态破坏或环境污染，或食品不安全，依法应承担赔偿生态系统修复、环境污染治理或第三者损失责任为标的的责任保险。生态保险包括生态责任保险、环境责任保险和食品责任保险[4]。

生态保险的推行要求全体国民，尤其是企业高官和国家公职人员具备较高的社会责任心。提高国民社会责任感是生态保险的必备条件。要建立生态保险基金，用于标准制定、损失评估、保险事故受害者的赔偿。基金来源：绿色融资和财政划拨；生态破坏、环境污染和食品不安全企业交纳的保险费；根据相关法律规定，对造成事故的企业事业单位的罚款。

把造成生态经济损失的责任者划分成故意的、胁从的和非故意的、意外的四种类型。依法制裁故意的生态破坏、环境污染和食品损害者；追究胁从者的台前幕后指使或操纵者的责任，从轻发落胁从者，并给予适当保护，即有限制条件的承保生态保险；保护意外的、非故意的生态破坏和环境污染、食品损害者，并通过生态保险予以经济保障。

参考文献

[1] 林毅夫，孙希芳，姜烨．经济发展中的最优金融结构理论初探［J］．经济研究，2009（8）.

[2] Roger Perman, Yue Ma, James McGilvray, Michael Common（2002）Natural Resource and Environmental Economics（second edition）, Translation Copyright.

[3] 王顺庆．我国能源结构的不合理性及对策研究［J］．生态经济，2006（11）.

[4] 王顺庆．在我国推行生态保险的可行性研究［J］．生态经济，2010（1）.

未来绿色核算战略研究思考

孙兴华[1]　孙　莹[2]

（1. 北京国联绿盟经济研究院；2. 北京城市学院公管部）

摘　要　本文拟从简述绿色核算概念，突出微观“绿色会计与绿色财富”核算特征，提出构建中国和谐社会的“未来绿色核算”战略构想。

关键词　未来绿色核算　黑色文明　绿色文明　绿色会计　绿色财富　“五个一”战略构想

随着人们绿色经济可持续发展及环境意识的增强，在席卷全球的绿色浪潮中，有关绿色技术、绿色产品、绿色消费、绿色营销、绿色生产、绿色产业、绿色标志、绿色壁垒、绿色投资等全新绿色理念的兴起，“未来绿色核算”理论就应运而生了。“未来绿色核算”是个战略系统工程，即包括宏观绿色 GDP 核算和微观绿色会计核算，还包括绿色财富核算，向一切旧传统经济核算观念发起了挑战。本文拟从中国构建和谐社会的战略高度出发，简述“未来绿色核算”概念，突出“绿色财富与绿色会计”核算特征，提出构建中国和谐社会的“五个一”未来绿色核算战略构想，供广大同仁拓宽绿色视野参考。

一、“未来绿色核算”概述

（一）“未来绿色核算”的产生

“绿色”是人类生命力的象征，“绿色”是环保、生态、信息、新经济时代的代表色，“绿色”以自然资源、生态环境的代名词深入人心，向旧传统经济观念及工业黑色文明发起了绿色文明挑战，“绿色经济文明”（简称绿色文明）是当今世界社会可持续发展研究的热点。纵观人类社会发展史，经历了古代农业“黄色文明”、近代工业“黑色文明”时代，而今进入了现代“绿色文明”时代。所谓黄色文明时代是人类早期刀耕火种到农业大发展的进化文明时代，此阶段“天、地、人合一”，人类认识自然、改造自然的科技水平较低，只能充分依赖自然环境，其农业金黄硕果累累，经济发展未超出自然环境自净能力限度，可以说黄色文明基本上是人类与大自然和谐相处的古文明时代。所谓工业“黑色文明”，是指人类在发展科技生产力，不考虑全球环境退化度，以单纯追求经济利益最大化的传统经济理论指导下，而进行的大量开采资源→大规模生产→大量消费→大量产生废物（废气、废渣、废水）的线性经济发展模式的现代工业化文明。所谓“环境退化度”，就是人类经济活动严重破坏自然生态平衡，向自然环境索取资源的速度，超过资源本身及其替代品的再生速度，以及向环境排放废弃物（或有害物）的数量超过了环境自净能力的计量度。工业革命使人类随着科学技术的迅猛发展，改造自然开发资源能力日益剧增，其工业发展速度大大超出自然环境自净能力限度，使全球生态资源极度耗竭、严重环境污染的公害事件不断发生，频繁向人们发出环境危机警告。所以工业时代，是以工厂烟囱林立，黑烟滚滚，严重污染环境为显著标志，被称为黑色文明时代。所谓“绿色文明”时代就是针对黑色文明导致全球资源和环境危机的恶果，突出“绿色”的生态资源循环经济新理念，实行节约能源、减少环境污染的绿色经济核算，构建与大自然和谐相处的人类绿色文明时代。绿色文明就是现代绿色经济核算产生的根源，是人类转变传统发展模式，进行可持续发展的“未来绿色核算”的重要标志，是开拓现代绿色能源实行无污染的“未来绿色核算”的里程碑。

“未来绿色核算”是人类社会可持续发展的“绿色文明”必然产物。在目前旧经济核算体系中，不论是微观的还是宏观的，都没有把自然资源、生态环境（包括自然资源的投入、生态系统的破坏和生存指数的降低）计算在内，存在严重缺陷，所显示出来的经济核算远远不够准确和全面，为从根本上缓解经济发展和保护环境之间的矛盾，“未来绿色核算”理论也就应运而生了。尤其是2002年8月联合国南非约翰内斯堡的《世界首脑可持续发展高峰会议》重新认识了全球的发展问题，不再将环境与发展看作对立的两面，而是将经济、社会和环境三大问题作为全球可持续发展的缺一不可三大支柱，相互作用、相互支撑的有机整体，是倡导实现社会可持续消费和可持续产生的方式，创建“未来绿色核算”的三大基石。世界各国政府、企业界和广大消费者在将环境资源的因素全面地纳入经济生产、流通和消费领域，建立全新的经济核算体系中，包括建立新的资源（能源）评估体系、新的企业经济核算体系和绿色物流体系，推广和实施企业清洁生产、环境管理体系认证、产品生态标签认证和产品生命周期评估等绿色经济创新实践中，促进“未来绿色核算”产生。可以说“未来绿色核算”是以自然经济为基础，知识经济为主导，以生态经济协调可持续发展的战略核算，是人类社会可持续发展的必然产物。

（二）“未来绿色核算”概念

随着人类自然环境意识的增强，在可持续发展理论指导下，突出与大自然和谐相处的绿色文明标志，将自然环境资本纳入绿色经济生产存量实行“未来绿色核算”，是人类和谐社会发展的必然产物。“未来绿色核算”的基本概念：是在可持续发展理论指导下，突出与大自然和谐相处的绿色文明标志，将自然环境资本纳入经济生产存量以生态环境核算为中心的绿色循环经济核算的简称。也就是从绿色中国宏观战略高度出发，突破旧传统经济核算观念，树立全新生态价值观、绿色财富观，将自然资源、环境成本内在化，计入企业的生产成本，进行的资源→生产→消费→产生废物→再生资源的宏观循环经济核算和微观企业清洁生产核算研究。“未来绿色核算”战略研究显著特征，就是国家生态区域真实评价绿色财富的绿色会计核算研究，既包括宏观真实国民财富的绿色GDP核算，也包括微观绿色财富与绿色会计核算。

（三）中国“未来绿色核算”研究概况

改变传统的经济核算，构建与环境和谐的循环经济核算体系，实行中国“未来绿色核算”战略研究，即绿色GDP核算与绿色会计核算研究，是一场从观念到行为的革命，需要一个相当长的过程。不管改造现有经济核算体系的过程需要多长，都必须有一个良好的切入点，绿色GDP核算就是建立“未来绿色核算”战略研究最好的切入点。由于现行的GDP核算及会计核算体系中，都没有把环境资源的投入（包括自然资源、生态系统和环境容量的投入）计算在内，忽视了资源损耗和环境退化等难以计量的社会经济发展成本，因此得出的经济数据是片面的，不能全面反映当前和将来的社会净福利变化，其社会经济财富是虚增的，往往掩盖着自然资源存量和生态环境的巨大赤字。中科院首席科学家牛文元明确指出：“绿色GDP”核算是在现行GDP核算基础上扣除2%生态赤字虚数及负效应，以真实核算国民经济财富。只有实行“未来绿色核算”，才能全面真实反映国民经济增长效应，使国民经济增长速度和环境保护的协调发展。当前国家树立和倡导的“绿色GDP科学发展观”，是今后中国经济发展一切工作的指导思想基础及出发点；是引导我们树立“以人为本，科技主导”，突出社会经济可持续增长的质量，关注社会自然资源（能源）消耗和环境污染绿色核算发展观，实现清洁生产循环经济的协调发展的必由之路（即新型工业化道路）。中国绿色经济核算可以说是响应联合国倡导可持续生产和可持续消费最好的实践。目前国家宏观绿色GDP，微观绿色会计核算前瞻研究已启动，拟用全新“绿色绩效”考核干部，特别是打造“绿色北京”现代国际城市战略的实施，必将促进中国“未来绿色核算”战略研究进程。

二、"绿色会计"核算研究

(一) 绿色会计核算简介

微观企业是人造财富的生产者，又是自然财富的最大消耗者，一个企业究竟对社会财富的增长有无贡献，要看它所创造的人造财富能否弥补所消耗的自然财富。显然，传统会计核算只计算投资者投入资本盈亏，其财务报告并不能提供这方面的信息。在现有的会计核算体系中，资源环境损耗对于企业而言大多只是一种外部成本，尤其是在国有自然资源低价获取甚至无偿取得的情况下，企业很难将其纳入内部成本与经济效益直接挂钩，进而导致对资源开发利用的浪费和低效率，企业财富创造严重虚增，有些企业甚至是负增长。因此，有必要进行绿色会计核算改革。绿色会计（又称环境会计）核算是以全新的绿色环境经济学理论为基础的，是社会绿色经济核算发展的必然产物，把资源环境纳入会计科目中，用于核算社会真实财富的变化和资源环境状况，"可持续发展"是绿色会计的出发点和落脚点，由于会计核算是时代经济理论指导下经济实践活动的产物，发挥着信息反映和监督管理的重要作用。人类文明历史的演进，经济活动日趋复杂，经济理论发展迅速，会计核算工作必然也随之丰富和发展。现代绿色会计已成为世界经济可持续发展真实核算"绿色财富"的热门话题，"世界环境与发展国家首脑会议"通过了包括《21 世纪议程》在内的保护世界环境的四个纲领性文件，掀起了世界绿色会计研究的高潮，绿色会计是世界绿色经济发展的必然产物，是社会可持续发展的必然产物。丹麦国会在 1995 年 6 月通过《绿色会计法案》，率先使丹麦成为全球第一个推行绿色会计的国家。在此法案下，有 1200 家丹麦企业必须公告绿色会计报告，这些企业均属原先受到环境保护法案管制的高污染企业。实行绿色会计，并不是使企业亏损，而是促使企业清洁生产发展更有后劲。绿色会计最终目的是追求企业消耗资源及排放污染最小化下的利润最大化，这与传统财务会计单一反映企业利润最大化，有着本质的区别。

绿色会计是指将自然资源和环境状况纳入会计核算，追求企业消耗资源及排放污染最小化下的利润最大化，是明确企业社会责任，以正确核算经济和社会效益、并向利益相关人士提供企业资源环保全方位信息的现代会计学分支，是环境科学与会计学交叉渗透而形成的一门全新的应用学科。

(二) 中国绿色会计核算研究概况

绿色会计核算研究，突出环境自然资源如何在会计计量中得到体现的特点，以贯彻可持续发展战略，推动绿色循环社会健康发展的核算理论与实践成果，逐渐受到国内外经济界的广泛关注。中国绿色会计研究相对滞后，仅限于会计界专家教授，在报刊上发表具有前瞻性的绿色会计论文是很不够的，亟待国家环保及财政部的有关法规认可明确推行。鉴于入世顺应世界 21 世纪"绿色经济核算呼唤绿色会计"潮流，经热衷于中国绿色会计核算研究人士多次上书，在致公党叶文虎教授等的"实行中国绿色会计制度"政协提案呼吁下，以及财政部原部长项怀诚的关注下，中国绿色会计第一个研究机构，"中国会计学会环境会计专业委员会"于 2001 年春天正式成立。部长助理李勇重要批示：国际上对绿色会计的宣传越来越多，且成立了一系列机构，世界银行、联合国环境规划署、联合国开发计划署等国际机构，也积极推进这项工作。国内一批专家及人大，政协委员也积极倡导这项工作，经过一番研究和论证，拟在会计学会下增设环境会计专业委员会，这样既不超出会计范畴，又便于工作。孙兴华同志建议专业委员会名称前加"绿色"两字，可以考虑。因国际上都称"绿色会计"。更加坚定了我们"绿色核算研究"信念。中国绿色会计风，已迎面扑来，这将永远是激励着我们绿色会计人去努力工作的强劲动力。中国环境会计专业委员会的成立，是中国"未来绿色核算"研究史上的里程碑。尤其在《会计研究》刊物上进行 2001 年环境会计专题研究征文影响显著，共征集全国各省市有关论文 50 余篇，2001 年 11 月在南京大学召开中国会计学会首届环境会计研讨会，并精选优秀论文 17 篇，2002 年出版了中国会计理论研究丛书《环境会计专题》一书。2002 年环境会计专业委员会开展了企业环境会计调查问卷活动，向全国上市、非上市企业发送200多份问卷，回函率虽不到10%，代表性不强，但我国企业环境会计严重滞后状况可见一斑（详见中国CFO之声中国环境会计调查启示录）。由于种种原因，环境会计专业委员会近年来未见行动，我们在中国环境科学学会年会上举行了多次绿色会计、审计专场论坛影响甚微。进行中国绿色会计研究严重滞后问题亟待引起有关部门关注。有关绿色会计（或环境会计）的名称、概念、计量、核算、准则实施等理论研究问题，亟待有实践经验的中国注册会计师关注参与研究解决。

三、“绿色财富”核算研究

“未来绿色核算”研究内容广泛，不仅包括绿色GDP核算，绿色会计核算，还凸显“绿色财富”核算特征，绿色财富的核算重点是企业的自然资本存量，清洁生产效绩、绿色产品效绩、绿色ISO14001环境管理体系认证效绩。绿色财富就是认真总结绿色GDP核算、绿色会计核算实践效绩经验，以翔实数据核算企业可观的绿色效绩。

（一）绿色财富核算简介

绿色是生命的象征，是人间最美丽的颜色，也是人类最宝贵的财富。绿色赋予财富新的效绩核算内容。随着人类可持续发展理论及“人与自然和谐发展”世界观的建立，人们对传统财富核算的认识也有了提高，针对传统经济学在计算财富效绩增长时，仅以人造财富为准计量，而忽视对自然资源及环境的损益效绩核算，形成虚幻的国民财富收入问题的日益凸显，为此，绿色GDP和绿色会计核算的兴起，呼唤将自然资源的有限稀缺性评价计量纳入传统财富核算范畴，全新的“绿色财富”效绩核算理论就应运而生了。

传统经济学财富核算，是以自然资源耗减、环境质量下降为代价的经济财富增长，其财富是虚增长甚至是负增长。是以大量消耗自然资源为支撑，以牺牲资源存量和环境为代价，片面追求GDP的经济财富的增长，是人类工业时代黑色文明导致全球资源和环境危机恶果的根源，是不可持续的发展。为此，在人类可持续发展理论指导下，世界银行颁布了一项衡量国家（地区）财富效绩的新标准，即一个国家的国家财富，应由自然资本、人造资本和人力资本所组成。“绿色财富”的真正含义是指国家生产出来的财富，减去国民消费，再减去产品资产的折旧和消耗掉的自然资源之后的净财富。绿色财富是绿色国民经济核算的基础，是真实地反映一个国家和地区的真实净财富。“绿色财富”就是从传统经济学人造财富概念扩大到“人造财富和自然财富之和”的新理念。绿色财富广义概念，应是由整个地球生态系统中的自然资本、人造资本、人力资本组成的有形财富、无形财富的综合效绩。绿色有形财富包括有形资源如：自然矿产、动物植物、人造产品、货币金钱、有价证券、房地产等，绿色无形财富包括无形资源如：清洁空气、生态环境、时间空间、商机信息、精神健康、人力资本等，绿色财富的实质是自然财富和人造财富之和，减去有形无形资源损耗的真实净财富。

（二）绿色财富核算内容

实施以自然资本存量为主的“绿色财富”核算，是未来绿色核算的重要内容。其自然资本存量就是自然环境中与人类社会发展有关的，能被利用具有使用价值的，有形无形的一切自然资源存量。绿色财富核算内容广泛，影响人类劳动生产生活的一切生态环境资源，既包括有形的土地、水体、动植物、矿产等，也包括无形的风、光、热、气、时间空间、商机信誉、绿色品牌等资源，所以说自然界有形资源和无形绿色品牌资源都是绿色财富核算的内容。根据联合国环境规划署的定义：“所谓资源，特别是自然资源，是指在一定时间、地点的条件下能够产生经济价值的，以提高人类当前和将来福利的自然因素和条件”。也就是说，只有能够为人类所利用并带来经济价值，增加社会福利效绩的自然环境，都是绿色财富核算内容。无论是从自然资源的数量上、质量上，还是从相对于资源本身地域分布的有限性，以及人类需求永无止境的无限性上考察，自然资源绝对稀缺性是未来绿色核算的基本要素，也是绿色财富核算的重要内容。与环境友好型企业的清洁生产效绩、绿色产品效绩、绿色 ISO14001 环境管理体系认证等效绩以及企业“绿色品牌”的无形资产的效绩核算，都是绿色财富核算的主要内容。

四、“未来绿色核算”战略构想

钟爱绿色核算实现绿色中国的“未来绿色核算”战略研究，是我们终生的绿色梦想。鉴于绿色中国实行“未来绿色核算”是一个复杂的系统战略工程，其实施尚需经历一段艰苦漫长过程，尚需要做大量艰苦细致的调查研究工作，特提出以下“五个一”战略构想。

1. 成立一个“绿色机构”：建议在中国环境科学学会或中科协未来研究会下成立“绿色核算委员会”组织，进行具有中国特色的绿色核算理论研究，是绿色中国建设和谐社会战略实施的坚实基础。未来绿色核算研究是环境科学与会计科学理论与实务交叉渗透而形成的一门全新的绿色经济科学，必须由“中国环境科学学会或中科协未来研究会”，统一组织生态环境、绿色会计、循环经济学的科学家，各尽所长、密切配合、通力协作、共同研究未来绿色核算战略学，才能彻底改变部门分散，各自为政研究滞后的局面，才能开创中国未来绿色核算战略研究的新局面。

2. 设立一个“绿色论坛”：建议在《中国环境》或《未来与发展》杂志上设立“绿色核算论坛”。在中国环境科学学会及中科协未来研究会统一领导下，突出科学发展观，为实践绿色中国构建和谐社会战略，结合国内外绿色核算研究成果，全力办好“未来绿色核算”系列栏目，如“绿色 GDP 核算”、“绿色财富”、“绿色会计”、“绿色审计”等栏目。

3. 创办一个“绿色刊物”：建议中国科协主管，中国环境科学学会创办《绿色财富》内刊早日公开发行。用全新的绿色经济文明理念，关注《绿色财富》新视点、新政策、新发展、新变化，在“新”字上下工夫，突出在资本运营“绿化”中，求发展、求效益的办刊特色，创办成公开发行高质量、高权威、高视点、高品位的《绿色财富》专刊。祈盼公开发行的《绿色财富》专刊，成为《中国未来科学》前沿研究百花园中的一枝奇葩，成为绽放出“未来绿色核算”缤纷异彩的名刊。

4. 编写一套“绿色核算教材”：汇总国内外的“未来绿色核算”科研成果，编写一套《未来绿色核算》科普教材。在汇编论文《中国未来绿色核算丛书》的同时，为了普及宣传未来绿色核算知识及创办绿色学校需要，尽快出版一套浅显易读的《未来绿色核算》科普教材，是实施“绿色中国构建和谐社会”战略的当务之急。

5. 改建一所“绿色学校”：建议在北京城市学院进行“绿色学校”试点，树立科学发展观，普及绿色教育实施培养绿色核算后备人才战略势在必行。在总结绿色核算研究成果的基础上，实施培育绿色核算研究人才的“绿苗工程”，是实施绿色中国构建和谐社会战略的根本，是实现未来绿色核算战略、世代与大自然和谐相处的绿色社会发展的千万年大计，中国未来绿色核算战略研究任重道远！

参考文献

[1] 颜峰，许小柠．奏响绿色的乐章——人与自然［M］．北京：北京教育出版社，1999，1.

[2] 刘静华，陆光华．绿色生活与未来［M］．北京：化学工业出版社，2001，5.

[3] 孙兴华，王维平．关于在中国实行绿色会计的探讨［J］．会计研究杂志，2000，5.

[4] 于连生．自然资源价值论及应用［M］．北京：化学工业出版社，2004，3.

[5] 中国环境科学学会．发展循环经济 落实科学发展观［M］．北京：中国环境科学出版社，2004，9.

[6] 中国环境科学学会．中国环境科学学会学术年会优秀论文集（2007）［M］．北京：中国环境科学出版社，2007，5.

绿色信贷政策的评估

王小江

（河北经贸大学金融学院）

摘　要　评估是对绿色信贷政策制定、执行、效果的综合评定，其目的是为提高环境政策的执行效力。本文把金融运营和环境保护目标进行结合，利用定性、定量分析的方法，对评估的指标、评估的流程、评估的主体、评估的管理进行全方位的设计，力图构建一个适应中国社会制度和环境保护要求的绿色信贷政策的评估体系。

一、绿色信贷政策评估的概念及作用

绿色信贷在我国是指银行等金融机构在以债权人的身份贷出货币时，必须以符合国家环境保护政策为前提发放的贷款。是环保部门和银行业联手抵御企业环境违法行为，促进节能减排，规避金融风险的重要经济手段。

绿色信贷政策，是指党和国家为实现经济与社会、自然的和谐发展，出台的有关金融机构放贷方针和措施的总和。是国家进行环境管理的重要手段之一。是按照价值规律的要求，运用信贷手段，来调节或影响市场主体行为的政策。与单一行政手段的“外部约束”相比，环境经济政策是以“内在约束”力量，促进环保技术创新、增强环境污染企业的控制力度。具有执行力强、降低环境治理与行政监控成本低等优点。

绿色信贷政策评估是指利用社会科学的各种研究方法和技术，通过系统性收集政策执行及其效果等相关的信息，对绿色信贷政策的效益、效率、效果及价值进行判断的一种政治行为。政策评估对于改进政策制定系统，克服政策运行中的弊端和障碍，增强政策的活力和效益，为政策改进和制定新的政策，提高政策水平具有重要作用。概括地讲主要表现于以下几个方面：

（一）通过评估检验绿色信贷政策的效果、效益和效率

政策为目标服务，究竟有没有达到预期目标，产生预期效果，或产生了哪些非预期的连带的效果，这都需要我们通过科学的分析、论证，得出可靠的结论，以确定该项政策是否有好的效果，执行过程是否效率很高以及其效益所在。

（二）通过评估决定绿色信贷政策去向

绿色经济的深入发展要求与之配套的绿色金融政策的不断改进，随时抓住情况的变化，对政策做出继续、调整或终止的决定。都必须建立在科学、系统、全面的政策评估基础上。

（三）通过政策评估合理的配置资源

政府的政策资源的有限性，决定了政策评估的重要意义。只有通过政策评估，才能确认每项政策的价值，并决定投入各项政策的资源的优先顺序和比例，以寻求最佳的整体效果，以便有效推动政府各个方面的活动。同时，通过政策评估，也可以对照以往的政策资源分配情况，看其是否合理，总结经验，吸取教训，使政策活动优质高效进行。

（四）政策评估是公共决策科学化、民主化的必由之路

环境问题的特殊性决定环境的决策必须客观、公正和公开。随着社会的发展，各种新情况和新变化层出不穷，单靠传统的经验来决策已经应付不了日益复杂的决策问题。实践证明，经验决策必须向科学决策转变。通过评估得出的结论体现了科学性，为下一步的科学决策奠定了坚实的基础。因此，政策评估对于绿色信贷决策的科学化民主化是不可或缺的。

二、绿色信贷政策评估的主要分类

为了便于研究和实践，结合绿色信贷政策运行过程的程序，我们可以将绿色信贷政策评估划分为三种类型，即预评估、执行评估和后果评估。预评估是指政策执行之前的方案评估，旨在对设计的方案进行价值分析、可行性分析和后果预测分析；执行评估是指政策执行过程中的评估，旨在检视执行过程是否按原定政策方案进行，如果继续执行是否能达到预期目标；后果评估则是对政策执行后的产出和影响进行的评估，包括政策效益评估、效率评估和影响评估。

（一）绿色信贷政策预评估

信贷政策预评估是指对在一定时期内所制定绿色信贷政策的战略措施、方针、对策和行动原则与国家社会、经济和资源的持续发展目标聚合程度的评估分析。具体包括：

1. 与国家经济发展战略的吻合评估。经济发展战略是经济发展中带有全局性、长远性、根本性的总的构想。其基本依据就是考虑本国的经济、社会、科学技术、教育、文化等的历史和现状。在此基础上结合一段时期内形成国家经济、社会发展的目标与战略，绿色信贷政策必须以符合国家总体发展战略为基础。

2. 与国家产业经济政策的吻合评估。绿色信贷的作用是促进产业结构的调整，逐步实现产业结构的优化，协调社会、经济与环境的长期发展。根据国家产业政策对产业结构及经济增长方式转变的要求制定相应的绿色信贷政策，是绿色信贷政策的基本要求。

3. 与环境保护政策相吻合的评估。符合国家环境保护的目标与战略部署是绿色信贷政策制定的前置条件，绿色信贷政策的核心服务目标是为环境保护发展提供金融服务。绿色信贷政策的制定主要依据包括与环境管理政策、环境经济政策、环境技术政策、环境产业政策等。

4. 与国家财政金融配合程度的评估。财政与金融资源的优化配置是实行国家宏观调控的重要手段，绿色金融政策是财政金融政策之一。只有与经济政策之间的协调配合，发挥系统功能，绿色信贷的宏观调控才能真正取得实效。

（二）绿色信贷政策执行情况评估

把环境保护的具体措施、指标与绿色信贷的工作进行挂钩，形成一套与环境保护相关联的绿色信贷指标体系。具体包括环境战略落实评估、环境风险制度评估、环境组织建设的评估、环境工作流程的评估、环境人才评估、环境产品设计情况的评估和环境社会行为等的评估。

1. 环境战略落实评估。绿色信贷政策需要各商业银行的经营战略来加以落实和具体化，经营战略直接体现商业银行资金分配的方向及目标。通过评估一是考核各商业银行把绿色信贷、防范信贷风险政策融入各商业银行经营战略的程度，体现对绿色信贷政策认识的全面提升和落实。二是考核各商业银行经营方针中能否全面体现对国家产业经济政策的落实，把国家产业政策和环境保护政策作为“一票否决制”成为各商业银行信贷市场准入的基本条件。三是考核各商业银行把防范环境风险纳入各银行信贷风险管理体系。从战略的高度重视绿色信贷政策是考核各商业银行落实绿色信贷政策的基本出发点。

2. 环境风险评价制度建设的评估。制度是行为的规范，制度建设对政策的落实更带有根本性、全局性、稳定性和长期性。建设是绿色信贷政策落实的基本保证，根据绿色信贷政策的特点对各商业银行绿色信贷制度建设的评估应重点包括以下内容。一是管理制度建设情况。涉及绿色信贷政策落实组织管理系统基本框架的搭建，以保证管理秩序的稳定。二是管理规定建设。对绿色信贷专项工作涉及全组织或信贷专业系统内的工作所做出的具体要求。三是管理办法。对绿色信贷具体工作、操作步骤或对于一个具体的项目的管理所做出的要求。四是实施细则。对于组织管理系统内某一个管理制度的具体实施步骤所做出的具体规定。五是工作条例。组织内部局部性的或阶段性的工作所做出的系列化规定。自 2007 年绿色信贷政策颁布以来，各商业银行陆续出台专门针对绿色信贷工作的规则制度，为绿色信贷工作的深入开展奠定了较好的基础。但制度建设参差不齐，水平不一、内容不一。绿色信贷制度急需完善。针对制度建设的评估正当时。

3. 环境组织建设的评估。一是组织结构评估，构建相应的组织框架，形成有效的分工配合机制，将所有与可持续发展相关的管理和业务部门都纳入该体系。二是职责明确，比如董事会负责决定环境与社会风险管理战略、发展方向和计划；高级管理层根据董事会授权及要求，统筹负责环境与社会政策制定，并负责审批环境与社会相关目标、指标和方案；信用业务相关部门依据环境与社会风险管理政策等相关规范，具体履行环境与社会责任。同时，是否成立绿色信贷工作领导小组，负责绿色信贷工作的统一领导等。

4. 环境工作流程建设的评估。是在信贷流程操作层面，提高流程合规性与可操作性，包括对适用绿色信贷的项目融资增加环境与社会风险审查环节，加强贷后监测的有效性以控制风险，将适用绿色信贷的项目融资贷后环境与社会风险监测情况纳入风险提示，并依此酌情调整项目信用业务风险分类和借款人信用评级等。

5. 环境风险授信系统建设评估。针对企业环境信用情况进行信贷等级的划分，既是商业银行落实环境各项经济政策的具体体现，也是银行控制环境风险的有效手段。商业银行环境风险授信系统建设评估非常重要。

6. 环境人才评估。人才是事业发展的基础，绿色人才的培养应纳入各商业银行的政策落实评估之中，如人才的总量、结构、培训的次数、质量等。

7. 环境产品设计情况的评估。产品是政策实施的载体，产品和服务创新需要融入环境及社会责任理念。在吸收传统信贷产品的成功经验基础上，向企业提供投资理财、财务顾问、结构化融资、融资租赁等金融业务，为节能环保企业在项目建设、项目改造和正常经营方面提供全方位的金融支持，并最大限度地吸引顾客，兼顾经济效益和社会效益。

8. 绿色行为评价。环境保护参与度评价，主要是为考核商业银行参与环境保护体现社会责任而参与的社会公益活动效果的评价。具体包括：①参与环境保护大型活动，重点考核举办或参与省、市、县三级大型环境保护活动的次数及影响力。②积极支持环境保护事业，各商业银行对社会公布对环境保护政策执行备忘录，由社会公众以投票方式进行评价。

9. 绿色产业支持评估。在绿色信贷标准的基础上，要对各商业银行针对绿色产业信贷的发放情况进行具体评价。此项指标具体体现各商业银行利用信贷资源对绿色经济发展的支持力度。具体可由以下指标构成。一是绿色信贷发放的总量指标，此数据是根据绿色信贷产业指导统计表根据分类数据汇总而成，重点用作各金融机构绿色信贷的横向对比分析。二是绿色信贷发放的结构占比，通过结构占比的分析，可以分析该行对绿色产业结构调整及发展的支持状况。三是总量及结构增长率的分析，此项指标考核各商业银行绿色信贷的动态发展情况，指标的高低可以直接反映该行绿色信贷未来的发展趋势。

10. 环境污染企业控制状况评估。通过银行信贷资金的控制是对企业环境污染行为的源头控制。绿色信贷政策体现国家产业政策发展的要求，根据绿色信贷指导目录，把各商业银行信贷业务划分为三类，A 类为信贷支持；B 类为有条件的支持；C 类坚决退出类。可分别对三类信贷发放情况进行四项指标的统计分析，一是总量分析；二是结构分析；三是增长或降低率分析；四是退出率分析。此类指标在整个考评体系中占有最重要的位置。

（三）绿色信贷执行效果的评估

主要是指用于判断由于绿色信贷政策的具体实施对社会、经济及环境所产生的影响与政策目标的实现程度所作出的总体评价。绿色信贷政策执行效果评估首先需要根据政策目标确定政策的指标或指标体系；其次是要分析该效果与政策的关系。具体包括社会发展、经济发展评价、环境改善和金融环境改善等的评估。

1. 绿色信贷政策实施与社会发展的评价。主要评估由于绿色信贷政策的具体实施对社会的稳定与和谐所产生的作用。

2. 绿色信贷政策实施与绿色经济发展的吻合评价。评估绿色信贷政策对绿色经济发展的贡献。

3. 绿色信贷政策实施与环境改善的效果评估。具体评估绿色信贷政策的实施与国家或区域环境改善之间的关系。

4. 绿色信贷政策实施与银行经营环境改善的评估。具体评估由于环境风险评价制度的实施对商业银行经营环境改善的程度，为商业银行创造良好的经营环境的贡献。

三、绿色信贷政策评估主体及方法的选择

评估主体的选择是绿色信贷政策评估的首要环节，只有评估主体选择适当，才能保证评估结果的客观、公正、全面和有效。评估主体必须具有独立性、广泛性和代表性。独立性要求评估主体能在自己的立场上对评估对象的绩效进行测定；广泛性要求评估主体结构应该涵盖评估对象的各个利益相关者；代表性要求能有效控制评估者的数量，避免评估样本太大，影响评估质量。本文认为，为了确保绿色信贷政策实施效果评价结果的客观、公正，绿色信贷政策实施效果评价体系的主体应由以下三部分构成。

（一）负责绿色信贷政策实施效果评价的政府机关

环境保护部门职责是负责环境保护的监督、管理与协调工作；人民银行是负责货币信贷政策的监管部门；银监会是对全国银行业金融机构及其业务活动实施监督管理。三部门应通过跨行业的合作，共同承担起绿色信贷政策执行效果评估的责任，以提高绿色信贷政策的宏观调控效果。

（二）具备绿色金融素质的专家、学者

绿色信贷政策是一项专业性非常强的工作，涉及多学科知识的综合运用。特别是在绿色信贷专业信息的统计分析阶段，如借助现代数学中的模糊分析方法，建立科学、合理的指标体系和评估模型，定量分析绿色信贷政策的实施效果。

（三）具有专业判断能力的社会组织

环境保护涉及的利益主体较多，为能充分表达社会各方利益的诉求，充分发挥各层环保组织在政府与社会之间的桥梁和纽带作用，共同参与环境事业，加强社会监督，维护公众环境权益，协助和监督政府实现国家环境保护目标，为各级政府及其有关行政主管部门提供决策建议。主要负责解决一些技术上的难题，协同政府部门确定指标、标准，对各参与单位绿色信贷政策实施效果进行分析、评价。

（四）社会公众

社会群体多元化以后，独立和中立的政策研究，在论证政策基础和价值方面对于公众更有说服力。环境保护与生态文明建设是全社会的事业，必须紧紧依靠人民群众，调动一切积极因素，进一步形成了全社会共同参与、共同行动、合力推进环境保护的良好局面。社会公众参与对绿色信贷政策实施效果进行评价，是健全公众参与机制的具体表现。要公开环境质量、环境管理、企业环境行为等信息，维护公众的环境知情权、参与权和监督权。信贷资源的分配和使用是否有效率，在很大程度上取决于能否充分反映社会公众的需要，绿色信贷政策实施效果的评价过程中应该通过调查获得公众的满意度信息，检查信贷的实际效果是否符合公众需要。

（五）评估方法的选择

绿色信贷政策的评估是一项长期的系统工程，针对不同的评估内容应选择不同的评估方法，像社会调查法、定性和定量化技术、对比分析法、预测分析法和经济评估方法等。在评估的不同

阶段可重点使用 1 ~ 2 种方法，如在评估信息的处理阶段，信息处理的目的对搜集到的评估信息整理、分类、统计和分析，使评估信息能系统而完整地反映评估对象的基本特征，进而得出有充分说服力的评估结论。所搜集到的评估信息一般有两种：一是定性评估信息；二是定量评估信息。对定性信息可采用专家分析法、综合分析法；对定量信息可采用权重分析法或模型分析法。进而进行科学的分析和论证并进行评估。此外，信息处理系统能对评估质量进行控制和改进，并检验评估中可能出现的各种偏差，运用统计和其他方法来估计偏差对评估结果的影响信息处理，以提高评估的准确度。

四、绿色信贷政策评估管理系统的建立

绿色信贷政策评估评价是一项牵涉面广、评估技术难度较高的工作，因而建立一套完整的具有法律效力的办事规程或行为准则，是开展绿色信贷政策评估的前提。建立绿色信贷政策评估管理系统应考虑如下几个方面：

（一）评估机构的管理

要建立专业的评估组织机构，负责绿色信贷政策评估的整体管理工作。并逐步使评估机构设立科学化、合理化。其中关键是要明确和落实评估机构的职责。

（二）明确评估程序

绿色信贷政策评估本身就是一个过程，评估程序是否规范直接影响评估的质量，必须结合绿色信贷政策评估本身的具体特点，通过周密研究评估目的、评估对象、评估方法等多方面的情况，对评估程序进行设计和论证，以使评估工作按一定规范的程序进行。此外对评估的各个阶段都要加强质量管理，建立各阶段评估质量标准，对各环节工作之间的平衡协调、人员的组织、各项工作之间的交叉、衔接都要到位。

（三）建立绿色信贷政策评估信息系统

评估信息采集就是评估者运用科学的方法，按照评估标准系统、全面、准确地搜集评估信息。首先，确定信息源，根据评估内容的要求信息源可分为自我评估信息、群众评估信息、监管机构评估信息和社会评估信息。在搜集评估信息时，一定要全面考虑各种评估信息源，准确、高效地搜集各种评估信息。其次，绿色信贷政策评估信息具有信息量大、信息来源广的特点，具有针对性的选用搜集评估信息的技术和方法，减少评估信息的误差，从而提高评估信息的质量。

（四）建立绿色信贷政策评估发布系统

要建立一个多角度、全方位的绿色信贷政策评估的信息发布系统，一是要实现跨政府机构、部门之间进行协同和分享信息，不断提高绿色信贷政策评估信息公开的效率和水平，创造一个公正、公开、公平的信息公开环境。二是要建立一个包括互联网、电视、电台、报刊等多角度的绿色信贷政策评估信息发布渠道。形成一个全社会参与环境保护的互动局面。

评估是为更加优化政策的制定。促进经济增长方式的转变和产业结构优化升级、推进节能减排和生态文明建设，构建一个社会、经济与自然相协调新的发展模式，将成为现阶段绿色信贷政策制定与评估的基本目标。

参考文献

[1] 蔡守秋．环境政策学［M］．北京：科学出版社，2009.

[2] 宋国君．环境政策分析［M］．北京：化学工业出版社，2009.

[3] 赵晓菊．信用风险管理［M］．上海：上海财经大学出版社，2008.

[4] 戴国强．商业银行经营学［M］．北京：高等教育出版社，2008.

提高绿色竞争力：从企业到国家

潘 文 王金南 张战胜

（中国环境规划院 北京 100012）

摘 要 中国的经济增长是以牺牲环境和对资源、能源的过度消耗为代价的。要提高中国的绿色竞争力，必须落实科学发展观，建设资源节约型、环境友好型社会。本文阐述了绿色竞争力的概念，分析了中国在绿色竞争力方面的差距。从企业和国家两个层面上指出提高绿色竞争力的必要性及其主要途径和措施，引入绿色距离的概念对国内地区间的绿色竞争力水平差异进行了分析。提出实施绿色发展战略是提高绿色竞争力的重要保障。

关键词 绿色竞争力 绿色距离 绿色发展战略

近些年来，我国的经济取得了突飞猛进的发展，但是，我国在经济发展上粗放型的增长方式给环境造成了严重的损失，中国的经济增长是以牺牲环境和对资源、能源的过度消耗为代价的，绿色竞争力非常低。要提高中国的绿色竞争力，必须落实科学发展观，建设资源节约型、环境友好型社会。本文从企业和国家两个方面体现绿色竞争力的必要性，提出了提高企业、国家绿色竞争力的主要途径和措施。

一、绿色竞争力：从企业到国家

从竞争力的演变历史来看，企业的竞争力分为原始竞争力、黑色竞争力、现代竞争力和绿色竞争力几种。其中原始竞争力比的是要素成本。黑色竞争力是拼资源、拼环境、拼人力。现代竞争力指的是科技创新、自主创新、环境友好。而企业的绿色竞争力是指把环境作为企业生产函数的一个要素，考虑产品全过程的污染排放、资源能源利用效率、产品服务的环境友好型等形成的竞争力。衡量企业绿色竞争力的指标主要有能源效率、资源效率、水资源效率、产品的环境友好型和企业的环境形象等。企业要提高绿色竞争力就必须走新型工业化道路，发展循环经济。破坏环境就是破坏生产力，降低企业的绿色竞争力；改善环境就是提高生产力，提高企业的绿色竞争力。因此，企业要树立“环境是资产、资源、资本”的观念，环境的“三资”性是企业绿色竞争力的所在。

国际社会非常关注中国的“绿色增长”和“绿色发展”。亚洲经济快速发展，尤其是中国经济发展成就引起了世界的关注。2005 年 3 月联合国第五届亚太环发部长会议在汉城召开，会议通过了《环境与发展部长宣言》，并提出了旨在推动亚洲地区向“绿色增长”模式转变的《绿色增长汉城倡议》，中国作为负责任的发展中大国，应该在“绿色增长”方面为亚太广大发展中国家作出表率。而绿色增长的核心是国家绿色竞争力的提高。根据 2004 年瑞士洛桑管理学院公布的《全球竞争力年鉴》中若干国家的国际竞争力对比，可以看出经济绩效对我国竞争力的贡献非常大，中国的竞争力基本体现为旺盛的经济活力，尤其是 GDP 持续增长的能力极强，这多少掩盖了基础设施和管理效率等方面的不足。中国的竞争力表现具有很强的“GDP”属性。要提高中国的绿色竞争力，必须在以下四个方面进行完善：一是在经济绩效方面，要实现与环境绩效协调双赢；二是在政府效率方面，要源头控制，实施绿色决策；三是在企业效率方面，要提高资源效率，提高环境绩效；四是在基础设施方面，要做到环境服务，绿色高效。

二、中国在绿色竞争力方面存在很大差距

（一）中国绿色竞争力与世界的差距

从2003年中国经济发展的情况来看，中国还基本上沿用了传统的“两高一低”，即高消耗、高污染、低产出的发展模式。2003年中国消耗了世界34%的钢材、40%的水泥、40%的煤炭、21.9%的劳动力，但产出用传统GDP来衡量，只占全球GDP的4%左右。同期污染物排放，如二氧化硫，占到全球的31%，二氧化碳占到全球的14%。中国的资源和能源利用效率以及单位产出的污染物排放水平与发达国家相比，还有很大的差距，这些差距也就是提高中国绿色竞争力的潜力。以1万美元GDP的能源消耗为例，中国的能源效率只有日本的十二分之一。中国的水资源效率也是很低的，即使考虑汇率的影响，中国1万美元的水资源消耗是1407m^3，相应的英国只有77m^3，差距是非常明显的。从排放绩效来看，中国单位GDP氮氧化物、二氧化硫排放量是OECD国家的8~9倍。这些都说明中国在绿色竞争力方面还存在很大差距。

（二）中国的发展成本和环境成本很高

中国的发展成本也明显高于世界平均水平25%，这高出的原因其中管理不善占4%，结构不合理占4%，环境污染占7%，环境先天脆弱则占到10%。这其中环境因素占主要部分。1997年世界银行曾经做过一次估算，估算的结果是中国空气和水污染损失占到GDP总值的8%左右，当然中国国内许多的学者也对这个研究结论有争议。最近中国科学院也做过粗略测算，2003年环境污染和生态破坏造成的损失占GDP总值的15%左右。中国在扣除环境成本后，GDP属性的贡献降低，国际竞争力大打折扣。在人均国民财富最高的前10个国家和人均国民财富最低的10个国家排名中，瑞士人均财富最高，人均国民财富为648 241美元，人均自然资源资本为5943美元。中国的人均国民财富在世界排第91位，人均国民财富仅为9387美元，人均自然资源资本只有2223美元。

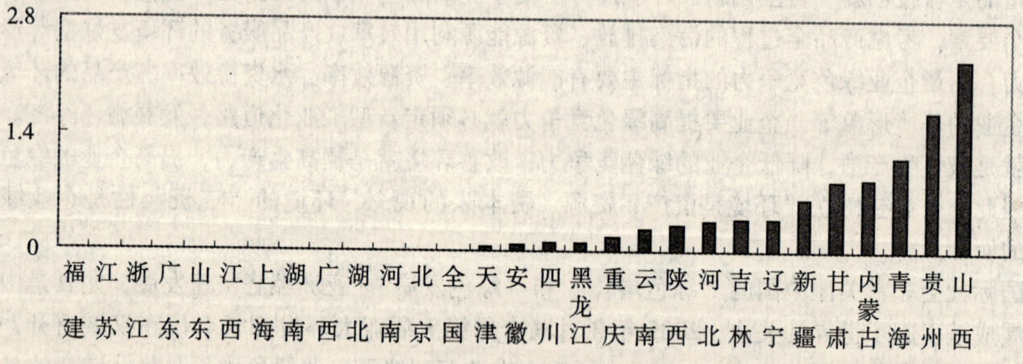

图1　2003年地区能源消耗强度绿色距离比较

资料来源：中国能源统计年鉴（2000—2004）；中国统计年鉴2004

（三）地区绿色竞争力存在很大差异

地区之间的绿色竞争力也存在很大的差异，为了对地区绿色竞争力水平差异进行比较，引入了绿色距离这个概念，绿色距离是指假定达到生态省（或生态市）目标指标的地区的经济就是绿色经济这样一个前提下，一个地区的环境经济指标（如万元GDP能耗强度、水耗强度、COD和SO_2污染排放强度等）与生态省（或生态市）标准之间的相对距离。鉴于数据资料的可得性，本文以2003年数据为基础，以万元GDP能耗强度、水耗强度等四个指标对31个省市绿色距离分别作比较。从图1对各省市的能源消耗绿色距离比较，可以看出能耗绿色距离为零的省份已经达到或者低于生态市能耗标准，基本实现了单位GDP能耗的绿色变迁，而从天津到山西这16个省市超过了生态市能耗标准，单位GDP的能耗与绿色能耗还有一定的差距。对于水资源消耗，

由图2可以看出，除天津、北京两市之外，全国大部分地区的水资源消耗超过生态市标准。说明全国水资源利用总体水平不高，需要大力提高水资源利用效率。

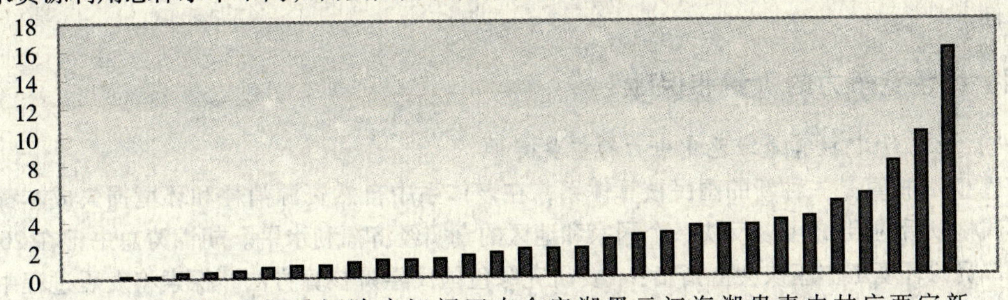

图2 2003年地区水资源消耗强度绿色距离比较

资料来源：中国水资源公报2003；中国统计年鉴2004

三、提高绿色竞争力的主要途径

（一）提高企业绿色竞争力

提高企业绿色竞争力主要有以下几个途径：生命周期管理与生命周期设计；生态工业与生态服务；清洁生产与循环经济；ISO 14000与环境标志产品；生产者责任延伸；用户友好与环境友好；社会责任感与企业绿色形象；环境友好（节材、节能、节水、节地）、无害环境。企业的绿色竞争力可以通过企业环境会计来表示。国际上主要有企业环境报告制度（可持续发展报告）、企业环境会计、绿色会计、企业环境审计、资源效率审计等；一个具有绿色竞争力的企业应该是具有社会关怀责任的企业，自觉做到生产者责任延伸，全过程解决环境问题。

（二）提高国家绿色竞争力

由环境污染与经济发展的库兹涅茨曲线（Kuznets）可以看出发达国家基本上人均GDP达到1万美元之后，才越过污染的高峰。新兴的工业化国家，越过高峰的时间是人均GDP达到7000美元左右。从中国的情况，尤其是东部一些省市的情况来看，越过这个高峰大概是人均GDP在2000~4000美元。我国环境与发展正处在关键时期，能否利用后发优势实现跨越发展，关键在于处理好环境与发展的关系，尽早跨越污染高峰。根据我们的研究，到2020年中国经济总量在现有基础上再翻两番时，如果要保持污染物排放量不变，那么单位GDP的污染负荷必须下降4~5倍。在这样的情况下，国家要提高绿色竞争力，必须翻越两座“高山”：第一座是“资源高山”，也就是说万元GDP的能耗强度必须从2000年的1.46下降到2020年的0.57，万元GDP的水耗强度必须从2000年的6.15m^3下降到2020年的1.2m^3；第二座高山是“环境高山”，要穿越这座高山万元GDP的COD排放强度必须从2000年的22.3kg下降到2020年的5.58kg，万元GDP的SO_2排放强度必须从2000年的16.2kg下降到2020年的4.05kg。

（三）建设环境友好型社会

环境保护的根本是世界观的改变，环境保护是先进生产力的体现，中国环境保护经历了由破坏到保护再到改善的过程。建设环境友好型社会体现了国家执政理念、社会理念、环保理念和自然观的转变。环境友好型社会的经济发展、经济布局、消费观念必须是环境友好的。环境友好型社会的实践体现在以下几个方面：一是大力推广绿色产品、环境标志产品、节能节水产品、有机食品；二是积极创建绿色之家、节约之家、2S2R家庭；三是在企业层面上开展环境友好型企业、ISO 14000认证、清洁生产、生态工业园区、生产者责任延伸；四是在政府层面上开展环境友好型政府、绿色办公，建立绿色采购制度；五是在社会层面上开展绿色社区、绿色学校、生态村、环境优美乡镇、生态示范区、生态县、生态市、环境保护模范城市、生态省、循环经济试点省等创建活动。

四、绿色竞争力的衡量和保障

（一）绿色 GDP 核算是绿色竞争力的重要衡量

绿色 GDP 核算是一种新的国民核算体系，在该体系中自然资源消耗和环境损失成本都已经扣除，调整以后的 GDP 可以反映一个国家和地区的真实经济福利水平。胡锦涛总书记在 2004 年中央人口资源环境工作座谈会上指出："要研究绿色国民经济核算方法，探索将发展过程中的资源消耗、环境损失和环境效益纳入经济发展水平的评价体系，建立和维护人与自然相对平衡的关系。"发达国家环境污染和生态破坏的损失成本很小，因此一般不太关注绿色 GDP 核算，而比较关注环境经济核算和实物量核算。中国经济增长还在延续传统发展模式，因此建立绿色 GDP 核算具有更现实的意义。绿色 GDP 核算与绿色竞争力的关系是绿色 GDP 越高，自然资源消耗和环境损失成本越低，经济发展和 GDP 增长的可持续发展力越强，国家的绿色竞争力就越强。因此，绿色 GDP 核算可作为衡量绿色竞争力的重要工具。

（二）实施绿色发展是提高绿色竞争力的重要保障

绿色发展是环境与资源可持续的、人与自然和谐相处的、环境作为内在生产力的一种发展模式。在绿色发展中，环境不仅是一种发展生产力，而且也是一种国际竞争力的体现。绿色发展把环境因素纳入生产率函数中、反映在 GDP 核算中，是绿色竞争力的直接体现。中国要实现绿色发展增长，实现人与自然和谐相处，具体应实现以下四个方面的转变：一是从"高资源消耗、高污染排放、低经济效益"的"两高一低"发展模式，转变为"资源消耗少、环境污染小、经济效益好"的"两低一高"模式；二是从以牺牲环境为代价追求经济增长的"黑色经济"，转变为经济增长与环境保护协同增效的"绿色经济"；三是人与自然的关系从对资源掠夺式开发、对生态环境破坏严重的"生态侵略"，向"自然和谐"转变；四是通过大规模的生态建设修复受损的生态环境，从"生态赤字"向"生态盈余"转变。

参考文献

[1] 王金南，田仁生，洪亚雄．中国环境政策（第一卷）［M］．北京：中国环境科学出版社，2004：125－142.

[2] 国家统计局．中国能源统计年鉴（2000—2003）．北京：中国统计出版社．

[3] 国家统计局．中国统计年鉴（2000—2004）．北京：中国统计出版社．

[4] 王金南，李勇，曹东．关于地区绿色距离和绿色贡献的变迁分析［J］．中国人口·资源与环境，2005，15（6）：3－7.

二、环境影响评价

论清洁生产和循环经济在工业园区规划环评中的应用

杨长喆　陈　超　薛宝永

（天津市环境保护技术开发中心　天津市南开区复康路17号　300191）

摘　要　规划环境影响评价是实现区域可持续开发建设的重要工具，该文对工业园区规划环境影响评价的特点进行了分析，探讨了清洁生产和循环经济框架模式在天津某工业园区规划环境影响评价中的应用。

关键词　清洁生产　循环经济　工业园区　规划环评

规划环境影响评价是实现区域可持续开发建设的重要工具。发展循环经济是实现可持续发展战略的重要方式，在区域开发特别是工业园区开发活动中应体现循环经济理念，大力发展循环经济。从资源开采、生产消耗、废物利用等方面充分考虑资源的综合利用和循环利用，以尽可能小的资源消耗和环境代价实现尽可能大的区域经济效益和社会效益[1]。

本文对工业园区规划环境影响评价的特点进行了分析，探讨了清洁生产和循环经济框架模式在天津某工业园区规划环境影响评价中的应用。

一、工业园区规划环评的特点

工业园区是指以工业为主，在某一片土地上集中了若干工业企业的区域。工业园区的建设推动了地方经济的发展，但是也产生了一些问题，主要表现在：企业各自为政、缺少统一规划，造成资源浪费，成本提高，废弃物增多等。

与一般的规划环评对比，在工业园区规划环评审查中，重点审查园区产业定位、产业布局以及产业调整和产业链延伸，从而避免园区资源综合利用水平低，产品的附加值低，不符合循环经济发展的要求。在工业园区规划环评中，循环经济和清洁生产在园区规划中的应用可提高园区入园企业水平，有利于工业园区产业结构的调整。

二、循环经济与清洁生产的关系

循环经济起源于工业经济，其核心是工业物质的循环。传统工业社会的经济是一种单向流动的线性经济，从物质流动的方向看，是“资源—产品—废物”。这种模式下的经济增长，依靠的是高强度的开采和消耗资源，严重地破坏生态环境，其特征是“高开采、低利用、高排放”。循环经济倡导在物质不断循环利用的基础上发展经济，建立“资源—产品—再生资源”的新经济模式，以彻底改变“资源—产品—废物”的直线、单向流动的传统经济模式，其特征是“低开采、高利用、低排放”，采用的措施是“减量化、再利用、再循环”（“3R”原则），即在生产和生活过程中充分利用物质和能源，将各项物质资源，经循环利用、再利用，使废物消灭在再生产之中，从而把经济活动对环境的影响降低到尽可能小的程度。

循环经济的具体活动主要集中在三个层次：企业、企业群落和国民经济范畴。

（1）企业要推行清洁生产，将整体预防的环境战略持续应用于生产过程之中，以增加生态效率和减少人类及环境的风险。

（2）企业群落要在各企业实行清洁生产的基础上，按照自然生态学原理，对企业之间的物质、能量和信息进行综合集成，建立企业与企业之间废物的输入输出关系，形成良好的产业链或者网络。

（3）在国民经济层次上，当前主要是实施生活垃圾的无害化、减量化和资源化，即在消费过程中和消费过程后实施物质和能源的循环。

三、清洁生产在工业园区规划中的应用

循环经济建设应立足于各企业，首先推行清洁生产。清洁生产是将整体预防的环境战略持续用于生产全过程中，以期减少对人类和环境的污染。

（一）建立清洁生产水平准入制度

入区企业必须符合国家及行业产业政策。国务院经济贸易行政主管部门会同国务院有关行政主管部门制定并发布限期淘汰的生产技术、工艺、设备以及产品的名录和国家环保总局发布的2008年第一批“高污染、高环境风险”产品名录，工业园区应参照目录严格实行。按照高标准、高效率的发展要求，园区应引进一些少污染、无污染的企业，本着“清洁生产，源头控制”的原则，对入区企业原材料使用、资源使用、污染物产生的情况进行评估，要求入区企业采用的生产工艺和污染治理工艺至少属于国内先进的。

（二）节约用水，提高水的利用效率

工业园区应积极采取有效的节水措施，减少水资源的消耗。入区企业应采用先进的工艺和管理手段减少水耗，节约用水。

根据《节水型城市目标导则》和《节水型企业（单位）目标导则》，入区企业用水应达到表1的要求。

表1　入区企业用水指标

序号	指　标	入区企业标准
1	工业用水重复利用率	≥75%
2	间接冷却水循环	≥95%
3	工艺水回用率	≥50%
4	万元产值取水量递减率	≥5%

（三）建立清洁生产审核制度

园区应定期组织对区内企业进行清洁生产审核，清洁生产审核是一种对污染来源、废物产生原因及其整体解决方案的系统化的分析和实施过程，其目的旨在通过实行预防污染分析和评估，寻找尽可能高效率利用资源（如原辅材料、能源、水等），减少或消除废物的产生和排放的方法，是组织实行清洁生产的重要前提，也是组织实施清洁生产的关键和核心。持续的清洁生产审核活动会不断产生各种清洁生产方案，有利于组织在生产和服务过程中逐步的实施，从而使其环境绩效实现持续改进[2]。通过清洁生产审核，达到以下几点要求：

1. 核对有关单元操作、原材料、产品、用水、能源和废物的资料；

2. 确定废物的来源、数量以及类型，确定废物削减的目标，制定经济有效地削减废物产生的对策；

3. 提供对由削减废物获得的效益的认识和知识；

4. 判定组织效率低的瓶颈部位和管理不善的地方；

5. 提高组织经济效益、产品和服务质量。

园区管理部门，对于通过清洁生产审核的企业要授予一定的标志，并且鼓励其他的企业进行审核。

（四）其他清洁生产方法

1. 采用无毒、无害或低毒、低害的原料，替代毒性大、危害严重的原料；采用资源利用率

高、污染物产生量少的工艺和设备，替代资源利用率低、污染物产生量多的工艺和设备；对生产过程中产生的固体废物、废水和余热等进行综合利用或循环使用；采用能够达到国家或者地方规定的污染物排放标准和污染物排放总量控制指标的污染防治技术。

2. 各种原材料实施绿色包装，减少包装原料的消耗。

3. 设立垃圾分类回收装置，积极回收消费者的废物。

4. 选用自动化程度高的设备，有效控制工艺参数，使物料、能源都处于平衡状态，最大限度地减少原材料、能源的浪费。

5. 企业进行职工岗位培训，严格工艺操作管理规程。集中技术人员对车间生产进行有针对性的实地调查分析，修订车间操作规程和技术文件，制定考核制度；对有关人员进行培训，严明工作纪律，并制定相应的奖惩措施。

6. 园区与企业照明开关采用分开关控制，节约用电，灯具选用高效节能灯等。

四、循环经济在工业园区规划中的应用

循环经济的核心内容是产业的生态化[3]。循环型工业是发展循环经济的主体，其核心是以资源—生产—再生资源循环模式为导向，通过工业系统结构的生态重组，推动工业系统的生态化质变，向可持续的工业即生态工业体系演进。

（一）废物资源化分析

园区在建设过程以及项目选择和项目安排过程中充分考虑废物的资源化问题，尽量提高各项目间的资源重复利用，入区企业应遵照《资源综合利用目录（2003 年修订）》进行资源的综合利用，在发展经济的同时尽量减少污染物排放总量。

建立包括产品的制造、运输、销售、维护以及产品报废后的回收、再利用的一体化企业产品服务体系，从环境伦理角度明确企业进行产品回收的责任和进行废物再利用的义务。

园区应对入区企业固废综合利用提出要求，入区企业固废综合利用率不得低于行业平均水平。按照《天津生态市建设规划纲要》的规划指标，全市工业固体废物处置利用率 >98%，因此，园区内固废综合利用率应达到98%。

（二）水资源利用效率分析

随着经济和社会的不断发展，水资源短缺的矛盾将日益突出，水资源是工业园区的一个潜在的限制因素。提高水资源利用效率，对工业园区的发展具有重要意义。

1. 污水深度处理和再生水回用

对处理程度要求不高的冲厕用水、生态补水、工业用冷却水和工艺低质用水，城市污水处理厂一级 B 处理出水只需稍加处理即可以满足《城市污水再生利用——城市杂用水水质》（GB/T 18920—2002）、《城市污水再生利用——景观环境用水水质》（GB/T 18921—2002）、《城市污水再生利用——工业用水水质》（GB/T 19923—2005）水质要求，处理工艺简单且成本很低。

该工业园区集中供热规模较大，锅炉补给水需求量较大，完全有条件通过污水再生利用，开辟第二水资源。另外园区部分企业也可使用再生水替代掉部分优质新鲜水资源，对缓解天津地区水资源紧张情况具有一定意义。行政办公区和配套居住区生活用水中冲厕用水约占 30%，这部分水可使用再生水；绿化及道路喷洒用水可全部使用再生水。再生水资源也可作为集中供热锅炉房循环冷却补水，以节约水资源，改善水环境质量。

规划当中未提出再生水的回用，因此建议该园区远期应当大力推广再生水回用，提高再生水的回用率，缓解水资源短缺的问题，从而保证评价区及周边地区的可持续发展。

2. 生活节水的节水方式

对于生活节水工作，可通过以下方式进行：

（1）积极推广节水器具（如节水龙头、节水便器），减少用水环节的跑、冒、滴、漏；

（2）加强供水管网技术改造，提高管网监测管理水平和手段，降低管网漏失率；

（3）建立健全节水和再生水回用工作的社会监督体系，多形式、多层次组织社会公众参与节水工作。

（三）园区循环经济模式

工业园区内建有工业企业，同时配套设施一般有供热锅炉房、污水处理厂、生活区等。通过建立园区的循环经济模式，该园区内的循环经济示意图见图1。

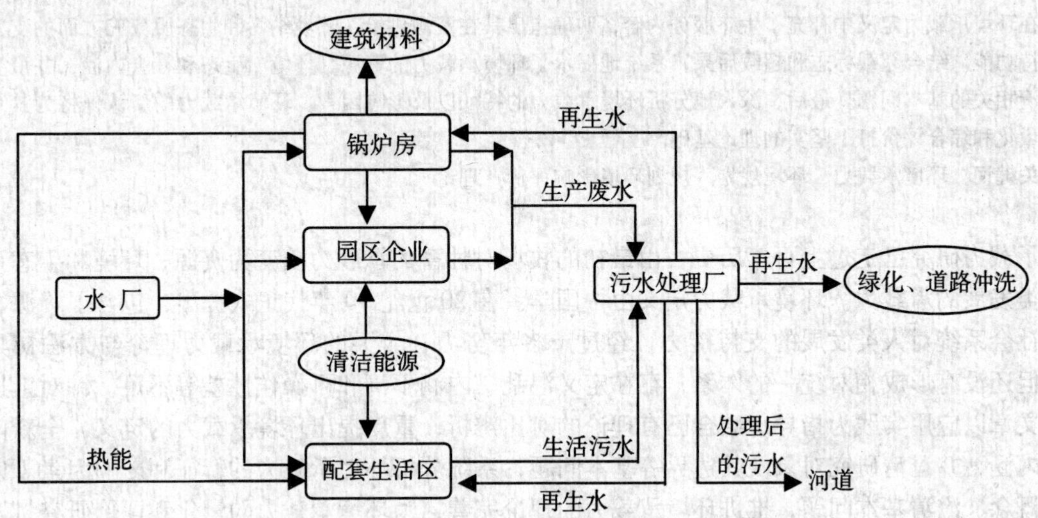

图1　工业园区循环经济示意图

五、对策与建议

目前，在工业园区规划环评中，尚未对循环经济的评价作出具体的要求，在规划环评过程中，可提出建立区域循环经济的可行性。在区域环境影响评价中贯穿循环清洁生产和循环经济的理念，围绕循环经济开展工业园区规划环评工作将成为工业园区环境影响评价的核心。

参考文献

[1] 吴波，李海生，王辉民，等．社会区域类环境影响评价［M］．北京：中国环境科学出版社，2007：303－306.

[2] 徐德辉，段宁，胥树凡，等．清洁生产审计培训教材［M］．北京：中国环境科学出版社，2001：28－32.

[3] 石磊，张天柱．贵阳市循环经济发展度量的研究［J］．中国人口·资源与环境，2005，15（5）：63－66.

环境承载力理论的新认识

刘仁志

（北京师范大学环境学院环境模拟与污染控制国家重点联合实验室 北京 100875）

摘 要 环境承载力仍没有形成统一的理论体系，推进其理论完善无论是对环境科学基础理论的发展，还是对环境规划、生态规划以及战略环境评价等实践都具有重要意义。基于理论和实践的分析，在环境承载力定义中补充了生态服务内容，明确指出其在资源供给、环境纳污和生态服务三方面的支持功能。结合超载标志和超载后果，系统地揭示了环境承载力的资源、环境、生态和社会内涵，并澄清相关的基本问题。最后，深入地分析环境承载力的特征以及影响因素。环境承载力的新认识将为其量化和综合评价打下坚实的理论基础。

关键词 环境承载力 环境规划 规划环境影响评价 理论

承载力研究已走过上百年历史，由最初的牧场对牲畜的承载力演变为资源、环境和生态系统对人类发展的承载力。环境承载力定义由中国学者在20世纪90年代正式提出，包含了资源、环境和社会系统对人类发展的支持能力。经过十多年努力，今天的环境承载力理论与方法初具规模，但还没有形成相对统一的体系，存在定义混乱、内涵不清和可操作性差等不足。针对上述问题，文章以应用实践为指导，结合已有理论的对比辨析，重新提出环境承载力的定义，全新阐述具体内涵，并澄清研究对象及其边界等基本问题，系统分析环境承载力的特征和影响因素。以期明晰概念、澄清基本问题，推进环境承载力的理论完善，为环境承载力的量化和评价研究打开突破口，为规划环境影响评价和环境规划提供理论基础。

一、承载力理论发展进程

承载力一词源自牧场对牲畜的供养能力，后发展为自然生态系统对生物的供养能力[1-3]，以后被Park等借用到人类生态学，认为可根据某地区的食物资源确定其可供养的人口数量[4]。Odum赋予了承载力数学含义，以Logistic公式中的常量K表达承载力大小[5]。随着“二战”后资源耗竭和环境恶化等全球性问题出现，日本学者率先提出环境容量概念，用以描述环境的纳污能力[6]，后在《增长的极限》一书中开始从资源和环境两方面考察对人口的承载极限。UNESCO和FAO强调承载力的资源供给属性[7]，逐步开展水资源[8]、土地资源[9]等对人口的供给能力研究。“环境承载力”一词早期出现在承载力的分类中[10]，1991年北京大学、清华大学等在《福建省湄州湾开发区环境规划综合研究总报告》中正式提出了这一概念，把环境容量和资源供给结合起来考虑[11]。沿袭这一思路，众多学者对环境承载力的概念、内涵、特征、表达方法等进行探讨[12-18]，奠定了环境承载力理论基础。

同时全球生态破坏问题逐渐提上议程。生态足迹研究[19,20]重点探讨资源能源消费是否在自然资本能够承受的范围内，即生态足迹是否在生态容量范围内。Arrow等指出生态恢复力在承载力表述中的重要作用，由此掀起了新的承载力研究热潮[21]。王家骥等和高吉喜随后提出不同的生态承载力[22,23]概念，使承载力的内涵进一步丰富。此外，承载力还被引入到其他领域，比如旅游承载力[24]、文明承载力[25,26]和社会承载力[27]等研究。近年来，承载力理论在环境[28]、水资源[29]、生态[30-32]等领域继续发展，环境承载力概念也正式写入2002年版的《中国大百科全书·环境科学》。承载力还拓展到人类活动属性较强的城市承载力[33]和城市生态系统承载力[34]。

基金项目：国家自然科学基金资助项目（40801229）

二、环境承载力定义辨析

“环境承载力”与知觉承载力和制度承载力共同构成承载力[10]，决定于土壤、坡度、植被、自然致灾因子、大气质量、水质量以及能源等[35]。其含义包括对环境污染和资源开发的承载能力。中国学者于1991年正式给出了环境承载力的定义，即“在某一时期，某种状态或条件下，某地区的环境所能承受人类社会经济活动的阈值”[11]。随后，该定义得到进一步的补充和诠释[13,16,36]，其实质是环境系统对人类活动的最大支持能力。另有部分学者把环境承载力限于环境纳污能力[23,28]。

理论上“环境”是以人类社会为主体的外部世界的总体，包括自然环境要素和社会环境要素[37]，是影响生物生存的一切要素的总和[38]。“环境系统”则是地球表面各种环境要素或环境结构及其相互关系的总和，它把人类环境作为一个统一的整体看待[37]，是大地理系统的组成[39]。环境承载力侧重与人类社会密切相关的水、大气、生物、土壤和岩石等环境要素的结构和功能，不但涉及单要素的资源与环境功能，还涉及生态服务功能。

实践上环境承载力研究要更好地服务于决策，必须要涵盖环境系统为人类活动提供的各种支持能力，包括资源的供给、环境的净化以及生态的调节、支持和娱乐等。当前环境规划和战略环境评价包括了对环境系统的资源分析、环境容量分析以及生态功能分析等，作为承载极限研究，环境承载力应当把生态服务能力纳入其中。

综上所述，环境系统对人类社会的支持能力都应当包括资源供给、环境纳污和生态服务三个方面。为此，这里把环境承载力定义为“在维持环境系统功能与结构不发生不利变化的前提下，一定时空范围的环境系统在资源供给、环境纳污和生态服务方面对人类社会经济活动支持能力的阈值”。环境承载力反映环境系统的结构和功能，是环境系统的客观属性，包括其对资源需求、环境需求和生态需求的支持能力。

环境承载力的新定义在传统定义[11]基础上增加了生态服务内容，并明确支持能力包括资源供给、环境纳污和生态服务等方面。与“承载力”定义相比，突出环境系统的支持能力，强调用支持能力阈值表征，而非像承载力强调用“人口数量”[4]或“人类活动强度、规模和速度”[16]表征。与“生态承载力”多种定义[20,22,23]相比，环境承载力的新定义对象为“环境系统”，而非“生态系统”（后者突出生态恢复力，在环境规划和规划环境影响评价中可操作性不强），并强调把资源供给、环境纳污和生态服务区分开，有利于全面把握环境系统的各种属性，增强实践中的针对性和可操作性。

三、环境承载力的内涵剖析

环境承载力是环境系统的组成与结构的外在功能表现，能够体现环境与人类社会经济活动之间的联系[13]。它是与人类活动压力相对应的概念，调和二者的矛盾正是可持续发展面临的主要问题，因此它是可持续发展下的承载极限。新定义揭示了环境承载力具有资源、环境、生态和社会的多维内涵。

（一）资源内涵

资源属性是承载力最早的基本含义。从牧场资源对牲畜的承载、草地资源对草食动物的承载[1-3]，到粮食资源、水资源和土地资源等对人口的承载[4,8,9]，均揭示了承载力的资源属性。环境承载力在资源维度上的含义是环境系统对人类需求（压力）的资源供给能力（承载力）。资源因其存储量和产出速度有限而存在着供给极限。资源开采量大于可开采量或发现量可作为资源维度上的超载标志。资源超载直接的后果是导致资源枯竭，自然资源在质和量上不断下降。间接的后果是加剧环境污染和生态破坏，在长期超载下，人类活动压力可能超过生态弹性力，最终导致环境系统的崩溃，引发系统的退化更替。

（二）环境内涵

环境属性是承载力随着环境恶化产生的含义。环境系统的物质在组成、质量和数量上的限定性决定了环境纳污能力的有限性，一般可用环境要素的环境容量来衡量。环境能否承载取决于污染排放（压力）和环境纳污（承载力）的比较关系。环境维度上的超载标志可用污染物排放量大于环境容量表示。环境超载直接的后果是导致大气、水体和土壤等环境要素的污染，系统功能下降，对人类健康形成威胁。间接的后果是引起污染性资源短缺，甚至引发生态破坏。环境污染相对生态退化而言，其影响是短期的，但环境要素如果长时期处于污染超重负荷状态，可能导致环境自净功能的完全丧失。

（三）生态内涵

生态属性是继生态危机出现之后赋予的新含义。环境系统具有如生态系统一样的各种生态服务功能，包括供给功能、调节功能、支持功能和文化功能[40]。考虑到资源供给和环境纳污已在资源维度和环境维度做了更全面的阐述，因此在生态维度上侧重指环境系统为人类提供的调节、支持和文化等生态服务。与资源供给和环境纳污不同，生态服务的限度更多的是一个可以通过努力达到的目标，而不是一个相对刚性的约束（阈值）。生态服务能力考察环境系统能够为人类社会提供多少生态服务，一般与生物群落类型[41]或土地利用类型[18]及其面积大小、结构等有关，其超载标志可用生态服务需求大于生态服务供给表示。生态超载将造成生态服务数量和质量下降，人均生态服务量减少。严重时，尤其是当生态破坏程度超出生态弹性力时，可能导致环境系统的崩溃，引发系统的退化更替。

（四）社会内涵

社会属性则是环境承载力隐藏的含义。环境承载力的社会维度指的是通过人类活动改变资源供给、环境纳污和生态服务能力，从而提高或减少环境承载力大小的能力。在一定发展水平下，人类社会支持能力是有限度的，实践中可采用社会、经济的相关指标简化表达。一旦这些指标满足一定目标，可认为环境承载力在社会维度上能够承载。同样社会支持能力的限度并非刚性约束（阈值），但一旦超载，导致各种环境问题不能得到有效解决，尤其是对于自然禀赋较差的国家或区域，如果不能及时、有效地提高环境承载力，其资源环境“瓶颈”将更早、更快出现，从而在快速增长后引发生态与环境灾难。当然，这里承载力的社会维度不是 Daily 等[27]所指的社会承载力、hardin[25]所指的文明承载力或 Godschalk 等[10]提到的知觉承载力和制度承载力，它侧重“提高承载力”的社会属性，不包括减轻环境压力的部分。

四、环境承载力的特征及影响因素识别

（一）特征

叶文虎等[13]、彭再德等[16]和唐剑武等[17]认为环境承载力具有客观性、变动性、可控性、实用性、区域性或时间性等特点，结合已有研究，从系统角度深入分析环境承载力的定义和内涵，可发现环境承载力具有如下主要特征。

1. 客观性

环境承载力是环境系统的客观属性，是在一定时空范围内和一定前提下的支持能力阈值，它是客观存在的，也是可以把握的。但环境承载力的衡量和评价可能包含主观性，选择不同的表达方法可能得出不同的环境承载力大小。

2. 多维性

环境承载力具有资源的、环境的、生态的和社会多维内涵，可视为一个多维矢量[17]。其中社会维度表达了对资源、环境和生态维度的支持。如果说资源、环境和生态维度是环境承载力的

内生变量，那么社会维度就是它的外生变量。

3. 区域性

环境承载力是属于一定区域环境系统的，其大小决定于该区域的资源、生态和环境等自然禀赋和一定的社会条件。同时由于系统的开放性，可能出现资源供给和环境污染的流动，如水资源、能源的跨区调动以及污染物的跨域扩散，导致其研究边界难以界定。

4. 动态性

承载力不是固定的、静态的[21]，因为环境系统自身的演变和社会进步影响着环境承载力的变化。可见，计算环境承载力的绝对值意义不大，而进行承载力的时空相对比较，尤其是承载力和压力的比较显得更有意义。

5. 可控性

环境承载力的社会属性决定它具有可控性。人类可通过技术进步、跨区域资源调配和生态建设等改变区域环境承载力，但改造生态环境的能力是有限的，而且环境系统也不允许无限制的改造，环境承载力的可控性具有一定限度。

（二）影响因素

出于对承载力的不同理解，以往的研究[21,36,42]未能区分环境压力和环境承载力的影响因素。为全面而又有区别地把握“压力—承载力”这对矛盾，以下分别给出环境承载力和生态环境压力的影响因素。

1. 环境承载力的影响因素

提高环境承载力主要从资源供给、环境纳污和生态服务等方面着手，基本影响因素包括：①科技进步，如资源开采、勘探技术和新能源技术的进步可提高资源的供给能力；②资源跨区调配，如能源和水资源的跨区调配可使资源匮乏地区的资源供给得到提高；③生态环境建设，如污染水体与大气的治理、生态破坏的恢复以及植被、湿地和自然保护区的建设等活动；④经济实力和环境保护投入增长，可提高社会对环境系统改善的支持能力。

2. 环境压力的影响因素

减轻环境压力主要从压力的形成和影响入手，基本影响因素包括：①人口和经济规模适量控制，从源头上减少资源消耗、污染排放和生态服务消费；②科技进步和管理水平提高，既可以提高生产和消费过程中的资源利用效率，也可以减少其污染排放强度；③生产与消费的方式、结构调整，有利于节约资源能源和减少污染排放；④环境基础设施建设，既能大幅削减区域生产、生活产生的污染物总量，又能提高资源的重复利用率。

五、结　论

环境承载力理论随着环境问题的相继出现不断发展。通过理论和实践分析，提出了对环境承载力定义、内涵、特征和影响因素等理论内容的新观点。指出环境承载力是“在维持环境系统功能与结构不发生不利变化的前提下，一定时空范围的环境系统在资源供给、环境纳污和生态服务方面对人类社会经济活动支持能力的阈值”，强调环境承载力除了资源供给能力和环境纳污能力以外，还包括生态服务能力。新定义比传统定义更丰富、明确，较“承载力”和“生态承载力”更具针对性和可操作性。它在资源、环境、生态和社会四个维度上的丰富内涵澄清了承载含义、超载标志与超载后果等基本问题。环境承载力是社会支持下的环境系统功能表现，具有客观、多维、区域、动态、可控等特点。它决定于环境系统的自然条件，主要受技术进步、环境保护投入、人类环境期望、资源跨境调配以及生态环境建设等因素的影响。人类活动压力超过环境承载力将导致资源短缺、环境污染和生态破坏，降低环境系统为人类提供的多种服务功能质量，严重时超过系统的恢复力，导致系统崩溃。以上理论完善对于后续研究至关重要，奠定了环境承载力的计算、指标体系设计、综合评价以及应用实践的坚实基础。

参考文献

[1] Bartels G B, Norton B E, Perier G K. An examination of the carrying capacity concept [A]. Range ecology at disequilibrium [C]. London: Overseas Development Institute, 1993, 89-103.

[2] Young C C. Defining the range: the development of carrying capacity in management practice [J]. Journal of the History of Biology, 1998, 31: 61-83.

[3] Price D. Carrying capacity reconsidered [J]. Population and Environment, 1999, 21: 5-26.

[4] Park R F, Burgess E W. An Introduction to the Science of Sociology [M]. Chicago: University of Chicago Press, 1921.

[5] Odum E P. Fundamentals of Ecology. Philadelphia: W. B. Saunders, 1953.

[6] 王华东，夏青．环境容量研究进展［J］．环境科学与技术，1983，1：32-36.

[7] UNESCO & FAO. Carrying capacity assessment with a pilot study of Kenya: A resource accounting methodology for exploring national options for sustainable development [R]. Paris and Rome, 1985.

[8] 唐其钊．新疆水资源及其承载力的开发战略对策［J］．水利水电学报，1989（6）：2-9.

[9] 封志明．区域土地资源承载能力研究模式刍议［J］．自然资源报，1990，5（3）：271-283.

[10] Godchalk D R, Parker F H. Carrying capacity: a key to environmental planning [J]. Journal of Soil and Water Conservation, 1975, 30: 160-165.

[11] 北京大学，清华大学，厦门大学，等．福建省湄州湾开发区环境规划的综合研究［R］. 1991.

[12] 曾维华，王华东，薛纪渝，等．人口、资源与环境协调发展关键问题之一——环境承载力研究［J］．中国人口·资源与环境，1991，1（2）：33-37.

[13] 叶文虎，梅凤桥，关伯仁．环境承载力理论及其科学意义［J］．环境科学研究，1992，5（Suppl.）：108-111.

[14] 刘殿生．资源与环境综合承载力分析［J］．环境科学研究，1995，8（5）：7-12.

[15] 崔凤军．环境承载力论初探［J］．中国人口·资源与环境，1995，5（1）：76-80.

[16] 彭再德，杨凯，王运．区域环境承载力研究方法初探［J］．中国环境科学，1996，16（1）：6-10.

[17] 唐剑武，郭怀成，叶文虎．环境承载力及其在环境规划中的初步应用［J］．中国环境科学，1997，17（1）：6-9.

[18] 冉圣宏，吕昌河，贾克敬，等．基于生态服务价值的全国土地利用变化环境影响评价［J］．环境科学，2006，27（10）：2139-2144.

[19] Rees W. Ecological footprints and appropriated carrying capacity: what urban economics leaves out [J]. Environment and Urbanization, 1992, 4: 121-130.

[20] Wackernagel M, Rees W. Our Ecological Footprint: Reducing Human Impact on the Earth [M]. Gabriola Island: New society Publishers, 1996.

[21] Arrow K, Bolin B, Costanza R, et al. Economic growth, carrying capacity, and the environment [J]. Science, 1995, 268: 520-521.

[22] 王家骥，姚小红，李京荣，等．黑河流域生态承载力估测［J］．环境科学研究，2000，13（2）：44-48.

[23] 高吉喜．可持续发展理论探索——生态承载力理论、方法与应用［J］．北京：中国环境科学出版社，2001.

[24] Saveriades A. Establishing the social tourism carrying capacity for the tourist resorts of the east coast of the Republic Cyprus [J]. Tourism Man, 2000, 21 (2): 147-156.

[25] Hardin G. Cultural carrying capacity: a biological approach to human problems [J]. BioScience, 1986, 36: 599-604.

[26] Seidl I, Tisdell C A. Carrying capacity reconsidered: from Malthus' population theory to cultural carrying capacity [J]. Ecological Economics, 1999, 31: 395-408.

[27] Daily G C, Ehrlich P R. Socioeconomic equity, sustainability, and Earth's carrying capacity [J]. Ecology Ap-

plied, 1996, 6: 991 - 1001.

[28] Progressive AE. Four township environmental carrying capacity study [E]. http://www.kbs.msu.edu/ftwrc/publications/Envcapacity.pdf, 2002.

[29] 龙腾锐，姜文超，何强．水资源承载力内涵的新认识［J］．水利学报，2004（1）：38－45.

[30] Monte - Luna P, Brook B W, Zetina - Rejón M J et al. The carrying capacity of ecosystems [J]. Global Ecology and Biogeography, 2004, 13: 485 - 495.

[31] 夏军，王中根，左其亭．生态环境承载力的一种量化方法研究［J］．自然资源学报，2004，19（6）：786－794.

[32] 王开运，邹春静，张桂莲，等．生态承载力复合模型系统与应用［M］．北京：科学出版社，2007.

[33] Oh K, Jeong Y, Lee D et al. Determining development density using the urban carrying capacity assessment system [J]. Landscape and Urban Planning, 2005, 73: 1 - 15.

[34] 徐琳瑜，杨志峰，李巍．城市生态系统承载力理论与评价方法［J］．生态学报，2005，25（4）：771－777.

[35] Godchalk D R, Axler N. Carrying capacity applications in growth management: A reconnaissance [R]. Report to the U.S. Department of Housing and Urban Development. Washington, D.C., 1977.

[36] 冉圣宏，薛纪渝，王华东．区域环境承载力在北海市城市可持续发展研究中的应用［J］．中国环境科学，1998，18（Suppl.）：83－87.

[37] 关伯仁，郭怀成，陆根法，等．环境科学基础教程［M］．北京：中国环境科学出版社，1997.

[38] Enger E D, Smith B F. Environmental Science: A Study of Interrelationships [M]. New York: McGraw - Hill, 2004.

[39] White I D, Mottershead D N, Harrison S J. Environmental Systems: An Introductory Text [M]. London: Chapman & Hall, 1992.

[40] 李琳．生态服务补偿：世界自然基金会的看法和实践［J］．环境保护，2006，10A：77－80.

[41] Costanza R, d' Arge R, de Groot R et al. The value of the world' s ecosystem services and natural capital. Nature [J], 1997, 387: 253 - 260.

[42] Clarke A L. Assessing the carrying capacity of the Florida Keys [J]. Population and Environment, 2002, 23: 405 - 418.

规划环评与建设项目环评关系的探讨

郑子航　彭荔红
（厦门大学海洋与环境学院　福建　厦门　361005）

摘　要　《规划环境影响评价条例》切实规范了规划环评的开展，符合我国推行的以可持续发展为策略的环境管理手段，条例中对公参反馈、环评修订机制都有明确规定，但对于规划区内的具体建设项目环境影响评价的简化和二者应有的联系却没有统一标准。建设项目环境影响评价应当避免与规划环境影响评价相重复的评价工作，并应当符合规划环评在宏观层次上的结论，保证规划环评的有效性。

关键词　规划环评　项目环评　指导　应用

早在2003年9月1日开始实施的《中华人民共和国环境影响评价法》中已经确定了战略环评的地位。但一直缺乏指导策略和推进手段，直到2009年8月17日，国务院颁布了《规划环境影响评价条例》，并自2009年10月1日起施行。该条例的发布规范了规划环评的开展也强化了规划环评的力度，其中对公参反馈、后评估机制、环评修订机制都有明确规定，但对于规划区内的具体建设项目环境影响评价的简化和二者应有的联系却没有统一标准。综观我国环境问题的产生和环境管理的阶段变化，不难看出我国正处于生态资源保护阶段和可持续发展阶段并行的环境管理层次，除了严格控制建设项目的污染源，还要在宏观层次上限定区域的规划，用整体指导个别，宏观指导微观行为，两者需要有机结合，寻求契合点才能建设项目的适应性及协调性，落实规划环评成果的实现。因此进行规划评价是具有大局思想的环境管理方式，明确其对项目环评的指导能保证规划环评的有效性。

一、环评制度的发展

（一）项目环评制度的发展

综观我国的环境管理策略阶段性变化，可以看出，最初的末端治理是无法扭转当时初现端倪的环境问题，而后调整的保护策略则结合经济手段，推进了各项环境保护制度，其中最有价值的当属环境影响评价制度：1973年，第一次全国环境保护会议，环境影响评价的概念开始引入我国；1979年9月，我国《环境保护法（试行）》，正式建立了环境影响评价制度；1981年《基本建设项目环境保护管理办法》，明确把环境影响评价制度纳入基本项目审批程序；1986年，《建设项目环境保护管理办法》，对环境影响评价的具体内容作了明确规定；1986年，《建设项目环境影响评价证书管理办法（试行）》，对评价单位提出了资质要求。随着可持续理论的发展，大力推进了我国环境管理，1989年12月26日正式颁布《环境保护法》。1998年，国务院颁布了《建设项目环境保护管理条例》，作为建设项目环境管理的第一个行政法规，对环境影响评价做了全面详细明确的规定。由此可见，环境影响评价制度是20世纪70年代引进的从技术角度充分体现“预防为主”管理思想的建设项目中期管理制度并被法制化的制度。

（二）规划环评制度的发展

2003年9月1日开始实施的《中华人民共和国环境影响评价法》中已经确定了战略环评的地位。但一直缺乏指导策略和推进手段，直到2009年8月17日，国务院颁布了《规划环境影响评价条例》，并自2009年10月1日起施行。新时期我国环境管理的基本任务是贯彻和研究制定有关环境保护的方针、政策、法规和条例，正确处理经济发展与环境保护的关系，并发展了对规划的评价，规划环评对区域布局、环境容量、资源承载力、可持续发展能力及循环经济的测度分析成为落实环境管理有效性的重要环节。但规划环评自身处于发展阶段，指标体系还不完善，研究色彩还比较浓厚[1]。较大程度上的发展是在规划环评的理论上，而方法和技术标准、公众参与反馈机制等是亟待发展的方面。准确把握规划环评在新形势下的历史任务，充分发挥规划环评从源头防治环境污染和生态破坏的重要作用，对于促进经济、社会、环境的全面协调可持续发展有重要意义，因此在条例规范下，规划环评将更大的发挥作用，更快速的发展，更科学的指导规划区的整体调控，实现对建设项目的远程及前瞻性的约束，提高环境管理的绩效。

二、规划环评与项目环评的区别与联系

（一）规划环评与项目环评的区别

建设项目的环境影响评价是为其合理布局和选址、确定生产类型和规模以及拟采取的环保措施等决策服务的，但是在项目开发研究阶段实行建设项目环境影响评价，奏效低，这类环境影响评价的种类最繁杂，数量最大。规划环评是对国务院有关部门、设区的市级地方人民政府及其有关部门编制的综合规划（包括土地利用的有关规划，区域、流域、海域的建设、开发利用规划等）和专项规划（包括工业、农业、畜牧业、林业、能源、水利、交通、城市建设、旅游、自然资源开发等有关专项规划）进行环境影响评价，对规划实施可能造成的环境影响作出分析、预测和评估，提出预防或者减轻不良环境影响的对策和措施。

一些学者[2-3]经过研究得出项目环评对象具体，结论有较大确定性，侧重项目工程分析，着力于末端的环境污染预防问题。而规划环境评价对象更为宏观，评价内容涉及整体布局合理性等大尺度方面，评价结论多为定性结论，其特别的介入时期使之能够实现从源头上防范环境风险，能够对替代方案进行充分研究，最终有可能要求修改规划目标或规划方案[4]，项目环评很难选择替代方案。从实践角度看，建设项目环评已发展了各个环境要素的技术导则，规划环评还未形成一套相对固定通用的技术方法和指标体系[5]。规划由于其具有的导向性作用，其对环境产生的影响范围更广，持续时间更久，难以处理。相比项目环评，对规划做评价，真正开始实现了从微观到宏观，从尾部到源头，从枝节到主干，从操作到决策的转变和飞跃，是环境影响评价制度的一次根本性改革[6]。

（二）规划环评与项目环评的联系

从规划环评与项目环评的区别中可以看出规划环评能够对项目环评产生指导和协调作用，二者存在有机联系。规划环评有宏观指导作用，项目环评有微观响应效果，规划环评是项目环评的升华，是从个别到总体、从微观到宏观的环境管理方式，规划环评是我国环境影响评价制度的重大完善，项目环评是实现规划环评成果的保证。

《规划环境影响评价条例》第二十三条明确规定：已经进行环境影响评价的规划包含具体建设项目的，规划的环境影响评价结论应当作为建设项目环境影响评价的重要依据，建设项目环境影响评价的内容可以根据规划环境影响评价的分析论证情况予以简化[7]。这就要求项目环评必须符合该区域已有的规划环评结论，项目环评的可行性研究需与规划环评相协调相适应，由规划环评的成果指导具体建设项目的工程建设，包括布局、产污量、环保措施等，而且也应该在科学地进行了方案比对的规划环评成果基础上简化项目环评。

三、规划环评对项目环评的指导作用

如果没有将项目环评侧重点与规划环评有机结合，将容易产生重复或者错漏的环评内容，更容易造成结论矛盾、环保措施不配套不集中而产生新的环境问题等负面效应，在合理布局和污染物总量控制上，甚至是循环经济方面也将在规划环评的框架下实现。建设项目环境影响评价应当避免与规划环境影响评价相重复的评价内容和工作，应当从区别中研究发现规划评价对项目评价

的指导意义，应将规划环评作为宏观指导思想，指挥项目环评的工作重点和评价结论。根据笔者总结，规划环评对项目环评的指导体现在以下几个方面：

（一）选址布局优化度

由于规划环评有高出项目环评的评价指标，规划环评的评价指标体系除了沿用传统建设项目的评价指标体系如自然环境指标、生态环境指标和社会环境指标外，还增加包括资源指标、能源利用指标、社会经济指标等指标要素[3]，更多的指标构成了分析土地利用适宜度的评价体系，确定规划区整体选址合理性；也利于进行大尺度的气象等污染因子的分析[8]，可以进一步进行布局合理性的研究与布局方案调整。完成替代方案的对比分析后，规划环评就具备高度前瞻性和决策性，项目环评只要秉承规划环评中所确定的“微环境功能区划”，就能够有效避开会产生较大影响的环境因素，也会避免受到地理位置限制和自然环境影响。从而大大简化项目环评中对项目选址合理性的分析，降低了出现项目选址和布局不合理的可能性，规划环评结论对项目选址布局起到了决定性作用。

（二）产业结构合理性

规划环评最提倡开发活动全过程中的循环经济理念，使产业结构更为合理。通过规划环评，可以更全面更绿色地设计产业结构，延长产业链条，缩短产业之间的连接缝隙，尽量使产业上下游结合起来[9]。正如规划环评能够优化项目的选址与布局，规划环评的结论还能够有效指导项目与该规划区的相适性。已做的产业规划方案是建设项目进驻规划区的灯塔，规划环评对规划方案的产业结构进行了科学合理的协调，秉承了循环经济的理念，通过系统地、科学地评价，从替代方案中选择出最优的产业结构和产业链条，是主动地规划产业结构，是项目进驻的门槛。如果只在项目评价中论证规划区的产业结构容易造成结构不协调甚至相冲突的问题，项目环评是被动地适应，规划环评结论对项目的性质起到了决定性作用。

（三）污染物控制有效性

与项目环评只针对单个项目污染源强的计算和排污预测相比，规划环评不仅仅通过回顾分析，计算环境资源的需求和环境容量，得出规划区持续发展能力分析，还对该规划实施时要求的资源承载力进行计算，从而评价规划是否能够实现社会、经济和环境可持续发展。由此可见，环境容量分析是规划环评的重要组成部分[10]。

在建设项目可行性报告研究过程中，要翔实做好工程污染源分析及环境影响预测分析，有必要与已做的规划环评各环境要素的环境容量进行协调，达成合理的环境影响因子识别，形成较为实际的影响认识，预测建设项目排污情况，结合规划环评的环境容量结论，合理建议项目排污指数，实现规划区内污染物排放量的优化配置，将整个规划区的污染物排放总量控制在环境容量之下，切实提高规划区内的环境管理水平。

（四）环保措施集中性

通常项目环评要求其配套的环保设施要秉承“三同时”制度，但“三同时”制度存在不足，以单一企业为对象，偏重于各污染源都配备一套治理装置，这和区域集中治理的思想存在一定的不协调性，没有实现经济上的最优化，容易流于形式而起不到治理效果，而通过规划环评确定了治理系统，充分验证了环保设施的经济及技术可行性。例如规划区内污水管网及污水处理系统，结合了规划环评的排污总量控制，使得规划区的污水处理工程具有较强的目标性，具有技术可达性，集中性的治理保证了污染物削减量的真实性。比起零散的闲置无效的项目环保设施，整体的治理工程也将更具经济性。需要强调的是，在项目环评验收时必须验收其落实的环保设施，其依托工程尚不能在建设项目环评阶段不能落实的，应制定相应的审批机制，严格环保验收，在依托工程不落实的情况下不予验收[11]。

（五）公众参与层次性

《规划环境影响评价条例》中明确规定有关单位、专家和公众的意见与环境影响评价结论有重大分歧的，规划编制机关应当采取论证会、听证会等形式进一步论证。规划编制机关应当在报送审查的环境影响报告书中附具对公众意见采纳与不采纳情况及其理由的说明[7]。目前项目环评的公众参与时常沦为形式，其结论无法反应公众真实要求也缺乏反馈机制。由于规划环评具有的主动地位，其决策性的作用必须在进行多层次、相关性高的公众参与基础上才能正确地发挥，这也使得规划环评的公众参与结论具备了较高的代表性和导向性，也能保证及时的反馈机制，并最终体现在规划方案调整结果中。规划环评对项目环评在公众参与方面的指导作用在于，多数公众能在规划环评进行公众参与时了解该区域的总体规划，更有利于项目环评时有一定背景信息，更好地参与项目环评的公众参与工作。但虽然有大尺度的规划环评公众参与，项目环评还必须进行小尺度、相关性高的公众参与，不可简化过程。保证了规划环评的公众参与及公众意见及时反馈与调整，合理处理了较大的反对声音就能保证项目环评公众参与的正常进行，不致使公众产生例如对厦门 PX 项目[12]那样的反对和抵制。这也是从公众参与层面保证了规划的合理性和适宜性。

四、结　语

规划环评的发展还需要一段发展过程，但是它对项目环评的指导意义是显而易见的，严谨科学的规划环评为项目环评构建好和谐合理的基础，完整细致的项目环评保证规划环评的有效性，规划环评是具备大局思想的评价，其统筹能力是项目进驻的门槛，有效实现在源头上控制环境风险，对处于末端的项目环评起到引导和协调作用。因此规划环评是高级的环境管理手段，在一定程度上使项目环评更顺利开展，项目环评作为宏观政策规划中的微观管理行为，其与规划环评相辅相成。

参考文献

[1] 冯涛，张雯．规划环评中应注意的问题及对策［J］．环境保护科学，2009，35（2）：101－108.

[2] 谢文玲．规划环评（SEA）与项目环评（EIA）的区别［J］．厦门科技，2007，6：14－16.

[3] 蔡春玲．规划环评与建设项目环评之比较［J］．青海环境，2008，18（2）：62－65.

[4] 蒋宏国，林朝阳．规划环评中的替代方案研究［J］．环境科学动态，2004，29（1）：11－14.

[5] 吴飚．规划环评指标体系的构建及在区域环评中的应用［J］．安徽农业科学，2007，35（17）：5225－5227.

[6] 潘岳．战略环评与可持续发展［J］．中国经贸导刊，2005，8（18）：11－13.

[7] HJ/T 130—2003 规划环境影响评价技术导则（试行）．

[8] 张小梅，等．循环经济型工业基地规划环评土地利用布局优化分析——以贵州省独山县麻尾循环经济型工业基地为例［J］．环保科技，2008，14（2）：44－48.

[9] 秦贵波，孙纬．规划环评在项目环境影响中的应用［J］．资源与环境——科技创新导报，2008，29：120.

[10] 杨常青，蔡春霞，舒艳．规划环评编制过程中常见的困难及解决方法［C］．中国环境科学学会 2006 年学术年会优秀论文集：中卷．北京：中国环境科学出版社，2006：245－248.

[11] 黄浩云，王艳云．规划环评的有效性研究［J］．农业环境科学学报，2007，26：738－740.

[12] 王凤远．从厦门海沧 PX 项目事件看规划环评的确立与实施［J］．地域研究与开发，2008，27（6）：86－89.

规划环评有效性的评估及对策

王燕云　刘花台

（厦门大学环境科学研究中心　厦门大学映雪楼 301 室　361005）

摘　要　规划环评有效性是指规划环评执行效果与其预期目标的一致性，即规划环评的有效程度。本文总结了规划环评有效性研究进展，从规划至规划环评文件形成以至执行的全过程出发，总结了影响规划环评的有效性的外部影响因素和内部影响因素，对规划环评有效性和目前存在的问题进行了分析，提出了相应对策和建议。

关键词　规划环评　有效性　评估　对策

一、规划环评有效性研究进展

1993 年，在上海召开的国际影响评价联合会（IAIA）13 届年会上，加拿大环境评价局（CEAA）和 IAIA 共同倡议开展环境评价有效性国际研究（International Study of the Effectiveness of Environmental Assessment，ISEEA）。ISEEA 认为应在关键阶段和活动中强化环评过程，包括环评与决策的关系、方法，对影响分析的综合、公众参与、争议解决、跟进措施和项目后分析、整体过程管理等[1]，从此掀开了环境评价有效性研究的序幕。

目前国内外针对建设项目环评有效性研究较多，规划环评属于新兴领域，其有效性研究处于起步阶段。周丹平等从管理程序、技术方法、内容设置、评价结论及规划实施的保障措施等方面，建立了评估规划环境影响评价实施有效性的指标体系，并在对 9 个规划环境影响评价案例实施有效性评估的基础上，分析了当前该领域普遍存在的问题[2]。刘兰岚等选择评价对象、介入时机、替代方案的选择、公众参与、评价指标和累积影响评价等 6 类指标，对上海市 2003—2005 年完成的 24 本规划环境影响评价报告书进行统计分析，提出提高规划环评有效性途径[3]。曲艳敏等从可持续发展角度出发，选取“环评法”实施至今的一些规划环评案例，从管理程序、技术方法、内容设置和实施效果 4 个方面制定了 10 项评价指标与详细的评价标准，采用加权比较法，对规划环评的有效性进行评价[4]。黄浩云等从规划、规划环评的管理、编制和应用等规划有效性的制约因素出发，提出提高规划环评有效性的对策[5]。由于规划环评的有效性影响因素众多，有学者仅针对规划环评影响因素之一进行有效性分析，如凌虹针对规划环评中的重要环节“公众参与”进行有效性分析，提出提高公众参与有效性的对策[6]。

从这些研究可以看出，由于规划的不确定性及规划环评的困难性，目前针对规划环评有效性的研究很难涵盖到各个影响因素，大部分学者都把研究重心放在内部因素（技术要素，即规划环评文件的编制）对规划环评有效性的影响分析上，较少从规划环评的外部影响因素进行分析。因此，对规划环评有效性的系统性和整体性研究仍需要在实践中不断探索。

二、规划环评有效性影响因素分析

规划环评有效性即规划环评执行效果与其预期目标的一致性，即规划环评的有效程度。一个有效的规划环评能达到减小不利环境影响、降低资源消耗、合理产业结构和布局、协调经济增长与环境保护的关系、促进区域可持续发展的目的。

规划环评的有效性的高低与整个文件形成及执行过程有直接的关系，任何一个环节都可能对规划环评的有效性带来影响。规划环评文件形成过程见图 1。

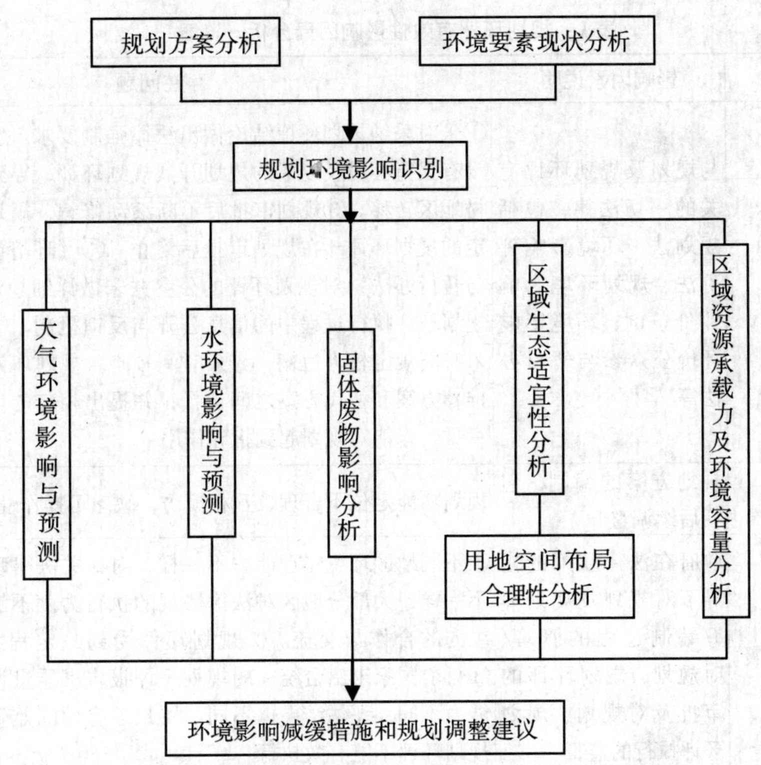

图1 规划环评形成过程

从整个程序来看，影响规划环评有效性的内部因素主要为规划环评文件的有效程度，而规划环评文件有效程度与编制单位的资质、人员、技术水平直接相关，还与规划环评审查过程有关。影响规划环评有效性的外部因素主要为法律法规、规划的编制过程、环境管理与监督、执行过程、信息公开与反馈机制。由于内外部因素的影响，规划环评的实施效果在一些地区并不理想，规划环评文件与规划一起报批后，就基本完成了它的使命，对决策的支撑能力不能很好地体现出来。本文针对影响规划环评有效性的外部因素和内部因素逐一进行分析，总结规划环评目前存在的问题。见图2，表1。

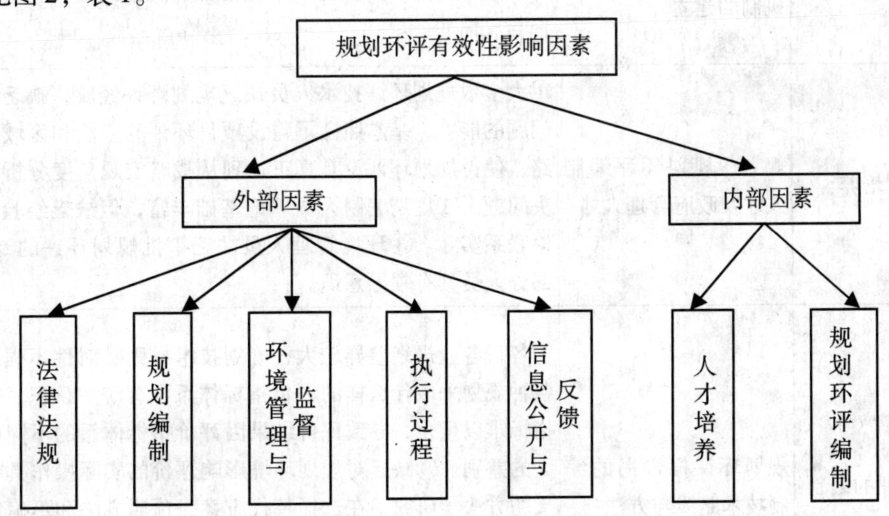

图2 规划环评有效性内外部影响因素

表 1 规划环评有效性影响因素分析一览表

影响因素		影响因素说明	存在问题
外部影响因素	法律法规	与规划及规划环评有关的一切法律，包括规划法、环境影响评价法、规划环境影响评价条例、环境影响评价公众参与暂行办法等	①未对采纳规划环评结论做出法律强制要求。②规划环评条例没有强行县级及以下的规划开展规划环评，导致污染企业向农村地区转移。③规划审批后不断滚动修编，规划环评条例中规定的规划环评却在规划审批后终止。④《环境影响评价公众参与暂行办法》对规划环评的公参并未做详细规定，且并未涉及规划环评执行过程中的信息公开与反馈机制。⑤对规划环评介入时间规定较为模糊，介入时间较晚，规划环评只能在已有的推荐方案和替代方案之间选择，并提出相应的环境保护建议或意见，未能对规划起到指导作用
	规划编制	规划方案的编制，包括后续调整	规划功能定位不合理、互相模仿，缺乏可操作性
	环境管理与监督	政府在法律政策的指导下对规划及规划环评编制过程的管理、对规划、规划环评的审批及对规划、规划环评执行的监督	①不同地区环境管理能力不一样，对相关法律政策的执行程度不一样，大部分地区对法律法规的执行力度不够，缺乏横向及纵向的合作与交流。②规划环评受到一定程度的行政干预。③目前国家未出台统一的规划环评报告书质量评估体系。专家能力不同，评估结果也不同。④缺乏有效的监管机制，规划和规划环评不能有效执行
	执行过程	包括法律法规、规划编制、环评编制、公众参与、审批后规划的执行等	规划环评意见如被采纳，进入规划执行阶段会与规划同等命运，处于搁置状态和不断修编中，规划环评的有效性不能很好地体现；如果不被采纳，规划环评的有效性即刻终止
	信息公开与反馈机制	规划及规划环评全过程的信息公开与反馈机制的建立	环评文件在环评过程和规划报批时都是信息公开的，但是后面执行过程中缺少了信息公开与反馈机制，是否按照规划及规划环评文件执行以及执行效果如何都没有信息公开，公众无法监督与反馈
内部影响因素	人才培养	规划、规划环评编制人才及政府管理人才	①大多数规划环评技术人员缺乏规划环评经验，缺乏宏观分析问题的能力，基本照搬了建设项目环评的方法和区域环评的套路，使得规划环评没有真正达到从战略宏观角度分析问题和解决问题。②规划编制人员理论基础丰富，但缺乏经验，未能理论联系实际。③环境管理人员缺乏审批规划环评的专业能力，部分人员具有领导意识
	规划环评的编制	规划环评报告书的编制技术路线与方法	①各行各业规划差异较大，规划技术导则针对性不强。②对于各种规划采取什么样的评价指标体系没有统一认识，一些重要指标难以量化，导致评价结果因评价指标体系的不同而产生较大的差别。③缺乏对规划环境影响评价的实际操作具有指导意义的方法学研究，在选择替代方案、预测方法和不确定性处理等方面存在一定的缺陷，试行规划环评导则有很大的难操作性和局限性。④内容设置存在一定缺陷：替代方案较少，累积影响评价难以量化，未进行生态价值核算等

三、提高规划环评有效性的对策

针对规划环评有效性的内外部影响因素，笔者从法律法规、规划编制、环境管理与监督、执行过程、信息公开与反馈机制、人才培养和规划环评编制等角度提出提高规划环评有效性的对策。

（一）完善法律法规

1. 确立严格采纳规划环评结论的法律地位

出台相关法律规定规划编制单位必须采纳规划环评结论，若不采纳必须给出令人信服的说明，接受群众监督，使规划环评不流于形式。

2. 规划环评范围可进行适当调整

建议县级及以下的各种规划也应强制要求开展规划环评。

3. 完善规划环评的修订机制

在规划环评条例中应增加规划环评的修订机制，针对每年规划实施和调整的情况进行规划环评的调整，以满足规划环评与规划相协调[5]。

4. 完善《环境影响评价公众参与暂行办法》

《环境影响评价公众参与暂行办法》应针对规划环评的特点对公参对象、方式及结果的统计做出科学的规范：由于规划环评涉及专业性及国家体制等因素，公参对象应包含一定比例的专家及相关单位；应在公众参与前与当地部门合作，在获得规划区域利益相关者的性别、年龄、文化程度、职业等信息后采取多元随机抽样的方法获得样本，使公参对象具有一定的代表性；个人情况不同，对问题的关注程度不同，关心的问题也不一样，因此对影响决策的作用也不能等同。公参调查结果的数据处理应利用科学的统计学方法进行分类归纳统计等。

《环境影响评价公众参与暂行办法》应涉及规划环评执行过程中的信息公开及反馈机制，让规划环评的执行过程接受公众的监督。

5. 对规划环评介入时间的规定

法律应对规划环评的介入时间有明确的规定。规划环评应尽可能在形成规划方案时介入，规划环评编制单位与规划编制单位应互相合作、互相协调，使规划环评一直融合于规划的编制过程中，直至最终产生推荐方案。

（二）提高规划编制的科学性和合理性

规划是规划环评的基础，规划本身的有效性直接影响规划环评的有效性，因此，应该严格规范规划的编制过程，提高规划的科学性和可操作性。国家应健全规划体系，规划编制单位及规划编制人员应准确定位规划目标，使之符合规划区域经济发展情况，并能与其他规划相协调。在规划的目标定位上，要坚持的原则是：目标既是清晰的又是可调的；必须实事求是，可以适当超前，但又要符合规划区域经济发展的阶段[7]。事实上，规划方案的编制只是规划过程中的一小部分，更多的是需要规划人员在管理过程中针对新情况、新问题，对编制的方案进行调整。因此规划不确定因素太多，笔者建议探索不确定性规划方法，发觉、评估和解决不确定性，使规划编制更加科学和合理。

（三）提高环境管理能力

1. 提高政府执行决策的能力

应加强政府执行决策的能力，落实各项法律制度，例如规划环评条例第一章第四条规定“县级以上人民政府及其有关部门应当对规划环境影响评价所需资料实行信息共享”。但在实际操作中仍处处碰壁，应真正落实该制度。

2. 加强对规划环评形成过程的引导、管理及监督

相关政府应发挥政府职能，引导规划及规划环评的编制，规范编制程序，并对规划及规划环评的执行进行有效的监督。

在规划审批环节上，建议将规划决策职能与执行管理职能分离，使权力与地位、权力与责任相称。同时，建立纠错机制，成立规划上诉委员会，建立不同层次的规划调整的法定程序，不能由个人随意变动[8]。

3. 加强政府部门之间的协作

加强政府间的纵向与横向合作，使规划环评更有效地编制执行，减少规划环评的地域差异。

（四）执行过程

在规划执行过程中，当前仍存在受到领导意识和眼前利益的驱使，先建设后规划，或回过头修编规划的现象，使得规划形同虚设。规划环评更是做做样子，有效性无从谈起。因此按照《中华人民共和国规划法》和《中华人民共和国环境影响评价法》的规定，先行进行规划和开展规划环评以后再进行建设，并且在建设过程严格按照审批后的规划执行，加大执法监督的力度，对不开展规划和不按照规划进行建设的地区进行区域限批和相应的处罚。从而提高规划和规划环评的有效性。

（五）信息公开与反馈机制

应进一步建立信息公开与反馈机制，特别是在规划及规划环评执行阶段，使规划成果及规划环评的结论能够在生命全过程接受公众的监督，实现规划环评的动态监管。

（六）加强人才培养

1. 提高规划环评编制人员、规划编制人员及政府环境管理人员的专业技能。

通过开设规划环评（规划、规划环评审批）培训班、研讨会等方式促进规划环评编制人员（规划编制人员、政府环境管理人员）的经验交流，共同进步。

2. 注重规划环评编制人员、规划编制人员及政府环境管理人员的职业道德培养。

切实贯彻规划环评公正、公平和科学的原则，规划环评及规划编制过程和规划环评审批过程中不造假。

（七）提高规划环评编制的科学性和合理性

1. 加强理论研究，尽快出台各类型规划环境影响评价技术导则

应总结各类型规划环评的工作经验，加强理论研究，尽快出台详细的各类型规划环境影响评价导则，有效指导规划环评。

针对规划的不确定性，笔者建议在规划环评中使用情景分析法等基于不确定性分析的规划环评方法，并实现动态规划环评。

2. 尽快建立各类型规划环评指标体系

尽快建立各类型规划环评指标体系，让评价结果更科学并具有一定的可比性。建立规划环境影响评价中的循环经济指标体系，可以在预防规划对环境造成重大影响的同时，全面推进循环经济的实现，对构建循环型社会起到保证作用[9]。

3. 提高规划环评内容设置的合理性

在规划环评中应注重替代方案的比选，应包含科学定量的累积影响评价，应包含生态价值核算，更科学地预测规划实施对社会经济及环境的影响。

四、结论与建议

我国规划环评正处于起步阶段，规划环评有效性成为环境管理、综合决策的制约因素。推进规划环评有效性的研究能更好地实现决策的可持续发展。规划环评的有效性受法律法规、规划编

制、执行过程、环境管理与监督、信息公开与反馈机制、人才培养、规划环评的编制等内外部因素的共同影响。任何一个影响要素的缺陷，都将直接影响到规划环评的有效性。在社会经济与环境保护的博弈过程中，法律法规、规划与规划环评的编制过程、人才培养固然还存在一定的缺陷，但政府对规划及规划环评执行过程和环境管理能力不足仍是影响规划环评有效性发挥的主要外在因素。在完善法律法规、加强理论研究、增加规划及规划环评编制科学合理性、优化人才培养的基础上，提高政府对规划的执行监管，建立有效的环境管理与监督机制，建立环评文件执行过程的信息反馈机制，在公众的监督下，使规划环评的有效性得到进一步发挥，应是环评文件完成后相关部门应该重点解决和关注的突出问题。

参考文献

[1] 田良，等．环境评价有效性国际研究述评［J］．上海环境科学，1999，18（9）：390－393.

[2] 周丹平，等．规划环境影响评价项目实施有效性的评估［J］．环境科学研究，2007，20（5）：66－71.

[3] 刘兰岚，等．规划环境影响评价有效性研究［J］．环境保护，2006，12A：63－66.

[4] 曲艳敏，等．规划环境影响评价的有效性评价［A］．中国环境科学学会学术年会论文集，北京：北京航天航空大学出版社，2009：652－656.

[5] 黄浩云，等．规划环评的有效性研究［J］．农业环境科学学报，2007，26（增刊）：738－740.

[6] 凌虹．规划环境影响评价中公众参与有效性的探讨［J］．江苏环境科技，2004，17（4）：32－34.

[7] 刑华．如何提高地方产业规划的有效性［J］．中国国情国力，2008（3）：22－24.

[8] 汤海孺．不确定性视角下的规划失效与改进［J］．城市规划学刊，2007（3）：20－29.

[9] 朱坦等．当前规划环境影响评价遇到的问题和几点建议［J］．环境保护，2005（4）：50－54.

关于深化规划环评公众参与的几点思考

苏美蓉　刘仁志　程红光　杨志峰

（北京师范大学环境学院环境模拟与污染控制国家重点实验室　北京　100875）

摘　要　公众参与在规划环境影响评价中具有不可替代的重要作用。从微观、中观、宏观3个层面总结规划环评公众参与目的，将公众参与程序概括为划定调查区域、确定调查对象、明确参与方式、执行参与过程、分析参与结果、回应公众意见6个步骤。就某工业园规划环评公众参与开展案例研究，分析公众参与结果，在此基础上总结规划环评公众参与现存问题，并从提高公众环境意识、保障公众知情权、激发公众参与积极性、保证公众参与效果4个方面提出深化规划环评公众参与的建议。

关键词　公众参与　规划环境影响评价　问卷调查　参与程序

环评公众参与是指在环境影响评价活动中，让公众表达对规划和建设项目对环境影响的意见，让公众的意见成为环境影响报告书不可缺少的组成部分[1]。环评公众参与制度最初在1969年美国的《国家环境政策法》中得到确立[1]，随后，在1972年斯德哥尔摩会议上也明确规定了公众参与在环境保护中的作用[2]，至今公众参与制度已成为许多国家在环境影响评价中普遍采用的一项民主法律制度。随着我国环境影响评价制度的建立和发展，公众参与也得到广泛关注和重视[3]。尤其是对于影响范围大、时效长的规划来说，其环评公众参与更值得重视。本研究关注规划环评中的公众参与，基于同行研究成果及自身科研经验，总结概括规划环评公众参与的目的、参与程序；并就某工业园规划环评公众参与的案例研究，介绍开展公众参与的阶段与方式，分析公众参与结果，最终提出深化规划环评公众参与的建议。

一、规划环评公众参与目的

自2003年9月1日起施行的《中华人民共和国环境影响评价法》明确指出“专项规划的编制机关……应当在该规划草案报送审批前……征求有关单位、专家和公众对环境影响报告书的意见”。原国家环保总局2006年2月发布的《环境影响评价公众参与暂行办法》规范和推动了环境影响评价的公众参与。自2009年10月1日起施行的《规划环境影响评价条例》更是明确了“规划编制机关……应当在规划草案报送审批前……公开征求有关单位、专家和公众对环境影响报告书的意见”，并要求“有关单位、专家和公众的意见与环境影响评价结论有重大分歧的，规划编制机关应……进一步论证”。

国家一系列法规条文都体现了规划环评公众参与的必要性，从中也可略窥规划环评公众参与的意义与目的。从微观层面说，可以在公众了解规划信息的基础上征询公众意见，以更全面地掌握环境背景信息，发现潜在环境问题，有利于提出有效可行的减缓不利社会环境影响的措施，从而提高规划环境影响评价的科学性；从中观层面说，可以让各利益相关方发表意见，在规划之初发现问题，以便及时提出解决措施，减小规划实施过程中可能遭受的执行障碍[4,5]，提高规划的实施效率；从宏观层面说，则在于贯彻以人为本的原则，充分考虑民众所关心的问题及建议，既维护公众的合法环境权益，保障其知情权与参与权，又强化民众的监督作用，推动政府决策的民主化与科学化。

基金项目：国家自然科学基金资助项目（40901269，40871056）；教育部新世纪优秀人才计划基金（NCET-09-0226）；国家高技术研究发展计划项目（2009AA06A419）。

二、规划环评公众参与程序

从《规划环境影响评价技术导则（试行）》、《环境影响评价公众参与暂行办法》的具体描述中可以看出，公众参与需重点考虑几个问题，如选择调查对象、确定参与方式、回应公众意见等。据此，结合实践经验，将规划环评公众参与的主要程序总结为表1所示的6个步骤。

表1　规划环评公众参与主要程序

序号	程序名称	主要工作	具体说明
1	划定调查区域	根据规划的空间范围以及可能受影响的范围，确定开展公众参与的调查范围	调查范围应以受影响的区域为主，既包括受直接影响，也包括受间接影响的区域
2	确定调查对象	依据划定的调查区域，圈定公众参与的调查对象，包括专家、单位和个人	调查对象主要为调查区域内的专家、单位和个人，也可包括调查区域外的专家。在选取调查对象时，既要考虑其是否位于影响范围内，又要考虑性别、年龄、职业、学历等因素，以保证收集信息的全面、客观与合理性
3	明确公众参与方式	参照《规划环境影响评价技术导则》，确定论证会、听证会、问卷调查、发布公告或设置意见箱等公众参与方式	根据各阶段公众参与应完成的具体工作任务，结合公众参与对象的年龄、受教育程度、职业等特点，设计适宜的公众参与方式
4	执行公众参与过程	在确定调查区域、调查对象及参与方式后，具体实施公众参与过程	针对不同的调查对象和参与方式，执行不同的参与过程。例如，座谈会要由规划管理单位或环评单位组织和主持。主持单位在座谈会开始时要介绍规划及环评情况，在会议期间要回答代表提出的问题
5	分析公众参与结果	对各种形式公众参与结果进行统计分析	针对不同公众参与方式得到的结果，采用适宜的方法进行统计分析。例如，就问卷调查而言，要针对单位、个人结果进行分类统计
6	回应公众参与意见	根据公众参与结果分析，对必要的调查对象做出反馈	对于那些对规划持不支持或反对意见的对象要以适宜方式做出回应，如登门回访。对公众参与意见的最终采纳情况要在环评报告中做出说明

三、规划环评公众参与案例

遵照规划环境影响评价公众参与主要程序，开展了某工业园规划环评的公众参与工作。调查区域确定为该工业园全域范围，以及周边可能受影响的区域。调查对象为调查区域内的单位、个人，以及区内、区外的专家。

（一）公众参与阶段及方式

为真正实现公众参与的目的，环境影响评价的公众参与应贯穿环评全过程[6]。在某工业园规划环评公众参与的具体实施过程中，根据各阶段的不同工作目标与特点，采取了适用于各阶段的不同公众参与方式，如表2所示。

表 2　某工业园规划环评公众参与阶段及方式

序号	阶　段	公众参与方式
1	规划信息公示阶段	规划管理单位与环评机构达成一致意见后，进行规划项目信息公示。公示内容包括介绍规划范围、规划期、规划规模、规划定位、发展目标等规划概况，以及说明环境影响评价的工作程序和工作内容、征求公众意见的主要事项、管理单位及环评单位联系方式等情况
2	规划环评报告书编制阶段	在报告书编制阶段，在前期调研、现场踏勘、部门调研等环节，以座谈会、问卷调查、专家咨询等形式开展广泛的公众参与，以更全面地了解环境背景信息，掌握专家、单位和个人对于规划项目的看法与期望，为环境问题识别、环境影响预测、规划方案论证等提供指导和参考意见
3	规划环评报告书成稿阶段	规划环境影响评价报告书编制完成后，以网站公示、敏感点张贴、专家咨询等形式，对规划项目概况、环境质量现状、可能产生的环境影响、预防和减轻环境影响的对策措施、环境影响评价结论、征求意见事项等内容进行公示，征求公众意见
4	规划环评报告书审批通过阶段	在规划环境影响评价报告书通过审批后，及时公示报告书最终内容以及对公众意见的答复

（二）公众参与结果分析

由于通过信息公示途径得到的公众反馈意见较少，而参与座谈会、专家咨询的人数相对于参与问卷调查的人数而言较少，加上篇幅限制，只重点针对问卷调查（包括对单位和个人的问卷调查）结果进行分类统计。

1. 对规划的了解

在公众对该工业园规划了解程度的调查中发现，有 25% 的单位十分了解，58.3% 的单位了解一点，16.7% 的单位则表示不了解；对个人而言，各约有 50% 表示了解和不了解。

2. 对规划环评的了解

在公众对规划环境影响评价的了解程度的调查中发现，有 75% 的单位表示了解一点，另外 25% 的单位表示不了解；有 45.2% 的个人表示了解一点，52.6% 的个人表示不了解。

3. 规划可能产生的影响

在对工业园规划可能造成的生态环境影响的调查中，有 50% 和 8.3% 的单位认为影响较大和很大（图 1a）；有 15.9% 和 6.5% 的个人认为影响很大和较大（图 1b）。

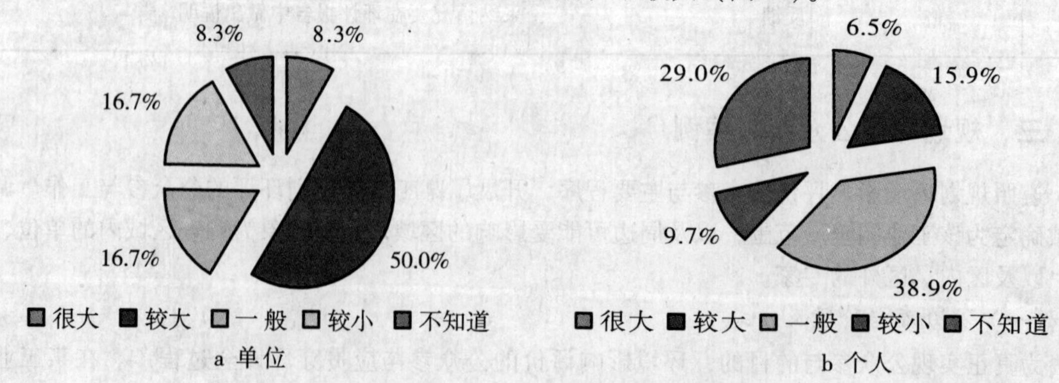

图 1　公众对规划可能产生的生态环境影响程度调查结果

关于工业园规划将对公众工作与生活带来的影响这个问题，有 25% 的单位表示影响较大

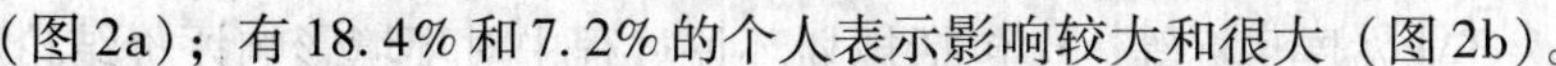
（图 2a）；有 18. 4% 和 7. 2% 的个人表示影响较大和很大（图 2b）。

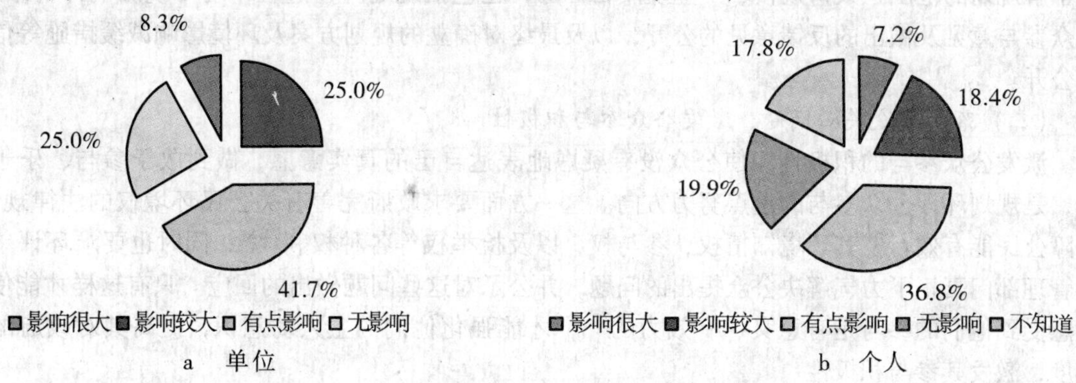

图 2　公众对规划对个人工作与生活产生的影响程度调查结果

4. 对规划的态度

在对工业园规划所持态度的调查中，83. 3% 的单位表示支持，16. 7% 的单位表示有条件就行；29. 9% 的个人表示支持，34. 3% 的单位表示有条件就行，30. 5% 的个人表示无所谓。

四、深化规划环评公众参与的几点建议

根据某工业园规划环评公众参与结果，结合在公众参与工作中的体会，认为我国目前规划环评公众参与还存在以下问题：① 公众的环境意识还不是很高，难以真正实现公众参与目的。例如，尽管有 22. 4% 的个人认为某工业园规划可能造成的生态环境影响较大，但仍然有 30. 5% 的个人表示对规划持无所谓态度。② 公众的背景信息掌握不够，使得公众参与结果的客观真实性受到置疑。例如，只有 25% 的单位和 2% 的个人对某工业园规划十分了解。③ 公众参与的积极性受到限制。在调查中发现，25% 的单位和 52. 6% 的个人对规划环评不了解。正因为不了解规划环评，加上某些疑虑，导致其不愿行使公众参与权利，不敢表达真实意见。④ 公众参与效率难以保证。在某工业园规划环评公众参与过程中发现，尽管调查问卷可以较好地保证回收率，是一种相对经济高效的方法，但需要注意调查对象的代表性，并与通告等方式相结合[6]，在具体实施中难以把握标准；公示、咨询等方式得到的公众反馈意见少而慢，难以保证公众参与的时效性；而座谈会、听证会等方式则往往要花费较多人力、财力，增加了公众参与成本。

根据上述问题，特提出深化规划环评公众参与的几点建议，以提高公众参与深度[7]，保证公众参与效果。

（一）加强宣传，提高公众环境意识

公众具备足够的环境意识与一定的环保能力是保障公众参与实施效果的先决条件。而公民的环境意识与社会经济发展水平、法制观念、公民思想文化素质等密切相关，其培养与提高是一个长期的过程[6]。一方面，政府要长远规划，在普及基础教育、提高公民文化素质的同时，保证环境教育“从娃娃抓起”，在基础教育中渗透环保相关法律与环保专业技术知识。另一方面，利用各种社会再教育机会，采用公众喜闻乐见的形式开展环境教育，既让公众了解《环境影响评价法》、《规划环境影响评价条例》等基本法律法规，又让公众了解自身的环境权益，增强主人翁意识。

（二）强化信息公开，保障公众知情权

掌握背景信息是规划环评公众参与的基础。公众只有了解了规划情况，才可能对规划将产生的环境影响做出客观判断，才能提出减缓不利影响的合理措施。依照《中华人民共和国政府信息公开条例》的相关规定，切实做到信息全程公开，既包括最初对规划基本信息的公开，让公

众了解规划的范围、人口规模、产业发展目标等，也包括规划环评过程中对环境影响评价结论、公众参与意见及做出的反馈意见的公开，以及最终对确立的规划方案及环境影响减缓措施等信息的公开。

（三）落实公众关心问题，激发公众参与积极性

激发公众参与的积极性，使公众没有疑虑地表达自己的真实意愿，做到敢于参与、乐于参与，是规划环评公众参与的重点努力方向。这一方面要求政府完善有关公民环境权的法律规定，保障公民能有效行使其环境知情权、参与权，以及检举权等各种权利[2,6]；同时也要求环评单位和管理部门真正下力气解决公众提出的问题，并公示对这些问题做出的回应。只有这样才能使公众感受到他们的参与是有意义、有效力的[7]，才能强化他们的主人翁意识，提高其对政府的信任度，激发其参与积极性。

（四）细化公众参与方式，保证公众参与效果

各种公众参与方式具有不同的特点、适用性及程序，应根据规划环评公众参与各阶段的工作目标，来确定适宜的参与方式，执行不同的参与程序。在具体执行过程中，由于没有明确的规范性法规条例，加上资金、时间等因素的影响，容易导致公众参与流于形式，难以保证公众参与效果。因此，建议结合规划环评实践经验，进行规划环评公众参与的费效分析，开展公众参与执行效果的回顾性评价，在此基础上细化公众参与模式，规范不同公众参与方式的执行程序，明确公众参与的内容和责任的分担，保证公众参与的有效性。

参考文献

[1] 李雪梅. 发挥环境 NGOs 在公众参与环境影响评价中的作用 [J]. 科技管理研究，2007，(8)：52－53.

[2] 陈智清，刘红星. 引导公众参与环境影响评价的探讨 [J]. 环境科学与技术，2006，29（增刊）：159－161.

[3] 刘毅，陈吉宁，范琳，等. 城市规划环境影响评价中公众参与研究方法与案例 [J]. 中国环境科学，2007，27（3）：428－432.

[4] 梁俊宁，潘峰，仝纪龙. 环评过程中的公众参与及其效果分析——以武都区水泥厂节能减排资源综合利用项目为例 [J]. 环境工程，2009，27（增刊）：468－471.

[5] R Gregory. Using stakeholder values to make smarter environmental decisions [J]. Environment，2000，42（5）：34－44.

[6] 宋国君，黎思亮. 论中国环境影响评价中公众参与的一般模式 [J]. 环境污染与防治，2006，28（4）：283－287.

[7] 田良. 论环境影响评价中公众参与的主体、内容和方法 [J]. 兰州大学学报（社会科学版），2005，33（5）：131－135.

关于两规中环境影响评价的比较分析

郭　波　纪江海　尹　君

（河北农业大学建设学院城市规划与设计专业　河北　保定　071000）

摘　要　本文对城市总体规划和土地利用总体规划中环境影响评价进行了比较分析，介绍了两规中环境影响评价的发展现状，以及各自环评的程序、评价指标、评价范围、评价重点。根据两规各自不同的特点及不同的功能，指出了两者的共同点与区别。其中评价程序基本类似，但在环评的介入时间，以及评价指标、评价范围、评价重点等方面有所不同。

关键词　城市总体规划　土地利用总体规划　环境影响评价

一、引　言

近年来城市总体规划与土地利用总体规划的协调与衔接问题成为了规划学术界讨论的焦点。其中城市总体规划是对一定时期内城市性质、发展目标、发展规模、土地利用、空间布局以及各项建设的综合部署和实施措施[1]。城市总体规划是城市发展之纲，在我国城市规划体系中占有重要地位。土地利用总体规划是在较长时间、较大范围内，按照国民经济发展需要，以及土地本身的适宜性，在时间和空间上，在国民经济各部门之间分配土地，并对土地的开发、利用、整治和保护进行统筹安排、调整结构、合理布局的土地利用的战略性和控制性规划[2]。两者最大的共同点是均属于宏观层面上的规划，对生态环境的影响是广泛而深远的。其中城市总体规划可以全局性、综合性、战略性、长期性地引导城市建设，确定城市发展框架[3]；而土地利用总体规划是对土地的合理利用进行控制、协调、组织、监督，使区域内人口、资源、环境和谐统一，实现土地的可持续利用和生态平衡。因此，在环境污染日益加剧的今天，将环境影响评价纳入到两规的编制过程中对我国规划决策具有重要的现实指导意义。

环境影响评价（Environmental Impact Assessment，EIA）是指对拟议中的重要决策和开发建设活动，可能对环境产生的物理性、化学性或生物性的作用及其造成的环境变化和对人类生存与发展的可能影响，进行系统的分析和评估，并提出减少这些影响的对策措施[3]。作为环境管理与规划的重要工具，环境影响评价是联系环境与经济发展的纽带，是实施综合决策、实现可持续发展的途径和手段，它在促进各国环境与社会经济协调发展方面发挥了重要作用。2003 年施行的《中华人民共和国环境影响评价法》中规定："国务院有关部门、设区的市级以上地方人民政府及其有关部门，对其组织编制的土地利用的有关规划，区域、流域、海域的建设、开发利用规划，应当在规划编制过程中组织进行环境影响评价，编写该规划有关环境影响的篇章或者说明。"这就意味着我国把战略环境评价（Strategic Environmental Assessment，SEA）以法律形式作为一项制度规定下来[2]。到目前为止，国内外许多学者对战略环境评价指标体系的基本框架和原则、方法以及指标体系的建立都进行了一定的研究和探讨，但对规划的环境影响评价，如城市总体规划和土地利用总体规划的环境影响评价的研究相对较少或仅处于起步阶段。

本文将针对城市总体规划与土地利用总体规划中战略环境影响评价的发展现状、评价范围、侧重点、评价指标等进行对比分析，根据分析结果最终指出协调两规环境影响评价的方法。

二、两规中环境影响评价的发展现状

关于城市总体规划中的环境影响评价，虽然在 2003 年《中华人民共和国环境影响评价法》规定需要实施城市总体规划环境影响评价，但在我国理论研究较多，实际工作较少，因此我国城市总体规划的环境影响评价尚处于起步阶段。由于之前的区域环评为城市总体规划环评积累了一定经验，环境影响评价法出台时，国内就已有了一些实践，如河北省丰南市黄各庄镇总体规划环境影响评价；上海市的松江新城、临港新城和嘉定新城以及营口市、邢台市等城市总体规划环境影响评价等[4]。这些工作进一步拓展了城市总体规划的理论研究和技术应用，为以后的工作积累了宝贵的经验。但是，这些工作多数是以一两个主要方面（如水资源承载力、不确定性等）作为突破口，或主要进行定性评价，定量评价较少。同时，目前已出现理论与方法研究落后于实践与创新的情况，理论和方法还没有形成完整的体系，环境管理体系仍需建立和加强。

随着《中华人民共和国环境影响评价法》的正式实施和2003年全国土地利用总体规划修编工作的开展，土地利用规划环境影响评价研究成为我国比较前沿、比较新的研究领域。我国自20世纪80年代后期提出有必要开展战略环境影响评价以来，对土地利用规划环境影响评价的实证研究越来越多[5]，例如，刘勇等从资源、环境、经济三方面建立12项评价指标体系，用层次分析法、熵技术对重庆市北碚区的土地利用规划环境影响评价进行实证研究[6]；吕昌河等从生态保护、土地退化防治、耕地资源保障、建设用地增长的适度性与后效、耕地占补平衡的生态风险5个方面，设计11个指标用于预测和评估土地利用规划对环境、生态和土地资源的可能影响程度[7]；唐弢等从生态系统服务功能价值评估的角度，计算出不同土地类型生态系统服务功能总价值，对《武汉市土地利用总体规划（1997—2010年）》进行环境影响评价[8]。我国土地利用规划的环境影响评价刚刚起步，其研究的技术方法体系还处于探讨阶段[9]，评价内容和指标的选取还不统一，需要进一步研究和规划。

三、两规环境影响评价的评价程序比较

（一）城市总体规划环境影响评价的评价程序

规划环境影响评价关注的重点问题是规划的发展目标、规模、产业结构及空间布局等的环境合理性。城市总体规划环境评价的工作程序既要反映规划环境影响评价的一般特点，又要体现城市总体规划的特点，具体的评价程序包括根据城市总体规划分析进行现状调查、分析与评价；环境影响识别与确立环境目标、建立评价指标体系；确定规划环境影响评价技术方案；对城市功能定位、发展目标、规模，城市空间结构，城市总体布局，基础建设规划等各方面进行环境影响预测与评价；最后得到综合分析结论，规划调整建议及环境影响减缓措施，拟定环境监测与跟踪评价方案，最后编写规划的环境影响评价文件，并在今后实施跟踪评价与环境管理[10]。

（二）土地利用总体规划环境影响评价的评价程序

目前，土地利用总体规划环境影响评价程序尚未成熟，一般的评价程序基本与城市总体规划环境影响评价程序类似。但在具体的评价过程中又有区别。具体程序为土地利用与环境现状的调查与分析，主要为对规划区内生态敏感区（点）进行分析，如特殊生境、特殊物种湿地、生态退化区、水土保持区等[11]；确定规划目标与目标的协调性分析；拟订规划方案、构建评价指标体系，并对建设用地规模、建设用地耕地，土地开发、复垦潜力面积、土地复垦率等指标进行环境影响预测；然后对规划可行性论证与环境影响评价；最后为拟定实施规划的措施与环境保护的相关对策[12]。

两规中环境影响评价的评价程序基本是一致的，但有区别的是环评的介入时间不同。其中城市总体规划环境影响评价的介入时间通常晚期介入，即目前在我国开展的城市总体规划环评一般在规划草案征求意见时介入[4]；而土地利用总体规划环境影响评价的介入通常是与规划同步进行，主要针对规划目标和规划方案进行评价[12]。

四、两规环境影响评价的评价指标体系的比较

城市总体规划环境影响评价选取的评价指标通常为人口和用地规模、城镇布局、产业结构、

资源承载力和能源结构、气候变化、城市特色风貌和文化遗产等，所考虑的与城市建设规划有关的环境主题包括水环境、大气环境、噪声、固体废弃物、自然资源与生态保护、近海环境等。而土地利用总体规划环境影响评价选取的评价指标为用地规模、土地复垦率、森林覆盖率、农田保护率、自然保护区面积等。在土地利用中主要的环境影响表现在改变土地利用类型而导致的对自然生态环境（生态建设用地、生态景观保护区、水域）和环境质量等方面。可能涉及的环境主题包括土地资源的规划和管理、土地覆盖和景观、土壤、空气和水环境。

五、两规环境影响评价的评价范围比较

在城市总体规划的环境影响评价，由于城市生态系统是开放的系统，城市环境问题也是区域性的问题。因此，城市总体规划的环评范围除了包括城市规划区范围之外，还应覆盖可能造成环境影响的周边地区，从而实现区域协调和城乡统筹协调发展。城市规划区以外需要着重考虑的地区包括主要水系的上、下游，主导风或季节性主导风向的下风向地区；城（镇）乡接合部，以及规划城镇周围的重要设施[10]。

土地利用总体规划虽然也是一个专业规划，但其规划的范围覆盖整个行政辖区，且其考虑的问题不仅仅是城区范围内的用地配置与环境问题，同时还要考虑到整个规划辖区内的各类用地的时空配置以及用地结构布局造成的环境影响，可以说其在环境考虑方面更全面。因此，土地利用总体规划的环境影响评价范围可以依规划范围而定即土地利用总体规划的环评范围为整个行政辖区。

六、两规环境影响评价的评价重点的比较

城市总体规划环境影响评价以近期规划为主，根据区域资源、环境承载力，重点分析制约城市发展的资源、环境因素，以及对区域资源、环境有较大影响的规划内容。资源、环境制约因素一般包括水资源、能源、土地资源、矿产资源、水环境、大气环境、声环境、环境敏感保护目标、风险地带等；有较大环境影响的规划内容一般包括城市的功能定位、城市发展目标与规模、土地利用结构、产业结构、能源结构、城市空间布局、基础设施建设、近期建设规划及远景规划等[10]。

土地利用总体规划环境影响评价可以分为两类，即回顾性评价和预测性评价。其中回顾性评价不可避免地存在一些问题，在处理土地利用和环境保护、经济发展之间的关系中产生问题，需要进行认真的总结。因此为了适应新形势的要求，预测性的土地利用总体规划环境影响评价得到社会的广泛认可。其中评价的重点在于考虑规划实施以后由结构和布局的变化以及土地开发利用和保护等措施导致的中、宏观尺度的、直接或潜在的、与可持续性有关的生态环境与自然资源利用等问题，兼顾区域社会经济发展目标，预测规划实施对“经济—社会—环境”大系统的综合影响程度，由此进行多方案比选，判断规划方案的可行性，指导规划方案的调整，提出规划的实施措施，促进区域土地资源的高效和可持续利用[11]。

七、结　论

随着生态环境的日益恶化，将战略环境影响评价纳入规划学术界已分别被社会广泛地接受。本文对城市总体规划和土地利用总体规划中环境影响评价进行了比较分析，介绍了两规中环境影响评价的发展现状。总结了两规中环境影响评价的共同点与区别。其中这两类都属于宏观层次上的规划，其环评程序基本是相同的，但是环评的介入时间是有区别的，城市总体规划中的环评通常为晚期介入，而土地利用总体规划的介入是与规划同步的。另外，本文根据两规各自不同的特点及不同的功能，对比分析了两类规划中环评的评价指标、评价范围、评价重点的不同。

参考文献

[1] 城市规划基本术语标准［M］. 北京：中国建筑工业出版社，1991.

[2] 何仁伟，张明举. 浅论土地利用总体规划环境影响评价［J］. 甘肃农业，2006（2）：71－72.

[3] 恽晓雪，包存宽. 我国城市总体规划环境影响评价探讨［J］. 四川环境，2009，28（2）：70－74.

[4] 刘磊. 城市总体规划环境影响评价研究［J］. 城市问题，2008（4）：19－24.

[5] 刘敏，周国富. 土地利用总体规划环境影响评价研究——以贵州省为例［J］. 西南师范大学学报，2009，34（2）：89－96.

[6] 刘勇，刘秀华. 土地利用规划环境影响层次分析和熵技术评价——以重庆市北碚区为例［J］. 中国土地科学，2005，19（2）：9－13.

[7] 吕昌河，贾克敬. 土地利用规划环境影响评价指标与案例［J］. 地理研究，2007，26（2）：249－257.

[8] 唐彧，朱坦，徐鹤. 基于生态系统服务功能价值评估的土地利用总体规划环境影响评价研究［J］. 中国人口·资源与环境，2007，17（3）：45－49.

[9] 潘嫦英，刘卫东. 浅谈土地利用规划的环境影响评价［J］. 中国人口·资源与环境，2004，14（2）：134－137.

[10] 黄鼎曦. 试论城市总体规划环境影响评价的编制方法［J］. 规划，2008（5）：26－28.

[11] 陈文波，赵小敏. 土地利用总体规划环境影响评价理论与方法初探［J］. 江西农业大学学报，2006，28（1）：134－138.

[12] 谢一华，郝晋珉. 省级土地利用规划评价指标体系的技术路线［J］. 农村经济，2006（4）：39－41.

对区域国民经济和发展规划的战略环境评价的思考

周敬宣 宇 鹏

（华中科技大学环境学院 湖北 武汉 430074）

摘 要 实施战略环境评价需要务实和创新。要为战略环境评价取得合理的法律地位，可选择区域国民经济和社会发展规划的环境评价作为全面实施战略环境评价的突破口；必须建立区域国民经济和社会发展的战略环境评价导则，指导区域国民经济和社会发展规划环境评价，又能为其他层次战略的环境评价导则的制定提供参考；要完善“综合集成研讨厅体系”，保证规划—评价拥有现代实施平台与手段，成为“虚拟政策实验室”，提高评价的全面、科学、客观、准确的水平。

一、前战略环境评价中存在的问题

（一）战略环境评价法律地位的缺失

尽管现行的《环境影响评价法》和《规划环境评价条例》明确要求对相关规划开展环境评价，但是许多重要的问题并没有法律依据可循。

1. 政策、法律、规章的评价没有纳入法律之中。

2. 就规划而言，《环境影响评价法》和《规划环境评价条例》都提出要对“一地三域十个专项”开展评价，但是并没有界定“一地三域十个专项”的区域范围，全国每年有关“一地三域十个专项”的规划有上万个，是不是这些规划都需要评价？显然不需要。但是哪些区域时间范围内的规划需要评价，哪些不需要评价，现行的法律都没给出答案。

3. 法律责任不明确。在战略环境评价中，决策者、规划者、评价组织者、评价者、评审者、审批者的责任没有在法律中写清，导致实践中，没有人对战略环境评价负责，开展和不开展战略环境评价、如何开展战略环境评价对任何人都没有任何影响，有谁会积极、认真地对待战略环境评价？如果法律规定，不开展战略环境评价，不将评价的正确意见纳入规划之中，不认真履行环境保护的规划条款，相关领导就是失职，难以升迁，结果可能就是另外一番景象。

（二）缺少可操作、实用的导则

中国把规划层次的环境评价作为战略环境评价的切入点，并制定《规划环境影响评价技术导则（试行）》（HJ/T 130—2003）指导规划层次的环境评价。但从《武汉市国民经济和社会发展“十一五”规划环境评价》等战略环境评价的实践看，该导则发挥的指导作用比较有限，这些规划环境评价的案例没有严格按照该导则的要求来开展，而是结合自身特点探索评价内容和方法。原因有3个方面：①该导则没有考虑到规划之间的差异，试图用一个导则来指导众多类型规划（包括“一地三域十个专项”的规划）的环境评价，不具有针对性和可操作性。②从规定的评价内容和方法看，该导则仅要求对规划实施后的环境影响进行评估，忽视社会—经济—环境是一个整体，它提出的是一种类似于项目环境评价的规划环境评价框架，不适用于规划这种宏观层次的战略环境评价。③该导则推荐了许多评价方法，包括识别、预测和综合评估的方法，以及评价累积影响的方法。然而由于这些方法的总结并不是基于大量的规划环境评价实践，而是来自于项目环境评价的实践，有很大的局限性。

（三）评价水平不能满足决策要求

从目前的规划环境评价的实践和研究来看存在以下问题：

1. 评价理念局限于就环境论环境评价，割裂社会、经济、环境作为一个整体的客观实情，不能从社会—经济—环境系统整体运行的规律出发，探究引起环境问题的本源，结果只能是发现导致环境污染的表象，提出的措施也只能治标而不能治本。

2. 评价内容只注重微观层次，宏观和中观层次的内容涉及甚少，即使涉及深度也不够。区域（或国家）的社会、经济发展带来的环境压力有多大，环境承载力能否承受这一压力，区域（或国家）的环境容量有多大，社会、经济发展产生的污染源强是否在环境容量允许范围内……这些战略环境评价本应该回答的问题，在现行的评价实践中没有得到回答，而那些细枝末节的内容反倒是写得很多，结果评价不能为决策服务，这也是决策者对战略环境评价缺乏激情的原因之一。

3. 评价方法落后，现在的战略环境评价实践仍然使用项目环境评价的方法，项目环境评价的方法适用于时空范围小、仅局限于环境的问题，不适用于大时空范围、涉及社会—经济—环境复杂开放巨系统的问题。

二、选择区域国民经济和社会发展规划的战略环境评价作为突破口

把规划层次的环境评价作为中国战略环境评价的切入点，这一点已取得广泛共识。规划环境评价的突破口是什么？应是对区域国民经济和社会发展规划的战略环境评价，理由是：

1. 区域（流域）国民经济和社会发展五年（或十年）规划是对一定时期内区域的经济和社会发展（区域性质、功能定位、发展目标、发展方向、人口规模、产业结构）、土地利用、空间布局、环境保护、生态建设措施的综合部署，具体安排和实施管理，环境、经济、社会、资源等内容放在一个规划中应该协调，经济发展必须受到环境承载力的制约，环境保护必须得到经济支持，不能过度制约经济健康发展，必须认真做战略环境评价，找到平衡点，为决策者提供符合社会—经济—环境系统协调发展的判断，成为促进区域实现可持续发展的工具。

2. 造成中国严重环境问题的原因是在环境和自然资源的有效配置方面出现的制度缺陷和制度失灵，导致规划结构布局不合理，即国土空间没有按照主体功能区化的要求，形成经济、人口、环境、资源相协调的格局；重大产业安排布局没有充分考虑与环境资源承载能力的适应性。而这些都需要通过区域（流域）经济和社会发展规划来落实。

三、尽快建立区域国民经济和社会发展的战略环境评价导则

规划的类型众多，不可能用一个导则来指导所有的战略环境评价，需要按规划类型分别制定导则，才具可操作性。在战略环境评价体系还没有形成的情况下，优先对区域国民经济和社会发展规划的环境评价进行研究，构建区域国民经济和社会发展规划的环境评价导则，既能指导区域国民经济和社会发展规划环境评价，又能为其他层次战略的环境评价导则的制定提供参考。随着“十二五”的临近，新一轮的区域国民经济和社会发展规划即将展开，会有很多的区域国民经济和社会发展规划需要开展环境评价，相应地，该类规划环境评价导则的制定也就显得很必要和紧迫。导则的制定以简洁和实用为宗旨，所以，导则的主要内容就是确定评价的内容、深度和评价方法，当然导则所确定的评价内容和方法的出发点必须明确并且符合客观规律，否则制定出的导则只能是摆设——中看不中用。

四、区域国民经济和社会发展规划的战略环境评价的构想

（一）出发点：评价的研究对象是社会—经济—环境复合系统

区域国民经济和社会发展规划环境评价必须把握区域社会—经济—环境系统的运行规律，注重研究环境与社会经济系统之间的相互作用，预测规划实施后区域社会—经济—环境系统的运行情况，评估规划能否把社会—经济—环境系统调控到协调与可持续发展的轨道上。如果规划环境评价发现规划的实施不能使社会—经济—环境系统处于良好的运行状态，就应提出调整建议和减

缓措施。决策者应该根据规划环境评价的建议，对规划做出调整。对调整后的规划再进行评价，如此反复，直到决策者满意，做出最后决策，形成最终规划（见图1）。这也是"区域国民经济和社会发展规划环境评价导则"制定的出发点。必须用系统的观点对规划进行环境评价，不能人为割裂社会—经济—环境三者的有机统一性，否则只能囿于项目环境评价的水平。

（二）评价内容

环境评价必须满足规划制定的阶段性需求，才能融入决策过程。在规划目标确定阶段，从社会—经济—环境系统整体的角度，对规划目标设置的合理性进行评估；在规划方案的制订阶段，对规划方案的合理性进行评估，并能提出更好的替代方案；在具体措施的制定阶段，对措施的合理性进行评估，针对不利的环境影响，提出的减缓措施。规划环境评价不能超越规划制定的阶段性需要，也不能落后于规划制定的阶段性需要，否则，无法真正做到把环境问题融入决策。

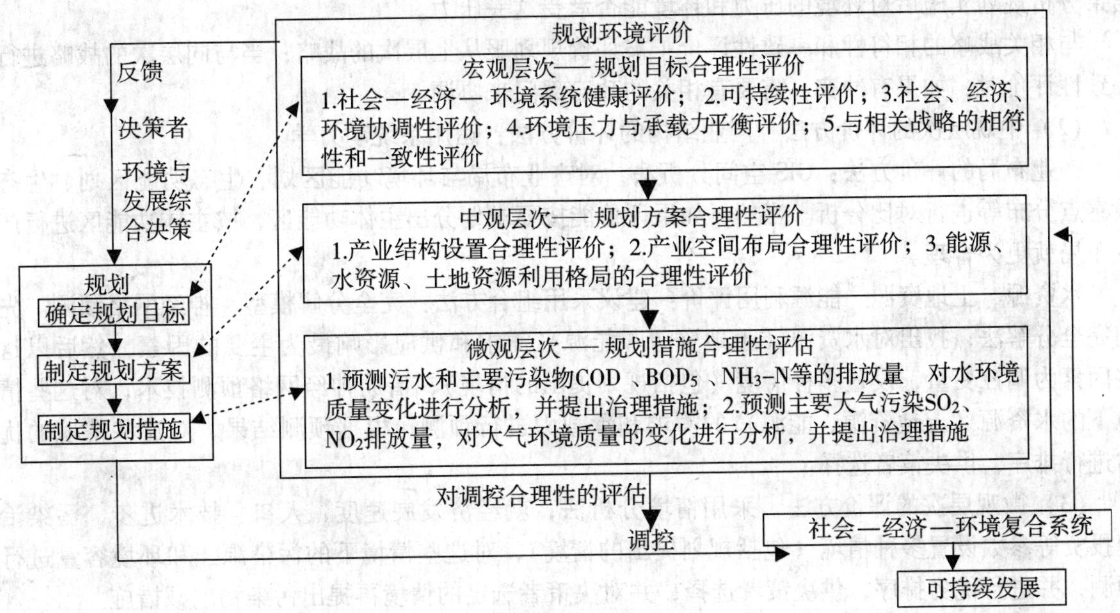

图1　区域国民经济和社会发展规划环境评价的内容与研究对象

因此，按区域国民经济和社会发展规划制定过程的阶段性需求，把区域国民经济和社会发展规划环境评价的内容分为3个层次（见图1）。

（1）宏观层次　针对规划目标的合理性进行评价，找出造成社会—经济—环境系统整体不健康的原因、导致社会—经济—环境系统向不可持性的影响因素、造成社会、经济和环境子系统之间不协调的因素、导致环境压力超出承载力原因。另外，区域国民经济和社会发展规划的实施离不开其他相关战略，还应当把该规划与相关的政策、规划、计划以及相应的项目联系起来，做整体性考虑，评估被评价的区域国民经济和社会发展规划与上一层次的战略的相符性，评估其与同层次战略的一致性。

宏观层次评价的内容见图1，如果国民经济和社会发展规划提出的规划目标之间不协调，区域的可持续性发展较差，应对国民经济和社会发展规划目标进行调整，使之处于合理范围。

（2）中观层次　该层次包括对产业结构、产业空间布局、能源、水资源、土地资源利用格局等的评价。如果规划中提出的方案不合理，规划环境评价需要提出更合理的规划方案，供决策者参考，以实现区域环境承载力的可持续性。

（3）微观层次　计算不同社会、经济发展模式下的污染源强和环境容量，推荐最优发展模式。

（三）评价方法

（1）宏观层次的评价方法　区域社会—经济—环境系统健康评价：综合评价法、费用效果分析方法、模糊集对法等。

区域社会—经济—环境系统可持续性评价：生态学评价法、经济学评价法、社会学评价法、构建指标体系进行综合评价法等。

区域社会—经济—环境系统协调性评价：EKC 曲线法、物质平衡模型、多目标决策模型、灰色协调度模型、生态经济整合模型、以耗散结构理论为基础的综合评价模型、支持向量机预测模型等。

环境压力与承载力的平衡性评价：利用社会和经济历年统计数据计算出生态足迹和生态承载力，然后采用聚类集对分析动态模型，对规划时段内的生态足迹和生态承载力进预测，利用预测结果分析规划实施后对环境的压力和环境能否承受这一压力。

与相关战略的相符性和一致性评价：被评价规划服从上层次的战略；当与同层次的战略进行一致性评价时，如果有冲突，需要有相关的政府部门来协调。

（2）中观层次的评价方法　产业结构的评价方法：运用系统动力学

产业布局的评价方法：GIS 空间分析法，对产业布局与环境功能区划、生态功能区划、生态敏感点分布等进行对比分析。当然，如果评价能按要求划分出主体功能区，按主体功能区进行产业布局就更为合理。

水资源、土地资源、能源利用评价：建议采用组合方法：完全分解模型 + 神经网络预测。先用完全分解法，找出对水资源（土地资源、能源）需求和供应影响最为主要的因素，然后以这些因素为调控变量，设置多种情境（包括规划提出的情境），借助神经网络预测技术，对这些情境下的水资源（土地资源、能源）的需求和承载力进行预测，根据预测结果，对这些情境的优劣进行排序，供决策者选择。

（3）微观层次的评价方法　采用情境分析法，就经济发展速度、人口、技术进步，污染治理投资等参数设置多种情境（包括规划提出的情境），对这些情境下的污染源强和环境容量进行预测，并进行优劣排序，供决策者选择，并对决策者选定的情境再提出污染物削减措施。

（四）完善评价平台与手段

对区域内的社会—经济—环境复合系统进行科学规划与评估是“杀牛”，是不能依靠以往单一、定性方法这把“鸡刀”的，要打造“综合集成研讨厅体系”这把“牛刀”。原因是：①评价中需要的方法众多；②需大量数据；③钱学森提出的综合集成研讨厅体系是解决开放复杂巨系统问题的可行方法，为区域规划与战略环境影响评价的研究指明了方向。它是一个以计算机技术为依托，以环境专家系统为核心，以 GIS、RS 和 GPS 技术为基本框架（包括数据库、模型库、专家库和分布式网络等），构成了以环境模型系统为定量分析工具的多项技术、多项功能的综合集成系统，以保证 SEA 工作所需大量数据的采集、存储、处理分析、输出等功能可迅速地、高质量地完成，适应快速决策的实际需要。SEA 综合集成研讨厅由价值取向、知识结构、职业背景、权力层次多元化的研讨者参与，保证了研讨的民主性与集中性，是“虚拟政策实验室”。有利于实现数据翔实、资料丰富、分析全面、综合科学、评价客观、预测准确的结果。

关于规划环境影响评价中执行“三提前”制度的思考和建议

周华荣

（中国科学院新疆生态与地理研究所　新疆乌鲁木齐　830011）

一、环境管理“三同时”制度回顾

“三同时”最早提出是在1973年10月21日，中共中央发出了《关于认真做好劳动保护工作的通知》中对工矿企业的建设工程等项目中有关安全生产和工业卫生设施提出的一项具体要求的概括。具体的就是：“新建、改建、扩建的工矿企业和革新、挖潜的工程项目，都必须有保证安全生产和消除有毒有害物质的设施。这些设施要与主体工程同时设计，同时施工，同时投产使用，不得削减。”这就是我们通常所说的“三同时”，它是实现生产经营单位和企业本质安全的一项有力防范措施。1973年国务院下发的《关于保护和改善环境的若干规定》中首次正式提出：一切新建、扩建和改建的企业必须执行“三同时”制度；1976年中共中央批转的《关于加强环境保护工作的报告》中重申了这项制度。由于“三同时”工作的重要性，1979年的《环保法（试行）》、1989年的《环保法》、各时期单项环保法律及国务院《建设项目环境保护条例》，以及1995年的《劳动法》均规定了建设项目必须执行“三同时”制度。

《中华人民共和国环境保护法》第二十六条：建设项目中防治污染的设施，必须与主体工程同时设计、同时施工、同时投产。《建设项目环境保护管理条例》第十六条规定，“建设项目需要配置建设的环境保护设施，必须与主体工程同时设计、同时施工、同时投产使用。”第二十三条规定，“建设项目需要配套建设的环境保护设施经验收合格，该建设项目方可正式投入生产或使用。”《建设项目环境保护管理条例》同时明确规定了违反“三同时”的法律责任。

“三同时”制度是防止产生新的环境污染和生态破坏的重要制度。凡是通过环境影响评价确认可以开发建设的项目，建设时必须按照“三同时”规定，把环境保护措施落到实处，防止建设项目建成投产使用后产生新的环境问题，在项目建设过程中也要防止环境污染和生态破坏。建设项目的设计、施工、竣工验收等主要环节落实环境保护措施，关键是保证环境保护的投资、设备、材料等与主体工程同时安排，使环境保护要求在基本建设程序的各个阶段得到落实，“三同时”制度分别明确了建设单位、主管部门和环境保护部门的职责，有利于具体管理和监督执法。

“三同时”制度在生态类项目中，有其明显的不适应性。目前对于生态类建设项目，“三同时”验收多仅仅落实于施工期的相关工程和措施。而对于运营期的生态环境保护措施，在环评中往往“软措施”较多，一是由于环评单位环评水平局限，更多是由于生态环境问题的复杂性、累积性，最终导致“三同时”制度在这些项目的环境管理中望洋兴叹，可望而不可即。结合与之相关的环评制度，考虑提前介入环评（在规划环评阶段，在项目建议书之前），通过实施“三提前”制度，是否可以弥补“三同时”制度的不足呢？

二、规划环评实施回顾

在我国，规划环评是政策和战略环评的重要内容，是建设项目环评和政策与战略环评有机联系的桥梁；规划环评与区域环评联系密切，实际上规划环评发端于区域环评。1993年《关于进一步做好建设项目环境保护管理工作的几点意见》（环监［1993］015号）指出“开展区域环境影响评价，积极主动地参与经济开发区综合决策。”《建设项目环境保护管理条例》（1998）第三十一条指出“流域开发、开发区建设、城市新区建设和旧区改建等区域性开发，编制建设规划时，应当进行环境影响评价。具体办法由国务院环境保护行政主管部门会同国务院有关部门另行规定。”2002 年国家环境保护总局发出“关于加强开发区区域环境影响评价有关问题的通知（环发［2002］174 号）”。

2003 年《中华人民共和国环境影响评价法》颁布，其中第二章第七条至第十五条对规划环评做了规定，第二十九条、第三十条和第三十六条也涉及规划环评。另外还制定了与之配套的规章和标准《规划环境影响评价技术导则》（2003 ）和《专项规划环境影响评价报告书审查办法》（2003 ）。随后，国家环境保护总局发出了相关的规范性文件，如《关于进一步做好规划环境影响评价工作的通知》（环办［2006］109 号），《关于进一步规范专项规划环境影响报告书审查工作的通知》（环办［2007］140 号）。

2009 年《规划环境影响评价条例》正式颁布实施。《规划环境影响评价条例》规定了环评工作的主要内容。

第十一条规定：“环境影响篇章或者说明应当包括下列内容：（一）规划实施对环境可能造成影响的分析、预测和评估。主要包括资源环境承载能力分析、不良环境影响的分析和预测以及与相关规划的环境协调性分析。（二）预防或者减轻不良环境影响的对策和措施。主要包括预防或者减轻不良环境影响的政策、管理或者技术等措施。

环境影响报告书除包括上述内容外，还应当包括环境影响评价结论。主要包括规划草案的环境合理性和可行性，预防或者减轻不良环境影响的对策和措施的合理性和有效性，以及规划草案的调整建议。”

《规划环境影响评价条例》第二十五条规定了规划环境影响的跟踪评价的内容，其中：“（一）规划实施后实际产生的环境影响与环境影响评价文件预测可能产生的环境影响之间的比较分析和评估；（二）规划实施中所采取的预防或者减轻不良环境影响的对策和措施有效性的分析和评估”。

国家在《环评法》颁布后，即开展了规划环评试点工作，新疆在流域规划、公路交通规划等领域进行了试点。试点工作为规划环评积累了经验，同时也提出了相应的需要解决的问题。如水电开发规划中环境保护方案的有效性，具体的珍稀鱼类繁育放养方案的可行性；罗布泊钾盐开发、公路和铁路网建设中野骆驼保护区完整性的保护方案，具体的生态补偿措施（异地盐泉开挖工程）的有效性等，仅通过规划环评（包括建设项目环评）的预测评价和跟踪监测，不可能完全说明和解决问题。由此，是我们前瞻性的考虑：是不是可以提出“三提前”的制度设计的思考和建议呢？

三、关于“三提前”制度的思考

（一）“三提前”制度的含义

“三提前”制度是指在相关规划（或重大建设项目，特别是重大生态类建设项目）实施和建设过程中，相关环境保护工程或措施、方案的设计、施工和验收，必须在规划适当阶段（或建设项目实施之前）完成，使敏感环境问题（特别是生态问题）最大限度地解决，环境敏感目标得到最大效率地保护。

从工程技术角度来讲，执行“三提前”制度，就是要在规划环评阶段，预测分析可能的重大环境影响，提出预防、减缓和补偿措施；对于相关措施，应在项目建设之前（规划的适当阶段）进行环境保护措施和方案先行实施，或进行示范性效果验证；在这些保护措施确实有效的前提下，再考虑规划（或工程）的实施或建设。

“三提前”制度是“三同时”制度的延伸和扩展，是战略和规划层次的“三同时”制度，在

“三同时”制度框架体系下进行设计。

此外，相关的生态环境保护和管理方案的设计、运行和效果验证，也应包括在“三提前”制度的设计之中。其次，有些宏观或微观的生态环境问题的解决，必须依赖于模型模拟或科学实验，这也有可能包括在“三提前”制度的设计之中。再次，鉴于生态环境问题的复杂性和不确定性，目前的科学认知和技术有可能无法解决某些环境问题；为了保证敏感生态目标保护的完全保护，“三提前”制度设计中应包括：在相关生态环境保护方案（工程、措施）无法设计、实施和验证的情况下，可实施规划的“零方案”或部分“零方案”。

（二）大型生态类项目需要执行“三提前”制度

在相关生态项目，如油田（煤炭及其他矿产）开发、水电建设，交通运输（铁路、公路、航道、机场）项目的环境管理中，在执行“三同时”应该有其特殊性。生态影响在施工期的生态破坏是显而易见的，目前的“三同时”多关注施工迹地的恢复、占地的异地补偿。但生态类建设项目在运营期的影响是长期的、累积的、潜在的，有些是不确定的。保守“中庸”的道路是最好的生态保护措施。鉴于此，区域规划中的项目、生态类项目规划的环境保护应该不仅做到“三同时”，还要执行“三提前”，特别是位于敏感地区的重大生态类建设项目。

（三）在规划层次的环境管理中提出“三提前”要求十分必要

对于单个项目来说，执行“三提前”制度往往产生实际事实上的困难（除国家重点大型项目），包括资金、工程设计和施工组织等。

环境影响评价制度和“三同时”环境管理制度，是我国两项相辅相成的强制性环境管理制度，是建设项目管理中预防新污染产生和生态与环境保护的两大法宝，是预防为主方针的具体化、制度化。

随着《规划环境影响评价条例》的实施，在规划环评中提出相关“三提前”的要求和方案，并在规划实施中的跟踪监测中验收和效果评价，就会逐渐使规划（特别是其中的生态类项目）及重大生态类建设项目的环境保护和生态损害预防问题从根本上得到解决。

（四）“三提前”制度实施的可行性

1. 作为“三同时”的延伸和扩展，“三同时”制度的有效设计及实施经验，《中华人民共和国环境影响评价法》的执行，《规划环境影响评价条例》的实施，将使“三提前”制度的确定成为可能。

2. 实际上在许多项目，特别是国家大型项目的实施以及环境影响评价过程中，已经贯穿了“三提前”的理念和实际操作。如葛洲坝工程中白鳍豚的人工繁育实验，三峡工程的濒危植物保护、文物保护，青藏铁路的冻土研究，沙漠公路防风固沙工程的设计施工，新疆北疆调水工程的渠岸生态保护工程等。国家、部委和地方专门为此立项科技项目进行研究，积累了许多经验。

3. 相关国家也有相关的战略规划和大型生态项目环境管理的有益经验值得借鉴，国外许多大型公司在相关项目实施过程中，也积累了相关的经验。如壳牌公司的萨哈林输油管道项目，对珍稀水生生物洄游通道、避让及影响减缓措施进行了近十年的研究工作。

（五）“三提前”制度执行中的困难

1. 生态环境问题本身具有复杂性，在科研、工程设计方面存在许多未解问题，在生态环境管理上涉及的部门相应较多，面临着许多不确定性因素，因此“三提前”制度的设计过程也必然是复杂的，不可能一蹴而就，会有一个长期的逐步的概念、理念完善过程，进而进入实质的制度可行性分析和具体设计。

2. 提前设计、施工的生态环境预防和保护设施和方案，有些是具体的生态工程，有些是宏观的管理方案，不像污染类项目都有具体的建设内容，谁来进行监理，其主体不明确，这给生态保护（预防或恢复）工程或方案的验收带来一定的难度。对一些模型和实验的验证，就不能按原有的环境管理程序进行，需要按照或参照科研管理程序进行。

3. 生态保护（预防或恢复）工程或方案有些技术不尽成熟，甚至其理论仍在探讨之中，处于研究阶段，没有相应的验收标准。这给验收（包括设计、施工）带来一定的不确定性，就必须有相应的管理理念和制度设计。

4. 虽然相关大型工程设立了专门的研究项目进行研究，取得了相应的成果。但如何将科研成果转化在设计和环评之中，根植在环境管理之中，最终将科研范式融入“三提前”制度设计的管理范式之中，仍需一段探索和实践之路。

5. “三提前”与“三同时”如何界定，什么时候介入才算是“三提前”，“提前”多少可称为“提前”，这在不同的区域，不同的规划/项目，不同的环境问题亦是不同的。这也是“三提前”制度设计的一个难点。就目前来讲，在“三同时”制度框架下，项目和规划环评也都存在着严重的滞后现象。

四、关于“三提前”实施的相关建议

（一）渐次完善制度设计

国家环境保护主管部门应会同相关部门，组织环境工程技术、生态与环境科学研究、法学、经济学、社会学领域学者、专家进行具体的制度设计探讨。在环保公益性科技专项中，开展制度创立及关键技术的科技支撑研究课题。根据不同地域、不同规划的特点，通过法规、标准、导则和规范性文件，分轻重缓急，渐次规范相应的“三提前”的原则和要求。可在重大环境影响行业（石油、煤炭及其化工、交通、水利水电、跨流域调水等），生态环境脆弱或敏感区域（如西藏、新疆、青海、海南）或环境承载力严重超载区域（广东、北京等）率现试点，积累经验。

（二）确定相应执行名录

国家环境保护主管部门应该组织专家研究和论证，根据规划或项目实施区域的环境敏感程度、环境敏感目标重要性，以及规划或项目规模和环境影响范围、程度等，确定规划或建设项目实施“三提前”制度的名录，如经过保护区的国家级项目，对珍稀濒危有影响的规划（项目），对水生生态系统有重大影响的规划（项目）等，特别是大型能源开发建设规划与项目（如在新疆的伊犁河水电开发、罗布泊周边及阿勒泰地区的矿产开发，以及相关跨流域调水工程等）。

（三）逐步完善审核程序

由于生态问题的复杂性、长期累积性，乃至不可预见性，这就需要对项目可行性的长期论证，在流域开发、资源开发专业规划期间，就必须开始规划或建设项目生态环境保护的“三提前”工作。建议规划部门（或业主）或国家应投资组织评价和科学技术研究人员，研究、设计和实施相应的生态保护方案和工程，交国家和地方环境保护咨询委员会认定其可行后，再组织工程本身的设计和施工程序。如无法认定，应组织相应的科研项目，进行试验示范，通过运行并得出结论，再行确定规划和项目的实施。

城市电网规划环境影响评价指标体系的探讨

朱庚富[1]　周　静[2]

（1. 国电环境保护研究院　江苏　南京　210031；
2. 南京信息工程大学　江苏　南京　210044）

摘　要　本文结合电网规划环评的特点，从电网规划与城市总体规划、其他各类专项规划的协调性、规划所涉及区域的环境保护目标即环境制约因素以及规划实施的环境目标即控制要求等方面提出一套城市电网规划环评的指标体系，为今后电网专项规划环境影响评价工作的进一步开展提供理论支持和经验借鉴。

关键词　电网规划　规划环评　指标体系

一、引　言

城市电网作为电力系统的主要负荷中心，是电力系统的重要组成部分，同时又是城市现代化建设的重要基础设施之一。对城市电网进行科学的规划，有利于保证城市供电的可靠性，提高供电质量，更好地为城市建设和经济发展服务，同时可减少重复投资，提高电网建设和运行的经济性。开展电网规划环境影响评价，有利于从源头控制环境污染和生态破坏，使电力设施布局和城市公共资源配置更加科学、合理，促进电力设施的建设与城市建设协调发展，保证城市电网发展规模与当地国民经济发展需求相协调及其与其他各项专项规划的协调一致。目前，已经有部分省市开展了电网规划环评工作，但由于此类规划环评起步较晚，实例较少，尚未形成一套较为完备的指标体系。本文在对现已完成的城市电网规划环评进行总结和分析的基础上，借鉴国内外关于规划环境影响评价理论及指标体系的研究成果和实践经验，结合电网规划的特点，提出一套城市电网规划环评的指标体系，为今后电网专项规划环境影响评价工作的进一步开展提供理论支持和经验借鉴。

二、电网规划环评的要点

开展城市电网专项规划环境影响评价工作，一方面，要对供电设施布局及线路走廊的合理性进行分析与评价，对城市建成区和规划区变电站等供电设施的结构形式以及输电线路形式提出建议，划定采用地下电缆输电的控制范围；另一方面，要评估规划方案实施对环境、生态、景观、土地资源等方面的影响程度，提出预防或减缓不良环境影响的对策和措施。

三、电网规划环评指标体系的建立原则

在选取城市电网规划环评指标时应重点考虑以下原则：①科学性原则，即指标应具有明确的科学内涵。②整体性和代表性原则，即指标应涵盖电网规划环评的主要方面并突出其关注的重点问题。③定量指标和定性指标相结合的原则。④强制性指标和引导性指标相结合的原则。

四、电网规划环评指标体系的构建

根据上述建立原则，结合电网规划环评的要点和特点，笔者提出一套城市电网规划环评指标体系的框架。指标体系分为三级，一级指标主要考虑电网规划与城市总体规划及专项规划的相符性、电网规划实施的环境影响程度、土地资源利用等几个方面，二级指标在此基础上进行细化，并由此提出具体的三级指标。

（一）与城市总体规划及专项规划的相符性与协调性

电网规划环评不同于一般的输变电建设项目的环评，分析评价电网规划与城市总体规划及各类其他专项规划的相符性、协调性是其重点之一，也是其难点之一。在已开展的电网规划环评中该部分内容总体上比较薄弱，需要加以强化和完善。

规划环评协调性分析可分为与上层位规划进行符合性或相容性分析和与同层位规划进行协调性分析两个部分。对于城市电网规划，其上层位规划主要包括当地国民经济与社会发展规划、城市总体规划等；其同层位的规划包括土地利用规划、城市公共设施规划、环境保护规划等，此外，对于矿产资源丰富的城市，同层位规划还包括矿产资源开发等专项规划。

在规划地位上，上层位规划因处于更高层次的战略地位享有优先权，下层位规划应服从、服务于上层位规划，下层位规划是对上层位规划某一方面的细化和拓展。对于同层位规划，在规划地位上是同等的，由于各类专项规划编制部门的出发点、侧重点不同，各类专项规划之间常常会出现交叉甚至相互冲突，这就需要在政府规划部门的统领下建立各类专项规划部门之间的长效的沟通协作机制。开展规划环评中各类相关规划的协调性分析，其主旨也就是推动各专项规划部门的配合与协作，更好地实现资源的优化配置和环境的综合保护，实现城市电网与城市环境、社会关系的和谐发展。

本文从电网规划与城市总体规划及其他相关规划要求的协调性等方面设计相应的评价指标(见表1)，一方面由此初步分析评价变电站布局、线路走廊规划的合理性以及各类变电站和输电线路形式的合理性，指出其需要优化的方面；另一方面分析城市总体规划及其他相关规划对电网规划的实施存在的限制或不足，提出调整或完善建议。

表1　城市电网规划环评指标体系之一

一级指标		二级指标	三级指标
与上层位规划的相符性	与当地国民经济发展规划与城市总体规划的相符性	电力负荷预测与国民经济发展需求、城市空间布局及定位的相符性	全市及分区电力负荷密度、人均用电量、人均生活用电量、输电网结构、高压配电网结构、220kV、110kV 供电半径、容载比及主变负荷率、供电可靠性
与同层位规划的兼容性、协调性	与土地利用规划的协调性	规划变电站及输电线路土地预留量与需求量的匹配度	全市及分区变电站土地预留量、输电线路走廊土地预留量；变电站土地需求量，输电线路走廊土地需求量
		土地类型及土地利用强度与变电站及输电线路规划形式的匹配度	全市及分区人口密度、单位土地面积 GDP 产出、单位土地面积投资强度；各类变电站用地面积，各类输电线路投影面积，地下电缆输电控制范围
	与公用设施规划的协调性	变电站、输电线路用地范围与其他市政公用设施用地范围的邻近度、地下空间的综合利用	市政公共设施用地范围、变电站及输电线路用地范围，两者的邻近度、电缆线路与城市其他市政公用工程管线间的安全距离及共用地下管道的可行性

本文通过设计全市及分区人均用电量等指标分析电网规划中的电力需求预测是否符合当地国民经济发展规划与城市总体规划的要求；通过电力需求预测，按照 220kV、110kV 供电半径等指标初步分析变电站布局及线路走廊规划的合理性。其次，结合全市的区域规划定位、功能分区、用地布局、土地类型、土地利用强度等指标，初步对全市各区变电站和输电线路应采用的形式提

出推荐性意见，初步给出地下电缆输电控制范围，在此基础上初步估算全市及各区规划变电站土地需求量及输电线路走廊土地需求量，并与土地规划中的供电设施的布局及土地预留情况、输电线路走廊的预留情况进行对比分析，指出两者的匹配度。

电网是城市基础设施的重要组成部分，与其他市政公用设施的整合，有利于提高土地利用效率，充分利用城市有限的资源，且可最大限度地避免供电设施建设与其他建设发生冲突的现象。本文通过设计市政公共设施用地范围、变电站及输电线路用地范围及两者的邻近度、电缆线路与城市其他市政公用工程管线间的安全距离及共用地下管道的可行性等指标分析其协调性。

（二）电网规划实施的环境制约因素与自身控制要求

电网规划除了要符合当地国民经济发展规划与城市总体规划的要求、与其他各类专项规划相协调外，还需要考虑环境保护目标的控制要求，如自然保护区、风景名胜区、饮用水水源保护区的限制性要求、文物及历史和文化遗迹控制要求、各区域的声环境功能要求等，也就是说电网规划还需要与诸如自然保护区及风景名胜区规划、饮用水水源保护区规划、环境保护规划等相适应。

电网规划一方面需考虑规划所涉及区域的环境保护目标即环境制约因素；另一方面还需要设定规划本身的环境目标即控制要求。按照此思路，本文设计了相关评价指标（见表2）。

表2　城市电网规划环评指标体系之二

一级指标	二级指标	三级指标
环境制约因素与自身控制要求、与环境保护规划的协调性	电磁环境影响	工频电场、工频磁场、无线电干扰满足国家推荐标准及强制标准，各类输电线路架设高度，各类变电站及各类输电线路环保控制距离
	噪声控制	各类变电站厂界噪声：国家排放标准要求，区域噪声：声环境功能区要求
	生态环境及水土保持	自然保护区、风景名胜区、世界文化和自然遗产地、饮用水水源保护区控制要求；生态功能区目标可达性；规划实施生物损失量、水土流失量、珍稀、濒危、特有动植物保护、生物多样性
	景观	文物及历史和文化遗迹控制要求；城市中心、商业中心景观敏感度及协调性；其他人文和自然景观敏感度及协调性

由于电网项目环境影响不存在累积效应，因此，其评价指标与单个输变电建设项目一致。为突出规划具有一定超前性的特点，在电网规划环评中，可结合输变电领域新技术的应用，提出引导性控制指标或要求。

1. 电磁环境

电网规划实施的主要环境问题是电磁环境影响，工频电场、工频磁场、无线电干扰是电磁环境影响的三个具体指标，工频电场、工频磁场需满足国家推荐标准要求、无线电干扰需满足国家强制标准要求。为满足其达标要求，又设定了各类输电线路架设高度，各类变电站及各类输电线路环保控制距离的指标。在此基础上，可从技术进步的角度提出降低电磁环境影响的引导性要求。

2. 声环境

电网规划实施的另一主要环境问题是声环境影响。根据市域声环境功能区划确定具体噪声排放标准要求和声环境质量要求。在此基础上，可从技术进步的角度提出诸如降低主变低频噪声等方面的引导性要求。

3. 生态环境及水土保持

对于自然保护区、风景名胜区、世界文化和自然遗产地、饮用水水源保护区等环境保护目标，国家和地方均有明确的控制要求即强制性指标，在电网规划环评中，需重点分析变电站布局和线路走廊是否满足上述环境保护目标的要求，如有冲突，应对规划方案进行调整。目前，众多城市在组织市域生态功能区划工作，因此，除考虑上述重点环境保护目标外，电网规划还需将生态功能区目标可达性作为控制指标。电网规划的实施，必然导致植被破坏等生态环境影响，施工期还可能造成局部水土流失。电网规划环评从规划实施损失生物量、水土流失量、珍稀、濒危、特有动植物保护、生物多样性等方面提出相应的评价参考指标。同时，在施工新技术、新工艺的应用等方面提出减缓生态环境影响的引导性要求。

4. 景观

电网规划对城市景观的影响是规划实施的限制性因素之一。对文物及历史和文化遗迹、历史风貌区各地有相应的强制性或引导性控制要求。电网规划需在布局或景观等方面符合其要求。对于城市中心和商业中心等区域以及其他人文和自然景观，需从景观敏感度及协调性等方面对变电站选址、输电线路走廊规划提出景观要求，景观特别敏感的区域，划定采用电缆输电的控制范围。

（三）电网规划实施的土地利用

电网规划的实施，必然导致土地资源的占用或功能限制。电网规划除了要考虑与当地土地利用规划相协调外，还需要考虑电网规划对土地资源的有效利用。本文从此角度设计其评价指标（见表3），主要包括变电站单位面积变电容量、单位线路投影面积输电容量；规划变电站及规划线路走廊对附近土地功能的限制面积等具体的引导性指标。

表3　城市电网规划环评指标体系之三

一级指标	二级指标	三级指标
资源利用	土地资源的有效利用	变电站单位面积变电容量、单位线路投影面积输电容量；规划变电站及规划线路走廊对附近土地功能的限制面积

五、结　语

在规划环境影响评价工作中建立一套科学评价指标体系，对指导该项评价工作具有重要意义。本文结合电网规划环评的特点，从电网规划与城市总体规划、其他各类专项规划的相符性、协调性、规划所涉及区域的环境保护目标即环境制约因素以及规划实施的环境目标即控制要求等方面提出一套城市电网规划环评的指标体系，为今后电网专项规划环境影响评价工作的进一步开展提供理论支持和经验借鉴。随着此类规划环评工作的不断深入，不断完善其指标体系。

参考文献

[1] 吕昌河，贾克敬，等．土地利用规划环境影响评价指标与案例［J］．地理研究，2007，26（2）：249－256.

[2] 黄夏银，王华，等．城市轨道交通规划环评技术要点与指标体系的探讨与应用［J］．环境监测管理与技术，2008，20（4）：34－36.

[3] 李艳．电网规划环境影响评价应关注的几个要点［J］．电力环境保护，2009，25（2）：47－49.

[4] 高晓峰，吴刚．吉林省城市电网发展中需要注意的问题［J］．吉林电力，2007，35（6）：53－56.

[5] 欧阳振宇，耿春香，等．化工、石化行业规划环评指标体系建立的研究［J］．油气田环境保护，2008，18（1）：40－42.

北京地铁14号线穿越地下水水源防护区的环境影响分析

江 楠

（北京环境保护科学研究院 北京市西城区阜外大街北营房中街59号 100037）

摘 要 通过北京地铁14号线工程在环评阶段线路穿越水源四厂和水源五厂水源防护区，由施工降水、施工污染、运营期隧道对地下水径流阻隔等的影响分析，评价地铁建设对水源防护区内地下水环境及市政水源井的影响程度，并提出防护措施及应急建议，以给后期的施工设计提供依据。

轨道交通作为一种现代化的交通工具，以其快速、准时、安全、舒适及装载容量大等优点在城市交通中起着越来越重要的作用。目前北京市中心城区道路交通拥堵严重，修建大运量的轨道交通能有效地缓解这一现状，但作为开发城市地下空间的地铁项目，不可避免地会对区域地下水环境造成影响，主要体现在施工期因施工排水造成地下水资源损失，同时也存在着对地下水水质的污染风险；运营期地下隧道和车站对地下水径流的阻隔、引起地下水位局部“壅高”并对邻近建筑物安全造成影响，尤其工程在穿越地下水水源防护区区域时，这种影响更为显著。本文以北京地铁14号线工程在环评阶段的线路穿越地下水水源防护区为例，对地铁建设对地下水环境的影响进行分析评价。

一、北京地铁14号线工程介绍

（一）工程概况

北京地铁14号线是北京市规划的轨道交通线网中一条连接东北、西南方向的重要干线，西起丰台区永定河西侧的东河沿地区，北至朝阳区来广营，全长47.3km，其中地下线42.3km，高架及地面线5.0km，共设车站36座，地下车站35座，高架车站1座，平均站间距1.33km，换乘车站14座。

（二）地下水水源防护区概括

北京地铁14号线工程穿越北京市水源四厂地下水水源防护区及北京市水源一厂、二厂、五厂中五厂的地下水水源防护区，全长约7.5km，共设有7个车站。水源四厂为开采浅层承压水的市政自来水厂，水源一厂、二厂、五厂为开采深层承压水的市政自来水厂。

1. 北京市水源四厂

水源四厂1954年8月建成投产，位于北京市丰台区广安门外高楼村，现状共有水源井、补压井22眼，供水量约为10万m^3/d，井群区分布面积为11.2km^2，水源防护区面积为20.5km^2。

2. 北京市水源五厂

水源五厂建于1960年，位于东直门外太阳宫—龙道村和花家地—麦公庄地区，有开采井19眼，补压井7眼，供水量为2万m^3/d。由于水源五厂水文地质条件、开采深度等与水源一厂、二厂基本类同，并处于同一水文地质单元，含水层是一个整体，连通性和连续性较强，形成了一个统一的水位降落漏斗区，难以单独分割出来，因此水源防护区也连在一起。水源一厂、二厂、五厂水源防护区面积为43.25km^2，其中水源五厂的面积约12km^2，占总防护区面积的27.8%。

3. 工程与市政水源井关系

地铁14号线工程线路两侧较近的水源井共涉及有10眼，具体分布见表1。

根据《北京市城市自来水厂地下水源保护管理办法》，水源四厂水源核心区是以开采井为中心半径50m范围内，水源一厂、二厂、五厂水源核心区是以开采井为中心半径30m范围内，因此工程建设不涉及水源核心区。由于地铁工程为公共服务设施类建设项目，可以在水源防护区内建设。

表 1　本工程线路与周边水源井的关系

水源井群	井深/m	静水位标高/m	与地铁线路位置关系/m
水源四厂 410#、438#、439#	36.0～50.5	22.9～23.5	69.0～143
水源四厂 412#、440#、441#、442#	37.3～49.5	21.6～22.2	53.3～108
水源五厂 3#补压、504#、505#	96.0～228.0	潜水：27.0～27.8 承压水：3.5～4.5	30.5～212

（三）工程的施工方案

目前，地铁工程的车站施工方法主要有明挖法、盖挖法和暗挖矿山法，区间隧道采用的施工方法主要有明挖法和暗挖法，其中暗挖法还包括矿山和盾构法。北京地铁 14 号线工程在地下水水源防护区内所涉及的车站中有 6 座采用明挖法，1 座采用盖挖法，隧道则以盾沟法为主，也有部分路段采用矿山法。各车站及隧道具体的施工见表 2。

表 2　工程线路通过水源四厂和五厂地下水水源防护区施工方案

水源四厂防护区	路段	西四环南路—丰台北路站区间	丰台北路站	丰台北路站—西局站区间	西局站	西局站—丽泽桥站区间	丽泽桥站	丽泽桥站—三路居站区间	三路居站	三路居站—莲花河区间
	施工方法	盾构法	盖挖法	盾构法	明挖法	盾构法	明挖法	盾构法	明挖法	盾构法
水源五厂防护区	路段	机场路—阜通东大街	阜通东大街站	阜通东大街站—阜通西大街站	阜通西大街站	阜通西大街站—望京体育公园站区间	望京体育公园站	望京体育公园站—北小河区间		
	施工方法	矿山法	明挖法	矿山法	明挖法	盾构法	明挖法	盾构法		

二、施工过程中对地下水环境的影响分析

当地铁工程施工工程最大影响深度在地下水位线以上时，主要的环境问题是污染物下渗的影响；当最大影响深度在地下水位线以下时，主要的环境问题则是基坑排降水的影响。

（一）工程施工深度与地下水位的埋深关系

水源四厂水源防护区所在区域为地下水的潜水分布区，地铁 14 号线工程位于该防护区内的 4 座车站在施工期最大影响深度和建成后轨底埋深均在地下水位线以上。水源五厂水源防护区所在区域为地下水的承压水分布区，除星点状分布的上层滞水外，第一层为潜水，其下各层均为承压水，本工程位于该防护区内的 3 座车站无论是在施工期最大影响深度还是建成后轨底的埋深，均在潜水位之下，承压水位以上。水源防护区内车站施工的影响深度与区域地下水位埋深关系见表 3。

（二）施工排水路段

地铁工程在地下进行施工时，其深度在地下水位线以下，为了便于施工，需进行基坑排水疏干作业，如采用盾构法施工，则可以带水作业，不需基坑排水。

在水源四厂水源防护区内各车站及隧道施工结构底板埋深均在地下水位以上，在施工过程中不需进行排水疏干。水源五厂水源防护区内车站均明挖法施工，机场路—阜通西大街段隧道采用

矿山法施工，其工程施工结构底部在潜水位以下，需进行基坑排水，阜通西大街段—北小河隧道采用盾构法施工，不需进行排水疏干。

表3　水源防护区内车站施工影响深度与地下水位埋深关系　单位：m

所在区域	车站名称	地面高程	施工期最大影响深度	地下水位埋深	
				潜水	承压水
水源四厂防护区	丰台北路站	46.63	18.27～22.31	22.63～23.85	—
	西局站	45.77			—
	丽泽路站	44.70			—
	三路居站	43.18			—
水源五厂防护区	阜通东大街站	36.71	19.81～25.45	9.84～11.02	32.14～35.32
	阜通西大街站	37.13			
	望京体育公园站	37.17			

（三）施工排水对水源井的影响

水源四厂水源防护区内地下水水位标高要低于地铁地下构筑物10m左右，在施工期不需进行基坑排水，地下水资源不会受到损失，水源井的开采取水也不会受到干扰影响。水源五厂水源防护区地区虽然潜水位高出地下构筑物底部4m左右，在施工期需进行基坑排水，但由于水源五厂全部开采深层承压水，承压水位标高比地下构筑物底部低20m左右，而且在第一层承压水含水层顶板以上全部由黏土封闭止水，潜水与承压水无水力联系，这也是水源五厂地下水质一直保持良好的主要原因，因此本工程施工排水不会对地下水源造成污染影响，潜水过水断面的减少也不会影响到水源井的正常开采及供水。

（四）施工污染源对水源井的影响

在水源四厂水源防护区所在区域地下水是单一的砂卵砾石层，一旦被污染将波及整个水源防护区，而且表层的砂类土，渗透性很强，如施工期生产废水和生活污水随意排放将会污染到地下水，因此在工程施工过程中施工单位必须采取有效的污染防治措施，产生的污水应全部排入市政管网，生活垃圾统一收集处理，施工营地内临时厕所及污水管网接头处采取严格的防渗措施，以确保地下水不受污染。在水源五厂水源防护区内还应注意施工深度，严禁打穿潜水含水层底板的隔水层向下排放污水，同时也避免隔水层被破坏，对施工抽排的上层滞水全部排入市政管网，潜水进行综合利用。

（五）提出施工过程中的应急措施

在施工期间，应加强水源四厂、水源五厂水源防护区内地下水赋存情况的观测、水质监测及预报工作，实时监控，并制定相应的应急预案。在常规的监测过程中，如发现水质有异常污染变化，要坚持早发现、早报告、早处置的方针，并对可能形成或已造成地下水及环境污染的突发性污染事件，及时启动应急监测预案，加强监测，会同有关部门做好应急处理，防止污染扩散，并将情况及时通知北京市自来水有限责任公司，同时上报环保、水务、城建等其他主管部门。地铁的建设单位应配合施工单位成立突发地下水环境污染应急指挥部。在发生可能的污染突然事故的情况下，迅速启动应急预案。

三、地铁建成后对地下水的环境影响

本工程位于水源四厂水源防护区内构筑物底部埋深均在地下水位线以上10～15m，在现状水位标高条件下，地下构筑物不会对地下水流动路径造成影响，地下水过水断面也不会减少。在水源五厂防护区区域内，由于地下水的潜水水位全部在地下构筑物设计高程之上 2.5 ~ 4.4m，区域内潜水的流动路径和渗流场将会受到不同程度的影响，但水源五厂全部开采承压水，所以潜水过水断面的减少不会影响到该厂的开采和正常供水。

四、结论和建议

（一）结论

（1）北京地铁 14 号线工程穿越了北京市水源四厂和北京市水源一厂、二厂、五厂中五厂的地下水水源防护区，但线路未侵入水源核心区范围内。

（2）水源五厂开采深层承压水，第一层承压水含水层顶板以上全部由黏土封闭止水，潜水与承压水无水力联系，施工中虽需进行疏干排水，但均在潜水层内，对地下水源造成污染影响，潜水过水断面的减少也不会影响到水源井的正常开采及供水。

（3）水源四厂水源防护区内工程的施工不需进行基坑排水，地下水资源不会受到损失，水源井的开采取水也不会受到干扰影响。但由于其地质条件的原因，可能会受到施工营地污染源的影响，因此施工单位必须采取有效的污染防治措施。

（二）建议

（1）在施工期应加强地下水水源防护区内地下水赋存情况的观测、水质监测及预报工作，实时监控，如发生地下水环境污染或其他突发性污染事件，应立即启动应急预案。

（2）由于地下水水位会受到降水等多方面的影响，因此工程在施工前应进一步进行地质勘探，以确定在施工期实际的地下水位标高，并适时修改施工方案。

参考文献

[1] HJ 453—2008，环境影响评价技术导则　城市轨道交通［S］.

[2] 庄乾城，罗国煜，李晓昭，等．地铁建设对城市地下水环境影响的探讨［J］．水文地质工程地质，2003（4）：102 - 105.

[3] 管军杰．地铁明挖法施工中降水施工的探讨［J］．山西建筑，2005，34（5）：198 - 199.

[4] 陈爱侠，杨晓婷，王文科．城市快递轨道交通建设对地下水环境影响分析——以西安市城市轨道交通二号线为例［J］．西北大学学报（自然科学版），2008，38（2）：314 - 317.

福建省流域规划环评的特点和工作思路

周世良

（福建省环境科学研究院　350013）

摘　要　本文根据福建省的特点，总结了福建省第一阶段流域规划环评的经验，提出了第二阶段环评特点和工作思路，探讨流域规划环评的生态流量、富营养化、环境容量等几个重要问题，并提出应按照实际情况进行规划环评的思路和建议。

关键词　流域规划环评　梯级开发　生态流量　工作思路　福建省

一、福建省流域的特征

福建省由于其地形的特点，决定了其河流的特点，这些特点是：

（1）河流短促、独流入海：福建省河流全长3000多公里，地形为山多平原少；山高谷深，河网呈扇状分布、河流湍急，除汀江外基本上都为省内独流入海的河流，水量充沛，水动力条件好。因此，流域规划可以在省内完成，与外省基本上没有关系。

（2）总水量充沛，但分布极不均匀：单闽江的年径流量就与黄河相近，水资源十分丰富；但季节性强，许多河流的丰水期和枯水期的流量之比都超过十倍，在自然状态时水资源的利用率很低。因此，许多县市都是当时小水电开发的模范县。

（3）河流开发程度高：目前大多数流域都进行了多级梯级开发，随着大量中小型水电的开发，在全省形成了星罗棋布的水库，以南平市为例已建、拟建的水电站就有1011座。福建省河流的水电开发程度超过了国内外的控制水平，河流的流态从湍急河流，变成了静止的湖面，生态环境和水动力条件的变化很大。随之产生了很多的生态环境问题，流域的规划环评变得十分迫切。

二、福建省流域规划环评的特点

（一）目标明确，要求高

福建省流域环评是在福建省人民政府直接指导下进行的，省政府颁布了《加强水能资源开发利用管理规定（试行）》，对质量和时间都有十分明确的要求。省环保厅和省水利厅都十分重视，这是福建省环保部门直接参与综合决策的一个重要途径。流域规划环评的目的是通过对流域综合规划的环评，解决流域在环境综合整治中的难点问题，把有限的环境容量优先分配给支撑海西发展的重点产业以及环境友好、资源节约的相关产业；要求流域环评能协调各部门的关系，实现流域的和谐发展。流域环评要重点解决梯级开发产生的生态环境问题；确定各节点的最小生态流量、筛选重点整治的水库、讨论和其他规划的协调性。

（二）全省各流域同时进行，数量大、时间紧

福建省流域中大于500km^{2}的流域有68条，小于500km^{2}的流域有905条，有近千条流域需要环评。由于在《加强水能资源开发利用管理规定（试行）》中规定在未完成规划环评的流域，停止审批有关项目，因此，必须要求所有的规划环评在短期内完成，才能及时跟上经济的发展。

（三）大部分流域的规划项目已进行了开发

福建省河流大部分河流规划中的水电项目已进行了开发，水工程控制程度较高，据第一轮规划环评的统计结果，各流域的开发利用程度都在40%以上，有的流域甚至高达88%以上，环境问题已经显现，这成为福建省绝大多数河流规划环评中要解决的重要问题。

（四）流域综合规划内容丰富

福建省的流域综合规划不是单一的水电开发规划，内容一般包括水资源规划、水能发电规划、水运规划、灌溉规划、防洪排涝规划、水土保持规划等综合内容，并以水能开发规划为主线进行编制，形成梯级开发。

但流域规划中常很少涉及河流的生态功能、水产养殖功能、旅游景观功能、城市排污口设置等方面，需要与其他部门的协调和补充充实。

（五）环评所需要的资料十分缺乏

由于第二轮规划环评是以小流域为主，因此，不论是水文资料还是水质资料都很缺少，甚至没有。规划环评的基础材料十分缺乏，而要对900多条小流域进行实测又工作量太大，无论时间和经费都难以实现。

三、福建省流域开发中存在的主要环境问题

（一）大部分流域已经人工化

根据钱正英等“人与河流和谐发展”中对国内外流域开发程度的划分：

第一类是指完全或基本保持自然状态的河流系统；人类活动影响较小，基本上未建具有控制能力的水工程，开发利用程度小于10%的流域，这在福建省已基本没有了；第二类是人工化与自然复合的河流系统；人类活动有一定影响，流域中建有一定有控制能力的水工程，开发利用程度一般在40%以下。这在福建省也已很少；第三类：表示已人工化河流系统；人类活动影响较大，水工程控制程度较高，天然河流已改建为不同类型的人工河流系统，河流水质污染严重，开发利用程度在40%以上。

用这个标准评价福建省大部分河流已经人工化了，对生态环境已造成较大的影响；但要想拆除水库恢复到自然状态不论对经济还是社会影响都是十分困难的。

（二）生态环境用水得不到保证

生态用水是保持河流生态环境良性循环的重要保证，梯级开发引起的大量的脱水段或减水段造成对生态环境的不同程度的破坏。以汀江干流的现状来说，脱水段占到开发河段的22.72%，回水河段占到开发河段的69.04%，这些河段的生态流量得不到保证；又如闽江古田溪的脱水段又造成居民的用水和农业灌溉的困难；水量减少又降低了水体的纳污能力，如20世纪90年代的三明市的氨污染事件，下游的工厂排污的情况是正常的，只是由于上游水库的放流减少，使下游河段污染物积累，造成氨的浓度升高，引起大面积的死鱼。

因此，流域规划要与当地水资源条件相适应，根据当地生产、生活、生态及景观需水要求，统筹确定合理的生态流量，落实相关工程和管理措施，为了维护河道生态用水，必须保持河流的最小下泄流量。但是大多数电站目前都无法保证河流的最小下泄流量，甚至连保证最小下泄流量设施都没有。因此，必须优化水电站的运行管理，实行有利于生态保护的调度和运行模式，避免电站运行造成下游河段脱水段（或减水段），最大限度地减轻对水环境和水生生态的不利影响。

（三）对饮用水源的影响日显严重

水库的建设必然使河流的水生生态系统发生变异，水中生物变成以静水生物为主，因此，在许多水库中藻类和水浮莲等会得到大量繁殖，有的还会有藻毒素产生，既对饮用水造成威胁，又大大影响景观，富营养化对饮用水源的水质和水处理造成不利的影响，如2009年闽南九龙江拟甲藻的爆发；永安的饮用水源由于藻类的大量繁殖，造成饮用水源处理困难而欲搬迁，三明市的饮用水源也从沙溪河搬迁到支流东芽溪，目前三明市的集中饮用水源地都不在主干流上。

（四）对水生生物的影响

由于大坝的阻隔，洄游鱼类、水生生物的通道被隔断，因此鱼类的种群发生了变化。如闽江

建溪的胭脂鱼（国家二级保护动物）、闽江尤溪的鼋等洄游鱼类水生生物的通道，对洄游鱼类有重要作用的河流，但因原在大坝的建设中没有建设过鱼设施，甚至没有考虑过过鱼设施的建设。因此，对洄游鱼类的影响最大。

其次是由于水库的建成，水产养殖业虽然得到发展，由此形成的养殖污染是不可忽视的。水产养殖一方面要求有优良的水质；另一方面又会排出很多污染物而污染河道，产生富营养化，成为一对矛盾。

（五）航运规划基本没有实施

梯级开发就其本意来讲是可以提高航运的等级，如沙溪梯级开发时原设计是提高沙溪口到永安的航道吨级。但实际福建省除了水口电站有船闸的设施外其他电站都没有过船的设施，非但没有增加至航道吨级，反而连航运都中断了。

（六）存在低温水对灌溉的潜在影响

对有灌溉作用的河段，一要注意其脱水段（减水段）的水量能否满足下游灌溉的要求，二要注意水库的低温水会不会对农作物灌溉造成影响。但福建省的坝高较低，低温水的影响还不明显。

（七）虽然个别的水库侵占的土地不大，但从全省看被侵占耕田林田仍然很大

水库的库容侵占了大量土地、林地和湿地。有的侵占到自然保护区等重要区域，使野生动植物的生境发生变化，形成对生物物种的威胁。耕田的丧失对农民的生活质量造成影响，粮食减产。

（八）淹没区移民产生较大的影响

水库的淹没，引起一部分居民的搬迁。而居民的迁移处理得不好的话会引起严重的社会问题，对移民的安置地又会产生新的环境问题。

（九）防洪排涝设施对环境的影响

流域规划中都规划了防洪排涝的项目，是目前规划中的重要工程内容，但要注意，在防洪堤选线时不能把湿地围在里面作为房地产的开发地，减少了蓄滞洪区；要注意防洪堤岸的生态性，不要影响鱼类的生长。

四、福建省流域环评的工作思路

（一）以流域为主线，以地区为单位，对流域规划环评进行整合

流域规划环评是规划环评的一个重要部分，是战略性环境影响评价的一种，因此必须站在一定的高度进行评价才能发挥作用。面对近千个流域规划环评，如果一条条进行，不但在时间、精力上是不可行的，并且，把各流域分割开来进行环评，范围太小，本身就缺乏总体性和系统性，也不符合战略性环境影响评价的初衷，因此，在第一轮 68 条大于 500km^2 的流域规划环评中福建省以水系为单位，组合成 22 个流域进行评价，在第二轮 905 个小流域的评价中，仍应以流域为主线，以地区为单位，尽量合并，再将 905 个小流域划分为几十个环评项目进行，这样不但保留了流域规划的总体特点，又突出了小流域相互间的关系，使其更符合战略性环境影响评价的要求。

（二）突出重点，顾及全面，筛选出重点流域和重点工程

由于这次环评的流域众多，不可能都同等程度地开展工作，因此要对众多的环评流域中筛选出重点流域和重点工程，解决重点流域和重点工程存在的环境问题。

重点流域筛选原则应为：涉及饮用水与自然保护区的流域；有新工程（包括防洪堤等）需要上马的流域；通过重要城镇的流域；已发现有重要环境问题没有解决的流域（如引水发电脱水段大于 1/10 河段的流域）等。对重点流域和重点工程进行较为全面的工作，兼顾一般性

流域。

（三）重实效，科学合理地解决评价资料的来源

应根据流域特点进行采集资料，如因地制宜地制订监测方案，尽量采用现场快速监测的方法进行；采用类比方法获得所需要的水文资料法类比取得；对流域面积大，山高路险的地区可以采用卫片等方法进行调查。

（四）评价中要突出公众参与，其中部门和专家咨询是公众参与调查的重点，也是取得资料的重要来源；而类比调查则是进行环境预测的重要方法

（五）尊重现实，实事求是提出整改措施

尊重现实情况才能正确提出整改建议，有的河流上建了相当多的水电站如汀江甚至高达88.2%；在梅溪干流的78.6km河段中建了20个电站；古田溪的达才溪在约5km的河段中建了5个电站，其密度之大是少见的。如果要求这些河流都基本恢复其原有状态与原有的自然功能，是不现实的；因此，只有在尊重现实的基础上进行适当的调整，从工程设计、统一管理等方面，对各电站的开发、利用和改造作分类指导，并提出改造和管理的要求，才能使规划环评的成果得到落实。

筛选需要整改水电站基本原则，主要是低水头（5m以下）的电站；装机容量低（小于500kW）的电站，超过设计时限的电站水库；对生态环境影响很大的电站水库；对饮用水造成影响的电站水库；涉及自然保护区的电站水库。对不合格的电站采用行政措施逐步加以解决。并根据流域特征确定近期和重点工程。

要解决能减小水库电站对环境影响的主要关键性技术问题的研究，提出切实可行的补救方案。例如，目前大部分电站没有最小下泄流量的设施，应用什么工程措施加以解决；产生的富营养化问题应如何减轻等。

（六）建立流域环境数据库，加紧进行立题研究

这次流域规划环评规模宏大，其获得的基本资料将十分丰富，建立一个流域环境数据库的条件已经成熟，应该进行立题研究，把规划环评的成果更上一层楼。

参考文献

[1] 李巍，王华东，王淑华．战略环境影响评价研究［J］．环境科学进展，1995，3（3）．
[2] 周世良．开展战略性环境影响评价［J］．福建环境，1999（2）．
[3] 周世良．流域规划环境影响评价的初探［J］．海峡科学，2007（6）．
[4] 李书绅，陈晓秋，刘予宇．SEA与可持续发展战略［J］．环境科学，1998（增刊）：73－77.
[5] 陈凯麒，王东胜．大坝建设环境回顾及梯级规划环境评价研究方向．
[6] 4万座小水电“大开发”引发生态危机．
[7] 钱正英，等．人与河流和谐发展．
[8] 李巍，等．累积环境影响评价研究［J］．环境科学进展，1995，3（6）．
[9] 唐建光．怒江大坝工程暂缓背后的民间力量．中国新闻周刊．

工业园区规划环评中的生态适宜性分析
——以庄河临港工业区规划环评为例

李钟汶　徐忆红　郭宇红　曲本亮

（大连环境科学设计研究院　大连市沙河口区连山街58号　116023）

摘　要　区域规划环境影响评价中应用生态适宜性分析，可以从环保角度优化规划方案，从而预防和减轻不合理的规划布局对环境产生的不利影响。本文基于ArcGIS的空间分析功能，采用因子加权叠加法，将生态适宜性分析应用于大连市庄河临港工业区规划环境影响评价，从而找出规划方案与生态适宜性分析结果不符合的区域，从生态适宜性角度对规划提出调整建议，为规划方案优化和调整提供科学依据。

关键词　规划环境影响评价　生态适宜性分析　因子加权叠加　工业园区

一、引　言

工业园区是促进区域经济发展，吸引投资的重要手段，近些年来随着各地工业园区的大量建设，带来的环境问题也不容忽视。工业园区规划的环境影响评价能够避免工业园区规划的战略缺陷，有助于建立环境与发展综合决策机制，是实现工业园区可持续发展的重要手段。生态适宜性分析是工业园区规划环境影响评价的重要方面，通过生态适宜性分析，可以明确工业园区开发的环境制约因素，优化用地布局，减少和避免生态风险。

生态适宜性分析是运用生态学原理和方法，通过调查搜集自然、经济、社会和环境要素等资料，分析一定区域土地开发利用的合理性，确定区域开发的环境制约因素，对区域内各处的最佳用地做出评价与选择，并提出相应生态开发措施的评价方式[1]。生态适宜性分析已经被广泛应用于农业[2-3]、林业[4-5]、土地管理和土地规划[6-7]、环境影响评价[8-9]等领域，通过分析规划区内各类用地和规划区的自然、社会和环境特征的适应性，综合判断区域土地利用规划是否合理，从生态角度回答哪些区域适宜建设，哪些区域对维护生态安全起重要作用需要保护。

生态适宜性分析方法目前已推出了很多种，常用的有地图叠图法[10]、因子加权叠加法[11]和生态因子组合法[12]等。地图叠置法又称“千层饼”法，由美国景观设计师和规划师McHarg建立，该方法将一些社会、环境等不同量纲要素进行叠加，对土地利用进行综合分析，具有形象直观的特点[13]。加权叠加法的基本原理与地图重叠法的原理相似。加权求和的方法克服了地图重叠法中等权相加的缺点，以及地图重叠法中的繁琐的照相制图过程，同时避免了对阴影辨别的技术困难。加权求和法另一重要优点是适宜于计算机应用，这也是近年来该方法被广泛运用的原因[14]。本文以庄河临港工业区规划为对象，采用因子加权叠加法对规划区域内土地利用的生态适宜性进行评价。

二、研究区概况

庄河临港工业区位于大连市庄河城区南部，东经122°55′2.14″~122°58′46.09″，北纬39°35′18.45″~39°41′12.72″，规划总用地面积26.86km^2。庄河临港工业区是大连市重点工业园区，现被纳入辽宁省沿海经济带重点发展和重点支持区域之一。庄河临港工业区分为加工制造、仓储、保税、港口、公共服务设施配套区及滨海服务区六个规划功能区。其定位为以港口为核心，以港区利用为重点，以现有产业为基础，以临港产业为依托，发展低污染、低能耗、具有较高科技含量和市场竞争力的、具有较强上下游产业关联度和循环经济特征的高新产业聚集区。产业区设置一类、二类工业用地，一类工业用地形成电器机械、食品加工、家具制造、器材制造产业组团；二类工业用地形成临港配套加工产业组团。规划区处于庄河市近郊，当前土地利用类型主要为农业用地、居住用地和工业用地，土地利用现状较为混乱。在规划区的东部有大连石城岛—黑脸琵鹭自然保护区，保护以黑脸琵鹭为主的迁徙候鸟和湿地生态系统。

三、研究方法与步骤

（一）规划区土地利用现状调查

规划区内的土地利用现状是生态适宜性分析的基础，准确、全面调查规划区内的土地利用现状有助于更好地了解区内生态现状的特点，发现主要生态环境问题。通过现场实地调查并结合规划区内土地利用现状图，得到规划区内各主要用地类型的空间分布和面积，居民点用地分布及数量，地表水文情况，自然和人文遗迹分布等基础资料。

（二）建立评价指标体系

生态适宜度评价的关键环节就是建立一套科学、合理、适用的指标体系。指标体系的建立包括评价因子的选取和评价标准的确定两方面的内容[15]。

1. 生态适宜性分析评价因子的选取

评价因子的选取是生态适宜性分析的关键性步骤，常用的评价因子选取的方法有德尔斐法、多元线性回归分析法、逐步回归分析法，主成分分析法等，其中又以德尔斐法应用的最为广泛。德尔斐法是一种专家调查方法，主要利用人类已经掌握的各个自然要素之间相互关系的理论，从生态学角度综合考虑自然和社会经济因素对区域生态系统的影响，根据评价的目的和评价区域具体条件来研究选取合适的评价因子，该方法简便，易操作[16]。

生态适宜性分析评价因子的选取以规划评价区的自然属性为主，社会经济属性为辅，并遵循主导性原则，空间差异性原则，稳定性原则和可操作性原则[17]。评价因子选取不宜过多，尽量选取对生态适宜性影响显著的主导因子；评价因子应充分考虑到规划评价区的实际情况和社会经济发展水平，做到因地制宜；评价因子应在性质上比较稳定，不易变化；评价因子所需的数据容易获得，保障评价方法的可操作性。

根据以上原则运用德尔斐法选取本次评价因子见表 1。

表 1　评价因子

评价因子	属　性
坡度	地块的坡度值，坡度是生态系统稳定性和脆弱性的重要指标
高程	地块的高程值，高程影响到生物的分布和生态系统的类型
地基承载力	是基础设施建设必须考虑的重要工程因素
土壤生产性	是农业生产和植物生长的重要影响因素
植被	植被类型是不同区域生态价值的重要指标
地表水	调节空气，维持水分循环，提供水源
居民点用地情况	居民点的分布和数量直接影响到生态环境质量
自然或人文遗迹	自然景观和人文景观的价值
特殊需要保护区域	大连石城岛—黑脸琵鹭自然保护区内禁止开发建设

2. 评价因子的量化及评价标准的建立

各个评价因子指标的表达存在很大差异，因此必须将评价因子的原始信息等级化、数量化，以便更加直观、合理地度量各个因子。根据规划评价区内的实际情况和政策法规要求将规划评价区域内的单因子生态适宜性分为三级，用1、3、5分别表示不适宜建设用地、较适宜建设用地、适宜建设用地。规划评价区内重要的生态保护用地，如自然保护区等作为完全禁止开发区域单独划出，赋值为0。

由于各单因子对生态适宜性的影响程度不同，生态适宜性也不是各个单因子的简单加和，因此需要根据各个单因子的作用和影响程度赋予权重值。各因子的生态适宜性等级划分及权重值见表2。

表2　生态适宜性因子分级及权重

评价因子	分级标准	评价值	权重
坡度	<10%	5	0.16
	10%～25%	3	
	>25%	1	
高程	≤26m	5	0.16
	27～59m	3	
	≥60m	1	
地基承载力	承载力大	5	0.10
	承载力中等	3	
	承载力小	1	
土壤生产性	生产力低	5	0.10
	生产力中等	3	
	生产力高	1	
植被	旱地，无自然植被区	5	0.15
	荒山灌木草丛区	3	
	自然密林、果林	1	
地表水	小水塘及无水区	5	0.08
	灌溉渠及大水塘	3	
	支流、溪流及其影响区	1	
居民点用地情况	<5%	5	0.08
	5%～30%	3	
	>30%	1	
自然或人文遗迹	自然、人文遗迹价值低	5	0.17
	自然、人文遗迹价值中等	3	
	自然、人文遗迹价值高	1	
特殊需要保护区域	大连石城岛—黑脸琵鹭自然保护区	0	0

（三）生态适宜性分析

1. 单因子生态适宜性分析

在ArcGIS平台中将各个生态因子数据按照评价标准和评价值进行定量化处理，用规划区统一的边界对各个单因子进行数字化，在数字化的同时将各个因子的适宜性评价值输入属性表，生成各个单因子矢量格式的图层，再将其栅格化处理，生成栅格格式的单因子适宜性分布图。

2. 综合生态适宜性分析

运用 ArcGIS 空间分析模块，将各个单因子的适宜性分布图层进行加权叠加，生成综合生态适宜性分布图。叠加计算的基本公式如下：

$$S_i = \begin{cases} 0 & C_k = 0 \\ \sum_{k=1}^{N} W_k \times C_k & C_k \neq 0 \end{cases}$$

式中：S_i 为第 i 个最小评价单元的综合生态适宜性分值；$k = 1,2,3\cdots N$，表示第 k 个评价因子；W_k 为第 k 个因子的权重；C_k 为第 k 个因子适宜性等级评价值。

四、结果分析

通过计算得到规划评价区内生态适宜性得分值 S_i 为 2.48 ~ 4.16，采用分值频率曲线法，以 3.04，3.6 为阈值将规划区内用地分为三个标准：生态不适宜建设用地，生态较适宜建设用地，生态适宜建设用地，同时考虑规划区与黑脸琵鹭自然保护区重叠部分，将其归为生态不适宜建设用地，综合统计结果见表 3。

表 3　生态适宜性土地分级面积统计

	面积/hm^2	比例/%
生态适宜建设用地	1773.51	66.02
生态较适宜建设用地	456.04	16.98
生态不适宜建设用地	456.85	17.01
合　计	2686.41	100

规划区内生态适宜建设用地面积 1 773.51hm^2，占全部规划区的 66.02%；生态较适宜用地面积 456.04hm^2，占 16.98%；生态不适宜建设用地面积 456.85hm^2，占 17.01%。生态不适宜建设用地主要分布在规划区东部与黑脸琵鹭自然保护区重叠区域、中部山地和西北部山体边缘，自然保护区须特殊保护，中部、西北部山体海拔较高，坡度较陡，山上植被保存较为完整，因此这些区域不适宜开发。

将生态适宜性分析结果与用地规划进行叠加，进行规划的空间布局与规划区内的生态适宜性对比分析。通过对比分析，规划布局比较合理，大部分建设用地都规划在建设用地生态适宜区和生态较适宜区域。只是在规划区东部有少量的规划金融、商业用地和居住用地与石城岛—黑脸琵鹭自然保护区有冲突，为保证自然保护区的完整性，建议规划将用地性质调整为绿地，作为禁止开发区域。在规划区中部的丘陵地区，海拔较高，坡度较陡，应注意水土保持；西北部山地边缘地带，应注意对建设用地高程和坡度的控制；另外，在修建区内道路时应选择坡度平滑地带，力求利用现有交通线路，尽量减少穿越生态不适宜建设用地区域。

五、结　论

通过对规划评价区调查分析，针对规划评价区生态特点，并考虑国家和地方经济政策要求，选取有代表性的生态因子，再根据各个单因子的作用和影响程度赋予权重值，在 ArcGIS 平台中进行加权叠加分析，得到规划区土地建设的生态适宜性分布图。将生态适宜性分析结果与用地规划进行叠加，对规划的空间布局与规划区的生态适宜性进行对比分析，找出规划用地与生态适宜性用地在空间布局上的冲突区域，从生态适宜性角度对规划建设布局提出调整建议。

从实际运用中看，生态适宜性分析能够较好地应用于规划环境影响评价中，方法上具有很强的可操作性，评价结果较为科学、客观，为规划方案优化和调整提供科学依据，对规划环境影响评价具有普遍的指导意义和应用价值。但在实际应用过程中仍有一些问题需要注意，首先基础数据要真实可靠、易获得并具有时效性。其次在评价因子的选取和评价因子权重的确定上要做到科学、客观，因地制宜、有针对性，采取科学可行的方法，尽量减少人为主观因素的影响。

参考文献

[1] 赵珂，吴克宁，朱嘉伟，等．土地生态适宜性评价在土地利用规划环境影响评价中的应用——以安阳市为例［J］．农业资源与环境科学，2007，23（6）：586－589.

[2] 赵小汎，吴明发，代力民，等．基于生态位模型乡域尺度耕地生态适宜性评价——以辽宁省本溪市南芬区为例［J］．安徽农业科学，2009，37（15）：7113－7114.

[3] 付清，赵小敏，乐丽红，等．基于 GIS 和生态位适宜度模型的耕地多适宜性评价［J］．农业工程学报，2009，26（2）：208－243.

[4] 曲衍波，齐伟，赵胜亭，等．胶东山区县域优质苹果生态适宜性评价及潜力分析［J］．农业工程学报，2008，24（6）：109－114.

[5] 韦新良．乡村森林生态适宜性定量评价技术研究［J］．浙江林学院学报，2009，26（1）：1－6.

[6] 王介勇，刘彦随，张富刚．海南岛土地生态适宜性评价［J］．山地学报，2007，25（3）：290－294.

[7] 陈昌勇，尹海伟，徐建刚．吴江东部地区城镇发展用地生态适宜性评价［J］．陕西师范大学学报（自然科学版），2005，33（3）：114－118.

[8] 董家华，包存宽，黄鹤，等．土地生态适宜性分析在城市规划环境影响评价中的应用［J］．长江流域资源与环境，2006，15（6）：698－702.

[9] 黄夏银，夏晶，孙桂英，等．生态适宜度评价在区域环境影响评价中的应用——以淮安市洪泽工业园为例［J］．江苏环境科技，2006，19（2）：65－68.

[10] 李勇，苏文贵，肖笃宁．地理信息系统在典型区土地利用适宜性评价中的应用——以大洼县小三角洲为例［J］．土壤，1996（1）：14－20.

[11] 陈炳禄，陈新庚，吴群河．湛江市土地利用生态适宜性评价［J］．中山大学学报（自然科学版），1998，37（2）：109－115.

[12] 汪成刚，宗跃光．基于 GIS 的大连市建设用地生态适宜性评价［J］．浙江师范大学学报（自然科学版），2007，30（1）：109－115.

[13] 杨少俊，刘孝富，舒俭民．城市土地生态适宜性评价理论与方法［J］．生态环境学报，2009，18（1）：380－385.

[14] 程吉宏，王晶日．区域环境影响评价中土地使用生态适宜性分析［J］．环境保护科学，2002，28（8）：52－54.

[15] 梁涛，蔡春霞，刘民，等．城市土地的生态适宜性评价方法——以江西萍乡市为例．地理研究，2007，26（4）：782－788.

[16] 张丽君，曹红．沈阳市土地生态适宜性初步评价［J］．环境保护科学，2005，31（10）：49－52.

[17] 沈虹，肖青，周正明．区域环评中生态适宜度分析指标体系的探讨［J］．安全与环境学报，2005，5（2）：30－33.

公路网规划环评中自然保护区影响评价与减缓措施
——以青海省高速公路网规划环评为例

林　宇　黄　伟

（交通部天津水运工程科学研究院　天津塘沽新港二号路2618号）

摘　要　本文以青海省高速公路网规划环境影响评价为例，对公路网规划环境影响评价中对自然保护区的影响评价和环境影响减缓措施进行分析，并对规划环评中针对自然保护区的累积影响分析、困难与不确定性等问题进行了探讨。

关键词　公路网规划环评　生态敏感区

一、概　述

按照《规划环境影响评价技术导则》的要求，规划环评中，应识别敏感的环境问题以及制约拟议规划的主要因素，要特别关注生态敏感区（点）分析，如特殊生境及特有物种、自然保护区、湿地、生态退化区、特有人文和自然景观，以及其他自然生态敏感点等，确定评价范围内对被评价规划反应敏感的地域及环境脆弱带；对包括生态敏感区在内的生态环境要提出有效的影响减缓措施。以自然保护区为例，国家级自然保护区的核心区和缓冲区属于特殊生态敏感区，国家级自然保护区实验区、省级自然保护区属于重要生态敏感区。青海省高速公路网规划环境影响评价过程中，对包括自然保护区在内的生态敏感区给予了高度的关注。

二、自然保护区影响评价

青海省高速公路网规划环评使用GIS技术对收集到的省内自然保护区数据资料进行统计分析，得到青海省高速公路网规划实施对青海省内自然保护区的影响分析图和表1。经统计分析，青海省高速公路网建设将穿越的自然保护区包括三江源自然保护区、祁连山自然保护区和可可西里自然保护区3个自然保护区。高速公路网规划实施过程中，共有7条路线17处路段涉及对11处自然保护区的影响，穿越自然保护区的路段总长约920km，邻近自然保护区的路段总长约420km，涉及对自然保护区影响的路段总长约1340km，占高速公路网规划建设里程总长度的24%。

由表1中的分析可以得知，以三江源国家自然保护区受高速公路网规划的实施影响最大，高速公路从自然保护区内穿越，特别是穿越保护区缓冲区和核心区时将产生明显影响。特别是穿越保护区核心区和缓冲区的共和—多普玛段、玛多至清水河段和久治省界—石棉矿段与《中华人民共和国自然保护区条例》中的第18条、第37条的有关要求不符。

直接穿过自然保护区的高速公路一般是受工程建设条件限制的，如因自然保护区过大而难以绕避，或因原来就有低等级公路通过自然保护区而现在进行扩建等。此类公路分割自然保护区，噪声扰动、大气污染、人员进入增加等对自然保护区的影响明显。高速公路穿越单纯的植物类保护区，在采取封闭措施和设路卡管理的情况下，可以减少影响；穿越动物类保护区，则无论采取什么措施都难以消除影响，措施的作用十分有限。

在青海省高速公路网规划的选线和实施中，更多的情况是从自然保护区界外擦边而过。此类高速公路建设对自然保护区的影响既与公路的线路走向、方案设计、施工作业和运营方式有关，亦与自然保护区的性质、功能、结构以及区内生物习性等密切相关。公路的诱导效应和迫近效应，会给自然保护区带来管理上的巨大困难，会使自然保护区的动植物资源受到盗猎、偷伐、乱

表1 青海省高速公路网可能影响的自然保护区

名称	级别	保护对象	公路简称	路段名称	穿越里程	建设方式	高速公路与自然保护区关系
三江源国家级自然保护区	国家级	珍稀动物、湿地、高寒草甸生态系统	久治省界—石棉矿	路段A	—	改扩建	穿越年保玉则保护分区实验区
				路段B	—	新建	穿越阿尼玛卿保护分区缓冲区
			共和—多普玛	路段A	—	改扩建	穿越星星海保护分区缓冲区、扎陵湖、鄂陵湖保护分区实验区
				路段B	—	改扩建	穿越通天河保护分区实验区
				路段C	—	改扩建	穿越白扎保护分区核心区和缓冲区
			西宁—大武	路段A	—	改扩建	穿越中铁—军工保护分区实验区
			马场垣—唐古拉山口	路段A	—	改扩建	穿越索加—曲麻河保护分区实验区
祁连山自然保护区	省级	祁连山水源涵养林、草原植被	西宁—小沙河	路段A	—	新建	穿越实验区
可可西里国家级自然保护区	国家级	藏羚羊、野牦牛等有蹄类动物及生态系统	马场垣—唐古拉山口	路段A	—	改扩建	穿越实验区
茫崖阿拉尔自然保护区	规划	湿地环境和藏羚羊、野驴、鹅喉羚、野牦牛等珍稀野生动物	久治省界—石棉矿	路段A	—	改扩建	邻近自然保护区
尕斯库勒湖自然保护区	规划	湿地环境和珍奇水鸟		路段B	—	改扩建	邻近自然保护区
柴达木祁连圆柏自然保护区	省级	祁连圆柏等古老树种和森林生态系统		路段C	—	改扩建	邻近自然保护区
秀沟自然保护区	规划	珍稀野生动物		路段D	—	新建	邻近自然保护区
胡杨林自然保护区	省级	胡杨林及生态环境		路段E	—	改扩建	邻近自然保护区
孟达自然保护区	国家级	森林生态系统和珍贵树种	平安—大力加山	路段A	—	改扩建	邻近自然保护区
克鲁克湖—托索湖自然保护区	省级	水禽鸟类与湿地生态系统	西宁—小柴旦	路段A	—	改扩建	邻近自然保护区
青海湖自然保护区	国家级	黑颈鹤、大天鹅、斑头雁等水禽及生态系统		路段B	—	改扩建	邻近自然保护区

采滥挖的破坏，自然保护区土地亦会受到蚕食，保护区的动植物生境也因周围地带的开发利用、水文气候条件变化而逐渐恶化。此外，公路行车的大气和噪声污染，会影响保护区的动物生息，甚至夜间行车的车灯光亮，也可能会成为影响野生生物生息的因素。直接的影响还有公路的阻隔作用，它使保护区生物被限制在公路一侧，缩少了其觅食、寻偶的地域，隔断了迁徙或惯常活动的路线。

高速公路对远离其线路的自然保护区，也会造成间接的但却是长期的影响。这主要是“迫近效应”所致。公路开通会加剧对一些自然保护区内外自然资源的开发，从而破坏保护区的自然性，降低其保护自然的功能。由于公路干线的开通，一些经营者或地方政府可能会修建连接线通到自然保护区，以开发保护区内或周围的自然资源，或者划分保护区的某些区域开展旅游活动。

三、针对自然保护区的规划调整方案与影响减缓措施

（一）对自然保护区的保护原则

如前所述，青海省高速公路网规划的实施对于省内自然保护区的影响比较明显，为此，青海省高速公路网规划环评中提出了如下的保护原则：

（1）对于规划线位穿越自然保护区的路段，在项目设计阶段应尽可能采取措施避让自然保护区。无法避让的，按照原国家环境保护总局《关于涉及自然保护区的开发建设项目环境管理工作有关问题的通知》环发［1999］177 号的要求：“必须穿越自然保护区的（建设项目），特别是自然保护区的核心区、缓冲区内时，应对自然保护区的内部功能区划或者范围、界线进行适当调整。功能区划的调整方案，须经所涉及的相应级别农、林、水、地质矿产和海洋等有关自然保护区行政主管部门审核同意后，报同级环境保扩行政主管部门批准；自然保护区的撤销及性质、范围、界线的调整或者改变，应由原批准建立自然保护区的人民政府批准。若上述调整对自然保护区的保护对象产生重大影响，经专家论证表明已失去其保护价值的，应通过异地建设不小于原保护区面积的新的自然保护区给予补偿。上述调整、变更的报批必须在项目环境影响报告书批复前完成。”

（2）对于规划线位邻近自然保护区的路段，在项目设计阶段也应注意避让自然保护区，避免发生因线位摆动造成穿越自然保护区的情况并尽可能使线位远离自然保护区边界。项目环境影响评价、设计和施工过程中要重点关注对自然保护区生态环境的保护。

（3）对于少数可能影响自然保护区的新建路段，建议在布线时尽量避让自然保护区，必须避让保护区的核心区和缓冲区，并采取严格的保护措施减缓其对自然保护区的影响。

（4）青海省高速公路网中涉及自然保护区的路段开展建设项目环境影响评价时，环境影响报告书中应设专章或专题报告，对所涉及的自然保护区现状作出评价，对因项目所造成的自然保护区结构与功能、保护对象的影响与保护价值的变化作出预测，提出保护与恢复治理方案，并组织有关方面的专家进行专题论证。

（二）针对自然保护区的规划方案调整建议

对于包括自然保护区在内的生态敏感区，比较有效的保护方案是规划方案的调整。《中华人民共和国自然保护区条例》中规定“在自然保护区的核心区和缓冲区内，不得建设任何生产设施”。青海省高速公路网规划中的大武—花石峡（新建）、玛多—清水河（改建）、囊谦—多普马（改建）等 3 处路段分别穿越三江源国家自然保护区阿尼玛卿保护分区缓冲区、星星海保护分区缓冲区和白扎保护分区核心区和缓冲区。因此，规划环评报告书中首先提出了在条件许可的情况下，对于规划线位穿越自然保护区的路段，在下一步规划调整和项目设计阶段应尽可能采取措施避让自然保护区。

（三）自然保护区环境影响减缓措施

除规划方案的调整外，青海省高速公路网规划环评中同时提出如下减缓措施，以减轻规划实施对自然保护区的影响：

（1）青海省高速公路网规划中涉及自然保护区的路段大部分为改扩建路段，建议改建工程建设过程中尽量沿老路走廊带布线，加强施工管理，不在自然保护区内进行植被砍伐、取弃土等相关工程活动，同时，增加桥涵数量，保证公路两侧水利联系畅通和减轻对公路两侧野生动物迁徙的影响。

（2）青海省高速公路网规划中的穿越、邻近自然保护区的路段，在工程可行性研究阶段，应进行多方案比选，选择尽可能避让、远离保护区的方案；遵循地形选线、地质选线，要综合考虑地形、地质与环境情况，合理利用地形，既可减少工程量又能避免破坏自然保护区内的自然资源或者景观；合理确定不同路段的设计速度、路基宽度，充分论证相关技术标准，并征得相关部门的同意。

（3）高速公路建设项目环评阶段应调查落实路网规划范围野生动物的种类、数量、活动范围和生活习性，明确野生动物的栖息地、繁殖地，优化线位选址，尽量避免穿越原生生态系统和珍稀动植物的栖息地。难以避绕的公路路段，需要建设生物廊道（网），以便野生动物出行和活动。做好沿线野生动物的保护措施。对工程施工期、营运期进行生态影响的监测或调查。监测生境的变化，植被的变化，野生植物的种群、数量变化以及生态系统整体性变化。可能阻断野生动物迁徙通道的，应当根据动物迁徙规律、生态习性设置通道或通行桥，避免造成生境岛屿化。可能影响野生植物和古树名木的，应优先采取工程避让措施，必要时进行异地保护。

（4）在项目建设和营运期注意对外来物种的监管，防止生态入侵。道路的修建为个别利欲熏心的不法盗猎分子提供了方便，为了防止野生动物惨遭涂炭，高速公路规划过程中要与相关部门沟通协商，在野生动物集中分布区规划建设保护站，加强对野生动物的管护工作。

四、针对自然保护区的累积影响分析

生态敏感区分析中的累积影响分析需要得到高度重视。对于非污染生态影响类型的高速公路建设项目而言，高速公路网中的累计影响主要是空间上的累积影响。由于青海省幅员辽阔，地形地貌及其地质结构复杂，土壤和气候变化很明显，形成了丰富多样的生态系统类型，孕育了很多珍稀的野生动植物种类，境内自然保护区较多，而且面积较大。高速公路网布局中可能会发生多条公路同时穿越自然保护区的情况，特别是当自然保护区的面积较大时更容易产生这种影响。根据青海省高速公路网规划环评中对自然保护区累积影响分析结果，规划中的部分段落包含的多条公路出现了同时影响同一保护区的累计影响，如规划中的湟源至察汗诺和湟源至茶卡对青海湖自然保护区产生了“合围”效应；规划中的S3公路、S13公路和S20公路在青海省东南部形成的二纵一横网格状对三江源自然保护区的局部地区（由星星海保护分区、阿尼玛卿保护分区和中铁－军功保护分区组成）形成切割效应。这些高速公路的切割对青海湖自然保护区、三江源自然保护区的累积影响主要表现在对整体生态系统的蚕食（破碎）效应，即由于高速公路对自然保护区的“包围”和网格状“切割”，使得自然保护区与外界的能流、物流和物种流的交流受到高速公路的阻隔，生态系统的完整性受到破坏，自然保护区的功能受到影响。而且高速公路的修建将会带来一些间接效应，即新建道路建设带动周边的开发，使得这两处自然保护区的生态平衡进一步受到人类活动的干扰从而更加脆弱。为此，青海省高速公路网规划环评提出，要高度重视针对包括这两处保护区在内的生态敏感区的规划调整方案和减缓措施。

五、困难与不确定性

青海省高速公路网规划环境影响评价中使用的有关青海省境内自然保护区名录和分布情况等相关资料主要来源于青海省林业局和青海省环保厅，资料收集过程中，保护区的主管部门并未能提供所有自然保护区的图件，各自然保护区资料丰富程度差异较大，个别保护区仅有经纬度、四至说明和简单的文字介绍，还有少数保护区正在调整过程中。由于前述资料收集过程中的困难和受不确定性因素限制，无法非常全面准确地确定青海省高速公路网规划与青海省境内部分省级自然保护区以及可能涉及县州级自然保护区、正在规划中的自然保护区的具体位置关系。最终规划环评只能建议高速公路网中涉及自然保护区的相关段落开展建设项目环评时，应进一步收集相应自然保护区的技术资料、明确项目工程与这些自然保护区的位置关系并注意对自然保护区的保护。

六、结　语

随着规划环境影响评价工作的深入开展，生态敏感区的影响评价作为规划环境影响评价中的关键部分作用将越来越凸显，规划环境影响评价技术人员应高度重视包括自然保护区在内的生态敏感区评价的相关技术问题，从而充分发挥规划环境影响评价对规划制定、调整等方面的指导作用。

参考文献

[1] 交通部天津水运工程科学研究所．青海省高速公路网规划环境影响报告书．2009. 7.

[2] 交通部科学研究院．青海省公路网规划环境影响报告书．2006. 7.

[3] 马生林．青海湖区生态恶化探析［J］，西北师大学报，2002（9）.

公路网规划土地资源影响评价研究

黄　伟　林　宇　刘长兵

（交通部天津水运工程科学研究院　天津塘沽新港二号路2618号）

摘　要　现阶段公路网规划对土地资源的影响评价仅考虑了公路网自身对土地资源的占用。但是公路网规划，尤其是高速公路网规划的实施还将引起高速公路网经济带的形成和加速公路周围农村的城镇化、工业化和现代化进程。这些间接的作用将会对公路网规划所在区域的土地利用类型数量和分布带来一些潜在的影响。这种潜在的土地资源影响方式在影响范围上可能远大于公路网规划直接对土地资源的占用。然而这些影响却没有在规划环境评价中得到相应的体现。所以建议将这些潜在的影响纳入到公路网规划对土地资源的影响评价当中，从而完善规划环评的理论体系。

关键词　公路网规划环评　土地资源影响评价　高速公路经济带　城镇化

一、引　言

规划环境影响评价（以下简称规划环评）是在规划层次上运用环境影响评价原理对规划实施可能导致的环境影响进行识别、预测和评价，在规划编制和决策过程中协调环境与发展的一种途径，隶属于战略环境影响评价范畴[1]。

近几年来，国家环境部大力推动规划环评的研究和试点工作，并发布了《规划环境影响评价技术导则（试行）》（以下简称《导则》）用于指导规划环评实践。这一系列的工作极大地推动了规划环评工作的发展，已经取得了许多关于各行业以及区域规划环评的研究成果。环境影响评价法实施两年多来，规划环境评价在诸多行业已开始试点或逐步开展，目前中国已有上海、天津、河北、山东、陕西、内蒙古、大连、深圳、杭州、邢台等省市以不同形式陆续出台了规划环境评价地方性法规。在公路交通行业，目前已有几个省的公路网规划开展了规划环境评价，为实现从源头控制环境污染和生态破坏发挥了积极的作用[2,3]。

但是由于我国规划环评起步较晚，所以在现实评价工作中还有许多实际问题需要解决。本文将从土地资源影响评价这一角度对其在公路网规划环评过程中出现的问题进行探讨。

二、公路网规划对土地资源影响现状及存在问题

土地是人类生活和生产活动的主要空间场所，是人类最宝贵的资源。但是，随着人口的增长，人类需求的增加，土地资源紧缺的状况也日益严重。所以土地资源影响评价是规划环评中的重要组成部分，也是规划环评的重要指标之一。

公路建设需要永久性占用大量的土地资源，如果规划选址不当的话将会对公路所在区域的土地利用格局、土地利用类型产生一定影响，主要表现为：①公路占地将导致耕地面积减少，农作物减产，加剧对剩余耕地的压力，使农业生产受到影响，增加当地对基本农田保护的压力，这种影响将是长期的。②公路占地使土地利用价值发生转变。不同土地利用类型价值不同，对荒山荒地的占用将充分提高其土地利用价值；对林地来说，公路侵占林地将使其生态价值降低，对区域的生态环境产生一定的负面影响。③同时公路网在施工和使用过程中产生的噪声、振动及排放的废气、废水、废渣可污染公路两侧的农田土壤质量，使农作物污染物含量增高，对当地农业生态环境造成一定的负面影响[4]。所以在公路网规划环评中规划对土地资源影响评价显得尤其重要。

（一）公路网规划对土地资源影响评价现状

根据目前已有的公路网规划环评工作，公路网规划环评对土地资源影响评价方法一般采用

GIS 的方法，通过叠加公路网规划所在区域的土地利用现状图和公路网规划线位图，然后根据《公路建设项目用地指标》中不同等级公路每公里占用土地量来进行统计[5,6,7]。这种评价方式仅仅考虑了公路网规划对土地资源的直接影响，也就是公路网本身占用了多少土地资源。然而很多研究表明公路网规划[4,8,9]，尤其是高速公路网规划，在规划实施之后对规划所在区域内的土地资源利用具有很多潜在的影响，这些潜在的影响并不局限于公路本身对土地资源的占用，而是起一种催化剂的间接作用，即加速公路网尤其是高速公路网节点附近的土地资源开发利用。

（二）存在问题

公路网对土地资源的潜在影响主要体现在高速公路经济带的形成和加速周围农村的城镇化、工业化和现代化进程。

（1）高速公路经济带的形成

企业的生存和发展除了必须具备良好的自然资源条件、地理位置条件、经济基础条件以及有利于产业发展的政策环境外，还必须具备便捷的交通运输条件。高速公路具有通行能力大、快速高效、安全舒适的特点，为客货运输提供了优越的条件，对企业具有更大的吸引力。这种吸引力就是一种区位优势。把企业建在高速公路沿线，尤其是出入口及其连接线附近，一出厂门就可以上高速公路，在节约了运输时间的同时，也提高了运输效益和运输质量，降低运输成本。国内外很多有名的经济产业带都分布在离高速公路几公里或十几公里的地方，如名谷屋—神户高速公路经济带（名谷屋—神户高速公路）、加拿大的工业区（401－40 号公路）、北京经济开发区（京津唐高速公路）、沈大经济带（沈大高速公路）等[10、11、12]。

（2）农村的城镇化、工业化和现代化

城镇化的依托是产业的发展和聚集，公路的辐射作用使得产业在辐射域内聚集，带动周围农村城镇化的发展。高速公路辐射域内广大农村地区向城镇化方向发展，具体表现如下：①高速公路辐射域内城镇规划和布局的合理化。高速公路的发展不仅有利于局部农村城镇化中规划和布局的优化，也有利于全国农村城镇化的空间布局优化。②辐射域内城镇化水平得以提高。以乡镇企业为主体的农村工业由于受到区域的吸引作用而在辐射域内聚集，充分享受产业集聚所带来的集聚经济效益与规模经济效益，同时，交通条件的改善推动乡镇企业兴旺发展，促进了城乡贸易和商品流通，提升乡镇企业的经济效益，效益的提高促使企业进一步扩张，为城镇建设积累了经济基础。我国“五纵七横”的国道主干线横贯东西，连接南北，使我国多数城市与高速公路相通。特大城市周边农村可以依靠高速公路发展卫星城市，东部沿海地区农村城镇化已经比较普及，形成了长江三角洲、珠江三角洲、京津唐地区、辽中南地区等许多城镇密集区[13]。

公路网规划引起的上述这些潜在影响，无论是高速公路经济带的发展还是农村城镇化的发展都将对公路规划线位周围的土地资源的组成和分布带来影响。也就是公路周边原来的农业用地以及各种天然土地利用类型逐步转化为商服用地、工矿仓储用地、住宅用地、公共管理与公共服务用地、交通运输用地等，并且各种土地利用类型在数量及空间布局上也会随着高速公路建成通车时间越长而发生变化[4]。

三、结论与展望

综上所述，公路网规划对区域土地资源的影响就不仅仅是公路网本身土地资源占用的问题，它还将通过公路建设带来的经济发展聚集效应，从而影响到周围土地利用类型在数量及空间上的布局。而且，这种潜在的土地资源影响方式在影响范围上将远大于公路网规划直接对土地资源的占用[14]。

所以，是否将这些潜在的影响纳入到公路网规划对土地资源影响评价当中来？如何评价这些潜在的影响？本文通过总结现阶段公路网规划对土地资源的影响研究现状和存在问题提出上述两个问题与各位同行进行探讨，并希望为我国规划环境评价理论体系及技术方法的完善与发展提供一些有益的思考。

参考文献

[1] HJ/T 130—2003，规划环境影响评价技术导则（试行）[S].

[2] 杨云峰. 公路网规划环境评价技术方法 [J]. 交通运输工程学报，2006.

[3] 包存宽，陆雍森，尚金城，等. 规划环境影响评价方法及实例 [M]. 北京：科学出版社，2004.

[4] 王媛媛. 高速公路出入口对土地利用的影响研究 [D]. 长安大学硕士学位论文，2008.

[5] 交通部天津水运工程科学研究所. 青海省高速公路网规划环境影响报告书. 2009.

[6] 交通部科学研究院. 青海省公路网规划环境影响报告书. 2006.

[7] 交通部科学研究院. 黑龙江省骨架公路网规划环境影响报告书. 2007.

[8] 吴玲玲. 高速公路连接线两侧的土地利用研究 [D]. 武汉大学硕士学位论文，2005.

[9] 李健. 基于城市土地利用的交通影响分析研究 [D]. 河北工业大学，2006.

[10] 王明太. 高速公路经济带的空间演化机制及对区域经济发展启示 [J]. 交通世界（建养·机械），2006 (9).

[11] 夏飞，陈修谦. 高速公路经济带边界模型的构建及实证分析 [J]. 系统工程，2004.

[12] 韩增林，尤飞，张小军. 高速公路经济带形成演化机制与布局规划方法探讨 [J]. 地理研究，2001.

[13] 夏飞. 高速公路发展对我国农村工业化、城镇化和现代化的影响研究 [D]. 南京理工大学博士论文，2004.

[14] Richard T. T. Forman，Lauren E. Roads and their major ecological effects [J]. Annu. Rev. Ecol. Syst. 1998.

[15] 王磊. 高速公路经济带空间聚散效应初探 [J]. 交通科技，2007.

规划环评中关于环境保护对策措施的案例分析
——以庄河临港工业区为例

徐忆红　曲本亮　颜　森　李钟汶　郭宇红

（大连市环境科学设计研究院　大连　116023）

摘　要　规划环评提出的有针对性的环境保护对策措施，可以从环保角度优化规划方案，从而有效预防或减轻规划实施对环境的不利影响。本文探讨了规划环评的工作内容、分析方法，以及提出规划环境影响减缓措施的技术路线等，并将其应用于庄河临港工业区规划环评中，在对规划方案、区域环境概况等方面分析的基础上，针对影响环境的主要问题，提出具有可操作性的环境保护对策，为规划的环境管理提供科学依据。

关键词　区域规划环评　污染控制措施　优化调整建议

一、规划环评的工作内容和方法

（一）工作内容

根据规划内容、规模、发展目标等，结合当地的社会、经济发展总体规划、环境保护规划和环境功能区划等，调查主要敏感环境保护目标、环境资源、环境质量现状、分析现有的环境问题和发展趋势，识别规划可能导致的主要环境影响，以此作为规划环评的主要工作内容。

将识别的主要环境影响进行定量或半定量或定性的预测，分析其影响程度是否在可接受的范围内，为将这种影响控制在最小范围内，分别对大气环境、水环境、生态环境、固体废物影响等提出不利环境影响的减缓措施。

规划方案分析包括规划目标、规划布局、总体发展规模、产业结构以及环保基础设施建设方案的分析，以及规划协调性分析。通过系统分析找出规划方案中潜在的冲突问题，为进一步的评价工作，提供大方向的指导。当区域土地利用的生态适宜度较低或区域环境敏感性较高时，应考虑选址的调整；一般情况下，工业区边界应与外部较敏感地域保持一定的空间防护距离，当选址邻近生态保护区、水源保护地、重要和敏感的居住地，要建议提出调整；规划区内各功能区应满足相互间的影响最小，并留有充足的空间防护距离。

（二）分析方法

由于规划的种类繁多，涉及的行业千差万别，因此，目前还没有针对所有规划环评的通用方法，很多适用于建设项目的环境影响评价方法可以直接用于规划环评。

区域规划的影响范围和不确定性较大，在进行规划的环境影响预测、评价时较多采用定性和半定量的方法，选择适用于大尺度研究的方法，分析中采用的方法有数学模型法、情景分析法、类比分析法、空间分析法、承载力分析以及以 GIS 为平台的生态信息叠图分析法等。

二、制定原则和技术路线

（一）减缓措施的制定原则

规划环境影响评价的环境保护对策与措施，应遵循“预防为主”的原则和下列优先顺序：预防措施，用于消除规划的环境缺陷；最小化措施，限制和约束行为的规模、强度或范围使环境影响最小化；减量化措施，通过行政措施、经济手段、技术方法等降低不良环境影响；修复补救措施，对已经受到影响的环境进行修复或补救；重建措施，对于无法恢复的环境，通过重建的方式替代原有的环境。按上述原则从环境保护角度对规划区域提出切合实际，具有可操作性的减缓措施。

（二）技术路线

根据规划方案分析和相关规划的协调性分析，以及环境要素现状资料调查分析，通过规划环境影响识别，找出规划实施后的主要环境问题，经过环境要素的分析预测、生态适宜性分析、区域资源承载力和环境容量分析，综合上述分析结果，提出环境影响减缓措施和规划调整建议。

三、案例分析

（一）规划方案和环境概况

庄河登沙河临港工业区位于大连庄河市城区的西南部，三面为陆地，南面与大海相邻。规划总面积26.86km²。该工业区规划为六个功能区，分别为加工制造、仓储、保税、港口、公共服务设施配套区和滨海服务区。产业区设置在九顶梅花山正南部和正北部。北部产业区设置一类工业用地，形成电器机械、食品加工（非高耗水类的海产品及粮食产品粗加工）、家具制造、器材制造产业组团。南部产业区设置二类工业用地，形成临港配套加工产业组团。规划区在南部、北部区域各规划1座区域污水处理厂，北部区域污水经处理后经东侧小寺河入海，南部区域污水经处理后直接入海；南、北区各规划1座集中供热锅炉房，为区内提供热源。

庄河为低山丘陵区，规划区域背山面海，山势起伏不大，规划区用地西靠观驾山，北邻西山公园，东邻小寺河，九顶梅花山矗立于规划用地中部，将规划区分为南、北两部分。目前规划区内分布有5个自然村，约3 000余户。工业区东侧与大连市黑脸琵鹭自然保护区相邻，该保护区主要保护主题为黑脸琵鹭和黄嘴白鹭繁殖地、湿地生态系统。

（二）不利影响的减缓措施

根据规划方案的影响预测与分析，针对大气、水、生态等关键要素的主要环境问题，提出有针对性的缓解措施。

1. 环境空气影响控制措施

（1）废气污染防治措施

规划区拟建两座集中供热锅炉房，根据大连市环境保护要求，供热锅炉禁止燃用含硫分大于0.7%，含灰分大于20%的煤炭。锅炉必须安装高效脱硫除尘装置方可排放，并安装烟尘、SO_2在线监测装置。规划区内现有分散小锅炉54台，吨位在0.5～10t/h，大多数在2 t/h以下。规划区实行区域集中供热以后，区内原有小锅炉要逐步拆除，计划在5年内将区内原有分散小锅炉拆除完毕。

随着工业区项目的引进，企业排放的废气在数量与种类方面也会增加。因此，要求区内企业排放的生产废气，必须达标排放。

（2）实行区域二氧化硫减排措施

目前庄河市区集中供热率达80%，但大多为小锅炉房集中供热，而庄河黑岛电厂余热尚未利用，建议将黑岛电厂的余热用于庄河市区的供热，并实现热电厂供热，减少庄河市二氧化硫的排放量，实现庄河市“十一五”期间二氧化硫的减排任务。

2. 水环境影响减缓措施

（1）水资源保护措施

庄河市水资源相对较丰富，但考虑大连市是资源型缺水城市，水资源有可能成为本规划的一个限制因素，因此需要节约用水。鼓励发展节水型工业，拒绝引进耗水量大的企业，从源头控制水的消耗总量；加强企业用水管理，实施分类计量用水，定期进行企业水平衡测试；使用循环水，提高工业用水的重复利用率；要求区内各用水单位的绿化、道路浇洒、洗车、建筑施工和景观等使用中水。

目前有些企业用水采用地下水，由于规划区临海，为防止地下水过量开采引起海水倒灌，建议规划区设为地下水限采区，应加强对地下水储量、利用情况的普查，研究确定合理开采量。

（2）对区域污水处理设施的要求

目前庄河市污水处理厂一期工程（规模3万 m^3/d）已经建成，庄河市区约70%的污水可收集进入该污水处理厂进行处理，建议尽快实施庄河市污水处理厂二期工程，使污水处理规模达到6万 m^3/d，满足规划区建设需要。为保证南部片区近期建设项目的污水处理需要，建议近期还要建设南部区域污水处理厂，保证污水处理设施与片区项目的同时施工、同时设计、同时投产。

由于庄河市污水处理厂排水口（小寺河入海口）附近海域监测点位无机氮和活性磷酸盐超标严重，区域污水处理设施应进行脱氮脱磷处理，减少氮、磷的排放量。

（3）实行区域水污染物减排措施

本规划近期拟建2座污水处理厂，污水经处理后虽然2010年庄河市COD排放量将减排2951t/a，由于庄河东区污水（占总水量约30%）未得到处理，致使2010年COD排放量仍不能满足大连市“十一五”分配给庄河市的总量控制指标要求，如果2010年庄河市的污水全部集中处理达标排放，庄河市COD排放量方可满足总量控制指标要求。因此，庄河市除在临港工业区建设2座污水处理厂外，还要加快庄河东区污水处理厂的建设。

3. 声环境影响控制措施

区内企业如机械加工、木材加工等会产生较大噪声，对这些企业的高噪声设备必须采用消音减噪措施，并将高噪声设备置于单独设备间；企业在设备布局上，高噪声设备应远离厂界，使其厂界噪声符合工业企业厂界环境噪声排放标准；在企业与居民区之间应设置绿化防护带。

4. 固体废物影响控制措施

规划区的生活垃圾送至拟建庄河垃圾填埋场处置，为保证临港工业区的生活垃圾能得到妥善处理，建议相关部门加快该垃圾填埋场的建设，使其尽快投入使用。

随着规划区大量企业的引入，规划区内工业固废的种类和数量都会有所增加，对可利用的废物尽可能综合利用，危险废物必须交由有资质的单位回收处理，禁止出售给没有处理资质的单位处置；为保证相关废物得到有效处置，相关部门应加快建设庄河市工业固体废物及危险废物处置场。

5. 生态影响保护措施

（1）对林地、农用地的保护措施

规划区内的林地多生长在山地丘陵地带，通过规划的中央景观公园、社区公园和产业公园等对规划区内的林地进行保护。在开发建设过程中能保留的树木尽可能保留，确需占用的林地须经林业主管部门批准，并采取异地恢复措施或补偿措施。

规划区内目前部分土地为耕地和园地，其中有些是基本农田。对于规划确需占用基本农田的，在规划实施前必须按法定程序报国务院批准，同时按照《中华人民共和国土地管理法》、《基本农田保护条例》及国土资源部有关规定，严格按照“占一补一，占补平衡”的原则实施补偿，确保基本农田的面积稳定。

（2）海洋、湿地生态环境保护措施

由于规划区填海占据养殖海面，减少了渔民养殖面积，造成养殖生物损失，影响了部分渔民的养殖收入，应对这些养殖户给予合理的经济补偿。

在填海的过程中建议采用孤岛式填海方式，改变通常采用的由海岸向海延伸式围填海方式，孤岛式填海方式可增加区内水系，增加海岸线，不仅可营造良好的景观环境，还有利于生态环境的保护。填海施工时应采取围堰等工程措施，减少施工悬浮物污染对水产养殖的影响。

6. 自然保护区的保护措施

大连市黑脸琵鹭自然保护区的实验区与规划区相邻，为避免外部照明产生的光污染，可能导致鸟撞事件的发生，建议控制规划区外部照明灯光的色彩和亮度。对于港口照明的高架灯，灯具则采用束状光源，其照射面在2m左右，可有效地避免光线发散；夜间港口内只在需要作业的时间段和地点开启照明灯光，其他时间段和地点的灯光如无必要则不开启。另外，考虑色彩对鸟类的影响，规划区内建筑物外墙颜色不采用与天空背景相同的天蓝色，以防止鸟类误判而撞上建筑物体。

为防止对鸟类飞行产生影响，建议对保护区周边地区的建筑高度进行控制。

（三）规划的优化调整建议

1. 调整与保护区重叠的建设用地

采用GIS的空间叠置分析技术将规划图与现状图进行叠图分析，发现规划区部分建设用地位于黑脸琵鹭自然保护区内，为防止区域开发对保护区的影响，建议规划将这部分建设用地调出规划区，或规划为林地和绿地等非建设用地。

2. 调整南区锅炉房选址

南区锅炉房选址位于黑脸琵鹭自然保护区的边缘，由于距离黑脸琵鹭自然保护区太近，建议将原南区锅炉房向西南移约1.5km，调整至庄打路北侧二类工业用地内，尽可能远离自然保护区。

3. 建议规划动迁安置区

规划未明确区内动迁人员的安置去处。规划区内拟动迁居民人口数量较多，一些居民愿意搬迁，而另一些不愿意离开故土。建议相关部门根据实际情况，采取货币化安置或在区内规划动迁安置区，安置动迁居民。

4. 调整北部工业区的产业类型

由于北部产业区距离庄河市区较近，规划将北部产业区为一类工业用地，而规划的产业类型为食品加工、家具制造、木材加工，根据《城市用地分类与规划建设用地标准》（GBJ 137—90）中规定，一类工业用地是对居住和公共设施等环境基本无干扰和污染的工业用地，规划的产业类型应为二类工业用地，建议将该区域调整为电子工业、服装加工、工艺品制造等污染小的产业类型。

四、结　语

规划方案的污染控制和减缓措施是规划环评的重要组成部分。从规划项目的环境影响评价特点出发，同时结合环境管理要求，确定规划的环境影响评价重点，通过对规划方案分析、规划所在地环境的特点分析，识别规划实施可能对资源、环境、社会经济等方面产生的影响，预测评价规划实施后对环境的影响，论证规划方案布局、结构合理性，根据上述分析结果，方可提出有针对性的环境保护对策措施和优化规划调整建议。

参考文献

[1] 史悍民．区域开发活动环境影响评价技术指南［M］．北京：化学工业出版社，1999.

[2] 梁学功，刘娟．中国实施规划环评可能出现的问题及其解决办法［J］．环境科学，2004，25（6）：163－166.

[3] 中华人民共和国环境保护行业标准，规划环境影响评价技术导则（试行）．HJ/T 130—2003.

[4] 国家环境保护总局．开发区区域环境影响评价技术导则，HJ/T 131—2003.

洪洞大槐树寻根祭祖园规划环境影响研究

陈二萍　胡良温　闫世明　李明明　卢淑贤

（山西省气象科学研究所　山西省太原市新建路65号　030002）

摘　要　本文介绍了洪洞大槐树寻根祭祖园规划的背景，给出了洪洞大槐树寻根祭祖运营期的环境影响分析结论。分析表明，园区规划实施后，不会影响当地地表水环境，在一定程度上可改善园区环境质量。规划实施后，城市生态系统将成为园区生态系统的主体，原有的农田生态系统和自然生态系统所占面积大量减少，其他生态系统的面积和功能也有一定的变化。

关键词　洪洞大槐树　规划　环境影响　分析

一、规划分析

洪洞大槐树寻根祭祖园规划面积33万m^2，范围界定为：东距南同蒲铁路15m，西距滨河东路红线50m，北距洪三公路中心线30m，南距上煤专线15m。

规划思路：突出大槐树寻根祭祖园文化事项的浓厚气息，重点围绕“移民之路—泽被中华—魂归故里—祭拜祖先—开拓未来”这一时空主线，并辅以体现民俗文化风貌、水域生态自然景观特征。

整个园区分四个功能分区。寻根祭祖文化祭祀活动区（A区）位于主题园中部，自南向北依次分布南大门、回乡桥、绿化带、献殿、同根祭祖大道、九九归一祭祖广场、祭祖堂、藏谱阁、北门、北门门区广场。活化移民古道历史再现游览区（B区）位于主题园东部，自南向北依次分布：机动车应急门、仪门、古街市井、掬土台、大槐树、回乡廊、铭德坊、移民古道、解手场、移民雕塑、看户所、移民局、验指台、广济寺、移民博物馆、机动车北门。乡土民俗文化观光区（C区）位于主题园西部，主要以乡土文化生态开发为主，返璞归真，包括食宿、娱乐、休闲，民俗生态文化教育，展现地方民俗亲情。自南向北依次排列：湖滨柳岸、莲花塘、思乡岛、接风池、洗尘苑、族亲园、回乡大道、槐林、叠山角楼、山林野趣等。旅游配套设施服务区（D区）位于公园街以南，主要有广场、饭庄、商业贸易、娱乐休闲、园区办公生活区、停车场等。

二、环境影响分析研究结论

（一）环境空气质量影响分析

1. 汽车扬尘

汽车行驶过程中产生的扬尘量与路面质量、车速等因素有关。园区内道路均以洪洞县城市道路网为依托，连接洪三路、滨河路、公园街进入景区，路面等级为二级，从洪三路、滨河路、公园街进入园区生态停车厂的距离均较短，最长不足1.5km，园区道路的扬尘产生量约为27.53t/a。

汽车扬尘的影响范围主要在进园区公路道路两侧，由于扬尘粒径较大，浓度衰减较快，影响范围较小。

2. 汽车尾气

汽车尾气排放污染物的排放按下列公式计算：

废气排放量：$D=QT(K+1)A/1.29$

式中：D为废气排放量，m^3/h；Q为汽车进出车场流量，辆/h；T为车辆运行时间，min；K为空燃比；A为燃油耗量，kg/min。

污染物排放量：$G = DCF$

式中：G 为污染物排放量，kg/h；C 为污染物的排放浓度，ppm（容积比）；F 为容积与质量换算系数。

汽车在怠速与正常行驶时所排放的污染物浓度见表1。

表1　汽车尾气中各污染物浓度

污染物	单位	怠速	正常行驶	备注
CO	%	4.07	2	容积比
CH	$\times 10^{-6}$	1 200	400	容积比
NO_2	$\times 10^{-6}$	600	1 000	容积比

规划的生态停车场有600个停车位。若汽车怠速时间（车速5km/h）按2min，耗油量按旅行车0.35L/min，小车0.20L/min，进出园区时间平均按5min，耗油量按旅行车0.28L/min、小车0.16L/min考虑，汽油燃烧后产生的污染物将向周围空气排放。汽车进出停车场时，平均空燃比约取12：1。

预计汽车尾气无组织排放量2010年约为CO17.60t/a、CH0.44t/a、$NO_2$0.22t/a，2015年约为CO70.80t/a、CH1.77t/a、$NO_2$0.87t/a，2020年约为CO144.00t/a、$CH_3$0.60t/a、$NO_2$1.76t/a。

本文对2015年汽车尾气排放的CO、HC、NO_2一次浓度进行了预测，从预测结果可知，汽车尾气对周围环境有一定的影响，由于尾气污染物产生量本身就小，加之停车场面积较大，周围无明显遮挡物，空气流动性较好，对环境空气的影响很小。

3. 燃气热水锅炉废气

古槐饭庄有一台2t热水锅炉，使用煤气作为燃料，燃气量280m^3/h计算，单位发热量17900kJ/m^3考虑，经计算产生的废气量为1800m^3/h，尘排放量约为0.4t/a，$SO_2$0.8t/a，尘和SO_2排放浓度分别为25.6mg/m^3、47.3mg/m^3，满足锅炉大气污染物排放标准。

经预测锅炉排放的污染物对周围环境的影响很小。

4. 厨房油烟

油烟是食物烹调过程中挥发的油脂、有机质及其加热分解或裂解的产物，本文食用油用量消耗系数以25g/（人·天）计算。就餐人数按最大就餐数计算，则年耗用烹调油约12.45t，油的挥发量取2.85%，则园区油烟产生量为354.83kg/a。厨房产生油烟均通过油烟净化装置处理后排放，处理效率为85%，则油烟的排放量为53.22kg/a。

经过油烟净化装置处理后的厨房油烟产生的油烟量较小，对环境的影响也很小。

（二）地表水环境影响分析

园区污水经污水处理站处理后用做绿地、道路浇洒和冲厕用水，多余部分进入城市下水道。污水处理站位于景区西南方向，日处理规模500m^3。雨水经收集处理达标后作为莲花塘补充水进入莲花塘，多余部分排入汾河。

大槐树寻根祭祖园工程完成后，年用水量约18万t，年废水排放量约11.7万t。

为了节约水资源，处理达标后的废水部分可用于冲洗厕所、园区绿化、植被灌溉、道路浇洒用水及莲花塘补充水，剩余部分纳入洪洞县城镇污水管网排放，汾河不作为纳污目标水体，大槐树寻根祭祖园工程不会对周围河道构成污染影响。

（三）固体废物环境影响分析

1. 固体废物来源

园区规划建成后产生固体废物的主要环节有：生活垃圾，包括果皮、果屑、纸张、塑料包装袋等；燃放烟花、爆竹纸屑，祭祀烧香产生的香灰；医疗垃圾；隔油池收集的废油脂及油烟处理器收集的油脂等。

2. 固体废物产生量及其影响分析

园区固体废物产生量主要根据景区日常工作人员及规划游客容量人数估算。初步估算，景区2010年生活垃圾产生总量约296.0t，2015年生活垃圾产生总量约392.0t，2020年生活垃圾产生总量约528.0t，其中废塑料、饮品瓶罐、纸塑废包装等可回收再生利用的占15%，2010年可回收约44.4t，2015年可回收约58.8t，2020年可回收约79.2t。

园区产生的固体废物应实行袋装分类收集。对报纸、瓶罐、废塑料制品等可回收利用的废物，要进行清理、出售，交物资回收公司再生利用；餐饮废弃物中厨房下脚料、食物残渣、鱼类内脏等有机废物和隔油池收集的废油脂及油烟处理器收集的油脂、废油等收集贮存，委托有资质的专业单位处理，不得随意排放；其他无利用价值的普通垃圾及时收集后，由环卫部门及时统一清运至垃圾填埋场作无害化填埋处理。

园区固体废弃物得到妥善处置后，不会对周围环境产生污染影响。

（四）声环境影响分析

1. 噪声源

大槐树寻根祭祖园产生噪声的主要环节有：车辆出入噪声；燃放烟花、爆竹、鸣放礼炮等产生的噪声；B区移民古道人造雷电、人工雨雪、机械造风及其设备噪声；卡拉OK厅噪声、餐饮业炉灶油烟净化处理设施噪声、水泵噪声等，各噪声源室外噪声声级平均在55～65dB之间，此外还有游客嘈杂声等活动性生活噪声等。

2. 噪声防治措施

（1）汽车进入园区后全路段及停车场严禁鸣笛，车辆全部限速行驶。

（2）园区内部道路、停车场采用疏水性低噪声沥青铺设，降低车辆行驶噪声。

（3）园区日常运营产噪设备均需选用优质达标设备；人造雷电、卡拉OK厅墙体、顶棚必须用吸隔声材料进行装修，并采用二道隔声门，整体隔声能力要大于35dB，防止噪声外泄。

（4）游客嘈杂声是运营后主要的，并且是控制难度大的噪声源，对游客嘈杂声，采用合理控制客流量、加强游客引导和控制、分散游客集中度等措施。

园区范围较大，各噪声源数量较少，且分布较分散，对周围环境的影响不明显。

（五）生态环境影响分析

1. 园区特殊生态系统分析

（1）城市生态系统的功能

大槐树寻根祭祖园规划实施后，原有的生态系统将变为以人类活动为主的城市生态系统，其主要服务功能有：①净化空气；②调节城市小气候；③降低噪声污染；④调节降雨与径流；⑤文化娱乐、社会价值等。

（2）水域生态环境特征

在洪洞大槐树寻根祭祖园规划的乡土民俗文化观光区中，其中重要内容之一是人工开挖的方式建设莲花湖，湖中建思乡岛，中华版状图，重檐六角亭，万字廊，方胜亭，双恩亭等，供游客观景、休息。湖中养鱼、植莲、浮萍等。保持该湖生态环境需水量是景观能否达到预期目的的关键。

湖泊生态需水量是指为保证特定发展阶段的湖泊生态系统结构与功能并保护生物多样性所需要的一定质量的水量，莲花湖生态环境需水量其计算公式可简化为：

$$WE = A\ (E - P)\qquad 当\ E > P\ 时$$

$$WE = 0\qquad 当\ E < P\ 时$$

式中：*WE* 为水面蒸发生态需水量；*A* 为各月平均水面面积；*E* 为各月平均蒸发量；*P* 为各月平均降水量。

根据水面面积、降水量、水面蒸发量，可以求得相应各月的蒸发生态需水量。根据洪洞县历史气象资料计算的莲花湖逐月降水量、蒸发量、蒸发降水差及水分亏缺量变化情况见表2。

表2　莲花湖降水量与蒸发量年变化

月	降水量/mm	蒸发量/mm	蒸降差/mm	日均亏缺量/m^3	月亏缺量/m^3	园区降水可补给量/m^3
1	3.4	42.8	39.4	14.6	452.3	433.2
2	4.8	68.2	63.4	26.0	727.8	611.6
3	15.8	128.9	113.1	41.9	1298.4	2013.0
4	23.4	180.6	157.2	60.2	1804.7	2981.3
5	34.9	216.2	181.3	67.1	2081.3	446.5
6	54.2	257.6	203.4	77.8	2335.0	6905.5
7	119.5	218.9	99.4	36.8	1141.1	15225.3
8	84.6	178.7	94.1	34.8	1080.3	10778.7
9	58.0	126.1	68.1	26.1	781.8	7389.7
10	35.9	100.7	64.8	24.0	743.9	4573.9
11	14.5	60.3	45.8	17.5	525.8	1847.4
12	4.8	38.0	33.2	12.3	381.1	611.6
全年	454.0	1616.9	1162.9	36.6	13350.1	57843.2

莲花湖水的主要收入项为自然降水和人工补充水，主要支出项为蒸发耗水。

蒸发量与降水量的差值反映了当地水分亏缺的程度，如果蒸发量小于降水量，则湖水位升高，不需要补充水分；而如果蒸发量大于降水量，则表示湖水亏缺，只有人工补充水分才能保证莲花湖的生态环境需水量。

2. 生态环境变化分析

（1）生态系统变化分析

整体上看，园区规划的实施将使城市生态系统成为主体，其他生态系统的面积和功能也有一定的变化，整个园区植被面积有所减少，但由于木本植物比草本植物具有更高的生产能力，园区生物量不会明显减少。采取有关生态环境保护措施后，可以维持园区生态系统的多样性。

（2）对园区景观的影响

规划实施后，园区荒地、水塘等景观随之消失，而绿地、花草、水景以及人文景观等将更加丰富，景点建设用地增加，自然景观中连片面积增大，总体景观大有改善。

景观优势度的计算公式为：

$$D_0 = 0.5 \times [0.5 \times (R_d + R_f) + L_p] \times 100\%$$

式中：D_0 为景观优势度值；R_d 为景观密度，（拼块 *i* 的数目/拼块总数）×100%；R_f 为景观频率，（拼块 *i* 出现的样方数/总样方数）×100%；L_p 为景观比例，（拼块 *i* 的面积/样地总面积）×100%。

计算的规划实施前后大槐树寻根祭祖园景观优势度分别见表3和表4。

规划实施后，园区景观类型虽然变得比较简单，但更有利于整个园区景观的改善。其中园区绿化用地的景观优势度最大。从构成景观优势度的各要素看，绿化用地和建筑用地拼块总数多，其景观密度均接近50%，是园区景观的主体。而广场、停车场、公园街、园区旅游人行道等道路和硬化的景观密度虽然只有1.54%，但景观比例高达44.81%，使得其优势度也达到了31.12%。

表3　园区现状景观优势度

拼块类型	R_d	R_f	L_p	D_0
文物建筑用地	3.45	3.70	7.14	5.36
水　塘	20.69	16.05	9.63	14.00
居民点建设用地	6.90	8.64	21.55	14.66
林　地	24.14	27.16	32.31	28.98
耕　地	10.34	9.88	7.01	8.56
空　地	10.34	11.11	7.14	8.94
游览设施用地	24.14	23.46	15.21	19.50

表4　园区规划实施后景观优势度

拼块类型	R_d	R_f	L_p	D_0
绿化用地	47.69	33.33	35.63	38.07
建筑用地	50.00	27.54	15.64	27.20
水域用地	0.77	5.80	3.92	3.60
道路和硬化用地	1.54	33.33	44.81	31.12

三、结　论

大槐树寻根祭祖园规划主题明确，紧紧围绕大槐树旅游区的特色，注重物质文化遗产和非物质文化遗产保护和开发，从突出寻根祭祖、展现明代情景、服务游客需要、体现根祖文化等方面进行布局。这些规划和布局，一是依托大槐树和相关文物古迹遗址，恢复和重现当年移民情景，构建明代移民背井离乡的历史氛围；二是新建祭祖广场、祭祖堂、藏谱阁等相关祭奠场所，充分挖掘和反映中华民族同根同祖的深刻文化内涵，形成一个庄严肃穆的民俗祭祀环境，满足异乡游子寻根祭祖的愿望；三是塑造具有文化内涵的田园山水景色，通过展现当地特色的农业、日常生活、手工业场景，营造地方特色的乡土民俗文化园，使移民后代能更全面地体会回家的感觉。

园区规划实施后，不会影响当地地表水环境，规划本身污染物对园区环境空气质量的影响很小，同时由于削减了原有的污染源，可在一定程度上改善园区环境质量。园区的建设使当地木本植物的种类增加，草本植物的种类减少。规划实施后，城市生态系统将成为园区生态系统的主体，原有的农田生态系统和自然生态系统所占面积大量减少，其他生态系统的面积和功能也有一定的变化。

基于3S技术对凌河口湿地生态环境质量的评价

张为人　孙　萍　张　祯

（锦州环境监测中心站　辽宁　锦州　121001）

摘　要　基于3S技术，利用中巴卫星解译数据，2008年秋季对辽宁省锦州市凌河口湿地自然保护区的土地利用/土地覆盖现状进行野外核查，并结合对湿地进行的鸟类、鱼类、植被状况、空气、水质、土壤状况等调查，采用张峥等人提出的多样性、代表性、稀有性、自然性、稳定性和人类威胁6项指标组成的湿地生态环境评价指标体系，对凌河口湿地生态环境质量进行了评价。结果表明，凌河口湿地生态环境评分值R为76.2分，生态环境质量处于较高水平。

关键词　3S技术　凌河口湿地　生态环境　指标体系

一、前　言

"3S"技术是指遥感、全球定位系统和地理信息系统。前两个"S"是通过遥感接收、传送的，后一个"S"是地面的计算机图像、图形和属性数据的处理。整体"3S"系统要经过地面和卫星遥感通信连成计算机网络。"3S"是环境科技信息流程的重要途径，在环境工程、生态系统、资源环境管理、区域环境开发、环境污染监测、环境灾害监测、环境状况调查等方面是不可缺少的信息工程[1]。

目前，随着环境保护事业的不断发展，作为环境管理和决策基础依据的环境监测及科研工作，也日益迅猛发展。一方面监测领域不断扩展，监测手段不断翻新，科研技术不断提高，对信息技术的需求也不断增大。另一方面，近年来，信息技术发展势头迅猛，技术更新快捷，为信息化新技术、新手段在环境监测及科研领域的应用奠定了坚实的基础。特别是近年来以3S（RS遥感技术、GPS全球定位系统、GIS地理信息系统）技术为代表的一些信息化新技术日趋成熟，应用范围不断扩大，正成为环境监测及科研领域的重要技术手段。

二、研究区域概况

根据中巴卫星图片解译得到的数据，结合凌河口湿地进行的实地野外核查，对凌河口湿地的土地利用现状、植被覆盖状况及鸟类栖息环境等生态因素有了全面、客观、真实的反映。

（一）地理位置

凌河口湿地自然保护区地处辽宁省锦州地区凌海市南部沿海地带，位于渤海辽东湾北海岸，东起大凌河河口背河，西至小凌河河口钓鱼台礁，海岸线长83.7km。凌河口保护区东部与辽宁双台河口国家级自然保护区隔大凌河相望，东部为凌海市大有农场，西部为娘娘宫镇，中部为建业乡。

（二）地质地貌

东南沿海地势平坦，西北多为丘陵，区内有石山——红崖子断裂带，沿海地区是下辽河断陷盆地的西部边缘。新构造运动特点是差异下降，为不稳定区。基底岩石由太古代的混合花岗岩组成。沿海地区出露的地层有中上元古界长城系、中生界侏罗系、新生界第四纪地层。小凌河以东——大凌河一带为冲积平原滨海一阶地。海拔在10.0m以下，此区为南部平洼区地貌类型区。海岸线以下为大面积滩涂，窄部3.0km余，宽部可达9.0km。分布于现代河床、河漫滩及沿河两岸冲积层组成的一级台地，其岩性为沙砾石层、砂质黏土。在低山丘陵地带山坡山脚亦有坡积形成的坡积物，多为夹有砂及砾石的黏土，河流及滨海沉积的多为砂质黏土、黏土等沉积物。

（三）气候条件

凌河口保护区地处北温带，属温带季风大陆性气候，四季分明，雨热同季，日照充足，年平均气温≥10℃，活动积温 3 400 ~ 3 600℃。年平均降水量 550 ~ 620mm，年均蒸发量 1 927.6mm，5 月为年蒸发量的最高月，属于辽宁西部干旱地区南缘。区内降雪少，降雪和积雪期为每年 10 月至翌年 4 月，平均年降雪日数为 7.5 天，降雪主要集中在 1 ~ 3 月。

（四）水文条件

保护区水系由大凌河和小凌河两个水系构成。中间分布有濒海短沟及潮沟。大凌河在凌海境内流长 84.9km，汇水面积 84 280.0hm²，年平均流量 19.16 亿 m³。小凌河在凌海市内流长 74.8km，汇水面积 133 060.0hm²，年平均流量 4.07 亿 m³。保护区中部为近海平原，多有天然降雨冲沟和潮汐形成的潮沟，与大、小凌河少有关系。

三、评价指标体系

本次凌河口湿地生态环境评价选择多样性、代表性、稀有性、自然性、稳定性和人类威胁指标体系[2]。该体系由 6 个 1 级指标及其相应的 2 级、3 级指标组成。湿地生态评价指标体系以 100 分为满分，对于每一级指标，均赋予了分值[3]。当对保护区进行评价时，根据指标体系中的每个指标及其赋值标准，结合自然保护区生态调查结果，给每一项指标打分，使用加权平均法，计算出自然保护区总评价值，依据评价值的大小，来确定湿地自然保护区生态质量水平。

湿地自然保护区生态质量评价计算公式：

$$R=\sum_{i=1}^{2}Ai+B+\sum_{i=1}^{3}Ci+\sum_{i=1}^{2}Di+\sum_{i=1}^{3}Ei+\sum_{i=1}^{2}Fi$$

根据 R 值的高低，将湿地生态环境质量划分为以下 5 个级别：$85<R\leqslant 100$，生态环境很好；$70<R\leqslant 85$，生态环境较好；$50<R\leqslant 70$，生态环境一般；$30<R\leqslant 50$，生态环境较差；$R\leqslant 35$，生态环境很差。

四、凌河口自然保护区生态环境质量评价

根据凌河口湿地实际调查结果[4]，结合对应的评价指标与赋值标准[5]，凌河口湿地逐项指标分值见表 1。

表 1　凌河口湿地评价体系及评分

湿地自然保护区评价指标体系与赋值标准					调查结果	评分
A 多样性 25 分	A1 物种多样性（15 分）	A1.1 多度（8 分）	鸟类种类	>100 种（8 分） 35 ~ 99 种（6 分） 15 ~ 34 种（4 分） <15 种（2 分）	253 种	8 分
		A1.2 相对丰度（7 分）	物种数占所在生物地理区或行政省内物种总数的比例	>50%（7 分） 30% ~ 50%（5 分） 10% ~ 30%（3 分） <10%（1 分）	保护区拥有鸟类 253 种、鱼类 124 种、植物 230 种，分占辽宁省的 74%、45%、9%	7 分
	A2 生境类型多样性（10 分）	生态系统的组成成分与结构		极复杂，类型很多（10 分） 较复杂，类型较多（8 分） 较简单，类型较少（6 分） 简单，类型单一（4 分）	地处海陆交会带，生境类型多样，生态系统结构复杂	8 分

<table>
<tr><th colspan="5">湿地自然保护区评价指标体系与赋值标准</th><th>调查结果</th><th>评分</th></tr>
<tr><td>B
代表性
15分</td><td colspan="4">在全球范围或同纬度区内具突出代表意义的湿地（15分）
在中国范围或生物地理界内具突出代表意义的湿地（11分）
在中国范围或生物地理省内具代表意义的湿地（7分）
代表性一般的湿地（3分）</td><td>珍稀候鸟迁徙停歇的必经之地，丹顶鹤、黑嘴鸥停歇繁育的最南分布，又是斑海豹的栖息区</td><td>15分</td></tr>
<tr><td rowspan="3">C
稀有性
20分</td><td>C1 物种濒危程度（8分）</td><td colspan="3">湿地内有全球性珍稀濒危物种（8分）
湿地内有国家重点保护一类动物或一类、二类植物（6分）
湿地内有国家重点保护二类动物或三类植物（4分）
湿地内有区域性珍稀濒危物种（2分）</td><td>丹顶鹤、白鹤、黑嘴鸥是世界珍稀濒危物种</td><td>8分</td></tr>
<tr><td>C2 物种分布状况（6分）</td><td colspan="3">湿地物种地理分布极窄，属仅有极少产地的地方性物种（6分）
湿地物种地理分布较窄，属广布但局部少见或分布区边缘物种（4分）
湿地物种属广布种（2分）</td><td>野生植物资源有明显的湿地分布特征和建群种</td><td>2分</td></tr>
<tr><td>C3 生境稀有性（6分）</td><td colspan="3">世界范围内唯一或极重要的湿地（6分）
国家或生物地理区范围内唯一或极重要的湿地（4.5分）
地区范围内稀有或重要的湿地（3分）
常见类型的湿地（1.5分）</td><td>凌河口湿地是辽宁省沿海重要河口型湿地</td><td>3分</td></tr>
<tr><td rowspan="5">D
自然性
15分</td><td>D1 生物群落自然性（7.5分）</td><td colspan="3">湿地生物种群未受任何侵扰和破坏，动、植物群落完全保持原始状态（7.5分）
湿地生物种群受到轻微侵扰和破坏，动、植物群落无明显的结构变化（5分）
湿地生物种群受到较严重的侵扰和破坏，动、植物群落发生了结构变化，但尚无大量的引入物种（2.5分）
湿地生物种群受到全面破坏，原始动、植物群落已不存在，外源物种被大量引入（0.5分）</td><td>凌河口湿地植物资源的过度利用，原生物种减少</td><td>2.5分</td></tr>
<tr><td rowspan="4">D2 非生物群落自然性（7.5分）</td><td>D2.1 环境空气质量（1.5分）</td><td>按《环境空气质量标准》（一级）标准评价</td><td>良好（1.5分）
较好（1.0分）
较差（0.5分）
极差（0.1分）</td><td>保护区距市区较远，空气环境主要为近海岸自然纯净空气区，污染很轻</td><td>1.5分</td></tr>
<tr><td>D2.2 地表环境质量（3分）</td><td>按《地表水环境质量标准》（Ⅰ级）标准评价</td><td>良好（3.0分）
较好（2.0分）
较差（1.0分）
极差（0.2分）</td><td>较差水平</td><td>1分</td></tr>
<tr><td>D2.3 地下水环境质量（1.5分）</td><td>按《地下水环境质量标准》（一级）标准评价</td><td>良好（1.5分）
较好（1.0分）
较差（0.5分）
极差（0.1分）</td><td>较差水平</td><td>0.5分</td></tr>
<tr><td>D2.4 土境环境质量（1.5分）</td><td>按《土壤环境质量标准》（一级）标准评价</td><td>良好（1.5分）
较好（1.0分）
较差（0.5分）
极差（0.1分）</td><td>较差水平</td><td>0.5分</td></tr>
</table>

<table>
<tr><th colspan="5">湿地自然保护区评价指标体系与赋值标准</th><th>调查结果</th><th>评分</th></tr>
<tr><td rowspan="3">E 适宜性 15分</td><td>E1 面积适宜性（6分）</td><td>湿地范围</td><td colspan="2">>400hm²（6分）
3~400hm²（4分）
<3hm²（0.8分）</td><td>凌河口湿地面积78 558hm²</td><td>6分</td></tr>
<tr><td>E2 水质条件（4.5分）</td><td colspan="3">溶解氧高于5mg/L，pH在6.5~8.5间，水中不含对鱼类有明显毒效应的物质（4.5分）
溶解氧含量在3~5mg/L间，pH在6.5~8.5间，含有明显毒效应的物质，未达到个体死亡浓度（3分）
溶解氧含量低于3mg/L，pH<6.5或PH>8.5，含有明显毒效应的物质，其浓度可引起鱼类个体的死亡（0.6分）</td><td>溶解氧浓度为5.8mg/L，pH为8，有机氯溶解氧浓度为5.8mg/L，pH为8，有机氯污染突出，未超标污染突出，但未超标</td><td>3分</td></tr>
<tr><td>E3 植被覆盖率（4.5分）</td><td>生长季节的大部分时间，水面上的植被占湿地面积</td><td colspan="2">>70%（4.5分）
30%~70%（3分）
<30%（0.6分）</td><td>芦苇、碱蓬草生长期覆盖率较高</td><td>3分</td></tr>
<tr><td rowspan="5">F 生存威胁 10分</td><td rowspan="3">F1 稳定性（6分）</td><td>F1.1 物种生活力（2分）</td><td>主要或关键种是否需要特化生境，或生活力与繁殖能力</td><td>较强（2分）
较低（1.2分）
很低（0.4分）</td><td>主要生境芦苇群落，生活能力强，但需水生生境</td><td>3分</td></tr>
<tr><td>F1.2 种群稳定性（2分）</td><td>湿地个体数量及密度</td><td>个体数量多，密度高（2分）
个体数量较多，密度低（1.2分）
个体数量少，密度低（0.4分）</td><td>涉禽总量大于7.0万只，超过国际涉禽总量的1%</td><td>1.2分</td></tr>
<tr><td>F1.3 生态系统稳定性（2分）</td><td colspan="2">处于顶极状态，结构完整合理，较稳定（2分）
较为成熟，结构较完整较合理，较脆弱（1.2分）
不成熟，结构不完整或不合理，很脆弱（0.4分）</td><td>人为开垦不断向滩涂推进，芦苇沼泽地面积大幅度缩小，虾池开发造成大面积沙化</td><td>1.2分</td></tr>
<tr><td rowspan="2">F2 人类威胁（4分）</td><td>F2.1 直接威胁（2分）</td><td>人类活动对湿地内的水体、土地、矿藏、生物或景观等资源开发利用情况</td><td>少量，不构成威胁（2分）
强度较大，受到一定威胁（1.2分）
明显过度，受到较大威胁（0.4分）</td><td>闲散人员的不法捕猎活动，虾池开发不当，闲置占地面积较大</td><td>1.2分</td></tr>
<tr><td>F2.2 间接威胁（2分）</td><td colspan="2">与未开发生境毗邻，或有通道与其相连，或被其环绕（2分）
部分周边地区尚有未开发的生境（1.2分）
被已开发的区域环绕（0.4分）</td><td>东部与双台河口自然保护区相连，构成一个沿辽东湾北部分布的河口市保护带</td><td>2分</td></tr>
</table>

五、评价结果

凌河口湿地自然保护区生态环境评分值如下：

$$R_{凌河口} = \sum_{i=1}^{2}Ai + B + \sum_{i=1}^{3}Ci + \sum_{i=1}^{2}Di + \sum_{i=1}^{3}Ei + \sum_{i=1}^{2}Fi$$
$$= 23 + 15 + 13 + 6 + 12 + 7.6$$
$$= 76.6$$

根据湿地生态环境质量划分级别，凌河口湿地生态环境质量处于较高水平。

六、结论与建议

凌河口保护区位于渤海辽东湾大、小凌河入海口的滨海地区，这里不仅有大面积的河口湿地，而且具有地理分布区域性，地带的典型性，生态、生物物种的多样性和迁徙鸟类的珍稀性等特征。从凌河口湿地评价指标得分来看，在评价的 6 个 1 级指标中，代表性得分率为 100%。凌河口湿地不仅是辽宁省沿海一处重要的河口型湿地，而且由于它处于东北亚鸟类迁徙的国际通道上，而备受国际关注。

湿地保护区的生物多样性较丰富。生物多样性得分率为 92%。凌河口湿地地处海陆交会带，生境类型多样，生态系统结构复杂。动、植物共有 239 科、1 024 种，说明保护区是一处物种十分丰富的生物基因库，具有极为重要的科研价值。

湿地自然保护区的稀有性。1988 年国务院批准的国家重点保护野生动物有三百多种，其中在凌河口保护区分布的就有 32 种，是一处濒危物种区。凌河口湿地是世界珍稀鸟类丹顶鹤、黑嘴鸥在世界上自然繁殖的最南限。此区年迁徙、栖息珍稀水禽达 7 万多只，被专家认定是国际上重要的迁徙鸟类栖息地。

凌河口湿地自然保护区面临着经济发展所带来的威胁。盲目开垦是保护区社会经济环境的问题之一。规划保护区域内现已开虾池 5 572hm^2。开发虾池造成地表植被破坏，土地沙化，苇田减少。而且由于生产经营不稳定，虾池废弃闲置面积较大。油田开发占用了实验区部分土地，破坏了湿地生态平衡。保护区东部与双台河口国家级自然保护区相连接，闲散人员的不法捕猎活动还对双台河口保护区构成一定的干扰和威胁。

因此，在凌河口湿地生态环境保护与管理中，要加强执法机构建设，加大执法力度，严厉打击各种破坏生态环境和乱捕滥猎野生动物的违法犯罪活动。严禁猎杀鸟类，为候鸟营造一个良好的停留、栖息环境，为生物多样性的繁衍栖息创造应有的条件。

参考文献

[1] 刘玉机，等. 卫星遥感与政府决策 [M]. 北京：北京宇航出版社.

[2] 张峥，张建文，等. 湿地生态评价指标体系 [J]. 农业环境保护，1999，18 (6)：283 - 285.

[3] 张峥，朱琳，张建文，等. 中国湿地生态质量评价方法的研究 [J]. 中国环境科学，2000，20 (增刊)：55 - 58.

[4] 凌河口自然保护区综合考察报告，2005.

[5] 王斌，曹喆，等. 北大港湿地自然保护区生态环境质量评价 [J]. 环境科学与管理，2008，33 (2)：181 - 184.

煤炭矿区规划环评重点内容的实践与探讨

冯　蕊　张文妤　赵　民

（煤炭工业太原设计研究院　山西省太原市青年路18号　030001）

摘　要　在经济快速发展对矿产资源需求量急剧增加的背景下，如何解决好煤炭资源勘察、开发与环境保护之间的关系显得越来越重要。要减少煤炭资源开发过程对环境造成的影响，从源头上控制污染，最有效的方法之一就是对将要实施的矿区总体规划进行环境影响评价，从环保角度分析后提出矿区规划的优化调整建议。本文以大同矿区总体规划环境影响评价为例，着重从回顾性评价、承载力分析和优化调整建议三方面介绍矿区总体规划环评的重点内容。

关键词　矿区总体规划　环境影响评价　重点

一、矿区总体规划环境影响评价的重要性

煤炭矿区规划环评旨在从可持续发展的理念出发，针对矿区资源的开发利用和环境保护中存在的主要问题，通过对矿区规划的全面分析，综合评价规划是否与矿区内的资源和环境承载力相一致，分析预测规划可能产生的环境与社会影响，并提出完善规划的战略措施与对策，以进一步促进资源的合理利用、产业结构与布局的优化和调整，并为促进整个矿区全面、协调和可持续发展奠定科学基础。

矿区总体规划环评是从宏观上重点解决规划的规模、结构和布局的合理性，从决策源头控制污染、协调社会发展之间的各种矛盾。规划环评真正实现了从微观到宏观，从尾部到源头，从枝节到主干，从操作到决策的转变和飞跃。

本文以大同矿区总体规划环境影响评价工作实践为基础，讨论煤炭矿区规划环评中的重点内容及实际工作中遇到的问题。

二、大同矿区总体规划概况

大同矿区位于山西省北部大同市西南20km，行政区划涉及大同市所辖矿区、新荣区、南郊区、左云县和朔州市所辖怀仁县、右玉县、山阴县。矿区资源范围涵盖整个大同煤田，属国家大型煤炭基地晋北煤炭基地规划区。大同煤田面积约1 827km^2，为双系煤田，侏罗系煤田在上，石炭二叠系煤田在下。规划主要对石炭二叠系矿井进行划分，并对与之配套的选煤厂、电厂和资源综合利用项目进行规划，主体规划项目见表1。

表1　大同矿区主体规划项目简表

项目名称		个数	规　模	备　注
矿井	国有矿井	9	5 170万t/a	规划石炭二叠系矿井
	地方矿井	375	6 322万t/a	
选煤厂	在建选煤厂	2	1 700万t/a	
	规划选煤厂	18	9 380万t/a	包括地方选煤厂7座
电厂		10	7 590MW	规划电厂
资源综合利用项目	高岭土煅烧厂	2	10万t/a	
	铁合金厂	1	10万t/a	
	煤化工产业项目	11		
	建材项目	23		

三、煤炭矿区规划环评的重点

矿区规划环评的重点主要是对规划实施可能造成的直接、间接或累积等不良环境影响的识别、分析、预测以及规划的环境资源承载力评估和论证，同时要提出预防或减轻不良环境影响的对策及措施，并在此基础上论证规划的规模、结构和布局的合理性，提出相应完善规划的建议。现以大同矿区规划环评为例，着重从三个方面说明矿区规划环评的重点。

（一）矿区开发环境影响回顾性评价

大同矿区是一个有着悠久开发历史的老矿区，对于开发时间较早的矿区，进行回顾性评价非常必要，一方面有利于充分借鉴矿区历史环境影响数据，预测未来开发造成的不利环境影响；另一方面通过回顾分析不同时期在环境治理方面采取的措施，结合当地实际情况总结其成功经验，为下一步有效实施环境治理奠定基础。本例对大同矿区多年开发过程造成的区域生态环境、水资源及水环境、大气环境等方面的影响进行了回顾性评价。

1. 对矿区已有的地表塌陷情况、采煤引起的地质灾害和生态影响进行调查，同时采取两期遥感数据（1989 年和 2006 年）对评价区内的土地利用格局和植被分布变化趋势进行了对比分析。

通过调查发现大同矿区多年来的开发对环境产生的影响比较明显，根据开采产生的地表塌陷影响调查，表现出的主要塌陷特征为地表裂缝，个别地区有小型塌陷坑。地表裂缝一般发生在采空区正上方或地表移动盆地内边缘区与中间区。这是由大同矿区侏罗系煤炭开采的特殊地质条件决定的，它有“两硬”的特点即煤层硬和顶板岩层硬。在黄土覆盖较厚的地方，也会出现阶梯式裂缝。地面裂缝的长度和宽度一般与采空区的长、宽以及采厚有密切关系。通过现场调查统计，以燕子山矿、忻州窑矿为例，裂缝长度一般在 100m 左右，有少部分裂缝长超过 500m，宽度一般在 0.1～2.0m。塌陷坑主要在开采深度很小的地带或沟谷附近，以及大裂缝穿过黄土层覆盖薄的地方，形状为圆形或椭圆形漏斗状串珠式，塌陷坑的下陷深度一般在 0.5～2m，个别甚至达 10～20m。

地表裂缝

塌陷坑

现场调查结果表明，大同煤矿集团规划井田范围内 2006 年以前开采侏罗系煤层平均塌陷面积为开采面积的 49.6%，塌陷地占开采面积的 35.7%；万吨总塌陷率（生产万吨原煤的塌陷地亩数）为 1.53 亩，其中已利用地为 0.76 亩，耕地为 0.56 亩，均小于全国和山西省平均水平。

遥感解译结果表明，2006 年与 1989 年相比，土地利用格局和植被分布变化趋势较大，总体上林地面积增加、耕地面积减少，工矿建设用地和居民建设用地面积增加。林地面积增加主要是由于“退耕还林工程”和“京津风沙源治理工程”的实施，耕地面积减少则因为煤矿开采后会使位于塌陷边缘地带的农作物产量下降10%左右，区内新开发的矿井和各类型企业增多导致建设用地面积增加。

2. 水环境影响回顾性评价主要调查了矿区内水污染源的情况，包括矿井水的产生量和利用量、生活污水的产生量等，同时调查了区域内村庄水井的受影响程度及河流受污染的情况。

随着矿井逐年大规模开采，矿井水的产生量也逐年递增，导致矿区水资源受到严重破坏，区域内已出现河流和村庄水井干枯的现象，给人民的生产生活造成了严重影响。由于矿区开发初期不注重污废水的处理和回用，污废水外排，不仅造成了水资源的浪费还造成区域内河流的严重污染。近几年随着政府部门环保要求和人们环保意识的提高，以及污水处理工艺的不断改进，矿井水和生活污水的回用率逐年增加，大大减少了水资源的浪费和对河流的污染程度。

我们对大同矿区不同时期的污水处理工艺进行了统计比较，推荐矿井水处理采用混凝、沉淀、过滤工艺，生活污水的处理方式可采用A2/O工艺、二段式生物接触氧化法和CAST工艺。各处理工艺的优缺点比较见表2。

表2　污水处理工艺统计表

污水类型	工　艺	优缺点	备　注
矿井水	简单沉淀	这种工艺最简单，投资及处理成本低，但处理后的水质达不到井下洒水的标准，容易堵塞喷头，具有事故隐患	地方小煤矿一般采取此法
	电渗析工艺	大同矿区20世纪80年代建设的矿井水处理站主要是采用此工艺，但该工艺膜更换成本高，出水率低，设计时没有考虑水中含油及杂质的影响，导致处理成本高	目前基本处于停用状态
	混凝、沉淀、过滤工艺	该工艺出水稳定，处理水质较好，处理成本低，运行管理方便，其中矿井水涌水量大于4000m^3/d的煤矿采用混凝土结构的构筑物来处理，处理效果好，运行稳定。矿井水涌水量小于4000m^3/d，大于2000m^3/d的煤矿可采用钢制一体化设备	现大部分矿井水处理站均采用此工艺
生活污水	普通活性污泥法	于20世纪80年代采用，当时设计水质按城市生活污水水质考虑，生活污水处理设施建成后，污泥负荷较低，实质进水处理指标低，处理水质较差	已基本停用
	A2/O工艺	这几种工艺是目前较成熟的生活污水处理工艺，它们的建设费用低；工艺流程短，占地面积少；运转费用省；有机物去除率高，出水水质好；管理简单，运行可靠；污泥产量低，污泥性质稳定；具有脱氮除磷功能	适用于生活污水量大于4000m^3/d
	二段式生物接触氧化法		适用于污水量小于4000m^3/d，大于2000 m^3/d的煤矿
	CAST工艺		
	埋地式处理设备		适用于生活污水量较少的煤矿

3. 对矿区内的环境空气污染源进行了详细的调查，并对矿区环境空气污染治理经验进行了总结。

近几年区域空气质量有所好转，是由于采取对锅炉除尘器进行改造、用集中供热替代部分分散的小锅炉及建设筒仓或在储煤厂周围建防风抑尘网来进行防尘降尘、同时对矿区内的矸石山进行了有效的治理等措施。锅炉除尘器效率的高低是直接影响区域环境空气质量好坏的重要因素，通过锅炉除尘器不断的升级改进，烟气的除尘脱硫率也逐步增加，锅炉除尘器改进主要经历了

20世纪70年代末80年代中期采用的旋风除尘器、80年代末90年代初采用的多管除尘器、90年代采用的麻石水膜除尘器、2000年以后开始使用的高效脱硫除尘器这几个阶段，采用高效脱硫除尘器的效果更好。

4. 通过调查大同矿区内矸石山的治理情况，指出其存在的问题，并总结了大同矿区矸石山的治理经验。

调查发现矸石山出现自燃，是因为未及时覆土、覆盖的黄土层薄、未夯实等原因导致矸石裸露造成的。大同矿区的矸石山治理经验表明，矸石要按由下往上、分层堆置、逐层压实的原则进行堆置，矸石山服务期满后采用黄土覆盖夯实，同时结合植被恢复措施对矸石山进行综合治理。对于发生自燃的矸石山，首先要进行矸石灭火，可用黄泥灌浆灭火，不宜采用石灰乳灌浆，它不利于后期的植被恢复。灭火后再进行后期覆盖和植被恢复措施。同时，对治理好的矸石山要组织专业队伍进行定期检查，随时发现问题。这样就可有效控制矸石山的自燃和扬尘污染等问题。

（二）环境承载力分析

对矿区环境资源承载力进行分析的目的是要综合评价论证矿区现有的环境、资源条件能否支撑矿区的可持续发展，能否支持矿区规划方案的实施。因此，承载力分析是矿区规划方案能否顺利实施的前提，是制定矿区合理发展目标的基础。

1. 大同矿区规划环评生态承载力分析从生态弹性度、资源环境承载指数、资源环境压力指数等方面，建立了生态承载力综合评价指标体系，应用主成分分析法构建了评价模型，综合评价大同矿区生态承载力及其适宜性。从大同矿区生态承载能力数据分析得出矿区整体生态承载能力较差，说明大同矿区多年来的煤矿开采对生态环境影响很大，水资源短缺，耕地破坏，生态系统非常脆弱。环评要求严格控制煤矿的数量和煤炭的开采量，建立生态补偿机制，以改善区域生态承载力。

2. 根据大同矿区地下水可采水资源量、已利用水资源量，以及规划的不同时期地下水资源需求总量，进行区域水资源供需平衡分析，估算出水资源的承载能力。环评将大同矿区分成左云县、山阴县、右玉县、怀仁县和大同市分别计算其地下水资源承载力，左云县、山阴县和右玉县地下水资源承载力较高，大同市和怀仁县地下水资源已经不具有开发的潜力，水资源承载力对矿区的发展构成制约。环评提出采取矿井水和处理后的生活污水100%回用的措施后，所缺水量外部由引黄工程北线和册田水库提供，并建议火电、煤化工企业的建设作单独的水资源论证报告，分析上述企业供水水源的可靠性。

3. 大同矿区大气环境容量根据环境质量现状进行计算，并与大同市人民政府对二氧化硫总量控制的要求相对比。评价大气污染物总量控制因子为TSP、SO_2、NO_2。经计算，区域二氧化硫容量满足大同市人民政府关于二氧化硫总量控制的要求。

（三）对矿区规划方案提出优化调整建议

对矿区规划方案提出优化调整建议是矿区规划环评的最终落脚点，也是从环境保护角度提出的环境可行的替代方案，体现了规划环评对前瞻性的把握。

大同矿区规划环评对规划方案提出以下几条优化建议：

1. 对矿区规划建设规模和结构的调整

由于大同矿区开发较早，区内仍在开采的地方小煤矿就有375个，并且开采能力大都在30万t/a以下，基本没有任何环保措施，安全措施也很落后。我们结合我省的省情及当地实际情况，提出对矿区内开采侏罗系的30万t/a以下规模小煤矿进行资源整合，使单个矿井规模不低于30万t/a；在整合后的基础上，对开采石炭二叠系的煤矿集中整合为90万t/a以上规模，采取两步整合措施后可使原有375个地方小煤矿缩减为60个，规模由整合前的6 864万t/a调整为3 129万t/a；同时对闭矿后的工业场地和矸石沟进行土地复垦与绿化，全矿区可增加绿地面积约

11.92km^2，废弃矿井锅炉房的拆除可削减部分 SO_2 和烟尘排放量，为矿区后续发展腾出一些大气环境容量。现在看来，我们提出的整合措施是可行的，这些调整建议不仅被矿区规划修改时采纳，也被山西省 2009 年煤矿企业兼并重组整合规划所采用。晋政发［2009］10 号《山西省人民政府关于进一步加快推进煤矿企业兼并重组整合有关问题的通知》（2009 年 4 月 15 日）中明确规定了大同市保留矿井数量 71 座，矿井生产规模原则上不低于 90 万 t/a，且全部实现以综采为主的机械化开采。

2. 对矿区规划电厂规模和布局的调整

从环保角度和国家产业政策的要求对规划的 4 座电厂规模提出了优化调整建议，通过比选对单机机组调整为 300MW 机组；由于山阴县和左云县已无大气规划容量，建议暂缓建设山阴县 2×300MW 资源综合利用电厂和左云县 4×200MW 资源综合利用电厂；已建的塔山电厂和同忻电厂距离 5km，从布局考虑两个电厂距离过近，因此取消同忻 4×300MW 电厂，改在马道头工业园区建设 2×600MW 电厂。调整后区域总装机容量减少 220MW，矿区环境容量可达标。

3. 受矿区水资源承载能力和大气环境容量的制约，环评建议矿区内煤化工项目应进行适度建设，在现有规模的基础上不宜再扩大，以适应当地环境的要求。

四、结 语

煤炭矿区规划环评评价区域面积大、涉及的地理范围广、项目较多、行业多、带来的环境问题也较复杂，不同矿区应结合当地的实际环境状况及环境敏感因素确定重点评价内容。大同矿区规划环评根据规划的特点，重点抓住对生态环境和水环境两个主要环境要素的影响开展工作。针对矿区的开发特点重点开展了全面细致的回顾评价，对矿区现有环境问题提出了有针对性的整改措施；采用两期遥感影像解译对生态环境影响进行了变化趋势分析，根据资源、环境承载力分析结论提出了规划方案的优化调整建议，对矿区内云岗国家森林公园、水源地等重要敏感保护目标确定了禁采、限采要求，有助于矿区规划方案的进一步完善。对于这类老矿区，回顾性评价很重要，是环境现状预测与评价的基础；在此基础上，通过识别矿区总体规划实施的主要环境影响和环境、资源制约因素，预测规划实施对各环境要素的影响，进行环境资源承载能力、环境风险、清洁生产与循环经济分析，论证规划方案的合理性以及环境目标的可达性，提出规划方案的优化调整建议，这也是做规划环评的核心所在，从而解决规划的规模、结构和布局的合理性，实现对矿区规划和发展的指导作用。

参考文献

［1］煤炭工业太原设计研究院．山西省晋北煤炭基地大同矿区总体规划环境影响报告书．2008.

生态工业园区规划环境影响评价思路的探讨

常高峰　李万庆

（天津市环境影响评价中心　天津　300191）

摘　要　本文结合规划环境影响评价条例的颁布实施，分析园区规划环境影响评价的重要意义，尤其是生态工业园规划环境影响评价对我国经济发展的必要性和重要性。结合工业园区规划环境影响评价实例，探讨园区规划环境影响评价的评价方法、评价指标和思路，进而论证规划环境影响评价的战略意义，给出其作为环境影响评价的发展和延伸方向。

关键词　生态工业园区　规划环境影响评价　方法

前　言

规划环境评价（Planning Environmental Assessment，PEA）是环境影响评价（Environment Impact Assessment，EIA）中对规划或政策进行的评价，其目的在于避免或尽量降低规划或者规划决策失误带来的环境影响，是可持续发展在环境影响评价中的发展和体现，是实现环境与发展综合决策机制的有效工具。2002 年 10 月我国通过了《环境影响评价法》，并于 2003 年 9 月 1 日起正式实施，其明确指出对现行的重大政策和法规、重大经济和技术政策、发展规划开展环境影响评价工作，也促使我国环境影响评价由项目环境影响评价进入到规划环境影响评价。2009 年国务院以第 559 号令颁布了《规划环境影响评价条例》，对规划环境影响评价工作提出了明确的要求和规定。由此可见，在我国环境影响评价工作已经取得了很多成绩。

一、我国生态工业园发展概况

随着全球气候变暖、资源匮乏、社会经济与环境发展促使了可持续发展经济战略的提出，而清洁生产、循环经济、低碳经济等一系列经济发展战略也日益推崇。2001 年 8 月，国家环保总局授牌建设了我国第一个国家级生态工业示范园区——广西贵港国家生态工业（制糖）示范园区，截至 2006 年 8 月，国家环保总局已论证通过了 19 个国家生态工业示范园区建设规划。并出台了相关生态工业园标准体系，分别为《综合类生态工业园区标准（试行）》、《行业类生态工业园区标准（试行）》和《静脉产业类生态工业园区标准（试行）》，《综合类生态工业园区标准（试行）》，规定了国家级和省级综合类生态工业园区验收的基本条件和指标，由经济发展、物质减量与循环、污染控制和园区管理四部分组成，共 21 个指标。《行业类生态工业园区标准（试行）》规定了行业类生态工业园区验收的基本条件和指标，由经济发展、物质减量与循环、污染控制和园区管理四部分组成，共 19 个指标。《静脉产业类生态工业园区标准（试行）》规定了静脉产业类生态工业园区验收的基本条件和指标，由经济发展、资源循环与利用、污染控制和园区管理四部分组成，共 20 个指标。综上可知，我国生态工业园发展已经形成了自己的发展模式，并取得了一定的成绩。

二、园区规划环境评价的意义

园区进行规划环境影响评价是对区域开发尤其是园区开发对环境可能带来的影响进行系统综合的预测和评价，并在开发规划实施中对可能产生的不利环境影响，采取预防措施或补救措施，从而对园区规划的实施进行修正或寻求替代方案。园区规划环境影响评价较项目环境影响评价具有高层次性、系统性、综合性、区域性、不确定性等特征。其可分为回顾性评价、现状评价和影响评价。

（一）开展园区规划环境影响评价的特点

园区规划环境影响评价是在决策过程中，对园区各个层次规划、方案的环境影响前瞻性考虑，是对区域环境影响更为系统的考虑。园区开发往往是大规模复杂项目或生态敏感项目开发的前提。在园区规划中，必将诱发各类工业、物流、服务等项目的出现，这些被诱发项目的环境影响可能会超过规划预测的环境影响，可能会使得这些项目的环境影响在规划环境影响评价中很难预测，因此园区规划环境影响评价具有不确定性，但是其由于考虑到整个园区开发过程中的项目情况具有区域性、综合性、系统性和高层次性。而规划过程中的不确定性可通过回顾性评价进行修正和完善。随着近年来我国对规划环境影响评价的研究和政策支持，可持续发展、循环经济、清洁生产、低碳经济等先进理念的引入，尤其是在生态工业园、循环经济产业园的引入，体现了园区规划环境影响评价的优势和特点，而规划环境影响评价在园区规划中的早期介入，通过现状调研和学习，来预测规划实施中的不利方案，结合公众咨询及参与，在规划决策实施前提出修改及替代方案，从早期上根本防止环境污染和破坏。可见园区规划环境影响评价的具有可预见性和可防范意义，突出了可持续发展的战略特点。

（二）开展园区规划环境影响评价的必要性

随着城镇规划发展，社会经济发展，土地作为不可再生资源，日趋紧缺。经济发展要面对人口众多、资源紧缺、环境脆弱等诸多方面的压力。工业化进程、经济快速增长必将与土地、资源及生态和环境产生冲突，日益紧缺的资源条件以及发展中不断产生的环境问题已成为世界各国经济发展的制约因素。因此，为从根本上解决工业化进程中的环境问题，就必须对规划及重大决策进行环境影响评价，也就是通过对规划和决策的导向性，从源头上解决环境、资源和经济发展的冲突和矛盾，以保证工业化进程的合理、有序、持续健康的发展。在我国开展园区环境评价是必然的现实，意义重大，尤其是各地区招商引资和资源发展的不平衡，部分地区尤其是内地及经济发展水平较低地区，为扩大招商引资水平，不惜牺牲资源及环境来增加工业开发力度，而该类盲目的开发建设，若不采取妥善安全的环境保护措施，势必造成地区资源破坏和生境恶化，所以必须进行规划环境影响评价。而发达地区如何更好地推进经济持续高速发展，改善地区环境减少污染排放，促使生态工业园区发展战略也提到了战略发展地位上来了。

三、生态园区规划环境影响评价方法和思路

（一）生态工业园规划环境影响评价的原则和方法

实施可持续发展经济战略是开展生态工业园环境影响评价的基本出发点和最终目标，工业园区内最终实现循环经济产业链。在开展生态工业园的过程中，必须有效地将环境影响评价与可持续发展相结合。宏观层次上，生态工业园评价应以生态工业园标准建设为基础，结合本地区的自然、社会和环境特征，分析规划实施后，生态工业园建设的可达性，与上层规划的相容性，与同层规划和其他专项规划的协调性；微观层次上，以生态资源、环境承载力为理论依据，分析生态工业园开发活动的环境影响，结合可持续发展和环境限制因素，确定区域环境对开发活动强度和规模的可接受能力，并对带来的环境影响需要落实的环境保护治理措施方案进行合理性论证，针对主要问题提出替代方案和对策。

生态工业园区规划环境影响评价不同于建设项目环境影响评价，因此其评价方法也有其不同性，以某生态工业园规划环境影响评价为例，对生态工业园规划环境影响评价方法进行分析。土地利用规划分析采用叠图法及对比分析法，对规划零方案和规划实施方案进行对比分析，得出方案实施的最大环境影响结果，并通过产生不同环保措施及替代方案条件下，规划实施方案的影响结果进行对比，给出最优的实施方案；数学建模法，结合数学模型分析规划方案实施对环境空

气、水环境、声环境、生态环境等环境因素的环境影响，比如采用水土流失模型分析生态工业园区及其内建设项目实施带来的水土流失情况，通过采用不同的水土保持方案，分析方案实施可减少水土流失的情况及结果，从而分析生态工业园区开发活动对地区水土保持的最大压力；另外，大气扩散模型、水扩散模型等都可以作为定量分析方法应用到生态工业园环境影响评价中；生态适宜度及生态系统健康评价法，通过分析规划方案对生态环境的影响及实施后的生态系统是否健康来评价规划方案的可行性，并通过调整产业规划布局来修正评价结论，通过达到修改规划方案，从而达到评价的目的。

以某生态工业园区为例，举例分析评价工作方法及评价结果。该工业园区规划产业依托“三农”、服务“三农”的原则，主导产业为农副产品加工及地方特产加工服务为主，延伸产业链为农作物秸秆综合利用（饲料、板材加工、农业养殖、有机肥）、肉产品加工、仓储物流业。区域开发的限制条件为开发区域内有少量自然村原地换迁、开发区域临近饮用水资源保护区，区域排水没有合理去向。可见区域经济发展与环境、社会间均存在发展矛盾。如果要实现区域经济的可持续发展，必须调和该矛盾，因此在其规划环境影响评价过程中对总体规划提出两个修正方案并得以落实，第一，进行产业布局调整，将换迁居住用地调整到地区主导方向上，并将相对污染较大的产业布局在远离该区域的地块内，同时建议居住用地与商业服务业用地临近设置，给换迁后的居民创造更多就业机会。通过修正后的方案提高了生态适宜度，解决了社会与经济的发展矛盾；第二，废水零排放方案，由于开发区域所在地区以农业、林业为主要发展行业，区域临近饮用水资源保护区，因此为减少水环境影响，修改了规划中的排水方案实现零排放方案，并且在产业规划中引导耗水量低，尤其是排水量低的产业为优先引入产业，对排水量大的产业限制引入，同时通过设置人工湿地废水净化方案将水处理和生态补偿有效地结合到一起，也达到生态工业园区发展要求，实现废水综合利用，减少新鲜水消耗及提高了资源单位产值，而产业规划中通过将产业链延伸把固体废物进行资源化利用，从而也提高了资源的单位产值。通过规划环境影响评价使得工业园总体规划方案进行修改，经修改完善的规划方案均可达到生态工业园指标要求，从规划阶段就指导了生态工业园建设。

生态规划环境影响评价在环境评价工作中，通常的评价原则一般遵循可持续发展原则、早期介入原则、环保优先和生态保护并重原则、全面分析和重点突出原则、经济技术可行性原则、全过程跟踪管理原则。

（二）生态工业园规划环境影响评价思路和工作内容

生态工业园作为社会、经济和环境发展到一定时期的产物，目前对生态工业园环境影响评价的研究工作已经取得了一些成果，随着其发展而日趋成熟。通过参考大量文献的基础上，结合实际工作对生态工业园的规划环境影响评价实施思路及基本工作内容进行总结，提出适用于该类规划环境影响评价的工作思路和主要工作内容。

生态工业园区规划遵循可持续发展战略、循环经济及低碳经济的指导思想，因此环境影响评价工作的思路就是从“资源—产品—再生资源”的循环经济模式，对产业规划中构建的园区循环经济产业链进行评价，并完善和延伸，整合污染流程和生产流程，从而构成了产业链网，达到节能减排，提高资源利用率，降低成本。并且将技术创新和环保治理融入产业规划中，使产业园区发展成为循环经济示范产业园区，创造良好的生态环境，建设节约型、资源化、环境优美的城市空间。因此生态工业园区环境影响评价工作思路遵循节约型、资源化、创新性，可持续发展战略，追求真正的生态工业园区。

生态工业园区规划环境影响评价的评价工作内容可归纳为：①分析评价对象，主要是对工业园区规划进行分析，内容包括基本情况、规划布局、公用工程规划、规划目标、规划实施方案等；②规划协调性分析，主要是从各级规划上分析工业园区开发活动的规划符合性、生态可行性和可持续性；③环境影响因素识别，对生态工业园规划环境影响评价中各类因素的可变性及不确定性，一般按时间顺序将开发活动分为规划、建设和运行阶段，从总体上进行衡量；④通过分析开发活动在不同阶段对环境资源参数的影响程度，结合生态旅游建设目标筛选出规划实施及评价过程中的工作重点；⑤现状资料收集，主要内容是对现有自然、社会、环境质量、生态环境等资料的调查和监测等资料进行整理收集，最为区域开发的初始背景与跟踪监测进行对比，即时掌握开发活动对地区的环境影响，以便采取即时的补救措施；⑥对规划实施可能产生的环境影响进行分析，根据影响因素给出专项结论，并对拟采取的方案进行完善，对不足处提出替代方案；⑦对规划方案进行优化、并结合公众参与意见，对规划中不足或错误的地方提出修改意见，并对公众对规划实施中提出的问题进行解决，给出解决的方案；⑧环境管理、监测和跟踪计划，对生态工业园实施中的环境管理方案进行落实，并制定规划实施环境影响的监测计划和管理方案，制定跟踪计划并落实相关负责部门，完善生态工业园环境影响报告书。

四、结 论

目前，我国正处于现代化发展的关键时期。经济发展以制造业为主，而生态工业园建设需要以技术创新来带动经济发展，开展生态工业园建设是国家发展战略，也是经济发展趋势。而生态工业园区规划环境影响评价可对生态工业园区的发展起到有效的指导，通过对不合理的决策提出替代方案的环境影响，实现可持续发展的经济发展战略。随着工业发展，尤其是创新技术在工业中的应用及国家政策扶持，必将促进大量生态工业园的建设，尤其国家将颁布的一系列方针、政策、规划的战略环境影响评价的引入实施，也将促进生态工业园规划环境影响评价的发展和完善，这将有助于提高我国现代化发展的决策质量和实施可持续的经济发展，可见我国生态工业园区规划环境影响评价工作任重道远。

参考文献

[1] 尚金城，包存宽．战略环境评价系统及工作程序［J］．城市环境与城市生态，2003（6）：31－33.

[2] 包存宽，尚金城．战略环境评价的工作程序［J］．上海环境科学，1999（5）：214－215.

[3] 李建忠，马蔚纯，等．实施战略环境评价（SEA）的基本框架设计及SBA管理模式的实现［J］．环境科学学报，2003（11）：770－775.

[4] 徐鹤，朱坦，等．战略环境评价方法学研究［J］．上海环境科学，2001，（20）6：295－296.

[5] 李明光，游江峰，等．战略环境评价在中国的发展及方法学探讨［J］．中国人口·资源与环境，2003，（13）2：23－27.

[6] 西宝，王玲．城市可持续发展过程中战略环境评价研究［J］．学术交流，2003（2）：115－119.

[7] 车秀珍，尚金城，等．城市化进程中的战略环境评价（SEA）初探［J］．地理科学，2001（12）：554－557.

[8] 徐鹤，朱坦，等．战略环境评价的发展研究［J］．上海环境科学，1999（8）：348－351.

水泥厂余热发电与环境影响分析

王　健

（安徽省淮北市环境科学研究所　安徽省淮北市淮海路 361－1JHJ　235000）

摘　要　水泥厂窑头、窑尾废气温度在 300℃以上，其热量约占水泥熟料烧成系统总热耗量的 35% 以上，浪费了大量的热力资源。该厂利用废气余热进行发电，不仅减少对大气环境的污染，而且对企业具有较好的经济效益，有利于企业和社会的可持续发展。

关键词　水泥厂　废气余热　发电

一、前　言

某水泥厂拥有日产熟料分别为 1 100t/d 和 1 300t/d 的预分解干法回转窑生产线两条。回转窑窑头、窑尾废气温度均在 300℃以上，其浪费热量约占水泥熟料烧成系统总热耗量的 35% 以上。为回收这部分热力资源，该厂建设装机容量为 4.5kW 的余热发电系统，同时电站的产品——电力将回用于水泥生产。既降低企业成本，提高企业竞争力，又能降低环境污染，有利于水泥工业实现科学协调发展。

二、水泥生产线余热量

该水泥厂 1 100t/d 级和 1 300t/d 水泥熟料生产线窑头熟料冷却机及窑尾预热器废气余热资源如下：

1. 1 100t/d 窑尾预热器出口废气参数如下：

风量：100 000m^3/h（标况），温度：330℃，压力：－6 500Pa，窑尾余热锅炉排风温度 220℃（排出废气用于生料烘干）。

2. 1 100t/d 窑头冷却机中部取风废气参数如下：

风量：47 000m^3/h（标况），温度：350℃，压力：－260Pa，窑头余热锅炉排风温度 79℃。

3. 1 300t/d 窑尾预热器出口废气参数如下：

风量：110 000m^3/h（标况），温度：310℃，压力：－6 500Pa，窑尾余热锅炉排风温度 220℃（排出废气用于生料烘干）。

4. 1 300t/d 窑头冷却机中部取风废气参数如下：

风量：52 000m^3/h（标况），温度：350℃，压力：－260Pa，窑头余热锅炉排风温度 98℃。

三、装机方案

本工程装机方案采用纯低温余热发电技术。

1. 窑头余热锅炉

1 100t/d 窑头熟料冷却机废气余热可生产 3.7t/h－1.35MPa－330℃过热蒸汽；

1 300t/d 窑头熟料冷却机废气余热可生产 4.2t/h－1.35MPa－330℃过热蒸汽；

2. 窑尾余热锅炉

1 100t/d 窑尾余热锅炉废气余热可生产 7.7t/h－1.35MPa－310℃过热蒸汽；

1 300t/d 窑尾余热锅炉废气余热可生产 6.3t/h－1.35MPa－290℃过热蒸汽；

3. 汽轮机组

以上四台余热锅炉产生的过热蒸汽并入汽轮机房的主蒸汽母管，除去管线的压力、温度损失混合为21.9t/h-1.25MPa-310℃过热蒸汽，其进汽焓为3 064kJ/kg，作为汽轮机进汽；排气压力≤0.008MPa，因此余热锅炉所产生的蒸汽共具有平均3 808kW的发电能力。

综上所述，本工程确定装机方案如下：

1台4.5MW凝汽式汽轮机组+2台窑头余热锅炉+2台窑尾余热锅炉

四、热力系统方案及装机容量

为满足生产运行需要并达到节能、回收余热的目的，该公司结合熟料生产工艺条件，热力系统方案确定如下：

分别在2条窑的窑头冷却机中部废气出口设置窑头余热锅炉。为减轻锅炉磨损，在炉前设置了干扰式分离器。窑头余热锅炉分两段设置，其中Ⅰ段为蒸汽段，Ⅱ段为热水段。

分别在2条窑的窑尾预热器废气出口设置窑尾余热锅炉。窑尾余热锅炉只设置1段—蒸汽段。

窑头余热锅炉Ⅰ段生产参数1.35MPa-330℃过热蒸汽。窑头余热锅炉Ⅱ段生产185℃左右的热水，其中Ⅱ段生产的热水一部分提供给窑头余热锅炉Ⅰ段，另一部分作为窑尾余热锅炉给水；窑尾余热锅炉生产的参数1.35MPa-310℃（290℃）过热蒸汽与窑头余热锅炉产生的过热蒸汽并入汽轮机房的主蒸汽母管，混合后的参数为1.25MPa-310℃的过热蒸汽作为主蒸汽进入汽机做功，做功后的乏汽通过冷凝器冷凝成水，凝结水经凝结水泵送入除氧器，除氧后的除氧水经除氧引水泵送至给水泵前母管，再经锅炉给水泵为窑头余热锅炉Ⅱ段提供给水，从而形成完整的热力循环系统。

上述方案的配置，可以使电站运行方式灵活、可靠，能很好地与水泥生产配合，可最大限度地利用余热。

五、方案特点

1. 窑头余热锅炉

根据1 100t/d和1 300t/d级熟料生产线窑头冷却机中部取风温度，该锅炉采用两段受热面，最大限度地利用了窑头熟料冷却机废气余热。窑头余热锅炉Ⅰ段为蒸汽段，生产1.35MPa-330℃的过热蒸汽，窑头余热锅炉Ⅱ段为热水段，生产185℃左右的热水，作为窑头余热锅炉蒸汽段及窑尾余热锅炉的给水。窑头余热锅炉的废气阻力约为500Pa，干扰式分离器的阻力约为200Pa，加入窑头余热锅炉后窑头风机进口温度由400℃降至95℃，入口工况风量减少40%以上，因此余热锅炉的加入不会影响窑头风机的正常运行。

2. 窑尾余热锅炉为蒸汽锅炉，生产1.35MPa-310℃（290℃）的过热蒸汽，当水泥窑窑尾废气温度波动时，相应的窑尾余热锅炉的产汽量可随之发生变化，保证排出的烟气满足熟料生产线的烘干要求。窑尾余热锅炉的废气阻力约为600Pa，加入窑尾余热锅炉后，窑尾高温风机的进口温度由335℃降至220℃，入口工况风量减少20%，因此余热锅炉的加入不会影响窑尾高温风机的正常运行。

3. 汽轮机为国产低压凝汽式汽轮机，额定功率为4.5MW。主汽参数：1.25MPa-310℃，排汽压力0.008MPa，额定发电汽耗5.3kg/kW，汽轮机转速为3 000r/min，调速系统为电液控制。

4. 为了保证电站事故不影响水泥窑生产，余热锅炉均设有旁通废气管道，一旦余热锅炉或电站发生事故时，可以将余热锅炉从熟料生产系统中解列，不影响熟料生产系统的正常运行。

5. 余热锅炉均采用立式锅炉，减少占地面积，减少漏风，提高余热回收率。

6. 本工程采用真空除氧方式，有效的保证除氧效果，并最大限度地利用余热。

7. 由于窑头废气粉尘粒度较大，在窑头余热锅炉废气入口采用设置干扰式分离器，使废气中较大颗粒沉降下来，以减轻熟料颗粒对窑头余热锅炉的冲刷磨损，提高锅炉的使用寿命。

六、效益分析

该系统自运行以来，平均吨熟料发电量为38.31kWh/t，发电机组相对水泥窑的运转率达到90.53%，实现系统安全、稳定、高效运行，各项经济指标均达到并超过了设计水平。本余热电站可大力回收和循环利用水泥窑废气，提高水泥生产线的整体资源利用水平，为资源的绿色消费贡献力量。本工程的实施相当于年减少约9 873t标准煤的燃烧。

七、经济可行性

本项目总投资为3 500万元。工程运行成本主要包括折旧费、维修保养费、设备运行电费、人工费等。该工程投入运营后，2008年经济指标见表1。

表1　本项目2008年度经济指标一览表

序号	指标	单位	数量
1	年发电量	10^4kWh	2 758
2	年供电量	10^4kWh	2 589
3	销售收入	万元	1 507
4	总成本费用	万元	409
5	利税总额	万元	1 098

由表1可以看出，该项目实施后，不但能够将废气余热进行全部综合利用，而且能为企业创造一定的经济效益。

八、工程实施后对环境影响分析

余热发电系统建成后，其窑尾和窑头废气在经余热锅炉受热面换热的同时，由于重力沉降作用，有一部分粉尘（约为4.9t/h）沉降下来并直接回用于水泥生产，余热锅炉排出废气的粉尘浓度和排放量已比原先有所下降，因此本工程实施后，不会增加大气污染。窑尾和窑头余热锅炉排出的废气均通过电除尘器除尘（其除尘效率均大于99%），处理后分别经90m（窑尾）、30m（窑头）的烟囱排放。本工程窑头和窑尾废气中主要污染物为粉尘和SO_2，根据环境保护监测站监测结果，除尘后窑尾和窑头废气均能达到《水泥工业大气污染物排放标准》（GB 4915—2004）规定的标准值。

九、结　语

本余热发电系统建成后，年发电量为2 758×10^4kWh，可大力回收和循环利用水泥窑废气，提高水泥生产线的整体资源利用水平，同时减轻了对大气环境的污染，为企业的可持续发展奠定了良好的基础，具有较好的经济效益、社会效益和环境效益，也为同类型企业废气余热综合利用提供有益的借鉴。

参考文献

[1] 刘永丽．水泥厂余热发电的发展趋势．21世纪建筑材料，2009（1）：47-50.
[2] 刘怡靖．水泥厂低温余热发电工程环境影响评价要点初探．能源和环境，2009（1）：65-66.

香港净化海港计划：环境影响评价

林锦慰

（香港沙田乡事会路138号　新城市中央广场2座11楼）

摘　要　香港“净化海港计划”是一个世界级污水收集及处理计划，旨在净化维多利亚港这个地理上和文化上的香港枢纽。该计划对维多利亚港的持续发展非常重要，包括一个45km深的隧道输送系统、初级和次级处理厂，以及消毒设施，最高容量为每日280万 m^3。本文阐述如何通过“环境影响评价”去支持这项计划的实施。评估涉及的主要课题包括：环球污水处理技术评选、水质、生态风险和人类健康风险、气味影响。“净化海港计划”是香港最透明的公共工程项目之一，在进行环评期间，推行了前所未有、范围广泛的公众参与计划。

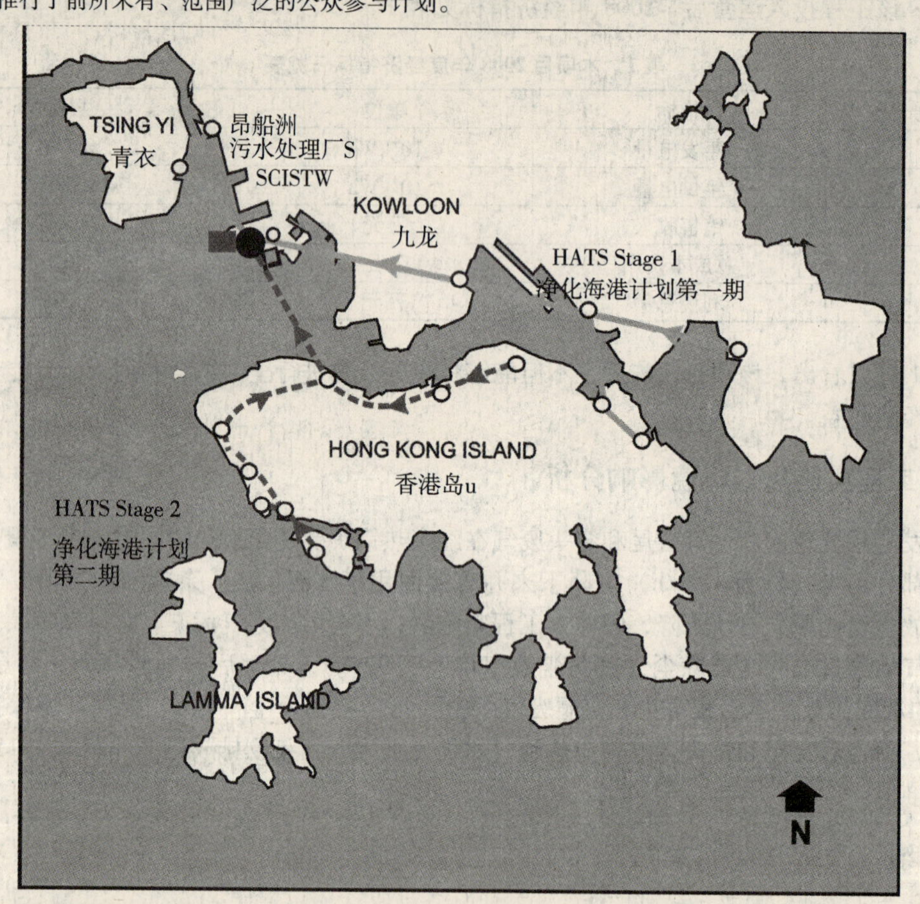

一、引　言

维多利亚港是香港珍贵的天然资源，更蕴涵巨大的经济价值。在过去数十年间，维港两岸的人口急剧增长，令排入港区的未经处理污水数量同时上升，造成港区水质恶化。“净化海港计划”是涵盖维多利亚港沿岸地区的整体污水收集及处理计划。这项世界级污水处理基础设施的施工，分为第一期（已于2001年竣工）、第二期甲和第二期乙。

“净化海港计划”的第一期设施，需要建造一个长达23.6km的深层隧道系统，每日将来自九龙及香港岛东北部的140万 m^3 污水输送到昂船洲的化学强化一级污水处理厂处理。这一期计划已令维多利亚港水质有显著改善。然而，香港岛其它人烟稠密地区的污水在排入维港前，只经过初步处理（隔滤和除沙）。这些经过初步处理的污水，以及由昂船洲污水处理厂排出的未消毒流出物，都是现时水质问题的源头，特别是海港西部，包括荃湾区泳滩在内的水质问题。

因此，“净化海港计划”第二期甲将改良香港岛北面和西南面海岸的初级污水处理厂，并建造一个21km长的深层隧道系统，把香港岛的污水输送至昂船洲污水处理厂。同时把该厂原有化学处理设施的处理能力，扩充至每日245万m^3，并增添污水消毒设施。至于第二期乙的工程，主要检讨在昂船洲污水处理厂增建生物处理设施，务求进一步改善流出物质素。当局根据2010—2011年度水质趋势、人口及污水量增长的最新情况及有关结果制定确实时间表。

本文阐述如何通过“环境影响评价”成功地支持“净化海港计划”第二期甲的实施；并推行一个透明和广泛的公众参与计划。

二、公众关注事项

香港政府于2004年进行了为期五个月的咨询，并吸纳了所收集到的公众意见，然后决定推行“净化海港计划”第二期工程。工程分两个阶段实施，即第二期甲和第二期乙。持续不断的公众咨询仍在进行。以下摘述了公众所表达关注的主要环保事项：

（一）消毒

1. 污水需要消毒
2. 应尽早实施生物处理

（二）消毒技术

1. 为“净化海港计划”检讨其他消毒方法，例如紫外线和臭氧处理等
2. 各种技术的成本效益
3. 化学消毒剂的最佳剂量

（三）环境影响

1. 消毒过程化学副产品对海洋生态和人类的毒性影响
2. 运送和储存化学品对生命危害的风险
3. 紫外线灯的弃置
4. 对水质的累积影响

三、环境影响评估发挥的作用

香港政府委托AECOM集团，为前期消毒设施进行环境影响评估（以下简称环评），务求了解是否需要装设消毒设施，并研究不同的消毒方案，以及为“净化海港计划”建议一种在环保方面可以接受，并具成本效益的消毒技术，同时全面评估各种潜在环境影响。在完成消毒设施的环评后不久，AECOM亦为第二期甲的工程进行了独立环评研究。这两次环评研究的结果，均成为处理上述公众关注事项的重要依据，亦为项目加入了符合环境保护法规和标准的环保设计。

（一）不同方案的考虑

消毒技术方案—环评研究全面检讨国际上的消毒方法，并评估了各种消毒技术。研究结果认为，可用于“净化海港计划”的污水消毒方案是氯化法（连同除氯程序）和紫外线辐照法。从环保角度而言，这两种方法均可以接受，而且有关的水质和生态影响，都可以被控制在环保标准所容许的范围内。两种方法都不能在所有环保范畴内超越对方。当局根据成本、可靠程度、应付不确定情况的灵活性，以及实施的容易程度等准则，为“净化海港计划”选择氯化法。消毒系统的设计，亦经过反复的环保考虑（例如化学消毒剂的最佳剂量），才最后定案。

1. 污水隧道输送系统走线方案　环评研究考虑了两个主要方案。最后选定的方案为离岸比较远的路线，而且可减少影响陆上的环境敏感受体和影响历史建筑，亦减少占用私人土地的范

围。此外，更可以减少工程项目的风险和缩短公众受到环境影响的时间。虽然这个走线方案比其它方案长约0.5km，但额外产生的废物量不大。

2. 施工方法　从环保角度而言，污水输送系统比较适宜建造深层隧道，因为这种施工方法只需要进行为数不多的竖井进行地面工程。因此，施工阶段的环境影响，将远低于浅层污水渠的方案（采用明槽挖掘法）。此外，这些竖井所产生的环境噪声、尘埃和视觉影响，都可以使用精心设计的隔音罩做有效缓解。

3. 施工顺序　这项工程采用了工期较长的分阶段施工方案，因为这个方案可减少同步进行的工序，产生的累积噪声和尘埃影响也比较少，符合环保标准。

（二）水质

环评研究采用最先进的计算机程序，模拟三维水流和水质情况，包括近距离和远距离海域模拟，并据此评估“净化海港计划”第二期甲工程，在运作期内对香港海域的水质影响。仿真结果显示，在实施第二期甲计划后，在各个污水接收海域内，所有受关注的参数均全面减少（例如氨氮、无机养分、大肠杆菌、溶解氧、悬浮固体和生化需氧量），特别是附近的水质敏感受体，例如泳滩、鱼类养殖区、海草床、珊瑚区，以及中华白海豚和绿海龟的栖息区。

根据氯化及除氯消毒程序的设计，接收海域的残余氯气总量将符合国际准则。“全污水毒性测试”亦显示，这个程序没有对受测试的生物产生额外毒性效果。环评亦建议了一项全面监察计划，验证模拟分析所作的预测，并确保工程项目能够符合各项相关标准。

（三）人类健康及生态风险

现有昂船洲污水处理厂的排水口位于低生态价值海域。环评研究根据设计数据，为“净化海港计划”流出物的有毒物质含量，可能对人类健康和生态环境的不良影响，进行了详细风险评估。

1. 人类健康风险　评估结果显示，在“净化海港计划”的所有假设情况下，氯化/除氯过程流出物所含的氯化消毒副产物和其它污染物，只会造成微不足道的潜在风险或危害，低于各方案既定的评估标准。

2. 对水中生物和海洋哺乳类动物的风险　根据预测，已加氯及除氯的“净化海港计划”流出物的氯化消毒副产物含量的潜在风险，低于既定的风险筛检值。换言之，使用加氯消毒法不会造成不可接受的风险。此外，累积风险评估结果显示，由已加氯及除氯的“净化海港计划”流出物的潜在风险，与周边海水的风险一样。由于这项评估已包括氯化消毒副产物和其它污染物，因此，评估结果显示，这些流出物不会使周边环境的毒性显著增加。环评亦使用已加氯及除氯流出物的全污水毒性测试结果，来补充生态风险评估。该测试结果亦显示，“净化海港计划”在所有假设情况下，都符合确立的毒性标准。因此，已加氯及除氯流出物对水中生物的潜在风险微乎其微。

（四）气味

初级污水处理厂和昂船洲污水处理厂在运作阶段所散发的气味，将是主要受关注的事情。昂船洲污水处理厂的气味来源包括：分流渠道、絮凝池、初级沉淀池、沉淀池的下行槽、出水口、溢流室、分流室和脱水淤泥。在初级污水处理厂方面，主要气味来源是固体处理区。环评采用空气扩散模型来仿真对气味空气质素敏感受体的潜在影响。仿真结果显示，这些气味来源都需要加以封闭或覆盖，然后把带气味的空气抽进避味设施进行处理。同时，需要定期进行气味检测，以核证排出的空气是否符合相关气味标准。

（五）危害生命的风险

环评定量评估了昂船洲污水处理厂的拟建消毒设施对生命可能造成的危害，当中已考虑到各项预防措施和减少化学品风险的操作程序。评估结果显示，按照有关的风险指引，这个项目在运作期间，可能造成的个人风险和群体风险均可以接受；同时，对危害生命的风险亦可以接受。

（六）公众的参与

各项环评研究都采取了主动的持续公众参与方式。这些研究以举办公众咨询会和论坛，为市民提供了认识“净化海港计划”第二期甲工程的机会，以便他们在提供意见和建议时，增加了有关事项的了解。环评研究小组在各项咨询会议和论坛中，首先向与会者介绍有关的环评研究及其最新进展，然后展开讨论，听取意见，并响应关注的事项。在“净化海港计划”二期甲各个阶段的环评研究中，共举行了六期的公众咨询，对象包括绿色团体、学术界和专业团体。受咨询的团体包括：

1. 非政府组织：六个非政府组织包括绿色和平、香港海洋环境保护协会、世界自然基金会香港分会、绿色力量、香港长春社和地球仁协会。

2. 学术界：三个专业学院包括：香港大学、香港科技大学及香港专业教育学院。

3. 专业团体：四个专业团体包括香港工程师学会、香港环境影响评估学会、香港水务及环境管理学会和香港海洋生物学协会。

以下是上述各项咨询和区议会咨询的摘要：

1. 2005 年 12 月这项早期咨询，旨在收集相关人士对“净化海港计划”消毒设施的关注和初步意见。

2. 2006 年 3 月第二期咨询，旨在向相关人士阐述为“净化海港计划”选择的消毒程序，并收集他们的意见。

3. 学者和专业人士普遍接受增设消毒设施的必要性，并支持所选方案，即直接购置次氯酸钠实施加氯及除氯消毒法。

4. 绿色团体的意见比较多样：部分团体表示支持，部分团体则有保留，其它团体没有肯定的意见。

5. 2006 年 10 月第三期咨询，旨在阐述已选定消毒方案的详细影响评估初步结果。

6. 2007 年 2 月第四期咨询，旨在收集相关人士对下列项目的初步意见：“净化海港计划”第二期甲的污水输送系统、初级污水处理厂的改良工程和昂船洲污水处理厂扩建部分。

7. 2007 年 5 月第五期咨询，旨在按《环评条例》的规定正式提交环评报告前，向相关人士阐述消毒工程的环评结果。

8. 2007 年 6 月咨询立法会的环境事务委员会。

9. 2007 年 9 月就消毒工程的环评结果，咨询“环境咨询委员会”。

10. 消毒工程于 2007 年 11 月获发环境许可证。

11. 2008 年 1 月第六期咨询，旨在阐述第二期甲各项工程的整体环评结果，并收集各界意见，以便结束环评研究。

12. 2008 年 9 月就第二期甲工程的环评结果，咨询“环境咨询委员会”。

13. 第二期甲工程于 2008 年 11 月获发环境许可证。

环评研究的成功关键，是认真考虑公众在咨询时所表达的关注，利用咨询后的沟通和在会议响应公众的关注。这方面的详情，都记录在环评报告内。在环评研究的最后阶段，公众反对之声渺然，当局顺利批准了环评报告。

（七）“净化海港计划”第二期甲的效益

环评报告说明了有必要进行“净化海港计划”第二期甲工程（目前正在进行）的理由，并借以进一步改善港区水质，使之能超越第一期工程所达到的水平，其中包括：

1. 防止每日有额外的 190～500t 污泥（分别属于启用时及最终的污水流量情况）排入港口；

2. 有毒氨平均减少 10%；

3. 总无机氮和磷分别减少 5% 和 8%；

4. 溶解氧增加 5%；

5. 帮助重开各个已关闭的荃湾泳滩。

若与“没有净化海港计划第二期甲”的情况相比，“净化海港计划”第二期甲工程将会大幅改善水质。海港水质改善后，整个社会在多方面均会受惠，例如海港文娱机会增加、景色改善、美感加强、改善公众健康和安全，以及商业活动增加。此外，在完成第二期甲工程和区内其它污水收集计划后，会促使已关闭的荃湾泳滩尽快重开。第二期甲工程在完工后，亦为海洋生物提供一个大幅改善的环境，并使举行水上节目成为可能。

当第二期甲工程改善水质之后，维多利亚港将可持续对人类提供福祉。若不进行“净化海港计划”第二期甲工程，则水质在短期内恶化。因为，人口持续增加，将不断开发港口两岸。因此，必须实施“净化海港计划”的余下工程，继续净化海港。

四、总　结

本文阐明了香港当局如何运用“环境影响评价”来推动一个规模庞大的世界级污水处理计划。文中亦阐述了该项目的可持续性，是如何规划及逐步实现。项目的可持续性来自“影响评价”，其中包括严谨评选污水处理技术及程序，以及进行策略性的水质、生态和人类健康风险评估，按照实际需要进行环保设计。在环评的过程中与持份者建立良好沟通，是规划和设计阶段取得成功的关键。透过鼓励公众参与和争取公众支持该计划，成功推动维多利亚港可持续发展，为海港使用者谋求最大福祉。

参考文献

[1] AECOM 集团，安社亚洲（香港）有限公司．净化海港计划—拟在昂船洲污水处理厂加建的消毒设施—勘察：环境影响评估报告．香港政府渠务署，2007.

[2] AECOM 集团，安社亚洲（香港）有限公司．净化港口计划第二期甲—勘察：环境影响评估研究报告．香港政府渠务署，2008.

[3] Cheung C. M.，Cheung，K. Y.，Yuen，N. Y.“第四届粤港澳可持续发展研讨会”发表之维多利亚港的长期可持续性有赖成功实施“净化海港计划”. 2008.

畜禽养殖业规划环境影响评价关键指标体系的研究

杜会英　程　波　袁志华　夏　维
（农业部环境保护科研监测所　天津　300191）

摘　要　建立畜禽养殖业规划环境影响评价指标体系的实质就是建立其环境影响的具体评价内容。结合我国畜禽养殖规划的情况，从畜禽养殖的特点出发，提出了畜禽养殖业规划显著环境影响识别的必要性和方法，根据畜禽养殖业规划环境影响评价的要求，提出了效益指标体系、生物结构指标体系、生态破坏指标体系和环境污染指标体系。

关键词　畜禽养殖业规划　环境影响评价　显著环境影响　指标体系

随着畜禽养殖业不断发展，其面临的问题不断变化，对其管理举措亦不断更新，具体到国家层次上，畜禽养殖业规划的科学制定和有效实施是实现畜禽养殖科学管理的基础[1,2]。2009 年 10 月 1 日起施行《规划环境影响评价条例》规定，畜牧业专项规划应当进行环境影响评价。我国各省、多数市县也相应制定各自的畜牧业发展规划，但是针对环境保护的畜禽养殖专项规划较少，在畜禽养殖业规划实施之前，没有进行环境影响及环境风险等相关评价，这不符合《规划环境影响评价条例》的相关规定，也使畜禽养殖业规划的有效实施得不到保障，这种状况是阻碍我国畜禽养殖业可持续发展的重要因素。

规划环境影响评价指标体系的建立是规划环境影响评价从理论研究阶段进入可操作的实际应用阶段的重要步骤[3]。建立畜禽养殖业规划环境影响评价指标体系的实质就是建立其环境影响具体的评价内容。目前在畜禽养殖业规划层面上的系统性的研究未见公开报道。本文针对畜禽规划的复杂性，提出了识别显著环境影响和建立关键指标的方法，为完善畜禽养殖业规划环境影响评价理论体系提供一定的基础。

一、畜禽养殖业规划显著环境影响的识别

（一）显著环境影响的概念

显著环境影响即这些环境影响一旦发生，将导致不可接受的风险。

（二）识别的必要性

畜禽养殖规划其所涉及的环境问题复杂性是其中的一个主要方面。为了提高评价的效率，通过可行的技术方法，在这些问题中筛选出显著的环境影响作为评价的关注点和控制点，为构建畜禽养殖规划环评关键指标体系做准备。

（三）识别畜禽养殖规划中与环境关系密切的内容

畜禽规划与环境关系密切的内容主要包括以下几方面：一是畜禽养殖目标及方针，二是畜禽养殖结构调整与分区。确定待评价规划制定的过程、技术方法和内容及本内容执行过程中引入的、受控的或增加的潜在环境影响，对拟定的潜在环境影响进行分析，判断其是否为显著环境影响并给出相应的判断依据，对于显著环境影响，分析并提出能够预防其发生的措施，为关键控制点的确定提供基础。

二、畜禽养殖业规划显著环境影响的关键控制点

（一）关键控制点的概念

为了进一步明确目标规划的显著环境影响，特借鉴在食品领域广泛使用的危害分析与关键控制点的概念，定义了畜禽养殖业规划环评关键指标体系中的关键控制点[4]。

关键控制点是环境危害能被控制的，能被预防、消除或降低到可接受水平的一个点、步骤或过程。一个关键控制点应是规划制定的相关背景、过程及内容中的一个特殊点，以使目标规划能够并有效地控制环境问题。

（二）预防显著环境影响发生的关键控制点

通过选择对环境友好的养殖模式（如生态养殖、基于农田承载力养殖等）预防增加畜禽粪便和污水的排放；通过背景资料的收集（如养殖区域的环境特征、养殖规划和养殖种类的市场效益等），估算环境的养殖容量；通过广泛的公众参与、制度和利益相关者分析等，预防畜禽养殖规划对环境的影响[5]；对畜禽养殖业规划内容进行技术经济分析与评估。

（三）畜禽规划指标体系的目标

对确定的每个显著环境影响必须有一个或多个关键控制点来对其进行控制。以养殖模式、养殖种类为基础的畜禽养殖规划的目标是为了鼓励被规划的养殖模式、养殖种类的快速发展，所以经济目标是规划的主要目标。本类型的规划在制定过程中应充分考虑产业规划的内容，通过更细节的规划保障畜禽养殖模式、养殖种类的可持续发展，从而保障整个产业的可持续发展。

首先，通过建立畜禽养殖规划环境影响评价畜禽养殖指标体系，明确畜禽养殖规划环境影响评价内容，实施规划环境影响评价，对实施区域环境可持续发展状态及影响进行评估，为战略决策者的管理决策提供依据。然后通过定量评价区域环境可持续发展水平现状，监测和揭示该地区人口、资源和环境系统存在的主要问题，分析矛盾和问题产生的原因，提供给管理部门，以便采取对策，促进区域环境可持续发展。第三，利用指标体系引导战略实施区域贯彻环境可持续发展思想，督促、引导完成环境可持续发展目标。

三、指标体系的建立

建立规划环境影响评价的指标体系是用来衡量、表征、描述环境现状、预测规划实施后的环境影响，比较不同可选方案的环境效益[6]。建立评价指标体系的实质是建立环境评价的具体评价内容。只有建立一系列的指标，才能对规划的不同方案的环境影响进行监测、评价和预测性研究，为决策提供信息支持。在规划环境影响评价中，设置的评价指标要能反映战略规划—经济—环境复合系统的状态和变化特征。要在众多的原始数据或评价信息中筛选较为灵敏的、便于度量的及内涵丰富的主导性指标作为评价指标。在选择评价指标时，应同时满足时间上和空间上的敏感性、多样性、相对稳定性与绝对动态性相结合的原则[7]。

（一）指标体系建立的步骤

1. 指标体系层次结构的建立

规划环境影响评价指标体系可划分为：目标层、准则层和指标层。指标的选择应从区域现状及存在主要问题出发，围绕规划环境影响的范围和特点，依据规划环境影响评价指标体系的建立原则进行。

规划环境影响评价中的环境目标包括规划涉及的区域的环境保护目标及规划设定的环境目标。评价指标是环境目标的具体化描述，评价指标可以是定性的或定量的，是可以进行检测、检查的。

2. 基本指标的选择

基本指标可以从已建成的其他相关指标体系中选取，但必须注意要结合本次规划环境影响评价的特点进行选取。选取时注意以下几点：

（1）选择的指标应直接与规划指定的目标关联，尽量采用能定量表达的指标。

（2）指标体系包含的指标数目，宜少而精。

（3）指标体系应有层次性，各层次中的各项指标也应有主次。

3. 指标体系的筛选

建立规划环境评价指标体系要紧密结合评价对象的特点，从原始数据中筛选出评价信息，通过理论分析、专家咨询、频度统计法、相关性分析和公众参与等方法初步确立评价指标。通过多层次的筛选，得到内涵丰富又相对独立的指标所构成的评价指标体系，并在评价工作进展中根据实际情况补充、调整、最后完善成正式的指标体系。

4. 评价标准的选取

对规划环评的评价指标进行判断时，需要依据一定的标准和准则[8]。规划环境影响评价标准的设置原则为：

(1) 采用已有的国家、行业、地方或国际标准。

(2) 对于缺少相应的法定标准的，可参考国内外同类评价时常用的标准。

(3) 基于评价区域的社会经济发展规划目标，确定理想值标准。

(4) 通过“专家咨询”、“公众参与及协商”确定规划环境影响评价标准。

(二) 评价指标体系的构成

当前对指标体系的确定主要以保护生态环境、社会环境、经济环境为目标，以效益和特性为出发点，并结合畜禽养殖业的特点进行统一的考虑分析。除此以外，在进行畜禽养殖业环境影响评价时，还应考虑对环境造成污染的污染性指标和对环境造成破坏的破坏性指标，这样才能从不同侧面综合反映畜禽养殖业开发对环境的影响。综上所述，畜禽养殖业环境影响评价指标体系可分为效益指标体系、生物结构指标体系、生态破坏指标体系、环境污染指标体系四类，具体见表1。

表1　畜禽养殖规划环境影响评价指标体系

目标层	准则层	指标层
效益指标体系	经济效益指标	畜禽养殖总量、养殖总产值、畜禽养殖占农业总产值的比重、土地生产率、养殖净收益
	社会效益指标	从事养殖劳动人口文化技术培训率、畜禽养殖业人口就业率、劳动力转移率、利益相关者满意程度
	生态环境效益指标	畜禽养殖业土地占用率、土壤利用率、草地面积、草场载畜量、水面利用率、能源供需平衡度
环境污染指标体系	大气污染指标	氨、硫化氢、臭气浓度、甲烷
	水体污染指标	化学需氧量、氮、磷、重金属、大肠杆菌数
	土壤污染指标	pH、重金属、氮、磷、钾、有机质
	畜禽粪便指标	年产生量、资源化利用率、运输方式、氮磷产生量、还田率
生物指标体系	生物多样性指数、物种结构、生物群落结构、种群丰度指数	
生态破坏指标体系	水土流失面积、侵蚀模数、沟壑密度、农田土壤有机质含量、外来种群进入几率、外来病原微生物检出率	

1. 效益指标体系

根据效益可以确定畜禽养殖业环境影响指标体系，主要分为经济效益指标、社会效益指标和生态环境效益指标三大类。

2. 环境污染指标体系

环境污染性指标主要指对区域造成环境污染的因子，其中环境污染源应来自于畜禽养殖业本身。

3. 生物结构指标体系

用来衡量畜禽养殖业规划实施后系统内生物多样性质量的优劣，维持由于采用新技术或引入新的生物物种后系统内生物物种的相对稳定性。

4. 生态破坏指标体系

用来衡量畜禽养殖业对生态环境造成的破坏程度。并以此确定主要的污染物及破坏因素，使畜禽养殖业向更有利于经济和环保协调的方向转化。

四、结　语

畜禽养殖规划环境影响评价是一个新的领域，对此进行必要的研究是我国畜禽养殖业可持续发展研究理论必不可少的部分，同时也是规划环境影响评价理论在畜禽养殖领域的应用和拓展。本文仅是初步的研究，建立了畜禽养殖规划环境影响评价指标体系，缺乏实际案例的验证和比较。随着我国畜禽养殖的发展和规划环评理论体系的不断完善，畜禽养殖业规划环评的研究将会更加系统化，从而促进我国畜禽养殖业的可持续发展。

参考文献

[1] 张金枝，邵庆均，邹先定．我国畜牧业可持续发展的问题与对策［J］．家畜生态，2003，24（3）：1－5.

[2] 李远，单正军，徐德徽．我国畜禽养殖业的环境影响与管理政策初探［J］．中国生态农业学报，2002，10（2）：136－138.

[3] 骆天庆．中国规划环境影响评价机制的实践思考［J］．科学管理研究，2006，3：20－23.

[4] 罗国芝，包存宽，陆雍森．水产养殖规划环境影响评价关键指标的研究［J］．环境污染与防治，2008，7：78－81.

[5] 程波，张从．农业环境影响评价技术手册［M］．北京：化学工业出版社，2007.

[6] 李笑光，孙瑜．农业规划战略环境影响评价的基本思路与方法［J］．农业工程学报，2008，24（4）：296－300.

[7] 姚静，杨辉，张玲．矿产资源规划环境影响评价指标体系及方法的探讨［J］．环境科学与管理，2008（33），4：176－179.

[8] 王敏，董金玮，郑新奇．土地规划环境影响评价指标体系的构建［J］．水土保持研究，2008，1（15）：142－147.

烟塔合一类环评项目大气预测模型对比与选择

李志强　周　阳　黄浩云

（天津市环境保护科学研究院　天津市南开区复康路17号　300191）

摘　要　目前烟塔合一电厂项目的大气污染预测一般采用德国2002年空气清洁标准中推荐的扩散模式Austal2000和美国EPA推荐的Aermod模式，本文主要对这两种大气预测模型进行对比，分析其对于烟塔合一类环评项目的适用性。

关键词　烟塔合一　环境影响评价　大气预测

一、前　言

目前烟塔合一大气污染预测采用的计算方法一般有两种，一种方法为采用德国空气清洁标准法制定的VDI3784第二部分（德国工业协会，1990）标准计算工程冷却塔烟团抬升高度，再依照德国2002年空气清洁标准VDI3945第三部分计算冷却塔排放对地面造成的浓度影响的大气污染扩散模式Austal2000[1]；另一种方法为采用美国EPA推荐的Aermod模式[2]，本文主要对这两种大气预测模型进行对比，分析其对于烟塔合一类环评项目的适用性。

二、烟塔合一技术介绍

烟塔合一就是利用常规自然通风冷却塔巨大的热抬升能力，将火力发电厂湿法脱硫后的烟气通过冷却塔向大气中排放，见图1。

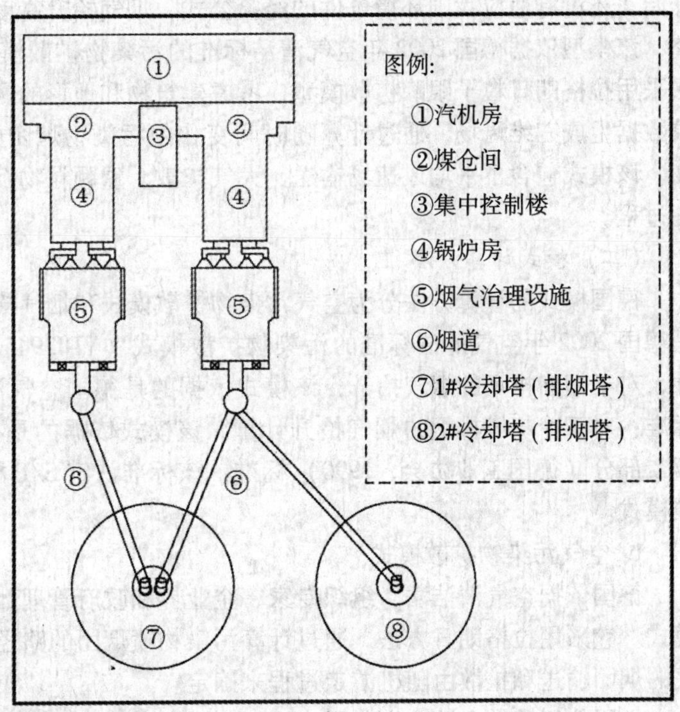

图1　排烟冷却塔平面布置图

三、美国预测模式

（一）模式简介

美国预测模式现已作为国家环保部最新出台的《环境影响评价技术导则——大气环境》（HJ2.2—2008）中的推荐模式[3]。它是美国环保部开发的新一代法规性质的稳态大气扩散模式，采用了自20世纪90年代以来最新的大气边界层和大气扩散理论研究成果，使得大气污染物随高度的变化而变化的扩散过程可以更真实地表现出来，所获取的污染物浓度的预测结果较之前的93导则模式更精确、更可信。

（二）模式计算方法

AERMOD系统包括AERMOD扩散模式、AERMET气象预处理和AERMAP地形预处理模块。AERMOD模式运行流程如图2所示。

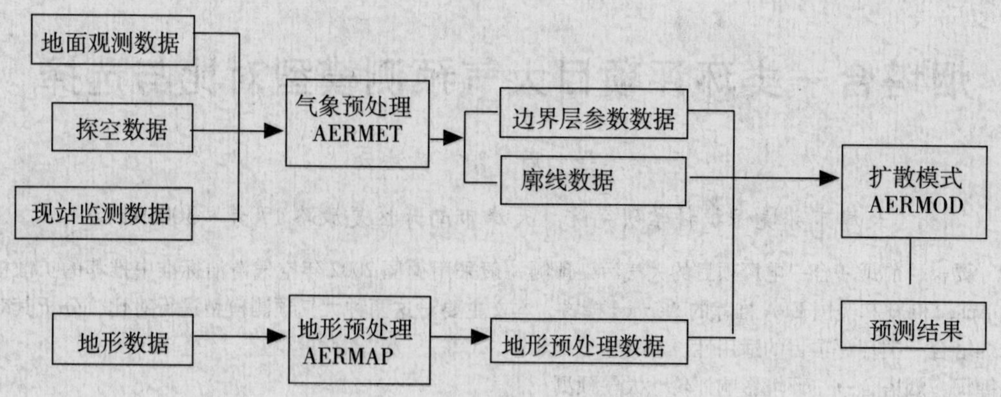

图2　AERMOD 模式系统流程

将地面反射率、表面粗糙度等地面特征数据，以及风速、风向、温度、云量等地面和高空气象观测数据输入到 AERMET 中，计算出边界层参数：摩擦速度 u^*、Monin－Obukhov 长度 L、对流速度尺度 w^*、温度尺度 θ^*、混合层高度 z_i 和地面热通量 H。得到的这些参数连同气象数据以 AERMET 廓线数据和边界层廓线数据文件形式经过 AERMOD 中的控制文件引用进入 AERMOD 系统，计算出相似参数，并对边界层廓线数据进行内插。AERMOD 将平均风速、水平向及垂向湍流量脉动、温度梯度、位温、水平拉格朗日时间尺度等输入扩散模式，从而计算出污染物浓度。

四、德国预测模式

（一）模式简介

烟塔合一技术首先由德国发展起来并在德国得到广泛应用和发展。目前在国内的应用还刚刚开始，还没有适应我国环境条件的经验公式，烟气抬升高度和空气污染物扩散模式有待进一步研究，该模型依据德国 2002 年空气清洁标准的污染物扩散模式（VDI3945 第三部分）研制，其算法采用拉格朗日粒子跟踪扩散模型，考虑建筑物和地形的影响，采用全年逐时的风向、风速等气象数据生成三维风场，通过计算随时间变化的污染物烟团的路径和空间分布来确定污染物的浓度。该模式包含了平均风速场输送、大气扩散、重颗粒物沉降、地面干沉降及一阶化学反应等物理过程。

（二）模式计算方法

德国模式的计算方法分为空气污染物扩散模式和烟气抬升模式两部分。空气扩散模式依据的是德国 2002 年空气清洁标准的污染物扩散模式（VDI3945 第三部分）；烟气抬升模式又分为两种，对于烟囱排烟的烟气抬升，该模式依据的是德国空气清洁标准法制定的 VDI3782 第三部分标准；对于冷却塔排烟的烟气抬升计算，该模式依据的是德国空气清洁标准法制定的 VDI3784 第二部分（德国工业协会，1990）标准，该标准认定 S/P 模式为计算冷却塔烟气抬升高度的标准模式。

1. 空气污染物扩散模式

德国依据空气清洁法，组织专家、企业界和政府管理部门共同确定了德国导则的污染物扩散模式。它采用拉格朗日方法，通过计算污染物喷烟团的路径和空间分布来确定污染物浓度。该模式的烟团输送和扩散由随机游走过程来确定。

烟团位置移动和湍流变化形式为：

$$x = \hat{x} + \tau[V(\hat{x}) + u + U] \tag{1}$$

$$u = \Psi(\hat{x}) \cdot \hat{u} + w \tag{2}$$

式中：x,u 为时间 t 时刻的值；$\hat{x},\hat{u}$ 为时间 $t-\tau$ 时刻的值；$V(\hat{x})$ 为平均风速；u 为湍流风速；U

为附加风速，像烟气热力作用的抬升，沉降等；w 为速度增值；Ψ 为马尔柯夫过程因子。

质量变化公式：

$$m^{v} = \hat{m}^{v} + \tau \sum_{\mu} A_{v\mu} \hat{m}^{\mu} \tag{3}$$

式中：m^{v} 为物质 v 被一个颗粒输送掉的量。转换矩阵系数 $A_{v\mu}$ 与时间 τ 无关，并满足 $\tau |A_{v\mu}| < 1$ 。

物质 v 在空间 $\tilde{\Delta}_{ijk}$ ，时间段 $[t_A, t_B]$ 的时间空间平均浓度 $\bar{c}_{ijk}^{v}$

$$\bar{c}_{ijk}^{v} = \frac{\sum_{k=1}^{N_p} \int_{t_A}^{t_B} \lambda_{ijk}^{k}(t) m_k^{v}(t) \mathrm{d}t}{\tilde{\Delta}_{ijk}(t_B - t_A)} \tag{4}$$

式中：当颗粒在空间 $\tilde{\Delta}_{ijk}$ 时，函数 $\lambda_{ijk}^{k}(t) = 1$ ，否则为零。

2. S/P 模式

对于冷却塔排烟的烟气抬升计算，AUSTAL2000 模式依据的是德国空气清洁标准法制定的 VDI3784 第二部分（德国工业协会，1990）标准，该标准认定 S/P 模式为计算冷却塔烟气抬升高度的标准模式。

S/P 模式为三维流体动力学整型模式，由质量、动量、能量和浓度守恒方程构成。选用曲线坐标，其 S 轴与烟缕轴线一致，长度和角度垂直于 S 轴。由于烟团喷射路径不可预知，而必须解得。将原始方程中变量分为平均状况值和波动值，经过 Reynold 平均和 Prandt 边界层简化，假定时间平均的流场不变，气压分为静力和不规则的气压扰动，采用 Boussinesq 近似，得到下列守恒方程的整形形式[4]：

质量方程：

$$\frac{\mathrm{d}}{\mathrm{d}s}\int_0^R u_d r \mathrm{d}r = E$$

动量方程：

$$\frac{\mathrm{d}}{\mathrm{d}s}\int_0^R u_d (u_g + u_d) r \mathrm{d}r = -\int_0^R \frac{\rho_d}{\rho_0} g r \mathrm{d}r \sin\theta$$

能量守恒：

$$\frac{\mathrm{d}\theta}{\mathrm{d}s} = \frac{-\int_0^R \frac{\rho_d}{\rho_0} g r \mathrm{d}r \mathrm{con}\theta - \frac{1}{2} u_\infty E \sin\theta - \frac{\sqrt{2}}{2\pi} c_D b u_\infty^2 \sin^2\theta}{\int_0^R u_d (u_g + u_d) r \mathrm{d}r}$$

和大气要素平衡方程：

$$\frac{\mathrm{d}}{\mathrm{d}s}\int_0^R c_d (u_g + u_d) r \mathrm{d}r = -\frac{\mathrm{d}c_\infty}{\mathrm{d}s}\int_0^R (u_g + u_d) r \mathrm{d}r$$

描述烟团气态和液态水的热力学方程（Clausius – Clapeyron 方程）决定了烟团的宽度，对其方程积分得到一指数函数，扩展为泰勒级数，用比湿代其水汽压得到比湿差和温度差的关系：

$$\Delta q(s,r) = q_{\infty s}[1 - \varphi_\infty + \frac{L}{R_v T_\infty^2} \frac{T_d}{1!} + (\frac{L}{R_v T_\infty^2})^2 (\frac{T_d}{2!})^2 + \ldots]$$

上述守恒方程中代入剖面函数，并从 0 积分到 $R \to \infty$ ，得到描述截面最大值的量 u^*, T^* ，ξ^* 和因变量 θ, b 。在关系式 $\mathrm{d}z = \mathrm{d}s \cdot \sin\theta$ 和 $\mathrm{d}x = \mathrm{d}s \cdot \mathrm{con}\theta$ 的帮助下这些变量从 s 坐标转为 x，z 坐标函数。最后在给定初始场后数字解方程组。

五、模型对比

Aermod 模式为现行国标推荐的计算模式，其前身即为美国 ISC3（Industrial Source Complex 3）模式，它是美国环保局开发的一个为环境管理提供支持的复合工业源空气质量扩散模式，是基于统计理论的正态烟流模式，使用的公式为目前广泛应用的稳态封闭型高斯扩散方程。ISC3 模式的模拟范围小于 50km，模拟物质为一次污染物，模式采用逐时的气象观测数据，来确定气象条件对烟流抬升、传输和扩散的影响。其基本扩散计算类似于高斯扩散模式的计算方法。

德国采用的污染扩散为 S/P 模式，该模式为动力积分的烟羽模式，来源于流体力学的三维偏微分方程，初始方程主要描述无穷小体积元的质量、动量、静态污染物质量浓度及能量守恒。S/P 模式中与高斯扩散模式相同采用抬升高度计算和污染物扩散分别计算的方法，但由于该扩散模式十分复杂，在程序中固化了大量适合德国的经验数值，这些经验数值的输入是为了补偿由于进行大量简化而带来的负面影响，而且没有这些简化就不能做部分误差方程的积分，从而使得与测量值相比具有一定的不确定性。

六、小　结

从以上模式介绍和对比看，两种计算模式都具有计算烟塔合一大气污染物扩散计算的能力，并各自具有优势，德国模式在抬升计算更符合实际情况，但无法改变计算扩散模式中的经验参数，ISC3 扩散模式中的参数与高斯扩散模式基本相同，易于获得，但抬升计算相对于德国模式来说不具有针对性。目前的研究工作，尚没有找到利用德国 S/P 模式的抬升嫁接国标 Aermod 模式扩散的计算方法，为了更好地预测适合我国环境情况的污染物地面浓度，评价报告采用国标模式和德国模式分别进行大气影响预测分析，更有利于减少计算的误差。

参考文献

[1] http：//www. austal2000. de（German/English）.

[2] EPA（USA）. User's Guide for the AERMODUG，EPA（USA）Document［R］. USA：U. S. Environmental Protection Agency，Office of Air Quality Planning and Standards Emissions，Monitoring，and Analysis Division，Research Triangle Park，North Carolina 27711，1998：1 - 228.

[3] HJ/T2. 2—2008《环境影响评价技术导则——大气环境》［S］.

[4] 崔克强，李浩. 燃煤发电厂烟塔合一环境影响之一——烟气抬升高度的对比计算［J］. 环境科学研究，2005，18（1）：27 - 30.

运用 SWOT 分析法进行规划环境影响评价
——以大连市花园口经济区为例

毕佳音 曲本亮 颜 森 张晓光

（大连市环境科学设计研究院 大连市沙河口区连山街58号 116023）

摘 要 将SWOT分析方法引入规划环境影响评价领域，并在此基础上结合某区域规划环境影响评价的实例，深入探讨了在规划环境影响评价中如何引入SWOT分析这一重要方法，并根据区域战略类型提出有针对性的对策及建议，同时也为其他规划环境影响评价的综合评价分析提供理论支持。

关键词 SWOT分析 规划环境影响评价 优势 劣势 机会 威胁

一、引 言

SWOT分析即优势（Strength）、劣势（Weakness）、机会（Opportunity）和威胁（Threat）分析，从根本意义上说是一个决策过程，最早由美国旧金山大学的管理学教授在20世纪80年代初提出来的。该法出现之初被用于企业战略管理，现在其应用范围已经从单个企业的战略管理延伸到产业群体、区域经济、城市规划乃至国家战略等领域[1]。目前SWOT分析法已广泛应用于各个领域，但是在规划环境影响评价中的应用却很少。

随着《规划环境影响评价条例》的颁布和实施，标志着环境保护参与综合决策进入了新阶段。将经济效益、社会效益与环境效益的统筹作为推进规划环评的关键点，有利于充分发挥规划环评从源头防治环境污染和生态破坏的重要作用，促进经济、社会、环境的全面协调可持续发展[2]。因此规划环境影响评价的地位和重要性也随之上升到更高的一个层面。然而目前国内规划环境影响评价尚处于理论探讨阶段，与项目环境影响评价成熟的评价体系、评价方法相比还有很大差距。

目前规划环境影响评价的实际工作中，在规划环境影响综合评价章节往往从功能定位、空间布局、产业结构、发展规模四个方面对规划进行梳理和分析，进而提出切实可行的控制和减缓规划环境影响的对策和措施。但是这种分析往往仅从每个方面单独进行分析，无法做到将一个区域作为一个整体进行综合考虑。因此笔者结合在规划环境影响评价中的工作经验，将SWOT分析法引入到规划环境影响评价中，从规划区自身的优势、劣势以及所面临的机会与挑战入手，寻求这四个方面的有机组合，进而提出结合该规划区自身特点的可持续发展的方向和对策，并为其他规划环境影响评价的综合评价分析提供理论支持。常规的SWOT分析方法仅为定性分析法，为了能更准确地应用该方法，本文将专家咨询法和层次分析法与SWOT分析法相结合，进而与SWOT分析的定性能力结合起来，能够进行科学的定量分析，得到的结论也将更为科学、客观。

二、SWOT分析方法简述

SWOT分析方法的含义：

S（优势）是指能使本规划获得战略领先并进行有效竞争，实现规划目标的某些内部因素或特征。

W（劣势）是给规划带来的不利影响，导致规划目标无法实现的消极因素和内部的不可能性。

O（机会）是指那些不断帮助规划目标实现甚至超越自身目标的外部因素和状况。

T（威胁）是无法识别既定规划目标的外部因素，是影响规划所期望未来地位的主要障碍。

SWOT分析流程如图1所示。

SWOT分析方法目的是通过内部评价来识别优势和劣势，通过外部环境评价识别机会和威胁因素，并用系统学的思想将这些似乎独立的因素相互匹配起来进行综合分析，以此进行战略组合。主要思想就是：抓住机会，强化优势，避免威胁，克服劣势。

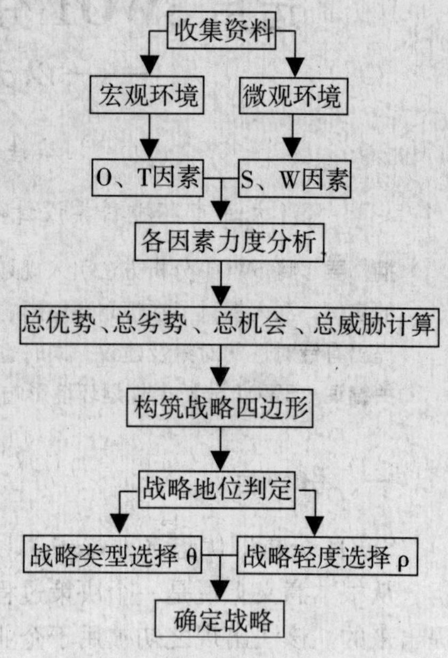

图1 SWOT工作流程

三、SWOT分析法在规划环境影响评价中的应用

下文以大连花园口经济区概念性总体规划为例，运用SWOT分析法对花园口经济区进行综合分析。

花园口经济区作为辽宁沿海经济带“五点一线”开发开放战略中的一点，是辽宁沿海开放发展的战略要地之一，与长兴岛一起承接大连的辐射效应。同时花园口也属北黄海沿岸开发沿海经济带战略的重要节点。

花园口经济区位于大连市域的中南部，庄河市西部，地处黄海北岸，面向日韩，背靠大东北，近邻京津冀，兼受东北亚经济圈、环渤海经济圈和日韩经济圈的三重辐射，具有优越的地理位置和发展机遇，但作为工业区发展又处于生态敏感区，因此经济与环境的协调发展成为本区发展的关键问题。

本文根据花园口经济区布局规划方案的战略类型，根据SWOT分析的结论，提出修订的对策和防范措施，保留内部优势和外部机会，使内部劣势和外部威胁降到最小[3]。

（1）识别内部优势，内部劣势，外部机会，外部威胁，详见表1。

（2）计算各因素力度

强度分为9级，分别取 -4，-3，-2，-1，0，1，2，3，4，其中，机会和优势用正值表示，威胁和劣势用负值表示，绝对值越大表示强度越大，见表2和表3。采用AHP方法计算权重，见表4～表7。

表1 花园口经济区产业布局SWOT分析矩阵

序号	内部优势	内部劣势	外部机会	外部威胁
1	S_1与相关规划目标相容性	W_1土地资源（林地、农田、湿地）	O_1政策支持	T_1公众的支持力度
2	S_2经济效益	W_2环境影响	O_2区位优势	T_2城市建设与耕地保护之间的矛盾
3	S_3环境优势	W_3滩涂面积较大	O_3市场活跃	T_3与周边工业区竞争
4	S_4资源优势	W_4供热、排水等基础设施不完备	O_4工业基础	—
5	—	W_5拆迁安置	O_5交通机会	—
6	—	W_6教育层次低	—	—

表2 优势和劣势因素强度评分

优势关键因素				劣势关键因素					
S_1	S_2	S_3	S_4	W_1	W_2	W_3	W_4	W_5	W_6
3	4	3	3	-4	-4	-3	-3	-2	-1

表 3　机会和威胁因素强度评分

机会关键因素					威胁关键因素		
O_1	O_2	O_3	O_4	O_5	T_1	T_2	T_3
4	4	3	3	4	−2	−4	−3

表 4　优势的比较矩阵

类别	S_1	S_2	S_3	S_4	权重
S_1	1	1/4	1/3	1/2	0.097
S_2	4	1	2	2	0.428
S_3	3	1/2	1	3	0.312
S_4	2	1/2	1/3	1	0.163

$$\lambda_{max}=4.182,\ CI=\frac{\lambda-n}{n-1}=0.039,\ CR=0.043<0.1$$

表 5　劣势的比较矩阵

类别	W_1	W_2	W_3	W_4	W_5	W_6	权重
W_1	1	2	3	2	5	6	0.333
W_2	1/2	1	2	1	3	3	0.202
W_3	1/3	1/2	1	1/2	2	2	0.125
W_4	1/2	1	2	1	3	3	0.202
W_5	1/5	1/3	1/2	1/3	1	6	0.080
W_6	1/6	1/3	1/2	1/3	1/6	1	0.057

$$\lambda_{max}=6.777,\ CI=\frac{\lambda-n}{n-1}=0.063,\ CR=0.051<0.1$$

表 6　机会的比较矩阵

类别	O_1	O_2	O_3	O_4	O_5	权重
O_1	1	2	3	4	2	0.384
O_2	1/2	1	2	2	1	0.204
O_3	1/3	1/2	1	2	2/3	0.131
O_4	1/4	1/2	1/2	1	1/2	0.089
O_5	1/2	1	3/2	2	1	0.192

$$\lambda max=5.080,\ CI=\frac{\lambda-n}{n-1}=0.010,\ CR=0.009<0.1$$

表 7　威胁的比较矩阵

类别	T_1	T_2	T_3	权重
T_1	1	1/5	1/3	0.109
T_2	5	1	2	0.582
T_3	3	1/2	1	0.309

$$\lambda max=3.004,\ CI=\frac{\lambda-n}{n-1}=0.002,\ CR=0.003<0.1$$

计算总力度因素

$S=3\times0.097+4\times0.428+3\times0.312+3\times0.163=3.428$

$W=-4\times0.333-4\times0.202-3\times0.125-3\times0.202-2\times0.080-1\times0.057=-3.342$

$O=4\times0.384+4\times0.204+3\times0.131+3\times0.089+4\times0.192=3.780$

$T = -2 \times 0.109 - 4 \times 0.582 - 3 \times 0.309 = -3.472$

（3）绘制战略四边形，并通过战略四边形得出战略方位图

从图 2 中给出的花园口经济区的战略四边形分析图中可以看出，其中心坐标位于第一象限，即在内部优势和外部机会组合这一象限区域中。根据各因素力度的计算结果，其战略方位为 74°，位于第一象限，属于开拓型战略区。战略强度为 0.53。

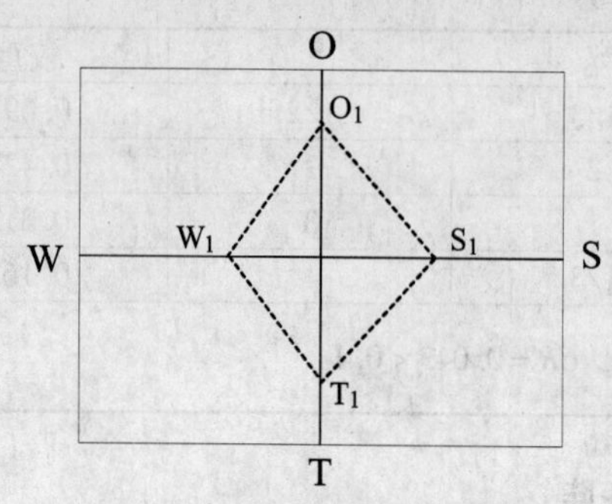

图 2　花园口经济区的战略四边形

开拓型战略区

实力型

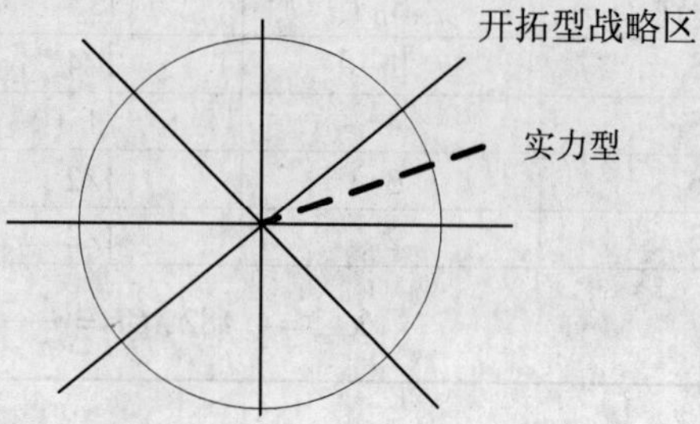

图 3　花园口经济区战略类型图

根据图 3 对战略四边形可以看出，重心坐标位于第一象限，从战略类型图进行判断，本规划的战略强度位于（0，1）的中间，位于开拓区域，外部机会和内部优势能够为规划提供有利的实施条件。战略方位角 74°，位于 O 和 S 的分区间，战略方位属于实力型，规划区域应充分利用区域的外部机会，同时充分利用花园口经济区现有的资源以及大连市、国内外有利的政策和市场，作为吸引企业入驻的先决条件。采取增长型战略，强化扩展已有的竞争优势，获得新的竞争优势，从而支撑起花园口经济区产业布局规划的有序、健康的实施，这也是开展本规划环评的目的之一。

四、结　语

笔者通过尝试，将 SWOT 分析法引入到规划环境影响评价中，解决了规划环境影响评价中无法综合评价规划区的难题，并从规划区优势、劣势、机会、威胁四方面对区域整体进行分析与评价，进而根据区域战略类型提出有针对性的对策及建议。

从上面的实例研究来看，将专家咨询法和层次分析法与 SWOT 分析法相结合，可定量分析解决问题，因此 SWOT 分析法可作为一种行之有效的规划环境影响评价辅助工具，应用于未来规划环境影响评价之中。也是在规划环境影响评价领域非常具有应用潜力和应用价值的分析方法。

参考文献

［1］申彧. SWOT 分析法的应用进展及展望［J］. 知识经济，2009（9）：76.

［2］关于学习贯彻《规划环境影响评价条例》加强规划环境影响评价工作的通知，2009.

［3］泉港石化工业区产业布局规划环境影响报告书.

最优气候均匀模型在规划环境评价背景分析中的应用

苏春宏

（北京农业职业学院水利与建筑工程系　北京　102442）

摘　要　本文通过1988—2008年各月呼和浩特市空气污染指数，采用最优气候均匀模型，预测呼和浩特市2010年12月空气污染指数为86.5，2015年12月空气污染指数为78.6。同时预测2009年，1～6月呼和浩特市空气污染指数，并与实测值对比：最大预测绝对误差为8.41%，平均绝对误差为4.64%，均小于10%。说明最优气候均匀模型对呼和浩特地区空气质量具有较好的预测性。意旨为规划环境影响评价背景分析起到一定的促进作用。

关键词　最优气候均匀模型　规划环境评价　背景分析　应用

规划是指一系列相关的、具有时空特征的目标，在政策执行过程中的具体化。通常是指较全面的人类活动计划，进行长期、中长期的布局和安排。任何一个规划，不论它的类型如何，但在规划的制定中均明确界定了该规划的空间范围与时间跨度。规划环境影响评价（规划环评）中所界定的空间范围与时间跨度应与规划相对应，并考虑时间跨度下的环境背景分析，这正是规划环评有别于建设项目环境影响评价不同之处。

我国开展建设项目的环境影响评价工作已有20多年的历史，2003年9月1日实施《规划环境影响评价技术导则（试行)》，2009年8月17日，国务院又公布了《规划环境影响评价条例》。即由过去单纯的建设项目环保指标控制，向区域性的资源承载能力和生态环境容量分析与控制转变；由单一的环境影响分析评价向系统化、综合性的环境影响和社会经济影响分析评价转变；由过去静态的分析评价，开始向动态的分析评价转变，使环境影响评价站到了战略的高度来看待社会经济的发展、生态环境的保护。

规划是在实施期内自然环境、社会环境和经济背景下，从时间、空间上提出开发治理的方针、任务和规划目标，选定治理开发的总体方案及主要工程布局与实施程序，不论是总体规划还是专项规划一般属中长期规划，一个中长期规划的时间跨度至少在五年以上，设定规划水平年，且将规划的水平年又可分为近、远期水平年。

与规划相对应的，各规划水平年环境背景的描述也应是一个动态的，而非是静态的。这就要求对规划环境背景进行分析。规划水平年自然环境、社会环境和经济环境的规划水平年背景预测分析是一项比较复杂的工作，通过对过去环境状况的回顾，分析环境现状，对规划区内规划水平年环境背景进行定性与定量地描绘。对其环境背景预测的方法很多，采用CIS技术、线性回归分析法、非线性回归分析法、空间主成分分析法、多目标决策法、多目标决策灰色关联法、人工神经网络等方法，可以有效地解决环境背景预测的问题。

本文借助于最优气候均匀模型对2010年、2015年呼和浩特地区大气环境质量进行预测分析，意旨为规划环境影响评价背景分析起到一定的促进作用。

一、最优气候均匀模型

（一）最优气候均匀模型原理

1. 方法

假设一气候变量序列 X_i，$i=1, 2, \cdots, n$。构造序列

$$\overline{x_{i,k}} = \frac{1}{k}\sum_{j=1}^{k} x_{i-j}, k = 1,2,\cdots,n; i = n_1 + 1, n_1 + 2, \cdots, n_1 + L$$

式中：n_1 为统计基本样本量，k 代表所计算的气候平均的数；L 为试验样本量；$n = n_1 + L$

上式分别表示求出 1，2，…，n_1 年的平均值，以这些平均值依次作出 n_1+1，n_1+2，…，n_1+L 时刻的预测。再以预测值与实况值最接近为标准，得出试验预测的每个时刻“最优”平均数。以某种准则确定出下一时刻预测的平均数。

2. 确定最优平均数准则

采用频率指数，即在美国气候预测中心（Climate Prediction Center）应用中，经反复试验，设计出一种以最优平均数出现的频率，来确定下一时刻预测的平均数的准则。定义一个指数

$$I(k) = m(k)/L$$

式中：$m(k)$ 为相同 k 出现的次数，L 为试验预测次数。以 $I(k)$ 达到最大为标准，确定最优平均数。

（二）数据的选取与预处理

本研究以呼和浩特地区为例，采用 DPS11.5 数据处理系统，利用呼和浩特环境监测站 1989—2008 年空气污染指数为统计样本，240 个月，共 240 组长系列大气监测资料，建立呼和浩特地区逐月大气质量序列的预测数据，用 2009 年 1—6 月，6 组数据来检验模型预测精度。

二、结果与分析

（一）预测结果

根据内蒙古环境监测站 1988—2008 年呼和浩特市空气污染指数资料，通过最优气候均匀模型，预测 2009 年 1—6 月空气污染指数及 2010 年 12 月、2015 年 12 月空气污染指数。

预测结果显示：2010 年 12 月呼和浩特空气污染指数为 86.5，2015 年 12 月呼和浩特空气污染指数为 78.6。

（二）预测结果对比分析

最优气候均匀模型的预测值与 2009 年，1—6 月呼和浩特市空气质量监测站监测到的空气污染指数对比如图 1 所示，预测精度分析如表 1 所示。由图 1 和表 1 可知，最优气候均匀模型的预测值更接近实测值。其最大预测绝对误差为 8.41%，平均绝对误差为 4.64%，都小于 10%。说明最优气候均匀模型对呼和浩特地区空气质量具有较好的预测性。可有效地预测未来规划水平年内大气环境背景因子。

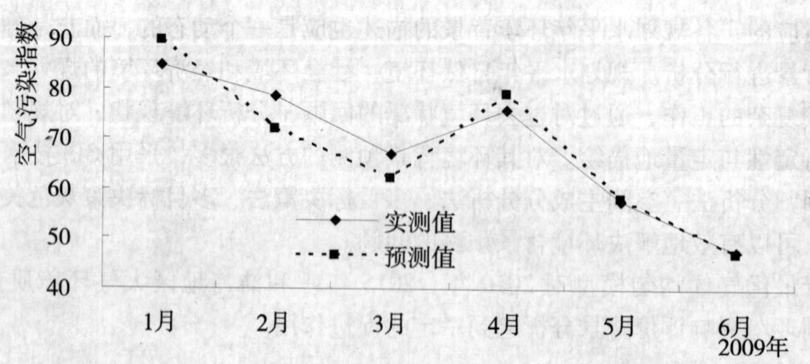

图 1　模型预测与实测对比

表 1　预测精度分析

2009 年	实测值	预测值	绝对误差/%
1 月	84.81	89.4	5.42
2 月	78.50	71.9	8.41

2009 年	实测值	预测值	绝对误差/%
3 月	67.13	62.3	7.19
4 月	75.73	78.9	4.18
5 月	57.71	58.3	1.02
6 月	47.70	46.9	1.68

三、结论与讨论

本研究将最优气候模型方法应用在大气环境质量的预测中，是一个新的尝试，并通过实例对比，分析了最优气候模型与实测的预测效果。结果表明，最优气候模型在预测呼和浩特未来大气质量具有很好的效果。同时，借助本研究说明，在规划环境影响评价中，应从时间上、空间上对规划水平年内背景进行预测分析，根据各规划水平年预测的环境质量状况，针对规划项目的建设特点、污染特征或者对自然生态环境的破坏性以及当地环境特征、环境制约性，预测规划水平年对当地环境可能造成的不良影响的程度和范围，从而规定避免或减少环境污染和防止生态破坏的对策措施，为规划实现优化选址（选线）、合理布局、最佳设计、清洁生产提供科学依据，为生态环境维持良性循环做出保证。

参考文献

[1] 边延辉，曲得双，刘忠熳，韩守江．谈规划环评中环境背景分析和影响预测的时间跨度［J］．环境科学与管理；2008（7）：184－186.

[2] 李笑光，孙瑜．农业规划战略环境影响评价的基本思路与方法［J］．农业工程学报；2008（4）：296－300.

[3] 吴佳鹏，陈凯麒．水电规划环境影响评价指标体系的构建［J］．环保与移民，2008（6）：11－13.

基于层次分析法的煤炭矿区总体规划环境影响综合评价

方晓明[1]　李　姝[2]

（1. 东北大学材料与冶金学院　辽宁　沈阳　110004；
2. 沈阳环境科学研究院　辽宁　沈阳　110016）

摘　要　煤炭矿区所处的环境为复杂系统，目前主要采用定性分析法评价其规划产生的环境影响；为避免定性分析导致的主观不确定性，在矩阵法基础上构建层次分析法评价模型，并将其应用于沈阳矿区总体规划环境影响评价。评价结果与沈阳矿区历史暴露的环境影响情况吻合，具有较好的适用性，此外，该模型可通过随机一致性检验矩阵法定性判断的准确性。

关键词　煤炭矿区　不确定性　层次分析法　规划环评

根据《关于加强煤炭矿区总体规划和煤矿建设项目环境影响评价工作的通知》(环办［2006］129号)，我国煤炭矿区的战略环境影响评价得到了迅速开展，但煤炭矿区规划中涉及矿井开采、煤炭洗选、热电、建材、交通运输和生活区等活动，所处的环境具有复杂系统的多组成、整体性、非线性、开放性、自组织性和不确定性等特征，影响因素众多，目前对煤炭矿区规划环境影响评价方法以定性较多，并以专家判断法[1]、核查表法和矩阵法[2]为主，所涉及的定量分析很少，评价结果主观性较强，不确定性因素较大。如何采用合适的理论和方法来定量分析与评价煤炭矿区规划战略实施导致的环境影响，同时减小主观判断容易导致的不确定性尚属新兴课题。

Saaty[3]提出的层次分析法（Analytical Hierarchy Process，AHP）是解决复杂系统多属性决策问题的有效方法。汪洛应等[4]在20世纪80年代其应用于煤炭基地规划的战略方针抉择，此后逐渐被应用于矿井方式选择、矿井煤尘爆炸、煤炭开采方案优化等领域；特别是2000年以后，应用层次分析法在煤炭开发领域取得了长足进步。于本海等[5]将层次分析法用于煤炭建设项目投资决策，卢国志、荆全忠、屈先朝等[6-8]采用层次分析法分析矿区的安全生产领域，江涛等[9]应用煤炭行业循环经济发展模式与指标体系研究，王建林等[10]应用层次分析法构建煤炭企业综合效益评价体系，吴见、路苹、吕连宏等[11-13]将层次分析法用于煤炭矿区的生态环境评价。

然而，有关基于矩阵法构建层次评价模型并将其应用于煤炭矿区总体规划环境影响综合评价的研究还鲜有报道。本文针对煤炭矿区的复杂系统，利用此方法对自然环境系统中各因素进行划分，通过分析各因素对自然环境影响的相对重要性，定量分析煤炭矿区规划的开发活动对环境影响的程度，从而为煤炭矿区规划环评的重点评价方向、产业形态与规模分析等提供科学依据。

一、沈阳矿区总体规划要点

本文以沈阳矿区总体规划作为评价对象，其规划主要指标如下：

（1）矿区总设计规模为13.05Mt/a，均衡生产年限38a；

（2）选煤厂规划生产能力与矿井生产规模相同；

（3）规划水泥熟料24 000t/d，煤矸石砖8.6亿块标砖/a；

（4）燃煤电厂规划为3 600MW/a；

（5）规划新增铁路37km，公路43.8km；

（6）规划新增居住区占地面积57.90hm^2。

二、环境影响识别与层次分析模型构建

（一）矩阵法对环境影响的识别

环境影响识别就是确定战略的显著环境影响及关键环境影响因子。包括影响因子识别、影响

范围识别和时间跨度识别。它不仅要考虑环境效应强度（Intensity），还应考虑效应发生背景（Context），表1为表征的具体内容。

表1 战略环境影响显著性判定表[14]

受体敏感性	环境效应强度		
	高	中	低
高	极度显著	非常显著	比较显著
中	非常显著	比较显著	不太显著
低	比较显著	不太显著	极不显著

针对沈阳矿区规划的特点，通过采用德尔斐法反复对专家进行咨询，将规划目标、指标以及规划方案与环境因素作为矩阵的行和列[15]，形成如表2所示矿区环境影响的识别矩阵。

表2 沈阳矿区环境影响识别矩阵

目　标	影响因子	矿井开采	燃煤电厂	煤炭洗选	建材	生活区	交通运输
规划环境影响	地形地貌	-2LA	-1LA	-1LA	-2LA	-1LA	-1LA
	大气	-1LB	-3LB	-1LB	-2LB	-1LB	-1LB
	地下水	-3LB			-1LB		
	地表水	-1LB	-1LB	-1LB	-2LB	-1LB	
	生态	-3LB	-1LA		-1LA	-1LA	-1LA

注：-表示不利影响；L表示长期影响；A表示不可恢复影响；B表示通过人为干预后可恢复影响；1、2、3分别表示影响程度为轻微、中等、较大。

（二）层次分析模型的构建

1. 建立层次结构

层次结构的建立研究中将整个系统分成A、B、C三层。其中，A为目标层，B为要素层，C为方案层，并分别对每一层中的各个子系统以及子系统中的因子进行分析。根据矩阵法识别结果，沈阳矿区环境影响的层次分析模型见图1。

2. 构造判断矩阵

对B1、B2、B3、B4、B5的相对重要性进行判断，构建判断矩阵，得出目标层与要素层的判断矩阵见表3。

表3 A-Bi判断矩阵

A	B1	B2	B3	B4	B5	Wi
B1	1	1/6	1/7	1/5	1/7	0.079 4
B2	6	1	1	2	1/3	0.215 9
B3	7	1	1	3	1	0.253 4
B4	5	1/2	1/3	1	1/3	0.176 8
B5	7	3	1	3	1	0.274 5

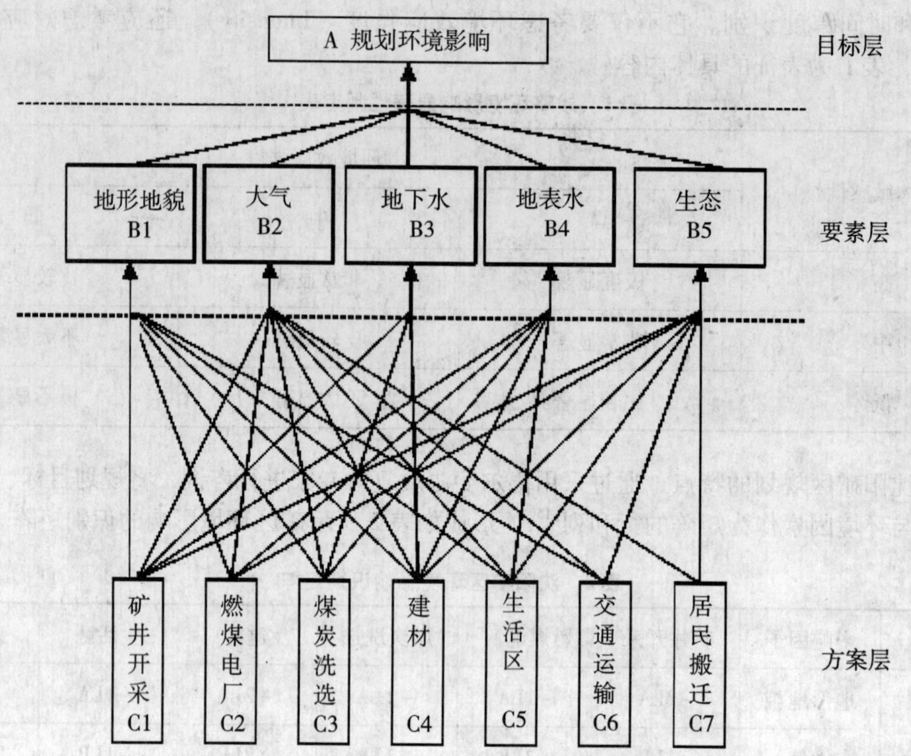

图1　环境影响评价层次分析模型

对 Bi－Cj 的相对重要性判断后构建的要素层和方案层的识别矩阵见表4～表8。

表4　Bi－Cj 判断矩阵

Bi	C1	C2	C3	C4	C5	C6	C7	Wi
C1	1	1/8	1/3	1/6	1/3	1/3	1/3	0.070 1
C2	8	1	8	2	7	6	7	0.309 7
C3	3	1/8	1	1/6	1/2	1/3	1/2	0.083 2
C4	6	1/2	6	1	5	5	5	0.226 2
C5	3	1/7	2	1/5	1	1	1	0.101 6
C6	3	1/6	3	1/5	1	1	1	0.107 6
C7	3	1/7	2	1/5	1	1	1	0.101 6

表5　B2－Cj 判断矩阵

B2	C1	C2	C3	C4	C5	C6	Wi
C1	1	5	8	8	4	4	0.326 1
C2	1/5	1	4	4	1/3	1/2	0.141 7
C3	1/8	1/4	1	1	1/6	1/5	0.077 8
C4	1/8	1/4	1	1	1/6	1/5	0.077 8
C5	1/4	3	6	6	1	1	0.197 8
C6	1/4	2	5	5	1	1	0.178 9

表6　B3－Cj 判断矩阵

B3	C1	C4	C3	Wi
C1	1	7	5	0.571 3
C4	1/7	1	1/3	0.172 1
C3	1/5	3	1	0.256 7

表7　B4－Cj 判断矩阵

B4	C1	C2	C3	C4	C5	Wi
C1	1	5	5	1/2	1/6	0.178 2
C2	1/5	1	1	1/5	1/9	0.086 8
C3	1/5	1	1	1/5	1/9	0.086 8
C4	2	5	5	1	1/5	0.201
C5	6	9	9	5	1	0.447 3

表8　B5－Cj 判断矩阵

B5	C1	C2	C4	C5	C6	C7	Wi
C1	1	7	9	5	5	6	0.362 7
C2	1/7	1	3	1/3	1/3	1/2	0.109 2
C4	1/9	1/3	1	1/4	1/4	1/5	0.075 7
C5	1/5	3	4	1	1	1	0.152 5
C6	1/5	3	4	1	1	1	0.152 5
C7	1/6	2	5	1	1	1	0.147 53

三、环境影响评价结果

经随机一致性检验发现，CR 值最大值为 0.002 9，均小于 0.10，故符合一致性要求。利用层次单排序的结果，可以计算针对上一层次而言本层次所有元素重要性的权值，即为层次总排序。经过计算，沈阳矿区总体规划的权重结果与排序见表 9。

表9　层次分析结果与排序

A	B1	B2	B3	B4	B5	权重	排序
	0.079 4	0.215 9	0.253 4	0.176 8	0.274 5		
C1	0.070 1	0.326 1	0.571 3	0.178 2	0.362 7	0.351 8	1
C2	0.309 7	0.141 7	0.000 0	0.086 8	0.109 2	0.100 5	5
C3	0.083 2	0.077 8	0.256 7	0.086 8	0.000 0	0.103 8	4
C4	0.226 2	0.077 8	0.172 1	0.201 0	0.075 7	0.134 7	3
C5	0.101 6	0.197 8	0.000 0	0.447 3	0.152 5	0.171 7	2
C6	0.107 6	0.178 9	0.000 0	0.000 0	0.152 5	0.089 0	6
C7	0.101 6	0.000 0	0.000 0	0.000 0	0.147 5	0.048 5	7

四、结论与讨论

（一）结　论

1. 煤炭矿区总体规划环境影响在矩阵法识别的基础上构建层次分析模型，所有矩阵的随机一致性最大值为0.009 7，均低于0.10，即所构建的模型矩阵具有满意的一致性，说明作为层次分析法上下层之间两两判断矩阵参考依据的矩阵法所定性识别的环境影响程度判断较为准确。

2. 在煤炭矿区总体规划产生的环境影响中，受影响要素按影响大小依次排序为：生态、地下水、地形地貌、地表水和大气，评价结果与矿区历史环境影响回顾评价吻合。

3. 在煤炭矿区规划生产活动对环境影响中，按影响大小依次排序为：矿井开采、生活区、建材、交通运输、煤炭洗选、燃煤电厂和居民搬迁安置，评价结果同样与矿区历史环境影响回顾评价吻合。

4. 结合中间层和策略层综合分析结果，煤炭矿区矿井开采对环境产生的影响最大，环境影响主要体现为对生态环境、地形地貌和地下水的破坏，为煤炭矿区总体规划环境影响评价的重点。

（二）讨 论

1. 目前采用的定性环境影响识别方法在主观因素上存在较大的不确定性，实践证明，在矩阵法基础上构建层次分析法评价模型，可通过随机一致性检验矩阵法定性分析的准确性，使矩阵法分析结果更加符合实际情况。

2. 由于煤炭矿区总体规划的总体时限较长，但各规划活动对环境影响的时间尺度不尽一致，而层次分析结果无法反映各规划活动对环境影响的时间尺度，仍需辅以其他评价方法解决。

3. 煤炭矿区总体规划战略环境影响评价的目的为可持续发展，但层次分析法对自然环境影响程度的判断尚无法与环境资源系统、社会经济环境系统进行综合评价，如何综合评价煤炭矿区自然环境系统、环境资源系统和社会经济环境系统仍将是下一步需要重点解决的问题。

参考文献

[1] OECD. Applying Strategic Environmental Assessment [M]. France: OECD PUBLICATIONS, 2006.

[2] 朱坦. 战略环境评价 [M]. 天津: 南开大学出版社, 2005.

[3] Saaty T L. The Analytic Hierarchy Process [M]. New York: McGraw-Hill, 1980: 50-68.

[4] 汪洛应，乐伟梁. 山西煤炭基地规划中战略方针决策初探 [J]. 系统工程, 1984, 2 (2): 31-38.

[5] 于本海，郑丽伟，杨金明. 层次分析法在煤炭建设项目投资决策中的应用 [J]. 辽宁工程技术大学学报(自然科学版), 2001, 20 (2): 237-239.

[6] 卢国志，李希勇，宁方淼. 煤矿安全指标评价体系研究及应用 [J]. 安全与环境学报, 2003, 3 (3): 29-31.

[7] 荆全忠，姜秀慧，杨鉴淞，等. 基于层次分析法（AHP）的煤矿安全生产能力指标体系研究 [J]. 中国安全科学学报, 2006, 16 (9): 74-79.

[8] 屈先朝. 煤炭自燃防治技术评价体系 [J]. 煤炭学报, 2007, 32 (10): 1026-1030.

[9] 江涛，张天柱. 煤炭行业循环经济发展模式与指标体系研究 [J]. 中国人口·资源与环境, 2007, 17 (6): 87-90.

[10] 王建林，马如宏. 基于AHP的煤炭企业综合效益评价体系研究 [J]. 煤炭技术, 2009, 28 (4): 1-3.

[11] 吕连宏，张征，李道峰，等. 应用层次分析法构建中国煤炭城市生态环境质量评价指标体系 [J]. 能源环境保护, 2005, 19 (5): 53-56.

[12] 吴见，曹代勇，张继坤，等. 煤炭开采的生态环境承载力评价——以山西省为例 [J]. 安全与环境工程, 2009, 16 (3): 18-20.

[13] 路苹. 煤炭矿区生态环境状况评价定量研究 [J]. 中国矿业, 2008, 17 (7): 43-47.

[14] 包存宽，刘利，陆雍森，等. 战略环境影响识别研究 [J]. 安全与环境学报, 2002, 2 (4): 42-45.

[15] Riki Therivel. Strategic Environmental Assessment in Action [M]. UK and USA: Earthscan, 2004.

基于生态系统方式的规划环境影响评价理论探讨

赵兴征[1] 王 维[1] 王文杰[1] 万 军[2]

(1. 中国环境科学研究院 北京 100012；2. 环境保护部环境规划院 北京 100012)

摘 要 本文结合我国生态系统复杂、自然生态脆弱、资源相对稀缺及区域发展不平衡等基本国情和重环境污染防治轻生态系统管理等环境管理现状，分析认为目前基于项目环境影响评价的理论技术体系不能很好地满足规划环境影响评价的需求。在分析规划环境影响评价理论需求和生态系统方式特征的基础上提出了基于生态系统方式的规划环境影响评价理论设想，进一步探讨了理论研究专题设置及研究目标，展望了理论应用的前景。

关键词 规划环境影响评价 生态系统方式 生态完整性 服务功能

规划环境影响评价（Plan Environmental Impact Assessment，PEIA）属于战略环境影响评价（Strategic Environmental Assessment，SEA）范畴，强调源头控制环境污染和生态破坏，是从基于经济效益的传统决策模式向以统筹、协调、可持续发展为导向的新型决策模式转变的一个重要环境管理工具，《规划环境影响评价条例》的颁布实施，标志着我国环境参与综合决策进入一个新的阶段。而以建设项目环境影响评价（Environmental Impact Assessment，EIA）为基础的评价方法不能完全适应 PEIA 的需要，关于 PEIA 的理论研究不足（朱坦、吴婧，2005），必须从国家、区域等大尺度区域、流域角度建立以维护生态系统结构稳定和生态服务功能持续为基础的 PEIA 理论方法体系，为落实《规划环境影响评价条例》和提高环境参与综合决策的科技水平提供理论支持。

一、我国规划环境影响评价理论需求分析

（一）我国的特殊国情需要在环境参与综合决策机制方面建立新理论方法

1. 生态系统复杂多样，自然生态环境脆弱，生态服务功能趋于退化

我国自然条件差异悬殊，自北而南跨寒温带、温带、暖温带、亚热带、热带五大气候带，自东而西由海洋性气候过渡到大陆性气候，高山、高原、丘陵、平原和盆地等均有大面积分布，地形地貌类型分布错综复杂，形成了复杂多样的生态系统。同时自然生态系统的抗干扰能力和自我恢复能力较差，生态环境遭到人为破坏后，极易造成生态环境的迅速恶化，目前我国荒漠化、水土流失、水体富营养化和生物多样性降低等生态环境问题仍然十分严峻。为了维护生态系统稳定和生态服务功能的持续发挥，需要在综合决策过程中从整体上考虑生态保护。

2. 资源稀缺，人口众多，社会总体发展水平较低

我国能源、水、土地、矿产等资源总量较大，但由于人口基数大，人均占有量远低于世界平均水平。另外，社会经济发展总体水平较低，还不能满足居民日益增长的物质需求，以牺牲环境和资源为代价，单纯强调经济增长的发展模式显然不可行，而片面强调保护，限制发展也不符合我国国情。随着经济快速增长和人口的不断增加，能源、水、土地、矿产等资源不足的矛盾将越来越尖锐，这就需要在环境参与综合决策时不能片面强调保护，需要从保障生态系统服务功能稳定供给的前提下，提出最小代价的发展模式。

3. 幅员辽阔，自然与经济区域差异明显

我国生态环境问题与自然地理特征、生产力布局及发展程度密切相关，区域经济发展不均衡，东部区域已经有了较大发展，但东西部发展差距显著。环境问题总体上呈现出西部及北方以生态环境退化为主，东部与南方以环境污染为主，在局部地方或城市又交叉出现的基本特点。经

济的不均衡，导致生态环境保护的不平衡。东南沿海地区环境污染压力大，投资力度大，治理程度高，西部地区环境污染压力小，治理力度也差。另外，由于生态退化隐蔽性和后发性，长期以来存在重环境污染防治、轻生态退化防治的现象。环境参与综合决策需要从不同空间和时间尺度上寻求最优方案，建立合理的保护与发展分工模式。

（二）以 EIA 为基础的环评方法与技术难以支撑 PEIA 的需要

自 20 世纪 90 年代我国学术界关注 SEA 开始，我国规划环评经历了从概念引入、国外理论研究与经验介绍、符合国内实际的理论与实践的探索，到立法与制度体系的建立及实践等发展历程，进行了大量的理论探讨和实践研究（尚金城、包存宽，2000，2001；王吉华，2004；李天威等，2007；），形成了一系列的技术、方法和流程，提出了《规划环境影响评价技术导则（试行）》（HJ/T 130—2003）等技术导则和评价规范，极大地促进了规划环评工作在我国的发展。

相比项目环评，规划环评真正实现了从微观到宏观，从末端到源头，从枝节到主干，从操作到决策的转变和飞跃，是环境影响评价制度的一次根本性改革，也是实现科学决策的重要保障。尽管规划环评是以项目环评为基础发展起来的，二者具有相同的原则与根本目标，在整个工作程序和步骤上有一定相似之处，但它们是两个不同的概念，其立足点、涉及范围、研究对象和评价目的等均存在较大差异（彭应登、王华东，1995；付玉梅，2009）。而我国 PEIA 目前总体上尚属刚刚起步和探索阶段，关于 PEIA 技术方法研究仅提出一些原则性要求，主要的支撑技术和理念来源于项目环评，暂时还缺乏系统的理论方法和技术支撑体系，技术方法的适用性和有效性基础研究不足，无法对 PEIA 实践形成有效支持。PEIA 时间跨度长、空间范围大，内容上更加侧重强调累积影响分析和不确定性评估，在项目环评的基础上，需要更加突出整体性、区域性、综合性和多方案比选等，在技术方法上也需要实现重大突破与重建。

（三）生态系统整体性考虑有所不足，重环境污染防治轻生态系统管理的现象广泛存在

我国规划环境影响评价已经经历了十几年的发展（包存宽、舒廷飞，2007），不同程度地参与了国家发展战略及综合规划、流域综合规划、区域开发、能源规划、交通规划和城市建设规划等规划的制定和决策过程。环境保护部环境工程评估中心马铭锋等（2008）选择了 9 个规划环评典型案例进行深入剖析，总结了目前我国 PEIA 在技术方法上存在的主要问题，包括：环境影响及预测一般从环境要素和污染程度角度出发，分散地考虑规划的环境影响，缺乏整体影响的分析技术方法，不能在大尺度上反映规划对生态系统的整体影响和长远影响（于海霞等，2001），在实际应用中存在较大局限性。同时由于生态退化隐蔽性和后发性，及当前规划评价方法的限制，对生态功能维护和生态系统整体性考虑不足，我国环境保护工作长期以来重环境污染防治、轻生态退化防治的现象广泛存在。这已经成为制约我国规划环境影响评价发展的重要因素，直接导致规划环境影响评价工作与环境管理需求具有一定的脱节或滞后。

二、基于生态系统方式的规划环境影响评价理论体系的提出

生态系统方式，在 1995 年举行的《生物多样性公约（CBD）》第二次缔约国会议上首次被提出后，得到国际各方面的广泛关注，并在一些西方国家广泛应用，在生物资源可持续管理方面取得了显著成效（周杨明等，2007）。在 2000 年召开的 CBD 缔约国会议上生态系统方式被提高到实现可持续发展首要手段的地位。CBD 提出的 10 项原则和 5 项指南，系统地考虑了人与自然、政府与社会、当前与未来、经济与环境等利益相关方的关系，提出了一整套区域生态系统动态和谐管理和优化发展的理论方法及实现途径，在不同尺度、不同地区的流域、区域协调发展路径设计中获得广泛应用，取得大量实践经验，其方法技术不断完善，应用范围不断扩大。

规划环境影响评价要全面反映规划实施可能对相关区域、流域、海域生态系统产生的整体影响，系统考虑规划实施可能对环境和人群健康产生的长远影响，规划实施的经济效益、社会效益

与环境效益之间以及当前利益与长远利益之间的关系，规划环境影响评价工作需要建立超越项目环境影响评价的理论框架与技术体系（Ficher，2003；Lee，2006；Wallington，2007）。从基础理念、核心方法、技术思路、工作流程等方面，生态系统方式的框架和基本原则符合 PEIA 的核心要求，可以为 PEIA 提供一个系统的思路和技术框架。

本文从生态系统整体性、生态安全格局、生态服务功能的优化维护以及生态风险防范等角度，借鉴生态系统方式的理念与技术路径，利用 RS 和 GIS 空间分析、情景模拟等的理论方法，提出了构建基于生态系统方式的规划环境影响评价理论方法以及框架体系的设想。

三、基于生态系统方式的 PEIA 理论的研究专题设置

（一）基于生态系统方式的 PEIA 理论方法研究

（1）研究 PEIA 的发展历程、重要使命与发展趋势，分析新时期 PEIA 的发展动态和方法及技术约束条件等；

（2）生态系统评估、生态系统服务功能评估及空间关联分析，生态系统服务功能优化管理评估；

（3）生态系统方式的基本方法和发展趋势，生态系统方式的应用领域，生态系统方式在 PEIA 中的应用前景以及关键技术环节分析等。

（二）基于生态系统方式的 PEIA 技术适用性与协调性分析

（1）基于生态系统方式的规划环境影响评价工作思路与国家重大生态保护政策之间的衔接关系分析；

（2）生态系统方式对生态系统服务功能评估、生态质量评估、人群健康评估的响应关系；

（3）规划环境影响评价对生态系统稳定性及对其干扰的响应机制、生态风险因子判别与风险减缓机制的响应；

（4）生态系统整体服务功能的尺度效应等对不同尺度的规划环境影响评价的应对关系等。

（三）基于生态系统方式的 PEIA 概念框架研究

（1）总结生态系统方式的理论方法与概念框架，总结生态系统方式在生态环境保护与区域、流域协调发展领域内实践经验，分析其发展趋势；

（2）根据生态系统方式的基本原理和概念框架，设计 PEIA 的评价方法体系和概念框架；

（3）开展基于生态方式的规划环境影响评价的技术方法分析，提出需要重点突破的方法技术。

（四）基于生态系统方式的 PEIA 技术体系与路线设计研究

结合规划流程和 PEIA 的实际需求，探讨各种技术方法在 PEIA 中的应用方式及实现途径，分析系统评估规划对生态系统的整体性和长远性影响、生态风险的方法论和技术基础。本专题突出空间信息获取技术、空间分析技术、模型模拟技术与情景分析技术相结合，构建基于空间分析为手段的规划环境影响评价技术体系，主要研究包括：

（1）生态系统服务功能评估方法和技术研究；

（2）生态系统胁迫因子、生态风险评估方法与技术；

（3）基于生态服务功能、生态风险的不同情景评估技术等。

四、基于生态系统方式的规划环境影响评价理论研究目标和应用前景分析

主要研究目标在于以生态系统服务、主体功能区规划、环境影响评价等理论方法为指导，建立基于生态系统方式的规划环评理论体系与技术管理体系，形成基于生态系统方式的规划环评实施框架，构建区域发展规划与区域生态环境影响的桥梁，完善现有规划环境影响评价技术相关理

论和方法体系，为《规划环境影响评价条例》的有效实施提供技术支撑。

基于生态系统方式的PEIA能较好地解决长期的、区域性的环境问题，有助于解决不能在项目层次上解决的冲突，为评价规划对生态系统的整体和长期影响提供理论支撑，可以为规划环评提供更加快捷有效的评价技术方法，减少规划决策的时间成本，有利于为《规划环境影响评价条例》的顺利实施提供支撑，提高我国自然资源利用的管理水平和重大政策规划的决策能力，协调建设项目或局部区域内部经济性与外部不经济性的矛盾。

参考文献

[1] Ficher T. B. Strategic envieronmental assessment in post - modern times [J]. Environmental Impact Assessment Review, 2003, 23 (3): 155 - 170.

[2] Lee N. Bridging the gap between theory and practice in integrated assessment [J]. Environmental Impact Assessment Review, 2006, 26 (1): 57 - 58.

[3] Wallington T., Bina O., Thissen W. Theorizing strategic environmental assessment: Fresh perspectives and future challenges [J]. Environmental Impact Assessment Review, 2007, 27: 569 - 584.

[4] 包存宽，舒廷飞. 从概念到立法：中国战略环境评价的回顾与展望 [J]. 地理科学，2007，27 (5)：730 - 735.

[5] 付玉梅. 规划环评与项目环评的区别、规划环评面临的困难及对策 [J]. 环境工程，2009，27 (增刊)：497 - 499.

[6] 李天威，周卫峰，谢慧，等. 规划环境影响评价管理若干问题探析 [J]. 环境保护，2007，384 (11B)：22 - 25.

[7] 马铭锋，陈帆，吴春旭，等. 规划环境影响评价技术方法的研究进展及对策探讨 [J]. 生态经济，2008，9：31 - 36.

[8] 彭应登，王华东. 战略环境评价与项目环境评价 [J]. 中国环境科学，1995，15 (6)：452 - 455.

[9] 尚金城，包存宽. 战略环境评价系统及工作程序 [J]. 中国环境科学，2000，20 (Suppl.)：47 - 50.

[10] 尚金城，包存宽. 战略环境评价的战略分析框架结构 [J]. 中国环境科学，2001，21 (1)：42 - 44.

[11] 王吉华，刘永，郭怀成，等. 基于不确定性多目标的规划环境影响评价研究 [J]. 环境科学学报，2004，24 (5)：922 - 929.

[12] 于海霞，徐礼强，李爱贞. 战略环境影响评价研究初探 [J]. 山东师范大学学报（自然科学版），2001，16 (1)：44 - 49.

[13] 周杨明，于秀波，于贵瑞. 自然资源和生态系统管理的生态系统方法：概念、原则与应用 [J]. 地球科学进展，2007，22 (2)：171 - 178.

[14] 朱坦，吴婧. 当前规划环境影响评价遇到的问题和几点建议 [J]. 环境保护，2005，382 (4)：50 - 54.

矿山固体废物充填处理技术及环境影响分析

王建军　杨小聪　郭利杰

（北京矿冶研究总院　北京西直门外文兴街1号3号楼201室　100044）

摘　要　随着国家对于矿山环境保护的重视和充填采矿技术在矿山的推广应用，一些由充填过程中产生的环境保护问题逐渐显现，并被环保和矿山技术科研人员重视。本文结合当前先进的充填采矿工艺技术特点，分析了充填采矿过程可能产生环境污染问题的环节和原因，并针对这些问题，分析提出一些解决对策。为矿山的绿色充填，建立环境友好型的现代化矿山提出参考意见。

矿产资源是国民经济和社会发展的重要物质基础。随着矿产资源日渐枯竭和国家对环境保护的重视，无废采矿将是采矿发展的必然趋势，而充填采矿法正契合无废开采的要求。

但是我国目前的充填采矿技术还面临固废尤其是细颗粒尾矿的利用率不高、充填效率较低、成本较高，应用范围不广等许多问题。而且现有的充填技术主要是针对矿山顶板管理的需求而提出的采矿工艺技术，其侧重的是充填采矿对于提高资源回收率，实现“三下”开采，减少土地征用等所带来的经济效益，而对充填采矿的环境效益研究相对不足。此外，我们对充填过程本身所产生的环境影响，如对井下作业空间的环境影响，尤其是对地下水的影响还缺乏认识；对一些危险固废，如氰化尾矿、磷矿尾矿的充填技术及其环境影响控制还缺乏研究。因此，目前非常有必要从环境保护的角度系统研究矿山井下充填的综合技术及其环境影响，为充填采矿技术的发展和推广应用奠定坚实基础。

一、充填工艺与技术

充填采矿技术最初应用于金属矿山中，并得到不断发展。我国充填工艺与技术的发展，经历了废石干式充填、分级尾砂和碎石水力充填、混凝土胶结充填、以分级尾砂和天然砂作为充填料的细砂胶结充填、废石胶结充填、高浓度全尾砂胶结充填和膏体泵送胶结充填的发展过程，为我国矿产资源的安全高效回采和矿山环境保护作出了巨大贡献。目前，先进的充填技术主要有：高浓度全尾砂胶结充填技术、废石尾砂联合充填技术、膏体充填技术等。

（一）高浓度全尾砂胶结充填

全尾砂充填的充填骨料是没有进行分级的全粒级尾砂，料浆在75%左右的重量浓度状态下进行输送和采场充填的全尾砂充填方式。全尾砂胶结充填可以利用全部尾砂作为充填料，因而对在大量消纳尾砂，保护矿山环境方面相对其他采矿方法具有明显的优势。高浓度全尾砂充填的工艺技术难点在于高浓度全尾砂料浆的制备工艺上。

当前的尾砂充填工艺一般采用立式砂仓作为浓缩造浆设备。立式砂仓是20世纪80年代出现的一种用于水砂充填的主要构筑物，其充填系统呈纵向布置，结构简单、占地面积小。近年来，立式砂仓流态化造浆技术的出现，大大提高了立式砂仓尾砂造浆的浓度，降低了充填成本，提高了充填质量，使立式砂仓尾砂充填得到更广泛的应用。

“十一五”期间北京矿冶研究总院与铜陵有色金属股份公司铜官山铜矿合作，开展了高浓度全尾砂充填无废开采技术研究，利用立式砂仓进行高浓度全尾砂连续充填技术研究，取得了良好的效果。该技术采用国际先进的空气流态化技术及絮凝沉降固液分离技术，将选厂28%尾砂浆直接泵入立式砂仓，实现仓顶进料、仓底放砂的连续充填方式，大大提高了单个砂仓的有效放砂率。其主要技术特点是：①全尾砂充填：选厂尾砂直接泵（注）入立式砂仓，经高效沉淀、澄清脱水，全部用于充填；②连续作业：立式砂仓仓顶溢流脱水与仓底造浆同步进行，彻底摒弃了传统间断充填与选矿连续作业的不协调，在提高充填能力的同时，达到了选矿水闭路循环的目的；③高浓度充填：采用高压气/水活化尾砂，形成高浓度尾砂料浆，造浆成本低。

（二）废石尾砂联合胶结充填

废石尾砂联合胶结充填的实质是以矿山的掘进废石或破碎废石作为充填集料，以水泥尾砂浆作为胶结介质，分别进入采空区，在采空区中进行自淋胶结的工艺与技术。其特点是直接将井下废石用于充填，避免将采掘废石运输提升至地表堆存，给地表造成二次污染。

20 世纪 90 年代，北京矿冶研究总院与安庆铜矿合作开发了废石尾砂联合胶结充填技术。废石尾砂联合胶结充填采用井下采掘过程中产生的自然级配废石料作为充填集料，废石由井下无轨或有轨设备运输至采空区，尾砂浆由矿山充填系统输送到井下采空区，通过自淋尾砂浆与废石混合形成胶结充填体。废石的非管道输送避免了粗骨料管道输送对骨料级配要求高和易堵管的缺陷。自淋混合胶结不需要庞大的机械搅拌系统，且制备能力大。由于充填体中的部分砂浆被废石替代，在保证充填体强度的同时可显著降低充填成本。

（三）膏体泵送胶结充填

全尾砂膏体泵送充填技术研究最早发源于 20 世纪 70 年代的德国和前苏联等国家，我国金川有色金属公司从 1987 年开始与北京有色冶金设计研究院合作进行了“全尾砂膏体充填新工艺及装备研究”。

全尾砂膏体泵送充填的特点是料浆浓度大，其重量浓度可达 75% ~85%，呈牙膏状，充填井下无需排水。该充填工艺技术的主要优点是：尾砂利用率高、充填料浆浓度高；减少了水泥用量，降低了充填成本；充填体沉缩率小，接顶好；充填质量好，强度高；采场无任何溢流水，改善了井下作业环境，节省了排水及清理污泥的费用。但全尾砂膏体泵送充填一次性投资大，尾砂脱水浓缩、储存和膏体泵压输送技术难度大，在中小型矿山中难以得到广泛的推广应用。

二、充填的环境问题

近几年，随着矿产品价格的上升和矿山企业对环境效益的重视，充填技术不仅在黄金、有色金属矿山得到广泛应用，同时还在铁矿和一些煤矿、磷矿等非金属矿山中得到探索性应用，为充填技术开拓了更广阔的发展空间，如贵州开阳磷矿、山东孙村煤矿、新汶矿区翟镇煤矿、太平煤矿等。此外，北京矿冶研究总院利用充填技术在城市垃圾处理，城市固体废弃物处理上也做了一些探索性的研究工作，为充填技术在更广领域的应用进行了先导性的研究。

但是，我国目前的充填采矿多数采用的是分级尾砂胶结充填技术，普遍存在细颗粒尾砂利用率不高、充填料浆浓度较低等问题。因此，大量的细颗粒尾砂需要地表堆存，给地表带来了更难治理的环境问题，同时低浓度充填使得大量充填水进入地下水系，给地下水带来了污染问题。此外，随着新型选矿药剂的应用和新型充填物料（如含氰尾砂、磷矿尾砂、磷石膏等）的出现，一些含有害物质的固废也被充填到井下。这些都给矿山带来了新的环境问题，因此，我们需要清晰地认识充填过程本身所带来的环境问题，杜绝由此带来的二次污染等问题。

（一）细粒级尾砂堆存的环境问题

目前，国内许多矿山采用分级尾砂充填工艺，将分级后的粗尾砂作为充填材料，分级后的细颗粒依然排放入尾矿库堆存。分级尾砂充填工艺的不足在于尾砂的利用率较低，一般在 50% 左右。特别是在国家提倡尾砂再选技术，提高资源综合利用率之后，一些矿山对尾矿进行再磨再选，使尾砂粒度更细，能够用于分级尾砂充填的粗颗粒尾砂量更少，尾砂用于充填的利用率更低，因此有更大量的细粒级尾砂堆存地表。细粒级尾砂堆存入尾矿库对环境造成了极大的污染，另外，充填用充填料又常常不足，对生产造成严重的影响。

（二）充填水对地下水的影响问题

当前，井下充填的料浆浓度一般在 70% 左右，充填过程中尾砂料浆含水重新进入井下，这些水可分为两部分，一部分与胶结材料发生化学反应形成分子水，另一部分为自由水，随着充填体强度的形成，这部分自由水被排出充填体，重新进入矿井地下水系。充填料浆的水中一般含有选矿药剂和胶结材料中的一些化学元素，它们必然会对井下水的水质产生一定的影响。在生产实际中，出现过采用充填采矿法后井下涌水因为含有选矿药剂成分而不能直接作为生产用水的实例。江西武山铜矿对井下水监测的结果表明，充填采矿使井下水的 pH 值产生变化，涌水中的悬浮物浓度有所上升。

（三）有害充填料井下二次污染问题

随着充填技术应用领域的扩大，一些特殊物料也被作为充填料充填到井下，如磷矿尾砂、磷石膏、含氰尾砂等，这些物料都有一定的有害元素。这些有害元素如不经过严格的预处理就直接作为井下充填料，很可能在井下形成二次污染，带来严重的环境问题，如含有硫、磷等元素物料充填井下后可能会改变井下涌水酸碱性，甚至恶化整个矿区及周边地下水系的生态环境，破坏水体生态平衡；含氰尾砂的非安全充填将会恶化井下工作环境，氰含量高时可能会危害井下工作人员的生命安全。因此，矿山进行充填采矿论证时，应加强对充填物料的研究，避免由充填料带来的二次污染，做到安全绿色充填。

三、对策研究

充填技术是处理矿山固体废物的最佳途径，必将为建立环境友好型矿山作出更大的贡献。在积极推广应用充填技术解决矿山开采的安全问题，处理消纳大宗量固体废物，改善矿山地表环境污染的同时，矿山企业及其监管部门也应该对充填采矿过程中带来的一系列环境问题有足够的重视，避免出现先污染再治理的困局。

从矿山及其监管部门的角度出发，对于矿山的固体废物处理主要应该从以下几个方面展开工作：①监管部门制定严格规范的管理制度，加强矿山环境监管，矿山企业严格执行相关制度，加强管理；②利用先进的技术手段进行矿山废物的资源化再利用，减少固体废物，特别是危害固废的排放量，减少环境污染源头；③对地下矿山，推广应用先进充填采矿技术，减少固体废物的地表堆存量，争取全部固体废物做到井下安全充填处理，减少地表环境污染源的同时杜绝充填造成的二次污染；④研究完善充填工艺技术，推广应用高效率、不易产生环境问题的安全充填工艺技术，如高浓度全尾砂充填技术、废石尾砂联合充填技术、膏体充填技术等；⑤加强对危害固废充填的研究。在对含有害物质的特殊充填料进行充填时，做好严格科学论证，并结合充填工艺制定完善的技术工艺，避免因充填带来的二次环境问题。

四、结　语

当前，中国已进入全面建设小康社会的新阶段，随着经济社会的快速发展，对矿产资源的需求量持续增长，矿山生态环境保护的压力也越来越大，矿山充填技术必将迎来一个新的高速发展时期。与此同时，我们更应该注意充填本身带来的环境问题，在建设初期就尽量减少或杜绝充填带来的二次环境问题，为矿山的和谐发展作出贡献。

参考文献

[1] 刘同有，等．充填采矿技术与应用［M］．北京：冶金工业出版社，2001.

[2] 杨泽．我国充填技术的应用现状与发展趋势［J］．矿业快报，2008，4.

[3] 周爱民．中国充填技术概述［D］．第八届国际充填采矿会议论文集，2004，9.

[4] 张苏文．尾砂充填对井下废水水质的影响［J］．有色金属（矿山部分），2006，1.

[5] 丁晓琳．我国工业固体废弃物研究［J］．交通运输系统工程与信息，2002，5.

浅议大气预测模式在我国环评中的应用研究

陶以军　高颖楠　徐　鹤

（南开大学战略环评研究中心　天津市南开区卫津路94号　300071）

摘　要　简要回顾了我国环评从项目环评、区域环评到规划环评的发展过程。比较了2008年《环境影响评价技术导则——大气环境》相对1993年导则的改进。分析了第一代、第二代、第三代空气质量模式的演变发展，我国第二代模式应用时间较短，基础数据相对缺乏，第三代模式处在应用研究中，两者都有待深入的扩展研究。

关键词　环境影响评价　大气导则　空气质量控制模式

大气环境影响评价是环境影响评价的重要内容之一，贯穿我国环评发展的始终。大气环境影响评价技术导则则为环评提供了技术支持。1993年《环境影响评价技术导则——大气环境》（HJ/T 2.2—1993）[1]开始使用，适用于建设项目的新建或改、扩建工程的大气环境影响评价，城市或区域性的大气环境影响评价亦参照使用。2009年4月1日《环境影响评价技术导则——大气环境》（HJ/T 2.2—2008）[2]正式实施，适用于建设项目的新建或改、扩建工程的大气环境影响评价，区域和规划的大气环境影响评价亦可参照使用。第二代大气质量控制模式Screen 3、AERMOD、ADMS、CALPUFF取代93导则推荐模式，顺应了我国环评发展的要求。

一、我国的环评发展

我国环评处于不断发展阶段，经历了项目环评、区域环评和规划环评的发展历程。人类社会的决策行为按决策主体形成决策链：法规—政策—计划—规划—项目。从理论上讲，政策战略环评应先行，区域与行业的规划环评次之，而建设项目的环评则再次之。因为政策环评是真正意义上以主动积极的态度，对人类大规模开发活动进行预先评价，为领导层决策提供更具前瞻性和科学性的依据，而我国的政策战略环评仍是举步维艰。

20世纪70年代中期，环境影响评价的概念引入中国，经过30多年实践，有关建设项目的环境影响评价法律逐步配套，法规体系逐步完善，成为在控制环境污染和生态环境破坏方面最富有成效的措施。人们的开发建设活动通过大气越界传输，通过河流污染整个流域，造成了区域性甚至全球性的污染影响，产生了区域环境影响评价。我国于2003年9月1日开始实施《开发区区域环境影响评价技术导则》。致力于从源头上防止环境污染，2003年《环评法》确定了规划环评的地位，通过几年的不断努力，《规划环境影响评价条例》也终于在2009年10月1日起开始施行。相比项目环评，规划环评真正开始实现了从微观到宏观，从尾部到源头，从枝节到主干，从操作到决策的转变和飞跃。区域环评是项目环评到规划环评的过渡。

项目环评、区域环评和规划环评是三种不同类型的环境影响评价，它是随着人们对环境认识的不断深化发展而来的。其评价的影响力、范围逐步扩大，对环评的技术支持也提出了新的要求，因此我国不断出台新的技术导则，包括大环境影响评价技术导则。

二、我国大气环境影响评价技术进展

项目环评、区域环评和规划环评在评价范围、尺度、深度、技术要求上不断提升，我国先后出台了1983年《制定地方大气污染物排放标准的技术原则和方法》，1991年《制定地方大气污染物排放标准的技术原则和方法》和1993年、2008年《环境影响评价技术导则——大气环境》。2008年导则推出后，作为大气环境影响评价主要技术的大气污染扩散模式也由第一代93导则推荐模式演变到第二代 Screen 3、AERMOD、ADMS、CALPUFF 模式系统。

1993 版大气导则是根据评价项目的主要污染物排放量、周围地形的复杂程度等因素，将大气环境影响评价工作划分为一级、二级、三级，评价范围分别在 16～20km、10～14km、4～6km；2008 版大气导则评价工作分级方法是采用 Screen 3 估算模式，考虑污染物排放强度和排放方式以及可能发生的气象条件，针对排放污染物对环境的可能影响程度和影响范围来划分评价等级，评价范围以估算模式计算的污染物的地面浓度达标准限值 10% 时所对应的最远距离 $D_{10\%}$ 为基础确定，用“大气环境防护距离”取代了 93 版导则的“卫生防护距离”，比 1993 版大气导则的规定更具有科学性。

2008 版导则对气象资料的要求也提高，加深了对大气扩散理论的应用，增加了“高空气象探测资料”的要求。对于各级评价项目，均要求调查评价范围 20 年以上的主要气候统计资料。对于一级、二级评价等级的大气预测对气象数据有不同的要求，见表 1。

表 1　不同评价等级对气象数据的要求

	一级评价		二级评价	
评价范围	小于 50km	大于 50km	小于 50km	大于 50km
气象资料	近 5 年内的至少连续 3 年逐日逐次		近 3 年内的至少连续 1 年逐日逐次	
地面气象观测资料	必需	必需	必需	必需
高空气象探测资料	AERMOD 必需、ADMS 不必需	必需	AERMOD 必需、ADMS 不必需	必需

地面气象观测资料需要每天 24 次的连续观测资料，对于每日实际观测次数不足 24 次的，在应用气象资料前对原始资料进行插值处理。当地面气象观测站与项目的距离超过 50 千米，并且地面站与评价范围的地理特征不一致时要进行补充观测。

2008 版导则对地形数据要求也提高了，一般通过对标准的地形数据经过预处理得出山地、污染源和每个受点的地形高程。93 导则推荐模型则只需要污染源和每个受点的地形高程。此外，新一代模型还增加了对建筑物下洗、化学反应等的处理机能。

三、大气污染扩散模式

第一代扩散模式是基于 20 世纪 60—70 年代的大气边界层理论，适用于小尺度。新一代 AERMOD、ADMS 及 CALPUFF 法规模式，属于 20 世纪 80—90 年代的大气边界层理论，适用范围扩展到中尺度，大大提高了预测的准确性和可信度，其中 AERMOD 在近场 50km 范围以内使用，ADMS EIA 版适用于评价范围小于 50km，Urban 版适用于评价范围数百公里以内，CALPUFF 烟团模式能在 300km 范围以内使用。第三代空气质量模式也已由美国国家环保局（EPA）于 1998 年开发成功，通称为 Models－3，应用范围已扩展到大陆尺度，我国已有部分学者进行了应用研究。

（一）第一代大气污染扩散模型

93 导则推荐的模型为稳态高斯扩散模型，适合模拟平原地区定场情况下的连续排放的污染源的浓度分布。公式的建立有如下假设：风的平均流场稳定，风速均匀，风向平直；污染物的浓度在 Y 轴和 Z 轴方向符合正态分布；污染物在输送扩散中质量守恒；污染源的源强均匀、连续。在大气小尺度（10 km）范围内，基本能满足工程项目环境影响评价的需要。在假设条件及处理技术的限制下存在的主要不足①不稳定条件下垂直方向的扩散采用正态扩散模式预测，预测值误差较大。②在处理污染物反射问题上采取了地面和混合层全反射的处理方法，未能反映浮力烟羽抬升到混合层顶部附近的实际扩散过程。③大气稳定度采用修订的 Paquill 稳定度分类方法，不连续，误差大。④湍流分类采用离散化的经验分类方法，扩散参数如气象参数、风速幂指数及烟羽有效高度等确定和选取通常通过实验实测或选取经验曲线而求算，往往存在一定误差。⑤没有考虑建筑物下洗问题，不能反映化学反应。

（二）第二代大气污染扩散模式

高斯稳态模型，只适用于模拟小尺度范围的大气扩散。第二代模式得力于数值研究的深入和计算机的发展，数值计算突破了高斯扩散理论均匀平稳湍流的限制，可以求解非均匀、非定常的污染物扩散问题，且模式的适用范围向中尺度、大尺度扩展。

AERMOD[3]模式系统是适用于定场的稳态烟羽模型，20 世纪 90 年代初期，由美国 EPA 联合美国气象学会组建法规模式改善委员会（AERMIC）成功开发。AERMOD 模式系统包括 AERMOD、AERMET 和 AERMAP。ADMS[4]是一个三维高斯模型，由英国剑桥环境研究中心（ RC）开发，该系统包括气象数据输入模块，边界层参数计算模块，烟羽抬升和浓度计算模块、干湿沉降和化学处理模块、复杂地形模块及建筑物模块。CALPUFF[5]模型系统为多层、多种三维非稳态拉格朗日烟团扩散模型，由西格玛研究公司开发，系统主要包括 CALMET、CALPUFF、CALPOST 三部分。

AERMOD、ADMS、CALPUFF 模式系统比第一代模型更能准确地模拟污染物在时空中的分布变化，对复杂地形，干湿沉降、化学反应、下洗有很好的处理，CALPUF 还能适用于复杂风场。第二代模式具有下述特点：①采用连续的稳定度分类方法，根据边界层高度莫宁—奥布霍夫长度，将其分成不稳定、中性和稳定。②按空气湍流结构和尺度概念，湍流扩散由参数化方程给出。AERMOD 和 CALPUFF 分别有专门的气象模块 AERMET、CALMET 处理温度场和风场，ADMS 应用了基于莫宁—奥布霍夫长度和边界层高度来描述边界层结构和参数的最新物理知识，不需要复杂的气象数据。③在对流不稳定条件下，垂直浓度均采用非高斯正态的 PDF 模型。④考虑了对流条件下浮力烟羽和混合层顶的相互作用。ADMS 模型定义了穿透系数 P，将烟羽分成边界层内和边界层以上两个部分，分别计算这两部分烟羽的浓度分布再叠加，AERMOD 则分成直接源、间接源和穿透源三部分。⑤具有计算建筑物下洗功能，可以模拟化学反应。ADMS 化学模块中使用了远处传输的轨迹模型和箱式模型。⑥复杂地形处理更合理。93 导则模型对丘陵山区采取了稳定度提级修正法。AERMOD 使用临界分流，将简单地形和复杂地形一体化处理，ADMS 在计算中采用只要接受点和烟囱所在地的地面有高度差都进行修正的方法，已不关注复杂地形和简单地形的划分问题。⑦借助计算机的帮助，可以实现多源的一体化处理，如 AERMOD 可以对点源、面源、体源同时处理，ADMS 该模式可同时模拟 3000 个网格污染源，100 个道路污染源和 500 个工业污染源。

CALPUFF 有所不同，采用的是烟团输送模型。烟团在三维风场遵循非线性的运动轨迹，可以处理有时空变化的恶劣气象条件和污染源参数，适用于处理非均匀、非定常场，对中尺度的区域污染和长时间扩散过程及复杂地形条件下扩散的模拟比较合理，可以处理静风问题。CALPUFF 能模拟一些非稳态的情况（静小风、熏烟、环流、地形和海岸效应），也能评估二次污染颗粒的浓度。

（三）第三代空气质量模式

第三代空气质量模式已由美国国家环保局（EPA）于 1998 年开发成功，通称为 Models—3[6]。系统由三大部分组成，中尺度气象模式 MM5、排放模式系统 SMOKE 和通用多尺度空气质量模式系统 CMAQ。其核心是 CMAQ，CMAQ 设计为多层次网格模式，即将仿真的区域分成大小不同的网格范围来分别仿真。适用于多尺度（局地、城市、地区和大陆）、多污染物（种类达 80 多种，包括多种化学反应传输机制）的空气质量的预报、评估和决策研究等。

与第一代、第二代模式不同，Models-3将所有的大气问题均考虑到模式之中，提出了“一个大气”的概念（one—atmosphere），模型的综合处理能力大大提高，Models-3突破了传统模式针对单一物种或单相物种的模拟，考虑了实际大气中不同物种之间的相互转换和互相影响。CMAQ多层网格模式提高了模拟准确度和速度。Models-3将模拟的范围扩展到大陆尺度，提供了可供选择的多种空间尺度范围，用户可选择局地、城市、区域和大陆等多种尺度的研究范围。可同时进行多种污染物浓度的预报，综合处理复杂的空气污染（如O_3、PM_{10}、毒化物、酸沉降和能见度等）问题。Models-3模式系统采用模块化的结构，易于加入新的研究成果。在Models-3的化学输送模式有两种可供选择的化学机制：CB4和RADM2，并且也可以修改已经存在的化学机制或使用新的化学机制。

四、发展趋势与发展中的问题

项目环评在我国已经成熟，规划环评与计划环评没有严格区分，仍在不断完善，但目前我国尚未开始对政策层次进行战略环评，政策性战略环评专业技术性很强，这还有赖于相关技术支持的研究发展。从项目环评、计划/规划环评到政策环评，越来越接近问题的根源，Models-3推行“一个大气”的概念，环评中我们也只有一个共同的地球环境，这个环境是不可分割的整体，在越来越接近问题根源的同时，评价对象的时间、空间范围也不断扩大，综合性不断增强。第一代模式主要用于预报局地范围内对流层空气中的少数污染物。第二代模式系统在空间范围以及污染物种类上都有所增加。空间范围发展到局地、城市和地区3种尺度。第三代模式系统（Models-3）在空间范围上已经扩展到大陆尺度，同时可以考虑多种污染之间的相互作用，相信在不久的将来，第三代空气质量模式成熟之后也会对我国的大气质量控制作出贡献。

模型的应用范围研究不断扩展，CALPUFF在环境容量分析中已崭露头角，王洪磊[7]等对CALPUFF模型在大气环境容量测算中进行了应用研究。Models-3不仅用于各种大气污染物浓度的预测，而且可用于进行环境评估和环境控制决策。ADMS可以与地理信息系统联合使用，ADMS-Urban对研究大气质量管理措施的效果作用显著，例如计算引进先进技术、改变燃料、限制车速等措施对空气质量的影响等。

但第二代与第三代模式的应用中存在着困难，首先，气象和污染源数据不足，如探空数据，我国这方面的相关数据比较缺乏，已有的数据更是缺乏透明度，制约着模式在我国的发展应用。其次，对技术操作人员的综合素质要求高。另外，任何模式本身也都存在一定的缺陷。这些都有赖于相关单位部门的大力支持和环评工作者的努力。为了推动模式的应用发展，要进一步完善相关法规支持，加强基础数据的调查，加大数据透明力度，尽可能增加气象观测网点及观测项目，加强理论研究与整合，对模式的应用性能性进行精确的定量评估。

参考文献

[1] HJ/T 2.2—1993. 环境影响评价技术导则—— 大气环境［S］.

[2] HJ/T 2.2—2008. 环境影响评价技术导则——大气环境［S］.

[3] Environmental Protection Agency, 2004. Description of Model Formulation［M］. EPA-454/R-03-004. U.S. Environmental Protection Agency, Research Triangle Park, NC 27711, Septemper 2004.

[4] 张军. 山地复杂地形的大气污染预测模型研究［D］. 重庆：重庆大学，2005.

[5] Scire, J.S., D.G. Strimaitis and R.J. Yamartino, 2000. A Uaer's Guide for the CALPUFF Dispersion Model (Version 5.0)［M］. Earth Tech, Inc., Concord, MA.

[6] 聂邦胜. 国内外常用空气质量模式介绍［J］. 江苏环境科技，2008，21（1）：126-128.

[7] 王洪磊，钱骏，廖瑞雪，等. CALPUFF模型在大气环境容量测算中的应用研究［J］. 环境科学与管理，2008，33（12）：169-172.

谈我国建设项目电磁环境影响评价内容、评价因子与传播特征

王　毅[1]　徐　辉[2]　赵有维[3]　赵书珍[3]

（1. 环保部环境工程评估中心　北京　100011；2. 北京市环境保护监测中心　北京　100044；
3. 北京科环世纪电磁兼容技术有限责任公司　北京市朝阳区将台路乙21号　100016）

摘　要　文章在归纳目前我国电磁环境的热点问题的基础上，介绍了我国建设项目电磁环境影响评价内容、评价因子及不同电磁源的传播特征）。

关键词　电磁环境　热点问题　电磁项目名录　电磁环境因子　传播特征

随着21世纪的到来，人类已进入信息社会时代，大量电视发射塔、广播发射站、卫星通信地球站、微波中继站、移动通信基地站等产生电磁场的设备也越来越多。这些设备对人类的生活和发展起到了重要的作用，但也造成环境中电磁能量密度增大，频谱增宽，无线电噪声水平增高。高强度、长时间的电磁场照射，对公众的身体健康有不良的影响；同时对家用电器、医疗设施等造成干扰。高强度的电磁场是一个重要的环境污染要素，而电磁波是能量流污染，看不到，听不到，嗅不着，摸不着，但却充满了环境空间。所以，我们要加强对电磁波特性的研究，既要把电磁能作为一种资源，充分利用电磁能为人类造福；又要加强电磁环境管理，做好建设项目电磁环境的预测与评价，将其负面效应控制在最小的影响程度。

一、目前我国电磁环境的热点问题

随着我国改革开放政策的实施，加入世界贸易组织，科学技术事业迅速发展。在这个过程中电磁能的应用得以扩展，空域中的电磁环境出现了许多新情况、新问题，因电磁环境引起的环境纠纷日益增多。目前，我国电磁环境的热点问题主要有：

1. 中短波广播发射台站。随着全国各大中城市规模扩大使得原处市郊的大功率电磁波（广播或通信）发射台逐渐被扩建的居民区所包围，北京、广州、深圳、武汉、兰州、福州、杭州等城市都有此问题出现。许多大功率中短波发射台站周边的居民，当台站工作时，家中电灯不开，灯却是亮的，此外电话打不通，电视受干扰，环境中的电场强度可达上百伏每米。

2. 移动通信基站、卫星通信天线、电视发射塔。移动通信、卫星通信及广播电视的发展使得市中心区和市区高层建筑上各种类型天线林立。其结果一方面形成相互间的交调干扰；另一方面影响城市景观；部分架设不合理的天线造成高层居民楼电磁辐射环境超标。

3. 高压输变电工程。一是随着国家“西电东送”工程的实施，1000kV 交流和 ±800kV 直流特高压工程开始建设，较原有的 500kV 和 750kV 交流及 ±500kV 直流电压等级有较大升高，会出现一些新的问题；二是高压电力线和变电站进入城市中心区。原来高压变电站设在城市郊区，降为 10kV 后向市中心区输送。现在随着城市中心区用电量增大，为增加供电容量及减少电力输送损耗，电网公司将原来城市边缘的 110kV、220kV 甚至 500kV 的电力引入城市中心区。许多居民小区内设有 110kV 地下及半地下变电站，引起群众恐慌。

4. 用电能做动力的交通运输工具增多。为解决大城市及特大城市市内交通问题，我国有近20个城市正建设或规划建设城市轨道交通工程，也有许多城市有电气化铁道或磁悬浮列车通行，这些用电能做动力的交通运输工具所用能源是清洁的而在快速运行中将产生频谱极宽的无线电杂波干扰，影响无线电通信和电视的收看。

架空电力线由电晕产生的中短波（0.15～30MHz）无线电干扰也会对广播、导航等设备的运行产生不利影响。

5. 电器设备越来越多地进入家庭环境。各种电器的发明给人类的生活带来方便和乐趣，从电视机、电脑、微波炉、电磁灶、移动电话、无绳电话到电冰箱，电吹风、洗衣机、电热毯等，各种家用电器已充满人们的居室环境，家庭中的部分地点部分时间存在较高的电场和磁场强度。家庭中的电磁小环境与社会的电磁大环境已融为一体。

以上五方面问题是当前我国电磁环境保护工作中的热点问题，也是群众反映和投诉的焦点问题，电磁环境影响评价工作要紧紧围绕这些重点问题去开展。

二、我国电磁环境建设项目和设备名录

我国电磁环境管理始于20世纪80年代。1988年国家环保局组织制定了《电磁辐射防护规定》(GB 8702—1988)。1997年国家环保总局以第18号令形式颁布了《电磁辐射环境保护管理办法》，使我国电磁辐射环境管理有了依据，并提出了具体的“电磁辐射建设项目和设备名称”，为建设项目电磁环境影响评价做了具体规定，并相继出台了《辐射环境保护管理导则——电磁辐射监测仪器和方法》（HJ/T 10.2—1996)、《辐射环境保护管理导则——电磁辐射环境影响评价方法与标准》（HJ/T 10.3—1996)、《500kV超高压送变电工程电磁辐射环境影响评价技术规范》（HJ/T 24—1998 ）等技术规范和导则，使我国电磁环境影响评价有了相关政策和依据。

《电磁辐射环境保护管理办法》附件中对电磁环境建设项目和设备名录做了明确规定：

1. 发射系统

（1）电视（调频）发射台豁免水平以上的差转台；

（2）广播（调频）发射台及豁免水平以上的干扰台；

（3）豁免水平以上的无线电台；

（4）雷达系统；

（5）豁免水平以上的移动通信系统。

2. 工频强辐射系统

（1）电压在100kV以上送、变电系统；

（2）电流在100A以上的工频设备；

（3）轻轨和干线电气化铁道；

3. 工业、科学、医疗设备的电磁能应用

（1）介质加热设备；

（2）感应加热设备；

（3）豁免水平以上的电疗设备；

（4）工业微波加热设备；

（5）射频溅射设备。

建设上列电磁辐射建设项目应在建设项目立项前办理环境保护申报登记手续，使用上列电磁辐射设备应在购置设备前办理环境保护申报登记手续。

豁免水平的确认由省级环境保护行政主管部门依据《电磁辐射防护规定》（GB 8702—1988）有关标准执行。

三、建设项目电磁环境分类、主要内容及评价因子

（一）建设项目电磁环境的分类

1. 电磁环境管理分类

电磁环境是指存在给定场所空间的所有电磁现象的总和。

建设项目中电磁环境分类可依据国家环保总局1997年组织进行的《全国电磁辐射环境污染源调查》中的分类进行。即①广播电视系统发射设备；②通信、雷达及导航等无线电发射设备；③工业、科学、医疗射频设备；④交通系统电磁辐射设备；⑤高压电力系统设备。

2. 电磁应用分类

上述五类设备在其运行时，在其附近将形成具有一定特征的电磁环境，根据人为电磁能不同的应用目的，可分为3种不同的情况：

（1）一般用电设备。它包括高压电力系统及一般电网和电子设备。采用工频电源（50Hz）做能源使设备正常工作，但其周边将产生工频电场、工频磁场和无线电噪声。如电冰箱、大型电机、高压电网或电气化铁道周边。

（2）电磁能量应用设备。设备工作需要产生电磁能量，但不希望产生高频辐射或泄漏。这主要包括工、科、医高频设备，这类设备把电能转换成其他形式的能量加以利用，但总有伴生电磁辐射产生并泄漏出去。如高频感应加热炉、塑料热合机、微波治疗仪等。

（3）直接利用电磁辐射的设备。如广播电视和无线电通信、雷达等。对于本系统传递信息来说，这类设备辐射电磁波携带有信号；对于其他系统或环境来说，它又是一种电磁辐射污染源。特别是当电磁辐射水平较高时，除干扰其他电子设备的正常运行外，还有损于人体健康。

（二）建设项目有关电磁环境的主要项目内容

1. 电磁环境建设项目主要内容及评价因子（表1）

表1　有关电磁环境的主要建设项目

项目分类	建设项目名称	建设项目主要内容	电磁环境因子单位
广播电视发射系统	中波广播台站（0.1～3.0 MHz）	1. 机房：发射机、馈线 2. 发射天线：中波塔，有单塔、双塔、四塔和八塔等	电磁辐射：V/m
	短波广播台站（3.0～30MHz）	1. 机房：发射机、馈线 2. 发射天线：同相水平、菱形天线等	电磁辐射：V/m
	电视发射台（塔）（48.5～960MHz）	1. 机房：发射机、馈线 2. 发射天线：单偶极子板、双偶极子板、四偶极子板等不同层天线	电磁辐射：mW/cm^2
	调频广播台（塔）（87～108MHz）	1. 机房：发射机、馈线 2. 发射天线：双偶极子板天线	电磁辐射：mW/cm^2
通信、雷达及导航	短波发射台站（3.0～30MHz）	1. 机房：发射机、馈线 2. 发射天线：有同相水平、菱形天线等	电磁辐射：V/m
	卫星通信地球站（目前：C波段4/6GHz；Ku波段11/14 GHz）	1. 机房：发射机、馈线 2. 发射天线：抛物面天线	电磁辐射：mW/cm^2
	微波通信站（1～40 GHz）	1. 机房：发射机、馈线 2. 发射天线：发射塔、抛物面天线	电磁辐射：mW/cm^2
	移动通信基地站（0.15～2.0 GHz）包括：移动电话、集群通信、寻呼通信、网络通信等	1. 机房：发射机、馈线 2. 发射天线：全向或定向天线	电磁辐射：mW/cm^2
	雷达与导航设备（包括中波、超短波和微波多种频率）	1. 机房：发射机、馈线 2. 发射天线：多种形式天线	电磁辐射：V/m或mW/cm^2

项目分类	建设项目名称	建设项目主要内容	电磁环境因子单位
工、科、医射频设备	工业和科学射频设备（利用电磁能同时产生多种宽带频率泄漏）	1. 高频感应加热设备：如高频熔炼炉、高频淬火设备等； 2. 高频介质加热设备：如塑料热合机、高频干燥设备等； 3. 微波加热设备：如微波炉等； 4. 其他高频加工设备：如高频电弧焊机、超声探头等	电磁辐射：V/m、mW/cm^2、dB（μV/m）
	医疗射频设备（多种频率泄漏）	1. 超短波理疗仪（超短波频段）； 2. 微波治疗仪（微波频段）； 3. 其他类	电磁辐射：V/m、mW/cm^2、dB（μV/m）
交通系统电磁辐射设备	电牵引系统	1. 电气化铁道、磁悬浮列车； 2. 城市轨道交通（地铁、轻轨、无轨等）	电磁辐射：dB（μV/m）
	城市道路	汽车发动机点火系统、电动喇叭、整流器、蓄电池等	电磁辐射：dB（μV/m）
高压电力设备	高压电力线	1. 1000kV 特高压交流架空电力线； 2. ±800kV 高压直流输电线； 3. 500kV、750 kV 架空电力线；±500kV直流输电线	电磁感应：①交流：工频电场（V/m）、工频磁感应强度（mT）②直流：合成场强（V/m）、离子流密度（nA/m^2）、直流磁感应强度（mT） 电磁噪声：dB（μV/m）
	变电站、牵引变电所	1. 地面户外型站所； 2. 地面户内型站所； 3. 地下户内型站所	同上
	大电流电力设备	变电站、升压站、开闭站、换流站等	同上

四、电磁环境影响特征分析

对建设项目电磁环境特征分析应包括电磁波频率特性及传播途径分析。这两方面分析是相辅相成的。一般电磁源对环境敏感目标传播途径有以下几种：

（一）绕射形成

中波由于波长较长，中波在传播过程中遇到山体和楼房建筑能较顺利地绕过去（城市建筑物一般在几十米至100m高），但在掠过楼房时必须消耗电磁波能量，在楼房顶层或高层形成较高场强，有时在距天线塔几公里处的高层顶层场强也在20V/m左右，但随着距离的增加场强逐渐减弱。

另外，由于中波波长较长，对建筑物内部影响较小。一般在窗外1～2m处场强较大，在窗口处场强减小，在室内场强更小。

（二）直射和反射形成

城市移动通信工作在超短波和微波波段（超短波30～300MHz，波长1～10m；微波300M～300GHz，波长1mm～1m），电磁波为直线传播，即直射波。移动通信天线一般为全向天线或由三个定向天线组成的全向服务区。电磁波在传输过程中，一方面由天线辐射出去后直线传输；另一方面，由于城市建筑物较多，有一部分电磁波在传输过程中碰到建筑物后反射，折射后继续传播从而使电磁波信号覆盖服务区。移动通信基站天线架设位置、高度、定向天线方向应当进行合理规划布局可避免对周边建筑物的电磁波污染。

微波站或卫星地球站一般为“点对点”通讯，两点间的传播途径中不能有建筑物阻挡（阻挡则破坏了两点间的电磁波传播），且天线为抛物面天线，增益大，电磁波信号为一圆柱形波束，一般不会对沿途周边建筑形成电磁辐射污染。

（三）俯射形成

广播电视台发射塔一般位于市区，利用高塔天线将电视和调频广播信号传输至周围几十千米半径的覆盖服务区。由于发射塔要高于周边建筑，所以周边建筑一般处于电视塔天线辐射（由上向下俯射）电磁波的弱副瓣区，功率密度较小，但如果电视塔周边出现较高建筑，其电磁环境可能会处于电视塔天线辐射电磁波的强副瓣区，此时，建筑物面对电视塔一侧功率密度会升高，如建筑物高层处于辐射电磁波主瓣区且距电视塔又较近时，建筑物高层将超过标准限值。

北京的中央广播电视塔高410m（天线区位于350m附近），而周边最高建筑——颐园居（塔南侧300m）高27层高度不足100m，所以小区内各层居民是安全的。但顶层功率密度达10μW/cm^2。对中央广播电视塔周边建筑规划高度要进行控制。

（四）感应形成

处于高压架空电力线侧向的楼房建筑，其面对高压架空电力线一侧会由于高压电磁感应而使建筑物窗口处工频电场和工频磁场增高。

高压架空电力线导线周边形成高工频电场和强工频磁场，楼房建筑如距高压架空电力线较近，与高压电力线同高的居民层有可能存在较高工频电场和工频磁场。

架空电力线由电晕产生的中短波（0.15～30MHz）的无线电干扰也会对广播通讯、导航等设备的运行产生不利影响。

（五）辐射形成

电牵引系统、电气化铁路、磁悬浮列车、城市轨道交通（无轨、轻轨、地铁），上述设备均用电力驱动，传输电线就形成了天线，将设备产生的干扰和电火花形成的无线电干扰辐射出来，这些无线电干扰在中短波最严重，在几十兆到近百兆赫兹都较强。

市电220V－50Hz交流电源线在市电上插上传导干扰超标的大中型设备，电网形成天线，将无线电干扰波辐射出去。这在电网密集的环境中形成较强的无线电干扰电平。

参考文献

[1] 王毅，等．北京市区高层建筑电磁辐射环境场强分布特征研究与城市电磁环境保护对策建议．北京市环境保护监测中心，2005年6月．

[2] 蒋忠涌，王毅．《输变电及广电通信》环境影响评价工程师职业资格登记培训系列教材．国家环保总局环境工程评估中心，2007年6月．

城市边缘区总体规划环评的几个关键问题

藏留洋　刘　健

（天津市城市规划设计研究院　天津　300201）

摘　要　本文从城市边缘区环境问题的特点出发，根据城市边缘区总体规划内容提出规划环境影响评价应该关注的几个关键问题；结合城乡统筹，提出评价的总体思路；将产业布局、社会进步、资源利用、污染防治、基础设施等内容融入评价指标，构建体现城乡一体化发展的评价指标体系；最后提出以实施跟踪评价为主要内容的管理措施，落实规划调整建议和减缓措施。

关键词　城市边缘区　总体规划　环境影响评价　城乡统筹

改革开放以来，我国社会经济快速发展，极大地推动了城镇化进程，城区人口加速集聚，土地资源日趋紧张，用地向城市边缘区不断扩张，引发了一系列的社会问题和环境问题。20 世纪 90 年代以来，城市边缘区的规划与设计以及村镇布局等问题引起了政府部门和学术界的关注[1]。随着 2008 年《中华人民共和国城乡规划法》的正式实施，规划作为统筹城乡经济发展，特别是作为解决城市边缘区社会、环境问题的有效手段，正在发挥越来越重要的作用。2003 年施行的《中华人民共和国环境影响评价法》中明确要求对各类规划进行环境影响评价（以下简称规划环评）。城市边缘区总体规划是引导和控制区域经济社会发展的纲领性文件，属规划环评的范畴。针对城市边缘区总体规划的特殊性开展相应的规划环评研究，不断优化规划方案，使其更好地协调经济、社会和环境之间的关系，就显得十分必要和紧迫。

一、城市边缘区环境问题的特点

城市边缘区这一概念于 1936 年由德国地理学家赫伯特·路易斯（H. Louis）提出[2]。我国关于城市边缘区的研究始于 20 世纪 80 年代末期[3]。顾朝林教授认为，“城市边缘区位于城市建成区的外围，从社区类型看，它是从城市到乡村的过渡地带；从经济类型看，这一地域自然成为城市经济与乡村经济的渐变地带。城市边缘区又分为内缘区和外缘区[4]”。虽然城市边缘区的概念在我国应用比较广泛，但对它的描述和界定还没有形成比较一致和全面的看法[3]。对于其特征，学术界普遍认为，城市边缘区是城乡用地犬牙交错的地方，社会空间分异明显，空间具有连续性和圈层结构，土地利用具有过渡性、动态性和特殊性等特点[2,5,6,7]。

城市边缘区自身的特点和所处的发展阶段，城市边缘区面临着许多环境问题，主要表现为[8-10]：

第一，土地利用性质的改变导致土地生态功能急剧下降。城市的扩张，首先是城市边缘区土地的占用和变性，农用地、林地和其他非建设用地转为建设用地，土地的生态功能价值从正值降为零。城市边缘区的生态功能急剧下降，区域生态系统失衡，环境承载力下降。

第二，点源和面源污染较为突出。城市边缘区固有的乡镇工业由于其规模小，较为分散，环境设施很不完善，点源污染较为突出。城市边缘区尽管靠近中心城区，但大部分地区仍然是以农业生产为主，农村面源污染仍然存在。部分缺水地区农田污灌导致土壤中污染物超标，土壤质量下降。

第三，产业转移造成环境污染加重。城市边缘区承担着中心城区产业转移的职能，许多重污染工业向城市边缘区转移，但环境基础设施配套不完善，造成局部地区环境污染加重。

第四，环卫设施很不完善。农村地区人口增加和生活水平的提高使得生活垃圾的产生量不断增加，但与之相配套的环卫设施很不完善，垃圾随处倾倒现象十分普遍，严重影响了农村面貌，污染了农村环境。

二、基于城乡统筹的总体规划环评的关键问题

城市边缘区总体规划内容主要包括城市性质及定位、城市发展目标及人口规模、空间布局、产业发展及布局、城乡综合交通、市政基础设施、生态建设与环境保护、环卫、安全减灾、文物保护及近期建设规划等。城市边缘区总体规划首先作用的是社会经济，通过社会经济将压力传导至生态环境，而生态环境通过承载力的外显反作用于社会经济。根据作用的机理，城市边缘区总体规划环境影响可分为生态环境影响和社会经济影响，见表 1。

表 1　城市边缘区总体规划环境影响城市边缘区总体

城市边缘区总体规划内容	生态环境影响	社会经济影响
城市性质及定位	生态系统	人居环境
发展目标及人口规模	生态格局，土地资源	生活水平，社会保障
空间布局	生态格局	经济发展，人居环境
产业发展及布局	环境质量，生态系统	就业水平
城乡统筹	农村环境	农村经济，生活水平
综合交通	生态格局，土地资源	经济发展
市政、环卫设施	水、大气环境，生活垃圾处理	人居环境，投资环境
生态建设与环境保护	环境质量，生态系统	人居环境，身心健康
近期建设规划	近期环境质量状况	投资环境，经济发展

城市边缘区总体规划环境影响是城市边缘区固有的环境问题和规划调控的经济活动相耦合的结果。由于城市边缘区具有城乡二元结构明显等特点，在评价时需要以城乡统筹为切入点，重点关注以下几方面的问题：

1. 功能定位：包括为中心城区服务的功能，区域生态安全保障的功能等；
2. 土地利用：包括耕地占补，土地资源集约利用，生态用地保障等；
3. 环境污染：包括农业面源污染，分散的工业企业和承接中心城区产业转移造成的点源污染，农村生活垃圾处理，垃圾填埋场环境影响等；
4. 基础设施：城乡一体化的基础设施，尤其是环卫、给排水等基础设施；
5. 社会保障：包括失地农民再就业，城乡最低生活保障、城乡医疗保险制度等。

三、基于城乡统筹的总体规划环评

从评价总体思路入手，提出解决重点问题的方向，构建体现城乡统筹的规划环评指标体系统领全局，最后提出相应的环境管理措施，落实优化调整的建议和减缓对策。

（一）评价总体思路

尽管城市边缘区总体规划包括区域环境保护和生态建设的相关内容，但是受以经济发展为主导思想的影响，规划往往以用地规模和产业规模为落脚点，忽略了环境的诉求。此外，城市边缘区受经济发展阶段和发展水平的制约，环保投资尚不能完全满足经济发展的需要，导致规划中环境保护和生态建设专项规划成为名不副实的“绿色标志”。此外，城市边缘区承担着中心城区产业转移和人口疏解的职能，从长远来看，土地开发强度会不断增加，耕地的减少也是不可避免的。因此，在评价时，应以保护和集约利用土地资源为指导思想，关注产业转移对农村环境的影

响，防止污染转移，结合城乡统筹分期、分步骤地解决环境问题，减缓规划环境影响。

评价循着两条并行的主线贯穿始终，一是规划对环境可能造成的环境影响，二是评价规划能否解决或改善已经存在的环境问题。

1. 评价规划对环境可能造成的环境影响

（1）定位是否符合上位总体规划对城市边缘区的要求

上位总体规划是根据城市总体发展和城市未来发展方向，结合自身的发展脉络而确定城市边缘区的定位。如处于中心城区上风向的城市边缘区就不宜定位为重化发展基地，生态资源丰富的城市边缘区则适合作为区域生态屏障和重要的生态功能涵养区。因此，要首先确定城市定位是否与上位总体规划相协调。

（2）空间布局和产业布局的合理性

评价空间布局的合理性主要是预防布局性污染，即由于工业用地、居住用地、科教用地等不同用地布局的不合理导致的环境质量超标，以及不同用地对湿地保护区、饮用水源地等环境敏感点造成的生态环境破坏和环境污染。评价产业布局的合理性主要是预防产业结构性污染对环境的影响。

（3）规划前后的生态格局变化

生态格局的变化主要关注生态功能的变化和景观的改变，即生态服务功能量的变化和生态景观质的变化。

（4）交通路网、市政管网选线的合理性以及市政、环卫设施是否完善

从占用土地资源、景观破碎化程度、是否穿越自然环境保护区评价选线的合理性。产业规模和布局既定的前提下，分时段评价市政、环卫设施能否满足产业发展的需要。

（5）生态建设与环境保护目标是否合理

不同地区环境的基础条件不同，要求每个城市边缘区都实现生态县（生态市）的建设目标是不合理的。因此，需要评价生态建设目标是否符合当地的实际情况，环境保护目标是否符合国家、地方相关法规、政策和标准。

（6）近期建设规划的环境影响

2008 年施行的《中华人民共和国城乡规划法》规定，规划的编制应当包括近期建设规划。近期建设规划是近期重点建设的内容，主要包括重要市政基础设施、公共服务设施和环境保护设施的建设，并且会明确近期建设时序、发展方向等内容。因此，近期建设规划是解决环境问题、改善环境质量极其重要的环节。

2. 评价规划能否解决或改善已经存在的环境问题

规划环评具有决策参考的属性，在评价环境影响的同时，也要评价规划能否改善当地的环境问题。规划环评既要提出减缓规划环境影响的对策，也要提出优化规划方案建议，使之能够不断改善当地的环境，主要内容包括：

（1）土地资源利用与工业用地整合

城市边缘区土地资源主要是以耕地的形式出现的，所以土地资源利用关注的是耕地占补平衡问题和“占优补劣”的问题。规划的实施为整合乡镇企业、优化已有的产业布局提供了难得的机遇。通过分析规划是否将工业用地进行整合，来评价规划对解决环境问题的有效性。

（2）农业面源污染控制

评价规划是否结合城乡一体化进程，推动传统农业向观光农业、设施农业转变，逐步解决农业面源污染问题。

（3）村镇市政和环卫设施设置

城乡统筹是解决农村地区环境污染的最有效的途径。在迁村并点的基础上，评价是否对集中

居民点的市政、环卫设施进行了相应的规划。

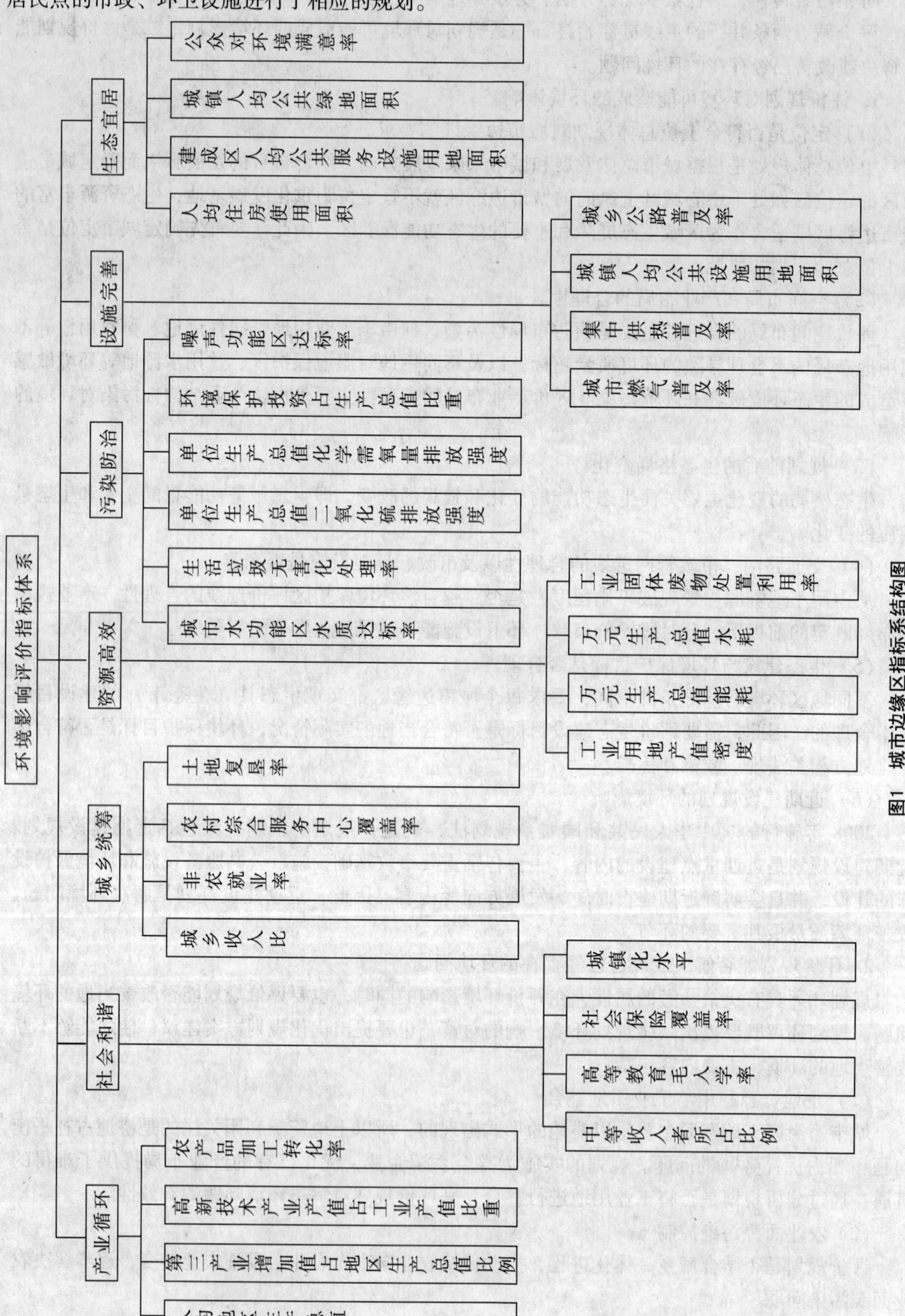

图1　城市边缘区指标系结构图

上述两方面的评价是相互渗透，互为补充的。在给出减缓环境影响措施的同时，补充和完善解决当地环境问题的内容和措施，使规划在未来一段时期内真正起到协调经济发展、社会和谐和环境保护的作用。

（二）评价指标体系

它的构建原则除了可操作性、可比性、可得性等特点之外，应着重体现城乡统筹和中心城区与城市边缘区之间的相互关系，考虑城乡一体化进程，发挥指标体系引导后续评价的导向性作用。为了使评价指标能够更好地反映城市边缘区的发展现状及特点，二级指标在产业经济、社会发展、基础设施、环境保护这四类通用指标之外，还应包括城乡统筹指标、资源利用指标和生态宜居指标，指标体系结构图见图1。

（三）跟踪评价

规划环评作为辅助规划决策的参考，其价值的体现在于调整建议能否在规划中得到落实，减缓措施能否在规划的实施中得到落实。跟踪评价是落实评价提出的相关建议和措施的有效手段。根据《中华人民共和国环境影响评价法》的规定，跟踪评价由规划编制机关组织实施。但是规划编制机关具有规划管理职能，并不具备环境管理的职能。因此，就需要将环境管理职能融入规划管理中。实施规划年报制度和环境影响报告制度则是将两种职能融合的有效途径。规划年报制度是指对每年实施的规划进行跟踪，动态掌握规划的实施情况，为规划的修编提供参考。环境影响报告制度则是在规划年报制度的基础上，对规划环评提出的减缓措施的执行情况进行跟踪评价。通过两个制度的建立可以在掌握规划和规划环评实施情况的同时，为规划科学决策提供参考。

（四）展望

城市边缘区由于其地理位置的特殊性、城乡作用力的复杂性和经济发展阶段的局限性，使得规划环评既要对规划的环境影响进行评价，也要对规划解决当地环境问题的能力进行评价，既要提出有针对性的减缓措施，也要对措施的落实提出相应的意见和建议。

随着国家和各级政府对环境保护的重视和城市边缘区城乡一体化进程不断加快，以规划环评为手段把环境因素纳入规划决策中，已经成为共识。可以预见，在城市边缘区成为规划领域研究热点之后，城市边缘区规划环评也将成为规划环评领域的又一研究热点。其中，突出规划环评作为政府决策重要参考的作用，提出符合实际、便于操作的规划调整意见，突出环境问题与社会问题的有效解决，给出更为有效、便于实施的减缓措施将成为未来城市边缘区总体规划环评的着力点和发展方向。

参考文献

[1] 班茂盛，方创琳．国内城市边缘区研究进展与未来研究方向［J］．城市规划学刊，2007（3）：49－54.

[2] 涂人猛．城市边缘区——它的概念、空间演变机制和发展模式［J］．城市问题，1991（4）：9－12.

[3] 魏伟，周婕．中国大城市边缘区的概念辨析及其划分［J］．人文地理，2006，21（4）：29－33.

[4] 顾朝林．中国城市地理［M］．北京：商务印书馆，1999：505.

[5] 顾朝林，陈田，丁金宏，等．中国大城市边缘区特性研究［J］．地理学报，1993，48（4）：317－328.

[6] 郭映昕．大城市边缘区土地可持续利用研究［D］．成都：四川大学，2007：13－14.

[7] 周婕．大城市边缘区理论及对策研究［D］．上海：同济大学，2007：26.

[8] 陈晶中，陈杰，陈学俭．城市边缘区土地利用类型及其面临的环境压力［J］．城市环境与城市生态，2003（16）：12－14.

[9] 向海霞，王力，陈引．城市边缘区土地利用与生态环境建设［J］．资源与产业，2008，10（1）：28－30.

[10] 洪敏，王益谦，江小鱼．成都市城市边缘区环境问题初探［J］．资源与环境，2007（8）：124－125.

大气环境的战略环境评价中的核心问题探讨

王　炜　解佳宁　路宗敏

（南开大学环境科学与工程学院　天津市南开区卫津路94号　300071）

摘　要　在大气环境的战略环境评价工作中，战略分析和战略环境影响识别的核心问题是大气环境的累积效应。作者认为评价工作中大气累积效应主要表现为超容量、新增项目、沉降的再排放和不利气象条件四个方面。针对大气环境的累积效应问题，提出了大气环境战略环境评价中的累积效应的SWOT、压力法和数值模拟的评价方法。

关键词　战略环境评价　累积因素　评价方法

一、引　言

2003年9月1日《中华人民共和国环境影响评价法》正式实施，首次从立法的层面确定了规划环境影响评价的重要性。在我国，也将规划环评称作战略环评[1]。

大气环境的战略环境评价是总体战略环境评价的重要组成部分，它在战略环境评价中处于重要的地位。但是，大气环境由于它的开放性和流动性，使得大气环境的战略环境评价工作具有一定的特殊性和困难性。因此，讨论大气环境的战略环境评价的理论与方法对特定的大气环境的战略评价工作有重要意义。

二、大气战略环境评价中的核心问题

（一）大气环境的战略环境评价的核心问题的确定

大气环境的战略环境影响评价是将大气环境因素纳入宏观决策、协调经济发展与环境保护之中。主要研究目标是通过科学预测、分析和评估政策、规划方案可能对大气环境产生的影响，并从源头控制和减缓经济发展中的增长型环境压力、结构性环境隐患、布局性环境风险，以环境优化资源配置和经济增长，为宏观调控和综合决策提供科学依据，满足环境管理中可持续发展战略的需求[2,3]。

战略环境评价是将可持续发展战略从宏观抽象概念落实到实际具体方案的桥梁，是人类主动积极地应对大规模开发活动并且预先评价，其目的是为领导层决策提供更具前瞻性和科学性的依据。大气环境的战略环境评价就是从源头和过程控制的战略思想中体现对政策、法规规划计划中的资源环境承载能力进行深入的分析预测和科学评价。研究政策或规划中产生的宏观影响、间接影响、二次影响、累积影响。

大气环境的战略环境评价往往具有目的性强、区域尺度大、时间尺度长和涉及学科领域多等特点。由于战略环境评价的时间尺度长和区域尺度大，使得项目和区域之间的大气污染物的累积效应会非常突出。

未来随着我国社会经济的迅猛发展，能源消耗不断增长，城市规模不断扩大，人类活动的强度也越来越大，大气颗粒物污染的形势将非常严峻。空气污染物的累积效应不可避免，因此大气的累积效应问题引起了人们的注意。大气环境问题由于其本身固有的不平衡性，加上人类社会经济活动对自然环境的破坏作用，进而导致环境系统内部关系与外部关系失调，所形成公害性的环境累积效应问题。因此，大气环境的累积效应成为大气环境的战略环境评价中的核心性问题。

（二）大气环境累积效应的概念及其表现方式

大气环境的累积效应是分析一种活动与另一种或多种活动相互作用，并且叠加后导致的环境变化对某种共同的资源所产生的效应。国际上，累积效应定义为“当一项活动与过去、现在以及可合理预见的将来活动结合在一起时，所产生的对环境的增加影响”。

20世纪70年代，美国首先提出了累积效应的概念。自累积效应为人们所认知以来，国外已经进行了不少研究工作。Canter[5]认为累积效应没有引起注意是由于缺少合适的方法。美国的累积效应规则表明，发展一些不太复杂的因果关系的模式，可以得到数据的支持。而且，政府的管理和政策可以影响累积效应的强度[3]。

我们认为区域性大气污染物累积的形成已不是各子系统之间的简单叠加，而是一种协同和复合的非线性关系。这个非线性关系增加了研究区域性大气污染问题的复杂性。复杂大气系统中的大气污染的累积效应主要表现在四个方面：

（1）污染物排放量超出大气容量后形成污染物浓度的累积。一个地区的大气环境容量有限，当污染物排放量超出其自净能力后，就会形成污染物浓度的累积。

（2）经济发展中新增加的污染物排放量产生累积。大中城市以及周边地区的小城镇的经济发展，增加了污染物的排放量。这些地区的污染通过迁移，进入大城市的区域，这种跨界的输送，可能对大城市的空气污染物浓度产生累积。

（3）地面累积的降尘通过人为活动或者风的作用，再次污染城市空气。污染物在重力的作用下，可以干沉降到地面，并在地面产生沉降累积。在人为活动或者风的作用，累积的污染物会再次污染空气，在空中形成污染物的累积效应。

（4）不利气象等条件下的污染物滞留所形成的累积效应。在某段时间内，人们能看到清洁的天空，在另一段时间内看到的却是混浊的天空。这可能就是在污染物排放量变化较小的情况下气象等条件形成的污染物累积。

累积效应的评价最好能够在政策和规划的层面上考虑，这样可以很好地从时间和空间尺度上全面地评估累积效应。而且，战略环境评价研究的对象是包含社会、经济和环境的复合系统。因此，战略环境评价可以从提前和全面的一个深层次的复杂系统的角度，考察影响大气污染的累积效应因素的关系。这正是战略环境评价与大气累积效应评价相结合的优势。

三、大气环境的战略环境评价指标体系及评价方法

（一）大气环境的战略环境评价指标体系

大气环境的战略环境评价的指标体系是指受政策和规划影响区域的环境内部结构、外在状态及其发展变化趋势，以及反映相关社会、经济因素状态等指标的集合。

大气环境的战略环境评价主要关注经济和社会因素对环境的影响。在大气环境的战略环境评价中，大气环境的指标主要揭示和反映由于法规、政策、规划等宏观层次上的变化产生的环境变化趋势的工具。

因为在政策、规划的实施期间，城镇体系布局、城市用地格局、产业集群分布等方案会对区域层次上的总体环境压力的大小，以及污染物产生和排放空间分布等造成直接影响。因此通过战略环境评价指标能够将社会环境和经济等要素量化处理，利用科学决策的手段，将区域大气环境作为一个综合性的整体考虑，强化各地和各部门的政策落实和规划发展的协调性、公平性和均衡性，利用对大气污染物排放的优化配置，使人类居住区域的经济发展更加科学化和可持性化。根据大气环境的战略环境评价指标的确定原则，制定了大气环境的累积效应评估的指标（见表1）。

（二）大气环境的战略环境评价方法

在大气环境的战略环境评价中，考虑政策实施后的环境影响，应该重点考虑大气环境污染物的累积效应问题。对于大气环境累积效应的影响问题的评估方法，可以利用SWOT方法、压力方法和数值模拟的方法。SWOT方法从宏观层面分析政策产生大气累积效应的各种情景。压力方

法可以从大气环境容量与大气污染排放角度分析政策实施对环境的累积影响。数值模拟可以利用数值试验的方法确定减排和政策调整对环境累积效应的影响。

表 1　大气环境的战略环境评价中的累积效应评价指标

指标类型	指标内容
气象指标	风速风向
	降水量
	混合层高度
地貌指标	土壤类型
	海拔高度
	地形
	植被覆盖度
社会指标	人口规模
	规划环境影响评价实施率
	环境保护投入
经济指标	能源类型
	GDP 产值
	万元 GDP 产值污染物排放量

1. SWOT 方法

SWOT 分析方法是指优势（Strength）、劣势（Weakness）、机遇（Opportunity）、威胁（Threat）。这是一种战略分析问题的方法，能为大气环境的战略环境评价提供全面客观的依据。通过对实施策略的分析，选择大气环境污染累积效应的关键问题，制定战略行动计划和实施的战略调整政策。使用 SWOT 方法可以有针对性地进行各要素的罗列与分析，进而归纳形成大气环境污染累积效应的调整战略。

在实际的大气环境评价中，可以利用 SWOT 矩阵分析方法得到 4 种不同的发展战略组合：①利用内部的优势和众多外部机会的 SO（Strength and Opportunity）组合；②消除内部劣势，最大限度地把握外部机会的 WO（Weakness and Opportunity）组合；③充分发挥内部优势，分散外部威胁的 ST（Strength and Threat）组合；④采取保守性的防御战略规避威胁，尽量消除自身劣势的 WT（Weakness and Threat）组合。

2. 压力法

人类在开发活动中，要做到发展生产与保护环境相协调，就要保证污染物的排放不能超过大气环境承载力。所谓环境承载力是指在某一时期，某种状态或条件下，某地区的环境所能承受人类活动作用的阈值。

承载力的量化方法主要有指数评价法、承载率评价法、系统动力学方法和多目标模型最优方法。指数评价法一般要涉及指数权重的选取问题，具有一定的主观性。承载率是指某区域环境承载量与该区域环境承载量阈值的比值。系统动力学法对长期发展情况进行模拟时由于参变量不易掌握，可能会导致不合理的结论。多目标模型最优化方法要求数据量大，模型求解也存在一定难度。

在战略环境评价中用承载力分析大气的累积效应，可以使用大气环境承载率的表达式：

$$CC = \frac{VT - VE}{VT}$$

式中：CC——大气环境承载率，VT——大气环境总量，VE——某一时期大气污染物的排放量。

（1）当大气环境承载率在 0 ~ 1 之间，说明大气环境承载力强。经济发展导致的大气污染物的排放量处于可控范围内。

（2）当大气环境承载率小于 1 时，说明区域的大气环境承载力超负荷严重。经济发展排放的大气污染物产生的累积效应明显，需要加大污染物排放的控制措施。

3. 数值模拟方法

数学模型是用数学公式描绘大气污染物浓度的累积变化过程，它能将污染源导致的大气污染物浓度的变化进行量化。现在，不同的研究机构已经开发出了许多预测模型。这种模式可以描绘不同尺度的区域性污染物的排放趋势，并且可以预测环境中的大气污染物浓度。

现在，有很多的大气污染物数值扩散式，可以帮助分析工业源排放形成的大气污染物的累积效应影响。当然，在开展战略环境评价时，常常会遇到环境背景或基线数据，以及规划涉及的社会、经济和工程数据的不足，限制复杂模型的应用。

四、大气环境战略环境评价中的风险决策问题

在每一个政策和规划的决策背后都有风险，但是这种风险是可评估的。因为，在实际工作中，政策和规划内容相对粗略；而且许多项目的落实没有明确的时限，这使得战略环境控制措施具有不确定性，会产生一定的风险。政策和规划落实中的不确定性是风险最本质的特征。由于客观条件的不断变化以及人们对未来环境认识的不充分性，导致人们对措施落实的未来结果不能完全确定。客观性表明风险是时时处处都存在的，人们生存和活动的整个社会环境就是一个充满风险的世界。如果在战略措施落实中，分析人员能够帮助决策部门从风险决策的角度能更多考虑环境影响并积极采取应对措施，不仅可以防止环境污染和生态破坏，从源头去预防环境问题的产生，还能避免将在未来付出更大的政治成本与经济代价。

在政策和规划实施中，可以把大气环境中污染物累积效应的环境因素纳入国民经济与社会发展的综合决策之中，按照大气环境资源的承载能力和容量要求，对区域的重大开发活动的生产力布局、资源配置等提出更加科学合理的建议，这是大气环境战略环境评价的本质。

五、结　论

在大气环境的战略环境评价工作中，在战略分析和战略环境影响识别的核心问题是大气环境的累积效应。针对大气环境的累积效应问题，提出了大气环境战略环境评价中的累积效应的 SWOT、压力法和数值模拟的评价方法。

参考文献

[1] 里基 · 泰里夫著．鞠美庭，李海生，李洪远译．战略环境评价实践［M］．北京：化学工业出版社，2006.

[2] 包存宽，陆雍森，尚金城．规划环境影响评价方法及实例［M］．北京：科学出版社，2004.

[3] 潘岳．战略环评与可持续发展［J］．环境保护，2005（9）：10 - 14.

[4] 郭红连，黄懿瑜，马蔚纯，等．战略环境评价（SEA）的指标体系研究［J］．复旦学报（自然科学版），2003，42（3）：468 - 475.

[5] Canter，L. Cumulative Effects Assessment［A］．In：Petts，J.（ed.），Handbook of Environmental Impact Assessment. Oxford：Blackwell Science，1999，405 - 440.

山西省安泽县煤—电—化工业集中区发展规划环境影响研究

王 雁 闫世明 陈二平 张怀德 李明明 卢淑贤

（山西省气象科学研究所 山西省太原市新建路65号 030002）

摘 要 本文介绍了安泽县煤—电—化工业集中区规划的背景，通过对工业集中区环境质量现状以及工业集中区规划的分析，进行了总量控制计算和环境影响预测分析，并提出了推荐方案与减缓措施，给出了工业集中区的环境影响结论和建议。

关键词 安泽 煤电化工业集中区 环境影响 研究

一、安泽县煤—电—化工业集中区规划的背景

安泽县位于山西省南部，临汾市东部，处于太岳山东南麓，南北长91km东西宽43km，总面积1967km^2，距省会太原314km。

安泽县人民政府拟依托安泽县丰富的煤炭资源和水资源，走能源转化道路，提出以劣质煤利用为基础，建设以化工醇醚燃料为核心，配套矿井建设、坑口发电、灰渣利用四位一体的煤—电—化工业集中区，以实现资源循环利用，能量梯次利用，污染物近零排放，最大限度地提高经济效益，为山西以及全国提供油、气代用燃料和清洁电能，为可持续发展作贡献。

二、区域环境质量调查与研究

（一）环境空气

由2007年安泽县环境空气质量现状例行监测资料分析结果可知，PM_{10}、SO_2、NO_2 的月平均浓度均在7月最低，而月平均浓度的最高值均出现在1月。从年均值的情况来看，安泽县县城环境空气质量较好，PM_{10}、SO_2、NO_2 均未超过环境空气质量二级标准，但 SO_2 年均浓度接近环境空气质量二级标准年均浓度限值要求，应引起重视。由当地部分环评项目的环境空气质量现状监测资料可知，县域内部分区域受到烟（粉）尘污染，TSP、PM_{10}基本属轻污染~中度污染水平，SO_2、NO_2 基本属于清洁~轻污染水平，氟化物、CO、H_2S、甲醇、NH_3 等浓度均未超标。

（二）地表水

由沁河的水质监测结果可知，除 COD_{Cr} 在蔺河入沁河前后超标以外，其余各项指标在各监测断面均未超标，当地地表水环境质量较好。

（三）地下水

由收集到的区域地下水环境质量现状监测结果分析可知，除总大肠菌群外，各监测项目在各监测点均未超标，当地地下水环境质量较好。

三、规划分析

（一）规划概况

规划的安泽县煤—电—化工业集中区位于安泽县西南部、沁河河谷以西的区域，总面积为96km^2（其中煤矿资源面积91.8km^2）。

区内煤基合成二甲醚总体规划二甲醚目标为300万t/a，分两期建设，近期（2008—2010年）：200万t/a二甲醚产业化工程；远期（2011—2015年）：100万t/a二甲醚产业化工程。

规划建设240万kW坑口煤电项目，其中：近期工程120万kW，远期工程120万kW。

规划配套建设1520万t/a煤矿项目，其中：近期建设920万t/a煤矿项目，远期建设600万t/a煤矿项目。

规划250万t灰渣综合利用工程，其中：近期建设150万t/a灰渣利用项目，远期建设100万t/a灰渣利用项目。

综合考虑安泽县煤—电—化工业集中区煤炭资源、水资源分布状况、交通条件、用地条件以及投资企业的具体情况，在集中区内规划4大类生产区域，分别为煤矿生产区、坑口发电生产区、化工生产区以及废渣综合利用区。由于安泽县煤—电—化工业集中区涉及的范围较大，各生产区相对较为分散，因此工业集中区的生活区依托各生产区及邻近的村镇进行布局建设。

（二）规划资源条件分析

1. 煤炭资源条件分析　安泽县煤资源已勘探资源面积160km²，主要分布在唐城、冀氏镇一带，煤炭储备53.85亿t，位于县城北部的唐城镇一带霍东煤区，区域面积为78.59km²，总储量为11.02亿t，可采煤层为2[#]、3[#]、9[#]、11[#]煤层，安泽县目前的生产、基建矿井全部集中在这一区，共占有储量为1.008亿t，保有储量9400万t。而位于县城南部冀氏镇一带为沁水煤田普查区，勘探面积约80km²，储量42.82亿t，可采煤层有2[#]、3[#]煤层和9[#]、11[#]煤层，目前尚未开发。可为安泽县煤—电—化工业集中区的建设与发展提供充足的煤炭资源。

2. 水资源条件分析　据临汾市第二次水资源评价成果，安泽县多年平均水资源总量1.9834亿m^3，其中地表水资源量1.9671亿m^3，地下水资源量0.6923亿m^3，两者之间的重复量0.6760亿m^3。多年平均地下水资源量0.6923亿m^3，其中河川基流量0.6760亿m^3，开采净消耗量0.0163亿m^3。区域内目前无大中型水利控制性工程，水资源开发程度极低。沁河飞岭—西里区间天然径流量1956—2004年多年平均为12201万m^3/a，按国际上通用的河川径流利用率不超过40%的标准计算，飞岭—西里区间地表水可利用量为4880万m^3/a，现状实际利用仅为123万m^3/a。

安泽县煤—电—化工业集中区地表水用水量预计近期为1840万m^3/a，远期为2796万m^3/a，预计飞岭—西里区间农业灌溉用水为194万m^3/a，预计安泽县农村生活和中小企业用水为144万m^3/a，合计规划地表水用水近期为2178万m^3/a，远期为3134万m^3/a，取水量在地表水可利用范围内，预测开发利用程度近期为44.6%，远期为64.2%，属于适度开发利用区，符合当地水资源合理配置的要求。可见，安泽县水资源能够满足安泽县煤—电—化工业集中区需水要求。

3. 土地资源条件分析　安泽县土地总面积为196700hm²，人均土地约37.07亩，人均耕地2.93亩，土壤类型多样。全县分为中山区、低山区和川谷区。其中中山区（土石山区）约占全境总面积的35%；低山区（丘陵区）约占全境总面积的58%；川谷区仅占全县总面积的7%左右。全县林业用地比例高，占土地总面积的51.4%，建设用地相对较为紧张，仅占土地总面积的1.1%。

工业集中区规划用地结合安泽县土地利用总体规划，选择为安泽县西南部、沁河河谷以西的总面积为96km²的区域，其中煤矿资源面积为91.8km²，建设用地（包括项目建设用地、道路建设用地以及预留建设用地面积）为4.2km²。由于工业集中区范围内多为中山区和低山区，川谷区仅占很小的比例，建设用地较为紧张。因此根据当地的土地资源条件，整个工业集中区各入区项目的布局相对较为分散。

四、环境容量与污染物总量控制研究结论

大气环境容量测算指标为5项，分别为烟粉尘、PM_{10}、SO_2、NO_2和甲醇。将工业集中区近期、远期规划项目的污染物估算排放量与计算的理想大气环境容量对比情况列于表1。

表1　工业集中区规划项目污染物估算排放量与理想大气环境容量对比表

项　目		总排放量及理想环境容量/（t/a）		
		TSP	SO_2	甲醇
近期	工业集中区企业排放量	2850.38	4829.54	452.48
	工业集中区控制区居民生活源排放量	189.21	58.75	—
	近期排放量小计	3039.59	4888.29	452.48
远期	工业集中区企业排放量	5419.52	8508.67	678.72
	工业集中区居民生活源排放量	191.40	59.40	—
	远期排放量小计	5610.92	8568.07	678.72
理想大气环境容量		5278.92	2199.55	76984.28
项　目		面源排放量及低源环境容量/（t/a）		
		TSP	SO_2	甲醇
近期	工业集中区企业面源排放量	993.23	—	—
	工业集中区控制区居民生活源面源排放量	189.21	58.75	—
	近期面源排放量小计	1182.44	58.75	—
远期	工业集中区企业面源排放量	1668.49	—	—
	工业集中区居民生活源面源排放量	191.40	59.40	—
	远期面源排放量小计	1859.89	59.40	—
理想低源大气环境容量		1055.78	439.91	15396.86

由表1可见，工业集中区内的规划企业排放的污染物中甲醇的排放量较小，远未超过理想环境容量，因此在其做到达标排放以及影响预测达标后，有足够的大气环境容量，不再分配其允许排放量。而工业集中区控制区的SO_2排放总量在近期和远期均超过了理想大气环境容量，此外烟粉尘的近期和远期的低源排放量以及远期的总排放量也均超过了理想大气环境容量。但由于高架源的容量分配是在全控制区即安泽县县域控制区进行的，因此高架源所在控制区的排放量可以高于A值法所计算的理想环境容量，据此本研究采用AP值法进行了大气环境容量的总量分配。

根据AP值法总量分配结果，近、远期规划方案下尘的点源排放量均可以满足总量控制要求，且尚有一部分余量，而面源排放量则均超过允许的低源排放量。可见，需要进一步加强尘的面源治理，尽量减少无组织排放，变面源排放为点源排放，才能够满足总量控制的要求。

近、远期规划方案下工业企业的SO_2排放均为点源排放，其中高架点源的排放量可以满足总量控制的要求，而中架点源的排放量则超过了允许排放总量，由于工业集中区内的SO_2面源允许排放量仍有部分余量，可将这部分剩余量补充为SO_2的中架源允许排放量，但仍有不足，近期不足的量为290.60t/a，远期不足的量为1053.89t/a，因此在各规划方案下，还需要进一步加强SO_2的中架源治理，其中近期需要削减中架源SO_2排放量20.5%，远期需要削减49.2%。

五、环境影响分析研究结论

（一）环境空气影响预测与研究

预测分近期规划和远期规划两种情况进行。由于安泽县静风频率较高，而其他16个风向出现的频率相差不大，污染物主要输送方位不太明显，略向东和北方位，近期规划和远期规划下，几个高值中心基本上集中在永鑫二甲醚项目和同世达二甲醚项目附近。

由环境空气影响评价结果可知，在近期规划和远期规划下，各关心点预测的TSP、SO_2等标污染指数均有一定程度的增加，而且远期规划下各监测点预测的TSP、SO_2等标污染指数增加幅度大于近期规划的增加幅度。但无论是近期规划还是远期规划下，各关心点的TSP、SO_2等标污染指数增加幅度均不大。可见，安泽县煤—电—化工业集中区的建设对评价区的环境空气影响较小，工业集中区建设后，评价区环境空气能够达到环境空气质量二级标准的环境目标。

（二）水环境影响分析

本工业集中区位于沁河流域张峰水库工程的上游，因此沁河和张峰水库是本工业集中区地表水环境的重点保护目标。为了保证张峰水库的水质要求，整个工业集中区必须做到工业废水的零排放。通过规划分析可知，安泽县煤—电—化工业集中区规划达成后，各规划企业的生产、污废水生活均不外排，仅有各乡镇和村庄的居民生活污水外排，主要为随地泼洒，排放量较小，基本上不会对地表水环境和下游水库造成影响。

安泽县煤—电—化工业集中区的煤矿开采项目可能会对地下水造成一定影响。工业集中区内的各煤矿项目在开采前必须加强对地质情况的把握，实施区域地质情况的详勘，并将具体情况报请有关部门批准后再实施开采，尽量减轻因煤矿开采而对地下水造成的影响。在开采过程中应该注意断层对奥灰水突出的影响，注意预防，引起足够重视，完善和充分考虑井下排水设施的能力，及时采取安全有效的措施，对断层留足煤柱，严格执行“有疑必探，先探后掘”的原则。安泽县煤—电—化工业集中区各规划企业的生产、污废水生活均不外排，仅有各乡镇和村庄的居民生活污水外排，对地下水环境基本不会产生影响。

（三）固体废物处置利用分析

近期工业集中区内的固体废物在本区内综合利用率为62.95%，还有37.08%未能在工业集中区内进行综合利用。工业集中区规划全部达成后固体废物在本区内综合利用率为61.96%，未利用率为38.04%。由上述分析可知，本工业集中区固体废物有近40%还未能综合利用，工业集中区应尽量寻找固废综合利用途径，提高工业集中区内的固体废物综合利用率，对于确实无法利用的废渣送至固体废物处置场进行处置。由于工业集中区内各生产区域相对较为分散，为了减少废渣的运输，工业集中区内不设统一的工业固体废物堆放场，由各规划企业自行选取固体废物堆放场进行处置。生活垃圾送安泽县生活垃圾堆放场进行统一卫生填埋。固体废物通过综合利用和合理处置，基本不会对周围环境产生影响。

六、结　论

安泽县煤—电—化工业集中区发展规划符合省、市、县总体规划，规划的入区项目符合国家的相关产业政策，规划的实施将加快地区经济发展，形成带动经济和社会发展的新的增长点，规划的实施可满足当地资源环境承载能力和环境容量，规划对当地环境影响较小。从环境保护方面讲，在落实报告书提出的各项环境影响减缓措施后，该规划的实施是可行的。

参考文献

[1] 环境影响研究工程师职业资格登记培训系列教材（社会区域）（试用）. 国家环境保护总局环境影响研究工程师职业资格登记管理办公室.

[2] 朱坦. 开发区域环境影响研究与规划［M］. 天津：天津科学技术出版社，1996.

[3] 史捍民，等. 区域开发活动环境影响研究技术指南［M］. 北京：化学工业出版社，1999.

[4] 刘天齐，等. 区域环境规划方法指南［M］. 北京：化学工业出版社，2001.

[5] 国家环境保护局，中国环境科学研究院编. 城市大气污染总量控制方法手册［M］.

[6] 鲍仙华，等. 区域环评中大气环境容量计算及总量控制探讨［J］. 能源研究与信息，2004，20（2）：63.

[7] 王景华，等. 区域环境与影响研究［M］. 北京：中国环境科学出版社，1990.

[8] 张宝莉，等. 农业环境保护［M］. 北京：化学工业出版社，2002.

生态规划理论与方法在规划环评中的应用
——以德阳市灾后重建规划环评为例

汪自书　吕春英　李王锋

（北京清华城市规划设计研究院环境与市政所
北京市海淀区清华大学东门学研大厦B807　100084）

摘　要　生态规划理论与方法是城乡规划及其环境影响评价的基础手段之一，但目前尚缺乏系统的整理归纳。德阳市在“5·12”特大地震中受灾严重，灾后恢复重建任务艰巨；规划环境影响评价是灾后恢复重建工作和基础。本文以生态规划理论方法为指导，通过全面的生态系统现状和灾后受损评估，在区域生态敏感性分析的基础上，划分基本生态控制线，并提出以严格保护区、引导开发区和优化开发区为主的生态保护分区控制策略，进一步明晰德阳市灾后恢复重建的生态建设任务，为规划环境影响评价提供依据。

关键词　生态规划　规划环评　基本生态控制线　生态保护分区　德阳市

《中华人民共和国环境影响评价法》自2003年9月1日实施以来，我国的环境影响评价制度进入了一个新的阶段，但由于中国规划环评工作起步较晚，目前尚未形成一套成熟的评价方法和技术体系。20世纪80年代以来，以景观生态学、保护生态学、资源管理等方面综合的城市生态规划理论与方法的应用越来越广泛，目前已成为城市规划中的基础技术手段，但在规划环境影响评价中的应用尚缺乏系统的归纳和总结。

2008年5月12日的四川汶川特大地震，造成了巨大的人员伤亡和财产损失，加快实施灾区的恢复重建工作是继救援完成之后新一阶段的重大任务。但恢复重建不应是简单的恢复，应将生态环境作为考核灾区重建生产力合理布局的基础指标，以规划环评推进灾后重建规划的科学决策和实施。德阳市在“5·12”特大地震中受灾严重，灾后恢复重建工作任务艰巨。如何科学和有效地实施灾后恢复重建规划，是关系到德阳市未来发展的重大战略问题。生态规划理论与方法以生态优先和科学发展的视角，成为德阳市灾后恢复重建规划环评的重要组成部分和基础研究内容。

一、规划概述与技术路线

（一）规划概述

《德阳市“5·12”特大地震灾后恢复重建总体实施规划》（以下简称《规划》）确定了“三年全面恢复，五年提升跨越，八年全面小康”的总体目标，统筹考虑未来全市人口分布、产业布局、国土利用和城镇化格局，将全市城乡国土空间划分为三个一级功能区和九类二级功能区；确定了产业布局的空间结构为“三片三轴”的总体结构。规划到2020年，基本形成以德阳区域中心城市为核心、五个片区次中心城市和一批现代小城镇稳固协调发展的现代城镇体系发展格局。

（二）研究技术路线

在全市生态现状调查、资源态势分析、生态质量评价基础上，综合运用遥感技术和地理信息系统，对区域生态系统进行整体性综合评价，结合灾后生态系统受损评估，全面辨识德阳市生态系统现状问题。在生态敏感性分析的基础上，通过基本生态控制线划分和生态保护分区控制策略，进一步明晰德阳市的生态系统建设和生产力布局方向，为规划环境影响评价提供依据（图1）。

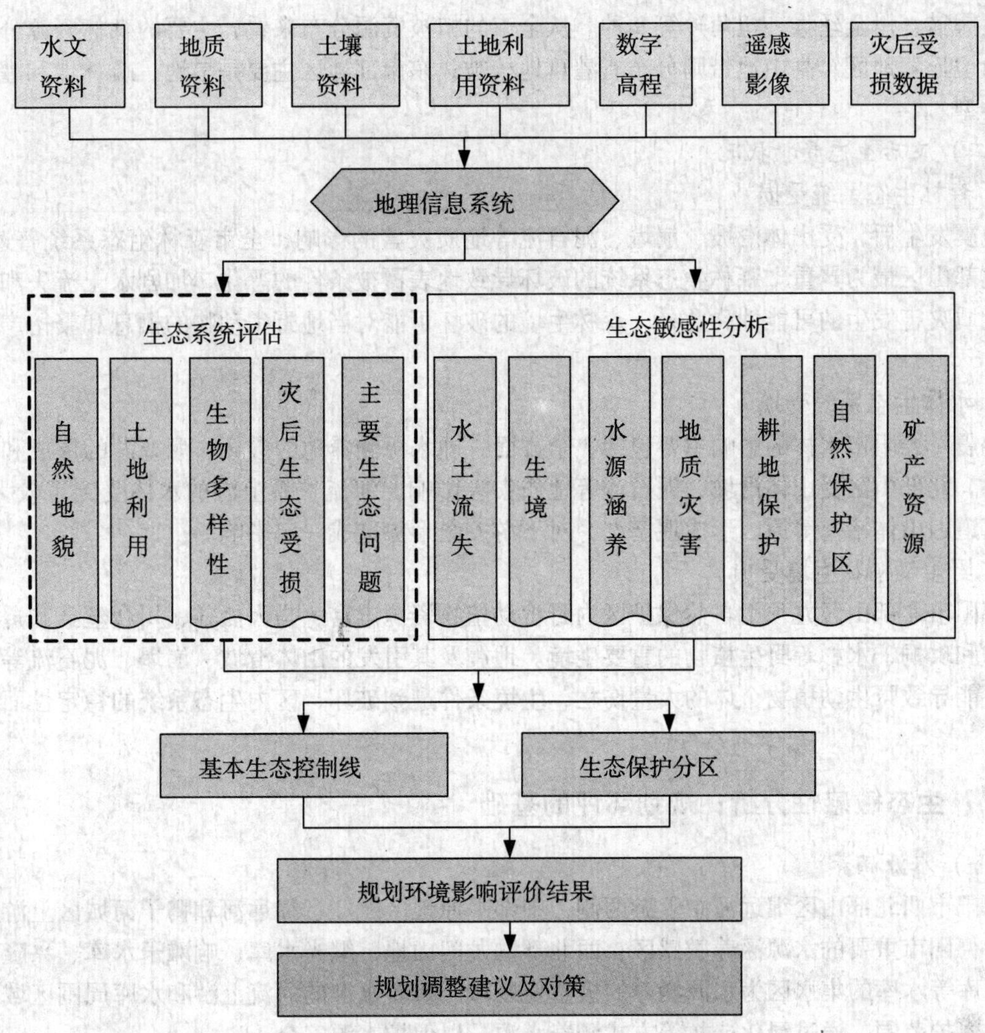

图1　生态规划在规划环评中的应用技术路线图

二、生态现状评估：规划环评的前提

（一）灾前生态系统现状

1. 生态区位条件

德阳市属四川盆地亚热带常绿阔叶林区，森林植被复杂多样，是我国长江中上游防护林体系的重要组成部分。西北部山区属四川向青藏高原的过渡地带，是长江一级支流——沱江的源头，绵远河、石亭江均发源于该区域的九顶山南麓；在全国的生态功能保护区分布中，该区域属岷山—邛崃山生态功能区的一部分；因此，德阳市西北部山区具有重要的生物多样性保护功能和水源涵养功能，更是德阳市的重要生态屏障。

2. 土地覆被状况

德阳市土地覆被以耕地为主，其次是林地，水域、草地等其他用地所占比例均较小。耕地主要分布在中部和南部的平原丘陵地区，其中，中部以水田为主，东南部以旱地为主；林地主要分布在西北部山区的中低海拔区域和旌阳区、中江县交界处，呈显著的片状分布状态。

3. 生物资源状况

德阳市地处亚热带，地形复杂，高差大，在森林自然分区上属四川盆地丘陵山地常绿栎类、松杉林区，动植物种类繁多。分布有国家、省重点保护的野生动物 81 种，其中国家一级保护动物有大熊猫、川金丝猴、扭角羚等9种。从全市的植被资源分布来看，主要的森林资源分布在西北部山地丘陵地区，高山地带则分布有灌草地植被；东南部地区主要是旱地、疏林地和灌草地等植被类型。

（二）灾后生态受损状况

1. 森林生态系统受损

地震发生后，受山体滑坡、崩塌、泥石流等地质灾害的影响，全市森林生态系统普遍受灾，其中北部山区最为严重。森林生态系统的破坏导致地表覆被条件的恶化，加剧水土流失和山体滑坡等地质灾害发生的可能性；此外，森林生境的破坏可能对当地野生动物的栖息和繁衍产生不良影响。

2. 水体生态系统受损

地震对德阳市水体的影响主要包括3个方面，即水源涵养地的破坏、堰塞湖的形成和地表水的影响。北部山区受山体滑坡、泥石流等地质灾害影响，河流水系上游的水体受到了较大影响。部分河道因山体堵塞等原因形成堰塞湖，对下游安全形势造成一定影响。

3. 野生动植物生境受损

德阳市北部山区九顶山自然保护区内野生动植物资源丰富，是大熊猫、川金丝猴和羚羊等野生动物和珙桐、水杉等野生植物的重要生境。地震及其引发的山体滑坡、崩塌、泥石流等地质灾害，可能导致野生动植物个体的大量伤亡，生境条件遭到破坏，区内生态系统的稳定性面临巨大威胁。

三、生态敏感性分析：规划环评的基础

（一）水源涵养

德阳市西北部山区绵远河中上游两侧，中部平原地区凯江、绵远河和鸭子河城区上游两侧等区域为德阳市重要的水源涵养敏感区；西北部的龙门山地，继光水库、响滩子水库、兴隆水库和元兴水库等水库的集水区为水源涵养的极重要区域。重要水源的河流上游和水库周围区域应划定合理的保护范围，通过绿化造林等方式涵养水源，以保护水源安全。

（二）生物多样性保护

根据重要物种分布规律和保护区划定情况，确定九顶山自然保护区，云湖森林公园等国家级、省级森林公园，区内主要河流水系、天然湖泊为生物多样性保护的敏感区域；西北部龙门山区是生物多样性保护极重要区域；龙门山山前区域和中部的龙泉山地是生物多样性保护比较重要的区域，东南部丘陵地区也是生物多样性保护比较重要的区域。

（三）水土流失

德阳市西北部山区地形坡度较高，中部较为平坦，东南部地势起伏较大。西北部山区和东南部丘陵沟壑为水土流失敏感区；中部平原地区为水稻田，水土保持能力较强；东南部分布有大面积旱地，是水土流失易发生的地区。地震发生后，西北部山区地表覆被受损严重，土质岩石结构变得疏松，崩塌、滑坡、泥石流、不稳定斜坡等普遍增加，强度增大，使得水土流失加剧，水土流失的敏感性普遍增强。

（四）矿产资源和地质灾害

德阳市西北部龙门山区和中东部龙泉山区位于龙门山陷褶和裂隙发育，地形切割强烈，沟谷发育，降水充沛多暴雨，地质环境差。其中龙门山区中东部和北部中高山区，磷、煤、石灰岩等矿产资源丰富，矿山开采频繁，开采规模和开采强度大，是德阳市地质灾害高易发区；地震发生后，该地区地表植被受损严重、地质灾害频发，生态敏感性提高，建议灾后以生态系统恢复治理为主。

四、生态保护空间规划方案：规划环评的依据

(一) 基本生态控制线划分

根据德阳市生态敏感区分布及灾后生态受损状况，严格保护各生态敏感区和生态功能重要区，明确生态保护与经济发展的关系，划定德阳市基本生态控制线范围。这里的基本生态控制线是指生态保护的范围界线，旨在通过明确的界线划分，确定区域经济发展的方向和主导形式，指导德阳市灾后恢复重建工作的有效开展。

德阳市基本生态控制线范围划定的依据包括以下几个方面：

1. 自然保护区、森林公园、风景名胜区等；
2. 成片分布的森林，区域性生态功能区，生态廊道；
3. 水源地一级保护区（主要河流及两侧50m、水库及周边200m）；
4. 北部山区（海拔≥800m）、中部丘陵（海拔≥600m）不宜建设区；
5. 水土流失高敏感区、地震等地质灾害敏感区；
6. 其他需要基本生态控制的区域。

根据以上划定依据，德阳市基本生态控制线保护范围面积约1400km^2，占总面积的23.6%左右；主要集中分布在西北部山区，中部龙泉山地和东南部的继光水库周边，以及区内重要的河流生态廊道两侧。从空间分布上看，德阳市基本生态控制线划定的保护范围，能够有效地维持市域生态的整体平衡和功能联系，促进生态环境的整体良好状况。但同时，部分生态控制线与德阳市重要的城镇和工业分布区有部分重叠，生态保护的压力较大；东南部丘陵地区基本生态斑块缺失，生态系统稳定性不强。

(二) 生态保护分区控制方案

在生态敏感性分析和基本生态控制线划分的基础上，根据各生态敏感区的地理位置、自然条件与主要生态系统类型、社会经济发展方向和土地利用方式，以及德阳市灾后存在的主要生态环境问题，提出区域生态环境保护对策，规范社会经济活动和发展方向，通过不同区域生态功能的准确定位，规划德阳市生态保护分级控制性分区，即严格保护区、引导开发区和优化开发区。

1. 严格保护区控制策略

德阳市严格保护区范围包括自然保护区和森林公园核心区、重要河流的上游汇水区、一级水源保护区、土壤侵蚀高度敏感区以及对区域生态环境质量有重要影响的生态支撑区域、生态廊道等。该地区在地震中受到严重破损，应以生态恢复重建为重点，经评估后迁移部分不宜重建的城镇和居民点，关闭小型工矿企业，尽快恢复该地区自然生态。严格保护区内除生态保护相关设施及重大基础设施外，不再新建其他建设用地。

2. 引导开发区控制策略

德阳市引导开发区主要包括北部山区山前缓冲区、土壤侵蚀中度敏感区（坡度≥5°）和二级水源保护区等。其中西北部龙门山山前区是此次地震的极重灾区，涉及汉旺、九龙、蓥华、洛水等9个乡镇，灾后恢复重建任务艰巨；中部和东南丘陵区在地震中受到一定程度的破损，应以生态恢复重建为重点，逐步推进相关的城镇发展和工农业生产。

3. 优化开发区控制策略

优化开发区是指经济和人口集聚条件较好的区域，包括建成区和耕地分布区。德阳市建成区在此次地震中受到严重破坏，面临繁重而复杂的恢复重建任务；耕地同样遭受大面积破损。在灾后恢复重建工作中，要合理布局城镇用地规模，加强生态建设，提高城镇绿化覆盖率，改善建成区生态环境质量；严格遵守国家《基本农田保护条例》的相关法规，控制建设用地对耕地的占用；结合灾后恢复重建与社会主义新农村建设，改善农村生态环境条件。

五、规划环评结论：生态规划结果的应用

《规划》对灾后恢复重建的总体目标与主要任务把握准确，从生态保护、城乡布局、产业发展等方面进行了全面的规划；从总体上看《规划》确定的目标及主要任务考虑到德阳市灾后恢复重建特殊的生态环境背景，基本上能够与区域生态保护与恢复重建的目标相协调。根据德阳市生态现状及规划分析结果，认为《规划》需要局部调整。

（一）重建与发展总体目标的环境影响评价

《规划》确定的重建与发展总体目标重点针对灾后亟需的生产生活实施重建，生态系统恢复重建相对不足。建议把自然保护区、森林公园及典型生态系统的恢复重建放在显著的位置上，强化灾后生态恢复重建工作的重要性。

（二）主体功能分区的环境影响评价

《规划》确定的重点聚集区的东部和南部有部分区域位于中部城镇绿核（基本生态控制线范围）内，建议将旌阳区的新中、和新等镇的东南部丘陵地区作为生态保护用地，加强其生态支撑作用。

（三）生态空间发展与布局的环境影响评价

中部平原地区生态组分略显单薄，与德阳市基本生态控制线范围有部分不符。建议规划增加中部城镇群的生态功能区规划，以剑南春森林公园、崴螺山森林公园及其周边地区为核心，建设城镇绿核，辅以平原地区的农田林网建设，提高中部城镇群的生态安全水平。

（四）城乡布局的环境影响评价

东南丘陵区的龙台、仓山等镇，部分地区位于生态敏感性较强的引导开发区内，灾后恢复重建与未来发展要注意当地生态环境的保护与恢复治理。

（五）产业发展与布局的环境影响评价

平原产业聚集发展区内工业园区密度较大，化工、食品加工等产业类型对当地生态环境的影响较大，建议《规划》中增加相关的产业发展规划指引，鼓励清洁生产、循环经济等发展模式，减少灾后恢复重建和未来经济社会发展对当地生态环境的影响。

六、规划环评建议：生态保护与建设策略

根据德阳市地震前后生态系统状况及存在的主要问题，基于生态敏感性分析和生态分级保护控制的要求，结合《规划》相关结果，针对德阳市灾后生态恢复重建提出以下建议：

1. 控制基本生态控制线内开发行为。基本生态控制线内除适当开发旅游业、农业和林业生产外，严格控制城镇开发和工业生产活动，使基本生态控制线保护比例达到100%。

2. 治理关键生态问题、维持生态系统安全。重点治理灾后关键的生态问题如受损水体、土地资源和重大基础设施等，尽快恢复在地震中遭受破坏的植被和水体。

3. 保护关键生境物种、维持生物多样性状况。以九顶山自然保护区为重点，尽快恢复北部山区生境状况。

4. 重视沿山地区生态恢复与重建任务。应尽快治理该地区受损的山体、水体和道路交通系统等，确保生态系统和基础设施安全。龙门山沿山地区部分城镇受损严重，且生态敏感性较强，不适宜原址重建的，要按照国家相关政策实行异地重建。

5. 排查次生地质灾害隐患、减少生态风险。对于地表裸露的山体、沟壑或植被破坏严重的河谷等地区，要通过封育恢复和人工治理结合的方式，减少该地区的生态风险。

时间序列分析在规划环境影响评价环境背景分析中的应用

苏春宏[1] 张 宏[2]

（1. 北京农业职业学院水利与建筑工程系 北京 102442；
2. 水利部新华水利水电投资公司 北京 100053）

摘 要 本文通过呼和浩特1988—2008年各月实测空气污染指数，采用时间序列分析中的均值生成函数预测模型与最优气候均匀模型，预测呼和浩特2009年1—6月、2010年12月、2015年12月空气污染指数。并将两种模型预测的2009年1—6月呼和浩特空气污染指数与实测值进行对比，结果显示：均值生成函数预测模型较最优气候均匀模型具有较好的预测性。同时借助本研究，旨为规划环境影响评价环境背景分析中起到一定的促进作用。

关键词 时间序列分析 规划环境影响评价 环境背景分析 应用

我国开展建设项目的环境影响评价工作已有20多年的历史，2003年9月1日实施《规划环境影响评价技术导则（试行）》，2009年8月17日，国务院又公布了《规划环境影响评价条例》。即由过去单纯地建设项目环保指标控制，向区域性的资源承载能力和生态环境容量分析与控制转变；由单一的环境影响分析评价向系统化、综合性的环境影响和社会经济影响分析评价转变；由过去静态的分析评价，开始向动态的分析评价转变，使环境影响评价站到战略高度来看待社会经济的发展、生态环境的保护。

规划环境影响评价中所界定的空间范围与时间跨度应与规划相对应，并考虑时间跨度下的环境背景。与规划相对应的，规划环境影响评价环境背景分析是规划环境影响评价的关键数据，其准确性直接影响着规划环境影响评价的预测与精度。环境背景分析的预测对规划环境影响评价各水平年环境状况分析，提高环境影响评价的质量，指导规划的制定都有着十分重要的意义。

通过对过去环境状况回顾，预测未来状况的分析方法有回归分析、灰色理论、时间序列及神经网络等，这些方法在其他研究领域应用比较广泛，但真正应用到规划环境影响评价中却是很少，为此，本文采用时间序列分析中的均值生成函数预测模型进行预测，并将其预测结果与最优气候均匀模型的预测结果进行对比，为研究规划环境影响评价背景分析预测方法的研究奠定基础。

一、时间序列分析模型计算原理

（一）均值生成函数预测模型

均值生成函数预测模型是时间序列分析中的一种，设样本数为 n 的一个时间序列 $x(t) = x(1), x(2), \cdots, x(n)$。$x(t)$ 的平均值 $\bar{x}(t) = \sum_{i=1}^{t} x(i)/n$。将 $x(t)$ 定义均值生成函数：

$$\bar{x}/(i) = \frac{1}{n_l}\sum_{j=0}^{n_l-1} x(i+jl) \qquad (i = 1,2,\cdots,l)(l = 1,2,\cdots,m)$$

式中：$n_l = INT(n/l)$，$m = INT(n/2)$ 或 $INT(n/3)$，根据该式可得时间序列的 m 个均生函数，作周期性延拓可得 $f_l(t) = \bar{x}_l(i), t = 1,2,\cdots,n$，这样可构造出周期为 l 的 m 列周期函数。

为了建立预报效果更好的模型，除了将原序列派生的均生函数作为预报因子备选外，考虑差分是高通滤波中最简便的滤波方式，还需对原序列作差分变换并计算相应的均生函数。

一阶差分序列，即对原时间序列差分，公式：

$$\Delta x(t) = x(t+1) - x(t), (t = 1,2,\cdots,n-1)$$

这样可得到一阶差分序列 $x^{(1)}(t) = \Delta x(1), \Delta x(2), \cdots, \Delta x(n-1)$。在一阶差分基础上，再对一阶差分序列进行差分，令：$\Delta^2 x(t) = \Delta x(t+1) - \Delta x(t), (t = 1,2,\cdots,n-1)$

此可得二阶差分序列：$\Delta^{(2)}(t) = \Delta^2 x(1), \Delta^2 x(2), \cdots, \Delta x^2(n-2)$

将原序列 $x(t)$ 的均生函数记为 $\bar{x}_l^{(0)}$，一阶差分序列 $x^{(1)}(t)$ 和二阶差分序列 $x^{(2)}(t)$ 的均生函数分别记为 $\bar{x}_l^{(1)}(t)$ 和 $\bar{x}_l^{(2)}(t)$，利用公式 $f_l(t) = \bar{x}_l(i)$ 可得它们的延拓序列 $f_l^{(0)}(t)$、$f_l^{(1)}(t)$、$f_l^{(2)}(t)$。

在原序列起始值和一阶差分序列均生函数延拓序列的基础上，进一步建立累加延拓序列：

$$f_l^{(3)}(t) = x(1) + \sum_{i=1}^{t-1} f_l^1(i+1)(t = 2,3,\cdots,n)(l = 1,2,\cdots,m)$$

式中：$f_l^{(3)}(1) = x(1)$。这样，从原序列可派生出 $4m$ 个均生函数延拓序列 $f_l^{(0)}(t)$、$f_l^{(1)}(t)$、$f_l^{(2)}(t)$ 和 $f_l^{(3)}(t)$ 作为自变量供选择。

为建立预报效果较好的预测模型，DPS 采用了最优子集回归建模方法。对 $4m$ 个均生函数延拓序列，先建立一个延拓序列与原序列的一元回归，计算双评分准则的 CSC（couple score criterion）值，凡满足 $CSC > x_a$ 的序列粗选为预报因子。

如粗选后有 p 个预报因子，采用 Farnival - Wilson 设计算法计算所有可能的 $2p$ 个回归子集，从中根据双评分准则选择变量标准，选出一个最优回归子集作为预报模型。

（二）最优气候均匀模型原理

假设一气候变量序列 X_i，$i=1, 2, \cdots, n$。构造序列：

$$\overline{x_{i,k}} = \frac{1}{k}\sum_{j=1}^{k} x_{i-j}, k = 1,2,\cdots,n; i = n_1+1, n_1+2, \cdots, n_1+l$$

式中：n_1 为统计基本样本量，k 代表所计算的气候平均的数；l 为试验样本量；$n = n_1 + l$

上式分别表示求出 1，2，…，n_1 年的平均值，以这些平均值依次作出 n_1+1，n_1+2，…，n_1+l 时刻的预测。再以预测值与实况值最接近为标准，得出试验预测的每个时刻“最优”平均数。以某种准则确定出下一时刻预测的平均数。

在美国气候预测中心（Climate Prediction Center），经反复试验，设计出一种以最优平均数出现的频率，来确定下一时刻预测的平均数的准则。定义一个指数

$$I(k) = m(k)/l$$

式中：$m(k)$ 为相同 k 出现的次数，l 为试验预测次数。以 $I(k)$ 达到最大为标准，确定最优平均数。

二、时间序列分析在规划环评背景分析中的应用

（一）数据的选取

本研究以呼和浩特地区为例，利用环境监测站 1989—2009 年空气污染指数资料，建立呼和浩特地区逐月大气质量预测模型。首先利用 1989—2008 年空气污染指数长系列数据为学习样本，共 240 个月，240 组大气监测资料，用 2009 年 1—6 月，6 组数据来检验模型的预测精度。

（二）模型的建立

为了使预测简便准确，本研究采用 DPS 数据处理系统工具进行建模。由于均值生成函数预测模型对应各个阶次预报模型的离差平方和，回归平方和，残差平方和，拟合误差均方，双评分准则 CSC 值及模型拟合相关系数，最后给出拟合值与预测值。本文采用均值生成函数预测模型预测 2009 年 1—6 月空气污染指数及 2010 年 12 月、2015 年 12 月空气污染指数，为了更好地了

解均值生成函数预测模型，本研究以相同样本数据建立了最优气候均匀模型，并将两个模型的性能和结果进行对比分析。

三、结果与分析

根据内蒙古呼和浩特环境监测站 1988—2008 年呼和浩特空气污染指数资料，通过均值生成函数预测模型与最优气候均匀模型，生成两种模型呼和浩特 2009 年 1—6 月空气污染指数的预测值，并与 2009 年 1—6 月呼和浩特空气污染指数监测值进行对比分析，分析结果见表 1。

由表 1 可知，均值生成函数预测模型的预测值与实测值相比，绝对误差最大值为 2.9%，平均值为 1.7%，最小值为 0.6%，均小于 5%，且预测值与实测值的相关系数为 0.99；最优气候均匀模型的预测值与实测值相比，其绝对误差最大值为 8.41%，平均值为 4.64%，最小值为 1.0%，均小于 10%，预测值与实测值的相关系数为 0.959。说明对于呼和浩特地区空气质量，均值生成函数预测模型较最优气候均匀模型具有较好的预测性。可有效地预测未来规划水平年内大气环境背景因子。

表 1　预测精度分析表

2009 年	实测值	均值生成函数预测模型		最优气候均匀模型	
		预测值	绝对误差/%	预测值	绝对误差/%
1 月	84.81	85.3	0.6	89.4	5.4
2 月	78.5	79.4	1.1	71.9	8.4
3 月	67.13	65.2	2.9	62.3	7.2
4 月	75.73	74.2	2.0	78.9	4.2
5 月	57.71	59.2	2.6	58.3	1.0
6 月	47.7	48.1	0.8	46.9	1.7

同时，预测结果显示：均值生成函数预测模型预测呼和浩特 2010 年 12 月空气污染指数为 79.4，2015 年 12 月为 75.6；最优气候均匀模型预测呼和浩特 2010 年 12 月空气污染指数为 86.5，2015 年 12 月为 78.6。

四、结论与讨论

本研究将时间序列分析模型运用在大气环境质量的预测中，是一个新的尝试，并通过实例对比，研究表明，均值生成函数预测模型较最优气候模型在预测呼和浩特未来大气质量具有很好的效果。同时，借助本研究说明，在规划环境影响评价中，应从时间上、空间上对规划水平年内背景进行预测分析，根据各规划水平年预测的环境质量状况，针对规划项目的建设特点、污染特征或者对自然生态环境的破坏性以及当地环境特征、环境制约性，预测规划水平年对当地环境可能造成的不良影响的程度和范围，从而规定避免或减少环境污染和防止生态破坏的对策措施，为规划实现优化选址（选线）、合理布局、最佳设计、清洁生产提供科学依据，为生态环境维持良性循环做出保证。

参考文献

[1] 边延辉，曲得双，刘忠熳，等．谈规划环评中环境背景分析和影响预测的时间跨度［J］．环境科学与管理，2008，7：184－186.

[2] 李笑光，孙瑜．农业规划战略环境影响评价的基本思路与方法［J］．农业工程学报，2008，4：296－300.

[3] 吴佳鹏，陈凯麒．水电规划环境影响评价指标体系的构建［J］．环保与移民，2008，6：11－13.

水电开发生态环境影响评价方法研究进展

侯小波[1]　何　孟[2]

（1. 四川大学水利水电学院　成都　610065；2. 四川省水利科学研究院　成都　610072）

摘　要　借助于环境质量评价方法和其他领域或学科提供的各种数学分析方法，生态环境影响评价工作在水电建设项目和流域水电开发中初见成效，但对于水电开发生态环境影响评价中评价方法的选择与使用效果很多专家和学者各执一词，评价方法体系混杂。在查阅了很多现有研究文献的基础上，对水电开发活动中生态环境影响评价所应用的方法进行了系统的总结，并进行了分析和比较，为生态环境影响评价工作提供借鉴。

关键词　水电开发　生态环境影响　评价方法

《中共中央关于制定国民经济和社会发展第十一个五年规划的建议》中对水电开发的建议是“在保护生态的基础上有序开发水电”，明确指出了水电开发活动中要加强生态环境的保护，对水电开发提出了生态环境评价的工作要求。《环境影响评价技术导则——非污染生态影响》（HJ/T 19—1997）（以下简称《导则》）中定义生态环境影响评价为：“通过定量揭示和预测人类活动对生态影响及其对人类健康和经济发展作用的分析确定一个地区的生态负荷或环境容量。”

水电开发生态环境影响评价是针对于具体的水电建设项目或者水利工程对生态环境的影响采取适当的评价方法，依照相关评价程序对开发活动和工程应用实施以后对生态环境可能产生的影响进行分析、预测和评估[1]，为进一步的开发和工程建设提供参考和依据。

一、生态环境影响评价研究进展

生态环境影响评价是环境影响评价在生态学的延伸，它的发展得益于环境影响评价工作的大量实践和深入开展。

20 世纪 60、70 年代，美国、瑞典、新西兰、加拿大等许多国家陆续建立了各自的环境影响评价制度[2]，最初的评价侧重于分析评价；80、90 年代，美国和加拿大采用环境经济学和生态学的方法从规划管理的角度对区域环境影响进行了研究（O’Kiodrna，1981；Mtihell，1983），同时加强了生态、环境方面的立法；生态学理论的引入为从理论上建立开发活动的生态环境影响预测与规划控制方法提供了可能（Beanlands et al.，1984）[3]；随后，美国的研究者开发出了基于栖息地和生态系统的生态影响评价方法，生境评价系统（HES）[4]和生境评价程序（HEP）就是其中典型的代表[5,6]；1993 年，为了改进生境评价程序，又建立了宾夕法尼亚修正生境评价程序（PAMHEP）；后来，景观生态学的方法逐渐得到重视，成为了国外生态环境评价工作采用的主要方法。

与此同时，我国的很多学者和研究人员进行了大量的研究、引进和实践，在应用中取得了一些成果，也出现了很多新的方法和技术。早在 1997 年，《导则》就系统地推荐了 9 种主要的生态环境评价方法。2006 年，国家环保总局发布《生态环境状况评价技术规范》（HJ/T 192—2006）（以下简称《规范》）规定常用的生态评价方法也有 10 余种之多。

在各种生态环境影响评价（包括区域、流域、项目建设、水电开发等的生态环境评价）中，除了导则中推荐的方法以外普遍使用的方法还有很多，具体可见表 1。

3S（GIS、RS、GPS）等技术在国内生态环境影响评价应用中的作用也越来越突出，为生态环境影响评价提供了新的途径。

表1 生态环境评价方法汇总表

评价类型	主要评价方法
一般（通用）生态环境影响评价	列表清单法、类比法、生态图法（图形叠置法）、指数与综合指数法、生物生产力评价法、质量指标法、数学评价法、生态机理分析法、景观生态学方法和系统分析法（专家咨询法、层次分析法、模糊聚类综合评判法、综合排序法、系统动力学方法、灰色关联度方法等）等[7,8]
区域生态环境影响评价	灰色斜率关联分析法、GIS 与层次分析法相结合、灰色关联投影模型、投影寻踪法等[9-13]
流域生态环境影响评价	确定性模糊综合评价方法、最大信息熵原理与模糊模式识别方法、与遗传算法相耦合的流域生态环境质量评价新模型（EFPR-EQEB）等[14-17]
（交通）项目建设生态影响评价	层次模糊综合评价方法、加权综合评价模型、BP 人工神经网络模型、生态足迹法、生物多样性定量评价法等[18-21]
水电开发生态环境影响评价	动态层次分析法、多层次多目标模糊优选模型、多因素综合评价法和多目标决策分析法、TOPSIS 方法、主成分分析方法、人工神经网络评价模型、景观生态学方法（陆生）与数学模型（水生）结合的方法、GIS 支持下的叠加图法、系统流图法、情景分析法、层次分析和模糊优选相结合的方法等[21-33]

这些评价方法和技术手段大体上可以分为定性与定量评价方法以及定性和定量相结合的方法[22]。比如列表清单法、类比法、生态图法（图形叠置法）等属于定性评价的方法；景观生态学法、各种数学模型法、环境质量指标法等则属于定量评价的方法；其他的评价方法则结合了定性和定量评价的特点，实践证明具有很好的适应性。

另外，对于大多数的评价方法还可以按照其评价指标权重的确定方法总结为两大类：即主观赋权评价法，如层次分析法、模糊综合评判法等和客观赋权评价法[23]，如灰色关联度法、TOPSIS 法、主成分分析法等。

二、水电开发工程生态环境影响评价研究现状

关于水电开发生态环境影响评价方法，近年来国内也有了大量的研究，除了部分传统评价方法的实证应用以外，主要进展有：

徐福留等[24]应用模糊聚类综合评价方法进行了环境影响评价，其中对于生态环境的影响评价值得借鉴；薛联青[25]采用动态层次分析法进行了流域水电梯级开发环境影响方面的研究；刘胜祥等[26]应用《导则》中推荐的指标体系筛选出了17个主要的生态环境评价指标进行了综合评价；吴泽斌[27]应用层次分析和模糊优选相结合的方法进行了水利工程生态环境影响评价；侯锐[23]则对部分生态环境影响评价方法做了总结和归纳分析，并选用层次分析法与神经网络法进行了生态效应评价；蔡旭东[28]建立综合指数评价模型进行了水利工程生态效应区域响应的研究；燕文明[29]提出了多层次多目标模糊优选模型；王翠文[22]应用景观生态学方法（陆生）与数学模型（水生）相结合的方法在马山抽水蓄能电站进行了尝试；李莉华等[30]应用模糊层次综合评价模型对水工建筑物的生态环境影响进行了评价分析；曾毅和吴泽斌[31]在分析了层次分析法的特点之后，进行了适当改进和应用；梁轶[32]从水电规划陆生生态环境影响评价着手，对于现今使用的一系列方法进行了分析；李朝霞等[33]在进行水电梯级开发生态环境影响评价中提出了时序多级模糊综合评价模型。

基于3S技术或与3S技术相融合的生态环境影响评价还没在水电开发和建设活动中大量开展。

三、水电开发生态环境影响评价方法

以下对水电开发活动生态环境影响评价中应用较多较好的综合评价方法以及新发展起来的一些方法进行介绍，主要包括综合指数法、景观生态学法、层次分析法、主成分分析法、神经网络法、模糊聚类评价方法、灰色关联方法等。

（一）综合指数法

综合指数法详细的阐述可见《规范》中，其中把生态环境状况评价中涉及的因子进行了归类，并进行了评价指数的确定。评价指数包括生物丰度指数、植被覆盖指数、水网密度指数、土地退化指数和环境质量指数等。最后，利用生态环境状况指数（Ecological Index，EI）的计算方法对指数进行加权平均得到评价结果 ΔEI。

EI = 0.25 × 生物丰度指数 + 0.2 × 植被覆盖指数 + 0.2 × 水网密度指数 + 0.2 × 土地退化指数 + 0.15 × 环境质量指数　　(1)

另外综合指数法的拓展形式——综合指标法[34]在近年也得到了广泛的应用。综合指标法将综合指数方法计算生态环境状况的指数改进为求生态环境的质量指标，先对各个项目或生态环境中的各部分进行影响评价，然后加权平均，即：

$$\Delta E = \sum_{i=1}^{n} (E_{hi} - E_{qi}) \times W_i \quad (i = 1,2,\cdots,n) \tag{2}$$

式中：ΔE 为项目建成前、后生态环境质量变化值；E_{hi}为项目建设后的生态环境质量指标；E_{qi}为项目建设前的生态环境质量指标；W_i 为指数权重。

综合指数法过程直观，结论明确，能够较准确、较全面地反映各个生态环境子系统的发展状态，以及整个生态系统的发展趋势。综合指标法比综合指数法稍复杂，对各个生态子系统进行了一个多层次、多目标、多任务的综合评价，能有效地反映各个因子本身变化对于整个生态环境质量的贡献，同时又能兼顾非定量化因子评估时对专家意见的采纳和综合[35]，可以很好地体现生态环境的综合性、整体性和层次性。

这两种方法共同的不足之处在于其定量标准尚未完全建立，相关指标的概念在不同地区或时间尺度内不能很好统一，指标中对于人类的影响考虑不够[36]，指标体系的确定以及各指标的赋值和权重均存在主观性。

（二）景观生态学法

景观生态学（Landscape Ecology）研究在一个相当大的区域内由许多不同生态系统所组成的整体（景观）的空间结构、相互作用、协调功能及动态变化，强调空间异质性、生态学过程和尺度以及它们相互的关系[37]。景观生态学家习惯使用模地（也称基质）、拼块（也称斑块）和廊道来描述不同的生态系统[38]。方法对生态环境质量的评判主要通过两个方面进行：一是空间结构分析，二是功能与稳定性分析。

借用传统生态学中计算植被重要值的方法可以对模地属性和变化特质进行判断；某一拼块类型在景观中的状态则用优势度值（D_o）进行分析，优势度值由密度（R_d）、频率（R_f）和景观比例（L_p）计算得出，各参数的计算可参考《导则》，优势度值（D_o）采用公式（3）进行。

$$D_o = 0.5 \times [0.5 \times (R_d + R_f) + L_p] \times 100\% \tag{3}$$

优势度值从几个不同的方面反映了自然组分的数量和分布变化，能较准确地表示生态环境的整体性。

景观生态学方法对生态环境的整体性把握较好，可以用于生态环境现状的评价，也可以用于生态环境的变化预测，评价结果与实际的状况拟合很好。但是，各系统组分范围的确定和参数的获得需要很多工作；没有量化的结果分级标准，对于更深入和更高精度的评价不能满足要求；研究区域的大小和复杂程度对于评价过程和结果的影响很大。

（三）层次分析法

层次分析法是一种系统分析方法，也是定性与定量分析相结合的一种方法。方法将与决策有关的元素分解成目标、准则、方案等层次，进行权重分配，然后进行综合分析得到优化决策。

一般而言，其操作过程[39]主要有：目标和系统识别与信息收集；建立多层次体系结构；构造两两判断矩阵，进行评价因子间的相关程度和相对权重值确定；一致性检验；确定综合排序权重，进行加权求和得到综合评价指数，方案择优。

应用层次分析法具有系统、简单易用、准确有效、适用性广等优点[40]，其分级分层次确定权重系数的方法尤其适用于影响因素较多的复杂系统。但是，方法将评价过程条理化和数量化，不利于发挥决策者的主动性；收集到的信息较少时，方法存在较大的误差。

（四）模糊综合评价法

模糊评价应用模糊数学进行综合评价，根据给定的评价标准，通过构造实测数据同评价标准的隶属函数，计算隶属度，进行模糊变换，按最大隶属原则确定评价对象优劣等级[41]，属于定性评价的范畴。模糊评价的判断依据依赖于人们在实践中积累的丰富知识和经验，当评价工作人员对于研究对象有比较深入的了解，自身具有丰富的工作经验和较强的判断能力时，模糊评价方法对于解决复杂系统的评价工作具有很好的实践效果。

此方法操作严谨，数据处理能力强，对研究对象的综合特征有很好的表达，能够进行较大系统的评价。但该评价属于定性评价，只能表示生态环境对于评价标准的隶属程度，而不能给出生态环境变化的数值信息；各项评价因子都要经过数值化过程，才能进行矩阵分析，数值化过程人工操作较多，使评价不尽客观；评价指标越多，系统越复杂，计算量也越多。

（五）灰色系统分析法

灰色系统理论最初由邓聚龙教授[43]提出，包括一系列的方法，其中在水电开发生态环境影响评价中应用最好的有灰色关联分析及灰色聚类方法。

灰色关联分析生态环境实测序列和评价标准等级序列构成的多个离散序列的接近度，根据序列之间的“距离”来判断实测生态环境质量同标准的关联大小，得到生态环境质量的等级评定。操作过程大概为数据获取和归一化；选定质量等级标准，构建实测信息和等级标准的离散数据序列；逐一计算单序列对标准等级的“距离”，一般取归一化以后数据之间的差值，然后计算各项关联离散函数值；对离散函数值加权或其他综合处理；对比一定时间内生态环境质量等级变化和发展趋势，得到结果。

模糊聚类分析基于隶属度，而灰色聚类方法则是基于灰色理论白化函数。操作过程主要分为实测数据收集；确定等级标准；实测数据和标准值无量纲标化处理，其中的灰类分析和标化是处理的重点；构建白化函数，计算白化数；确定聚类权，对白化数进行加权求和得到聚类系数；判断样本的类属趋势，得出结果。

灰色关联和灰色聚类为灰色系统中信息不明确的难题提供了解决方案，适合于少资料和资料不易获取的地区，概念明晰，操作过程严密，数学表达力强。但仍属于定性评价，对于生态环境具体的发展量化不够，结果可供一般的决策和规划使用；两者都涉及数据标准化处理，灰类数据的分析对整个评价的影响甚大，而灰类处理对人的依赖较大，容易造成误差；权重的确定也会对评价产生误差。

（六）主成分分析法

主成分分析即 principal component analysis（简称 PCA）是由卡尔（Karl）和皮尔逊（Pearson）在 1901 年最早提出来的[18]。它把系统内部的多个评价因子化为几个能概括系统总体状况的综合指标（即主成分）来进行简化和综合，使复杂的系统因子体系从结构上得到了降维处理。具体的操作是评价因子标化处理（无量纲化）；通过线性变换转成一组相互独立的变量，再对变量按照方差大小进行递减排列；确定权重；对提取出的各个变量评价值进行综合分析，得到结果。

主成分分析法基于评价因子内部的关系和分配，较其他很多方法更客观；选取独立的变量对系统进行表达，减少了分析对于数据整体的依赖性和计算量，也大大地简化了评价过程；现在很多统计分析软件（如 SPSS 软件等）的主成分分析功能都已经较为成熟，操作也非常方便。但是指标集的确定和独立变量的选取具有系统误差，评价的质量对人员的知识水平表现出较大的依赖；数据标化处理常采用 z 分数（z - score）法，要求有较多的数据，否则偏差较大；提取独立变量时对数据进行了线性转换，而很多影响因子间并不是线性相关，要求操作人员要对系统中非线性过程于评价总体的影响进行充分把握。

（七）人工神经网络模型

人工神经网络模型（artificial neural network，ANN）是模仿生物体神经网络信息传递行为特征过程的一种数学算法模型，它基于神经网络结构进行分布式的并行信息处理进行参数提取和操作。在生态环境质量评价应用最为成熟的是 BP 人工神经网络模型，它的建模过程和计算相对复杂，在此不再赘述。

人工神经网络模型的优点在于是一个具有高度并行处理能力的非线性动力系统[8]，能够解决很多问题的模糊性和不确定性；具有很强的自学习性、容错性和联想记忆能力；明显的分布式特性使得其适应性很强；是一种客观评价方法，评价结果较为精确。

不足之处在于过程相对复杂；参数的推求需要大量高质数据，数据太少或是数据质量存在问题会使得出的参数不足以代表系统内部各部分的联系和发展规律；对于参数的物理代表意义需要更明确化。

在生态环境评价方法中指标体系的确定和再处理阶段常用的方法有专家咨询法（即德尔斐法）、层次分析法、主成分分析法、选取典型指标法、条件广义方差极小法、极大不相关法[44]等；权重确定阶段可采用的方法有很多种，例如层次分析法、主成分分析法、模糊优选方法、专家评分法、均方差法、德尔斐法、“灵敏度”分析法、两两比较法、增量趋势法等[45]，其中专家评分法、层次分析法、主成分分析法应用最广；综合评价阶段可以采用的方法有综合指标法、灰色关联综合评价法、模糊综合评价法、人工神经网络模型、TOPSIS 方法、生态景观学方法等，可视不同的情况进行选择。

以上是水电开发和水电工程建设生态环境影响评价中应用较广并相对成熟的一些方法，除此之外，还有基于逼近理想解排序的 TOPSIS 法，基于可拓集合基础上的可拓数学物元分析法，灰色关联的延伸方法，二次灰关联方法等。

现在，生态环境问题涉及的因素越来越多，联系错综复杂，评价趋于细化、复杂化、综合化和巨系统化。单纯应用某一种方法进行较大系统的评价已经很不适宜，更多的时候需要综合分析研究对象的特征和各种评价方法的优缺点，从指标体系确定，体系的简化和再处理，指标体系权重确定到最后的综合评价阶段都可以分别选择合适的方法，以发挥各方法的优势。

四、结　语

通过对国内外生态环境和水电开发生态环境影响评价方法的分析，不难发现水电开发生态环境影响评价的时间还不长，虽然通过各种数学的方法和方式建立了初步的评价方法体系雏形，但都存在有自身的优势和局限性，评价方法的研究工作还要继续深入下去。

1. 评价方法众多，特点各异，针对具体的研究对象，评价方法选择的偶然性对评价结果会产生潜在影响，应对评价结果进行方法比较，取最优化方案；

2. 对于不同评价精度要求的评价工作，各种方法的适应性和准确度有待进一步检验；

3. 当评价区域尺度进一步巨化、结构复杂化程度提高，应用目前的评价方法可能也很难得到较满意的结果，研究出新的方法或多种方法的结合模式势在必行；

4. 定量化数理评价方法的优势和重要性开始凸显，是今后评价工作主要采用的评价方法。但数据的采集和收集，无疑会增加工作的强度和难度，如何优化和简化评价方法也是接下来需要重点研究的方向；

5. 对开发活动的生态环境影响评价首先是对生态环境发展规律的认识和应用，同时还需要其他多学科知识的融合与协助，要求有更多的相关学科参与和更宽广的知识面；

6. 评价工作自动化程度有待提高。目前很多的评价方法的大部分操作都需要人工进行，实现计算机智能化处理是生态环境影响评价的又一个方向。

参考文献

[1] 王景福．水电开发与生态环境管理［M］．北京：中国环境科学出版社，2006：34.

[2] 国家环境保护总局环境工程评估中心．环境影响评价相关法律法规［M］．北京：中国环境科学出版社，2007.

[3] Smit, B. et al. Methods for cumulative effects assessment［J］. Environmental Impact Assessment Review, 14（1）: 80 - 104.

[4] Larry W. Canter. Environment Impact Assessment［M］. Mc - Graw - Hill. Inc, 1996.

[5] 徐鹤，贾纯荣，朱坦，等．生态影响评价中生境评价方法［J］．城市环境与城市生态，1999，12（6）：50 - 53.

[6] 陆雍森．环境评价（第二版）［M］．上海：同济大学出版社，1999，9.

[7] 高晶．生态环境影响综合评价方法研究［D］．吉林：吉林大学，2007.

[8] 王璐．生态环境质量评价方法的综述［J］．科技信息，2007（35）：413 - 415.

[9] 王军，陈振楼，许世远．长江口滨岸带生态环境质量评价指标体系与评价模型［J］．长江流域资源与环境，2006，15（5）：659 - 664.

[10] 刘庄，谢志仁，沈渭寿．提高区域生态环境质量综合评价水平的新思路——GIS 与层次分析法的结合［J］．长江流域资源与环境，2003，12（2）：163 - 168.

[11] 魏丽，黄淑娥，李迎春，等．区域生态环境质量评价方法研究［J］．气象，31（1）：23 - 28.

[12] 吴开亚，李如忠，陈晓剑．区域生态环境评价的灰色关联投影模型［J］．长江流域资源与环境，2003，12（5）：473 - 478.

[13] 宋松柏，蔡焕杰．旱区生态环境质量的综合定量评价模型［J］．生态学报，2004，24（11）：2509 - 2515.

[14] 万新南，刘家铎，蔡劲松．岷江上游“生态环境地质”质量评价体系［J］．地球科学进展，2004，19（增刊）：477 - 481.

[15] 姚建，王燕，雷蕾，等．岷江上游生态脆弱性的模糊评价［J］．国土资源科技管理，2006，23：90 - 92.

[16] 金菊良，程吉林，魏一鸣．流域生态环境质量评价的熵模糊模式识别模型［J］．四川大学学报（工程科学版），2006，38（1）：5 - 9.

[17] 王薇，李传奇．景观生态学在河流生态修复中的应用［J］．中国水土保持，2003（6）：36 - 38.

[18] 李波涛．铁路生态环境影响评价指标体系的研究［D］．成都：西南交通大学，2007.

[19] 郭宗楼．农业水利工程项目环境影响评价方法研究［J］．农业工程学报，2000，16（5）：16 - 19.

[20] 李晓旭，张建强，朱秀华．基于生态足迹法的高速公路生态环境影响定量评价［J］．大连交通大学学报，

2008，29（6）：94-98.

[21] 李庆旭，刘光琇，卲麟惠．层析分析法在高速公路生态环境影响评价中的应用［J］．冰川冻土，2007，29（4）：653-658.

[22] 王翠文．水电站工程的生态环境影响评价研究——以马山抽水蓄能电站为例［D］．南京：河海大学，2007.

[23] 侯锐．水电工程生态效应评价研究［D］．南京：南京水利水电科学研究院，2006.

[24] 徐福留，卢小燕，周家贵，等．大型水利工程环境影响评价指标体系及模糊综合评价——以巢湖“两河两站”工程为例［J］．水土保持通报，2001，21（4）：10-14.

[25] 薛联青．流域水电梯级开发环境影响成本辨识及其动态评估理论［D］．南京：河海大学，2001.

[26] 刘胜祥，刘家武，贺占魁，等．水利水电建设工程生态环境质量定量评价体系研究［J］．环境科学与技术，2002，25（5）：24-26.

[27] 吴泽斌．水利工程生态环境影响评价研究［D］．武汉：武汉大学，2005.

[28] 蔡旭东．水利工程的生态效应区域响应研究［D］．南京：河海大学，2007.

[29] 燕文明．三峡库区生态系统健康诊断及水资源管理研究［D］．南京：河海大学，2007.

[30] 李莉华，王亮，张亮，等．水工建筑物对生态环境影响的模糊综合评判［J］．河南大学学报（自然科学版）2007，37（6）：649-651.

[31] 曾毅，吴泽斌．水利工程生态环境影响评价方法探讨［J］．中国水运，2008，8（3）：143-145.

[32] 梁轶．水电规划陆生生态环境影响评价研究［D］．西安：西北大学，2008.

[33] 李朝霞，牛文娟．水电梯级开发对生态环境影响评价模型与应用［J］．水力发电学报，2009，28（2）：36-42.

[34] 徐建军．基于 GIS 和 RS 的生态环境影响评价研究［D］．上海：华中师范大学，2008.

[35] 刘振波，赵军，倪绍祥．绿洲生态环境质量评价指标体系研究——以张掖市绿洲为例［J］．干旱区地理，2004，27（4）：580-585.

[36] 王迎春，李永志，王冲．综合指数法在生态环境影响评价中的应用［J］．民营科技，2009（2）：101.

[37] 廖德兵，衡景梅，周黎，等．景观生态学在区域环评中的应用［J］．四川环境，2004，23（2）：53-56.

[38] R. Forman 著，肖笃宁译．景观生态学［M］．北京：中国科学技术出版社，1990.

[39] 武晓毅．区域生态环境质量评价理论和方法的研究［D］．太原：太原理工大学，2006.

[40] 李恺．层次分析法在生态环境综合评价中的应用［J］．环境科学与技术，2009，32（2）：183-185.

[41] 付雁鹏．模糊数学在水质评价中的应用［M］．武汉：华中工学院出版社，1986.

[42] 陈晓宏，江涛，陈俊合．水环境评价与规划［M］．北京：中国水利水电出版社，2007：72-79.

[43] 邓聚龙．灰色系统理论教程［M］．武汉：华中理工大学出版社，1990.

[44] 胡永宏，贺思辉．综合评价方法［M］．北京：科学出版社，2000.

[45] 王华．市政建设项目社会效益和环境效益经济评价的实例研究［J］．南京航空大学学报（社会科学版），2001（3）：28-32.

土地资源承载力在城市发展战略环境评价中的应用研究

白宏涛 王会芝 乔 盛

（南开大学环境科学与工程学院 天津 300071）

摘 要 承载力评价已经成为我国环境影响评价中最主要的预测和评价方法之一，本文在分析我国城市发展战略环境评价中土地资源承载力评价的历史演变的基础上，讨论了“人口容量”和“产业发展导向”两种土地资源承载力评价思想的发展及其不足，并以天津滨海新区战略环境评价研究为例，从一种全新的角度探索了土地承载力的评价思路，提出了基于生态战略的城市发展土地资源承载力评价方法，从而丰富了我国资源承载力评价的内涵。

关键词 土地资源承载力 战略环境评价 生态战略 滨海新区

随着社会经济的发展，使得人口、资源、环境等全球性问题日益突出。基于环境保护和实现可持续发展的目的，土地资源承载力逐渐得到重视并广泛应用于城市规划和环境评价等社会管理领域，用于指导人类社会的健康发展。现在广为接受的土地承载力研究正是要探讨人口、食物（粮食）和资源（土地）之间的关系，其实质则是研究人口消费与食物生产、人类需求与资源供给之间的平衡发展问题[1-6]。我国自1979年《环境保护法（试行）》，特别是2002年《环境影响评价法》颁布以来已经开展了大量的环境影响评价工作[7-12]。在项目环境影响评价过程中，承载力评价多偏重于对点的控制，缺乏对区域资源总体承载能力的评估环节，从而无法确定区域可支撑的最大人类活动强度[13]。通过在宏观上对土地资源的分析，可以识别限制区域发展的资源瓶颈，用模型描述土地资源所允许的最大行动水平。因此，土地资源承载力分析更适用于我国的战略环境评价和规划环境影响评价。

本文通过分析土地资源承载力的概念，回顾了我国现有战略环境评价实践对土地资源承载评价的考虑及其不足之处。在此基础上阐述了基于生态战略的城市发展土地资源承载力评价方法，认为战略环评中的土地资源承载力评价要基于优化决策的目的，以生态保护为出发点、以布局调整为落脚点，从全新的角度探讨了土地资源承载力的评价内容和现实意义。

一、对土地资源承载力的认识

对土地承载力概念的理解直接关系到土地资源承载力的评价方法的选择，关系到区域开发与发展的政策与措施的选择[8]。关于土地资源承载力的精准定义，至今国内外学者未有定论，但大都是围绕可承载的人口规模进行分析，不同的只是对限制条件的理解。一般而言，土地承载力是指在“维持一定水平且不引起土地退化”的前提下，一个区域能永久供养的人口数量。自1921年帕克和伯吉斯提出承载能力的概念后，威廉·阿伦提出以粮食为标志的土地承载力计算公式，主要考虑了区域土地面积、耕种要素以及耕地面积等；英国科学家则采用系统动力学方法，综合考虑人口、资源、环境和发展之间的关系，模拟了人口规模与土地承载之间的动态变化[2]。我国的自然资源综合考察委员会土地资源承载能力课题组最早探讨了土地承载能力的概念，认为土地资源承载力是指在一定的生产条件下，土地资源的生产力和一定生活水平所承载的人口限度。因此，我国目前对土地资源承载力的计算也主要是基于对土地生产潜力的分析[2,5]，通过线性规划或系统动力学等定量模型来预测土地的粮食产出可支撑的最大人口规模，以此确定区域未来的发展战略等。这种传统意义上的土地承载力评价，其实质上都是围绕耕地—食物—人口而展开的，以耕地为基础、以食物为中介、以人口容量的最终测算为目标。这对特定历史阶段、特定区域中的粮食自给、粮食安全、挖掘耕地潜力以及产业协调发展有着十分重要的意义。

但其局限性也很明显：①改革开放30年来，我国人民的生活水平普遍提高、膳食营养水平日益改善，以粮食为主的食物结构开始改变；②区域甚至国际间的交流合作日益加强，粮食等基本生活物资的自由流动模式使区域内部粮食供应的重要性相对下降，单纯以土地粮食产出为标志的土地承载力评价方式已不能真实反映其对区域社会经济发展的支撑能力。已有学者提出，土地资源承载力是一定技术水平、投入强度下，一个国家或地区在不引起土地退化或不对土地资源造成不可逆负面影响，或不使环境遭到严重退化时能持续稳定支持的具有一定消费水平的最大人口数量，或具有一定强度的人类活动规模。曾维华、王华东[14,15]将土地承载力视为“在某一时期，某种状态或条件下”，或“限制因素分别达到其限定值时”，“环境所能承受人类活动作用的阈值”。特别是对现代工业化城市而言，其土地资源的使用功能更多的是承载工业产业的发展和人口居住的需要，即一定强度的人类活动规模，而以粮食产出为目的的承载力已经失去了其时代意义。土地资源承载力可以定义为一定的经济技术条件下，在特定的时间和区域内，土地资源对人口、经济及社会活动的支撑能力，着重强调的是土地利用对产业发展和居民生活的承载。

二、战略环境评价对土地资源承载力的考虑

战略环境评价（SEA）是对政策、规划和计划的资源环境承载能力进行深入的分析预测和科学评价，并采用预防措施或其他补救措施从源头上控制环境污染[9]。自环评法确定我国SEA的法律地位以来，我国政府高度重视对政策、国民经济和社会发展规划等高层次战略决策开展SEA。国家环保部在大连、武汉、天津滨海新区以及环渤海地区等区域已经成功实施了一系列SEA的试点工作，为国内广泛开展SEA工作树立了良好的典范。通过文献回顾和抽样调查的结果表明，承载力评价已经成为我国SEA最主要的预测和评价方法之一。特别是由于土地资源对城市经济和社会发展的重要性，城市SEA实践大都将土地承载力作为其基础性工作而加以重视。

（一）围绕人口容量

目前我国城市发展SEA对土地资源承载力的分析，绝大多数都还是沿袭了传统承载力评价的思路，侧重于通过定量模型计算粮食产量，或者通过与水资源和能源资源的耦合承载，来预测区域未来发展对人口的最大支撑能力。例如，作为国家环境保护总局试点项目的“武汉市国民经济和社会发展‘十一五’规划战略环境评价”通过定性情景分析和相对承载力定量模型分析了“十一五”期间武汉市土地资源对城市人口规模和承载规模的承载能力。“内蒙古国民经济和社会发展‘十一五’规划战略环境评价”则是通过分析内蒙古草原的生物生产量，预测和评价了规划提出的载畜量等目标值的环境合理性。城市发展SEA在综合分析土地资源、水资源和能源等因素的基础上，对城市的总体发展规模给出环境合理化建议，有效指导城市的可持续发展。然而，现今大多数城市发展规划在制定过程中，人口规模、产业产值总量等城市发展目标值也大都以土地资源承载力为基础手段，SEA中对土地资源的评价以“人口容量”测算为核心，在一定程度上重复着规划部门的工作，没有发挥SEA的应有作用，实际指导意义不大。

（二）产业发展为导向

国际经验表明，有效的SEA应与政策、计划和规划等战略的制定过程同步进行，其根本目的是为决策者出谋划策，将环境因素融入决策过程，促进决策最优化，最终实现区域经济的又好又快发展。因此，SEA应突出一个“评”字：评价战略的制定，而不是另起炉灶来进行新的环境角度的战略规划。对土地承载力而言，就是要从环境保护的角度把区域的土地资源说清楚，预测分析区域内的土地资源对未来的产业发展所带来的环境资源瓶颈。特别是对于工业型城市而言，土地资源承载力评价要侧重于论证土地资源对区域产业的支撑能力，即以“产业发展为导向”的承载力分析。例如，“大连市国民经济和社会发展‘十一五’规划战略环境评价”基于不确定性分析，预测了土地资源对产业发展的支撑情景（工业用地供需），并通过土地生态适宜性

和功能分区等对城市产业布局给出了战略性调整意见[9]。“浦东新区国民经济和社会发展‘十一五’规划战略环境评价”则探索了土地利用结构、未来产业发展的用地总量需求等问题，并提出了土地利用的优化方案，分析了合适的土地利用规模以及用地布局的合理性。这些城市发展SEA实践通过对土地资源存量、利用结构和开发效率的分析，落脚于土地资源与产业布局的相互支撑关系，对目标规划的土地战略给予了合理化指导，从而给决策者指明土地开发战略在土地资源上要优先开发和限制发展的方向，很大程度上保证未来的土地开发行为的资源利用最优化，达到了促进社会经济又好又快发展的目的。但是，这种评价思路过于重视资源对产业的支撑以及产业对资源的需求，而没有将环境因素充分考虑进来，一定程度上偏离了SEA工作的初衷。

（三）基于生态战略

从实质上讲，承载力是指生态系统所提供的资源和环境对人类社会系统良性发展的一种支持能力。由于人类社会系统和生态系统都是一种自组织的结构系统，二者之间存在紧密的相互联系、相互影响和相互作用。因此土地资源承载力的研究面对的应是生态经济系统，研究生态经济系统中所有组分的和谐共存关系。相比容纳能力的概念，土地资源承载力更多地要考虑到环境的状态变化和人类的各种决策对生态环境的影响，考虑到价值判断标准和体制背景等的影响[2]。现代化的工业城市往往是以土地利用为核心的复杂体系，与生态环境、产业经济和人类社会等体系都有着复杂的关系。资源利用的空间不合理会造成城市发展对生态环境刚性约束的无序突破。因此，SEA中的土地资源承载力评价要充分引入生态环境的因素，综合协调土地资源利用与区域生态、产业布局的关系，以生态问题为出发点，通过调整土地资源开发战略，构建生态性格局。本文结合天津滨海新区的土地资源实际特点，从一种全新的角度探索了战略环评中基于生态战略的土地承载力评价思路。

三、滨海新区发展战略环境评价中的土地资源承载力评价

天津滨海新区位于华北平原北部，地势地平，陆域面积2270km^2，海域面积3000km^2，海岸线153km。作为实践科学发展观的排头兵，滨海新区的发展要从源头避免或减缓发展中可能遇到的资源环境问题。国务院对滨海新区的功能定位是“经济繁荣、社会和谐、环境优美的宜居生态型新城区”。适时开展的滨海新区发展SEA有助于实现滨海新区社会经济与资源环境之间的协调发展，才能真正将可持续发展和科学发展观落到实处。

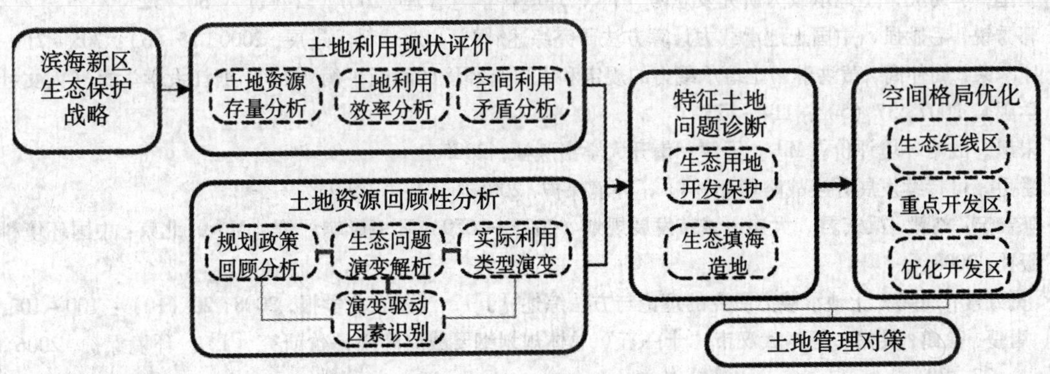

图1　滨海新区土地资源承载力评价技术路线

作为SEA识别的重点，滨海新区土地资源稀缺的问题日益突出。滨海新区盐碱荒地面积较大，但可用于经济建设的土地存量较少，这与新区产业拓展延伸带来的土地需求增加形成了矛盾。另外，滨海新区土壤含盐量大，酸碱度高，区域环境容量自我调节能力差，其中500km^{2}的湿地对整个新区生态系统的结构稳定性和可持续性有着重要意义，不宜进行大规模开发建设，同

时大部分待开发的低产农用地将作为生态区来建设，不能转为建设用地。因此，滨海新区要建设生态型新城区，必须从生态战略出发，严格保证滨海新区生态系统的完整性，对土地资源进行合理统筹和科学规划，提高土地利用效率，从根本上解决发展中面临的土地资源紧缺问题。

图1是滨海新区发展SEA中的土地资源承载力评价技术路线。从生态保护角度对滨海新区的土地资源进行战略审视：①在科学分析土地利用现状的基础上，优先考虑滨海新区的生态保护战略，识别当前滨海新区土地资源在数量、结构和空间格局等方面存在的问题以及由此引发的环境影响。②结合已有生态问题的识别，通过回顾性资料分析寻求新区土地利用变化的驱动因素，解决土地资源对新区发展的制约瓶颈。③重点诊断滨海新区的特征土地问题，分级制定生态用地的开发保护区域，论证填海造地以增加土地资源存量的可行性及生态影响。④最后通过定量模型和空间分析工具，给出滨海新区土地利用结构的优化建议，为制定和实施发展战略提供依据，尽量避免新区未来发展中可能面临的土地资源压力。

四、讨　论

本文分析了我国城市发展SEA中土地资源承载力评价的历史演变，讨论了“人口容量”和“产业发展导向”两种土地资源承载力评价思想的发展及其不足，在此基础上阐述了基于生态战略的城市发展土地资源承载力评价方法，并以天津滨海新区为例进行了初步探索。以生态系统完整性为出发点进行土地资源的优化配置和产业布局的优化调整，符合科学发展观的要求，也是我国工业型城市建设生态型新城区的有效手段。但是，城市发展SEA基于生态战略对土地资源的分析，如何更好地为决策者所理解和接受？通过分析生态问题，如何有效识别土地利用的历史演变驱动力？如何建立与生态空间保护战略相结合的土地开发限制红线的方法学？这些都需要进一步的研究和完善。

参考文献

[1] 封志明．土地承载力研究的起源与发展［J］．资源科学，1993（6）：74－78.

[2] 王霞．新疆土地承载力问题研究［D］．新疆大学，2007.

[3] 赵玉强，张丽君，宋海宇，等．沈阳市浑南新区规划环境影响评价的环境承载力研究［J］．环境保护科学，2005（31）：61－63.

[4] 王星，李蜀庆．土地承载力研究及思考［J］．环境科学与管理，2007，32（11）：50－52.

[5] 郭秀锐，毛显强．中国土地承载力计算方法研究综述［J］．地球科学进展，2000，15（6）：705－711.

[6] 原华荣，周仲高，黄洪琳．土地承载力的规定和人口与环境的间断平衡［J］．浙江大学学报（人文社会科学版），2007，37（5）：114－123.

[7] 朱坦．战略环境评价［M］．天津：南开大学出版社，2005.

[8] 潘岳．可持续发展呼唤战略环评［J］．环境保护，2005（11）：6－9.

[9] 陈吉宁，刘毅，梁宏君．大连市城市发展规划（2003—2020）环境影响评价［M］．北京：中国环境科学出版社，2008.

[10] 黄万常，周兴．土地承载力研究的理论与方法综述［J］．江西农业学报，2008，20（10）：100－103.

[11] 唐弢，徐鹤，吴婧，等．武汉市“十一五”总体规划纲要战略环境评价研究［J］．环境保护，2006（12）A：27－30.

[12] 朱坦，田丽丽．论滨海新区的战略环评［J］．中国发展，2007，7（4）：112－115.

[13] 常春芝．环境承载力分析在规划环境影响评价中的应用［J］．气象与环境学报，2007，23（2）：38－41.

[14] 曾维华，王华东．人口、资源与环境协调发展关键问题之一——环境承载力研究［J］．中国人口·资源与环境．1991，（2）：33－37

[15] 曾维华，杨月梅，陈荣昌，等．环境承载力理论在区域规划环境影响评价中的应用［J］．中国人口·资源与环境，2007，17（6）：27－31.

棋盘井镇供水工程项目环境影响分析

成格尔[1]　尹瑞平[2]　崔向新[1]

（1. 内蒙古农业大学生态环境学院　呼和浩特　010017

2. 水利部牧区水利科学研究所　呼和浩特　010017）

摘　要　城市自来水生产和供应项目作为城市重要的基础设施，由取水工程、净水工程和输配水工程组成。该类工程一方面对取水水源环境有严格的选择要求，水源水量及水质对项目建设具有较强的制约作用；另一方面在项目的建设和运营过程中也会对周边环境产生一定程度的不利影响。本文以内蒙古自治区棋盘井镇供水工程为例，结合项目组成，在分析工程施工期和运营期环境影响因素的基础上，对该类项目施工期和运营期的环境影响共性进行了初步探讨，并提出了环境影响分析中应考虑的重点和主要关心的问题。

关键词　供水项目　环境影响　因素　探讨

一、项目区自然环境条件

棋盘井镇地处鄂尔多斯高原西部，鄂托克旗境内，项目区内地形呈东高西低，北高南低，在风动作用下形成起伏不平的垅岗形和月牙形小沙丘，总体上较平坦开阔，地表标高一般为1190～1320m之间，地貌类型可划分为构造剥蚀地形和堆积地形两大类。该地区多年平均气温为6.4℃，历年极端最高气温36.7℃，历年极端最低气温－35.7℃。多年平均降水量为271.0mm，年蒸发量3000mm，年平均风速3.2m/s，无霜期122天，最大冻土深度154cm。项目区地处黄河流域上游，水文地质概况为黄河冲积湖积层潜水及承压水、第四系上更新统冲积湖积层潜水、碎屑岩类裂隙孔隙水、层状基岩裂隙水。

二、工程概况

棋盘井远程供水建设项目是从库计水源地和嘎尼汗水源地提水至升压泵站，然后经升压泵站提水至4+400控制点高位蓄水池，再通过自流水输送到棋盘井镇供水区已有蓄水池为止。工程总占地面积为99.16hm²，其中为永久占地49.30hm²，临时占地49.86hm²。工程总投资9992.16万元，其中土建工程投资2285.24万元。项目施工期生活供水采用水源地水源井井水；供电由当地政府负责从附近35kV变电站接引至水厂，本项目负责从水厂接引至升压泵站的10kV输电线路总长度为13km。工程项目特性表见表1。

三、工程环境影响分析

（一）施工期环境影响分析

1. 供水工程植被影响分析

工程建设过程中，对植被的影响主要是施工期征用土地、临时用地、取弃土场占地及机械碾压、施工人员践踏等破坏施工区域内植物，损失一定的生物量，并破坏和影响施工作业区周围环境的植被覆盖率和数量分布。永久和临时占地将干扰和破坏影响范围内的植物生长，影响了沿线地区内的植被群落种类组成和数量分布，降低了区域植被覆盖度和生物多样指数，造成牧草产量减少，对沿线牧业生产产生一定影响。另外，沿线地区自然生态环境脆弱，植被破坏后难以在自然条件下恢复，将引起水土流失和沿线局部地区土壤沙化。其中永久占地的损失是不可逆的，损失的植被主要为红砂、珍珠、黄蒿、油蒿、冷蒿、阿尔泰狗娃花等常见植物，不涉及半日花、四合木等保护植物。

2. 土壤侵蚀影响分析

表1 工程项目特性表

<table>
<tr><td rowspan="14">供水工程</td><td rowspan="2">(1)</td><td>水　厂</td><td>布置在水源地东边缘，占地面积4.82hm²</td></tr>
<tr><td>厂内泵站</td><td>布置在水源地东边缘的中间，水厂内，地面高程为1281.59m，占地面积1.77hm²。主厂房的建筑面积为30m×9m，室内净高为5.40m；副厂房的建筑面积为23.10m×9m，室内净高为4.50m，结构均为砖混结构。泵型均为离心泵，共4台机组，3用1备，总流量0.31m³/s</td></tr>
<tr><td>(2)</td><td>升压泵站</td><td>位于管线桩号15+800处，机组配套与水厂泵站相同地面高程为1362.24m，占地面积0.45hm²
主厂房的建筑面积为30m×9m，室内净高为5.40m；副厂房的建筑面积为23.10m×9m，室内净高为4.50m，结构均为砖混结构</td></tr>
<tr><td>(3)</td><td>蓄水池</td><td>其平面尺寸为16.40m×17.50m，池内净高为3.65m，总容积为1000m³，结构为钢筋混凝土结构，布置形式为地下式蓄水池</td></tr>
<tr><td rowspan="7">(4)</td><td>输水管线</td><td>包括水源井井房、水源井DN500管线、水源井DN300管线和输水管线4部分</td></tr>
<tr><td>①水源井井房</td><td>共布设13座水源井井房，总占地面积为0.03hm²</td></tr>
<tr><td>②水源井DN500管线</td><td>位于库计水源地的管线长5.5km，钢管。库计水源地共布设10眼井，8眼开采井，2眼备用井。井径300mm，井深400m，单井涌水量按2000m³/d设计</td></tr>
<tr><td>③水源井DN300管线</td><td>位于嘎尼汗的管线长17.2km，钢管。嘎尼汗水源地共布设3眼井，2眼开采井，1眼备用井。井径300mm，井深400m，单井涌水量按2000m³/d设计</td></tr>
<tr><td>④输水管线</td><td>总长为25.469km，分为压力输水管线和自流输水管线两部分</td></tr>
<tr><td>压力管线</td><td>位于水厂—蓄水池段，长21069m，选用的管材为DN600钢管</td></tr>
<tr><td>自流输水管线</td><td>位于蓄水池—园区蓄水池段，长4400m，选用的管材为DN600UPVC管</td></tr>
<tr><td>(5)</td><td>检修道路</td><td>检修道路从水厂到升压泵站，长13km，宽7m。占地面积9.10hm²</td></tr>
<tr><td colspan="3">本工程水源</td><td>水源地为库计水源地和嘎尼汗水源地。两水源地同时开采可满足棋盘井城镇供水20000m³/d需求</td></tr>
</table>

工程施工期，管线坑道建设中破坏土壤植被，挖出的土方堆放在管沟一侧，取弃土场产生裸露地面等，使施工区土地大面积处于坡面和裸露状态，在区域风蚀作用下，将产生新的土壤侵蚀。项目建设扰动土地破坏植被，造成土壤裸露，形成较大面积的风蚀面，风蚀面的形成更有利于风力侵蚀的作用，沙化面积扩大，加速项目区及草场退化速度。

3. 野生动物的影响分析

施工期，工程建设的施工活动，破坏了施工区域内的自然植被，导致了沿线野生动物栖息地环境缩小，使野生动物失去部分觅食地、栖息场所和活动区域等生境，将对沿线的野生动物的生存环境产生不利影响。此外，施工过程中一些施工噪声和人员活动等，将惊吓和驱赶公路沿线地区内的野生动物，再加上人为活动干扰增多，将会直接影响沿线地区的某些野生动物，使其向管道两侧迁移，施工区内的某些群数量减少，主要危害的是啮齿动物的蒙古兔、鸟类如麻雀等。

4. 废水、垃圾排放

工程施工过程中产生的生产废水、生活污水、机械车辆冲洗废水、生活垃圾、建筑垃圾等如不进行处理，对地表水环境产生影响，从而渗入地下，对地下水水质也存在潜在威胁。尤其是水源地保护区内施工，如果废污水直接排放，将会对水源地水质产生影响。

施工中会产生生活垃圾和施工弃渣。施工人员的生活垃圾，产生垃圾总量为100.8t，生活垃圾收集后委托当地环卫部门收集处理。施工弃渣主要来源于管道开挖，沿线表层土主要为级配不良砂、含细粒土砂和粉土质砂，区域厚度5m，弃土中含有草根和腐殖质，施工弃渣主要为弃土。本工程产生弃方量为1.86万 m^3，开挖标准断面宽度为6.2m，施工结束后平铺至管线，高度小于0.64m，具备可操作性，并可有效减少占地。

5. 大气环境影响

本项目对环境空气的影响主要体现在施工期，环境空气污染物主要来自管线施工中坑道开挖产生的扬尘，材料运输中的扬尘、运输车辆的燃油尾气，机械作业中燃油机械的废气等，主要污染物是粉尘、扬尘等。

（二）运营期环境影响分析

1. 对水源地水量、水文地质影响分析

水源地天然条件下的地下水补给量为8.06万 m^3/d，侧向径流排泄量6.78万 m^3/d。水源地计算求得的地下水允许开采量（3.51万 m^3/d）为新增量，区内已有开采量为1.07万 m^3/d，两项之和为4.58万 m^3/d，为天然补给量的71%，为侧向径流排泄量的85%。况且在开采状态下侧向补给量还会增加，另外还可以袭夺部分侧向流出量，所以地下水开采有补给保证。

根据《鄂托克旗棋盘井库计水源地水文地质详查报告》，运用地下水流模型软件 VISUAL MODFLOW 数学模型对论证区水源地地下水位开采后进行模拟预测，得到水源地开采30年后的地下水流场与动态变化趋势。经过分析可知，规划开采方案预测30年总体降深不大，水位下降速度较为平缓，动用了相对较少的储存量，规划单井涌水量符合实际，该方案下的水位降深较小，最大降深为12.44m，又有补给保证，且井距较小，仅为1.0km，在水源地实际建设、维护和运营中成本较低，其开采量有保证，开采方案是合理的。

2. 对植被的影响分析

地下水开采后将会引起局部地下水位小幅度下降，对水源地植被生态的影响是：在地下水位埋深较浅（小于3m）的植被敏感区，会引起植物群落的变化，由原来的水生或盐生植物演替为喜水或旱生植物，或者由原来的喜水植物演替为旱生植物，植被覆盖率将会随之发生变化。在地下水位埋深较大（大于3m）的植被非敏感区，沙蒿、锦鸡儿等旱生植物的生存本就不依靠地下水维系，所以当水位下降后，植被类型和覆盖率将不会有大的变化。

供水工程投入运营后，按工程设计要求，覆土回填，恢复植被，在输配水管线工程两侧不同地段种植行道树、防护林、灌木林以及恢复植被工程和绿地建设，减少因工程建设对沿线植被的损失。按照不低于原有植被覆盖水平的要求进行植被恢复，临时占地的原来是草地的恢复为草地，是耕地的恢复为耕地，运行期对植被影响很小。

3. 对环境空气的影响

运营期净水厂配置1台供暖锅炉，容量为Q=1.4MW，为卧式燃煤热水锅炉，锅炉烟囱高30m，锅炉运行产生的烟尘对环境空气有一定影响。

为杀灭水中的各类致病菌，水厂多采用氯作为消毒手段。工程投氯点设在清水池前，投氯量为2mg/L。氯气具有刺激性，有毒，如氯气泄漏到空气中对人和生物都有危害性，能伤害人的呼吸器官，严重时造成肺部窒息而死。按国家工业企业设计卫生标准规定，车间内氯气的最高允许浓度为1mg/L。所以在净水厂设计中必须采取必要的安全防护措施，以防止氯气扩散到空气中造成危害。在工程中拟采取如下防范措施：①加氯设备采用全真空加氯机，该加氯机可使厂区内加氯管道呈真空状态，同时加氯管道发生损坏时加氯设备自动关闭，氯气不会泄漏到空气中。②在氯库和加氯间内设置排风扇以排除氯库和加氯间内可能漏出的微量氯气。③在氯库和加氯间内设有氯气报警仪和一套氯气吸收装置，当室内氯气含量超过1mg/L时，氯气报警仪自动报警并自动启动氯气吸收装置，将含有氯气的空气吸入氯气吸收装置的中和塔内，使氯气和中和塔内的碱液产生中和反应，生成NaC、NaCl和H_2O，从而达到防止氯气泄漏到室外的目的。④在加氯间值班室内设有氧气呼吸器及防护用具，以备发生漏氯事故时操作人员排除故障时使用。在采取上述措施后，可以避免因氯泄漏而对周围环境造成危害。

4. 对声环境的影响

本项目运行期噪声污染源主要是加压泵站，根据同类企业的出水水泵的噪声监测资料，进水水泵在运行时产生的噪声值一般在80～85dB（A）之间，水泵等噪声设备均为半地下设置，且有泵房隔声，对周围环境影响不大。

5. 社会经济影响分析

棋盘井镇是内蒙古自治区的重点缺水地区，通过本供水工程的建设，在未来10年内，可以大大缓解当地供水压力，明显改善城市整体环境，加快可持续发展进程，推进社会经济全方位发展。

四、结　语

供水项目的兴建具有重要的经济社会效益，也会产生一定的环境影响。准确地判别项目在选址、施工及运行等过程中可能产生的环境问题，预测和评价其影响特点和程度，并制定有效对策，可最大限度地减少环境损失、发挥工程的效益，这对于实现工程建设与环境保护的协调发展具有重要意义。

参考文献

[1] 水利部牧区水利科学研究所．棋盘井镇远程供水工程可行性研究报告［R］．呼和浩特：水利部牧区水利科学研究所，2009.

[2] 蒋绍阶，左智敏．小城镇供水系统存在的问题及对策［J］．重庆大学学报（自然科学版），2005，28（11）：114－117.

[3] 罗固源，谭倩，许晓毅，等．小城镇给水系统模式及水源的几点看法［J］．重庆大学学报（自然科学版），2005，28：95－100.

[4] 国家环境保护总局监督管理司．中国环境影响评价培训教材［M］．北京：化学工业出版社，2000.

公路运输环境安全评价与对策的研究

叶慧海[1,2] 秦晓春[2]

(1. 中国地质大学(武汉) 武汉 430074；2. 交通运输部公路科学研究院 北京 100088)

摘 要 公路在满足交通安全功能要求的基础上，还应充分保证公路路域生态环境的健康和可持续发展。但是，作为影响公路运输环境质量的重要因素，目前将公路交通安全和生态环境安全两者结合起来的研究却很少。鉴于此，论文从以人为本的角度出发，将关注的安全群体拓展到公路外部系统，即整个公路运输环境系统，把人、车、路、环境系统作为安全关注对象，不仅考虑到财产风险，更考虑到路域生态风险，将公路交通安全和公路生态环境结合起来，对整个公路系统中存在或潜在的风险因素进行分析和评价，提出公路运输环境安全评价体系的概念和方法，对道路条件及其对交通安全的影响和公路生态环境的敏感度和动态变化进行评价和预警研究，建立公路运输环境安全评价体系架构，并开展相应的措施和对策研究，对构建安全的公路运输环境体系和促进公路所在区域生态环境保护和可持续发展具有重要理论与实际意义。

近年来，我国公路交通事业取得了长足发展，然而公路运输在为国民经济和社会发展作出了重大贡献的同时，也随之带来一定的问题。一方面，因公路交通事故造成了大量人员伤亡和巨大经济损失，公路交通安全已经成为困扰世界各国交通专家和政府的一大难题；另一方面，公路作为一种长距离、大跨度的人工构造物，在切割生境的同时，也对公路沿线的生态环境产生了不可逆的深远影响，严重威胁着路侧生态环境的安全。

安全评价作为现代安全管理模式，最能体现安全生产以人为本和预防为主的理念，正逐渐被社会广泛认可，对于安全生产所起的技术保障作用日益凸显，成为消除隐患、防范事故的一项治本之策。

推动开展针对公路交通安全和公路生态环境安全的安全评价体系，有助于有效预防重特大事故的发生、减少财产和人员伤亡，保护公路生态环境的健康和可持续发展，实现交通运输快速发展、科学发展、安全发展、和谐发展。

在公路交通安全方面，欧美等发达国家以及国内的科学研究人员对日益恶化的交通安全状况，都予以了高度重视，对公路交通事故都不同程度进行了深入研究。就公路条件对交通安全的影响、路况与交通事故的关系、公路行车安全影响因素、高速公路交通事故及预防对策以及公路交通安全评价等，都进行了较系统的研究，并取得不少成果。

在公路生态环境安全方面，美国、英国、荷兰、澳大利亚和新西兰等国对公路两侧生态环境造成的不良影响及生态风险进行了不少研究。其中包括公路建设期间造成的直接生物生存区的减少、路侧水文条件的改变，公路运营期造成的路侧污染物质排放、物理化学环境的改变等。国内学者对公路建设和运营所引发的一系列负面环境影响也逐渐引起关注，在公路建设或运营引起的生态环境的影响评价方法和手段、公路环境影响评价的指标体系、路域生态环境安全评价的标准和评价方法以及构建生态环境安全评价指标体系等方面都有不同程度的研究，取得了一定进展。

目前，在制度层面，2002 年《中华人民共和国安全生产法》颁布，第一次以法律条文的形式明确了安全评价工作的定位、范围和实施主体要求。2003 年国家发改委和国家安监局发布了《关于加强建设项目安全设施"三同时"工作的通知》；2004 年国务院颁布了《安全生产许可证条例》。但是，我国针对公路交通安全评价相关的法律规范目前尚未出台。

我国通过交通部西部交通建设科技项目的专题研究分别建立了设计阶段公路交通安全评价的核心理论模型、评价技术体系和建设阶段公路交通安全评价的理论和方法体系，原交通部公路司试点的崇启高速公路（崇明岛至江苏启东）初步设计安全评价、原交通部质监总站试点的巫奉高速公路（巫山至奉节）施工安全评价等项目，为安全评价工作积累了一定的技术和实践经验。

但是，作为影响公路运输环境质量的重要因素，目前将公路交通安全和生态环境安全两者结合起来的研究却很少。公路在满足交通安全功能要求的基础上，还应充分保证公路路域生态环境的健康和可持续发展。因此，将公路交通行车安全和公路生态环境安全结合起来，对公路条件及其对交通安全的影响和公路生态环境的敏感度和动态变化进行评价研究，建立公路运输环境安全评价体系架构，并开展相应的措施和对策研究，对构建安全的公路运输环境体系、促进公路所在区域土地资源的合理利用及生态环境保护和可持续发展，以及我国国家环境安全建设战略的社会研究需求都具有重要理论与实际意义。

一、公路运输环境安全的概念体系

（一）公路交通安全性评价

公路交通安全评价，是以实现公路工程、人车路系统安全为目的，应用安全系统工程的原理和方法，对拟建或已有公路存在的危险、有害因素进行识别、分析，判断工程、系统发生事故的可能性及其严重程度，提出安全对策建议，从而为工程、系统制定防范措施和管理决策提供科学依据。安全评价应贯穿于工程、系统的设计、建设和运营整个生命周期的各个阶段。公路交通安全性评价是公路建设、管理的基本程序，同时也为客观分析道路条件提供重要的依据。其目的在于指导人们根据所确认的系统形成事故的风险情况，采取相应的安全措施，以达到系统安全运行的最大可能。

（二）生态环境安全与公路生态环境安全评价

生态环境安全为人类在生产、生活与健康等方面不受生态破坏与环境污染等影响的保障程度。公路生态环境安全评价是以实现公路系统安全为目的，按照系统科学的原理和方法，对公路系统中存在的或潜在的危险因素和公路生态系统完整性以及对各种风险下维持其健康的可持续能力进行预先的识别、分析和评价，以确认系统的安全程度及存在的危险性大小。它以生态风险和生态健康评价为核心内容。

（三）公路运输环境安全评价

如果说公路交通安全评价，是从减少交通事故、保障财产安全和人员安全的角度，实现人车路系统的安全，是对公路自身内部系统的评价；那么公路运输环境安全评价，则是从以人为本的角度出发，将关注的安全群体拓展到公路外部系统，即整个公路运输环境系统，把人、车、路、环境整个系统作为安全关注对象，不仅考虑到财产风险，更考虑到路域生态风险，将公路交通安全和公路生态环境结合起来，对整个公路系统中存在或潜在的风险因素进行分析和评价，以构建安全、健康和可持续发展的公路运输环境体系。

二、公路运输环境安全评价与预警体系的建立

（一）公路交通安全评价指标体系建立

确定评价指标是整个评价体系的关键，是获得真实客观结果的前提。公路交通安全系统各因素之间的关系是错综复杂的，为了全方位地反映公路安全问题，评价指标的正确选择，必须基于对公路安全系统进行正确的分析，所选指标应能最大限度地客观反映各种因素的影响。

按照系统论的观点，公路交通是由人（驾驶员与行人）、车、路、环境四个要素构成的一个具有特定功能的闭环系统。各要素之间具有相互依赖、相互作用和不可分割的联系。从公路交通的角度分析，公路本身及其环境是指促成道路交通安全事故原因中除去其他人为因素和车辆因素之外的其他有关道路的一切因素，与公路交通系统安全的关系最为密切和重要。因此，对公路交

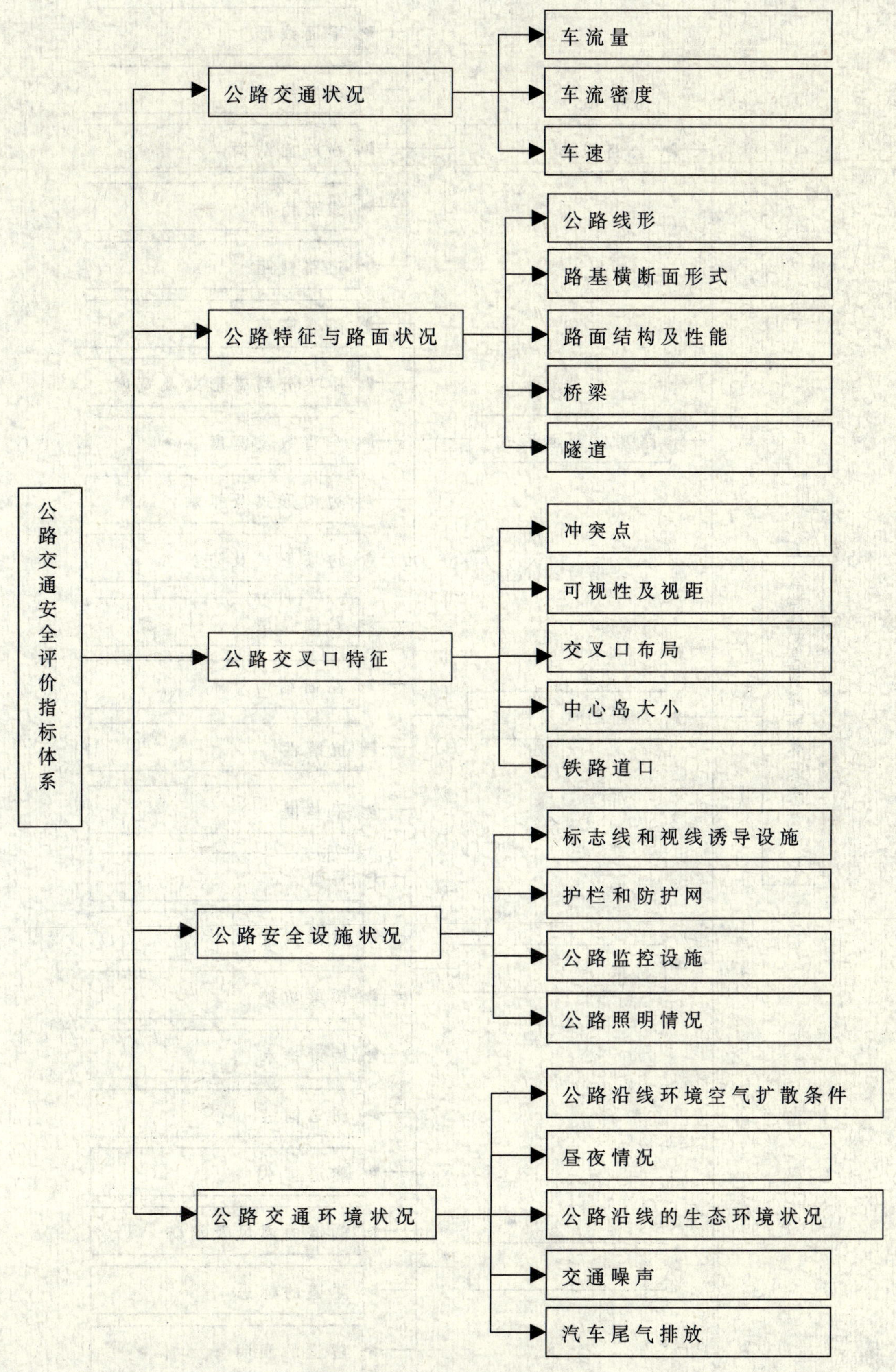

图1　公路交通安全评价指标体系

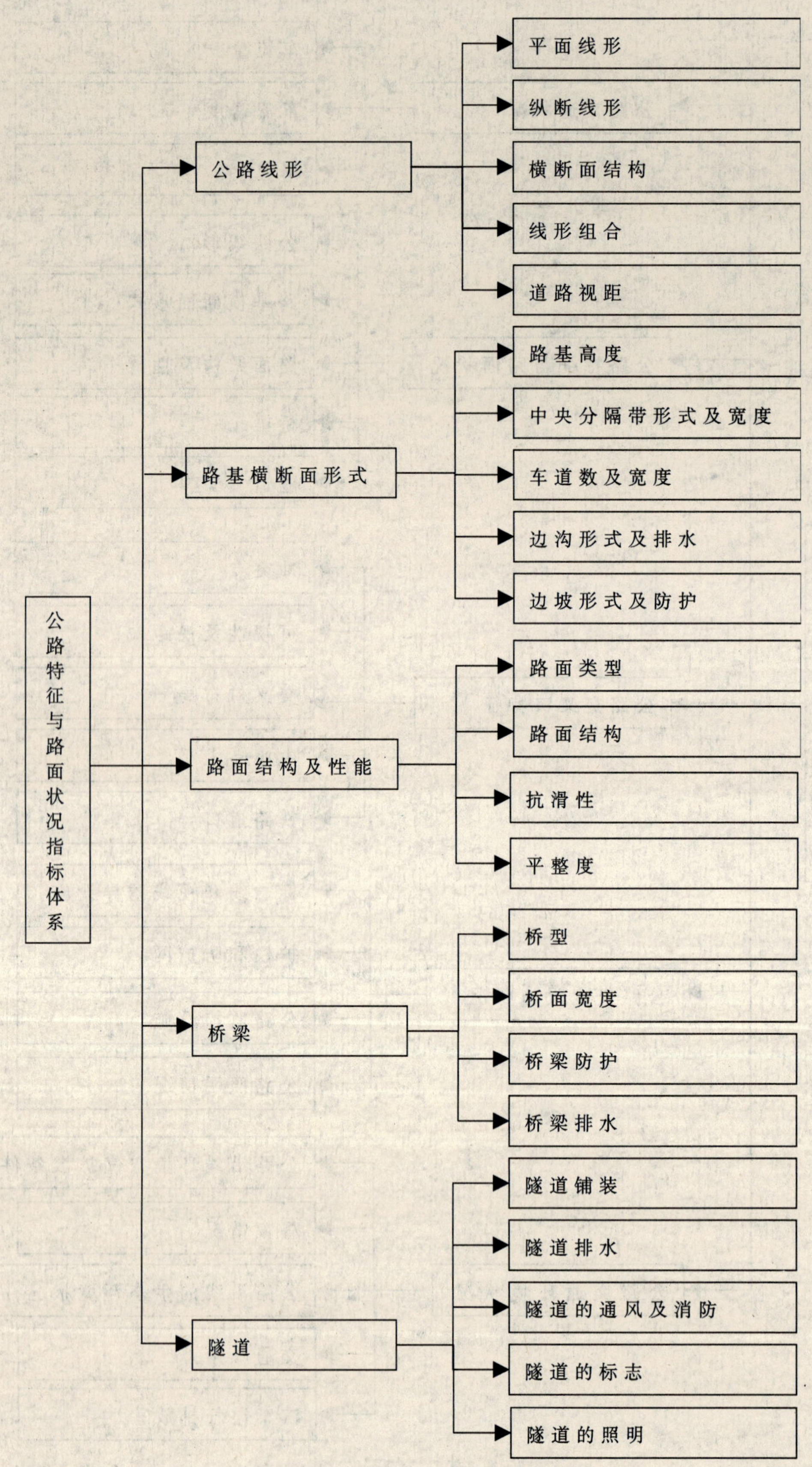

图 2　道路特征与路面状况指标体系

通安全水平的评价主要包括公路本身和高速交通环境两大方面。本研究主要从道路交通状况、道路特征与路面状况、公路交叉口特征、公路安全设施状况和公路交通环境状况指标等一级指标入手，逐一分析了它们对交通安全的影响，并对一级指标进行具体分析，得出二级指标，深入探讨它们对交通安全的影响。安全评价是一个典型的多指标、多属性的问题，应用系统工程学的层次分析法进行分析十分有效，根据对各子系统的深入理解，形成有序的递阶层次结构，初步建立公路交通安全水平评价体系架构，并最终建立评价模型。

具体评价指标组成如图1所示，其中公路特征与路面状况又分为若干指标，见图2。

（二）公路生态环境安全评价指标体系的建立

公路生态环境安全评价指标体系可综合直观地反映公路所在区域的各种生态环境影响因子，科学地分析各因素间的关系及对生态环境稳定性的影响程度，建立生态环境影响因子的量化模式，从而对公路生态环境的安全性进行详细分析，进行公路生态环境发展趋势的分析和预测。根据公路运输环境安全评价目标，公路生态环境安全评价实质上是环境系统敏感性评价，即评价具体的生态过程在自然状况下和人类活动影响前提下，潜在的产生环境问题的可能性大小。当受到人类不合理活动影响时，容易产生的环境问题主要是敏感性高的区域。因此，高敏感区是环境保护和生态恢复建设的重点。

环境敏感区是对人类具有特殊价值或具潜在天然灾害的地区，这些地区往往极易因人类的不当开发活动而导致环境负效果，属脆弱地区。依据公路运输环境资源特征与功能差异，环境敏感区可分为生态功能敏感区、地表水源敏感区、污染影响敏感区、优质农田敏感区以及潜在灾害敏感区5类。其中：生态功能敏感区是指生态系统中具有特殊价值或较脆弱、易产生危害必须受到保护的区域；地表水源敏感区的划定主要是为了维护地表水源涵养、保障水源品质以及区域供水安全；污染影响敏感区是指因污染物累积增加，无法及时扩散稀释易造成污染的地区；优质农田敏感区是土壤肥沃、排水性合适，适宜农作物生长且粮食单产高的地区；潜在灾害敏感区是指具有潜在滑坡等地质条件不稳定或洪涝、沉降等对人类生命财产和经济活动具有危害或潜在危害的地区。

具体评价指标组成如图3所示。

（三）评价指标分级标准的确定

由于公路交通安全和生态环境安全评价指标体系中的各指标和要素的各自单位及量级的不同而存在着不可公度性，难以进行比较。因此在进行评价之前，为尽可能反映实际情况，排除由于各项指标的单位不同以及其数量级间的悬殊差别所带来的评价错误和误差影响，需要对指标进行分级，即无量纲化处理。定量指标根据国家标准和景区具体情况定量分级，对于定性指标，将交通安全指标等级分为“不安全”、“基本安全”、“安全”和“很安全”四个评价等级域，将生态环境安全指标分为“不敏感”、“轻度敏感”、“中度敏感”和“高度敏感”四个评价等级域。评价标准以满分取10分，每2分为一个级差，划分出四级，制定出综合评价标准。根据上述各项评价因子的综合分值确定公路运输环境安全级别，级别分为10～8分为一级，为“运输环境很安全”，8～6分为二级，为“运输环境安全”，6～4分为三级，为“运输环境基本安全”，<4分为四级，为“运输环境不安全”。

三、公路运输环境安全评价与预警的方法与技术

（一）P－S－R模型的建立

公路运输环境安全已经超越了单一的交通安全，它融合了社会、文化、经济等因素，体现的是一种广义的环境安全观。20世纪80年代末由经济合作和开发组织（OECD）与联合国环境规划署（UNEP）共同提出的P－S－R模型，即压力（pressure）－状态（state）－响应（re－sponse）

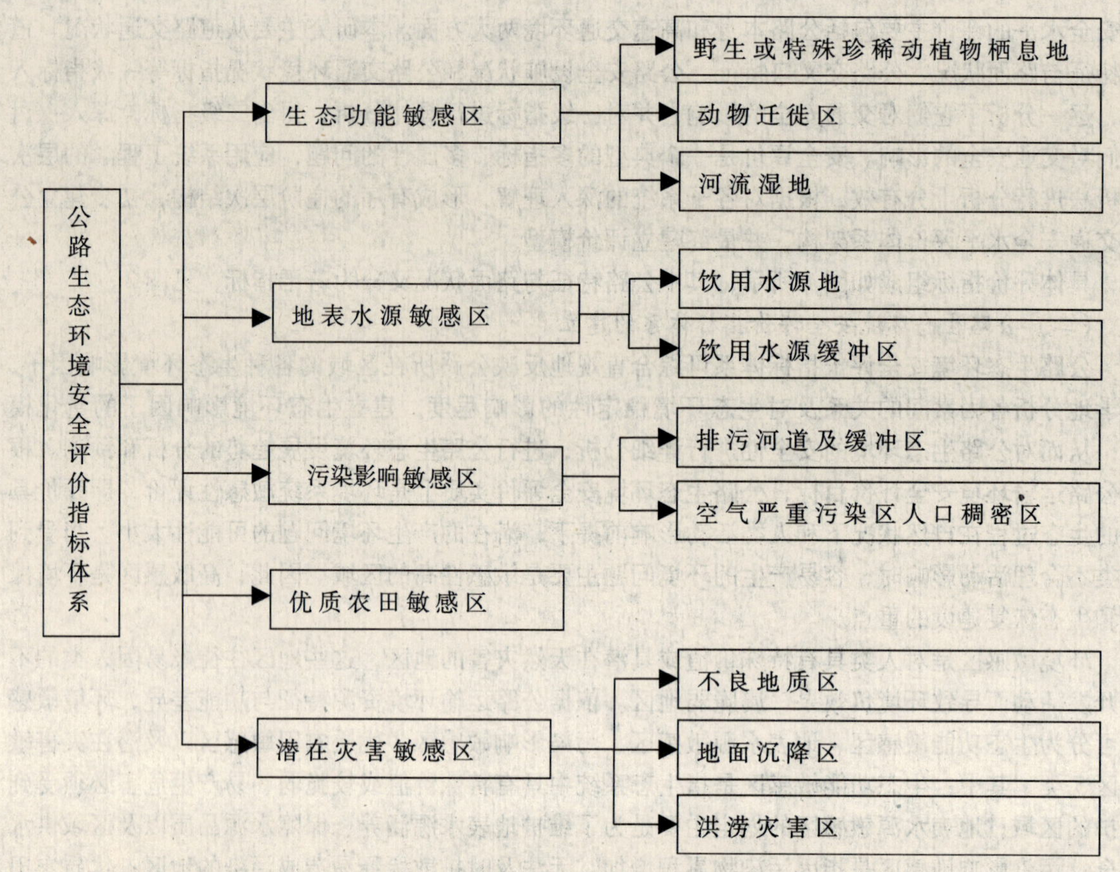

图3　公路生态环境安全评价指标体系

模型，由3个不同但又相互联系的指标类型来表达某一类环境问题，其架构模型已经被广泛承认并使用到各种类型的环境安全研究之中。压力指标表示人类活动对环境造成的负荷；状态指标表征生态环境当前的状态，用于衡量人类行为导致的自然环境状况及其变化趋势；响应指标表征环境政策措施中的可量化部分，人类面临问题所采取的对策。P-S-R模型对人类活动、环境状态和保障能力之间关系的深刻理解和反映，符合公路运输环境安全综合评价的需要，该领域包括生态安全的预测研究以及在预测研究基础上建立生态安全预警、决策等。因此，本研究依据P-S-R模型，借鉴相关领域的研究，将安全评估—安全预测—安全对策三个环节统一起来，构成公路运输环境安全研究的完整体系。其中包含3个层次，第一个层次是目标层，即公路运输环境安全综合评价指数，以综合表征公路环境安全态势；第二层次是准则层，即制约公路运输环境安全的主要因素，包括环境压力、环境状态和环境响应；第三层次是指标层，即由可直接度量的指标构成，是公路运输环境安全综合指标体系最基本的层面，公路运输环境安全综合指数就是在各个指标值确定后通过一定的模型算法而得到的。

根据公路运输环境安全的特点和对公路交通安全评价指标和公路生态环境安全评价指标的选取，本研究选取P-S-R概念模型为评价指标框架模型（图4）。

（二）模糊综合评价模型的建立

影响公路运输环境安全的因子是复杂多样的，各因素的影响又具有模糊性，为了便于定量描述各影响因素对公路运输环境安全的作用，本研究应用模糊综合评价法评判公路运输环境安全水平。模糊综合评判方法是应用模糊关系合成的特性，从多个指标对被评价事物隶属级状况进行综合性评判的一种方法，它把被评价事物的变化区间做出划分，又对属于各个等级的程度做出分析，这样就使得对事物的描述更加深入和客观。

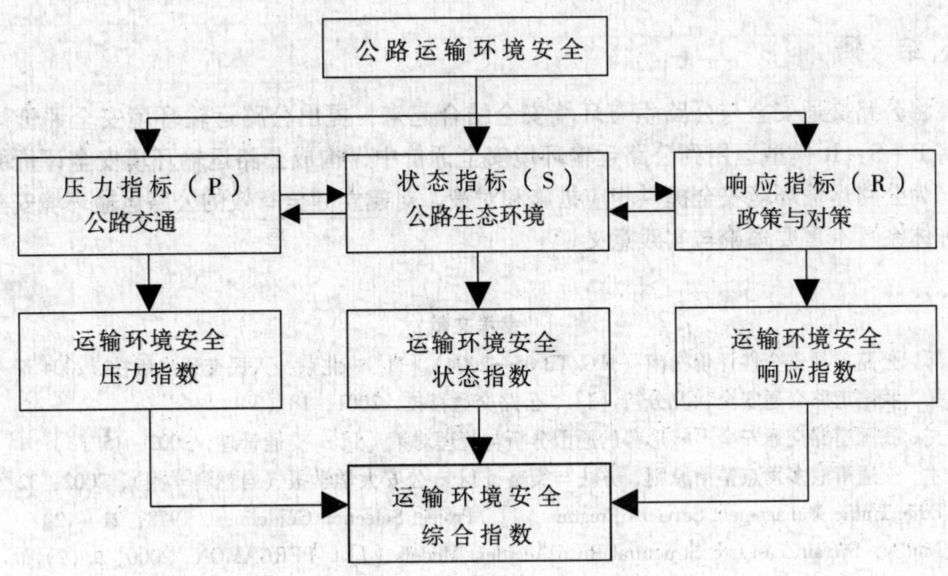

图4　P–S–R评价指标体系框架

因为评价指标体系的因子和要素较多，研究首先运用层次分析法选取准则层的因子，在此基础上选取因子层的因子。然后，分析确定权重并用模糊评判法来评价。评价指标权重的合理与否很大程度上影响综合评价的正确性和科学性。本研究经仔细筛选后评价指标众多，要直接确定各指标对公路交通安全和生态环境敏感性的贡献率（指标权重）是不现实的。为此，采用层次分析法确定每个层次、指标的权重。

模糊综合评价是应用模糊关系合成的原理，从多个因素对评判事物隶属度等状况进行综合评判的一种方法。模糊综合评判包括六个基本要素：

1. 评判因素论域 U，U 代表综合评判中各评判因素所组成的集合。

2. 评语等级论域 V，V 代表综合评判中评语所组成的集合，它实质是对被评事件变化区间的一个划分，即不安全，基本安全，安全，很安全。

3. 模糊关系矩阵 R，R 是单因素评价的结果，即单因素评价矩阵。模糊综合评价所综合的对象正是 R。

4. 评判因素权向量 A，A 代表评价因素在被评对象中的相对重要程度，它在综合评判中用来对 R 做加权处理。

5. 模糊算子，模糊算子是指合成 A 与 R 所用的计算方法，即合成方法。

6. 评判结果向量 B。

（三）基于 GIS 的公路运输环境安全评价的终端系统

1. 基于 GIS 的图形叠置法

将公路线路经过的地区根据不同的区域类型划分为若干地理单元，以相关环境资料建立数据库，然后为每个交通安全因子和环境敏感因子做出交通安全等级图和生态环境敏感等级图，然后通过 GIS 系统的缓冲区分析和叠置分析功能将各单因素等级图与基本地图叠加得到复合的公路运输环境安全等级图，通过对复合图的观察确定公路运输环境的安全性，从而拟定对策和方案。

2. 基于 GIS 的公路运输环境安全评价软件

建立基于 GIS 的公路运输环境安全评价的专家系统，使用者可以通过输入公路运输环境评价所需的相关指标和道路环境信息，得到评价结果，并针对隐患（或者风险较大）路段提出相应对策建议。

四、结　语

研究将公路交通安全与公路生态环境安全结合起来，提出公路运输环境安全评价体系的概念，并将P－S－R模型运用到公路运输环境安全评价中，构成公路运输环境安全评价的完整指标体系。为公路运输环境安全提供相应措施和对策，对建立健全有效的公路运输环境安全评价与防范措施体系具有重要理论与实践意义。

参考文献

[1] 交通部. 公路项目安全性评价指南（JTG/TB 05—2004）[M]. 北京：人民交通出版社，2004.

[2] 刘志强. 我国道路交通安全状况分析 [J]. 公路交通科技，2001，18（3）.

[3] 郑安文. 我国道路交通安全严峻形势的原因分析与管理对策 [J]. 交通管理，2002，15（3）.

[4] 赵新才. 交通事故多发点整治原则、方法与策略 [J]. 公安大学学报（自然科学报），2002，32（6）.

[5] L. C. Edie. Traffic Management Services Program [J]. Project Selection Guidelines，1978，21（12）.

[6] MarcGaudry，Sylvain Lassarre. Structural Road Accident Models [J]. PERGAMON，2000，9（2）.

[7] Boyle. A. J. and Wright. C. C. Accident Migration after Remedial Treatment at Accident Blackspots [J]. Traffic Engineering and Control，1984，12（5）.

[8] Jerry A. Reagan. The Interactive Highway Safety Design Model Designing for Safety by Analyzing Road [J]. Geometries Federal Highway Administration，1995，23（5）.

[9] 黄进. 美国道路安全设计模型介绍 [J]. 公路交通科技，2001，20（5）.

[10] MarcGaudry，Sylvain Lassarre. Structural Road Accident Models [J]. Transportation Research，2000，17（9）.

[11] Ali S. Al－Ghamdi. Analysis of traffic accidents at urban intersection in Riyadh [J]. Accident Analysis&Prevention，2004，35（6）.

[12] F. L Hall. An Interpretation of Safety Relationships Using Catastrophe Theory [J]. Transportation Research，1987，21（3）.

[13] 裴玉龙，孟祥海. 高速公路事故多发点成因分析模型及其应用研究 [J]. 中国公路学报，2000，12（13）.

[14] 冯桂炎. 道路交通安全审计概述 [J]. 理论探讨，2000，16（6）.

[15] 刘运通. 道路交通安全评价指标体系探讨 [J]. 中国公路学报，1995，9（1）.

[16] 郭忠印，方守恩，等. 道路安全工程 [M]. 北京：人民交通出版社，2004.

[17] 毕朝晖. 道路交通安全评价研究 [D]. 南京林业大学工程硕士专业学位论文，2002.

[18] 王初. 公路路域生态环境安全评价与预警研究 [D]. 华东师范大学博士学位论文，2007.

[19] 邱安邦. 道路交通安全的影响因素与综合评价 [D]. 南京林业大学硕士学位论文，2008.

绿色高速铁路理论与评价体系的研究

杨立中　梅昌良　贺玉龙　熊春梅

（西南交通大学环境科学与工程学院　四川　成都　610031）

摘　要　在全球人口、资源、环境形势日益严峻的背景下，高速铁路建设成了各国关注的热点。本文从绿色高速铁路的概念、内涵出发，阐述了绿色高速铁路的评价体系的构建原则和构建方法，从经济、能源、社会、环境四个方面对绿色高速铁路评价体系进行因子分解，并建立了绿色高速铁路GSE3评价模型。最后展望了建立绿色高速铁路评价体系的必要性和意义。

关键词　GSE3模型　绿色高速铁路　评价体系

一、问题的提出

经济全球化促进了国际产业大分工，加速了全球能源、资源以及人员的流动。我们面临着全球性能源短缺、环境恶化的严峻形势和巨大挑战。英国运输研究所的一项研究结果显示：2005年，全球公路运输的温室气体排放量占运输业总排放量的73%，航空运输占11%，水路运输占11%，其他运输方式占3%，而铁路运输的温室气体排放量仅占总量的2%。相关统计资料表明：民航、公路、铁路单位运输量平均能耗比约为11∶8∶1[1]，每人公里污染治理费用比为5.21∶3.76∶1。世界各国普遍认识到铁路具有能源、环保等方面的突出优势，并把发展高速铁路作为交通产业政策调整的重点。美国在2009年4月公布了构建美国高速铁路网的计划，英国也于同年8月推出了拟用高速铁路替代短程航空运输的计划，在中国，铁路是国家重要基础设施、国民经济大动脉和大众化交通工具[2,3]，早在2004年就已经提出构建以铁路客运专线、城际轨道客运系统和以提速铁路为基础的铁路快速客运系统。预计到2020年，中国200公里及以上时速的高速铁路建设里程将超过1.8万公里[2]。

“绿色”是人类由工业文明走向生态文明的标志，它是从保护环境，维持生态平衡角度出发，节约能源、资源，从而促进人类与自然的和谐发展[4]。而高速铁路又是一个集各项最先进的铁路技术、先进的运营管理方式、市场营销和资金筹措于一体的十分复杂的系统工程[5]。因此，随着我国高速铁路建设的加速，如何在高速铁路建设的规划、设计、施工、运营和管理过程中，将“绿色”特性得以最大化体现，是目前我国高速铁路的研究重点之一，对组建我国绿色交通体系也具有重要的指导意义。

二、绿色高速铁路的基本理论

目前，关于绿色高速铁路还没有统一的定义。2004年，西南交通大学“绿色铁路项目组”就提出“绿色铁路”的概念，后来在国家自然科学基金委、铁道部和环保部的大力支持下，以大理铁路、青藏铁路、京沪高速铁路、京津城际铁路等为依托，先后开展绿色铁路和绿色高速铁路理论及其指标体系和评价体系的研究[6-8]。介于已有的研究成果，我们将绿色高速铁路定义为：在规划、设计、施工、运营和管理过程中，运用各种绿色技术，使环境保护、节能降耗、人文景观、安全舒适等方面达到了人与自然的和谐、人与社会的和谐，且具有可持续发展能力的高速铁路。绿色高速铁路是一种新型的可持续发展的交通运输理念，它基于可持续发展视角，强调以人为本，综合考虑能源效益、环境效益、经济效益与社会效益的辩证统一，其核心内涵是能源、社会、经济、资源和环境的协调发展。

（一）绿色高速铁路的意义

绿色高速铁路能使铁路更加充分地发挥占地少、能耗低、污染小、成本低、运量大、全天候运行的优势，在发展运输生产力的同时，能够有效降低单位运量对土地、能源等资源的占用或消耗，减少对环境造成的污染，降低全社会的运输成本，促进经济发展与人口、资源、环境相协调[3]。

（二）绿色高速铁路的特点

绿色高速铁路是环境（污染最小化）、可持续性（技术创新、适应未来发展）、社会（安全、人文）、能源（最小的能源消耗维持需求）、经济（直接和间接效益）的和谐统一。整个过程具有阶段性、绿色性，发展具有可持续性、时空性（时间效应、同城效应）。

三、绿色高速铁路的评价体系

（一）绿色高速铁路的评价指标体系

建立绿色高速铁路的评价指标体系，需要将高速铁路（包括客站等辅助设施）在建设、运营、管理等不同时期对能源、经济、环境以及社会等的外部影响指标纳入评价体系中。一方面需要以现有的各项统计数据为基础；另一方面又不是传统的经济、社会、环境、能源等指标的简单堆积，而是已有参考资料的有机综合、提炼与升华，并将各项指标构成一个严谨、科学的体系。

（二）评价指标体系的构建原则

在绿色高速铁路评价指标体系的构建上，应充分体现“绿色”的内涵，要基于可持续发展的视角，遵循科学性、系统性、相关性、可操作性、动态性与稳定性相结合的原则，考虑能源、经济、环境、资源与社会的和谐发展。

（三）评价指标体系的结构分析

根据绿色高速铁路的定义和内涵，我们将绿色高速铁路评价框架由高速铁路的能源效益、环境效益、经济效益与社会效益四部分构成。其中，经济效益是在市场机制下高速铁路的规划、建设和运营管理过程中，资金占用、成本支出与有用生产成果之间的比较；环境效益是由于人类的生活和生产活动必然会引起环境发生各种的变化进行综合评估和衡量；社会效益则重点强调该种活动对政治和文化发展等方面所起的促进作用。

（四）绿色高速铁路的评价模型

对数平均迪氏指数（Logarithmic Mean Divisia Index，LMDI）是 Aug（2004）[9,10]等提出的，LMDI 方法具有以下几个显著特点：①LMDI 能将待分解问题分解为较为合理的因子集，其分解结果不包括难以解释的残差项，从而使模型更有说服力；②利用乘法分解的结果有如下加法特性：ln（AB）＝ln（A）＋ln（B）；③加法分解和乘法分解之间存在一个简单的对应关系：ΔAB/ln（AB）＝ΔA/ln（A），这样两种方法得到的结果能够相互转化，可以使选取更加灵活，且不改变总结果；④单因子效应加总与总效应保持一致，这就能对评价目标的层次性和逻辑性更加准确描述，比如环保效益可以分解为固体废弃物、水、大气、噪声等诸多方面，同时也为不同阶段的效应提供对比依据[11]。虽然 LMDI 分解方法在多目标，多层次分解应用中非常有效，但本身有个缺点：不能很好地处理某些因子的负效应，在某些特殊情况下会出现正负效应的抵消问题。鉴于此，我们引入经济学上的弹性系数概念来改进这一情况，并结合 PAT 等式、STIRPAT 原理[12,13]建立 GSE3 模型。

GSE3 模型假设绿色程度（G）是由社会效益（S）、环境效益（E_1）、经济效益（E_2）和能源效益（E_3）4 大因子或集合共同驱动的，通过回归分析各种因子或集合对总体结果的影响程度。

GSE3 模型表示如下：

$$G_1 = aS_i^b E_{1i}^c E_{2i}^d E_{3i}^e f_i \tag{1}$$

式中：a 为模型系数（为常数）；b，c，d，e 分别表示社会效益（S）、环境效益（E_1）、经济效益（E_2）及能源效益（E_3）四种驱动力的驱动系数；f 为残差项；i 为社会效益（S）、环境效益（E_1）、经济效益（E_2）和能源效益（E_3）4 种驱动因子在不同观测单元之间的变化序列数。

由于式（1）是多自变量的非线性方程，故在进行线性拟合时需要对方程进行转换，对式（1）进行线性转换后得到：

$$\log(G)=\log(a)+b\log(S)+c\mathrm{Log}(E_1)+d\log(E_2)+e\log(E_3)+\log(f) \quad (2)$$

从式（2）可以看出：驱动系数（b，c，d，e）表示如果其他的影响因子维持不变时，驱动因子（S，E_1，E_2，E_3）变化 1% 引起的总体结果变化百分比。如果系数（b 或 c，d）等于 1，说明绿色程度与驱动因子（S，E_1，E_2）存在同比例的单调变化；如果驱动系数大于 1，则说明增加该其他控制因子引起绿色程度变化加剧的速度要超过驱动因子的变化速度；如果驱动系数在（0，1）区间说明增加该其他控制因子引起的绿色程度变化加剧的速度要小于驱动因子的变化速度；如果驱动系数为负，则说明增加控制因子具有抑制绿色程度的作用。

由于 GSE3 模型是随机形式，可在式（2）中增加其他驱动因子（如经济效益 E_2）对数形式的二项式或多项式形式，如式（3），来验证库兹涅茨“倒 U 假说”[14] 能否成立。

$$\log(G)=\log(a)+b\log(S)+c_1\log(E_2)+c_2\log(E_2)^2 + d\log(E_1)+e\log(E_3)+\log(f) \quad (3)$$

式（3）中对 $\log(E_2)$ 求导可得到经济效益影响绿色程度的弹性系数（E_{GE2}）[15]：

$$E_{GE2}=C_1+2C_2\log(E_2) \quad (4)$$

根据式（4）计算 E_{GS} 的值，如果 C_2 值为负，就可依此确定存在库兹涅茨“倒 U 假说”的存在，即绿色程度开始改善的经济效益临界值。

同样地，可以计算 E_{GS}、E_{GE1}、E_{GE3}，为计算的简便，通常在实际应用中将式（2）简写成

$$\ln(G)=a+b\ln(S)+c\ln(E_1)+d\ln(E_2)+e\ln(E_3)+f \quad (5)$$

式中残差项 f 表示除去社会效益（S）、环境效益（E_1）、经济效益（E_2）、能源效益（E_3）之外的其他因子的影响。

四、结　语

我国人口众多，人均能源资源拥有量在世界上处于较低水平。其中，煤炭和水力资源人均拥有量相当于世界平均水平的 50%，石油、天然气人均资源量仅为世界平均水平的 6.7%，耕地资源不足世界人均水平的 30%，日益严重的人口、资源、环境压力，已经成为影响我国经济社会又好又快发展的主要障碍。在与航空、公路、水路等交通运输方式的对比中，高速铁路具有速度快、运能大、安全舒适、节能省地、减排高效、全天候运行等巨大优势，非常有利于节能降耗、减少污染，是一种典型的绿色交通工具。把绿色高速铁路作为我国绿色交通体系的重要组成部分，不但有利于优化我国交通结构、更有利于促进区域经济社会全面协调可持续发展。因此，大力发展绿色高速铁路，对于建设资源节约型和环境友好型社会、引领我国经济社会实现科学发展、和谐发展都具有重要的战略意义和现实意义。

参考文献

[1] 国建华．交通运输的可持续发展［J］．中国铁路，2003（12）．

[2] http：//www. ccnews. people. com. cn/GB/10201897. html［EB/DL］．

[3] http：//www. rmtd. com. cn/article/2010/201002/2010－02－01/20100201084247.

[4] 甘德建，王莉莉．绿色技术与绿色技术创新——可持续发展的当代形式［J］．河南社会科学，2003（2）：22－25.

[5] 顿小红．从世界高速铁路发展看我国高速铁路建设［J］．现代商贸工业，2007，12（6）：22.

[6] 杨立中．我国绿色铁路的评价体系研究［R］. 2007.

[7] 熊风，杨立中，罗洁，等．“绿色铁路”基础理论研究及其评价指标体系的建立［J］．生态经济，2007（5）：43 -60，93.

[8] 熊风，杨立中，罗洁，等．可持续发展的绿色铁路评价体系研究［J］．铁道工程学报，2007（5）：43 -46.

[9] Ang BW. The LMDI approach to decomposition analysis：a practical guide［J］. Energy Policy，2005（33）：867 -871.

[10] Ang BW. Decomposition analysis for policy making in energy：which is the preferred method?［J］. Energy Policy，2004（32）：1131 -1139.

[11] 李国璋，王双．中国能源强度变动的区域因素分解分析——基于 LMDI 分解方法［J］．财经研究，2008，34（8）：54 -55.

[12] Daily GC，Ehrich P. Population，sustainability and earth’s carrying capacity［J］. Bioscience，1992，42：761 -771.

[13] Rosa，York，Dietz. Tracking the anthropogenic drivers of ecological impacts［J］. AMBIO，2004，33（8）.

[14] Rothman DS. Environmental Kuznets Curves -real progress or passing the buck? A case for consumption based approaches［J］. Ecological conomics，1998，25：117 -194.

[15] 徐中民，程国栋．中国人口富余对环境的影响［J］．冰川冻土，2005，10（5）：26 -27.

宁波环评工作中的公众参与问题

王佩儿[1,2]　周　琼[3]

(1. 宁波市微生物与环境工程重点实验室　2. 浙江万里学院环境科学系
3. 浙江省奉化市环境保护局)

摘　要　简要介绍了环境影响评价中公众参与的含义和作用，从环境影响评价中公众参与的方式、公众意见的处理等方面分析了宁波环评工作中公众参与的现状和存在的问题，借鉴其他国家的经验，提出了提高宁波环评工作中公众参与有效性的建议。

关键词　宁波　环境影响评价　公众参与

环境影响评价（以下简称环评）是指对建设项目、规划和公共政策实施后可能对环境产生的影响进行分析、预测和评估，提出预防或者减轻不良影响的对策和措施，进行跟踪监测的方法和制度[1]。在环境影响评价过程中实施公众参与，对于提高公众的环境保护意识、增强环境影响评价的有效性和促进环境影响评价工作的完善具有重要意义[2]。美国的《国家环境政策法》最早提出在环境影响评价过程中要注意听取受影响者的意见[3]。目前，公众参与已成为世界上绝大多数国家环境影响评价程序中的一个重要环节。我国环境影响评价中的公众参与起步于20世纪90年代初[4]。2002年颁布的《中华人民共和国环境影响评价法》及2006年实施的《环境影响评价公众参与暂行办法》都对公众和专家参与规划和建设项目环评的范围、程序、方式和公众意见的法律地位做出了规定，使公众的意见成为环境影响报告书不可缺少的组成部分。近20年来，宁波环评单位已完成了一大批国家、省、市级建设项目的环境影响评价，有效地预防了建设项目实施可能对环境造成的不良影响。但是，目前宁波环评工作中的公众参与仍有欠缺。

一、环评中公众参与的含义及作用

公众参与是指社会群体、社会组织、单位或个人作为主体在权利、义务范围内所从事的有目的的社会行动[5]。环评中的公众参与是指项目方或者环评工作组同公众之间的一种双向交流，通过公众参与，全面了解环境背景情况，掌握重要的、为公众关心的环境问题[6]。

公众参与是 EIA 程序中的重要环节，其作用为：①提高公众的环境意识和参与意识[7]；②完善决策；③协调项目方与公众之间的关系[8]；④增强项目的环境合理性和社会可接受性。

二、宁波环评工作中的公众参与现状

目前，宁波环评工作中的公众参与主要采用公示、问卷调查、听证会三种方式。

公示是根据浙江省环境保护局印发的《如何依法依规开展公众参与工作》这一文件来执行的。该文件要求环评工作中必须有两次公示。第一次公示是环评编制单位在确定了承担环境影响评价工作的环境影响评价机构后7日内，通过刊登公告的形式告知公众有关环境影响评价的初步信息，包括建设项目的名称及概要，环境影响评价的工作程序和主要工作内容，征求公众意见的主要事项，公众提出意见的主要方式；第二次公示是在项目的环境影响报告书初稿完成后10日内，通过刊登公告的形式告知公众有关环境影响评价进一步的信息，包括建设项目的名称及概要，建设项目对环境的影响概述，预防或者减轻不良环境影响的对策和措施，环境影响报告书得出的环境影响评价结论，公众提出意见的主要方式，环评资料查询及联系方式。公示发布后，公众可根据公示所写明的地址、电话号码、E－mail 联系方式进行意见的反馈。

问卷调查主要以发放公众意见调查表为主，该表也主要是根据浙江省环保局印发的《如何依法依规开展公众参与工作》来执行的。调查表分为个人意见调查表和单位团体意见调查表。个人包括调查范围内的居（村）民，调查数量不少于50人，单位团体包括调查范围内的单位法人或单位代表人，调查数量不少于20家。若达不到上述数量要求，在适当扩大的项目周边半径内进行调查。目前，宁波环评单位设计的调查表内容由主观题和客观题组成。对公众提问的信息有：对本项目周围环境质量现状的满意情况、对本项目的了解程度、对本项目担心的环境问题、本项目投产后会对当地居民生活、工作环境的影响、本项目投产后会对当地经济发展的影响、对本项目选址的态度等客观题，以及对本项目的要求、建议和意见的主观题；单位团体意见调查表对单位法人或单位代表人提问的信息有：对本项目的总体看法和态度、对本项目选址的态度、本项目投产后会对当地经济发展的影响、本项目投产后会对自己单位发展的影响等客观题，以及对本项目的要求、建议和意见的主观题。调查表大部分由环评单位发放，但有时由建设项目附近居委会或建设单位发放。大部分调查表采取向公众口头描述项目的概况，少部分调查表背后附有本项目的简介，简介的信息包括：本项目的简单情况以及主要产生的污染物，将对周边环境带来什么样的影响以及企业采取何种措施保证达标排放。问卷调查阶段的时间具有不确定性，环评单位常由于人力和物力资源因素的考虑，在第一次公示或第二次公示的当天即开展问卷调查。

公众意见较大且周围有环境敏感点的建设项目才组织听证会。根据《环境影响评价公众参与暂行办法》（以下简称《暂行办法》）中听证会的规定，由建设单位或环境影响评价机构进行组织，参加者有公众、法人等利益关系人或者其他组织（新闻媒体、感兴趣团体等），参加人数不得少于15人。宁波环评工作中开展的听证会有时并非是环保行政许可部门组织，而是由建设项目所属其他行政许可部门组织，如娱乐性建设项目则由文化行政许可部门进行组织，听证会由该行政部门人员主持和记录，参加者包括公众、业主、环保、工商、卫生等其他相关部门人员。

环评单位对于公众的反馈意见的处理分析，主要是把问卷调查表写入环境影响报告书中，并只对调查结果进行简单的数字统计和文字陈述，而没有对听证会中公众的意见进行仔细分析并作出相应说明。

三、宁波环评工作中公众参与的主要问题

至今为止，宁波环评单位已完成了一大批国家、省、市级建设项目的环境影响评价，对于预防建设项目实施可能对环境造成的不良影响起到了一定的作用。环评中的公众参与也根据国家相关法律法规的要求在实施，但仍存在以下问题。

（一）环评单位在实际操作过程中存在的问题

主要有以下问题：①调查方式单一。目前主要是公示和问卷调查，很少举行论证会、听证会、座谈会等；②参与对象选择不尽合理。目前，环评工作中对单位团体和个人对象的选取随机性强，尤其是个人对象的选取未考虑公众的背景。而且有时由于环评工作组投入的人力不足，无法逐一调查取证，部分调查表是委托项目附近居委会或建设单位帮助进行，甚至出现一人填多份调查表的现象。个人意见调查表和团体意见调查表选取对象也不合理，团体意见调查表的对象不是单位团体，而是单位法人或单位代表人；③参与阶段设置不合理。问卷调查在第一次或第二次公示的当天进行，使公众不能充分了解建设项目相关信息；④信息公开不充分。开发建设者掌握着与开发建设项目相关的信息，若此部分信息不予公开，将影响公众参与的效果。环评单位在问卷调查中只以简单的选择问题征求公众的意见，也使公众很难全面了解该项目存在的环境问题，难以判断是否对自己的生活有影响；⑤公示和调查表内容设置不科学。公示内容中，环评工作组在项目对环境的危害、污染情况以及潜在的影响等方面，常采用了较多的专业术语，没有一定专业知识的公众很难通过公告对建设项目的介绍了解到项目的真实影响。不管是钢铁行业，还是房

地产行业，或者其他行业的环评，公众参与调查表的内容是同样的，而且内容片面和过于简单，会导致公众无法有效地回答调查问题，致使环评结果的偏颇；⑥公众意见的处理过于简单或草率。目前，宁波环评报告书中仅对公众意见调查表设专章进行公众意见的论述，且对公众意见表的结果分析处理仅仅停留在简单的数字统计分析，有时根据环境影响报告书评审会中的专家意见或环评工作人员的推测意见作为公众意见。

（二）公众在参与环评中存在的问题

现实生活中，公众的知情权、表达权、影响决策权很难得到保障和落实，只有当自己切身利益受到损害时才积极主动参与；部分公众认为政府部门或受委托技术服务机构来调查征询，只能说好，还有的人顾忌拟建方是朋友邻里关系，不便透露真实想法，只好违心签署同意意见，心存事不关己、多一事不如少一事的心态。有些保守的公众甚至认为调查是抓把柄，一旦提出反对意见，就有可能对自己不利，从而拒绝回答问题和填表，达不到公众参与的真正目的。可见大部分受访者都只能被动、无奈地接受调查，使公众参与的意见得不到真正的解决。

（三）法律法规存在的不足

虽然我国环境影响评价中的公众参与在《暂行办法》中有明确规定，但是在实际操作过程中，公众大多没机会发言，或因不知情，不知该说什么；对公众在环评中的权利并没有明确的规定，公众意见在环评中无法得到反映，也无法参与项目的最终评审；对公众意见和建议的处理也没有硬性的规定，也没有规定涉及公众参与权受到侵害时如何救济、环评部门或建设单位不考虑公众意见应当承担何种法律责任等条款，也未就环评部门或建设单位不组织公众参与活动的法律后果作出规定，这均影响了公众参与的有效性。

四、改进建议

公众参与是提高环境影响评价有效性的一个手段，也是避免决策失误的有效工具。面对目前宁波环评工作中公众参与存在的问题，提高宁波环评工作中公众参与的有效性显得十分必要，为此，笔者提出如下几点建议。

（一）加强环境知识教育

借鉴美国、日本等发达国家环境教育的经验，将正式教育和非正式教育相结合，从多个层面提高公众的环保意识和能力，让公众了解环境问题的紧迫性、严重性，增强主人翁意识，主动地参与到环境影响评价中来；定期组织政府成员学习环保知识及相关法律，提高政府官员的环境法律意识和处理环境问题的综合决策能力。

（二）合理确定公众参与阶段

宁波环评工作中应在第二次公示后开展问卷调查。环评单位应在建设项目环境影响报告书报送环保行政主管部门审批前进行公示，而不是在审批阶段中进行公示，而且在环境影响报告书批准后再进行为期一个月的公众参与。

（三）选取有代表性的公众

环评的公众参与过程中，公众的选择也很重要，公众的环境意识、法制观念、思想文化素质都会影响公众参与环评的有效性。在实际操作中，可根据年龄层次、文化程度、职业、经济收入、距离项目远近等指标先将居民或团体划分成类别，再从各种类别中按等比例随机抽取，并把可能受影响人群作为重点调查对象，从而确保得到的信息能代表大多数群众的意见。宁波环评工作中公众选取的对象可包括：受建设项目直接影响的人群、熟悉建设项目的工作人员和环境保护专业人士。团体意见调查表选取的对象应该是单位职员、领导、法人共同组成的团体。

（四）广泛而深入的信息公开

有效的信息公开是公众参与环境影响评价的第一步骤和先决条件。应利用多种传播手段全面公开项目的环境信息（规定保密的资料除外），应将公开的相关内容用通俗易懂的语言进行表述。

（五）认真处理公众反馈意见

对公众意见应进行综合全面的整理和分析，根据其特征并结合参与内容进行分析和论述；也要有针对性地吸取或采纳公众提出的合理建议；还应特别关注对项目持反对态度的反馈意见，必要时进行回访，弄清公众反对的原因，分析其合理性。可以借鉴美国编制环境影响报告书时，为听证记录设立专章论述公众的意见。

（六）提供法律保障

公众应有申请参与环评全过程和建设项目评审的权利，应将公众参与对环境的监督和管理提升到法律高度。还应逐步扩大环境诉讼的主体范围，根据我国实际情况引进公民环境诉讼的条款，对于没有接受公众参与的建设项目，公众可以向法院寻求救济，对没有依法开展公众参与的环评单位由授予环境影响评价资质的环境保护行政主管部门追究其行政责任，构成犯罪的，依法追究刑事责任，从而使公众参与的权利得到切实的保障。

参考文献

[1] 李锦生，叶锐，张宝生，等．环评中的公众参与制度［J］．辽宁城乡环境科技，2004，24（6）：132－135.

[2] 王斌，马玉美，王新，等．提高建设项目环境影响评价中公众参与的有效性［J］．科技进步与对策，2005（3）：132－135.

[3] U. S. Environmental Protection Agency［EB/OL］．http：//www. epa. gov/. 2008－3－20.

[4] 孙海．学习环评法之体会［J］．江淮法治，2004（3）：1－2.

[5] 李丽珍，马兰，刘年丰．环境影响评价中的公众参与现状及其改进建议［J］．云南环境科学，2005，24：166－168.

[6] 李晓红，田凤云．环境影响评价中公众参与方法探讨［J］．煤炭工程，2007，(4)：83－85.

[7] 张宇，关胜超，负照军．浅谈我国环境影响评价中的公众参与问题［J］．中国环境管理，2007，(2)：1－3.

[8] 尚金城，包存宽．战略环境评价导论［M］．北京：科学出版社，2003：165.

累积环境影响评价方法研究

胡 艳[1,2] 葛继稳[1,2] 李建峰[1,2]

(1. 中国地质大学(武汉)生态环境研究所 湖北 武汉 430074;
2. 湿地演化与生态恢复湖北省重点实验室 湖北 武汉 430074)

摘 要 随着可持续发展目标的提出,累积环境影响评价的研究越来越受到重视。本文针对国内外累积影响评价方法研究现状及存在的问题,对已经用于累积环境影响评价的部分方法进行分析,根据各评价方法的优缺点及适用条件,提出由多种评价方法相结合的评价方法体系。

关键词 累积环境影响 评价方法

引 言

累积影响由于在时间上累积、空间上协同以及影响在时空上的相互作用,使得累积环境影响评价更加复杂并且涉及多个学科领域,因而在方法上比传统环境影响评价(EIA)要求更高。目前的累积影响评价方法尚不能完全解决实际存在的累积影响[1],所以将多种方法联合应用将能取得较好的效果。

一、累积环境影响的概念

累积环境影响的概念(Cumulative Environmental Impacts Assessment,CEIA)最早见于1973年美国颁布的《实施“国家环境政策法”(NEPA)指南》一书上,并在1978年颁布的《NEPA规定》中被正式提出要求考虑[2]。其中累积影响被定义为“当一个项目与过去、现在和未来可能预见到的项目进行叠加时会对环境产生综合影响或累积影响”,特别是指“各个项目的单独影响不大,而综合起来的影响却很大”的现象。这个定义目前被引用较多,被大多数人接受。其他学者对累积影响也下过定义,如SPahng(1977)[3]将累积影响定义为:累积影响是指由人引起的跨越空间和时间的有价值环境因素的变化的累积;这些影响可以以累积形式或交互形式发生。Tollefson和Wipond[4]对累积影响的定义为:由于人类活动在时空上的反复作用而形成相互的、叠加的影响。由这些定义来看,都强调了累积影响时间上的累积、空间上的协同及相互作用。

二、国内外累积环境影响评价方法研究现状及发展趋势

自1973年累积环境影响的概念被正式提出以来,各国学者就已经开始了对累积环境影响的研究,包括累积环境影响理论体系、累积环境影响评价方法以及各种累积环境影响评价方法在具体项目中的应用。其中对累积环境影响评价方法的研究较多,Smit. B在1995年发表的《累积影响评价方法》比较全面、系统地分析了常被用来进行累积环境影响评价的方法,将累积影响评价方法分为空间分析、网络分析、生物地理分析、交互矩阵、模型模拟和专家咨询6类[5]。我国自1995年李巍等[6]进行累积环境影响评价以来,常用于累积环境影响评价的方法主要有GIS方法、专家咨询法、核查表法、矩阵法、叠图法、网络法、系统流图法、情境分析法等。

但是累积影响评价研究属多学科交叉的前沿性研究,具有很强的综合性,单个环境影响评价方法不能完全达到评价累积环境影响的要求[7-14],因此,必须通过分析现有的EIA方法,找出可能用于累积环境影响评价的方法,并把它们有机地组合在一起,相互补充,相互配合,最终达到评价累积环境影响的目的。

三、累积环境影响评价方法分析

下面对常见的累积环境影响评价方法进行介绍：

（一）GIS 方法

GIS 是一个计算机化的储存、检索、使用空间数据的系统，能够储存、检索、处理和显示数据的属性信息和空间信息。GIS 的各种工具可以执行诸如统计、画出缓冲区、将不同的地理对象进行拓扑叠压、从不同的地理对象中划分空间特征及根据具体的性质选择特征[15]，具有很强的数据库管理能力和综合分析能力，能够收集、储存、处理和更新来自发展行为背景和环境状况背景等不同来源的、大量的、可变的、相关的数据和信息，能够考虑单个或多个源（发展行为）及这些源对单个或多个环境成分的影响，能将不同源、不同空间尺度和不同时段的数据联结到一起[16]。

（二）幕景分析法

一种幕景代表的是某一时刻的人类行为情况和环境状况，是对某一时刻人与环境系统的“快照”。幕景分析法设定一系列幕景，通过对比分析各幕景下的人类行为和相应的环境状况，来评价不同幕景下的累积影响，分析区域内不同时段、不同组合的人类行为对累积影响的贡献的一种方法。在累积影响评价中，常采用原始幕景、当前幕景、自然态将来幕景和干扰态将来幕景 4 类基本幕景系列进行对比，可以分析各种活动的累积影响[17,18]。

（三）系统动力学（SD）方法

系统动力学解决问题的最大特点在于其反馈机制，系统动力学模型中的因子与上下因子之间都发生联系并相互作用，各个构成因子的变化不单影响下一级的因子，同时对上一级因子反馈，从而整个系统以时间为轴发生调整，是一种双向模型。在环境影响评价方面，国内利用系统动力学的流程图体现环境因子与人类活动的反馈机制，从环境承载力方面对受人类活动影响的生态环境因子或生态系统质量值变化进行动态预测，突出生态环境影响的时间累积效应评价，取得了较好的效果[20-27]。

（四）专家咨询法

专家咨询法是一种主观判断方法，专家咨询法主要是依靠专家对专长领域知识的深入掌握和丰富的实际经验，识别项目可能带来的环境影响，并考虑这些影响可能的累积效应，是一种主观判断方法。

（五）数学模型法

环境数学模型运用数学表达式对环境因子进行定量描述，以实现对环境系统的模拟。数学模型能较好地定量描述多个环境因子和环境影响的相互作用及其因果关系，可以分析空间累积效应和时间累积效应，尤其是对时间累积影响的预测能力较强，并且运用具有较大的灵活性，但对基础数据要求比较高。

（六）模糊系统分析法

模糊系统分析法通过模糊相关分析，确定主要的联系和相互作用，以及影响的主要因素；可以通过模糊逻辑推理，在不需要明确相互作用过程的情况下对累积环境影响进行预测；还可以通过分别构造时间和空间的模糊相似矩阵，对影响在时间和空间上的累积做出比较和半定量的描述[6]。

（七）矩阵法

矩阵法将环境因子和影响行为分别作为矩阵的行和列，将每种影响行为对环境因子的影响程度以数量的方式进行标记，基于单个工程的影响和工程间的简单相互作用来描述各种复杂关系，以表示环境因子受影响的大小。

将各累积环境影响评价方法进行对比分析，如表1。

四、结　论

通过对以上各累积影响评价方法的比较分析，数学模型法不适用于复杂系统，在累积影响评价方面有一定局限性。在数据资料收集充分的情况下，鉴于GIS法空间分析方面和SD方法在时间累积效应分析方面的优势，可以将两种分析方法结合应用，建立专家咨询法识别、GIS法与SD方法分析、幕景分析法表达的累积影响评价方法体系。在数据有限的情况下，可以将模糊系统分析法与矩阵法相结合，建立专家咨询法识别、模糊系统分析法与矩阵法分析、幕景分析法表达的累积影响评价方法体系。

表1　累积环境影响评价方法比较

方　法	优　点	缺　点	备　注
GIS方法	有较强的数据处理和时空分析能力	对环境影响的累积过程（途径）和本质的考虑十分有限；在时间分析上需要有足够充分的时间序列资料	数据要求较高
幕景分析法	结论直观，可操作性较好	具有很大的主观色彩	数据要求低，侧重于定性分析
SD方法	在数据缺少的条件下仍可以进行研究；擅长处理高阶次、非线性、时变的复杂问题	模型较复杂，精确度相对较低	数据要求较高，适用于处理精度要求不高环境问题
专家咨询法	容易掌握影响发生的主体，保证影响识别不出重大失误	对于累积的方式（加和或交互的）只能作定性分析，不具有时空分析的能力和结构、功能方面的分析能力	数据要求低，主要侧重于分析累积影响的因果规律，定性分析
数学模型法	使用简便，所得结果精确度高	对数据要求高，适用条件苛刻，一般只能得到单个结果	数据要求高，适用于对象不是很复杂的系统，定量分析
模糊系统分析法	综合性较强，可以在不需要明确相互作用过程的情况下对累积环境影响进行预测	忽视了相互作用过程	数据要求低
矩阵法	可以直观地表示交叉或因果关系、能使用定量或定性的数据来进行评价，可以在专家咨询法的基础上，进行一些定量化的研究	不能处理间接影响和时间特征明显的影响	数据要求低，分析直接影响，侧重于空间分析

参考文献

[1] 张虎成，闫海鱼．累积环境影响评价理论体系及其发展趋势［J］．贵州水力发电，2008，22（6）：18－21.

[2] CEQ（Council on Environmental Quality）. National Envi－ronmental Policy Act. Final Regulations. Fed Regist. 1978：13.

[3] Burris R K，Canter L W.. Cumulative impacts are not properly addressed in environmental assessment［J］. Environmental Impact Assessment Review，1997，17（1）：15－18.

[4] Tollefson C，WIPOND K. Cumlative enviromnmental impacts and aboriginal rights［J］. Environmental Impact Assessment Review，1998，18（4）：371－390.

[5] Smit B, Spaling H. Methods for cumulative effects assessment [J]. Environmental Impact Assessment Review, 1995, 15 (1): 81 - 106.
[6] 李巍，王淑华．累积环境影响评价研究［J］．环境科学进展，1995，3（6）：71 - 76.
[7] 毛文锋，陈建军．累积影响评价的原则和框架［J］．重庆环境科学，2002，24（6）：60 - 62.
[8] 叶兆木，邓力．累积影响评价研究进展［J］．四川环境，2006，25（4）：94 - 97.
[9] 王波，黄薇．累积环境影响研究进展［J］．水科学进展，2009，20（1）：145 - 152.
[10] 彭应登，王华东．累积影响研究及其意义［J］．环境科学，1997，18（1）：86 - 88.
[11] 毛文锋，吴仁海．可持续发展与累积影响评价［J］．环境导报，1997，(5)：1 - 2.
[12] 彭应登，王华东．战略环境评价与项目环境影响评价［J］．中国环境科学，1995，15（6）：135.
[13] 毛文锋，Peter Hills. 环境影响评价，战略环境评价与可持续发展［J］．中国环境科学，2000，20 (suppl.)：90 - 94.
[14] 吴小寅，陈莉．累积环境影响评价中若干问题的探讨［J］．四川环境，2007，26（2）：84 - 87.
[15] 刘勇，井文勇．地理信息系统技术及其在环境科学中的应用［J］．环境科学，1997，18（2）：62 - 65.
[16] 毛文锋，吴仁海．地理信息系统在累积影响评价中的应用［J］．环境科学进展，1998，6（6）：61 - 66.
[17] 陈剑霄．区域开发累积环境影响及其全幕景分析法评价［J］．地下水，2007，29（2）：73 - 76.
[18] 林逢春，陆雍森．幕景分析法在累积影响评价中的实例应用研究［J］．上海环境科学，2001，20（6）：288 - 291.
[19] 毛文锋，吴仁海．建议在我国开展累积影响评价的理论与实践研究［J］．环境科学研究，1998，11（5）：8 - 11.
[20] 吴贻名，张礼兵．系统动力学在累积环境影响评价中的应用研究［J］．武汉水利电力大学学报，2000，3（1）：70 - 73.
[21] 孙宗凤．系统动力学在水资源管理中的应用［J］．水利水电技术，2005，36（6）：14 - 21.
[22] 杨波，薛伟．区域物流系统动力学仿真研究［J］．森林工程，2009，25（1）：81 - 85.
[23] 王俭，李雪亮．基于系统动力学的辽宁省水环境承载力模拟与预测［J］．应用生态学报，2009，20（9）：2233 - 2240.
[24] 秦钟，章家恩．基于系统动力学的土地利用变化研究［J］．华南农业大学学报，2009，30（1）：89 - 93.
[25] 蔡林，高速进．环境与经济综合核算的系统动力学模型［J］．环境工程学报，2009，3（5）：941 - 946.
[26] 王向华，程炜．规划环境影响的动态评价思路：系统动力学方法［J］．环境评价，2008，388（18）：28 - 29.
[27] 关卉，王金生．基于系统动力学与环境承载力的战略环境评价方法研究［A］．全国规划环境影响评价技术与管理优秀论文集［C］．2007：107 - 113.
[28] 宗永臣，杨永红．基于AHP的巴河水电梯级开发累积环境影响评价研究［J］．四川环境，2009，28（3）：94 - 99.
[29] 叶兆木，邓力．浅谈建设项目累积影响评价工作内容及方法［J］．环境保护科学，2008，34（3）：127 - 130.
[30] 韦丹．锦州湾港口建设环境累积影响评价的方法研究［D］．大连海事大学，2008.
[31] 王波，黄薇．梯级水电开发对水生境累积影响的方法研究［J］．中国农村水利水电，2007，4：127 - 130.
[32] 耿福明，薛联青．基于复合生态系统的流域梯级开发累积环境影响识别［J］．水资源与水工程学报，2006，17（1）：30 - 38.
[33] 陈庆伟，陈凯麒．流域开发对水环境累积影响的初步研究［J］．中国水利水电科学研究院学报，2003，1（4）：300 - 305.
[34] 王波．梯级水库对河流生境因子的累积影响研究［D］．长江科学院，2008.

战略环评中生物多样性影响评价策略探讨

王四海　杨宇明　叶　文　王　娟

（西南林学院生态旅游学院　西南林学院生物多样性与自然保护中心　云南　昆明　650224）

摘　要　随着战略环境影响评价（Strategic Environmental Assessment，SEA）的发展，SEA被越来越广泛地用于生物多样性影响评价。由于受人类对生物多样性的研究和认识水平的限制，目前在国内外还没有成熟的方法用于生物多样性的影响评价，以至于在SEA中生物多样性的影响评价内容不够具体和全面。本文从战略环境影响评价层次分析了生物多样性影响评价的意义；指出了生物多样性影响评价应至少包含景观多样性、生态系统多样性和物种多样性3个层次的影响评价，评价指标的选取要具有代表性、易操作性、数据易获取性和层次性；探讨了生物多样性影响评价应与有关规划的有机融合方法，以及影响显著性的评估途径，实现评估的真实客观性，达到以影响评估结果指导规划的目的，使规划发展与生物多样性保护能协调进行。

关键词　战略环境影响评价（SEA）　生物多样性　生物多样性影响评价

战略环境影响评价（Strategic Environmental Assessment，SEA）是环境影响评价在宏观战略层次上的应用，是系统、综合地评价政策、规划和计划及其替代方案环境影响的决策依据（李巍，李贞，李天威，2006）。作为一种辅助决策工具，应用SEA评估生物多样性影响，各种生物多样性损失能够在第一时间被避免或减缓。这种生物多样性影响不仅考虑到短期的、直接的影响，而且能从战略层面上及早协调和提供环境与发展关系的决策依据，可使开发活动的替代方案、累积影响、附加影响、地区性或全球性影响以及非工程影响在早期的规划或计划阶段得到充分的考虑。能够在各种生物多样性层次和决策链中避免生物多样性损失。

生物多样性的影响是一个多效应的综合结果，它不仅表现在如栖息地丧失、景观的破碎化、物种的减少等直接的影响，还表现在生物与生物之间、生物与环境之间的间接作用影响，甚至包括社会经济的变化对生物多样性的影响（Slootweg，Kolhoff，2003）。由于生物多样性影响的复杂性，目前在大多数的SEA报告中对生物多样性的影响评价多是对生物多样性的直接影响评价，缺乏间接性影响评价；评价方法多是定性的描述，缺乏定量的客观的评价指标和方法；在评价范围上多关注局部尺度的物种和生境的丧失，很少关注到生态系统、景观和区域尺度的预测性影响评价；被评价的物种也仅局限于珍稀濒危保护物种（Geneletti，2006）。在世界范围内目前还没有比较相对统一的标准和成熟的方法对生物多样性影响进行评价。在我国的许多SEA报告中生物多样性影响评价往往被忽略，常常把对生态环境影响评价替代生物多样性影响评价，许多生物多样性影响因素没有受到应有的考虑（国家环境保护总局环境影响评价管理司，2006）。探讨符合我国国情的生物多样性影响方法，是解决SEA中生物多样性影响评价工作推进的关键因素。

一、生物多样性影响评价意义

（一）推进履行生物多样性保护国际义务

1992年150多个国家（后增至180多个）签署的《生物多样性公约》第14条明确规定：（a）采取适当程序，要求就其可能对生物多样性产生严重不利影响的拟建项目进行环境影响评估，以期避免或尽可能减轻这种影响，并酌情允许公众参加此程序；（b）采取适当安排，以确保其可能对生物多样性产生严重不利影响的方案和政策的环境后果，得到适当考虑。人类开发活动对生物多样性影响评价要求在其他一些国际公约中也有体现，如《湿地公约》（国家环境保护总局自然生态保护司，2005）。我国在履行《生物多样性公约》第三次国家报告中（国家环境保护总局，2005），回答第101条和第102条关于环境影响评价条款中指出：中国已颁布了《环境影响评价法》，该法规定对规划和建设项目实施后能造成的环境影响进行分析、预测和评估，提出预防或者减轻不良环境影响的对策和措施，进行跟踪的监测方法和制度；但是，在对生物多样性可能产生严重不利影响的国家规划进行环境影响评价时，对生物多样性的影响评估存在较大困难。从上面的履行报告中可以看出我国缺乏可以对生物多样性影响进行评价的措施与方法，以至于国家的有关法规在实施时遇到阻力和困难，生物多样性保护国际义务的履行也受到影响。建立生物多样性影响评价方法能在《生物多样性公约》的框架下进行生物多样性环境影响评价，能够在更加全面的国际公约与政策指导下，在环境评价中如何平衡生物多样性保护与可持续利用的问题。

（二）推动国家战略发展中生物多样性影响评价的进程

环境影响评价中的生物多样性评价是有效保护生物多样性、合理利用其资源、保证其可持续发展的关键，是制定保护决策和保护技术方法的科学依据，更重要的是能确保可能对生物多样性产生严重不利影响的方案和政策的环境后果得到适度的考虑，使其纳入综合评估决策的程序。事实上，传统的生物多样性保护做法，如保护区的建立与管理，虽然这些做法是重要和必要的，但这些做法并不能确保把生物多样性保护纳入国家可持续发展的规划和政策之中（Word Bank，1995）。因此，应该在建设规划阶段和具体项目实施中使用更加有效的分析手段，规范环境影响评价中生物多样性评价的标准。

（三）推动科学发展观的实现

任何层次的环境影响评价，都将必须对生命体与非生物环境因素形成的复杂系统——生物环境进行评价，生物多样性既是环境结构组成中的最重要的部分，又是环境中最敏感的因素，在维持生态系统平衡与环境的稳定中发挥着不可替代的重要功能和作用。因此，应成为环境影响评价中的核心和关键所在。在战略环境影响评价中对生物多样性影响进行评价，一方面，能从宏观角度对规划开发活动的可行性进行论证，可避免走"先污染、后治理，先破坏、后恢复"的老路，改变末端治理方式，从源头管理环境和保护生物多样性，促使有关部门在提出有关政策和规划时能够统筹兼顾各方面的效益和利益，慎重考虑相关的环境影响，并采取相应的对策措施，可以最大限度地减少对生物环境和生物多样性的负面影响。另一方面，生物多样性影响评价所提供基础和保证也为规划中所包含的具体建设项目的审批提供依据，减少单项工程环境影响评价的工作内容，缩短工作时间，提高工作效率，这样，能使单项过程的环境影响评价兼顾宏观特征，使其更具科学性和指导性。

二、生物多样性影响评价指标与内容

（一）评价指标的选取

无论采取哪种评价方法，测度变化的指标起到关键性的作用。不同生物多样性因素的改变需要不同的指标度量，这样就会形成一个庞大的指标集。假设每个指标都能精确反映生物多样性在某个方面的改变，那么指标越多就越能体现生物多样性实际的变化。但在实际工作中不可能设置无限多的指标来测度生物多样性的改变。设定一些评价指标是容易的，但从中选取一些最能反映影响的变化，且容易操作的指标并不是一件易事。指标选取需要一定的标准，以满足评价的需要。生物多样性影响评价指标应满足以下特征。

1. 具有代表性

生物多样性的改变在各因素之间是相互关联的，是复杂的；相比之下，指标则显得是机械的、孤立的。有限的指标不可能全面反映生物多样性所有变化，选取的指标应最能代表生物多样性总的变化趋势。

2. 易操作性

指标的选取是为了生物多样性影响评估，是为了在实际环境影响评价中应用，指标的评价方法应易于掌握和操作。

3. 数据易获得性

数据是评价的基础，无论是环境影响评价还是生物多样性影响评价是一种短期行为，基于现实的科研水平和技术条件，各种评估数据能在较短的时间内拿出。这不像有些科学研究数据需要多年的积累。

4. 指标的层次性

生物多样性的各因素间是相互影响的，指标的评价内容不能重复计算。不同的指标能测度不同层次、不同部分的生物多样性变化，应尽量避免评价内容的重叠。

（二）生物多样性影响评价的层次与主要内容

建立科学、合理的评价指标体系，直接关系到评价结果的科学性与正确性。而指标的选择又取决于选取的方法和过程。在评价指标选取过程中，并没有普遍达成共识的方法或必须采取某些标准（Diamond，1975）。根据评价的要求和目标，设计科学合理的评价指标是评价合理性的关键。生物多样性一般被分为景观多样性、生态系统多样性、物种多样性和基因多样性 4 个层次，每一个不同的层次代表着生物多样性的不同方面，它们之间是相互紧密联系的。对于特定的区域，生物多样性的一个层次受到影响，其他层次或多或少都会受到影响。但是，对生物多样性一个层次的影响评估不能取代其他层次的影响评估，这是因为不同生物多样性层次所反映的生物多样性组成意义是不一样的。

由于受科学研究的限制，在现实中只有少量的物种进行过比较全面的遗传多样性研究，因被评估物种的遗传多样性数据不足，在 SEA 中从遗传多样性层次评估生物多样性的影响目前还不具有普遍意义（Treweek，2001）。生物影响评价应至少包括景观多样性、生态系统多样性和物种多样性 3 个层次的影响评价，表 1 列举了生物多样性影响评价层次和主要的评价内容。

表 1　生物多样性影响层次与主要评价内容

生物多样性层次	主要评价内容	说　明
景观多样性影响	景观类型及面积变化	受影响景观的种类及程度
	景观结构变化	景观空间格局及功能变化
生态多样性影响	生态系统类型及面积变化	受影响生态系统的种类及程度
	生态系统特性变化	主要对植被的特有性、典型性和脆弱性的影响
物种多样性影响	影响物种种类	影响的重点生物类群
	物种影响范围	对物种种群影响的数量大小
	物种影响强度	受影响个体的影响严重程度

三、生物多样性影响评价与规划的融合

规划环境影响评价是战略环境影响评价的重要组成部分，由于我国环评法中只规定了规划环评，因此只能将规划环评作为战略环评与综合决策的落脚点，推进规划环评就是推进战略环评（潘岳，2005，2007）。2003 年开始实施的《环评法》要求对土地利用规划，区域、流域、海域开发规划（“一地三域”）和工业、农业、畜牧业、林业、能源、水利、交通、城市建设、旅游、自然资源开发 10 类专项规划进行环评。如将生物多样性影响评价嵌入规划编制过程中，主要体

现在两个方面。第一，规划环评中的生物多样性影响评价成为规划过程中的一个阶段和程序；第二，在规划环评中生物多样性影响评价的主要步骤与规划过程的其他阶段之间建立一定的对应关系。即规划中的现状调查、现状分析、资源评价等阶段与规划环评中生物多样性影响评价的生物多样性敏感区域、关键特征、现状与分析步骤对应，两者同步，可以合二为一。生物多样性影响预测和评价的结论返回到规划流程中，为决策阶段提供依据（图1）。

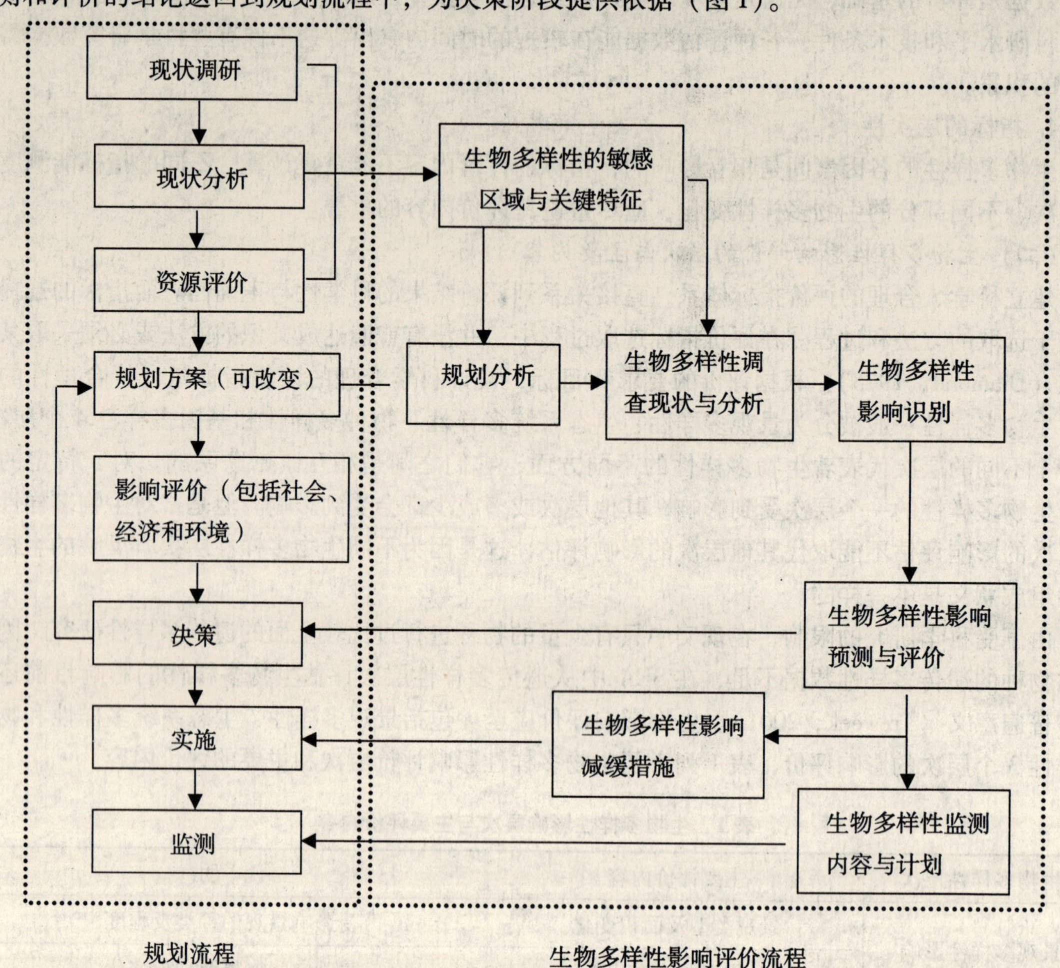

图1　规划与生物多样性影响评价的结合

四、生物多样性影响显著性评估

（一）影响显著性的评估特点

1. 评估标准的难确定性

现行的环境影响评价主要是以污染控制为宗旨，主要评价对象是废水、废气、噪声所引起的环境污染后果，这种影响后果可用一组物理和化学指标表征对其进行评价，评估标准是依据环境质量标准和污染物排放标准，是否达到标准要求作为是否可行的判断依据。

生物多样性影响评估不像影响预测那样是客观的，影响评估具有较多的主观因素。评估不仅要考虑生物多样性影响本身的可接受程度，而且要从社会经济发展的需求考虑影响的可接受程度。评估标准（影响显著性阈值）受相关科学研究依据、相关利益群体观点、政府政策主张等多种因素影响，评估很难有一个统一的客观标准。

2. 评估标准的多重性

生物多样性影响的可接受程度不仅取决于受影响程度的绝对数量，还取决于影响对象的特点。例如，对于稀有的、较难恢复的生境类型影响显著性阈值要低于那些广泛存在的、容易恢复的生境类型；同样，濒危的、正在减少的、较难恢复的物种影响显著性阈值要低于虽现在濒危，但较容易恢复的物种。这种影响显著性阈值的确定都要针对具体的影响评价对象。

3. 评估因素的相对孤立性

生物多样性由4个层次组成，不同的层次又有各要素组成。生物多样性各个层次之间，以及组成每一层次的各要素之间虽然在生态关系上是相互联系的，但对于影响评估来说这些要素之间是相互孤立的。比如，生态系统层次受影响可以被接受，但这并不能说明物种层次受的影响程度也能被接受；再者，在物种层次上，甲物种受到的影响可以被接受，可能乙物种受到的影响不能被接受。这是由于生物多样性各层次和要素之间在功能和价值上的不可替代性决定的，一个物种受到的影响不能由另一个物种的有效保护来弥补，同样，一种生态系统的损失也不能由其他类型的生态系统弥补。这就要求在判断影响显著性时，要对生物多样性的各个层次以及组成每一层次的各要素要逐一分析。

4. 影响显著性与分析范围有关

在影响评估的生物多样性要素中，同样的影响程度，在不同的分析范围内，影响的显著性会存在差别。如，“风水林”在当地可能扮演着重要的生态服务功能（如涵养水源），对影响的程度很敏感，而从更大的范围内分析，比如从省或者国家层面分析可能不足轻重；一个物种在规划区可能会受规划影响很严重，假如该物种在规划区外分布很广，那么该物种的影响可能就可以被接受。对生物多样性要素影响显著性的分析要根据各要素的特征和规划的有关情况，把各要素放到特定的范围内分析。规划区（或者规划影响评价区）的生物多样性只是某特定范围内的生物多样性的一部分，要在特定的范围内（如地区、省、国家、全球范围）分析这种影响的可接受程度。

（二）生物多样性影响显著性的层次分析方法

生物多样性影响评估的目的是为了针对不同的评估结果给出相应的对策或措施。评估依据的评价指标值包含一系列的影响预测数据。由于生物多样性评估因素（指标）的相对孤立性，一般对所有指标影响值进行加权评估的方法不能实际揭示生物多样性影响的程度。对于一个特定的规划，把每个影响评估指标的预测值都设定在较低的水平，在实际规划中可能是难以做到。一般情况是，有些因素（指标）的评估预测值可能较大，有些评估预测值可能较小。怎样根据这一系列的数据给出评估结果，需要对这些数据的重要性排一个序列，也就是，对于特定的规划，需要找出生物多样性影响的主要判断数据依据。

在进行影响评估时，首先根据生物多样性的保护目标，确定哪些预测数据最能反映保护目标的变化。其次再根据其他数据与保护目标的相关性程度，逐一评估影响程度。例如，影响的区域是以保护珍稀物种为生物多样性保护目标，那么这个物种的影响程度是评估的首要依据，其次根据其他数据与物种影响相关程度的大小，逐次判断影响；再如，影响的区域是保护某种生态系统类型为生物多样性保护目标，那么这种生态系统类型的影响程度是评估的主要依据，其他数据作为次要判断依据。图2示意性给出影响显著性评估和相应策略流程。

五、结　语

随着SEA的发展，在战略发展层面对生物多样性影响评价是保护生物多样性的重要举措。由于生物多样性影响评价的复杂性，评价方法和体系的欠缺，实际的评价工作受到阻碍（王四海等，2009）。在我国，从战略层面对生物多样性影响评价，无论是在基础的研究方面，还是实践的探索都非常欠缺，生物多样性影响评价体系和方法的研究，是推进生物多样性影响工作普遍开展的基础性铺垫。

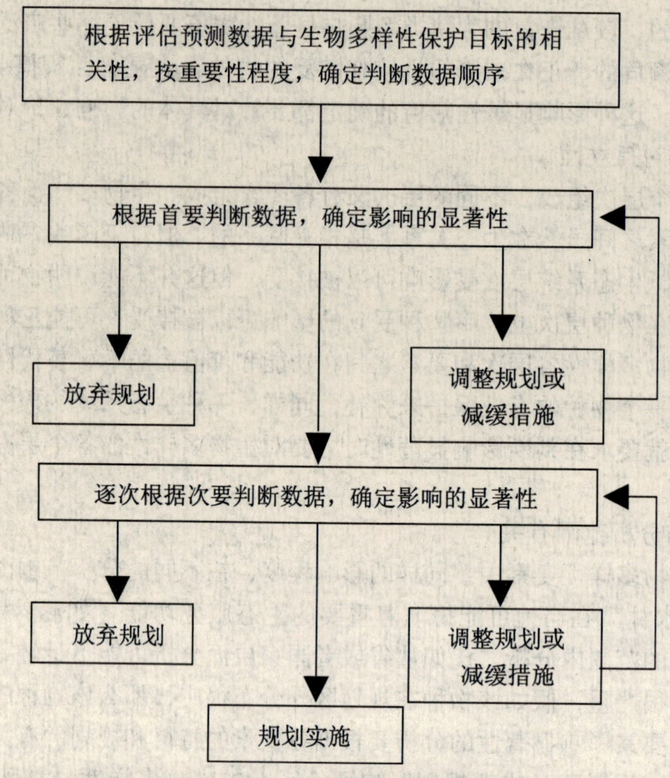

图2　影响显著性评估与相应策略流程

参考文献

[1] Diamond J M. The island dilemma: Lessons of modern biogeographic studies for the design of natural preserves [J]. Biological Conservation, 1975 (7): 129-146.

[2] Geneletti D. Some common shortcomings in the treatment of impacts of linear infrastructures on natural habitat [J]. Environmental Impact Assessment Review, 2006, 26 (3): 257-267.

[3] Slootweg R, Kolhoff A. A generic approach to integrate biodiversity considerations in screening and scoping for EIA [J]. Environmental Impact Assessment Review, 2003 (23): 657-681.

[4] Treweek J. Integrating biodiversity with national environmental assessment process: A review of experiences and methods. UNDP, Global Environment Facility (GEF), UNEP, 2001.

[5] Word Bank. Mainstreaming Biodiversity in Development. Washington D C: Word Bank, 1995.

[6] 国家环境保护总局．中国履行《生物多样性公约》第三次国家报告［M］．北京：中国环境科学出版社，2005.

[7] 国家环境保护总局环境影响评价管理司．战略环境影响评价案例讲评［M］．北京：中国环境科学出版社，2006.

[8] 国家环境保护总局自然生态保护司．生物多样性相关国际条约汇编［M］．北京：中国环境科学出版社，2005.

[9] 李巍，李贞，李天威．战略环境评价：发展、经验与应用实践［M］．北京：化学工业出版社，环境能源工业出版社，2006.

[10] 潘岳．战略环境影响评价与可持续发展［J］．环境保护，2005（9）：10-14.

[11] 潘岳．战略环评与可持续发展［J］．国家行政学院学报，2007（2）：14-16.

[12] 王四海，杨宇明，王娟，等．战略环境影响评价中生物多样性影响评价特点［J］．长江流域资源与环境，2009，18（5）：477-481.

制氧项目环境风险评价实例分析

徐福军 马俊杰 马 莹 刘 弘

（西北大学环境科学系 陕西 西安 710127）

摘 要 以某公司46600m^3/h制氧新建项目为例，通过对制氧项目存在的环境风险的识别和源项分析，利用有关事故统计资料类比分析和爆炸危害关系式，对制氧项目生产装置可能存在的环境风险进行定性和半定量评价。结果表明：氧气罐发生爆炸，对人造成的伤害距离为43.03m；空分塔发生爆炸对人的伤害距离可达3km；富氧环境下的火灾爆炸主要对周围人群伤害较大。该项目的环境风险远低于其他化工项目，在采取安全措施后建设项目是可行的。

关键词 制氧项目 环境风险评价 环境影响

目前，对制氧项目的危险性在安评方面做得工作较多，但是对制氧项目进行环境风险评价是很必要的，因为环境风险评价的关注点是事故对厂（场）界外环境的影响。依据《建设项目环境风险评价技术导则》（HJ/T 169—2004）提供的等级工作二级级别的评价要求，评价如下。

一、风险识别

（一）主要有害物质的风险识别

制氧厂生产过程所涉及的危险化学品为氧气、氮气和氩气。该项目生产过程中的主要危险、有害物质主要有：氧气、氮气、氩气及碳氢化合物。通过对物料理化特性分析[2]，主要有以下危险有害因素：

1. 氧气 氧气（含液氧），是该生产装置的主要产品之一，是助燃物质，为乙类火灾危险性物质。氧气是可燃物燃烧爆炸的基本要素之一，能氧化大多数活性物质。与易燃物（如乙炔、甲烷等）形成有爆炸性的混合物。压力高于2.94MPa（30atm）氧气与各类油脂接触，能发生强烈的氧化反应，同时放出大量的热，使油脂迅速达到燃点而发生燃烧，甚至爆炸。

2. 氮气 氮气没有明显毒性作用，由于无臭、无色，在空气中含量高时无法察觉，若集聚使空气中氧含量低于18%即造成缺氧，症状为恶心、困倦、皮肤眼睑变青，无知觉直至死亡。液氮对眼、皮肤、呼吸道会造成冻伤。

3. 氩气 氩气和氮气一样，无毒性作用，但在空气中含量过高时，导致含氧量过低，造成缺氧窒息。液氩同样会对人体皮肤造成冻伤。

4. 碳氢化合物 原料空气中含有一定量的碳氢化合物，它们的闪点都非常低，爆炸极限较宽。生产过程中碳氢化合物如果在空分装置内过量积聚，遇高热可能引起爆炸。

空分塔中，可爆物质主要有：乙炔（C_2H_2）和其他碳氢化合物［C_nH_m（C_2H_2除外）］等。在这些危险杂质中，乙炔是形成爆炸的最主要的根源。这是因为乙炔在液氧中的溶解度极低，约5.2cm^3/L液氧，过剩的乙炔就会以白色固态微粒悬浮在液氧中。而乙炔又是不饱和的碳氢化合物，具有很高的化学活性，性质极不稳定。

（二）生产设施风险识别

1. 生产装置 依据同类企业、现有企业的情况及装置中主要物质的物化性质、反应温度及压力等，筛选出主要危险源有8类，分别为空分塔、氧气管道、气体球罐、气体储槽、透平压缩机，主要危险性为火灾、爆炸。

2. 储存系统 该项目储槽和储罐均在高压环境下运行，在使用过程中可能发生塑性爆裂、脆性爆裂、疲劳爆裂及腐蚀爆裂。储槽和储罐发生爆裂后，将有可能导致气体泄漏、人员冻伤、中毒窒息，甚至火灾、爆炸等事故。

3. 运输系统　由于该公司位于工业园内，生产的氧气主要通过管道直接输送到钢厂。故运输系统涉及的环境风险分析主要为氧气管道。其危险性是燃烧爆炸。

（三）环境风险评价因子及重大危险源辨识

根据物质危险性的辨识结果，本项目不涉及《建设项目环境风险评价技术导则》（HJ/T 169—2004）附录 A. 1 中的有毒有害、易燃易爆物质，因此，无环境风险评价因子。

该项目中未涉及《重大危险源辨识》（GB 18218—2000）中的危险物质，压力容器中也不存在易燃、毒性介质，因此，不构成重大危险源。但该项目的储槽及球罐属于第三类压力容器，球罐为中压容器，潜在的危险性较大。此外，空分塔的潜在爆炸危险性也较大。项目建成后，该公司储槽为 17 个，球罐为 7 个，空分塔 4 个，应加强防范措施。因此，根据国家现行标准《爆炸和火灾危险环境装置设计规范》（GB 50058）的规定，氧气厂内的火灾、爆炸危险区域划分如下：空分塔区域；氧压机区域；氮压机区；空压机区域；气体球罐区；液体储槽区；配变电室。

二、源项分析

（一）危险程度分析

采用危险度评价法[3]对项目中的主要设备进行分析评价，通过对设备的物质、容量、温度、压力和操作分别赋值，逐个评定各单元设备的危险等级，详细结果见表 1。

表 1　危险度评价结果

序号	主要设备	主要介质	物质评分	容量评分	温度评分	压力评分	操作评分	总评分	设备危险等级
1	空压机	空气	0	0	0	0	2	2	低度危险
2	氧压机	氧气	0	0	0	2	5	7	低度危险
3	氮压机	氮气	0	0	0	2	2	4	低度危险
4	空冷塔	空气	0	2	0	0	2	4	低度危险
5	水冷塔		0	2	0	0	2	4	低度危险
6	分馏塔	氧气、氩气、氮气、珠光砂	2	2	0	2	5	11	中度危险
7	液氧储罐	氧气	0	10	0	0	2	12	中度危险
8	液氩储罐	氩气	0	10	0	0	2	12	中度危险
9	液氮储罐	氮气	0	10	0	0	2	12	中度危险
10	氧气球罐	氧气	0	5	0	2	2	9	低度危险
11	氮气球罐	氮气	0	5	0	2	2	9	低度危险

通过对各个主要设备的危险性计算，分馏塔、液氧储罐、液氩储罐、液氮储罐为中度危险，空压机、氧压机、氮压机、空冷塔、水冷塔、氧气球罐、氮气球罐为低度危险。

（二）最大可信事故确定

依据文献[4-7]对空分塔、液氧储罐、氧气管道和压力容器的事故树分析结果，按照危险区域划分结果，根据上述危险程度分析及同行业的统计分析[8]，确定该项目的最大可信事故为空分塔化学爆炸、氧气管道等的富氧环境燃烧爆炸和气体球罐超压爆炸。

三、后果分析

（一）空分塔爆炸事故后果分析

首先是爆炸对周围环境的破坏性较大。空分塔的主冷发生化学爆炸后，其爆炸能量大，对周围影响范围比较大。根据行业分析[9]，6000m^3/h 的空分装置发生化学爆炸事故后，碎片能飞至500m 远。而 80000m^3/h 的空分装置爆炸的碎片则能崩飞散落到周围 100 m，最远至 2.2km 外；5 km 内窗框玻璃震碎，周围设备遭受很大破坏。按此类比该项目空分装置为 25600 和 21000m^3/h，加之已有一期 22000m^3/h 和二期 21000m^3/h，在厂界周围 3km 范围内都具有较大的潜在危险性，且二期装置距离龙门村较近，二期厂界距龙门村 30m，因此更应该加强防范措施，制定合理可行的应急措施及预案。

（二）氧气罐爆炸事故分析

本项目中氧气、氮气这些危险化学品的主要危险性为其储存过程中的危险性，氧、氮储存为球罐储存，储量和压力设置各不相同，根据文献[10]中公式，通过对其发生超压爆炸的计算，得出其的 TNT 当量。

①当容积 1000m^3，压力 3.0MPa 的氧气球罐发生爆炸事故时，其 TNT 当量为 1037.78kg。

②同样的方法可以得出，当容积 1000m^3，压力 2.5MPa 的氮气球罐发生爆炸事故时，其 TNT 当量为 746.22kg。

在人体与氧气球罐距离为 43.03～56.2m 时，会对人体造成轻微损伤；在人体与氧气球罐距离为 32.9～43.03m 时，会造成人体听觉器官损伤或骨折；在人体与氧气球罐距离为 23.05～32.9m 时，会造成人体内脏严重损伤或死亡；在人体与氧气球罐距离为 23.05m 以内时，会造成大部分人员死亡。

总之，若氧气球罐发生爆炸，在人体与氧气球罐距离为 43.03m 以内时，会造成人体听觉器官损伤或骨折，甚至死亡。

在建筑物与氧气球罐距离为 56.2～68m 时，建筑物窗框损坏；在建筑物与氧气球罐距离为 23.05～27.38m 时，会造成建筑物砖墙倒塌；在建筑物与氧气球罐距离为 17.21～23.05m 时，会造成建筑物防震钢筋混凝土破坏，小房屋倒塌；在建筑物与氧气球罐距离为 14.85～17.21m 时，会造成建筑物大型钢架结构破坏。总之，若氧气球罐发生爆炸，在建筑物与氧气球罐距离为 27.38m 以内时，会造成建筑物砖墙倒塌。

（三）富氧环境下燃烧爆炸事故后果分析

当空分装置发生氧气泄漏、或检修氧气罐时未置换或置换不彻底，作业环境达到富氧状态［空气中氧含量超过 21%（V/V）］，遇火星或高温易发生火灾事故。富氧状态下的火灾事故常被人们所忽视。人们常常认为富氧状态又不是纯氧不会有什么问题。其实在富氧状态下许多难燃物质变得可燃，可燃物质变得易燃；最小点火能下降很多；火焰温度升高；可燃物质爆炸极限变宽；燃烧速度快，不易扑救。富氧状态的火灾事故已发生多起，应引起人们的高度重视。如 2001 年 2 月 6 日，甘肃某钢铁集团一球罐值班室内氧气管道泄漏，电气火花引起火灾，烧死 3 人；2001 年 8 月 9 日，山东某锅炉压力容器检验所对某气体厂氧气储罐进行检测时，因未置换，罐内氧气含量高，打磨焊缝时引起火灾，烧死 3 人；2000 年 8 月 21 日，江西某钢铁公司制氧厂，检修制氧机时，因液氧排放不当，检修现场成富氧状态，在拆螺丝时发生燃爆事故，死亡 22 人，伤 24 人。

四、风险管理

（一）安全防范措施

根据对拟建项目风险评价的结果，从项目选址、总体布置、建筑安全、危险品贮运、工艺技术设计、自动控制设计、电气、电讯、消防等方面提出相应的安全防范措施。具体措施是：选址时要考虑空压机吸风口的位置，应远离料场、焦化厂；工艺过程及设备的防火、防爆；检修过程的防火、防爆；对主要的设备制定安全技术措施；根据企业特点建立车间及厂级两级应急组织体系；确定预案分级相应条件；建立应急联络、信息报送及处置机制；与周边企业和园区建立对接及联动，制定报警、通信联络方式；确定应急监测系统与实施计划，制定风险污染消除、减缓措施；开展培训、演习制度及公众教育；建立环境污染三级防控体系等应急预案。

（二）重大环境风险事故应急预案

该生产系统可能存在的主要重大事故是液氧及氧气贮罐的爆炸事故。企业应采取安全法制对策、安全管理对策、安全教育对策、安全工程技术对策等措施，加强对导致事故的主要因素（人为因素、设备因素、环境因素、时间因素、物料因素、处理方法因素等）的安全管理，预防重大事故的发生。根据《生产经营单位安全生产事故应急预案编制导则》（AQ/T 9002—2006）要求，以及已经编制的应急预案，制氧厂事故应急救援预案应增加以下内容：增加编制依据，简述预案编制所依据的国家法律法规、行政规章，地方性法规和规章，有关行业管理规定和技术规范等要求；增加编制原则；增加制氧厂单位概况；明确应急组织机构人员名单；增加预防预警及监控措施；增加应急结束行为及后期处理措施；明确应急保障措施及负责人员；增加预案培训措施及演习计划；对预案进行备案，增加预案维护更新及解释内容；制定预案实施及生效时间；增加附件，明确预案中相关人员电话及联系方式；增加关键应急救援装备名录、清单；增加关键路线、标识和图纸。

五、结　论

经过对拟建项目环境风险评价分析，与其他化工项目的风险性相比，该项目的环境风险是相对较小的，而且本项目不涉及《建设项目环境风险评价技术导则》（HJ/T 169—2004）附录 A.1 中的有毒有害物质的泄漏，对地表水以及大气的污染较小，发生火灾爆炸事故主要是对周围环境中人员的伤害以及对周围工厂的破坏。在采取安全对策措施后建设项目是可行的。建议完善全公司的环境风险应急预案，并加强与地方政府环境风险应急预案的衔接，进行联合演练。确保一旦发生事故能够及时响应、各负其责、联合行动。开展与区域内相关企业建立联合应急防范制度。本文对制氧项目的环境风险进行了评价，评价方法以定性分析为主，加强制氧项目的定量分析方法研究是进一步研究的重点。

参考文献

[1] 辛晓牧．乙烯项目环境风险评价实例分析［J］．气象与环境学报，2007，23（6）：26－31.
[2] 周国泰．危险化学品安全技术全书［M］．北京：化学工业出版社，1997：114－115，1454－1459.
[3] 郭海韬，梁伟，樊建春．危险度评价法适用范围初探［J］．安全，2008，8：89－92.
[4] 宋元宁，王新，赵亦农，等．空分塔爆炸事故树分析［J］．安全与环境学报，2003，3（2）：69－70.
[5] 刘凌燕，庞奇志，宋秀江．液氧储罐爆炸事故树分析［J］．工业安全与环保，2005，31（1）：49－51.
[6] 刘凌燕，黄小武．试论工业氧气管道的事故原理与控制技术［J］．工业安全与环保，2002，28（2）：18－20.
[7] 王小群．压力容器爆炸事故的事故树分析［J］．铁道劳动安全卫生与环保，2004，31（4）：78－80.
[8] 黄小武，刘凌燕．制氧事故综合统计分析［J］．制冷技术，2002，1：44－46.
[9] 顾福民．90年代空分塔爆炸伤亡事故及教训［J］．低温与制气，2002，20（1）：33－36.
[10] 国家安全生产管理监督局．危险化学品安全评价［M］．北京：中国石化出版社，2003：150－156.

城市发展战略环境影响评价中的生态风险评价指标体系研究

张志泉　宋汉卿　李双江

（哈尔滨市环境保护科学研究院　黑龙江　哈尔滨　150026）

摘　要　城市生态系统的演变与生态环境质量是城市综合发展战略环境影响评价所关注的重要问题之一，而城市生态风险评价就是在一个长期的时间跨度上，对城市综合发展能否对区域生态环境质量与生态系统的演变趋势带来不利影响做出科学的评判，是在城市区域大尺度上研究复杂环境背景下包含多风险源、多风险受体的综合风险研究，是目前战略环境影响评价中日渐热门的研究领域。本文从城市综合发展战略实施后可能产生的生态问题入手，紧抓城市生态系统的特殊性，充分调研吸收了近年来的国内外生态风险评价研究成果，探讨了区域生态风险评价指标体系研究的新思路，初步提出了适合城市区域生态系统的生态风险指标体系，并在此基础上，针对不同类型的城市提出了各自的备选评价指标，旨在为寻求系统、全面、科学的区域生态风险评价指标体系提供借鉴和参考。

关键词　战略环境影响评价　生态风险评价　指标体系

一、引　言

战略环境影响评价是我国当前环境保护领域的重大课题，是将可持续发展战略从宏观、抽象概念转变成实际、可操作方案的桥梁，同时也是在大时间跨度上最大化保证自然生态环境与人类经济发展活动相适应的必然选择[1]。

纵观现代城市发展史，经济的迅速发展带给生态环境安全的压力与日俱增。城市的发展往往以能源大量消耗、污染物排放居高不下、环境污染事故越来越多、生态环境的健康损伤日益增加为代价，甚至有学者认为：生态环境压力已经上升为国家安全的重要组成部分[2]。在这一时代背景下，积极有效地开展城市综合发展战略环评越发成为一个城市能否走可持续发展道路，进而缓解生态环境安全压力的先决条件。而在城市发展战略环评中，生态风险评价则日益成为该领域的热门研究课题。

二、城市区域生态风险评价概述

（一）生态风险评价概念

生态风险评价（Ecological Risk Assessment，简称 ERA）是通过组织和分析数据，评价与人类活动相关的一个或多个风险源在暴露过程中对生态系统可能造成的生态效应，它的初衷是预测环境中污染物对生态系统或某些组分产生有害影响的可能性[3]。对生态系统具有危害作用的不确定因素除污染物之外，还包括各种自然灾害和人为事故，这些灾害将影响到较高层次和尺度的生态系统，当尺度扩展到区域时，区域生态风险评价便应运而生。

（二）城市生态系统的特点

与自然生态系统相比，城市生态系统具有以下特点。

1. 城市生态系统是人类起主导作用的生态系统，人类活动对城市生态系统的发展起着重要的支配作用。与自然生态系统相比，城市生态系统的生产者绿色植物的量很少；消费者主要是人类，而不是野生动物；分解者微生物的活动受到抑制，分解功能不强。

2. 城市生态系统是物质和能量的流通量大、运转快、高度开放的生态系统。城市中人口密集，城市居民所需要的绝大部分食物要从其他生态系统人为地输入；城市中的工业、建筑业、交通等都需要大量的物质和能量，这些也必须从外界输入，并且迅速地转化成各种产品。城市生态系统不论在能量上还是在物质上，都是一个高度开放的生态系统。这种高度的开放性又导致它对其他生态系统具有高度的依赖性，同时会对其他生态系统产生强烈的干扰。

3. 城市生态系统中自然系统的自动调节能力弱，容易出现环境污染等问题。城市生态系统的营养结构简单，对环境污染的自动净化能力远远不如自然生态系统。城市的环境污染问题包括生态破坏、大气污染、水污染、固体废弃物污染和噪声污染等。

（三）城市生态风险评价的特点

在城市生态风险评价中，城市区域一般被设为已有的或潜在的生态风险源，与其他区域风险评价相比，城市生态风险评价的特点为：

1. 城市区域的统计数据较全面，容易获取，其生态风险评价指标中很大一部分可选择城市年度统计数据而不用过多依靠遥感、野外监测等传统生态学统计手段。

2. 由于城市地区的风险源多样，且数据易获取，致使生态风险评价可选取的指标范畴往往过于庞杂，在涵盖诸如社会、经济、资源、生态、环境和人类健康等诸多因素的同时，往往忽视从城市生态类型自身特点出发选指标，难以体现城市生态系统风险评价的实质。

三、城市区域生态风险评价指标体系的构建

（一）城市区域生态风险评价指标体系构建的总体思路

城市区域生态风险评价指标体系构建的总体思路是以城市综合发展战略为宏观风险源，以原生生态与人工生态系统为受体，从城市生态体统的特点出发，分城市发展的不同阶段重点分析城市发展可能产生的各种不利生态环境影响，并以此为基础细化出相应的影响因子；在关注城市发展带来的不利影响的同时，重视对当前生态环境质量的评价，准确选取能够反映原生生态与人工生态类型的生态学指标。

（二）城市区域生态风险评价指标体系应说明的重要问题

一套科学准确、可操作性高的城市区域生态风险评价指标体系具有十分重要的现实意义，它不仅能够为做出准确的城市综合发展战略环境影响评价结论提供必需的生态风险评价定量结果，揭示潜在的生态恶化趋势，更能够服务于政府决策部门，使其可以获知不同的城市发展战略实施方案会相应产生的何种生态影响程度，便于政府制定最符合可持续发展战略思想的城市综合发展规划，掌握并控制不利生态影响因素，最大化规避潜在的生态恶化趋势。

1. 城市的综合发展会带来何种不利生态环境影响及其程度

城市的发展带来的环境问题一般来源于工业快速发展与人口规模扩大所产生的对自然环境需求量与破坏强度不断增长，具体可表现为人类活动产生的水环境与大气环境污染物排放强度加大、浓度上升，造成水生与陆生生物种群密度、生产力、物种多样性下降，生态脆弱性指数上升；人类活动空间的扩大不断压缩区域原生生态生境空间、引发物种退化甚至灭绝等。对此，城市区域生态风险评价指标体系通过选取指标与赋值须对城市生态系统受不利生态环境影响的程度做出科学评价。

2. 城市区域生态环境质量现状

作为生态风险评价的基础，城市区域生态环境质量通常包括原生生态与人工生态系统的生态环境质量两方面，一般从生态脆弱性、生态完整性、种群密度、初级生产力、区域物种多样性，植被覆盖率等诸多方面入手，全面定量给出城市发展的生态环境大背景。

3. 是否具备良好的生态环境管理能力

城市要发展、生态环境要保护，单纯地发展经济而榨取生态环境或单纯地保护生态环境而放慢经济发展步伐都是已经被淘汰了的社会发展模式，城市要走可持续发展战略模式就离不开完善的生态环境管理能力建设，这种能力的高低时刻反映在现实的生态环境质量上。生态风险评价在

表1　城市区域生态风险评价指标体系

目标层	准则层	指标层		备注
		1级指标	2级指标	
生态风险评价指数	生态环境污染指数	一般污染物排放指数	水体中COD浓度	通用指标
			水体中氨氮浓度	通用指标
			万元GDP COD排放强度	通用指标
			万元GDP氨氮排放强度	通用指标
			水温周最大温升或温降	通用指标
			环境空气中SO_2浓度	通用指标
			环境空气中$PM_{2.5}$浓度	通用指标
			环境空气中TSP浓度	通用指标
			万元GDP SO_2排放强度	通用指标
			万元GDP $PM_{2.5}$排放强度	通用指标
			万元GDP TSP排放强度	通用指标
			农药施用强度	通用指标
			化肥施用强度	通用指标
		毒性污染物排放指数	水体中重金属浓度	通用指标
			水体中多环芳烃浓度	通用指标
			水体底泥中重金属沉积量	通用指标
			生活垃圾渗滤液排放强度	通用指标
			土壤中重金属含量	通用指标
			土壤中农药残留物含量	通用指标
			垃圾焚烧处理厂二恶英排放浓度	通用指标
		生态环境破坏指数	水体富营养化指数	通用指标
			水土流失强度	通用指标
			土地荒漠化强度	通用指标
			土地盐碱化强度	通用指标
			草原开垦比例	特殊指标
			草原退化比例	特殊指标
			草原荒漠化比例	特殊指标
			沙化扩展速度	特殊指标
			开采区沉陷速度	特殊指标
			开采沉陷区占城市总面积比例	特殊指标
	生态环境质量现状指数	原生生态环境质量指数	生态脆弱性指数	通用指标
			生态完整性指数	通用指标
			生物多样性指数	通用指标
			种群密度	通用指标
			生物量	通用指标
			初级生产力	通用指标
			森林覆盖率	特殊指标
			湿地积水状况	特殊指标
			湿地植物丰富度	特殊指标
			湿地优势种群密度	特殊指标
		人工生态环境质量指数	城市建成区绿化覆盖率	通用指标
			人均公共绿地面积	通用指标

目标层	准则层	指标层		备注
		1 级指标	2 级指标	
生态风险评价指数	生态环境质量现状指数	社会与自然资源环境指数	水资源丰度	通用指标
			植被覆盖率	通用指标
			土地开发利用强度	通用指标
			城市建成区人口密度	通用指标
			草原畜牧承载力	特殊指标
	生态环境管理能力指数	生态环境保护能力指数	重点工业企业污染物达标排放率	特殊指标
			主要污染物排放总量削减率	特殊指标
			生活垃圾无害化处理率	特殊指标
			工业固体废物处置利用率	特殊指标
			危险废物安全处置率	通用指标
			全年空气质量达二级标准天数	通用指标
		生态环境建设能力指数	城市污水集中处理率	通用指标
			城市中水回用率	通用指标
			城市集中供热率	通用指标
			清洁能源使用率	通用指标
			机动车尾气检测率	通用指标
			退化土地恢复率	通用指标
			公众对环境满意率	通用指标
			沙区植被覆盖率	特殊指标

在注重不良环境要素影响与生态环境质量现状评价的同时，同样要重视生态环境保护能力这方面的指标选取，通过判断这种能力的高低，可有助于分析生态风险趋势是逐步扩大还是日趋平稳。

（三）城市区域生态风险评价指标体系的构建

1. 城市区域生态风险评价指标体系框架

本文所提出的城市区域生态风险评价指标体系包括以下四个基本层次：

（1）目标层

目标层表述的是评价指标体系的评价主体，所有的指标选取都要围绕这一主体展开，就本文而言，目标层为“生态风险评价指数”。

（2）准则层

准则层是在分析评价指标体系目标层表述含义基础上提炼出的，用以说明指标体系要重点评价的层面，本文所提的评价指标体系的准则层包括有“生态环境污染指数”、“生态环境质量现状指数”与“生态环境管理能力指数”3 个层面。

（3）指标层

指标层是在准则层基础上提出来的细化指标，本文的指标体系指标层下分 1 级指标与 2 级指标两个层次。

①1 级指标：1 级指标可以看作是对准则层的拆分，是对 2 级指标的类别概括，一是生态环境污染指数：一般污染物排放指数、毒性污染物排放指数、生态环境破坏指数。二是生态环境质量现状指数：原生生态环境质量指数、人工生态环境质量指数、社会与自然资源环境指数。三是生态环境管理能力指数：生态环境保护能力指数、生态环境建设能力指数。

据此，本文 1 级指标层共设 8 项指标。

②2 级指标：2 级指标从 1 级指标的概括类别出发，分别选取这一类别中最有代表性的指标组成 2 级指标层，是整个指标体系的根本。本文的指标体系共选取了 61 个指标，具体见表 1。

2. 城市区域生态风险评价指标的选取

本文指标体系中的2级指标选取是在借鉴国内外关于生态风险评价方面研究成果与实践成果与结合自身工作经验的基础上进行的，选取范围基本上包括了城市工业污染物排放、传统生态学考评指标、城市污染防控与生态市建设等诸多方面。

此外，由于与以往单一地点的生态风险评价相比，不同类型的城市区域生态风险评价所涉及的风险源和评价受体等在区域内均具有空间异质性，即存在区域分异现象，因此，本文在2级指标层次上又做了进一步的划分，将2级指标分为"通用指标"与"特殊指标"两类，用以更准确地评价不同类型城市生态系统的综合风险。现依照准则层次序汇总如下。

(1) 通用指标

①生态环境污染指数

A. 一般污染物排放指数

一般污染物排放指数考核的是城市人类生产、生活活动过程中排入天然水体或环境空气中的无毒性或"三致"效应的一般污染物，在排放强度、浓度上对水生与陆生生态系统可能造成的污染破坏程度。污染物排放必然导致水质与大气质量发生变化，对于水生与陆生动、植物生境有着直接的作用——响应关系。一般污染物排放指数下设包括有水体中COD浓度、水体中氨氮浓度、万元GDPCOD排放强度、万元GDP氨氮排放强度、水体周围最大温升或温降、环境空气中SO_2浓度、环境空气中$PM_{2.5}$浓度、环境空气中TSP浓度、万元GDPSO_2排放强度、万元GDP $PM_{2.5}$排放强度、万元GDP TSP排放强度、农药施用强度、化肥施用强度在内的13项2级指标。

B. 毒性污染物排放指数

毒性污染物排放一般来自于城市化工、冶炼、轻工、印纺等高污染工业企业生产活动，对水生生态系统的影响尤其严重，往往产生不可逆的、甚至毁灭性的生态破坏后果，可以说是最重要的城市生态风险源之一，是城市生态风险评价的重点问题。这一层次包括有水体中重金属浓度、水体中多环芳烃浓度、水体底泥中重金属沉积量、生活垃圾填埋场垃圾渗滤液排放强度、土壤中重金属含量、土壤中农药残留物含量、垃圾焚烧处理厂二恶英（PCDDs）排放浓度等7项2级指标。

C. 生态环境破坏指数

本文指标体系中的生态环境破坏指数衡量的是城市发展可能产生的生态破坏程度，关注的层面一般为城市区域所属的自然资源与天然水体等，生态系统层面则在"生态环境质量现状指数"中予以体现。具体下设的2级指标包括有水体富营养化指数、水土流失强度、土地荒漠化强度、土地盐碱化强度4项指标。

②生态环境质量现状指数

A. 原生生态环境质量指数

城市生态类型一般包括原生生态与人工生态两种，原生生态又分为水生与陆生生态。本文的原生生态环境质量指数评价指标选取主要依托传统生态学中对于生态系统的综合考评指标，然后再根据城市原生生态的特点从中选择，最终确定了包括有生态脆弱性指数、生态完整性指数、生物多样性指数、种群密度、生物量、初级生产力在内的6项指标。

B. 人工生态环境质量指数

作为城市生态类型的一种，人工生态系统主要表现为人为形成的景观绿地、植被或苗圃等，其下设的2级指标包括有城市建成区绿化覆盖率、人均公共绿地面积2项指标。

C. 社会与自然资源环境指数

在本文的指标体系中，社会资源一般指的是城市人口；自然资源则指的是影响生态系统稳定的、为生物生长发育所必需的自然资源，如水、土壤、森林等。社会与自然资源环境指数反映的是自然资源维持生态环境稳定与满足人类开发需求的平衡关系，其下设包括水资源丰度（定义为水资源总量与城市面积比）、植被覆盖率、土地开发利用强度、城市建成区人口密度 4 项指标。

③生态环境管理能力指数

A. 生态环境保护能力指数

生态环境保护能力指数的目的在于科学评价一个城市的发展决策部门在生态环境保护方面所开展的各项积极措施，有效性能否满足发展经济与保护环境的双重需要，这种能力的高低直接关联着城市生态整体质量的未来发展趋势，下设的 2 级指标包括重点工业企业污染物达标排放率、主要污染物排放总量削减量、生活垃圾无害化处理率、工业固体废物处置利用率、危险废物安全处置率、空气质量达二级标准天数 6 项指标。

B. 生态环境建设能力指数

生态环境建设是城市发展战略中的重要内容，是走可持续发展道路的必然选择，是实现或提高生态环境保护能力的前提条件，一般表现为城市主要污染物防控工程建设、城市生态环境建设、环境保护机构自身能力建设等方面，下设的 2 级指标包括城市污水集中处理率、城市中水回用率、城市集中供热率、清洁能源使用率、机动车尾气检测率、退化土地恢复率、公众对环境满意率 7 项指标。

（2）特殊指标

针对不同类型的城市，比如以矿业开发、畜牧养殖为城市发展战略核心的资源型城市与具有良好的原始森林、原生湿地等自然资源基础的旅游开发型城市，对于这些城市而言，以上的通用指标并不能完全说明本区域生态类型可能面临的风险水平，必须增加有明显区域特色的评价指标。受自身知识水平制约，本文在此只列举草原畜牧、矿产开采与有丰富森林、湿地资源等类型城市的对应特殊指标。

①草原畜牧型城市

这类城市的生态风险问题一般来源于过度放牧产生的草场退化、水土流失、荒漠化问题，具体可选择的特殊指标包括有：草原开垦比例、草原畜牧承载力、草原退化比例、草原荒漠化比例、沙区植被覆盖率、沙化扩展速度 6 项指标。

②矿产开发型城市

这类城市的生态风险问题突出表现在矿产的过度开采可能带来的城区沉陷问题，对此，可选用的特殊指标为开采区沉陷速度、开采沉陷区占城市总面积比例 2 项指标[4]。

③自然资源型城市

这类城市的生态风险问题一般来自于城市发展开发挤占森林、湿地等原生生态系统生境而产生的湿地消失、森林覆盖率急剧下降等生态破坏问题，可选取的特殊指标包括湿地积水状况、湿地植物丰富度、湿地优势种种群密度、森林覆盖率 4 项指标[5]。

（3）指标体系框图

将通用指标与特殊指标汇总，得到的最终的城市区域生态风险评价指标体系见表 1。

四、结　论

在区域生态风险评价中，针对不同类型的区域生态系统特征来构建合适的生态风险评价指标体系尤为必要。现代文明城市的综合发展战略大体是以经济、社会的全面发展革新为主体，以加快城市化进程、促进工业产业升级改造、改善人居环境等为主要措施，规划走的是经济、社会与环境和谐发展的可持续发展道路。但在这一过程中，随着城市的不断发展，强烈的现代化建设需求、密集的人类活动、快速的经济结构性增长以及某些高能耗、高排放的产业发展对城市区域生态环境的胁迫效应必然会以正反馈形式发展，大气、水体、土壤和生态环境仍可能受到不同程度的污染，可能存在着发生城市生态环境退化、水资源短缺、气象异常，甚至生态灾难的风险。本文从城市生态类型的特点出发，认为城市区域生态风险评价的契入点便是以上所述的种种城市综合发展战略实施后可能产生的诸多生态环境问题，并以此作为评价指标选取的基本范畴，构建了由 4 个层次组成，包括有 8 项 1 级指标与 49 项通用 2 级指标以及 12 项针对某些特殊城市生态类型特征而提出的特殊评价指标。本文所提出的指标体系覆盖了城市潜在生态风险源、风险受体与规避风险应采取的应对措施等诸多方面，水平有限，希望能尽量为区域生态风险研究领域提供一定的参考和帮助，将战略环境影响评价工作做得更完善、科学。

参考文献

[1] 修光利，蒋林明，侯丽敏，等. 基于生态环境安全的区域规划战略环评初探［J］. 环境科学与管理，2008，33（4）：170－175.

[2] 曲格平. 关注生态安全之一：生态环境问题已经成为国家安全的热门话题［J］. 环境保护，2002，5：3－5.

[3] 蒙吉军，赵春红. 区域风险评价指标体系［J］. 应用生态学报，2009，20（4）：983－990.

[4] 姜云，吴立新. 中国煤炭城市生态环境评价指标体系的构建［J］. 中国矿业，2003. 12（3）：23－25.

[5] 吕宪国，王起超，刘吉平. 湿地生态环境影响评价初步探讨［J］. 生态学，2004，23（1）：83－85.

环境承载力分析在工业园区规划环境影响评价中的应用研究

——以五常牛家工业园区一期规划环境影响评价为例

张志泉　李双江　宋汉卿

（哈尔滨市环境保护科学研究院　黑龙江　哈尔滨　150026）

摘　要　环境承载力分析作为规划环境影响评价中核心内容之一，可以在环境承载能力阈值的基础上真实地度量并以系统的观点表达一项规划对环境的综合影响程度，其根本目的在于确定规划开发强度能否与该地区资源环境承载力相协调，归根结底是解决区域社会经济与资源环境协调发展的问题。工业园区发展规划与区域开发或资源开发等规划不同，其对环境资源的开发方式和强度直接取决于园区内的产业结构与企业类型，一般涉及的都是土地资源与水资源。本文以五常牛家工业园区一期规划环境影响评价为研究实例，从工业园区对自身特殊性出发，在环境承载力分析中重点着手于资源承载力与综合环境承载力两方面的分析评价，以资源总量、环境容量与污染物排放总量之间的平衡关系作为承载力评判的重要依据，并简单提出了工业园区综合环境承载力的评价指标，较为全面、详细地阐述了工业园区环境承载力分析的一般内容、方法、思路等方面的内容，并结合实际工作经验与体会，简要凝练出几点当前规划环评中环境承载力分析还存在的争议与不足，希望能够通过同行间交流，共同完善工业园区或各类规划环评中的环境承载力分析内容。

关键词　规划环境影响评价　环境承载力分析　环境容量

环境承载力是指在一定时期内，某种环境状态下，在维持某一区域环境相对稳定的前提下，环境资源所能容纳的人口规模和经济规模的大小。人类赖以生存和发展的环境是一个大系统，它既为人类活动提供空间和载体，又为人类活动提供资源并容纳废弃物。对于人类活动来说，环境系统的价值体现在它能对人类社会生存发展活动的需要提供支持。由于环境系统的组成物质在数量上有一定的比例关系、在空间上具有一定的分布规律，所以它对人类活动的支持能力有一定的限度。当今存在的种种环境问题，大多是人类活动与环境承载力之间出现冲突的表现。当人类社会经济活动对环境的影响超过了环境所能支持的极限，即外界的“刺激”超过了环境系统维护其动态平衡与抗干扰的能力，也就是人类社会行为对环境的作用力超过了环境承载力。因此，人们用环境承载力作为衡量人类社会经济与环境协调程度的标尺。

一、五常牛家工业园区一期规划环境承载力分析

（一）五常牛家工业园区一期规划概述

哈尔滨牛家工业区位于五常市牛家满族镇，202 国道西侧。工业区南北长 11.83 km，东西宽 3.60 km，总占地面积 17.69 km^2，其中北区占地面积 6.81km^2，南区占地面积 10.88km^2，二者中间为远景发展备用地。其中，一期规划区占地面积 3.0km^2，土地性质为规划用地，现有 3 家企业，10 家在建企业，工业区分南北两个规划区，北规划区位于双城市交界以南占地面积 1.6km^2，南规划区位于华雨制药厂周边占地面积 1.4km^2，两规划区相距约 8km。规划机械工业占地 20%、医药工业占地 35%、农产品占地 45%。

工业区一期规划的功能定位为：以二类工业用地为主，一、三类工业用地为辅，是一个含有机械加工、绿色农产品深加工和医药工业的现代化综合工业区。目标是利用牛家工业园区的诸多优势，承接哈尔滨市转移出来的机械加工、装备制造、医药等产业，大力发展食品精深加工和出口创汇型产业。工业园区走新型工业化和可持续发展的道路，把园区建设成为自主科研开发、技术转移和科技产品创新的基地，优势产业集聚的平台，科研单位与地方经济结合的窗口，成为以

机械加工、绿色农产品深加工和医药产业为主体的现代化工业园区。

（二）五常牛家工业园区一期规划资源承载力分析

1. 土地资源承载力分析

工业园区土地资源承载力分析一般应说明园区占地总面积、土地资源配置情况、土地资源可开发总量与园区发展符合性等方面。

（1）五常牛家工业园区一期规划土地利用情况

五常牛家工业园区一期规划分南、北两个规划区，占地面积分别为 1.4 km^2 与 1.6km^2，新增农业耕地占用面积分别为 1532 亩与 1806 亩，已建或在建的企业和道路占地 567 亩与 593 亩。

（2）五常牛家工业园区一期规划土地配置情况

五常牛家工业园区一期规划的南、北两个规划区分别位于五常市牛家镇政新村与兴山村，规划占用的土地基本上全部由这两个村的农业耕地提供。政新村与兴山村的农业用地总面积分别为 12703.4 亩与 8874.2 亩，剩余的可利用土地面积则为 2263.3 亩与 241.7 亩，剩余土地总量已不满足园区一期规划的占地需要，需要占用已有耕地来补足差额。

农业用地向工业用地转化必须在政府统筹规划下进行，需要有相应的土地利用指标支持，就本实例而言，《五常市土地利用规划》中有如下表述：从沙河子镇 740hm^2 建设用地指标中划出 400hm^2 调整到牛家镇，并将指标落到实处；将长山乡长树村、兴农村，志广乡长富村达到基本农田划定标准的 400hm^2 一般农田补充为牛家镇基本农田。根据以上表述，牛家工业园区一期规划可以在保持区域基本农业总面积不变的情况下得到充分的农业地占用指标，土地资源配置合理。

（3）五常牛家工业园区一期规划土地资源承载力评价

五常牛家工业园区一期规划需要新增农业用地占用面积 3338 亩，区域土地资源总量为 21577.6 亩，其中剩余的未利用土地为 2504 亩，由政府批准调配的农业地占用指标为 6000 亩，因此，就土地可利用资源总量而言，牛家镇政新村与兴山村的土地资源总量可以满足园区一期规划总占地需要，有足够的承载能力。但同时也要注意到该区域土地资源并不丰富，在不占用已开发农业地的情况下根本不满足园区的建设需要，因此，虽然在五常市政府的土地资源调配下，牛家镇具有足够的土地承载力，园区一期规划仍需尽量减少规划占地总面积，减少农业耕地占用。

2. 水资源环境承载力分析

从五常牛家工业园区的具体实践经验来看，工业园区规划环评中水资源环境承载力分析一般应评述园区供需水平衡分析、所在区域地表水环境容量核算、水污染物排放总量等几方面内容，重点要说明的是工业园区所属区域的水资源潜力与纳污能力能否与工业园区规划的发展规模、产业结构、污染物特征等多种涉水因素相适应，为科学地实施规划方案调整，实现区域经济环境协调发展奠定基础。

（1）规划水资源供需平衡分析

①五常牛家工业园区一期规划需水分析

依照既定的规划目标，哈尔滨牛家工业区一期规划到 2008 年产值 10 亿元，2010 年产值 25 亿元；2008 年职工 6000 人，2010 年职工 15000 人。规划给水采用地下水集中供给，现有企业自备水井供水后封闭。

哈尔滨牛家工业区一期规划区用水量采用类比法确定，类比对象选定为同地区、企业类型相似的哈尔滨利民经济开发区的万元工业产值用水量。经调查利民开发区农副产品精深加工、医药企业和其他企业万元产值平均用水量为 1.7t。

哈尔滨牛家工业区一期规划区用水量的计算，依据调查相关行业产值用水量，按规划产值、人口和基础设施情况计算，详见表 1。

表1　五常牛家工业园区一期规划用水量核算表

序号	项　目	单　位	指　标	用水量	备　注
1	工业区初期平均用水量	t/万元	1.7t	170000 t/a	
2	职工用水	120L/·d人	6000人	216000 t/a	
3	公用设施用水	0.2万 m^3/（km^2·d）	0.632km^2	379200 t/a	
工业区初期用水量合计				765200 t/a	7.25 t/万元
4	工业区中期平均用水量	t/万元	1.7 t	425000 t/a	
5	职工用水	120L/·d人	15000人	540000 t/a	
6	公用设施用水	0.2万 m^3/（km^2·d）	0.632km^2	379200 t/a	
工业区中期用水量合计				1344200 t/a	5.4 t/万元

哈尔滨牛家工业区一期规划初期日供水规模0.255万 m^3，其中南区日供水规模0.119万 m^3，北区日供水规模0.136万 m^3。中期日供水规模0.448万 m^3，其中南区日供水规模0.209万 m^3，北区日供水规模0.239万 m^3。

②五常牛家工业园区一期规划供水分析

哈尔滨牛家工业区一期供水水源，选择为距工业区20km处拉林河东部漫滩区的地下水，设计建一座净水厂为整个园区供水，规划水厂选在规划区西侧中部地区，距规划区边界600m。

五常市境内地下水类型主要为沙砾石孔隙潜水、沙砾石孔隙承压水、碎屑岩孔隙裂隙水和基岩裂隙水。地下水资源量是指地下水系统中参与现代水循环而且可以更新的重力水，一般属于浅层地下水，用现状均衡情况下的总补给量（或总排泄量）表示。

五常市所在的拉林河流域地下水资源量和全区的地下水水资源量见表2和表3。

表2　五常市拉林河流域地下水资源量

一级流域名称	二级区域		总补给量/（亿 m^3/a）	重复计算量/（亿 m^3/a）	补给模数/（万 m^3/km^2）	可开采量/（亿 m^3）	可开采模数/（万 m^3/km^2）
	名称	面积/km^2					
松花江流域	拉林河流域	5012.40	6.67	2.33	13.30	4.52	11.01

表3　五常牛家工业园区所属区域地下水资源分布情况

行政区划		总补给量/（亿 m^3/a）	重复计算量/（亿 m^3/a）	补给模数/（万 m^3/km^2）	可开采量/（亿 m^3）	可开采模数/（万 m^3/km^2）
县（市）	面积/km^2					
五常市	3099.2	4.90	2.15	15.82	3.50	11.30

从表2和表3可以看出，五常牛家工业园区所在区域的流域地下水资源可开采量为4.52亿 m^3，牛家工业园区区域地下水可开采量为3.5 m^3，可开采模数为11.3万 m^3/km^2，地下水资源总量尚可。

③五常牛家工业园区一期规划水供需平衡分析

牛家工业区规划总占地17.69km^2，区域可开采量200万 m^3/a，工业区一期规划初期年用水量为76.5万 m^3，占可开采量38.3%；中期用水量为134.4万 m^3，占可开采量67.2%。五常牛家工业区域地下水资源可以满足牛家工业区一期规划需求。

（2）地表水环境容量分析

地表水环境容量是水资源环境承载力分析的重要内容之一，衡量的是工业园区所属区域地表水体的纳污能力，其核心问题在于通过科学地计算，评判出工业园区各时期的水污染物排放能否超出区域地表水的最大承纳能力，以致对水环境质量产生深远影响。

水环境容量计算成果有三个，理想水环境容量、水环境容量和最大允许排放量。水质模型计算结果为理想水环境容量，理想水环境容量扣除非点源入河量和来水本底后为水环境容量，按照各控制单元工业生活入河平均系数，反向折算到陆上，得到最大允许排放量。

污染物进入水体后，在水体的平流输移、纵向离散和横向混合作用下，同时与水体发生物理、化学和生物作用，使水体中污染物浓度逐渐降低。为了客观描述水体污染物降解规律，可以采用一定的数学模型来描述，主要有零维模型、一维模型、二维模型等。根据控制单元水质目标、设计条件以及选择的模型，计算水环境容量。根据拉林河环境功能区的实际情况，采用一维水质模型计算的方法。

$$C = C_0 \cdot e^{-\frac{Kx}{u}}$$

式中：u 为河流断面平均流速，m/s；x 为沿程距离，km；K 为综合降解系数，1/d；C 为沿程污染物浓度，mg/L；C_0 为前一个节点后污染物浓度，mg/L。

拉林河水环境容量见表 4。

表 4　拉林河水环境容量汇总表

单位：t/a

区　县		五常		双城	
用水量		7610000		8670000	
排水量		6470000		7370000	
污染物		COD	氨氮	COD	氨氮
理想水环境容量		4207	230	4206	230
水环境容量		3848	167	3964	187
现状点源污染物排放量		3441	256	3209	252
现状总入河量		3238	292	1847	168
五常牛家工业园区排放量	初期	32.51	3.25		
	中期	57.11	5.71		

从拉林河的水环境容量核算结果来看，五常牛家工业园区一期规划的各时期水污染物排放总量均在拉林河的承纳范围内，对拉林河水环境质量的影响在可接受范围内。

（3）水污染物排放总量控制分析

水污染物排放总量问题不仅是水资源承载力分析的重要内容，更是涉及整个规划能否具有实际可行性、为环境所接受的重中之重。一般来讲，工业园区规划选址所属区域的污染物排放总量情况对于整个工业园区的中长期发展规模、区内产业结构链条与入园企业类型都能起到决定性的作用，园区排污在满足区域地表水环境容量要求的同时，必须要有足够的排污总量分配指标。目前，工业园区的规划水污染物排放总量一般都由选址所属区域的整体总量中分配得来，如果已经没有足够的剩余总量可供分配，则必须讲求平衡、此增彼减，通过区域内水污染物的进一步减排来为规划的工业园区提供足够的排放总量指标。

结合五常牛家工业园区的实际来看，该园区首先要做的就是必须实现园区终端减排，即配套建设能够满足园区任一时期治污需要的污水处理厂。本园区根据废水量确定一期北区污水处理厂规模初期 1156 m^3/d，中期 2031m^3/d；一期南区污水处理厂规模初期 1011m^3/d，中期 1776m^3/d。

五常牛家工业园区一期规划的水污染物排放总量指标由五常市建设五常镇污水处理厂实现的污染物减排总量提供，可满足园区 2008 年 COD：32.51t/a、氨氮：3.25t/a；2010 年 COD：57.11t/a、氨氮：5.71t/a 的排放总量需求。

（4）水资源环境承载力分析结论

五常牛家工业园区一期规划以所在区域的地下水为供水水源，初、中期年需水量分别为 76.5 万 m^3 和 134.4 万 m^3，占可开采量 38.3% 和 67.2%，园区所处区域地下水资源可以满足工业区一期规划需求。园区设南、北区两座污水处理厂，初、中期年排污分别为 COD：32.51t/a、氨氮：3.25t/a 与 COD：57.11t/a、氨氮：5.71t/a，均在拉林河剩余水环境容量承纳范围内，排污总量指标由建设五常镇污水处理厂产生的减排总量提供，可满足园区各时期的发展规模要求。整体来看，五常牛家工业园区一期规划在所属区域水资源环境承载力范围内。

（三）大气环境承载力分析

对于工业园区大气环境承载力分析而言，与土地和水资源环境承载力分析在分析思路上是有一定区别的，主要表现为由于环境空气不同于土地或水这种实质化、消耗性可利用资源，因此大气环境承载力分析的重点往往只存在于对区域环境空气质量能否满足工业园区污染排放需要的评判上，一般选择大气环境容量作为定量评判指标，以大气污染物排放总量与环境容量之间的平衡关系为评判的核心问题。

1. 大气环境容量核算

五常牛家工业园区一期规划的大气环境容量核算指标与方法如下：

①核算指标：以 SO_2 和 TSP 污染因子作代表，分别核算工业园区的理想大气环境容量。

②核算方法：按照《制定地方大气污染物排放标准的技术方法》，选用 A－P 值法的 A 法。

③核算基本模型：根据国家标准《制定地方大气污染物排放标准的技术方法》规定的总量控制 A 值法，任一总量控制区域其污染物的允许排放总量：

$$Q_a = AC_s$$

$$A = 3.1536 \times 10^{-3} \sqrt{S} V_E / 2$$

式中：Q_a 为总量控制区允许排放总量，10^4t/a；C_s 为大气环境功能要求的大气污染物年平均浓度限值，mg/m^3；S 为总量控制区面积，km^2；V_E 为当地通风量，m^2/s；$V_E = uL_i$，u 为当地年平均风速，m/s；L_i 为混合层高度。

④大气容量计算结果

根据哈尔滨市环境容量测算结果，利用 A 值法计算大气环境容量结果见表 5。

表 5 五常牛家工业园区一期规划理想大气环境容量计算结果

区域	面积/km^2	SO_2/（t/a）	TSP/（t/a）
北区	1.6	2188	3498
南区	1.4	1914	3061

2. 大气污染物排放总量控制分析

工业园区大气环境承载力分析对于污染物排放总量控制这部分内容的入手在于以环境容量核算因子为基础，对应找准园区内的主要大气污染源，重点在于针对园区发展建设的不同阶段能够准确计算出大气污染物的实际排放总量。

结合五常牛家工业园区一期规划实例来看，该园区内的主要大气污染源为集中供热热源厂的 28MW 锅炉，烟气经过脱硫除尘设施处理后排放。在分析评价过程中，热源厂的排放总量计算是按照初、中期两个不同暮景进行的，经计算，园区各发展时期的污染物排放总量为初期 SO_2：

230t/a、烟尘：224t/a 与中期 SO_2：460t/a、烟尘：448t/a。

大气污染物排放总量指标的来源与水污染物相似，仍是由园区所属区域内的污染物整体减排总量提供，具体落实于五常市集中供热扩建工程。

3. 环境容量与污染物排放总量的平衡关系分析

从五常牛家工业园区一期规划的规划区大气环境容量与污染物实际排放总量的计算结果看，园区各时期大气污染物排放总量均大大小于环境容量。

4. 大气环境承载力分析结论

五常牛家工业园区一期规划的理想大气环境容量远大于各发展时期的大气污染物排放总量，且排放总量指标可由园区所属区域内五常市集中供热扩建工程实现的减排总量提供，总体来讲，五常牛家工业园区一期规划在该区域的大气环境承载力范围内。

（四）综合环境承载力分析

工业园区的综合环境承载力是在资源承载力与大气环境承载力分析基础上，综合考虑各个环境因素，构建评价指标体系，定量给出工业园区的最优与最低环境承载力。

1. 综合环境承载力指标体系的选择

一个区域的环境综合承载力是由一系列环境因素组成的，每个因素都是由相互制约又相互对应的分量构成，而且会随着区域环境的质量要求和生态保护要求的不同而改变。

一般来讲，环境承载力综合分析指标包括两部分，即资源环境承载力指标和社会经济开发强度指标[3]。

在五常牛家工业园区综合承载力指标的选取上，是以园区对环境最可能造成的不利影响作为主要考虑因素，对应地选取污染排放、资源消耗等方面的指标，其具体项目包括大气烟尘、SO_2、COD 和氨氮浓度、交通噪声、区域环境噪声、工业固废处置率、绿地覆盖率、人口增长率、地下水开采模数 10 项指标。

2. 综合环境承载力的评价指标权重确定

由于评价因子较多，且对环境影响的重要程度不同，需对每一个因子科学合理的赋予权重值。本实例采用的是层次分析法，得出的各环境因子的权重见表 6。

表 6　环境因子的权重值

环境因子	C_1	C_2	C_3	C_4	C_5	C_6	C_7	C_8	C_9	C_{10}
权重/（W_i）	0.1	0.1	0.12	0.12	0.06	0.08	0.12	0.07	0.11	0.12

3. 单项环境指标的环境承载力

这里采用相对剩余容量法来计算单项指标的环境承载力。

正向指标的相对剩余环境容量：正向指标是指数值越大，环境质量越好的指标，其相对剩余环境容量为：

$$E_i = 1 - C_i / C_{io}$$

式中：C_{io} 为环境标准值；C_i 为实测值。

其中大气污染物烟尘、SO_2 实测值采用日平均值，环境标准值采用国家环境空气质量二级标准；水环境监测项目 COD、氨氮实测值来源于拉林河口内段面的年均值，环境标准值采用地面水环境质量标准中的Ⅲ类水体标准；绿化覆盖率、人口增长率实测值采用实际调研结果，其标准值采用国内工业区最大值或预计达到的目标值。

各项指标因子的数值统计及单因子环境承载力见表 7。

表7　单因子环境承载力

评价指标	C_1/(mg/m^3)	C_2/(mg/m^3)	C_3/(mg/L)	C_4/(mg/L)	C_5/dB	C_6/dB	C_7/%	C_8/%	C_9/%	C_{10}/(m^3/km^2)
C_i	0.21	0.007	12.05	0.213	63.26	55.76	90	14.5	0.6	9.40
C_{io}	0.30	0.15	20	1.0	70	60	100	35	0.8	11.30
E_i	0.30	0.953	0.398	0.787	0.096	0.071	0.90	0.586	0.25	0.168
W_i	0.1	0.1	0.12	0.12	0.06	0.08	0.12	0.07	0.11	0.12

4. 综合环境承载力评价

计算出单项环境指标的相对剩余容量后，再根据各项指标的权重，可以求得区域环境承载力，用 E_i 表示，其模式为：

$$|E_i| = \sqrt{\sum_{i=1}^{n} (W_{ij}E_{ijk})^2}$$

式中：E_{ijk}为第 K 个区域第 j 个环境要素的第 i 个环境因子环境承载力指数归一化后的相对环境容量；W_{ij}为区域第 i 个环境因子的权重值。

当各项指标取其上限值时，区域环境承载力就是这种状态下的理想值，用 $E_{k\max}$ 表示，即有：

$$|E_{i\max}| = \sqrt{\sum_{i=1}^{n} (W_{ij}E_{ijk\max})^2}$$

由以上公式可求得五常牛家工业园区综合环境承载力和理想环境承载力，详见表8。

表8　综合环境承载力及饱和度

项　目	$E_{k\max}$	E
计算结果	0.155	0.323

环境承载力指标可以作为反映环境与经济、社会协调发展的重要判断依据，如果某地区的环境承载力越小，说明该地区环境与经济、社会的协调度越低，如果区域承载力趋于最优理想值，则说明区域环境承载经济的能力越强。

通过表8的单因子环境承载力可以看出，各项环境指标因子的承载力都还没有超标现象，但烟尘浓度、COD值、噪声、人口增长率、地下水开采模数这几方面的环境承载力较小，环境质量已不容乐观。须在这几方面采取相应的措施，以改善环境质量，实现区域的可持续发展。牛家工业区环境承载力最优值为 $E_{k\max}=0.155$，在牛家工业区环境承载力值达到最低环境承载力 $E=0.323$ 时，五常牛家工业园区所在区域的综合环境已无承载能力。

综合环境承载力分析有助于在环境承载力变化趋势恶化前，及时采取有效措施进行调控，避免资源环境超载现象的发生。

二、规划环评环境承载力分析上存在的问题

环境承载力分析在规划环境影响评价中的应用已经相当广泛，一些技术路线、方法已经成熟，具有良好的可操作性，但从一些具体案例的实际应用效果乃至自身从事此方面工作的体会来看，环境承载力分析上存在一些共性的问题，大致如下：

（一）土地资源承载力分析侧重点问题

土地资源承载力是环境承载力分析中一个较为容易忽视的问题，这方面内容的分析评价既没有复杂繁琐的评价模型，也没有总量质量指标调配的种种困难，其承载力分析往往关注的是规划

批复土地资源面积是否满足规划各时期发展需要，得出的结论基本都是“不存在土地资源制约”，但事实是否如此呢？从实际工作中借鉴甚至自身完成的规划环评案例中发现，土地资源承载力分析往往忽视了基于经济方面的土地利用效率分析，其要旨在于分析规划的占地面积即使是在有充裕土地资源可利用的条件下，这个面积是否是合理的、必要的，有没有“宽打款算”的可能，而这一点就目前而言尚鲜有可借鉴的成功案例。

（二）大气理想环境容量估算模型适用性问题

大气理想环境容量是大气环境承载力的核心内容，是衡量“能否承载”的关键性量化指标，目前的估算模型基本上都采用的是国家推荐的“A－P值法”，有个别规划环评案例在这模型基础上引入高架点源修正模式加以完善。“A－P值法”模型应用范围广、易操作，具有相当好的口碑，但这一模型最适用的是在大尺度条件下（城市建成区等）应用，对于区域规划环评的相对较小范围计算出的估算结果是否存在偏大的问题，目前还存在一定争议，部分专家引用个别案例按照估算结果的额度排放却导致当地环境空气质量恶化这一实际情况对于“A－P值法”的适用范围提出了疑义。

三、结　语

环境承载力分析是目前区域、流域开发改造、工业园区建设、农林、交通等综合性规划或专项规划环境影响评价的重要组成部分，环境承载力分析能够反映区域社会经济和资源环境的协调程度，准确地评估规划对资源环境可能造成的影响程度，对于规划方案的调整、完善都有着极其重要的意义。本文以本单位所做过的五常牛家工业园区一期规划环境影响评价为研究实例，从资源承载力与环境承载力分析两大方面着手，详细阐述了工业园区规划环评中的环境承载力分析一般应包括的主要内容、分析的基本思路、常用的分析方法以及难点与侧重点等方面的内容，较为清晰地捋清了整个工业园区环境承载力分析的基本脉络，同时又结合自身工作体会与经验，简要说明了当前规划环评环境承载力分析在土地承载力分析侧重点、大气理想环境容量估算模型适用范围等方面还存在着哪些问题。

总而言之，受自身知识水平的限制，本文所引用的五常牛家工业园区一期规划环境承载力实例分析可能会在内容覆盖面、理论深度、引用模型精确性等方面存在一定不足，所总结的几点现实问题也许也不够成熟或重要，但仍然希望能够通过同行间的技术交流，共同增进水平与经验，以图更好地完成环境承载力分析乃至整个规划环境影响评价工作，为实现我国新时期的可持续发展战略，构建经济、社会与环境协调快速发展的现代发展模式尽一份力。

参考文献

[1] 常春芝．环境承载力分析在规划环境影响评价中的应用［J］．气象与环境学报，2007，23（2）：38－41.

[2] 赵玉强，等．沈阳市浑南新区规划环境影响评价的环境承载力研究［J］．环境保护科学，2005，31（128）：61－63.

[3] 曾维华，等．环境承载力理论在区域规划环境影响评价中的应用［J］．中国人口·资源与环境，2007，17（6）：27－31.

基线评估法在规划环境评价中的应用

程红光　王　丹　汪丽喆　陈奕汀　郝芳华

（北京师范大学环境学院　北京　100875）

摘　要　本文应用基线评估的方法分析滇中调水规划对滇池地区景观生态的影响。在对评价区景观生态现状分析的基础上，应用马尔柯夫模型和 CLUE－S 模型对无规划条件下基线预测年的景观格局进行预测。结果表明：滇中调水规划的实施对滇池地区景观生态存在着一定的影响，它增大了水田景观和水域景观的面积，在一定程度上提高了滇池地区的生物多样性，同时改变了单类景观占据主导的趋势。

关键词　基线评估　规划环境评价　滇池地区　景观

本文以滇池地区为例，尝试用基线评估的方法分析滇中调水规划对该区域景观生态的影响，对基线评估法在规划环境评价中的应用具有一定的指导意义。

一、评价区域环境概况

滇中调水工程规划是一个以水资源配置为主线的工程规划，其基本目标是向城镇生活、工业供水为主，兼顾农业与生态用水，从根本上解决滇中高原水资源不足、制约云南经济发展的基础性问题。滇池属于长江流域金沙江水系的内陆高原湖泊，位于昆明主城区的西南部，湖面面积约为 309km^2。评价区域面积为 1813.16km^2，滇池占 17.04%。以滇池为中心，整个研究区域为阶梯状地貌。阶梯由三级组成，地势由北向南逐渐降低。流域处于干湿季分明的亚热带高原季风气候区，夏无酷暑，冬无严寒，年均气温 14.7℃，年均降水量 1006.5mm，88.99% 的雨量集中在 5—10月，尤其以 6—8 月的降水量最多，11 月至次年 4 月为旱季。

二、研究数据与方法

（一）景观源数据

景观的源信息是 1974 年的 MSS 影像、1992 年和 2004 年的 Landsat TM 数字图像，波段组成为 4，3，2（RGB），地面分辨率为 30m × 30m。

（二）数据处理

1. 景观类型划分与遥感解译

图像经几何纠正、坐标变换和增强处理后，参照 1∶10 万地形图数据，确立解译标志和解译精度，采用基于土地利用方式分类方法，将滇池流域土地利用景观类型分为：①林地；②草地；③水田；④旱田；⑤水域；⑥建筑用地；⑦裸地，共 7 类（图 1）。

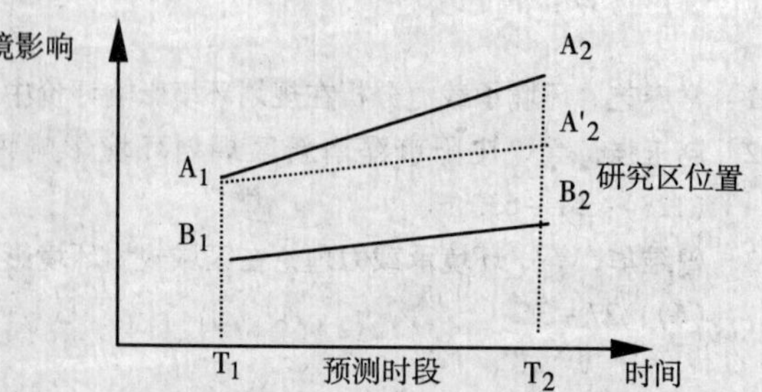

A 为有规划时的状态；B 为无规划时的状态

NEI = A2 A2 =（A2 － A1） －（B2 － B1）

图 1　规划净影响示意图

2. 景观格局分析

景观格局指数计算是在 Arcinfo9.0 和 APACK2.2 的平台下完成。根据评价区的特点和需要，选取斑块数量、平均斑块大小（MPS）、平均形状指数（MSI）、香农多样性指数（SHDI）、蔓延度指数（CONTAG）和景观聚合度指数（AI）等景观指数（计算公式见文献）[1-3]进行景观格局分析。

(三) 基线评估方法

1. 基本概念

IEEE 对于基线的定义是：已经通过正式复审和批准的某规约或产品，它因此可以作为进一步开发的基础，并且只能通过正式的变更控制过程进行改变。简单地说，基线就是项目储存库中每个工件版本在特定时期的一个“快照”。它提供一个正式标准，随后的工作基于这个标准进行，并且只有经过授权后才能变更这个标准。建立一个初始基线后，以后每次对它进行的变更都将记录为一个差值，直到建成下一个基线。

基线评估方法应用范围非常广泛，在环境领域中，基线值实质上就是环境现状值，因为在环境影响评价要把拟建工程的影响预测值叠加在该值之上，才可确定出拟建工程对环境的影响程度，所以用“基线”这一名词来突出该数值的特点。

2. 基线评估方法在规划环境评价中的适用性

规划环境影响评价应该反映规划的净环境影响（Net Environmental Impact，NEI）。在规划环境影响评价过程中，不能把拟实施的规划项目的影响贡献直接叠加在现状基线（或现状水平）年上，而应该把现状值看作是一个动态的数值，采用一定的方法推断出该规划项目运行初期、运行中期、运行后期时的基线值，然后再与相应时期的影响贡献叠加。因此，除了预测规划实施后预测时段的环境影响之外，还应该预测没有该规划实施这一前提条件下同一预测时段的环境影响，两者之间的差值即为规划净环境影响（NEI）。因此，“基线”是指未实施规划时预测时段内研究区域的环境状况，以此“基线”为标准，评估实施规划后预测时段内研究区域的环境状况与“标准”的差距，即是该规划实施对环境的影响。

3. 规划环境评价基线值的现状调查

根据调水规划的实际情况，将规划水平年定为 2004 年，基线预测年定为 2020 年。目前，规划环境评价中基线调查方法主要有四种，即收集资料法、现场调查法和 GIS 与遥感技术方法等。本文选用现场调查和遥感与 GIS 相结合的方法，对 2004 年滇池地区的景观格局现状进行分析，其景观类型的空间分布见图 2。

4. 规划环境评价基线值的确定方法

根据本文的研究对象，分别选取马尔柯夫模型和 CLUE－S 模型针对景观类型和景观指数进行预测。

在遥感和地理信息系统的支持下，利用 1974 年、1992 年和 2004 年的遥感图像和地形图作为信息源，获取滇池地区景观类型的转化数据，在此基础上，应用马尔柯夫链模型模拟预测滇池地区在无滇中调水规划情况下基线预测年景观类型所占的比例。根据马尔柯夫预测出的结果，结合 CLUE－S 模型，对 2020 年的景观类型的空间分布进行模拟，计算出在无规划条件下基线预测年的各景观格局指数。

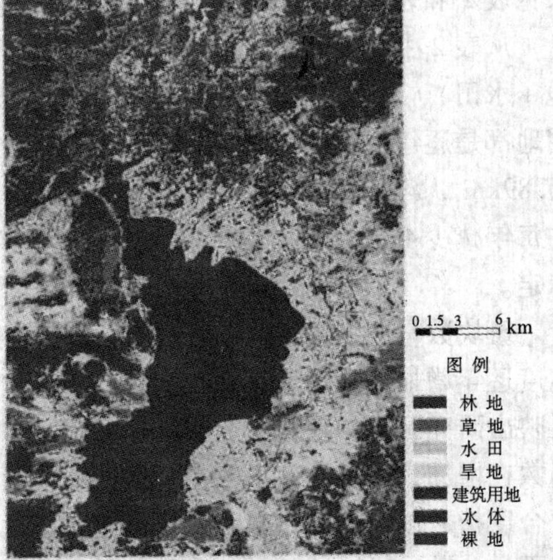

图 2　滇池地区 2004 年景观类型空间分布图

三、结果与讨论

(一) 环境基线现状

2004 年，滇池地区林地、草地、耕地（水田＋旱地）、建筑用地、水域、裸地的比率分别为 26.27%、10.80%、30.53%（17.26%＋13.27%）、13.18%、17.65%和 1.57%。耕地为主要景观，其中水田面积约占耕地面积的60%；同时林地、草地面积也占比例很大，地区植被覆盖率较好。

应用 APACK2.2 计算的滇池地区斑块数量、平均斑块大小、平均形状指数、香农多样性指数、蔓延度指数和景观聚合度指数分别为 114490 个，28.55km²，3.18，1.78，0.31 和0.81。

（二）环境基线的确定

应用马尔柯夫链模型模拟预测滇池地区在无滇中调水规划情况下基线预测年景观类型所占的比例，计算结果见表1。在模拟的过程中我们对预测的结果进行了χ^2检验，$\chi^2 = \frac{\sum (Y - \hat{Y})^2}{\bar{Y}} =$ 1.3731%，查表得，$\chi^2_{0.05}(6) = 12.6$。结果表明假设被接受，模拟结果与实际情况基本吻合，说明通过马式链模型模拟预测滇池地区景观类型格局变化的方法是可行的，预测的结果比较可信。

根据马尔柯夫预测出的结果，结合 CLUE－S 模型，对 2020 年的景观类型的空间分布进行模拟，计算出在无规划条件下基线预测年的各景观格局指数，斑块数量、平均斑块大小、平均形状指数、香农多样性指数、蔓延度指数和景观聚合度指数分别为 158412 个，19.11km²，3.32，1.74，0.36 和0.77。

表1　从2010年到2020年各土地利用景观类型比例基线预测值　　单位：%

土地利用景观类型	年　份		
	2010 年	2015 年	2020 年
林地	25.07	26.02	26.98
草地	10.12	9.96	9.81
水田	17.40	17.14	16.89
旱地	15.67	15.02	14.35
建筑用地	11.49	11.76	11.99
水域	17.64	17.65	17.66
裸地	2.60	2.45	2.32

（三）环境影响基线评价结论与分析

将规划水平年与无规划条件下基线预测年的景观类型比例状况及景观指数情况进行对比，结果见表2和表3。

从表2中可以看出，在无规划的条件下，滇池地区未来土地利用变化的趋势是耕地（旱地＋水田）、草地和裸地在逐年减少，以耕地减少最为明显；建筑用地和林地在逐年增加，其他用地都是逐年减少。相对于2004年，2020年林地增加44.97km²，同时，建筑用地面积净增加了75.89km²，年均增加速率为3.15km²/a。预测的16年间滇池地区耕地面积减少了73.43 km²，平均每年减少4.90km²。此外，裸地面积持续减少，减幅为0.52%。水域减少面积缓慢，基本保持稳定。

斑块数量即为景观的丰富度R，从表3中可以看出，在无规划的条件下，滇池地区景观的丰富度逐年增加。平均形状指数反映出其形状的复杂程度，滇池地区景观的形状指数也逐年增加，反映出研究区域的景观的形状日趋复杂。与规划水平年相比，无规划条件下基线预测年的蔓延度指数在增加，而多样性指数在下降，这说明未来16年内单类景观占据主导的趋势在增加。景观聚合度指数逐年降低，说明各景观类型斑块之间的聚合程度逐渐降低，各景观类型在区域内的分布更加分散。2004—2020年平均斑块大小的逐年降低意味着未来16年评价区域景观的破碎度在逐年增加。

根据滇中调水规划的实施情况，与规划水平年相比，推测2020年滇池地区的水域面积会有所增加，耕地面积中水田的面积会大幅度增加，未利用地的面积会逐渐减少，城市化的进程依然很快。斑块数量和平均形状指数将逐渐增加，而平均斑块大小逐渐减少；多样性指数会逐渐上升，相反蔓延度和景观聚合度会逐渐降低。

将有、无规划条件下基线预测年的景观生态情况进行对比，可见滇中调水规划的实施对滇池地区的景观格局存在着一定的影响，它改变了耕地中水田面积逐渐减少的趋势，使水域面积比例上升，在一定程度上缓和了滇池地区水资源短缺的压力。同时根据景观指数可见，虽然规划的实施并没有改变滇池地区景观逐渐破碎化的趋势，但是它提高了生物多样性，降低了蔓延度指数，改变了无规划条件下单类景观逐渐占据主导的趋势。

综上，滇中调水规划的实施，增大了水田景观和水域景观的面积，在一定程度上提高了滇池地区的生物多样性，降低了单类景观占据主导的趋势，因此，滇中调水规划的实施对滇池地区景观生态存在影响。

表2　研究区域内无规划条件下现状年与预测年景观类型比例状况对比　　单位:%

时间 \ 景观类型	林地	草地	水田	旱地	建筑用地	水域	裸地
规划水平年	26.23	10.25	17.53	13.63	12.80	17.67	1.89
无规划条件下基线预测年	26.98	9.81	16.89	14.35	11.99	17.66	2.32
有规划条件下基线预测年	↗	↘	↗	↘	↗	↗	↘

表3　研究区域内无规划条件下现状年与预测年景观指数状况对比

时间 \ 景观指数	斑块数量（个）	平均斑块大小（km^2）	平均形状指数	多样性指数	蔓延度	景观聚合度
规划水平年	114490	28.55	3.18	1.78	0.31	0.81
无规划条件下基线预测年	158412	19.11	3.32	1.74	0.36	0.77
有规划条件下基线预测年	↗	↘	↗	↗	↘	↘

四、结　语

本文将应用广泛地基线评估方法引入到规划环境评价中的案例目前还很少见。并以水资源开发规划为例，开展了案例研究，结果表明该方法能够有助于发现规划前后环境的“净”影响，从而提高规划环境影响评价的有效性。

参考文献

[1] Hargis CD, Bissonette JA , David JL. The behavior of landscape metrics commonly used in the study of habitat fragmentation [J]. Landscape Eco. 1998, 13 : 167 - 186.

[2] Krummel J R, Gardner R H. Landscape patterns in a disturbed environment [J] . Oikos. 1987, 48 (2): 321 - 324.

[3] 包存宽，尚金城，陆雍森．前后对比分析法在战略环境评价中应用初探［J］．环境科学学报，2001，21（6）：754 - 758.

农业区域战略环境影响评价中生态风险评价指标体系研究

李双江[1] 邢 晨[2]

（1. 哈尔滨市环境保护科学研究院；2. 哈尔滨市环境宣教信息中心）

摘 要 生态风险评价是近几年逐渐兴起并不断发展的一个研究领域。它的产生适应于20世纪80年代环境治理目标和环境治理观念的转变。生态风险评价是对生态系统或其组分受到的风险进行评价。目前的研究实例主要有重金属污染对水域及土壤生态系统的风险评价，生物技术带来的生态风险评价，城镇化生态风险评价等，但是很少见到对农业生态系统的生态风险评价。农业在其经济中具有举足轻重的地位，因此对其农田生态风险进行评价，具有非常重要的理论及现实意义。本论文对农业生态系统的特点进行了叙述，提出了农业生态系统的风险评价指标体系的总体思路，再通过系统分析，最终构建了适合农业生态系统的风险评价指标体系。

关键词 战略环境影响评价 生态风险评价 指标体系

一、引 言

区域生态风险评价强调区域性，是在区域水平上描述和评估环境污染、人为活动或自然灾害对生态系统及其组分产生不利作用的可能性和大小的过程[1]。区域生态风险评价所涉及的环境问题的成因及结果都具有区域性。付在毅等[1]将区域生态风险的评价方法步骤概括为研究区的界定和分析、受体分析、风险识别与风险源分析、暴露与危害分析，及风险综合评价几个部分。强调区域生态风险评价中区域社会、经济、自然环境状况的分析是区域风险评价的基础，并详细阐述了如何针对区域特点进行风险源、风险受体的判定及暴露与危害分析和风险综合评价。

二、农业域生态风险评价概述

（一）生态风险评价概念

生态风险评价是评估由于一种或多种外界因素导致可能发生或正在发生的不利生态影响的过程。其目的是帮助环境管理部门了解和预测外界生态影响因素和生态后果之间的关系，有利于环境决策的制定。生态风险评价被认为能够用来预测未来的生态不利影响或评估因过去某种因素导致生态变化的可能性。

（二）农业生态系统的特点

农业生态系统是直接为人类生存和生活服务的一类人工—自然复合生态系统，因此，农业生态安全是指以人类的健康为最终目标，农业生态系统能够保持持续生产力，不对环境造成破坏和污染，并能生产出健康农业产品的一种状态和水平。农业生态安全是农业可持续发展的基础。农业生态安全具有较强的地域性和时间限制性，而且受外部自然环境、人类活动、社会经济、技术等的影响和调控十分明显。例如，农业生态系统安全受灾害性天气现象（洪涝、干旱、台风等）、光热水土资源、农业生产技术条件（如化肥、农药、转基因物种等的使用）、市场经济条件（如需求、价格）等的影响很大。

与自然生态系统相比，农村生态系统具有以下特点。

1. 农业生态系统是一个自然、生物与人类社会生产活动交织在一起的复杂的大系统，它是一个“自然”再生产与经济再生产相结合的生物物质生产过程。所谓“自然”再生产过程，是指种植业、养殖业与海洋渔业等，实质上都是生物体的自身再生产过程，不仅受自身固有的遗传规律支配，还受光、热、水、土、气候等多种因素的影响和制约，即受到自然规律的支配。经济再生产过程，是指农业生产是按照人类经济目的进行的，投入和产出，受到经济和技术等多种社会条件的影响和制约，即受社会经济规律的支配。人类从事农业生产，就是利用并促进绿色植物的光合作用，将太阳能转化为化学能，将无机物转化为有机物，再通过动物饲养，以提高营养价值，使农业生态系统为社会尽可能多地提供农产品。同时，人类运用经济杠杆和科学技术来提高和保护自然生产力，提高经济效益。

2. 发展农业，必须处理好人、生物和环境之间的关系。要按照生物与环境相统一的基本规律来指导和发展农业生产。种植业和林牧渔业生产都是生物体的再生产过程，各自与其环境之间建立了多种类型的“自然”的生态系统。只有生物与非生物环境之间相互协调、相互适应，农业生产才能获得最优化的效果。所谓顺天时，量地利，则用力少而成功多，反其道而行之，则劳而无获。农业生产是一个能量与物质流通过程，无论能量与物质提供者的环境条件或者是生产者的生物体，在一定时空条件下，它们的生产能力都是有一定限度的，超过其极限，就会造成生态平衡的破坏，使自然资源衰退，农业生产下降。由于捕捞强度过大，超过了渔业资源的再生能力，致使我国主要海洋经济鱼类的资源日趋枯竭。同样，在耕地利用上，忽视养用结合，以致土壤肥力严重衰退，引起土壤退化。在大量的物质和能量随着商品流出农业生态系统之后，就必须从外界投入足够的物质和能量，才能保持其平衡。因此，对农业资源不能只顾利用，不断索取，必须加以保护，使之休养生息，才能促进资源增殖，提高农业产量。

3. 建立一个合理、高效、稳定的人工生态系统，促进农业现代化建设。农业生产是一个以自然生态系统为基础的人工生态系统，它远比自然生态系统结构简单，生物种类少，食物链短，自我调节能力较弱，易受自然气候、病虫害、杂草生长的影响。农业生产的不稳定性，很大程度上受自然环境的约束，因而应创造良好的农业生态环境，才能取得较佳的经济效益。良好的农业生态环境有赖于森林、草原、水域等生态系统的支持、保护和调节。农业生态系统就其生产力来说应当比自然生态系统更高，因此除太阳辐射外，还必须加入辅助能，如农机、化肥、农药、排灌、收获、运输、加工等，通过人类的劳动和管理。只有不断地调整和优化生态系统的结构和功能，才能以较少的投入，得到最大的产出，取得良好的经济效益、社会效益和生态效益，建立一个合理、高效、稳定的农业生态系统。

（三）农业生态风险评价的特点

农村区域生态风险评价涉及环境科学、生态学、环境和生态毒理学、地理学、灾害学等多个学科，其主要特点为：

1. 在模型构建上，要弄清人类活动变化、环境过程与重要社会环境资源之间的关系比较困难。

2. 由于评价标准不统一，不同区域生态风险很难有可比性，因此评价标准的确定是又一个难点。这个问题可以从两个角度考虑：一是制定相对标准，通过尺度扩大的方法将需要对比的区域作为一个区域来考虑，也就是等于扩大评价范围，在技术实现上难度较小；二是制定绝对评价标准，这就需要分段制定标准，比如对风险源的可能影响给出标准，对风险受体针对不同风险源可能受到的影响也要给出标准等，这种方法在实现上很难，需要大量的前期工作。

3. 不确定性存在于风险评价整个过程中，在风险源的识别、风险可能性的判断上、各种外推（如物种间外推、不同等级生物组织间外推、由实验室向野外情况外推、由高剂量向低剂量外推等）中都存在不确定性。在风险评价过程中，加强不确定性评价，并通过实验方法的改进和对生态系统的深入认识，发展各种外推理论，建立合适的外推模型，逐步减小不确定性。

三、农业区域生态风险评价指标体系的构建

（一）农业区域生态风险评价指标体系构建的总体思路

区域生态风险评价为管理部门进行及时的预警和有效的预防、最终实现“零风险”管理目标提供了科学依据，构建指标体系时应遵循以下 4 个原则：

1. 客观性原则：指标选取时主要是评价者的主观判断，难免受到个人经验和观点的局限，为了保证客观性和科学性，应尽量采取主观判断和客观验证相结合的方式构建指标体系。

2. 整体性原则：根据生态系统中整体大于部分之和的原理，生态风险评价不能简单加和，所以在选取评价指标时应在优先考虑各生态系统主导评价指标的前提下，对区域尺度的指标体系进行整体衡量。

3. 层次性原则：由于生态风险评价的过程较为复杂，在建立指标体系时应在不同层次的水平上各有侧重，如在第二层次上选用反映生态系统结构和功能的抽象指标，在第三层次上对各抽象指标的具体影响指标进行描述，通过逐级细化完成指标体系的构建。

4. 可比性原则：评价尺度是决定评价指标的关键要素，在区域范围或多个区域的更大空间范围，要实现区域生态风险评价结果的可比性，需充分考虑各生态系统差异性的前提下构建具有可比性、一致性的必选指标。

（二）农业区域生态风险评价指标体系应说明的重要问题

农业区域生态风险评价的对象主要是农业生态系统的完整性和稳定性、生态系统健康和生态系统功能的可持续性、主要过程的可持续性等。根据生态系统的特征及其功能所建立的指标体系既包括生态系统的结构、功能和过程指标，也可以是社会经济和景观格局、土地利用指标。目前的生态系统风险评价多采用前者。考虑到生态系统的空间异质性，可借助 RS 和 GIS 技术将区域尺度的空间范围分解成小尺度的空间单元，首先评价每个空间单元上的生态风险，再将评价结果表达在区域尺度上，实现区域生态风险评价—空间单元的风险评价，主要包括两方面内容：①基于风险源的综合风险概率评价；②基于受体的生态损失程度评价。在此基础上计算区域生态风险指数——基于区域生态风险评价指标体系的构建，近年来许多学者开展了相关研究，许学工等在对黄河三角洲湿地区域进行风险评价时，对生态损失度指数的计算取决于生态指数和脆弱性指数，其中，生态指数是对不同生态系统在区域中生态意义和地位的度量，由物种丰度、人类干扰程度和自然度来体现，物种丰度的计算指标是物种多样性和物种保护性指数，人类干扰程度和自然度的计算指标是廊道所占区域面积比例；脆弱性指数是对不同生态系统遭受损失的难易程度的度量，一般仅对脆弱性指数进行简单排序、再归一化处理即可。付在毅等在对辽河三角洲湿地区域进行生态风险评价时也采用了类似的生态损失度指标，贡璐等通过遥感技术确立生态风险受体，选取景观格局指数、景观脆弱度指数和景观生态损失度指数作为评价指标，通过景观生态风险的综合计算和 GIS 叠加，得到博斯腾湖区域综合景观生态风险评价图。

（三）农业区域生态风险评价指标体系的构建

1. 农业区域生态风险评价指标体系框架

本文所提出的农业区域生态风险评价指标体系包括以下三个基本层次：

（1）目标层

目标层表述的是评价指标体系的评价主体，所有的指标选取都要围绕这一主体展开，就本文而言，目标层为“生态风险评价指数”。

（2）准则层

准则层是在分析评价指标体系目标层表述含义基础上提炼出的，用以说明指标体系要重点评价的层面，本文所提的评价指标体系的准则层包括有“生态环境污染指数”、“生态环境质量现

状指数”与“生态环境管理能力指数”3个层面。

（3）指标层

指标层是在准则层基础上提出来的细化指标，本文的指标体系指标层下分1级指标与2级指标两个层次。

2. 农村区域生态风险评价指标的选取

本文指标体系中的2级指标选取是在借鉴国内外关于生态风险评价方面研究成果与实践成果与结合自身工作经验的基础上进行的，选取范围基本上包括了农业面源污染物排放、传统生态学考评指标、农业污染防控与生态县建设等诸多方面。

此外，由于与以往单一地点的生态风险评价相比，不同地域的农业区域生态风险评价所涉及的风险源和评价受体等在区域内均具有空间异质性，即存在区域分异现象，因此，本文在2级指标层次上又做了进一步的划分，将2级指标分为“通用指标”与“特殊指标”两类，用于更准确地评价不同地域农业生态系统的综合风险。现依照准则层次序汇总如下。

（1）通用指标

①生态环境污染指数

A. 一般污染物排放指数

一般污染物排放指数考核的是农业生产、生活活动过程中排放入天然水体或环境空气中的无毒性或“三致”效应的一般污染物，在排放强度、浓度上对水生与陆生生态系统可能造成的污染破坏程度。

B. 毒性污染物排放指数

毒性污染物排放一般是指农田施用化肥、农药等生产活动，对水生生态系统的影响尤其严重，往往产生不可逆的、甚至毁灭性的生态破坏后果，可以说是最重要的农业生态风险源之一，是农业生态风险评价的重点问题。

C. 生态环境破坏指数

本文指标体系中的生态环境破坏指数衡量的是农业发展可能产生的生态破坏程度，关注的层面一般为农村区域所属的自然资源与天然水体等，生态系统层面则在“生态环境质量现状指数”中予以体现。

②生态环境质量现状指数

A. 原生生态环境质量指数

农业生态类型一般包括原生生态与人工生态两种，原生生态又分为水生与陆生生态。本文的原生生态环境质量指数评价指标选取主要依托传统生态学中对于生态系统的综合考评指标，然后再根据农业原生生态的特点从中选择。

B. 人工生态环境质量指数

作为农业生态类型的一种，人工生态系统主要表现为人工形成的防护林、水塘或苗圃等。

C. 社会与自然资源环境指数

在本文的指标体系中，社会资源一般指的是城镇人口；自然资源则指的是影响生态系统稳定的、为生物生长发育所必需的自然资源。

③生态环境保护能力指数

生态环境保护能力指数的目的在于科学评价一个农业发展决策部门在生态环境保护方面所开展的各项积极措施，有效性能否满足发展经济与保护环境的双重需要，这种能力的高低直接关系着农业生态整体质量的未来发展趋势。

（2）特殊指标

针对不同地域的农业环境，比如平原、丘陵、草原、湿地等，对于这些区域而言，以上的通用指标并不能完全说明本区域生态类型可能面临的风险水平，必须增加有明显区域特色的评价指标。

3. 指标体系框图

将通用指标与特殊指标汇总，得到的最终的农业区域生态风险评价指标体系见表1。

表1 农业区域生态风险评价指标体系

目标层	准则层	1级指标	2级指标	备注
生态风险评价指数	生态环境污染指数	一般污染物排放指数	水体中COD浓度	通用指标
			水体中氨氮浓度	通用指标
			万元GDP COD排放强度	通用指标
			万元GDP氨氮排放强度	通用指标
			水温周最大温升或温降	通用指标
			环境空气中SO_2浓度	通用指标
			环境空气中$PM_{2.5}$浓度	通用指标
			环境空气中TSP浓度	通用指标
			万元GDP SO_2排放强度	通用指标
			万元GDP $PM_{2.5}$排放强度	通用指标
			万元GDP TSP排放强度	通用指标
			农药施用强度	通用指标
			化肥施用强度	通用指标
		毒性污染物排放指数	水体中重金属浓度	通用指标
			水体中多环芳烃浓度	通用指标
			水体底泥中重金属沉积量	通用指标
			生活垃圾渗滤液排放强度	通用指标
			土壤中重金属含量	通用指标
			土壤中农药残留物含量	通用指标
		生态环境破坏指数	水体富营养化指数	通用指标
			水土流失强度	通用指标
			土地荒漠化强度	通用指标
			土地盐碱化强度	通用指标
			草原开垦比例	特殊指标
			草原退化比例	特殊指标
			草原荒漠化比例	特殊指标
			沙化扩展速度	特殊指标

目标层	准则层	1级指标	2级指标	备注
生态风险评价指数	生态环境质量现状指数	原生生态环境质量指数	生态脆弱性指数	通用指标
			生态完整性指数	通用指标
			生物多样性指数	通用指标
			种群密度	通用指标
			生物量	通用指标
			初级生产力	通用指标
			森林覆盖率	特殊指标
			湿地积水状况	特殊指标
			湿地植物丰富度	特殊指标
			湿地优势种种群密度	特殊指标
		社会与自然资源环境指数	水资源丰度	通用指标
			植被覆盖率	通用指标
			土地开发利用强度	通用指标
			城镇人口密度	通用指标
			草原畜牧承载力	特殊指标
	生态环境管理能力指数	生态环境保护能力指数	集约化养殖场污染物达标排放率	特殊指标
			主要污染物排放总量削减率	特殊指标
			生活垃圾无害化处理率	特殊指标
			全年空气质量达二级标准天数	通用指标

四、结　论

区域生态风险评价由起初的单因子单风险评价、多因子单风险评价正逐步向多因子多风险评价演化，并通过 RS 和 GIS 空间分析工具，将评价范围扩张到更大尺度。区域生态风险评价以区域范围内的生态系统作为受体，以反映生态系统结构和功能的指标来量化由风险源产生的影响。随着区域生态风险评价受体的范围不断扩大、类型逐渐增多，评价指标逐渐呈现出复杂多样的特点，区域生态风险评价的客观性差和可比性差的弱点也暴露出来。在进行特定区域的评价时，应根据该区域的实际特点对指标体系进行补充和细化。尽管国内已开展了区域范围的生态风险评价、建立了相应的评价指标，但各种评价指标繁杂，没有统一的指标体系，同时，针对各种生态系统类型的评价指标体系亦不够完整，并且各指标的基准值和参考剂量数据库以及事故风险概率还有待进一步补充。今后，在指标选取时，应以区域生态风险评价的目的为导向，将评价指标的选取与风险防范的对策措施相结合，针对具体指标反映的问题及时回应、积极应对，从而避免风险损失的发生。

参考文献

[1] Fu Z Y, Xu X G. Regional ecological risk assessment [J]. Advance in Earth Sciences, 2001, 16 (2): 267-271.

生态服务价值在土地利用规划环境影响评价中的应用及方法研究

许 田

（大连市环境科学设计研究院 辽宁省大连市沙河口区连山街58号 116023）

摘 要 本文论述了生态服务价值理论和土地利用规划环境影响评价研究，总结了生态服务价值在土地利用规划环境影响评价中的应用概况。通过分析，在土地利用规划环境影响评价的过程中应用生态服务价值理论能够定量反映土地利用规划对环境的影响，提高规划的环境可行性。同时在参阅大量文献的基础上，以期为规划环境影响评价提供定量化技术方法，总结出适合中国陆地生态系统的生态服务价值计算模型，为精准的评价土地利用规划优劣提供技术保障。

一、生态服务价值在土地利用规划环境影响评价中的应用

（一）理论概述

1. 生态服务价值理论

生态系统服务功能是指生态系统与生态过程所形成及所维持的人类赖以生存的自然环境条件与效用[1]。其重要性在于能为人类提供食物及其他工农业生产原料，更重要的是支撑与维持了地球的生命支持系统。区域生态系统服务功能的价值已经成为衡量区域总体经济发展状况和生态环境质量状况的重要指标之一[2]。

生态服务价值是指生态系统的各种服务功能及其价值的量化方法。从理论而言，生态系统服务功能可分为利用价值与非利用价值两部分。利用价值包括直接利用价值（直接实物价值）、间接利用价值（生态功能价值）和选择价值（潜在利用价值）；非利用价值则包括遗产价值和存在价值[3]。1997 年，Costanza 等[4]人对全球生态系统的服务价值进行了定量估算，其研究成果使生态系统服务价值评估的原理与方法从科学意义上得以明确，将生态系统服务研究推向生态经济学研究的前沿。但该项研究某些数据存在较大偏差，如对耕地的估计过低，对湿地的估计又偏高。谢高地、鲁春霞[5,6]等人针对上述不足，结合我国实际情况，将生态系统服务体系分为 9 类，制定出我国陆地生态系统单位面积生态系统服务价值。目前，对生态系统服务价值评估主要以森林[7]、草地[8]、湿地[9]等生态系统为主。另外，还有一些关于区域[10,11]乃至全球尺度[4]的服务价值评估。近期，服务价值的研究正向生态系统服务价值的动态评估[12,13]及某些具体因子对服务价值的影响[14,15]等方面发展。

2. 土地利用规划环境影响评价概述

土地利用规划的环境影响评价属于战略环境影响评价的范畴，是指对土地利用规划实施后可能造成的环境影响进行分析、预测和评价，提出预防或者减轻不良环境影响的对策和措施，进行跟踪监测的方法和制度[16]。土地利用规划作为配置和合理利用土地资源的重要手段，其实施对环境的影响具有长期性、累积性、区域性、综合性、复杂性。

土地利用规划环境影响评价的目的与作用是提高决策质量，保障可持续发展，减小政策、规划与计划对环境的危害[17]。规划环评是一种在规划层次及早协调环境与发展关系的决策手段，其目的是分析确定土地利用宏观结构调整与布局对区域自然环境和生态系统的可能影响，使土地利用规划制定过程中能充分考虑有关的重要环境问题，从源头上尽量减少规划产生的不利影响；通过提出替代方案与相应的对策措施，以规避规划方案实施对环境的影响和损害[18]。

目前土地利用规划环评的研究，多侧重于方法和技术路线的理论探讨，案例多为地市级区

域，国家和省级尺度的案例研究较少。土地利用规划环境影响评价其核心在于评价指标体系的构建。由于我国的规划环评还处于起步阶段[19]，环评指标体系的确定仍是一项探索性很强的工作。目前常用的包括压力－状态－响应模型、生态系统服务价值法、生态足迹法、SCS 模型法等[20]。

（二）应用

区域土地利用规划对未来年份的土地利用类型和方向作了明确的规定，土地利用规划方案的实施必将影响区域生态系统环境状况，如何有效定量评价土地利用规划对生态环境的影响，为规划方案的优化和政策决策提供依据是广大研究者关注的热点和难点之一。

目前，国内学者对土地利用结构变化所产生的生态服务价值变化的研究也很多。白晓飞应用修正生态系统服务单价方法估算内蒙古自治区伊金霍洛旗 1990—2000 年土地利用的生态效益，证明人类经济发展对生态环境的影响巨大，且一旦生态环境遭到破坏则很难恢复[21]。梁欣等人应用生态系统服务价值的测算方法，分析了大庆市 1988—2001 年 13 年间土地利用变化及其所引起的生态系统服务价值的变化[22]。马育军等人分析了沿海滩涂用地开发对区域生态系统服务价值的影响[23]。冉圣宏等人针对中国的实际情况，计算了 1996—2004 年土地利用规划实施以来，我国不同省市土地利用变化引起的生态服务功能的变化[24]。此外，还有学者已将生态服务价值理论应用于政策环境影响评价研究中。于书霞等人以生态系统服务价值为评价指标，通过对政策实施前后生态服务价值变化的比较分析，对吉林省生态省建设中土地利用政策的环境影响进行定量分析评价[25]。从以上研究可以看出土地利用结构决定生态服务价值，生态服务价值反映土地用力结构的环境优劣。土地整理规划期一般为 10～20 年，如其规划设计中土地利用结构不合理，规划实施后将对规划区生态环境造成影响，因此有必要在规划环境影响评价中引入生态服务价值核算，为土地利用结构调整提供环境可行的理论依据。

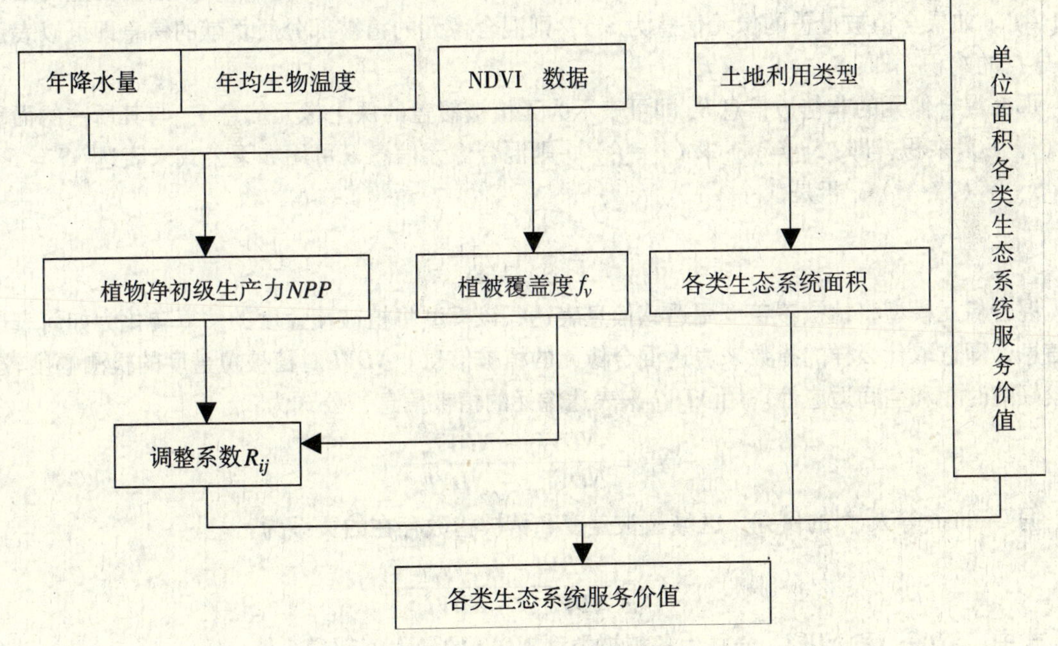

图 1 生态系统服务价值评估流程图

二、生态服务价值的计算方法

生态服务价值的计算方法在参考了大量生态服务价值评估模型的基础上，潘耀忠、史培军[26,27]等人所提出的陆地生态系统服务价值的评估方法较为适合中国地区的情况，流程如图 1 所示，同时本文利用混合像元法和净初级生产力模型对数据进行校准，为更准确地反映生态系统服务价值提供保障。

（一）生态系统服务价值计算公式

一定区域内生态系统服务价值为：

$$V = \sum_{c=1}^{n} V_c \qquad V_c = \sum_{i=1}^{n}\sum_{j=1}^{m} R_{ij} \times V_{ci} \times S_{ij}$$

式中：$c=1$，2，…，n 为生态系统的类型；V_c 为第 c 类生态系统生态服务价值；$i=1$，2，…,n，为第 c 类生态系统的第 i 种生态服务功能；V_{ci}为第 c 类生态系统的第 i 种生态服务类型的单位面积价值；$j=1$，2，…，m 为一定区域内第 c 类生态系统在空间上分布的像元数；S_{ij}为各个像元的面积大小，对于等面积投影；S_{ij}为给定的常数；R_{ij}为每个像元的调整系数，它是由生态系统的质量状况决定的。

（二）调整值 R_{ij}的计算

$$R_{ij} = \left(\frac{NPP_j}{NPP_{mean}} + \frac{f_j}{f_{mean}}\right)/2$$

式中：NPP_{mean}和 f_{mean}为区域内各类生态系统植被净初级性生产力的均值和植被覆盖度的均值；NPP_j 和 f_j 为 j 像元的初级生产力和植被覆盖度。

（三）植被覆盖度 f_j 的计算

像元的植被覆盖度（f_j）是该像元植被的投影面积在像元面积上所占的比例，可以用混合像元法模型进行估算[28]。混合像元法是将遥感影像的像元信息 S 简化为植被信息 S_v 和非植被信息 S_n 两部分，即：$S = S_v + S_n$ 。

像元中有植被覆盖的面积比例为 f_v，即该像元的植被覆盖度为 f_v，那么非植被覆盖的面积就是 $1-f_v$。如果全植被覆盖的像元信息为 S_{veg}，则混合像元的植被部分所贡献的信息即可以表示为 S_{veg}与 f_v 的乘积，即：$S_v = S_{veg} \times f_v$ 。

那么混合像元的非植被信息 S_n 即可表示为无植被覆盖的裸土像元信息 S_{non}与其所占的面积比例（$1-f_v$）乘积，即：$S_n = S_{non} \times (1-f_v)$，则混合像元信息 S 可用如下公式来表达：$S = S_{veg} \times f_v + S_{non} \times (1-f_v)$，于是：

$$f_v = \frac{S_v - S_{non}}{S_{veg} - S_{non}}$$

混合像元模型将植被覆盖度用遥感信息表达，该模型将植被覆盖度的估算转化为如何表达像元信息，即选取什么样的指数来表达混合像元的植被信息。*NDVI* 对植被覆盖度的检测幅度较宽，有较好的时相和空间适应性。用 *NDVI* 来表达像元的植被信息，公式为：

$$f_v = \frac{NDVI_v - NDVI_{non}}{NDVI_{veg} - NDVI_{non}}$$

据 Gutman 等人[29]的研究，区域植被盖度和植被指数存在的关系为：

$$f_v = \frac{NDVI - NDVI_{min}}{NDVI_{max} - NDVI_{min}}$$

式中：$NDVI_{max}$和 $NDVI_{min}$分别为各植被类型 *NDVI* 的最大值和最小值。

国内有学者利用混合像元植被覆盖度与 *NDVI* 的关系模型对区域植被覆盖度做过估算[28]，通过与实测数据对比表明，该方法为大面积植被覆盖度估算提供了一种有效的途径，基本能满足大尺度生态模型研究的需要。

（四）植物净初级生产力 *NPP* 的计算

植被净初级生产力（Net Primary Productivity，NPP）是指绿色植物在单位面积、单位时间内所累积的有机物数量，是从光合作用所产生的有机质总量中扣除自养呼吸后的剩余部分，是植物自身的生物学特性与外界环境因子相互作用的结果。因植物的 *NPP* 直接反映了植物群落在自然环境条件下的生产能力，所以，各国学者对 *NPP* 模型的研究非常众多。

结合现有数据及多位学者的研究选用模型，本项研究选用的是周广胜和张新时等[30]提出的实际蒸散模型，该模型较好地联系了植物生理生态学特点和水热平衡关系，为宏观地确定地带性景观的生产潜力、植物净初级生产力的区域分布和全球分布以及全球变化的影响提供了理论基础。将植物群体的 *NPP* 经过推导建立了适合中国大陆范围内计算植被净初级生产力的模型：

$$NPP = RDI^2 \frac{r(1 + RDI + RDI^2)}{(1 + RDI)(1 + RDI^2)} \exp[-\sqrt{9.87 + 6.25RDI}]$$

式中：*NPP* 为植被净初级生产力，t DM/（hm^2 · a）；*r* 为年降水量，mm；*RDI* 为辐射干燥度。

对中国各植被地带的可能蒸散率（*PER*）与年辐射干燥度（*RDI*）进行分析，发现两者存在高度显著相关性，得到 *RDI* 与 *PER* 的回归方程：

$$RDI = (0.629 + 0.237PER - 0.00313PER^2)^2$$

式中：*PER* 值可利用 Holdridge 可能蒸散率与生物温度及降水间的关系（张新时，1993）求得：$PER = PET/r = BT \cdot 58.93/r$；*PET* 为年可能蒸散量（mm），*BT* 是年平均生物温度（℃），*r* 是年均降雨量。

$$BT = \sum \frac{t}{365} = \sum \frac{T}{12}$$

式中：*t* 为 >0℃且 <30℃的日均温；T 为 >0℃且 <30℃的月均温。

何云玲和张一平[31]通过云南省 29 组实测植被群落的生产力数据对该模型进行检验，得出该模型与实际值相关性最大，对 *NPP* 的时空变化趋势反映较好，因此采用该模型对生态系统服务价值进行调整。

（五）生态系统单位面积服务价值

借鉴 Costanza 等[4]的生态系统服务功能评价方法，在具体的价值评估过程中，利用我国生态学家对中国生态系统服务功能的调查问卷评估结果和前人所确定的各种生态系统的服务价值，谢高地、鲁春霞等人[5,6]根据中国的实际情况，制定了中国陆地生态系统单位面积生态服务价值（表 1）。

表 1　中国陆地生态系统单位面积生态系统服务价值表　　单位：元/hm^2

功　能	森林	草地	农田	湿地	水体	荒漠
气体调节	3097.0	707.9	442.4	1592.7	0.0	0.0
气候调节	2389.1	796.4	787.5	15130.9	407.0	0.0
水源涵养	2831.5	707.9	530.9	13715.2	18033.2	26.5
土壤形成与保护	3450.9	1725.5	1291.9	1513.1	8.8	17.7
废物处理	1159.2	1159.2	1451.2	16086.6	16086.6	8.8
生物多样性保护	2884.6	964.5	628.2	2212.2	2203.3	300.8
食物生产	88.5	265.5	884.9	265.5	88.5	8.8
原材料生产	2300.6	44.2	88.5	61.9	8.8	0.0
娱乐文化	1132.6	35.4	8.8	4910.9	3840.2	8.8
合　计	19334	6406.5	6114.3	55489	40676.4	371.4

注：引自谢高地，2003.

三、小　结

本文通过叙述生态服务价值理论及该理论在土地利用规划环境影响评价中的应用可知，土地利用规划通过影响土地利用类型和结构而影响生态环境，以生态服务价值为切入点，将定性问题定量化。可以结合各种土地利用类型的单位面积服务价值，根据土地利用规划中各种土地利用类型的面积变化，预测规划方案的实施前后研究区域生态系统服务总价值的变化，从而评价规划的实施将产生的生态环境影响。用土地利用结构调整所引起的生态系统服务价值量的变化，来定量地反映土地利用规划对生态环境所造成的影响，对正确制定土地利用决策具有显著意义。本文还归纳总结了生态服务价值的计算模型，通过模型对数据进行校准，以期为规划环评提供更适合、更准确的技术方法。

同时本文也存在许多不足之处，诸如对居民点及工矿用地和交通用地这样的人工生态系统的服务价值核算尚未论述，因为人工生态系统还没有一个统一的和得到广泛认可的评价方法；同时生态系统服务价值法只能够评价出土地利用结构变化的环境影响，并未对规划方案中土地利用空间布局变化的环境影响进行评价，因此尚存在局限性，期望在今后的研究中，不断完善规划环评的技术方法。

参考文献

[1] Daily G. Nature' s Service Societal Dependence on Natural Ecosystems. Washington D C. Island Press, 1997.

[2] 欧阳志云，王如松，赵景柱. 生态系统服务功能及其生态经济价值评价［J］. 应用生态学报，1999，10（5）：635 - 640.

[3] 张志强，徐仲民，程国栋. 生态系统服务与自然资本价值评估［J］. 生态学报，2001，21（11）：1919.

[4] Costanza R，d Arge R，de Groot R，et al. The value of the world' s ecosystem services and nature. Nature，1997，387：253 - 260.

[5] 谢高地，鲁春霞，成升魁. 全球生态系统服务价值评估研究［J］. 资源科学，2001，23（6）：5 - 9.

[6] 谢高地，鲁春霞. 青藏高原生态资产的价值评估［J］. 自然资源学报，2003，18（2）：189 - 196.

[7] 靳芳，鲁绍伟，余新晓，等. 中国森林生态系统服务价值评估指标体系初探［J］. 中国水土保持科学，2005，16（8）：1531 - 1536.

[8] 仝川，李嵘，雍世鹏. 锡林郭勒生物圈保护区草原生态系统服务间接价值动态评估［J］. 生态学杂志，2006，25（3）：259 - 264.

[9] 傅娇艳，丁振华. 湿地生态系统服务功能和价值评价研究进展［J］. 应用生态学报，2007，18（3）：681 - 686.

[10] 梅卓华，孙洁梅，张哲海. 南京市生态系统服务价值评估［J］. 环境监测管理与技术，2008，20（2）：51 - 53.

[11] 王治江，李培军，万忠成. 辽宁省生态系统服务重要性评价［J］. 生态学杂志，2007，26（10）：1606 - 1610.

[12] 吴建寨，李波，张新时. 生态系统服务价值变化在生态经济协调发展评价中的应用［J］. 应用生态学报，2007，18（11）：2554 - 2558.

[13] 郭青霞，陈焕伟，周欣. 大同市南郊区土地利用生态服务价值空间分布及变化［J］. 中国生态农业学报，2007，15（5）：188 - 192.

[14] 王静，尉元明，孙旭映. 过牧对草地生态系统服务价值的影响——以甘肃省玛曲县为例［J］. 2006，21（1）：109 - 117.

[15] 张志国，卫建军. 退耕还林草对延河下游流域生态系统服务价值的影响［J］. 中国生态农业学报，2008，16（3）：737 - 740.

[16] WCED（World Commission on Environment and Development）. Our common future. Oxford：Oxford University

Press, 1987.

[17] 卞正富，路云阁．论土地规划的环境影响评价［J］．中国土地科学，2004，18（2）：21－28.

[18] 肖华山．规划环境影响评价指标体系及评价方法探讨［J］．金属矿山，2003（12）：46－49.

[19] 潘嫦英，刘卫东．浅谈土地利用规划的环境影响评价［J］．中国人口·资源与环境，2004，14（2）：134－137.

[20] 赖力，黄贤金，张晓玲．土地利用规划的战略环境影响评价［J］．中国土地科学，2003，17（6）：57－60.

[21] 白晓飞，陈焕伟．不同土地利用结构生态系统服务功能价值的变化研究——以内蒙古自治区伊金霍洛旗为例［J］．中国生态农业学报，2004，12（1）：180－182.

[22] 梁欣，臧淑英，张思冲．基于土地利用变化的生态服务价值损益估算——以大庆市为例［J］．自然灾害学报，2006，15（2）：68－72.

[23] 马育军，黄贤金，许妙苗，等．江苏省沿海滩涂开发的生态系统服务价值响应研究［J］．中国土地科学，2006，20（4）：28－34.

[24] 冉圣宏，吕昌河，贾克敬，等．基于生态服务价值的全国土地利用变化环境影响评价［J］．环境科学，2006，27（10）：2139－2144.

[25] 于书霞，尚金城，郭怀成．基于生态价值核算的土地利用政策环境评价［J］．地理科学，2004，24（6）：727－732.

[26] 潘耀忠，史培军，朱文泉，等．中国陆地生态系统生态资产遥感测量［J］．中国科学D辑，2004，34（4）：374－384.

[27] 何浩，潘耀忠，朱文泉．中国陆地生态系统服务价值测量［J］．应用生态学报，2005，16（6）：1122－1127.

[28] 陈晋，陈云浩，何春阳，等．基于土地覆盖分类的植被覆盖率估算亚像元模型与应用［J］．遥感学报，2001，5（6）：416－423.

[29] Gutman G, Lgnatov A. The derivation of the green vegetation fraction from NOAA/AVHRR data for use in numerical weather prediction models. International Journal of Remote Sensing, 1998, 19（8）：1533－1543.

[30] 周广胜，张新时．自然植被净第一性生产力模型初探［J］．植物生态学报，1995，19（3）：193－200.

[31] 何云玲，张一平．云南省自然植被净初级生产力的时空分布特征［J］．山地学报，2006，24（2）：193－201.

九龙江流域营养盐流失的环境风险初步分析

苏　颖[1]　张珞平[1,2]　张　冉[1]

（1. 厦门大学环境科学研究中心　福建　厦门　361005；2. 厦门大学海洋与海岸带发展研究院　福建　厦门　361005）

摘　要　农业非点源污染严重影响流域水质，其中最主要的污染因子是营养盐。笔者对九龙江流域历年水质数据、漳州地方流行病发病情况和厦门海域赤潮发生频率进行归纳分析，通过对比和统计学分析研究其潜在相关关系，旨在阐明营养盐流失的潜在环境风险，并为后续的环境风险评价提供依据。

关键词　营养盐　畜禽养殖　环境风险

一、前　言

在点源污染得到较好的控制和治理后，许多水环境污染问题仍不容乐观，因而非点源（Non－point Source Pollution，NPS）污染问题受到了各国政府和科学界的高度重视。随着水体污染、富营养化等问题的日益凸显，饮用水源安全问题也愈来愈引起人们的关注。据世界卫生组织（WHO）调查表明，人类80%的疾病和50%的儿童死亡率都与饮水水质不良有关，因水污染而患病的人数约占世界医院住院病人的一半。

九龙江是福建省的第二大河，是流域内以及下游厦门市数百万人主要的水源。由于农药化肥的过量施用、水土流失、畜禽养殖污染以及生活污水的排放，九龙江流域的非点源污染日趋严重，并已威胁到流域下游城市的饮用水安全和厦门海域水环境安全，其中最主要的污染因子是营养盐。先前的研究主要集中在九龙江流域营养盐流失的来源与贡献、迁移转化的途径和规律、以及各流失风险的计算，用于指导农业管理措施的制定[2~5]，但针对九龙江流域营养盐流失后的健康风险以及对下游水体的环境风险研究很少。有学者利用污染物迁移转化模型，对美国威斯特湖磷流失造成的水体富营养化风险进行了评价[1]。然而模型的构建需要大量的时间和数据，在初步研究阶段，可以先利用统计学相关性分析找出可能受影响的因子，为后续研究奠定一定的基础。笔者通过对九龙江流域历年水质数据、漳州地方流行病发病情况和厦门海域赤潮发生频率的相关性分析，探索营养盐流失的潜在环境风险，引起政府部门和当地居民的重视，并为后续的环境风险评价提供依据。

二、研究区概况

九龙江地处福建东南沿海的经济发达地区，是福建省的第二大河，由北溪和西溪两支干流组成。流域面积1147 万 km^2，人口约250 万人。目前，在工业点源排放有所控制的同时，流域内规模与散养并存的畜禽养殖业不断扩张，产生了大量的畜禽粪污，再加上过量施用化肥以及村庄生活污水、垃圾污染未能得到处理处置，致使大量营养盐氮流失进入九龙江。作为厦门、漳州、龙岩3 个市引用水源的九龙江，其日趋恶化的水环境问题引起了从政府、学者到流域内居民的高度关注[4]。

漳州地处福建省最南端，土地面积1.26万km^2，全市总人口452万人。九龙江横贯全境，

项目支持：本文属于“九龙江流域营养盐污染控制与公共健康项目”的部分成果。该项目是由美国“洛克菲勒兄弟基金会”支持的“社会科学研究会”（Social Science Research Council，SSRC）——“中国环境与健康项目”（CEHI）2009 年资助的项目之一。

是全市居民的饮用水源，因此被称为漳州的"母亲河"。漳州市区主要由漳州一水厂、金峰水厂和漳州二水厂供水。前两个水厂的供水水源地为九龙江西溪，漳州二水厂的供水水源地为九龙江北溪。仅二水厂就决定了漳州市区70%的自来水来源。一旦九龙江流域出现突发污染事故，对漳州市居民的生命健康危害是巨大的。因此，笔者将漳州市流行疾病的变化趋势同九龙江水质变化趋势进行对比分析，研究营养盐流失可能存在的健康风险。

厦门湾位于福建省沿海南部厦门岛周边的海域。其西海域地处九龙江入海口处，现有海域面积48.27km^2。九龙江是注入厦门湾的主要河流，它的营养盐、泥砂和有机质的输入对厦门海域有很大的影响。因此，笔者选择西海域的赤潮发生频率为代表，来研究九龙江营养盐流失对河口海域的环境风险。

三、数据和方法

（一）资料收集

九龙江流域的水质数据参照龙岩市环境质量报告书（1991—1995年度、1996—2000年度、2001—2007年度）和漳州市环境质量报告书（1985年度、1986—1990年度、1991—1995年度、1996—2000年度、2001—2007年度）中对九龙江流域的常规监测资料，选取BOD_5、COD_{Mn}、硝氮、总磷作为主要的评价因子。

厦门西海域赤潮发生频率依据《福建省海湾数模与环境研究——厦门湾综合研究报告》中的统计数据，包括1996—2008年西海域发生赤潮的次数。

漳州市地方流行病的发病情况由漳州市疾病控制中心提供，包括1980—2008年由于水体受病原微生物污染引起的霍乱、肝炎、痢疾、伤寒4种肠道传染病的发病人数和发病率。

（二）分析方法

利用Excel软件，对上述各组资料作线状图和回归趋势分析，评价流域水质的现状以及历史变化；通过趋势图形的比对，探索水质营养盐与厦门近岸海域赤潮发生、漳州地方流行病的相关关系；利用SPSS软件，"Pearson correlation"方法，对上述数据的相关性进行统计学分析，得出相关系数，定量评价营养盐输入对流域水环境和饮用水的环境风险及其安全问题。

四、结果与讨论

（一）九龙江流域历年水质变化趋势分析

从九龙江水质变化趋势图中，可以得出COD_{Mn}、BOD_5、硝氮、总磷历年的变化趋势。

北溪干流水质大部分断面COD_{Mn}波动较大，整体略显上升趋势；BOD_5在20世纪80和90年代保持在较低的水平，但在90年代末开始呈现升高趋势；硝氮在90年代初期显著升高后又逐渐降低，但近10年内总体呈现上升趋势（图1，由于篇幅有限，本文只列出重要的图表）；总磷（TP）由于监测年份较短，变化趋势不明显。

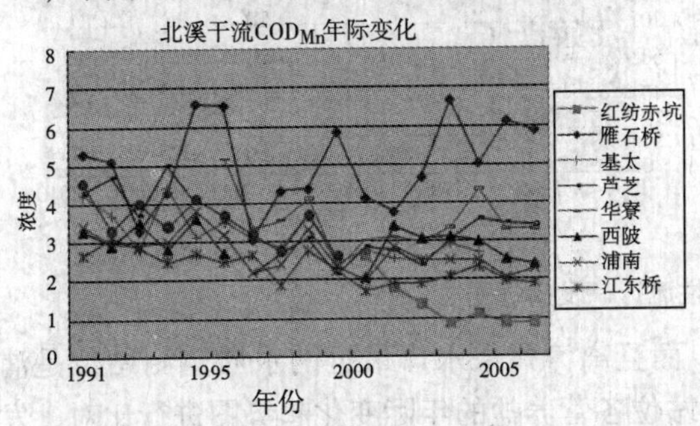

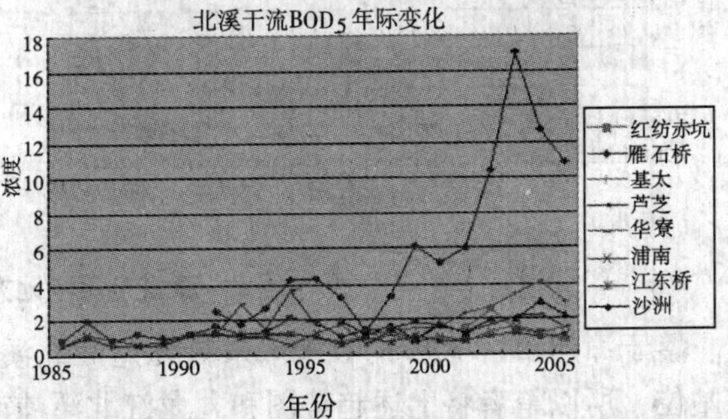

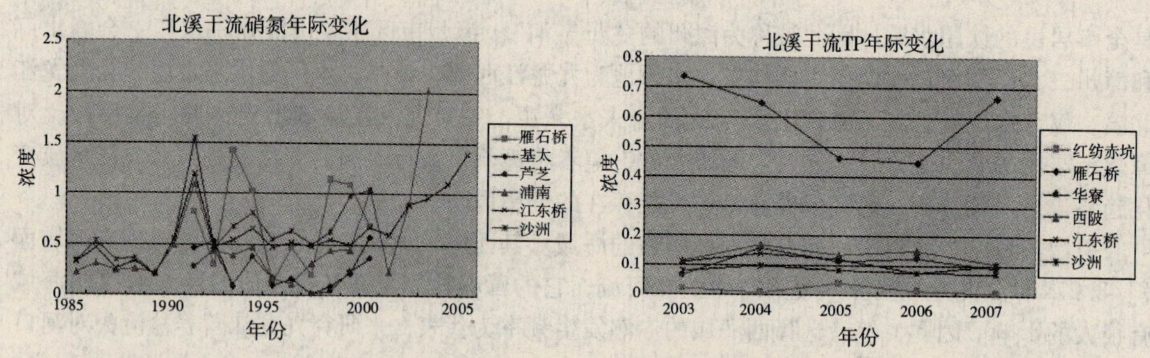

图1　九龙江北溪干流水质年际变化趋势图

西溪干流各断面水质 COD_{Mn} 自1990年整体呈现下降趋势，但2000年以后又开始上升。各断面水质 BOD_5 变化波动较大，但是在2001年以后整体呈现显著上升趋势；各断面水质硝氮含量在1991年突然出现峰值，随后降到原先水平，但从90年代中期以后又显著上升，特别是2001年以后急剧上升。总磷由于监测年份较短，但仍可见上升的趋势。

（二）营养盐流失对下游居民的健康风险

从漳州市地方流行病发病率的趋势图可以看出，霍乱已得到很好的控制，除了1981年发病率达到41.55个/10万人外，其他年份的发病率均保持在较低的水平，在该数据中有58.6%的年份未发现霍乱患者。痢疾的发病情况呈指数式的下降，从1993年至今，发病率较稳定，均保持在低水平。伤寒的发病率较低，数据离散度较大，上下波动出现较多波峰与波谷，但整体呈略微下降的趋势。病毒性肝炎的发病率情况中，分别在1991年和2003年出现两个明显的波峰，整体呈明显上升趋势（见图2）。

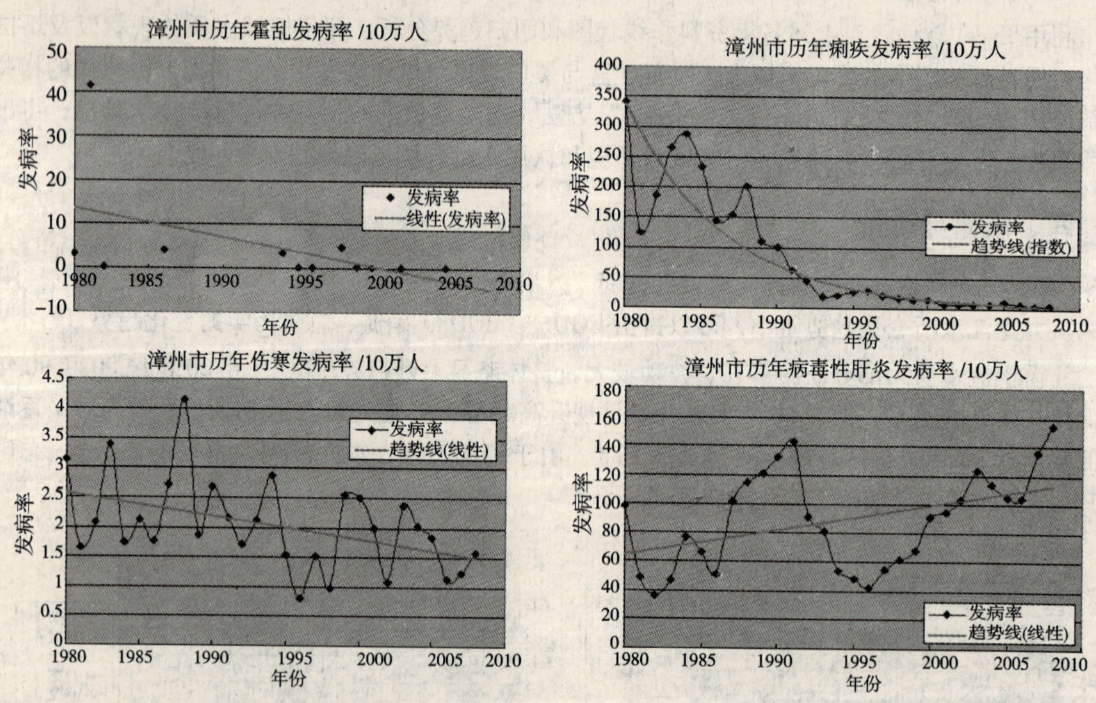

图2　漳州市历年地方性流行病发病率图

鉴于漳州市区70%的自来水来自九龙江北溪，而且离漳州取水口最近的水质监测站位是浦南站位，所以笔者将上述趋势图和九龙江北溪浦南站位各营养盐的年际变化趋势图进行比对，发现漳州市历年病毒性肝炎的发病率与硝氮浓度的年际变化呈现相似的变化趋势（图3），在20世纪 80 年代末呈现上升趋势，并在 1991 年同时达到峰值，随后逐渐降低，但从 90 年代中期以后又显著上升。

病毒性肝炎是由多种不同肝炎病毒引起的一组以肝脏损害为主的传染病，传播途径有经粪、口途径，输血及血制品途径，也有母婴传播的病例。饮用水源的安全对病毒性肝炎的防范至关重要，水源或食物被污染后可能暴发肝炎流行。水质中营养盐的增多对于病原体的生长繁殖是有利的，可能增加病原体的数量，从而导致病毒性肝炎的发病率升高。

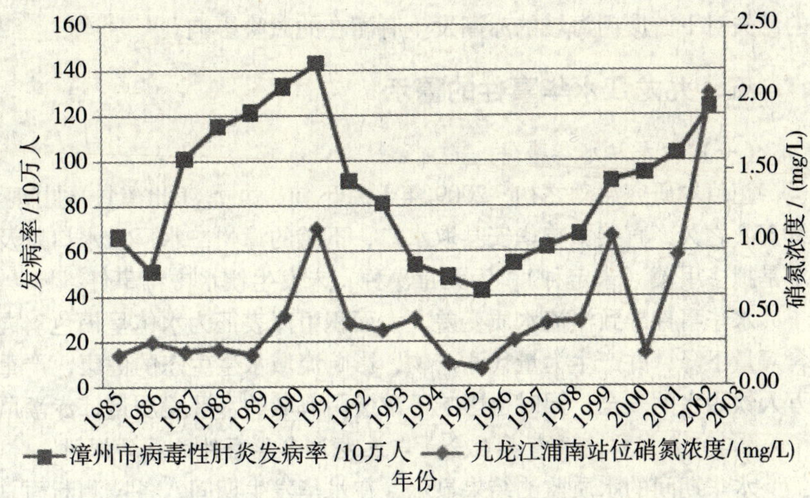

图 3　病毒性肝炎发病率与九龙江北溪硝氮浓度的变化趋势

本研究发现病毒性肝炎的发病趋势与水质中硝氮的浓度的变化趋势呈现类似的趋势，笔者认为 20 多年的数据绝不是巧合，病毒性肝炎的发病率上升与九龙江水质中营养盐流失存在一定的相关关系。虽然未找到相关的生物学或医学证据来解释这一现象，但营养盐的含量与水体中的病毒有可能存在某种相关关系，间接与病毒性肝炎的发病率存在某种关系。它从侧面映射营养盐流失存在的健康风险，为今后的研究提供初步的依据。

（三）河口水域的环境风险

厦门西海域 1996—2008 年赤潮频率的统计情况如图 4 所示。

由图中可见，这 12 年来厦门西海域赤潮的发生次数平均每年发生 2. 8 次；变化趋势呈先上升后下降的趋势，从 2000 年开始赤潮的发生次数显著增加，在 2003 年和 2005 年达到了 6 次之多；从 2005 年开始到 2008 年，赤潮发生次数明显下降，在 2008 年未见赤潮发生。分析原因可能是由于 2003—2004 年强制清除西海域的水产养殖后降低了赤潮的发生。

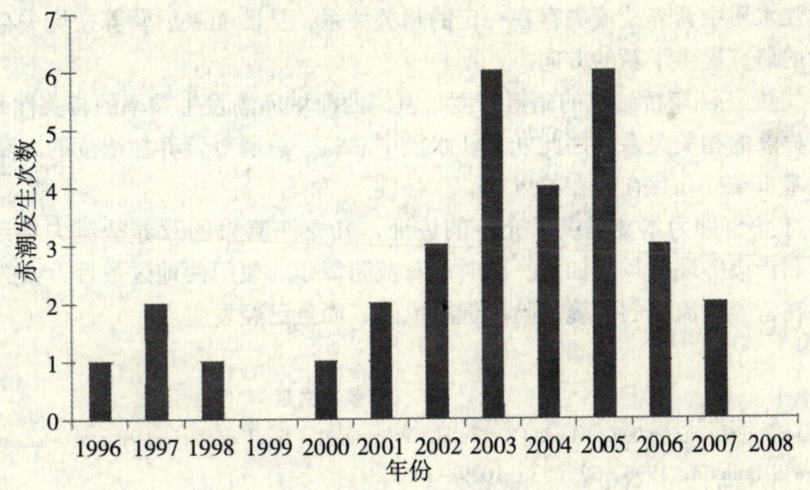

图 4　厦门西海域赤潮发生频率图

在水质监测中，北溪江东桥站位是距离九龙江入海口最近的监测断面。通过趋势图的对比，笔者发现厦门西海域赤潮发生次数和九龙江江东桥的硝氮浓度在 1996—2005 年呈现同步上升的趋势。经过 SPSS 软件分析得出，上述二者的相关系数为 0. 880，有较大的相关性（ >0. 5 表示相关性显著，其他数据相关性不显著，因此未列出）。因此西海域赤潮频发可能与九龙江营养盐的输入有关。

赤潮的成因较复杂，但 N、P 营养盐的输入是其发生的基本条件。九龙江营养盐的流失造成硝氮浓度的升高，水体的富营养可能导致九龙江河口的厦门西海域发生赤潮。可见九龙江营养盐的流失对下游厦门海域的赤潮发生有潜在的风险影响。

五、九龙江水华事件的警示

（一）九龙江水华事件

正值本研究启动之初，2009 年 1 月下旬，九龙江北溪首次出现大规模的“水华”现象，持续 35d 之久，直接影响华安县取水口，下游的漳州二水厂取水口以及厦门取水口。水华生物经鉴定是拟多甲藻（未定种），为无毒藻种，未发生饮水中毒事件。

水华事件导致河流水质变差，大面积甲藻表征为水体呈褐色。同时甲藻的大量增殖造成水体含氧量下降，并产生大量代谢产物，影响流域水生生态的健康，严重威胁漳州、厦门两地区数百万人饮用水的安全；同时也影响下游厦门海域的水环境质量，赤潮风险威胁增大。

（二）九龙江水质营养盐含量与九龙江水华事件关系的探讨

水华期间的水质监测结果显示，在水华发生期间，各监测断面总氮均严重超标，大部分氨氮超标。上游均表现出总氮和氨氮超标，至利水电站以下出现 COD 和总磷超标，在石龟头的超标率最高。由此可见，九龙江水质中总氮总磷等营养盐浓度的升高是水华发生的基本条件，营养盐浓度升高存在潜在的水华发生的风险，给公共健康和生态健康造成极大的安全隐患。此次事件也说明了本课题立题的紧迫性、必要性和及时性。

六、结　论

1. 漳州市区 70% 的自来水来自九龙江北溪，而漳州市地区病毒性肝炎的发病率与九龙江浦南监测断面的硝氮浓度呈现相似的变化趋势。笔者认为这决不是巧合，病毒性肝炎的发病率上升与九龙江水质中营养盐流失存在一定的相关关系，从侧面映射营养盐流失存在的健康风险，为学者今后的研究提供了新的方向。

2. 九龙江江东桥站位的硝氮浓度与厦门西海域赤潮发生频率的相关性系数达到 0. 880，说明二者有显著的相关关系。因此九龙江水质中总氮、总磷等营养盐浓度的升高是下游厦门海域赤潮发生的基本条件，存在潜在的风险。

3. 水华事件为本文提供了充分的佐证，九龙江流域的营养盐流失导致水体严重富营养化，使水华和赤潮等环境风险加大，同时严重威胁漳州、厦门两地区数百万人的饮用水安全。说明九龙江存在营养盐流失的环境风险和健康风险，而且已经发生。

参考文献

[1] Hession WC, Storm DE, Haan CT, et al. Watershed - level ecological risk assessment methodology. Water Resources Bulletin, 1996, 32 (5): 1039 - 1053.

[2] 洪华生，曹文志，张玉珍，等．九龙江典型流域氮磷流失的模拟研究［J］．厦门大学学报：自然科学版，2004，43（B08）：243 - 248.

[3] 张玉珍，陈能汪，曹文志，等．南方丘陵地区农业小流域最佳管理措施模拟评价［J］．资源科学，2005，27（6）.

[4] 陈能汪，洪华生，张珞平．流域尺度氮流失的环境风险评价［J］．环境科学研究，2006.

[5] 黄金良，洪华生，张珞平，等．九龙江流域典型汇水区地表径流氮磷流失特征分析［J］．农村生态环境，2004，20（3）：37 - 41.

硫丹风险评价分析

周林军[1] 周 红[1] 吕凤兰[2] 胡俊杰[1] 张 鑫[1] 王玉晶[1]

(1. 环境保护部化学品登记中心 北京 100012；2. 南京工业大学理学院 南京 210009)

摘 要 硫丹对水生生物毒性较高，同时具有生殖毒性、发育毒性和神经毒性，已被列入《关于持久性及污染物的斯德哥尔摩公约》备选名单。本文评价了硫丹的风险，重点阐述了硫丹在国内的生产、使用及环境介质中存在情况，同时分析了硫丹的生态危害和健康危害，最后提出了风险降低措施和管理建议。

关键词 硫丹 风险

硫丹是广谱有机氯杀虫杀螨剂，也称为硕丹、赛丹，化学名称：1，2，3，4，7，7－六氯双环[2，2，1]庚－2－烯－5，6－双羟甲基亚硫酸酯。硫丹活性基团为环硫酸酯，具有触杀、胃毒和熏蒸作用，对咀嚼类昆虫和螨虫具有较好的防效。工业硫丹由两种异构体组成，分别为α－硫丹和β－硫丹，含量比为70:30。

硫丹全球年产量为1万t[1]。印度是最大的生产国（9900 t/y）和出口国（4103 t/y），产量大国其次为德国（4000 t/y）和中国（2400 t/y）。中国从1994年开始生产硫丹，主要用于棉铃虫的防治。1998年硫丹被批准用于烟草和食用作物如小麦、茶叶、苹果及其他果树的虫害防治。1994—2004年，硫丹在中国生产总量估计为25700 t，年产量为2400～4000 t。2007年硫丹生产厂有4家，皆在江苏境内，加工厂43家，主要位于华东地区。1994—2004年，我国硫丹用量最多的省份分别是河南（4000 t）、新疆（3200 t）、山东（3000 t）、河北（2100 t）和安徽（1900 t）。河南周口、南阳和商丘，江苏盐城和山东菏泽是用量最高的地区。

农业使用的硫丹经挥发，雨水冲刷、淋溶及地表水径流等进入环境，对人体和生态造成极大危害。本文以我国环境介质中的存在和危害为侧重点综述了硫丹的风险，概述了国内外对硫丹的管理现状。

一、硫丹基本性质和环境行为

（一）蓄积性

硫丹的正辛醇水－分配系数（$\log K_{ow}$）为3.6，水生生物蓄积因子（BCF）为1000～3000[3]，低于PBT（长持久性、高蓄积性和高毒性）中BCF＝5000的阈值。但是Kelly等人[4]发现硫丹对直接呼吸空气的陆生生物蓄积性高于水生生物蓄积性，因为辛醇－空气分配系数（$\log K_{oa}$）很高，为10.29，且证实Hudson海湾白鲸体内β－硫丹浓度为0.58～0.86 μg/kg，α－硫丹浓度为4.87～12.56 μg/kg；硫丹还会在植物体内蓄积，在阿根廷某湖芦苇中硫丹硫酸酯的BCF达到30.9，显著高于滴滴涕及其他几种POPs[5]。

（二）持久性

硫丹的降解主要为好氧降解，α－硫丹降解快于β－硫丹。pH升高可以加快硫丹水解，因此硫丹在土壤中比水中更持久，且在酸性条件下难降解。硫丹的一级降解产物主要是硫丹硫酸酯，硫丹硫酸酯再降解为硫丹二醇、硫丹醚、硫丹内酯、硫丹羟基醚。

硫丹在我国典型土壤中的半衰期（DT_{50}）为：α－硫丹 DT_{50}＝10～39 d，β－硫丹 DT_{50}＝42～105 d，硫丹硫酸酯 DT_{50}＝34～53 d[6]；在水中，pH＝7时，硫丹 DT_{50}＝10～20 d；pH＝9时，DT_{50}＝0.2 d[7]。

马辉等人[8]研究了硫丹在棉花及其土壤中的田间残留，田间试验表明硫丹在棉叶和土壤中的DT_{50}分别为5.92 d和19.92 d，棉籽中未检出硫丹。

（三）长距离迁移性

硫丹蒸汽压较高，为0.0013 Pa，且在大气中DT_{50}超过了PBT＝2 d的阈值，说明硫丹具有长距离迁移性[9]。1986年首次在极地空气中发现硫丹，1993年检出浓度为0.0042～0.0047 ng/m^3，而且由于持续的使用，硫丹在极地中的浓度依旧在增加[10]。

硫丹也具有地区迁移性，Wang等人[11]在西藏喜马拉雅山系的草中检测到硫丹浓度为0.105～3.14 μg/kg。

二、暴　露

硫丹发生职业暴露的可能性比较高。2002年US EPA再登记硫丹的评价报告[12]中指出即使使用个人防护设备和防护器材，工人使用硫丹仍然可能发生暴露并引起风险。已经发现西班牙施用硫丹的农民血液中残留有硫丹及其代谢物，且在使用过硫丹的女性农民的男性后代体内检出。

硫丹在食品和饮用水中的残留常引起非职业暴露。在美国和欧洲，硫丹是食品中最常检测到的物质[13]。西班牙巴塞罗那的食用油、草莓、胡椒、芹菜和黄瓜中曾检出硫丹残留[14]；新西兰32%的西红柿检测样品中残留硫丹，浓度高达0.97 mg/kg[15]，正常人每天只吃一个西红柿，体内残留量即可达到1.18 μg/kg，而1 μg/kg的硫丹就可以损伤大鼠的血红细胞，抑制酶活性[16]。

我国环境介质中硫丹的研究也较多。太湖底泥曾检出50.5 μg/L的硫丹硫酸酯[17]；北京通惠河α－硫丹、β－硫丹在底泥中平均浓度分别为20 ng/kg干重和90 ng/kg干重，水体中分别为13.75 ng/L和67.02 ng/L[18]；岷江河口β－硫丹为0.215 μg/L[19]；在太湖受试水鸟蛋中，78%的白鹭蛋中硫丹浓度高达134.7 ng/kg[20]。Lammel等人[21]发现由于硫丹沿黄河发生地区性迁移，中国海洋大学校园内空气中α－硫丹含量达0.025 ng/m^3。华东地区棉田中使用的硫丹，通过冬季季风漂移到达附近地区大气，如广州郊区大气硫丹浓度为2.5 ng/m^3，香港郊区大气硫丹浓度为0.84 ng/m^3[22]。Qiu等人[23]发现太湖周围空气中硫丹浓度达到0.8888 ng/m^3，他还估计在夏天硫丹会以25 ng/m^3/d的速率快速沉降进入太湖[24]。

三、硫丹风险性分析

（一）生态危害性

1. 硫丹对水生生物的危害

硫丹对大型溞中毒，48 h LC_{50}＝950 μg/L；对藻中毒，EC_{50}＝2.15 mg/L；硫丹对鱼剧毒，胡国成等[25]对斑马鱼的毒性效应研究结果显示斑马鱼96 h LC_{50}＝1.62 μg/L。硫丹对蓝鳃太阳鱼（Lepomis macrochirus）、黑头软口鲦（Pimephales promelas）、斑点叉尾（Ictaluruspunctatus）、银鲈（Lateolabrax japonicus）的96 h LC_{50}分别为112 μg/L、114 μg/L、115 μg/L和214 μg/L[26,27]。

硫丹的降解产物硫丹硫酸酯的毒性高于硫丹的毒性[12]。据美国海洋和大气局的鱼类死亡数据称，1980—1989年，仅硫丹就比当时使用的其他所有农药杀死的河口和海洋的鱼的总数还多。

2. 硫丹对陆生生物的危害

硫丹对蜜蜂、蚯蚓和鸟类皆为高毒。对蜜蜂的96 h LD_{50}为4.5 mg/kg，急性经口LD_{50}为2 μg ai/bee；对蚯蚓的15 d LC_{50}为3.36 mg/kg，硫丹硫酸酯对蚯蚓的15 d LC_{50}为51.5 mg/kg；对驯化野鸭的急性LD_{50}为28 mg/kg。

硫丹还会抑制或者减少土壤中维持土壤肥力放线菌[28]和无脊椎动物如螨虫、跳虫等[29]。

（二）健康危害

硫丹会引起精神紊乱，智力迟钝甚至死亡。硫丹使用地区都曾引起了健康危害事故，在印度喀拉拉邦长期大量使用硫丹的一个村，400 个家庭中有 156 人患有各种严重的疾病，主要有癫痫症、中枢神经紊乱、先天性畸形和自杀倾向等[30]。

1. 急性毒性[31]

硫丹具有较高的急性毒性，且主要表现为神经毒性。急性经口高毒：雌鼠 LD_{50} 为 10～23 mg/kg；雄鼠 LD_{50} 为 48～160 mg/kg；急性经皮微毒：雌鼠 LD_{50} 为 500 mg/kg；雄鼠 LD_{50} >4000 mg/kg；急性吸入 LC_{50} 为 0.0126 mg/L（雌鼠），0.0345 mg/L（雄鼠）。

2. 亚慢性毒性[32]

硫丹在亚慢性毒性中主要影响动物肝脏和肾脏，同时由于对中枢神经系统的影响引起血液及呼吸等全身性的影响。

硫丹对雄性大鼠的亚慢性 NOAEL 为 3.85 mg/kg/day，LOAEL 为 23.41 mg/kg/day；对小鼠的亚慢性 NOAEL 为 2.3 mg/kg/day，LOAEL 为 7.4 mg/kg/day。

3. 慢性毒性

硫丹对母狗的慢性 NOAEL 为 0.57 mg/kg/day，公狗的慢性为 0.67 mg/kg/day；对狗的 LOAEL 为 1.75 mg/kg。

机体的免疫系统在低剂量条件下对农药的反应最为敏感。大量研究表明硫丹会抑制免疫系统，促进过敏反应。Pistl 等人[33]发现硫丹对绵羊的血细胞具有免疫抑制和免疫毒性，强烈抑制吞噬细胞和淋巴细胞的活性，减缓白细胞的移动能力。

硫丹也是内分泌干扰物质，会影响哺乳动物、鱼、鸟类、两栖类动物的生殖荷尔蒙分泌。Grunfeld 等人[34]研究硫丹对体细胞的影响，发现硫丹作用行为相似于雌激素，干扰雌激素受体的正常水平。Andersen 等人[35]还发现硫丹是抗雄激素物质。

4. 生殖和发育毒性

硫丹对大鼠的生殖 LOAEL 为 6.2 mg/kg，NOAEL 为 2.0 mg/kg，发育 LOAEL 为 6.0 mg/kg。

硫丹对雄性大鼠的生殖有较大的影响，可使精小管退化、精子数量减少、精子改变、睾丸坏死、无精子生成，最终降低生育能力[36]。

Saiyed 等人[37]发现，胚胎发育阶段暴露于硫丹，虽然对亲代无可观测影响，但是仍然对男性后代产生一系列副作用，如婴儿骨骼变形，出生重量、身高减少。Singh 等人[38]同样观察到婴儿大脑低度发育，肝、肾、肾盂畸形。

5. 遗传毒性、致突变性和致癌性

关于硫丹的遗传毒性、致突变性和致癌性，国际上结论不甚一致。ATSDR（美国毒物和疾病登记署）认为硫丹对大鼠没有遗传毒性[32]。但确实有研究观察到硫丹对人体淋巴细胞、肝胚细胞，中国仓鼠细胞卵细胞[39]会产生遗传毒性和致突变效应。GFEA－U 的结论是：有证据表明硫丹会对细胞分裂具有致突变性和诱变性[7]。

硫丹的致癌性没有定论。有研究表明硫丹能导致雌性大鼠恶性肿瘤、肺腺瘤、肝癌、肉瘤的发病率增加，雌鼠的淋巴瘤发病率增加[40]。国际癌症研究署（IARC）没有将硫丹定为致癌物，也没有被世界化学品安全项目列为致癌物[41]。

Silva 和 Gammon[42]在对一系列流行病学和啮齿类动物的毒理学数据分析后认为，并没有可靠的数据表明硫丹是生殖毒性、发育毒性、内分泌干扰物质，只有在引起神经毒性或者急性效应的剂量下，硫丹才表现出生殖毒性、发育毒性和内分泌干扰性，而且对幼儿和胎儿的毒性并不比成年动物更严重。

四、硫丹风险管理

（一）风险降低措施

为了降低硫丹引起的风险，EPA 认为[12]应该针对饮食、工人和生态增补大量的标签。不要将硫丹用于豆类、菠菜和葡萄、核桃；减小在棉花、烟叶中的使用限量；在硫丹施用区和附近水域之间设置植物防护带；提高工人进入施用过硫丹的农田的限制进入时间间隔（REI）。

（二）履约及我国风险管理对策

欧盟及其他一些国家已经禁止了硫丹的使用。美国于 2002 年对硫丹进行了重新登记，认为适当的风险管理措施可使硫丹的风险能够接受。加拿大、俄罗斯和澳大利亚等国对硫丹采取了限制使用的措施。

2007 年 3 月，硫丹被列入《鹿特丹公约》附件三，附件三中皆为因健康和环境顾虑要缔约方禁止使用和严格限制使用的化学品。2007 年 7 月，欧盟决定将硫丹列为全球重点排查的 POPs 公约备选名单[2]。2009 年 POPs 公约审查委员第 5 次会议，审议并认为硫丹具有 POPs 特征，给全球环境带来一定程度的风险，有必要在全球采取行动。

中国应该借鉴美国的做法，在没有更加合适的替代农药之前，采取适当的风险控制措施限制硫丹的使用。

参考文献

[1] Naqvi S M, Vaishnavi C. Bioaccumulative potential and toxicity of endosulfan insecticide to non – target animals. Comparative Biochemistry and Physiology Part C [J]. 1993, 105 (3C): 347 – 361.

[2] Jis H L, Li Y F, Wang D G, et al. Endosulfan in China 1 – gridded usage inventories [J]. Environmental Science and Pollution Research, 2008, 15 (6): 295 – 301.

[3] US EPA. 2007d. Appendix 1 to Addendum. Environmental Fate and Ecological Risk Assessment of Endosulfan. Office of Prevention, Pesticides, and Toxic Substances. http://www. regulations. gov.

[4] Kelly B C, Gobas F A P C. An arctic terrestrial food – chain bioaccumulation model for persistent organic pollutants. Environ Sci Total, 2003, 37 (13): 2966 – 2974.

[5] Miglioranza K S, de Moreno J E, Moreno V J. Organochlorine pesticides sequestered in the aquatic macrophyte Schoenoplectus californicus (C. A. Meyer) Sojak from a shallow lake in Argentina. Water Res, 2004, 38 (7): 1765 – 1772.

[6] 刘济宁，周林军，石利利，等．硫丹及硫丹硫酸酯的土壤降解特性 [J]．环境科学学报，2010.

[7] GFEA – U. Endosulfan. Draft Dossier prepared in support of a proposal of endosulfan to be considered as a candidate for inclusion in the CLRTAP protocol on persistent organic pollutants. German Federal Environment Agency – Umweltbundesamt, Berlin, 2007.

[8] 马辉，张东海，李小侠，等．硫丹在棉花及土壤中的残留动态研究 [J]．石河子大学学报（自然科学版），2008，26（5）：579 – 582.

[9] Stockholm Convention on Persistent Organic Pollutants. Consideration of draft risk profiles: endosulfan [R]. UNEP/POPs/POPRC. 5/3, Geneva, Persistent Organic Pollutants Review Committee Fifth meeting, 2009, 10, 6.

[10] NCP. 2003. Canadian Arctic Contaminants Assessment Report II: Highlights. Northern Contaminants Programme, Indian and Northern Affairs Canada, Ottawa.

[11] Wang X P., Yao T D, Cong Z D, et al. Gradient distribution of persistent organic contaminants along northern slope of central – Himalayas, China [J]. Sci Total Environ, 2006, 372: 193 – 202.

[12] US EPA. 2002. Reregistration Eligibility Decision for Endosulfan. EPA 738 – R – 02 – 013. Pollution, Pesticides and Toxic Substances (7508C), United States Environmental Protection Agency. http://www. epa. gov/oppsrrd1/REDs/endosulfan_ red. pdf.

[13] Campoy C, Jimenz M, Olea - Serrano M F, et al. Analysis of organochlorine pesticides in human milk: preliminary results. Early Hum Devel, 2001, 65 (s2): S183 - 190.

[14] Fontcuberta M, Arques J F, Villabi J R, et al. Chlorinated organic pesticides in marketed food: Barcelona, 2001 - 2006. Sci Total Environ, 2008, 389 (1): 52 - 57.

[15] NZFSA. 2007. Food Residue Surveillance Programme June 2007. New Zealand Food Safety Authority. Wellington. http: //www. nzfsa. govt. nz/science/research - projects/food - residues - surveillance - programme/results/2007/index. htm.

[16] Daniel C S, Agarwal S, Agarwal S S. Human red blood cell membrane damage by endosulfan. Toxicol Letts, 1986, 32 (1 - 2): 113 - 118.

[17] Huang S. B, Qiao M, Wang H, et al. Organchlorinated pesticides in surface sediments of meiliang bay in Taihu Lake, China [J]. Journal of environmental science and health. Part A, Toxic/hazardous substances & environmental engineering, 2006, 41 (2): 223 - 234.

[18] Zhang Z, Huang J, Yu G, et al. Occurrence of PAHs, PCBs and organochlorine pesticides in the Tonghui River of Beijing, China [J]. Environ Pollut, 2004, 130 (2): 249 - 261.

[19] Zhang Z L, Hong H S, Zhou J L, et al. Fate and assessment of persistent organic pollutants in water and sediment from Minjiang River Estuary [J]. Southeast China. Chemosphere, 2003, 52 (9): 1423 - 1430.

[20] Dong Y H, Wang H, An Q, et al. Residues of organochlorinated pesticides in eggs of water birds from Tai Lake in China [J]. Environ Geochem Health, 2004, 26: 259 - 268.

[21] Lammel G, Ghim Y S, Grados A, et al. Levels of persistent organic pollutants in air in China and over the Yellow Sea [J]. Atmos Environ, 2007, 41: 452 - 464.

[22] Li J, Zhang G, Guo L, et al. Organochlorine pesticides in the atmosphere of Guangzhou and Hong Kong: Regional sources and long - range atmospheric transport [J]. Atmos Environ, 2007, 41: 3889 - 3903.

[23] Qiu X, Zhu T, Li J, et al. Organochlorine pesticides in the air around the Taihu Lake, China [J]. Environ Sci Technol, 2004, 38 (5): 1368 - 1374.

[24] Qiu X, Zhu T, Wang F, Hu J. Air - water gas exchange of organochlorine pesticides in Taihu Lake, China [J]. Environ Sci Technol, 2008, 42: 1928 - 1932.

[25] 胡国成，甘炼，吴天送，等. 硫丹对斑马鱼的毒性效应 [J]. 动物学，2008，43 (4): 1 - 6.

[26] Dutta H M, Arends D A. Effects of endosulfan on brain acetylcholinesterase activity in juvenile bluegill sunfish [J]. Environ Res, 2003, 91: 157 - 162.

[27] Johnson W W, Finley M T. Handbook of Acute Toxicity of Chemicals to Fish and Aquatic Invertebrates, Resource Publication 137 [M]. Washington DC: US Department of Interior, Fishand Wildlife Service, 1980: 6 - 56.

[28] Vig K, Singh D K, Agarwal H C, et al. Soil microorganisms in cotton fields sequentially treated with insecticides. Ecotoxicol Environ Saf, 2008, 69 (2): 263 - 276.

[29] Joy V C, Chakravorty P P. Impact of insecticide on nontarget microarthropod fauna in agricultural soil. Ecotoxicol Environ Saf, 1991, 22 (1): 8 - 16.

[30] Chelaton J, Sridhar R. Long struggle against endosulfan poisoning wins relief in India [J]. Pesticides News, 2006, (73): 3.

[31] GFEA - U. 2007. Endosulfan. Draft Dossier prepared in support of a proposal of endosulfan to be considered as a candidate for inclusion in the CLRTAP protocol on persistent organic pollutants. German Federal Environment Agency - Umweltbundesamt, Berlin.

[32] ATSDR. 2000. Toxicological Profile for Endosulfan. Agency of Toxic Substances and Disease Registry, Atlanta, USA. http: //www. atsdr. cdc. gov/toxprofiles/tp41. html.

[33] Pistl J, Kovalkovicova N, Holovska V, Legath J, Mikula I. 2003. Determination of the immunotoxic potential of pesticides on functional activity of sheep leukocytes in vitro. Toxicology 188 (1): 73 - 81.

[34] Grunfeld HT, Bonefeld - Jorgensen EC. Effect of in vitro estrogenic pesticides on human oestrogen receptor alpha and beta mRNA levels. Toxicol Lett, 2004, 151 (3): 467 - 480.

[35] Andersen HR, Vinggaard AM, Rasmussen TH, Gjermandsen IM, Bonefeld – Jorgensen EC. Effects of currently used pesticides in assays for estrogenicity, androgenicity, and aromatase activity in vitro. Toxicol Appl Pharmacol, 2002, 179 (1): 1 – 12.

[36] Dalsenter P R, Dallegrave E, Mello J R, et al. Reproductive effects of endosulfan on male offspring of rats exposed during pregnancy and lactation. Hum Exp Toxicol, 1999, 18 (9): 583 – 589.

[37] Saiyed H, Dewan A, Bhatnagar V, et al. Effect of endosulfan on male reproductive development. Environ Health Perspect, 2003, 111 (16): 1958 – 1962.

[38] Singh ND, Sharma AK, Dwivedi P. Citrinin and endosulfan induced teratogenic effects in Wistar rats. J Appl Toxicol, 2006, 27 (6): 589 – 601.

[39] Kojima H, Katsura E, Takeuchi S, Niiyama K, Kobayashi K. Screening for estrogen and androgen receptor activities in 200 pesticides by in vitro reporter gene assays using Chinese hamster ovary cells. Environ Health Perspect, 2004, 112 (5): 524 – 531.

[40] Reuber MD. The role of toxicity in the carcinogenicity of endosulfan. Sci Total Environ, 1981, 20 (1): 23 – 47.

[41] IPCS. 2000. Poisons Information Monograph 576 Endosulfan. International Programme On Chemical Safety, World Health Organisation, Geneva. http: //www. inchem. org/documents/pims/chemical/pim576. htm.

[42] Silva M H, Gammon D. An Assessment of the Developmental, Reproductive, and Neurotoxicity of Endosulfan [J]. Birth Defects Research (Part B), 2009, 86: 1 – 28.

三、清洁生产

浅谈氮肥行业环境影响评价中清洁生产要点分析

安文德

（衡水市环境监测站　衡水市人民西路61号　053000）

摘　要　氮肥行业建设项目环境影响评价中清洁生产分析的要点是通过对不同的原料路线分析、不同的技术特点分析、物料平衡图与水平衡图的分析，合理的污染物削减方案分析，结合氮肥行业清洁生产评价指标体系，来确定建设项目的清洁生产水平。

关键词　氮肥行业　环境影响评价　清洁生产

氮肥生产属合成氨及其加工业；合成氨是氮肥行业的基础，由合成氨进一步加工生产尿素、硝酸铵、氯化铵、硫酸铵、氨水等氮肥，合成氨按原料煤、油、气的不同，又有不同的生产工艺。目前，我国的中、小型合成氨装置大部分以煤为原料，采用常压固定层间歇制气工艺。国内大型化肥厂所采用的以天然气为原料的生产工艺主要有美国布朗公司深冷净化技术、凯洛格的KAPP技术、英国伍德公司技术等较成熟的工艺路线，其工艺过程包括原料气的压缩和脱硫、一段转化、二段转化、一氧化碳变换、二氧化碳脱除、甲烷化、合成气干燥、合成气压缩和氨合成等工序。但是由于各种工艺的技术特点、吨产品的能耗不同，其清洁生产的程度也不相同。

1996年国务院颁布的《关于环境保护若干问题的决定》明确规定“所有大中型新建、扩建、改建和技术改造项目，要提高技术起点，采用能耗小、污染物产生量少的清洁生产工艺……。”1998年的《建设项目环境保护管理条例》第4条规定“工业建设项目应当采用能耗物耗小、污染物产生量少的清洁生产工艺，合理利用自然资源，防止环境污染和生态破坏。”2003年1月1日施行的《中华人民共和国清洁生产促进法》第18条规定“新建、改建和扩建项目应当进行环境影响评价，对原料使用、资源消耗、资源综合利用以及污染物产生与处置等进行分析论证，优先采用资源利用率高以及污染物产生量少的清洁生产技术、工艺和设备。”这些法律的颁布都说明我国对采用清洁生产工艺的要求已开始逐步纳入法制轨道。

《中华人民共和国清洁生产促进法》于2003年1月1日开始施行，确立了清洁生产在建设项目环境影响评价、项目建设及运营中的重要地位。在建设项目环境影响评价的清洁生产分析专题中，通过清洁生产指标体系的角度去分析建设项目的清洁生产水平，指出建设项目的先进性及不足之处，为建设项目的建设和管理提供技术参考。因此采用《氮肥行业清洁生产评价指标体系（试行）》作为指导在氮肥行业进行环境影响评价的清洁生产分析，可以在项目建设过程和建成投产后更好地指导企业的清洁生产工作，以保证在生产工艺与装备、资源能源利用指标、产品指标、污染物产出指标、废物回收利用指标和环境管理要求等方面处于领先地位。

一、氮肥工业产业政策与行业环保政策

我国现行的氮肥工业环境保护政策为：①对能耗高、污染严重的小型厂必须关、停、并、转，对中型厂通过技术改造，逐步淘汰一些能耗高、效率低、流程长、污染严重的技术；②各企业必须改造厂区的给排水系统，实行清污分流，减少废水排放量，工艺冷却水的清净下水应循环使用；③各类型厂应严格核定用水定额，节约和减少用水量，提倡使用循环水，并努力提高水的循环利用率。大型厂的水循环利用率应大于95%，中型厂应大于90%，小型厂应大于80%。实现冷却水及造汽水闭路循环。在氮肥行业的清洁生产环境影响评价中一定要把握好产业政策。

二、清洁生产评价指标

（一）评价指标的内容

1. 清洁能源：包括新能源开发、可再生能源利用、现有能源的清洁利用以及对常规能源（如煤）采取清洁利用的方法等。

2. 清洁原料：少用或不用有毒有害及稀缺原料。

3. 清洁的生产过程：生产中产出无毒、无害的中间产品，减少副产品，选用少废、无废工艺和高效设备，减少生产过程中的危险因素，合理安排生产进度，物料实行再循环。

4. 清洁的产品：产品在使用中、使用后不危害人体健康和生态环境，产品合理包装，易于回收、复用、再生、处置和降解，使用寿命和使用功能合理。

（二）评价指标的类型

1. 原材料指标：包括毒性、生态影响、可再生性、能源强度以及可回收利用性。

2. 产品指标：包括销售、使用、寿命优化及报废。

3. 资源指标：包括单位产品新鲜水耗量、单位产品的能耗及单位产品的物耗。

4. 污染物产生指标：包括废水产生指标、废气产生指标和固体废物产生指标。

三、氮肥行业清洁生产评价要点分析

根据清洁生产的全过程控制原则，氮肥行业的清洁生产评价路线应从以下几点着手，如对不同的原料路线分析、不同的技术特点分析、物料平衡图与水平衡图的分析、合理的污染物削减方案分析等，通过分析与氮肥行业清洁生产评价指标体系对比，来确定建设项目的清洁生产水平，同时找出项目建设存在的主要环境问题，为项目产生的环境影响分析和提出合适的污染防治措施奠定基础，以达到清洁生产评价的目的。下面以合成氨为例进行具体分析。

（一）不同原料路线分析

不同原料路线合成氨工艺吨产品“三废”排放量有很大的不同，生产合成氨的原料有煤（煤、焦、褐煤）、油（重油、轻油、原油）和气（天然气、沿田气、炼厂气、焦陆气）。据有关不同原料路线合成氨工艺吨产品“三废”排放量的研究资料：①从废水排放来看，以油为原料的吨氨废水排放量相对最低，为3～8t/tNH_3，以气为原料的略高，为11.1t/tNH_3，而以煤为原料吨氨废水排放量最高，达30～70t/tNH_3，且吨氨的污染物排放量也最高；以油为原料的废水污染物排放量变化较大，以气为原料总的排放水平最低。②从废气排放来看，以天然气为原料的吨氨废气污染物排放量最低。③从废渣排放来看，煤为原料的吨氨废渣排放量远远大于以气或油为原料的废渣排放量，后二者的吨氨排渣量均较低。总之，以气为原料吨氨“三废”排放量最低。原料路线不同，所采取的清洁生产工艺也应该不同。原材料的消耗与能耗水平，要与现有国内同类原料路线生产厂的物耗、能耗对比，这样才能评估其是否具有先进性。

（二）不同的工艺技术特点分析

目前世界上工艺技术先进且具有竞争力的合成氨工艺主要为美国Brown公司深冷净化技术、Keiiogg公司的KAPP技术和KEP技术；英国Uhde公司技术、斯娜姆（Snamprogetti）公司技术等。

从工艺技术特点分析，Brown公司深冷净化工艺，较一般工艺投资少，合成新鲜气的消耗量较一般工艺量少约7%，可以节约能源，降低能耗；Keiiogg公司技术对于含高的天然气的适应性较好；采用KBR技术则需要有充足的煤炭资源；Uhde公司技术一般转化炉操作维护方便安全；斯娜姆公司的合成塔是世界上最有竞争力的合成之一。

通过对不同的生产工艺水平、工艺技术特点分析，制定不同的清洁生产工艺。对于工艺技术的选用通过分析工艺技术的来源和技术改进的特点，以及同类技术中所占的地位，就能选用高效的先进设备。

（三）物料平衡图与水平衡图的分析

物料平衡数据与水平衡数据是环评中的关键数据，其正确与否将影响到环评最终结论，因此污染物产生与排放的源强估算要准确，数据来源要合理，无遗漏。

绘制两平衡图的目的主要是了解项目节水措施合理性，水的循环利用率、重复利用率的计算，达标废水的利用状况，工程废水量及处理设计规模的合理性，清洁生产指标的计算，有毒有害辅料流失去向及其浓度计算等。

物料平衡图：根据项目特点和生产工艺流程图绘制，通过核对有关单元操作、原材料、产品、用水、能源和废物的资料，确定废物的来源、数量、类型及削减目标。制定削减废物产生的对策；提高组织对由削减废物获得效益的认识和知识；判定组织效率低的瓶颈部位和管理不善的地方；提高组织经济效益、产品和服务质量。

水平衡图：水平衡不但能反映整个生产系统各部位与各类废水排放量及浓度，同时反映了全厂废水排放量与工程整体系统能否节约用水程度，只能按给排水专业的图示法表达，不能用表格法作平衡表，否则难以发现系统中存在的问题。图中要标出各生产工段给排水、公用工程给排水和生活给排水、废气处理排水、绿化用水、循环水量、套用回用水量、损耗水量、初期雨水等。生产工艺水平衡图也需绘制，技扩改项目应分别绘制技改前后全厂水平衡图（需图示水回用路线）。原材料的消耗与能耗水平，在项目的物料平衡与能量平衡的数据基础上与现有国内生产厂或类似的其他技术路线的物耗、能耗对比，评价其清洁生产的先进性水平。

（四）通过类比分析清洁生产水平

通过对合成氨生产过程的现状调研、现场考察及对“三废”治理设施的掌握，结合物料平衡、水平衡等情况，选择某同类同规模企业，对其预评估和废物削减方案进行清洁生产水平分析。通过对企业预评估和废物削减方案的分析，将所评价的企业的清洁生产水平与氮肥行业清洁生产指标体系比较，以评估清洁生产的水平。

四、结　论

清洁生产的理念应贯穿于整个环评过程之中，实行全过程控制。在环境影响评价的工程分析阶段，确定生产工艺中各环节的资源输入量和污染物排放量，通过实测或资料调研，选择与建设项目相类似的现有企业，取得对应生产工艺的能源、物料等数据，对原材料指标、产品指标、资源消耗指标和污染物产生指标进行对比分析，可初步判定建设项目采用的生产工艺是否属于清洁生产工艺。该方法可以作为目前环境影响评价中清洁生产分析的一种比较可行的量化方法。在选择类比对象时要选用当时属于先进或至少一般水平以上的生产工艺，评价指标应根据生产工艺的特点进行修订，使其更具有可比性，以提高清洁生产分析结论的准确度。

在氮肥行业，清洁生产指标体系明确，通过对不同的原料路线分析、不同的技术特点分析、物料平衡和水平衡的分析，类比分析清洁生产水平，并与清洁生产指标比较，选择工艺技术先进，能源利用率高，污染物排放量少，达到资源最优化、消耗最小化、过程无害化、技术可行化的要求，以保证所评价项目清洁生产水平的先进性。

参考文献

[1] 环境影响评价技术导则［M］.

[2] 化工石化医药环境影响评价［M］. 工程师职业资格登记培训教材.

[3] 张峥，李寅年. 环境影响评价中的清洁生产分析［J］. 环境保护，1998（9）：23－25.

[4] 工业企业清洁生产审计指南［M］.

我国高碳资源低碳化利用的环保思索

周学双[1]　童　莉[1]　赵秋月[2]　郑韶青[1]

（1. 环境保护部环境工程评估中心　北京　100012
2. 江苏省环境科学研究院　江苏　南京　210036）

摘　要　煤炭的不合理利用已经引发了诸多环境问题，本文在对煤炭利用与煤化工产业发展存在的环保问题进行深入分析后，提出了应对气候变化的大趋势下，我国高碳资源低碳利用的环保思索，即大力发展新型煤化工产业及洁净煤技术，将环保理念渗透到经济领域、优化经济发展模式，通过可持续发展的先进经济发展模式，在发展的过程中解决环境问题。

关键词　煤化工　低碳利用　可持续发展　环保思索

以 1t 标准煤为单位，煤炭的燃烧约排放 2.66t 二氧化碳，石油排放约 2.02t 二氧化碳，天然气排放约 1.47t 二氧化碳。中国是世界第一大煤炭生产和消费国，煤炭作为高碳资源，在我国一次能源生产总量中占 78%，具有绝对的主导地位；气候变暖、酸雨、汞污染、灰霾、大气棕色云、生态环境恶化、土地退化与沙化等诸多环境问题，均与煤炭密不可分。同时我国也是世界上最大的煤化工生产国，煤制合成氨、甲醇、焦炭和电石等传统煤化工产品产量居世界之首。由于我国煤炭资源的不合理开发与利用以及煤化工过热无序的发展，凸显出的一系列环境问题已经危及国家的可持续发展与子孙后代的生存环境。

一、煤炭利用与煤化工产业存在的环保问题

目前，我国煤炭的主要利用方式是直接燃烧获取热能，即所谓的“燃烧经济”。2008 年全国煤炭消费量约 27.4 亿 t，预计到 2020 年总需求量将达 34 亿 t 左右。

（一）煤炭不合理利用导致的环境污染严重

煤炭燃烧排放的污染物是中国大气环境污染的主要来源，各类污染物总排放量的贡献分别是：二氧化硫为 90%、烟尘为 70%、氮氧化物为 67%、二氧化碳为 70%。2006 年全国二氧化硫排放量 2 588 万 t，其中大部分来源于煤炭直接燃烧。我国酸雨的范围还在不断扩展、二氧化碳的排放量将跃居世界第一；除此之外，重金属污染（汞、砷等）、氮氧化物、二氧化碳、大量固废、脱硫技术过分单一（95% 以上为石灰石—石膏法）等相关问题还未得到足够重视。根据 UNEP“全球汞评估报告”，按照汞在空气中的年均值和平均沉降值，中国属大气汞污染最为严重的地区之一。2003 年我国大气汞污染物排放量约为 623 t（欧洲、美国分别为 239.3 t、118.6 t），其中由燃煤排放的汞为 256.7 t，占总排放量的 41%，主要来源于电厂、工业锅炉和民用燃煤。

（二）煤炭利用方式单一、资源利用率低

2007 年我国煤电比例为 78%，水电 20.4%，核电 1.2%，风电及其它新能源占 0.7%，是世界上少数以煤炭为主发电作为一次能源的国家。从煤炭消费量看，主要集中在电力、钢铁、建材和化工行业。2007 年，我国煤炭消费量中工业消费量为 24.5 亿 t，占消费总量 95%；工业消费量中电力用煤用量最大，占 56%，钢铁用煤（含钢铁炼焦）占 17%，而化工用煤 1 亿 t 左右，占 5%。

近年来，我国火电的快速扩张进一步加剧了煤炭资源利用不合理性。2008 年全国电力装机

容量近8亿kW，其中火电占76%，2007年国家核准开工的电力项目中火电近87%。近几年电力行业借热电联产变相扩张产能，重复建设，刺激“两高一资”企业发展。我国燃煤发电机组参数主要以亚临界为主，近年来逐步向超超临界方向发展，利用效率不高，火电机组平均效率约33.8%，民用燃煤综合效率一般仅15%～16%，且仅利用了煤的部分热能，几乎全部元素（如硫、碳）转变为污染物排入环境。过于单一的煤炭利用方式不仅造成环境严重污染，而且使得许多环境问题无法解决，如直接燃烧中二氧化碳浓度低难以回收与捕集。

据统计，我国能源消耗的26%用于出口，以量取胜的粗放型贸易增长模式占有相当比例，贸易顺差的同时，承受“资源环境逆差”，即大量出口产品，相当于进口污染[1]。主要原因是各电力公司为了占领市场和稀缺的煤炭资源，纷纷抢滩设点，资源管理政策存在问题，决策部门对煤炭资源有效利用和二氧化碳的捕集与封存（CCS）成本缺乏前瞻性。

（三）煤炭资源与水资源、消费市场逆向分布的矛盾愈加突出

我国煤炭资源相对丰富，已查明的资源储量超过1万亿t，地域分布极不均衡。在煤炭资源丰富的地区，大都水资源匮乏、生态环境脆弱，经济发展水平较低、远离产品消费市场。按昆仑山—秦岭—大别山一线划界，北部地区煤炭资源占全国的90%，但水资源短缺，仅占21.4%。其中，晋陕蒙宁四省煤炭资源占有量为67%，而水资源仅占全国的3.85%。若以大兴安岭—太行山—雪峰山一线东西划界，西部地区煤炭资源占全国的89%，东部沿海的辽宁、天津、河北、山东、江苏、浙江、福建、广东、海南、广西10省（市、区）火电装机容量3.3亿kW，占全国59%，但煤炭资源仅占全国的3.3%[2]。因此必然造成“北煤南运、西煤东运”压力越来越大。

煤炭的长距离运输，流通环节众多，运输途中、装卸过程等作业损耗与浪费，十分惊人。而由于交通运能紧张，出现大量煤炭运输车辆排长龙、港口煤炭积存、柴油供不应求等现象，由此刺激炼油工业扩张、大规模道路和港口建设，进而加剧土地的消耗和生态环境的破坏，走进恶性循环的怪圈，并进一步演变成更为复杂的社会、经济、环境等多元素复合型矛盾。

（四）现有煤化工企业落后产能比重大、能耗高、污染重

目前，我国煤化工行业企业多，焦炭、电石、煤制化肥和煤制甲醇企业分别为1 300、400、500和100家。2005年我国这些传统煤化工产品产量均居世界首位，其中焦炭、电石生产能力分别过剩四分之一和二分之一，超过“十一五”预期市场需求。且现有煤化工企业大都能耗高、污染严重，大部分不是长链加工企业。以甲醇行业为例，2006年我国共有甲醇生产企业167家，产能1 344万t/a，产量874万t，甲醇产能万吨以上的企业约135家，10万吨以下企业占60%，分布遍及除北京、西藏外的全国各地。焦炭、电石和煤制甲醇企业平均规模分别仅为20、2.2、3.5万t/a，规模普遍偏小。电石行业大部分以开放式电石炉为主，焦化的煤气、煤焦油大多未综合利用，煤制化肥以固定床间歇式煤制气为主。总体上，我国现有煤化工行业，落后产能比重偏大，长期占有宝贵资源和环境容量等重要生产要素，影响整个行业的优势企业和现代煤化工产业的发展，相当一部分现有企业是区域的环境污染大户，属于需要淘汰的“两高一资”企业。

二、实现高碳资源低碳化的有效途径——发展新型煤化工

随着人类应对气候变化的迫切要求和不懈努力，碳减排即将成为世界范围面临的巨大挑战。展望2020年，我国碳减排的主要技术途径有非化石能源的开发和利用、高碳资源低碳化利用以及提高能源利用效率和节能三大方面。碳减排的重点是化石能源特别是碳排放系数最高的煤炭利用的低碳化，新型煤化工技术的发展将展现出用武之地。神华的直接液化煤制油、伊泰的间接液化煤制油示范项目开车成功以及万吨级煤制乙二醇装置的鉴定，标志着我国新型煤化工产业进入实质性发展阶段。新型煤化工以煤炭为原料生产洁净能源和化学品等，不仅可替代能源和石油化

工产品，如柴油、汽油、电力、热力等[4]，而且通过多联产可以削减电力、石化、建材、冶炼等行业的污染源和民用分散污染源以及汽车的污染排放。

（一）新型煤化工产业发展符合我国国情

2006年我国能源消费总量仅次于美国，我国原油消费量达到3.75亿t，进口石油1.65亿t，对外依存度已达44%，到2020年中国石油消费量将占全球的十分之一，对外进口依存度将达到60%~70%。可见，我国能源消耗高度依赖进口石油，严重危及我国能源安全。煤炭作为石油替代品是解决国家能源危机的主要途径之一。

在我国一次能源消费中，化石能源不仅占主导地位，而且是以高碳性更强的煤炭为主。煤炭占到70%。而二次能源电力的消费中，燃煤火电占77%，水电占到20%左右。即使在化工原料中，煤炭也占到50%左右。这种消费现状是由我国的化石能源禀赋特点“多煤、少油、缺气”所决定的。因此，重视和加强高碳资源的低碳化利用，健康发展新型煤化工产业刻不容缓。

（二）新型煤化工技术的发展可有效利用劣质资源和回收大量资源

新型煤化工技术对煤质适应能力较强，能很好地利用我国量大、面广、廉价的高硫煤和劣质煤以及石油焦等劣质资源，提高我国煤炭资源的回采率与资源利用率。

新型煤化工涉及电力（IGCC）、煤制油和二氧化碳回收利用等更广泛的领域，将极大提高煤炭、水等多种资源利用率，大幅度减排二氧化碳、二氧化硫、氮氧化物、尘、渣等污染物，回收大量资源。

（三）新型煤化工是提高煤炭利用效率的重要途径

新型煤化工的核心是以煤炭、水、氧等为原料经过气化、转化生成合成气（CO、H_2），然后既可以制备各种替代石油基燃料、化学品，也可以作为能源原料（如发电、供热等）；这一过程中可以对煤炭中主要化学元素如碳、氢、硫、氧等予以充分回收利用，硫和氢的利用率均可以达到99%以上。而以煤气化为基础的多联产是目前世界公认的一种先进的洁净煤利用技术，是一种代表性的高碳资源低碳化利用技术。新型煤化工与直接燃烧的根本区别在于：新型煤化工是把煤当做原料通过化学反应的途径生产能源和相关产品，充分利用煤炭里多种化学元素，并实现能源的梯级利用，而直接燃烧仅把煤炭当作燃料，只能通过燃烧获取部分热能，不能获得其他产品，基本不利用任何化学元素，目的单一，浪费严重[5]。

（四）新型煤化工将在解决油气时代过后全球能源、化工、环境等问题上，发挥不可替代的积极作用

甲醇分子结构具有氧化、重排、聚合等有机特性，从甲醇出发可生产数百种化工产品，是第四大基础有机化工原料，在化工产品中有着广泛的应用；同时，甲醇可作为汽车发动机燃料，随着技术不断进步，将成为石油资源日渐减少和枯竭的重大替代能源产品。随着二甲醚作为燃料国家标准的发布，使煤成为煤化工制二甲醚等清洁燃料的原料。发展煤化工最为典型的是煤制甲醇为代表的相关产业链，最近，美国南加州大学著名有机化学家、1994年诺贝尔化学奖得主奥拉教授提出的新概念“甲醇经济”值得我们认真思考，其主要观点是：把甲醇作为一种方便和较安全的液体储能介质、燃料、基础化工原料以及二氧化碳回收制品，来解决油气时代过后全球能源、化工、环境等问题。

因此，为了实现高碳资源的低碳化利用，我国必须发展煤化工，但不是当前这种传统意义的煤化工产品，而是包括发电在内的新型煤化工的有序发展；所谓“有序发展”，既包括时间上与先进清洁技术的有序跟进，也包括空间上与水等资源和市场的合理布局，绝不是各自为政、“一哄而上”的盲目无序发展。

三、对策与建议

高碳资源的低碳化利用与新型煤化工发展密不可分已经是不争的现实，本着循环经济与可持

续发展的理念，站在推动能源替代的战略高度，前瞻性地规划布局，统筹煤炭与水资源分布、交通运输与区域市场需求，稳步有序发展资源节约型、环境友好型煤化工产业。

（一）统筹规划、有序发展

煤炭利用所涉及的部门、行业、区域太多，如果没有强有力的调控，则不可能做到“全国一盘棋、有序、可持续发展”。科学统筹规划是从能源替代、资源、市场、技术、交通、贸易、环保等诸多方面进行统筹，摒弃部门和地方的狭隘利益观，以资源、市场、交通等主要生产要素来筹划超越行政区划界限的大区域经济，从国家利益出发，科学地、前瞻性地进行规划；不仅要解决能源替代，还要大幅度提高资源利用率；不仅要加速发展经济，而且还要做到可持续发展；不仅要解决当代的环境污染，还要解决长期的环境问题。因此，国家应尽早谋划煤炭利用的综合性中长期规划（包含能源替代、煤化工、冶金、建材、交通、煤炭开采等），并成立总协调机构，出台煤炭与煤化工的相关政策，有效遏制地方的盲目无序局面。

所谓“有序发展”，既包括时间上与先进洁净煤技术的有序跟进，也包括空间上与资源、市场、交通的有序合理布局，绝不是各自为政、“一哄而上”、局部区域严重同质化重复建设的盲目无序发展。如规划中的黄河中上游煤化工产业区位于晋陕蒙宁四省的交会地区，均属于缺水地区，应该抛弃行政区划的约束，从大区域进行总体规划，发挥各自优势，建立互补性经济。

（二）推广高碳资源低碳化的实用技术，建设多联产新型煤化工综合产业群

高碳资源低碳化实用技术包括可再生能源、新能源技术、煤炭能源的清洁高效利用、温室气体排放控制与处理技术、节能新技术等。当前和今后一段时间，主要应突破的技术包括超超临界发电技术、IGCC、多联产技术、褐煤等劣质煤利用技术、先进燃烧技术、多种原料、碳氢比可调的大规模气化工艺，煤、电、气一体化和合成气的下游应用技术等。这些技术都是低碳技术，也是低碳经济的核心。低碳技术的实质就是能源的洁净、高效、廉价开发和利用。从广义上说，所有可以减少能源消费和碳排放的技术都属于低碳技术。

新型煤化工技术是实现高碳资源低碳化的重要组成，必须打破行业界限，在综合评估分析区域煤炭资源、水资源、交通运输、市场分布以及二氧化碳捕集与封存（CCS）条件等诸多因素，充分考虑短板因素的基础上，互补延伸产业链，建立示范性超大型、循环经济型、多联产新型煤化工综合产业群，结合世界新型煤化工发展趋势，进行煤、电、化、热、冶、建材等多产业的综合一体化建设。

（三）制定资源综合利用政策，引导煤炭及相关资源合理利用

我国煤炭储量相对较为丰富，但品质差异较大，部分品种短缺，如焦煤等；为了合理高效利用，国家应该根据热值、灰分、含硫量、危害元素含量（如汞和砷）等多种指标，科学区分各种煤炭的使用范围（包括行业与地区），制定全国分地区煤炭基价目录，规范煤炭资源管理，指导煤炭的开采、使用与运输；由于焦煤短缺，国家应该禁止焦煤和焦炭出口；汞和砷等危害元素含量较高的煤炭、高硫煤、褐煤（效能低、产污量大）和石油焦等，应禁止用作动力燃料；交通运输部门依据相关政策与要求，以“运距最短、作业次数最少”为原则，进行合理调度，最大化有效利用运能；应结合区域供热规划和新农村建设，采用新型煤气化技术对燃煤锅炉（包括供热）进行优化改造，替代区域分散污染源和民用燃料，改善农村环境质量。

同时，应着眼于碳元素循环利用，以减少温室气体二氧化碳为目标，将电石、焦化、煤化、氯碱、电力、水泥等行业有机结合，实现煤中碳源、硫元素的最大化资源利用。从环境保护角度考虑，我国应尽快研究制定排放二氧化碳的相关经济政策，引导碳元素的循环使用，减少温室气体排放。从政策层面，鼓励先进煤化工企业发展走循环经济路线，借助市场价格杠杆，促进现有煤化工企业淘汰和优化整合，协调煤化工行业健康发展。尽快制定煤化工清洁生产标准或相关排放标准。

（四）建设可持续发展的煤炭工业及煤化工产业

环保不是经济的尾端，现代经济发展已经将环保推至前端和中心位置，而不是仅仅处理“三废”和“你排我治”的概念；环保如何优化经济发展？这是环保人应该深思的！环保部门应深入了解产业经济，结合先进前沿的经济技术，研究经济与环保的关系，不能只考虑脱硫、脱硝等末端治污手段，转而研究如何改变煤炭利用方式与途径，做到少产污或不产污，将“源头治理”的理念真正融入经济领域，将可持续发展的环保理念渗透到经济领域、优化经济发展模式，学会利用可持续发展的模式解决环境问题，如煤炭利用，环保不能先考虑脱硫、脱硝，而是应该研究煤炭利用方式与途径如何改变才能做到少产生或不产生。

综合考虑水资源、市场、运输、生态环境、酸雨、温室气体、汞污染以及固体废物等多要素，结合二氧化碳的处置成本，对煤炭开采与利用进行多方案或多种模式的战略环评。在富煤富水区域，建设坑口煤化工基地，延长煤化工产业链，尽可能延伸到市场终端产品，减轻化学品运输压力和环境风险；水资源不支持的富煤区域，明确不宜发展煤化工产业；还可以进行输煤、输电、引水、输气（包括基础化学品）等多方案比选，从而起到环保优化经济发展的实际效果，真正成为用可持续绿色理念优化经济发展的践行者。

参考文献

[1] 汪纪戎，Brendan G，等．完善政策实施机制 确保实现减排目标［J］.. 环境保护，2008，411（国合会专刊）：39－52.

[2] 赵希正．中国电力行业年度发展报告 2008［R］．北京：中国电力企业联合会，2008.

[3] 潘连生，张瑞和，朱曾惠．对我国煤基能源化工品发展的一些思考［J］．煤化工，2008，2：1－6.

[4] 杜铭华，徐振刚，郭治．新型煤化工发展战略探讨［J］．中国能源，2003，25（6）：24－29.

[5] 许丹阳，陈群，周刚．绿色化学 展现化工行业美好前景［J］．中国化工信息，2008，30：4－5.

印染过程中的清洁生产问题研究

李耀华

（山西省晋中市昔阳县环境保护局环境监察大队　045300）

摘　要　印染废水由于色度高、水质变化大、生化性差等特点，是当前工业废水处理的难点和焦点之一。论文针对印染废水的危害及我国水资源短缺的现状，阐述了清洁生产在印染生产过程及清洁生产技术在废水处理过程中的迫切性和可行性。印染行业是工业废水排放大户，据不完全统计，我国每天排放的印染废水为300万～400万t，年排放量约为6.5亿t。同发达国家相比，我国纺织印染业的单位耗水量是发达国家的1.5～2.0倍，单位排污总量是他们的1.2～1.8倍[1]。

我国是水资源短缺和水污染比较严重的国家之一，随着水资源危机的加剧，如何在印染各工序实行清洁生产，减少用水量和废水排放量，回收废水中的有用物质，减少污染物的排放量；以及在废水治理中使用清洁的生产技术，防止二次污染和污染物的转移，并实现废水处理后的回用，这对缓解水资源危机、维持印染行业的可持续发展具有重大的现实意义和经济意义。

印染废水的污染物及其危害表现为印染废水色度高、毒性强、水量大、可生化性差。其污染物主要是各种纤维材料、浆料、染料、化学助剂、表面活性剂和各类整理剂等，印染废水的危害程度依所含污染物的不同可分为5级，1级最轻微，5级最严重[2]，见表1。印染废水中的偶氮染料能使生物致畸、致癌、致突变。其初步降解后的产物多为联苯胺等一些致癌的芳香类化合物，毒性都较大[3]，如酚类能影响水中各种生物的生长和繁殖，苯对人的神经和血管系统有明显的毒害作用。

有些染料、固色剂、媒染剂、氧化剂等含有有害重金属离子，它们在自然界中能长期存在，并通过食物链等危及人体健康，如 Cr^{6+} 已被确认能致癌，汞能毒害人的神经系统，使脑部受损，世界上八大公害事件中的水俣病事件就是汞中毒所致，痛痛病事件则是由镉引起的。一般的酸、碱、盐等相对无害，但许多含氮、磷的化合物排放后会使水体富营养化，藻类疯长。

表1　印染废水污染危害程度

危害程度	污染种类	污染物
1	一般无机污染物，相对无害	酸、碱、盐、氧化剂
2	中等至高BOD但易生物降解	淀粉浆料、植物油、脂肪、可被生物降解表面活性剂、低分子有机酸（甲酸、乙酸）、还原剂（硫化物、亚硫酸盐）
3	燃料和聚合物难以生物降解	燃料和荧光增白剂、绝大多数纤维及聚合物杂质、聚丙烯酸酯浆料、合成高聚物整理剂、硅酮
4	中等BOD难以生物降解	羊毛脂、聚乙烯醇浆料、淀粉醚和酯、无机油、抗生物降解的表面活性剂
5	很小BOD，但不能用传统生化法处理	甲醛、N－羟甲基反应物、阳离子缓染剂和柔软剂、有机金属、络合物、重金属盐（铬、铜汞、镉、锑）

一、印染过程的清洁生产

清洁生产是将综合性预防的环境策略持续地应用于生产过程、产品和服务中，以减少对人类和环境的风险性。对生产过程而言，清洁生产包括节约原材料和能源，淘汰有毒原材料并在全部排放物和废物离开生产过程以前减少它的数量和毒性[4]。在印染生产过程中，清洁生产就是要求使用清洁的原材料、清洁的生产工艺，使排放的废物和有害物质尽可能地减到最小。

下面从原材料及其回收的角度探讨印染过程中的清洁生产。

（一）加强管理，减少料耗和水耗

我国印染行业许多工厂设备陈旧，工业技术和管理落后。许多印染厂各工序原料的加入量和用水量都是人工凭经验控制，随意性较大，加上“跑、冒、漏”，使用水量和原材料浪费增加。在保持企业生产工艺过程和状况不变情况下，通过加强企业管理，安装计量设备，实施成本控制，可以降低原材料成本15%左右，用水量节约20%～30%。

（二）使用清洁的原料

聚丙烯酸酯、聚丙烯醇（PVA）等化学浆料的退浆废水生化性差，污染较大。选用性能经过改善了的天然浆料，其废水生化性较好；或选用以聚丙烯酸盐和膨润土等为主要成分的浆料，不但用量少，污染小，而且有助于浓缩回用。

不使用禁用的22类对人体有致癌作用的118种染料和染色载体助剂，严格限制内衣类织物上的甲醛和五氯酚的含量[5]。开发和应用环保型染料、印染助剂及上染率高的染料，如利用双官能活性染料（Jakofix ME 染料）可使染料固着率提高到80%以上。采用小浴比染色机，则能减少水、能源、盐和碱的用量，从而降低废水负荷。选用天然染料（色素）替代部分合成染料，因为大多数天然染料与环境生态相容性好，可生物降解，而且毒性较低。天然染料在沸水中染色，可不加化学添加剂或溶剂，可大大减少废水中的污染物[6]。

对织物进行前处理时，必须利用碱等化学品除去织物上的浆料及纤维上的各种杂质，整理时也需要利用某些化学品。但这些化学品一般都有一定的毒性，如碱使废水呈现高碱性。用酶来代替这些化学品，产生的废水可生物降解，且无毒无害，如用淀粉酶代替碱去除坯布上的淀粉浆料，纤维素酶代替柔软剂用于整理等。

（三）加强废物的回收和利用

（1）回收染料、浆料　使用超滤法回收还原、分散疏水性染料及聚乙烯醇和聚丙烯酸类浆料，不仅可降低污染负荷，而且可减少原材料消耗。

（2）回收烧碱　丝光碱回用于煮练或丝光，可节约原料，降低废水 pH，减少废水污染。

（3）回收印花废水中的重金属　如采用活性炭吸附法回收制铬印花辊筒雕刻车间的铬，能有效减少重金属对环境的污染[3]。

（4）漂洗水的回用　印染用水中，漂洗水占绝大部分。漂洗水一般污染较轻，经过处理后能达到回用的要求。如染色漂洗水经过混凝脱色或专门的印染废水光催化回用设备处理后可回用于染色后的漂洗。美国 Clemson 大学研究出回收漂白漂洗水用于连续煮练工艺，该技术在西点 Stevens 染厂每年能节省20万美元[7]。这样可大大减少废水排放量，减轻污染，减少新鲜水消耗量，达到节约用水的目的。

三、印染废水处理中的清洁生产技术

目前我国印染废水治理主要以末端治理为主，废水处理后的回用率很低，而某些治理方法如混凝沉淀法只是把污染物从液体转移到了固体，并未真正消除污染。相对于水资源而言，印染废水处理是一个再生水资源的过程，清洁生产技术就是要使用不产生二次污染的治理方法，淘汰产生二次污染的有害絮凝剂，并尽量减少处理后水中有害物质的排放或将废水中有害物质全部氧化分解为无毒物质，对废水处理过程中产生的污泥进行妥善处置，防止二次污染和污染转移，减少处理后的水对人类和环境的影响，并实现废水资源化。在众多的印染废水处理方法中能将污染物彻底氧化分解的主要有生物法和氧化法。下面简介这些方法中的一些较新成果。

（一）生物法

生物法是当前普遍采用的一种经济有效、无污染的废水处理方法。由于印染废水的多变性，生物法处理效果有时不尽如人意。如何开发出适应能力强的菌种，提高生物法的处理效果，并使废水经过处理后达到回用的要求，将是今后生物法研究的方向之一。这里就当今研究的一些新型生物制剂作一略述。

（1）酶制剂　利用生物酶制剂处理废水、净化环境比其它生物法效率高、速度快、出水好，不产生二次污染。用于处理印染废水的酶有漆酶、辣根过氧化酶、木质素过氧化物酶、嗜碱酶等[3]。在木质素过氧化物酶或锰过氧化物酶存在的条件下，漆酶的色度去除率可提高到75%[8]。

（2）废水脱色微生物制剂　中国科学院微生物研究所分离出的5种高效细菌对酸性红B2GL、酸性媒介棕RH、媒介蓝B和媒介黄GG等染料具有脱色降解能力，在细菌挂膜接种兼性厌氧、好氧氧化系统中处理模拟染色废水，脱色率达到85%以上。中国科学院微生所和纺织工业部设计院等单位分离的数百株脱色菌在无氧条件下的脱色率比在有氧条件下更好，将脱色菌和PVA降解菌投加到废水处理池中，脱色率高达80%，PVA去除率达75%～90%，远高于普通生物处理法[9]。

（3）生物絮凝剂　与无机和有机合成高分子絮凝剂相比，生物絮凝剂具有许多独特的性质和优点：①易于固液分离，形成沉淀物少；②易被生物降解，无毒无害，安全性高；③无二次污染；④适应范围广；⑤具有除浊和脱色性能等；⑥有的生物絮凝剂还具有不受pH值条件影响，热稳定性强，用量小等特点[3]。人们预见生物絮凝剂絮凝活性的广谱性将使彻底消除污染成为现实，它大部分或全部取代合成高分子絮凝剂是大势所趋。现在用于处理印染废水的生物絮凝剂有PF101（用于处理含羧甲基纤维素的退浆废水）、MF－3和NAT（用于染液脱色）和NOC－1（可消除污泥膨胀，恢复活性污泥的沉降性能）。南开大学研究的NAT型絮凝剂，对直接黑染料生产废水稀释液的脱色率可以达到60%左右[3]。

（二）湿式空气氧化法

湿式空气氧化法（WAO）是在高温（175～350℃）、高压（2.0～20.67MPa）下通入空气，使溶解或悬浮于废水中的有机和无机还原物质在液相中被直接氧化成二氧化碳和水的高浓度高毒性废水处理的方法。它不产生生物法中的污泥和高浓度的废物，加入催化剂后能有效地提高湿式空气法的氧化效率。目前国际上已成功地将该方法应用于焦化和印染等工业废水的处理。

（三）光化学氧化法

由于光化学氧化法反应条件温和（常温、常压）、氧化能力强和速度快、效率较高、低能耗、易操作、无二次污染、可完全矿化有机物等优点，近20多年来发展迅速，具有较为广泛的应用前景。利用该技术处理印染等难降解废水已成为废水处理领域中的热点之一。武汉科技学院的曾庆福教授等人研制的光化学处理设备已成功应用于多个印染污水处理工程，并实现了废水处理后的回用[10]。其常用方法有TiO_2/UV、H_2O_2/UV、O_3/UV等。

（四）膜分离法

膜分离技术是利用天然或人工合成膜，以压力差、浓度差、电位差和温度差为推动力，对双组分或多组分溶质和溶剂进行分离、分级提纯和富集。由于不使用药剂、无二次污染、占地面积小、在水质波动较大时仍可自动连续运行，膜分离法处理活性染料废水在清洁生产计划中是一种经济上合算、技术上可行的方法[11,12]，使用聚合物膜能有效地将废水中的Cr^{6+}除去[13]。废水经过膜过滤后清浊分流，清水能达到回用的要求，如果技术应用成功的话，水的消耗量和废水排放量可减少80%[14]。

在传统的废水处理技术不能适应需要时，如何研发费用低、处理效率高、无二次污染的清洁生产技术，使废水经过深度处理后达到回用的要求是环保领域亟待解决的新课题。

四、结 语

随着水资源危机的加剧和人们对环保提供的日益重视，从印染各工序着手实行清洁生产，减少污水末端治理负荷，并在废水处理过程中开发出经济有效的清洁生产技术，避免产生二次污染，实现废水资源化，将是今后废水处理的一个发展方向，也是印染行业维持可持续发展必不可少的条件。

参考文献

[1] 俞学亨．浅谈印染行业清洁生产的现状和展望［J］．印染，1997，23（7）：38－40.

[2] 王振东，李琼，段晓宏．印染行业的环境污染与清洁生产［J］．环境保护，2001，9：33－34.

[3] 陈坚，诸国成．环境友好材料的生产与应用［M］．北京：化学工业出版社，2002.

[4] 周中平，赵毅红，朱慎林．清洁生产工艺及应用实例［M］．北京：化学工业出版社，2002.

[5] 杨书铭，黄长盾．纺织印染工业废水治理技术［M］．北京：化学工业出版社，2002.

[6] T Bechtold，A Turcanu，etc. Natural dyes in modern textile dyehouses—how to combine experiences of twocenturies to meet the demands of future?［J］. Journal of Cleaner Production，2003，11：499－509.

[7] 张洛邦．印染废水治理和绿色加工［J］．印染，1999，25（7，8）：44－48.

[8] Abadulla，Elias Etc. Enzymatic decolorization of textile dyeing effluents［J］．Textile Research，2000，70（5）：409－414.

[9] 陈银生，张新胜，袁渭康．印染废水处理技术［J］．化工进展，2001，5：39－42.

[10] 院新潮，曾庆福．纺织印染废水处理技术进展［J］．武汉科技学院学报，2001，14（2）：66－71.

[11] 雷乐成，杨岳平．污水回用新技术及工程设计［M］．北京：化学工业出版社，2002.

[12] Cezary A kozlowski，Wladyslaw Walkowiak. Removal of chromium（Ⅵ）from aqueous solutions by polymer inclusion membranes［J］．Water Research，2002，36：4870－4876.

[13] Bent Sandergard，Ole Erik Hansen，Jesper Holm. Ecological modernization and institutional transformations in the Danish textile industry［J］. Journal of Cleaner Production，2004，12（4）：337－352.

[14] Remmen A，Rasmussen BD. Cleaner technology in textile and clothing industry［J］. Environmental project，1999，5（2）.

云南蔗糖厂的清洁生产、清洁生产审核和节能减排

张逸庭

（云南省环科院　云南清洁生产中心　昆明市气象路王家坝23号　650034）

摘　要　通过对云南蔗糖厂的清洁生产的分析总结回顾和对清洁生产审核的成果的介绍，用事实说明了在糖厂认真实施清洁生产的节能减排的作用。

关键词　蔗糖厂　清洁生产　清洁生产审核　节能减排

清洁生产审核是促使蔗糖厂节能减排和支持可持续发展重要手段。通过云南蔗糖厂清洁生产审核成果的介绍，说明认真的清洁生产审核一定会带来可观的效益。

一、云南省蔗糖业基本情况

蔗糖业是云南省的特色产业之一。2008—2009 年榨季种植面积 4 572 200 亩，甘蔗入榨量 17 422 819t，产糖合计 2 235 286t，产酒精 141 053t，产品销售收入 732 127. 43 万元，企业利润总额 37 466. 94 万元，企业税金总额 61 001. 84 万元。蔗糖业的发展为地方财税增收、蔗农脱贫致富做出了很大贡献。

由于蔗糖业酒精废醪液的污染物问题，以前一直将蔗糖业作为环境保护的重点行业，围绕着酒精废醪液展开了很多的工作，随着科技的发展和形势的要求，云南省近年来才将制糖业作为节能减排的重点行业和循环经济可持续发展的重点，在蔗糖业引入清洁生产进行清洁生产审核是促使蔗糖业节能减排和支持可持续发展重要手段。

二、云南省蔗糖厂的清洁生产

以推行糖厂“节能减排”为目标，推行清洁生产，提高制糖业清洁生产水平，最大限度实现废物资源化再利用，体现废物资源化的经济、社会和环境效益的统一。

蔗糖业由于物耗能耗较高、废水治理难度大、市场竞争压力大等一系列问题成为蔗糖业高速发展的瓶颈，在蔗糖行业实施清洁生产审核不仅是重要的也是迫切的。目前云南糖业的综合利用已从原先的放任型、末端治理型向综合利用方向发展。

云南的几大集团如云南英茂糖业集团、临沧南华晶莹糖业集团、临沧永德糖业集团、云南力量生物糖业集团、保山康丰糖业集团、保山保升龙糖业集团、保山恒盛糖业集团等领导对清洁生产都高度重视。但说到云南蔗糖业清洁生产不能不提到时任（2005 年）南华晶莹糖业集团生技部部长的陈子华高级工程师，他对清洁生产提出了深入浅出的看法，这些观点在我们后来清洁生产审核培训时发挥了很好的作用，主要内容摘录如下：

（1）清洁生产，核心在领导，重点在员工，关键看书记员；

（2）企业是实施清洁生产的直接和最大受益者，推行清洁生产审核应是企业自觉自愿的永远追求。要使糖厂为建设环境友好型、资源节约型社会做出应有贡献，就必须实施清洁生产，认真进行清洁生产审核；

（3）清洁生产与企业生产目标是一致的，企业生产中包含着清洁生产，清洁生产是企业生产的主要核心内容，但清洁生产不等同企业生产。清洁生产应贯穿在整个企业生产之中；

（4）清洁生产有阶段性和连续性。一般一轮为一年，明年还要搞，每年都要搞；

（5）清洁生产的内涵是节能、降耗、减污、增效，这些是我们企业生产以前一直在做的工

作，但做得不好、比较粗放。所以说清洁生产能帮助企业提升管理水平，更加科学规范化地管理，是搭建一个平台，来提升我们的管理水平。清洁生产对企业生产只有好处没有坏处；

(6) 清洁生产不只是一线生产车间的事。清洁生产无所不在，无时无处不在，只要进入糖厂，就有清洁生产；

(7) 清洁生产方案，不怕乱提，只怕不提，糖厂应鼓励员工积极提出清洁生产方案。

三、云南省蔗糖厂的清洁生产审核

云南省最早开展清洁生产审核糖厂是2000年试点的瑞丽糖厂，第一家通过云南清洁生产合格验收的糖厂是景坎糖厂。自2003年至今云南省环保局已公布过四批共28家强制清洁生产审核的糖厂，也有不少糖厂开展自愿清洁生产审核。目前较大的糖业集团如临沧南华晶莹糖业集团、临沧永德糖业集团、云南英茂糖业集团、保山康丰糖业集团、保山恒盛糖业集团、保山保升龙糖业集团、云南省农垦集团（陇川糖厂和黎明糖厂）等都全部进行了清洁生产审核。其中初步了解到的保山康丰糖业集团自第一次完成清洁生产审核验收后连续三年持续清洁生产审核，景坎糖厂、黎明糖厂也进行持续清洁生产审核并得到了省级表彰。

（一）清洁生产审核的过程要点

确定清洁生产审核重点：首先是要分清本轮清洁生产审核的性质，是强制清洁生产审核还是自愿清洁生产审核（含合格验收），再结合本企业的技改提出本轮清洁生产审核的重点。

确定清洁生产审核目标：清洁生产审核目标一定要与审核重点紧密相关，其它未针对审核重点的指标同样应作为目标列出，目标应定量化和可操作，目标的制定应该参照有关的清洁生产标准和本企业历来的生产水平。一般来说，强制清洁生产审核的目标以减排为主，自愿清洁生产审核以节能为主。

产生筛选清洁生产方案：理想的清洁生产方案应该既有环境效益，又有经济效益，清洁生产方案并非越多越好。中/高费方案一定要有审核重点（但并非中/高费方案全部针对审核重点），并为完成审核目标服务。

（二）清洁生产审核的效果

近几年已经通过验收的云南康丰糖业集团、云南德宏英茂糖业集团、云南保升龙糖业集团等12家糖厂清洁生产审核的成果统计见图1。

表1　三家糖业集团清洁生产审核成果统计

项目＼集团	康丰糖业集团（5家糖厂）	德宏英茂糖业集团（其中3家糖厂）	保升龙糖业集团（4家糖厂）	共　计
清洁生产方案数量/个	192	141	80	413
清洁生产方案投资/万元	951.92	1 665.6	482.235	3 099.755
清洁生产方案效益/万元	2 585.39	485.548	396.966	3 467.904
节标煤/t	2 717.42	2 097	1 061.55	5 875.97
节电/万 kW·h	218.21	206.09	40.72	465.02
资源化利用 COD/t	12 923.4	11 829.6	9592.17	34 345.17
COD 减排/t	126.45	119.983	243.675	490.108

四、展　望

上述介绍的清洁生产审核工作并取得成果说明了在蔗糖业实施清洁生产是十分必要的，认真的清洁生产审核一定会给企业带来可观的效益。但如果咨询方是“忽悠”，审核糖厂是“应付”，没有得到当地职能部门的理解和支持，很难达到清洁生产的目的。如密切结合目前的“节能减排”和“浪费”，清洁生产审核的工作可取得事半功倍的效果。

但清洁生产审核统计的经济效益往往不一定和糖厂的经济效益完全吻合。

清洁生产不是万能的，通过清洁生产并不能要求清洁生产后的所有指标都要有所提高，那种“要清洁生产审核验收就一定要全部生产指标都要求得到提高”的要求是难以做到的。

企业尝到了清洁生产审核的甜头后，通过了第一轮清洁生产审核的糖厂往往能主动持续自愿进行清洁生产审核，达到了清洁生产的目的。

2010 年 1 月，由云南康泰环保科技有限公司、云南省昌宁恒盛糖业有限责任公司、云南康丰糖业（集团）有限公司共同完成的云南省地方标准《糖蜜酒精废醪液处置复合微生物二步发酵法》已通过有关省级部门的审定，该规范将以前的糖厂液态肥发展到了农用微生物菌液，采用了复合微生物和二步发酵法进一步提高了施用效果，这一成果将对云南省糖业界的进一步节能减排、资源化利用起到很好的促进作用。

生命周期评价在清洁生产审核中的运用

杨先科

（贵州省环境科学研究设计院　贵阳市新华路70号　550002）

摘　要　本文对生命周期评价的概念、原则和技术方法进行了阐述，分析目前我国清洁生产审核的现状，认为生命周期评价作为国际上环境管理的一个重要技术工具，可以将其指导思想和原则运用于清洁生产审核过程，亦可在清洁生产审核各阶段运用生命周期评价方法，从而提升清洁生产审核技术水平和审核效果。

关键词　生命周期评价　清单分析　影响评价　清洁生产　审核

引　言

生命周期评价（LCA）的思想萌芽最早出现于20世纪60年代末到70年代初。经过30多年的发展，目前已纳入ISO 14000环境管理系列标准而成为国际上环境管理的一个重要支持工具[1]。我国正在大力推行清洁生产，颁布了促进企业清洁生产的相关法律、法规、政策，制定了相应的清洁生产审核程序和管理办法，在近几年的清洁生产审核实践过程中也逐步形成了清洁生产审核的技术和方法，如工艺流程分析、物料衡算、能量平衡、检查表和检查清单表、仪器监测等。但相对于清洁生产审核的发展及要求，新的清洁生产审核工具、技术和方法还不多。生命周期评价作为一种有效的清洁生产审核和评价工具，其理念已经逐步引入我国，并在诸多领域得到不同程度的应用[2]。

一、生命周期评价方法概述

（一）生命周期评价概念

目前生命周期评价的定义比较多，根据ISO 14040的定义，生命周期指产品系统中前后衔接的一系列阶段，从自然界或自然资源中获取原材料，直到最终处置；生命周期评价指对一个产品系统中的输入、输出及其潜在环境影响的汇总及评价[3]，即从原材料的获取和加工，经过生产、使用、重复使用和维护，直到产品最终处置或循环利用的整个过程，进行系统的识别和定量化的评价。生命周期评价是一种思考产品、过程和服务“从摇篮到坟墓”的方法，强调产品的“生命周期”，有时也称为“生命分析”、“生命周期方法”、“摇篮到坟墓”（cradle－to－grave）分析或者“生态平衡法”（Ecobalance）。

（二）生命周期评价原则

根据GB/T 24040—2008/ISO 14040—2006《环境管理　生命周期评价　原则与框架》，生命周期评价遵循以下主要原则：①考虑产品的整个生命周期，通过系统的评价，充分识别与评价各个阶段和环节的环境影响。②以环境为焦点，关注环境影响和环境要素。③相对方法和功能单位，围绕功能单位构建一个相对的方法。④反复的方法，每个阶段都使用其他阶段的结果，以使研究工作与报告结果具有全面性和一致性。⑤透明性，以确保对结果做出恰当的解释。⑥全面性，考虑自然环境、人类健康、资源的所有属性或因素。⑦科学方法的优先性。

（三）技术框架

生命周期评价技术框架包含：目标和范围定义、清单分析、影响评价、解释4个组成部分。相互关系见下图：

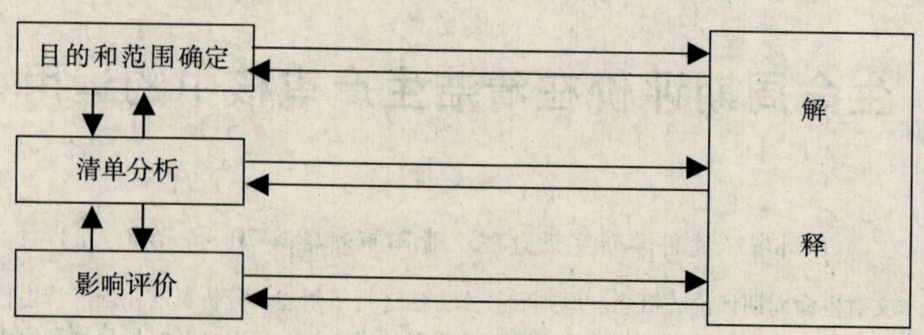

生命周期评价的第一步是目的与范围的确定，重点要考虑目标、范围、功能单元、系统边界、数据质量和关键复核过程。研究的目的与范围必须明确规定，明确陈述应用意图，进行该项研究的理由以及它的使用对象。由于对结果有强烈影响，目标和范围的确定是 LCA 的关键部分。

清单分析包括数据的收集和计算，以此来量化产品系统中相关的输入与输出。清单分析是对产品、工艺或活动在其整个生命周期阶段的资源、能源消耗和向环境的排放进行数据量化分析，建立以产品功能单位表达的产品系统的输入输出。其步骤包括数据收集的准备，数据收集，物质流、能量流、排放物的分配。清单分析可以对所研究产品系统的每一过程单位的输入和输出进行详细清查，为诊断工艺流程物流、能流和废物流提供详细的数据支持。清单分析是生命周期评价基本数据的一种表达，是进行生命周期影响评价的基础。

影响评价阶段实质上是对清单分析阶段的数据进行定性或定量排序的一个过程。影响评价是生命周期评价的第三阶段，也是其核心部分。它对清单分析所识别的环境影响进行定性与定量的表征评价，确定产品系统的物质能量交换对其外部环境，主要是对生态系统及人体健康等方面的影响。影响评价是难度最大的部分，原因在于环境问题的复杂性及动态性，要对产品涉及的所有环境影响做出全面、客观且科学的评价，即使在理论上也是难以实现的。至今进行影响评价的方法和科学的基准体系仍在不断地发展之中，尚没有一种被广泛接受的方法[4]。

生命周期解释的目的是根据生命周期评价前几个阶段的研究或清单分析的发现，以透明的方式来分析结果、形成结论、解释局限性、提出建议并报告生命周期解释的结果，尽可能提供对生命周期评价研究结果的易于理解的、完整的和一致的说明。根据 ISO 14043 的要求，生命周期解释主要包括三个要素，即识别、评估和报告。识别主要是基于清单分析和影响评价阶段的结果识别重大问题；评估是对整个生命周期评价过程中的完整性、敏感性和一致性进行检查；报告主要是得出结论，提出建议。

二、目前清洁生产审核常用方法

清洁生产是关于产品的生产过程的一种新的、创造性的思维方式，即要求清洁的能源、清洁的生产过程和清洁的产品。清洁生产审核是指按照一定程序，对生产和服务过程进行调查和诊断，找出能耗高、物耗高、污染重的原因，提出减少有毒有害物料的使用、产生，降低能耗、物耗以及废物产生的方案，选定技术经济及环境可行的清洁生产方案的过程，进而实现清洁产。目前清洁生产审核已经成为我国推进企业清洁生产最有力的方式之一，企业通过审核、评估、验收完成一轮清洁生产。对于清洁生产审核，目前我国已经对清洁生产审核程序和要求进行了规范，制定了部分行业清洁生产标准和指标体系。审核的程序分审核准备、预审核、审核、方案产生和筛选、实施方案确定、报告编写。我国自 2004 年以来大量开展企业清洁生产审核，已经形成了以检查清单和检查表、工艺流程分析、能量平衡、物料衡算、技术经济效益分析等方法和工具。目前已经开始将国际上比较成熟的生产命周期评价引入到纺织、啤酒、水泥等行业的清洁生产审核，取得了良好的效果[5]。

三、将生命周期评价的思想和原则体现在清洁生产审核中

清洁生产强调从整个产品生产过程进行改进，强调整体预防、源头治理、环境绩效，强调减少和减低产品从原材料使用到最终处置的全生命周期的不利影响。这与生命周期评价的思想和原则一致，因此应将生命周期评价的思想和原则体现在清洁生产审核中。

首先对于清洁生产审核要考虑产品的整个生命周期。在企业清洁生产审核过程，目前往往基于企业的现有状况，对于产品原材料阶段、产品最终的使用的环境影响考虑不多。如在贵州电解锰企业清洁生产审核过程，对于矿山部分基本上未涉及，而矿山部分对环境的影响又很大，包括生态环境破坏、尾矿的处理、粉尘污染、渗滤液的污染等。另外在贵州磷化工行业清洁生产审核中，对于最终磷化工产品使用的环境影响，如造成水体富营养化等也未考虑。因此，在清洁生产审核过程中，要通过系统的评价，充分识别与评价产品和工艺各个阶段和环节的环境影响。

贯彻以环境为焦点，关注环境影响和环境要素的原则。清洁生产的八字方针为“节能、降耗、减污、增效”，节能、降耗、减污都是与环境影响和环境要素有关，最后才是增效，将环境放在首位。因此在清洁生产审核中贯彻以环境为焦点，关注环境影响和环境要素的原则。

相对方法和功能单位的原则。生命周期评价首先需要确定功能单位，然后对功能单位进行分析评价，围绕功能单位构建一个相对的方法。目前清洁生产审核中的工艺流程分析也是基于工艺单元，但并没有像生命周期评价一样进行详细的定义和划分。在清洁生产审核过程，可以运用生命周期评价中的功能单位的原理和方法，使工艺流程分析更加完善和具有可操作性。

另外，生命周期评价的原则中还有：反复的方法、透明性、全面性、科学方法的优先性，都可以用于清洁生产审核。

四、生命周期评价在清洁生产审核中的运用

生命周期评价通常分为四个阶段，即目的和范围的确定、清单分析、影响评价、解释，各个阶段之间都是相互联系。在运用过程中，按照其技术复杂程度可分为三类：概念型 LCA（或称“生命周期思想”）、简化型或速成型 LCA、详细型 LCA。概念型 LCA 主要是生命周期思想，根据有限的通常是定性的清单分析评估环境影响；简化型或速成型 LCA 涉及全部生命周期，但仅限于进行简化的评价；详细型 LCA 包括目的和范围确定、清单分析、影响评价和结果解释全部 4 个阶段。在清洁生产审核过程中，根据基础资料、技术人员、要求等可以采用不同类型的生命周期评价。

在清洁生产审核过程中，对于审核小组及企业相关技术人员，首先要宣传生命周期思想和原则，充分考虑产品的整个生命周期各个环节，宣传教育的对象和清洁生产审核小组的成员应包括产品的各个阶段和环节的相关人员。

在对企业进行预审核、审核时，以及实施方案的产生和筛选以及实施方案的过程中，采用生命周期评价方法。通过目的和范围的确定和功能单元的划分、清单分析、影响评价、解释，对企业全貌进行调查分析，分析和发现清洁生产的潜力和机会，确定审核重点。对审核企业的产品系统的每一过程单位的输入和输出进行详细清查，为诊断工艺流程、能流和物料流提供详细的数据支持，通过审核重点的物料平衡，发现物料流失的环节，找出废弃物产生的原因，查找物料储运、生产运行、管理以及废弃物排放等方面存在的问题，寻找与国内外先进水平的差距，为清洁生产方案的产生提供依据，进而提出清洁生产实施方案。进行方案的初步筛选、实施方案的确定时，特别是需要比选涉及到产品和工艺改变的不同方案时，采用生命周期评价，以确定最优方案。

生命周期评价作为一种环境评估工具用于清洁生产审核，可以保证更全面地分析企业生产过

程及其上游（原料供给方）和下游（产品及废物的接受方）产品全过程的资源消耗和环境状况，找出存在的问题，提出解决方案，提高清洁生产审核水平和审核效果。采用生命周期评价比选不同的中/高费用方案，通过对原材料采集、生产过程、废物处理全过程进行分析评价，比较不同方案的环境负荷，评价工艺、产品或包装上的革新和变更所带来的环境影响变化，进而确定中/高费用方案，推动企业开发节约资源和保护环境取向的产品、工艺和能源，推广清洁生产技术，促进企业清洁生产。

五、结　论

1. 生命周期评价的思想可以引入清洁生产审核过程，以更全面地考虑产品整个流程及相应的环境影响。

2. 生命周期评价的有关原则同样适用于清洁生产审核。

3. 生命周期评价可以作为一种技术工具用于清洁生产审核，通过推广运用，提高清洁生产审核技术水平及审核效果，丰富清洁生产审核的技术和方法，促进企业清洁生产。

参考文献

[1] 樊庆锌，等．生命周期评价［J］．环境科学管理，2007，32（6）：177－178.

[2] 徐李娜，付桂珍．生命周期评价在清洁生产中的应用［J］．广东化工，2009，36（5）：83－85.

[3] GB / T 24040—2008/ISO 14040—2006 国家质量监督检验检疫局．环境管理—生命周期评价—原则与框架［M］．北京：中国标准出版社，2008.

[4] 任苇，刘年丰．生命周期影响评价（LCIA）方法综述［J］．华中科技大学学报，2009，19（3）.

[5] 张平，董斌，等．生命周期评价在啤酒企业清洁生产审核中的运用［J］．气象与环境科学，2008，31（2）.

我国 CDM 签发项目比例低的原因和对策分析

李年君[1,2]
（1. 武汉理工大学资源与环境学院 湖北 武汉 4300701；
2. 涧天川（北京）能源科技有限公司 北京 100101）

摘 要 针对当前我国 CDM 项目国内批准的较多，EB 注册的较少，签发更少的情况，从项目、DOE、业主、咨询机构、EB 角度，以全国的统计数据和个体的现场调查为依据进行了原因分析，提出了以加快 EB 和 DNA 改革为重点的解决办法，以此促进 CDM 健康快速的发展。

关键词 对策 原因 比例低

中国已经成为最大的清洁发展机制碳信用提供国[1]。截至 2010 年 1 月 19 日，我国政府批准申报的 CDM 项目为 2369 个，获得 EB 注册的 730 个，占我国政府批准项目的 30.81%；获得签发的项目 196 个，只占我国政府批准项目的 8.27%[2]。这既体现了我国政府和广大业主应对气候变化负责任的态度和 CDM 建设的热情，国际对中国碳交易市场的关注程度，但同时也反映出我国 CDM 注册、尤其签发项目比例低的严峻事实。分析其原因，探讨出办法，对 CDM 的国际合作和全球温室气体的减排具有一定的意义。

一、CDM 签发比例低的原因分析

（一）项目的原因

在开发 CDM 项目过程中，具有合格性的不同类型的项目各有不同的额外性和其他因素的影响。因此，不同类型的项目其批准、注册和签发时间都会不同。

1. 统计表明（见表 1，下同），当前我国政府批准的 N_2O 分解和 HFC－23 分解消除项目分别为 25 个和 11 个，已全部获得 EB 注册，其中获得签发的 N_2O 分解项目 5 个，HFC－23 分解消除项目 10 个，这较我国其他类申报项目签发比例高。由于此类非优先领域的 CDM 项目[3]数量太少，长远看数量也有限，因此不能反映我国当前 CDM 项目的整体注册和签发情况。

表 1 2010 年 1 月 19 日我国 CDM 项目进度表

减排类型	国家批准项目数	EB 注册项目数	注册占批准比例	获得签发项目数	签发占批准比例
节能和提高能效	434	73	16.82%	24	5.52%
甲烷回收利用	157	51	32.48%	13	8.28%
垃圾焚烧发电	5	4	80.00%	1	20.00%
新能源和可再生能源	1658	540	32.56%	141	8.50%
N_2O 分解消除	25	25	100.00%	5	20.00%
造林和再造林	5	2	40.00%	0	0.00%
燃料替代	43	17	39.53%	2	4.65%
HFC－23 分解	11	11	100%	10	90.90%
其 他	31	7	22.58%	0	0.00%
合 计	2369	730	30.81%	196	8.27%

注：依据 2010 年 1 月 19 日国家发改委气候司 CDM 项目数据库的统计分析。

2. 统计表明优先领域项目[3]占国家批准项目的98.48%，这正是国家优先政策的体现。但优先类项目中已注册和已签发的却分别只有694个和181个，分别只占国家发改委批准项目的29.29%和7.64%。一方面是优先领域项目往往是新建项目，投资期长，核证迟，进程慢，投资者积极性相对低；另一方面是非优先领域项目GWP高[4]，较优先领域项目具有改造进程快，CERs量大，风险低，盈利率高的特点。

3. 统计得知，CDM优先领域中新能源和可再生能源批准项目1658个，占整个项目69.98%，其中小水电项目又占其61.3%。而水电项目从立项到竣工一般要2~3年，其CDM申报到国家批准，再到DOE核查核证，全球公示，EB注册、签发，都需要很长的过程。因此，以优先领域项目为主体的我国CDM市场，出现前期国家批准项目多，中期DOE审核慢、EB注册少，后期EB签发更少的塔形格局也就有了客观的原因。但随着项目的投产和时间的推移，获得签发的项目将会越来越多。

（二）业主的原因

根据167个申报项目调查，业主的配合也是注册和签发低的重要原因。其主要表现：

1. 材料不全，等的时间长。国家发改委出具批准文件时，主要对参与资格、设计文件、基准线的方法学和减排量、价格、资金、计入期限、监测计划及效果等进行审核。EB主要是依据DOE的核查和核证意见按程序注册和签发。而业主通常觉得我国政府批准了应该差不多了，思想上多有放松；或有些企业因材料的不全，需要很长的时间、动用多方的资源和一定的资金才能把材料准备好；或有些业主失去耐心，与DOE或中介机构出现沟通的困难，加长了准备材料的时间。

2. 逻辑矛盾，改材料的时间长。CDM项目很重要的特点是材料上必须具有严谨的因果关系，不能出现混乱的逻辑关系。如有的企业，董事会申报CDM项目的决议时间是在贷款协议签订之后，继续把银行因CDM收益作为额外性的理由，显然是逻辑矛盾，这样势必用较长的时间对其对额外性进行重新分析，延缓了提交材料的时间。

3. 突发灾害，耽误的时间长。项目建设过程中，突发的事项必然对CDM项目的进程带来影响。如有个小水电项目按计划可在2009年6月签发，可汶川地震使其引水隧道坍塌，进山的电网和道路被毁，审核材料重新修改，EB签发的时间将大大推迟。除了自然的灾害外，席卷全球的金融风暴把许多企业的资金计划打乱，工程建设推后，也耽误了注册和签发的时间。

（三）DOE的原因

DOE在CDM项目过程起着至关重要的作用。其主要职责包括以项目设计文件为主要依据，对其进行审定；出具审定报告，并提交EB，申请对其注册；以项目的监测计划等为基础，核查其减排量；在核查的基础上，向EB出具核证报告，申请签发CERs。这些职责决定了DOE的工作是真实、科学、及时和严肃的。但由于CDM项目申报越来越多，DOE成为CDM建设的瓶颈已是大家普遍议论的话题[5]。

1. DOE机构和人员太少。到2009年10月，全球共计27家DOE，在中国境内从事审定和核查的只有18家（包括2家我国经营实体）[6]。调查发现，许多审核员需要审10~20个、甚至更多项目。有些项目还在深山老林，往返一趟少则3天，多则一个多星期，审核员回到办公室还要分析和讨论，这种工作状态只能让审核员疲于奔命或疲于应付，势必造成项目的不断积压，而中国还有1500个项目在排队等候注册，500多个项目等候签发。

2. 整体专业能力需要提高。据调查，许多审核员是第一次见到水泥厂或水电站，对其技术与工艺缺乏了解。由于工作的压力等因素，有的审核员甚至放弃了DOE去买家工作。这样的结果只能使项目积压更多，出现“5个DOE作出只核实开工一年内项目的错误决定”[7]。

3. DOE的定位值得反思。一方面DOE是EB指定的实体，对项目的核查和核证具有不可替代的权威性；另一方面，DOE 又是靠经营存活的实体，与所有企业一样也是以盈利为目的的经济组织。这样 DOE 是否会一方面通过严格的强硬手段替 EB 行使“使命”，另一方面又靠更灵活经营手段向买家、卖家、中介咨询公司求得“活命”呢？在目前项目注册和签发“堵得慌”的背景下，我们更应考量 DOE 既当“裁判”判生死，又当“运动员”抢金牌的双重身份。

（四）中介咨询机构的原因

一般情况下，多数业主只是拥有了建设 CDM 在载体，并不具有把潜在项目变为销售 CERs 的能力。咨询公司以其为平台，依靠专业化的手段，提供相应的服务，完成了减排项目“产品”到“商品”的过程。由于业主的基本态度是先规避风险，咨询公司只能承担起这个风险。竞争的结果，实力弱的咨询公司消失，渐具影响的机构获得更多的项目。但这些机构早期多因资金、专业人员的有限，推迟申报，或 PDD 质量不高返工，造成咨询公司体内的初次积压。

（五）EB 的原因

缔约方会议是 CDM 的最高权力机构，EB 是其处理日常事务的管理机构，其主要日常工作是批准建议的基准线和监测方法学，认证经营实体，建立、维护、管理 CDM 项目的注册登记，签发经核证减排证明等事项。由其职责可以明确，DOE 出现的普遍问题归根结底还是 EB 的问题。同时，EB 自身登记及发放的流程效率低[8]，也是造成项目出口缩小，进度变慢的重要原因。

（六）买家的原因

金融危机导致国际碳排放需求减少，国内在建项目也因资金链受到影响，带来直接买家对 CERs 需求下降，间接买家（中介咨询机构）信心不足，从而影响我国项目的推进速度。

二、对策分析

（一）增加投入，迅速提高其自身能力应是 DOE 方面的当务之急

DOE 环节成为当前我国 CDM 项目注册和签发的“瓶颈”已成为众人的议题[5]。DOE 应该在加大投入和坚持标准的基础上，一是增加人员，克服现在一个审核员做太多项目而只能疲于奔命的现状；二是提高审核员的综合业务水平，多引进本土有行业经验和系统知识的人才；三是提高团队管理水平，保持行业和区域内项目审核员的稳定性；四是“花更多的时间与 CDM 业界的企业交流”（益可环境总监马丁·埃德林），以便增进业内对 DOE 更多的理解和配合。

（二）加深理解，积极配合，适当外包应是当前我国 CDM 业主须努力的重点

许多业主未按要求配合是注册和签发项目比例低的重要原因。而 CDM 基准线的方法学，项目申报、核查和核证规则都是全球通用的。这就需要我国的业主一是要掌握开展 CDM 的基本知识，主动适应 CDM 的规则，清楚咨询机构、尤其是 DOE 所需材料的意图；二是要实事求是地反映项目情况，不弄虚作假，如此才不会因咨询机构返工带来的时间延误，或 DOE 出具负面报告的风险；三是要及时全面地提供所需材料，如果清单中缺少某项内容，或材料内容相互矛盾，或数据变化后的证明材料不全、不力，都会影响 PDD 或核查、核证意见；四是对突发的事项（如汶川地震），要及时与咨询机构和 DOE 取得联系；五是如果业主缺少配合的实力，可以部分或全部委托咨询机构来完成。

（三）EB 在 DOE 的管理与监督上应有突破

DOE 出现的共性问题和深层次原因归根结底还是 EB 组织。“目前 EB 的工作重点是研究加快审批 DOE 申请的措施，监管 DOE 的行为以确保其能够正确履行 DOE 职责，制定相关政策处理 DOE 违规行为，提高 DOE 审核和核证工作的正确性和准确性等问题”[6]，这表明 EB 对 DOE 的问题十分清楚。如何实现其愿望，结合我国情况，建议 EB 一是适度增加认证经营实体的数量，尤其是增加发展中国家的 DOE 数量，以便消化更多的项目，提高本土项目审核查、核证的质量；二是加强对 DOE 的监督，通过业主、买家、行业内、政府机构每年对其综合评价对其再

认定，对机构内的审核人员实行准入制度、考核制度和退出机制；三是探讨或者取消 DOE 作为独立的第三方实体的定位，将其纳于 EB 内的公共组织发挥公平作用；四是 EB 自身应提高办事效率，减少注册登记和签发过程中的重复监督。

（四）需要政府不断地引导和规范，增强咨询机构的诚信度，提高业主的配合能力

五年来，我国的主管机构（DNA）已经形成了较为严格而成熟的 CDM 管理和引导程序，批准了 2369 个项目，协调和处理了许多复杂的事宜，捍卫了国家的利益。但要在有限的时间内，将潜在的项目变为现实的 CDM 项目，将国际规则变成我国企业的自律行为，将业主传统的“报喜”思维转换为“报忧”额外性思维，更需要 DNA 一是加强培训、引导工作，利用垂直或行业的组织体系，开展多种形式的 CDM 培训，提高业主对 CDM 项目的识别和配合能力；二是加快我国 CDM 市场培育，规范咨询机构的诚信行为，取消有关咨询机构与业主联合开发项目所形成的利益分配限制[9]，支持我国咨询机构走出国门，提高国际竞争能力；三是加强与 EB、DOE 的沟通与协调，支持经营实体的工作，鼓励本土的 DOE 机构发展，提高我国 CDM 的话语权。

三、小　结

项目的结构，业主的配合，咨询机构的诚信，EB 的效率，尤其是 DOE 的工作，是影响当前我国 CDM 注册、签发比率低的主要原因。在 EB 的协调和提高其自身办事效率前提下，通过增加 DOE 机构数量，加强对 DOE 监督，DOE 自身不断提高水平和能力，以此逐步解决当前我国 CDM 项目注册和签发比例低的“瓶颈”问题。同时，我国政府的管理机构应协调多种功能，调整和完善管理办法，提高业主的认识和配合能力，增强咨询机构的竞争和诚信意识，以此促进注册、签发比率低问题的解决，为全球温室气体的减排作出更大贡献。

参考文献

[1] 黑田东彦．亚行支持中国的清洁发展机制［J］．国际融资，2008，2：8－9.

[2] 国家发改委应对气候变化司．CDM 项目数据库［DB/OL］．中国清洁发展机制网．(2010－01－19)[2010－02－20]http://cdm.ccchina.gov.cn.

[3] 国家发展改革委，科技部，外交部，财政部联合发布第 37 号令《清洁发展机制项目运行管理办法》第四条、第十五条，2005－10－12.

[4]《气候变化框架公约》信息通报编制指南．100 年时间内温室气体效应计算的全球升温潜能值 a/［R］．布宜诺斯艾利斯：附属科学和技术咨询机构第二十一届会议，2004－12－06.

[5] 国家发改委应对气候变化司．专题论坛“你认为其中存在的主要问题有哪些？如何解决？”［DB/OL］．中国清洁发展机制网.（2009－05－26）［2009－6－12］http：//cdm.ccchina.gov.cn.

[6] CDM 执行理事会（EB）．“关于 DOE 委任问题”［R］．清洁发展机制执行理事会第四十九次会议情况简报．德国波恩，2009，9：5－11.

[7] CDM 执行理事会（EB）．“对 5 个 DOE 做出的只核实开工一年内的项目问题”［R］．清洁发展机制执行理事会第四十一次会议情况简报．德国波恩，2008－08－02.

[8]“碳点”公司．EB 改进工作流程［J］．CDM 及 JI 追踪，2008（3）：5.

[9] 国家气候变化协调小组办公室．关于规范中国 CDM 项目咨询服务及评估工作的重要公告［Z］．2006－02－15.

虾草共生生态清洁养殖模式初步研究

罗思亭　张饮江　霍姮翠　黄子贤　杜佳沐　谢文博

（上海海洋大学水域环境生态上海高校工程研究中心　上海　201306）

摘　要　利用陆基围隔对日本沼虾生态清洁养殖模式进行探讨，2009 年 9 月至 2010 年 1 月通过实验围隔单养虾、虾 + 沉水植物、虾 + 沉水植物 + 植物浮床三种不同模式比较，初步研究了水生植物对日本沼虾养殖过程中污染原位净化及水质调控作用。实验表明，种植沉水植物（苦草 3kg、轮叶黑藻 2kg）和放置植物浮床（常绿鸢尾 312 株）控制养殖污染效果较好，主要污染指标比对照组单养虾有明显降低，TN、TP 含量分别降至 0.79mg/L 和 0.02mg/L。通过优化养殖生态系统结构，对养殖进行基于生态系统水平的管理，从而达到控污治污效果，为实现可持续发展的水产生态清洁养殖提供思路。

关键词　日本沼虾　养殖污染　虾草共生　清洁养殖

日本沼虾又名河虾、青虾，是广泛分布于我国长江流域的名贵淡水虾类，也是淡水虾养殖的主要品种，深受人们的喜爱。但如今集约化、规模化、高密度的养殖模式使得养殖生态系统结构极不合理，养殖容量大大超过水域负荷力，由此造成水质恶化、底质恶化、藻华频发、养殖动物种质退化、养殖病害蔓延等系列问题。探索新型健康生态养殖模式对保护江河湖泊，以及养殖塘等水域环境、维系日本沼虾养殖业的可持续发展具有重要意义。基于虾草共生原理，本研究通过不同虾草配置实验，探寻养殖生物在虾草共生系统中最适放置比例，试图建立一种生态养殖优化模式，实现养殖用水的循环利用和养殖环境的生物调控。

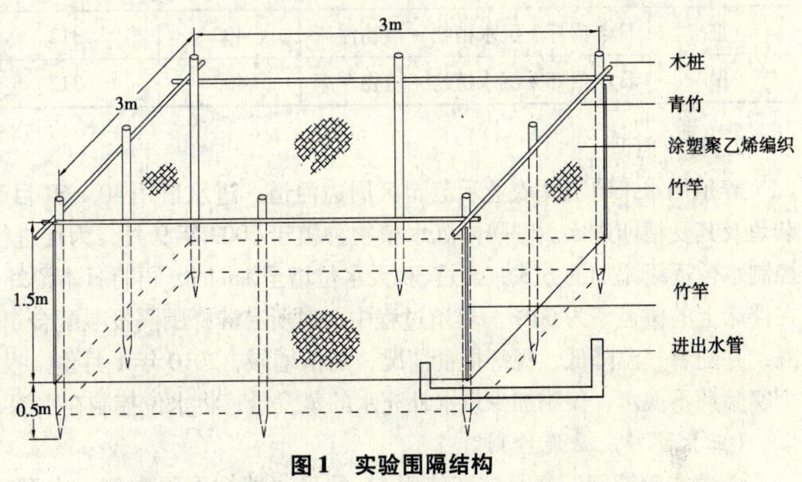

图 1　实验围隔结构

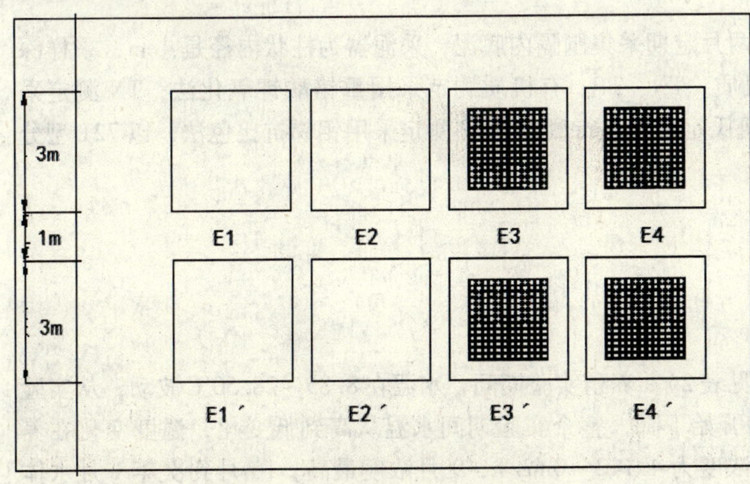

图 2　养虾塘中实验围隔分布

一、材料与方法

（一）实验区域和材料

实验于 2009 年 2 月至 2010 年 1 月在上海市松江五厍农业示范园区实验基地采用陆基围隔[1]进行（图 1）。在 680m^2 养虾塘设置 8 个实验围隔（图 2），四个为一排，两排间距为 1m，同一排内围隔间距 0.5m。围隔以木桩为骨架、竹竿为支架、白色聚乙烯薄膜为围隔幔三部分组成，围隔形态为正方形（3m×3m），高1.5m，水深1.0~1.2m，围隔露出水面高度为0.3~0.5m，容积为13.5m^3，围隔底部安有PVC水管调节进排水量。

日本沼虾购自上海松江五库农贸市场，日本沼虾苗体长为1~1.3cm。植物浮床（2m×1m）购自上海海圣水族设备厂，每个浮床含种植篮156个。水生植物购自上海林瑞水景园艺有限公司。

（二）实验设计

1. 实验组设置

实验设四个处理，每个处理两个重复，各实验围隔放养品种及规格（见表1）。水生植物均选择适宜在实验季节（秋冬季）能生存的品种：常绿鸢尾、苦草和轮叶黑藻[2]。

表1　日本沼虾生态清洁养殖实验不同模式

实验组	植物配置模式	虾苗投放量/尾	浮床植物种植量常绿鸢尾/株	沉水植物种植量	
				苦草/kg	轮叶黑藻/kg
Ⅰ	日本沼虾对照组	400	—	—	—
Ⅱ	日本沼虾+沉水植物	400	—	4.0	2.0
Ⅲ	日本沼虾+沉水植物+植物浮床	400	312	2.5	1.5
Ⅳ	日本沼虾+沉水植物+植物浮床	400	312	3.0	2.0

2. 日常管理

养殖用水来自五库农业示范园区周边河道，进水口用40~60目筛绢布进行双层过滤，以防野杂鱼及其受精卵进入。围隔内沉水植物种植于2009年9月，为促进植物生长，围隔内加注水采用控制水位逐级添加的方式，经过30天水位增至1m时，再将日本沼虾、植物浮床放置围隔中，植物在浮床上的覆盖率为60%。养殖过程中，对所有养虾围隔投喂配合饵料，投喂量每天约为100g/围隔，并随着气温降低，视虾摄食情况，酌情增减，2010年1月份，投喂量每周约为200g/围隔；整个实验期不换水，仅添加少量水补充水的蒸发量，将水位控制在水深1.0~1.2m。

（三）水质、底泥检测

养殖实验期间，每月定期使用5L的采水器在围隔内侧、水深约0.5m处采水样，现场检测水温、pH值、透明度。在实验室内检测主要指标为叶绿素a、硝酸态氮（NO_3-N）、亚硝酸态氮（NO_2-N）、总氮（TN）、总磷（TP）、高锰酸盐指数（COD_{Mn}）、碱度（Alk）、硬度（HT）、氯离子（Cl^-）等。

养殖实验期间底泥检测，每隔两月定期采集围隔内底泥，采泥器为柱状内径是4cm，采样深度为20~30cm。测定指标包括有机质、TN、TP。有机质测定采用重铬酸钾氧化法；TN测定采用半微量开氏法，以FOSS全自动凯氏定氮仪进行测定；TP测定采用钼锑抗比色法，以721型分光光度计进行测定[3]。

二、结果与分析

（一）养殖期间水质状况

1. 水温和叶绿素

各项水质主要指标检测结果（见表2）。养殖实验期间，水温在8.85~28.50℃波动，从实验开始的9月份水温较高，至11月份开始下降，整个实验期间水温从高到低变化，温度变化在养殖生物适宜生长范围内。叶绿素a浓度为4.142~0mg/L，9月浓度最高。10月到次年1月水体中叶绿素a含量呈下降趋势，尤其在12月和次年1月的样品中叶绿素含量均低于检出值。这是由于水温通过对藻类光合作用与呼吸代谢速率的控制而影响叶绿素 a 含量。9 月由于高水温的影响，藻类处于大量繁衍期，叶绿素含量也维持高峰。秋季，随着水温下降，叶绿素含量也呈现下降的趋势。由于没有水生植物对藻类的抑制作用，Ⅰ组围隔水体中叶绿素 a 含量均高于其他种有水生植物的围隔。

表 2　实验围隔内主要水质指标状况

日期	实验组	水温/℃	Chla/(mg/L)	IMn/(mg/L)	氯离子/(mg/L)	硬度/(mg/L)	碱度/(mg/L)	总磷/(mg/L)	总氮/(mg/l)	硝氮/(mg/l)	亚硝氮/(mg/l)
2009-09-01	Ⅰ	28.50	4.008	15.33	300.91	171.72	253.60	0.16	4.50	1.41	0.24
	Ⅱ	28.45	3.918	14.16	257.83	254.87	104.75	0.15	4.44	1.18	0.20
	Ⅲ	28.35	3.413	11.67	301.21	297.06	161.93	0.32	3.39	1.13	0.21
	Ⅳ	28.15	3.522	11.54	303.08	296.52	164.49	0.33	3.38	1.07	0.18
2009-10-03	Ⅰ	24.60	2.194	15.43	311.02	175.94	261.44	0.45	3.54	1.34	0.16
	Ⅱ	22.90	1.623	14.37	343.55	170.59	172.85	0.18	1.15	1.14	0.14
	Ⅲ	21.95	1.431	13.27	389.26	204.73	230.51	0.18	1.25	1.02	0.15
	Ⅳ	20.40	1.316	14.44	361.58	346.67	270.99	0.35	1.33	0.93	0.09
2009-11-01	Ⅰ	16.60	0.016	16.22	371.38	206.10	259.71	0.08	3.44	1.16	0.15
	Ⅱ	16.05	0.010	14.71	343.55	155.23	174.40	0.05	2.20	0.77	0.08
	Ⅲ	15.15	0.007	13.70	386.60	179.58	219.54	0.05	2.18	0.71	0.07
	Ⅳ	14.00	0.004	13.74	364.35	168.28	205.28	0.03	1.94	0.62	0.06
2009-12-01	Ⅰ	9.05	0.005	13.07	431.33	205.23	256.10	0.06	3.05	1.04	0.12
	Ⅱ	8.85	—	12.87	369.27	185.23	190.51	0.03	1.05	0.62	0.07
	Ⅲ	8.85	0.002	14.56	430.82	196.53	223.98	0.02	1.02	0.56	0.06
	Ⅳ	8.55	—	13.06	415.17	176.10	204.59	0.03	0.85	0.48	0.04
2010-01-03	Ⅰ	10.15	—	14.72	370.19	263.33	260.49	0.04	2.09	1.00	0.16
	Ⅱ	9.35	—	16.09	365.52	238.54	241.69	0.02	0.95	0.60	0.08
	Ⅲ	8.45	—	16.58	422.40	230.80	228.69	0.02	0.88	0.57	0.07
	Ⅳ	8.65	—	11.96	331.42	246.73	182.65	0.02	0.79	0.48	0.05

2. 氮和磷

实验期间，Ⅰ组围隔水体中 TN 含量均高于其他三组围隔（图 3），9 月份各围隔中 TN 含量达到实验期间最高值，其中Ⅰ组围隔中 TN 含量最高，为 4.67mg/L。实验开始阶段围隔生态系刚刚建立，环境因素还不稳定，此后随着气温的降低以及水生植物对营养盐的吸收，实验围隔中 TN 含量呈逐步下降趋势，2010 年 1 月份时种有水生植物的Ⅳ组实验围隔中 TN 含量已下降到 0.79mg/L。

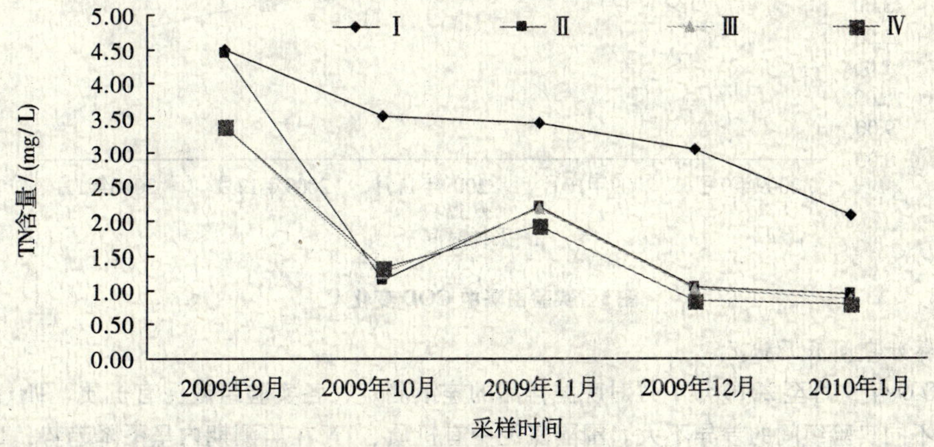

图 3　实验围隔中 TN 含量变化

实验围隔TP含量在实验初期有一个上升趋势，在10月最高（图4），均值达到0.29mg/L。磷属于沉积型元素，沉水植物自9月初种下后整整一月围隔都处在加水状态，进水口在围隔底部，所以进水时对底泥有一定的冲击作用，造成围隔前期水体浑浊TP含量较高。从10月开始TP含量呈缓慢下降趋势。2010年1月份数据显示，Ⅱ、Ⅲ、Ⅳ组实验围隔中TP下降至0.02mg/L。可见，水生植物对水体中氮、磷的去除效果不错，通过与藻类竞争营养元素和光能，抑制浮游植物的生长，从而改善水质。

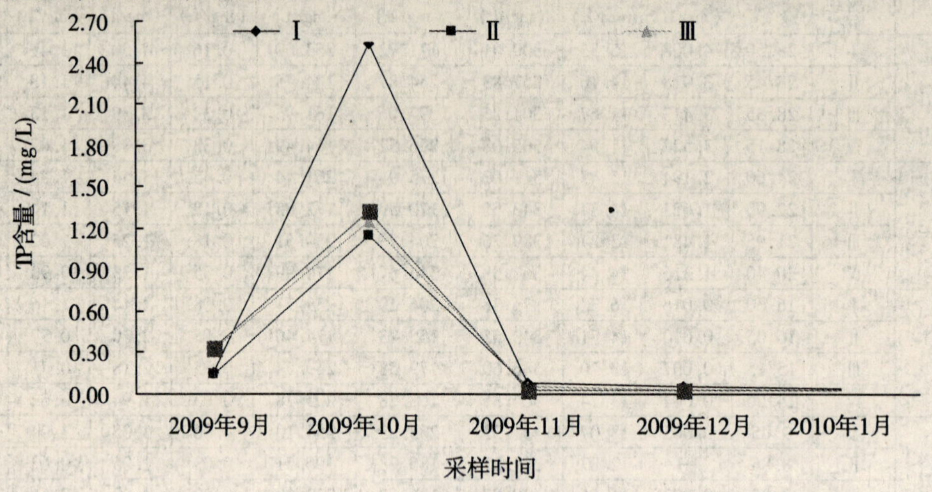

图4　实验围隔中TP含量变化

3. COD

如图5所示，实验期间各组围隔COD值在11.54～16.58mg/L，各组变化趋势基本一致，COD值实验后期比前期要高，表明养殖过程中有机负荷逐渐升高。自11月后天气渐冷，投饵量随摄食量变小而相应减少，实验围隔COD值从11月呈下降过程，科学研究也表明饲料溶失或分解是虾池有机负荷的重要来源[4]。

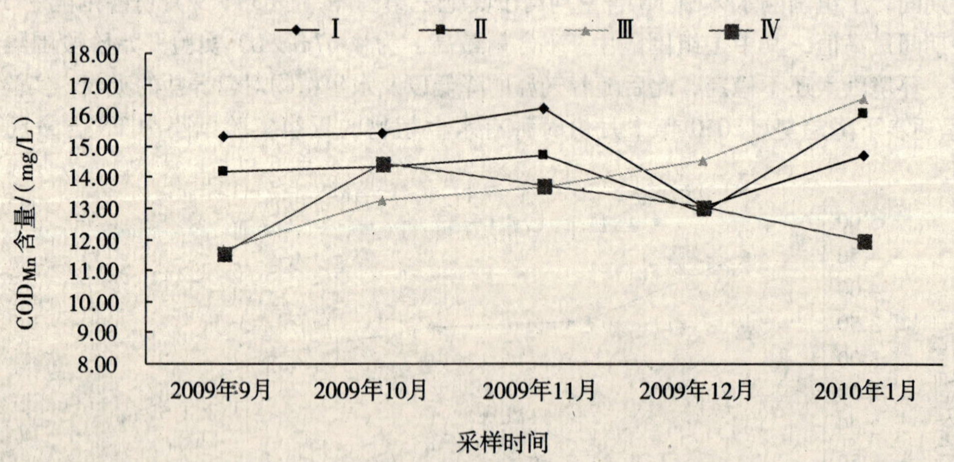

图5　实验围隔中COD变化

（二）*养殖期间底泥状况*

通过2009年9月至2010年1月对底泥样品的连续测定，各实验组底泥有机质、TN、TP含量见表3，不同实验组间的差异不大。围隔底泥中有机质、TN在监测期内呈下降趋势；TP从9月到次年1月表现为明显的沉积，与水体中TP下降趋势吻合。围隔内底泥有机质含量较实验前减少，最大减小幅度为7g/kg。在养殖环境下，有机质利用速率较快，冬季围隔内投放饲料较少，是有机质含量迅速减小的主要原因。

表3 实验围隔内底泥主要指标状况

围隔	总有机质/（g/kg）			TN/（g/kg）			TP/（g/kg）		
	9月	11月	1月	9月	11月	1月	9月	11月	1月
Ⅰ	6.24	7.08	7.50	0.72	0.50	0.62	0.32	0.76	0.77
Ⅱ	8.85	3.91	4.10	0.85	0.58	0.68	0.49	0.69	0.74
Ⅲ	8.26	5.78	5.90	0.88	0.49	0.50	0.46	0.73	0.72
Ⅳ	11.92	6.06	6.50	0.88	0.56	0.58	0.53	0.78	0.82

（三）虾草生长状况

由于实验期间围隔内无水交换，Ⅰ组围隔在养殖不到一个月后水体浑浊发绿发臭，日本沼虾全部死亡；而Ⅱ组围隔由于沉水植物种植较多，超过半数植株在种植后死亡腐烂，导致水体恶化，养殖动物也无法存活；Ⅲ、Ⅳ组围隔采用的植物浮床和沉水植物搭配种植，虾和草生长状况良好，但是进入冬季后植物生长逐渐缓慢（图6、图7）。

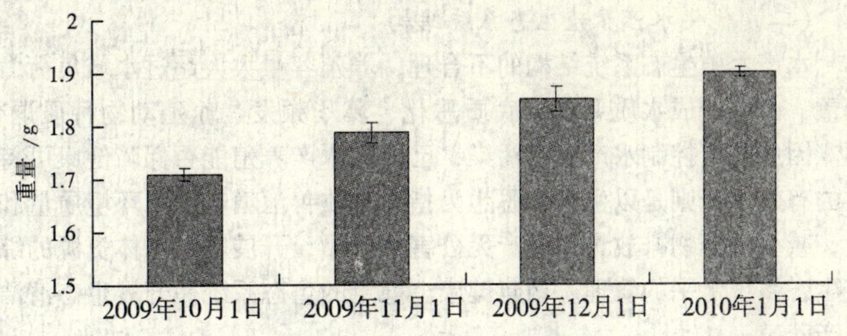

图6 日本沼虾平均体长变化

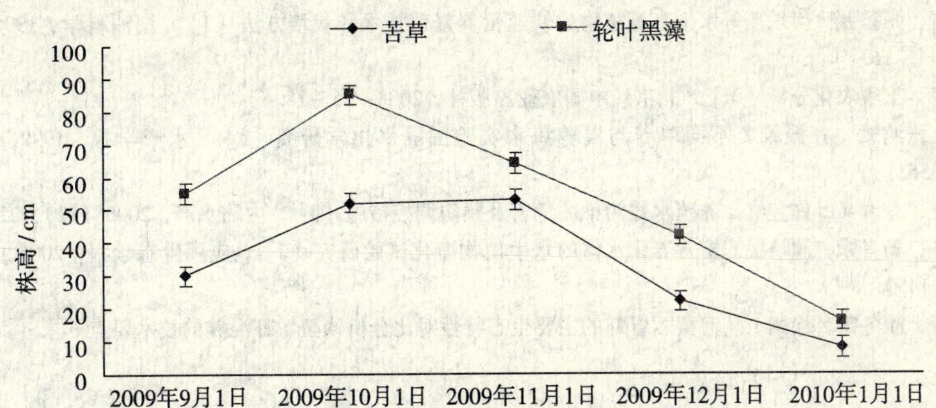

图7 水生植物平均株高变化

三、讨 论

（一）单养和虾草混养

在传统的日本沼虾养殖业中，因为追求高产，过分强化人工饵料（饲料）养殖动物这一单一物质能量通道，导致养殖生态系统物种组成失衡，物质能量转化率低。研究表明投入水体饵料通常有1/2或更多未被摄食，产生的残饵、残骸与鱼虾排泄物一起沉到水底，通过耗氧并分解为氨氮，使其转变为氨化物、亚硝态氮、硫化氢等有毒物质危害水体[5]。实验中，Ⅰ组为日本沼虾单养组，由于养殖期间不换水，养殖动物在实验进行不到一个月就全部死亡，且水质指标中氮含量严重超标。在传统养殖方式中养虾池只能依靠大量换水改善水质，大量换水往往随水带来污染物、病原及携带病原的生物，频繁的水体交换容易导致环境要素的剧烈变化，不利养殖动物生长，更严重的是养殖污水给周边生态环境构成极大威胁，解决水产养殖污染问题已成为我国环境保护事业的重要任务。

在治理富营养化水体研究中，水生植物对改善水质具有良好效果[6]。日本沼虾也喜爱生活在水质清新、溶氧含量高、水草茂盛的水体中，并摄食水生植物碎片、腐败的茎叶和有机碎屑[7]。据此，在日本沼虾养殖池中种植水生植物不但能吸收水体过多的营养元素，改善水质，同时也能给养殖对象提供良好的栖息环境并促进生长。本研究也证实了日本沼虾养殖中水生植物的重要作用，同时发现种植比例非常关键，Ⅱ组围隔就因为种植密度过大起到了适得其反的效果，Ⅳ组围隔中水草配置效果最好，水草茂盛、水体清澈，植物浮床在改善水质的同时不但增大了水产养殖对象栖息范围，还增加了养殖环境美观性，为现代水产业提供新的发展思路。

（二）优化水产养殖生态系统结构

水产养殖生态系统结构的不合理，养殖容量大大超过水域负荷力，直接导致了水产养殖污染加重，由此造成水质恶化、底质恶化、藻华频发、养殖动物种质退化、养殖病害蔓延等系列问题。因此如何控制水产养殖污染，已成为水产养殖能否保障健康可持续发展的关键，而解决此问题的有效途径则是以生态学思想为指导，改善池塘养殖水环境质量和水生态系统，降低养殖污水量，减少污染物排放量，生产无公害水产品，开展养殖水体资源的综合利用，对水产养殖进行基于生态系统水平的管理，构建健康、稳定的生态系统，开展生态清洁养殖，从而实现可持续发展水产养殖。

参考文献

[1] 李德尚，杨红生，王吉桥，等．一种池塘路基实验围隔［J］．青岛海洋大学学报，1998，28（2）：199－203.

[2] 连光华，张圣照．伊乐藻等水生高等植物的快速营养繁殖技术和栽培方法［J］．湖泊科学，1996，8（增刊）：11－16.

[3] 鲍士旦．土壤农化分析［M］．北京：中国农业出版社，2008：25－78.

[4] 王岩，张鸿雁，齐振雄．不同单养与混养海水实验围隔水化学研究［J］．水产学报，1999，24（4）：350－356.

[5] 符贵红，肖调义，许宝红．养殖水体污染的危害及预防调控措施［J］．内陆水产，2005（12），22－24.

[6] 童昌华，杨肖娥，濮培民．富营养化水体的水生植物净化试验研究［J］．应用生态学报，2005，15（8）：1447－1450.

[7] 左世媛，潘冬霞，徐娟．从河蟹、青虾的主要生态特性对比分析谈蟹、虾混养的技术要点．

关于实验室污染处理的清洁机制的探讨

刘 涛

（青岛科技大学化学与分子工程学院 山东 青岛 266042）

摘 要 实验室污染虽然无法和工业污染相比，但容易被忽略，伴随着高校的扩招，科研单位的增多，其日积月累的污染引起人们的重视，本文分析了目前实验室污染处理的背景及现在存在的问题，提出了通过制定相应的法律法规、建立实验室管理体系、妥善处理实验后废弃物、提高实验人员的环保意识等多种措施，并结合清洁生产提出解决实验室环境污染的问题。

一、前 言

伴随着近年来日益严重的自然环境灾难，人们的生存环境正在面临着巨大的考验，正如我们伟大的马克思也曾经说过：不要过分陶醉于我们人类对自然界的胜利。对于每一次这样的胜利，自然界都对我们进行报复。每一次胜利，起初确实取得了我们预期的结果，但是往后和再往后却发生了完全不同的、出乎预料的影响，常常把最初的结果又消除了。因此在人们要求更好的生活质量的时候，更加注重对环境的保护，如何既能提高我们的生活水平又能保护自然环境摆在我们的面前，因此早在1989年联合国环境规划署（UNED）首次在国际范围内提出了清洁生产的概念即：将综合预防的环境保护策略持续地应用于生产过程和产品中，以期减少对人类和环境的风险[1]。1998年联合国环境规划署在第五次国际清洁生产高级研讨会定义清洁生产为："清洁生产是一种新的、创造性的思维方式，这种思维方式将整体预防的环境战略持续应用于生产过程、产品和服务中，以增加生态效益和减少人类及环境的风险"[2]。

我国颁布的《清洁生产促进法》中对清洁生产是这样描述的："清洁生产是指不断采取改进设计、使用清洁的能源和原料、采用先进的工艺技术与设备、改善管理、综合利用等措施，从源头削减污染，提高资源利用效率，减少或者避免生产、服务和产品使用过程中污染物的产生和排放，以减轻或者消除对人类健康和环境的危害"。

化学实验室是进行科学研究和培养学生动手能力的场所，每天都会有大量的师生在做各种各样的化学实验，虽然每次排放污染物的量相对于工业排污量来说很小，但由于实验日复一日、年复一年地在进行，累积的污染也是不容小觑的。特别是伴随着我国教育和科学研究规模的不断扩大，各高校对各类实验室的需求越来越多，高校实验室产生的各种污染物的种类和数量不断增加，危害也在增大。早在2005年7月，教育部和国家环境保护总局针对高校实验室的排污问题，联合下发《关于加强高等学校实验室排污管理的通知》，规定自2005年1月1日起，科研、监测（检测）、试验等单位实验室、化验室、试验场将按照污染源进行管理，其污染将纳入环境监管范围，以此带动各类少量、分散污染物尤其危险污染物的收集和集中处理[3]。自此高校实验室的环境保护工作提到了学校管理工作的议事日程上。

二、目前实验室污染的现状和存在的问题

由于在进行化学实验时要用到各种仪器设备以及种类繁多的化学药品和剧毒物质，有的实验要在强磁、微波、辐射等特殊条件下进行，必然就不可避免会产生各种各样的有毒有害的废弃物。然而在有关部门对实验室类环境污染源调查发现：目前不少学校对实验室废弃的污染物还没有足够的重视，绝大部分实验室对实验过程中产生的噪声、电磁辐射很少进行适当的预防和控制；对实验后产生的废弃物也未经任何处理，废液和废渣直接排入下水道和垃圾堆中。废气直接排放，极少在排放气口装有活性炭吸附装置。

虽然每次排放的量不大，但由于我们的学生量大，加上实验所用的试剂种类繁多，聚少成多，累积起来却是不容忽视的问题。在发达国家，对实验室污染问题已越来越重视，他们已实现对实验室环境质量的24h连续自动监控，不允许化学的污染物直接排放到下水道，而是要将这些化学污染物分门别类的收集、处理，再送到指定位置堆放、处置，耗费很大。和这些发达国家相比，我们学校的经济基础比较薄弱，经济能力有限，无法将大量资金投入末端化学污染物的处理上。

目前实验室主要污染物的存在形态仍分为废气、废水、固体废物3大类。其中实验室中产生的废气如挥发性试剂和样品的挥发物、分析过程中间产物、泄漏和排空的标准气等，如果没有经过合理的处理将直接影响学校师生的身体健康。实验室产生的废水包括多余的样品、标准曲线及样品分析残液、失效的贮藏液和洗液、大量洗涤水等，如果不进行进一步的处理，直接排入城市污水管网，将造成环境的污染。如果进入到饮用水将直接影响人们的身体健康甚至危及生命。实验室产生的固体废物包括多余固体样品、分析产物、消耗或破损的实验用品（如玻璃器皿、包装材料）、残留或失效的固态化学试剂等。这些固体废物成分复杂，包括各类化学污染物，尤其是不少过期失效的化学试剂，有些是剧毒物质，管理稍有不慎，会导致严重的污染事故。

目前造成实验室污染，存在的问题主要有以下几个方面：

第一，缺乏实验室环保意识[4]和实验室有效的管理监督。

一方面我们的环保教育没有深入落实，造成我们的实验室环保意识淡薄；尽管我们国家已经开始重视实验室污染的问题，也制定了一些法律和措施。另一方面由于投入的资金有限，而且实验室处理污染物质的过程比较麻烦，加上对实验室污染缺少专门的监管。

第二，实验室污染预防和治理设施不完善。

实验室中对废气的处理设施和方法不够彻底和完善，基本上是靠通风橱，实验过程中缺少相应的保护装置，对“三废”也没有合理的处理方法。因此针对这些问题和情况，我们必须本着高度负责的态度，采取相应措施，使化学实验室产生的污染减少到最低限度。

三、针对上面的问题，结合清洁生产提出以下措施

首先，制定相应法律法规和实验室相关制度，结合清洁生产建立科学的指标化体系进行量化管理并在实施过程中落实责任制。

国家有关部门应认真研究实验室的污染特点和防治途径，提出操作性强、简便实用的技术规范，并出台相应的考核要求及办法，最好是融入实验室的建设和验收中去，使之成为能力建设的一部分，有利于贯彻落实各项实验室环境污染的防治措施；制定各类实验室的标准。

学校应把污染防治作为专业学习的一部分纳入教学内容，加强学生的环保意识教育，使其养成严肃认真、高度负责的科学态度和良好的实验习惯，认识到推行清洁生产的作用和意义，真正有效地参与其中。清洁生产自身是一项复杂的综合性技术，要在实验室中切实推行清洁生产的理论和管理模式，除了详尽地计划及组织前期工作和具体实施过程，利用科学的指标化体系进行量化管理是持续有效地开展清洁生产全过程管理的一个重要方面，同时还需要其他的相应制度作保障，并将它们真正融入学校的管理系统中。

同时实行环境保护责任制，贯彻“谁污染谁治理”的原则，以减轻实验室废弃物污染。各类实验人员在进入实验室进行实验之前需仔细阅读各实验室的规章制度，只有在思想上高度重视实验室废弃物污染带来的严重后果，才会在实验过程中遵守规则，认真操作。

其次，在实验教学中加入环境教育环节培养学生的环境保护和可持续发展意识，充分调动学生污染处理的积极性，建立绿色化学和清洁生产的思想，在实验教学中引入一些利用所学的知识解释和解决生活、生产、科学技术发展及环境保护问题方面的内容，同时要求学生学会正确处理实验废弃物，从我做起，培养自觉保护环境、造福人类的高尚品质，并加入实验室实验创新的大

赛；将环保行为和创新纳入学生的成绩评价体系中。

第三，实验室的规划和建设工程中重点关注污染的处理，政府及其教育和规划部门在制定校园、科研单位规划和选址时，必须充分考虑实验室污染问题。对存在的突发性污染事故制定应急防范措施，要整合实验室资源，建立集中的实验室中心。譬如建设高教园区时，配套集中式的实验中心，实施统一环境管理。

实验室要求强制性配置污染处理设备，对现有污染严重的实验室先进行标准化改造。在实验室标准化改造过程中，应增加实验室建设的投入，使实验室改造落到实处，达到改造要求。对以后设计建设的实验室，应强制执行建设标准，并严格实行污染防治设施与实验室同时设计、同时施工、同时投入使用的“三同时”制度，使其达到排污要求。

在实验室认可和评估中加入环境保护的强制性标准，推行实验室 ISO14000 环境质量管理体系，积极将《清洁生产促进法》贯彻到实验室中来，有条件的地区可以颁布“实验室清洁生产条例”，通过一系列经济政策，如对节约资源和能源的行为进行奖励，对废物排放高收费等激励机制，推广清洁实验[5]。

四、采取实验室污染过程的防治措施

首先从源头上减少污染物的产生，并在过程中进行控制[6]。

要求在实验中尽可能用无毒的试剂或溶剂代替有毒的试剂或溶剂，可以从源头上消除有毒物质的产生。同时在教学实验和科研中应注重新技术、新方法的使用，积极推行实验室物质的回收循环利用，减少污染物的排放。在实验过程中运用微型化学实验，由于试剂用量大为减少，产生的“三废”量也非常少。在实验教学中则可以利用计算机多媒体技术对实验装置、过程进行仿真，从而替代药品消耗量大或必须使用大量有毒有害试剂且不易控制、危险性大的传统实验，优秀的计算机化学实验软件可以使学生达到身临其境的感受，达到教学的目的[7]。

其次为防止实验室的污染扩散[8]，即末端处理方面；污染物的一般处理原则为：分类收集、存放，分别集中处理。尽可能采用废物回收以及固化、焚烧处理方法，在实际工作中选择合适的方法进行处理。尽可能减少废物量、减少污染，建立绿色实验室[9]，并不断地吸收运用先进的处理污染的方法。

通过参阅文献结合本校实验室的现状，针对实验室污染，提出了从法律制度到实际操作的清洁生产管理，从源头减少、过程控制提高资源的利用率，结合末端治理，实现清洁生产技术与实验室建设管理更好的融合，使科研、教育发展与环境保护相协调，实现高等教育业可持续的发展。

参考文献

[1] 王明远．清洁生产法论［M］．北京：清华大学出版社，2004.

[2] 赵家荣．清洁生产回顾与展望［J］．节能与环保，2003（2）：4-9.

[3] 边敏．安全、健康和环境，2004，4（4）：1.

[4] 江玉萍．试论实验室的环境污染与防治措施［J］．实验室科学，2006，（4）：93-96.

[5] 楼佳蓉．实验室污染的环保法律规范之思考［J］．实验室研究与探索，2005，24（11）：126.

[6] 王守兰．清洁生产理论与实务［M］．北京：机械工业出版社，2002：74.

[7] Frank D Kempeneers. Pollution at Utrech University：Successful projiects toward sustainale development［J］. Journal of Cleaner Production，1995，3（1-2）：13.

[8] 余华．对实验室污染问题的思考和建议［J］．中国环境管理干部学院学报，2005，15（1）：58.

[9] 曹洪玉，张哗．绿色化学与实验室污染［J］．赤峰学院学报，2007，23（1）：64.

农业面源污染防治的清洁生产对策

马 莹

（西北大学城市与环境学院 陕西 西安 710127）

摘 要 随着我国农业生产水平的提高，农业面源污染问题越来越突出，严重破坏了农业生态环境，影响了农业生产的可持续发展。本文概述了农业面源污染产生的原因，提出了以清洁生产理念防治农业面源污染的观点，并从清洁的投入、清洁的生产过程和清洁的产出等几个方面，详细阐述了具体的清洁生产措施。为控制我国农业面源污染提供新的对策思路。

关键词 农业 面源污染 清洁生产 对策

引 言

农业生产具有区域性分布特征，生产方式和措施的广泛性直接地影响着生态环境。其污染以面源污染为主，污染物质主要来自化肥、农药、农膜的使用、污水农灌和畜禽养殖等。面源污染具有分散性、隐蔽性、排放途径及排放污染物的不确定性和污染负荷空间分布的差异性等特点，不易监测和量化，所以很难采用工业上常用的末端治理的方式来治理农业面源污染。近期国内众多学者对于农业清洁生产的实施进行了初步的研究[1,2]。鉴于我国农业面源污染的严重性、广泛性和治理的艰巨性，本文提出用清洁生产理念防治农业面源污染，使农业清洁生产技术成为农业生产污染减排的重要方式。

一、农业面源污染

（一）施用化肥

现代农业的高产离不开化学肥料的施用。实践证明，施用1kg化肥可以增产粮食5～10kg，施肥的贡献率可以达到40%。但施用过量或施用不当，也会对土壤、大气、水体、农作物及人类健康产生影响。据统计，2007年我国化肥（氮磷钾）产量位居世界第一，达到5854.5万t，消费量占世界总产量的30%，而平均使用量是美国的近3倍，澳大利亚的8倍。长期大量使用化肥导致土壤理化结构恶化，土壤板结，透水透气性差，土壤重金属含量增高。另一方面，肥料淋洗流失严重。研究表明，我国氮肥利用率仅为30%～50%，磷肥10%～20%，钾肥为35%～50%。仅1995年，我国氮、磷、钾化肥损失就分别达到1314.5万t、506万t和1343万t。未被利用的养分通过径流、淋溶、反硝化、吸附和侵蚀等方式进入环境，污染水体、土壤和大气，是农业面源污染的主要责任者[3]。

（二）施用农药

2007年，我国农药的使用量已达到173.1万t，而有效利用率仅有40%。据调查，粉药剂仅有10%左右附着在植物体上，液体药剂仅20%左右附着在植物体上，接触到目标害虫的药剂只有1%～4%，其余40%～60%降落到地面，5%～30%的药剂漂游于空中。农药使用效率过低，一方面造成农产品中农药残留超标；另一方面造成资源的浪费。喷洒过程浪费的农药不仅会影响土壤理化性质，还会通过径流、淋洗作用进入地表、地下水环境，造成水体污染。

（三）施用地膜

地膜覆盖种植是现代农业的一种先进种植方式，被称为农业的第三次革命，即“白色革命”。它能有效改善和优化栽培条件，抵御不良气候条件，具有保湿、保温、保肥、保土作用，使农作物早熟、高产、高质。然而，地膜的使用也产生了对土壤的“白色污染”，即残膜污染问题。据统计，截止到1997年年底有40多万t的农膜残留在我国农地土壤中，随着农膜的破坏及其在土壤中残留量增加，也会造成严重的土壤污染。地膜的主要成分是聚氯乙烯或聚乙烯，在农田中不易腐烂，在自然条件下难以降解，可残存200年以上，如果不进行残膜回收，覆膜5年的农田地膜残留量可达每亩512kg。残膜进入土壤后，会严重改变土壤物理性质，影响土壤的通透性，阻碍农作物根系吸收水分及根系生长，导致农作物减产[4]。

（四）污水农灌

在北方一些干旱和半干旱地区，由于水资源缺乏，大面积地引用城市污水、工业废水灌溉农田，虽然其中的养分资源对农业有一定的效益，但长期使用未经处理的或未达到《农田灌溉水质标准》的工业、生活污水灌溉农田，将使灌区出现土壤板结，重金属等污染物在土壤中富集，并造成地下水及农作物某种程度的污染。例如，辽河流域的沈抚灌区，稻米中苯并（a）芘含量高，蔬菜中苯并（a）芘含量严重超标；沈阳市张士灌区土壤Cd污染严重（土壤中Cd含量0.2～9.25 mg/kg），灌区中400hm^2农田生产的稻米中Cd含量严重超标（稻米中Cd含量5.2～9.6μg/ kg），仅1980—1981年间就导致290余万kg稻谷不能食用[5]。

（五）畜禽养殖

近年来随着经济的发展和人们生活水平的提高，对肉、蛋、奶等畜禽产品的需求量增大，畜禽养殖数量以及规模逐年扩大，养殖场废弃物污染问题日益凸显。资料表明，一个千头奶牛场，可日产粪尿50t，一个千头肉牛场日产粪尿20t；一个千只蛋鸡场，日产粪尿2t；一个万头猪场每天排出的粪尿约20t。如此大的排粪量若得不到妥善处理，不仅会危害畜禽的生存环境，还会严重影响人类环境。

二、农业清洁生产

（一）农业清洁生产的概念

农业清洁生产是指将工业清洁生产的基本思想整体预防的环境战略持续应用于农业生产过程、产品设计和服务中，以增加生态效率，要求生产和使用对环境友好的绿色农用品，改善农业生产技术，减降农业污染物的数量和毒性，以期减少农业生产和服务过程对环境和人类的风险性[6]。

（二）农业清洁生产的内涵

农业清洁生产贯穿两个全过程控制。一是农业生产的全过程控制，即从整地、播种、育苗、抚育、收获的全过程，采取必要的措施，预防污染的发生；二是农产品的生命周期全过程控制，即从种子、幼苗、果实、农产品的食用与加工各环节采取必要措施，实现污染预防和控制。

农业清洁生产包括三方面内容：①清洁的投入，指清洁的原料、农用设备和能源的投入，特别是清洁的能源（包括能源的清洁利用、节能技术和能源利用效率）；②清洁的生产过程，采用清洁的生产程序、技术与管理，尽量少用（或不用）化学农用品，确保农产品具有科学的营养价值及无毒、无害化；③清洁的产出，主要指清洁的农产品，在食用和加工过程中不危害人体健康和生态环境。

农业清洁生产追求两个目标。一个目标是通过资源的综合利用、短缺资源的代用、二次能源利用、资源的循环利用等节能降耗和开源节流，实现农用资源的合理利用，延缓资源的枯竭，实现农业可持续发展；另一个目标是减少农业污染的产生、迁移、转化与排放，提高农产品在生产过程和消费过程中与环境相容程度，降低整个农业生产活动给人类和环境带来的风险[7]。

（三）实施农业清洁生产的紧迫性和可行性

农业清洁生产其核心是采取综合措施，充分利用农业生物资源和生物技术，减少化肥、农药等农用化学品的使用，改善农业生产技术，节能降耗，以预防污染为主，以可持续发展为目标，保护人类的生存环境，预防农业面源污染。从保障食品的安全性来看，也必须改革现行的农业生产方式，走可持续农业的发展模式，推广农业清洁生产。而目前存在的日益严重的农业面源污染问题表明，与工业生产领域一样，实施农业清洁生产也同样存在着必要性。

农业清洁生产作为一种新的理念，也是一种切实可行的具体的生产模式，具体表现在三个方面：①工业清洁生产为农业清洁生产提供了可以借鉴的方法和原理，为农业清洁生产的实施提供了经验。②农业清洁生产并不是禁止化肥、农药等农用化学品的使用，而是非常重视经济和环境效益的双赢，所以农业清洁生产容易得到国际社会的广泛认可和积极倡导。③目前已有的“有机农业”、“绿色农业”、“ 生态农业”、“ 无公害农业” 等农业发展模式也为农业清洁生产的实施提供了可借鉴的技术途径和方法[8]。

三、农业清洁生产实施对策与途径

（一）清洁施肥，开发新型环保肥料

1. 大力发展和施用环境友好的新型肥料。如精制有机肥、生物有机肥、多元无机复合肥、作物系列专用肥、缓释肥料等，这些肥料具有污染轻、改良并提高土壤肥力、提高农作物品质等优点；研制成真正的肥料养分释放规律与作物需肥规律相一致的控施肥料，最大限度地避免氮、磷等植物养分进入水体。同时加大有机肥的施用力度，鼓励农民施用农家肥及各种绿肥。

2. 做到科学施肥，推广测土配方施肥。根据土壤肥力、农作物的需肥特性等来确定施肥量、施肥种类、施肥时期等，以避免盲目施肥，减少浪费，减少植物养分尤其是氮、磷的流失，从源头防止农业面源污染。

3. 注意不同的农业措施相结合。如科学种植、合理灌溉以及秸秆还田、防止水土流失等。

4. 运用现代科学技术完善施肥技术。如土壤养分信息的精准监测技术、基于 GPS 的土壤养分信息的网格取样技术、施肥量及肥料配比量确定的专家决策模型、基于 3S 技术的精准养分管理技术等实现精确施肥；运用更优化的数学模型，提出更为合理的环境、经济都能接受的生态经济推荐施肥量[9]。

（二）开发和推广无公害农药

1. 农药的生产要注重向高效、低毒、低残留的方向发展，停止使用剧毒农药。淘汰高毒、不易降解的有机氯农药，并逐步减少有机磷农药的使用；推广使用生物农药。

2. 在施用技术上，要采用科学、安全的农药施用技术。根据农药的特性和农药在农作物中的残留规律，制定农药安全使用标准，规定农作物的安全收获期和农药在食品中的允许残留量等。

3. 重点要放在研发各种高效、低毒、低残留的清洁农药品种，在改进农药的制剂类型及喷洒技术上，尽可能减少农药在使用过程中的挥发、漂游，提高农药的利用率，从源头上减少农药对生态环境的污染。同时，加强生物防治技术的开发研究。例如，利用天敌防治、利用作物对病虫害的抗性防治害虫等。

（三）农用薄膜的清洁使用

目前我国使用的地膜多为聚乙烯农膜，化学性质稳定，不易分解和降解，容易造成土壤环境污染。在现有的经济和技术条件下，要加快可降解农膜的研发，并推广应用。可降解的地膜在作物成熟或收获后能被光或生物降解成对土壤和作物无害的物质，不会造成污染。推广使用可降解塑料薄膜是减少农田白色污染的一个重要举措。要在农业生产过程中以天然制品代替农膜。在技术条件允许的条件下，可以利用天然产物和秸秆类纤维生产的农用薄膜来部分取代农用塑料薄膜。加强农田残膜回收，集中处置。生产过程中采取适期揭膜的技术，提高农膜的回收率。同时限制使用厚度过小的农膜，避免农膜容易破碎不利于回收。实现农业生产农膜的清洁使用[10]。

（四）加强对污水灌溉的管理

加强对污水灌溉的管理。要制定灌溉用城市污水、工业废水中的重金属、有毒害有机物及酸

碱度等标准。荷兰研究人员提出的膜过滤技术，是污水资源化的新途径。参照我国生活污水（或城市污水）水质特征，对比现行《农田灌溉水质标准》（GB 5084—1992），膜直接过滤后的污水完全可以满足旱作作物灌溉水质需要，甚至有可能用于水作作物和蔬菜种植。中国是一个农业大国，农业用水量占全国总用水量的80%以上，同时，农作物生长对肥料的需求也非常大，因此，污水农业资源化潜力巨大。污水直接膜过滤后灌溉农田是一种经济有效的污水处理与利用方式，特别适合小城镇分散式处理[11]。

（五）全过程控制防止畜禽养殖废物污染

遵循“资源化、减量化、无害化”的综合治理方针，以清洁生产的理念开展畜禽粪便预防治理，将畜禽粪便污染预防列入项目总体规划。

1. 推广畜禽养殖业由粗放型向集约型转变，进行产业化养殖。生产过程合理利用饲料添加剂，实行阶段饲养；提高管理水平，完善畜禽粪便处置设施，落实畜禽废渣综合利用措施。

2. 推广畜禽粪便资源化利用技术。将产生的畜禽废渣还田、制有机肥料等，充分利用畜禽粪便中的植物养分和其他微量元素，实现畜禽粪便无害化的资源化利用。

3. 推广养种结合循环利用，进行生态养殖。建立起以种植业为基础、养殖业为中心、沼气工程为纽带的生态养殖业模式。通过规模化畜禽养殖场沼气工程粪污治理和资源化利用建设，遏制主要有机废弃物污染。以生态系统的良性循环来实现畜禽养殖业的清洁生产。

四、结　语

农业的面源污染问题是一个不容忽视的现实问题。在现有的条件下，走清洁生产的道路是人类社会的必然选择。农业清洁生产是对传统污染防治方式的突破，可以从根本上减轻农业发展带来的环境污染和生态破坏，是促进农业经济增长方式转变的有效途径。以清洁生产理念防治农业面源污染更是一种创新，大力推行农业清洁生产必将有助于我国农业经济高速、健康发展。

参考文献

[1] 周兵，李德良．试论农业清洁生产［J］．安徽农业科学，2008，36（13）：5553 - 5555.

[2] Jurgis Staniskis，Valdask，Arbaciauskas. Industrial ecology in university curriculum：new M. Sc. Programmed in Environmental Management and Cleaner Production［J］．Clean Technologies and Environmental Policy，2003：92 - 94.

[3] 路庆斌，唐秀美，白艳英，等．农业面源污染防治的清洁生产对策［J］．环境与可持续发展，2009（6）：21 - 23.

[4] 贾继文，陈宝成．农业清洁生产的理论与实践研究［J］．环境与可持续发展，2006（4）：1 - 4.

[5] 俞兴东．农业清洁生产是防治农业面源污染的根本途径［J］．环境与可持续发展，2009（6）：32 - 33.

[6] 邢杨，郭宝东．农业清洁生产浅议［J］．循环经济，2009：37 - 38.

[7] 张昌楠．清洁生产在农业生产中的应用［J］．现代农业科技，2008（2）：150 - 151.

[8] 段然，王刚，孙岩，等．农业清洁生产现状及对策研究［J］．“三农”问题研究，2007，23（3）：494 - 499.

[9] Doris Foehse，A. Jungk. Effects of selected botanical insecticides on the behaviour and mortality of the glasshouse whitefly Trialeurodes vaporariorum and the parasitoid Encarsia Formosa，Entomologia Experimentalis et Applicata，2002，102（1）：39 - 47.

[10] 谢静．农业清洁生产下的农膜污染防治［J］．合作经济与科技，2009（379）：24 - 25.

[11] 郝晓地，J. H. J. M. van der Graaf. 污水资源化新途径——直接膜过滤用于农业灌溉［J］．给水排水，2003，29（6）：27 - 28.

低碳清洁煤利用技术：煤炭地下气化技术

刘淑琴　梁　杰　余　力　张尚军

（中国矿业大学（北京）　北京市海淀区学院路丁 11 号　北京　100083）

摘　要　煤炭地下气化是一种煤炭原位洁净利用方式。在国际能源紧张的形势下，煤炭地下气化技术应用对于开采劣质煤炭资源、提高能源利用效率、减少污染物排放具有重要的战略意义。地下气化煤气向天然气及其他化工产品的高效转化，可以充分利用煤气中的所有组分，并实现二氧化碳近零排放，是煤炭地下气化的理想利用途径。

关键词　煤炭地下气化　二氧化碳　零排放

一、煤炭地下气化技术开发及应用的必要性

中国是以煤为主要能源的国家，在一次商品能源中煤占 70% 以上，资源条件决定了在今后相当长的时间内，煤炭在中国一次能源结构中占据不可替代的重要地位。但传统的煤炭开采、运输、使用方式所造成的煤炭资源浪费和生态环境的破坏是不容忽视的，地面塌陷、大量的地下水流失、向大气排放烟尘和硫化物等，已经给一些地区的生态环境构成了较大的威胁。同时受井工采煤技术水平的限制，约 50% 的煤炭资源被遗弃在井下，造了大量的煤炭资源浪费，据不完全统计，我国目前老矿井遗弃的煤炭资源在 300 亿 t 以上。为了解决这些问题，必须刻不容缓地改变传统的煤炭生产和消费方式，发展洁净、高效的煤炭生产和利用技术，而煤炭地下气化技术则是一条最佳的途径。

煤炭地下气化（Underground Coal Gasification，UCG）就是将处于地下的煤炭进行有控制地燃烧，通过对煤的热作用及化学作用而产生可燃气体的过程。该过程集建井、采煤、地面气化三大工艺为一体，变传统的物理采煤为化学采煤，因而具有安全性好、投资少、效益高、污染少等优点，深受世界各国的重视，被誉为第二代采煤方法。早在 1979 年联合国“世界煤炭远景会议”上就明确指出，发展 UCG 技术是世界煤炭开采的研究方向之一，是从根本上解决传统开采方法存在的一系列技术和环境问题的重要途径。

煤炭地下气化不仅可以回收老矿井遗弃的煤炭资源，而且可以用于开采井工难以开采的或开采经济性、安全性差的薄煤层、深部煤层和“三下”压煤，以及高硫、高灰、高瓦斯煤层等。煤炭地下气化过程燃烧的灰渣留在地下，大大减少了地表塌陷量，无固体物质排放，因此煤炭地下气化减少了对地表的环境破坏。地下气化出口煤气可以集中净化，脱除其中的焦油、硫和粉尘等有害物，从而得到洁净的煤气。该煤气不仅可以作为燃料用于民用、发电（包括联合循环发电）、工业锅炉燃烧，而且还可以作为原料气生产合成氨、甲醇、二甲醚、汽油、柴油等或用于提取纯氢。因此煤炭地下气化技术将环境保护的重点放在源头，而非末端治理，是一项符合可持续发展需要的环境友好的绿色技术，并且具有显著的经济效益和社会效益。

鉴于煤炭地下气化技术的显著优点，前苏联、英国、美国、德国、法国等世界许多国家相继投入了大量的人力和物力进行研究和使用，取得了丰硕的成果。我国也由实验室试验研究、现场试验研究，逐步向工业化示范生产应用，开发了具有自主知识产权的煤炭地下气化技术，提出了适用于报废资源的“有井式煤炭地下气化工艺”以及适用于劣质煤炭资源开采及深部煤炭资源利用的“无井式煤炭地下气化工艺”，均达到国际领先水平。

二、国际煤炭地下气化技术现状

近年来，随着国际能源紧缺及环境保护的迫切需求，世界各国重新注视煤炭地下气化技术的

完善与应用。

1988年包括英国在内的6个欧共体成员国组成了一个欧洲UCG工作小组，提出了一个新的发展计划建议书，项目实施从1991年10月至1998年12月，采用后退点火注气技术，在西班牙的Alcorisa进行了现场联合试验。试验结果证明：在中等深度（500~700m）欧洲煤层进行地下气化是可行的。并争取在10~15年内，使其商业化，并向中国、印度等富煤国家出口技术。

英国计划用地下气化技术开采1000m以下的深部煤炭资源，特别是北海下压煤。为此，英国在1999年67号能源报告中提出了其地下煤炭气化战略。英国贸工部多次来中国考察，并于2002—2007年先后资助完成了“中英煤炭地下气化生成清洁能源”以及“地下气化煤气用于燃气轮机发电可行性研究”。2003年英国成立了国际煤炭地下气化合作组织（UCG partnership），成员单位包括了美国能源部国家实验室、澳大利亚联邦科学院、中国矿业大学（北京）、加拿大Ergo公司等国际上知名的煤炭地下气化研究机构与企业。该组织自2003年起每年在伦敦举办国际煤炭地下气化技术研讨会，来自世界各国的煤炭地下气化专业研究人员及从事及关注煤炭地下气化的企业单位共同研讨煤炭地下气化技术问题及其发展应用。

美国能源部也重新对煤炭地下气化技术高度重视。劳伦斯国家实验室拥有目前世界上最先进的煤炭地下气化模拟软件，并与新奥集团达到长期合作意向。此外，美国杜克能源也计划在怀俄明州建设煤炭地下气化工程。

2006年，南非的Eskom公司与加拿大Ergo合作，开始在南非Majuba煤田实施煤炭地下气化项目，并在2007年1月份成功点火，煤气产量在3000标方/小时，在5月份成功实现煤气发电。目前项目正在扩建期间。建设目标为2100MW整体煤气化联合循环发电系统。

澳大利亚是一个煤炭大国，它的最大的商品出口是煤炭，并且它的发电85%来自焦煤和褐煤。澳大利亚在洁净煤技术领域的开发能力世界领先，其近几年在煤炭地下气化方面的开发尤为引世人瞩目。1996年澳大利亚Linc能源公司成立，次年引进加拿大Ergo能源公司的煤炭地下气化技术并开始在昆士兰州的Chinchilla展开试验项目，从1999年11月到2002年4月共气化了约35000t煤，证实了UCG技术在该地的技术及经济可行性。由于资金不足项目自2002年停止运行。从2005年起，Linc能源公司与美国合成石油公司接洽地下气化煤气合成油的方案，计划在Chinchilla气化站开展地下煤气化制油项目，项目设计年产无硫柴油700万桶，经过2007年的项目前期试验、审批，2008年进入项目的具体实施阶段，2009年6月成功示范地下气化气转油。2006年成立的澳大利亚Cougar能源公司仍然采用Ergo的UCG技术及chinchilla项目的商业化经验在国内外从事煤炭地下气化开采，先后拿下昆士兰州的几个煤田的开采权和巴基斯坦的煤矿开采权，正在积极推进麾下煤炭地下气化项目的商业化运行。

加拿大阿尔伯塔省政府日前宣布，将投资2.85亿加元帮助卡尔加里的天鹅山合成燃料公司建设一个煤炭地下气化项目。这一项目是世界上目前最深的煤炭地下气化工程。该项目将于2015年动工，天鹅山合成燃料公司希望届时能通过产生的煤气实现300MW的发电能力，同时每年出售超过130万t的二氧化碳。这些二氧化碳可以被石油厂商所利用，最终被封存在油井里。在2020年之前，该项目最终每年将可能储存1000万~2000万t的二氧化碳。这将帮助阿尔伯塔省实现2020年每年2500万~3000万t的碳捕获目标。地下气化联合循环发电站每生产一千度的电将只产生250kg的二氧化碳，比阿尔伯塔省传统天然气和煤发电站生产的能源清洁得多，后者每生产1000kW·h电要释放400~1000kg的二氧化碳。

印度的煤炭储量为世界第四，近年来也对煤炭地下气化表现了浓厚的兴趣。印度政府已修改了相关法规，允许采用煤炭地下气化技术和地面煤炭气化技术的公司以及能够将煤炭转化为合成燃料的工厂拥有对煤矿的开采权。印度政府成立的工作组发表了一份关于煤炭地下气化技术现状的报告，指出了印度Reliance Industries Ltd. 和GAIL India Ltd. 等公司在开发煤炭地下气化项目方面的兴趣。该工作组的报告称，GAIL 预计在 2015 年之前建成投产 3 座商业化运营的煤炭地下气化发电厂，总装机容量为 750MW。

此外，世界知名煤化工企业 Sasol 也于 2009 年宣布了煤炭地下气化技术的计划。

三、煤炭地下气化在中国的最新进展

中国矿业大学（北京）与新奥气化采煤有限公司合作于 2007 年 1 月共同开展了“无井式煤炭地下气化技术”的现场试验研究。该项目于 2007 年 4 月开始在乌兰察布弓沟煤田进行气化现场试验系统建设，10 月 24 日气化炉点火成功，到目前为止，现场试验已运行 400 余天，形成了一批有价值的创新性研究成果，申请了 9 项专利。并于 2008 年 5 月 16 日获得内蒙古科学技术厅“内蒙古自治区煤炭地下气化工程技术研究中心”的批复，目前项目已经取得阶段性成果，具备了供热、发电、生产化工原料的能力，并在积极探索产业化推广新模式。该项目创造性地开发了“气化通道贯通技术”、“气化通道疏通技术”和“无井式气化炉点火技术”，保证了无井式气化炉的顺利构建，解决了气化过程中的有关技术难题，从而保证了气化炉的正常运转。开发了燃烧区探测技术，明确了燃烧区的主要扩展方向及影响范围。对今后地下技术的发展起到了促进作用。建立了无井式气化过程参数测控系统，实现气化工艺参数的准确测量、远程传输、数据分析处理等功能。

该地下气化技术产生的煤气供蒸汽锅炉和燃气发电机作燃气取得成功，在工业应用上取得较好的效果。同时，该项目极具成本优势，造气成本仅为地面气化造气成本的 40% 左右，具有较高的经济效益。该项目所取得的研究成果填补了我国在该技术领域内的空白，达到了国际领先水平。

四、地下气化煤气的合成转化利用

两阶段煤炭地下气化新工艺，可以获得含氢量大于 70% 的洁净水煤气。新奥富氧地下气化获得了低氢合成气。两种典型的煤气组成如表 1 所示。

表 1 煤炭地下气化水煤气典型组成

试验地点	水煤气组成/%				
	H_2	CO	CO_2	CH_4	N_2
徐州新河	71.7	8.0	10.0	10.3	<1.0
乌兰察布	34.2	10.8	32.7	5.5	16.8

针对两种地下气化水煤气的组成特点，中国科学院大连化物所采用多年积累的“合成气中枢”及其相关催化技术，进行了地下气化水煤气高效转化洁净利用的试验。

（一）天然气联产氢气

采用自制的高效镍基催化剂，对地下气化高氢水煤气进行甲烷化的试验结果，见表 2，压力为常压，原料气空速为 6000/h。可见，由于催化剂具有很高的催化活性，可以实现 CO 和 CO_2 转化率大于 97%。经脱水后，CH_4 和 H_2 含量可达到 99%（表 3），其中 H_2 与 CH_4 的比例为 1∶3。因此，地下气化及甲烷合成工艺过程，不仅可以获得高价值的洁净燃料，而且能够充分利用 CO_2，从而实现二氧化碳接近零排放。

（二）甲醇/二甲醚等化工品联产氢气

采用高性能的二甲醚（DME）合成催化剂先进行该组成水煤气合成二甲醚反应的初步研究发现（表 4），在 250℃，5MPa，1000/h 条件下，CO、CO_2 和 CH_4 转化率分别达到 92.9%、34.8% 和 9.0%，含碳产物中 DME 选择性高达 98.6%，脱水后的反应尾气中 H_2 浓度仍高达

74%，再经具有自主知识产权的金属钯复合膜高效分离器进行氢气分离后，可以获得 >99.99% 的高纯氢气。

表 2　镍基催化剂地下气化高氢水煤气甲烷化反应结果

反应温度/℃	转化率/%		出口气组成/%				
	CO	CO_2	CH_4	H_2	CO	CO_2	H_2O
300	98.5	97.0	42.9	14.6	0.2	0.5	41.9
325	99.4	98.6	43.5	13.4	0.1	0.2	42.8

表 3　镍基催化剂地下气化高氢水煤气转化后的出口气干基组成

反应温度/℃	出口气干基组成/%			
	CH_4	H_2	CO	CO_2
300	73.7	25.1	0.3	0.9
325	76.0	23.4	0.2	0.3

表 4　地下气化高氢水煤气转化合成二甲醚的反应结果

反应空速/h^{-1}	转化率/%			含碳产物选择性/%	
	CO	CO_2	CH_4	DME	MeOH
1000	92.9	34.8	9.0	98.6	1.4
2000	89.9	23.9	9.6	97.9	2.1

煤炭地下气化及煤气的高效转化，不仅可以生产高附加值的化工产品，而且充分利用了煤气中的二氧化碳，实现了二氧化碳接近零排放，符合国际低碳能源经济。

综上所述，煤炭地下气化具有广阔的发展应用前景。在以煤炭为主要能源的中国，大力发展煤炭地下气化技术的商业化生产与应用，首选开发利用劣质煤炭资源、报废煤炭资源以及深部煤炭资源，将显著提高煤炭资源的回收利用效率，实现煤炭清洁生产。对于充分利用煤炭资源、调整能源结构和保证能源安全具有很大的现实意义和深远意义。

洁净化燃煤技术的探讨

王亚平　宋建旺

（石家庄市环境保护局　河北　石家庄　050021）

摘　要　本文对在燃煤中填加固硫剂、湿法脱除煤炭燃烧产生的二氧化硫脱除从原理上进行探讨，阐明了填加固硫剂、利用煤灰中的各种元素及活性的脱硫方法，达到降低二氧化硫排放的目的。

关键词　固硫　催化氧化　脱硫

大气是人类赖以生存的重要条件之一，大气受到污染后，人们的身体健康就会受到危害。煤炭在燃烧过程中向大气排放大量 SO_2、NO_x、烟尘、CO、CO_2、苯丙芘等，其中排放量较大危害严重的是 SO_2。燃烧过程中煤中 80% 的硫变成 SO_2 排入大气中，当大气中充斥了大量的 SO_2 以后，遇上阴雨天气，就会形成酸雨，危害人类的肌体、机械设备、各种建筑物和农作物等，造成很大的损失，并造成环境污染。为了减少燃煤过程中 SO_2 的排放总量，有效控制酸雨污染，合理选择燃煤二氧化硫污染控制就至关重要。

一、固　硫

固硫就是把煤中的硫转化成不易分解的硫的固体化合物而残留在灰渣中，即将硫固定在灰渣中。硫往往是以 $FeSO_4$、硫化合物和单质硫的形式混生于煤中，用物理的方法把硫全部从煤中分离出来是非常困难的，也难以实现。洗煤也仅仅是去除煤中的部分硫分。在各种硫的化合物中，硫有正二价、正四价、正六价三种存在形式，不同价态硫的化合物、同一价态各种硫的化合物稳定性是不同的，如 $CaSO_4$ 分解温度 1400℃，$MgSO_4$ 的分解温度为 1124℃，Ag_2SO_4 的分解温度为 1085℃，$ZnSO_4$ 的分解温度 740℃，$CuSO_4$ 的分解温度为 650℃，而正四价硫的化合物 $CaSO_3$ 的分解温度仅为 650℃，由此可以看出，亚硫酸盐的分解温度较低，容易分解，最难以分解的是正六价 S 的某些固体硫化合物。在煤的燃烧过程中，空气中的氧只能将煤中的 S 氧化成 SO_2，把硫转化成高价硫，要在催化剂的作用下，才能把 S 氧化成 SO_3，因此，要达到固硫的目的，就必须采用催化氧化的方法，而催化氧化的关键是选择合适的催化剂，将 S 氧化成 SO_3。使其生成难以分解的硫酸盐，因 $CaSO_4$、$MgSO_4$ 的分解温度较高，所以固硫剂的应用主要考虑钙和镁。

目前，我国研发的固硫剂，如活化磷型、二氧化锰型、高锰酸钾型和铁离子型固硫剂，其原理都是利用催化氧化法将硫转化成难以分解的硫酸盐，煤中加催化剂的目的就是将低价硫氧化成高价硫，且有提高热效率、降低烟尘排放量和固硫等多种作用。

在煤炭中添加脱硫粉，能降低二氧化硫的排放。煤中的硫经催化氧化生成 SO_3，SO_3 在煤炭的燃烧过程中和煤或添加剂中的 Ca、Mg 等物质生成 $CaSO_4$、$MgSO_4$ 等不易分解的硫酸盐残留在灰渣中，从而降低燃烧过程中 SO_2 气体的排放。一般助燃脱硫剂 Ca、Mg 的含量占总量的 54.14%，可见 Ca、Mg 就是固硫剂。采用催化氧化剂来助燃和固硫需要根据煤中硫的含量和灰渣红的 Ca、Mg 含量来计算 Ca、Mg 的含量是否能满足固硫的需要，如 Ca、Mg 不足，固硫效果不可能很好，需要增加煤中 Ca、Mg 的含量。一般对于 2～4t/h 的锅炉其炉温小于 1500℃时加入助燃脱硫剂以后，其二氧化硫的去除率可达到 78%，另外，固硫还与炉温的高低有直接关系，对于电站锅炉来说，因煤粉炉炉温可高达 1500℃，生成的 $MgSO_4$、$CaSO_4$ 部分分解生成 MgO、CaO，降低脱硫效率，一般在 31% 左右。

助燃脱硫剂不但可以固硫，还能提高热效率。以铁离子型催化氧化为例进一步探讨，我们掌握的铁离子型燃煤净化粉（也叫洁净剂又叫助燃脱硫剂），它是用催化氧化的办法使单质硫或二价硫氧化成高价硫，同时提高煤的燃烧热效率。加入助燃脱硫剂绝大部分的反应都是放热反应，煤炭的燃烧就是 C 被氧化生成 CO_2 放出大量热量。助燃固硫剂就是在催化剂作用下把 SO_2 氧化成 SO_3 同时放出大量热量，如金属镁条点燃后，金属镁被氧化放出极大的热以至于发出刺眼的白光。所谓的助燃就是在催化剂的作用下，使一些原来不能或不易被氧化的物质发生氧化反应，放出更多的热，提高了煤的热效率。这种通过催化氧化把 SO_2 变成 SO_3 同时放出更多的热，而这种热严格说来不是碳的作用而是硫被氧化成高价硫时放出的，使炉膛内温度提高，热量增加，炉温提高，煤的燃烧更充分，这些煤又放燃烧热，累积结果热效率提高，使煤完全燃烧，污染物排放量减少。

从经济效益来看，加助燃脱硫剂可以节约成本，按每吨助燃脱硫剂 665 元，每吨煤加 3%，每吨增加成本 665×3% =20 元。节煤按可达 20%，每吨煤按 180 元计，节约 180×20% =36 元，每吨煤降低成本 16 元，因此采用加入助燃脱硫剂脱出二氧化硫即可得到经济效益，又有较好的环境效益和社会效益，无疑是一种切实可用的方法。

二、烟气脱硫

烟气脱硫可分为干式脱硫、半干式脱硫和湿式脱硫等多种形式，但由于干式脱硫、半干式脱硫技术较复杂，投资高，运行费用高，所以我国多采用湿式脱硫，尤其中小型的锅炉脱硫多采用此法。

湿式脱硫首先是 SO_2 溶解在水中，形成 H_2SO_3 然后再用碱中和 H_2SO_3 形成亚硫酸盐或亚硫酸盐沉淀，使 SO_2 能不断地溶解在水中达到脱出 SO_2 的目的，要尽量多的脱出 SO_2 气体就必须提高 SO_2 在水中的溶解速度，这是动力学问题。从 $SO_2\uparrow + H_2O = H_2SO_3$ 反应式中可知，要提高 SO_2 在水中的溶解速度有以下几个条件：①增加 SO_2 气体的浓度。②增加水量。③减少水溶液中 H_2SO_3 浓度。④增加 SO_2 气体与水的接触面积。⑤增加反应系统的压力。⑥降低水温。这里增加 SO_2 气体的浓度是不可取的，从环境保护角度来说 SO_2 浓度越少越好；增加用水量是不可取的，且破坏了洗涤用水的闭路循环系统，造成水资源浪费；由于反应系统是开放式的，故增加反应系统的压力是不可取的；降低水温成本高，效率低。通过以上分析，只有采取减少水溶液中 H_2SO_3 的浓度和增加 SO_2 气体与水的接触面积的方法，使反应正向进行。最常见的减少水中 H_2SO_3 的方法有氨水中和法、纯碱（$CaCO_3$）中和法和 Ca（OH）$_2$ 中和法，其反应为：

$$H_2SO_3 + 2NH_4OH = 2(NH_4)_2SO_3 + 2H_2O \qquad (1)$$

$$H_2SO_3 + Na_2CO_3 = Na_2SO_3 + H_2O + CO_2 \qquad (2)$$

$$H_2SO_3 + Ca(OH)_2 = CaSO_3 + 2H_2O \qquad (3)$$

式（1）和式（2）中虽然都生成了亚硫酸盐，由于它们在水中的溶解度较大，难以从水中分离出来，在水循环过程中它的存在和不断积累仍然阻碍 SO_2 在水中的溶解速度，因而阻碍了脱硫的进行。式（3）由于生成了不易溶于水的 $CaSO_3$ 沉淀，SO_3^{2-} 不断从水中分离出去，因而满足了 SO_2 不断进入水中的条件，在脱硫废水循环过程中，只要废水中有足量的 Ca^{2+} 脱硫过程便会不断进行。再者增加气液接触面积，也可提高 SO_2 在水中的溶解速度，这就需要对脱硫除尘器进行改造，增加费用。然而向除尘废水中投入 $Ca(OH)_2$ 需要消耗大量的石灰，还必须建淋灰池，甚至经常出现堵塞和结垢现象，操作麻烦，费人费力，运行费用高，从管理角度讲，中小锅炉难以配套先进的工艺自控装置和自动监测系统。不少厂家在建成脱硫系统后，往往不向水中加入足量的 $Ca(OH)_2$，实际运行当中不加 $Ca(OH)_2$ 的现象时有发生，只是环保检查或项目验收时才加入足量的 $Ca(OH)_2$，难以保证设施的正常运行，起不到真正脱除 SO_2 的目的。

利用煤灰中自身存在的各种元素及其活性（包括电极电位的不同），在一定条件下相互作用，达到催化氧化的目的，使 S 变成 SO_4^{2-} 进而生成 $CaSO_4$ 沉淀，则能达到脱硫的目的。根据煤灰中存有三价铁，我们利用煤灰中的三价铁离子作催化氧化剂，在酸性介质中 $pH<3$ 将 SO_2 氧化成 SO_4^{2-}，SO_4^{2-} 又与水中的 Ca 生成 $CaSO_4$ 沉淀，而后 Fe^{2+} 又会被 O_2 氧化成 Fe^{3+} 达到循环使用循环脱硫的目的。

利用铁离子的催化氧化作用，把二氧化硫氧化成硫酸根，同时三价铁离子变成二价铁离子，而二价铁离子很不稳定，在酸性介质中极易被其他氧化物（如 NO_x、O_2 等）氧化成三价铁离子，从而再次起到催化氧化作用，其化学反应为：

$$Fe_2(SO_4)_3 + SO_2 + 2H_2O = 2FeSO_4 + 2H_2SO_4 \tag{1}$$

$$2FeSO_4 + H_2SO_4 = Fe_2(SO_4)_3 + 2H_2O \tag{2}$$

$$H_2SO_4 + Ca(OH)_2 = CaSO_4\downarrow + 2H_2O \tag{3}$$

式（1）与式（2）相比多出一个 H_2SO_4，式（2）与式（1）少一个 SO_2，这就说明式（2）和式（1）两个反应式三价铁没变，仅是 SO_2 氧化成 SO_4^{2-}，H_2SO_4 再与 Ca^{2+} 作用生成 $CaSO_4$ 沉淀，从水中分离出来，达到脱硫的目的。

从氧化还原的电势电位来看：

$$SO_4^{2-} + 2H^+ + 2e = SO_3^{2-} + 2H_2O \qquad E^0 = 0.17$$

$$Fe^{3+} + e = Fe^{2+} \qquad E^0 = 0.77$$

SO_2 溶于水后形成的 H_2SO_3 还原性最强，三价铁离子完全可以把 SO_3^{2-} 氧化成 SO_4^{2-}。

脱硫效率的关键是加快反应速度，这里存在着 SO_2 在水中的溶解速度和两个反应的反应速度。首先是 SO_2 溶于水，其次 SO_3^{2-} 被氧化成 SO_4^{2-} 后再与 Ca^{2+} 作用生成 $CaSO_4$ 沉淀这两个反应，这三过程既是独立的，又是相互关联的，而且，整个过程涉及了气相、液相、固相，SO_2 溶解于水是从气相向液相转移，溶解的速度取决于 SO_2 分压、气液接触面积、水的温度以及水中 SO_3^{2-} 浓度，SO_3^{2-} 浓度越小，SO_2 溶解的速度就越快，由于烟气中 SO_2 分压和水的温度变化都不会很大，这时要想使 SO_2 不断从气相向液相转移采取的办法一是加大气液接触面积，二是把生成的 SO_3^{2-} 不断取走。根据反应式可知，反应的过程中是 SO_3^{2-} 氧化成 SO_4^{2-}，因是催化氧化，就必须有催化剂 Fe^{3+} 的存在。在反应中，唯一多余的 H_2SO_4 存在阻碍反应的正向进行，因此需要足够的 Ca^{2+} 与 SO_4^{2-} 作用生成 $CaSO_4$ 沉淀，这就需要灰中有足够的 CaO，Ca^{2+} 如不足，将 Ca 掺入炉渣掺灰水池中，以加快 $CaSO_4$ 沉淀的速度，提高脱硫效率。这里催化剂 Fe^{3+} 是关键，在炉温高于 900℃以上时煤中的 Fe 易生成难溶于酸的 Fe_3O_4，遇到此种情况，可向水池中加入 Fe_2O_3 以提高 Fe^{3+} 的含量。

通过以上分析，我们在不加入任何添加剂或添加很少的 Fe^{3+}、Ca^{2+} 情况下，利用冲灰水中的 Fe^{3+}、Ca^{2+}、SO_3^{2-}、Mg^{2+}、Al^{3+} 等离子在特定条件下，通过一系列的化学反应将烟气中的 SO_2 固定在灰渣中，是烟气脱硫的一种新的尝试，它可以充分利用原有除尘设备，如水膜除尘器、湿法除尘器等，投资少，见效快，运行费用低，操作简便，这种方法理论上是合理的，方法也是可行的，这种在不增加运行费用，不影响生产的前提下，达到脱硫的目的，在中小型锅炉的脱硫问题中，在不破坏水膜除尘、一些湿法除尘的除尘工艺，不影响生产的条件下达到降低二氧化硫排放的目的，其推广价值较大，在人们日益注重环境的今天，会带来巨大的环境效益，也有较大的经济效益。

四、环境监测

关于开展环境质量监测核查的思考

廖岳华　毕军平　罗岳平

（湖南省环境监测中心站　湖南　长沙　410014）

摘　要　目前我国环境质量监测工作中尚存在许多亟待完善的问题，监测数据失真的现象时有发生，导致监测结果难以客观真实地反映区域环境质量实际状况。为了加强环境质量监测的监督管理，本文首次探讨了环境质量监测核查的内涵，阐述了开展环境质量监测核查工作的重要性与必要性，并对环境质量监测核查的工作内容进行了深入探讨。

关键词　环境质量　环境质量监测　环境质量监测核查

环境质量监视性监测（简称环境质量监测）是环境监测的核心工作，说清环境质量状况及其变化趋势是各级环境监测站最根本的一项任务，是监测工作服务于科学发展观、服务于广大人民群众、服务于政府和环境管理的具体体现。目前环境质量监测结果受到了社会各界的广泛关注，监测数据的深度发掘与综合利用价值日益凸显。然而，目前我国环境质量监测工作尚缺乏监督机制，上报的监测数据失真现象在所难免。因此，很有必要开展环境质量监测核查工作。

一、在新的历史时期，环境质量监测的重要作用日益凸显

“十一五”以来，环境监测工作受到了前所未有的重视。中共中央十六届六中全会作出《关于构建社会主义和谐社会若干重大问题的决定》明确要求“加强环境监测，定期公布环境状况信息”。党的十七大报告中《关于全面建设小康社会目标的新要求》强调，要把我国建设成为“人民富裕程度普遍提高、生活质量明显改善、生态环境良好的国家”。生活质量的改善离不开环境质量的改善，各种环境质量的改善水平，需要以环境质量监视性监测数据为基础，进行客观分析评价。环保部为此向全国环保系统发出了环境监测转型的动员令[1,2]。由此可见，加强环境质量监测已经成为推动科学发展、促进社会和谐的现实需要，直接关系到国家发展大计和百姓切身利益[3]。

（1）环境质量监测结果可以用来校验污染减排工作成效。为了贯彻落实国务院《节能减排综合性工作方案》，确保顺利达到主要污染物“十一五”减排约束性指标，全国各地都在努力推进工程减排、结构减排和管理减排，污染减排工作取得了突破性进展[4]。污染减排的最终目的是为了改善环境质量，实现可持续的科学发展。衡量减排成效，既要看主要污染物的削减总量，更要看对环境质量改善的贡献，这就要依靠监测手段来度量，依靠环境质量监测数据来支撑[5,6]。

（2）环境质量监测数据是“城考”和政府绩效考核评比的重要指标之一。为了促进城市环境质量的改善，加快城市环境基础设施建设，原国家环保总局从 1989 年起就开始在全国范围内实施城市环境综合整治定量考核（简称“城考”）工作。“城考”是国家考核各城市环保工作综合水平的最重要形式之一，也是最重要的基础工作之一，考核内容包括环境质量、污染控制、环境建设和环境管理四大类指标。其中，环境质量指标是“城考”最重要的内容，其分值占到总分的 44%[7]。同时，环境质量指标也是地方政府环境责任目标考核的主要内容，在地方政府政绩考核评比中，具有“一票否决”的权威。因此，环境质量监测数据既十分重要，又非常敏感。

（3）环境质量监测结果已成为人们日常生活关注的重要内容之一。随着物质生活水平不断提高，广大人民群众更加关注周边生活环境的水、气环境质量水平。过去大家都还陌生的首要污染物、可吸入颗粒物、空气污染指数等名词，如今已是妇孺皆知。并且人民群众对环境质量“知情权”的要求日益强烈，很多市民“像关注天气预报一样关注着空气质量”，区域空气质量

的好坏已成为北京市民买房时必须考虑的因素之一[8]。

二、开展环境质量监测核查的必要性

长期以来，我国环境质量监测采用的是县（区）、市（州）环境监测站完成具体监测工作，省级监测站和国家监测总站分别根据各市、省监测站上报的监测数据进行区域环境质量综合评价后向上级环保行政主管部门提交报告的工作模式。目前，上一级监测站对下一级监测站上报的环境质量监测数据多是一种被动地接收，基本“照单全收”。由于缺乏监督机制，上报监测数据失真的现象在所难免，非常有必要开展环境质量监测核查工作，形成迫使省、市、县三级分别说清辖区内环境质量真实状况的压力和氛围。事实上，当前环境质量监测数据的质量还有很大的提升空间，环境质量监测工作还存在许多亟待完善的问题，突出表现在：

（1）部分环境质量监测点位（断面）设置欠科学合理。为了使区域环境质量“变好”，从而达到环保业绩考核指标，使“城考”成绩排名靠前，在行政干预下有意识地将部分点位（断面）设置在环境质量相对较好的位置，导致其代表性不强、设置不科学。例如，将工业区环境空气质量点位设置在区域污染较轻的地段，监测商业交通居住混合区环境空气质量的点位设置在混合区内较清洁的地方，导致这些点位的监测数据不能客观反映区域空气污染的真实水平和环境质量变化趋势。此外，某些区域监测点位（断面）的覆盖面不够，环境安全隐患未被察觉，急需开展调查性监测，进一步发现潜在的环境问题。

（2）环境质量监测仪器与监测方法不统一，监测数据的可比性不强。以环境空气监测为例，目前，在用的仪器有美国热电、澳大利亚 ECOTECH、武汉天虹、沈阳东宇大西比、河北先河和安徽蓝盾光电子等多家公司多种型号的产品。由于不同仪器采用的方法原理有差异，产生难以掌握和控制的误差；而在监测手段上，自动监测与手工监测并存，两者之间误差较大，即使同为空气中二氧化硫的自动监测方法，“干法”和“湿法”的监测结果也存在较大差异[9]，导致环境质量监测数据的可比性不强，综合分析结论欠客观。

（3）监测能力和人员素质参差不齐，监测数据的质量缺乏保障。由于诸多原因，各监测机构在人员素质与结构、监测经费与用房、仪器设备和监测能力等方面存在明显差距，有的市级监测站仅靠 20 多人完成其他市级监测站 80 ~ 90 人承担的工作任务，只能疲于应付，在能力拓展、工作精益求精等方面显得心有余而力不足，甚至对异常或可疑数据都未能进行深入研究或合理取舍，数据失真现象时有发生。

（4）环境质量监测管理力度和水平不一，数据质量参差不齐。以环境空气质量监测为例，有的市级监测站设环境质量监测科或自动监测室专门负责空气自动站的管理维护和数据审核工作，每周安排专业的、固定的技术人员巡检、校核，上报的监测数据基本准确可靠；而有的市级监测站由综合室代管空气自动站，因其本身人手就非常有限且工作任务繁重，负责空气质量数据上报、报告编制的人员一方面不具备管理维护自动站所需的专业知识，另外也没有充足的时间开展巡检和校核工作，导致监测数据的质量得不到保证。

为解决上述问题，提高环境质量监测数据的代表性、真实性、准确性和可比性，及时发现潜在的环境问题并预警环境风险，开展环境质量监测核查十分必要。

三、环境质量监测核查的内涵

由上可见，环境质量监测核查是指为了加强对环境质量监测工作的监督管理，提高环境质量监测数据的真实性、代表性、准确性和可比性，以便及时了解和掌握区域环境质量状况，更好地为环境管理决策提供科学依据，环保行政管理部门对环境质量监测工作的各要素和环节进行的监督检查以及旨在发现潜在环境问题，预警环境风险而开展的区域环境质量调查。与环境监测质量管理工作不同的是，环境监测质量管理侧重于技术，环境质量监测核查更侧重于行政监督，其内容比环境监测质量管理更广泛、更丰富。

开展环境质量监测核查的基本程序主要根据相关法律规定及其管理职能确定。以省域环境质量监测核查为例（图1），省环保厅（局）对全省环境质量监测核查具有领导职责，负责组织全省环境质量监测核查，制订年度计划，通报核查结果，向同级政府汇报相关结果，省环境监测中心站对相关工作进行技术支持。市级环保行政主管部门组织领导辖区内环境质量监测核查工作，同时接受省级环保行政主管部门的监督，并向同级政府汇报相关结果。省环保厅（局）可以授权省环境监测中心站具体实施全省环境质量监测核查，市县级环保局也可授权同级监测站具体实施辖区内环境质量监测核查工作，同时直接接受上级监督。

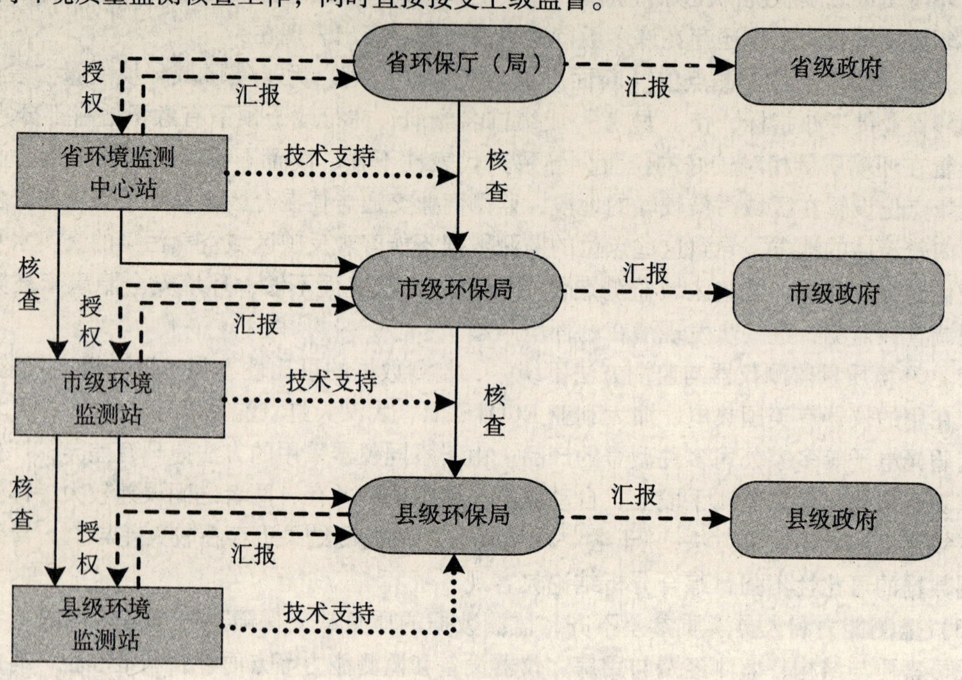

图1　省域环境质量监测核查实施基本程序

四、环境质量监测核查的工作内容

环境质量监测核查工作内容包括以下几个方面：

（1）调查核实环境质量监测点位（断面）布设的代表性、科学性。一方面，通过对历史监测数据的综合分析和实地踏勘，论证布设的监测点位（断面）是否具有代表性，是否能反映功能区水体或大气环境质量特征或污染水平，点位的数量和分布是否完全满足国家有关技术规范要求；另一方面，核实具体采样点位置与上报信息是否相符，并对其周边环境状况进行详细考察。对于水样采集点，主要看其附近是否有其他污染源汇入；对环境空气采样点，主要看其周边是否有阻碍环境空气流通的高大建筑物、树木或其他障碍物，采样点离地面的高度是否符合《环境空气监测技术规范》要求。

（2）监督检查地表水、环境空气质量自动监测站的运行与管理情况。检查自动站管理的规章制度是否完善，是否有关于点位建设、调整/变更的完整资料、文件，是否有完整的维修、校验、维护、巡检记录。

对水质自动监测站，首先检查采水系统、配水系统工作是否正常，如水泵运行情况、空压机运行情况等；查看各台分析仪器及辅助设备的运行状态和主要技术参数，判断运行是否正常；检查消耗试剂是否按要求定期更换；查看数据采集系统、传输系统工作是否正常，有无规范的质量控制、档案管理、巡检与校核记录。

对空气质量自动监测站，要检查采样和排气管路是否有堵塞或漏气现象，各分析仪器采样流量是否正常；管路是否按要求进行了清洗，管壁是否吸附了较多灰尘或水等，是否连接有其他含吸附功能的设备；检查颗粒物采样仪器的纸带是否漏气、边缘是否清晰、是否存在砂眼；检查监测仪器的采样入口与采样支路管线结合部之间安装的过滤膜的污染情况；颗粒物采样器切割头是否有阻碍物；检查抽气泵、排气泵工作状态是否正常；钢瓶标气是否过期或达到压力要求值；零气发生仪工作是否正常。

（3）全面审核环境质量监测数据。一方面，根据区域环境质量多年来的整体情况或变化趋势，对上报的监测数据进行审核，核实异常或可疑数据的真实性和准确性；另一方面，实地查看监测站是否保存了一年以上的环境质量监测历史数据，调阅环境质量监测原始记录，查看是否存在违反规定的人为修正数据现象；对自动监测系统，要查看采样仪器数据、中控机数据与上报数据是否一致。

（4）开展环境质量现场抽测或调查性监测，及时发现潜在的环境问题。针对环境空气，可利用空气质量流动监测车或采用手工监测方式，对全部或部分监测点位开展现场比对监测；对于重要或敏感的水质断面，可采取上级监测站与下一级监测站共同采样，分样分析，分别报出监测结果的方式开展核查，并分析双方数据的可比性，确定误差来源及解决办法。对环境质量监测数据审核过程中发现的异常或可疑数据，迅速组织相关人员到现场进行监测采样，然后根据样品分析结果核实异常或可疑的上报数据。对其他潜在区域性环境问题或环境质量监测工作中存在的问题，组织有关人员开展带有研究性质的调查性监测。

五、结 语

湖南环境监测中心站制定了《湖南省环境质量监测核查工作实施方案》，开展了以监测点位（断面）重新确认、监测数据审核、地表水和环境空气比对监测以及潜在的区域环境问题调查性监测为主要内容的环境质量监测核查工作，适时发现了目前全省环境质量监测工作中存在的问题，并向环保行政主管部门提出相应的对策建议，为进一步提高全省环境质量监测数据的真实性、准确性和可比性增加了一道保障，是对实现环境监测历史性转型的有益实践[10]。

参考文献

[1] 吴晓青．努力探索中国特色环保新道路，全面推进环境监测的历史性转型［N］．中国环境报，2009-06-10.

[2] 魏复盛．关于总站历史性转型的几点意见［J］．中国环境监测，2009（1）：1-2.

[3] 胡军，潘海婷，张虹，等．强化环境质量监测，推进监测事业科学发展［J］．环境监测管理与技术，2009（4）：6-8.

[4] 环境保护部宣教司．环境保护部公布2009年上半年全国主要污染物总量减排考核结果　污染减排继续保持双下降的良好态势［EB/OL］．http：//www. mep. gov. cn/gkml/hbb/qt/200910/t20091023_ 179616. htm.

[5] 赵英民．明确环境监测定位强化环境监测管理——《环境监测管理办法》解读［N］．中国环境报，2007-09-12.

[6] 徐广华，陈静．加强环境监测管理的几点思考［J］．中国环境监测，2009（5）：1-4.

[7] 国家环保总局污染控制司．“十一五”城市环境综合整治定量考核工作指导手册［M］．北京：中国环境科学出版社，2007：24-33.

[8] 李天际．北京：空气质量播报成市民买房指南［N］．北京青年报，2009-11-10.

[9] 陈建江．对我国环境自动监测发展的思考［J］．环境监测管理与技术，2007，19（1）：1-3.

[10] 王盛才．推进环境监测实现三个转型［N］．中国环境报，2009-10-14.

县（市）区环境监测站队伍建设调查研究

胡迪峰　魏燕萍　许丹丹

（宁波市环境监测中心　宁波　315012）

摘　要　通过对宁波地区三级站环境监测人才队伍现状分析，指出目前队伍建设中存在的5个问题：技术人员到岗率普遍不高、人才流动性过大、队伍整体业务素质偏低、干部选拔不够科学、缺乏完备的留人机制等，并从选好人才、用好人才、培养好人才、留住人才等方面提出了一系列的对策和措施。

关键词　三级站　人才　队伍建设

当前，环境保护正处于历史性转变关键时期，作为环境保护的重要基础和有机组成部分的环境监测，越来越引起国家的高度重视，温家宝总理在第六次全国环保大会上明确提出建立先进的环境监测预警体系，全面反映环境质量状况和趋势，准确预警各类环境突发事件[1]。2010年年初，李克强副总理针对开展城乡环境监测系统建设作出了重要批示，要求结合农村环保工作认真研究落实[2]。

随着宁波市乡镇集体经济和农村个体经济的快速发展，对当地的生态环境造成越来越大的压力，农村乡镇的环境保护形势日趋严峻，加之城镇农村居民环保意识的不断增强，用科学说话、用数据说话的环境保护呼声越来越高，环境监测不仅是环境管理的重要环节，而且已经成为环境管理一项重要手段，是环保工作的标志。如何加强县市区环境监测能力建设，提升服务环境管理水平，关键在于人，如何选好人才、用好人才、培养好人才、留住人才，直接关系到县域生态环境的保护和发展。

一、宁波地区环境监测队伍现状及分析

（一）环境监测队伍现状

目前，宁波市9个县（市）区环境监测站编制人数170人，实际到岗人数119名，平均到岗率为70%，其中正式编制员工84人，占71.6%，合同制员工35人，占在岗人数的29.4%，从人员素质结构来看，高级工程师16名（含1名教授级高工），工程师32名，助理工程师32名，未评定职称39名，分别占在岗人数的13.4%、26.9%、26.9%、32.8%（各县市区监测人员状况详见表1）。

表1　各县（市）区监测站人员分布

监测站	余姚	慈溪	奉化	象山	宁海	鄞州	北仑	镇海	大榭
编制数	27	27	17	16	17	25	28	9	4
实际总人数	15	15	8	12	13	18	21	13	4
到岗率	56%	56%	47%	75%	76%	72%	75%	超编	100%
正式工	14	10	8	8	13	8	10	9	4
合同工	1	5	0	4	0	10	11	4	0

（二）监测队伍现状分析

分析各县（市）区环境监测站的人才队伍状况，无论是从专业技术人员的数量、人员素质还是从人才的结构来看，与满足该地区宏观决策和环境管理需求存在较大差距，总的来说，形势

不容乐观。

1. 专业技术人员到岗率普遍不高

人员的编制数是根据当地环境保护工作和环境监测任务来确定的，一般来说原有的编制数是能够满足当时的环境管理需求，但随着环境保护形势的变化，编制数没有增加而实际到岗人数反而远低于编制数，如奉化站到岗率只有47%、余姚和慈溪只有56%，9个县（市）区监测站的平均到岗率也不过70%。监测技术人员数量的不足往往造成整个监测站工作量过于饱和，疲于应付，疏于质控管理，监测数据的“代表性、准确性、精密性、可比性、完整性”也无法得到有效保证。

造成这种状况的主要原因：一是各地环保管理部门对监测工作的重要性思想认识不足，仍然停留在监测站只是环保局的附属部门，只要做好简单的采样分析工作即可；二是各地环保局公务员编制有限，面对日益沉重的环境保护工作，往往存在大批借调监测站专业技术人员的现象；三是各县市区环保部门尚未真正步入参与政府宏观决策的大舞台，在人事和财政上有待于获得更大的支持。

2. 专业技术人才流动性过大

专业技术人员相对稳定的监测站，其各方面的综合能力也是相对较高的，如鄞州、北仑、镇海、慈溪等，人员整体素质明显高于其他监测站。技术工作是一项实打实的硬活，需要静下心来苦苦钻研，需要有时间进行不断的实践与总结，更需要有一颗爱岗敬业的责任心。而目前各县（市）区普遍存在优秀监测人员被抽调到管理部门的现象，使得部分县（市）区监测站成为当地环保局的“黄埔军校”，年年旧貌换新颜，一边骨干人才不断输送到局机关或其它部门，一边不断招收新人，刚刚培养起来的业务骨干还没来得及“出成绩”，就被挖走了；另外，环保系统中普遍存在的监测站地位相对较低的思想也会驱使专业技术人员愿意调离技术岗位，从事具有一定地位象征的管理工作。

3. 专业技术队伍整体业务素质偏低

各县（市）区中级职称以上的监测人员只占到四成，甚至个别监测站出现仅有一名高级职称、一名中级职称、其余均为一般技术人员的现象。这与宁波市作为华东地区重化工基地，拥有全国最大的液体化工码头和大批的大型化工企业所面临的环保形势是极不相称的。造成这种状况的主要原因是优秀技术人才流失严重，新招监测人员标准不高，岗位培训和考核不够深入。

4. 干部人才的选拔仍然摆脱不了传统思想的桎梏

“论资排辈，谁先到谁先上”这种传统的潜规则在县市区环境监测站表现突出，个别岗位人员素质不高、责任心不够等现象依旧存在。对于干部人才的培养、选拔、监督、考核、晋升、淘汰等管理制度还不够完善，建立能上能下、能进能出、竞争择优的用人机制还有待于在实践中进一步突破。

5. 缺乏完备的留人机制

随着环境形势的变化，市场化程度的提高，行业竞争的加剧，环境监测系统的分化是必然的趋势，“人往高处走，水往低处流”这是客观规律，但监测站现在还是“大锅饭”，留住人才、吸引住人才的相关机制还不够健全，尤其是环境监测特别优秀人才的待遇方面也没有相应的规定，他们的付出可能得不到应有回报。

二、对策和建议

（一）准确认识环境监测的重要地位

在国家机构改革中，原国家环保总局非但没有撤并，反而升格为环保部，增设了监测司和总量司，增加了人员编制，理顺并强化了环境监测管理的职能，这充分说明了环保部对环境监测工作的重视，把环境监测工作作为一项主要工作来抓。各县市区党委政府和环保局需要深刻领会环保部的意图，切实重视环境监测工作，避免由于环境监测能力不足造成环保工作的被动局面。

三十年的环保工作历程告诉我们，环境监测是环保工作的看家本领，环境监测为管理决策提供科学依据，为监督执法提供有效证据，为环境科研提供翔实数据，为社会公众提供准确的信息。在污染源减排监测、环境质量监测、饮用水监督性监测、环境污染纠纷监测和突发性污染事故应急监测中，监测在环保工作中扮演着无可替代的角色，已经成为环保工作的标志和环境管理的耳目。

（二）提高监测人员到岗率

在监测人员编制不足的情况下，要将大多数监测人员用于专业技术岗位，监测站的借调人员要尽量回到监测岗位，保证监测站有足够的专业技术人员。各县（市）区环保局应该通过各种途径寻求地方党委政府的支持，申请增加人员编制，减少对下属监测站人员的借调，同时可积极开拓资金渠道和财政支持，适当增加合同制员工技术岗位，满足日益增加的服务管理需求的环境监测工作任务。

（三）保持监测人员的相对稳定性

流动性大是各县（市）区环境监测站普遍存在突出问题，技术人员缺乏相对的稳定性往往会造成整个监测站人心涣散、学习氛围不浓、业务能力不高、人浮于事的后果。一方面管理部门要减少人员的调动，尤其要保持业务骨干的基本稳定；另一方面要给监测人员创造成才的条件，提供科研经费和培训机会，激发技术人员的工作积极性，拓宽职务职称晋升渠道，使他们觉得有奔头，有自我的优越感，从而能够安心工作，扎根环境监测事业。

（四）加强人才的培养和引进

要拥有高素质和高层次的人才队伍，一靠引进，二靠培养和教育[3]。人才培养问题是个根本性问题、战略性问题，根据各县（市）区现有的人才现状和编制状况，应该以培养为主，引进为辅。

一是人才的引进一定要坚持高标准、严要求，严把新人招聘关。一定要坚持岗位专业急需的原则引进专业对口的人才，坚持公开招聘、公平竞争、公正录取的程序，经过严格的笔试、面试综合评定人员素质，确保新进人员相应的业务能力，努力破除外界各类因素的影响。

二是在监测站内部建立完善的“传帮带”制度。对于刚从学校毕业的大学生，建立“一对一”的传教学模式，由工作5年以上，经验丰富责任心强的技术骨干加强其专业理论、技术操作等专项培训，使其能够较快地适应专业岗位的基本需求。

三是积极参加由上级环保管理部门及监测站组织的各项专业技术和能力培训。对不同层次、不同类型的专业技术人员提供相应的专业培训，有重点地培养各个学科的技术骨干的后备人员，形成老中青梯队人才队伍。同时，二级站应该进一步加大对三级站的技术指导和技术监督，整合全市环境监测资源，针对个别地区因区域性环境管理工作急需开展的特定监测项目，实行差异化培训。

四是适当扩大监测培训面。建议把参加培训、考核的范围扩大到县市区环保局各科室，让年轻人都有相关的监测技术知识和参加监测工作必须的上岗资质证书，增加各监测岗位的后备人选，确保人员流动到岗后即能持证上岗。

五是加强继续教育培训力度，不断优化监测人员的学历结构和专业层次。可定期选送责任心强、专业基础扎实、学习能力强的业务骨干参加在职硕士、博士研究生学习，同时将人员的推选与其个人的日常表现、考核进行挂钩。

（五）建立科学的选才用才机制

有了人才之后，如何选好人才、用好人才是是一个监测站可持续发展能力的集中体现[4]。

一是要积极引入能上能下、能进能出的竞争激励机制。注重选派既懂技术又擅管理的优秀人才担任监测站站长，起好带头作用，加强环境监测工作管理；对于在岗的编制外合同制员工，表现非常优秀的，应当有步骤地实施同工同酬，逐步建立起优秀合同工转聘为正式编制工的渠道，反过来，对于表现极差，考核不合格的在编人员，建立待岗甚至降聘为合同制员工的机制，破除事业单位目前实际存在的干部身份终身制，形成“只要你努力，谁都有机会”的良好竞争氛围。

二是要更新观念，努力拓宽选才视野。论资排辈是一种习惯势力，是一种潜规则，是长期以来遗留下来的一种落后的干部选拔方式，要努力破除这种观念的束缚，建立一套比较完善、科学的人才选拔、奖励、晋升、降职、淘汰等管理制度。

三是要坚持用人唯贤、人尽其才的原则。要“用其所学、用其所长、量才使用”，人才在专业基础、业务能力、个体心理等存在不同程度的差异，有些人适合做科研技术岗位，有些人可能擅长管理组织协调工作，把优秀人才及时放到适当的岗位上，放手使用，充分发挥他们的特长，做到人尽其才。

四是要研究、探索科学合理的人才考评制度和测评方法，建立客观、公正、准确评价各种人才的标准体系，选择合适的时机可推出“职称评聘分离制度”，促进人才评价体系进一步向科学化深入发展。

（六）建立有效的人才凝聚机制

一是要留住人才，防止流失。在人才流动的大背景下，防止人才流失，关键是营造良好的用人环境。那么如何留住人才呢？我想在良好的用人环境中，要“用事业留人”、“用适当的待遇留人”、“用高尚的组织文化留人”、要从生活上、政治上、思想上关心人才的成长和进步，最大限度地实现其人生价值。

二是要坚持按劳分配、效率优先、兼顾公平的分配制度。实行按岗定酬、按任务定酬、按业绩定酬的分配方法，将职工的奖金收入与岗位职责、工作业绩、实际贡献以及成果转化中产生的社会效益和经济效益直接挂钩，逐步形成重业绩、重贡献，向优秀人才和关键岗位倾斜的分配激励制度[5]。

参考文献

[1] 周生贤．严管理出效益　重质量求发展　努力开创环境监测工作新局面．在2009年全国环境监测工作会议上的讲话．2009.

[2] 吴晓青．努力探索中国特色环保新道路　全面推进环境监测的历史性转型．中国环境报，2009.6

[3] 邓小平．邓小平选集（第3卷）［M］．北京：人民出版社．1993，17：70.

[4] 高燕．试论我省环境监测技术人才的管理与使用．陕西环境，2003，10（6）：21.

[5] 郝英群．江苏省环境监测现代化中的人才建设．环境监测管理与技术，2000，12（6）：2.

原位乙酰化－顶空固相微萃取测定水中酚类化合物

余益军[1] 戴玄吏[1] 李春玉[1] 刘红玲[2]

（1. 常州市环境监测中心站 常州 213001；
2. 南京大学环境学院污染控制与资源化研究国家重点实验室 南京 210093）

摘 要 建立了原位乙酰化－顶空固相微萃取－气相色谱/质谱联用测定水中酚类氯酚类化合物的方法，考察了对衍生化过程以及萃取过程有影响的相关因素，包括萃取纤维及萃取平衡时间、盐度、衍生化试剂（乙酸酐）与 Na_2HPO_4 用量、萃取温度等。结果表明，采用65μmPDMS/DVB 萃取纤维效果最好。在 10mL 溶液中，乙酸酐、Na_2HPO_4 和 NaCl 用量分别为 100μL、0.10g、4.0g，温度在60℃时各被测化合物检出限在 0.014～0.044 ng/ml 之间，相对标准偏差（RSD）＜13.7%，在考察的浓度范围内（0.02～25ng/ml）均呈线性变化。经实际样品测定，完全能满足环境水体中痕量酚类化合物监测的要求。

关键词 顶空固相微萃取 酚类 衍生化

酚类的经典监测方法为液液萃取，如美国 EPA 的 604 方法，以及我国《生活饮用水标准检验方法》等[1-3]，这些方法成熟易用，但是耗费大量人力、物力和时间，还大量使用价格高并对健康有害的高纯有机溶剂。固相微萃取（solid－phase microextraction，SPME）是集采样、浓缩于一体新型样品预处理技术，灵敏度高，操作简单，已经应用于酚类物质的检测分析[4-5]，同时我国《生活饮用水标准检验方法》也包含顶空固相微萃取测定 2,4,6－三氯酚和五氯酚[2]。这些 SPME 萃取酚类都是控制较低 pH 使其保持分子状态，而酚羟基在色谱柱中的拖尾现象制约了定性定量结果的进一步精确化。本文建立了酚类化合物原位乙酰化—顶空固相微萃取—气相色谱/质谱（GC/MS）联用测定水样中的酚类氯酚类化合物的方法，通过考察各种因素的影响变化趋势，获得适宜实验条件。与国标方法相比，该方法将酚羟基乙酰化后再进行富集萃取，降低了化合物的亲水性，大大改善色谱峰型，提高定性和定量的准确度，检出限呈现数量级降低，并且衍生化方法简单易行；由于采用了质谱检测器，可以为化合物结构定性分析提供准确确证。

一、实验部分

（一）仪器与试剂

Agilent 7890A－5975C 气相色谱－质谱联用仪（Agilent Technologies，DE，USA），色谱柱为 DB－5MS（30m×0.25 mm，25μm），5%苯甲基聚硅氧烷弹性石英毛细管柱。

固相微萃取的手柄及五种萃取纤维：PDMS（100μm）、PA（85μm）、CAR/PDMS（85μm）、PDMS/DVB（65μm），以及 DVB/CAR/PDMS（50/30μm）均购自 Supelco 公司。15 mL 顶空萃取瓶，1cm 微型磁子，由 WiseStir MSH－20D 数码加热磁力搅拌器（Wisd Laboratory Instruments）控制温度和磁力搅拌。

苯酚（phenol）、间甲酚（m－Cresol）、2，6－二甲酚（2，6－DMP）、2，4－二甲酚（2，4－DMP）、3，5－二甲酚（3，5－DMP）、2，3－二甲酚（2，3－DMP）、3，4－二甲酚（3，4－DMP）、2－氯酚（2－CP）、4－氯酚（4－CP）、2，4－二氯酚（2，4－DCP）、2，4，6－三氯酚（2，4，6－TCP）等标准溶液由环保部标准样品研究所提供，由甲醇稀释配制成工作溶液，4℃避光保存。色谱纯甲醇购自 Tedia。

（二）GC/MS 条件

载气：高纯 He（99.999%），流速 1.0 ml/min；不分流模式进样，进样口温度 270℃，吹扫

本文系国家自然科学基金（20977047）资助项目。

时间 2 min，吹扫流速 50 ml/min；柱温：初温 60℃保持 3min，以 10℃/min 升温至 160℃，再以 20℃/min 升温至 260℃，保持 3min。传输线温度为 250℃，EI 离子源和四级杆温度分别为 230℃、150℃，电子能量为 70 eV。以选择离子方式定量，定性由保留时间及碎片比例确认完成。

（三）实验方法

在萃取瓶中加入一定量 NaCl 和 Na_2HPO_4 粉末、微型磁转子与 10ml 样品溶液或实际样品，再加入一定体积乙酸酐，立即用带硅橡胶垫的瓶盖封闭。样品在萃取温度下平衡 10min 后，将固相微萃取装置的不锈钢针管插入瓶中，推出萃取头进行顶空萃取。萃取完成后，迅速插入气相色谱汽化室内进行热解吸及 GC/MS 分析。

二、结果与讨论

（一）色谱条件优化

酚类化合物由于结构中的酚羟基与色谱柱涂层之间的相互作用使得其色谱图存在严重的拖尾现象，而衍生产物显著改善色谱峰型。色谱条件选择以被测组分乙酰化后酯类物质的正己烷溶液进行。衍生化产物制备参考我国国家标准方法[6]，即在 $KHCO_3$ 水溶液（10ml）中加入酚类混标溶液使其浓度约为 1mg/L、乙酸酐 100μl，60℃搅拌反应 30min 后冷却至室温，加入 NaCl（3g），再以正己烷萃取，浓缩备用。经 GC/MS 确认为各酚类化合物的酯化产物，其分子离子峰含量较低，基峰为酯键断裂后丢失乙酰基（acetyl group）后的结构，主要碎片还有乙酰基（m/z 43），其余碎片与相应酚类的相似。相对于母体化合物，这些乙酰化衍生物保留时间后移，峰型呈对称分布，改善化合物之间的分离度（图 1）。

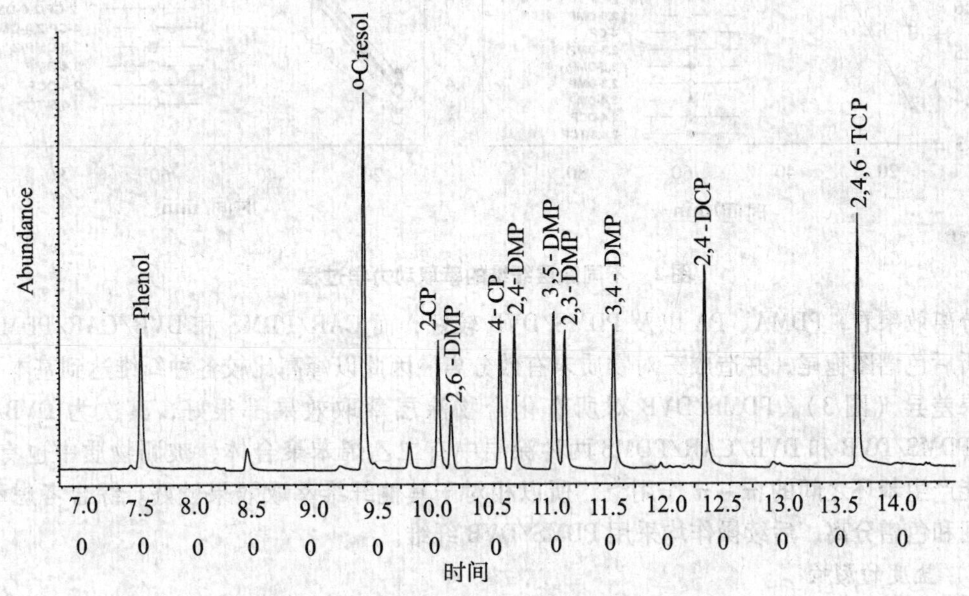

图 1　酚类乙酰化产物的色谱选择离子流图

从质谱破碎特征可见酯键容易破裂，而且分子离子峰含量比率不高，说明这些产物稳定性不高，在高温下可分解。因此设定进样口温度 240℃、250℃、260℃和 270℃考察温度影响，结果表明 260℃响应最大，各化合物变化趋势一致。考虑到较高解析温度有利于降低偏差[7]，而 270℃下响应与 260℃相比相差不多，因此后续操作中均确定进样口温度为 270℃。

（二）萃取纤维选择

涂渍有聚合物的石英纤维是 SPME 技术的核心，其纤维涂层类型对萃取效率影响很大；固相微萃取过程是富集平衡的过程，因此涂层厚度对待测物的固相吸附量和平衡时间都有影响。图 2

为 PDMS、PA、CAR/PDMS、PDMS/DVB 等纤维涂层在 60℃、乙酸酐、Na_2HPO_4 和 NaCl 用量分别为 100μl、0.1g 和 3.0g、搅拌速率为 600r/min 时的动力学过程，其中 PDMS/DVB 平衡时间最短（30min），PDMS 居于其中（60min），PA 和 CAR/PDMS 较长（90min），后两者的萃取过程呈现明显的一级动力学特征。

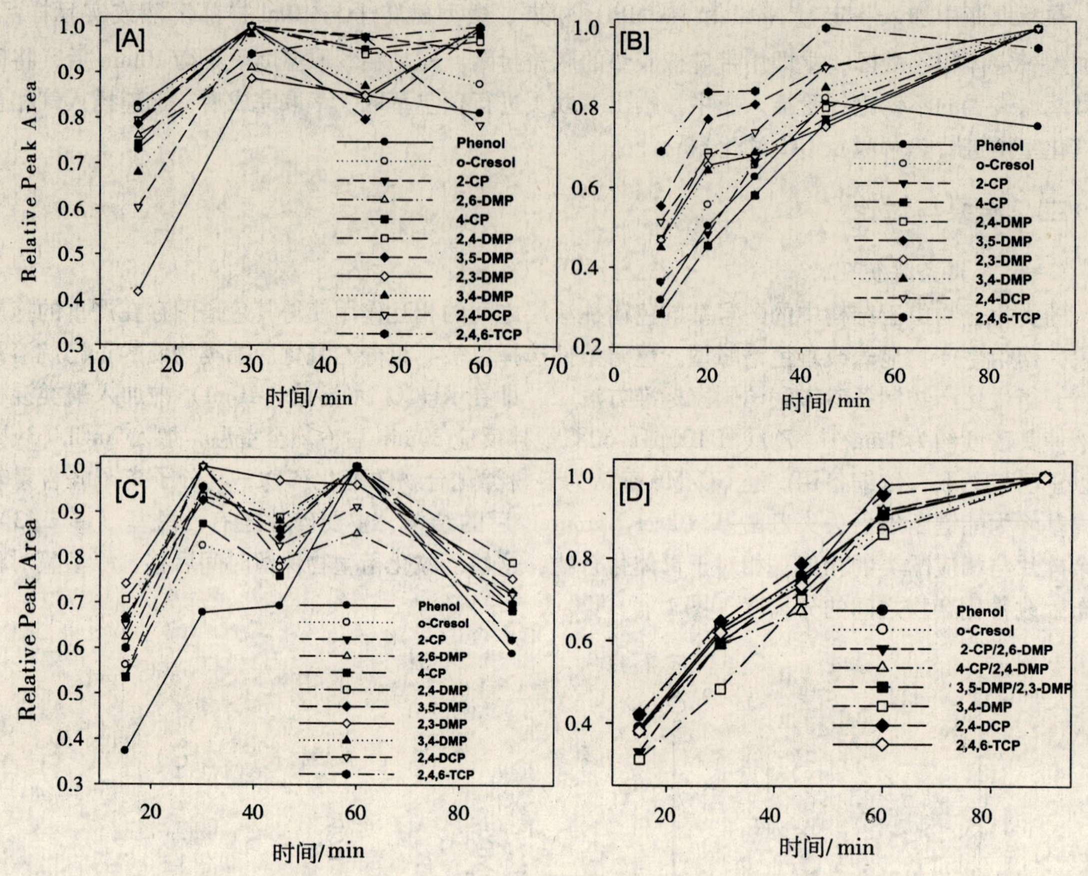

图 2　不同涂层纤维的萃取动力学过程

从分离效果看，PDMA、PA 以及 PDMS/DVB 较好，而 CAR/PDMS 和 DVB/CAR/PDMS 两种纤维解析后色谱图拖尾，并造成三对物质未有效分离。因此以峰高比较各种纤维达到基本平衡时萃取效果差异（图 3）。PDMS/DVB 对所有化合物涂层萃取效果都很好，其次为 DVB/CAR/PDMS，PDMS/DVB 和 DVB/CAR/PDMS 两种涂层中有二乙烯苯聚合体，被测物质中也有苯环，因此可能产生苯环之间的 π－π 作用[8]，所以相对于其他纤维萃取效果较好。综合考虑萃取效果、时间和色谱分离，后续操作均采用 PDMS/DVB 纤维。

（三）盐度的影响

盐度对 SPME 萃取影响较大，一般在溶液中加入氯化钠，通过盐析作用降低某些被测组分在水中的溶解度，从而提高被测组分在涂层中的分配系数。图 4 是氯化钠的加入量对萃取效率的影响，其余实验条件为 PDMS/DVB 萃取纤维、乙酸酐 100μl、Na_2HPO_4 为 0.1g，温度 60℃，搅拌速率 600r/min。随着盐度增加，盐析效应对萃取效率有很大影响，各种化合物萃取效率都不同程度地增加了 2.5～10 倍，除 2，4，6－三氯酚外均在氯化钠过饱和时萃取效率最大。因此选择条件为向溶液中加入氯化钠 4g（每 10ml 溶液）。

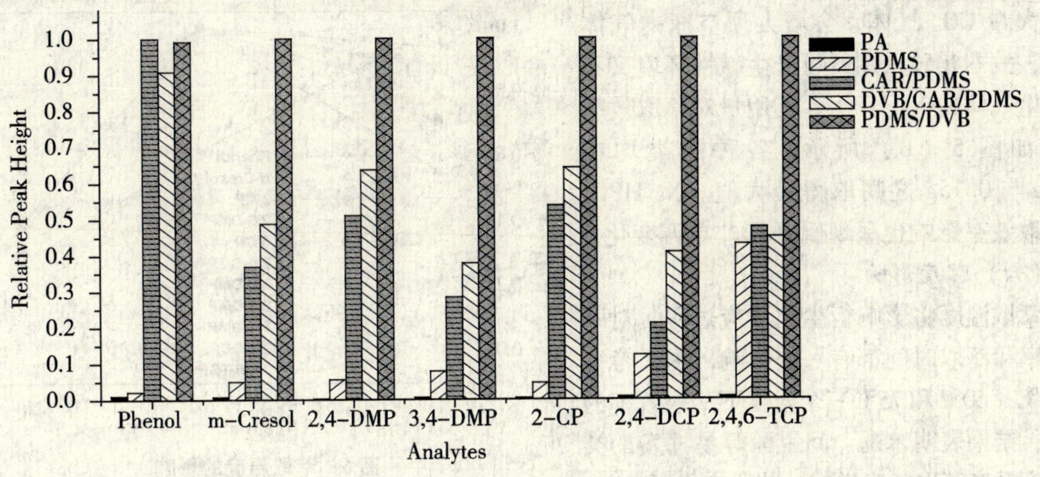

图3　不同涂层纤维的萃取效果差异

（四）衍生化试剂（乙酸酐）用量影响

酚类与乙酸酐在碱性条件下发生取代（乙酰化）反应生成酯类，一般衍生化试剂应过量，由于乙酸酐在碱性条件可发生水解，从而降低溶解碱性，可对衍生化反应造成影响。确定实验条件为 PDMS/DVB 纤维、NaCl 与 Na_2HPO_4 分别为 4.0g、0.10g、搅拌速率 600r/min、60℃萃取 30min，考察乙酸酐添加量为 50μl、100μl、150μl、200μl 时萃取相同浓度酚类的效果差异，结果如图 5（A）所示：除苯酚和间甲酚在 50μl 响应最大外，其余均在 100μl 响应最好，呈现非单调变化。因此后续试验中除另有说明外，乙酸酐用量为 100μl。

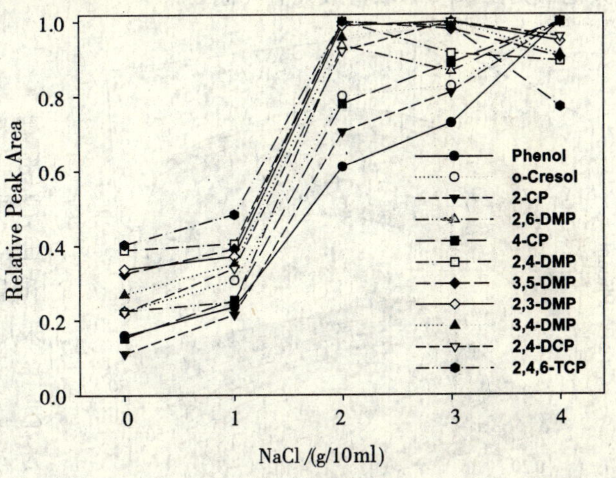

图4　盐析效应对萃取效率的影响

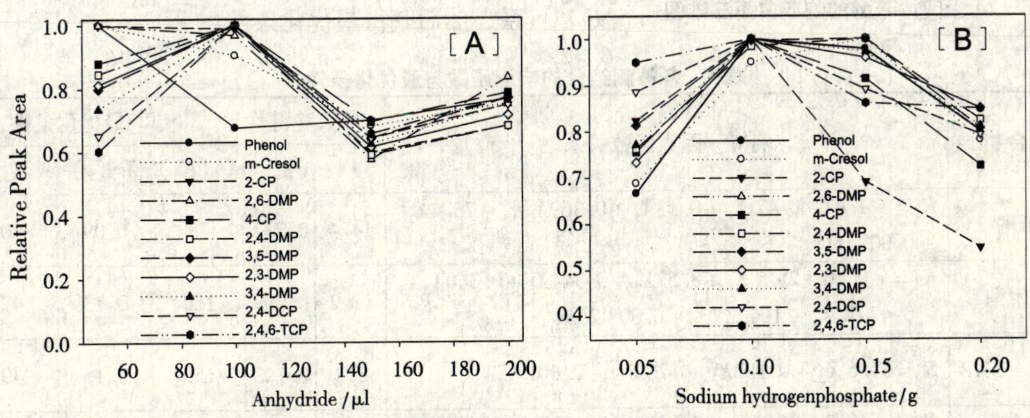

图5　衍生化过程中的因素影响（A：乙酸酐；B：Na_2HPO_4）

（五）Na_2HPO_4 用量影响

我国国家标准方法均采用 $KHCO_3$ 形成碱性环境再进行酚类的乙酰化反应，由于 $KHCO_3$ 与酸

产生大量 CO_2 气体，会增大顶空瓶内气体压力，故本实验采用既可产生碱性环境又不会产生气体的 Na_2HPO_4。其用量对萃取效率影响如图 5（B）所示，各种酚类均在 0.10g 与 0.15g 之间取得最大值。Na_2HPO_4 对萃取效率影响也呈现倒 U 形非单调变化。

（六）温度影响

萃取温度将影响衍生化反应过程，对萃取效率和萃取时间都有一定影响，本文考察了 40℃、60℃和 75℃三个温度下萃取效率的差异，结果表明苯酚、间甲酚等易挥发酚类随温度升高萃取效率递减，苯酚变化更显著，其他酚类在 60℃时取得最大值（图 6）。

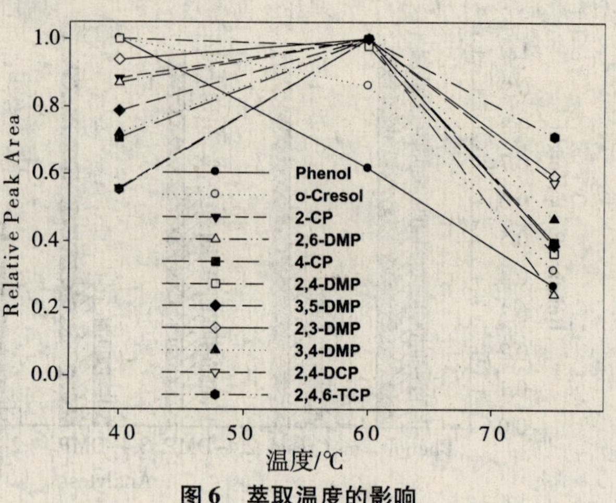

图 6　萃取温度的影响

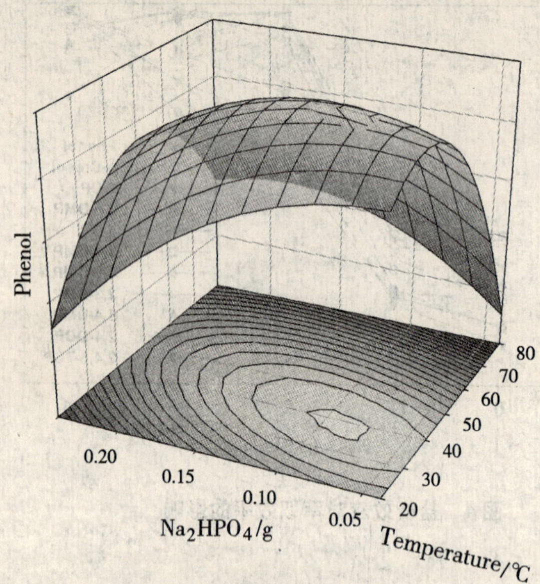

图 7　苯酚的响应曲面三维图

（七）重要因素的响应曲面实验设计

单因子实验设计对于解释因素变化规律很有意义，但其先决条件是因素之间不存在交互作用，而本文中衍生化－顶空萃取很可能存在因素之间的交互作用，因此考察单因素影响的基础上，本文选取乙酸酐（X_1）、Na_2HPO_4（X_2）和温度（X_3）三个影响呈非单调变化的因素，采用响应曲面实验设计方法－中心复合试验设计法（Central Composite Design）考察交互作用。乙酸酐、Na_2HPO_4 和温度三个因素的高点水平为 200μl、0.2g 和 70℃，低点水平分别为 60μL、0.05g 和 40℃，采用 Design Expert 7.1 软件进行实验设计和数据分析，通过 20 次试验，获得萃取效率与三个因素及其交互作用项之间的函数关系，然后获得最优化条件。

表 1　各被测组分的响应函数与最优化条件

化合物	响应—因素函数关系	稳健性		最优化条件		
		F	R^2	X_1(μL)	X_2(g)	X_3(℃)
苯酚	$R_s = -1.47 - 0.47X_2 + 0.13X_3 + 0.369X_2X_3 - 76.4X_2^2 - 0.00209X_3^2$	14.4	0.837	78	0.09	40
间甲酚	$R_s = -9.60 + 25.2X_1 + 8.57X_2 + 0.344X_3 + 0.360X_2X_3 - 0.470X_1X_3 - 100.2X_2^2 - 0.00325X_3^2$	17.2	0.909	160	0.13	47
2，6－DMP	$R_s = 37.6X_2 + 0.180X_3 - 126X_2^2 - 0.00183X_3^2$	8.7	0.700	156	0.15	49
2，4－DMP	$R_s = -12.2 + 26.9X_1 + 29.3X_2 + 0.362X_3 - 0.475X_1X_3 - 93.3X_2^2 - 0.00304X_3^2$	9.4	0.813	160	0.16	47
3，5－DMP	$R_s = -11.3 + 25.3X_1 + 13.8X_2 + 0.355X_3 + 0.318X_2X_3 - 0.423X_1X_3 - 103X_2^2 - 0.00324X_3^2$	9.5	0.848	160	0.15	51.5

化合物	响应—因素函数关系	稳健性		最优化条件		
		F	R^2	X_1(μL)	X_2(g)	X_3(℃)
2，3－DMP	$R_s = -11.1 + 22.4X_1 + 15.0X_2 + 0.356X_3 + 0.262X_2X_3 - 0.399X_1X_3 - 90.8X_2^2 - 0.00328X_3^2$	11.5	0.870	160	0.16	51
3，4－DMP	$R_s = -12.0 + 24.1X_1 + 12.6X_2 + 0.375X_3 + 0.307X_2X_3 - 0.407X_1X_3 - 93.3X_2^2 - 0.00336X_3^2$	9.3	0.844	160	0.16	53.5
2－CP	$R_s = -7.70 + 26.0X_1 + 1.20X_2 + 0.284X_3 + 0.454X_2X_3 - 0.536X_1X_3 - 96.4X_2^2 - 0.00280X_3^2$	7.9	0.822	60	0.14	56
4－CP	$R_s = -11.4 + 23.5X_1 + 11.4X_2 + 0.376X_3 + 0.360X_2X_3 - 0.431X_1X_3 - 110X_2^2 - 0.00345X_3^2$	11.4	0.870	60	0.15	58.5
2，4－DCP	$R_s = -8.83 + 27.6X_1 - 11.7X_2 + 0.272X_3 - 164X_1X_2 + 0.530X_2X_3 - 0.685X_1X_3 + 161X_2^2 - 0.00226X_3^2$	8.0	0.853	160	0.05	59
2，4，6－TCP	$R_s = -1.88 + 31.3X_1 - 7.53X_2 - 0.0170X_3 - 177X_1X_2 + 0.404X_2X_3$	6.3	0.694	160	0.05	59.5

表1由后退式多元回归拟合获得的响应－因素函数关系（为便于进行化合物之间比较，对各化合物响应值进行均值中心化处理），同时由软件可以获得各个化合物的最优化条件。从表达式结果可见，交互作用十分明显；对于结构类似的二甲酚同分异构体，各项系数都比较相似。苯酚的响应－因素三维关系如图7所示，由拉格朗日规则求得极值点为 $X_2 = 0.0918$，$X_3 = 39.3$，这与软件给出的优化点基本一致（表1）。为使每个化合物均取得较好响应，综合考虑设定乙酸酐、Na_2HPO_4 和温度三个因素水平分别为160μl、0.12g和50℃。由于可以通过设定不同化合物的权重从而获得适宜此类化合物的条件，因此在实际应用中可视情况调整试验条件。

（八）方法线性范围、重复性与检出限

针对所有化合物，选定测定条件如下：PDMS/DVB涂层纤维，萃取温度60℃，乙酸酐和 Na_2HPO_4 分别为100μl和0.10g，NaCl用量为4.0g，样品量为10ml在选定条件下，各化合物的线性范围、相关系数以及重复性如表2所示。与酚类直接以PA涂层萃取相比，该方法检出限低了两个数量级[4]。

表2　原位乙酰化—顶空固相微萃取测定水中酚类的相关性能参数　单位：ng/ml

化合物	线性范围		检出限 LOD		重复性[b]	
	浓度范围	R^2	检出限[a]	加标浓度	RSD	加标浓度
苯酚 Phenol	0.051～6.38	0.992	0.018	0.026	13.7%	0.510
间甲酚 m－Cresol	0.054～6.78	0.990	0.014	0.027	8.54%	0.542
2－氯酚 2－CP	0.050～25.0	0.994	0.029	0.100	11.7%	1.00
4－氯酚 4－CP	0.050～25.0	0.993	0.036	0.100	10.2%	1.00
2，6－二甲酚 2，6－DMP	0.050～25.0	0.995	0.044	0.100	8.22%	1.00
2，4－二甲酚 2，4－DMP	0.050～25.0	0.998	0.040	0.100	10.3%	1.00
3，5－二甲酚 3，5－DMP	0.050～25.0	0.998	0.025	0.100	9.82%	1.00
2，3－二甲酚 2，3－DMP	0.050～25.0	0.998	0.030	0.100	8.91%	1.00
3，4－二甲酚 3，4－DMP	0.050～25.0	0.999	0.039	0.100	9.57%	1.00
2，4－二氯酚 2，4－DCP	0.020～10.0	0.991	0.015	0.043	7.26%	0.799
2，4，6－三氯酚 2，4，6－TCP	0.021～10.7	0.999	0.016	0.026	7.12%	0.858

a　检出限 LOD = $S \times t_{(0.99,\ n-1)}$，$n$ = 7

b　n = 6

（九）环境水样的测定

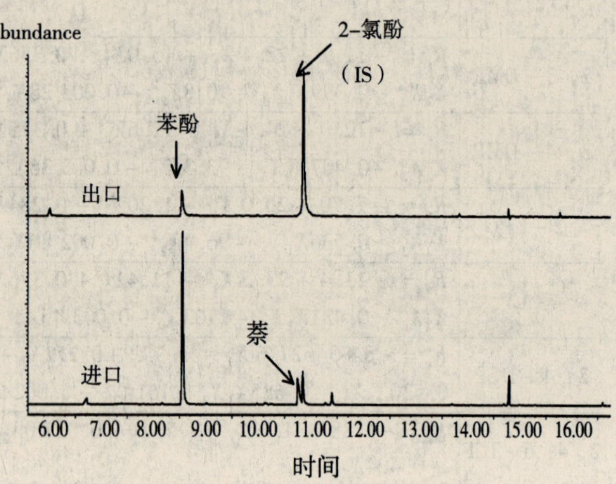

图 8　实际废水样品测定的色谱图

用该方法分析某厂污水样，预实验表明只含苯酚，故测定条件定为：PDMS/DVB 纤维，萃取温度 40℃，乙酸酐和 Na_2HPO_4 分别为 50μl 和 0.10g，NaCl 用量为 4.0g，样品量为 10ml。为减小批次之间差异，选取邻氯酚为内标（IS），结果表明进出口浓度均值分别为 11.0 ng/ml、0.63 ng/ml，GC/MS 的选择离子色谱图分别如图 8 所示。进口样品中内标物邻氯酚前有干扰，经谱库检索为萘（m/z = 128，与邻氯酚基峰一致），未基线分离，但对积分影响不大。平行试验和加标回收表明相对偏差和回收率分别为 9.24% 和 86.7%，该方法符合质控要求，而且对酚类化合物具有选择性，适于酚类物质的测定分析。

三、结　论

本文建立了水样中酚类物质的原位乙酰化 - 顶空固相微萃取 - 气相色谱 - 质谱方法，水样经 SPME 萃取后直接进样，无需额外前处理步骤，操作与非衍生化相似，但是灵敏度和选择性显著提高，适用于水体中酚类物质的定量分析。

参考文献

[1] Methods for Organic Chemical Analysis of Municipal and Industrial Wastewater: Method 604 - Phenols, United States Environmental Protection Agency.

[2] GB/T 5750.10—2006, Standard examination methods for drinking water - Disinfection by - products parameters（生活饮用水标准检验方法 消毒副产物指标）. National Standards of the People's Republic of China（中华人民共和国国家标准）.

[3] Yang Lili（杨丽莉）, Hu Enyu（胡恩宇）, Mu Yingfeng（母应锋）, Ji Ying（纪英）, Environ. Monitor. in China（中国环境监测）, 2007, 23: 41 - 44.

[4] Zhao Rusong（赵汝松）, Liu Renmin（柳仁民）, Cui Qingxin（崔庆新）, Chinese J. Anal. Chem.（分析化学）, 2002, 30: 1240 - 1242.

[5] Zhang Lan（张岚）, Li Shumin（李淑敏）, Yue Yinling（岳银玲）, Ying Bo（应波）, E Xueli（鄂学礼）, Chen Yayan（陈亚妍）, Journal of Hygiene Research（卫生研究）, 2006, 35: 92 - 94.

[6] GB/T 8972—1988, Water quality - Determination of pentachlorophenol - Gas chromatography（水质 五氯酚的测定 气相色谱法）. National Standards of the People's Republic of China（中华人民共和国国家标准）.

[7] Chong S L, Wang D X, Hayes J D, Wilhite B W and Malik A, Analytical Chemistry 1997, 69: 3889 - 3898.

[8] Lespes G, Desauziers V, Montigny C and Potin - Gautier M, Journal of Chromatography A 1998, 826: 67 - 76.

硅胶和活性炭对氨气的吸附研究

孟　超[1]　要栋梁[2]

（1. 首都经济贸易大学安全与环境工程学院　100070；
2. 北京市劳动保护科学研究所　100054）

摘　要　目的　扩散式采样是环境监测的采样方法之一，具有重量轻、操作简单、不用电源、安全可靠、价格便宜等优点，适合室内外不同浓度污染物的长时间监测。具有非常好的应用前景，而性能良好的吸附材料是制约其发展的关键。本研究正是期望在这一领域取得一些突破，为后续研究打下基础。为此，选择国内没有扩散式采样器的常见有害物质——氨作为研究对象，采用改性硅胶和改性活性炭进行吸附性能研究。方法　根据环境监测的需要，设计了静态和动态两个实验流程，采用纳氏试剂分光光度法进行定量分析，选择不同的温度、湿度、风速、氨气浓度和吸附时间，研究改性硅胶和改性活性炭这五项指标对氨气吸附速率的影响，研究不同条件下改性硅胶和改性活性炭对氨气的吸附和解吸性能。结果　通过实验获得：改性硅胶和改性活性炭的最佳解吸时间、解吸效率和饱和吸附量，以及空气温度、空气湿度、吸附时间、氨气浓度和风速对改性硅胶吸附量的影响曲线。实验结果：改性硅胶和改性活性炭的解吸率分别为91.24%和84.18%，改性硅胶和改性活性炭对氨气的饱和吸附量分别为43.2mg/g和34.3mg/g。结论　通过上述研究为氨气扩散式采样器的研制取得了十分有益的基础数据，为进一步的工作打下了良好基础。

关键词　改性硅胶　改性活性炭　氨气　吸附　解吸

空气中的氨气主要来源于自然界或人为的分解过程。自然界中氨是含氮有机物质腐败分解的最后产物，废弃有机物、未经处理的生活污水及工业废水中，都含有有机氮化合物（蛋白质及其降解产物），它们在微生物作用下均分解生产氨。氨是化学工业的主要原料，广泛应用于化肥、炼焦、塑料、石油精炼、制药等行业中。这些工厂的废气和废水都含有氨。此外，大气氮气的固氮、土壤和水中的亚硝酸盐的反硝化作用都可产生氨。农业生产中施用氮肥，如氨水、氨肥和硝酸铵等挥发到大气或流失到水体均可造成氨的污染。

扩散式采样器最早是由Palmes[1]等研制的采样器，于1973年首次用于SO_2、水蒸气的检测。1976年Palmes采样管[2]用于检测空气中的二氧化氮，并对采样装置的原理、结构进行了详尽的探讨。该采样装置基于菲克气体扩散定律的原理[3]。

由于硅胶和活性炭对氨气的吸附性能不能满足扩散式采样器的需要，所以选取改性硅胶和改性活性炭作为氨气的吸附材料，对其在不同的环境条件下的吸附性能和解吸性能进行了基础性实验研究。

一、材料与方法

（一）材料

（1）硅胶：60～80目，青岛麦克硅胶干燥剂有限公司；

（2）活性炭：20～40目，美国Sigma公司；

（3）氨水：浓度25%，北京化工厂；

（4）液氨：99.99%，北京市达益液氨站；

（5）磷酸（分析纯）：85%，北京化学试剂公司；

（6）硫酸（分析纯）：98%，北京化学试剂公司；

（7）酒石酸钾钠（分析纯）：北京化工厂；

（8）二氧化汞（分析纯）：北京化工厂；

（9）碘化钾（分析纯）：北京化工厂；

（10）氢氧化钠（分析纯）：北京益利精细化学品有限公司；

（11）氯化铵（分析纯）：北京益利精细化学品有限公司；

（12）高纯水：北京化学试剂研究所。

（二）方法

根据环境监测的需要，设计了静态和动态两个实验流程。模拟在不同环境条件下，改性硅胶和改性活性炭对氨气的吸附和解吸性能。

1. 改性硅胶和改性活性炭对氨的解析时间和解吸效率

称量 1.00g 改性硅胶于不同的具塞比色管中，于各管中滴加 25% 的氨水 100.0μl，拧紧塞子。待充分吸附后，加入 20.0ml 水，进行超声波解吸，每隔一定时间取样一次，待全部取出后，定量分析解吸率随时间增加而变化的曲线，求得氨的解吸率，找出适合的解吸时间。

2. 改性硅胶和改性活性炭饱和吸附量的测定

在常压、温度 20℃、空气相对湿度 20%、氨气浓度 1.5g/m^3、风速 3m/s 的情况下，实验时间为 5min、10min、20min、30min、60min、120min、180min、240 min，进行改性硅胶对氨气的吸附性能实验，定量分析改性硅胶吸附量随时间变化的曲线，找出改性硅胶的饱和吸附量。

3. 空气温度对改性硅胶和改性活性炭吸附量的影响

在常压、空气相对湿度 50%、风速 0.6m/s、氨气浓度 40mg/cm^3、温度分别为 15℃、20℃、25℃、30℃、35℃的情况下，进行改性硅胶对氨气的吸附性能实验，定量分析温度对吸附剂吸附量的影响。

4. 空气湿度对改性硅胶和改性活性炭吸附量的影响

在常压、温度 20℃、风速 0.6m/s、氨气浓度 40mg/cm^3、空气相对湿度分别为 20%、30%、40%、50%、60%、70%、80% 的情况下，进行改性硅胶对氨气的吸附性能实验，定量分析空气相对湿度对改性硅胶吸附量的影响。

5. 吸附时间对改性硅胶和改性活性炭吸附量的影响

在常压、温度 20℃、空气相对湿度 20%、氨气浓度 40mg/cm^3、风速 3.0m/s、实验 1h、2h、3 h、4 h、5 h、6 h、7 h、8 h 的情况下，进行改性硅胶对氨气的吸附性能实验，定量分析实验时间对改性硅胶吸附量的影响。

6. 氨气浓度对改性硅胶和改性活性炭吸附量的影响

在常压，温度 20℃、空气相对湿度 20%、风速 3m/s、氨气浓度分别为 10 mg/cm^3、20 mg/cm^3、40 mg/cm^3、60 mg/cm^3、80 mg/cm^3、100mg/cm^3 的情况下，进行改性硅胶对氨气的吸附性能实验，定量分析氨气浓度对改性硅胶吸附量的影响。

7. 风速对改性硅胶和改性活性炭吸附量的影响

在常压、温度为 20℃、空气相对湿度为 20%、氨气浓度为 40mg/cm^3、风速分别为 0.3m/s、0.6m/s、1m/s、2m/s、3m/s、4m/s、5m/s、6m/s 的情况下，进行改性硅胶和改性活性炭对氨气的吸附性能实验，定量分析空气流速对改性硅胶和改性活性炭吸附量的影响。

8. 实验测定方法采用纳氏试剂分光光度法[4]。

（三）统计学分析

对实验数据应用 Microsoft Office Excel 2003 进行统计学分析处理。

二、结　果

根据吸附扩散原理，通过模拟人工气候环境，进行静态和动态实验，研究了改性硅胶和改性活性炭对氨气的解吸时间、解吸率和饱和吸附量，以及在不同温度、湿度、风速、氨气浓度、接触时间条件下对氨气的吸附规律，得到了如下实验结果。

1. 改性硅胶和改性活性炭对氨的解吸时间和解吸率

经过解吸率实验，得出改性硅胶和改性活性炭适合的超声解吸时间均为90min，解吸率分别为91.24%和84.18%，见图1。

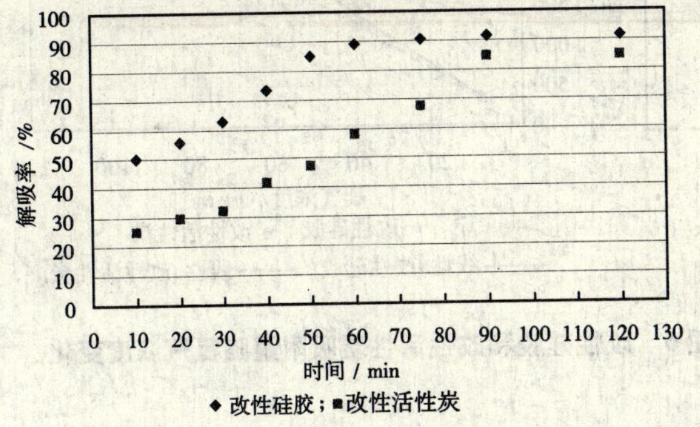

图1　改性硅胶、改性活性炭对氨的解吸时间和解吸率

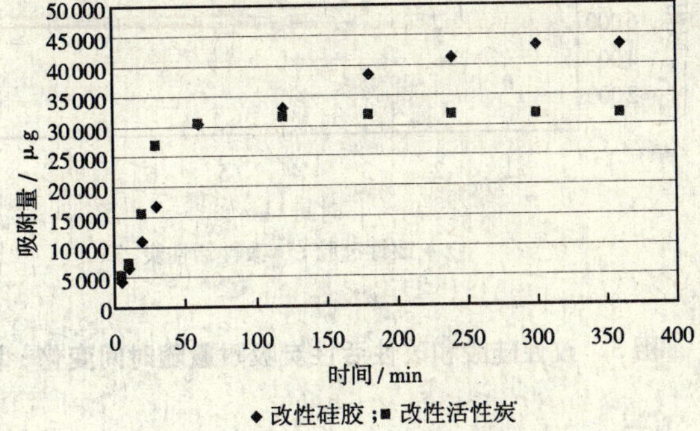

图2　改性硅胶、改性活性炭饱和吸附量

2. 改性硅胶和改性活性炭的饱和吸附量

经过饱和吸附实验，得出改性硅胶和改性活性炭对氨气的饱和吸附量分别为43.2mg/g和34.3mg/g，见图2。

3. 空气温度对改性硅胶和改性活性炭吸附量的影响

湿度、风速、氨气浓度和吸附时间不变，只改变温度条件，硅胶对氨气的吸附量随着温度的增加而逐渐降低，见图3。

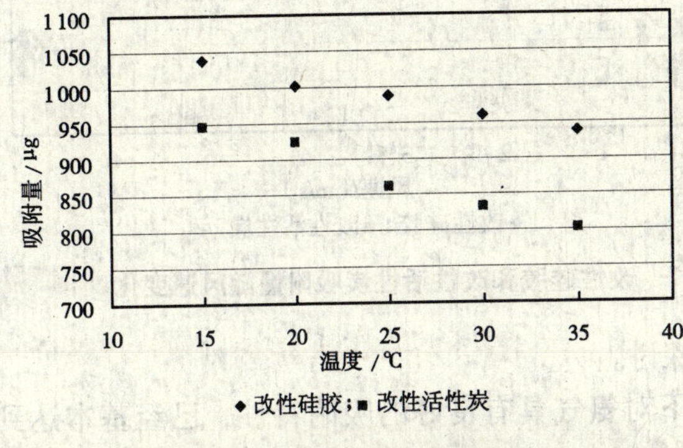

图3　温度对改性硅胶和改性活性炭吸附量

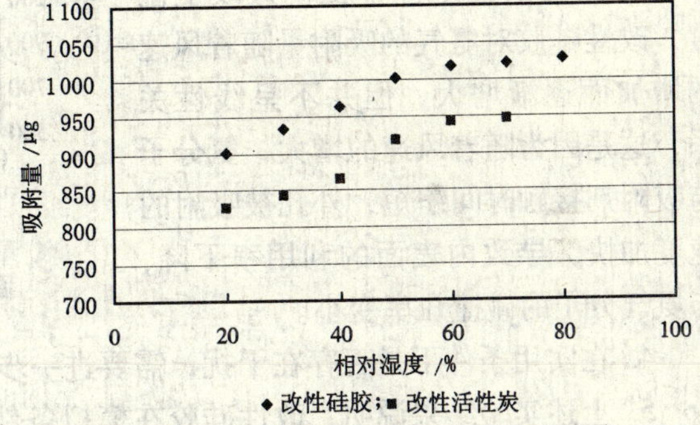

图4　湿度对改性硅胶和改性活性炭吸附量

4. 空气湿度对改性硅胶和改性活性炭吸附量的影响

温度、风速、氨气浓度和吸附时间不变，只改变湿度条件，改性硅胶对氨气的吸附量随着相对湿度的增加而逐渐增大，见图4。

5. 吸附时间对改性硅胶和改性活性炭吸附量的影响

温度、湿度、风速和氨气浓度不变，只改变接触时间条件，改性硅胶对氨气的吸附量随着时间的增长也在逐渐增大，但是并不呈现线性的趋势，吸附速率逐渐减小，见图5。

6. 氨气浓度对改性硅胶和改性活性炭吸附量的影响

温度、湿度、风速和吸附时间不变，只改变氨气浓度条件，改性硅胶对氨气的吸附量随着氨气浓度的增加而逐渐增大，成线性正比关系，见图6。

7. 风速对改性硅胶和改性活性炭吸附量的影响

温度、湿度、氨气浓度和吸附时间不变，改性硅胶对氨气的吸附量随着空气流速的增加而逐渐增大，见图7。

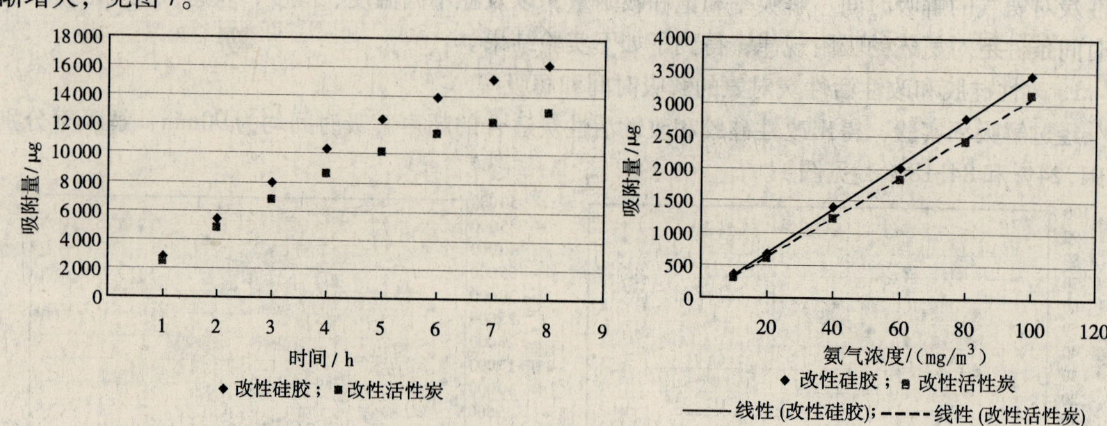

图5　改性硅胶和改性活性炭吸附量随时间变化　图6　改性硅胶和改性活性炭吸附量随氨气浓度变化

三、讨　论

1. 经过解吸率测量，改性硅胶和改性活性炭的解吸率分别为91.24%和84.18%，改性硅胶达到环境采样对吸附剂解吸率的要求。

2. 用超声波解吸改性硅胶和改性活性炭的最佳解吸时间为90min，时间较长，需要进一步寻找更好的解吸方法。

3. 其他实验条件不变，只改变湿度，改性硅胶对氨气的吸附量随着风速的增加而逐渐增大，但并不呈线性关系，这是因为随着风速的增大，氨分子与吸附剂接触时间缩短，外孔被吸附的速度加快，导致内表面的利用率下降，与氨气分子的碰撞几率变小。

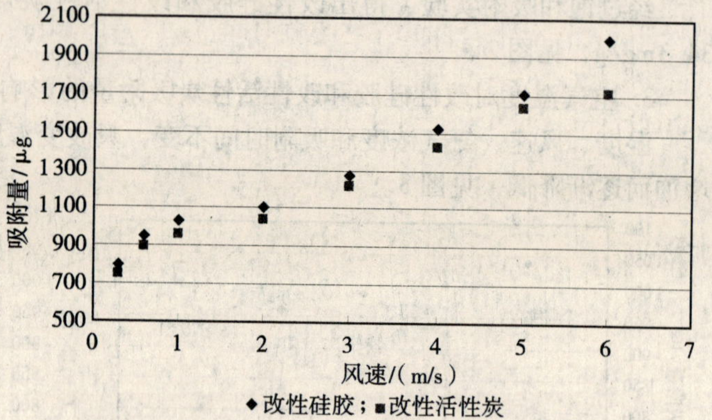

图7　改性硅胶和改性活性炭吸附量随风速变化

4. 在实用条件下是否存在干扰，需要进一步探讨。

5. 上述实验结果说明，改性硅胶在模拟条件下对氨气具有良好的吸附特性，已经基本达到氨气扩散式采样器对吸附介质的要求。

通过对改性硅胶和改性活性炭在不同的温度、湿度、风速、氨气浓度和接触时间等条件下的吸附和解吸试验研究，对氨气的吸附规律取得了十分有意义的结果，对氨气扩散式采样器研制提供了很好的基础数据。

参考文献

［1］Palmes E D，Gunnison A F. Personal monitoring device for gaseous contaminants. Am. Ind. Hyg. Assoc. 1973 Feb. 34（2）：78－81.

［2］Palmes E D，Gunnison A F，DiMattio J. Personal sampler for dioxide. Am. Ind. Hyg. Assoc. 1976 Oct. 37（10）：570－577.

［3］崔九思．室内空气污染监测方法［M］．北京：化学工业出版社，2002：137－140.

［4］周中平，赵寿堂，朱立，等．室内污染检测与控制［M］．北京：化学工业出版社，2002：157－161.

磺基水杨酸分光光度法测定土壤、沉积物中铁量

孙　骏
（宁波市环境监测中心　浙江　宁波　315012）

摘　要　建立了盐酸—硝酸的消解体系、磺基水杨酸分光光度法，对土壤、沉积物中铁量进行测定的新方法，实验结果表明此分析方法操作简便，选择性好，灵敏度高，测试结果令人满意。

关键词　土壤　沉积物　磺基水杨酸分光光度法　铁量

一、方法原理

将土壤、沉积物环境样品以硫酸、硫酸铵加热溶解，在 pH8 ~ 11 的氨性溶液中，铁与磺基水杨酸生成黄色络合物，于分光光度计波长 425nm 处测量其吸光度。

二、仪器设备

分光光度计

三、试　剂

1. 硫酸铵
2. 硫酸（$\rho = 1.84g/ml$）
3. 磺基水杨酸溶液（250g/L）
4. 氨水（$\rho = 0.90g/ml$）
5. 硝酸（1 +1）
6. 铁标准贮备溶液：准确称取光谱纯金属铁 1. 000g，用 60ml（1 +1）硝酸溶解完全后，加 10ml（1 +1）硝酸，用去离子水准确稀释至 1 000ml，此溶液含 1. 00mg/ml 铁。
7. 铁标准溶液：量取 25. 00ml 铁标准贮备溶液，置于 250ml 容量瓶中，用水稀释至刻度，摇匀。此溶液浓度为 100mg/L。

四、分析步骤

（一）样品

称取土壤、沉积物样品 0. 1 ~ 1. 0g，精确至 0. 000 2g。

（二）测定次数

独立进行两次测定，取其平均值。

（三）测定

1. 将样品置于 150ml 烧杯中，加入 10ml 蒸馏水、5ml 硫酸、5g 硫酸铵，盖上表面皿，在通风橱内低温电炉加热，煮沸约 30min，蒸至稠浆状，小心蒸干。稍冷却后，在瓶口插一玻璃小漏斗，将不溶的固体物过滤，滤液转移至 50ml 容量瓶中，并用蒸馏水洗烧杯、表面皿、滤渣几次，将洗涤液并入容量瓶中，最后用蒸馏水定容。分取适量试剂（如 5ml、10ml）至 50ml 容量瓶中。

2. 加入 10ml 磺基水杨酸溶液，用氨水中和至红棕色，继续用氨水中和至黄色并过量 2ml，最后用蒸馏水稀释至刻度，摇匀。

3. 将部分溶液移入 1cm 吸收皿中，以水作参比，于分光光度计波长 425nm 处测量其吸光度。减去随同样品空白试验溶液的吸光度，从工作曲线上查出相应的铁量。

五、工作曲线的绘制

1. 移取0、0.5ml、1.0ml、2.0ml、3.0ml、4.0ml、5.0ml 铁标准溶液，分别置于一组50ml 容量瓶中，各加入10ml 蒸馏水、10ml 磺基水杨酸溶液，然后按前面的分析步骤进行。

2. 将部分溶液移入1cm 吸收皿中，以水作参比，于分光光度计波长425nm 处测量其吸光度。减去随同试剂空白溶液的吸光度，以铁量为横坐标，以吸光度为纵坐标，绘制工作曲线。

六、分析结果的计算公式

$$w = \frac{c \times V_0 \times V_2}{m \times (1 - f) \times V_1}$$

式中：C 为从工作曲线上查出相应的铁浓度，mg/L；V_0为试液总体积，50ml；V_1 为分取试液体积，ml；V_2 为测定试液体积，ml；m 为称取试样的质量，g；f 为样品中水分的含量，%。

七、结果与讨论

（一）方法线性

表1　工作曲线

分析编号	1	2	3	4	5	6	7
标准加入体积（ml）	0.0	0.5	1.0	2.0	3.0	4.0	5.0
溶液浓度（mg/L）	0.0	1.0	2.0	4.0	6.0	8.0	10.0
响应值（E）	0.013	0.136	0.242	0.475	0.681	0.889	1.069
减空白后响应值（△E）	0.000	0.123	0.229	0.462	0.668	0.876	1.056
回归方程	$y = 0.109x + 0.0104$						
相关系数	$R = 0.9996$						

（二）检出限

按照样品分析的全部步骤，重复8次空白试验，将各测定结果换算为样品中的浓度或含量，计算8次平行测定的标准偏差，按公式 $MDL = t_{(n-1, 0.99)} \times S$ 计算方法检出限。

式中：MDL 为方法检出限；n 为样品的平行测定次数；t 为自由度为 $n-1$，置信度为99%时的 t 分布；S 为 n 次平行测定的标准偏差；

其中，当自由度为8，置信度为99%时的 t 值取2.998。以称量0.5g 计，本方法检出限为0.3mg/kg。

（三）精密度

对某一水平浓度的样品在实验室内进行 n 次平行测定，其相对标准偏差按如下公式进行计算：

$$\bar{x} = \frac{\sum_{k=1}^{n} x_k}{n} \qquad S = \sqrt{\frac{\sum_{k=1}^{n} (x_k - \bar{x})^2}{n - 1}}$$

$$RSD = \frac{S}{\bar{x}} \times 100\%$$

式中：x_k 为进行的第 k 次测试结果；$\bar{x}$ 为样品测试的平均值；S 为样品测试的标准偏差；RSD 为样品测试的相对标准偏差。

表 2　测量精密度（$n=6$）

标准物质	土壤 ESS－3（红壤）	水系沉积物 GBW07318（GSD－14）
测定均值（mg/kg）	6.02	9.60
标准偏差（mg/kg）	0.10	0.29
相对标准偏差 *RSD*（%）	2.2	2.9

（四）准确度

相对误差 $RE=\frac{x-\mu}{\mu}\times100\%$

式中：x 为实验室对某一浓度或含量水平标准物质测试的平均值；μ 为标准物质的浓度或含量；*RE* 为对某一浓度或含量水平标准物质测试的相对误差。

表 3　标准物质测定结果

标准物质	土壤 ESS－3（红壤）	水系沉积物 GBW07318（GSD－14）
测定值（mg/kg）	6.34	9.6
	6.35	9.4
	6.26	9.4
	6.29	9.5
	6.25	9.4
	6.31	9.6
测定均值（mg/kg）	6.30	9.5
相对误差 *RE*（%）	1.94	0
保证值（mg/kg）	6.18±0.19	9.5±0.1

八、结　论

采用磺基水杨酸分光光度法测定土壤、沉积物中铁量，样品预处理快捷，所需仪器普及，经国家有证标准物质验证，本方法测定准确度能够满足环境样品的测试要求，适宜在土壤、沉积物环境监测中推广应用。

参考文献

[1] 水和废水监测分析方法．北京：中国环境科学出版社，第四版．

[2] GB/T 8647.1—2006 镍化学分析方法．铁量的测定磺基水杨酸分光光度法．中华人民共和国国家质量监督检验检疫总局中国国家标准化管理委员会．

[3] YS/T 568.2—2008 氧化锆、氧化铪化学分析方法．铁量的测定磺基水杨酸分光光度法．国家发展和改革委员会．

[4] 中国环境监测总站．土壤元素的近代分析方法．北京．中国环境科学出版社．

土壤和地下水中挥发性氯代烃污染的检测技术

万　梅[1]　刘　锐[1]　汤灵容[1]　蔡　强[1]　陈吕军[1,2]

（1. 浙江清华长三角研究院生态环境研究所　浙江　嘉兴　314006；
2. 清华大学环境科学与工程系　北京　100084）

摘　要　挥发性氯代烃造成的城市土壤和地下水污染非常普遍。常规的气相色谱检测技术测试精度高，但仪器设备价格昂贵，测试成本高，操作复杂，需要配备专业人员，在大量样品现场测试时无法满足快速检测的要求。检测管法、便携式气相色谱法和光离子化检测器法是三种极具应用潜力的挥发性氯代烃测试技术，比较总结了三种快速检测技术的特点和适用范围。

关键词　挥发性氯代烃　土壤　地下水　检测技术

一、挥发性氯代烃的应用

挥发性氯代烃（Volatile Chlorinated Hydrocarbons，VCHs）类物质作为化工原料在现代工业中广泛使用。几种常见挥发性氯代烃的用途见表1。

表1　几种常见挥发性氯代烃的用途

	分子式	工业用途	医疗、生活中的用途
二氯甲烷	CH_2Cl_2	反应介质，胶片生产，聚氨酯发泡剂，金属清洗剂	
三氯乙烯	$CHCl=CCl_2$	溶剂，医药和有机化工原料	
四氯乙烯	$CCl_2=CCl_2$	溶剂，金属去污剂，脱硫剂	驱虫药、干洗剂
三氯甲烷	$CHCl_3$	有机合成原料，溶剂，萃取剂，脱脂溶剂	麻醉剂、清洗剂
四氯化碳	CCl_4	溶剂，萃取剂	灭火剂

二、挥发性氯代烃对土壤和地下水的污染现状

VCHs在生活、生产中使用广泛，若保管、使用、处置不当就会向环境排放，引起土壤和水体的污染。由于强挥发性，土壤中的VCHs还会挥发扩散引起大气污染。进入土壤的VCHs虽然在平面方向上扩散幅度狭窄，但其密度大，移动性强，会在对流、扩散、吸附和降解等作用控制下发生垂向迁移，将污染物迁移至地层下数十米甚至上百米的区域，并最终延伸至远距离处的地下水，造成普遍的地下水VCHs污染。

在城市土壤和地下水中，VCHs污染非常普遍。美国对39个小城镇地下水供水水源地进行检测，在处理过或未处理过的地下水中都发现了11种VCHs；德国三氯甲烷等VCHs污染占总有机污染的60%。日本1982年调查发现三氯乙烯、四氯乙烯和三氯甲烷的检出率占调查水井总数的1/4～1/3，2002年城市土壤调查结果表明VCHs造成的土壤和地下水污染超标事例占总污染事例的大约一半。

我国土壤和地下水VCHs污染问题也不容忽视，对北京市近郊区浅层地下水检测发现三氯甲烷、四氯化碳、三氯乙烯和四氯乙烯的检出率都很高，局部井点严重超标。山东邹平、博兴两县

基金项目：国际合作项目“土壤和地下水快速污染快速诊断和高效修复技术的合作研究”（2008KR0246）。国家科技支撑计划子课题“农产品物流过程品质动态监测与跟踪技术”（2006BAD30B03－02）。

小清河沿岸500m以内的浅层地下水也已受到污染。

三、氯代烃的常规检测技术

VCHs大多对人体的中枢神经系统有损害，有些还是可能致癌、致畸、致突变的“三致”污染物，因此开展VCHs监测对于保护土壤和地下水安全、保障人类身体健康具有重要意义。

土壤和地下水中VCHs的常规检测方法为气相色谱法或气相色谱-质谱联用技术。因为VCHs在土壤和地下水中含量通常很低，因此一般要通过前处理进行富集。水样前处理方法主要有顶空，吹扫-捕集，固相微萃取等，土壤样品前处理方法有顶空，加热吹扫-捕集，溶剂提取等。

吹扫-捕集法是美国EPA规定的水中挥发性有机物测定的标准预处理方法，它适合沸点低于200℃、不溶或微溶于水的大多数挥发性有机物，方法的精密度和准确度都很高，检测限可达pg/L。刘鸿雁[1]研究了吹扫捕集技术在气相色谱（ECD检测器）测定水中挥发性卤代烃的分析条件，结果发现吹扫时间为11min，吹扫速度在40~60ml/min之间，解析时间为3min时，这三种VCHs的回收率最大，效果最佳，检出限分别为3.0pg/L、0.2pg/L、2.0pg/L。秦宏兵[2]用吹扫捕集气相色谱质谱法测定土壤中挥发性有机物，同时分析二氯乙烯、三氯乙烯、四氯乙烯、三氯甲烷、四氯化碳等VCHs在内的20多种挥发性有机物，研究结果表明，该方法对于环境土壤样品监测是可行的，方法检出限在0.10μg/kg左右。

顶空法具有操作简单，不需要特殊设备等优点，其检测限一般在μg/L，较吹扫-捕集法高。罗侃等[3]用顶空-气相色谱法测定水中三氯甲烷、四氯化碳、三氯乙烯、四氯乙烯等，得到的检测限为0.2~13.0μg/L。孙志忠等[4]用顶空/气相色谱-质谱法检测土壤中挥发性卤代烃，结果相对标准偏差为2.3%~9.8%，检出限为0.28~1.13μg/kg，该方法适用于土壤VCHs监测。

固相微萃取技术用于样品有机物的萃取和预富集，具有避免使用溶剂、操作简单、成本低、选择性和适应性好等优点。刘红河等[5]用顶空固相微萃取-气相色谱测定环境样品中挥发性有机物，方法的线性范围为二氯甲烷0.14~75.7μg/L、三氯甲烷0.24~84.5μg/L、四氯化碳0.45~137.1μg/L；检出限为二氯甲烷0.14μg/L、三氯甲烷0.24μg/L、四氯化碳0.45μg/L。

溶剂提取法是用常规溶剂对固体或半固体样品进行萃取的前处理方法，它是解决水环境中底泥、土壤等固相物质中有机物分析、监测的有效方法。主要有索氏提取法、超声波法、快速溶剂萃取法等。索氏提取法在实验室中使用最多，但其萃取时间较长，溶剂用量比较大。近年来发展的快速萃取法（Accelerated Solvent Extraction，ASE）由于萃取速度快，溶剂用量少，操作简单，萃取效率高等优点得到了国内外的广泛认可，有取代索氏提取法之势，已被美国国家环保局批准为标准方法。

四、氯代烃的快速检测技术

气相色谱或气相色谱-质谱联用技术可精确定量土壤和地下水中VCHs浓度并能对污染物的组成进行全面分析，但其仪器设备价格昂贵，测试成本高，操作复杂，需要配备专业人员，从标准液配制到结果数据分析需要时间非常长，在大量样品现场测试时无法满足快速检测的要求。近年来，简单、低价、便携的快速检测技术成为一个重要的研究方向。常见的VCHs快速检测技术有以下三种。

（一）检测管法

检测管是环境应急事故中常用的快速检测设备。其基本原理是当被测物质进入或通过检测管时造成检测管内填充物颜色变化，根据填充物变色长度或颜色变化的程度来确定被测物质及其含量。前者称比长式，一般在检测管上刻有浓度标尺；后者为比色式，通常附有标准色阶。如图1

为一种典型的比长式气体检测管。

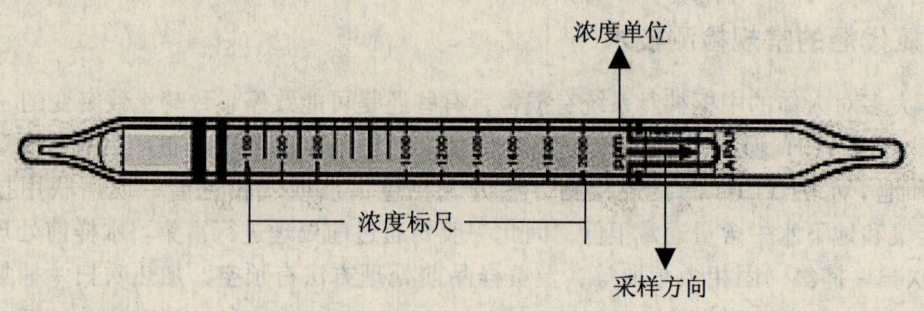

图 1　一种典型的比长式气体检测管

检测管根据其功能、测定方式和应用范围等分为很多种类，适合土壤和地下水中 VCHs 快速测定的主要是气体短时定量检测管。检测土壤 VCHs 时可用采样泵直接采集土壤气体泵入检测管内来测定 VCHs 气体浓度。而通过净化空气流吹脱与气体短时定量检测管相结合也能实现地下水中 VCHs 检测。气体短时定量检测管对主要 VCHs 检测原理和精度范围（以日本 GASTEC 公司产品为例）等如表 2 所示。

表 2　主要 VCHs 气体短时定量检测管检测原理及性能

检测对象	检测原理（反应式）	检测范围/ppm	测定时间/min	相对标准偏差/%	干扰物质
二氯甲烷	$CHCl = CCl_2 + PbO_2 + H_2SO_4 \rightarrow HCl$	5~150	3	10~15	卤素，不饱和烃，饱和烃
		10~500	3	10~15	
三氯甲烷	$CHCl_3 + I_2O_5 + H_2S_2O_7 \rightarrow Cl_2$ $Cl_2 + C_{14}H_{16}N_2 \rightarrow C_{14}H_{14}N_2Cl_2 + HCl$	0.1~27	2	5~10	卤素，不饱和烃，饱和烃
		1~400	3	10~15	
四氯化碳	$CCl_4 + I_2O_5 + H_2S_2O_7 \rightarrow COCl_2COCl_2 + (CH_3)_2NC_6H_4CHO \rightarrow (CH_3)_2NC_6H_4CHCl_2 + CO_2(CH_3)_2NC_6H_4CHCl_2 + (C_6H_5)_2NH$（白色）→黄色生成物	0.2~60	1.5	10~15	溴，氯气，氯化氢，溴化甲烷，1，1，1－三氯乙烷
		0.05~12	2	5~10	
1，2－二氯乙烯	$CHCl = CCl_2 + PbO_2 + H_2SO_4 \rightarrow HCl$	1~250	1	5~10	卤素，氯化氢，四氯乙烯，三氯乙烯
三氯乙烯	$CHCl = CCl_2 + PbO_2 + H_2SO_4 \rightarrow HCl$	0.05~8.8	1.5	5~10	溴，氯气，氯化氢，不饱和烃
		0.4~250	1	5~10	
		0.4~70	1	5~10	
		4~1300	45s	5~10	
四氯乙烯	$CCl_2 = CCl_2 + PbO_2 + H_2SO_4 \rightarrow HCl$	0.05~9	1.5	5~10	氯气，氯化氢，1，2－二氯乙烯
		0.4~75	1.5	5~10	溴，氯气，氯化氢，不饱和烃
		0.4~250	1	5~10	
		0.5~900	45s	5~10	

检测管的优点是操作简单，可以对很多污染物提供现场实时的检测，且单价相对较低。但检测管是比色反应，干扰因素较多，检测误差较大，共存物质、采样速度和环境温度等因素都对其

测定精度都有较大的影响。另外检测管是一次性用品，大量使用不仅造成资源浪费，废弃后还会产生二次环境污染。

（二）便携式气相色谱/气相色谱－质谱法

世界上第一台便携式气相色谱仪是1977年加拿大PHOTOVAC公司研制的Model 10A10，如今已有众多仪器厂商如美国的OI、SRI、HNU、MSA、TherlnoInstruments、Traeor、Baseline－MOCON、英国的ELE、加拿大的Photvac以及俄罗斯的Chromdet公司等都研制、开发了具有自己特色的便携式GC仪器。在中国，主要有北京东西分析仪器有限公司研制的GC—4400型便携式光离子化气相色谱仪，可进行ppb级痕量有机及部分无机气（汽）体分析，线性范围可达5个数量级以上。如INFICON公司生产的HAPSITE便携式气相色谱/质谱仪，可测定水体中包括多种VCHs在内的54种挥发性有机污染物，检测限达0.01μg/L。

虽然便携式气相色谱/气相色谱－质谱仪在体积上比实验室用仪器小很多，可以用于事故现场污染物的定性和定量检测，但是色谱法定性只能对已知保留时间的化合物进行定性，要定量测定还需要知道各种化合物的浓度和相应响应值，这就要求在实验室建立尽可能多的易发生污染事故化合物的分析方法和标准图谱，并针对不同的样品前处理方法建立相应的标准数据库，其工作量非常大。另外便携式气相色谱还需要配备载气钢瓶和电脑，补充气和持续用电等对于郊外、山区等环境还是存在很多不便。便携式气相色谱－质谱仪虽然不需要气瓶，可检测水样或土壤中卤代烃等挥发性物质，但也只能提供点测，无法实现连续监测。

（三）手持式PID检测仪

光离子化检测器（PID）检测原理是：使用高能量的紫外灯作为光离子化能源提供能量，使有机气体分子在电离室内激发电离为带正电的离子和带负电的电子，在电场作用下，离子和电子定向移动形成微弱电流，被高灵敏度微电流放大器检测，产生电流大小与被测物质浓度成正比。只有电离电位等于或小于紫外灯能量的物质才能在光离子化检测器上电离检测，因此，所使用紫外灯的能量决定了光离子化检测器能检测的物质种类，目前光离子化检测器可以选择的紫外灯能量有8.3 eV，9.5 eV，10.6 eV，11.7eV几种。几种主要氯代烃的电离电位见表3。从表3中我们可以看出，氯乙烯类的VCHs电离电位较低，用10.6 eV紫外灯都能检测，但甲烷类的VCHs电离电位较高，都超过11eV，要用高能量的11.7eV紫外灯才能检测。

手持式PID检测仪具有体积小，可随身携带，操作简单，响应时间短等优点，可检测众多挥发性有毒化合物，可以在危险环境中连续监测使用，因此其在个人防护、污染物泄漏以及污染源确定等领域使用非常广泛。对于单独化合物PID是比较容易测定的，通过从响应系数（CF）表中查出该化合物的校正系数，即可实现现场连续监测和检漏测定。但是环境应急事故中遇到的多为复杂的混合气体，此时通过一些前处理手段或设定合理的CF值也可以减少或消除PID缺乏选择性造成的影响。如熊颖佳等[6]在用美国华瑞PGM－7240手持式VOC气体检测仪检测室内环境中苯的浓度时，通过在检测仪之前加装苯过滤管来去除空气中别的挥发性物质的干扰，结果发现在一般条件下，光离子化仪测得的结果与气相色谱测得的结果无显著差异。范秋生等[7]设计了基于

表3　土壤和地下水中几种主要VCHs的电离电位

序号	化合物	电离电位/eV	序号	化合物	电离电位/eV
1	顺－1，2－二氯乙烯	9.66	4	二氯甲烷	11.32
2	三氯乙烯	9.45	5	三氯甲烷	11.37
3	四氯乙烯	9.32	6	四氯化碳	11.47

光离子化技术的肼类监测仪，用于航天器推进剂（主要为肼类气体）的泄漏检测，因为事先知

道要检测的气体成分和具体组成，因此通过设定合适的校正系数即可用于现场泄漏监测。另外通过选择不同能量的紫外灯也可以改变 PID 检测的选择性。

五、三种快速检测技术的比较

表 4 为以上三种 VCHs 快速检测方法的参数和性能比较。从表 4 中可以看出，PID 检测仪的测定范围最宽，响应时间最短，且能实现连续监测和数据的实时存储，因此其在环境中挥发性有机物的监测应用领域具有很大的发展潜力。

表 4　三种 VCHs 快速检测方法的比较

	气体检测管	便携式气相色谱/气相色谱 - 质谱仪	手持式 PID 检测仪
检测限	10^{-1}ppm（二氯甲烷 5ppm）	10^{-5}mg/L	1ppb
检测范围	10^{-1} ~ 10^{2}ppm（不同厂家有不同）	10^{-5} ~ 10^{-1} mg/L	1ppb ~ 10000ppm
分析时间	1 ~ 3min	1 ~ 10min	2s
能否连续监测	否	能	能

参考文献

[1] 刘鸿雁，齐刚，南国强．吹扫捕集技术测定地表水中挥发性卤代烃条件研究［J］．环境科学与管理，2009，34（7）：112 - 113，127.

[2] 秦宏兵，顾海东，尹燕敏．吹扫捕集气相色谱质谱法测定土壤中挥发性有机物［J］．中国环境监测，2009，25（4）：39 - 41.

[3] 罗侃，孙晓红，白晶，等．顶空进样气相色谱法测定水中 10 种卤代烃［J］．中国卫生工程，2009，8（3）：170 - 171.

[4] 孙志忠，王雅辉，张万峰，等．化工区土壤中挥发性卤代烃分析方法的建立及应用［J］．黑龙江大学自然科学学报，2009，26（4）：494 - 499.

[5] 刘红河，黎源倩．顶空固相微萃取 - 气相色谱法测定环境中挥发性有机物［J］．中国公共卫生，2002，18（8）：979 - 981.

[6] 熊颖佳，许文农．光离子化检测仪进行苯的测定研究［J］．中国卫生检验杂志，2005，15（9）：1084 - 1085.

[7] 范秋生，薛晨阳，梁庭，等．基于光离子化原理的肼类监测传感器的设计［J］．传感器与微系统，2009，28（7）：62 - 64.

火焰原子吸收法测定土壤中铬前处理方法的研究

张　祯　张为人　孔　瑾
（锦州市环境监测中心站　辽宁　锦州　121000）

摘　要　土壤是人类赖以生存的物质基础，土壤污染问题直接关系到农产品质量，关系到人类健康，关系到生态安全。对土壤环境监测分析至关重要，在土壤分析中总铬的测定是一个重要指标，本文针对火焰原子吸收分光光度法测定土壤中总铬前处理过程中遇到的一些问题进行探讨：包括酸消解体系选择、消解温度选择、消解时间选择等，逐一进行条件实验，找出土壤铬测定方法最佳实验条件，减少方法误差，提高总铬测试的准确性。

关键词　土壤样测定　总铬　前处理研究

本文根据《土壤质量　总铬的测定　火焰原子吸收分光光度法》（GB/T 17137—1997），对土壤总铬监测前处理过程中遇到的酸消解体系选择，及消解过程中温度选择，时间选择等问题，逐一进行条件实验，得出土壤总铬测定方法最佳实验条件，减少误差，提高测试的准确性。

一、实验原理

采用盐酸－硝酸－氢氟酸－高氯酸全分解的方法，破坏土壤的矿物晶格，使试样中的待测元素全部进入试液，并且在消解过程中所有铬被氧化成 $Cr_2O_7^{2-}$，然后将消解液喷入富燃性空气——乙炔火焰中，在火焰的高温下，形成铬基态原子，并对铬空心灯发射的特征谱线357. 9nm产生选择性吸收，在选择的最佳测定条件下，测定铬的吸光度。

二、实验的前处理条件

（一）酸消解体系选择

方法中提出的用盐酸－硝酸－氢氟酸－高氯酸全分解的方法及采用硫酸－硝酸－氢氟酸消解，最后加盐酸等试剂定容的两种消解方法，来破坏土壤的矿物晶格，使试样中的待测元素全部进入试液，再用火焰原子吸收分光光度计进行测试。针对两种消解方法做对比实验。

1. 盐酸－硝酸－氢氟酸－高氯酸全分解法

用盐酸－硝酸－氢氟酸－高氯酸全分解法进行样品的前处理，称取适量样品，用几滴水润湿后，加入10ml盐酸（优级纯）于电热板上低温加热，蒸发至约剩5ml时加入10ml硝酸（优级纯），继续加热蒸发至黏稠状，加入5ml氢氟酸（优级纯），并继续加热，为了达到更好地除硅效果应经常摇动坩埚，最后加入3ml高氯酸并加热到白烟冒尽，土壤分解物应呈白色或淡黄色，倾斜坩埚时呈不流动的黏稠状，加入（1+1）盐酸3ml，温热可溶性残渣，全量转至50ml容量瓶中，加入5ml10%氯化铵溶液，冷却后定容至标线，待测。由于土壤种类较多，所含有机质差异较大，在消解时，注意观察各种酸的用量，可视消解情况酌情增减。

由于铬的化合物在火焰中容易生成难于熔融和原子化的氧化物，因此可在试液中加入适当的助溶剂和干扰元素的抑制剂，我们选用的是氯化铵，加入可增加火焰中的氯离子，使铬生成易于挥发和原子化的氯化物，而且氯化铵可以抑制铁、钴、镍、钒、铝、镁、铅等共存离子的干扰。

2. 硫酸－硝酸－氢氟酸消解法

用硫酸－硝酸－氢氟酸消解，最后加盐酸定溶法进行样品的前处理。称取适量样品，置于聚四氟乙烯的烧杯中，加浓硝酸10ml，静置。待剧烈反应停止后，加盖，移至低温电热板上，加热分解1h左右。开盖，待土壤分解成黏稠状时，加入氢氟酸5ml并中温加热除硅。当加热至冒白烟时加盖，使黑色有机碳化物充分分解，冷却，加入（1+1）盐酸3ml，温热溶解可溶性残渣，全量转至50ml容量瓶中，加入5ml10%氯化铵溶液，冷却后定容至标线，待测。

3. 土壤样品测定

取GSBZ 50011－88、GSBZ 50012－88和GSBZ 50013－88三份土壤标样，分别用上述两种前处理方法进行处理后，用火焰原子吸收分光光度计测量，进行条件实验，测试结果如表1所示：

表1　土壤标样分别用两种前处理方法进行处理后测试结果

样品编号	前处理方法	分析均值/（μg/g）	保证值/（μg/g）	标准偏差/%
GSBZ 50011－88	体系1	58.1	57.2±4.2	2.5
	体系2	53.2	57.2±4.2	3.7
GSBZ 50012－88	体系1	77.0	75.9±4.6	4.0
	体系2	70.8	75.9±4.6	4.2
GSBZ 50013－88	体系1	99.9	98.0±7.1	4.2
	体系2	91.2	98.0±7.1	4.6

注：体系1. 盐酸－硝酸－氢氟酸－高氯酸；体系2. 硫酸－硝酸－氢氟酸。

由表1看出，两种体系前处理方法制得样品其测定值有明显差异，用盐酸－硝酸－氢氟酸－高氯酸全量分解法消解较为完全，而用硫酸－硝酸－氢氟酸消解，最后加盐酸等试剂的消解方法使结果偏低。全量分解法消解为佳。

（二）消解温度的控制

整个样品的消解过程，对温度的控制是严格的，它直接影响着土壤消解能否达到要求。根据经验，试样开始加10ml盐酸时，低温蒸发，温度控制在60～80°C，使样品初步分解。加入硝酸5ml，氢氟酸5ml，中温加热，温度必须控制在低于300°C，最后加入3ml高氯酸并加热到白烟冒尽，温度必须控制在200°C以内。温度过高，既可使聚四氟乙烯杯熔化，又不利于消解除硅，样品的分解时间短，导致测定结果偏低。

（三）消解时间的控制

在温度控制的同时，应注意对时间的控制问题。温度过低，加热消解时间过长影响分析的进度；温度过高，时间则相应缩短，时间长易造成消解样品焦糊，使测定结果偏低。在高氯酸冒烟赶F的操作中，时间不易控制，时间不够或过长均会导致土壤中铬测定结果的偏高或偏低。

三、实验结论

GB/T 17137—1997《土壤质量　总铬的测定　火焰原子吸收分光光度法》铬的测定中，全量分解法消解较为完全，而用硫酸－硝酸－氢氟酸消解，最后加盐酸等试剂的消解方法使结果偏低。消解过程温度的控制十分重要，加入盐酸时，低温蒸发，温度控制在60～80°C，使样品初步分解，加入硝酸、氢氟酸后，中温加热，温度必须控制在低于300°C，最后加入高氯酸温度必须控制在200°C以内，同时控制适宜消解时间保证土壤中铬测定结果准确性。

参考文献

[1] 土壤质量　总铬的测定　火焰原子吸收分光光度法. GB/T 17137—1997.
[2] 全国土壤污染状况调查样品分析测试技术规定.
[3] 土壤元素的近代分析方法.
[4] 水和废水监测分析方法（第四版）.

水污染监测研究

蔡莉红

（武汉大学环境与资源学院　武汉　430080）

摘　要　水质监测是管理水资源重要的基本手段之一。本文对水污染监测中的几个重要方面作了介绍，包括水污染的种类、水污染监测指标、水污染监测技术及水质监测中的质量控制。针对目前社会与经济的不断发展需要，总结了水质监测的发展方向。

关键词　水污染监测　监测指标　监测技术　质量控制　发展方向

随着我国城市化和现代化进程的加快，水污染和水环境问题日益突出，它不仅对生活用水和工农业生产用水造成威胁，也制约了经济社会的可持续发展。保护、改善和修复水生态环境等已成为21世纪水资源可持续利用的重要管理问题，水利部新时期治水思路更加强调水利工作要向加强对水资源综合管理的方向转变。水质监测是间断或连续地测定水环境中污染物的浓度、观察分析其变化和对生态环境影响的过程，是管理水资源重要的基本手段之一。

一、水污染的种类

我国水污染主要有以下几种类型：

（1）工业污染　工业生产是水污染的重要因素。其中主要是化工、造纸、印染、制革、电镀、炼油、炼焦、放射物、采矿等造成的水污染最为严重。

（2）农业污染　主要是农药、化肥的过量使用造成水污染。

（3）生活污染　尤其是城市和风景旅游区生活中的粪便及有机废水造成的水污染。

（4）航运污染　船舶排放含油（煤）污水，生活污水和运载油、煤及有毒物质等泄漏造成江河水的污染。如长江航道每年都发生有毒货物泄漏或倾覆江中的河水污染事件。

（5）养殖业污染　由于渔业养殖投放饵料、鱼药等耗氧物质，造成水体相对缺氧，甚至出现厌氧分解，使水质恶化。

从污染物的种类来划分，水污染总体上又可分为三类：化学性污染，物理性污染和生物污染。

二、水污染监测指标

（一）单一污染物浓度控制

当前水环境监测，主要是对工业污水排放的特征污染物进行监测，如挥发酚、氰化物、氟化物、硫化物、石油类、COD、Cr^{6+}、Cd、Hg、As等，水污染物排放标准规定了各类污染物的环境标准和排放标准。利用理化技术可快速而准确地测定出废水样品中污染物的种类及浓度，从而判断废水是否达到排放标准。

（二）污染物排放总量控制

随着经济建设的迅速发展和人民生活水平的日益提高，水的供需矛盾和水质恶化已成为制约一个城市发展的重要因素。实行单一的污染物浓度控制、瞬时的污染源监测监督已经不能适应这种挑战，实施污染物排放总量控制和排放许可证制度是控制水污染的必然趋势。

总量控制就是在特定地区（或水域）对重点污染源和主要污染物实行区域（或流域）的总量控制。污染源监督监测要求准确地测出污染物的排放量，除了有准确的浓度，还必须有准确的流量。总量控制的主要指标是污染物的日排放量。目前，在我国尚未普及污水自动取样器，要保证准确的结果不能靠物料衡算，也不能将采样检测与现场测流分开，必须双管齐下，同步进行。具体做法是对装有污水流量计和连续采样器的排污口，直接记录污水排放量和分析采样器采集的混合水样。对装有污水流量计但无连续采样器的排污口，可在 24 小时内每间隔 2 小时采一水样，同时记录污水流量。对无污水流量计又无连续采样器的排污口，可临时在排放口安装移动污水流量计和连续采样器，进行 24 小时连续同步监测。因此，排污口规范化整治是总量监测的前提[1]。

三、水污染监测技术

（一）发展现状

经过努力，我国水利系统水质监测手段从最初的化学滴定分析到仪器分析；从小型单项仪器分析到大型精密仪器分析，分析项目从无机分析到有机分析；监测质量控制从平行样控制到标准物质控制，分析质量实现了溯源管理；建立了水质监测技术规程、规范与标准体系，制定了 25 项水质分析方法，完成了 4 项规程、规范的编制，研制开发了 45 种标准物质[2]。

在监测技术方面，当前监测分析手段有物理、化学和生物学的方法，对监测要求具有完整性、及时（瞬时）性、连续性和精确性。在进行水质监测时，对监测参数、采样地点、采样频数、采样时间、采样方法以及样品保管、运输、分析方法、统计方法等多方面进行规划设计。一些单位开展了监测技术的实验研究，如进行了水质监测断面设置，快速的微生物毒性测试方法，水样采集、保存和前期处理方法，分光光度法同时测定水中砷和硒，地面水污染遥感分析等。生物监测技术也引起了重视，对底栖动物、菌类、藻类从采样、生物鉴定到评价方法进行了研究。

（二）水质自动监测

随着水质监测工作的发展，一些先进国家在一些河、湖建立了水质全自动监测网。自动监测技术是未来环境监测工作发展的必然趋势。它是由自动监测站与监测中心连接，由计算机控制的自动监测系统。该系统由计算机与先进的分析仪器和通讯技术相结合，采用微处理机控制分析的全自动化过程，可进行自动测试、传送和数据处理。我国近年来开始采用，如官厅、密云、引滦入津等单位引进了较先进的水质自动监测系统。随着科学技术进步，越来越多的最新科学成果，如激光、红外、超声、质谱、等离子等被引进水质分析领域，正在逐步取代传统的化学分析方法，计算机的普遍使用为全面实现自动化分析开辟了道路，水质分析正朝着自动、连续、计算机控制及高灵敏度方向迅速发展。同时，水质全自动监测在实施排污总量控制、强化污染源监督监测和水源保护方面正发挥着越来越重要的作用[3]。

（三）水污染监测实例

铅是一种蓄积性毒物，是水污染监测的重要指标。实验室测定水中铅常用分光光度法，需使用剧毒的氰化钾作掩蔽剂，而且要进行繁琐的萃取操作。董宏彬等人[4]利用铅的碘络阴离子可与孔雀石绿形成有色不溶性三元缔合物的性质，建立了水中铅的富集目视比色检测方法，操作简便，选择性好，适于在广大基层单位的水污染监测中推广应用。其基本原理是：在抗坏血酸存在的条件下，孔雀石绿在强酸性介质中可选择性地与铅的碘络阴离子形成水不溶性蓝绿色三元缔合物，反应溶液经吸滤使缔合物均匀积淀于固定面积的滤纸上，其它可溶性离子仍留在滤液中。滤纸上颜色的深浅与溶液中的 Pb^{2+} 含量呈线性关系，通过比较滤纸颜色与所制标准色阶的异同，即可对水中 Pb^{2+} 进行定量。

随着痕量有机物富集和检测技术的发展与提高，有机物污染越来越受到人们的重视。有机污染物种类繁多，其中不少对人体健康具有较强的危害作用，有的有机物只要 μg/L 级，甚至 ng/L 级的含量，就足以危害人群健康和生态环境，而 COD 和 BOD 这类综合指标已无法全面反映水体的有机污染状况，更不能说明这些物质对人体和生态的危害作用。因此，采用更为科学的监测和评价方法变得十分必要。有机物的检出通常利用 GC/MS 方法[5]，该方法特别适用于水中的主要有机物，但挥发性有机物及水溶性有机物的检出较为困难，原因在于样品前处理方法的不足。此外，毒性有机物在水中的浓度往往都很小，质谱法由于灵敏度不高，一般也难以检出。因此，高灵敏度、高选择性的气相色谱法、液相色谱法作为GC/MS方法的补充，用来检出毒性有机物非常有效。长江流域水环境监测中心首次采用了色－质联用、气相色谱－ECD、高效液相色谱等先进仪器，于1995年枯水期和丰水期，对南水北调中线工程的水源地——丹江口水库水中的微量有机物进行了初步调查，对库区微量有机物的污染状况与特征和南水北调中线工程取水水源水质有了较为全面的了解，为丹江口水库的水质监测工作和水资源保护规划与管理等提供了重要依据[6]。

四、水质监测中的质量控制

质量是监测工作的生命线，监测数据的质量关系到管理决策的质量，必须常抓不懈。水污染质量控制步骤如下：

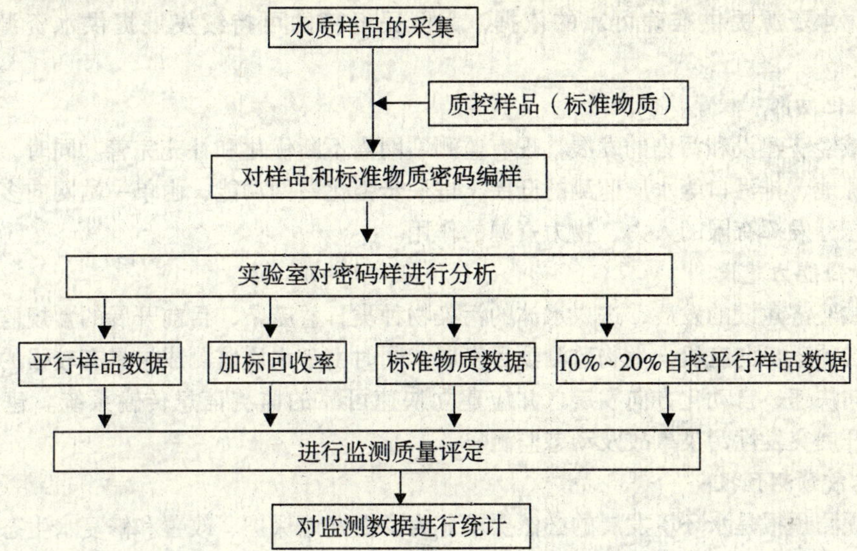

（一）水质采样过程中的质量控制

水质采样是整个水质监测的第一个环节，是监测结果质量保证的基础，因此对采样过程的质量控制必须引起足够的重视。在水质采样过程中，要严格按照监测技术规范进行操作，同时用采集平行样品的方法进行采样过程中的质量控制。

（二）水质分析过程中的质量控制

水质分析过程中的质量控制可分为两个部分，首先由质控人员对采集到的样品和质控样品进行密码编样，然后由专职分析监测人员按照监测技术规范要求，对密码样品进行分析，同时每批水样应做10%～20%的加标回收实验。由于采用了密码样分析，就可消除分析检测人员的主观倾向性。另外，在每批样品的分析检测中，同时编入了已知浓度保证值的标准物质作为质控样品，从而可根据质控样品和加标回收率的检测结果来推断在整个分析监测过程中是否存在系统误差和其它误差。

（三）监测质量的评价

监测质量的评定主要由质控人员对密码样的检测结果进行分析和评价。首先，分析质控样品的检测结果，当质控样品的检测结果符合质控样品的保证值时，则可推断该批样品在分析检测过程中不存在系统误差，表明样品检测结果的准确度得到了一定的控制。其次，分析每个平行样品的情况，计算平行双样的相对偏差，通过相对偏差来表示平行双样的精密度，当平行双样的精密度超出《水质监测实验室质量控制指标》中水样测定值的精密度和准确度允许差时，就表明该批水样的监测质量没有得到保证，应对该水样重新进行监测，直到满足质量保证的要求为止。

五、水质监测的发展方向

随着社会与经济的不断发展，进入水体的污染物基体更加复杂（目前进入水环境的化学物质已达10万种）、流动变异性更大、时空分布及变化更加不均。为满足社会、经济、环境持续协调发展，必然要不断扩大监测手段和监测范围，对分析灵敏度、准确度、分辨率和分析速度等应有更高的要求。为适应水环境监测的需要，必须大力做好如下工作。

（一）水质水量同步监测

水质、水量是水资源状况的两个重要特征参数，两者是相互联系、相互依存、密不可分的。一个没有质的量和一个没有量的质都不可能有任何实际意义。只有将两者有机地结合起来，才能客观全面地反映出水资源状况。只有实现水质、水量同步监测，才能为流域水资源管理及保护和合理开发利用水资源提供准确可靠的依据，为国民经济的可持续发展提供水资源（质、量）支撑。

（二）优化站网

随着流域经济建设和污染的发展，现有监测站网需不断优化和补充完善。同时，结合省界水体、供水水源地、排污口等水质监测的开展，进一步强化站网功能，由单一站网向多用途站网方向发展，以充分发挥有限的人力、物力资源的作用。

（三）加强能力建设

随着流域经济建设的发展，进入水体的污染物种类日益庞杂，目前开展的常规监测项目难以满足要求，必须逐步向有机、生物监测项目发展，同时由于水质监测成果具有较强的时效性，监测手段必须向快速、自动化方向发展，并应建立快速可靠的监测信息传输系统。建设移动分析室，以有效开展突发性污染事故及动态监测。

（四）水质预测预报

水质的预测预报是水环境发展的必然要求。为了更好地保护、改善和修复水生态环境，评价方式也应从现状评价向预测预报方面发展，全面、客观、准确揭示成果资料的内涵，以利于有关部门做出正确判断和提前制定对策。

参考文献

[1] 左晓洪．排污口规范化整治是总量监测的前提［J］．甘肃环境研究与监测，2000，13（2）：121.
[2] 李怡庭，高俊杰．提高监测水平，保障供水安全，做好新时期水质监测工作［J］．中国水利，2004（1）：29.
[3] 马强，李岩，自动监测技术在污染物总量控制监测上的应用［J］．中国环境监测，2000，16（1）：48.
[4] 赵进沛，李清亚，杨志奎，董宏彬．富集目视比色法简易测定水中铅［J］．工业水处理，1998，18（5）：23.
[5] 张砚琴．焦化废水的危害度评价［J］．北方环境，2005，30（1）：90.
[6] 彭彪，黄茁，王御华．丹江口水库水体中微量有机污染物种类初探［J］．人民长江，1997，28（1）：27.

液液萃取－气相色谱质谱法测定水中的阿特拉津

慎迪飞　钱飞中　朱丽波　傅晓钦　岑科达

（宁波市环境监测中心　宁波　315012）

摘　要　本文采用液液萃取－气相色谱质谱选择离子检测测定复杂水体、地表水及饮用水中的阿特拉津，与国标方法[1]比较，有定性准确、分析速度快、回收率高、重复性好等优势。取500mL水样萃取，本方法的检出限可达0.1μg/L，能充分满足实际工作的需要。

关键词　液液萃取　GC－MS　阿特拉津　选择离子检测

阿特拉津（莠去津）是一种用途广泛、高效的除草剂。阿特拉津是一种潜在致癌物和内分泌干扰物，目前已被列为国际环境优先控制污染物，因其具有内分泌干扰作用及潜在致癌性，而引起人们的广泛关注。美国、日本等国均把它列入内分泌干扰剂名单。在环境中较为稳定，容易污染地表水和地下水。对于水中阿特拉津的前处理分为固相萃取（SPE）[2]和液液萃取两种处理方法，分析的方法所涉及的有气相色谱法（NPD氮磷检测器）[3]、气相色谱法（ECD电子捕获检测器）[4]、高效液相色谱法（UPLC）[5]、气相色谱质谱法（GC－MS）。对于基质复杂的水样，NPD和ECD的检测存在着较大的干扰。本文通过研究建立了LLC—GC－MS（SIR）方法测定水中的阿特拉津，本方法具备灵敏度高、重复性好等优点，尤其适合分析基质复杂、干扰大的水样。

一、实　验

（一）主要仪器

气相色谱质谱仪（Waters Quattro Micro GC）；HP－5MS毛细管柱30m×250μm×0.25μm；500ml分液漏斗；Zymark氮吹仪。

（二）主要试剂

阿特拉津（浓度100μg/ml，溶剂：丙酮）；二氯甲烷：色谱纯。无水硫酸钠、氯化钠：分析纯，400℃烘干。

（三）样品前处理

液液萃取：将水样过滤，去除其中的悬浮物。在500ml分液漏斗中加入500ml处理过的水样，加入25g氯化钠，混匀后加入25ml二氯甲烷（农残级）萃取，放出有机相后再加入25ml二氯甲烷萃取，收集并合并有机相，用无水硫酸钠去除水分。再将合并的有机液经Zymark浓缩仪浓缩，并用二氯甲烷定容至1ml。

固相萃取条件：SPE柱（Agilent C18小柱）依次用5ml乙酸乙酯，5ml丙酮，5ml去离子水浸泡及洗涤。水样流速4ml/min，减压通过SPE柱. 用4～6ml乙酸乙酯浸泡洗脱分析物。洗脱液用氮气吹干，用二氯甲烷定容。

（四）仪器条件

气相色谱条件：进样口温度：250℃，进样量1.0μl，不分流进样；载气为高纯氦气（纯度>99.999%），载气流量：1.0ml/min；。柱温为程序升温：120℃保持0.5min，以10℃/min升温到220℃，再以20℃/min升温到270℃保持1.0min。

质谱条件：采用（EI+）电子轰击电离方式进行离子化，离子源温度210℃，EI电离能量为70eV，传输线温度：280℃。全扫描与选择离子检测分析相结合，全扫描用于定性，选择性离子用于定量，选择质量数215作为定量离子，质量数200、173作为辅助定性离子。TIC总离子流图见图1，定量离子谱图见图2。

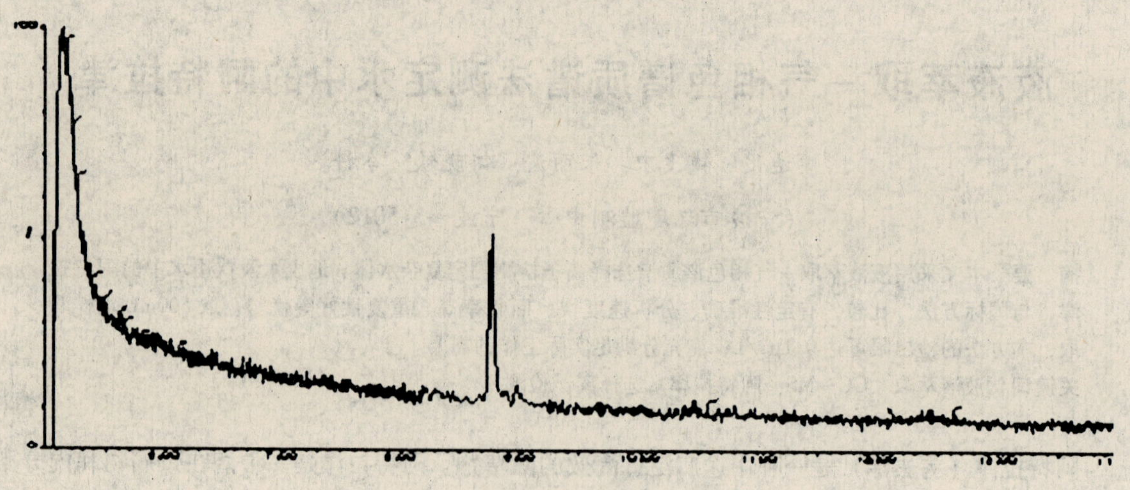

图1　阿特拉津 TIC 总离子流图

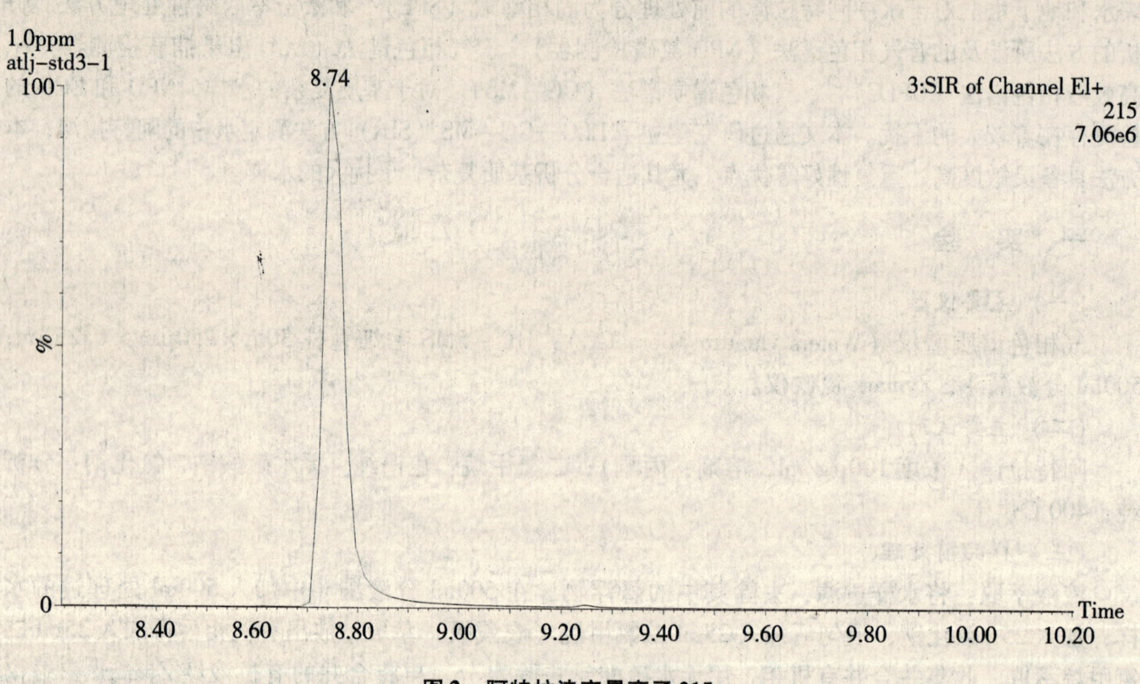

图2　阿特拉津定量离子 215

二、结果与讨论

（一）前处理方法的选择

在相同的水样中加入相同浓度的阿特拉津标准溶液，分别通过液液萃取和固相萃取富集水中的阿特拉津，得到不同前处理阿特拉津的回收率见表1。通过液液萃取和固相萃取回收率之间的比较。即本方法前处理采用液液萃取。

表1　不同前处理方式回收率的比较

前处理方式	加入量/μg	加标 1/μg	加标 2/μg	回收率/%
液液萃取	0.500	0.418	0.452	83.5～90.3
固相萃取	0.500	0.330	0.372	65.9～74.3

（二）各检测方法的比较

气相色谱法（NPD 氮磷检测器）和气相色谱法（ECD 电子捕获检测器）都具有较高的灵敏度，但对复杂的样品，基质干扰比较大，ECD 抗干扰能力弱，对目标化合物存在着较大的定性和定量困难。气相色谱质谱法（GC－MS）的选择性离子（SIR）扫描和定量，对于保留时间和阿特拉津相接近的干扰物质，在气相色谱上难以分开的，可以通过阿特拉津的特征离子的荷质比（m/z）不同进行分开定量。

（三）线性方程和最低检出限

将阿特拉津标准溶液配制成 0.1、0.5、1.0、2.0、5.0μg/ml 浓度的五个点，以样品峰面积为纵坐标，样品浓度为横坐标，其线性范围为：0.1～5.0μg/ml，得标准曲线 $Y = 36\,828X - 2\,211.4$，相关系数 r 为 0.999 7。本方法仪器检出限（IDL）以 3 倍信噪比时的标准溶液浓度计，方法的检出限（MDL）＝3S（μg/L），S 为重复进样最低点浓度得到的相对偏差，实际定量检出下限（LOQ）＝5MDL（μg/L）。当取水样 500ml 时，得到本方法的最低检出浓度为 0.1μg/L。

三、结　论

本文建立液液萃取－气相色谱质谱法选择离子检测（SIR）测定水中的阿特拉津。选择离子检测减少了基质干扰大对阿特拉津定性的干扰，同时也提高了方法的灵敏度。该方法与气相色谱法（NPD 氮磷检测器）和气相色谱法（ECD 电子捕获检测器）相比有较明显的优势。采用液液萃取的前处理方法，回收率在 83.5%～90.3% 之间。本方法应用于常规地表水和废水检测阿特拉津分析测试中，有令人满意的效果。

参考文献

[1] 中华人民共和国卫生部．生活饮用水卫生标准（GB/T 5750.9—2006）．2006：374－376.

[2] 王立，汪正范，牟世芬，丁晓静．色谱分析样品处理［M］．北京：化学工业出版社，2001：84－97.

[3] 王东冬，田芹．环境水体中痕量阿特拉津的检测［J］．北方工业大学学报，2004，16（3）：32－34.

[4] 程萍，王逸虹．水中阿特拉津的气相色谱法测定［J］．科技信息，2008（8）：20.

[5] 胡鸿雁，红雨，张杰．固相萃取－高效液相色谱法测定水中阿特拉津［J］．环境科学与技术，2006，12（29）：31－32.

应用遥感技术对锦州市生态环境监测及保护措施的研究

刘　毅　张为人　张　祯

（锦州市环境监测中心　辽宁　锦州　121000）

摘　要　通过卫星遥感调查与实际野外核查，准确地了解和掌握锦州市的生态环境现状，科学合理地规划生态资源结构，有效开展全市生态环境动态变化趋势分析，对生态市的建设和科学发展观的落实具有重要现实意义。根据锦州市2006年、2007年的卫星图片，解译提取数据，对锦州市的生态环境现状进行分析，根据《生态环境质量评价技术规定》，生态环境质量用生态环境质量指数（EI）评价法表示。锦州市2006年EI=46.318，2007年EI=46.315，都是一般水平。因此，为了提高锦州市生态质量，提高人们的生存质量，促进经济发展，首先要注重生态环境的保护。

关键词　遥感技术　生态环境　生态城市

一、前　言

自从1972年美国第一颗地球资源技术卫星发射成功并获取了大量地球表面的卫星图像后，遥感技术就开始在世界范围内迅速发展和广泛应用。遥感技术集合了空间、电子、光学、计算机、生物学和地学等科学的最新成就，是现代高新技术领域的重要组成部分。

常规的人工调查方法由于周期长，耗资大，不能及时反映城市环境变化的趋势。而遥感（RS）技术由于具有快速、准确、大范围和实时地获取资源环境状况及其变化数据的优越性，为城市生态环境动态监测与分析提供了可靠的信息源，这成为当前和今后城市研究的主要技术手段。

二、调查内容及方法

根据《2008年全国环境监测工作计划》（环办［2008］8号）和中国环境监测总站《2008年全国生态环境监测与评价实施方案》，以及《2008年辽宁省生态环境监测与评价实施方案》。本次生态环境监测采用的主要技术方法是遥感监测，室内解译，并结合野外核查。严格按照生态遥感监测各环节的技术要求进行，对完成的数据进行了质量检查。

（一）土地覆盖/土地利用现状遥感调查

土地覆盖/土地利用现状遥感调查包括：森林分布、面积、动态变化趋势；草原分布、面积、动态变化趋势；耕地分布、面积、动态变化趋势；荒漠化土地分布、面积、动态变化趋势；荒地、可利用土地分布、面积、变化趋势；湿地分布、面积、变化趋势；地表水分布、空间格局。

（二）全市生态环境质量评价

主要是利用卫星遥感图片的解译获取的数据，提取出土地利用/覆盖信息，结合环境变化因子，按照《生态环境状况评价技术规范（试行）》对锦州市生态环境质量现状分布和动态变化进行分析，并结合在此期间锦州市社会、经济、环境及人类活动因子的变化状态，分析生态重大退化区域的脆弱机制，为制定保护对策提供依据。

根据生态环境质量变化幅度，将生态环境质量变化度分为四级，即无明显变化、略有变化（好或差）、明显变化（好或差）、显著变化（好或差），具体分级标准见表1。

三、调查结果

锦州市生态环境质量各项指标见图1~图6。

表1　生态环境质量变化度分级

级　别	无明显变化	略有变化	明显变化	显著变化
变化值	｜ΔEI｜≤2	2＜｜ΔEI｜≤5	5＜｜ΔEI｜≤10	｜ΔEI｜＞10
描述	生态环境状况无明显变化	如果2＜ΔEI≤5，则生态环境状况略微变好；如果－2＞ΔEI≥－5，则生态环境状况略微变差	如果5＜ΔEI≤10，则生态环境状况明显变好；如果－5＞ΔEI≥－10，则生态环境状况明显变差	如果ΔEI＞10，则生态环境状况显著变好；如果ΔEI＜－10，则生态环境状况显著变差

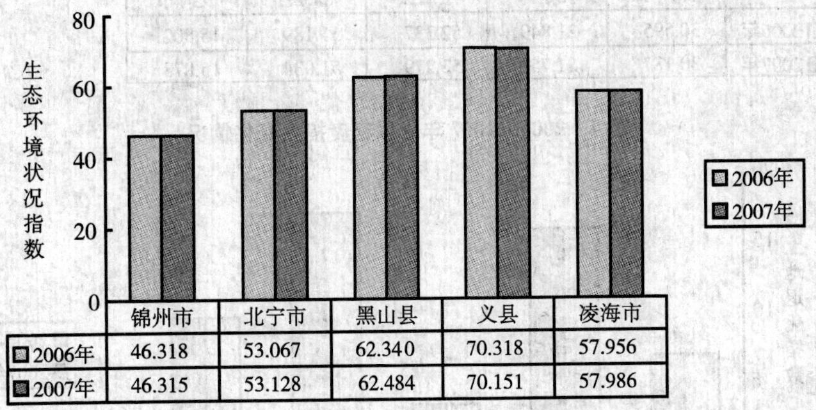

	锦州市	北宁市	黑山县	义县	凌海市
2006年	46.318	53.067	62.340	70.318	57.956
2007年	46.315	53.128	62.484	70.151	57.986

图1　2006—2007年生态环境质量变化（ΔEI）

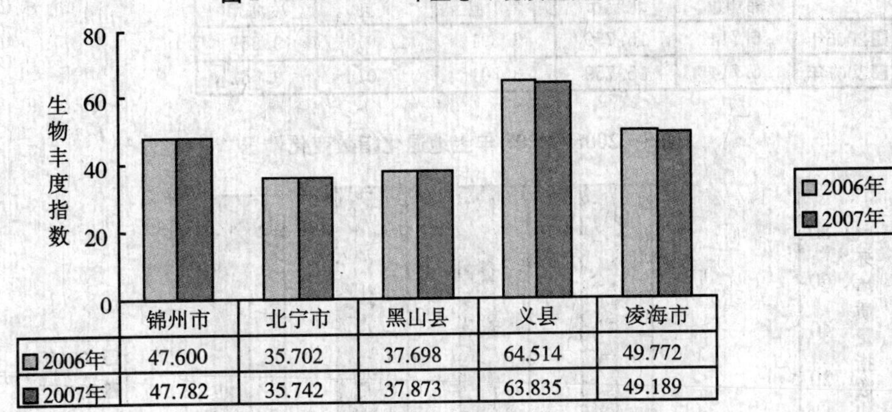

	锦州市	北宁市	黑山县	义县	凌海市
2006年	47.600	35.702	37.698	64.514	49.772
2007年	47.782	35.742	37.873	63.835	49.189

图2　2006—2007年生物丰度指数变化情况

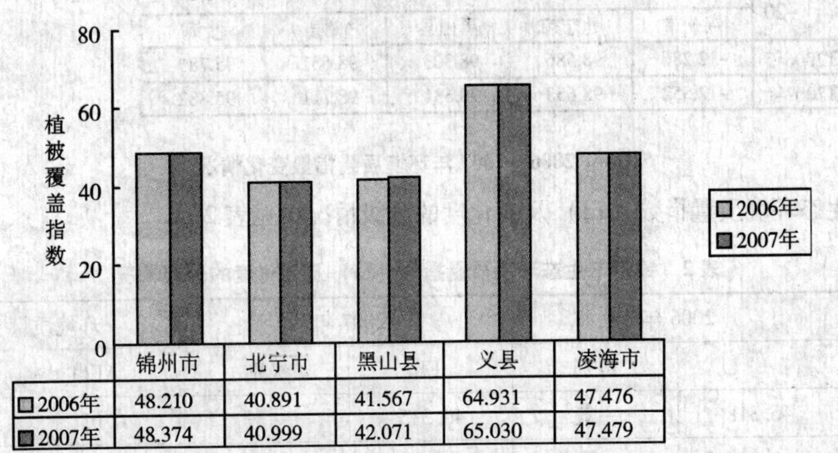

	锦州市	北宁市	黑山县	义县	凌海市
2006年	48.210	40.891	41.567	64.931	47.476
2007年	48.374	40.999	42.071	65.030	47.479

图3　2006—2007年植被覆盖指数变化情况

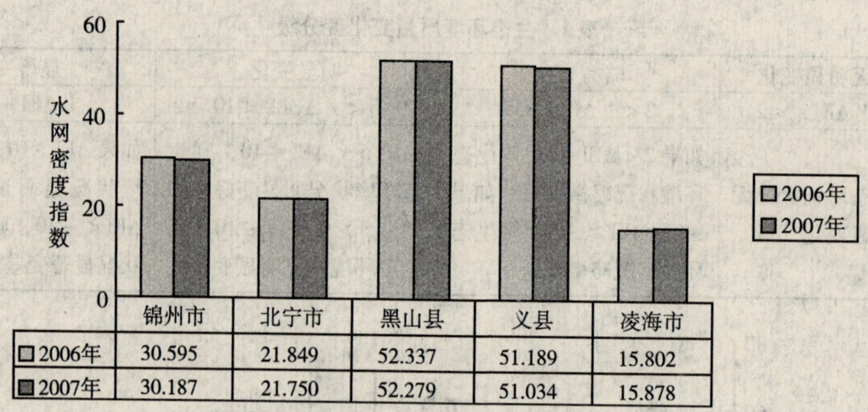

图4 2006—2007 年水网密度指数变化情况

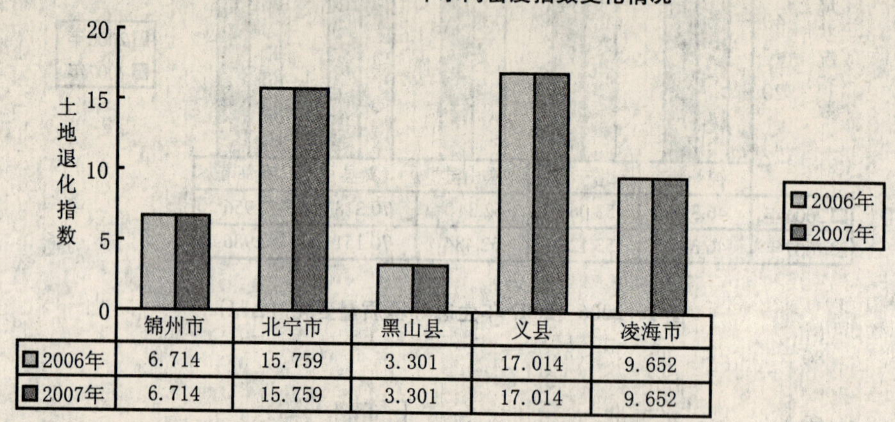

图5 2006—2007 年土地退化指数变化情况

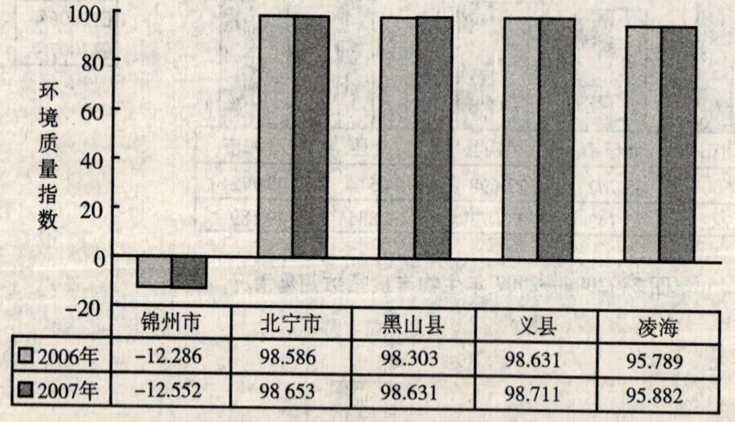

图6 2006—2007 年环境质量指数变化情况

锦州市生态环境质量指数（EI）及变化度的分级情况，见表2。

表2 锦州市生态环境质量指数（EI）及变化度的分级情况

评价单元	2006 年		2007 年		环境质量变化度	
	EI	级别	EI	级别	∣ΔEI∣	级别
锦州市	46.318	一般	46.315	一般	0.03	无明显变化
北宁市	53.067	一般	53.128	一般	0.06	无明显变化

评价单元	2006 年		2007 年		环境质量变化度	
	EI	级别	EI	级别	|ΔEI|	级别
黑山县	62.400	良	62.484	良	0.15	无明显变化
义县	70.318	良	70.151	良	0.17	无明显变化
凌海市	57.956	良	57.986	良	0.03	无明显变化

从上表综合评价结果可以看出，黑山县、义县、凌海市生态环境质量分级均为良，表示锦州市植被覆盖度较高，生物多样性较丰富，为基本适合人类生存。锦州市的生态环境质量变化幅度很小，均无明显变化。

锦州全市总体生态环境质量比较良好，生态结构合理，系统稳定，处于可持续状态。实地野外核查的结果，从地域分布上看，凌河口自然保护区明显好于其他地区。在有些区域当中，存在许多小范围的生态破坏，如自然保护区里的一些破坏性开发，这些小的范围相对于大区域来讲相当于一个点，这些生态破坏点有的已经对生态环境造成系统结构性破坏，有的尽管还没有对区域生态环境造成根本性的影响，但随着这些破坏点的增多及点向面的扩展，将导致生态环境的根本恶化。

位于锦州市的凌河口省级自然保护区，拥有丰富的湿地资源，这是高能量的生物生产力。这就更给我们提出了警示，必须要保护好自然生态，保护好湿地资源。只有生态结构合理，系统才能有更大的稳定性和可持续性；生态城市建设和发展才能取得进步和成功。

参考文献

[1] 2008 年辽宁省生态环境监测与评价实施方案．2008.

[2] 王璐．生态环境质量评价方法的综述［J］．科技信息，2007，35：413－415.

[3] 王利明，李丛君，等．城市生态环境质量评价研究［J］．黑龙江生态工程职业学院学报，2008，21（27）：5－6.

[4] 汪朝辉，田定湘，等．中外生态安全评价对比研究［J］．前沿论坛之生态经济，44－49.

[5] 池志森，戴怡新．我国区域生态环境质量评价方法探讨［J］．北京林业管理干部学院学报，2006（2）：43－46.

[6] 中国环境监测总站．中国生态环境质量评价研究［M］．北京：中国环境科学出版社，2004.

用高效液相色谱法测定乙嘧酚的含量

林 琳 郑 俊 金新华 缪丽娜 许 健 杨 笑

（浙江省湖州市环境保护监测中心站 浙江 湖州 313000）

摘 要 采用高效液相色谱法，以 C_{18} 柱为固定相，以甲醇－水－三氟醋酸为流动相（体积比 35∶65∶0.1），检测器检测波长为 270nm，外标法定量。实验结果表明，方法的变异系数为 0.76%，平均回收率为 99.60%，检出限为 0.02μg/ml。

关键词 高效液相色谱法 乙嘧酚 分析

乙嘧酚是氮杂环类杀菌剂，最早由英国的 ICI 公司于 1968 年开发成功，在欧洲及其它国家一直作为防治白粉病的特效药剂。乙嘧酚是内吸性杀菌剂，通过叶片和根的吸收，运转到植物体内的各个部位。乙嘧酚纯品为白色粉状固体，熔点 159～160℃，室温时在水中的溶解度为 0.2g/L，几乎不溶于丙酮，微溶于双丙酮醇、乙醇、甲醇中，对热及在酸性和碱性溶液中均稳定[1]。乙嘧酚的结构式见下：

H_3C, O, NH, H_3C, N, N, H, CH_3

目前国内用液相色谱法测定乙嘧酚的含量的文章较少[2]，本文考虑到乙嘧酚是氮杂环类化合物，采用流动相中加入 0.1% 的三氟醋酸，可轻松解决峰形变宽的问题。该方法具有简单、快速、准确、重复性好等优点，适用于产品质量的常规分析工作。

一、实验部分

（一）仪器与试剂

1. 仪器

HPLC 系统由 Agilent G1311A 四元泵、Agilent G1314B 紫外检测器、Shishin CO－601 柱温箱、Rheodyne 7725i 进样器及 LC ChemStation 数据处理器组成。

2. 试剂

乙嘧酚标准品（纯度≥99.5%）；甲醇为 HPLC 级试剂（TEDIA 公司）；水为二次重蒸水；三氟醋酸也为 HPLC 级试剂（TEDIA 公司）。

（二）测定步骤

1. 标准溶液的配制

称取乙嘧酚标准品约 0.02g（精确到 0.000 2g）于 200ml 容量瓶中，用甲醇溶解并稀释至刻度，摇匀，供 HPLC 分析，外标法定量。

2. 色谱条件

色谱柱为 Eclipse XDB－C18（150mm×4.6mm i.d. 5um，Agilent 公司），柱温 25℃；进样量 20μL，洗脱条件为甲醇－水－三氟醋酸（体积比 35∶65∶0.1），流速为 1.0mL/min。

检测波长为 270nm。在上述条件下乙嘧酚的保留时间为 6.634min。

3. 测定

在选定的色谱条件下，待仪器基线稳定后，连续注入数针标样溶液，计算各响应值的重复性，待相邻2针的相对响应值变化小于1%时，按标样溶液、样品溶液、样品溶液、标样溶液的顺序进样。乙嘧酚色谱图见图1。

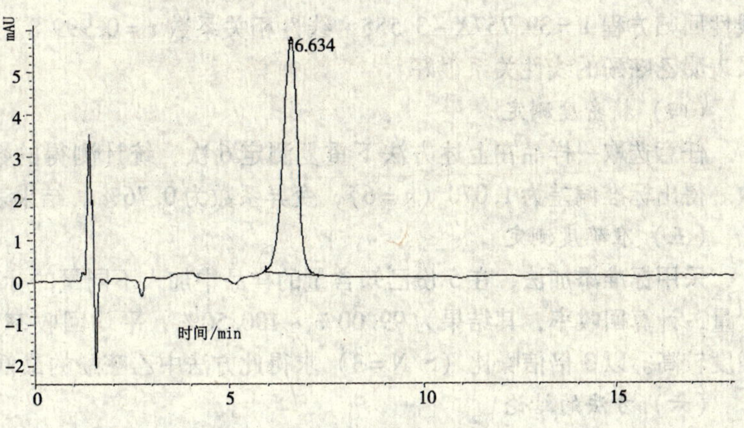

图1　乙嘧酚色谱图

4. 计算

定量分析采用单点外标法，乙嘧酚原药的质量分数 x（%）按下式计算：

$$x = \frac{A_2 \times m_1 \times p}{A_1 \times m_2} \times 100\%$$

式中：A_1 为标样峰面积平均值；A_2为样品峰面积平均值；m_1 为标样的质量（g）；m_2 为样品的质量（g）；P 为标样的质量分数（%）。

二、结果与讨论

（一）流动相的选择

在分析过程中，选择不同比例的甲醇和水作为流动相对样品进行分离，结果发现峰形较宽。考虑到乙嘧酚是氮杂环类化合物，所以在流动相中加入0.1%的三氟醋酸，峰形就变得尖锐。经过反复筛选，当甲醇-水-三氟醋酸（体积比35:65:0.1）时，峰形尖锐，与杂质分离理想，且分离时间适中，可以快速准确地定量出乙嘧酚的含量，并且当泵的流速为1.0ml/min时，泵的操作压力低。

（二）检测波长的选择

利用紫外可见分光光度计，对乙嘧酚的标样溶液进行扫描，发现乙嘧酚有两个最大吸收波长，分别在230nm和270nm处。在这两个波长下对样品进行检测，结果发现在230nm处溶剂干扰较严重，而在270nm处没有溶剂干扰，故选择270nm作为最佳检测波长，紫外扫描图见图2。

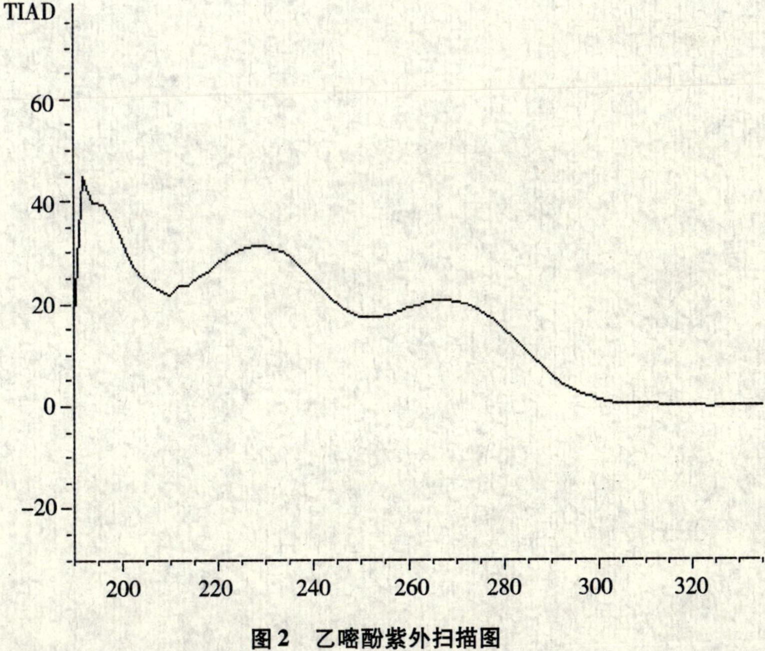

图2　乙嘧酚紫外扫描图

（三）线性相关性的测定

用移液管分别取100μg/ml的乙嘧酚标准储备液0、0.4、0.6、1.0、1.2、2.0、4.0ml于100ml容量瓶中，用甲醇定容至刻度，配成浓度分别为0、0.4、0.6、1.0、1.2、2.0、4.0μg/ml的标准溶液。在上述色谱条件下分析，以乙嘧酚峰面积为纵坐标，以乙嘧酚质量浓度为横坐标进行线性回归，得到

线性回归方程 $Y=39.757X-3.555$，线性相关系数 $r=0.9998$。线性范围为 0.4～20 μg/ml，结果表明乙嘧酚的线性关系很好。

（四）精密度测定

任意选取一样品在上述方法下重复测定 6 次，统计测得的数据，计算其标准偏差和变异系数。得出标准偏差为 1.070（$n=6$），变异系数为 0.76%。结果表明本方法精密度良好。

（五）准确度测定

采用标准添加法，在 5 份已知含量的样品中加入不同量的标准品，在上述分析条件下测定其含量，计算回收率，其结果为 99.00%～100.50%，平均回收率为 99.60%。结果表明本方法准确度较高。以 3 倍信噪比（S/N=3）求得此方法中乙嘧酚的最低检出限为 0.02μg/ml。

（六）方法的结论

实验结果表明，本方法提出的乙嘧酚原药的分析方法具有较高的准确度和较好的精密度，并且操作简单、方便、快速，是一种较理想的分析方法，可以指导工业化生产。

参考文献

[1] 刘长令．世界农药大全（杀菌剂卷）[M]．北京：化学工业出版社，2006：284－285.
[2] 刘康云，丁秀丽，黄晓瑛，等．乙嘧酚高效液相色谱分析 [J]．现代农药，2008，7（5）：36－37.

自动固相萃取/气相色谱－质谱法同时测定水中16种多环芳烃

魏　岩　郎　爽　刘　艳　夏　敏　范筱京

（北京市理化分析测试中心　北京　100089）

摘　要　利用自动固相萃取水中的16种多环芳烃，然后用气相色谱—质谱法进行分析。研究了上样速率、洗脱溶剂、样品体积等对萃取效率的影响。实验结果表明，该方法对16种多环芳烃的萃取回收率分别在83%～90%；方法的检出限为5～7ng/L；方法RSD小于4.05%。

关键词　动固相萃取　气相色谱—质谱法　多环芳烃

目前多环芳烃（PAHs）已被大多数国家列为环境监测的重要内容之一。美国环保总署（EPA）确定了16种PAHs作为优先监测污染物[1]。水中的多环芳烃富集方法主要有液相萃取法、固相萃取法[2]、固相微萃取法[3]等。本文采用自动固相萃取装置对水样中的多环芳烃进行净化浓缩处理，能够消除人工操作误差提高精确度。

一、实验部分

（一）主要仪器与试剂

Agilen7890/5975C气相色谱—质谱联用仪：美国安捷伦公司；OA－SYS 24孔砂浴可控温氮吹仪；SPE DEX4790固相自动萃取仪。

甲醇、乙酸乙酯均为色谱纯；二氯甲烷、丙酮均为分析纯；C_{18}滤膜。

（二）样品处理

量取1000ml水样，装入自动萃取仪样品瓶中。经萃取仪提取后，用无水硫酸钠净化除水后，50℃沙浴用氮气吹至约0.5ml后，用二氯甲烷定容至1ml，待测。

（三）色谱条件

色谱柱：HP－5MS石英毛细管柱（30m×0.25mm×0.25μm）；升温程序：初始温度70℃，保持2min，以10℃/min升至280℃，5℃/min升至300℃，保持2min；进样口温度280℃；载气：氦气，流速1.0ml/min，进样量1.0μl；不分流进样。

（四）质谱条件

电子轰击（EI）离子源；电子能量70eV；离子源温度230℃；接口温度280℃；溶剂延迟时间5.00min；扫描离子数见表1。0.1μg/ml标准样品的总离子流图见图1。

二、结果与讨论

（一）方法的线性范围和检出限

准确吸取1000μg/ml多环芳烃标准溶液0.1ml，用色谱纯甲醇定容到10ml容量瓶中，配制成浓度为10μg/ml的标准溶液储备液，标准储备液转移到12ml棕色标准品瓶中，4℃保存。准确吸取1.0ml10μg/ml的标准溶液储备液用甲醇定容到10ml容量瓶中，配成浓度为1μg/ml的标准使用液。吸取0.05ml、0.1ml、0.2ml、0.5ml、1.0ml1μg/ml的标准储备液，用甲醇定容至1ml，所得的标准溶液浓度为0.05μg/ml、0.1μg/ml、0.2μg/ml、0.5μg/ml、1.0μg/ml。标准溶液浓度在0.05～1.0μg/ml范围内呈良好的线性关系（r＝0.9990），方法检出限为0.005～0.007μg/l，用浓度为0.1μg/ml的标准溶液进行精密度实验（n＝5），相对标准偏差（RSD）小于4.05%。

（二）方法的回收率

取一个待测样品平行量取4次，其中一份为空白，另外3份分别加入0.1ml，1.0μg/ml的标准溶液，进行加标回收率实验，平行测定3次，测得方法的回收率分别为83%～90%。

表1　16种多环芳烃的定量定性离子

名称	定量离子 m/z	定性离子	定性离子
萘	128	102	129
苊烯	152	76	151
苊	153	76	154
芴	166	83	163
菲	178	152	176
蒽	178	152	176
荧蒽	202	101	203
芘	202	101	101
苯并［a］蒽	228	114	229
屈	228	114	229
苯并［k］荧蒽	252	113	126
苯并［b］荧蒽	252	113	126
苯并［a］芘	252	113	126
苯并［ghi］苝	276	138	177
苯并［ah］蒽	278	125	139
茚并［1，2，3-cd］芘	276	124	138

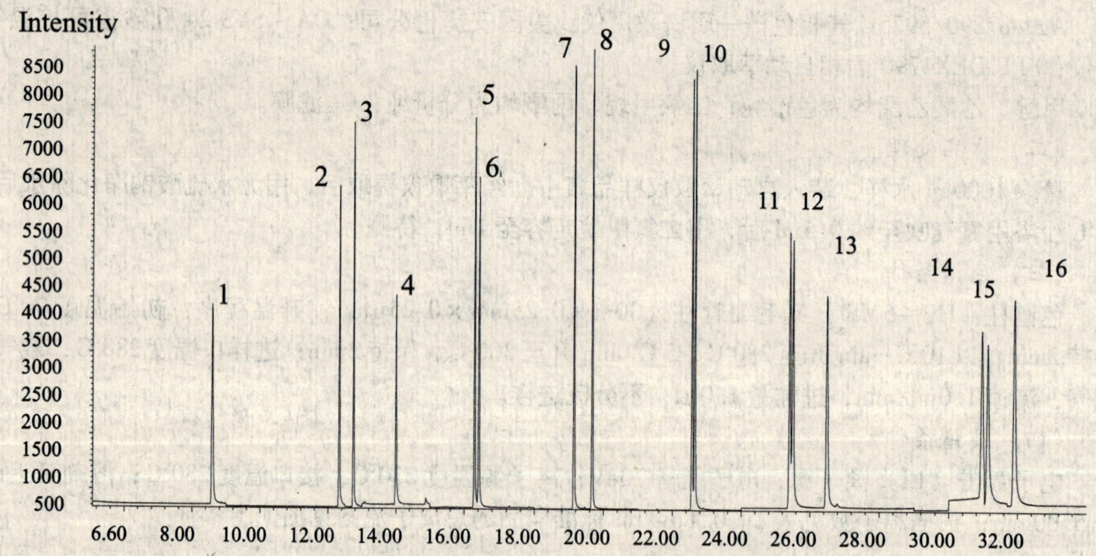

图1　16种多环芳烃的总离子流图

（1. 萘 2. 苊烯 3. 苊 4. 芴 5. 菲 6. 蒽 7. 荧蒽 8. 芘 9. 苯并［a］蒽 10. 屈 11. 苯并［k］荧蒽 12. 苯并［b］荧蒽 13. 苯并［a］芘 14. 苯并［ghi］苝 15. 苯并［ah］蒽 16. 茚并［1，2，3-cd］芘）

参考文献

［1］EPA US Particulate Matter（PM10）. 1987.

［2］Brown J. N., Peake B. M. Determination of colloidally-associated polycyclic aromatic hydrocarbons（PAHs）in fresh water using C_{18} solid phase extraction disks, Anal. Chim. Acta, 2003, 486: 159-169.

［3］Pino V., Ayala J. H., Afonso A. M., Micellar microwave-assisted extraction combined with solid-phase microextraction for the determination of polycyclic aromatic hydrocarbons in a certified marine sediment Anal. Chim. Acta, 2003, 477: 81-91.

MSPD－GC－MS 同时测定水中多组分氯丙醇

马金波[1]　张　琦[2]

（1. 沈阳市环境监测中心站　110016；2. 沈阳市疾病预防控制中心　沈阳　110031）

摘　要　［目的］建立一种快速测定水中多组分氯丙醇的 GC－MS 测定方法。［方法］样品经过基质固相分散萃取（MSPD）提取与净化后，在样品中加入两种稳定性氘代同位素内标，全扫描定性，选择离子监测（SIM）定量。［结果］各组分氯丙醇进样量在 20～400pg 范围内线性良好（r＞0.999），3－氯－1，2－丙二醇（3－MCPD）、1，3－二氯－2－丙醇（1，3－DCP）和 2，3－二氯－1－丙醇（2，3－DCP）的定量限分别为 0.003、0.005 和 0.005mg/kg；2 种浓度水平下加标重复测定 6 次，回收率为 95%～120%，精密度＜10%。［结论］方法具有较高的灵敏度、准确度、精密度和特异性，满足了样品中痕量氯丙醇的分析要求。

关键词　基质固相分散萃取（MSPD）　气相色谱—质谱联用（GC/MS）　氯丙醇

氯丙醇是甘油（丙三醇）结构上羟基被氯原子取代的一类化合物，3－氯－1，2－丙二醇（3－MCPD）和 1，3－二氯－2－丙醇（1，3－DCP）是公认的污染物，具有潜在的致癌性，并且能够使精子减少和精子活性降低，有抑制雄性激素的作用，使生殖能力减弱。氯丙醇可以由聚氨基胺－环氧树脂类食品包装材料含有残余的环氧氯丙烷水解后会产生 3－MCPD，3－MCPD 也可能来自于聚胺－环氧树脂为絮凝剂的饮用水处理中。

单氯取代的化合物可以作为二氯丙醇的前体进一步形成 1，3－DCP 和 2，3－DCP，因此在 3－MCPD 污染的水体中常常也伴有 1，3－DCP 和 2，3－DCP 的污染，因此有必要建立同时测定 3 种氯丙醇的方法。

目前文献方法主要采用 GC 或 GC－MS 联用法定量。GC 检测限不能满足痕量分析的要求，GC－MS 联用法多为单组分测定[1]，本文参考文献［2］并结合实际采用同位素稀释结合 MSPD－GC－MS 技术同时测定单氯取代和双氯取代氯丙醇。

一、材料与方法

（一）仪器

美国 Finnigan 公司 TRACE GC、POLARIS Q MS、AA 3000 autosampler 气相色谱—质谱联用仪，RTX－5MS（30m×0.25mm×0.25mm）毛细管色谱柱。氮吹仪，旋转蒸发仪，超声波清洗器，旋涡振荡器，超纯水器。1.0ml 气密注射器，50μl 微量注射器，100μl 微量进样器。所有玻璃器皿首次使用前用重铬酸钾洗液浸泡 8h，用亚沸水冲洗干净后晾干。

（二）试剂

试剂（除非另有说明，分析中使用的试剂均为分析纯。）正己烷（色谱纯），乙醚，正己烷，氯化钠，无水硫酸钠，ExtrelutTM20 硅藻土填料（Merck 公司），七氟丁酰基咪唑（Pierce 公司），3－MCPD（97.0%，Aldrich 公司），1，3－DCP（97.0%、Fluka 公司）、2，3－DCP（97.0%、Fluka 公司），d5－3－MCPD（98%、Isotec 公司），d5－1，3－DCP（98%、CIL 公司），超纯水，高纯氦气（＞99.9991%）。

（三）标准溶液配制

氯丙醇混标溶液：用正己烷（色谱纯）配成氯丙醇各组分浓度为 2.0mg/L 的混合标准使用液。氯丙醇内标混合液：用正己烷（色谱纯）配成浓度为 10mg/L 的混合内标使用液。

二、实　验

（一）样品制备

称取样品5ml，置50ml烧杯中，加d5－3－MCPD、d5－1，3－DCP混合内标溶液（10g/ml）20μl，加饱和氯化钠溶液6g，超声15min。称取ExtrelutTM20吸附剂5g，加到样品溶液中，混匀。向玻璃层析柱底部加入5g无水硫酸钠，称取另一份ExtrelutTM20吸附剂5g，装入玻璃层析柱中，然后将样品与吸附剂的混合物装入层析柱中，上层加5g无水硫酸钠，用40ml正己烷洗脱除去脂质成分并进行杂质分离，用乙醚150ml洗脱氯丙醇。收集乙醚洗脱液，加无水硫酸钠15g，脱水过滤，滤液于40℃温度下旋转蒸发，剩余少量时，定量转移至5ml试管中，在室温下用氮气蒸发器吹至1.0ml。

（二）样品溶液的衍生化

用气密针向浓缩后的样品溶液中加入七氟丁酰基咪唑衍生剂50μl，密封，旋涡振荡，在75℃恒温箱内衍生30min。取出放至室温，加饱和氯化钠溶液3ml，旋涡振荡，静置，取上层有机相，进行GC－MS测定。

（三）标准溶液的衍生化

于各试管中加入大约0.4ml正己烷，于每管中加氯丙醇混合内标溶液（10μg/ml）20μl；分别吸取不同体积的标准溶液，准确补加正己烷定容至1.0ml，用气密针快速加入七氟丁酰基咪唑50μl，立即密封，衍生，此后操作同样品处理。

（四）测定

1. 色谱条件进样口温度：250℃；

传输线温度：250℃

程序升温条件：

$$50℃,\ 1min \xrightarrow{2℃/min} 90℃ \xrightarrow{40℃/min} 250℃,\ 5min;$$

载气：氦气（纯度99.9991%）；载气流速：1.0ml/min；进样：进样量1.0μl，不分流进样。

2. 质谱参数离子源温度：200℃；阱温度：200℃；离子化方式：EI；电子能量：70eV。各组分氯丙醇的特征碎片监测离子和定量离子见表1。

表1　各氯丙醇以及内标的监测离子和定量离子

	d5－1，3－DCP	1，3－DCP	2，3－DCP	d^5－3－MCPD	3－MCPD
监测离子	278，280，79，81	275，277，75，77	75，77	257，294，296，456	253，275，277，289，291，453
定量离子	278，280	275，277	75，77	257	253

3. 测定及计算吸取衍生后的溶液1μl，进样，测定氯丙醇各组分的峰面积。按照采用标准工作曲线法计算样品中氯丙醇的含量。计算标准及样品中目标化合物与内标化合物的峰面积比，以各标准系列溶液的进样量与对应的目标化合物与其内标物的峰面积比进行线性回归，由线性回归方程按下列公式计算样品中氯丙醇含量。同时做试剂空白。

$$X=\frac{A\times f\times V_1}{M\times V_2}$$

式中：X为样品中氯丙醇各组分的含量，μg/kg；A为由回归方程得到氯丙醇的质量，ng；f为样品溶液的稀释倍数；M为样品的取样量，g；V_1为衍生后溶液定容的体积（1ml）；V_2为进样体积，1μl。

（五）结果

1. 定性测定在本实验条件下3种氯丙醇以及2种同位素内标，均得到了良好的分离（见

图1)；通过对比样品中及标准品中氯丙醇特征离子的峰度比，说明样品中的氯丙醇可以准确地得到鉴定。

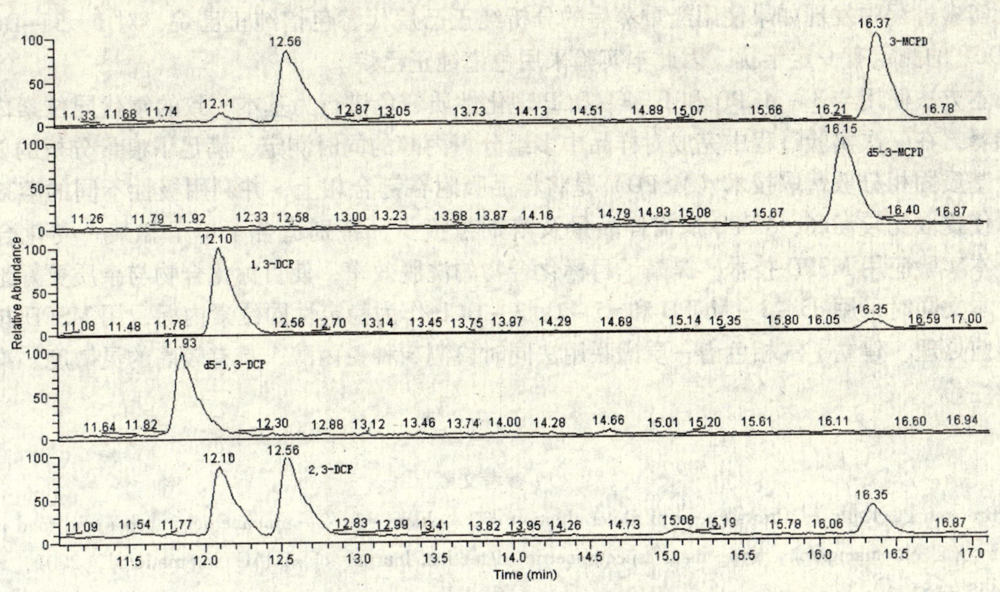

图1　标准溶液中氯丙醇以及同位素内标衍生物的提取离子色谱图

2. 线性试验以标准系列溶液进样，测定各溶液的氯丙醇和对应同位素内标的峰面积，计算峰面积比。以各标准系列溶液的进样量与对应峰面积比进行线性回归，得到线性回归方程。见表2。

表2　氯丙醇的标准工作曲线

	3－MCPD	1，3－DCP	2，3－DCP
回归方程	$y = 133.05x + 0.5276$	$y = 147.11x + 0.5108$	$y = 64.425x + 1.674$
相关系数	0.9993	0.9994	0.9994

3. 最低检出限以信噪比为3∶1计算最低检出限（LOD），以信噪比为10∶1计算最低测定限（LOQ），结果见表3。

表3　氯丙醇的最低检出限和最低测定限

	1，3－DCP		2，3－DCP		3－MCPD	
	LOD	LOQ	LOD	LOQ	LOD	LOQ
以衍生后溶液计/（ng/ml）	10	20	10	20	10	20
以样品质量计/（μg/kg）	3	5	3	5	3	5

4. 准确度和精密度在两个浓度水平进行添加氯丙醇的回收试验。加标水平为10μg/kg、50μg/kg，测定6次，回收试验结果见表4。

表4　加标回收试验和精密度结果

加标水平 10μg/kg	平均回收率 /%	标准差 /%	相对标准差 /%	加标水平 50μg/kg	平均回收率 /%	标准差 /%	相对标准差 /%
3－MCPD	107	10.7	10.0	3－MCPD	97	5.1	5.2
1，3－DCP	112	11.0	9.8	1，3－DCP	107	4.4	4.1
2，3－DCP	119	9.1	7.7	2，3－DCP	108	6.5	6.0

三、结果与讨论

实验过程中发现如果使用经重蒸后的分析纯正己烷代替色谱纯正己烷，对1，3－DCP和2，3－DCP的测定有一定干扰，因此本实验采用色谱纯正己烷。

本方法使用与3－MCPD和1，3－DCP理化性质、色谱行为基本一致的氘代同位素内标，同步稀释，在一次实验过程中完成对样品中多组分氯丙醇的同时测定，满足了痕量分析的要求。

基质固相分散萃取技术（MSPD）是将样品吸附在键合相上，并利用极性不同的溶剂进行洗脱，使提取比较彻底，MSPD所需样品量及溶剂量极少，特别适合于单个和某一类化合物的分离。本实验应用MSPD技术，提高了目标化合物的洗脱效率，使目标化合物与杂质更好地分离。

本文同时采用d5－3－MCPD和d5－1，3－DCP作为稳定性同位素内标，用MSPD技术进行样品前处理，建立了气相色谱—质谱联用法同时检测3种氯丙醇，具有较高的灵敏度、准确度和特异性。

参考文献

[1] Brereton P, Kelly J, Crews C, et al. Determination of 3－chloro－1, 2－propanediol in foods and food ingredients by gas chromatography with mass spectrometric detection. Journal of AOAC international, 2001, 84 (2): 455－465.

[2] 傅武胜，吴永宁，赵云峰，等. 稳定性同位素稀释技术结合GC－MS测定酱油中多组分氯丙醇的研究[J]. 中国食品卫生杂志，2004，16（4）：289－294.

YSI6600－V2 快速测定法与实验室振荡法测定叶绿素的探讨

宋 挺 张军毅 黄 君 魏 轲 苏首炜

（无锡市环境监测中心站 无锡市曹张新村58号 214023）

摘 要 对浮游植物中叶绿素测定方法中的 YSI6600－V2 快速测定与实验室振荡法进行了比较，实验材料采用了梅梁湖夏季丰水期间马山水厂、沙渚、小湾里、犊山口四个监测点位采集的水样。实验结果显示，两种方法的测定结果间的相关性比较好，相关系数为 0.837，因此得出两种方法测定结果间的换算公式为 $Chla_{震荡}=6.605Chl_{YSI}-0.029$。

关键词 叶绿素 a YSI6600－V2 快速测定法 实验室振荡法

叶绿素 a 是水体初级生产力的重要指标，对叶绿素 a 进行测定可以了解水体的生产力和富营养化水平，浮游藻类中的叶绿素是衡量水体富营养化的重要指标[1]，也是水质监测的常规项目，浮游植物细胞内叶绿素 a 含量随种类或类群而有所不同，同时还受年龄、生长率、光和营养条件的影响[2]，根据金相灿研究表明，水体中叶绿素含量大于 10μg/L，就可定义为水华[3]。2007 年太湖无锡水域大规模蓝藻爆发，为了及时了解太湖藻类变化情况为市政府决策提供科学依据，无锡市环境监测中心站开始对梅梁湖进行水质预警监测，设置了以梅梁湖饮用水源地、入湖河道口、旅游风景区以及和其他湖体交界段为主的 22 个点位（见图 1），其中，就包括对叶绿素的监测。为应对大批量样品的数据要求，无锡市环境监测中心站购置了 YSI6600－V2 多参数水质监测仪，以此开展了每天对梅梁湖的应急巡视，并于当天出具包括叶绿素在内的梅梁湖巡视监测报告。

与传统的实验室手工监测相比，YSI6600－V2 多参数水质监测仪具有简便快速的优势，在现场就能出具数据，在对叶绿素的测定当中，发现 YSI6600－V2 多参数水质监测仪能很好地反映叶绿素浓度高低变化的趋势，但在精确性上，与传统实验室手工监测还有差距。本文通过对叶绿素 a 的手工监测与 YSI6600－V2 多参数水质监测仪测定出的叶绿素数据结果，对这两种方法做出的数据进行处理与分析，以期得出两者之间的联系，从而更好地为环境预警监测服务。

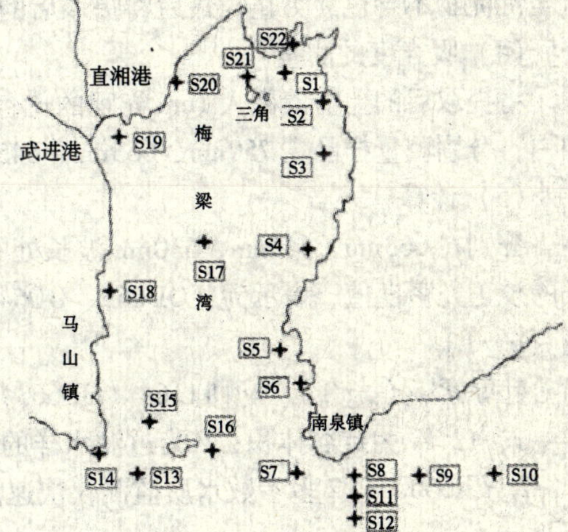

图 1 梅梁湖预警监测点位图

一、材料与方法

（一）材料

7 月至 9 月丰水期间梅梁湖巡视中马山水厂、沙渚、小湾里、犊山口四个监测点位采集的水样，分装于 1L 棕色广口瓶中，不加固定剂固定。

采样频次：一周一次。

化学试剂：90% 丙酮、碳酸镁悬浊液。

其他材料：醋酸纤维滤膜（0.45μm）、研钵、抽滤瓶、具塞刻度离心管（10ml）、移液枪。

（二）主要仪器与设备

真空泵、离心机、冰箱、KS－Ⅱ康氏振荡器、UV－分光光度计、YSI6600－V2 多参数水质监测仪。

（三）实验方法

为保证实验数据的准确与可比性，YSI6600－V2 多参数水质监测仪不在现场监测，而是不加固定剂将水样采集，带回实验室，先将样品倒入 YSI6600－V2 测量杯中测定完毕后，再倒回进行实验室手工监测，样品须在采样当日尽快完成。测定方法分别如下：

1. 实验室手工监测（振荡法）

由于叶绿素 a 的测定不像其他项目，可以通过标准及各种加标等质控措施衡量监测结果的正确性，在测定过程中，可能会因个人因素造成提取率的不同而使实验结果有较大的差别[4]，为了尽量避免这种影响，本文对传统的研磨破碎细胞的方式进行了改进，改为震荡提取，具体方法如下：

（1）水样的浓缩

装好抽滤装置，在抽滤器上装好醋酸纤维滤膜，过滤前在样品加少量碳酸镁悬浮液，倒入定量体积的样品，水样抽完后，继续抽 1～2min，以减少滤膜中的水分。

（2）提取

抽滤完毕后，用镊子小心取下滤膜，将滤膜剪碎，倒入具塞刻度离心管中，使总体积小于 10ml，盖上塞子。摇动至整个浸提液为均匀混浊液时开始计时。放入冰箱中静置，静置提取12～18h，取出，用振荡器振荡 30～40min，保证提取完全。

（3）离心

将上述处理好的装有样品的离心管放入离心机中，在 3500～4000r/min 转速下离心 25～30min。将上清液移入 10ml 容量瓶或刻度离心管中，再加少量 90% 丙酮原提取用的离心管中，再次悬浮沉淀物并离心，再将上清液并入已有上清液的容量瓶或刻度离心管中，重复 1～2 次，直至沉淀物不含色素为止。最后将提取后的上清液定容至 10ml。

（4）吸光度的测量

将提取后的上清液倒入 1cm 光程的比色皿中，放入紫外可见分光光度仪中，以 90% 丙酮为空白，分别测量样品在 750nm、663nm、645nm、630nm 处相应的吸光度值。

（5）计算

分别在 663nm、645nm、630nm 波长处的吸光度值减去波长 750nm 处的吸光度值即为各自波长的校正光密度值，表示为：OD663、OD645、OD630，按下式计算叶绿素 a 在 90% 丙酮中的含量（μg/L）：

叶绿素 a（μg/L）＝［11.64（OD663）－2.16（OD645）＋0.10（OD630）］$V_1 \times 1000/V$

式中：V_1 为定容体积；V 为过滤水样的体积。

2. YSI6600－V2 多参数水质监测仪快速测定

二、实验结果与讨论

（一）实验结果

水样采自 7 月至 9 月丰水期间梅梁湖巡视中马山水厂、沙渚、小湾里、犊山口四个监测点位采集的水样，每周采集一次，共做了 47 组数据，振荡法数据结果如图 2 所示，YSI6600－V2 测定叶绿素结果如图 3 所示。

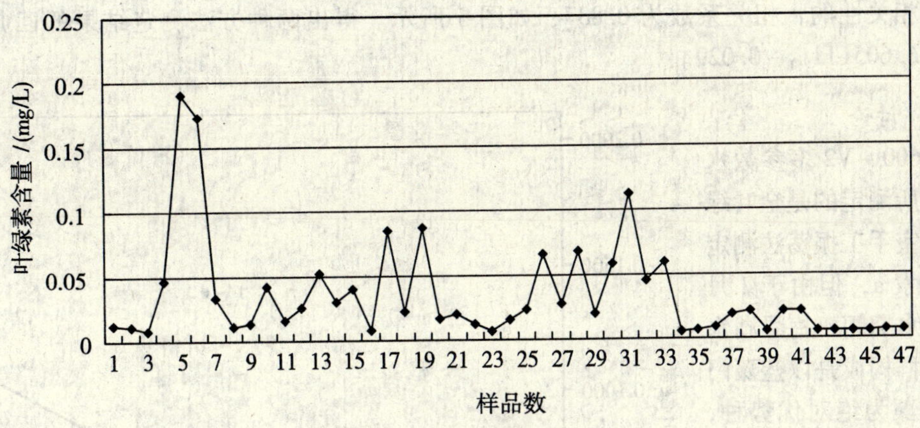

图2　震荡法测定叶绿素 a 数据图

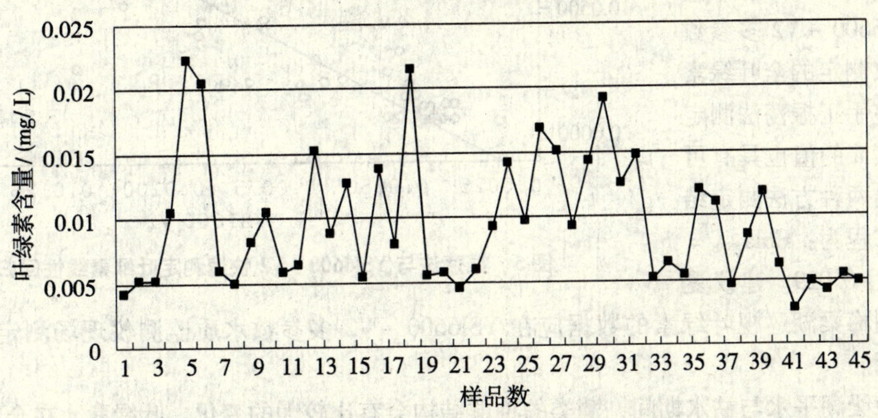

图3　YSI6600 - V2 快速测定叶绿素数据图

由图2 与图3 可以看出，实验室振荡法与 YSI6600 - V2 多参数水质监测仪测定出不同浓度的这47 组的数据中，虽然在具体得出的精确结果中有比较大的差距，但是在不同样品的浓度变化中，趋势基本保持一致。根据这两种方法绘制出的散点图如图4 所示。

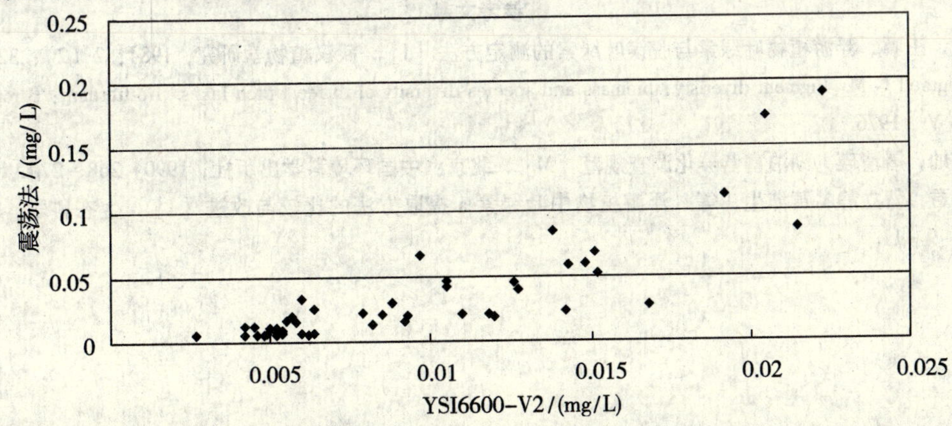

图4　振荡法与 YSI6600 - V2 快速测定叶绿素散点图

散点图显示：振荡法与 YSI6600 - V2 快速测定叶绿素之间的数据结果有线性相关趋势，因此可以进一步做直线回归与相关。

在叶绿素浓度较高时两种方法测定结果的差别逐渐变大，但是两种方法的测定值之间还是有比较强的相关性的，相关系数为 0.837，如图 5 所示。得出两种方法测定结果的回归方程为：$Chla_{震荡} = 6.605Chl_{YSI} - 0.029$。

（二）讨论

YSI6600 - V2 多参数水质监测仪所测定的是全叶绿素，实验室手工振荡法测定的是叶绿素 a，但由于 7 月到 9 月丰水期间，梅梁湖水域藻类种群构成是以蓝藻门中的微囊藻为绝对优势种，因此，叶绿素 a 在全叶绿素中的比重相对来说是基本固定的，YSI6600 - V2 多参数水质监测仪测定的全叶绿素值与实验室手工振荡法测定的是叶绿素 a 的值也具有可比性，得出两种方法测定结果的回归方程为：$Chla_{振荡} = 6.605Chl_{YSI} - 0.029$。建议夏季丰水期间梅梁湖巡视叶绿素的数据应在 YSI6600 - V2 多参数水质监测仪现场测定的基础上，矫正后使用。

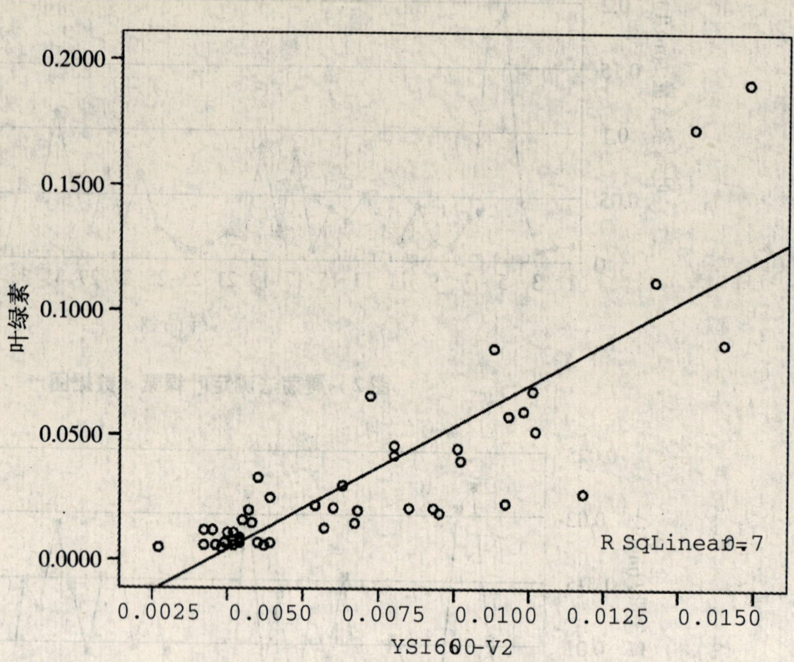

图 5　振荡法与 YSI6600 - V2 快速测定叶绿素线性回归

由于梅梁湖平水与枯水期间，藻类的种群结构会有比较大的变化，叶绿素 a 在全叶绿素中的比重也将发生改变，因此，本文得出的转换公式仅适合在夏季梅梁湖丰水期，以微囊藻为绝对优势种时使用。在梅梁湖平水与枯水期间，YSI6600 - V2 多参数水质监测仪与实验室手工振荡法得出的数据之间的关系，将在今后做进一步的研究。

参考文献

[1] 王建，王骥．浮游植物叶绿素与脱镁叶绿素的测定方法［J］．武汉植物学研究，1984，2（2）：321 - 328.

[2] Hallegraeff G M. Pigment diveristy，biomass and species diversity of th ree Dutch lakes. Ro tterdam：B ronder2 Off-set B V，1976.

[3] 金相灿，屠清瑛．湖泊富营养化调查规范［M］．北京：中国环境科学出版社，1990：268 - 270.

[4] 林少君，贺立静，黄沛生，等．浮游植物中叶绿素 a 提取方法的比较与改进［J］．生态科学，2005，24（1）：9 - 11.

常规兵器试验场区电磁辐射的监测与防护对策

孙　伟[1]　朱勇兵[2]　曲险峰[1]　赵湘莲[1]　李晓亮[1]

(1. 中国人民解放军63850部队防检环监所　白城　137001；
2. 解放军环境科学研究中心　北京　102205)

摘　要　通过对常规兵器试验场区微波设备作业场所电磁辐射进行监测，评估各作业人员所在试验点位的电磁辐射暴露水平及超标情况，为电磁辐射的防护提出一些合理的建议和治理措施。

关键词　电磁辐射　微波　监测　防护对策

随着常规兵器试验发展的需要，各种功能的微波设备被广泛应用于常规兵器定型试验，微波设备工作时会产生电磁辐射，对作业场所和周围环境一定范围区域会造成影响。微波辐射的暴露可能引起不同程度的生物学效应，微波照射生物体时由于生物体与电磁波相互作用产生各种各样的生理影响，具体表现为对人体神经系统、心血管系统、视觉器官、生殖系统、内分泌系统、消化系统、血象生化和免疫系统的影响[1]。此外，微波作业场所还涉及包括电脑显示器、监视显示屏等视屏显示终端（VDT），其电磁辐射是在50～100kHz的低频范围内，VDT主要会对人员视力、免疫、神经行为功能等方面造成影响[2]。由于微波设备工作时，会对作业场所及周边人员造成一定的危害，因此，对试验场区电磁辐射进行监测和防护是十分必要的，对保障微波从业人员的身体健康具有重要意义。

一、试验场区电磁辐射监测

（一）测试仪器及方法

测试仪器：美国Holaday公司HI－4455手持式场强测试仪，电场探头测量频率范围2～300kHz（工频辐射），0.2～40GHz（微波辐射），量程0.1～200V/m，分辨率为0.1V/m。

测试方法：采用《电磁辐射暴露限值和测量方法》（GJB 5313—2004）[3]所规定的测量方法。

测量点位：试验场区辐射设备、辅助设施作业人员经常操作的点位和辐射设备附近的固定哨位及执勤点，微波发射天线附近影响区域；测试VDT等显示屏时，测试探头距离VDT约50cm；在测试微波设备漏能时，测试仪器探头距机柜5cm；测试电场强度时，为距离微波设备的实际距离，各监测部位重复测量3次，取平均值。

（二）测试结果

本次电磁辐射现场测试分别在3个场区进行。X场区有1台大功率雷达，测试在雷达开机状态下进行，测试结果见表1。

表1　X场区微波辐射测试结果

被测单位	测量位置	测量数据/（V/m）			
		1	2	3	平均值
X场区	电子舱	2.70	2.74	2.72	2.72
	发射舱	2.82	2.96	3.23	3.00
	宿营方舱	2.62	2.45	2.59	2.55
	舱外	2.57	2.64	2.61	2.61
	点位A	9.67	9.87	9.86	9.80
	点位B	17.94	19.28	20.20	19.14
	点位C	14.47	15.90	15.35	15.24
	点位D	8.48	8.16	8.32	8.32

Y 场区有 3 台雷达，电磁辐射测试在设备同时开机工作期间进行，测试结果见表 2。

表 2　Y 场区微波辐射测试结果

被测单位	测量位置	测量数据/（V/m）			
		1	2	3	平均值
Y 场区	机房 A	10.11	10.0	10.0	10.03
	机房 B	8.90	7.80	8.35	8.35
	机房 C	5.70	4.70	5.20	5.20
	办公室	6.70	5.50	4.80	5.67
	雷达车内	6.69	6.83	6.75	6.76
	雷达车外	3.61	3.64	3.69	3.65
	点位 A	7.90	7.98	7.91	7.93
	点位 B	8.90	9.60	8.91	9.14
	点位 C	9.07	9.23	11.50	9.93
	点位 D	7.00	5.12	5.00	5.71

Z 场区有 5 台控制设备，测试在上述设备同时工作期间进行，测试结果见表 3。

表 3　Z 场区 VDT 电磁辐射测试结果

被测单位	测量位置	测量数据/（V/m）			
		1	2	3	平均值
Z 场区	机房 A	6.01	5.96	5.92	5.96
	机房 B	8.30	8.45	8.67	8.47
	机房 C	1.94	1.88	1.81	1.88
	机房 D	6.70	6.58	6.67	6.65
	机房 E	0.96	1.21	1.12	1.09
	点位 A	3.06	3.09	3.12	3.09
	点位 B	3.64	3.68	3.72	3.68

（三）结果分析

根据《电磁辐射暴露限值和测量方法》（GJB 5313—2004）中微波暴露限值的有关规定，对于脉冲波，作业区连续暴露平均电场强度：短波（3～30MHz）为 $58.5/\sqrt{f}$ V/m；超短波（30～300MHz）为 10.6V/m；微波：（300～3×10^3MHz）为 10.6V/m，（3×10^3～3×10^4MHz）为 $0.194\sqrt{f}$ V/m，（3×10^4～3×10^5MHz）为 19.4V/m。VDT 等设备频率在 100kHz 以下，目前国内尚无相应的电磁辐射标准，可参照《500kV 超高压送变电工程电磁辐射环境影响评价技术规范》（HJ/T 24—1998），对于工频（50Hz）的电场强度的评价标准值为 4kV/m[4]。

此次现场监测，从表 1 结果可以看出，X 场区的电子舱、发射舱、宿营方舱由于方舱安装有微波屏蔽材料，各测试点位微波辐射值均未超标；点位 B 和点位 C 电场强度分别为 19.14V/m 和 15.24V/m，均大于 14.6V/m（该频率波段微波辐射的安全限值）。从表 2 和表 3 结果可以看出，Y 场区和 Z 场区各测试点位微波辐射均未超标。但 Y 场区的机房 A 和机房 B 的微波辐射值分别为10.03V/m和8.35V/m，该频率波段微波辐射的安全限值为10.6V/m，如长时间在该场所工作，建议作业人员穿戴微波防护装具；另外，点位C的微波辐射值为9.93V/m，接近该频率波段微波辐射的安全限值10.6V/m，建议在该点位的作业人员穿戴微波防护装具。Z场区主要涉及VDT等显示设备，在距离显示屏50cm位置测试，在100kHz以下频段的电场强度不超过10.0V/m。VDT作业对眼睛的影响相对比较明显，长时间工作时，视觉疲劳、视力模糊、眼干、眼痛、远视力减退是其常见的症状。Bergquist等人[5]采用多变量逻辑回归分析显示，眼不适发生率随VDT作业时间增加而升高。因此，长期从事VDT作业人员，即使在电场强度不超标的环境下工作，也要经常做眼保健操，多到户外活动，注意保护视力。

二、电磁辐射的防护对策

为了减少或避免微波设备电磁辐射对人体健康的不良影响和对环境的污染，更好地发挥电磁辐射设备的应用，必须加强电磁辐射污染的防护与治理工作。应采取减少电磁辐射源对人员的直接辐射，降低或杜绝微波泄漏，屏蔽辐射源及其附近工作岗位，加大相关工作岗位与辐射源的距离，使用个人防护装具及其他有效安全措施。

（一）加强微波设备的管理

试验场区新增微波设备时，除按规定拥有豁免水平以上电磁辐射设备外，应按照《中国人民解放军环境影响评价条例》中关于建设项目开展环境影响评价的有关规定，执行环境影响评价和审批制度，通过电磁辐射专项评价、审批等工作，可以避免项目建设的盲目性、优化电磁设备的布局合理性，减少或避免电磁辐射设备可能带来的污染，其最终目的是既有利于电磁设备在常规兵器试验领域的应用与发展，又能保护好环境和人群健康。大型电磁辐射设备投入使用前后，要组织相应监测工作，对可能影响的作业场所和生活区进行电磁辐射水平的实际监测，相关场所满足GJB 5313—2004中电磁辐射暴露限值要求后，才能准许投入运行使用，否则应采取必要的防护和治理措施。

（二）加强微波作业人员职业健康教育

微波作业人员上岗前，要进行必要的卫生防护知识培训，使其对微波辐射的危害和卫生防护有比较全面的认识，以提高防护的主动性。雷达及微波发射设备在工作时，部分场所电场强度超标，应尽量减少人员在试验场区的暴露时间，以避免不必要的伤害。与试验无关的场区作业应安排在雷达设备停机状态下进行，现场试验人员不要在雷达开机状态下进入天线照射区域及雷达周围受影响区域。

（三）加强现场作业人员的个人防护

个人防护对微波作业人员及参试人员非常重要，尤其对实战演习和野外试验时使用微波设备情况下显得尤为重要。由于试验任务的繁重和紧迫，试验人员往往忽略了个人防护。微波防护服、防护帽、防护眼镜等防护装具对微波辐射有较好的防护效果，在微波辐射区域内的参试人员应穿戴微波防护装具作业。

（四）加大微波作业场所的监测力度

对微波设备工作场所和影响区域，应定期进行电磁辐射的监测，对超过电磁辐射暴露限值的区域，采取切实可行的微波防护措施，同时划定限入区域和禁入区域。

在可能辐射超标的地方设置“警告”和“危险”标志，在电磁辐射超出公众照射限值的区域设置“注意”标志，标志应足够醒目，同时标志旁应标注文字说明。

（五）加强作业场所的安全防护和治理

根据微波发射方向性特点，工作点位应设置在辐射强度最小的部位，尽量避免在雷达及微波发射设备天线主瓣的正前方作业。安装微波设备天线时，应注意工作场所及生活区是否受到微波漏能辐射，周围设施的参试人员出口应背对或避开天线，以免参试人员出入受到微波辐射。

通过微波辐射监测，对辐射值超标的场所，进行治理，必要时采用屏蔽材料加以屏蔽，加强微波作业试验场区的行政管理，并制定相应的规章制度。微波辐射影响区域附近的房屋，可安装屏蔽窗帘或镀膜防辐射玻璃窗户，能有效衰减进入室内的微波辐射，确保室内人员的安全。

（六）加强作业人员的医疗卫生保障力度

应加强对微波作业人员的医疗卫生保障力度，对相关人员进行定期的健康检查，以了解人员的健康状况，科学指导电磁辐射的卫生学防护工作。作业人员平时可多食用富含蛋白质的食物，并适当服用维生素 A、维生素 C 等辅助药物，工作期间可服用鱼肝油丸，进行有针对性的医学防护，增强机体免疫力，提高抗电磁辐射危害的能力，必要时可安排长期从事电磁辐射工作人员定期疗养。同时，应建立微波作业人员健康档案，为进一步制定电磁辐射的卫生防护措施提供科学依据。

综上所述，在试验场区受电磁辐射的影响区域，可采取时间防护、距离防护、物理防护和医学防护等多种手段，将电磁辐射对人体的伤害减至最小限度。

参考文献

[1] 姜槐等．微波、高频对健康的影响与生物学效应［M］．北京：人民卫生出版社，1985.

[2] 顾力刚，郭宏伟．VDT 电磁辐射对作业者健康的影响［J］．职业与健康，2008，24（17）．

[3] 赵亚丽，马洪波，等．电磁辐射暴露限值和测量方法［M］．北京：中国人民解放军总装备部军标出版发行部，2004.

[4] 蒋忠涌，李蓉．500kV 超高压送变电工程电磁辐射环境影响评价技术规范［M］．国家环境保护总局，1998.

[5] Bergquist UO，Knare BG. Eye discomfort and work with visual display terminals. Cand J Work Environ Health［J］．1994，20（1）：27.

固相微萃取-气相色谱法测定水源地水中半挥发性有机污染物

李春玉　戴玄吏

（常州市环境监测中心站　江苏　常州　213001）

摘　要　本文建立了固相微萃取-毛细管柱电子捕获气相色谱法测定水源地水中半挥发性有机物的分析方法。试验中通过 pH、萃取时间、萃取温度、转子转速和离子强度等条件的优化，18 种半挥发性有机污染物的最小检出浓度达到 0.0002~0.1μg/L，而且整个分析过程只需要 20min。通过条件的优化，本方法同样适用于其他地表水和废水的检测。

关键词　固相微萃取　半挥发性有机污染物　气相色谱　水样分析

随着监测事业的发展和人们对环境质量重视程度的不断提高，有机污染物的分析引起了大众更多的关注。而水源地水是和人民健康生活密切相关的，其中有机物的监测分析也就显得尤为重要。

环境水样中被测物浓度一般较低，背景干扰大，传统的样品前处理方法不仅麻烦费时，还需要使用大量的有机溶剂，二次污染产生的概率大大增加。而使用固相微萃取技术很容易富集水样中的痕量被测组分，降低分析方法检测限，提高灵敏度，同时消除基体干扰对测定的影响，提高分析的准确度。该技术克服了传统液萃取富集技术难以处理大体积样品及萃取过程中容易乳化等缺点，具有以下诸多优点：可以获得高的回收率和高的富集倍数；减少了高纯有机溶剂的用量，减少了对环境的污染，同时减少了有机溶剂中的杂质对被测分析物的影响；无相分离操作，避免了乳化影响，易于收集分析物组分；操作简单、快速[1-6]。因此使用固相微萃取技术测定水中半挥发性有机化合物可以提高测定的准确度和分析效率，减少试剂造成的二次污染，对于保护环境、保障人民健康，具有重要的意义。

本文选用硝基苯类、有机氯农药等半挥发性有机污染物，建立了 SPME-GC 联用同时测定水源地水中 18 种半挥发性有机污染物的分析方法，系统优化了 SPME 的萃取条件，分析了加标水样和实际水样中的半挥发性有机污染物。

一、材料与方法

（一）仪器与试剂

Varian 450-GC（配 ECD 检测器和自动进样器）；

SPME 手柄及萃取头：美国 Supelco 公司；

聚二甲基硅氧烷（PDMS，100μm）固相微萃取探头：美国 Supelco 公司；

18 种标准样品：硝基苯、间硝基氯苯、邻硝基氯苯、1，2，4，5-四氯苯、1，2，3，4-四氯苯、邻二硝基苯、间二硝基苯、对二硝基苯、2，4-二硝基氯苯、六氯苯、α-666、β-666、γ-666、δ-666、PP'-DDE、PP'-DDT、PP'-DDD、OP'-DDT，均购买自国家标准物质研究中心；

混合标准中间液：硝基苯、邻二硝基苯、间二硝基苯、对二硝基苯、2，4-二硝基氯苯（100mg/L）；间硝基氯苯、邻硝基氯苯（25mg/L）；1，2，4，5-四氯苯、1，2，3，4-四氯苯（5mg/L）；六氯苯（1.05mg/L）；α-666、β-666、γ-666、δ-666、PP'-DDE、PP'-DDT、PP'-DDD、OP'-DDT（2.5mg/L）；

正己烷：色谱纯（95%）；氯化钠、磷酸、氢氧化钠：分析纯（国药集团化学试剂有限公司）；

蒸馏水：经过苯洗涤，电炉煮沸 3～5min。

（二）色谱条件

色谱柱：石英毛细管柱 DB－35ms（30m×0.32mm×0.25μm，Agilent 公司）；

高纯氮气（99.999%）；

柱温：起始温度 60℃保持 1min，以 15℃/min 升到 210℃保持 1min，再以 5℃/min 升到 260℃保持 2min；

进样口温度 260℃，检测器的温度为 300℃；进样方式：不分流进样。

（三）试验方法

分别从温度、pH、转速、离子强度和时间等方面研究固相微萃取提取水中半挥发性有机污染物产生的影响，找出利用此种方法提取有机污染物并利用气相色谱测定的最佳试验条件。

取萃取专用顶空瓶，准确加入 10ml 无目标污染物的蒸馏水和一定量的混合标准中间液，配制成硝基苯、2，4－二硝基氯苯（10μg/L）、间硝基氯苯、邻硝基氯苯（2.5μg/L）、1，2，4，5－四氯苯、1，2，3，4－四氯苯（0.5μg/L）、六氯苯（0.105μg/L）、α－666、β－666、γ－666、δ－666、PP'－DDE、PP'－DDT、PP'－DDD、OP'－DDT（0.25μg/L）的多瓶待测水样。加入磁力搅拌子，充分混匀，固相微萃取头在气相色谱仪进样口活化 15min 后，设定实验条件，将萃取针管伸进萃取瓶并保持萃取头在液面上空顶空萃取样品，然后经气相色谱解析后电子捕获检测器进行测定。

二、结果与分析

（一）标准色谱图

取以上试验方法中配制好的混合标准溶液经涂有 100μmPDMS 的固相微萃取头萃取 30min 后，直接在气相色谱仪进样口进样，解吸 3min。在上文所描述的色谱条件下，18 种 SVOC 均得到较好的分离，分离效果见图 1。

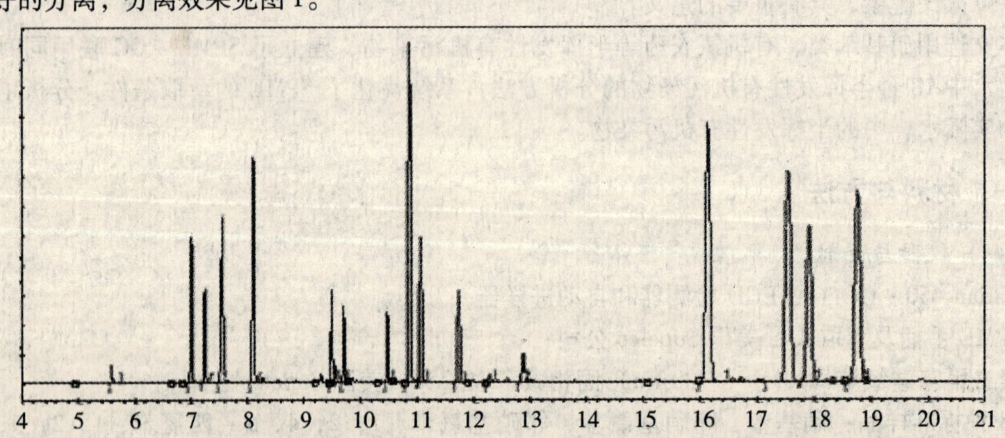

图 1　固相萃取后 18 种 SVOC 化合物的标准样品色谱图

1. 硝基苯（5.60）2. 间硝基氯苯（7.03）3. 邻硝基氯苯（7.28）4. 1，2，4，5－四氯苯（7.57）5. 1，2，3，4－四氯苯（8.12）6. 对二硝基苯（9.51）7. 间二硝基苯（9.58）8. 邻二硝基苯（9.72）9. 2，4－二硝基氯苯（10.48）10. 六氯苯（10.87）11. α－666（11.07）12. γ－666（11.74）13. β－666（12.31）14. δ－666（12.90）15. PP'－DDE（16.14）16. OP'－DDT（17.54）17. PP'－DDD（17.91）18. PP'－DDT（18.76）

（二）萃取条件的优化

对萃取条件的优化是为了提高分析方法的灵敏度，而萃取效率的高低则取决于萃取温度、样品 pH、搅拌、溶液的离子强度和萃取时间等因素，因此应该首先优化萃取的试验条件。

1. 萃取温度

试验中选取45℃、55℃、65℃、75℃四个温度点，对已配制好的四个混合平行样进行固相微萃取，结果显示，在温度为65℃的条件下，混合物质的萃取效率基本达到最大值。综合考虑，实验中选定的最佳萃取温度为65℃。

2. pH 值

取混合标准中间液，以无目标污染物的蒸馏水配制 4 份相同浓度的平行样，分别用磷酸和氢氧化钠溶液调节 pH 为 2、4、7、9 四个梯度经涂有 100μmPDMS 固相微萃取头萃取 30min 后 GC 分析。实验结果显示，2，4－二硝基氯苯和有机氯农药在酸性条件下固相微萃取吸附率明显提高；其他物质受 pH 值的变化不明显。

3. 转子转速

同样配制四份浓度相同的平行样，分别在转子转速 200r/min、400r/min、600r/min、800r/min 的条件下萃取 30min 后 GC 分析，发现随着转子转速的增加，样品的萃取效率不尽相同。除滴滴涕受转子速度影响较大外，其余组分并没什么明显影响。为平衡各组分的萃取时达到较佳的效果，该实验中选择转子的转速为 400r/min。

4. 离子强度

取混合标准中间液，以无目标污染物的蒸馏水配制 4 份相同浓度的平行样，分别加入 0g、1g、2g、3gNaCl，充分混合后分别经涂有 100μmPDMS 固相微萃取头萃取 30min 后进 GC 分析。实验结果表明，18 种混合物除滴滴涕受溶液离子强度增强萃取效率变低外，其余组分都随离子强度的增强而变大，加入量为 30% 时基本达到平衡。因此，本次实验选择加入 NaCl 的量为 3g。

5. 萃取时间

取混合标准中间液，以无目标污染物的蒸馏水配制 4 份相同浓度的平行样，分别经涂有 100μmPDMS 固相微萃取头萃取进行 GC 分析，萃取时间分别为 5min、15min、30min、45min。实验结果表明四氯苯、六氯苯、有机氯在 30min 达到吸附平衡，其他组分 20min 后也基本达到最大值。在保证检测方法灵敏度的前提下，尽可能地缩短分析时间，简化操作步骤，故选取萃取时间为 20min。

（三）校准曲线、相关系数及检出限

根据我国地表水环境质量标准 GB 3838—2002 中规定的集中式地表水源地污染物标准限值设定标准溶液系列，以峰面积为纵坐标，质量浓度为横坐标，绘制标准曲线，以 3 倍标准偏差计算方法检出限，结果见表 1。

表 1　标准曲线取点、相关系数及方法检出限

样品名称	校准曲线取点/（μg/L）	相关系数/r	检出限/（μg/L）
硝基苯	0，1，5，10，25，50	0.999	0.1
间硝基氯苯	0，0.25，1.25，2.5，6.25，12.5	0.999	0.025
邻硝基氯苯	0，0.25，1.25，2.5，6.25，12.5	0.992	0.025
1，2，4，5－四氯苯	0，0.05，0.25，0.5，1.25，2.5	0.995	0.005
1，2，3，4－四氯苯	0，0.05，0.25，0.5，1.25，2.5	0.990	0.005
对二硝基苯	0，0.1，0.5，1，2.5，5	0.998	0.01
间二硝基苯	0，0.1，0.5，1，2.5，5	0.996	0.1
邻二硝基苯	0，0.1，0.5，1，2.5，5	0.999	0.01

样品名称	校准曲线取点/（μg/L）	相关系数/r	检出限/（μg/L）
2，4－二硝基氯苯	0，0.1，0.5，1，2.5，5	0.999	0.01
六氯苯	0，0.001，0.005，0.01，0.025，0.05	0.990	0.0002
α－666	0，0.025，0.125，0.25，0.625，1.25	0.990	0.001
γ－666	0，0.025，0.125，0.25，0.625，1.25	0.995	0.001
β－666	0，0.025，0.125，0.25，0.625，1.25	0.995	0.005
δ－666	0，0.025，0.125，0.25，0.625，1.25	0.997	0.001
PP’－DDE	0，0.025，0.125，0.25，0.625，1.25	0.997	0.0002
OP’－DDT	0，0.025，0.125，0.25，0.625，1.25	0.993	0.0005
PP’－DDD	0，0.025，0.125，0.25，0.625，1.25	0.990	0.001
PP’－DDT	0，0.025，0.125，0.25，0.625，1.25	0.995	0.0005

（四）实际样品分析

移取10ml待分析水样到预先加入氯化钠的专用顶空瓶中，密封摇匀，按萃取优化的条件进行前处理，然后经气相色谱解吸后电子捕获检测器进行测定。

表2列出了常州A、B、C3个水源地水中18种半挥发性有机污染物的检测情况。试验中还发现了除这18种半挥发性有机污染物外，还有其他有机化合物的存在，在条件允许的情况下，有待于进一步的监测。

在上述实际样品中加入混合标准中间液，回收率结果见表2。回收率良好，可以满足实际水样的分析。

表2　水样分析结果及加标回收率

样品名称	A/（μg/L）	B/（μg/L）	C/（μg/L）	加标回收率/%
硝基苯	—	—	—	92.3
间硝基氯苯	0.040	0.039	0.031	85.7
邻硝基氯苯	0.289	0.255	0.199	88.4
1，2，4，5－四氯苯	0.046	0.064	0.059	86.3
1，2，3，4－四氯苯	0.033	0.023	0.020	89.4
对二硝基苯	0.219	0.150	0.205	90.2
间二硝基苯	1.16	—	0.587	88.6
邻二硝基苯	0.643	1.16	1.40	84.3
2，4－二硝基氯苯	0.882	0.714	0.790	104
六氯苯	0.026	0.015	0.012	90.1
α－666	—	—	—	91.3
γ－666	0.017	—	—	90.4
β－666	0.073	0.049	0.051	85.8
δ－666	—	0.027	0.026	89.7
PP’－DDE	0.066	0.039	0.020	109

样品名称	A/（μg/L）	B/（μg/L）	C/（μg/L）	加标回收率/%
OP’ – DDT	0.052	0.024	0.013	90.8
PP’ – DDD	0.049	0.018	—	93.3
PP’ – DDT	0.061	0.033	0.017	90.4

三、结　论

1. 用固相微萃取－毛细管柱电子捕获气相色谱法测定水源地水中半挥发性有机物，具有操作简单、省时、污染小、回收率较高的优点。水样中平均加标回收率为84.3%～109%，并且其检出限完全满足GB 3838—2002地表水环境质量标准的要求。所建立的方法可用于地表水中半挥发性有机污染物测定。

2. 实际样品的测定中，大部分有机物的浓度在每升纳克级至微克级的范围内，远低于半挥发性有机物含量在我国地表水环境质量标准中的限值，水质情况良好。

参考文献

[1] CHENJ, Pawliszyn. Solid – phase microextraction coupled to high – performance liquid chromatography [J]. 1995, 67 (15): 2530 – 2533.

[2] JINNOK, MURAMATSUT, SAITOY, et al. Analysis of pescitides in environmental water samples by solid – phase microextraction and high – performance liquid chromatography [J]. Chrom ator. A, 1996, 754 (1 – 2): 127 – 135.

[3] 杨红斌，王若苹．固相微萃取－毛细管气相色谱法快速分析水中有机氯农药［J］．中国环境监测，2000，16（特刊）：91－93.

[4] 王若苹，杨红斌．固相微萃取－毛细管气相色谱法快速分析水中苯系物［J］．现代科学仪器，2002，83（3）：45－47.

[5] 王若苹，杨红斌．固相微萃取－毛细管气相色谱法快速分析水中酚类化合物［J］．中国环境监测，2002，18（4）：29－32.

[6] 杨通在，罗顺忠．固相微萃取技术的现状与进展［J］．环境监测与研究，2006，19（1）：1 － 7.

空气和废气中醛、酮类化合物的测定
——2，4 - 二硝基苯肼吸收液法研究报告

姜 荻 卢迎红

（沈阳市环境监测中心站 110016）

摘 要 本次实验应用高效液相色谱分析环境空气和废气中的醛、酮类污染物。样品经 DNPH 的酸溶液吸收后，用二氯甲烷/正己烷 3:7 进行萃取，然后将萃取液吹干，用乙腈溶解后进行高效液相色谱分析。结果证明该测定方法具有准确率高，精密度好的特点，为制定适合于我国国情的空气和废气中醛、酮类化合物的测定方法提供依据。

关键词 醛酮类化合物 2，4 - 二硝基苯阱 DNPH 吸收液 高效液相色谱

一、引 言

由于羰基具有多种反应性能，因此醛酮类物质被广泛应用于有机合成、化工、合成纤维、染料、农药、木材加工及制漆等行业。大气中醛酮类物质除汽车尾气、化工行业、木材加工防腐以及吸烟直接产生醛酮类等物质外，另一个主要来源是大气中的有机物经光化学反应产生的，是光化学烟雾的主要成分。近年来，由于室内装修的兴起，装修使用的建筑、装饰材料中的脲醛树脂、胶合板油漆、染料以及新家具等产生的气体中也有醛类物质，所造成的室内环境污染问题也越来越引起人们的重视。

广泛存在的醛酮类化合物对人类的身体健康造成了不良影响，会刺激皮肤与黏膜及毒害中枢神经系统。能引起如鼻咽部疾病、痰多、对皮肤和眼睛的直接刺激、头痛等。许多研究表明醛类化合物（尤其是甲醛、乙醛、丙烯醛）具有遗传毒性；国内外对甲醛研究较多，甲醛是世界产量最高的十大化学品之一，有 3000 多种用途。甲醛容易与细胞亲核物质发生化学反应，导致 DNA 损伤。它具有生殖毒性，能降低免疫力，损害呼吸系统，国际癌症研究机构（IARC）在 2004 年将甲醛上升为第一类致癌物质。2005 年，美国健康和公共事业部及公共卫生局发布的致癌物质的报告中，也将甲醛从第 2A 类致癌物质上升为一类致癌物质，这是来自 10 个国家的 26 位科学家对甲醛现有的致癌证据进行评价得出的结论。甲醛也是我国有毒化学品名单中列出的优先控制污染物。

国内外对醛酮类分析检测方法报道较多，其中光度法方法简单，但通常测定组分单一，有时也不能排除其他化合物的干扰。随着仪器和分析手段的进步，近年来气相色谱法、液相色谱法、离子色谱法、荧光法、示波极谱法和电色谱法已经被广泛地用于分析醛酮类。尤其是高效液相色谱仪、气 - 质联用仪和液 - 质联用仪的推广使用，对 HPLC 和 GC - MS 的研究也越来越多[1]。

目前国外测定大气中醛酮类物质广泛使用的方法[2]是用2，4 - 二硝基苯肼（DNPH）与醛酮反应生成2，4 - 二硝基苯腙，然后用气相色谱或液相色谱测定2，4 - 二硝基苯腙[3]。该法选择性强、灵敏度高，可同时测定多种醛酮类污染物，适用于空气和废气样品的测定[4]。

二、实验部分

（一）实验仪器及药品

1. 主要仪器

反相高效液相色谱柱液相色谱仪，二极管阵列检测器，配有自动进样器。pH 计；超纯水装置；氮气吹干仪。

2. 试剂和材料

高纯乙腈（HPLC专用流动相）UV级纯。甲醛的浓度应小于1.5ng/ml。重蒸蒸馏水；盐酸（HCl）（优级纯）；2，4-二硝基苯肼［2，4-DNPH］纯度：99%。

（二）试剂的制备

1.2，4-二硝基苯肼吸收液：取250mg2，4-二硝基苯肼固体，溶于90ml盐酸后加入重蒸蒸馏水定容至500ml。充分搅拌使其溶解后过滤，滤液使用二氯甲烷/正己烷（30/70）50ml萃取两次。弃去有机层。将萃取后的吸收液密封保存于冰箱中。最好现用现配。

2.2，4-二硝基苯腙标准储备溶液：包括甲醛-DNPH、乙醛-DNPH、丙烯醛-DNPH、丙酮-DNPH、丙醛-DNPH、丁烯醛-DNPH、丁醛-DNPH、苯甲醛-DNPH、异戊醛-DNPH、正戊醛-DNPH、邻-甲基苯甲醛-DNPH、间-甲基苯甲醛-DNPH、对-甲基苯甲醛-DNPH、正己醛-DNPH、2，5-二甲基苯甲醛-DNPH，浓度均为15.0mg/L。

3.2，4-二硝基苯腙标准使用溶液：将2，4-二硝基苯腙标准储备溶液用乙腈分别稀释为0.06mg/L、0.15mg/L、0.30mg/L、0.60mg/L及1.50mg/L的浓度系列。用于标准曲线的测定。

（三）实验方法

1. 实验原理

样品经DNPH的酸溶液吸收后，用二氯甲烷/正己烷3:7进行萃取，然后将萃取液吹干，用乙腈溶解后进行高效液相色谱分析。

2. 实验步骤

（1）检出限测定

研究表明，选择盐酸作为吸收液配制的酸化试剂，对化合物进行HPLC测定时，醛酮腙化合物回收率高。萃取剂选择正己烷/二氯甲烷（7:3）时，萃取回收效率高。本实验我们选择用盐酸作为酸化试剂，配制DNPH吸收液，使用正己烷/二氯甲烷（7:3）作为萃取剂来测定吸收液法的检出限、精密度及加标回收率。

取15种醛酮腙标样（0.02mg/ml）1ml加入到10ml吸收液中，使用10ml正己烷/二氯甲烷（7:3）萃取一次。将有机层转移至浓缩瓶中，在氮气流中吹干溶剂，加入乙腈定容到1ml，进行HPLC测定。重复测定7次。

（2）精密度测定

取15种醛酮腙标样（1.0mg/ml）1ml加入到10ml吸收液中，使用10ml正己烷/二氯甲烷（7:3）萃取一次。将有机层转移至浓缩瓶中，在氮气流中吹干溶剂，加入乙腈定容到1ml，进行HPLC测定。重复测定4次。

（3）加标回收率测定

我们配制了3个浓度的醛酮腙标样，浓度分别是0.3mg/L，0.6mg/L及2.0mg/L。分别取1ml上述三种醛酮腙标样加入到10ml吸收液中，使用10ml正己烷/二氯甲烷（7:3）萃取一次。将有机层转移至浓缩瓶中，在氮气流中吹干溶剂，加入乙腈定容到1ml，进行HPLC测定。

（4）色谱条件

AgilentZORBAXExtend-C18柱：填料为5μmODS，柱长25cm，内径4.6mm；流动相甲醇-乙腈-水，柱温30℃，流速为1.0ml/min，检测波长为360nm。

（5）校准曲线的绘制

将配制好的0.06mg/L、0.15mg/L、0.30mg/L、0.60mg/L和1.50mg/L的系列标准溶液，进行高效液相色谱测定，绘制校准曲线。

三、结果与讨论

（一）检出限测定

研究表明，选择盐酸作为吸收液配制的酸化试剂，对化合物进行 HPLC 测定时，醛酮腙化合物回收率高。萃取剂选择正己烷/二氯甲烷（7:3）时，萃取回收效率高。本实验我们选择用盐酸作为酸化试剂，配制 DNPH 吸收液，使用正己烷/二氯甲烷（7:3）作为萃取剂来测定吸收液法的检出限、精密度及加标回收率。

取 15 种醛酮腙标样（0.02mg/ml）1ml 加入到 10ml 吸收液中，使用 10ml 正己烷/二氯甲烷（7:3）萃取一次。将有机层转移至浓缩瓶中，在氮气流中吹干溶剂，加入乙腈定容到 1ml，进行 HPLC 测定。重复测定 7 次。

表 1　吸收液法检出限测定 1234567 标准　　单位：mg/L

	1	2	3	4	5	6	7	标准偏差	检出限
甲醛 - DNPH	0.054	0.045	0.069	0.049	0.063	0.060	0.052	0.009	0.027
乙醛 - DNPH	0.071	0.022	0.028	0.043	0.039	0.024	0.044	0.017	0.053
丙烯醛 - DNPH	0.016	0.015	0.013	0.022	0.011	0.018	0.018	0.003	0.011
丙酮 - DNPH	0.015	0.007	0.008	0.006	0.006	0.008	0.005	0.003	0.011
丙醛 - DNPH	0.047	0.010	0.014	0.022	0.018	0.011	0.024	0.013	0.039
丁烯醛 - DNPH	0.025	0.013	0.017	0.021	0.023	0.016	0.027	0.005	0.016
丁醛 - DNPH	0.051	0.016	0.022	0.000	0.000	0.029	0.030	0.018	0.057
苯甲醛 - DNPH	0.014	0.000	0.025	0.000	0.000	0.000	0.000	0.010	0.032
异戊醛 - DNPH	0.063	0.030	0.020	0.049	0.016	0.062	0.038	0.019	0.060
正戊醛 - DNPH	0.013	0.000	0.000	0.000	0.020	0.000	0.015	0.009	0.028
邻 - 甲基苯甲醛 - DNPH	0.078	0.060	0.040	0.051	0.071	0.052	0.061	0.013	0.040
间 - 甲基苯甲醛 - DNPH	0.046	0.049	0.047	0.050	0.051	0.047	0.067	0.007	0.023
对 - 甲基苯甲醛 - DNPH	0.049	0.062	0.052	0.044	0.053	0.032	0.091	0.019	0.058
正己醛 - DNPH	0.040	0.048	0.042	0.036	0.041	0.029	0.056	0.009	0.027
2，5 - 二甲基苯甲醛 - DNPH	0.095	0.099	0.081	0.059	0.080	0.089	0.072	0.014	0.043

（二）精密度测定

取15种醛酮腙标样（1.0mg/ml）1ml加入到10ml吸收液中，使用10ml正己烷/二氯甲烷（7:3）萃取一次。将有机层转移至浓缩瓶中，在氮气流中吹干溶剂，加入乙腈定容到1ml，进行HPLC测定。重复测定4次。

表2 吸收液法精密度测定化合物名称1234平均值标准 单位：mg/L

化合物名称	1	2	3	4	平均值	标准偏差/%
甲醛－DNPH	0.505	0.507	0.504	0.506	0.506	0.13
乙醛－DNPH	0.451	0.484	0.526	0.562	0.506	4.85
丙烯醛－DNPH	0.489	0.478	0.492	0.503	0.491	1.03
丙酮－DNPH	0.495	0.469	0.478	0.496	0.485	1.32
丙醛－DNPH	0.479	0.465	0.496	0.484	0.481	1.28
丁烯醛－DNPH	0.476	0.475	0.502	0.505	0.490	1.62
丁醛－DNPH	0.520	0.445	0.490	0.472	0.482	3.14
苯甲醛－DNPH	0.462	0.501	0.454	0.512	0.482	2.85
异戊醛－DNPH	0.441	0.438	0.432	0.466	0.444	1.50
正戊醛－DNPH	0.389	0.395	0.362	0.392	0.385	1.52
邻－甲基苯甲醛－DNPH	0.484	0.508	0.495	0.504	0.498	1.08
间－甲基苯甲醛－DNPH	0.440	0.464	0.434	0.472	0.452	1.84
对－甲基苯甲醛－DNPH	0.509	0.506	0.472	0.578	0.516	4.44
正己醛－DNPH	0.452	0.464	0.424	0.452	0.448	1.69
2，5－二甲基苯甲醛－DNPH	0.429	0.534	0.464	0.522	0.487	4.93

（三）加标回收率测定

我们配制了三个浓度的醛酮腙标样，浓度分别是0.3mg/l，0.6mg/l及2.0mg/l。分别取1ml上述三种醛酮腙标样加入到10ml吸收液中，使用10ml正己烷/二氯甲烷（7:3）萃取一次。将有机层转移至浓缩瓶中，在氮气流中吹干溶剂，加入乙腈定容到1ml，进行HPLC测定。

表3 吸收液法回收率测定（1） 单位：mg/L

化合物名称	标准溶液浓度	萃取后浓度	回收率/%
甲醛－DNPH	0.673	0.647	96.1
乙醛－DNPH	0.640	0.550	85.8
丙烯醛－DNPH	0.633	0.538	85.0
丙酮－DNPH	0.613	0.547	89.2
丙醛－DNPH	0.616	0.541	87.8
丁烯醛－DNPH	0.601	0.509	84.7
丁醛－DNPH	0.607	0.600	98.9
苯甲醛－DNPH	0.567	0.499	87.9
异戊醛－DNPH	0.577	0.489	84.7

化合物名称	标准溶液浓度	萃取后浓度	回收率/%
正戊醛 – DNPH	0.591	0.484	81.9
邻 – 甲基苯甲醛 – DNPH	0.551	0.509	92.3
间 – 甲基苯甲醛 – DNPH	0.575	0.474	82.5
对 – 甲基苯甲醛 – DNPH	0.529	0.511	96.6
正己醛 – DNPH	0.566	0.482	85.1
2，5 – 二甲基苯甲醛 – DNPH	0.549	0.447	81.3

表 4　吸收液法回收率测定（2）　　单位：mg/L

化合物名称	标准溶液浓度	萃取后浓度	回收率/%
甲醛 – DNPH	0.304	0.277	91.2
乙醛 – DNPH	0.307	0.274	89.2
丙烯醛 – DNPH	0.303	0.271	89.3
丙酮 – DNPH	0.303	0.239	78.9
丙醛 – DNPH	0.306	0.273	89.2
丁烯醛 – DNPH	0.306	0.286	93.5
丁醛 – DNPH	0.310	0.270	86.9
苯甲醛 – DNPH	0.300	0.250	83.2
异戊醛 – DNPH	0.293	0.243	83.0
正戊醛 – DNPH	0.305	0.199	65.3
邻 – 甲基苯甲醛 – DNPH	0.264	0.231	87.5
间 – 甲基苯甲醛 – DNPH	0.283	0.239	84.3
对 – 甲基苯甲醛 – DNPH	0.287	0.260	90.5
正己醛 – DNPH	0.284	0.259	91.2
2，5 – 二甲基苯甲醛 – DNPH	0.279	0.255	91.5

表 5　吸收液法回收率测定（3）　　单位：mg/L

化合物名称	标准溶液浓度	萃取后浓度	回收率/%
甲醛 – DNPH	1.50	1.32	88.1
乙醛 – DNPH	1.63	1.28	78.6
丙烯醛 – DNPH	1.63	0.83	50.8
丙酮 – DNPH	1.23	0.18	14.8
丙醛 – DNPH	1.59	1.28	80.4
丁烯醛 – DNPH	1.35	1.16	85.8
丁醛 – DNPH	1.57	1.41	89.9

化合物名称	标准溶液浓度	萃取后浓度	回收率/%
苯甲醛 - DNPH	1.66	1.51	90.8
异戊醛 - DNPH	1.51	1.41	93.7
正戊醛 - DNPH	1.60	1.45	90.5
邻 - 甲基苯甲醛 - DNPH	2.97	2.92	98.3
间 - 甲基苯甲醛 - DNPH	3.02	2.74	90.7
对 - 甲基苯甲醛 - DNPH	2.92	2.67	91.3
正己醛 - DNPH	1.63	1.52	93.0
2，5 - 二甲基苯甲醛 - DNPH	3.13	2.90	92.5

参考文献

[1] EPA method to - 5 Method for the Determination of Aldehydes and Ketones in Ambient air Using High Performance Liquid Chromatography（HPLC）.

[2] METHOD ISO 16000 - 3 Determination of formaldehyde and other carbonyl compounds - Active sampling method.

[3] 胡冠九. HPLC 法测定水和废水中的醛酮类化合物［J］. 环境监测管理与技术，2004，16（2）：25 - 27.

[4] 国家环境保护总局. 空气和废气监测分析方法［M］. 北京：中国环境科学出版社，2002.

生态监测在青海三江源区生态保护中的几点思考

朱　辉

（青海省环境监测中心站　青海　西宁　810007）

摘　要　由于自然、人为等方面的原因，青海三江源区生态环境日趋恶化。2005 年，青海三江源自然保护区生态保护和建设工程开始实施。为评价三江源区的生态环境和建设工程成效，为生态环境保护和建设服务，填补我国在“三江源”这个特殊海拔地区的生态监测数据资料空白，为政府和有关部门提供客观、科学、丰富、直观的基础数据，开展了三江源区生态监测工作。本文通过对三江源区生态环境现状监测及特征阐述，分析了源区生态环境恶化的主要原因，提出了三江源地区生态环境可持续发展保护对策及建议，以建立一个科学合理和有效的生态环境保护管理机制和长效监测工作机制，为三江源区的生态环境管理，提供持续有效的技术支撑。

关键词　三江源　生态环境　生态监测　可持续发展　保护对策　建议

一、区域概况

（一）自然环境

三江源地区位于青海省西南部，是长江、黄河、澜沧江的发源地，属于海拔4 000米以上的青藏高原地区，地处青藏高原的腹地，地域辽阔，地形复杂，湿地生态系统星罗棋布，地理位置为北纬 31°39′~36°12′，东经 89°45′~102°23′。行政区域涉及玉树、果洛、海南、黄南四个藏族自治州的 16 个县和格尔木市的唐古拉山乡，总面积 36.3 万 km^2，约占青海省总面积的 50.4%。本区气候类型属典型高原大陆型气候特征，具有寒冷、干旱、多风等特征，年平均气温为 -4 ~3℃，年降水量为 260 ~770mm，由东南向西北逐渐递减，并具有明显的区域分异。主要土壤类型有高山寒漠土、高山草甸土、高山草原土、灰褐土、栗钙土、山地森林土和风沙土。由于受地理位置、地貌特征、气候条件以及土壤类型，使其拥有丰富和独特的生物种类与资源，区内物种丰富，形成了全国独特的生物基因资源“生态圈”。三江源区有高等植物约 1 728 种，其中蕨类植物约 28 种，裸子植物约 20 种，被子植物约 1 680 种（含变种）。各类野生动物约 360 种，其中鱼类动物 6 科 40 种，鸟类动物约 213 种，哺乳动物约 96 种，两栖类和爬行类动物种类很少，分别为 8 种和 7 种。三江源区河流密布，湖泊、沼泽众多、雪山、冰川广布是世界上海拔最高、面积最大、湿地类型最丰富的地区，素有“江河源”、“中华水塔”之称。面积按流域分为：黄河源区面积 16.7 万 km^2，占三江源地区总面积的 46%；长江源区面积 15.9 万 km^2，占 44%，澜沧江源区面积 3.4 万 km^2，占 10%，长江总水量的 25%，黄河总水量的 49% 和澜沧江总水量的 15% 都来自三江源区。

（二）社会经济

三江源地区地广人稀，经济发展水平落后，牧民人口密度约为 1 人/km^2，人口总量较少，人均占有草地约 700 亩。主体经济以天然畜牧业为主，牧业生产方式以自然放牧为主，经济结构单一，农牧业产值占 60% 左右，牧民人均可支配收入为 2 246.00 元。牧民的科学文化素质、生产技能较全国而言最低。据有关资料，至 2006 年底，总户数 160 227 户，区内总人口 66.28 万，地区生产总值394 364万元，其中牧业人口 52.33 万，牧业产值158 656万元，牧业人口占总人口的 78.9%，民族构成以藏族为主，占 90% 左右，其他为汉、回、撒拉、蒙古等民族。三江源区社会基本情况下页表。

三江源区社会基本情况

地区	总人口/万人	总户数/户	牧业人口/万人	地区生产总值/万元	牧业产值/万元	牧民人均收入/元
玉树藏族自治州	30.27	74 047	21.98	155 442	69 630	1 993.2
果洛藏族自治州	15.04	40 079	12.12	86 625	22 719	2 001.0
海南藏族自治州	11.55	25 921	9.88	86 553	27 909	2 750.0
黄南藏族自治州	9.30	19 858	8.23	64 920	37 863	2 088.0
海西蒙古族藏族自治州（唐古拉山乡）	0.12	322	0.12	824	535	3 579.0
合计	66.28	160 227	52.33	394 364	158 656	2 246.0

二、三江源区生态环境现状

（一）生态系统多样性

三江源区跨越暖温带和温带等气候带。由于海拔高度的垂直变化，致使地貌类型丰富，气候环境多样，生境变化复杂从而形成三江源区丰富而独特的生态系统类型。主要包括：森林生态系统、草原生态系统、草甸生态系统、湿地生态系统、沙地生态系统、农田生态系统等。三江源区的农田生态系统面积很小，主要分布在兴海、同德、玉树等局部地区。三江源区现有各类农田耕地面积约 $4.08\times10^4 hm^2$。种植的作物主要有青稞、油菜等。三江源区生态系统主要特征表现为：①独特性。高寒生态系统及其景观生态类型是青藏高原独特的生态系统类型，典型类型有高寒草甸生态系统、高寒湿地生态系统、高寒草原生态系统、高寒垫状稀疏植被生态系统地等。②原始性。三江源区是“世界屋脊”青藏高原的重要组成部分，平均海拔在3 600m 以上，部分地区的海拔在4 000m 以上，许多高原地区的生态类型和自然景观很少受到人类的干扰，处于自然原始状态，具有丰富的美学价值。③脆弱性。三江源区的高寒生态系统十分脆弱，主要表现为生态系统结构简单、生产力水平低、稳定性差和自我恢复能力弱等特点，容易因外界因子的干扰而遭受破坏，且恢复难度极大、恢复过程缓慢。

（二）物种种群分布较集中，但物种种群数量锐减

三江源区大部分物种是周边地区沿高寒冷气候通道迁徙而来。据调查统计，白唇鹿主要分布在祁连山、巴颜喀拉山、唐古拉山东部；野驴主要分布在玉树、果洛藏族自治州的部分地区；藏羚羊主要分布在可可西里山、阿尔金山等，分布区域相对集中。自 20 世纪 80 年代以来，由于一些野生动物本身具有极高的经济价值，非法盗猎事件时常发生，三江源地区发生多次盗运、猎杀藏羚羊、雪豹、藏原羚等事件，使三江源区生物多样性种类和数量锐减；冬虫夏草是三江源区具有极高经济价值野生药材资源，然而由于过度无序的采挖，资源已濒临枯竭。

（三）生物种群分布地域差异显著

三江源区由于山地高度所引起的气候垂直变化明显，使生物多样性在物种种群分布上有很大差异，如大黄、兰马鸡、藏马鸡等主要分布在气候温暖的东部地区；冬虫夏草、贝母、藏羚羊、藏雪鸡等主要分布在海拔较高、气候较寒冷的高原灌丛、高寒草甸和高流石坡等生态环境条件下；锁阳、罗布麻、麻黄草等仅分布于气候干旱的荒漠地区和盐碱地上。

（四）栖息地丧失对动植物造成严重的威胁

随着三江源区生态环境恶化的加剧，生态系统稳定性受到强烈的影响，从而引起了物种生境和栖息地的剧烈改变，植被退化，湿地萎缩以及土地沙化速率的提高，加速了各类生态系统的破碎和分离。使物种的生长、发育和繁衍规律发生了改变，生物多样性的物种种数，种群数量受到

严重威胁。

（五）三江源区沼泽众多，雪山冰川广布，是世界上海拔最高、面积最大、分布最集中的地区

三江源区沼泽生态系统占三江源区水体和湿地生态系统总面积的26.09%，基本类型为藏北嵩草沼泽，主要分布在杂多中西部、治多中南部以及曲麻莱东部、玛多和称多县。冰川和高山永久积雪的面积占三江源区水体和湿地生态系统总面积的9.02%，主要分布于玛沁县、杂多县、唐古拉山乡和治多县。三江源区生态系统类型以高寒草地为主，空间分布连片，景观结构单一。高寒草甸生态系统是三江源区高寒草地生态系统的主体，广泛分布于整个三江源区。高寒草原生态系统是三江源区分布面积仅次于高寒草甸的草地生态系统类型，主要分布于北部的曲麻莱、玛多以及西部的治多和唐古拉山乡。

三、三江源区生态环境恶化的主要原因

三江源区生态环境恶化的原因有因自然发生的，但人类活动是生态环境恶化的主要原因。生态系统在自然或人为干扰下偏离自然状态，生境破碎，生物失去栖息地，生态环境恶化。

（一）气候变化

近年来，青藏高原大部分地区气候增暖，暖期明显延长，整个三江源地区趋于暖干化过程，对区域生物多样性减少有很大影响。青海省的平均温度增幅达0.31℃，其中，长江源区约为0.06℃/10a，黄河源区约为0.08℃/10a。据调查分析，在近30年内高原雪线上升了50米，冰川后退500～1 000米，湿地萎缩约18%，草场植被退化约20%，土地沙化扩展22%，生物多样性物种种数、种群数量急剧减少或受到严重威胁。三江源区主要有草地、湿地、湖泊、森林、农田等生态系统，生态系统十分脆弱，气候变暖，使气候形态发生变化，改变生物群落，对生物物种造成严重的影响。特别是荒漠生态系统结构简单和脆弱，动物随着植物群落的破坏而逼迫迁移，使原本很脆弱的生态系统稳定性更低，恢复能力更弱，气候变化是造成三江源区生态环境恶化最重要的原因之一。

（二）人为因素

三江源区经济社会发展过分依赖畜牧业以及资源管理监督不力，加之，由于人们对生态环境重要性认识不够，保护意识淡薄，从而导致生境破坏时有发生，对资源开发不合理等是诱发生态环境恶化的主要因素。主要表现在以下几方面：

1. 超载放牧：三江源区草场普遍有超载放牧的现象。牲畜数量不断增加，牧草越啃越少，草地遭受过度放牧和垦殖，草原生产力下降，使得草原面积萎缩，草场退化严重，引起草原生物生理机能衰退，导致了生境的丧失，对生物物种造成了严重影响。

2. 乱采滥挖和偷捕乱猎：一些不法分子在利益的驱动下，在三江源区乱采滥挖药材，偷捕、偷猎野生珍稀动物，对生物物种的强度捕猎和采集等活动，毁坏草地植被，使物种种群数量锐减，同时也造成了水土流失。加之三江源区广大牧民除了以畜粪做燃料外，砍挖灌木、树根作为燃料，结果是林木和沙生植被遭破坏，生态环境严重恶化。

3. 工程建设：如铁路、公路、水沟、修筑公路等人为设施。由于这些工程建设，使得动物的活动受到一定限制，从而影响其觅食、迁徙和繁殖，物种数量减少。

4. 人口增长过快。人口增加后，满足吃饭的需求，这样就对区域自然生态系统及生存其中的生物物种产生了最直接的威胁。据有关资料，三江源地区人口出生率和自然增长率分别达到19.12‰和12.21‰，分别比全省平均水平高出2.8个千分点和2.34个千分点，人口总量远远超过了区域生态承载力，也是造成该区域生态破坏的主要因素。在人口增长过快、人类活动强度不断增加和全球气温变化的压力下，生境丧失、破坏和片段化是三江源区生态环境恶化和受到威胁

的最大因素。

四、三江源区生态环境可持续发展对策

生态系统是人类社会赖以生存和发展的环境基础，保护生态环境就是采取措施保护基因、物种、生境和生态系统，使其长期地满足人类的各种现实和潜在需求。保护日趋恶化的三江源地区生态环境，是一项惠及子孙的伟大事业。因此，合理利用和保护三江源区生态环境，保护区域生态安全，促进区域经济社会可持续发展是一项紧迫而又艰巨的任务。

（一）解放思想，抢抓机遇

当前，正在实施中的青海三江源自然保护区生态保护和建设工程项目给青海三江源区的经济社会发展带来了千载难逢的机遇。我们要进一步解放思想，开拓思路，抓住机遇，积极开展三江源区生态保护，切实保护好青海三江源地区的生态环境，从而为长江、黄河中下游地区的经济社会可持续发展服务。

（二）加强宣传，提高保护三江源生态资源的重要性认识

由于三江源地区地处偏远，社会经济发展缓慢，文化教育水平落后，针对该地区生态保护宣传教育方面的实际，应建立“青海三江源地区生态环境保护宣传教育基地”，可为三江源地区生态保护项目的实施提供教育、培训、宣传、咨询服务等工作。不断提高社会和民众对三江源自然资源与生物多样性的认识与了解，宣传自然资源与生物多样性的依赖关系，要转变自然资源是“取之不尽，用之不竭”的错误观念，提高公民的生态保护意识，树立可持续发展的观念。形成人人珍惜生物资源，人人保护生态环境的共识，共同促进人与自然的和谐发展。

（三）完善三江源生态环境监测技术体系

三江源区生态环境研究薄弱，开展三江源生态监测技术深入研究，完善三江源生态环境监测技术体系，是保护与治理三江源生态环境、申请生态补偿的前提。对三江源区开展生态环境监测调查分析，积累基础生态监测数据，进行综合分析，掌握其时空变化，开展系统的生态环境研究，研究三江源区生态环境现状、存在的主要问题、形成机制及演化过程，完善生态环境监测技术体系，提升为环境管理服务的水平和效率。

（四）强化法制建设，建立保障机制，提高执法水平

三江源区生态环境已经很脆弱，把改善生态、保护环境作为经济发展和提高人民生活质量的重要内容，在发挥市场机制作用的同时，完善政策法规，不断实行制度创新，运用先进实用的科技成果，加强对生态系统完整性和生物多样性的保护。三江源区各级政府要按照事权、财权划分的原则，积极争取国家的政策和投资，确保生态建设与保护工作有稳定的资金来源。结合本区实际，制定适宜的配套法制，依法保护；建立保护管理和投入的保障机制，建立生态补偿机制，严格资源开发中的环境影响评价制度和“三同时”制度，深入开展执法检查，强化执法监督，使三江源的生态环境保护走上法制轨道。

（五）积极培育新的生态特色产业

三江源区有其独有资源优势，如草场资源、汉藏药材资源、太阳能资源、水力资源、旅游资源等，通过对这些优势资源的合理开发利用，突出重点，体现特色，建立新型的产业结构链。三江源区经济活动的原始性和滞后性是发展生态产业的优势条件，自然地理条件的特殊性为发展特色产业奠定了基础。天然草地畜牧业就是生态产业，利用野生动植物开发的藏药、保健品也是生态产业。除此之外，应培育以生态旅游为主的文化产业，开发有特色的生态旅游项目与旅游产品。发展以高原湖泊、高原生态环境和自然风光奇异，民族文化习俗独特等具有高原风光、民俗的生态旅游业项目。以原生态自然景观为主，严格控制人为建造景观和设施的规模。尽管源区目前发展水平较低，但依托源区社会文化资源的比较优势，使文化产业在区域经济中发挥支柱的

作用。

（六）严格控制区内人口数量，使人口的年增长率控制在10‰以内

三江源地区人口形势严峻，必须加大投入和工作力度，创新工作思路和方法，控制人口增长，努力实现人口再生产和资源环境再生产的平衡。

五、生态监测在青海三江源区实施过程中的几点建议

（一）提高项目实施部门对生态监测的长期性、复杂性和特殊性认识

青海省实施的以保护生态环境、发展生态经济、培育生态文化为主要内容的“生态立省”战略，是一个极具生态文明眼光的战略发展思路，生态立省就是以生态作为发展的根本，达到经济、社会和谐发展的目的，体现的是科学发展的先进理念。青海三江源生态监测是一个长期的、动态性的实施过程，是一个既有点又有面的全面的过程，并不是一个简单的数据采集过程，生态系统评价也不能仅仅依靠年度监测数据间的直接比较进行分析，在一个较短的时段内难以给出生态系统状态变化的评价分析结果。目前，我国没有在一个较大的区域、一个生态环境相对敏感和脆弱的特殊地区，实施系统性的生态监测的先例，没有经验可以借鉴，提高项目实施部门对生态监测的长期性、复杂性和特殊性认识，只能边摸索、边实践，努力前行，完成既定目标。

（二）加强三江源生态监测项目协调管理力度，确保项目实施的质量和进度

目前，三江源生态监测工作是以环保部门牵头，多部门合作的组织形成来完成的。这有多部门合作的优势，也存在多部门合作协调任务重，不容易统一等问题。由于各部门对生态监测项目的认识有差距，协调难度大。加之由于生态监测项目涉及的内容复杂，技术性强，具有一定的前瞻性和探索性，也存在着许多探索性的问题需要解决，这也给项目管理带来了一定的困难。使得在项目实施过程中重视程度上、所投入的精力上、专业技术人员配备上均存在着差异，导致了在项目实施过程中存在工作进度上不一致、工作质量不统一等情况，要进一步加强对生态监测项目实施过程中的指导与计划协调性，确保项目实施的质量和进度。

（三）建立三江源生态监测长效工作机制

目前，生态监测工作主要由省级部门承担，项目实施以来生态监测工作组各执行单位克服困难，较好地完成了前四个年度的监测工作。但是三江源生态监测运行经费严重缺少，如果监测运行经费不能够得到稳定的保证，将直接影响到今后生态监测工作的持续进行。建立三江源生态监测长效工作保障机制，使三江源生态监测工作能长期、持续开展，使国家建设的投资效益持续发挥作用，为三江源区的生态保护和建设以及政府部门的生态环境管理，提供持续有效的技术支撑。

石墨炉原子吸收光谱法测定土壤及农产品中痕量铍

甘 杰 罗岳平 胡 军 黄 懿

（湖南省环境监测中心站 湖南 长沙 410014）

摘 要 采用微波消解土壤样品，用电热板消解农产品样，建立了石墨炉原子吸收光谱法测定土壤和农产品中铍含量的方法。在优化的工作条件下，用25mg/L钙（Ⅱ）盐为基体改进剂，铍的质量浓度在0~4μg/L范围内线性良好，检出限为0.4pg。测得土壤及农产品标准参考样与标示值相符，平行测定的相对标准偏差3.1%~4.4%，实际样品加标回收率为88%~97%。

关键词 铍 石墨炉原子吸收 微波消解 电热板消解 土壤

铍及其化合物毒性极强，即使是极少量也会由于局部刺激而伤害皮肤、黏膜，使结膜、角膜发生炎症，引起肺气肿、肺炎等。目前农产品中对铍的测定未见报道。环境样品中铍的分析方法有分光光度法、火焰及石墨炉原子吸收光谱法[1]、等离子体发射光谱法及等离子体质谱法等[2]。比色法等方法操作繁琐，ICP-MS因其高灵敏度，对测定痕量的铍是比较好的方法，但ICP-MS仪器尚未普及。本工作采用微波密闭消解法和电热板湿法消解法对土壤和农产品进行了前处理，用石墨炉原子吸收光谱法[3]测定铍，获得了满意的结果。

一、试验部分

（一）主要仪器和试剂

Varian AA880Z型石墨炉原子吸收光谱仪，智能消解器，ETHOS1型微波消解仪，调压型不锈钢电热板。

铍标准溶液：称取光谱纯金属铍（99.99%）0.5000g于50ml烧杯中，加入硝酸10ml，微热溶解，定容至1L，混匀，配成0.5000g/L标准溶液。使用时用0.5mol/L硝酸逐级稀释成10.0μg/L铍标准使用液。

混合酸：硝酸和高氯酸按3:1（V/V）混合；

硝酸镁、硝酸铝、硝酸锶、钙（Ⅱ）盐（氯化钙+硝酸）、抗坏血酸，分析纯；

硝酸、高氯酸、过氧化氢、氢氟酸等试剂均为优级纯，水为亚沸蒸馏水。

（二）试验方法

1. 土壤样的预处理

将采集的土壤样品（一般不少于500g）混匀后用四分法缩分至约100g。缩分后的土样经风干后，除去土样中杂物，用玛瑙棒研压，通过2mm尼龙筛以除去2mm以上的沙砾，混匀。用玛瑙研钵将通过2mm尼龙筛的土样研磨至全部通过孔径0.149mm尼龙筛，混匀后备用。

2. 农产品样的预处理

将农产品样（玉米）经洗净后，放在40~60℃干燥箱中烘干，样品干燥后，去掉灰尘、杂物，用专门的切碎机切碎后，再用无污染粉碎机，粉碎后过孔径0.21mm尼龙筛，储存于有磨口的玻璃广口瓶中保存备用。

3. 土壤样品微波消解

称取过筛土壤样品0.5000g于消解罐中，分别加入硝酸7ml，过氧化氢3ml，拧紧罐盖，进行消解。设定控制压力为400kPa，微波消解条件见表1。遇含硅量较高样品，可在原$HNO_3-H_2O_2$消解体系加HF 0.5ml，消解效果更佳。消解结束后待冷却取出消解罐，转移至聚四氟乙烯坩埚中，置于消解器上蒸发至近干，冷却后转移至25mL比色管中，定容；同时做空白试验。

表 1　微波消解条件

步骤	时间/min	功率/W	温度/℃
1	2	250	180
2	6	250	200
3	5	400	200
4	5	600	210

4. 农产品的电热板消解

称取经风干、粉碎、过筛处理后的农产品样 5.0000g 于锥形瓶中，放数粒玻璃珠，加入硝酸 20ml 和高氯酸 5ml 浸泡过夜后，在锥形瓶口加一短颈小漏斗于电热板上加热消解，当样品消解至棕黑色，再加混合酸，直至冒白烟，消解液呈无色透明或略带黄色，放冷。用滴瓶将样品消解液洗入或过滤入（视消解后样品的盐分而定）25ml 比色管中，用水少量多次洗涤锥形瓶，洗液合并于比色管中并定容，混合备用；同时做空白试验。

5. 测定方法

波长为 234.9nm，光谱通带宽设为 1.0nm，灯电流 5.0mA，石墨炉升温程序见表 2，背景校正为塞曼效应，进样量为 10μl。将 10.0μg/L 铍标准溶液及基体改进剂分别倒入石墨炉原子吸收进样杯中，通过自动进样器混合配制含铍 0，1.0μg/L，2.0μg/L，3.0μg/L，4.0μg/L 的标准溶液，测定其吸光度，仪器自动绘制标准曲线。同时将待测样品倒入进样杯中，通过自动进样器将其与基体改进剂混合进样，测定。

表 2　石墨炉升温程序步骤程序

步骤	程序	温度/℃	时间/s	方式
1	干燥	120	20	升温
2	灰化	1000	8	升温
3	原子化	2300	3	保持
4	消除	2300	2	保持

二、结果与讨论

（一）消解方法的选择

土壤中富含大量矿物质，各成分的物理化学性质差异也很大，选择合适的消解方法对获得准确的实验结果起着关键性的作用。微波消解是通过微波辐射引起的内加热和吸收极化作用所达到较高温度和压力，使消解速度大大加快，消解效率大大提高，并减少了氧化剂的用量，同时样品消解是在密闭容器中进行，避免了样品挥发所带来的损失。但由于受称样量限制（一般小于 1.0g），检出限较电热消解板消解检出限高。微波消解，用硝酸和过氧化氢消解样品，过氧化氢分解所产生的氧非常有利于消解有机质，但由于此体系能导致瞬间压力上升，一般控制其用量不超过 4.0ml，本文选用过氧化氢 3.0ml。农产品中铍的含量是超痕量，用电热板湿法消解通过较大的称样量（5.0g）可以获得更低的检出限，本工作通过在锥形瓶口加一短颈小漏斗，多次加酸，可以在避免挥发的同时，使有机碳化物充分分解。

（二）基体改进剂的选择

试验了硝酸镁、硝酸铝、硝酸锶、钙（Ⅱ）盐、抗坏血酸对铍的测定的影响，5 种基体改进剂均能改善铍的分析灵敏度，运用 25mg/L 钙（Ⅱ）盐做基体改进剂时测得铍的吸收信号最大，本工作选用钙（Ⅱ）盐为基体改进剂。

（三）工作曲线、线性范围和检出限

铍的质量浓度在 4.00μg/L 以内与吸光度呈线性关系，线性回归方程：$A = 0.12534C + 0.00136$，相关系数为 $r = 0.9991$。用本方法平行测定全程序空白（$n = 7$），以测定值的 3 倍标准偏差计算仪器检出限为 0.4pg，则土壤和农作物的检出限分别为 0.002mg/kg 和 0.0002mg/kg。

（四）标准物质分析

用标准物质分别对两种前处理方法进行了测试，测定值均在允许范围内（表 3）。

表 3　标准参考样品测试结果

样品	标准编号	标准值/（mg/kg）	测定均值/（mg/kg）	RSD/%（$n=6$）
土壤	GSS-1	2.5±0.4	2.36	4.4
菠菜	GBW10015	0.017±0.002	0.0158	3.1

（五）样品分析

按试验方法，对土壤、农产品（菠菜、玉米）中铍进行了测定，同时进行了加标回收试验，结果见表 4。

表 4　实际样品分析结果

样品	样品测得值/（mg/kg）	加入量/（mg/kg）	测得总量/（mg/kg）	回收率/%
土壤	0.075	0.050	0.119	88
	0.094	0.050	0.141	94
	0.071	0.100	0.164	93
	0.145	0.100	0.242	97
玉米	未检出	0.050	0.045	90
	未检出	0.100	0.092	92
菠菜	0.008	0.010	0.017	90
	0.012	0.020	0.030	90

三、结　论

环境污染将会导致人类食物链的污染，石墨炉原子吸收光谱法适用于对环境中痕量铍的测定，本文提供了两种前处理方法测定土壤及农作物中的痕量铍，均获得了满意的结果。

参考文献

[1] 国家环境保护总局．水和废水监测分析方法（第 4 版）[M]．北京：中国环境科学出版社，2002.

[2] Reimann C，Bjorvatn K，Frengstad B，et al. Drinking water quality in the Ethiopian section of the East African Rift Valley I-data and health aspects [J]．The Science of the Total Environment，2003，311：65-80.

[3] 李小英，曾念华，罗方若，等．微波炉溶样恒温平台石墨炉原子吸收光谱法直接测定沉积物中痕量铍[J]．理化检验——化学分册，2000，36（11）：493-494.

土壤样品的前处理对氟含量测定的影响

王　梅[1]　王　蕾[2]

（1. 山东省环境监测中心站　济南市历山路50号　250013；2. 济南市历城区环保局）

摘　要　采用氢氧化钠熔融法处理土壤样品，针对常规加热方法，增加预加热环节，从而减少样品在熔融过程中的损失。结果表明，使用预加热的方法所得样品，分析结果比直接入马弗炉熔融的方法偏高，标准样品更接近保证值。通过分析结果可见，处理好的样品经静置过程是十分有必要的，未经静置直接过滤取滤液分析的样品分析结果偏低。

关键词　熔融　预加热　过滤　静置

氟元素是动物和人体必需的元素，氟元素在人体内失调会导致各种疾病。缺氟易患龋齿病，过高则会引起氟中毒。土壤中氟的含量与人体的健康关系密切，过低可能会导致饮用水以致食物中的氟缺乏，造成龋齿或骨质变脆；过高则会污染地下水，造成高氟地下水，并通过食物链传递给动物和人体，导致氟中毒[1]，例如人们常见的氟斑牙等地方病。目前我国普遍采用的土壤氟含量的测定方法为离子选择电极法，其特点为抗干扰能力强，灵敏度高。土壤样品氟含量分析的准确性受样品前处理方法的影响较大。有关土壤样品的前处理方法有较多报道，常用的为氢氧化钠熔融法、高温水解法、直接蒸馏法等。首次将高温水解法用于氟化物分析的是Warf等[2]。根据文献资料报道，高温水解法对操作技术要求较高、分析费时、不太适用于批量样品的分析[3]。近年来，张文利等[4]，提出将样品及硫酸直接加入蒸馏瓶中，将三次蒸馏馏分收集用于氟化物的测定，但该方法虽然较简便，但更适于固定污染源颗粒物样品的分析，并不适用于土壤样品的处理。氢氧化钠熔融法对设备要求较低、操作简便，因此应用较为广泛。我国现行的土壤环境监测技术规范（HJ/T 166—2004）所采用的前处理方法为氢氧化钠熔融法。目前，我国学者针对氢氧化钠熔融法－离子选择电极分析的各种干扰因子、缓冲液组成、温度、pH以及澄清时间等问题进行了大量细致的研究[5,6]。氢氧化钠在马弗炉中高温熔融时，容易起泡上爬，如何处理熔融时造成的样品损失？样品处理后沉淀静置澄清取上清液，还是直接过滤取滤液分析[7]，两种方法对分析结果有何不同影响？本文将针对这两个问题进行研究。

一、实验方法

（一）仪器、试剂与研究方法

METTLER TOLEDO SevenMulti 型 pH 计、离子综合测试仪；

METTLER TOLEDO 氟离子电极，LE302 参比电极；

LINDBERG UT150 马弗炉；

氢氧化钠熔融法试剂：按照《土壤元素近代分析方法》[9]配制；

土壤样品：全国土壤污染状况调查山东省土壤样品。

（二）样品前处理及测定

1. 氢氧化钠熔融方法比对

方法一：准确称取样品0.5000g于50ml镍坩埚中，加入4g氢氧化钠。放入马弗炉中加热，由低温升值550℃，继续保温20min。取出冷却，用50ml刚煮沸的水分几次浸取，直至熔块完全熔解，移入100ml烧杯中，缓缓加入5～8ml盐酸，不断搅拌，并在电炉上加热近沸，冷却后将溶液和沉淀物等全部转入100ml容量瓶中，加入水稀释至标线，摇匀。静置58h澄清，取上清液待测。不加样品，按同样的操作步骤制备一份全程序试剂空溶液。

方法二：另称取同样的样品，加入氢氧化钠后，先在电炉上进行预加热，使氢氧化钠初步熔融，之后放入马弗炉中，由低温升至550℃20min。其他同上。

2. 过滤对操作的影响

采用方法二，预加热熔融法，对定容后样品分别采用定性滤纸（定量滤纸在生产过程中采用氢氟酸处理过，故不宜使用）过滤，取滤液进行分析，以及静置取上清液分析，两种方法进行对比。

3. 校准曲线及计算

校准曲线的测定、绘制及有关计算按《土壤元素近代分析方法》要求进行。

二、结果与分析

（一）熔融方法对分析的影响

对5份土壤样品及2份土壤国家标准样品做平行样分析。直接进马弗炉熔融为方法一，采用预先加热熔融为方法二，样品均静置58h，结果见表1。

表1　不同熔融方法对分析结果的影响

样品编号	样品来源	氟含量/（mg/kg）		平均偏差/%
		方法一	方法二	
ESS-2	国家标准样品（725mg/kg±39mg/kg）	691.8	727.7	5.06
ESS-4	国家标准样品（590mg/kg±42mg/kg）	566.2	586.0	3.44
Soil-1	菏泽地区梁山县	407.8	418.2	2.52
Soil-2	菏泽地区曹县	367.3	383.4	4.29
Soil-3	聊城地区莘县	424.4	456.1	7.20
Soil-4	聊城地区高唐	541.9	564.1	4.01
Soil-5	德州地区	437.5	485.8	10.5

由表1的数据可以看出，不同的熔融方法的确对分析有一定的影响，而且方法二明显比方法一测得的结果偏高，平均偏差在2.52%～10.5%之间。从标准样品的分析来看，方法一处理后的样品分析结果虽然都在不确定范围之内，但方法二处理后分析的标准样品较接近标准真值。

（二）过滤操作对分析结果的影响

采用效果较好的方法二即预加热熔融法，使用上述同样的5份样品及2份土壤国家标准样品，对定容后的样品直接过滤取滤液进行分析，其分析结果与静置58h的对照情况，见表2。

表2　静置与过滤处理方法对分析结果的影响

样品编号	样品来源	氟含量/（mg/kg）		平均偏差/%
		方法一	方法二	
ESS-2	国家标准样品（725mg/kg±39mg/kg）	727.7	695.2	4.57
ESS-4	国家标准样品（590mg/kg±42mg/kg）	586.0	575.2	1.86
Soil-1	菏泽地区梁山县	418.2	385.2	8.22
Soil-2	菏泽地区曹县	383.4	374.2	2.43

样品编号	样品来源	氟含量/（mg/kg）		平均偏差/%
		方法一	方法二	
Soil－3	聊城地区莘县	456. 1	432. 5	5. 31
Soil－4	聊城地区高唐	564. 1	552. 3	2. 11
Soil－5	德州地区	485. 8	441. 7	9. 51

由表2可看出过滤操作后得出的样品分析结果，比静置后的样品分析结果偏低，且平均偏差在2. 11%～9. 51%之间，这可能是由于用氢氧化钠熔融，热水溶解后，调节pH时，大量的阳离子迅速生成氢氧化物沉淀，溶液中部分氟化物被这些沉淀捕集、吸附，随着澄清时间的延长，部分氟离子又被逐步释放出来。直接过滤样品可能会造成部分氟离子随沉淀物被过滤掉了，造成分析结果偏低。

三、结　论

1. 采用氢氧化钠熔融法处理样品，由于马弗炉加热温度过高，造成氢氧化钠起泡上爬，容易损失部分土壤样品，且易造成熔融不完全，使得分析结果偏低。为更准确地分析土壤样品，建议在样品的前处理过程中，增加电炉预加热步骤，以减少样品的损失对分析结果的影响。

2. 经过实验证明，刚刚处理完毕的样品直接过滤，并取滤液分析，容易造成分析结果偏低的现象，建议在土壤前处理过程中采用静置取上清液分析的方法。

参考文献

[1] 谢正苗，吴卫红，徐建民．环境中氟化物的迁移和转化及其生态效应［J］．环境科学进展，1999，7（2）：40－53.

[2] Warf J C，Cline WD，Tevebaugh RD. Pyrohydrolysis in Determination of Fluoride and other Halides［J］. Anal. Chem，1954，26（2）：342－346.

[3] ASTM D5987－96，Standard test method for total fluorine in coal and coke by hydrolytic extraction and selective electrode or ion chromatograph methods［S］. West Conshohocken，PA：ASTM International，2002.

[4] 张文利，袁思平，樊津江．电解铝行业中氟化物监测方法研究［J］．甘肃环境研究与监测，2003，16（1）：17－18.

[5] 应波，吉荣娣．煤及土壤中总氟测定标准方法的研究［J］．中国地方病学杂志，1993，12（6）：335－337.

[6] 韦利杭．氢氧化钠熔融－氟电极法测定土壤氟［J］．中国环境监测，1990，6（1）：125－128.

[7] 吴卫红，谢正苗，徐建民，刘超．土壤全氟含量测定方法比较［J］．浙江大学学报（农业与生命科学版），2003，29（1）：103－107.

测定土壤和农作物中有机污染物的液相微萃取样品预处理技术研究

陈丽华　张丽君　张　磊　张占恩

（苏州科技学院江苏省环境科学与工程重点实验室　苏州　215011）

摘　要　研究了一种用中空纤维膜液相微萃取气相色谱质谱法直接测定土壤和农作物中有机污染物残留的新方法。确定了不同固体样品中各污染物的最佳实验条件。在其最优化实验条件下，方法线性良好，相对标准偏差均低于9.6%，土壤中邻苯二甲酸酯类污染物的最低检出限可达0.00049mg/kg。本研究证明中空纤维膜液相微萃取气相色谱质谱法能够用于土壤及农作物中有机污染物的快速测定。

关键词　液相微萃取　气相色谱-质谱　土壤　农作物　有机污染物

1999年Pedersen-Bjergaard等[1]提出了以中空纤维为载体的液相微萃取技术（HF-LPME），HF-LPME不但具有悬滴萃取的全部优点，此外，纤维是一次性使用的，避免了萃取过程中可能存在的交叉污染问题。由于大分子、颗粒杂质等不能通过纤维壁孔，因此HF-LPME还具有固相萃取、单滴液相微萃取不具备的突出的样品净化功能，扩大了分析底物范围，可用于复杂基质样品的直接分析[2,3]。本实验利用HF-LPME特有的样品净化功能，直接分析土壤和农作物样品中的有机污染物，方法简单、快速、无二次污染，且分析效果好。Jiang和Shen[4,5]等人曾用HF-LPME直接测定土壤中的多环芳烃、三嗪类除草剂，而用HF-LPME直接测定土壤中的二苯醚类除草剂、邻苯二甲酸酯类增塑剂、农作物中三唑类杀菌剂还未见报道。

一、实验部分

（一）仪器与试剂

HP6890-5973MSD气相色谱/质谱仪（美国Agilent公司）；HP-5MS石英毛细管色谱柱（30m×0.125mm，0.125μm涂层，美国Agilent公司）；10μl微量进样器（Agilent公司）；SH23-2恒温磁力搅拌器（上海梅颖浦仪器仪表公司）；OBY-2型可调高速匀浆机（苏州欧倍科学仪器有限公司）；Milli-Q Academic纯水器（Millipore，美国）；聚丙烯中空纤维膜，内径为550μm，壁厚为50μm，纤维孔隙尺寸为0.02~0.2μm。

色谱纯丙酮，环己烷，二甲苯，正辛烷，二氯甲烷；实验用纯水为使用Milli-Q Academic纯水器制得的去离子和去有机物纯水；其余所需试剂均为分析纯。

二苯醚类除草剂标样：乙氧氟草醚，除草醚，甲羧除草醚，氟磺胺草醚，乙羧氟草醚，购自Ehrenstorfer Quality；邻苯二甲酸酯类增塑剂：邻苯二甲酸二甲酯（DMP）、邻苯二甲酸二乙酯（DEP）、邻苯二甲酸二正丁酯（DnBP）、邻苯二甲酸丁基苄酯（BBP）、邻苯二甲酸二（2-乙基己基酯）酯（DEHP），五种物质混标购自美国Supeclo公司；三唑类杀菌剂：三唑酮（triadimefon），多效唑（paclobutrazol），腈菌唑（myclobutanil），烯唑醇（diniconazole），丙环唑（propiconazole），购自上海市农药研究所。使用丙酮配制含各五种物质1000mg/L的储备液，冷藏于4℃冰箱中储存，临用时用丙酮稀释至需要的浓度。

（二）土壤和农作物样品预处理及加标样品制备

将纯净的不含待测物质的土壤在空气中风干、粉碎，然后研磨、过200目孔径的网筛筛滤。处理好的样品放入4℃的冰箱中保存备用。

苹果去核，切碎备用；橘子去皮和子；香蕉去皮，切碎；大白菜和鸡毛菜去根，切碎；取适量需要测定的以上样品，在高速匀浆机中匀浆2min，直至样品形成颗粒细小的浆状即可。处理好的样品放入4℃的冰箱中保存备用。

加标实验中，取筛滤过的土样或匀浆后农作物样品100g，向其中加入丙酮直到把样品全部浸没，取所需测定样品混合标准溶液适量注入丙酮样品中，在超声中震荡30s，以便目标物被样品充分吸附，搅拌均匀直到丙酮挥发至干，放入通风橱里风干平衡一昼夜。处理好的样品放入4℃的冰箱中保存以备分析。萃取时在样品瓶中按3:1的水固体样品比称取2.5g备用固体样品。

（三）中空纤维膜液相微萃取

将中空纤维膜在丙酮中超声清洗10min以便去除污染物，风干后切成长度为2cm的小段备用；微量进样器先抽入3μl萃取剂，再抽入等体积的水；将微量进样器针尖插入中空纤维膜的一端然后浸入萃取剂中约10s，以便有机溶剂充满膜壁上的微孔；此时，憎水性的中空纤维膜膜管内也会充满有机溶剂，然后用微量进样器内的水冲洗膜管，移除其中的有机溶剂；取出中空纤维膜浸入浆状液中，小心地将进样器中的有机溶剂注入中空纤维膜中；打开磁力搅拌器开关开始萃取。待萃取完成后，从中空纤维膜中抽取1μl萃取剂注入气相色谱质谱中进行分析。

（四）色谱及质谱条件

色谱条件：载气（He）流速0.12 ml/min；进样口温度230℃；分流进样，分流比10:1；柱温为程序升温：初始温度为80℃，保留2min，以20℃/min升温至200℃，然后以10℃/min升温至260℃，保留6min。

质谱条件：质谱采用EI离子源（电子能量69.9eV），离子源温度230℃，四极杆150℃。采用全扫描方式根据保留时间进行定性测定，离子选择方式进行定量测定。

二、结果与讨论

（一）有机萃取剂的选择

在HF-LPME中选择一个合适的有机萃取溶剂可以大大提高对目标物的萃取效率。萃取溶剂的选取需要重点考察以下几个方面：有机溶剂必须能浸没在纤维膜孔壁上且稳定，不容易挥发；不溶于水，与目标物有相似的极性，亲和力好。本实验选用了环己烷、正辛烷、二甲苯和二氯甲烷四种有机溶剂萃取目标物，实验结果显示，萃取土壤中二苯醚类除草剂和农作物中三唑类杀菌剂时，环己烷的萃取效果明显好于其他三种，而二甲苯是萃取土壤中邻苯二甲酸酯类增塑剂的最佳溶剂。

（二）超声震荡时间对萃取效果的影响

低频率超声震荡可以使土壤颗粒变小，有利于目标物从土壤样品解析到水中，缩短萃取时间。超声时间越长，颗粒越小，目标物越容易从土壤中解析出来；但随着超声时间的增加，固体粒径越来越小，比表面积增大，对目标物的吸附能力加强，萃取量降低。同时，固体颗粒越细小，萃取过程中，需要更高的搅拌速度来使泥浆混合均匀，容易引起萃取溶剂的损失。本实验把超声震荡与HF-LPME结合，研究了超声时间分别为1、3、5、10、15min时对萃取效率的影响。实验结果显示，5min前随震荡时间的增加所测定土壤和蔬菜中目标物的峰面积均逐渐增大，5min之后峰面积略有减少但变化不大。为减少分析时间，并达到较好的分析效果，选择5min作为超声震荡时间。

（三）水与固体样品的比例

萃取过程中水固体样品比小，浆状样品不容易搅拌均匀，影响传质过程，若提高搅拌速度又容易引起萃取溶剂的损失；水固体样品比过大，浆状样品中土或农作物的含量降低，传质到水中的目标物质减少，所以选取最佳水固体样品比尤为重要。本实验在水与固体样品总质量为10g的情况下，考察了水固体样品比分别为2:1，3:1，4:1，5:1，7:1时对萃取效果的影响。实验结果表明：水固体样品比为3:1时各种目标物的萃取效果都达到最大，选择3:1为最佳的水固体样品比。

（四）最佳萃取时间

萃取达到动态平衡时通常萃取量最大。萃取时间短，目标物在水和溶剂中达不到平衡；萃取时间过长，萃取溶剂容易损失，分析结果稳定性变差。研究了萃取时间分别为5、10、15、20、25、30、35min时对萃取效率的影响。实验结果表明萃取时间为30min时土壤中五种二苯醚类除草剂的峰面积达到最大值，土壤中邻苯二甲酸酯类增塑剂最佳萃取时间为15min，农作物中三唑类杀菌剂的萃取量在萃取时间为20min时达到最大值。

（五）搅拌速率的影响

搅动浆状样品可以改善传质过程，加快目标物进入萃取溶剂的速度，提高萃取效率，但搅动过快会加速有机溶剂的挥发，增大实验误差。测定土壤样品时，本实验在600~1200 r/ min范围内改变搅拌速度，考察了搅拌速率对萃取效果的影响，由实验数据知萃取土壤样品中二苯醚类除草剂和邻苯二甲酸酯类增塑剂的最佳搅拌速度分别为1100r/min和750r/min。萃取农作物样品中三唑类杀菌剂时，选用500r/min作为最佳搅拌速度。

（六）萃取温度的影响

温度升高，目标物向有机相的扩散系数增大，对流过程加强，利于缩短达到平衡的时间，但升温会使目标物的分配系数变小，减少了其在溶剂中的萃取量，且高温有机溶剂易挥发。本实验考察了萃取温度为15、20、25、30、35、40、50℃时的萃取效果，土壤中二苯醚类除草剂的最佳萃取温度为30℃，土壤中邻苯二甲酸酯类增塑剂和农作物中三唑类杀菌剂均为40℃。

通过对上述实验条件的研究，得出土壤和农作物样品中有机污染物的最佳萃取条件，如表1所示。

表1　固体样品中有机污染物最佳萃取条件

固体样品及污染物种类	萃取溶剂及用量	超声震荡时间/min	水与固体样品比（总质量10g）	萃取时间/min	萃取温度/℃	搅拌速度/（r/min）
土壤中二苯醚类除草剂	环己烷3μl	5	3:1	30	30	1100
土壤中邻苯二甲酸酯类增塑剂	二甲苯3μl	5	3:1	15	40	750
农作物中三唑类杀菌剂	环己烷3μl	5	3:1	20	40	500

（七）方法的线性范围、检出限和精密度

取适量1000mg/L标准储备液按照本文一（二）所示步骤准确配置一系列合适浓度的标准固体样品，按照本文一（三）所示步骤萃取，在本实验选定的各自最佳萃取条件下，测定土壤和农作物中各标准物质，线性范围、相关系数、最低检出限、相对标准偏差如表2所示。在选择离子检测方式下目标物的最低检出限能达到0.00049mg/kg。同时为考察方法的重现性，连续测定浓度为10mg/kg的标准样品各6次，测定的相对标准偏差（RSD）在4.3%~9.6%。

（八）实际土样的测定

本实验测定了取自某化工厂不同采样点的4个实际地下土样（编号A-1~A-4），按本文一（三）方法进行样品前处理，GC/MS分析，二苯醚在每个样品中都有检出，且含量很高，其中两个样品分别检测出了甲羧除草醚和乙氧氟草醚；同样方法，对某农田土壤中的酞酸酯类物质进行了测定，结果显示土壤中只含有DEP和DnBP两种酞酸酯类物质，且浓度都在1mg/kg以下。两种实际土样的具体测定结果如表3所示。对购于农贸市场的苹果、橘子、香蕉、鸡毛菜、大白菜进行测定，五种农作物中均未检出此五种三唑类杀菌剂。实验结果表明该方法简单、快速、成本低廉，可以用于土壤和农作物等固体样品中有机污染物的快速检测。

表2 固体样品中目标物的线性范围、相关系数、最低检出限和相对标准偏差

固体样品	分析物	线性范围/（mg/kg）	相关系数	最低检出限/（mg/kg）	相对标准偏差
土样	乙氧氟草醚	0.5~25	0.9882	0.051	5.4%
	除草醚	0.5~25	0.9964	0.050	7.9%
	甲羧除草醚	1~25	0.9999	0.091	7.1%
	氟磺胺草醚	1~25	0.9981	0.480	4.3%
	乙羧氟草醚	0.5~25	0.9966	0.480	8.1%
土样	邻苯二甲酸二甲酯	0.05~5	0.9992	0.00049	7.7%
	邻苯二甲酸二乙酯	0.05~5	0.9981	0.00058	6.4%
	邻苯二甲酸二正丁酯	0.05~5	0.9996	0.0005	6.9%
	邻苯二甲酸丁基苄酯	0.1~5	0.9993	0.0009	4.7%
	邻苯二甲酸二（2-乙基已基酯）酯	0.1~5	0.9987	0.0008	9.6%
农作物（例如鸡毛菜）	三唑酮	0.5~25	0.9994	0.055	6.8%
	多效唑	0.5~25	0.9987	0.087	5.1%
	腈菌唑	1~25	0.9991	0.062	5.9%
	烯唑醇	1~25	0.9976	0.170	7.1%
	丙环唑	1~25	0.9993	0.210	7.4%

表3 两种实际样品测定结果

实际土样A、B	浓度/（mg/kg）					% R.S.D.				
	二苯醚	乙氧氟草醚	甲羧除草醚	DEP	DnBP	二苯醚	乙氧氟草醚	甲羧除草醚	DEP	DnBP
A-1	27.8	21.7	nd	—	—	4.7	5.2	nd	—	—
A-2	25.4	nd	5.4	—	—	5.1	nd	6.5	—	—
A-3	39.8	nd	nd	—	—	4.2	nd	nd	—	—
A-4	34.4	nd	nd	—	—	4.7	nd	nd	—	—
B-1	—	—	—	0.65	0.97	—	—	—	7.6	4.4
B-2	—	—	—	0.54	0.82	—	—	—	9.3	7.4

注：nd 为未检出。

参考文献

[1] S. Pedersen-Bjergaard, K. E. Rasmussen. Anal. Chem., 1999, 71: 2650-2656.

[2] 罗明标，刘维，李伯平，等. 分析化学，2007, 35 (7): 1071-1077.

[3] 刁春鹏，时军波，苑金鹏，等. 光谱实验室，2008, 25 (2): 158-163.

[4] G. Shen, H. K. Lee. Anal. Chem., 2002, 74: 648-654.

[5] X. Jiang, C. Basheer, J. Zhang, H. K. Lee. J. Chromatogr. A, 2005, 1087: 289-294.

东莞市城市功能区噪声自动监测点位布设初探

吴对林　李美敏　陈丽华　罗晓虹

（广东省东莞市环境保护监测站　广东省东莞市南城体育路15号　523009）

摘　要　本文依据功能区环境噪声普查数据和城市环境噪声功能区分布特征，进行环境噪声自动监测优化布点，检验结果表明该优化方法是科学可行的。本优化研究的原则和方法，对环境噪声自动监测优化布点具有一定的参考价值和指导意义。

关键词　功能区　噪声　自动监测　优化　布点

噪声是危害人体健康的环境污染因素，是环境监测的重要内容。全天候、自动化、智能化、网络化的环境噪声自动监测系统可对城市各类环境噪声的多个测点同步进行连续监测，能提供实时、准确的城市环境噪声监测数据，对及时掌握城市环境噪声污染状况、采取科学的监督管理措施具有十分重要的现实意义。针对城市噪声环境功能区的声环境基本特征，使噪声自动监测点位的布设既科学合理又具有代表性，是环境噪声自动监测需要解决的首要问题。

本文结合东莞市城市环境噪声功能区分布特征和声环境特征，对功能区噪声自动监测布点进行了优化研究。

一、城市环境噪声功能区划分情况

东莞市市区面积237.6平方公里，根据城市总体规划、城市发展现状和声环境功能特征将市区划分成1、2、3、4类环境噪声适用区。2007年市规划部门确定的城市建成区面积为67.76平方公里，建成区内以1、2类环境噪声功能区为主，建成区南部有小部分3类区（面积约6平方公里），建成区内的78条交通干线两侧区域为4类区。

二、城市环境噪声现状监测

根据GB 3096—2008《声环境质量标准》8.3.1中的要求，对城市建成区范围内的各类声环境功能区噪声进行普查监测。

1～3类功能区按各自面积大小的不同，分别划分成108个、109个、101个等大的正方形有效网格，测点尽量设在网格中心点，按照GB 3096—2008《声环境质量标准》6.2中“一般户外”测点的要求，分昼、夜进行普查监测；计算每个测点和每类功能区的昼夜等效平均声级。

4类区环境噪声普查监测：建成区内的78条主、次交通干道，以自然路段为基础，考虑交通运行特征和两侧敏感建筑物分布情况，共划分为153个典型路段，在这153个典型路段的两侧敏感建筑物户外共布设4类区环境噪声测点153个，分昼、夜进行普查监测；计算每个测点和4类功能区的昼夜等效平均声级。建成区内的东莞运河没有航运功能，4类区布点时不作考虑。

三、布点原则和技术路线

（一）布点原则

选择城市建成区内各类噪声功能区中具有代表性的一个至若干个能代表该类区域环境噪声平均水平的测点，进行长期的监测，是功能区噪声监测的目的和意义所在。因为功能区噪声自动监测和传统手工监测有所不同，本文认为功能区噪声自动监测点位的优化应至少从以下几个因素考虑：

1. 所选点位具有该类声环境功能区的主要声环境特征，所选测点的监测数据要有较好的代表性。一个类别的功能区一般至少选取 1 个测点。

2. 选取的测点空间分布合理，能够基本覆盖城市各行政区域和不同规划功能区域。

3. 在同等条件下尽量选择原有的功能区噪声手工监测点位，有利于保证噪声监测数据的连续性与可比性。

（二）条件

1. 技术条件

测点优化的必要条件有：优化前、后的噪声等效声级平均值差值一般要小于 1.0dB（A），标准差的差值尽可能得小，优化前、后等效声级平均值的相对误差一般小于 ±5%。

2. 现场条件

功能区噪声自动监测点位还需考虑设备安装现场的用电、设备安全等情况，测点周边环境要相对开阔和反射物距离不小于 3.5 米，既保证传声器有足够的捕集空间，又方便设备的安装、维护。

实际上，环境功能区特征明显、满足布点原则和技术条件的测点不可能只有一个，通常有多个测点可以备选。因此，有理由相信在实践中可以兼顾各种情况，在满足布点原则的前提下，选择既满足技术条件又适合安装自动监测仪器的测点是可行的。

（三）优化布点技术路线

首先根据环境噪声适用区划分和各类功能区环境噪声现状监测结果，分别计算出某一类功能区噪声的平均等效声级，依据布点原则和技术条件选出该类功能区中与平均等效声级接近的若干区域环境噪声测点作为备选测点。

再综合考虑备选测点的空间分布、区域代表性和自动监测设备的现场安装条件等因素，最后确定功能区噪声自动监测点位。

四、东莞市功能区噪声自动监测选点过程

有关计算公式：

平均值：

$$\overline{X} = \frac{1}{n}\sum_{i=1}^{n} X_i$$

标准偏差：

$$s = \sqrt{\frac{1}{n-1}\sum_{i=1}^{n}(X_i - \overline{X})^2}$$

式中：$\overline{X}$ 为某组合样本的平均值；X_i 为某一组合的第 i 个数据；n 为样本个数。

根据本文中所述优化原则和条件，我们把技术路线中的选点过程形象地划分为“技术选择”和“综合选择”两个过程。

1. 技术选择：根据本文所述技术条件，首先根据环境噪声适用区划分和各类功能区环境噪声普查监测结果，分别计算各类功能区噪声等效声级的平均值，再选出该类功能区中与平均值最接近的几个测点作为自动监测备选测点。

对东莞市建成区 1 ~4 类功能区噪声普查结果进行“技术选择”，选出的测点作为各类功能区噪声自动监测的备选测点共 35 个：1 类区 9 个备选点、2 类区 8 个备选点、3 类区 2 个备选点、4 类区 16 个备选点。见表 1。

2. 综合选择：根据本文所述原则和现场条件，综合考虑测点的环境特征、地理位置、空间分布、点位代表性和自动监测设备的安装条件等因素，东莞市环保监测站技术人员对备选点位进行现场勘查，经过和市政、城管等部门和物业业主等沟通协商，确定符合上文中的原则和要求的

功能区噪声自动监测点位。

表1　各类功能区备选测点序号测点

序号	测点名称	*Leq*/dB	标准偏差	功能区
1	东莞细村豪庭	54.3	1.4	1类区
2	东城花园新村东神汽车美容中心	55.0	2.1	
3	坝头市场	54.6	2.1	
4	体育馆篮球馆	54.7	3.5	
5	莞城元岭新村	54.2	1.5	
6	市中心广场	54.3	2.4	
7	会展酒店后停车场	53.6	1.8	
8	旗峰黄岭道院	54.2	3.7	
9	八一路旁草地	54.0	2.0	
10	公务员宿舍南门	54.8	1.8	2类区
11	东城金台厂对面	55.4	1.7	
12	理想0769小区	54.4	1.5	
13	万江供电局	56.3	2.6	
14	罗沙市场后面二天堂药店门口	56.4	3.0	
15	新世界花园（2号门）	55.6	2.8	
16	东城愉景花园中国银行	56.1	1.9	
17	第一国际鹤留山	55.9	3.2	
18	东城立新洋杞坑村	61.9	2.8	3类区
19	东城世纪城正门	61.3	2.9	
20	东江大道路段3	67.7	6.3	4类区
21	红荔路路段2	67.6	4.4	
22	东门路	67.8	3.3	
23	向阳路路段1	67.4	3.0	
24	莞穗大道路段2	67.6	2.3	
25	万江大道路段1	67.5	2.6	
26	体育路路段1	67.0	3.5	
27	鸿福路路段4	67.5	5.4	
28	三元路路段2	67.7	5.3	
29	东城中路路段4	67.5	5.0	
30	东城西路路段1	67.5	3.9	
31	东莞大道路段1	67.8	4.2	
32	东城东路路段1	67.8	4.3	
33	科技大道	67.4	3.5	
34	八一路	67.8	4.0	
35	石井大道路段2	67.8	5.1	

经过4.1和4.2的选择过程，我们确定“市中心广场”等9个测点作为东莞市功能区噪声自动监测点位，结果见表2。

表 2　东莞市功能区噪声自动监测点位优化结果

序号	测点名称	环境特征	代表功能区类别
1	市中心广场	行政文化中心	1 类区
2	旗峰黄岭道院	休闲公园	
3	公务员宿舍南门	居住区	2 类区
4	理想 0769 小区	居住区	
5	新世界花园（2 号门）	居住区	
6	东城区立新洋杞坑村	工业区	3 类区
7	东江大道路段 3	交通干线两侧	4 类区
8	体育路路段 1	交通干线两侧	
9	东莞大道路段 1	交通干线两侧	

五、优化前后数据分析检验

相对偏差：$d\% = \frac{|x_1 - x_2|}{x_1} \times 100\%$

式中：x_1 为优化前监测数据平均值，dB（A）；x_2 为优化后监测数据平均值，dB（A）。

经过对监测数据的分析表明，优化前、后所测得的噪声等效声级平均值差值远小于 1.0dB（A），优化前后各类功能区的等效声级平均值的相对偏差很小，最大值为 1.78%，最小值为 0.15%（见表 3），测量结果之间无显著性差异，以上 9 个测点满足优化布点的技术条件和要求。

表 3　各类功能区测点优化前、后监测结果分析

功能区类别	优化前			优化后			均值相对偏差/%
	测点数/个	平均值	标准偏差	测点数（个）	平均值	标准偏差	
1	108	54.4	3.91	2	54.2	0.1	0.37
2	109	55.9	2.87	3	54.9	0.4	1.78
3	101	62.4	2.62	1	61.9	—	0.80
4	153	67.6	1.48	3	67.5	0.86	0.15

经环保监测站监测人员现场勘察，优化出的 9 个测点的功能区环境特征明显，测点周边环境相对开阔，方便设备的安装、维护，我们认为以上 9 个点位可以作为功能区噪声自动监测点位。

六、结　论

根据选点原则、技术路线，以功能区环境噪声的普查数据为基础进行优化，全面考虑现场条件等综合因素，确定的东莞市功能区噪声自动监测的 9 个测点，具有各类声环境功能区的主要特征，能够代表城市 1、2、3、4 类区的功能区噪声平均水平。选点过程技术路线合理，所选测点空间分布适当，可以保证设备安全，方便操作，所选测点可以作为东莞市城市功能区噪声进行长期自动监测的测点。

七、讨　论

（1）本研究表明，依据实测数据和城市环境噪声功能区分布特征进行优化选点是可行的。

本优化研究的原则和方法，源于环境监测实践，可以认为是在环境噪声自动监测技术规范不太完善的背景下，对环境噪声自动监测优化布点工作的一次大胆尝试，在环境噪声自动监测领域具有参考和示范作用。

（2）环境噪声自动监测优化布点研究是对环境噪声传统手工监测方法的发展，可以说是个新的课题，其方法还需要广大环境监测工作者进一步探索。环境噪声自动监测选点过程不仅仅是一个技术问题，还涉及设备用电、通信、安全、城市管理、物业权等现实问题。因此，在实施过程中，我们感觉到要做好环境噪声自动监测系统建设并不容易，会有许多技术层面以外的问题需要综合考虑。

（3）环境噪声自动监测优化布点是以城市环境噪声实测数据为基础进行的，环境噪声自动监测测点也存在调整的问题，在城市建成区发生较大变化的情况下，应每隔若干年进行一次功能区噪声普查监测，并将普查结果作为自动监测测点调整的依据之一。

（4）在线自动监测技术在环境空气、地表水环境质量监测中已得到广泛的运用，自动监测必将是环境噪声监测今后的发展方向。环境噪声自动监测技术的发展将和网络信息技术充分融合，比如，若能够做到和地理信息系统 GIS 的嵌入融合，可以使城市噪声环境质量信息实施“空间模拟”，用“噪声地图”的形式直观展示城市环境噪声污染状况，并实现对环境噪声污染趋势的模拟预测，为环境噪声污染的监督管理和防治提供更加科学的依据。

参考文献

[1] 万本太. 中国环境监测技术路线研究［M］. 长沙：湖南科技出版社，2003.

[2] 环境噪声监测点位的优化布设［M］. 环境监测管理（第2版）. 北京：中国环境科学出版社，1997.

[3] GB 3096—2008 声环境质量标准. 环境保护部，国家质验总局［S］.

[4] GB/T 3222—1994 声学环境噪声测量方法［S］.

[5] 李华，蔡体久，邢洪林. 区域环境噪声在线自动监测的初步研究［J］. 北京林业大学学报，2005，27（增刊2）.

[6] 刘嘉林，徐谦. 北京城市声环境自动监测系统监测点位布设方法初探［J］. 中国环境监测，2008，24（2）.

构建天地一体化的大气环境监测与预报系统

光　洁[1]　薛　勇[1]　李英杰[1,2]　郭建平[3]　梅林露[1,2]　王　颖[1,2]　李小文[1]

（1. 中国科学院遥感应用研究所遥感科学国家重点实验室　北京　100101；
2. 中国科学院研究生院　北京　100039；
3. 中国气象科学研究院中国气象局大气成分观测与服务中心　北京　100081）

摘　要　随着工业化、城市化的迅速发展，污染问题日趋严重，局地、区域和全球尺度的大气环境问题正引起人类广泛的关注。本文介绍了卫星数据、地面观测数据结合后向轨迹模型、空气质量预报模式构建天地一体化的大气环境监测和预报系统的思路。最后对我国大气环境的监测与预报研究中存在的问题和发展前景进行了讨论。

关键词　大气环境　遥感　天地一体化　预报

一、引　言

随着全球经济的发展、城市规模的不断扩大和人口增长，局地、区域和全球尺度的大气环境问题正引起人类广泛的关注，人为活动产生的前体污染物、二次污染物和氧化剂正在影响或破坏着长期建立的生态系统平衡和大气化学组成，地球生态环境和人类生存正面临着威胁。

一直以来，环境与气象监测站在大气污染监测中发挥着重要作用，但是由于地面观测仪器、设施一般比较昂贵，这种方法只能在有限的地面站点进行，不可能得到良好的空间覆盖和三维空间分布信息，从而难以对污染物来源、污染物变化趋势进行宏观分析。卫星遥感资料以其良好的空间覆盖，可弥补离散的地面监测站点难以反映大气污染物空间分布和变化趋势的不足，进而成为大气质量监测系统的重要数据源，使宏观观测陆地气溶胶的分布和传输趋势变为现实。充分利用遥感监测和地面观测数据各自的优势，同时结合后向轨迹模型、空气质量预报模式进行综合分析，构建天地一体化的大气环境监测与预报系统，不仅可以充分发挥不同观测平台数据的优势、监测大气污染的传输和扩散情况、主要贡献源的分布和变化，而且可以预测预报大气环境，这对服务于人们的日常生活和决策部门的大气污染治理工作有着积极意义。

二、基于卫星遥感的大气监测

近年来，卫星遥感在空气污染及痕量气体监测方面有了很大的进展。目前可获得全球性的地表污染物质观测的种类包括气溶胶、对流层 O_3、对流层 NO_2、CO、HCHO 和 SO_2（Martin，2008）。为空气质量监测服务的痕量气体和气溶胶的遥感观测已有相当长的一段历史了，Lyons 和 Husar 早在 1976 年就从 GOES 卫星图像上发现了覆盖于美国中西部地区的一大片灰霾。Fraser 等（1984）第一次使用 GOES 卫星反演出气溶胶光学厚度（Aerosol optical Depth：AOD），并用于评估美国东部的灰霾事件。第一批用于气溶胶监测的卫星是 AVHRR、Landsat 和 GOES，用于观测海洋上空的沙尘粒子（Carlson and Wendling，1977），后来还用于观测火山硫酸盐（Stowe 等，1992）。痕量气体的卫星监测始于 1978 年发射的 Nimbus 7 卫星 TOMS 传感器。后来证实这些传感器也可以用于获取火山爆发后 SO_2（Krueger，1983）、对流层 O_3（Fishman 等，1990）以及紫外

基金项目：国家 973 计划项目（2007CB714407）；国家 863 计划项目（2008AA12Z109）；中国科学院遥感应用研究所创新项目（07S00502CX）。

吸收型气溶胶（Herman 等，1997）的信息。最近的 TOMS 仪器（搭载于 Probe 上）观测结束于 2007 年，搭载于 EOS Aura 卫星上的 OMI 传感器是 TOMS 系列的后继传感器。Wang 等（2003）利用在美国阿拉巴马州的一个城市多个站点的地面和卫星资料研究表明 $PM_{2.5}$ 质量浓度与气溶胶光学厚度的相关系数在 0.7 以上，表明 AOD 可被定量用于空气质量的评估。Engel－Cox 等人（2004）研究发现 MODIS 数据在区域和城市尺度上的大气质量监测很有前景。他们利用从 MODIS 获取的真彩色图像和气溶胶光学厚度信息，结合美国环境保护总署（USEPA）的地基颗粒物质数据对美国城市进行了研究，发现 MODIS 数据可以确定大气污染事件的污染区域、污染物的一般类型（烟尘、灰霾和灰尘）、污染事件的强度及其动向。美国已将 MODIS 数据与城市大气环境预报结合，成为大气质量预报的主要辅助方法（Al－Saadi 等，2005）。Wang 等（2009）通过垂直订正和湿度订正定量描述了北京地区气溶胶光学厚度和 PM_{10}、$PM_{2.5}$ 之间的关系。表 1 列出了可用于低空对流层气溶胶和痕量气体监测的卫星及其监测能力，主要是目前在轨的卫星。

表 1　空气质量监测卫星列表

传感器	平台	在轨时期/a	星下点分辨率/km	过境时间（当地时）	全球覆盖时间/d	光谱范围/μm	NO_2	HCHO	SO_2	CO	O_3	AOD
GOME	ERS－2	1995—2003	320×40	10:30	3	0.23—0.79	1	1	1		0.5～1.5	
MOPITT	Terra	2000—	22×22	10:30	3.5	4.7				0.5～2		
MISR	Terra	2000—	18×18	10:30	7	0.45—0.87（4 波段）						1
MODIS	Terra、Aqua	2000— 2002—	10×10	10:30 13:30	2	0.41—14.2（36 波段）						1
AIRS	Aqua	2002—	14×14	13:30	1	3.7—16			1	0.5～1.5		
SCIAMACHY	ENVISAT	2002—	60×30	10:00	6	0.23—2.3	1	1	1	1	0.5～1.5	
OMI	Aura	2004—	24×13	13:45	1	0.27—0.50	1	1	1		0.5～1.5	1
TES	Aura	2004—	8×5	13:45	n/a	3.3—15.4				0.5～1.5	1～2	
PARASOL	PARASOL	2004—	18×16	13:30	1	0.44—1.0（9 波段）						1
CALIOP	CALIPSO	2006—	40×40	13:30	n/a	0.53，1.06						>30
GOME－2	MetOp	2006—	80×40	9:30	1	0.24—0.79	1	1	1		0.5～1.5	
IASI	MetOp	2006—	12×12	9:30	0.5	3.6—15.5				0.5～1.5	1～2	

三、天地一体化的大气环境监测与预报系统的构建

卫星遥感可在瞬间获取大区域地表和大气信息，用于大气污染调查，一方面可以避免大气污染时空易变性所产生的误差；另一方面便于动态监测。遥感监测不仅具有空间覆盖广的特点，而且其所具有的多光谱、多角度、极化等观测能力大大提高了其在大气污染物的动态、精确监测方面的能力，此外，激光雷达的出现进一步提高了卫星遥感反演主要大气成分廓线（如气溶胶、臭氧等）的分布能力，进而使我们对大气环境形成了一个立体的、全方位的认识，为我国环保相关部门的决策提供可靠、科学的数据支撑。同时，将多源卫星数据、地面台站监测数据与后向轨迹模型、空气质量预报模式相结合，亦代表着大气质量监测和预报未来的发展趋势。图 1 是天地一体化的大气环境监测与预报系统框架图。

四、空气质量监测与预报应用示例

城市上空的气溶胶光学厚度同时反映了大气污染的混浊程度，一般来说，气溶胶质量浓度在垂直方向呈指数分布，垂直方向总积分质量就与地面浓度呈近似线性关系，而气溶胶光学厚度与

垂直方向总积分质量一般也呈近似线性关系，高分辨率的卫星遥感通过反演气溶胶光学厚度就提供了监测城市大气污染的可能性。

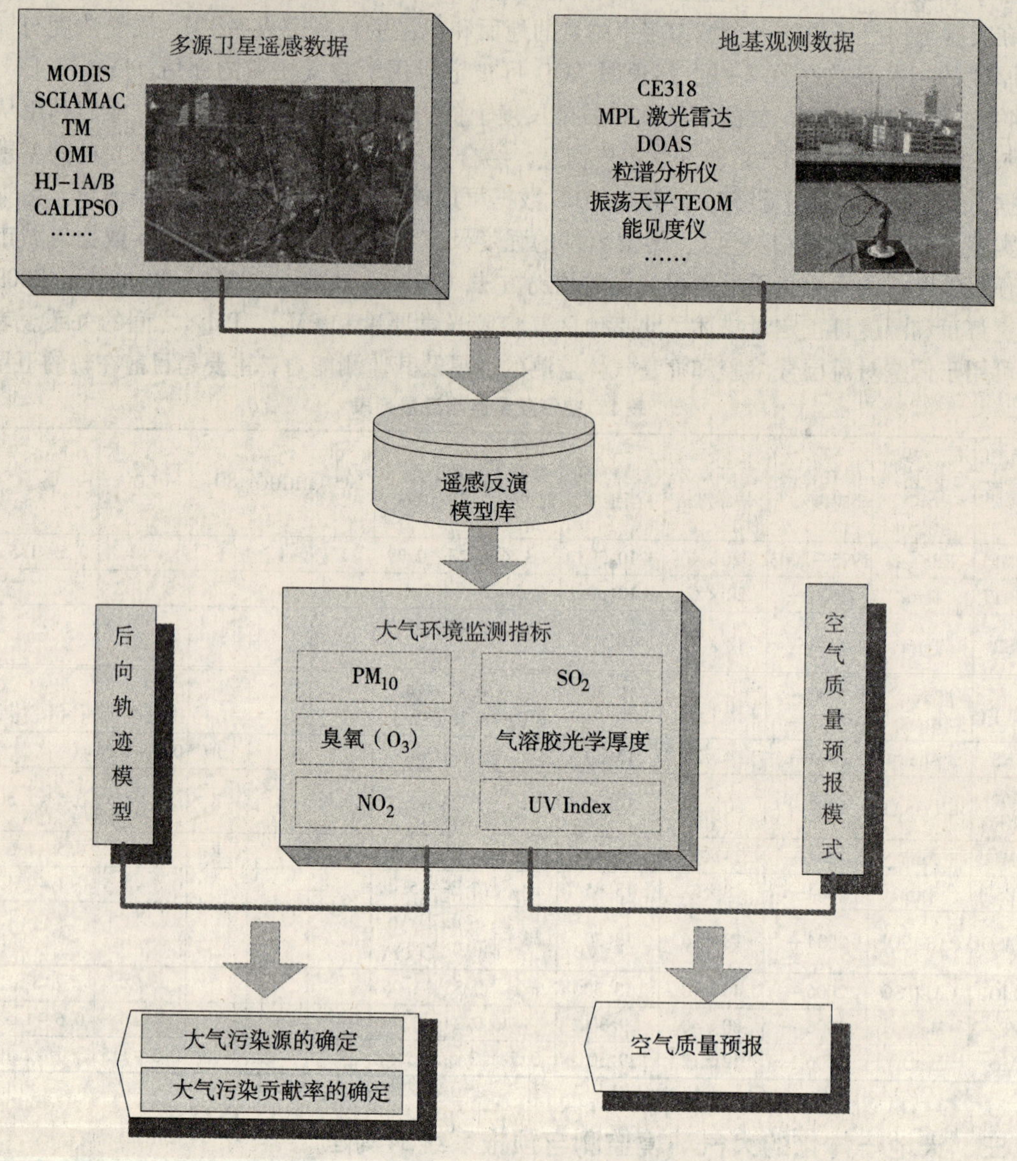

图 1　天地一体化的大气环境监测与预报系统框架图

2009 年 10 月 28 日，中国部分地区上空笼罩着厚厚一层雾霭。根据美国宇航局 Aqua 卫星上中分辨成像分光辐射谱仪（MODIS）捕捉的图像显示，黄河流域地势较低的地区以及华北平原以西、吕梁山附近地区上空的雾霭层最厚。通过 Tang 等（2005）建立的 SYNTAM 算法定量反演出的气溶胶光学厚度可精确地反映出灰霾污染的严重程度和传输路径，见图 2。

将卫星遥感数据反演的结果结合 Hysplit 模型的前向分析功能可预测出灰霾的传输路径。图 3a 是 2009 年 10 月 23 日的 AOD 分布图，图 3b 是利用 Hysplit 模型的前向分析功能推导的 2009 年 10 月 20 日 72 小时的传输路径，二者具有极高的一致性。以上结果表明遥感方法已成为监测和预测大气灰霾的重要手段和方法。

五、存在的问题及其展望

由于在遥感信息中，大气污染信息是叠加于多变的地面信息之上的弱信息，常规的信息提取方法均不适用，多年来该方向的研究进展较为缓慢。制约该方向发展的重大共性、关键的技术问题主要有以下几个方面。

1. 沿海以及城市地区气溶胶遥感反演难度大。沿海地区气溶胶类型复杂，常常是多种气溶胶类型的混合，现有的大部分气溶胶反演算法需要对气溶胶类型作先验假设，从而带来较大的误差。此外，对于干旱、半干旱以及城市等高反射率地区，气溶胶的遥感反演仍面临严峻挑战。当地表反射率升高时，气溶胶指示作用降低，需要开发新的遥感反演算法进一步提高气溶胶反演的精度。

2. 可见光波段受云雾的影响较大，当光学遥感应用于南方多云多雨的地区时，面临数据不足的问题，需要发展主被动以及多源数据协同等方法加以解决。

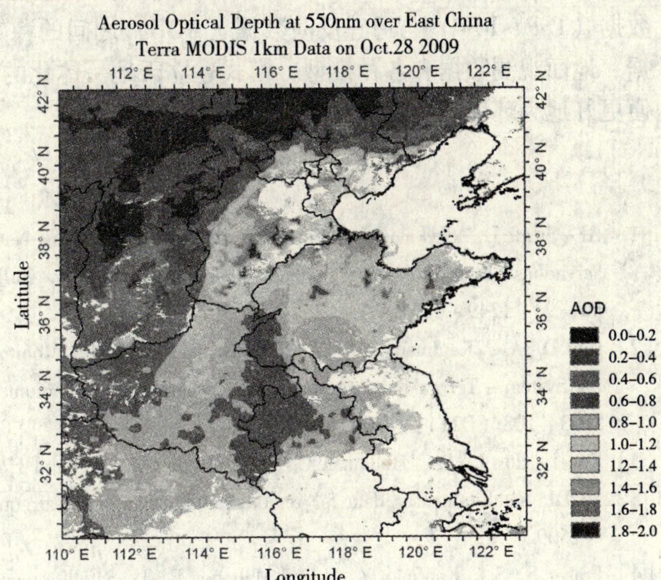

图2　2009年10月28日SYNTAM算法反演出的气溶胶光学厚度分布图

（底图是云覆盖和海洋区域）

从国内外学者对大气环境遥感监测的研究情况来看，其所用的数据源不仅仅只局限于使用陆地卫星数据等单一数据源，还需要高光谱分辨率、高空间分辨率或高时间分辨率的卫星遥感数据源。

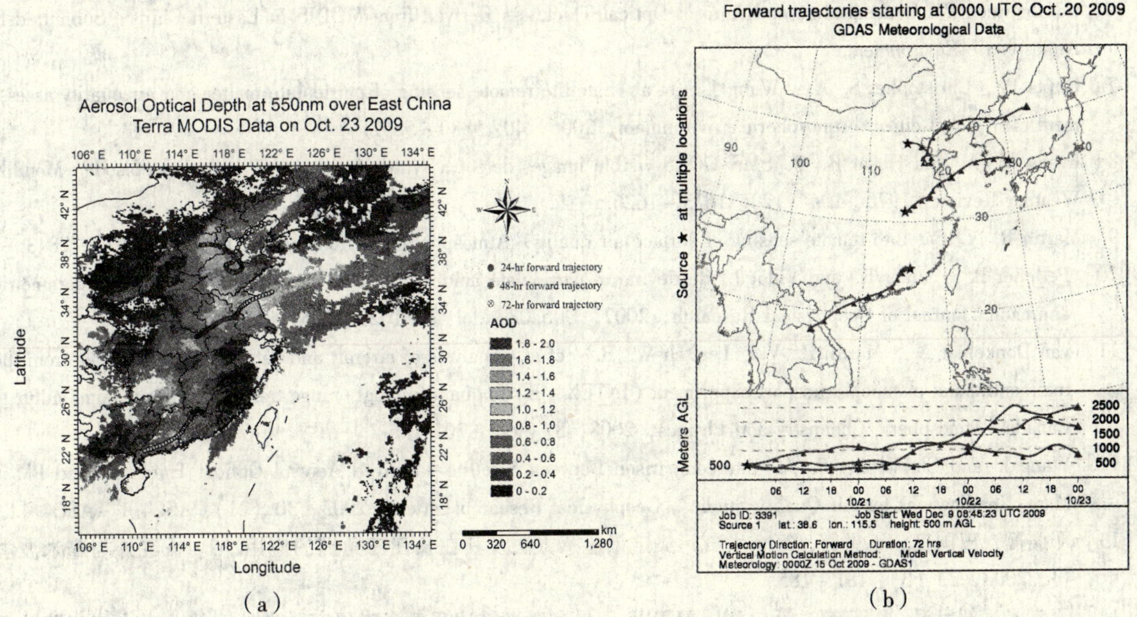

图3　（a）2009年10月23日的AOD反演结果及72小时HYSPLIT-4后向轨迹分析结果；（b）72小时HYSPLIT-4后向轨迹分析结果，源点分别位于河北省（38.6°N，115.7°E），湖北省（31.1°N，115.1°E）和广东省（24.9°N，115.7°E），起始时间为2009年10月20日0000 UTC。五角星表示后向轨迹线的起始点，间隔是每6小时后的传播位置

3. 遥感观测的为垂直方向的总含量，而地面观测的为近地面层的含量，此外，遥感观测的气溶胶是大气与悬浮在其中的固体和液体微粒共同组成的多相体系，与地面观测的总悬浮颗粒物（TSP）、可吸入颗粒物（RSP）等指标多少有些不同，加上复杂多变的气象条件，建立地面台站数据（TSP、RSP）与遥感反演数据（AOD）之间的稳定关系的难度较大。应该充分利用遥感数据、地面观测数据和各种模型、模式建立天地一体化的大气环境监测与预报业务化运行系统，以便更好地为环境管理决策服务。

参考文献

[1] Al - Saadi J. , Szykman J. , Pierce R. B. , et al. Improving National Air Quality Forecasts with Satellite Aerosol Observations. Bulletin of the American Meteorological Society. Bulletin of the American Meteorological Society, 2005, 86 (9): 1249 - 1261.

[2] Chu D. A. , Kaufman Y. J. , Zibordi G. , et al. Global Monitoring of air pollution over land from the Earth Observing System - Terra Moderate Resolution Imaging Spectroradiometer (MODIS). Journal of Geophysical Research, 2003, 108 (D21): ACH4. 1 - ACH4. 18.

[3] Engel - Cox J. A. , Holloman C. H. , Coutant B. W. and Hoff R. M. Qualitative and quantitative evaluation of MODIS satellite sensor data for regional and urban scale air quality. Atmospheric Environment, 2004, 38: 2495 - 2509.

[4] Fraser R. S. , Kaufman Y. J. and Mahoney R. L. Satellite measurements of aerosol mass and transport. Atmospheric Environment, 1984, 18 (12): 2577 - 2584.

[5] Jie Guang, Yong Xue, Linyan Bai, Wei Wan, Jianping Guo, Xiaowen Li, 2008b, An Investigation of Air Pollution in Hong Kong with ASTER Data, In Proceedings of IEEE/IGARSS held at Boston, Massachusetts, USA, July 2008, 6 - 11.

[6] Guo Jian - Ping Xiao - Ye Zhang, Hui - Zheng Che, Sun - Ling Gong, Xingqin An, Chun - Xiang Cao, Jie Guang, Hao Zhang, Ya - Qiang Wang, Xiao - Chun Zhang, Peng Zhaoa, Xiao - Wen Li, 2009. On the Correlation between PM Concentration and Aerosol Optical Thickness Derived from MODIS in Eastern China, Submitted to Atmospheric Environment.

[7] Gupta P. , Christopher S. A. , Wang J. , et al. Satellite remote sensing of particulate matter and air quality assessment over global cities. Atmospheric Environment, 2006, 40: 5880 - 5892.

[8] Lyons W. A. and Husar R. B. SMS/GOES visible images detect a synoptic - scale air pollution episode. Monthly Weather Review, 1976, 104 (12): 1623 - 1626.

[9] Martin R. V. Satellite remote sensing of surface air quality. Atmospheric Environment, 2008, 42: 7823 - 7843.

[10] Pelletier B. , Santer R. and Vidot J. Retrieving of particulate matter from optical measurements: a semiparametric approach. Journal of Geophysical Research, 2007, D06208, doi: 10. 1029/2005JD006737.

[11] van Donkelaar A. , Martin R. V. , Leaitch W. R. , et al. Analysis of aircraft and satellite measurements from the intercontinental chemical transport experiment (INTEX - B) to quantify long - range transport of East Asian sulfur to Canada. Atmospheric Chemistry and Physics, 2008, 8: 2999 - 3014.

[12] Wang J. and Christopher S. A. Intercomparison Between Satellite - derived Aerosol Optical Thickness and $PM_{2.5}$ Mass: Implications for Air Quality Studies. Geophysical Research Letters, 2003, 30 (21): ASC4. 1 - ASC4. 4.

[13] 邓孺孺，田国良，王雪梅，等．大气污染定量遥感方法及其在长江三角洲的应用［J］．红外与毫米波学报，2003，22（3）：181 - 185.

[14] 李成才，刘启汉，毛节泰，等．利用 MODIS 卫星和激光雷达遥感资料研究香港地区的一次大气气溶胶污染［J］．应用气象学报，2004，15（6）：641 - 650.

[15] 李成才，毛节泰，刘启汉，等．MODIS 卫星遥感气溶胶产品在北京市大气污染研究中的应用［J］．中国科学 D 辑地球科学，2005，35（增刊 I）：177 - 186.

[16] 刘桂青，李成才，朱爱华，等．长江三角洲地区大气气溶胶光学厚度研究［J］．环境保护，2003，8：50 - 54.

[17] 罗水平，伍哲文．雾霾天气辨析［J］．今日科苑，2007，2：81.

[18] 徐祥德，周丽，周秀骥，等．城市环境大气重污染过程周边源影响域［J］．中国科学：D 辑，2004，34（10）：958 - 966.

固定污染源监测对二氧化硫总量统计的影响分析

李　鹏　范　例

（重庆市环境监测中心　重庆市渝北区冉家坝旗山路252号　401147）

摘　要　固定污染源监测是二氧化硫总量减排统计的优先方法，不论是直接提供污染源排放数据，还是对自动监测数据的比对校正，在二氧化硫总量减排工作中都具有非常重要的作用。本文对监测方法、干扰气体、空气过剩系数、监测断面、排气压力测定、生产工况等固定污染源监测对二氧化硫总量减排统计的影响因素进行了分析，并对提高固定污染源监测的准确性提出相应对策，为环境管理部门采信合理、准确的统计数据提供决策依据。

关键词　固定污染源监测　总量统计　二氧化硫　影响

节能减排和低碳经济是我国转变经济发展方式的战略目标，而环境监测是检验污染物减排推进和落实情况的重要依据。在举全国之力进行污染源普查和节能减排的同时，国家也应加强对环境监测的重视。同时，环境监测人员应当站在可持续发展战略的高度来提高对监测工作的重要性、责任感的认识，不断提高监测技术，完善质量控制体系，从基础数据开始，为节能减排工作提供具有准确性、完整性、代表性、可比性的数据支撑。

一、固定污染源监测在二氧化硫总量减排工作中的重要性

根据《国务院批转节能减排统计监测及考核实施方案和办法的通知》，总量减排统计工作中，对主要污染物（COD和SO_2）排放量的统计方法有三种：监测数据法、物料衡算法和排放系数法。在三种方法中，优先使用监测数据法计算排放量，且重点调查单位原则上都应采用监测数据法计算排污量。在二氧化硫总量减排统计中，未安装自动监测设备或自动监测设备未联网的污染源，排污单位必须根据有资质的监测单位出具的固定污染源监测数据申报排放量；安装了自动监测设备且已联网的污染源，以自动监测数据为依据申报二氧化硫排放量，但自动监测数据必须每季度通过固定污染源手工监测进行比对[1,2]。

可见，固定污染源监测不仅是二氧化硫总量减排统计的优先方法，而且不论是直接提供污染源排放数据，还是对自动监测数据的比对校正，在二氧化硫总量减排工作中都具有重要的作用。

二、固定污染源监测对二氧化硫总量统计的影响因素

（一）浓度监测的影响

1. 监测方法的系统误差

碘量法和定电位电解法是我国固定污染源二氧化硫监测的国标推荐方法[3]。

碘量法的原理是烟气中的二氧化硫被氨基磺酸氨混合溶液吸收，用碘标准溶液滴定，由淀粉指示剂来表征反应的终点，按滴定量计算二氧化硫浓度。碘量法设备简单，只需手工操作配合实验室常规仪器即可完成；缺点在于对现场环境条件要求较高，采样和分析周期长，样品不易保存，中间环节多，存在采样和样品放置过程中二氧化硫的动态吸收和静态放置衰减损失。

定电位电解法主要运用小型、轻便的仪器快速测定烟气中的二氧化硫，其原理为二氧化硫扩散通过传感器渗透膜，进入电解槽，在恒电位工作电极上发生氧化反应，产生极限扩散电流，在一定范围内，其电流大小与二氧化硫浓度成正比，具有及时、高效、迅速的特点。但除了烟气中水分和共存的各种干扰气影响测定外，还存在传感器寿命短、更新费用高，以及传感器衰减快，仪器对SO_2响应有滞后现象等问题。

对同一污染源排放进行较长期的监测，两种方法的测定结果不存在系统误差。但由于现场检测条件千变万化，排气组分也各不相同，与碘量法相比，电位电解法获取的是瞬时浓度值，且可能是仪器的响应速度大于回落速度，造成仪器显示浓度大于实际浓度。

2. 气体干扰的分析

碘量法测定二氧化硫，在有硫化氢等还原性物质存在时，测定结果会产生正误差，须用乙酸铅棉消除硫化氢的干扰；吸收液中的氨基磺酸氨可消除二氧化氮的干扰。

定点位电解法测定二氧化硫，易受硫化氢、氮氧化物、一氧化碳等气体的干扰。如垃圾焚烧炉烟气中含有浓度较高的硫化氢气体，测定二氧化硫之前，必须首先考虑除去硫化氢，若仪器本身可同时测定硫化氢的浓度，则可通过软件扣除其对二氧化硫浓度的影响值[4]。当氮氧化物浓度高而二氧化硫浓度很低（如浓度低于50mg/m^3）时，就可能会综合其他因素导致二氧化硫的测量值严重偏低，甚至显示为零。一氧化碳浓度波动很快的情况下，比如水泥厂机立窑间断加煤周期很短，一氧化碳浓度可以在这极短的时间内迅速从零上升到几万毫克/米^3，这时仪器的软件则不能准确快速跟踪扣除干扰值，故此时二氧化硫的测量值则偏差极大，这也是为何有些水泥企业测得的二氧化硫浓度值异常高的原因。

3. 过剩系数的影响

根据污染物浓度修正公式可知，含氧量发生较小的变化，就会对排放浓度产生较大的影响。烟气的成分随着锅炉运行状态的改变而改变，如加煤、出渣、调节风量时，烟气污染物的浓度就会发生较为明显的变化，因此建议每次测定二氧化硫时，应和含氧量同时测量，逐一对排放浓度进行折算后再算平均值，才能保证监测结果的准确性和代表性。

（二）流量测定的影响

在固定污染源监测中，污染物排放量为平均浓度与流量的乘积，流量是直接关系污染物总量计算的重要依据。在实际监测工作中，由于受监测断面、排气压力和含湿量等因素的影响以及工作环境的限制，使得流量的测定存在较大误差和不稳定性。

1. 监测断面的影响

《固定污染源排气中颗粒物与气态污染物采样方法》中规定采样位置应优选垂直管段，距弯头、变径等遵循“上3下6”的原则；《空气和废气监测质量保证技术规定》中，补充“对确有困难的管道，采样位置设置在不少于1.5倍直径处。并增加监测断面的点数，采样断面的气流最好在5m/s以上。”在实际工作中，绝大多数监测条件无法满足上述要求，只能降低条件开设采样孔，保证采样工作的顺利进行。如在排气量小的砖砌烟囱上开孔监测时，虽然监测断面的设置达到上述要求，但实测时的动压偏小、流速偏低、含氧量偏高，监测结果误差较大。对于上述情况，可适当放宽监测断面距管道中的上游或下游的弯头、变径管等部件的距离要求，但同时必须相应增加监测断面上的测点[5]。在实际预测流速和等速采样过程中还发现，在采样断面同一采样直径线上，靠近测孔半幅测点的流速，普遍小于远离测孔半幅对称测点的流速，据实测统计，平均流速相差10%左右，而靠近测孔的第一个点相差更大。原因是受到测孔和采样管的影响，气流在测孔附近形成局部涡流、气流紊乱、流速不稳。此情况在风速、截面积相对较小的断面更为明显。因此可把测点选择在远离测孔的半幅，测双倍时间来消除测孔对监测结果的影响。

2. 排气压力测定的影响

在现行的各种标准监测方法及标准规范中规定，测定管道排气压力的方法有管壁静压孔法和皮托管法。

对于固定污染源监测而言，管壁静压孔法的缺点在于对含尘烟气管道，其孔易堵塞，且误差较大。皮托管具有结构简单，制造使用方便，只要精心制造并经过严格标定和适当修正，就能达到较高的测量精度。S形皮托管法是测试管道排气压力的主流方法，但在低流速的情况下误差较大，当动压足够大时（流速大于4m/s），S形皮托管通过公式对动压进行校正后，得到的排气静压值基本可以接受，能够满足现今技术规范的要求。

为了减小皮托管测定排气压力的误差，在固定污染源监测中应注意：①尽量选择管径大于0.3m的监测断面；②尽量保证皮托管测压孔与排气流速方向平行（比如：在皮托管上作明标记或者做透明堵风板等）；③尽量避免在低动压情况下（比如自然通风管道）进行流量测试，实在没有办法时，尽量缩小开孔面积，避免孔口空气干扰，选择恒流采样模式进行测定；④在高颗粒物浓度和工况稳定的情况下，可以根据流速变化移动采样点，适当减短测试时间。

（三）生产工况的影响

1. 生产工况的确定

固定污染源监测中要求监测时生产工况应达到正常状态，《主要污染物总量减排监测办法》要求监测期间污染防治设施应正常运行。生产负荷是否满足监测要求，直接关系监测数据的准确性、代表性和有效性。随着生产负荷的上升，废气的排放浓度和排放量总是呈快速上升之势，因此在固定污染源监测的同时，必须准确测定生产负荷。

生产负荷的确定主要从设备运行负荷、产品产量负荷、原料和能源使用量等方面控制。由于生产设备的负荷很难准确测得，在现场监测的同时，可以通过掌握生产工艺设备的各种运行参数，间接控制生产设备的运行负荷。可以将设备运行的电流、风机风量、设备压力、出口温度等参数记录下来，与额定工况或正常工况时的参数比较，作为辅助手段判断生产设备的运行工况。同时还可以监控生产工段和整个工厂的原料、能源使用量和产品产量，从源头上控制各工段和整个工厂的生产工况。排污单位应当保证污染防治设施正常运行，对污染物排放状况和防治污染设施运行情况进行定期监测。

废气现场监测人员对要监测的生产工艺和设备应事先有所了解，掌握其基本参数，对监测结果有所估计，在现场及时对监测的状态和有效性做出基本判断，如有不妥应现场补测或重测。

2. 生产工况的换算

对于采用固定污染源监测数据申报二氧化硫排放量的排污单位，还存在生产工况换算的问题。如某水泥厂平均生产负荷为95%，监测期间生产负荷为80%，该工况下的监测数据就不能代表企业的正常排污水平。又如处于生产淡季、生产负荷较低或间断性生产的企业，为了满足每季度一次的减排监测要求，监测期间提高生产负荷，但由于相关规范中缺乏可操作的换算系数，根据监测数据统计出的二氧化硫排放量会明显高于实际排放水平。此外，某些企业为了眼前的经济利益，在争取总量指标时提高生产负荷，以致监测出的污染物排放量基数较大，而应付减排考核时，压低负荷，很难准确反映企业的实际排污情况。

因此，由于生产工况难以统计和缺乏换算依据，以固定污染源监测数据核定的排放量与实际情况有较大偏差，不如自动监测数据具有代表性。对于无法通过自动监测设备进行监控的污染源，环境管理部门必须通过不定期的抽查对其排放情况进行全面调查。

另外，由于二氧化硫排放总量为测定的排放量与生产时数的乘积，生产时数的统计也会对二氧化硫总量造成影响。

参考文献

[1] 主要污染物总量减排监测办法［J］．中华人民共和国国务院公报，2008，1.

[2] 主要污染物总量减排统计办法［J］．中华人民共和国国务院公报，2008，1.

[3] 国家环境保护总局．空气和废气监测分析方法（第四版）［M］．北京：中国环境科学出版社．2003.

[4] 姜汉山，赵辉．定电位电解法测定烟道内二氧化硫准确性探讨［J］．辽宁城乡环境科技，2006（6）：35－36.

[5] 王凌．固定源废气监测工作若干技术问题的探讨［J］．环境污染与防治，2003（4）：121－124.

吉林省生态环境遥感监测系统建设与应用

晏　明　丁　杰　杨　威　张　磊

（吉林省农业资源与农业区划研究所　长春　130062）

摘　要　本文介绍了吉林省生态环境遥感监测系统建设的内容和功能。该系统是将遥感信息与地面监测信息与地理信息系统相结合，实现可以动态监测、高效管理、综合分析、适时发布全省生态环境遥感监测信息，为吉林省生态环境的规划、治理、保护与建设以及人口、资源、环境与经济社会持续协调发展综合决策提供科学依据。并简单介绍了该系统对吉林省生态环境（土地生态环境、草原、沙尘暴、温室气体 CH_4 排放）的遥感监测结果及评估。

关键词　生态环境　遥感　动态监测　系统

生态环境是人类生存和发展的基本条件，是经济、社会发展的基础。在人类经济快速发展的同时，生态环境不断遭到破坏，人们越来越认识到保护生态环境的重要性，良好的生态环境是社会经济发展的保障。随着现代航天技术、遥感（RS）、地理信息系统（GIS）、全球定位系统（GPS）与 Internet 技术的发展，使得人们可以利用遥感技术和地理信息系统技术快速、大范围、多时相地捕捉到某一地区、某一时期的生态环境变化信息，并可以进行时间与空间的横向与纵向比较分析。吉林省生态环境遥感监测和预警系统是将遥感信息与地面监测信息与地理信息系统相结合，建立可以动态监测、高效管理、综合分析、适时发布全省生态环境信息，为吉林省生态环境的规划、治理、保护与建设以及人口、资源、环境与经济社会持续协调发展综合决策提供科学依据，同时也为生态省建设提供坚实基础和技术支撑。

一、系统的总体设计

（一）系统建设的内容

系统分基础平台和应用系统两大部分：基础平台主要包括数据采集平台、数据处理平台、数据库服务器建设，典型监测区的监测设备、数据处理设备、网络设备等；应用系统主要包括全省生态环境动态监测子系统、生态环境数据库子系统、生态环境管理子系统三部分（图略）。

1. 生态环境动态监测子系统

（1）遥感动态监测系统：利用不同时期或不同时相卫星遥感影像对比，分析生态环境各要素与因子的动态变化，并提供全省生态环境动态信息；

（2）地面动态监测系统：建立不同生态环境动态变化的典型监测区，以形成监测网络，并与总监测体系连接。其可根据需要和条件，进一步扩展。

2. 生态环境数据库子系统

该数据库包括基础数据库（含背景数据和本底数据）和动态数据库两部分。

全省生态环境综合系列地图不仅是建立全省生态环境动态监测的基础数据库和图形库的基础图件，也是全省生态环境功能区划、规划布局及生态省建设宏观决策的基本依据。生态环境综合信息图谱将在生态环境数据库与综合系列地图基础上，经过信息挖掘、知识发现、抽象概括、模型分析形成综合性的图形谱系，以反映全省生态环境的时空变化规律。

3. 生态环境决策支持管理信息子系统

能够快速检索查询、统计分析与咨询管理；对生态环境信息进行分析评价、预测预警、规划决策，为政府各部门查询和提供生态环境信息服务。

（二）系统建设的技术路线与实施方案

1. 生态环境动态监测系统的设计与建设

（1）遥感动态监测系统的设计方案。遥感监测重点解决如：生态环境要素的时空表现特征、生态要素的时空变化规律等。其中包括地形地貌、河流水域、土地资源、森林资源、草地资源、湿地资源等，以及土地退化、干旱、洪涝、资源开发中的生态环境破坏等问题。

生态环境的动态变化，采用20世纪80年代（TM）、90年代（TM）、2001（TM，局部地区SPOT）三个时期的高分辨率卫星影像，并收集了1989年以来的气象卫星遥感资料进行全面对比分析，今后每2~5年应用高分辨率卫星影像进行数据更新与对比分析，用EOS/MODIS和NOAA/AVHRR进行实时动态监测。

采用地理信息系统软件（ERDAS、ENVI、ARCGIS、SuperMap）对遥感图像进行分析处理。

（2）地面动态监测系统的设计方案。在充分分析生态现状调查资料和野外调查的基础上，确定重点监测工作区域和监测点，并对典型监测区进行详查，其成果录入计算机作为动态监测的基础数据。另外，监测结果录入计算机，由生态环境监测管理信息系统进行管理和分析。

2. 生态环境数据库系统的设计与建设

（1）生态环境的综合调查及系列地图的编制

首先，需要在改造原有数据和调查收集新数据的基础上，进行补充调查。然后，以生态环境类型单元为基础、以遥感图像为基本信息源，编制全省1:250000生态环境综合系列地图。该图采用遥感综合系列制图与计算机制图相结合的方法，通过各有关专业人员野外路线与典型地段的综合考察，建立影像判读标志与监督分类样本，图像自动分类与人工判读相结合，野外调查与室内分析相结合。

（2）生态环境数据建库的技术方案

生态环境数据库的建立采用支持管理决策过程的、面向主题的、集成的、稳定的、不同时期的数据集合的数据仓库技术。其一是从各种信息源中提取所需要的数据，经加工处理存储；其二是直接在数据仓库上处理用户的查询和决策分析，尽量避免再去访问信息源。

（3）生态环境数据库系统的功能

具有：①查询功能；② 统计功能；③ 显示功能；④ 光谱曲线生成功能；⑤ 叠加分析功能；⑥ 打印输出功能。

3. 生态环境决策支持管理信息系统的设计与建设

系统采用SuperMap作为空间数据处理平台，通过二次开发，实现生态环境监测数据的高效获取、更新、转换、编辑、数据集成、查询分析、空间分析及成果输出等功能，并建立基于地图及地理信息服务网络，建立适于生态环境分析、评价、动态监测、预警、规划、决策、咨询与管理的智能化信息管理系统。

二、系统的应用实践

吉林省生态环境遥感监测系统是在分析、比较和验证目前国内外有关生态环境动态监测与生态安全空间决策支持技术的研究的基础上，结合吉林省的自然条件和生产实际，采取了一些新的研究思路。以卫星遥感和地理信息系统及计算机技术为前沿支撑，实施多学科交叉，对一些研究领域，不拘泥于已有的应用模式，根据吉林省的自然条件和生产实际，以实用为目标，紧密配合吉林省生态省建设这一发展方向，在生态环境变化动态监测中发挥了积极作用，研制开发了一些符合省情且实用的方法。系统的研究分析结果除了利用信息发布的形式提供外，部分分析结果还利用网络发布，将科技成果服务面向社会公众。力求使研究成果发挥更大的效益。

（一）吉林省生态环境监测遥感与环境背景数据库

建立了部分县级生态环境背景数据、生态环境历史数据库和遥感信息数据库等基础数据库。基础数据库根据吉林省的地域特点及对生态环境遥感监测的技术要求，有针对性地收集了所需数据与图件，并进行必要的分析、筛选、整理和归类。生态环境背景数据库的信息内容主要包括两个方面。一是吉林省自然环境社会经济的统计资料，二是吉林省与生态环境有关的专题图件的图形资料。生态环境历史数据库的信息内容同背景数据库的数据格式相同，分为统计资料和图件资料两大类。遥感信息数据库的信息内容主要为吉林省全省 80 年代、90 年代和 20 世纪初的 Landsat/TM 全波段遥感影像，长春市的 SPOT 卫星影像，气象卫星遥感图像信息，主要包括了吉林省近十年来的气象卫星遥感图像信息。基于 GIS 平台所构建的吉林省生态环境背景数据库，为吉林省的生态环境动态监测与生态安全空间决策支持技术的研究决策提供了科学实用的基础数据。

（二）草原和土地生态环境动态监测

在对吉林省草原和土地生态动态监测中，对整个区域采用同一时相、不同年代的遥感图像解译分析，在地理信息系统（GIS）技术的支持下，采用统一的确定草原退化、沙漠化和盐碱化地面积和程度的标准，得出区域草原退化、沙漠化和盐碱化的定量化分析结果，并对其动态过程、现状和趋势进行较细致讨论，以期为该地区的生态治理与恢复提供科学依据。

1. 将计算机监督分类与非监督分类识别方法结合应用，进行草地的解译。并利用改进算法，改善遥感图像的识别精度。试验研究结果表明：吉林省西部草原生态环境在恶化，草地面积平均每年减少 $4.5\times10^4hm^2$，草地退化严重，退化草地面积已占草地总面积的 81.1%，而且退化程度也在加重，中、重度退化草地比例明显提高，草地退化呈发展的趋势。

2. 对吉林省西部的土地沙漠化现状、程度和发展趋势进行遥感解译和实地调查。分析研究结果表明：区域内的土地沙漠化总体上呈逆转趋势。主要表征为沙漠化土地面积减少，平均每年减少 $0.71\times10^4hm^2$，年递减率为 0.8%；沙漠化程度渐轻，微度沙漠化土地增加 92.9%，而轻、中、重度沙漠化土地减少了 44.3%。该地区的土地沙漠化整体上以逆转趋势为主，还有一些局部区域沙漠化程度仍在发展，土地沙漠化的状况不容忽视。人类活动对区域土地沙漠化的影响比较明显，气候变化和地理环境也对土地沙漠化产生重要的影响，沙漠化土地类型由以草地为主转为以旱地为主。

3. 对吉林省西部的土地盐碱化现状、程度和发展趋势进行遥感解译和实地调查。分析研究结果表明，受自然条件和人为因素的影响，15 年间吉林省西部的土地盐碱化数量和程度明显加剧。盐碱化土地面积从 $123.25\times10^4hm^2$ 增加到 $146.83\times10^4hm^2$，平均每年增加 1.68×10^4 hm^2，年增长率为 1.26%；盐碱化程度加重，轻度盐碱化土地减少 35.49%，中、重度盐碱化土地均有较大增幅，分别为 79.50% 和 36.79%，中、重度盐碱化土地已占盐碱化土地面积的 75.08%。土地盐碱化最严重的区域在通榆县和大安县。整个西部地区的盐碱化土地面积已占该地区国土总面积的 30.80%，区域内个别县（市）的盐碱化土地面积已占国土总面积的 50% 以上。草地盐碱化是本区域的主要盐碱化类型，约占整个盐碱化土地的 60%，许多草场由于严重的盐碱化已失去利用价值。吉林省西部地区的土地盐碱化已经对该区的生态环境与经济发展构成严重威胁，吉林省西部土地盐碱化的发展趋势不容乐观。

（三）沙尘暴遥感动态监测及评估

利用气象卫星多源遥感数据，结合地面实测数据，提出了沙尘暴信息识别、提取的新方法；针对目前沙尘暴定量研究中存在的多源遥感数据监测结果不可比的问题，详细介绍了可比沙尘强度指数的构建方法，并对近年来影响吉林省的沙尘暴特性进行了分析。对影响吉林省的沙尘暴的源地进行了分析和讨论。

1. 建立以卫星遥感手段为主体的监测沙尘暴爆发和传播的业务运行系统；遥感监测、预报模式和地理信息的有机结合技术。综合分析了 2000—2004 年沙尘暴源地、路径和成因等。

2. 建立了应用遥感多光谱数据提取沙尘信息的数学模型、沙尘气溶胶光学厚度和沙尘暴指数定量算法。

3. 建立和完善了多源数据集成的地理信息系统数据库和沙尘暴信息数据库，并在数据分析和应用方面取得了明显进展。

（四）温室气体（CH_4）排放的遥感监测

气候变暖是当今全球性的环境问题，其主要原因是大气中温室气体浓度的不断增加。甲烷是地球大气中仅次于二氧化碳的第二号温室气体，因此，对甲烷气体的研究越来越受到重视。大气中的甲烷有多种来源，水稻田是地球大气中甲烷的重要排放源之一，控制稻田甲烷排放对治理大气污染与改善环境十分重要。

在吉林万昌试验区，利用箱式技术对水稻田 CH_4 排放通量进行观测，取得了两个完整的水稻生长期内的 CH_4 排放资料，并收取了同期的美国 NOAA 气象卫星资料。用陆地卫星（TM）与气象卫星（AVHRR）数据量算研究区水稻种植面积，并通过水稻空间长势遥感，对各生育期的水稻做植被指数（NDVI）分级。分析结果表明，NDVI 与稻田 CH_4 排放通量具有显著的相关关系，而高温则不能作为 CH_4 排放的指标因子。建立 NDVI 与稻田 CH_4 排放的关系，可计算出研究区域稻田 CH_4 排放总量。

（五）生态环境脆弱态势评价

通过对区域土地利用变化以及发展趋势的分析，找出其驱动因子并评价其对生态环境演化的影响。由于自然条件的边缘性和过渡性，吉林省西部生态系统脆弱性和敏感性显著，其土地利用呈现农牧业交错的过渡特征，是全球和我国土地利用覆被变化（LUCC）研究的典型区和首选区。基于 GIS 技术的空间分析功能，建立了基本评价因素的数字环境模型。应用主成分综合分析方法，提出了生态脆弱态势指数模型，获取了吉林省西部近 15 年生态环境脆弱性变化的空间分布规律，以期为区域生态环境的治理与建设提供依据。

（六）生态环境治理与保护

1. 通过对不同年代草场资源调查，分析了自然和人为因素对草场退化的影响。有针对性地提出了草场综合治理与恢复应采取的政策、牧业管理、生态建设措施。通过对草场的科学利用、合理保护，可使退化草场得到改良，区域环境向良性发展。

2. 从水分平衡的角度，探讨生态变化原因及如何增加土壤含水量、阻止荒漠化进一步发展，使已退化的地区逐步恢复原有生态平衡的对策措施。

三、结　语

生态环境动态监测与生态安全空间决策分析历来受到各级政府和部门所关注，其应用领域涉及环境保护、农业、水利、林业、气象、统计、民政、物资、外贸等诸多部门。目前该系统完成的技术成果及应用能力只限于县级的生态环境动态监测与评估，但在应用实践中，各级领导及有关部门都需要更加详尽的有关生态环境和生态安全分析的结果信息，能将分析的结果扩展到乡级，其作用和效果会更好，这在有关部门安排生态建设与恢复的过程中尤为重要。会使工作更加有的放矢，更加科学客观。

参考文献

[1] 黄方．基于遥感和 GIS 的松嫩沙地土地利用、土地覆被时空格局研究［J］．中国沙漠，2003，23（2）．

[2] 庞志国．3S 技术支持下的盐碱化土地现状评价与发展对策研究［J］．国土与自然资源研究，2000（4）．

[3] 刘志明．稻田甲烷排放的卫星遥感监测试验［J］．气象科技，2002，30（5）．

[4] 邹亚荣．遥感与 GIS 支持下的中国草地动态变化分析［J］．资源科学，2002，24（6）．

利用网络自动质控技术进行空气优化布点监测的质量控制方法

万 开

（东莞市环境保护监测站 东莞市南城体育路15号 523009）

摘 要 本文介绍了粤港珠江三角洲空气监控系统QA/QC标准操作程序，在固定－移动自动监测相结合的城市空气优化布点监测当中的应用。使用自动化的网络远程质控技术，轻松实现了全方位、多项目、高频次的质控操作和统计，得出了对子站成效审核的结果。尝试用粤港质控体系对移动子站进行管理，探讨了移动子站在高强度的网格实测中的质量管理注意事项。

关键词 大气自动监测 优化布点监测 自动质量控制

一、前 言

采用传统的手工监测方法进行空气优化布点网格实测，监测点位多、时间长，劳动强度大。而利用现有的固定大气自动监测子站，结合流动监测车上安装的移动子站，以代替传统的手工监测方法实施网格实测，时间快、数据丰富，可节省大量人力，提高工作效率。但该方法也面临着不少实际的困难，例如移动子站仪器连续使用时间长、频率高、监测时间安排紧凑、现场电源和环境条件难保证等，影响着监测数据之间可比性，需要通过统一的质控措施来保证。

《环境空气质量自动监测技术规范》中质量保证和质量控制工作主要包括标准传递、仪器设备的校准和仪器的性能审核三方面[1]。而由广东省环境保护监测中心和香港环保署合作建立的粤港珠江三角洲空气自动监控网络，在上述各方面都做出了具体的、操作性好的管理规定，是对国标很好的补充和完善[2]。而其提供的质量管理工具，更使大气自动监测的质控工作简便易行。本文根据东莞市在固定－移动自动监测相结合进行城市空气优化布点监测中，运用粤港监控网络自动质控的实际运作经验，对影响检测结果质量的关键环节所开展的质控工作进行探讨。

二、优化布点监测要求和质量控制方法

（一）优化布点监测内容和要求

东莞市为进行城市空气优化布点研究，在67.79km^{2}建成区范围内，画出了2.0km×2.0km共29个监测网格，并优选其中12个网格（点）进行连续21天监测。监测项目包括：CO、SO_2、O_3、NO_2、PM_{10}共5项[3]。为实现这一典型的高密度、长时间、多因子网格监测任务，项目组采用固定－移动结合的空气自动监测技术。一方面利用三个现有固定自动监测子站，另一方面利用两台流动监测车上安装的移动子站对另外9个格点进行了网格实测（见图1）。各子站均配备TE公司先进的5台大气成分分析仪、1台动态校准仪和1台零气发生器。三个固定自动监测子站分属省控（常规）监测网和粤港空气监测网络。

（二）优化监测质量控制方法

根据网格监测的实际工作要求，本次监测确立了以粤港珠三角洲空气监控网络自动质控技术为基础，兼顾移动监测子站的质量控制方案。内容包括标准的溯源和传递、监测仪器设备的质控校准和仪器的性能成效审核等。

1. 标准的溯源和传递

根据国家标准技术规范要求，对气态污染物的浓度、时间、流量、颗粒物的质量和环境温度、环境压力等主要量值进行了溯源和传递。对部分国内溯源有困难的量值，借助粤港监控网的

有利条件溯源到国际基准。按量值溯源图和标定周期对监测仪器、工作标准、标准物质进行了检查，确保全部处于标定和校准有效期之内。

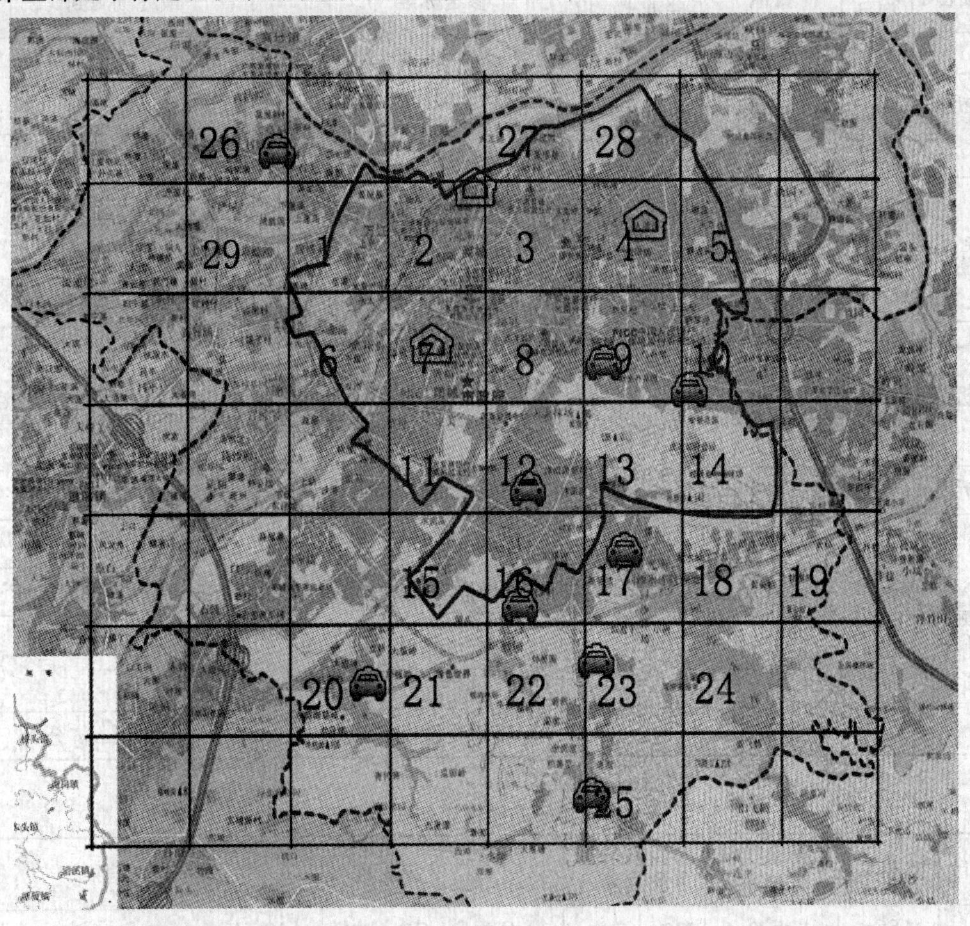

图1　东莞市区环境空气监测网格布点图（房屋为固定测点，车辆为移动监测点）

2. 自动监控网络质控

利用粤港监控网络专业软件实施远程自动质控，质控指标包括工作执行率、数据获取率和仪器设备精密度检查，以粤港监控网络每季度定期实施的网络成效审核等来评价质控工作的有效性。

3. 移动子站的质控

移动子站不同于固定子站日常连续运转，投入使用前除保证量值溯源外，还需预先进行预防性检修和单点校准，监测工作期间根据零点和跨度漂移情况，决定是否需要再次进行单点校准或多点校准。移动子站与固定子站在仪器、标准传递、校准和检查工作等各方面均保持一致。

三、结果和讨论

（一）质控结果

1. 标准的溯源和传递

根据标准溯源和传递的要求，气态污染物分析仪均使用164动态校准仪进行校准，其流量和时间均溯源到香港标准及校正实验室（HKSCL），浓度溯源到国家质量技术监督检验检疫总局标准物质研究中心（NRCCRM）或美国国家标准局（NIST）。颗粒物监测仪的环境温度、环境压力溯源到省、市计量部门，流量溯源到HKSCL，质量溯源到生产厂家Thermo Andersen，用预称重的石英颗粒对等价膜进行校准，见表1。在一般标定和校准周期内出现故障、严重不准确或零/跨检查超出控制限的，需要重新标定和校准。

表 1　监测仪器量值溯源情况

监测项目	仪器型号	量值	工作标准	参考标准	最终溯源到	周期
SO_2 分析仪	43I	流量	164 动态校准仪	BIOS 活塞式流量计再到皂膜流量计、电子计时器	HKSCL	半年
		时间				半年
		浓度		NRCCRM 二级标准	NIST	半年
NO_2 分析仪	42I	流量		BIOS 活塞式流量计再到皂膜	HKSCL	半年
		时间		流量计、电子计时器		半年
		浓度		—	NRCCRM 一级标准	半年
CO 分析仪	48C	流量		BIOS 活塞式流量计再到皂膜	HKSCL	半年
		时间		流量计、电子计时器		半年
		浓度		—	NRCCRM 一级标准	半年
O_3 分析仪	49I	浓度		49CPS O_3 标准	NIST SRP34	半年
β 射线颗粒物监测仪	FH62 C14	环境温度	—	TES 1365 数字温湿度表	广州市计量测试所	1 年
		环境压力	—	DPH－102 智能大气压计	广东省气象计量检定所	1 年
		流量控制器	—	BIOS 活塞式流量计再到皂膜流量计、电子计时器	HKSCL	半年
		质量传感器	—	仪器配套的质量校准等价膜	Thermo Andersen 公司	1 年

表 2　固定子站质控工作执行情况

质控项目	监测参数	要求执行频率	质控工作执行率	警告限	结果	评价
零/跨检查	SO_2	1 次/2 天	70%（7 次）	零 C_1 * ＜－10ppb 或＞＋10ppb	－2.7～3.2	合格
				跨 C_2 * ＜－10%或＞＋10%	－2.5%～3.6%	合格
	NO/NO_x	1 次/2 天	70%（7 次）	零 C_1 ＜－10ppb 或＞＋10ppb	－1.3～2.4	合格
				跨 C_2 ＜－10%或＞＋10%	－3.1%～1.2%	合格
	O_3	1 次/2 天	70%（7 次）	零 C_1 ＜－10ppb 或＞＋10ppb	－4.2～3.8	合格
				跨 C_2 ＜－10%或＞＋10%	－1.5%～4.4%	合格
	CO	1 次/2 天	70%（次）	零 C_1 ＜－0.6ppm 或＞＋0.6ppm	－0.3～0.4	合格
				跨 C_2 ＜－10%或＞＋10%	－2.5%～4.1%	合格
精度检查	SO_2	1 次/2 周	100%（3 次）	≤±15%	－2.07%～7.03%	合格
	NO/NO_x	1 次/2 周	100%（3 次）	≤±15%	－9.22%～5.24%	合格
	O_3	1 次/2 周	100%（3 次）	≤±15%	－4.85%～9.37%	合格
	CO	1 次/2 周	100%（3 次）	≤±15%	－4.49%～11.93%	合格
转换效率	NO/NO_x	1 次/2 周	70%（2 次）	≥96%	99%	合格
β 射线法流量校准	PM_{10}	1 次/3 个月	100%	流量误差≤±7%	1%	合格

注：C_1 为仪器响应值与仪器校准值的偏差，C_2 为仪器响应值对仪器校准值的相对偏差。

2. 自动监控网络质控

采用粤港监控网络远程自动质控技术，由软件控制仪器在23:00至次日3:00之间自动进行零/跨检查和精度检查。本次监测期间各自动站质控工作执行情况良好，统计见表2。监测期间仪器零/跨检查，精度检查均符合要求，未出现超警告限和故障情况。

根据粤港空气监控网质量保证和质量控制工作报告，监控网络成员监测当季成效审核达到预期目标，详见表3。通过全面的成效审核，证明固定子站仪器运行稳定，监测结果可靠。

表3　成效审核结果

项目	审核预期目标	审核结果	评价
气体项目	1. 校准仪输出的真实浓度与分析仪稳定响应值的相对百分误差的警告限±10%，控制限±15%	各项目所有量程相对误差范围为-9%~3%	合格
	2. NO_x 分析仪的钼转化效率应≥96%	3个量程均为99%	合格
	3. 校准曲线斜率≤±5%最佳，±6%~±15%合格	O_3 达到-7.3%，其他范围为-4.2%~2.9%	合格
	4. 校准曲线截距≤分析仪满量程的±3%	1.3%	合格
	5. 校准曲线相关系数0.9950~1.0000	均大于0.995	合格
PM_{10}	流量相对误差的警告限±7%，控制限±10%	1%	合格
数据获取率	达到数据总数的85%或以上	94%以上	合格
子站精度	在平均值15%（气体污染物和颗粒物）内	-12.5%~14.8%	合格

3. 移动子站系统监测质量控制结果

对移动子站进行预防性检修之后、使用之前进行了单点校准，结果见表4。通过执行该次单点校准保证了合格仪器投入使用。

表4　移动子站系统单点校准结果

项目	零/跨度	校准仪显示值	分析仪响应值（B）	误差（C）		警告限	评价
SO_2	ZERO	0	1.1	C_1	1.1	C_1 < -10ppb 或 > +10ppb	合格
	SPAN	400	394	C_2（%）	-1.5	C_2 < -10% 或 > +10%	合格
NO	ZERO	0	0.9	C_1	0.9	C_1 < -10ppb 或 > +10ppb	合格
	SPAN	400	396	C_2（%）	-1	C_2 < -10% 或 > +10%	合格
NO_x	ZERO	0	1.1	C_1	1.1	C_1 < -10ppb 或 > +10ppb	合格
	SPAN	400	401	C_2（%）	0.3	C_2 < -10% 或 > +10%	合格
CO	ZERO	0	0.2	C_1	0.2	C_1 < -0.6ppm 或 > +0.6ppm	合格
	SPAN	16	15.8	C_2（%）	-1.3	C_2 < -10% 或 > +10%	合格
O_3	ZERO	0	0	C_1	0	C_1 < -10ppb 或 > +10ppb	合格
	SPAN	423	411	C_2（%）	-2.8	C_2 < -10% 或 > +10%	合格

对移动子站的质控统计结果显示，系统使用期间的零/跨检查和精度检查均100%合格，各项质控工作执行率100%，有效数据获取率96%。

与固定子站的质控结果相比较，从每两天进行一次的零/跨检查结果和统计得到的质控工作执行率、有效数据获取率来看，移动子站经受住了恶劣环境和不利条件的考验，总体工作性能良好，保持了与固定子站的一致性。由于移动子站只是在有专项任务时才使用，累计质控数据不足，无法统计得到精度和准确度的性能审核数据。

（二）问题分析和讨论

1. 本次优化布点监测质量保证和质量控制均统一到粤港监控网络，引入了第三方进行审核，质量管理要求较国标更加严格。网格实测期间，各子站 4 气态污染物项目每日至少采样 18 个小时，PM_{10}每日至少采样 12 个小时，运行有效日均值都按标准[4]要求达到了 100%，体现出该质控技术的可靠性。尤其对移动子站识别出适用的质量管理要求并参照执行，为提高监测结果的质量提供了有力的保障。

2. 采用自动监测系统进行网格实测，质控操作复杂，频率高，工作量大。由于运用了网络远程自动质控技术，轻松地实现了仅靠人手无法完成的各项复杂质控操作和统计工作，极大地提高了监测和质控工作效率。体现了该质控技术的先进性。

3. 全套自动监测设备中有部分量值溯源难度大，而借助粤港监控网络可以相对方便地将其溯源到国际基准。例如 O_3 校准用的 164 动态校准仪，通过溯源到广东省环境保护监测中心的 49CPS 紫外光度法 O_3 基本标准，再向上就可溯源到香港环保署建标的 NIST SRP34 标准参考电光仪。又如我国生产的 SO_2 标气仅为二级标准物质，通过与 NIST 的一级标气比对，有 0～5% 的偏差。因此粤港监控网络现有的便捷溯源渠道为做好本次监测质控提供了有利的条件。

4. 本次监测恰遇持续多日的高温天气，自动监测质量保障的关键是要保证仪器工作环境的温度，并预留足够的预热时间。由于野外作业点无法接到市电，因此要根据车载空调及仪器的总功率，配备足够马力的发电机备用。同时注意选用清洁柴油，使用时放置在下风向足够远的距离，以避免燃烧废气对监测结果产生影响。另外，移动子站在防震、防雷等方面也需要采取相应的质量保证措施。

四、结　语

随着固定监测子站和流动监测车在各地监测站的日渐普及，利用两者相结合的自动监测技术对城市空气质量实施网格监测必将得到推广应用。而系统、全面、有效、简便的质控技术是该技术得以推广的关键。本研究运用网络化的自动质控技术，较好地解决了移动子站在实用中遇到的质量保证技术问题，同时也实践了固定－流动自动监测系统质量保证的统一性，验证了监测结果的可比性，证明可以加以推广应用。

参考文献

[1]《环境空气质量自动监测技术规范》（HJ/T 193—2005）[S].

[2] 广东省环境保护监测中心站．珠江三角洲区域空气监控网络 QA/QC 手册 [M]．广东：广东科技出版社，2007.

[3] 陈慧明，吴对林，李美敏，等．东莞市空气和噪声监测优化布点研究 [R]．广东：广东省环境科学研究所，2007.

[4]《环境空气质量标准》（GB 3095—1996）[S].

非分散红外法测定空气中一氧化碳的测量不确定度评定

金　钰

（北京市宣武区环保局　北京市宣武区鸭子桥路29号　100055）

摘　要　根据测量不确定度评定与表示理论，采用非分散红外法测定空气中一氧化碳的测量不确定度，通过计算和评定，得出该法测定空气中一氧化碳的测量结果为2.0mg/m³时，取包含因子$k=2$（约95%置信概率），扩展不确定度$U=0.2\text{mg/m}^3$；测量结果为7.7mg/m³时，取包含因子$k=2$（约95%置信概率），扩展不确定度$U=0.1\text{mg/m}^3$。该不确定度评价方法在实际工作中具有较强的实用价值。

关键词　不确定度　一氧化碳　非分散红外法

目前国内对非分散红外法测定空气中一氧化碳的不确定度评定，存在对不确定度分量分析不够全面，遗漏仪器引入的不确定度，样品重复性测量次数少等问题。本文在相关工作的基础上，对非分散红外法测定空气中一氧化碳的不确定度分量进行了全面的评定，并计算了扩展不确定度。

一、检测方法

（一）方法依据

依据非分散红外法（GB 9801—1988），对空气中一氧化碳的测量不确定度进行评定。

（二）方法原理

一氧化碳对以4.5μm为中心波段的红外辐射具有选择性吸收，在一定浓度范围内，其吸收程度与一氧化碳浓度呈线性关系，根据吸收值确定样品中一氧化碳浓度[1]。

（三）主要仪器

QGS-08B型非分光红外线气体分析器（北京北分麦哈克分析仪器有限公司）。

（四）操作步骤

1. 校准仪器

（1）零点调节　将高纯氮气连接在仪器进气口，调节操作板上零点调节电位器，使仪器显示值为零，重复2~3次。

（2）校准　向仪器通入由国家标准物质研究中心购买，编号为975659，浓度为24.1ppm，扩展相对不确定度为1%的一氧化碳标准气体，待仪器显示值稳定后读数，调节操作板上灵敏度调节电位器，使仪器显示值与标准气体浓度相符，重复2~3次。

2. 样品测定

抽入待测气体，待仪器显示值稳定后读数，测得一氧化碳的浓度x（ppm），再乘以换算系数1.25从而得出待测气体标准状态下质量浓度c（mg/m³）。

二、数学模型

一氧化碳浓度的计算公式为：

$$c = 1.25x \tag{1}$$

式中：c为待测气体中一氧化碳的质量浓度，mg/m³；x为待测气体中一氧化碳浓度，ppm。

$$\frac{u_c(C)}{C} = \sqrt{\left[\frac{u(c_{CO})}{c_{CO}}\right]^2 + \left[\frac{u(m)}{m}\right]^2 + \left[\frac{u(A)}{A}\right]^2 + \left[\frac{u(1.25)}{1.25}\right]^2} \tag{2}$$

式中：u（c_{CO}）为标准气体引入的不确定度；u（m）为样品重复性测量引入的不确定度；u（A）为仪器引入的不确定度；u（1.25）为物理常数引入的不确定度。

三、不确定度分量的来源分析

由检测方法和数学模型分析，其不确定度来源有以下几个方面[2,3]：

（一）标准气体引入的不确定度 u（c_{CO}）

（二）样品重复性测量引入的不确定度 u（m）

（三）仪器引入的不确定度 u（A）

1. 仪器测量不确定度 u_1（A）

2. 仪器示值量化误差引入的不确定度 u_2（A）

0.29 倍的仪器分辨力（仪器分辨力的不确定度）与随机效应导致的重复性标准偏差（重复性测量的不确定度）二者只取较大者。

（四）物理常数引入的不确定度 u（1.25）

四、不确定度分量的评定

（一）标准气体引入的不确定度

从国家标准物质研究中心购买，编号为 975659，浓度为 24.1ppm，给定扩展相对不确定度为 1%，按置信概率近似为 95%，$k=2$，得相对标准不确定度分量为：

$$u_{rel}(c_{CO}) = U_{rel}/k = 0.01/2 = 0.005$$

（二）样品重复性测量引入的不确定度

重复测量自行配制的高、低浓度标准样品各 6 次。结果如表 1 所示。

表 1　样品重复性测量

低浓度样品	序号	1	2	3	4	5	6
	待测气体中一氧化碳浓度/ppm	1.6	1.7	1.6	1.7	1.6	1.6
高浓度样品	序号	1	2	3	4	5	6
	待测气体中一氧化碳浓度/ppm	6.1	6.2	6.1	6.2	6.1	6.2

由表 1 数据，计算结果如下，等式中的数值为低浓度样品计算结果，括号中的数值为高浓度样品计算结果，下同。

样品 6 次测量的浓度平均值：

$$\bar{x} = 1.6\text{ppm}\ (6.2\text{ppm})$$

样品 6 次测量的质量浓度平均值：

$$\bar{c} = 1.25x = 1.25 \times 1.6\text{ppm} = 2.0\text{mg/m}^3\ (7.7\text{mg/m}^3)$$

单次测量的标准偏差：

$$S(x) = \sqrt{\frac{\sum_{i=1}^{n}(x_i - \bar{x})^2}{n-1}} = 0.063\ \text{ppm}\ (0.077\text{ppm})$$

$$n = 6$$

空气中一氧化碳的测量一般是单次测量，因此单次测量的标准偏差即为样品重复性测量标准不确定度。

样品重复性测量的相对标准不确定度：

$$u_{rel}(m)=\frac{u(m)}{m}=\frac{0.063}{1.6}=0.039\ (0.012)$$

（三）仪器引入的不确定度

1. 仪器测量引入不确定度

实验用非分散红外线气体分析器其相对示值误差为2%，按均匀分布考虑（$k=\sqrt{3}$），则 $u_{rel,1}(A)=0.02/\sqrt{3}=0.012$。

2. 仪器示值量化误差引入的不确定度

当非分散红外线气体分析器变化一个末位有效数字时，其示值变化为0.1ppm，即 $\delta x=0.1$ppm，故 $u_2(A)=0.29\delta x=0.029$ppm。样品6次重复测量浓度平均值为1.6ppm，$u_{rel,2}(A)=0.029/1.6=0.018$。

（四）物理常数引入的不确定度

$$u(1.25)=0.5\delta x/\sqrt{3}=0.29\delta x=0.01\times0.29=0.0029$$

$$u_{rel}(1.25)=0.0029/1.25=0.002$$

五、合成不确定度

表2　不确定度分量一览表

序号	不确定度分量	不确定度来源	量值	标准不确定度	相对标准不确定度
1	$u(c_{CO})$	CO标准气体引入的不确定度	24.1ppm	0.120ppm	0.005
2	$u(m)$	样品重复性测量引入的不确定度	1.6ppm (6.2ppm)	0.063ppm (0.077ppm)	0.039 (0.012)
3	$u(A)$ $u_1(A)$ $u_2(A)$	仪器引入的不确定度仪器测量不确定度仪器示值量化误差引入的不确定度	1.6ppm 1.6ppm	0.019ppm 0.029ppm	0.022 0.012 0.018
4	$u(1.25)$	物理常数引入的不确定度	1.25	0.0029	0.002

合成标准不确定度：

$$\frac{u_c(C)}{C}=\sqrt{\left[\frac{u(c_{CO})}{c_{CO}}\right]^2+\left[\frac{u(m)}{m}\right]^2+\left[\frac{u(A)}{A}\right]^2+\left[\frac{u(1.25)}{1.25}\right]^2}=0.045\ (0.026)$$

$$u_c(c)=c\times\frac{u_c(c)}{c}=2.0\times0.045=0.09\text{mg/m}^3\ (0.05\text{mg/m}^3)$$

六、扩展不确定度

取包含因子 $k=2$（约95%置信概率），则扩展不确定度为：

$$U=ku_c(c)=2\times0.09=0.2\text{mg/m}^3\ (0.1\text{mg/m}^3)$$

七、结　论

1. 非分散红外法测定空气中一氧化碳，测量结果为（2.0±0.2）mg/m^3，$k=2$；[（7.7±0.1）mg/m^3，$k=2$]。

2. 本法测量不确定度的来源为：样品重复性测量和仪器这两项引起的不确定度分量，应采取相应措施，使测量不确定度尽可能降低。如加大重复性测定次数，提高仪器灵敏度等。

分光光度法检出限和测定下限的探讨

魏　君

（河北省环境监测中心站　河北　石家庄　050051）

摘　要　准确确定方法的检出限和测定下限，是正确选定污染物的分析方法并保证监测分析结果准确可靠的前提。本文对不同实验室水中挥发酚、六价铬、砷的分光光度法的检出限和测定下限进行比较并对如何降低方法检出限和测定下限进行探讨。

关键词　分光光度法　检出限　测定下限　降低

紫外－可见分光光度法是一种广泛使用的定量分析方法。分光光度法具有良好的准确度、精密度、灵敏度和选择性，在我国环境监测分析工作被广泛使用。在使用分光光度法进行低浓度、特别是对浓度接近方法检出的污染物检测时，为保证测定结果的精密度和准确度，应首先确定本实验室的方法测定下限和方法检出限。本文对不同实验室分光光度法测定水中挥发酚、六价铬、砷的检出限和测定下限进行了比较，对影响检出限和测定下限的因素和如何降低方法检出限和测定下限进行探讨。

一、方法检出限与测定下限

（一）定义

检出限（D. L）是某特定的分析方法在给定的置信度内可从样品中检测出待测物质的最小浓度或最小量。所谓“检出”是指定性检出，即判定样品中存有浓度高于空白的待测物质。方法的测定下限反映准确定量测定低浓度水平待测物质的极限与可能性，是在测定误差能满足预定要求的前提下，用特定方法能够准确定量测定待测物质的最小浓度或量。

（二）计算方法

分光光度法中，以扣除空白值后的吸光度为 0.01 相对应的浓度值为检出限。

测定下限通常以 3.3 倍检出浓度作为测定下限，其测定值的相对标准偏差（RSD）约为 10%。

二、方法检出限与测定下限的计算和比较

（一）分析方法列表

表 1　分析方法列表

序号	测定项目	分析方法	测定波长/nm	比色皿/mm	参比液
1	挥发酚	4－氨基安替比林萃取光度法	460	20	三氯甲烷
2	六价铬	二苯碳酰二肼光度法	540	30	去离子水
3	总砷	二乙基二硫代氨基甲酸银光度法	530	10	三氯甲烷

（二）四实验室挥发酚的校准曲线以及检出限和测定下限的计算

计算公式（《环境水质监测质量保证手册》）：

D. L = （0.01 − a）/b × v

测定下限 = 3.3D. L

表2　挥发酚校准曲线1（承德）

管号	1	2	3	4	5	6	7	8
酚标准使用液/ml	0.00	0.50	1.00	3.00	5.00	7.00	10.00	15.00
酚含量/mg	0.00	0.50	1.00	3.00	5.00	7.00	10.00	15.00
A	0.043	0.070	0.023	0.169	0.252	0.339	0.460	0.663
A标-A0	0	0.008	0.021	0.046	0.091	0.186	0.280	0.375
酚标准使用液浓度1.00μg/ml			r 0.9999		a 0.008		b 0.041	

D.L=（0.01-0.008）/（0.041×100）=0.00049mg/L

测定下限=3.3×0.00049=0.0016mg/L

表3　挥发酚校准曲线2（廊坊）

管号	1	2	3	4	5	6
酚标准使用液/ml	0.00	0.50	1.00	3.00	5.00	7.00
酚含量/mg	0.00	0.50	1.00	3.00	5.00	7.00
A	0.043	0.070	0.023	0.169	0.252	0.339
A标-A0	0	0.008	0.021	0.046	0.091	0.186
酚标准使用液浓度1.00μg/ml		r 0.9994		a -0.000393	b 0.0445	

D.L=（0.01+0.000393）/（0.0445×100）=0.0023mg/L

测定下限=3.3×0.0023=0.0076mg/L

表4　挥发酚校准曲线3（邢台）

管号	1	2	3	4	5	6	7	8
酚标准使用液/ml	0.00	0.50	1.00	3.00	5.00	7.00	10.00	15.00
酚含量/mg	0.00	0.50	1.00	3.00	5.00	7.00	10.00	15.00
A	0.112	0.123	0.144	0.229	0.303	0.389	0.496	0.683
A标-A0		0.011	0.032	0.117	0.191	0.277	0.384	0.571
酚标准使用液浓度1.00μg/ml			r 0.9996		a -0.0028		b 0.0386	

D.L=（0.01+0.0028）/（0.0386×100）=0.0033mg/L

测定下限=3.3×0.0033=0.011mg/L

表5　挥发酚校准曲线4（秦皇岛）

管号	1	2	3	4	5	6	7
酚标准使用液/ml	0.00	1.00	2.00	4.00	6.00	8.00	10.00
酚含量	0.00	1.00	2.00	4.00	6.00	8.00	10.00
A	0.099	0.129	0.155	0.213	0.275	0.329	0.385
A标-A0		0.030	0.056	0.114	0.176	0.230	0.286
酚标准使用液浓度1.00μg/ml			r 0.9998		a 0.0043		b 0.0287

D.L=（0.01-0.0043）/（0.0287×100）=0.002mg/L

测定下限=3.3×0.002=0.0066mg/L

（三）四实验室六价铬测定的校准曲线以及检出限和测定下限的计算

表6　六价铬校准曲线1（辛集）

管号	1	2	3	4	5	6	7	8	9
铬标准使用液/ml	0.00	0.20	0.50	1.00	2.00	4.00	6.00	8.00	10.00
铬含量/μg	0.00	0.20	0.50	1.00	2.00	4.00	6.00	8.00	10.00
A	0.005	0.0014	0.029	0.054	0.100	0.203	0.289	0.391	0.484
A标 - A0		0.009	0.024	0.049	0.095	0.198	0.284	0.386	0.479
铬标准使用液 1.00μg/ml		r 0.9999			a - 0.0038			b 0.048	

D. L =（0.01 + 0.0038）/（0.048 × 50）= 0.0058mg/L
测定下限 = 3.3 × 0.0058 = 0.019mg/L

表7　六价铬校准曲线2（石家庄）

管号	1	2	3	4	5	6	7	8	9
铬标准使用液/ml	0.00	0.20	0.50	1.00	2.00	4.00	6.00	8.00	10.00
铬含量/μg	0.00	0.20	0.50	1.00	2.00	4.00	6.00	8.00	10.00
A	0.003	0.012	0.026	0.046	0.088	0.174	0.263	0.346	0.431
A标 - A0		0.009	0.023	0.043	0.085	0.171	0.260	0.343	0.428
铬标准使用液 1.00μg/ml		r 0.999			a 0.0004			b 0.0428	

D. L =（0.01 - 0.0004）/（0.0428 × 10）= 0.00086mg/L
测定下限 = 3.3 × 0.00086 = 0.0028mg/L

表8　六价铬校准曲线3（承德）

管号	1	2	3	4	5	6	7	8	9
铬标准使用液/ml	0.00	0.20	0.50	1.00	3.00	5.00	7.00	10.00	15.00
铬含量/μg	0.00	0.20	0.50	1.00	3.00	5.00	7.00	10.00	15.00
A	0.006	0.015	0.032	0.047	0.089	0.181	0.270	0.360	0.446
A标 - A0		0.009	0.026	0.041	0.083	0.175	0.264	0.354	0.440
铬标准使用液 1.00μg/ml		r 0.9999			a - 0.0007			b 0.044	

D. L =（0.01 + 0.0007）/（0.044 × 50）= 0.00049mg/L
测定下限 = 3.3 × 0.00049 = 0.016mg/L

表9　六价铬校准曲线4（安国）

管号	1	2	3	4	5	6	7	8	9
铬标准使用液/ml	0.00	0.20	0.50	1.00	2.00	4.00	6.00	8.00	10.00
铬含量/μg	0.00	0.40	1.00	2.00	4.00	8.00	12.00	16.00	20.00
A	0.003	0.008	0.018	0.036	0.068	0.145	0.217	0.293	0.365
A标 - A0		0.011	0.031	0.061	0.065	0.142	0.214	0.290	0.362
铬标准使用液 2.00μg/ml		r 0.9999			a - 0.0043			b 0.0183	

D. L =（0.01 + 0.0043）/（0.0183 × 100）= 0.0078mg/L
测定下限 = 3.3 × 0.0078 = 0.026mg/L

（四）四实验室总砷测定的校准曲线以及检出限和测定下限的计算

表 10　总砷校准曲线 1（辛集）

管号	1	2	3	4	5	6	7	8
砷标准使用液/ml	0.00	1.00	2.50	5.00	10.00	15.00	20.00	25.00
砷含量/μg	0.00	1.00	2.50	5.00	10.00	15.00	20.00	25.00
A	0.035	0.057	0.032	0.098	0.158	0.312	0.595	0.720
A 标 - A0		0.022	0.063	0.123	0.277	0.438	0.560	0.685
砷标准使用液 1.00μg/ml			r 0.9991		a -0.0046		b 0.028	

D.L = （0.01 + 0.0046）/（0.028 × 50） = 0.010mg/L
测定下限 = 3.3 × 0.010 = 0.033mg/L

表 11　总砷校准曲线 2（承德县）

管号	1	2	3	4	5	6	7	8
砷标准使用液/ml	0.00	1.00	2.50	5.00	10.00	15.00	20.00	25.00
砷含量/μg	0.00	1.00	2.50	5.00	10.00	15.00	20.00	25.00
A	0.021	0.024	0.061	0.123	0.238	0.367	0.482	0.610
A 标 - A0		0.045	0.082	0.144	0.259	0.388	0.503	0.631
砷标准使用液 1.00μg/ml			r 0.9999		a -0.0005		b 0.024	

D.L = （0.01 + 0.0005）/（0.024 × 50） = 0.0088mg/L
测定下限 = 3.3 × 0.0088 = 0.029mg/L

表 12　总砷校准曲线 3（邢台）

管号	1	2	3	4	5	6	7	8
砷标准使用液/ml	0.00	1.00	2.50	5.00	10.00	15.00	20.00	25.00
铬含量/μg	0.00	1.00	2.50	5.00	10.00	15.00	20.00	25.00
A	0.015	0.034	0.063	0.110	0.208	0.301	0.402	0.500
A 标 - A0		0.019	0.048	0.095	0.193	0.286	0.387	0.485
砷标准使用液 1.00μg/ml			r 0.9999		a -0.0013		b 0.019	

D.L = （0.01 + 0.0013）/（0.019 × 50） = 0.012mg/L
测定下限 = 3.3 × 0.012 = 0.040mg/L

表 13　总砷校准曲线 4（邯郸）

管号	1	2	3	4	5	6	8	9
砷标准使用液/ml	0.00	1.00	2.50	5.00	10.00	15.00	20.00	25.00
铬含量/μg	0.00	1.00	2.50	5.00	10.00	15.00	20.00	25.00
A	0.035	0.055	0.093	0.148	0.292	0.443	0.565	0.683
A 标 - A0		0.020	0.058	0.113	0.257	0.408	0.530	0.648
砷标准使用液 1.00μg/ml			r 0.9993		a -0.0065		b 0.027	

D.L = （0.01 + 0.0065）/（0.027 × 50） = 0.012mg/L
测定下限 = 3.3 × 0.012 = 0.040mg/L

表14 不同实验室方法检出限和测定下限的比较

实验室	挥发酚		六价铬		总砷	
	检出限（mg/L）	测定下限（mg/L）	检出限（mg/L）	测定下限（mg/L）	检出限（mg/L）	测定下限（mg/L）
1	0.00049	0.0016	0.0058	0.0019	0.010	0.033
2	0.0023	0.0076	0.00086	0.0028	0.00088	0.0029
3	0.0033	0.011	0.00049	0.016	0.0012	0.040
4	0.002	0.0066	0.0078	0.026	0.0012	0.040

三、结 论

1. 检出限是对待测物质定性检出，测定下限表示在误差允许范围内能准确定量的待测物质的最小浓度。测定下限受精密度要求的限制，分析方法的精密度要求越高，测定下限高于检出限越多。在对低浓度特别是浓度在检出限附近污染物选定分析方法时，准确测定方法测定下限的尤其不可忽视。

2. 根据对不同实验室光度法测定水中挥发酚、六价铬、总砷的方法检出限、测定下限比较可以得出：不同实验室同一种分析方法的方法检出限和测定下限不同，有的甚至差别很大。

3. 对方法检出限和测定下限的探讨

分光光度法的方法检出限与分析中所用试剂和水的空白、仪器的稳定性及噪声水平有关，是一个综合性计量参数。

（1）空白实验值对检出限的影响

在《全球环境监测系统水质监测操作指南》中规定：给定置信水平为95%时，样品测定值与零浓度样品的测定值有显著差异性即为检出限。

$$L = 4.6\sigma wb$$

式中：σwb 为空白平行测定（批内）标准偏差。

因此，空白值是影响方法检出限的一个重要因素。影响空白值的因素有：实验用水的质量、试剂的纯度、器皿的洁净程度、计量仪器的性能及环境条件等。

1）实验室环境：实验室通风良好，布局合理。做到相互干扰的监测项目不在同一实验室内操作。

2）实验用水：一般分析实验用水电导率应小于3.0μS/cm。特殊用水按有关规定制备，检验合格后使用。盛水容器定期清洗，以保持容器清洁，防止玷污而影响水的质量。

3）化学试剂：应采用符合分析方法所规定等级的化学试剂。配制一般试液，应不低于分析纯。经常检验试剂质量，特别是显色剂，一旦发现变质、失效的试剂应及时废弃。

（2）校准曲线斜率 k 对检出限的影响。

国际纯粹和应用化学联合会对检出限 L 做出如下规定。

$$L = 3s_b k$$

式中：3为根据90%置信水平确定的系数；s_b 为空白多次测得信号的标准偏差；k 为方法的灵敏度（校准曲线斜率）。

校准曲线的斜率 k，即分析方法的灵敏度常随环境温度、试剂批号和贮存时间等试验条件的改变而变动。在试验条件变化，应重新绘制校准曲线，并进行曲线线性、截距、斜率检验，准确确定方法检出限，以满足监测要求，保证监测数据的精密度与准确度。

（3）显色过程的影响

分光光度法是通过显色反应将待测组分转化为有色化合物，根据有色物质对光的吸收来确定待测物的浓度。显色反应应分布进行，反应过程中溶液的酸度、温度、显色时间等条件发生变化都将引起有色络合物的组分发生变化，从而使有色溶液发生深浅乃至色层的改变，因而引起误差。因此分析过程中应按方法要求严格控制实验条件，避免引起测定误差从而对方法检出限和测定下限产生影响。

4. 光度计的仪器检出限

光度计的仪器检出限与仪器背景噪声中辨别最小响应信号相对应。不同分光光度计的仪器检出限不同，应注意不同分光光度计对方法检出限的影响。

5. 增加比色皿的厚度，降低方法检出限

分光光度法的定量基础是朗伯－比尔定律：光的吸收与吸收层的厚度成正比。

$$A = kbc$$

式中：k 为摩尔吸收系数；b 为液层厚度；c 为溶液浓度。

摩尔吸收系数是每种有色化合物在一定波长下的特征常数，显色物质一定，k 值不变。而液层厚度 b 增加，溶液浓度 c 降低。

在保证吸光值在 0.1 ~ 0.7 范围内增加比色皿的厚度来提高方法检出限（需进行方法验证）。我国现行的 HJ503—2009《水质挥发酚的测定 4－氨基安替比林分光光度法》、HJ535—2009《水质氨氮的测定》等标准中都通过增加比色皿的光程来降低方法检出限。

由于大型自动化仪器的研发和普及，实验室在实际工作中更多地使用了自动化仪器，减轻了工作量，同时节省了试剂并减少了对环境的污染，使我国的实验分析水平与世界接轨。流动注射分析仪、原子荧光光度计、原子吸收光度计等大型仪器具有准确度、精密度高，重现性好，检出限低，检测范围大，操作简单，样品和试剂消耗量小的特点，现已逐步被应用于我国环境监测工作中。

参考文献

[1] 章亚麟，等．环境水质监测质量保证手册［M］．北京：化学工业出版社，1994.

[2] 何燧源．环境污染物分析监测［M］．北京：化学工业出版社，2001.

[3] 魏复盛，等．水和废水监测分析方法（第四版）［M］．北京：中国环境科学出版社，2002.

[4] HJ/T 91—2002 地表水和污水监测技术规范．国家环保总局．

光离子化检测器检测非甲烷烃的研究

吴伟鹏　刘志慧　付翠轻　高　博　邢志贤

（河北省环境监测中心站　石家庄市裕华西路 106 号　050051）

摘　要　本文用双柱双氢火焰离子化检测器气相色谱法与手持式 PID 检测器法分别检测标准气体和油库排气实际样品，从准确性、精密度、线性、检出限等多方面对比两种检测方法所获得的分析数据的差异显著性，从而证明了用手持式 PID 检测燃油库排气中非甲烷烃的有效性和可靠性。

关键词　非甲烷烃　气相色谱法　手持式 PID 检测器法

非甲烷烃（NMHC）通常是指除甲烷以外的所有可挥发的碳氢化合物（其中主要是 C_2 ~ C_8）。大气中的 NMHC 超过一定浓度，除直接对人体健康有害外，在一定条件下经日光照射还能产生光化学烟雾，对环境和人类造成危害。

目前国内普遍采用双柱双氢火焰离子化检测器（FID）气相色谱法（以下统称气相色谱法）进行分析测定。分析原理为分别检测总烃和甲烷的含量，两者之差为 NMHC 的含量。在规定的条件下所测得的 NMHC 是在气相色谱 FID 检测器上有明显响应的除甲烷外的碳氢化合物总量，以甲烷计[1]。该方法需要双柱分析，操作比较复杂，而且样品保存时间不能超过 12h。

光离子化检测器（Photo Ionization Detectors，PID）是一种具有很高灵敏度、用途广泛的检测器，可以检测从极低浓度（10 ~ 8ppm）到较高浓度的（1%）的挥发性有机化合物（VOC）[2]。手持式 PID 可以现场检测，操作也比气相色谱法简单得多。本文主要用标准气体和实际样品从准确性、精密度、线性、检出限等多方面验证了其检测数据的可靠性。

一、实验部分

（一）仪器试剂

仪器：GC－14C（岛津）气相色谱仪；minirae3000 手持式 PID。

色谱柱：2m × 4mm、60 ~ 80 目 GDX－502 不锈钢填充柱；2m × 4mm、60 ~ 80 目石英砂不锈钢填充柱。

标准气体：100ppm（v/v）异丁烯；99.9% 甲烷。

其他：高纯氮气、高纯氢气、净化空气。

（二）仪器条件

气相色谱仪：柱温 80℃，检测器温度 120℃，进样口温度 120℃，载气（高纯氮气）流量 70 ml/min，燃气（高纯氢气）流量 75 ml/min，助燃气（净化空气）流量 1000 ml/min。

PID：传感器电压 10.6eV，泵流量 450 ~ 550ml/min。

（三）PID 法与气相色谱法检测结果比对

此次比对内容主要包括标准气体、油库油气回收装置出口废气两种样品。主要比对指标包括准确度（相对偏差）、精密度（相对标准偏差）、线性和检出限等。

1. 标准气体比对

本次实验所用标准气体为购买的 100ppm（229.0 mg/m^3，25℃，1.01 × 10^5Pa）的异丁烯。分别用气相色谱法和手持式 PID 法检测异丁烯标准气体，每种方法连续检测 5 次，检测结果详见表 1。因为手持式 PID 对甲烷无响应，所以未用甲烷标气进行比对。

实验结果表明，气相色谱法用甲烷进行定量，结果与实际值存在较大差距。而手持式 PID 用被测物质进行标定，检测结果更接近实际值。但实际工作中，标准方法规定用甲烷计，则手持式

PID 可以与标准方法进行比对后确定校正系数，最后对检测结果进行校正。

表 1　两种实验方法测定校准样品的结果

<table>
<tr><th>实验方法</th><th>真值/（mg/m³）</th><th>测定值</th><th>平均值/（mg/m³）</th><th>相对偏差</th><th>相对标准偏差</th></tr>
<tr><td rowspan="5">手持式 PID</td><td rowspan="10">229.0</td><td>226.6</td><td rowspan="5">227.5</td><td rowspan="5">-0.65%</td><td rowspan="5">0.78%</td></tr>
<tr><td>227.8</td></tr>
<tr><td>229.9</td></tr>
<tr><td>225.2</td></tr>
<tr><td>228.2</td></tr>
<tr><td rowspan="5">气相色谱（FID）</td><td>91.1</td><td rowspan="5">91.5</td><td rowspan="5">-60.04</td><td rowspan="5">0.42%</td></tr>
<tr><td>91.3</td></tr>
<tr><td>91.5</td></tr>
<tr><td>92.1</td></tr>
<tr><td>91.3</td></tr>
</table>

2. 实际样品比对

（1）样地点及采样频次：采样点选择在油库油气回收装置出口，连续检测一个加油周期，共采集、检测 6 个样品。

（2）采样方法：用双连球将样品采集到铝箔采样袋中，采样前用双连球将气袋反复充满、排空 3 次以达到清洗采样袋的目的。在采样的同时，用手持式 PID 检测器进行现场分析。

（3）检测结果：气相色谱法和手持式 PID 法检测实际样品的检测结果详见表 2。

表 2　非甲烷总烃实际样品分析结果统计表　　单位：mg/m³

样品	气相色谱（X_1）	手持式 PID（X_2）	$X_1 - X_2$
1	66.6	57.5	9.1
2	42.2	39.2	3.0
3	20.8	20.0	0.8
4	9.6	7.5	2.1
5	84.2	77.8	6.4
6	136	120	16.0
均值	59.9	53.7	6.2
标准偏差	46.5	41.2	5.7

（4）检测结果统计分析：在两个总体相关的情况下，两总体平均数差异显著性检验的统计量计算公式见式（1）、式（2）。

$$\overline{D} = \overline{X_1} - \overline{X_2} \tag{1}$$

式中：$\overline{D}$ 为两样本之差；$\overline{X_1}$ 、$\overline{X_2}$ 为两样本的平均数。

$$t = \frac{\overline{D}}{S_D / \sqrt{n-1}} \tag{2}$$

式中：S_D 为两样本对应数据之差（$\overline{D}$）的标准差；n 为样本个数。

表 2 数据代入式（1）、（2）$t = 2.459$。

在 t 分布表中，按 $n = 6$ 和 $\alpha = 0.05$ 查双侧临界值 $t_{\alpha/2}$，可得 $t_{\alpha/2} = 3.365$。$t < t_{\alpha/2}$，表明两样本的平均值无显著差异，即气相色谱法和手持式 PID 法检测的油库油气回收装置出口数据无显著差异。

（5）PID 响应曲线：用 93 号汽油分别配制 0.50、1.00、2.00、5.00、10.0、20.0、50.0、100、200、500、1000mg/m^3 的标准气体，并用手持式 PID 进行检测。实验表明，任意连续 5 个点的配制浓度与实测浓度有较好的相关性（表 3），其中 2.00 ~ 50.0mg/m^3 范围内相关性最好；50.0 ~ 1.00×10^3mg/m^3 范围内，即本次实验的最高浓度范围内相关性最差。但总体上，手持式 PID 对烃类的响应并不呈线性（直线），见图 1。因此，检测不同浓度范围的样品需用不同浓度的标准气体进行校正。

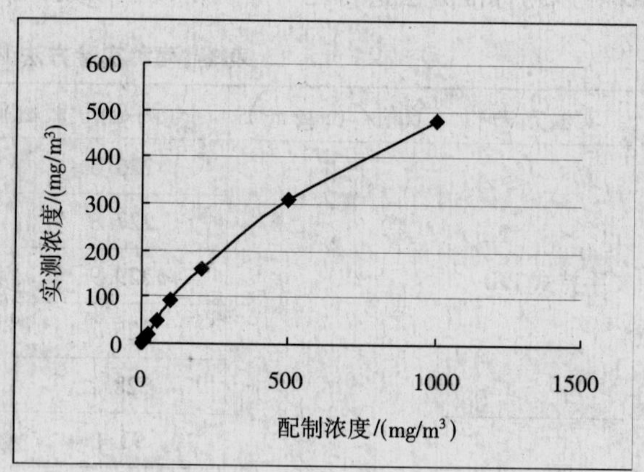

图 1　配制浓度与实测浓度关系曲线

表 3　不同浓度范围相关系数（r）表

浓度范围	0.50 ~ 10.0 /（mg/m^3）	1.00 ~ 20.0 /（mg/m^3）	2.00 ~ 50.0 /（mg/m^3）	5.00 ~ 100 /（mg/m^3）	10.0 ~ 200 /（mg/m^3）	20.0 ~ 500 /（mg/m^3）	50.0 ~ 1.00×10^3 /（mg/m^3）
r	0.9980	0.9968	0.9996	0.9993	0.9981	0.9920	0.9898

（四）检出限

分别用气相色谱和手持式 PID 连续检测 7 个 0.50mg/m^3 汽油样品，用检测结果的 3 倍标准偏差作为各检测方法的检出限，结果（见表 4）表明，两种检测方法的检出限差异不明显。

表 4　气相色谱法和手持式 PID 法检出限

检测方法	气相色谱法	手持式 PID 法
检出限/（mg/m^3）	0.18	0.16

二、结果与讨论

由以上实验结果表明：①气相色谱法对烷烃类响应值较高，而 PID 对烯烃类响应值较高，两种检测方法对燃油等混合烃的响应值接近。②从准确度、精密度和检出限等方面与气相色谱法的比对结果表明，手持式 PID 检测器满足检测燃油库排气中非甲烷烃的要求。③手持式 PID 分析油库排气中非甲烷烃不需要采样及样品运输，操作简便、快速，可以弥补气相色谱法的不足。

参考文献

[1] 国家环境保护总局《空气和废气监测分析方法》编委会．空气和废气监测分析方法（第四版）[M]．北京：中国环境科学出版社，2003：585 - 590.

[2] 亢敏．手持式光离子化检测器研究 [J]．科技创新导报，2009（2）.

[3] 白亮．光离子化检测器在环境应急监测中的应用探讨 [J]．海峡科学，2007（6）.

[4] Bohdan Řanda. Development and application of a GC system for NMHC analyses of air samples from the CARIBIC aircraft project. geb. in Kutna Hora / Tschechische Republik Mainz, 2007.

基于 GIS 共享平台的大连市环境在线监测系统示范研究

刘亮亮[1]　李文霞[2]　王　威[1]　张兴文[1]

（1. 大连理工大学化工学部环境学院　大连　116024；
2. 大连春兴环境工程有限公司　大连　116023）

摘　要　环境在线监测系统是环境信息化建设的重要部分。由于 GIS 技术具有较强的空间分析性能，并普遍应用于环境信息化建设中，随着服务式 GIS 技术和服务聚合思想的出现，GIS 技术不仅为环境信息提供了准确的空间定位，而且实现了空间和时间的四维展示，在 GIS 共享服务平台的基础上构建环境监测系统，结合服务聚合理念，可以兼容各种数据库，并实现统一的空间信息资源，统一的地理信息标准，统一的技术系统。本文将服务式 GIS 结合服务聚合技术应用到大连市的环境在线监测系统中，该系统具有对大连市水环境、环境空气、环境噪声、环境辐射以及城市企业污染源等环境要素进行监测管理，并可以辅助大连市污染物总量控制、水源地保护、企业排污收费、项目审批等环保日常工作，并具有很好的可推广性。

关键词　环境信息化建设　环境在线监测系统　GIS 共享平台　服务聚合　大连市

一、引　言

近年来，随着社会经济的不断发展，超标排污、环境污染事故时有发生。许多重工业企业超标排污，重要的化学药品存放地年久失修，给环境事故的产生埋下了严重的隐患。而针对这些重点污染源、城市中重要区域的污染数据的实时监测又相对落后，从而导致了多起重大环境污染事故。2004 年发生的南昌氯气泄漏污染事故[1]等，给国家和人民带来巨大的损失。

环境在线监测系统的建立是保障人类社会、经济和环境可持续发展的重要措施之一，也是不可缺少的组成部分。而地理信息系统（GIS）[2]是一种用于存储和处理空间信息的计算机系统，它通过分析信息的空间分布，监测不同时段的信息变化，比较不同的空间数据集和其他各种信息，实现对空间信息及其他各类信息的有效管理，使大量抽象、枯燥的数据变得可视化和易于理解，将 GIS 技术引入到环境在线监测系统中是非常必要的。基于 GIS 技术的环境在线监测系统的建立，不仅可以提高对突发性污染事故的迅速应急水平，而且在经济上减少了由于污染事故造成的经济损失，在社会发展层次上保障了人民生活安全和提高了人民生活质量。

二、环境在线监测系统应用现状

《国家信息化发展战略（2006—2020 年）》[3]要求按照全面贯彻科学发展观，站在现代化建设全局的高度，大力推进国民经济和社会信息化，不断把我国信息化提高到新水平。环境信息化是国家信息化重要组成部分，环境信息化与企业信息化、社会信息化彼此融合、相互作用，不再是单纯的环保管理信息化，而是通过信息化把环保系统的工作和社会上相关工作联系在一起，共同推进。环境信息化带来的不仅是技术上的更新，更是政府管理流程和行政管理体制上的变革，提升的是整个环保系统的行政效率和业务能力。

随着我国对环境信息化建设的不断推进，环境在线监测系统作为环境信息化的基础系统，也得到了快速的发展，并在国内部分城市实现了应用，环境在线监测系统的应用不仅有利于实时收集大量准确数据，进行定量和定性的分析，为环境管理工作提供科学决策支持，也可以利用现代信息网络更好地收集和公开环保信息，有利于开展政府与公众互动，保障公众在环境保护方面的知情权、监督权和参与权，更好地保障公众权益，调动和发挥公众参与环境保护公共事业的积极性。然而，各地设计和应用的系统也都存在着种种不足有待于改进和完善，下面就其在当前环境信息化中与空间信息或系统建设相关的应用中存在的问题做出总结。

1. 空间信息资源不统一。目前，环保部门还没有建立一套完善的环保电子地图基础空间数据（体系）。各业务和下属单位在应用建设过程中，各自购置不同来源、不同比例尺和信息质量的电子地图，造成这些电子地图在投影、坐标系、数据格式、分层等方面互不统一，不同格式的数据难以转换，同时重复采集一些公共性地理信息，造成资金和人力的浪费，数据资源难以综合利用，给全局地图基础空间数据的统一化管理和信息共享带来了极大的困难。因此，亟待进一步补充、完善与整合。

2. 地理信息标准不统一。没有建立统一的环保地理信息分类与编码、图层分层、数据采集工作规范、元数据标准、地理信息应用规范等一系列的相关标准规范，无法对全局的环保基础空间数据的建设和各单位地理信息系统的应用与开发进行统筹规划与协调。

3. 技术系统不统一。各单位已建的地理信息系统在 GIS 软件平台、数据库的选型、数据存储格式、空间/属性数据的组织方式和体系结构设计等方面各不相同。此外，由于缺乏统一的数据交换和数据通讯接口标准，系统之间相互独立，无法实现数据共享。

三、GIS 服务与服务器平台介绍

随着 IT 技术的发展，也推动了 GIS 软件技术的进步，面向服务架构已经成为当前主要的软件工程方法。因此 GIS 技术的最重要的趋势是“服务化”，即以服务的方式，提供全面的 GIS 功能，并围绕 GIS 平台提供的服务来面向企业或者公众构建 GIS 的应用。

而 SuperMap iServer 服务聚合[4]（Service Aggregation）能够将不同类型、不同来源的服务通过标准化流程整合到 SuperMap iServer 体系中，不仅能共享数据，还能共享 GIS 服务能力，应用中不仅可以降低数据的成本，增强了配置的能力，减少了二次开发，还可以集成异地部署的数据和服务，重组已有的服务，通过 SuperMap iServer 以统一的方式发布，最终可以在多种 GIS 客户端使用服务聚合结果，快速满足最终应用系统运行的业务敏捷的需求。

针对本文的应用城市——大连市，本文以大连市的高精度的电子地图等地理信息数据为基础，构建大连市地理信息共享服务平台，大连市各应用单位集成自己的基础数据库，构建各自的地理信息应用系统，更加综合客观地提供给决策者所需要的信息，更加准确高效地完成各自的需求工作，推进“数字城市”的实现。针对环保行业，大连市是国内环保工作开展较早，且位于国内前列，本项目的开展，不仅有助于促进大连市的“数字环境”建设，也可以作为示范工程，在国内推广。

系统在大连市地理信息共享服务平台的基础上，集成大连市的环境信息数据库，构建大连市环境在线监测应用系统，不仅可以很好地解决空间信息资源不统一的问题，同时也统一了地理信息标准，并兼容了常用的数据库，实现了技术系统的统一，构建兼容性强、标准化高、功能强大的环境在线监测系统。系统充分应用 GIS 拓展的空间数据库、丰富的制图表达以及分析功能，来更好地服务于环保局各处室获取更加及时准确的环境数据，准确把握大连市的环境质量状况，监控污染物的迁移转化，服务于污染物的总量控制以及水源地保护等各项环境保护工作中，为环境保护工作迈向信息化、现代化提供了技术支持。

四、大连市环境在线监测系统的特点

通过充分借鉴、吸收国内外类似系统的特点，并结合大连市自身环境监测现状，形成了大连市的环境在线监测示范系统设计思路，其主要特点归纳如下。

1. 该系统建立了环境在线监测及综合决策支持信息管理与辅助决策的结构体系，运用计算机软件技术建立了信息管理和辅助决策体系，为环境监测信息管理与决策分析的科学化、信息化和现代化奠定了基础。

2. 运用组件式GIS作为核心技术开发了环境在线监测及综合决策支持信息管理与辅助决策实用软件。GIS技术的应用提高了监测信息的可视化水平，从根本上改变了传统信息管理模式，将空间信息与属性信息进行有效的融合，协同工作，使信息的表达更加直观。

3. 突破了以往信息管理软件单一的管理功能，强化了对信息的有效利用与挖掘，进而实现辅助决策。通过多项技术的整合，充分利用监测信息，开发了一些视图模块，可视化程度更高，图像更加清晰，能够为环保监测部门及时准确定位监测站点，这些功能的实现都是在充分利用监测信息的前提下完成的，设计符合监测单位以及决策部门的要求，结果直观明了，具有较强的实用性。

4. 应用系统的设计上还考虑到系统的开放性、可扩展性，使该系统体系结构能够适应未来的发展，并与其他相关系统实现资源共享，避免了浪费。

5. 以这个项目的开展为契机，加强环境在线监测设备的规范化管理，提高设备使用效率和准确性，充分发挥在线监测设备的功能和作用，为监测部门和监管部门分担工作压力。

本系统通过引入GIS服务平台，充分发挥该平台准确地理定位基础；将多信息源的空间数据和统计数据进行分级、分类、规格化和标准化；强大的信息存贮、更新和转换能力等功能，使其与现有在线监测系统相联系，使在线监测的优势更加明显，将分布于大连市各个地点的监测站点统一归纳管理，建成联网式服务，为全市的环境监测工作实现智能、自动、准确、及时奠定了基础。

五、大连市环境在线监测系统的功能介绍

（一）地图操作功能

系统提供全副、放大、缩小、漫游、滚轮缩放、量距离、量面积等基本的地图操作，同时还提供鹰眼功能使用户能快速定位地图区域，并可以实现在影像地图和矢量地图间进行切换。

（二）监测站点分布查看功能

系统可以实现分区域显示大连城区和各县区环境监测站点分布图，分监测项目显示监测点位分布图，并可清晰查看监测站点附近的情况。

（三）监测站点查询功能

提供查询类别地名（行政区划名、道路地名、企业地名）的关键字模糊查询，并能够快速定位。主要可以完成对监测站点的查询功能，实现列表名称与地图定位站点的同步显示，鼠标点击地图上的点，可以输出监测点属性信息（包括：监测指标类别、坐标经纬度值、所在行政区划等）和监测站点的历史数据等。

（四）数据采集功能

环境监测数据的采集可以采用环境在线监测数据采集仪自动采集或人工采集两种。系统对水、空气、噪声和污染源等可以采用在线监测仪器的项目提供网络接口，对放射性等暂且未能实现在线监测的项目人工采集上传，并将监测数据，经过处理、转换后上报。另外系统还提供污染数据录入界面，接受各监测站直接上报的数据。

（五）实时数据显示功能

显示当前时间，并提示当前应上传数据的站点数目和列表，并对已上传数据的监测点位做颜色上的区分；同时地图区域同步显示所选站点坐标、地址、联系方式等属性信息，上传的数据、变化曲线等监测统计信息。

（六）数据查询分析功能

通过输入查询条件（如：指标、时间、区域、点位等），对监测站点的各监测项目进行时间段和时间点的数据查询，并按照访问者需要完成单指标时间点、单指标时间段、多指标时间点分析，并实现图像化和图表化显示（如：柱状图、曲线图等）。辅助管理者完成环保日常工作，并为环保决策提供分析依据。

（七）专题图制作功能

根据访问者需求输入制图条件形成各类直观化图形、图表的专题图。通过向环境管理人员提供形象准确的数据值及变化曲线，帮助管理者完成环保日常工作，并为环保决策提供分析依据等。

（八）数据提取功能

访问者可以对查询得到的数据进行数据的提取，并将数据导出到 Excel，用于数据上报等日常工作。

（九）系统管理功能

系统管理中不仅提供了用户管理、监测站点属性管理、监测指标的管理和环境监测相关法律法规管理等。

此外，系统还为工作人员提供操作指导、技术培训等辅导；并提供了天气状况预报、空气污染指数、环境污染简报等环境信息动态报道功能，并为污染物总量控制服务、水源地保护等提供依据；在环境突发性事故中提供环境应急监测指导。

系统在以上基本操作功能的基础上，还实现了“一点到底”的效果，即从一个窗口进入，可以通过逐层进入的形式，查看到权限内用户所需要的所有监测信息，而无须退出到主界面重新选择进入。

六、结论与建议

本文通过应用服务式 GIS 技术，结合服务聚合思想，研究并设计了大连市环境在线监测系统，在大连市的 GIS 共享平台基础上对大连市的环境监测信息进行管理，不仅可以完成环境监测信息的查询、提取、统计分析、专题图制作，并为环境应急事故中的环境应急监测提供指导，同时也解决了“三个统一”的问题，为环保工作者提供准确的环境信息，更利于环保事业的高效完成。

同时，也建议：①在今后的研究中合理运用为环保工作预留的接口，将污染物总量控制、企业排污申报、建设项目审批等工作更加紧密地结合到系统中，充分运用系统的时空准确性，优化环境管理工作。②该系统的应用不仅可以整合和完善大连市环保部门各用户的工作，更加带动了环保工作人员的积极性。因此，该系统不仅在大连市具有实用性，并具有很好的推广性，可以促进我国“数字城市”、“数字环保”建设目标的高效完成。

参考文献

[1] 南方网．南昌氯气泄漏 282 人中毒 地点在人口稠密居民区．http：//www. southcn. com/news/china/zgkx/200404220029. htm.

[2] 黄杏元，汤勤．地理信息系统概论［M］．北京：高等教育出版社，2001：12.

[3] 中国网．环保总局副局长王玉庆谈环境信息化建设工作．http：//www. china. com. cn/chinese/PI－c/1227669. htm.

[4] 北京超图软件股份有限公司网站．服务式 GIS 平台实践与发展 SOA 与 SuperMap iServer 体系架构．http：//www. supermap. com. cn/sup/xwtxpage. asp？order ID＝103.

在线监测仪在富营养监测中的应用

高　博　邓静秋　付翠轻　王丽伟　邢志贤

（河北省环境监测中心站　石家庄市裕华西路106号　050051）

摘　要　在线仪器监测相对于传统的实验室理化分析方法，具有快速、连续、分层监测和节省人力物力的优势。因此，在线仪器法在国外被广泛应用于湖泊、水库、流域和海域的水质监测。本文将在线仪器法的各项指标与常规方法进行了比对，并以河北省南部某水库的富营养化监测为例验证了在线仪器法的进行富营养化监测的实用性。

关键词　富营养化　Hydrolab多参数水质监测仪　应用

富营养化（Eutrophication）是指在人类活动的影响下，生物所需的氮、磷等营养物质大量进入湖泊等缓流水体，引起藻类及其他浮游生物迅速繁殖，水体透明度和溶解氧下降，水质恶化，鱼类及其他生物大量死亡，水体生态系统和水功能受到阻碍和破坏的现象[1]。富营养化可分为自然富营养化与人为富营养化，自然富营养化是一个极为缓慢的过程，需要上百年甚至更长的历史，而由于人类的活动，将大量工业废水、生活污水等排入湖泊等水体，大大加速了富营养化的过程，使得人为富营养化在短时期内即可发生，严重的甚至发生水华[2,3]。及时的监测是准确预测和有效治理的前提，而传统的实验室理化方法分析需要大量的人力物力且耗时较长，往往不能及时取得监测数据。而用在线仪器监测不但能够达到节省人力物力目的，而且能够快速、连续、分层监测，不至于因漏掉某个层次而漏报、错报。因此，在线仪器法在国外被广泛应用于湖泊、水库、流域和海域的水质监测[4]。本文将在线仪器法的各项指标与常规方法进行了比对，并以河北省南部某水库的富营养化监测为例验证了在线仪器法的进行富营养化监测的实用性。

一、仪器及配置

（一）试验仪器

Hydrolab多参数水质监测仪。

仪器构成：测量主机、电池仓、手持数据终端、数据电缆、标准液体和智能软件等。

（二）仪器配置

溶解氧：常规的Clark膜法，需要定期更换半透膜、电解液及磨光阳极。由于该探头是化学方法，因此会受到水中重金属离子、H_2S等成分的影响。同时由于该方法消耗氧气，因此需要加装水样搅拌子，以保证一定的流速。

pH：玻璃电极法，参比电极需要定期更换电解液。

浊度：自清洗浊度，符合ISO 7027的光学法，带有自清洗刷，可以有效保护探头表面；量程为3000NTU。四光束浊度，通过两个接收装置接收来自两个光源的两束反射光和两束透射光，有效消除单光束引起的误差，特别适用于比较干净的水体。

深度：压敏电阻法，有四种量程可选。

叶绿素及蓝绿藻：体内荧光法。

二、多参数仪技术指标与标准方法比较

由表1可以看出，多参数水质监测仪技术指标除pH精度略差外，其他指标均满足甚至优于标准方法。

表 1　多参数水质监测仪技术指标与标准方法对比

指标 \ 方法		标准方法	Hydrolab 方法
pH	范围	0 ~ 14	0 ~ 14
	精度	0.01	±0.2
	分辨率	0.1	0.01
	方法	玻璃电极法	玻璃电极法
溶解氧	范围	0.01 ~ 15mg/L	0 ~ 20mg/L
	精度	0.5%	≤8mg/L 时为 ±0.1mg/L >8mg/L 时为 ±0.2mg/L
	分辨率	0.01mg/L	0.01mg/L
	方法	碘量法	荧光法
浊度	范围	3	0 ~ 3000 度
	精度	1 ~ 10 度为 1 度； 10 ~ 100 度为 5 度； 100 ~ 400 度为 10 度； 400 ~ 1000 度为 50 度； 大于 1000 度为 100 度	100 度以内为 ±1%； 100 ~ 400 度为 ±3%； 400 ~ 3000 度为 ±5%
	分辨率	1 度	400 度以内为 0.1 度，400 ~ 3000 度为 1.0 度
	方法	分光光度法	光学法
叶绿素 a	范围	>0.5μg/L	低灵敏度：0.03 ~ 500μg/L 中灵敏度：0.03 ~ 50μg/L 高灵敏度：0.03 ~ 5μg/L
	精度	—	±3%
	分辨率	0.5μg/L	0.01μg/L
	方法	分光光度法	体内荧光法
藻细胞数	范围	—	低灵敏度：100 ~ 2 000 000cells/L 中灵敏度：100 ~ 200 000cells/L 高灵敏度：100 ~ 20 000cells/L
	精度	—	±3%
	分辨率	—	20cells/L
	方法	人工计数法	体内荧光法

三、实例及数据

通过对河北省南部地区某水库进行实际应用，也验证了多参数水质监测仪的实用性。

（一）实际应用水库及富营养化概况

该水库设计蓄水量 $4.70 \times 10^6 m^3$，由于多年干旱少雨，上游水量很小，实际蓄水量仅 $9.6 \times 10^5 m^3$，是下游村民的生活用水来源。水库于 2008 年 5 月突然变为深褐色，取水样观测为淡褐色，浑浊并有悬浮物，无臭味。现场取样后带回实验室经显微镜观测判断为裸藻，数量为 4.0×10^7 cell/L，总氮含量为 3.5mg/L。我们利用仪器法对该水库这次水华现象进行了监测。

（二）监测结果

分别在不同深度利用多功能监测仪进行监测并记录 pH 值、浊度、溶解氧、叶绿素 a、蓝绿藻等指标值。监测结果详见表 2。

表 2　多参数水质监测仪对水库富营养水平监测结果

序号	深度	温度	pH 值	溶解氧	浊度	叶绿素 a	藻细胞数
1	0.12	20.75	9.82	10.76	12.30	64.82	15866
2	0.20	20.56	9.84	8.52	13.50	75.73	20607
3	0.35	20.38	9.74	8.87	19.80	80.69	21107
4	1.09	19.01	9.10	7.44	8.20	41.91	10427
5	1.65	17.42	8.57	5.85	7.20	12.50	2114
6	2.00	16.97	8.35	4.19	6.60	11.35	1997
7	2.32	16.66	8.14	4.15	6.50	9.70	1724
8	2.49	16.34	7.99	3.02	5.90	9.09	1424
9	2.92	15.94	7.73	2.37	4.80	6.92	1173
10	3.29	15.46	7.60	1.65	4.30	6.80	1160
11	4.20	14.34	7.50	1.45	3.90	5.02	993
12	5.89	12.14	7.38	2.48	3.20	4.81	775
13	6.62	11.24	7.35	2.57	3.50	4.12	639
14	7.09	11.23	7.35	2.52	2.80	4.06	613
15	7.68	9.56	7.34	3.16	2.60	3.36	577
16	8.50	8.69	7.32	3.65	2.40	3.39	527
17	9.84	7.53	7.36	3.98	1.80	2.40	417
18	10.79	7.18	7.35	4.01	1.40	3.14	401

（三）各指标值随深度变化趋势

1. 温度随深度变化趋势

由图 1 可知水体温度随着深度的增加不断地降低。

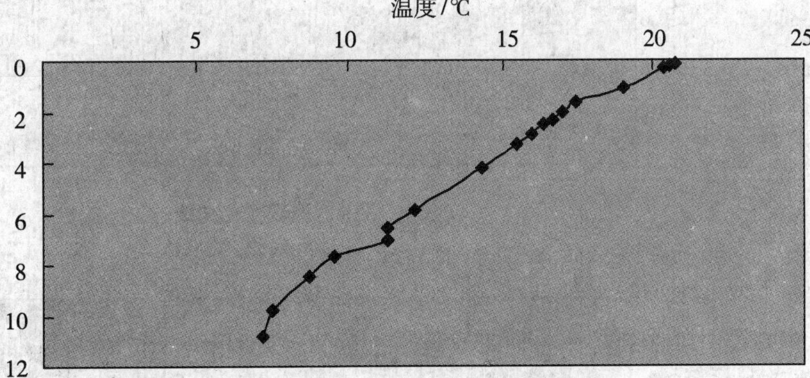

图 1　温度变化曲线

2. pH 值随深度变化趋势

由图 2 可知表层 pH 值最高，约为 10。随着深度的增加 pH 不断地降低，到 6m 以下稳定在 7.35m 左右。

3. 溶解氧随深度变化趋势

由图 3 可知溶解氧先随着深度的增加而急剧降低，4m 以后随深度增加缓慢升高。

4. 浊度随深度变化趋势

由图 4 可知浊度先升高至 35cm 处的最大值，然后随深度的增加而降低。

5. 叶绿素 a 随深度变化趋势

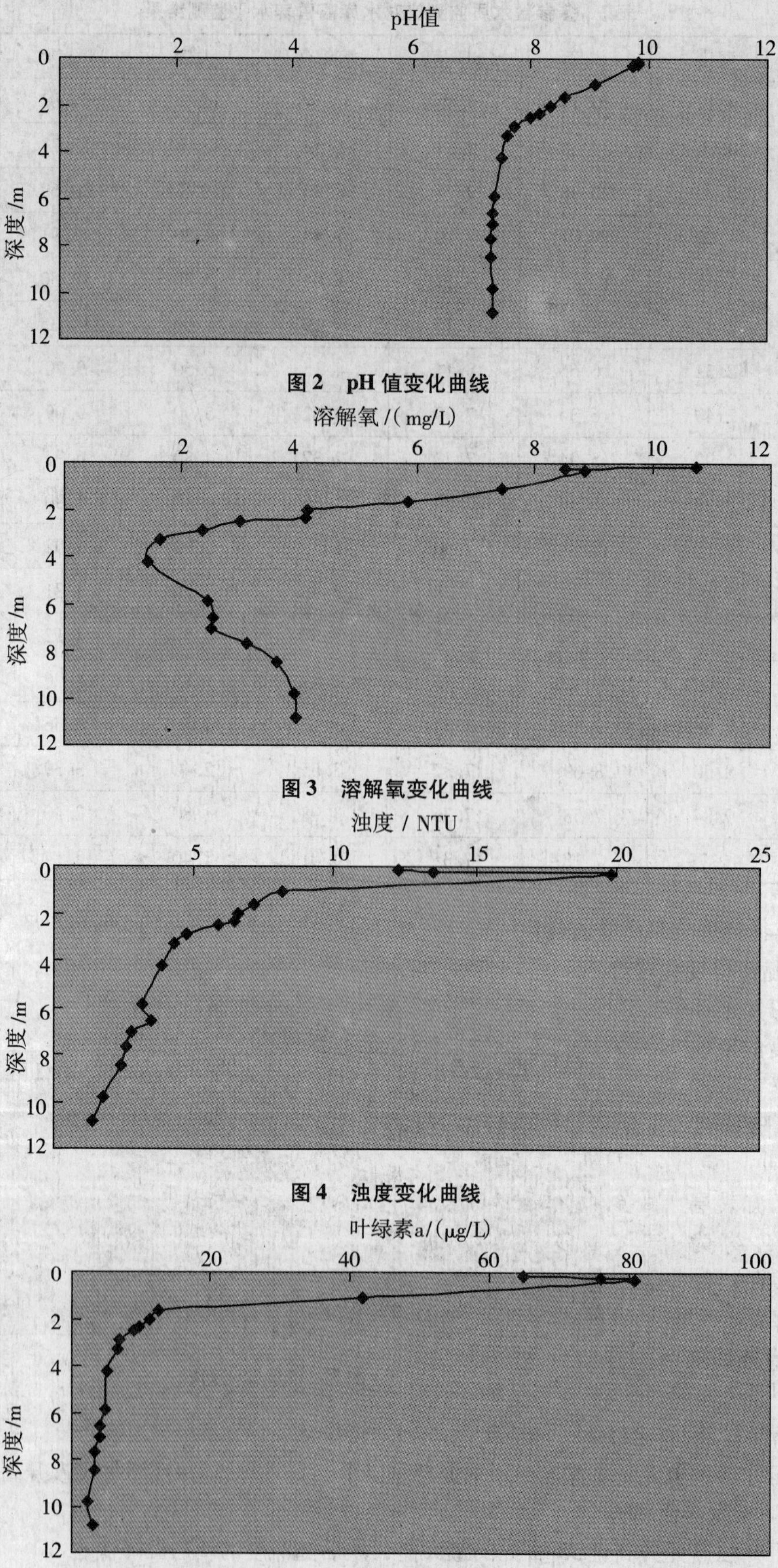

图2　pH值变化曲线

图3　溶解氧变化曲线

图4　浊度变化曲线

图5　叶绿素a变化曲线

由图5可知叶绿素a先升高至35cm处的最大值，然后随深度的增加而降低。

6. 蓝绿藻数量随深度变化趋势

由图6可知藻细胞数先升高至35cm处的最大值，然后随深度的增加而降低。由于仪器用统一的指标进行定量，所以藻细胞数只是一个相对值，需用人工计数法进行校准。本文中的数据是校准前的数据，表层40cm人工计数结果为2.0×10^7个细胞/L。

浊度和叶绿素均由藻类产生的，因此由图4～图6可以看出三者随深度变化趋势是相同的。

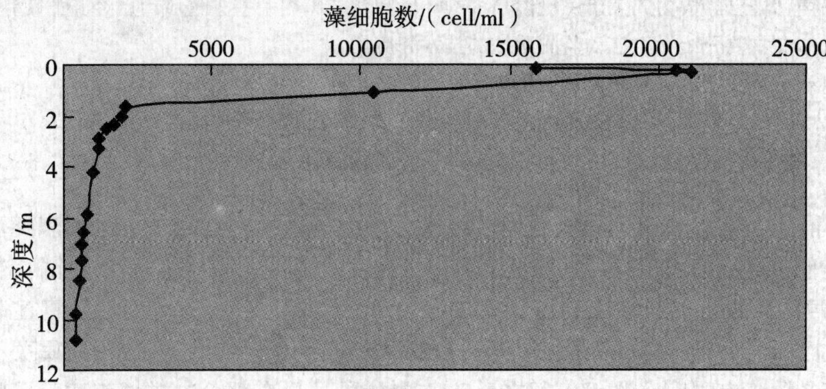

图6　蓝绿藻变化曲线

四、结果分析

（一）水体营养状态分析

由表2数据及图1～图6可以看出，水体表层pH值呈碱性；表层溶解氧过饱和，水下溶解氧降低。水体富营养特征明显，与营养元素分析结果一致。表明在线仪器法分析结果是正确的。同时在线仪器法提供了藻类主要分布层次（35cm）。

（二）在线监测仪的优势

1. 监测效率高

本文共出具120多个数据，两个人采样分析同时进行1h即可完成。用常规方法至少需要6个人用1d的时间。因此，在线仪器法不仅节省人力物力而且大大提高了分析效率。

2. 可分层实时监测

在线仪器法可以获得不同层次的数据，既不至于漏掉某些关键层次又可进行趋势分析。常规方法很难进行如此高密度的采样分析。

（三）存在问题及解决方法

由于仪器不能对藻种进行定性，只能用统一的指标进行定量，所以藻细胞数只是一个相对值，与实际值明显不同，需用人工计数法进行校准。

参考文献

[1] 张莉．湖泊富营养化及控制对策研究［J］．环境与可持续发展，2008，6：62－64.

[2] 杨永涛．国内淡水水体富营养化危害及其防治［J］．济宁学院学报，2009，30（3）：27－29.

[3] 魏丽萍，梁美生，等．我国湖泊富营养化问题概述［J］．化工文摘，2008，6：38－40.

[4] 刘伟，王里奥，等．Hydrolab DS5X水质多功能监测仪器的验收评价［J］．安徽农业科学，2009，37（6）：2812－2814.

噪声自动监测系统的技术和应用研究

谢宏斌

（南宁市环境保护监测站　南宁　530012）

摘　要　噪声污染已经成为广大市民投诉最多的环境问题，国内一些先进城市已经开始使用噪声自动监测系统。本文主要介绍噪声自动监测系统的技术和应用。

关键词　噪声　环境问题　自动监测系统

一、背　景

对于国内很多大城市来说，噪声污染已经成为最大的环境问题之一。近年来随着社会的快速发展，各地政府遇到越来越多噪声污染的投诉，在城市规划发展中面临新的挑战。根据各地环保部门统计，噪声污染投诉的数量大约占所有投诉的70%，所以各地方政府开始将控制噪声污染作为未来的工作目标，另外，媒体对噪声污染的相关报道层出不穷，已经成为市民关注的热点环境问题。目前大多数城市噪声监测仍停留在手工监测阶段，只有部分先进城市建设了噪声自动监测系统。本文在此主要介绍环境噪声自动监测技术及应用。

二、噪声自动监测系统技术

传统的环境噪声测量主要为手动测量，但要全面和实时了解噪声特质和传播路径，才能更有效地找出真实的噪声源，提出科学的治理方案，所以建设户外噪声自动监测设备非常必要[1]。

（一）永久性/半永久性噪声监测系统

1. 噪声自动监测子站的配置

噪声自动监测子站的配置主要包括：①户外全天候麦克风；②噪声频谱分析仪，用于数据获取和分析；③适合安装麦克风的电缆；④全天候防水防尘机箱；⑤备用电池，以确保断电的情况下至少工作24小时；⑥工业级电脑或内存记忆卡，用于数据处理和存储备份；⑦有线/无线通讯系统；⑧气象传感器，包括风速和风向，以及温度、湿度、大气压力和雨量 。

2. 噪声自动监测子站的条件和功能

（1）测量符合IEC 61672 1级和国家标准，具备国家型号认证，有CE标志，遵从EMC辐射及抗扰性指示和低电压指示；

（2）在不影响信号情况下能够驱动长距离电缆；有高信噪比；

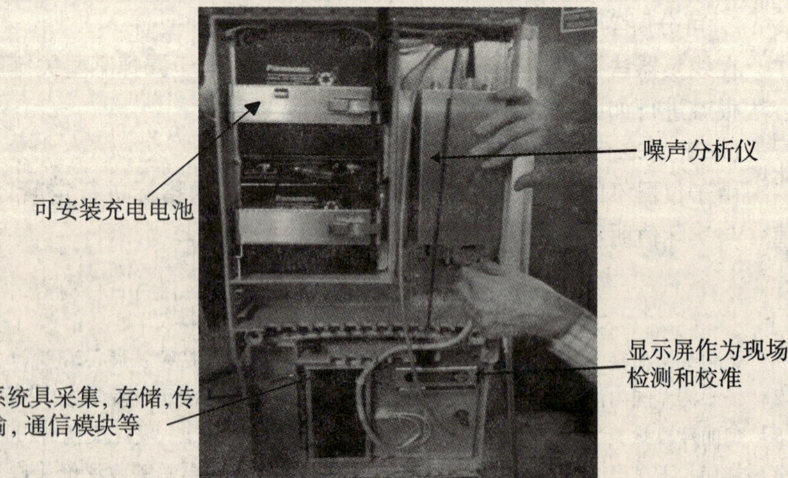

噪声监测单元的内部结构

（3）有些品牌的麦克风具有0度和90度两种指向性，并可由用户根据需要自行选择。0度指向性可用来监测飞行器噪声，90度指向性可用来监测交通和城市噪声，如：丹麦BK公司的3639型；

（4）麦克风内部噪声≤20dB（A）SPL，最大声压级≥130dB；测量宽带噪声参数 Leq，Lpeak，Lim，Linst，Lmax，Lmin 等；

（5）频谱分析，1/3 倍频程分析范围：12Hz～16kHz；动态分析范围：110dB；

（6）频率计权：A 计权，C 计权和线性；时域计权：快挡，慢挡和脉冲；

（7）用户可以根据白天和夜晚的不同时段定义触发条件以确定噪声事件；

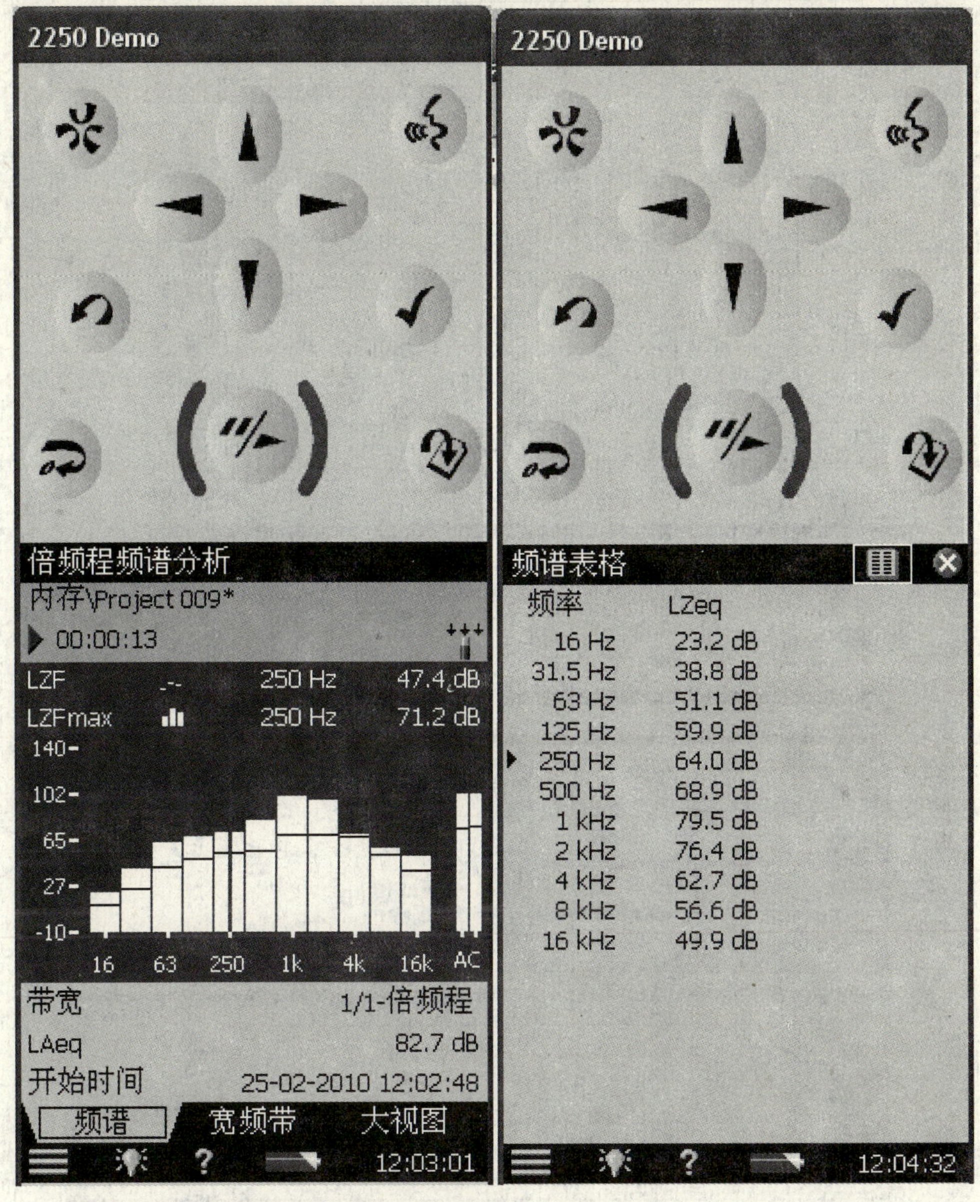

（8）噪声事件可被储存成 .wav 或 MP3 格式的声音文件以便后续分析；具备自动校准检测功能；

（9）机箱带有防雨防尘的机械锁，机箱门带有防盗报警装置；拆卸安装方便。

3. 噪声管理软件的功能

软件以数据库系统作为中央服务器单元，提供一个可升级的“服务器—客户端”架构；数据可用表格或图形显示；制作报告采用微软 Office 或 HTML 技术，用户可以自行定制和改变报告模板；系统可以通过升级硬件和软件来控制多个客户端和噪声监测终端；操作界面有中文显示；以 Excel 或其他常规格式导出监测数据；软件可支持永久性、半永久性和移动/便携式噪声监测终端的数据传输；用户可定义从监测终端下载数据的类型，可以减少数据量从而节约下载时间；噪声监测终端和服务器的通讯类型既可以是有线（ADSL 网线或一般电话线）也可以是无线通讯（例如 3G，GPRS，CDMA 等）。

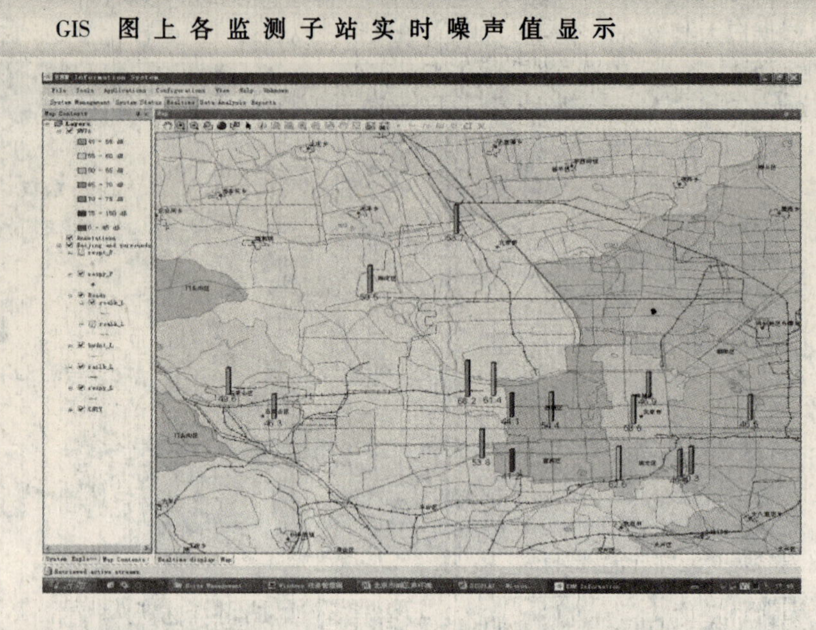

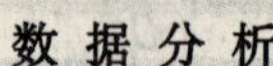

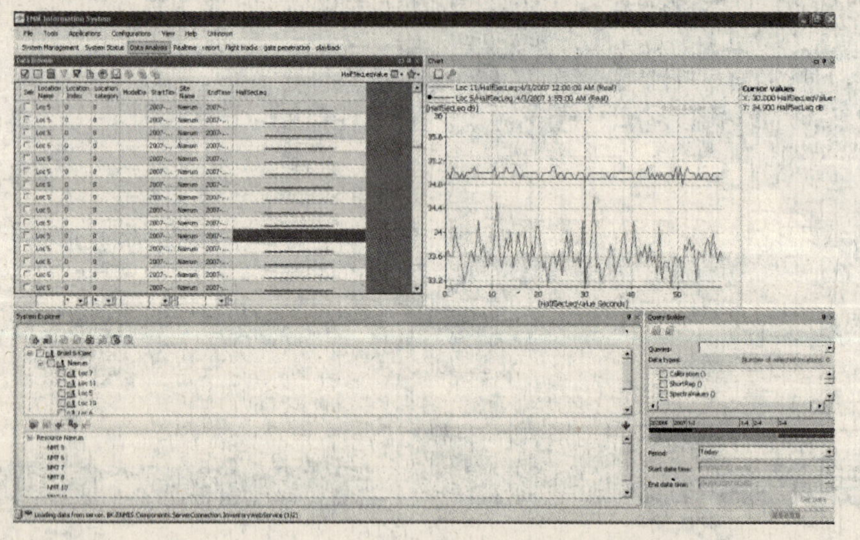

管理软件包含三个主要部分：一是设置远程噪声监测终端，浏览数据生成报告，以及通过 GIS 的接口对噪声数据和计算数据进行比较和修正；二是具有一些商用噪声预测建模软件的接口，以便软件不仅可以显示来自不同站点实时噪声数据，也可以通过建模软件计算噪声分布图，可以把实际测量的噪声数据输入建模软件中来校准模型并计算最新的噪声分布图；三是能通过管理员对不同用户设置不同权限。

4. 永久性与半永久性噪声自动监测系统的区别

永久性与半永久性噪声自动监测系统的功能基本相同。半永久性噪声自动监测系统的特点是既可以作永久性固定监测，也可以直接将手持式频率分析仪从自动噪声监测站点抽取出来做一般的手工测量；整个半永久性自动监测系统的总重量比较轻，方便安装；半永久性噪声自动监测系统可改装为便携式噪声自动监测系统，可用于许多监测区域。

（二）流动式/便携式噪声自动监测系统

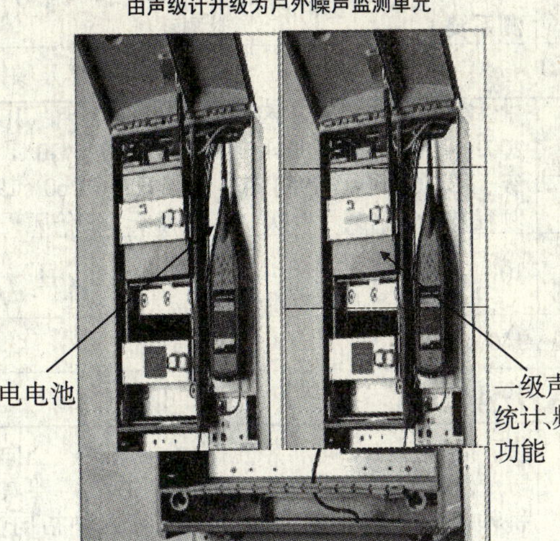

便携式噪声自动监测系统可以应用于城市功能区噪声监测、社会生活噪声监测、工厂噪声监测、交通噪声监测。《声环境质量标准》（GB 3096—2008）要求采用定点监测法和普查监测法进行声环境功能区监测，当采用定点监测法时要求每次至少进行一昼夜（24 小时）的连续监测，若使用便携式噪声自动监测系统代替现在常用的手工现场监测，将大大减少监测人员的工作量，减少人为操作带来的偶然误差，实现全天候实时监测。

1. 用途

流动式/便携式噪声自动监测系统作为临时或短期噪声监测系统，可用于以下几个方面：①声环境功能区定点监测法和普查法；②测量道路噪声，测量城市噪声，测量火车噪声，测量工业噪声；③进行噪声考察；④建筑工地噪声测量；⑤居民投诉。

2. 主要特点

主要特点包括：①能够全天候工作；②带防水机箱；③动态范围 120dB；④1/3 倍频程实时分析；⑤带录音功能；⑥自带电池可连续工作 24 小时以上；⑦能对整个监测链进行远程自动校准检测；⑧支持有线或无线上传数据；⑨在不影响测量的状况下可更换充电电池；⑩用户可设定不同的警报要求，系统会自动通过 SMS 或 E－mail 发给用户；⑪系统可支持外置储存卡；⑫配备相应的电脑软件，可用于设置，归档，出具报告以及输出。

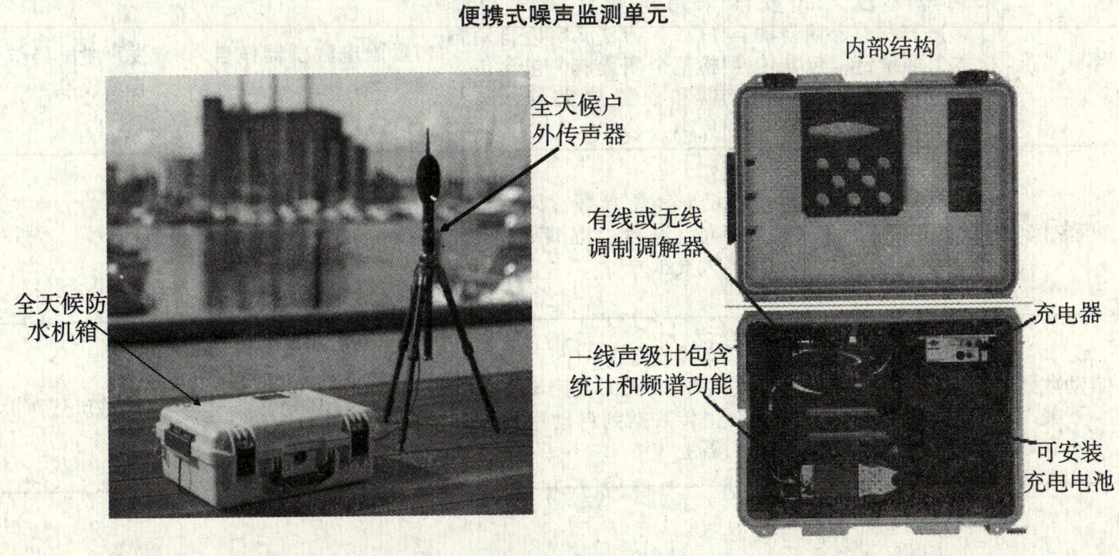

三、常见的各类户外环境噪声自动监测系统性能对比

品牌及型号	丹麦 BK3639E－200 型永久性户外环境噪声自动监测系统	丹麦 BK3639－A 型半永久性户外环境噪声自动监测系统	爱华噪声自动监测系统	日本理音
户外传声器及噪声监测终端				
满足标准	IEC 61672 和 JJG 188—2002 1 级、GB/T 3241 1 级、IEC 61260（1995）倍频程及 1/3 倍频程 0 级	IEC 61672 和 JJG 188—2002 1 级、GB/T 3241 1 级、IEC 61260（1995）倍频程及 1/3 倍频程 0 级	IEC 61672 和 JJG 188—2002 1 级、GB/T 3241 1 级	IEC 61672 1 级
传声器：频率范围	10 Hz～20 kHz	6.3 Hz～20kHz	10Hz～16kHz	20Hz～20kHz
测量上限	140 dB（A）	143 dB（A）	140 dB（A）	138 dB（A）
本机噪声	19 dB（A）	20 dB（A）	25 dB（A）	20 dB（A）
传声器：指向性	除了指向性：全向（声压场）外，传声器具有 0 度和 90 度两种指向性定义，并可由用户根据需要，在软件中自行选择。0 度指向性监测飞行器噪声，90 度指向性监测交通和城市噪声	除了指向性：全向（声压场）外，传声器具有 0 度和 90 度两种指向性定义，并可由用户根据需要，在软件中自行选择。0 度指向性监测飞行器噪声，90 度指向性监测交通和城市噪声	只有自由场，没有分开 0 度和 90 度两种指向性，对测量有一定影响	只有自由场，没有分开 0 度和 90 度两种指向性，对测量有一定影响
统计分析测量参数	Leq，SD，L5，L10，L50，L90，L95（但用户可自行定义 5 个 Ln 值）、LPeak（峰值）、Lmax，Lmin，对机场噪声监测的 PNL 和 EPNL 值	Leq，SD，L5，L10，L50，L90，L95（但用户可自行定义 5 个 Ln 值）、LPeak（峰值）、Lmax，Lmin，对机场噪声监测的 PNL 和 EPNL 值	Leq，SD，L5，L10，L50，L90，L95（固定值）、Lmax，Lmin，对机场噪声监测的 PNL 和 EPNL 值	没有 SD 值 Leq，L5，L10，L50，L90，L95（固定值）、Lmax，Lmin，对机场噪声监测的 PNL 和 EPNL 值
频谱分析	实时 1/3 倍频程频谱分析	实时 1/3 倍频程频谱分析	实时 1/3 倍频程频谱分析	实时 1/3 倍频程频谱分析
测量动态范围	110 dB	120 dB	110 dB	110 dB
系统校准	采用电荷注入式校准（CIC）方法，定期自动自检整个测量链，包含传声器和前置放大器，误差更小	采用电荷注入式校准（CIC）方法，定期自动自检整个测量链，包含传声器和前置放大器，误差更小	内置静电激励器作自动校准	内置发声激励器作自动校准
气象仪	6 个气象参数：风速、风向、温度、湿度、雨量、大气压力	6 个气象参数：风速、风向、温度、湿度、雨量、大气压力		
自动数据下载	有线或无线 ADSL/ CMDA/ GPRS、无间段用串流方式上传数据到自动室的服务器上	有线或无线 ADSL/ CMDA/ GPRS、无间段用串流方式上传数据到自动室的服务器上	电话线或 CDMA	有线或无线

品牌及型号	丹麦 BK3639E－200 型永久性户外环境噪声自动监测系统	丹麦 BK3639－A 型半永久性户外环境噪声自动监测系统	爱华噪声自动监测系统	日本理音
户外机箱	使用全天候机箱，安全设计，适合永久、半永久监测要求机箱密封级别达到 IP55 标准（不含外接电缆情况下）机箱门带有防盗报警装置	使用全天候机箱，安全设计，适合永久、半永久监测要求机箱密封级别达到 IP55 标准（不含外接电缆情况下）机箱门带有防盗报警装置		使用全天候机箱，安全设计，适合永久、半永久监测要求
噪声管理软件				
噪声管理软件－系统平台	Windows Vista 和 Windows Server（服务器版本）2003	Windows Vista 和 Windows Server（服务器版本）2003	Windows 95/98 以上	
GIS 联结功能	可在 GIS 地图上显示终端位置及测量数据，在噪声预测计算软件的支持下可生成噪声地图，支持 ArcGIS SHAPE 文档格式	可在 GIS 地图上显示终端位置及测量数据，在噪声预测计算软件的支持下可生成噪声地图，支持 ArcGIS SHAPE 文档格式		可在 GIS 地图上显示终端位置及测量数据，没有提供噪声预测软件和校正/修正噪声地图功能

四、应用研究

目前，国内大多数环保部门的噪声监测都沿用一年监测若干频次和时段的手工监测方法。由于环境噪声的随机性和即时性等特点，很难掌握环境噪声的真实情况，特别是噪声污染源的变化情况及夜间扰民的时段等。环境自动监测经过 10 多年的发展，国内许多城市已经建立了空气自动监测站、水质自动监测站、酸雨自动采样站，而噪声自动监测尚处于发展初期[2]，国家对此尚未建立相应的管理机制和颁布相关的技术规范，但以自动监测代替手工监测的总体发展趋势已不可逆转。

完善的城市噪声自动监测系统应该具有友好的用户界面，操作灵活，安装方便，有强大的扩展性。该系统既能控制永久性和半永久性噪声监测终端，也能控制类似于手持式实时频谱分析仪一样的流动性监测终端，能够通过监测数据去推算未知的噪声源（工业、道路和铁路噪声）产生的声功率，根据监测数据进行网格计算，利用相关的噪声模拟预测软件生成噪声地图，能够很直观地用不同颜色表示噪声的空间分布情况，从而为环保监测人员提供清晰的、图文并茂的监测结果，为上级决策部门开展噪声治理提供科学依据。

建设城市噪声监测网络，需要在市区布设许多监测点，考虑到建设成本，可采用永久性测点、半永久性测点、流动监测点相结合的方法，在需要长期重点监控的区域，如：一类功能区、住宅密集区、交通主干道建设永久性监测点；在商业居住混合区、重大项目建设区、上下班易堵塞路段建设半永久性监测点；在有时效性的噪声污染区域，如：建筑工地、企业厂区、居民投诉频繁区建设流动监测点，通过同一个中心软件来统一管理，从而达到全面、有效、实时监控的目的[3]。

现在世界各国也非常重视建立噪声地图，除了应付环保单位的日常工作外，也将一些噪声数据用可视化的噪声地图公布给广大市民查询。例如从香港环保署网站的报告可知道香港有 110 万市民生活在噪声超过 70 分贝的环境中，香港有 655 条道路的交通噪声超过 70 分贝。

参考文献

[1] 董敬，杨明，李丛君．环境噪声自动监测系统的开发研究［J］．黑龙江环境通报，2005，30（4）：53－54.

[2] 陈建江．对我国环境自动监测发展的思考［J］．环境监测管理与技术，2007，19（1）：1－3.

[3] 刘嘉林，徐谦．北京城市声环境自动监测系统监测点位布设方法初探［J］．中国环境监测，2008，24（2）：18－21.

论环境监测数据与报告审核

廖宏兴[1]　廖云峰[2]

（1. 重庆市合川区环境监测站　401520；2. 重庆市铜梁县一中　402560）

摘　要　环境监测数据报告应从代表性、完整性、精密性、准确性和可比性进行审核，才能保证监测数据的质量。

关键词　环境监测　数据　报告　质量　审核

目前环境管理、环境执法以及社会公众对环境监测数据报告的需要不断增长，及时、高效、可靠地为社会各方提供公正、权威的监测数据是环境监测部门的责任和立身之本。由于分析方法的局限性、监测分析人员技术水平、监测因素的变异性、监测报告的不严谨以及各种干扰因素作用，造成数据失真现象时有发生，如果环境监测数据不够准确，将直接影响环境执法、环境管理、污染纠纷仲裁的合理性和准确性，而且对环境评价、环境污染治理，也不可能得出准确结论。从大量环境监测数据里剔除异常数据，及时报出科学、合理准确的结论，是环境监测数据报告审核工作的主要任务。

发现和判别异常数据，对其进行合理分析是监测数据审核的重要内容，环境监测工作要求监测数据报告应达到的质量指标是：监测数据具有代表性、准确性、精密性、可比性、完整性以及具有法律效力；并且监测分析的误差控制在允许范围内。代表性表示在空间和时间分布上，所采样品反映总体真实状况的程度；准确性表示测量值与真实值的一致程度；精密性表示多次测定同一重复样品的分散程度；可比性表示在环境条件、监测方法、资料表达等可比条件下所获资料的一致程度；完整性表示取得监测资料的总量满足预期要求的程度或表示相关资料收集的完整性；法律效力表示监测部门及分析人员通过了计量资质认证并在计量资质论证范围内，在完整的质量体系控制中进行的监测数据。因此，系统质量保证是全过程的质量保证。

由于数据审核人员工作经验和思维方式等方面的差异，其环境监测数据审核的方法也各不相同。研究表明，在一般的监测数据审核时，应该围绕着“五性”对监测过程中前后制约的各个环节进行审核，在监测报告审核时必须严密，只有这样才能保证监测数据的准确、可靠。

一、监测数据代表性的审核

样品的代表性是指具有代表性的时间、地点，并按规定的采样要求采集的有效样品的特性。其中采样是关键环节，我们只有采到有代表性的样品，分析出来的数据才有使用价值和代表性。样品的采集是全部分析工作的基础。虽然我们有精密的仪器和准确的分析方法，但是忽视了采样的科学性、技术性，所获得的监测数据就难以反映被测对象的真实情况。实践证明：缺乏科学性的采样所带来的误差远大于实验室内分析过程中所产生的误差。在环境监测采样过程中，若采样人员对采样过程的质量保证和技术管理不够重视，责任心不强，如在废水采样时忽视了工业废水是污染物浓度和流量随时间而变化的非稳定流体，没有同步进行测流量和采集样品；或随意简化测流程序，不管排污渠的宽度如何，只在渠中间用流速仪测一个数据；或用浮标法测流时，测量的距离和次数均少于规定要求等，不符合规范的采样必然给监测数据带来较大的误差且不能真正反映样品的代表性。因此审核人员应根据自己负责审核的内容，把好外场采样的质量关，及时发现和杜绝可能出现的问题。此外，数据的代表性具体还体现在“时空”代表性上。负责室内审核的人员应着重审核原始环境样品采样记录是否全面，采样人员是否严格按照规范认真做好样品采集时周围环境的偶然和人为因素影响的记录，水文、气象等特征的描述以及污染源监测采样点位置，生产工况、排污周期、取样方法的记录；检查是否有企业法人代表的签名。如果发现监测数据有异常，如某污染物排放浓度较以往明显增高等情况，都应首先通过采样记录详细分析原因，确保数据具有代表性。

二、环境监测数据完整性的审核

在保证样品完整性的同时，为了保证监测数据的完整性应审核分析方法的选择是否正确，方法的检出限、测试精度是否符合监测对象的要求。若方法选择不当，监测数据就会发生偏差或不准确。环境监测按监测目的不同可分为环境质量现状监测、污染源监督监测、环评监测以及建设项目竣工验收监测等，不同的监测目的有不同的监测方法、规范要求，与其对应的监测项目、分析方法、监测频次及监测数据所要求的质量目标也各不相同。故在审核监测数据完整性时，应着重审核不同监测对象的采样频次、采样时间、监测项目设置是否达到监测技术规范的要求，分析方法、检出限、测试精度、评价标准是否符合监测目的的要求，若方法不当就会发生偏差或不准确，特别是工业废水中不同行业的必测项目是否齐全；采样时其他辅助参数的监测项目等是否完整。

三、监测数据精密性、准确性的审核

当按规定采集的具有代表性的有效样品传输到实验室进行分析测试时，为取得满足质量要求的监测结果，必须在分析过程中实施各项控制测试质量的实验室质量控制。其中，精密度和准确度是衡量实验室内测定结果质量的重要指标。因此在审核这两项指标时除了要确保所用仪器的精度外，还要特别注意每批样品的测试是否按技术规范要求，有一定比例的样品平行双样分析、加标回收率分析、密码样及已知样分析等。检查样品平行测量值是否具有良好的重复性和再现性，其精密度是否达到方法给定的室内标准差的要求；样品加标回收率的测量值是否尽可能地与真值接近，回收率达到技术规范要求，密码样及已知样是否符合要求。此外，除了审核分析过程的精密性、准确性之外，还应审核相应的实验室内质量控制内容，如校准曲线、检出限和空白实验值。在环境样品分析中，有很多待测组分的浓度水平系衡量范畴，且常与空白实验值处于同一数量级，引入的影响也会更大。因此，空白实验值的大小和分散程度，将直接影响所选定分析方法的检出限和实验的精密度。我们只有全面审核环境监测实验室内的质量控制内容，才能保证监测数据的精密性、准确性。

四、环境监测数据可比性的审核

监测数据的可比性分析包含时空分布合理性分析、污染物排放规律合理性分析、监测指标之间相互关系合理性分析，以及采样、监测、数据处理等全过程可比性分析，还包含标准物质准确度、各行业之间、污染物之间、实验室之间监测数据的可比性和统一性。监测数据的可比性审核的范围很广，且专业性很强，不仅要运用环境监测技术规范和国家颁布分析标准，还要运用各污染物之间相互关系及其在不同环境中的迁移转化规律和浓度变化范围等知识，才能对比各种物质间的关系，对异常值进行合理分析。由于物质本身的特性及各组分相互关系和实际情况存在必然联系，某些要素之间有很紧密的相关性，对一定的样品，各监测指标之间客观上也具有一定的规律性。如在地表水监测中，阴阳离子平衡；pH 影响金属离子的存在形式；$COD_{Cr} > BOD_5$；同一水样的 BOD_5 浓度高，则 COD_{Cr}浓度必然高，DO 浓度必然低；但反过来 COD_{Cr}浓度高，BOD_5 浓度未必高，水中 DO 浓度必然低。$TN > NO_3-N$、NH_3-N、NO_2-N 三者之和等，反之为异常；这种变化特点在审核中要加以注意；利用同类监测对象的环境统计资料作类比分析，两个工厂产品相同，工艺条件相似，其污染物性质、成分、排污状况大致都在一个范围波动，准确掌握其中一个工厂的污染源监测数据，对另一个工厂的排污监测数据的审核具有重要参考价值，结合其他环境要素，综合分析监测数据。在环境统计资料分析的基础上，应结合有关的物理、化学、生物及水文等资料进行分析，如对于较长河流当其穿越降水量小和地表径流小的干旱地区时，水中的溶解性固体总量一般大于其在降水量大和地表径流大的湿润地区。

环境监测数据审核主要以“五性”进行审核之外，还应注重测量结果的有效数字位数的审核。在一定的实验条件下，样品测量结果的有效数字位数不仅表示测量结果的数值大小，而且表示测量结果的准确度。监测数据有效数字位数是环境监测中测试记录、运算和最后测量结果报告的一个最基本内容。若在具体操作过程中没有按统一的、正确的规定方法对数据的有效位数进行取舍和运算，将使监测结果发生偏差，没有可比性。如重量分析过程中，把称量结果的有效数字位数少记一位或多记一位数，就会人为地把测量的绝对误差和相对误差扩大 10 倍或缩小 10 倍。

五、环境监测报告的审核

环境监测报告是直接面向环境管理、环境执法以及社会公众的，除了环境监测数据的审核外，还必须注重环境监测报告的审核。主要从 5 方面加以审核，一是采样和分析人员是否持证上岗，无证人员没有资格从事环境测工作。二是所用分析仪器设备是否检定有效，有的仪器还要通过自校，分析仪器设备带来的误差不可小视，所以必须通过检定合格。三是选用分析方法是否符合标准要求，否则无效。四是所有监测项目是否在计量和资质认证范围内，按有关规定超出单位认证和个人持证范围内的项目无法律效力。五是选用评价标准是否准确，根据水、气、声环境功能区类别选用准确的环境标准进行评价。只有通过这些审核后的监测报告数据才具有法律效力。

在环境监测工作中，加强监测数据和报告审核，是确保监测数据质量的一个重要环节，审核人员应当不断学习业务知识，熟悉环境监测技术规范、监测分析标准和各项污染物的特点，发扬敬业精神，增强正确执行规范和标准的自觉性，以科学态度对待每一个环节的监测数据审核和报告审核，保证监测数据的质量，只有这样才能确保监测数据的准确可靠，更好地服务于环境管理，服务于社会，造福于人类。

参考文献

[1] 环境水质监测质量保证手册（第二版）[M]. 北京：化学工业出版社，1994，8.
[2] 环境监测技术基本理论（试题集）[M]. 北京：中国环境科学出版社，2002，12.
[3] 分析测试质量控制 [M]. 北京：中国医药科技出版社，1991，8.

总氮测定中过硫酸钾试剂的选择

李秋波　魏　嘉

（大连市环境监测中心　辽宁　大连　116023）

摘　要　针对水质总氮测定中过硫酸钾试剂的选择进行了探讨，并提出了在实际工作中选择过硫酸钾试剂的具体方法。

关键词　总氮　过硫酸钾　含氮量

总氮（Total Nitrogen，TN）是指水体中所有含氮化合物中的氮含量，即有机氮、氨氮、亚硝酸盐氮和硝酸盐氮的总量，它主要反映了水体受污染的程度，是水体富营养化的重要指标。总氮的测定普遍采用国家标准方法《水质　总氮的测定 碱性过硫酸钾消解紫外分光光度法》（GB 11894—1989），它也是各类排放标准中限定的分析方法[1~5]。该分析方法操作简单，对实验室设备条件要求不高，不用加强酸、强碱以及汞盐等环境危害物质，与其他方法相比有一定的优势[6]。过硫酸钾是紫外法中的关键试剂，其含氮量不达标可能影响实验空白吸光度高，致使水样测定结果的准确度和精密度差，影响对水体污染状况的正确评价。日本 JIS K 0101（1998）39.2[7]的总氮测定紫外分光光度法与我国的碱性过硫酸钾消解紫外分光光度法基本一致，其中规定了过硫酸钾的选择应该符合日本工业标准 JIS K 8253[8]中，即含氮量小于0.0005%。

一、仪器与试剂

（一）仪器与设备

分光光度计 10 mm 比色皿、高压蒸汽灭菌器、pH 计、水浴和消解瓶等。

（二）试剂

全部实验用水为无氨水。氢氧化钠溶液（100 g/L）、（1+9）硫酸溶液、铜－锌溶液（8mg $CuSO_4 \cdot 5H_2O$ 和 176mg $ZnSO_4 \cdot 7H_2O$）、硫酸肼溶液（0.7 g/L）、磺胺溶液（10 g/L）、N－1－萘乙二胺盐酸盐溶液（1 g/L）、氮标准溶液（1 mg/L）、测试溶液 A（过硫酸钾：46 g/L）、样品溶液 X（50 ml A+20 ml 水）、标准溶液 Y（50 ml A+10 ml 水+10 ml 氮标准溶液）和空白溶液 Z（6.5 ml A+63.5 ml 水）。

二、过硫酸钾含氮量测定方法

1. 将样品溶液、标准溶液和空白溶液分别装入消解瓶，各加入 10 ml 氢氧化钠溶液，盖好塞之后用布及绳扎紧，置入高压蒸汽灭菌器内加热至 120℃并保持此温度加热 40 min，关闭电源，冷却至室温。

2. 取出消解瓶后，用硫酸调节 pH 至 12.6±0.2，分别转移至 100 ml 容量瓶，用水冲洗消解瓶并移入容量瓶中，摇动容量瓶直至没有气泡产生，用水定容至刻线。

3. 从容量瓶中分别取 10 ml 溶液至 3 支试管中，加入 1.0 ml 铜－锌溶液，摇匀。

4. 向试管中分别加入 1.0 ml 硫酸肼溶液，摇匀，将试管置入（35±1）℃的水浴中，保持 2 h。

5. 从水浴中取出试管后，加入 1.0 ml 磺胺溶液，立刻摇匀。

6. 将试管静置 5 min 后，分别加入 1.0 ml N－1－萘乙二胺盐酸盐溶液，摇匀，静置 20 min。

7. 用 10 mm 比色皿在 540 nm 波长处以 Z 溶液为参比，测定 X 溶液和 Y 溶液的吸光度分别

记为 A_1 和 A_2。

三、结果与讨论

（一）过硫酸钾试剂含氮量分析

过硫酸钾试剂含氮量的测定结果表示为，若 $A_1 \leq (A_2 - A_1)$，则被检测的过硫酸钾试剂含氮量小于0.0005%。

选择市售的过硫酸钾试剂包括进口和国产的，按照含氮量的测定方法进行测定，结果见表1。

表1　过硫酸钾试剂含氮量测定结果

厂　家	等级	含氮量/%	吸光度 A1	吸光度 A2	A1 与（A2 - A1）比较	检测结果
厂家1（进口）	优级纯	未注明	0.216	0.405	大于	超标
厂家2（国产）	优级纯	0.0005	0.137	0.155	大于	超标
厂家3（国产）	分析纯	0.005	0.046	0.260	小于	合格
厂家4（国产）	分析纯	0.005	0.915	1.300	大于	超标

由表1可以看出，厂家3的过硫酸钾试剂虽然仅为分析纯等级，但是经测定得出其含氮量小于0.0005%，如果使用其进行总氮测定可能会得到比较理想的测定结果。厂家1、厂家2和厂家4的结果显示，过硫酸钾试剂的质量往往很难达到标准要求，等级的标注与能否适用于总氮测定也没有必然的联系，因此在实际工作中存在一个关于过硫酸钾试剂含氮量的测定方法十分必要，对于过硫酸钾的优选将起到很大帮助。

（二）总氮测定结果

根据上述的测定结果，使用厂家3的过硫酸钾试剂进行总氮实验，分别平行测定6次空白和6次国家有证标准样品，实验结果见表2。

表2　空白和标准样品测定结果

试　样	测定结果/（mg/L）						备　注
	1	2	3	4	5	6	
空　白	0.015	0.014	0.011	0.013	0.015	0.012	标准样品 203223 （4.78 ±0.34）mg/L
标准样品	5.01	4.87	5.01	4.88	4.82	4.95	

注：表中用吸光度 A（$A_{220} - 2A_{275}$）表示空白的测定结果。

国家标准方法《水质 总氮的测定 碱性过硫酸钾消解紫外分光光度法》（GB 11894—1989）中规定，空白吸光度应该满足小于0.03。表2中的数据显示，空白试验的吸光度全部小于0.03，标准样品的测定值全部在保证值（4.78 ±0.34）mg/L之内，总氮实验的结果全部符合要求，可见采用优选之后的过硫酸钾试剂进行总氮测定是十分必要的。

四、结　论

1. 进行总氮测定实验之前，利用过硫酸钾含氮量测定方法对不同厂家或不同批次的过硫酸钾试剂进行含氮量测定，筛选出总氮含量小于0.0005%的合格试剂。

2. 使用合格的过硫酸钾试剂进行空白试验，如果吸光度能满足国家标准 GB 11894—1989 的要求小于0.03，那么该过硫酸钾试剂可以应用于总氮测定实验。

温室气体监测方法的研究进展

何日安

（南宁市环境保护监测站　广西　南宁　530012）

摘　要　近百年来，地球正经历着以全球变暖为主要特征的显著气候变化，这些变化给地球自然生态系统和社会经济系统造成了多方面的影响。为有效地控制温室效应和气候剧变，准确可靠地监测温室气体的变化就变得十分重要。通过对目前影响温室效应气体种类以及其监测方法的归纳总结，对CO_2、N_2O、$CH_4$3 种温室气体监测方法进行了阐述。

关键词　CO_2　N_2O　CH_4　监测方法

一、引　言

气候变化是指经过相当一段时间的观察，在自然气候变化之外由人类活动直接或间接地改变全球大气组成所导致的气候改变。自工业革命以来，大气中二氧化碳含量增加了25%，远远超过科学家可能勘测出来的过去16万年的全部历史纪录，而且目前尚无减缓的迹象。国际能源机构的一项调查结果表明，美国、中国、俄罗斯和日本的二氧化碳排放量几乎占全球总量的一半。美国二氧化碳排放量居世界首位，排放的二氧化碳占全球总量的23.7%，其次为中国，约占全球总排量的13.6%[1]。许多科学家都认为，温室气体的大量排放所造成温室效应的加剧是全球变暖的基本原因。气候变暖对粮食安全、水资源管理、生态系统和灾害防御体系以及人类自身健康等都将构成严重威胁和灾难性后果。

地球的大气中重要的温室气体包括下列数种：水蒸气（H_2O）、臭氧（O_3）、二氧化碳（CO_2）、氧化亚氮（N_2O）、甲烷（CH_4）、氢氟氯碳化物类（CFCs，HFCs，HCFCs）、全氟碳化物（PFCs）及六氟化硫（SF_6）等。其中二氧化碳（CO_2）、氧化亚氮（N_2O）、甲烷（CH_4）气体造成温室效应的贡献百分比最大，特别是二氧化碳，所占的比例约为55%[2]。因此，在全球气候变化的大背景下，发展以“低能耗、低污染、低排放”为基础的低碳经济模式成为全球各级部门决策者的共识，发展低碳经济模式就是为减少二氧化碳等温室气体排放，减轻对地球的污染。

本文对CO_2、N_2O、CH_4 3 种温室气体监测方法进行了归纳总结，阐述目前这3种气体的监测方法及动态。为环境监测部门对温室气体的进一步监测提供凭证。

二、二氧化碳气体检测方法

全球碳循环、CO_2浓度变化对全球气候变化、对人类生存环境变化，乃至对整个社会经济体系结构的可能影响以及人类所要采取的相应对策等构成了当今的“CO_2问题”，并且这一问题已成为世界众多学者和政府官员们所关注的重要问题之一，其中CO_2大气中浓度现状及其未来变化趋势当属“CO_2问题”中的核心内容[3]。因此，对CO_2浓度及分布有效准确的实时检测将是非常有必要的。其检测方法如下所述。

（一）红外光谱法

红外光谱基本检测原理是依据不同化学结构的气体分子对不同波长的红外辐射的吸收程度不同，CO_2对4.26μm波长的红外光有强烈的吸收，根据朗伯－比尔定律，当红外光源发出的红外光强度为I_0，通过一个长度为L的气室，则透过的红外光强度I与被测CO_2气体浓度C之间满足下式：

$$I = I_0 \exp(-K_{Cl})$$

式中：K 为气体的红外光吸收系数。当气体的种类一定，则 K 就确定，通过测出 I 的大小即可得知被测气体的浓度变化[4]。

有学者从20世纪70年代后期开始就利用红外光谱对二氧化碳进行检测[5,6]。张晓春[7]等利用新型非色散红外光谱分析系统对中国大气本底基准观象台大气二氧化碳本底浓度连续监测，并对二氧化碳的监测资料及监测系统进行了分析。试验表明该系统具有较高的自动化程度、良好的稳定性和 CO_2 浓度响应特性。宋钊[8]等采用非分散红外线光谱法测定生活垃圾填埋气中的二氧化碳，分别讨论了稀释倍数、配气方法和填埋气成分对测定的影响。结果得到仪器示值与标准值的相对误差为 -1.4% ~2.0%，CO_2 标气测定的 RSD 为 1.0% ~1.4%，重复性和稳定性较好，漂移较小。白泽生[9]利用红外吸收型 CO_2 气体传感器设计了一种 CO_2 气体检测方法。结果表明：该方法检测 CO_2 的分辨力为0.001%，与气相色谱仪测量值的差值在3%以内。具有测量范围宽、灵敏度高、响应时间快、选择性好、抗干扰能力强等优点，且简捷、低廉，适用于检测室内、外各种场合 CO_2 气体的含量。张广军等[10]就时间双光束及空间双光束测量法对 CO_2 气体的检测进行对比，结果发现空间双光束测量方法具有无活动部件、仪器稳定、工作可靠、测试结果再现性好等优点。可实时监测人体呼出气体中 CO_2 分压或浓度。李可等[11]利用非色散红外光谱分析技术和旁气流式测量方法，自行研制了一种医用 CO_2 体积分数检测装置，其测量范围为 0 ~ 10%（v/v）CO_2，可对病人呼出气体 CO_2 气体体积分数进行连续、无创测量，测试结果在 PC 机上实时、动态显示。

红外光谱法测定具有分析速度快、无污染、操作简单方便、远程监测等优点，再现性和重复性也相对较好，可适用于生产中间控制和在线实时监测。

（二）气敏电极法

CO_2 气体通过气透膜进入水中，使水溶液改变了 pH，再用敏感膜电极测量，化学反应式为：$CO_2 + H_2O \rightarrow HCO_3^- + H^+$，故可通过测定 pH 的改变来计算 CO_2 的量，气敏电极内充液为 HCO_3^-，且是酸碱平衡的。所用的敏感膜电极是 pH 电极，样品溶液中溶解的 CO_2 气体，通过气透膜扩散进入离子敏感膜表面与气透膜之间的极薄液层内，直到试剂和极薄液层内 CO_2 气体的分压相等，薄层内的离子活度的变化可由复合电极检出。电极电位与试剂中的 CO_2 浓度呈能斯特关系：

$$E = E^0 - \frac{2.303RT}{F} \lg(CO_2)$$

式中：E^0 为常数，R 为气体常数，F 为法拉第常数，T 为绝对温度[12]。徐莉等[13]用气敏电极法测定空气中二氧化碳，制备了标准曲线，对 CO_2 回收率及吸收效率进行试验，结果表明：国产 CO_2 气敏电极性能测试其线性范围在 2×10^{-4} mol/L ~ 1×10^{-1} mol/L 之间，吸收效率为 89.1% ~ 96.6%，回收率93.7% ~108.5%，变异系数5.2%。

CO_2 气敏电极具有价格低廉、操作方便、测量范围较宽等优点，但缺点也很明显。因为该方法原理上是 pH 传感器作用，所以同样会受到各种酸碱性气体干扰；另外 pH 玻璃电极中的玻璃膜具有高阻抗，易受电磁波干扰，也容易损坏和老化，并且响应时间较长[14]。

（三）气相色谱法

从目前世界各国科学家对大气的连续监测表明，CO_2 的日增加在每立方米几至几十毫升之间，因此，对大气中 CO_2 测试精度要求高达 10^{-6}（v/v）。以监测精度、效率、监测必要性、简捷性为出发点，现今很多部门都在用气相色谱法进行测试 CO_2。周凌等[15]建立了气相色谱（GC）法甲烷和二氧化碳（CH_4/CO_2）连续观测系统。经过一年多时间里的业务运行和标定情况，发现该系统具有良好的线性、灵敏度、精度和准确度，其设计完全符合 WMO 全球大气本底测量的要求，具有高自动化的操作性能和严格的质量控制。孙文鉴等[16]利用103型气相层析仪，镍催化转化炉，将同一气体样品分别注入两根不同的色谱柱：①2m×3mm不锈钢柱，内装40～60目玻璃微球。②2m×2mm不锈钢柱，内装TDX201（60～80目），检测器为氢火焰离子化检测器。同时测定空气中非甲烷总烃与一氧化碳、甲烷、二氧化碳，并取得满意结果。嵇晓燕等[17]采用CA－5气体样品进样仪和HP－5890Ⅱ型气相色谱仪，用高纯氮气为载气，氢气为燃气，空气为助燃气，流速分别为：30 ml/min、30ml/min、400 ml/min。检测器、柱箱和接触媒温度分别为200℃、55℃、375℃，对太湖流域近地表大气中二氧化碳本底体积分数的监测，对其变化特征进行了分析研究。结果发现太湖流域近地表大气二氧化碳体积分数平均值为（413.7±19.2）$\times 10^{-6}$，且呈上升的趋势，主要受人类活动、工农业生产和交通运输业发展的影响。王跃思等[18]通过对气相色谱仪进样、分析气路和阀驱动系统的改造，用同一台色谱仪同时检测空气样品中的CO_2、CH_4和N_2O。测试结果表明：仪器的灵敏度、分辨率和精密度均很高；仪器系统能够在野外实验室长期稳定运转，可方便用于测定陆地生态系统CO_2、CH_4和N_2O排放，能快速、准确地获取观测数据。

随着科学进步，分析手段不断改进，气相色谱仪与氢火焰检测器（FID）、热导池检测器（TCD）和电子捕获检测器（ECD）等检测器的联用将广泛应用于石油化工、环境监测等部门的CO_2检测。

（四）其他监测方法

二氧化碳除以上几种监测方法外，还有滴定法、激光雷达监测方法、TOC分析仪测定法等。雷玉平等[19]等利用四氮杂卟啉铁（FePz（dtn）$_4$）负载在离子交换树脂上来活化分子氧降解了水中难降解的有机污染物——对硝基苯甲酸（NBA），再用饱和的氢氧化钡溶液来吸收有机物降解反应中所产生的二氧化碳，沉淀分离滴定法来测定生成二氧化碳的量，该方法误差为4.2%。黄亮[20]用电位滴定法连续测定尿素溶液中的氨和二氧化碳，实验证明该方法具有快速、准确、无污染的优点，是一种较为先进的测定CO_2的方法。赵日峰等[21]利用气体的拉曼散射效应来测量含量分布的拉曼激光雷达，监测了大气中CO_2气体含量分布规律。韩熔红[22]用TOC分析仪对大气及室内空气中二氧化碳浓度进行测定，结果表明：该方法具有快速、灵敏、准确度好、精密度高、操作简单的优点，并能消除CO、碳氢化合物、水蒸气以及SO_2和NO_x等酸性气体的干扰。

三、CH_4气体检测方法

甲烷是大气中对温室效应影响仅次于二氧化碳的气体，甲烷在大气中的含量对于辐射过程和气候发展趋势的研究也是非常重要的。高效准确地监测地面环境空气中甲烷的含量及来源，能够为CH_4的减排控制提供非常重要的依据。

目前监测CH_4的有效方法有：气相色谱法、可调谐二极管激光吸收光谱法、气体滤波相关检测法等。胡海滨[23]利用日立2163型气相色谱仪；氢火焰离子化检测器；色谱柱：TDX202碳分子筛柱，2 m×3mm；测定环境空气中的甲烷。结果表明：空气中的甲烷在TDX202碳分子筛柱中得到了很好的分离。王晓梅等[24]介绍了用气相色谱法测定大气中甲烷气体，结果表明：环境空气中的甲烷经TDX－02碳分子筛柱分离后，用氢火焰离子化检测器测定，其最小检出限为0.2mg/m^3。此外，周凌等[15]、孙文鉴等[16]、王跃思等[18]等人也使用气相色谱分析监测甲烷气体，均取得一定成绩。阚瑞峰等[25]将可调谐二极管激光吸收光谱与经过108次反射后达到27 m光程的多次反射池相结合，研制了用于地面环境空气中甲烷含量监测的便携式吸收光谱仪，并结合了用于微弱信号检测的二次谐波检测技术，从而达到了体积分数低于1×10^{-7}的检测限，用不同体积分数的甲烷气体对系统进行了测试，得到了很好的测试结果。阚瑞峰等[26]利用可调谐二极管激光吸收光谱法测量环境空气中的甲烷含量及浓度变化。实验表明，该方法能够达到低于

0.087 mg/m^3 的检测限，能够满足对空气中甲烷进行监测的要求。陈晓宁等[27]利用气体滤波相关检测技术结合相关检测技术去除背景噪声干扰的方法，实现了对微弱光谱信号的调制和检测，结果表明该系统有 10ppb 的测量精度，从而达到了甲烷气体实时、快速在线检测目的。

由上可见，不同的 CH_4 的检测分析技术都有各自的优缺点，但它们都有最适合自己的应用场合，实际应用中，应视具体的应用目的来选择相应的测量方法。随着检测分析的进步，将是不同的技术联合使用，扬长避短，能应用于各种场合及应用目的的检测。

四、N_2O 的监测方法

N_2O 是一种重要的温室效应气体，不仅具有很强的温室效应，而且参与大气对流层和平流层的许多光化学反应，因而在全球变化研究中受到广泛关注。N_2O 也是导致臭氧层损耗的物质之一。因此，对 N_2O 气体的监测也越显必要及重要性。

目前对 N_2O 气体的监测方法主要有：静态箱法和微气象法，而以静态箱技术的使用最为广泛，两种技术均使用气相色谱测定 N_2O 含量及浓度[28]。赵瑞兰等[29]利用 SC－1001 气相色谱仪；带有 63Ni ECD 检测器；porapak QS 柱（60－80 目），很好地监测烟气道中的 N_2O 气体。陈勇等[30]采用常温吹扫捕集－气相色谱检测海水中氧化亚氮。捕集温度 30℃，脱附温度 250℃，吹扫时间 10 min，吹扫气流速 20 ml/min。实验表明该方法操作简单、灵敏、重现性好，检出限达 2.8×10^{-10}mol/L，回收率为 93.93% ±3.1%（n = 5）。刘昌敏等[31]采用 SC－6000 气相色谱仪；色谱柱：Porapak T（80～100 目），3m×2mm；热导检测器（TCD）；载气（He），流量：30ml/min；柱温：80℃。测定硝酸生产尾气中 N_2O，实验表明：该方法检出限为 10ml/m^3，测定的精密度较好，相对标准偏差为 3.43%，准确度较高，相对误差为 1.33%，回收率在 97.6%～105.3% 之间。曹美秋等[32]利用国产气相色谱，8cmi Ni63 电子捕获检测器（美国 Varian 公司），测定生物质燃烧释放的 N_2O 的分布。利用其测定因子，计算得到了 1990 年全国 N_2O 的排放分布图。随着科学技术进步及人们对 N_2O 气体的深入研究，各种更简捷先进的技术将会不断用于 N_2O 气体的监测。

五、展　望

全球气候变化问题引起了国际社会的普遍关注，全球各国家的领导人 2009 年 12 月在哥本哈根举行《联合国气候变化框架公约》和《议定书》缔约方会议。尽管目前各缔约方还没有就气候变化问题综合治理所采取的措施达成共识，但气候变化会使人类付出巨额代价的观念已为世界所广泛接受，并成为广泛关注和研究的全球性环境问题。随着社会的发展和科学技术的不断进步，各种高效、高精度、价廉、便捷的温室气体检测仪会不断出现，将被应用于工业、农业，医疗卫生、生态环境保护等部门，为人类打造一个绿色家园提供技术支撑及科学依据。

参考文献

[1] http://baike.baidu.com/view/758611.htm.

[2] http://baike.baidu.com/view/3185.htm.

[3] 王庚辰. 大气中浓度的全球监测现状［J］. 地球科学进展，1994，9（4）：70－77.

[4] 白泽生. 基于红外传感器的 CO_2 气体检测电路设计［J］. 仪表技术与传感器，2007（3）：59－60.

[5] E. Ohtaki. Application of an infrared carbon dioxide and humidity instrument to studies of turbulent transport［J］. Boundary LayerMeteorology，1984，29（1）：85－107.

[6] R. L. Kozodoy，R. H. Micheels，J. A. Harrington. Small － borehollow waveguide infrared absorp tion cells for gas sensing［J］. Applied Spectroscopy，1996，50（3）：415－417.

[7] 张晓春，赵玉成，乜虹，等．新型大气二氧化碳本底浓度红外监测系统及其测量结果的分析［J］．青海环境，1998，8（4）：149－152.

[8] 宋钊，万方，陈晓婷，等．非分散红外线气体法测定生活垃圾填埋气中二氧化碳［J］．环境监测管理与技术，2008，20（3）：47－49.

[9] 白泽生．一种二氧化碳气体检测方法［J］．传感器与微系统，2007，26（7）：105－107.

[10] 张广军，吕俊芳，周秀银，等．二氧化碳浓度红外测量方法综述［J］．实用测试技术，1995（1）：8－11.

[11] 李可，陈荣松，叶继伦，等．医用 CO_2 体积分数检测装置的研制［J］．传感器技术，2003，22（8）：30－31.

[12] 夏毅，管国锋，董谊英．气敏电极测定液相中 CO_2 浓度［J］．南京化工大学学报，1998，20（3）：74－78.

[13] 徐莉，张川平．气敏电极法测定空气中二氧化碳的研究［J］．环境与健康，1997，14（1）：34－35.

[14] 陈松劲，王真，张田新，等．电极法测定血清总二氧化碳［J］．化学传感器，2002，22（4）：58－60.

[15] 周凌，汤洁，张晓春　等．气相色谱法观测本底大气中的甲烷和二氧化碳［J］．环境科学学报，1998，18（4）：356－360.

[16] 孙文鉴，马军营，田崇彬．气相色谱法测定空气中非甲烷总烃与一氧化碳、甲烷、二氧化碳的改进［J］．中国公共卫生，1997，13（8）：490－491.

[17] 嵇晓燕，杨龙元，王跃思，等．太湖流域近地表大气二氧化碳本底体积分数观测研究［J］．生态环境，2006，15（1）：65－70.

[18] 王跃思，刘广仁，王迎红，等．一台气相色谱仪同时测定陆地生态系统 CO_2、CH_4 和 N_2O 排放［J］．环境污染治理技术与设备，2003，4（10）：84－89.

[19] 雷玉平，刘松翠，邓克俭，等．催化降解水中有机污染物生成 CO_2 的测定［J］．中南民族大学学报（自然科学版），2005，24（2）：1－4.

[20] 黄亮．电位滴定法连续测定尿素溶液中 NH_3 和 CO_2 含量及可行性探讨［J］．贵州化工，2007，32（3）：19－21.

[21] 赵日峰，张寅超，洪光烈，等．大气 CO_2 含量分布激光雷达监测［J］．量子电子学报，2006，23（3）：355－359.

[22] 韩熔红．大气及室内空气中二氧化碳浓度测定［J］．中国公共卫生，2004，20（5）：618.

[23] 胡海滨．气相色谱法测定环境空气中的甲烷［J］．甘肃环境研究与监测，2002，15（3）：179－180.

[24] 王晓梅，张玉钧，刘文清，等．大气中甲烷含量监测方法研究［J］．光电子技术与信息，2005，18（4）：8－13.

[25] 阚瑞峰，刘文清，张玉钧，等．基于可调谐激光吸收光谱的大气甲烷监测仪［J］．光学学报，2006，26（1）：67－70.

[26] 阚瑞峰，刘文清，张玉钧，等．可调谐二极管激光吸收光谱法测量环境空气中的甲烷含量［J］．物理学报，2005，54（4）：1927－1930.

[27] 陈晓宁，刘建国，司福祺，等．气体滤波相关技术在红外甲烷监测系统中的应用［J］．光电工程，2008，35（4）：49－52.

[28] 李志安，邹碧，曹裕松，等．地面氧化亚氮排放静态箱测定技术［J］．土壤与环境，2002，11（4）：413－416.

[29] 赵瑞兰，赵海涛，张玉良，等．固体燃烧源排放 N_2O 的采样、分析方法及监测［J］．环境化学，1995，14（2）：113－117.

[30] 陈勇，袁东星，李权龙．常温吹扫捕集－气相色谱法测定海水中氧化亚氮［J］．分析化学研究简报，2007，35（6）：897－900.

[31] 刘昌敏，崔玉玲，唐汇，等．气相色谱法测定硝酸生产尾气中 N_2O 的改进［J］．泸天化科技，2009，（1）：44－46.

[32] 曹美秋，庄亚辉．生物质燃烧释放的 N_2O 测定及其分布［J］．环境化学，1994，13（5）：395－400.

智能化广谱无线传感器系统融合物联网云计算平台在环境保护中的应用

李 华

（北京鼎盛光华科技有限责任公司）

摘 要 环境监测是环境保护的重要先决步骤。提供广谱、多参数、稳定、自动化、大范围集成监测，达到长期稳定工作，支持网络接入，是环境监测的基本要求特征。本文就环境监测领域中今后一段时间内的挑战和相关的研究方向进行了探讨。提出了智能化广谱无线传感器系统融合物联网云计算平台的设想和建议。同时就在环境保护中广谱智能传感器的概念提出了相关技术解决方案的设想。

关键词 云计算 物联网 智能无线传感器

一、引 言

环境监测是环境保护的重要先决步骤。提供广谱、多参数、稳定、自动化、大范围集成监测，达到其长期稳定工作，支持网络 IP 接入，提供实时数据，是现代环境监测的基本要求特征。智能化广谱无线传感器系统融合物联网云计算平台为环境监测提供了可能。

在过去 10 年中超大规模集成电路技术和微机电技术的迅速进步，已经大规模地改变了芯片计算能力和图像传感器（CMOS Image Sensor）的处理能力。目前 1400 万像素 14M pixel 的彩色 CMOS 图像传感器 Image Sensor 已经成为大量、低价格的规模消费电子产品。用于手机的 500 万像素的彩色 CMOS 图像传感器也已经出现[1]。如果以人眼视网膜视觉神经系统作为参照比较，则每只眼大约有 1 亿 2 千万的 rod cells 神经元，6 百万个 cone cell 神经元[5]。从数目上看，彩色 CMOS 图像传感器已经与人眼的视觉处理能力在简单的传感器（photo receptor）数量这个层面上接近到 1 个数量级的差别了。当然在处理能力，以及一系列的基本视觉处理能力上还远远不及人的视觉能力。同时超大规模集成电路高集成度的发展，仅仅以 FPGA 为例，其逻辑单元已经大约可以到达 700 万个[6]。在无线通讯和网络应用上看，目前全球的手机用户已经接近 30 亿，中国的手机用户已经超过了 6 亿。其中 G－phone，I－phone 提供的处理能力已经接近一个较为强大的嵌入式系统。

这些从器件到系统，从系统到通讯的技术进步为设计和实现新一代的智能型传感器提供了基础。特别是为物联网技术的实现提供了基础。从通讯上看，除去物理层无线通讯的实现，以 IP 协议为特点的相对独立于物理层，或者称之为对物理层透明的云计算（Cloud Computing）和 Web 服务技术（Web Services）的发展，提供了快速实施，良好的扩展性（scalability），松散耦合（lose coupling）的特点，为大规模环境监测提供了便利。同时为以无线传感器网络（Wireless Sensor Networks WSN）技术为基础的信息集成，调用和分析提供了新的平台。

本文在分析新技术的发展趋势中，提出了在环境监测中今后一段时间内的 10 大挑战和相关的研究方向。我们就智能化广谱无线传感器系统融合物联网云计算平台在环境保护中的应用提出了相关的技术解决方案。

二、技术背景

实时在线环境监测随着高新技术的发展有长足的进步。但是就其在提供广谱、多参数、稳定、自动化、大范围集成监测，达到长期稳定工作，支持网络接入等方面而言，仍然具有较大的差距。特别是表现在以下 10 个方面的技术挑战。

1. 相对窄小窗口的传感器技术和大量广谱环境参数需求的挑战

在环境监测方面往往需要多个环境参数的同时获取，但是从现有的传感器技术上看，一般都是单一参数传感器。即，一个参数对应一个传感器。这样相对窄小的环境参数获取的窗口很不适应大量广谱环境参数获得的需求。如图 1 所示的是一个国外常见的单一参数 pH 传感器。广谱类传感器是相对于单一参数传感器而言的多参数传感器。

2. 需要跨学科、跨领域、跨技术平台的检测传感系统

从环境参数获取手段上看，监测传感器有电子器件类、有光谱类等。但是跨学科、跨领域的环境传感器很少见。这也阻碍了广谱环境参数的获取。

3. 操作人员必须参与环境参数的提取

大量的环境参数的提取和获得还没有自动化。需要人工参与一系列的被检测物质的取样、测试样品的准备、在现场或在实验室完成测试、读出和记录结果，传送数据等。众多的人工参与环节成为自动、可扩展、大范围实时在线检测的瓶颈。应当采用与芯片实验室技术（Lab on a chip，LOC）[3]、生物芯片技术结合的方法。图 2 为生物芯片技术的示意。

图 1　pH 传感器[2]

4. 缺少长期稳定的传感器

目前使用的传感器，相对短寿命成为长期稳定取样的制约环节。并且大多数传感器的工作寿命有限。比如在水质监测中的 DO、pH 等传感器需要在给定时间里定期更换探头。

5. 缺少融入物联网、云计算的软、硬件平台

物联网技术的实现要求从通讯、除去物理层无线通讯的实现、以 IP 协议为特点的相对独立于物理层，或者称之为对物理层透明的云计算（Cloud Computing）和 Web 服务技术（Web Services）的发展，要求与传感器可以即插即用，松散耦合，实现快速实施，达到大系统可伸缩性。为大规模环境监测提供了便利。为无线传感器网络（WSN）的信息集成，调用提供平台。

6. 经常维护和校正的需求

传感器在现场使用要求经常维护和校正。造成人员需到现场，高维护费用等一系列不便。

7. 缺少自我学习功能、具有智能化的传感器系统

如前提到的维护和校正的要求，以及环境检测中的环境变量的出现，往往造成数据读出的准确性问题。对此采用人工智能算法，采用模式识别技术，人工神经元网络技术，模糊数学技术，

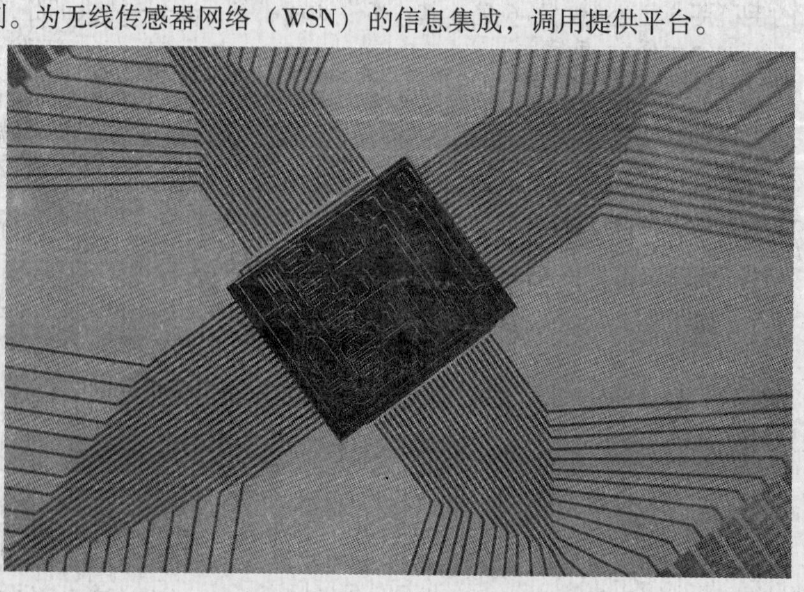

图 2　生物芯片技术的示意[4]

以及数字信号处理技术，可以赋予传感器某种对于环境变量的适应能力，甚至某种学习能力。从而稳定和改善传感器的工作状态和提高其精度范围。

8. 如何提供自主移动到位、自我保护功能

由于环境参数提取的需要，检测点往往需要有固定和移动之分。可移动的传感器节点可以根据需要自行移动到位，或者巡检到位。固定的传感器则有一个自我保护的需要，如何防止被有意损坏或拆除取走等。为了满足这个方面的需求，我们研制了漂浮式水质监测无线传感器系统。如图 3 所示。该系统用于实时水面和水下参数的取样监测，根据使用需要该系统可以在水面或定深的水下经由自身挂带的一种或多种传感器取样。取样数据存储于闪存存储器中（data flash），根据用户的需要设定，该系统在传输数据时浮出水面，将存储数据以及 GPS 全球定位系统的地标信号通过无线通讯方式传输给用户端。

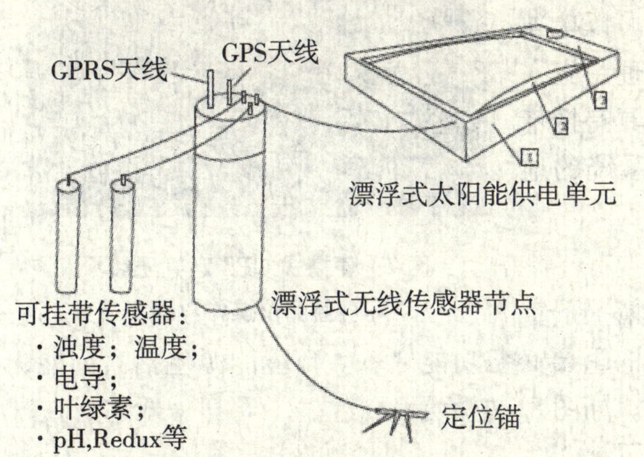

图 3　漂浮式水质无线传感器

漂浮式无线传感器节点
漂浮式太阳能供电单元
水下
挂带的水下传感器
定位锚

图 4　漂浮式水质无线传感器工作原理示意

该系统由 4 大单元组成：①控制及仪器舱；②充水升降舱；③电池舱；④传感器挂带平台。根据使用需要系统以上的单元可以单独拆卸，置换，以满足特定的单元运行功能。该系统的管理由嵌入式软件实现。潜水式多单元组合水质无线传感器系统具有潜水工作特点，除去具有隐蔽性好之外，还可以在不同定深的水下取样，获取垂直断面空间水质数据。其单元组合设计支持置换不同工作单元，延长了系统寿命，工作时间，扩展了功能。

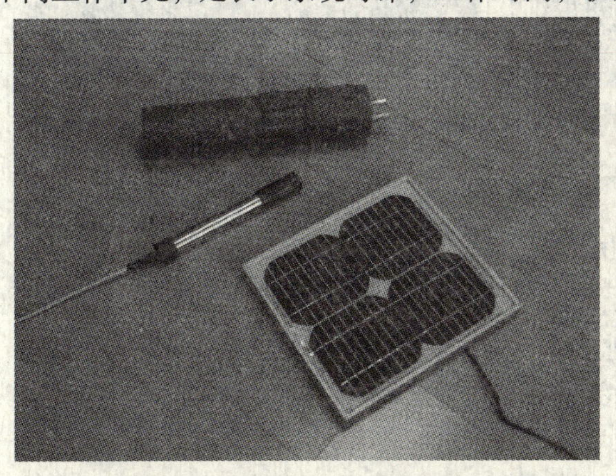

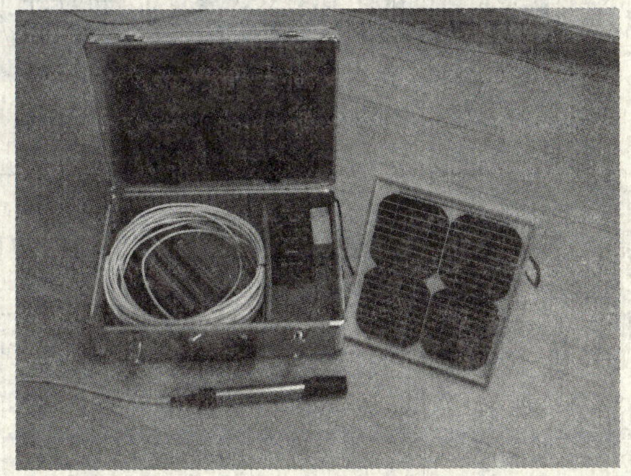

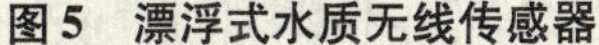

图 5　漂浮式水质无线传感器

图 6　便携式 GPS 定位无线环境监测仪

为了解决移动性问题。我们研制了便携式 GPS 定位无线环境监测仪，用于实时环境参数的取样监测和监测后的无线数据传输。如图 6 所示。

该便携式监测仪具有传感器数字信号接口和模拟信号接口。使用者可以通过插拔方式来挂带不同环境传感器，对环境取样。取样数据存储于闪存存储器中（data flash），使用者可以根据需

要通过便携仪的彩色 LCD 显示屏的用户界面选择操作本仪器。见图 7。

便携式 GPS 定位无线环境监测仪内部的 GPS 模块提供了采集数据的位置标签。将存储环境数据和 GPS 全球定位系统的地标信号通过无线通信方式传输给用户端。本仪器为能源自给型。便携仪的提箱内配有太阳能板和太阳能充电电池以及相应的充电控制电路，对整个系统提供电源。从而整个系统无需外部电源也无需更换电池，便于在农村野外环境使用。该系统由 4 大单元组成：①便携式 GPS 定位无线环境监测仪；②能源自给系统，含有太阳能板和太阳能充电电池以及相应的充电控制电路；③便携式提箱；④便携式提箱中配备的可插拔式传感器。根据使用需要，传感器可以单独拆卸，置换，以满足特定的监测功能。该系统的管理由嵌入式软件实现。便携式 GPS 定位无线环境监测仪系统具有携带方便，零能耗，将存储环境数据和 GPS 全球定位系统的地标信号通过无线通信方式传输给用户端的特点。

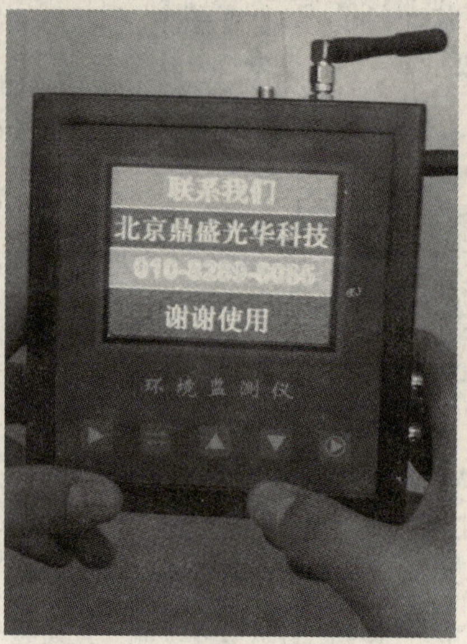

图 7　便携式 GPS 定位无线环境监测仪操作界面

9. 从环境获取能源

环境检测参数的提取往往是在没有供电环境的情况下实施的。这样环境能源的获取就成为环境传感器系统的重要必备功能之一。环境能源包括太阳能，风能，植物能源。甚至从某种植物中获得微弱电能。如图 8b 中所示。

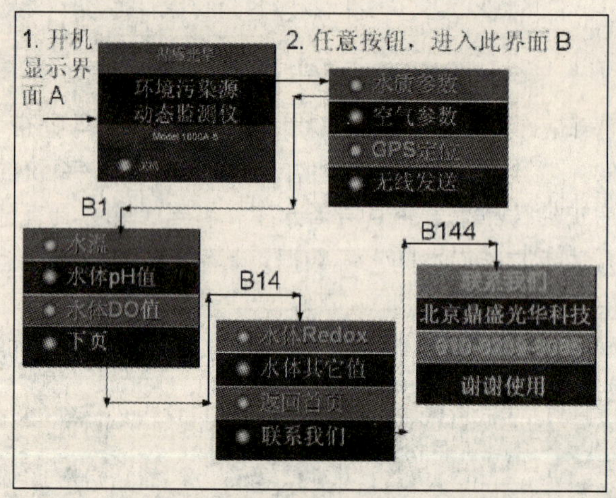

图 8a　便携式 GPS 定位无线环境监测仪操作界面结构图

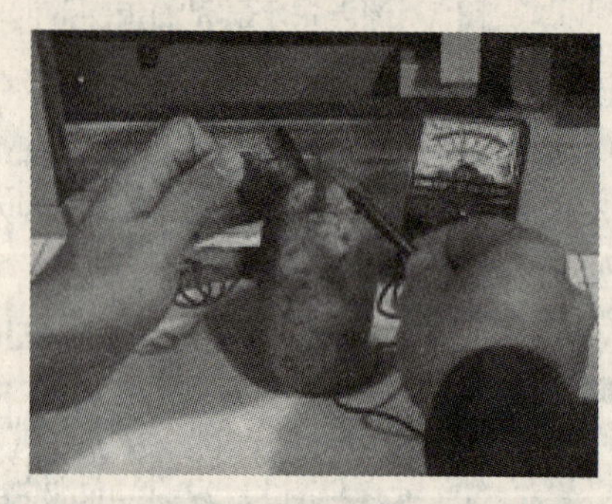

图 8b　马铃薯中获得微弱电能点亮小灯泡[6]

10. 一次性检测用传感器以及实现立体时空监测

随着技术的进步，传感器的制造成本应当逐步接近和达到低价格，可弃置的水平。同时实现时空立体数据的同时提取和检测对于环境状况的分析也具有重要意义。

三、广谱分光光度液体微量元素检测无线传感仪

为了解决水质检测参数的广谱性问题，我们研发了一种便携式 GPS 定位无线环境监测仪。

便携式广谱分光光度液体微量元素检测无线传感仪技术用于实时水质参数的取样监测和监测后的无线数据传输。该便携仪基于嵌入式系统控制的广谱型传感器，涵盖 400 ~ 1100nm 的光谱，用于检测总氮（Total Nitrogen）、硝酸盐氮（Nitrate Nitrogen）、亚硝酸盐氮（Nitrite Nitrogen）、 pH、氨（NH_3）等一系列参数。如表1所示。

表1　水质参数检测

1. 检测总氮	—
2. 硝酸盐氮	Range：0.25~1.0 ppmIncrement：0.25，0.50，1.0，2.0，4.0，6.0，8.0，10.0
3. 亚硝酸盐氮	Range：0.05~0.80 ppmIncrement：0.05，0.10，0.20，0.30，0.40，0.50，0.60，0.80
4. pH	Range：0~14
5. 氨（NH_3）	Range：0~10 ppmIncrement：variable 0.1-1 ppm/0.05ppm
6. 氨态氮	Range：0~2.0 ppmIncrement：0.0，0.050，0.1，0.25，0.5，1.0，2.0

本技术可以取代常规的人工操作的液体比色法。本广谱型无线便携仪具有微电子控制电路和嵌入式系统软件，具有智能化特点，含光电系统模块。高强度光源通过分光镜反射，穿透试管中的被测液体和试剂混合溶液，经由合成反射光谱检测器的输出，求解出光谱波段值l；经由A/D转换后的数字信号处理技术和模式识别算法，进行自动比色检测出相关物质。其检验结果与本仪器的GPS定位信号标签后由无线模块传输到主控室，检验结果也可以通过便携仪上的彩色LCD显示屏加以显示。该技术便于在野外环境使用获取动态数据。图9为我们智能图像处理算法的零点校正实验。

四、智能化广谱无线传感器系统融合物联网

随着不同智能化的无线环境监测仪的实现，随着从器件到系统，从系统到通讯的技术进步，设计和实现新一代的智能型传感器为物联网技术的实现提供了基础。物联网技术的核心之一是解决物与物之间，人与物之间的无时无刻都存在的通讯。随着Web服务技术的发展，以互联网为基础的微型化分布式智能无线传感器，形成大规模智能无线传感器网络。在物联网上搜寻、管理，完成控制功能。根据这个思路，我们进行了具有3级网络拓扑特点用于水质实时在线监测的无线传感器网络的实时在线监测试验，见图11。目前多数的环境检测仪器是集中在（Ad hoc Mode）通讯基础之上，这虽然是技术上的一大进步，但它仍是“孤岛”式的计算方式。虽然无线传感器网络各个节点可以在网络范围内通讯，但与因特网相连，达到资源共享、海量管理这些目标还有很大距离。从这一意义上说，不同智能化的无线环境监测仪的实现为下一步分布式（distributed）的云计算开辟了实现道路提供了可能性。

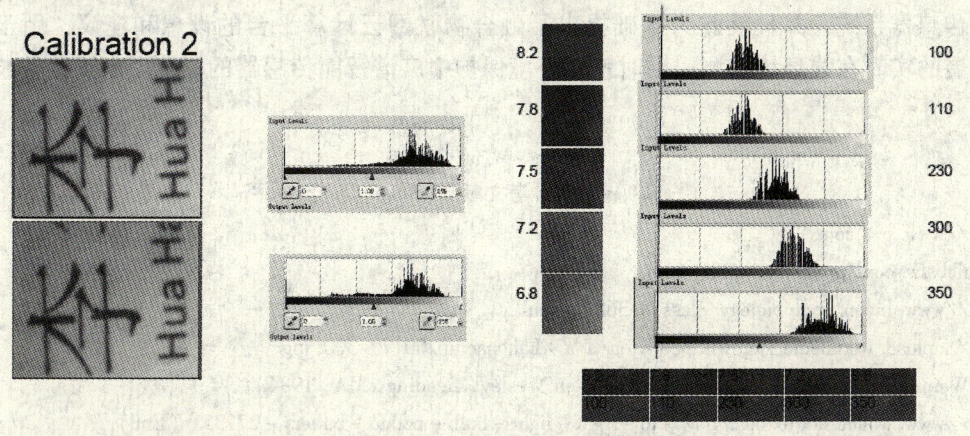

图9　智能图像处理算法的零点校正实验

图10　采用嵌入式系统数字信号处理技术和模式识别算法，进行自动比色检测出相关物质部分实验

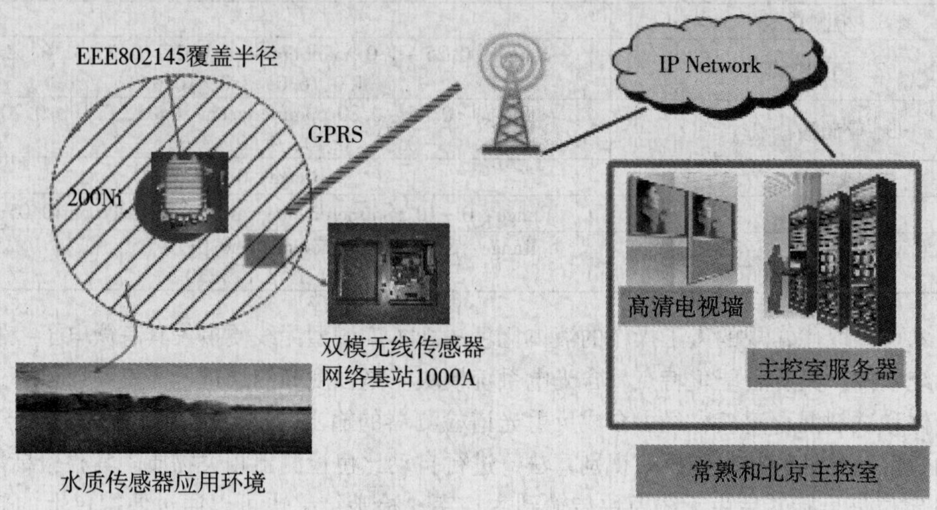

图 11　我们进行了具有 3 级网络拓扑特点用于水质实时在线监测的无线传感器网络的实时在线监测试验

从大系统管理层的角度看，点与点之间的通讯以 IP 协议为特点，相对独立于物理层。这为对物理层透明的云计算（Cloud Computing）和 Web 服务技术（Web Services）的发展，提供了可能。物联网的实现要求无线通讯网络具有可以快速实施，具有良好的扩展性（scalability），同时具有松散耦合（lose coupling）的特点，为大规模环境监测提供便利。为以无线传感器网络（Wireless Sensor Networks WSN）技术为基础的信息集成，调用和分析提供了新的平台。

由此分析可见智能化广谱无线传感器系统融合物联网、实现云计算平台是具有实际意义的，将为环境检测和环境保护提供有力的支持。

五、结　论

环境监测是环境保护的重要先决步骤。提供广谱、多参数、稳定、自动化、大范围集成监测，达到长期稳定工作，支持网络接入，是环境监测的基本要求特征。本文就环境监测领域中今后一段时间内的挑战和相关的研究方向的 10 个相关课题进行了探讨。介绍了本文作者的智能化广谱无线传感器系统，并且就此为基础提出了融合物联网云计算平台的设想和建议，用于大规模、可扩展的实时在线环境检测。同时就在环境保护中广谱智能传感器的概念提出了相关技术解决方案。

参考文献

[1] http：//www. ovt. com.
[2] www. globalw. com/products/wq201. html.
[3] http：//www. bioon. com/biology/class18/3687. shtml.
[4] http：//upload. wikimedia. org/wikipedia/en/a/a7/Labonachip20017 – 300. jpg.
[5] E. L. Weinreb，Anatomy and Physiology，Addison Wesley，Reading，MA，1984.
[6] http：//www. wonderhowto. com/how – to – light – light – bulb – potato – battery – 271351 （End）.

COD在线分析仪比对监测中的问题探讨

麻 娟 黄志鹄

（广西南宁市环境保护监测站 广西 南宁 530012）

摘 要 结合南宁市国控重点污染源在线分析仪与标准方法比对验收工作，分析造成两种方法比对结果差异较大的原因，并提出减小两种方法分析结果的相对误差的措施。

关键词 COD在线分析仪 比对 监测

南宁市现有的国控重点污染源已全部安装了在线自动监控系统。随着国家环保部对重点污染源治理力度的加大，从2010年起，南宁市的国控重点源从原来的69个增加至88个。为了保证重点废水污染源COD在线分析仪监测数据的可靠性，使自动监测数据能作为辖区行政管理部门监督执法的依据，提高污染源自动监控管理水平，必须进行COD在线分析仪与国标方法的比对监测，经验收合格后才能投入使用。在实际验收工作中，发现由于各种原因，容易使COD在线分析仪的测量值与实验室的测量值产生较大差异。

一、问 题

1. 企业在线分析仪负责人员在仪器调试与试运行结束后，在长期使用过程中，没有按照操作步骤对分析仪进行定期维护及校准（重现性或精密度、零点漂移、量程漂移、邻苯二甲酸氢钾试验、企业内部实验室进行实际水样方法测试对比试验、平均无故障连续运行时间等），造成仪器各项技术指标不符合运行的要求，影响了分析仪监测数据的准确性[1]。

2. 国标方法－重铬酸盐法[2]（GB 11914—1989）中要求待测水样为混合均匀的水样。某些类型的在线分析仪为了避免内部管路堵塞，在进样口前设置了过滤悬浮物的过滤网，使最终进入分析仪中的水样实际上只相当于待测水样的上清液，测定值仅为待测水样的溶解性COD浓度。对于悬浮物含量较高的排放口废水，COD在线分析仪的测量值往往小于实验室的测量值[3]。

表1 某淀粉厂废水悬浮物浓度对COD比对结果的影响

样品编号	1	2	3	4	5	6	7	8
悬浮物浓度/（mg/L）	352	316	332	344	71	56	63	44
重铬酸盐法/（mg/L）	344	322	339	416	152	149	129	143
COD在线分析仪/（mg/L）	260	250	256	229	136	145	135	138
相对误差/%	－24.4	－22.4	－24.5	－45.0	－10.5	－2.7	4.7	3.5

3. 某些企业采用TOC自动分析仪对排放口废水进行监控，即先测量水样的TOC，再根据转换系数K值将TOC数值转换成COD数值。但对于设有多个工艺生产线的企业，废水浓度随生产工艺的变化而产生很大差异，甚至废水中污染物的主要污染物质也会随生产工艺、生产周期的变化而产生很大的变化。水样基体变化越大，其转换系数K值差别也越大。因此想通过单一的K值来对所有时段废水的TOC数值对COD数值进行转换显然是行不通的。

二、建　议

1. 建立完善的企业 COD 在线分析仪管理制度和操作规程，指定专门操作人员作为仪器负责人，操作人员按国家相关规定，经培训考核合格，持证上岗，严格按照操作规程对在线分析仪进行日常维护及定期校验。加强企业内部实验室的建设，实验分析人员对在线分析仪定期（至少每月 1 次）进行自动监测方法与标准方法的比对试验，确保在线分析仪测量值的可靠性和准确性[4]。

2. 比对过程中尽可能保证在线分析仪与实验室分析的水样均匀一致。对于排放口废水中悬浮物含量较高的企业，可在排放口前增加絮凝沉淀或过滤装置，减少水样中的悬浮物含量，有助于保证进入在线分析仪和实验室分析的水样性状保持一致，减少两种方法分析结果的相对误差[5]。

3. 对于采用 TOC 自动分析仪监控排放口废水，且废水基体复杂的企业，由于转换系数 K 值变化很大，企业内部实验室只能通过对连续几个生产周期的总排口废水进行在线分析仪和标准方法的同步加密监测，得到 TOC 数值与 COD 数值，通过计算找出 K 值的变化规律，再对计算所得的 K 值进行验证，最终得出适用于本企业 TOC 自动分析仪的 K 值修正公式。

参考文献

[1] 于德生．浅谈企业污水 COD 在线监测的质量控制与质量保证［J］．2009，8：48－49.

[2] 国家环境保护总局《水和废水监测分析方法》编委会．水和废水监测分析方法（第四版）［M］．北京：中国环境科学出版社，2002：210－213.

[3] 李建刚，孙亦静，黄忠．COD 在线监测仪的比对分析［J］．干旱环境监测，2005，19（4）：251－253.

[4] 王瑞慧．COD 在线分析仪比对中应注意的问题［J］．环境监测管理与技术，2007，19（3）：56－57.

[5] 李艳红，毕彤．废水 COD 在线监测系统现场比对试验及管理的几点建议［J］．2005，21（4）：33－35.

基于发光二极管对的低功耗氨氮在线检测器的研究

郭卫民[1]　王留芳[2]

（1. 上海交通大学环境科学与工程学院　上海　200240；
2. 上海交通大学工程训练中心　上海　200240）

摘　要　发光二极管对检测器因结构简单、价格低廉、能耗低、选择性好、易于应用等优势已经成为构建无线传感器网络的首选。但是，发光二极管对检测器信号微弱、容易受到噪声和背景信号干扰的缺陷严重制约了其应用领域。传统的观念认为噪声总是一个消极因素，而随机共振理论以全新的角度认识噪声，并利用噪声提高信号信噪比。

随机共振理论表明：当淹没在强噪声背景中的微弱信号通过一个非线性系统时，如果系统非线性、信号与噪声达到某种匹配，背景噪声的能量可以转移到信号，从而增强微弱信号的强度，提高输出端的信噪比。这一理论与传统理论的区别在于它是利用噪声而不是消除噪声来达到提高信噪比的目的。本文有选择地应用内源噪声和内源周期信号与原始信号一起构建了自模型随机共振方法，既避免了外源信号的干扰，又可以选择一定频率的噪声和周期信号，十分有利于输出信号质量的提高和对随机共振的控制。

本文基于Berthelot显色反应，应用630nm波长的发光二极管为发射光源，以660nm的发光二极管为检测器，结合自模型随机共振算法，改善了设备检测限，有效克服了噪声和背景信号的干扰，输出信号信噪比显著提高，提高了检测灵敏度。检测器的检出限由1.0ppm提高到0.05ppm，三次平行测定的相对误差为2.2%。

关键词　自模型随机共振　发光二极管对检测器　氨氮

一、引　言

近年来，为满足社会快速、实时掌握环境状况的需要，无线传感器网络已经成为环境监测新技术的发展趋势[1]，而发光二极管对检测器因结构简单、价格低廉、能耗低、选择性好、易于应用等优势已经成为构建无线传感器网络的首选。但是，发光二极管对检测器信号微弱、容易受到噪声和背景信号干扰的缺陷严重制约了其应用领域。传统的观念认为噪声总是一个消极因素，因此，采取多点平均、傅立叶变换、小波变换等技术进行滤噪以消除噪声的干扰，而随机共振理论以全新的角度认识噪声，并利用噪声提高信号信噪比。

随机共振理论最初是由意大利学者提出[2]，用来解释地球远古气象中每隔万年左右冰川期与暖气候周期交替出现的现象。这一理论表明：当淹没在强噪声背景中的微弱信号通过一个非线性系统时，如果系统非线性、信号与噪声达到某种匹配，背景噪声的能量可以转移到信号，从而增强微弱信号的强度，提高输出端的信噪比。这一理论与传统理论的区别在于它是利用噪声而不是消除噪声来达到提高信噪比的目的。基于随机共振原理的弱信号检测是一种正在引起关注的崭新技术与方法[3-6]。

实现随机共振一般通过3种途径：外加噪声[7-9]、外加周期信号[10]和调节系统参数利用内源噪声[11,12]。外源信号驱动的随机共振方法中添加信号的频率特性可控，易于实现随机共振，但外源信号干扰了信号本身的频率特性，输出信号质量不高，常常发生信号的扭曲、变形[10]，造成较大的误差。调节系统参数利用内源噪声的方法避免外源信号对原始信号频率特性的干扰，可以改善输出信号的质量，但利用的是信号包含的所有噪声和各种背景信号的混合体，所以随机共振的发生不易控制。本文提出一种新的自模型随机共振方法（SMSR：Self - Modeling Stochastic Resonance），即有选择地应用内源噪声和内源周期信号与原始信号一起构建随机共振模型的方法。自模型随机共振方法既避免了外源信号的干扰，又可以选择一定频率的噪声和周期信号，十分有利于输出信号质量的提高和对随机共振的控制。

本文基于 Berthelot 显色反应，应用 630nm 波长的发光二极管为发射光源，以 660nm 的发光二极管为检测器，建立了实时、低功耗、在线检测水体中氨氮含量的检测器，将自模型随机共振算法集成在信号处理芯片中，降低了设备检测限，有效克服了噪声和背景信号的干扰，输出信号信噪比显著提高，提高了检测灵敏度。

二、实验部分

（一）试剂

碱性环境中，次氯酸将氨氮氧化为氯胺，氯胺在亚硝基铁氰化钠存在时和水杨酸作用经两步反应生成靛酚蓝。反应如下：

$$NH_3 + HOCl \rightarrow NH_2Cl + H_2O$$

NH_2Cl + (OH, COO^-) $\xrightarrow{[Fe(CN)_5NO]^{2-}}$ (O, COO^-, NCl) + $HCl + H_2O$

(O, COO^-, NCl) + (OH, COO^-) $\xrightarrow[{[Fe(CN)_5NO]^{2-}}]{OH^-,\ HCl}$ (O, COO^-)=N–(COO^-, O^-) + H_2O

在强碱性溶液中，提高反应物浓度可有效提高反应速度[13]，反应可在常温下迅速完成，能够满足在线测定的需要。

1% 亚硝基铁氰化钠（Na［Fe（NO）（CN）$_5$］）、10% 氢氧化钠、1% 次氯酸钠、40% 水杨酸钠［C_6H_4（OH）（COONa）］均为分析纯；实验室制备超纯水（PALL PL5241，18.2MΩ）；100ppm 氨水标准储备液，用盐酸（分析纯）标准溶液标定，超纯水稀释配制 0.05ppm、0.075ppm、0.1ppm、1.0ppm、2.5ppm 氨水标准液校正传感器。

（二）测定装置

将二极管对（发射二极管 630nm，检测二极管 660nm）融合在 PEEK 管（Φ0.45μm）流路中，连接在聚二甲基硅烷（PDMS）基片上，流路（全长 20cm，Φ0.5μm）环形刻蚀在基片上，反应液用蠕动泵输送，总流速 10μl/min，用计算机采集、记录数据。

（三）数据处理

应用实验室自行开发的程序处理实验数据，所有计算程序用 MATLAB 语言编写。

三、结果与讨论

（一）试验结果

将各反应液泵入流路，开始记录检测信号，结果如图 1 所示。由图 1 可见，一方面由于二极管发射信号强度的限制，另一方面由于检测光路很短，因此检测信号受到背景噪声的严重干扰，浓度小于 1.0ppm 的溶液已经无法进行准确检测。检测信号的强背景信号主要来源于液流扰动。一方面是流路中的湍流、涡流等带来的波动，另一方面是输液泵的脉动噪声，包括基频噪声及其二次、三次等高次谐波。此外，检测电路的电磁干扰也带来相当强度的背景。这些背景信号一方面表现出一定的周期

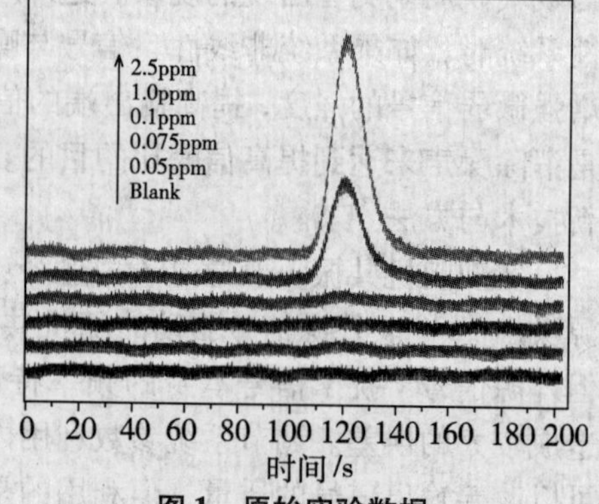

图 1　原始实验数据

性，如输液泵的脉动噪声与输液泵的工作频率有关，电磁干扰与电路中电容器等电器元件的充放电频率有关，另一方面又表现出一定的随机性，如液流噪声随着液流的波动而变化。背景信号的影响破坏了测定信号强度与被测物质浓度的相关性，因此，必须经过处理才能使检测方案切实可行。

（二）检测信号的小波分析

实践表明，小波分析是处理强噪声干扰信号的有力工具，并在很多领域得到广泛的应用。本文应用小波变换技术分析空白信号和样品检测信号，结果如图 2 所示。图中空白信号和 0.05ppm 样品溶液的小波分解细节清晰地表明了不同频率的噪声干扰。D1 - D3 表现了泵的脉动形成的噪声，该部分噪声具有一定的周期性。D4 - D6 则是一些随机因素形成的噪声，该部分噪声具有随机性；从 D7 开始，信号的成分逐步增加，但仍然无法得到有效的提取（如图 3 所示）。

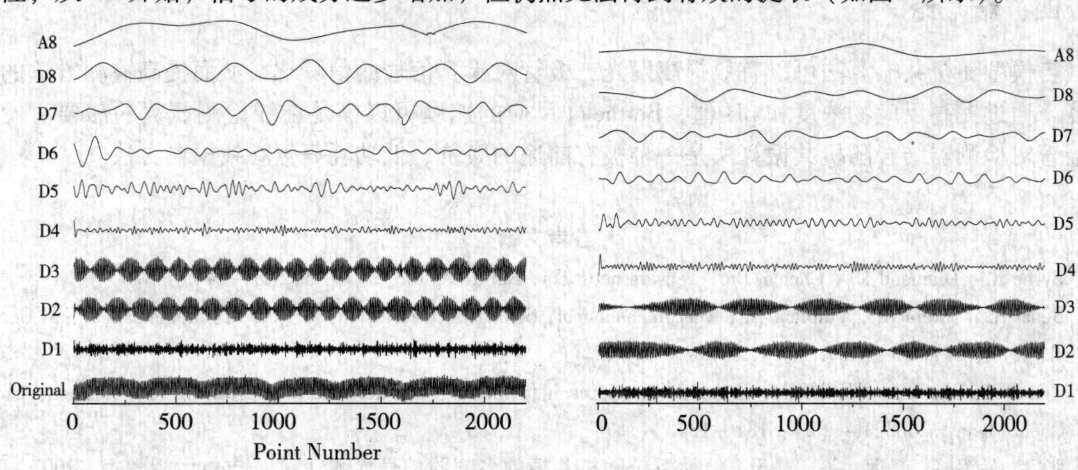

图 2　实验信号的小波变换（左：空白信号；右：0.05ppm 样品的检测信号）

（三）检测信号的随机共振分析

随机共振方法的应用可以提高分析信号的信噪比，显著提高分析方法的灵敏度（1 ~ 2 个数量级）。实现随机共振的途径有 3 个：外加噪声[9]、外加周期信号[10]和调节系统参数利用内源噪声[11, 12]。外源信号驱动的随机共振方法中添加信号的频率特性可控，易于实现随机共振，但外源信号干扰了信号本身的频率特性，导致输出信号质量不高，常常发生信号的扭曲、变形[9]，造成较大的误差。调节系统参数利用内源噪声的方法避免外源信号对原始信号频率特性的干扰，可以改善输出信号的质量，但利用的是包含信号中的所有噪声和各种背景信号的混合体，所以随机共振发生比较困难。

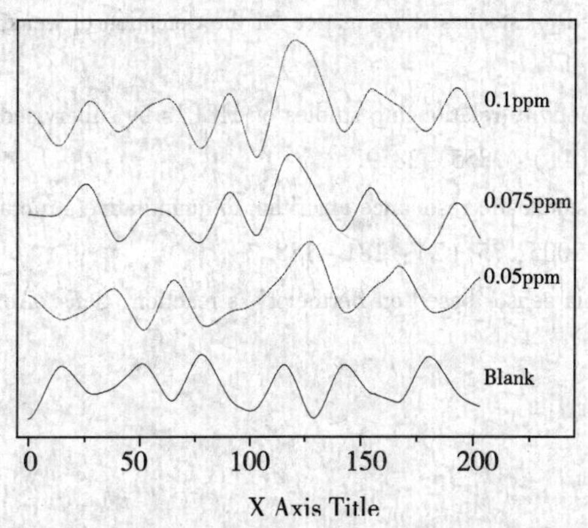

图 3　检测信号的小波分析

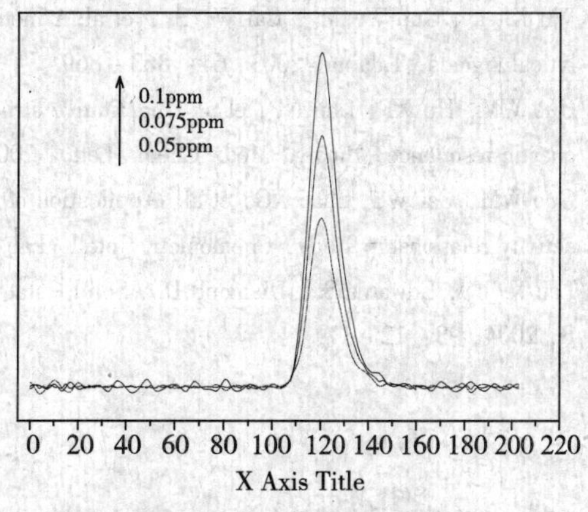

图 4　检测信号的随机共振分析

针对常规随机共振算法中单纯利用内噪声或外加噪声造成的问题，本文通过小波变换提取信号内部所固有的噪声和具有一定周期性的背景信号，与原始信号一起构成随机共振系统，既避免了外源信号的干扰，又可以选择一定频率的噪声和周期信号，是一种有选择地利用内源噪声和内源周期信号实现随机共振的自模型随机共振算法。如图 4 所示为 0. 05ppm、0. 075ppm、0. 1ppm 标准溶液检测信号的计算结果，其信号强度与氨氮浓度的相关系数达 0. 9998，三次平行测定的相对误差为 2. 2%。对于大于浓度 1ppm 的两个检测信号，由于其本身的信噪比较高，应用随机共振算法处理的结果与浓度较低的检测信号不在同一线性范围内。显然，自模型随机共振算法显著改善了检测信号的信噪比，扩展了检测方法的线性范围。

四、结 论

自模型随机共振算法可以有效提高发光二极管对检测信号的信噪比，从而提高检测方法的灵敏度。通过提高反应物浓度和 pH 值，Berthelot 反应的速度可以满足在线检测氨氮的需要。发光二极管对检测器结合随机共振算法是一种极有前途的廉价、低功耗氨氮在线检测方法。

参考文献

[1] Byrne R. , Diamond D. , Chemo/Bio – sensors networks, Nature Mater, 2006, 5, 241 – 244.

[2] Benzi R. , Sutera A. , Vulpiani A. , The Mechanismof, Stochastic Resonance, J. Phy. A: Mathematical and General, 1981, 14, 453 – 457.

[3] Guo WM, Sun YA, Wu XJ, et al. A novel approach to improve the detectability of CO_2 by GC analysis, Chin. Chem. Lett. , 2003, 14 (2): 181 – 184.

[4] 张宇，吕海峰，赵远，等. 基于非线性系统随机共振的多频弱信号检测 [J]. 吉林大学学报，2007，25：68 – 72.

[5] 胡茑庆，温熙森，陈敏. 随机共振原理在强噪声背景信号检测中的应用 [J]. 国防科技大学学报，2001，123 (14)：40 – 44.

[6] Xie SF, Deng HS, Xiang BR, et al. Detection of trace triclocarban in water sample using solid – phase extraction – liquid chromatography with stochastic resonance algorithm, Envir. 7Sci. Tech. , 2008, 42: 2988 – 2991.

[7] Pan ZX, Guo WM, Wu XJ, et al. A new stochastic resonance algorithm to improve the detection limits for trace analysis, Chemometr. Intell. Lab. Sys. , 2003, 66 (1): 41 – 49.

[8] Zhang W, Xiang BR, A Duffing oscillator algorithm to detect the weak chromatographic signal, Anal. Chim. Acta, 2007, 585: 55 – 59.

[9] 王利亚，印春生，任琴，等. 分析化学. 1999，27：1391.

[10] Wu X. J. , Guo W. M. , Cai W. S. , et al. A method based on stochastic resonance for the detection of weak analytical signals, Talanta, 2003, 61: 863 – 869.

[11] Guo WM, Hu XF, Chu NP, et al. Quantitative structure – activity relationship studies on HEPTs by supervised stochastic resonance, Bioorg. Med. Chem. Lett. , 2006, 16 (11): 2855 – 2859.

[12] Guo WM, Cai WS, Shao XG, et al. Application of genetic stochastic resonance algorithm to quantitative structure – activity relationship study, Chemometr. Intell. Lab. Sys. , 2005, 75 (2): 181 – 188.

[13] Lau K. T. , Edwards S. , Diamond D. , Solid – state ammonia sensor based on Berthelot' s reaction, Sens. Actuat. B, 2004, 98: 12 – 17.

加强环境监测　服务经济发展

郝江俊

（盐城市环境监测中心站　江苏　盐城　224002）

摘　要　经济的快速发展，对环境监测提出了更高的要求。只有切实加强环境监测体系建设，不断完善和提高监测能力，才能为经济发展和环境保护起到有力的技术支持作用，应对频发的污染事故特别是饮用水源污染事故，使环境监测真正起到经济发展的耳目和哨兵作用。

关键词　环境监测　环境污染　经济发展

进入新时期以来，我国的经济发展进入了快车道，城乡各地建设项目应运而生。招商引资、筹建项目、增加 GDP 成为了各级政府的工作重点。应该说，在国家宏观政策的调控和各级政府的严格把关下，大多数招商引进的建设项目是符合国家相关产业政策的，对环境的影响也是在可承受范围内的。但也存在一些突出问题，个别地方政府片面追求 GDP，为了完成招商引资任务，擅自降低项目审批门槛，盲目引进不符合国家产业政策的、技术落后的甚至是淘汰的重污染项目。这些项目的建设，给当地的环境造成了严重的破坏，环境问题日益凸显，突发性环境事件不断发生。仅以盐城市近 3 年来的情况为例，就先后发生了盐城氟源化工有限公司二氯氟苯车间爆炸事件、响水联华科技有限公司爆炸事件、盐城标新化工有限公司偷排含酚污水致使市区部分区域停水 4 天的事件等。据报道，2008 年，仅国家环境保护部直接督察处理的突发环境事件即有 135 起，其中威胁群众饮用水源安全的事件高达 46 起。事实表明，盲目招商引资建设项目已对自然环境和人民群众的健康造成了严重威胁，环境问题受到空前关注。

笔者结合多年从事环境监测工作的实际，对环境监测在环境保护中的作用、当前环境监测条件现状以及应加强的重点进行了初步的探讨。

一、环境监测在经济发展和环境保护中的作用

环境监测是环境保护的基础工作，尤其在现阶段环境问题凸显期，环境监测更要为环境管理和环境保护提供有力的支撑。一是在建设项目立项初期，为环境影响评价提供准确可靠的当时当地的环境质量状况的相关监测结果，为项目的建设把好第一关。二是在建设项目竣工以后，在进行环境保护验收前，环境监测要对项目的排污状况、项目建成后当地生态环境质量的改变情况进行监测，为项目验收提供技术依据。三是在项目正常运营期间，环境监测站定期对三废的排放情况进行监视性监测，为排污收费、总量控制、排污许可证发放等提供技术支持。四是对人类周围环境进行经常性的监测，定期将水环境质量状况、大气环境质量状况、噪声环境质量状况等向政府和公众进行发布，为政府环境决策提供技术支持，吸引公众对环境保护的关注，提高公众对环境保护的参与意识。五是应对各类突发性污染事故的发生，及时为政府和环境管理部门处理污染事故提供强有力的技术支持。以盐城市 2009 年“2·20”饮用水源污染事故为例，在事故发生后，盐城市环境监测中心站立即启动应急预案，快速反应，第一时间赶赴现场。经初步了解事故发生的原因后，迅速制定监测方案，在事发地周围布设采样点进行采样，1h 以内提供出监测数据，锁定了污染源，为事故的处理、自来水厂恢复供水、责任人的追究等提供了切实有力的技术支持。

连续监测、定时监测和严格的管理相结合才能准确地反映环境质量状况，才能有针对性地加强监督管理。可见环境监测在环境管理中的作用不可忽视。

二、当前环境监测条件之现状

改革开放以来，随着国民经济的发展，我国的环境监测事业也得到了长足的发展，人员、装

备、技术、资金等都有了基本的保障，在环境管理中发挥了一定的作用。但也应当看到，就总体而言，环境监测事业的发展相对滞后于经济发展速度，许多方面还不能满足于环境管理的需要。还是以盐城市2009年“2·20”饮用水源污染事故为例，在事故监测中，虽然盐城市环境监测中心站投入了全部4辆监测车，调集了县（市、区）环境监测站8辆监测车，动用了全市所有的检测挥发酚的仪器设备和人员，但仍难以满足高频次、高密度的监测采样，样品有时不能按规定的时间送达实验室，或者采集的样品堆积在实验室而不能及时进行分析测试，及时报出监测结果。这些都反映了环境监测技术装备方面不能适应经济发展的表现。盐城市2009年“2·20”饮用水源污染事故还同时暴露出人员素质有待提高、应急监测意识不强、应急监测组织协调能力欠缺以及环境监测网络建设方面不健全等环境监测方面的问题。

三、加强环境监测的几点建议

在科学发展观指导下，加强环境监测的举措和思路，是当前环境监测工作者的重要任务。

（一）加强监测队伍的思想建设和业务建设

各级环境保护主管部门应高度重视监测队伍的思想建设和业务建设，致力于建设一支政治思想坚定、作风过硬、业务精通、有高度组织纪律性的监测队伍。特别要加强环境应急监测人员的思想作风建设，不断强化忧患意识、服务意识、奉献意识，养成勤勉敬业、雷厉风行、尊重科学、敢打硬仗的作风。着力加强监测队伍的业务建设，组织学习，强化训练，经常进行实战演练，提高管理水平和实战能力。

（二）队伍结构和人员素质亟待加强

以盐城市环境监测中心站为例，按照《全国环境监测站建设标准》，人员编制数额为150人，实际在编人员仅66人，而且还有10人提前离岗或借用在外，实际在岗仅54人。在现有人员中，中高级专业技术人员仅占62.5%，环保或相关专业人员仅占48.4%。人力资源的匮乏直接影响着监测任务的完成和监测质量的提高。队伍结构和人员素质亟待加强。

（三）切实保障运行经费

环境监测站的经费包括人员经费、公用经费（公务费、设备购置费和业务费）、大型精密仪器运行费、化学试剂消耗费、交通费、科研经费等，这些应全额纳入同级财政年度经费预算，并保证足额到位。而在日常工作中，监测站往往是“弱势群体”，财政部门只考虑人员工资，经常忽略了其他几项开支，导致监测站有时运转不灵。保证了监测经费，实际就是保证了物质基础，经费没有保障，有时候就使管理人员做无米之炊。

（四）加强环境监测网络建设

要加强环境监测网络建设，对区域内的监测力量进行整合，做到优势互补，统一协调，一旦需要，集中力量，全盘调动。

（五）及时装备先进监测设备

对照《全国环境监测站建设标准》和现实需要，现有监测仪器设备远远不能满足于监测工作的需求，有的监测工作还是停留在20世纪70年代的监测手段和监测水平。政府和主管部门应重视监测手段的更新换代，满足监测工作的需求，使监测工作与时俱进。

环境监测是一项科学性、技术性、业务性很强的事业，必须从思想上高度重视，从实际上给予强有力的支持，才能切实发挥出它应有的作用。在经济快速发展的同时，不断为环境监测注入新的活力，使之适应形势的需求，为环境管理和经济发展提供强有力的技术保障和技术支持，真正发挥环境保护的耳目和哨兵作用。

水环境病毒学安全检测与控制新技术研究

李君文 晁福寰 王新为 金 敏 古长庆 尹 静

（军事医学科学院卫生学院 环境医学研究所）

病毒污染水体而导致的疾病爆发流行给人类健康和国民经济建设带来了重大影响。水安全的病毒控制问题引起了世界各国的广泛重视。水安全病毒控制涉及病毒浓集、检测、消毒、消毒效果评价及消毒副产物控制等。对这些基础和应用基础问题的研究，将有利于水环境病毒学安全评价系统的建立、新型消毒剂的研制及病毒性疾病的防治。

本项目综述了我们二十余年来在水安全病毒控制领域的研究成果。

1. 采用大片段逐步步移 RT－PCR 等分子生物学技术，首次阐明了氯和二氧化氯灭活水中甲型肝炎病毒（HAV）的分子机理：氯灭活 HAV 在于破坏其基因组的5'非编码区（5'NTR）；而二氧化氯灭活 HAV 是同时破坏5'NTR 和病毒的抗原。

2. 率先研究了医院污水中 SARS 冠状病毒的富集、检测及存活状况，为 SARS 冠状病毒可能通过污水系统传播提供了实验依据；研究发现 SARS 冠状病毒对环境和常用消毒剂的抵抗力明显低于 f2 噬菌体和大肠杆菌。

3. 研制出一种新型载阳电荷硅胶滤材，建立了新的水中病毒浓集技术，该技术浓集大水样（100L）中病毒的回收率达80%以上，操作简便、效果稳定、价格低廉。

4. 在系统比较 f2 噬菌体与大肠杆菌、致病菌、T2 噬菌体、脊髓灰质炎病毒等对消毒剂及水体环境的耐力的基础上，在国内首次建立了以 f2 噬菌体为指示微生物的水环境病毒学安全评价系统。

5. 依据 PCR 原理，结合肠道病毒基因组的特点，建立了多种水中肠道病毒新型分子生物学检测技术，包括一步单管反转录 PCR（RT－PCR），套式、半套式 RT－PCR 和通用引物多重 RT－PCR，提高了水中病毒的检测速度、敏感性和特异性。

6. 全面、系统开展了水中病毒灭活及消毒副产物控制研究，比较了水中病毒和大肠杆菌、致病菌及噬菌体等对各种消毒剂的耐力；深入研究了在高剂量消毒剂消毒时控制消毒副产物的各种措施。

7. 摸清了城市污水中细菌、噬菌体和病毒的分布状况和存活规律；观察了膜生物反应器（MBR）截留微生物效果；研究了回用水的消毒措施；在国内率先建立了以病毒学安全性评价为基础的再生水生物安全评价系统。

本项目本成果得到国家863、国家自然科学基金重点项目、面上项目和国家科技支撑项目资助，获得省部级自然科学二等奖和科技进步二等奖各项，发表相关的 SCI 论文20余篇。发表的论文截止2009年12月31日，被国内外学者正引214次，他引158次；其中被 SCI 论文正引114次，他引97次；引用的论文发表在 CLINICAL MICROBIOLOGY REVIEWS（IF2005，10.443），PROGRESS IN SOLID STATE CHEMISTRY（IF2005，15.167），APPL ENVION MICROBIOL（IF2005，3.8），WATER RESEARCH（IF2005，3.0）等一级核心期刊上。

固相萃取－气相色谱法快速分析水中硝基苯类化合物

龙素群　钟志京　林　涛　何小波

（中国工程物理研究院　四川　绵阳　621900）

摘　要　建立了固相萃取－气相色谱定量分析水中硝基苯类化合物的分析方法，详尽地叙述了水样预处理过程。对固相萃取、水样预处理和色谱分离条件做了试验并予以优化。采用 ODS－C_{18}固相萃取柱将样品浓缩富集后，以 DB－17 色谱柱（30m×0.32mm×0.25μm）为分离柱，以 ECD 和 FID 检测。方法检出限在 0.12～90μg/L 之间，低于 GB 13194—91 和 GB/T 13194—92 的规定；加标回收率在 81.3%～117%之间，相对标准偏差（n=6）于 0.9%～5.8%之间，符合相关质量控制要求。

关键词　硝基苯类化合物　固相萃取　气相色谱法　水样

引　言

硝基苯类化合物的主要检测方法有还原偶氮光度法（一硝基苯和二硝基苯化合物）和气相色谱法[1-3]。光度法操作繁琐，干扰因素多；而气相色谱法前处理采用液－液萃取，此法操作复杂、耗时长、回收率偏低，且萃取过程中使用较多的有机溶剂，不但污染环境，而且对操作人员的健康危害较大。固相萃取（SPE）作为一种新型的样品处理技术已广泛应用于有机污染物的痕量富集，结合先进色质联用分离分析技术，可实现对水中有机化合物可靠、快速、高效监测。本文建立以固相萃取法富集和气相色谱法测定水样中硝基苯类化合物的含量。

一、试　验

（一）主要仪器与试剂

7890A 气相色谱仪（FID 和 ECD 检测器，美国 Agilent 公司），带自动进样器；DB－17 色谱柱（30m×0.32mm×0.25μm，美国 Agilent 公司）；真空多歧管固相萃取装置（美国 Agilent 公司）；BF－2000M 型氮气吹干仪。

硝基苯类标准物质为美国 SUPELCO 公司产品，溶剂乙腈；乙腈、苯均 HPLC 级。

（二）实验水样的配置

100μg/ml 硝基苯类混合标准溶液（美国 SUPELCO 公司产品）中各组分分析浓度如表 1 所示。

在含有 500ml 纯水中加入 40μg 硝基苯类标准混合物质作为模拟水样，模拟水样中各组分浓度见表 1。

表 1　8 种硝基苯类混合组分浓度

化合物名称	英文名称	混合标准溶液中各组浓度/（μg/ml）	模拟水样中各组分浓度/（μg/ml）
2－氨基－4，6－二硝基甲苯	2－AMINO－4，6－DINITROTOLUENE	91.5	7.32
1，3－二硝基苯	1，3－DINTROBENZENE	96.8	7.74
2，4－二硝基甲苯	2，4－DINITROTOLUENE	95.0	7.60
奥克托今	HMX	93.6	7.49
硝基苯	DINTROBENZENE	94.6	7.57
黑索今	RDX	94.0	7.52

化合物名称	英文名称	混合标准溶液中各组浓度/（μg/ml）	模拟水样中各组分浓度/（μg/ml）
1，3，5-三硝基苯	1，3，5-TRINITROBENZENE	92.5	7.40
梯恩梯	2，4，6-TRINITROTOLUENZ（TNT）	93.3	7.46

（三）标准曲线配制

分别移取上述100μg/ml硝基苯类混合标准溶液10、20、40、60、80μl配制成标准溶液系列，各标准点质量浓度见表2。进样体积2μl，按色谱条件进行测定。以保留时间进行定性，用外标法定量，根据标准曲线计算各组分的质量浓度。

表2　标准物质系列质量浓度

化合物名称	标准点1	标准点2	标准点3	标准点4	标准点5
2-氨基-4，6-二硝基甲苯	0.906	1.79	3.52	5.18	6.78
1，3-二硝基苯	0.958	1.90	3.72	5.48	7.17
2，4-二硝基甲苯	0.941	1.86	3.65	5.38	7.04
奥克托今	0.927	1.84	3.60	5.30	6.93
硝基苯	0.937	1.85	3.64	5.35	7.01
黑索今	0.931	1.85	3.58	5.26	6.89
1，3，5-三硝基苯	0.916	1.81	3.56	5.24	6.85
梯恩梯	0.924	1.83	3.59	5.28	6.91

（四）样品前处理

1. 固相萃取柱活化

先用5ml苯冲洗固相萃取柱（ODS-C_{18}），让其缓慢流过，流完后抽真空5min（除去填料中可能存在的污染物），然后用5ml苯活化萃取柱，待苯剩下一薄层时，用超纯水移去活化剂，最后在固相萃取柱内封存一些超纯水[4]。

2. 水样富集

摇匀水样，取其中500ml于1000ml分液漏斗中，加入装有预先活化的萃取柱的固相萃取装置，用恒流泵抽滤过柱，流速为3~5ml/min，待水样全部过柱后再抽气至干（约3~5min），使柱子干燥。

3. 样品洗脱

将带刻度收集管放在萃取缸中，分别用苯10ml清洗盛过水样的分液漏斗内部，打开真空系统，使清洗液缓慢流过萃取柱，进入收集管中；然后用两个6ml苯洗脱萃取柱，洗脱液并入收集管。

4. 样品浓缩

用氮吹仪将收集管中的溶剂吹脱至0.50ml，将收集管中剩余试样盖塞避光放置，以备气相色谱分析用。

（五）色谱条件

1. ECD检测色谱条件

进样口温度200℃；检测器温度250℃；尾吹气流量5ml/min；不分流进样；进样体积2μl。

柱升温程序：初始温度为100℃，保持3min；以10℃/min的程序升温至180℃，保持8min；以15℃/min程序升温至250℃。

载气（N_2）流速采用编程模式：初始流速 1.0ml/min，保持 3min；以 0.5ml/min 速率升到 2.0ml/min，保持 8min；以 0.5ml/min 速率升到 3.0ml/min。

2. FID 检测色谱条件

进样口温度 200℃；检测器温度 250℃；载气（N_2）流速恒流 1.0ml/min；采用氢气和空气作燃烧气；不分流进样；进样体积 2μl。

柱升温程序：初始温度为 50℃，保持 3min；以 20℃/min 的程序升温至 150℃，保持 2min；以 10℃/min 的程序升温至 230℃，保持 3min；以 5℃/min 的程序升温至 260℃。

二、结果与讨论

（一）标准色谱图

硝基苯类化合物（ECD 检测器）标准色谱峰见图 1。硝基苯类化合物（FID 检测器）标准色谱峰见图 2。由于硝基苯类化合物标液中各物质的浓度相当，而图 1 和图 2 结果显示，ECD 对保留时间长的物质响应更灵敏，FID 则对保留时间短的物质响应更灵敏，两者可互补[4]。

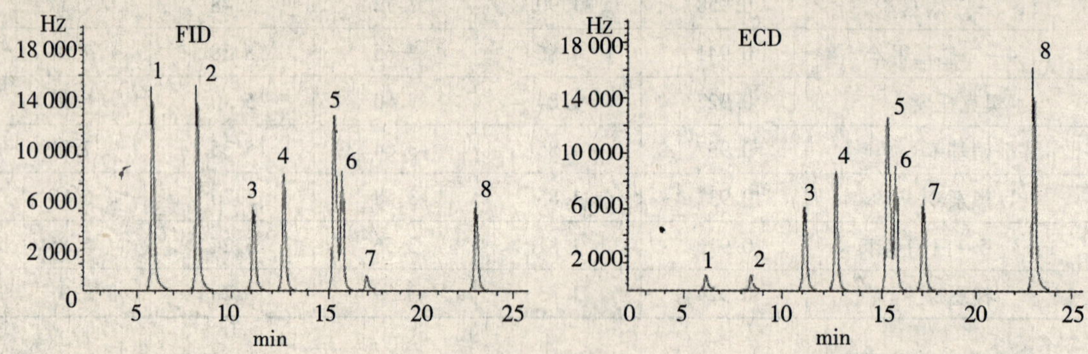

图 1　硝基苯类化合物（ECD）标准色谱峰　　**图 2　硝基苯类化合物（FID）标准色谱峰**

（二）线性关系

按该方法测定标准溶液系列，以峰面积为纵坐标，质量浓度为横坐标，绘制标准曲线（FID 检测），见表 3。从表中可以得出：标准曲线呈良好的线性关系，相关系数为 0.9990 ~ 0.9994。

（三）固相萃取条件的优化

1. 水样 pH 值对回收率影响

用盐酸和氢氧化钠调节水样 pH 分别为 5.0，7.0，9.0，进行固相萃取分析[5,6]。水样呈碱性时，各组分回收率均低于 30%；水样呈酸性时，硝基苯及 2－氨基－4，6－二硝基甲苯的回收率达 80% 以上，而其他组分的回收率均小于 35%；水样为中性条件时，各组分的回收率均高于 80%，因此，富集前应将水样 pH 调节至中性最佳。

表 3　硝基苯类化合物的标准曲线

化合物名称	保留时间/min	回归方程	相关系数 r
2－氨基－4，6－二硝基甲苯	5.906	$y = 17.001x + 125$	0.9993
1，3－二硝基苯	8.258	$y = 24.758x - 3.1106$	0.9991
2，4－二硝基甲苯	10.868	$y = 15.471x - 3.7111$	0.9992
奥克托今	13.804	$y = 16.388x - 4.3733$	0.9990
硝基苯	14.576	$y = 17.63x - 4.364$	0.9991
黑索今	16.606	$y = 12.049x - 3.8092$	0.9992

化合物名称	保留时间/min	回归方程	相关系数 r
1，3，5-三硝基苯	16.679	$y=10.767x-2.9304$	0.9994
梯恩梯	22.254	$y=12.418x+1.828$	0.9992

2. 有机改性剂对回收率的影响

加入0.0，1.0，2.0，5.0，7.0，10.0ml甲醇进回收试验。未添加甲醇的水样各组分的回收率稍低，而加入甲醇1.0～5.0ml后，各组分的回收率略有增加，而甲醇的添加量超过5.0ml后，各组分的回收率反而有所降低。原因：在水样中加入适量的乙酰基和羟甲基等极性基团可以使得固相萃取柱的吸附剂对有机物萃取效果更佳；若引入的极性基团数量过多，则会使吸附剂的极性太强而使疏水性下降，从而降低萃取效果。因此，在水样中加入适量的甲醇固相萃取柱更具活性，吸附力更强，而甲醇的最佳添加量应为5.0ml。

（四）方法检出限

被测物在各检测器上的方法检测限是1L加标模拟水样经过与各检测器相对应所选择的最合适的萃取柱萃取（ODS-C_{18}），使用相同的DB-17柱分离在优化的最佳仪器条件下通过3倍信噪比分别计算而得到，如表4所示。结果表明：ECD方法对保留时间长的物质的检测限较FID低，低于相应国家方法检出限。

表4 硝基苯类化合物在不同检测器上的检出限

化合物名称	FID检测器	ECD检测器	文献检出限[4,5]（ECD）
2-氨基-4，6-二硝基甲苯	0.18	0.20	0.20
1，3-二硝基苯	0.12	0.15	—
2，4-二硝基甲苯	0.12	0.15	0.24
奥克托今	60	80	—
硝基苯	0.15	0.12	0.12
黑索今	90	80	100
1，3，5-三硝基苯	0.15	0.12	—
梯恩梯	1.5	1.2	2.0

（五）方法加标回收率与精密度

取一定体积的硝基苯类化合物混合标准溶液加入500ml水样中，配成高、中、低三种浓度的加标水样，取其中100ml上样，样品及加标样经ODS-C_{18}柱萃取预处理后色谱分析。同样分析过程，平行处理6个样品，分别作精密度和回收率的试验，结果见表5。

表5 不同浓度加标水样经ODS-C_{18}柱萃取后的精密度和回收率（n=6）

化合物名称	低浓度加标水样			中浓度加标水样			高浓度加标水样		
	加标浓度/（μg/L）	回收率/%	相对标准偏差/%	加标浓度/（μg/L）	回收率/%	相对标准偏差/%	加标浓度/（μg/L）	回收率/%	相对标准偏差/%
2-氨基-4，6-二硝基甲苯	242	85.6～107	5.8	1232	89.6～103	3.7	6160	95.2～103	1.9
1，3-二硝基苯	229	84.3～108	3.6	1166	88.1～105	3.6	5830	98.2～101	2.1
2，4-二硝基甲苯	233	83.5～105	5.4	1211	87.2～105	3.5	6055	97.2～105	2.3

化合物名称	低浓度加标水样			中浓度加标水样			高浓度加标水样		
	加标浓度/（μg/L）	回收率/%	相对标准偏差/%	加标浓度/（μg/L）	回收率/%	相对标准偏差/%	加标浓度/（μg/L）	回收率/%	相对标准偏差/%
奥克托今	234	81.3～115	4.6	1206	83.8～112	2.8	6030	94.9～107	1.4
硝基苯	237	82.2～117	3.5	1190	85.3～108	1.9	5950	98.9～103	0.9
黑索今	236	88.7～103	3.8	1195	90.7～105	2.5	5975	95.7～104	1.7
1，3，5－三硝基苯	240	88.4～112	5.8	1176	89.4～98.6	3.8	5880	96.2～101	2.2
梯恩梯	238	85.3～108	5.9	1185	89.1～101	3.4	5925	94.1～108	1.8

结果表明：8 种硝基苯类化合物在高、中、低三种浓度的加标水样中回收率均大于 80%，高浓度加标水样的回收率均接近 100%；相对标准偏差（RSD）介于 0.9%～5.8%之间，说明方法能够满足相关质量控制要求，样品基质对固相萃取的影响较小，方法准确可靠。

三、结　论

对检测器的选择、固相萃取柱的选择、固相萃取条件包括样品溶液的 pH 值、有机改性剂等条件进行了优化，建立了水中 8 种硝基苯类化合物的固相萃取－气相色谱分析方法。该法具有环保、灵敏、快速、简便、抗干扰能力强等特点，可以满足水和废水中痕量相关目标化合物的分析。

参考文献

[1] 国家环境保护局. GB 13194—1991 水质硝基苯、硝基甲苯、硝基氯苯、二硝基甲苯的测定气相色谱法[S]. 北京：中国标准出版社，1992.

[2] 国家环境保护局. GB/T 13194—1992 水质梯恩梯、黑索今、地恩梯的测定气相色谱法［S］. 北京：中国标准出版社，1993.

[3] 国家环境保护局《水和废水监测分析方法》编委会. 水和废水监测分析方法［M］. 北京：中国标准出版社，2002.

[4] 龙素群，钟志京，林涛，等. 对水中硝基苯类固相萃取效率的研究［J］. 环境化学，2009，28（5）：764－765.

[5] 刘斌，王京平，陈山，等. SPE－GC/MS 法测定水中对硝基氯苯和 2，4－二硝基氯苯［J］. 环境监测管理与技术，2007，19（5）：30－31.

[6] 沈彬，罗三姗，张占恩. 液相微萃取－气相色谱/质谱测定水中硝基苯类化合物［J］. 分析科学学报，2007，23（6）：705－707.

简易便携式水体中砷的快速测定装置

张玉惠[1]　尹彦勋[1]　张　农[2]

（1. 天津市环境监测中心　300191；2. 天津市科学技术信息研究所　300074）

摘　要　砷对人类和动物有着很强的毒性，但对水体中砷的现行测定方法，仅限于实验室分析，不能满足对水环境污染事故应急处理的需要。本文基于砷斑法原理基础上，开发了一种简易便携式水体中砷的快速测定装置。

关键词　简易　便携　水体中砷　快速测定　装置

130 多年前 Gutzeit 就提出了用砷斑法来测定水中的砷含量，多年以来该方法一直作为半定量的方法应用在实验室的检测中。但随着社会经济的发展，尤其是环境污染应急事故及现场快速检测的需要，一种简易、便携、快速测定水体中砷的装置为大家所期盼。

通过大量实验我们在砷斑法原理的基础上，研制成了一种水中砷含量的测定装置。该测定装置克服原方法较复杂、不能便携、只能由专业人员检测等问题，并在此基础上降低了原方法的检出浓度，使之不仅能用于应急事故现场检测，也可用于饮用水中砷含量的测定。

一、砷显色卡片制备

（一）溴化汞试纸卡

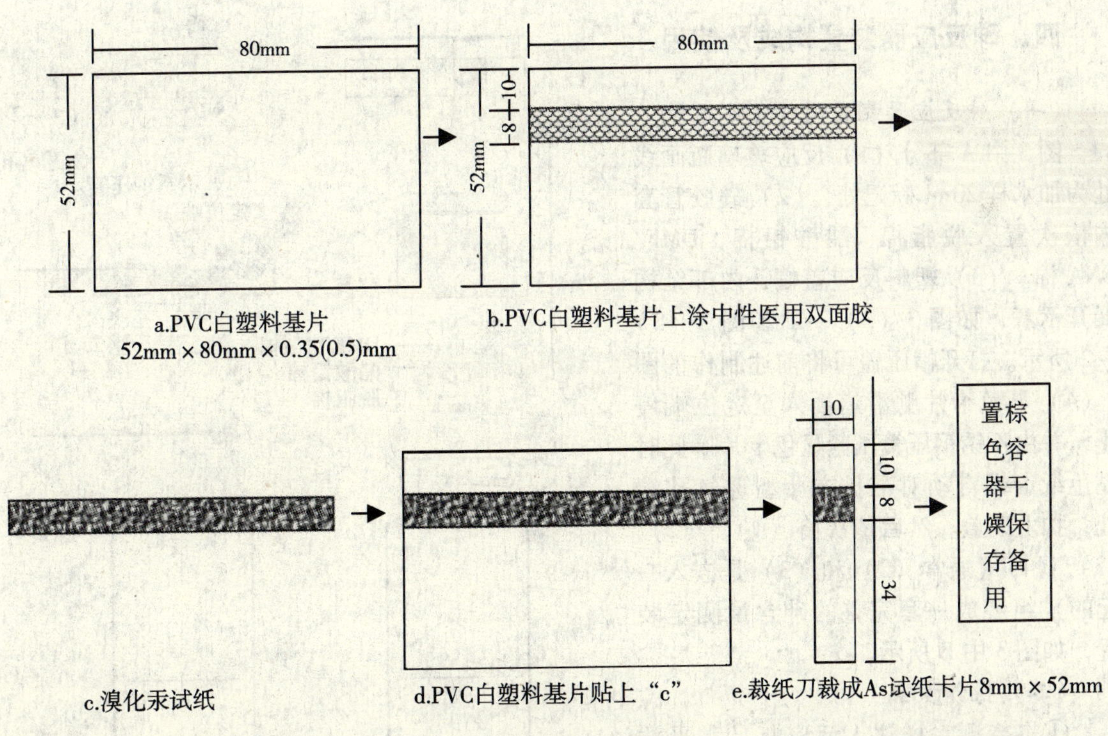

图1　As 测试纸卡片制作

①准确称取溴化汞 0.350g 加乙醇 100ml 配成 35% 溴化汞液（如不易溶解可稍加热），将配制好的溶液置于棕色瓶中。②将无灰定量滤纸裁成 8mm × 80mm 条片置于溴化汞溶液中浸泡 20min 后，用四氟棒夹出，并架起置阴暗避光处，使乙醇自然挥发后，置棕色瓶中避光保存。在

浸渍及干燥过程中，避免用手接触滤纸。③将 d＝0.35～0.5mmPVC 白塑料基板裁成 52mm×80mm 片，并将其洗净晾干。④在塑料基片上涂上医用双面胶，然后将裁剪好的溴化汞条贴于基片上，并裁制成条。具体操作见图 1。

（二）抗干扰棉

① 脱脂棉；② 醋酸铅棉：用 5% 醋酸铅溶液浸润脱脂棉，除去多余的醋酸铅溶液，在低温下烘干并使疏松备用；③DMF/ENA 棉花：用 DMF（二甲基甲酰胺）：ENA（乙醇胺）＝9∶1 液浸润脱脂棉，暗干并疏松备用。

二、试　剂

测定砷所用试剂分为两种，按所需的量准确称量，分别放入两个包装袋中并加以封闭。

1. 400mg 酒石酸及其他试剂
2. 40mg 硼氰化钾

三、砷标准比色板的制备

反应瓶内依次加入 0、5、10、25、50、100、250μg/L 砷标准 20ml 溶液，按 4.2 的操作步骤进行测定，将所得的显色卡片依次排好，用扫描仪将显色卡颜色扫入电脑中，用 Photoshop 软件将所对应的图色打印成图标，并裁制成砷标准比色板（见图 2）。

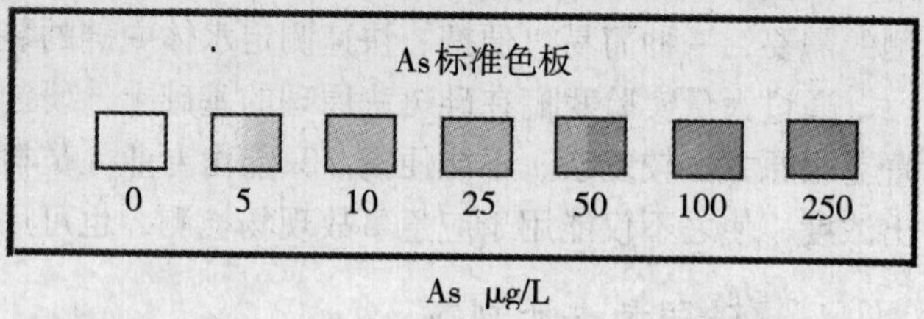

As标准色板

0　5　10　25　50　100　250

As　μg/L

图 2　砷标准比色板

四、砷反应器装置构成及使用

（一）砷反应器装置构成（见图 3）

图 3 中 A 部分（1）反应玻璃瓶画线处为加水样 20ml 标记处，（2）硅胶管套内依次置入脱脂棉、醋酸铅棉、DMF/ENA 棉。（3）塑料反应盖帽，内部结构展开示意，如图 3（3）－1 和图 3（3）－2 所示。打开帽压盖可将前述制作的图 3（4）显色卡片顺滑道插入至定位端停止，并由不锈钢压簧压紧显色卡片。此时显色纸卡端自动对准长方斗型透气孔端处，扣上压盖。然后依次将（1）、（2）、（3）、（4）（通常（2）和（3）是嵌入一起的）组装成一套完整的砷含量测定装置，如图 3 中 B 所示。

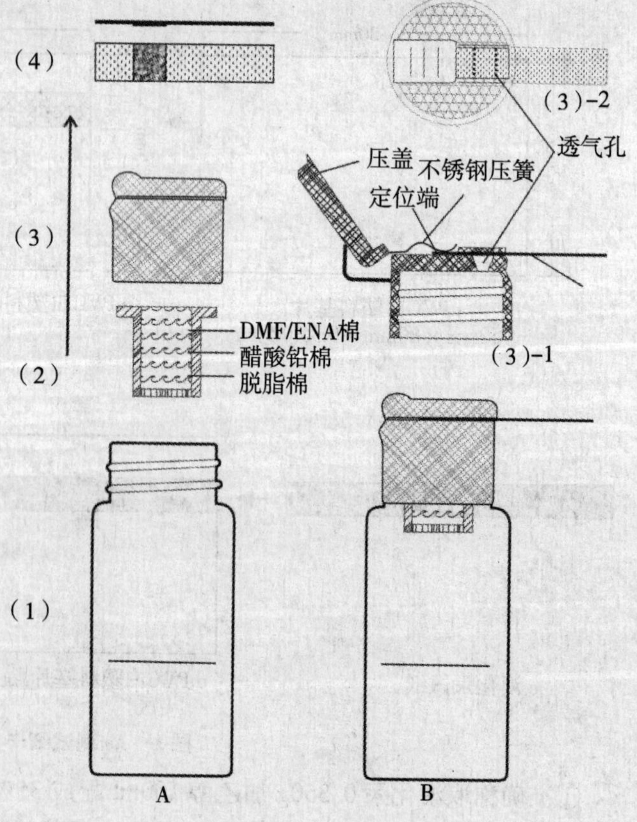

图 3　砷反应装置结构图

（二）操作步骤

①将待测水样注入反应瓶（水平放置时）刻画线处，此时水样为 20ml；②依次加入第一包试剂粉和第二包试剂片（如图 4 所示）后，③迅速将图 3 中（2）和（3）盖帽拧紧，并插入显色卡；此时

按④所示水平摇动瓶内溶液（避免液与瓶口接触）15~20min 后，将显色卡片抽出与标准比色板颜色对比确定样品中砷的含量。

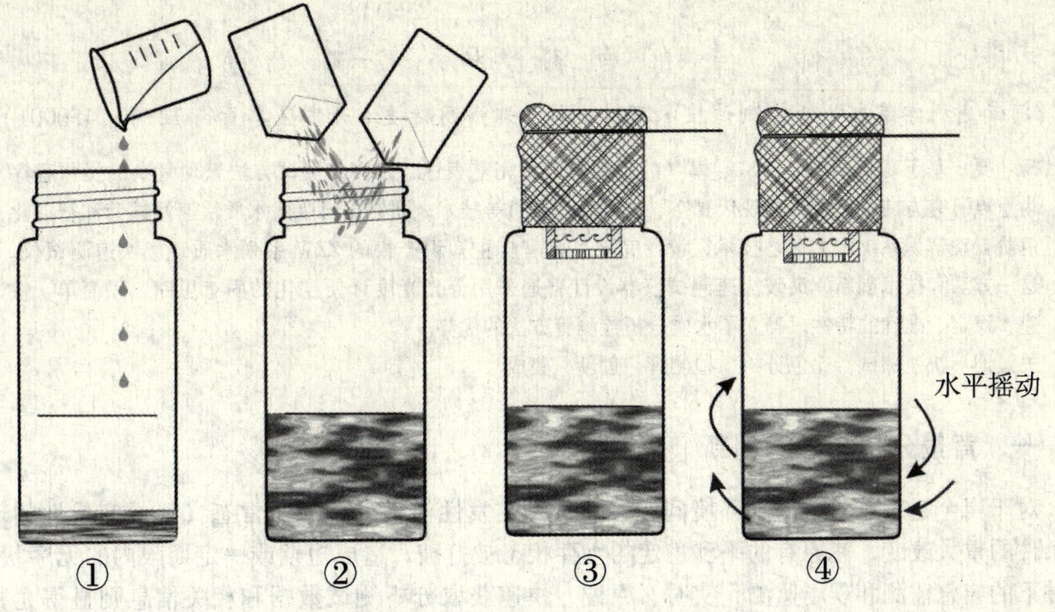

图4　操作流程图

五、结　语

本文阐述的砷测定装置，其基本原理是将水样中砷以 AsH_3 形式与水样分离，并与试纸卡片反应显色。该装置简单易行，快速，不仅解决了由非专业分析人员能完成的测定，而且解决了长期以来不能便携到环境污染现场应急检测的技术难题。

参考文献

[1] Howell Furman, Standard Method of Chemical Analysis Volume 1, 120.
[2] 牛建军，汪炳武．分析化学．1992，20（8）：902-906.
[3] 汪炳武，牛建军．分析化学．1992，20（12）：1403-1405.
[4] 黄炳金，云南冶金，1997，26（1）：46-48，32.
[5] 宫本玲，等．分析化学．1985，13（9）：673-676.

水质分析快速测试方法的研究与技术创新

李树华　白　莉　刘松彦　郭一鹏

（河南省科学院郑州沃特测试技术有限公司　郑州高新技术开发区冬青街12号　450001）

摘　要　基于对“朗伯-比尔定律”的正确解读和完整表达，以突破测试方法繁琐复杂的操作程序为重点研究方向，高度集成现代真空、光电、计算机等技术，研制出自吸式水质快速测试管和智能化色阶自动辨识系统两大核心技术，设计完成了具有自主知识产权的ZZW系列水质现场快速测试仪。这一方法和技术创新，突破快速测试仪器设计普遍采用分光光度计便携化的固有思路，以简单、快速、稳定、准确的特性，确立了水质分析检测管方法的优势。

关键词　快速测试　比色分析　检测管　创新　集成

一、背景分析与思路创新

对于当今越来越复杂的水环境问题，尤其是突发性污染事件和非常态（极具突发性的环境和条件的重大改变，使原有的平和稳定的生存状态被打破，造成短期或一定期限内的无序状态）条件下的应急监测和现场监测，实时、原位、快速获取分析测试数据和相关信息则显得尤其重要。这一方面对环境分析测试人员的能力提出了更高的要求；另一方面“时间因素”如何在准确性和快速求得答案之间寻求平衡的问题，则成为分析化学工作者和测试仪器设计人员必须面对和亟待解决的课题。

我们知道，环境科学的发展很大程度上依赖于分析测试。面对错综复杂的水环境，水质分析人员的职责就是能用“最好的”方法获得所要求的信息，提供有价值的测试结果和数据，以便作出相应的解决方案。然而在通常情况下，是没有“最好的”、解决众多问题的分析方法的，尤其是对于时间和空间特性极强，随机变化明显的应急监测和要求监测频率较高的分析测试而言，现场检测取得的一个及时的、好的答案要比一个来得太迟的实验室检测完善的答复有价值得多，长时间不能获得分析结果就意味着灾难。从当前快速测试方法研究的趋势分析，一种测试结果令人信服且与常规方法所得结果可比或更好，适用性、耐变性更强的非常规实验室技术和方法越来越受到分析专家的重视，快速、简便、智能、数字、小型化的测试仪器已成为技术创新的主流。

基于这种认识，我们始终坚持“创造简单”的创新理念，以突破传统测试方法繁琐复杂的操作程序为重点研究方向，高度集成现代光电、计算机等信息技术，研制出自吸式水质快速测试管和智能化色阶自动辨识系统两大核心技术，设计完成了具有自主知识产权的ZZW系列水质现场快速测试仪。现场使用时只需把测试管的毛细管在水样中折断，水样即自动定量吸入管内，数分钟内完成显色反应（不同品种的测试管反应时间不同），然后将完成显色反应的测试管插入测试仪，利用仪器高仿真色阶辨识技术，即刻读数并记录测试结果。

二、对朗伯-比尔定律的再认识与理论探讨

在分析化学领域，$A = kbc$ 是人们熟知的朗伯-比尔定律的数学表达式。

其物理意义是，当一束平行单色光垂直通过某一均匀非散射的吸光物质时，其吸光度A与吸光物质的浓度c及吸收层厚度b成正比。

由此，不仅奠定了比色分析法理论基础，成为获得物质光吸收特性、定量信息的重要测试手段，而且分光光度计研制设计中遵循的“最大吸收原则”，似乎也以其不可动摇的权威性长期影响着相关测试仪器的设计与发展。

因而，在分光光度计问世的近70年间，随着光学和电子学技术的发展，同类仪器的测量精度、功能和自动化程度不断提高，但其结构排列方式及工作原理基本不变。

应该说，在实验室环境条件基本恒定，时空因素影响不大、操作人员相对稳定、熟练的情况下，分光光度计“最大吸收原则”与朗伯－比尔定律呈现出较好的一致性。然而，当将这一方法移植为便携式现场快速测试仪器，用于工作环境差、人员变动大、时间要求紧、任务量大的应急或非常态状况下的现场快速监测时，该方法及仪器应有的特点似乎变得不尽如人意，系统误差增大，仪器精密度降低、测试数据常常让人难以信服，现场测试质控难度加大。

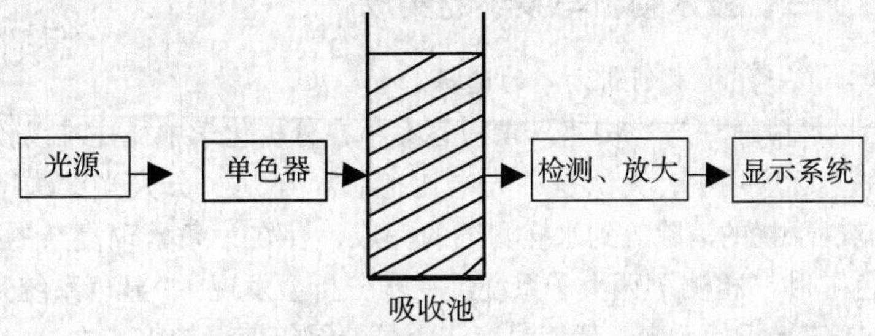

图1　传统分光光度计组件排列方框图

究其原因，一是由于原器件和技术的局限性，目前便携化的分光光度计得到的入射光实际上都是具有某一波段的复合光，而“最大吸收原则”只适用于单色光。二是朗伯－比尔定律要求吸光物质的溶液是均匀的，但作为应急或非常态下的现场快速测试，很难保证做到这一点。待测溶液的混浊或悬浮物的存在，入射光都会因散射现象而损失。三是操作程序节点过多和仪器使用条件的巨大变化都会造成不可预测的偶然误差。同时，作为有限定律，比尔定律也只适用于一定测试范围。

从上述现象分析，“最大吸收原则”的“失灵”，是由于实际应用条件与朗伯－比尔定律所要求的理想条件不一致所导致的。

然而，就我们的研究和理解而言，“最大吸收原则”并不是对“朗伯－比尔定律”的全面解读和完整表达。我们知道，化学显色反应本身呈现出的是一种复合光（颜色），传递出复合响应信息，该复合光的每一波长的吸光度在一定范围内，应该都与待测物浓度呈一定的比例关系，也就是说均符合朗伯－比尔定律，并构成与待测物浓度相关的特征性复合光（颜色）。由此推论，如果能对复合光进行全色分析或对其中最具特征性波长进行多维分辨解析，其测试结果的准确性应更接近“真值”。

换个角度分析，利用比较溶液颜色的深浅来确定溶液中有色物质的含量是比色分析方法的基点。根据“三基色原理”，不同颜色是由红绿蓝“三基色”的不同比例结构决定的。当目视比色难以辨析颜色的差别时，只要我们借助技术手段，采集到“三基色”细微的结构变化信息并进行数字化处理，就可以计算出不同颜色与不同待测物浓度间对应的函数关系。一般而言，相关信息掌握的多少，决定着分析结果准确度的高低和排除干扰能力的强弱。同理，对颜色敏感的测试仪器，也会在背离“最大吸光原则”应用环境和条件的情况下，表现出优异的适应性和稳定性。例如，当进行COD的分析测试时，溶液的颜色随着被测溶液的浓度不同由黄色转为绿蓝色，涵盖了很宽的波长范围，造成工作曲线发生弯曲现象。用传统分光光度法选定单一波长是难以进行线性测定的，但如果选用对颜色进行分析的方法，就可实现可见光范围内的全波长测定。

正因为如此，全色分析、数字分离、全光谱分析等研究越来越引起分析测试和仪器研发设计人员的重视，其科研成果也将在测试技术的创新中得到应用。

理论的探讨和技术性能的比较使我们感到，即便分光光度法便携化设计，容易导致对“朗伯－比尔定律”的偏离，造成测试数据再现性差的技术缺陷，但比色分析方法灵敏度高、操作简便、测试快捷、适用范围广的系统特性，恰恰是水质现场快速测试方法必须具备的技术特征，也是其他方法所难以替代的。解决问题的关键，是如何真实采集特征性复合光信息，全方位表达朗伯－比尔定律，以全新的手段和技术的优化整合实现方法的创新。

三、技术创新与系统的集成

（一）技术创新方案的选择

“精确”与“快速”求得答案，在分析化学中往往难以较好的统一。尤其是在比色分析方法的实际应用中，无论是“光电比色法”还是“分光光度法”，从取样、试剂配制、显色条件控制、干扰的消除等到水样测试的完成，存在一条繁琐复杂的操作流程。将这一流程分解为“显色”和“检测”两大子系统进一步分析会发现：“显色系统”各种因素相互交错，待测物性质、pH 值、干扰元素、环境温度、人员情绪等变量较多。在这一系统中，“人为”的因素是极难控制却又是解决问题的关键；“检测系统”是设计理念的“物化”形式，当基本原理和结构不变的情况下，元器件的质量、功能化设计可以提升系统的精度，减少仪器的“漂移”，但不会改变系统的技术缺陷或设计局限。因而，只要这两个子系统中的制约因素未得到创新性的改变，仅靠细枝末节的变化，例如为了便携化，配套一些定量分装的试剂包、检测管、测试瓶等，并不能有效地减少系统中容易产生干扰、造成偏差的“节点”。

经过不同层面的分析和研究，按照化学计量学方法的稳健化原理（当体系存在对假设的较小偏差时，分析结果仅受到较小影响；而当这种偏差较大时，其影响也不至于是灾难性的）进行技术创新路线的思考，我们认为，化学显色反应结合真空、光电、信息等现代技术为重要手段，在“显色系统”，化繁为简，以操作程序高度集成的“傻瓜化”消除或减少人为因素的影响；在“检测系统”，以信息采集的自动化和全色分析的智能化，减少干扰因素产生的“节点”，通过两大子系统的优化整合，完全可以突破传统快速测试仪器的设计思路和技术局限，实现比色分析方法的集成创新。

（二）自吸式水质快速测试管的研制

1. 以多元络合物的显色反应为主攻方向，在检测试剂原有的配位体系中引入新的配位体进行改性和结构调整，构成多元配位络合物体系，显示出新的反应特性，提高试剂的灵敏度和特异性。同时，进行显色试剂的合成制备及反应体系的整合，某些特殊试剂的研制突破现实分析测试方法的思维定式，使实验室传统及标准方法中尚未实现比色分析的检测指标在我们的技术体系中成为可能，力求反映体系的特征性及统一、完整性。

图2

2. 测试液实际应用反应条件的选择和控制，以及抗干扰和存储性试验，提高试剂的抗干扰性和稳定性，保证试剂与待测物的反应具备快速、准确、特异性好、分辨力强、线性范围广等多项优异的分析性能。

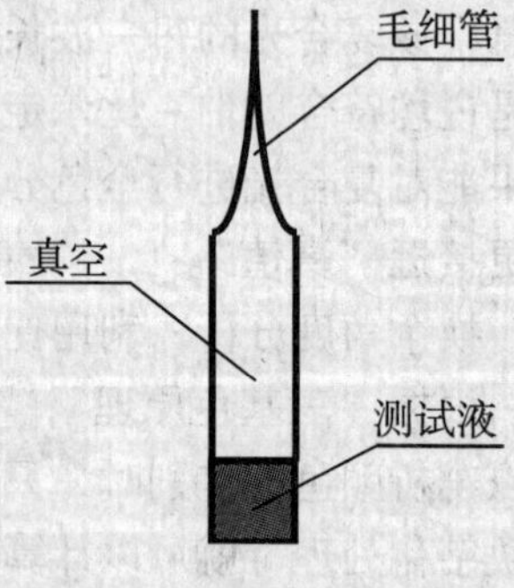

3. 简化反应步骤和操作程序，这在分析化学中是极为苛刻的要求，也是分析测试技术之所以繁琐、复杂的原因所在。本项研究以工业化生产方式完成显色反应操作的前期程序，测试液作为中间体贮存于测试管中成为“测试管产品”。测试管生产过程中严格的质控技术，有效保障了每一批次产品性能高度的一致性和测试的精密度。每支测试管独立真空分装、一次性使用，提高了测试效率，有效降低测试成本并最大限度地减少了二次污染。

4. 选择透光性好、材质均匀的玻璃管为载体，采用独特的真空技术工艺，有效地解决了测试液存储、定量采样与准确度控制一体化、操作程序“傻瓜化”、测试技术商品化的难题。一是可使水样自动充入测试管，避免了向比色皿中加入水样和试剂的繁琐程序；二是控制真空度，可使自动取样实现准确定量，避免人为计量误差；三是测试液真空无氧存储，大大减缓了试剂的氧化分解，大幅度延长测试管的保质期，使之具备良好的商品性能。

（三）智能化色阶自动辨识系统基本原理

1. 采用对颜色敏感的高精度、高稳定性 RGB 传感器作为颜色信息的采集器。这种传感器在 3mm×3mm 的面积上集成了几十个 R（红）、G（绿）、B（蓝）传感器。当光源发出的白光通过测试管有色溶液时透过光投射到颜色传感器上，就可得到 RGB 三色的相应电流。由于 RGB 三基色覆盖了整个可见光，经过模数转换我们即可获得不同颜色的数字信息。而且，该传感器在工作温度 -40～70℃运行时，误差 <1‰，保证了采集数据精准。

此外，相同颜色的传感器是并联连接，均匀分布在传感器阵列中，可以消除颜色的位置误差。在水中有微小漂浮物时，测试数据仍能保持稳定。

2. 按照量值传递原则，使用同一传感器进行大量的信息采集。数据采集使用多次采集的方法，在 10ms 的周期内等间隔重复采集 16 个数据。利用数字滤波技术，屏蔽外界可能窜入的突发性干扰信号，以求得采集数据的准确和稳定。

在可见光全光谱范围内采集快速测试管与不同浓度值标准样品反应颜色信息的基础上，运用三维数阵算法进行全色分析和积分整合，计算出不同颜色与不同待测物浓度间对应的函数关系，利用 CPU 控制芯片和 IC 存储芯片强大运算和存储功能的技术支持，设计并建立不同测试参数颜色变化积分曲线的数学模型，实现水质测试管颜色的自动辨析，大大提高检测精度、减少人为误差。

3. 在结构设计中，光源的选取与传统光源不同。我们采用白色漫射光 LED，使其入射光线更均匀、更节电，仪器设计更为适合现场、原位的快速测试。

测试管定位系统，巧妙地利用测试管本身作为圆柱形透镜，将透射光精确定位于传感器阵列。光源发出的入射光和经过测试管的透射光与测试管保持严格垂直，从而避免了一些光电测试仪常因吸收池定位不准产生的误差。

仪器内微电脑控制器在每次测量前都进行校零处理，因此克服了由于温度、湿度、机械震动造成的“漂移”，实现了无参比快速测试，提高了测试的稳定性。

四、系统的集成

自吸式水质快速测试管（取样显色子系统）与智能化色阶自动辨识系统（检测子系统）两大核心技术的研制成功，使复杂繁琐的分析测试流程简化到极致，可谓“一折”（将测试管在水样中折断）、“一点”（点击按键）即可得到测试结果。两个子系统的优化整合和技术集成，为开发具有自主知识产权的快速测试仪器提供了有力的技术支撑。

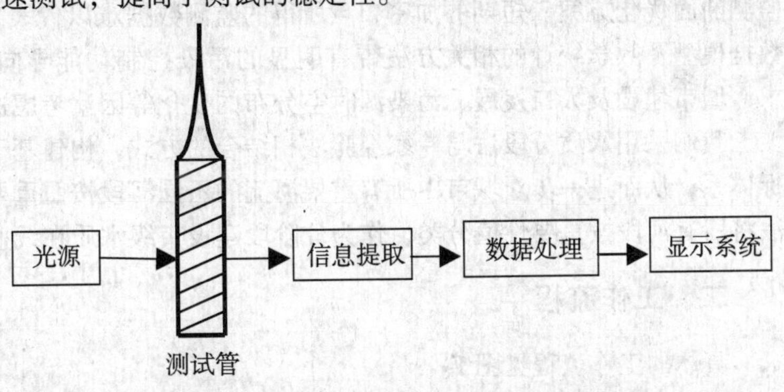

图 3　ZZW 系列现场快速测试仪组件排列方框图

近年来，我们先后研制出 ZZW 系列“多参数水质现场快速测试仪”、“COD 现场测试仪”、“重金属现场快速测试仪”等快速测试仪器和辅助设备，可测参数达到 50 多种，为我国应急监测和非常态条件下的现场水质监测，提供了简单、快速、适用、稳定、准确的便携式水质快速测试仪器，实现了比色分析方法的创新。

参考文献

[1] 李克安，金钦汉，等译，分析化学［M］．北京：北京大学出版社．

[2] 汪尔康．21 世纪的分析化学［M］．北京：科学出版社．

[3] 赵桦萍，赵立杰，白丽明．分光光度分析［M］．哈尔滨：哈尔滨工业大学出版社．

[4] 刘珍．化验员读本（下册）/仪器分析［M］．北京：化学工业出版社．

一种城市地表水在线监测站网布设方法

杨丽丽　陈　群　潘伟斌　黄昌妙

（华南理工大学环境科学与工程学院　广东　广州　510006）

摘　要　结合珠三角某城市的地表水在线监测站网布设的工作实践，提出一种城市地表水在线监测站网的布设方法，该方法尤其适用于河网密集地区的城市。遵循为城市环境管理服务、整体优化的布设原则，采用水质分段法与专家经验法相结合的方式，构建基于层次分析法的河段重要性评价指标体系，从而进一步将各河段按照重要性高低进行排序，应用模糊聚类法将所有河段分类，为分阶段布设城市地表水在线监测站网奠定基础。

关键词　地表水　在线监测站网　城市　布设方法

在线监测站网布设是地表水在线监测中的首要工作。本文提出一种适用于河网密集地区的城市地表水在线监测站网布设方法，其中所指的地表水仅指河流，不包括湖泊、水库等地表水体。

一、布设方案比选

现有的地表水监测断面布设方法主要有水质分段法[1]，基于人工神经网络法[2]、SPSS[3]、Matlab[4]等的聚类方法，物元分析法[5]，断面综合指数评价法[6]，均值偏差法[7]等。

除水质分段法外，以上方法全部构建在加密布点的基础上，以常规水质监测断面优化布点作为应用目的，通过对同类监测断面进行优化精简，获得数目最少且能充分代表地区水环境质量的监测断面优化方案。短期的加密布点所得的监测数据难以代表未来长期的地表水水质变化状况，数据模型及数学统计的相关方法带有明显的污染控制功能导向性，未能将政府对环境管理的需求、城市建设及人口发展、污染源时空分布的变化等因素考虑进去，存在一定的局限性。

我们采用水质分段法与专家经验法相结合的方式，构建基于层次分析法的河段重要性评价指标体系，从而进一步对城市中所有重要河流的不同河段按照重要性高低进行排序，应用模糊聚类法将所有河段按重要性值分类，作为分阶段建设市级水质在线监测站网的依据。

二、工作流程

具体的工作流程见图1。

（一）基础资料调查

通过全面翔实的资料收集及分析总结，可以识别出城市突出的地表水环境管理问题，为后续划分河段、构建河段重要性评价指标体系奠定重要的理论基础。主要收集的资料类型有：

①自然地理概况；②社会经济概况；③污染源分布情况；④水功能区划；⑤饮用水源；⑥交接河流；⑦其他文件。

（二）重要河段筛选

1. 划分河段

首先选择城市中的重要河流，在了解污染源、饮用水源、集中居住区、水利设施的布局等情况的基础上，分析河流的沿程各项变化，结合河流形态，识别水质突变点[1]，将城市内各重要河流划分成不同河段，通过咨询政府环境管理人员及规划、水利等领域的专家的意见，形成成熟的河段划分方案。

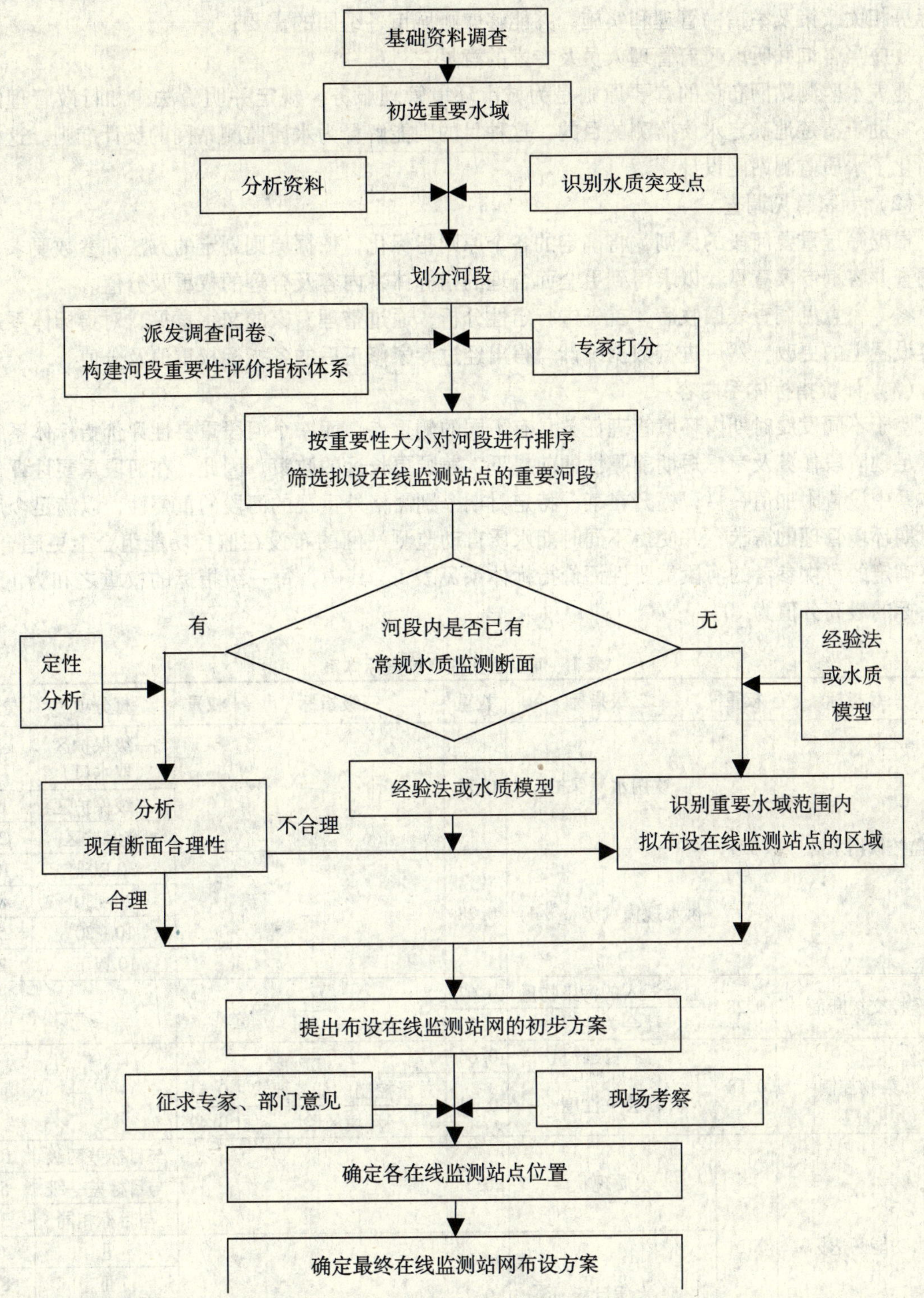

图1　城市地表水水质在线监测站网布设的工作技术路线图

2. 河段重要性评价指标体系

（1）构建原则

①为了突出建立水质预警应急系统及保障人民群众饮用水安全的目的，属于饮用水源及饮用水源保护区内的河段应优先考虑；

②加强对跨市河流边界、各重点污染源的监控，应有助于总量控制、污染物控制、水功能区

达标等相关政策及举措的管理和实施，并能够兼顾城市各组团的需要；

③应当咨询并听取政府管理人员及专家的意见。

地表水监测站网布设的首要原则是为城市环境管理服务。规定并明确法律和行政管理的目的，有助于清楚地确定水质监测的目的，这种目的则能解释为水质监测站网的设计准则。这极大地简化了水质监测站网设计[8]。

（2）专家意见调查

根据筛选重要河段的原则，将确定的各个原则指标化，依据原则划定的方法和参数要求，开展调查并咨询专家意见，以求得到更全面合理的指标体系内容及合理的权重及分值。

将专家意见调查表回收后，首先进行定性分析，通过整理专家的文字意见，对指标体系进行内容设置上的更改，然后进行数据统计，得出经过专家修正后的各指标权重值及分值。

（3）评价指标体系内容

鉴于不同发展时期内环境管理任务具有不同的侧重点，而一个河段重要性评价指标体系很难在满足现阶段任务及考虑短期前瞻性的前提下，兼顾更长远的政策。因此，在河段重要性评价指标体系中设置附加值一栏，提升在某一特定时期个别需格外重视的河段的重要性，以满足今后不同时期环境管理的需求，并使得不同时期水质自动监测站网的布设在监控功能组合上更趋合理。最终确定的可供参考的河段重要性评价指标体系见表1。其中，每一级指标的权重之和为1，每个指标的最高分值为10。

表1　河段重要性评价指标体系

<table>
<tr><th>一级指标</th><th>权重</th><th>二级指标</th><th>权重</th><th>三级指标</th><th>权重</th><th>打分项</th><th>分值</th></tr>
<tr><td rowspan="7">监控饮用水源</td><td rowspan="7">0.4</td><td rowspan="3">饮用水源保护</td><td rowspan="3">0.72</td><td rowspan="3" colspan="2">—</td><td>一级保护区（取水口）</td><td>10</td></tr>
<tr><td>二级保护区</td><td>6</td></tr>
<tr><td>准保护区</td><td>3</td></tr>
<tr><td rowspan="4">供水规模（万 m^3/d）</td><td rowspan="4">0.28</td><td rowspan="4" colspan="2">—</td><td>30 以上</td><td>10</td></tr>
<tr><td>20～30</td><td>8</td></tr>
<tr><td>10～20</td><td>5</td></tr>
<tr><td>10 以下</td><td>2</td></tr>
<tr><td rowspan="2">监控交接断面</td><td rowspan="2">0.28</td><td>上游汇入的污染物量</td><td>0.67</td><td rowspan="2" colspan="2">—</td><td rowspan="2" colspan="2">—</td></tr>
<tr><td>社会关注度</td><td>0.33</td></tr>
<tr><td rowspan="3">污染物控制</td><td rowspan="3">0.18</td><td>入河污染物量</td><td>0.66</td><td colspan="2">—</td><td rowspan="3" colspan="2">—</td></tr>
<tr><td rowspan="2">社会关注度</td><td rowspan="2">0.34</td><td>总量控制的任务要求</td><td>0.51</td></tr>
<tr><td>环境风险</td><td>0.49</td></tr>
<tr><td rowspan="7">水功能区达标</td><td rowspan="7">0.14</td><td rowspan="3">水质现状</td><td rowspan="3">0.3</td><td rowspan="7" colspan="2"></td><td>与目标差两级</td><td>10</td></tr>
<tr><td>与目标差一级</td><td>5</td></tr>
<tr><td>与目标相同</td><td>3</td></tr>
<tr><td rowspan="4">水质目标</td><td rowspan="4">0.7</td><td>Ⅱ</td><td>10</td></tr>
<tr><td>Ⅲ</td><td>8</td></tr>
<tr><td>Ⅳ</td><td>5</td></tr>
<tr><td>Ⅴ</td><td>5</td></tr>
<tr><td colspan="8">附加值：与今后不同时期的环境管理任务相关，提升个别需要格外重视的河段的重要性高度，详细分值视情况而定。</td></tr>
</table>

（4）河段重要性评价指标打分

针对有客观数据支持的指标，按照不同数值所处的大小区间相应地定量给分；针对需结合资料分析、任务总结、风险识别、专家咨询等主观分析的指标，按照不同城市的实际情况拟定评分细则，也由所处区间相应地定性给分；附加值的分值需由政府环境管理人员的综合意见确定，以满足其实际工作的需求。

（5）密度修正

每一布设阶段内的在线监测站网需体现整体优化的原则，即布设的对象立足于城市整个区域，在综合考察分析不同因素的情况下，按照所选出河段的空间分布密集性，通过咨询专家意见，对水质在线监测站网进行密度修正，引入密度修正因子的概念，将部分河段的总分值乘以一个小于1的系数后进行修正，应使得每一个布设阶段内的水质在线监测站网的整体空间布局、监控功能组合都是最优化的。

3. 分阶段布设方案

将各河段分值用统计软件（如SPSS）计算，得到聚类图，从而形成应用于长期的水质在线监测站网分阶段布设方案，更系统、有力地为环境管理部门相关决策提供指导。

（三）站点位置确定

1. 识别监测站点布设区域

采用经验分析法，如果河段内已经设有常规监测断面，定性分析其合理性，如果合理，则直接在原有位置建立在线监测站点，这样也有利于监测数据的更长期积累和比对，如果不合理，再运用经验分析的方法将布设区域缩至更小范围内，如果拟布设的在线监测站点的监控功能为重点污染源监控，还需利用水质模型确定布设区域。

2. 现场考察

参考城市和各镇的总体规划、土地利用规划等文件，站点位置要能满足通信联络的条件、交通运输方便、土地可利用等。同时，也要考虑物质条件的可能性：一方面要尽量依托现有建筑建设自动站，可以在土地征用、人员招募、安全性保障等方面节省很多资金；另一方面要能满足电力供应的要求，有自来水连续供应，便于仪器的定期清洗；最后要具有通信条件，最好依托现有的通信设备，保证数据的连续传输。

参考文献

[1] 丁卫东，王中平，赵颖，等．水质分段法优化河流监测断面及其在水功能区达标监测中的应用［J］．中国环境监测，2005，21（6）：4-7.

[2] 梁伟臻．人工神经网络改进BP算法优化水质监测点［J］．广州环境科学，2005，20（3）：32-34.

[3] 周志军，潘三军，杨培慧．SPSS模糊聚类分析法在水质监测断面聚类分析中的应用［J］．仪器仪表与分析监测，2007（4）：32-35.

[4] 马飞，蒋莉．基于Matlab的水质监测断面优化设置研究［J］．内蒙古环境保护，2006，18（3）：48-50.

[5] 弓晓峰，陈春丽，赵晋，等．鄱阳湖乐安河流域水质监测优化布点［J］．湖泊科学，2006，18（5）：545-549.

[6] 梁铁军．“断面综合指数评价法”在水质监测断面优化布设方法中的应用［J］．辽宁城乡环境科技，2004，24（5）：31-33.

[7] 姜欣．“均值偏差法”在河流水质监测断面优化中的应用［J］．黑龙江环境通报，2006，30（3）：44-45.

[8] Sanders T G, et al. 金立新，等译．水质监测站网设计［M］．南京：河海大学出版社，1987.

环境水样中五氯酚检测方法的优化研究

韦进进

（南宁市环境保护监测站　广西　南宁　530012）

摘　要　建立通过乙酸酐衍生化－正己烷萃取－气相色谱分析水中五氯酚的优化方法，探讨了衍生化试剂加入量、衍生化时间、溶剂萃取时间等条件对萃取结果的影响。结果表明：采用乙酸酐 500μl，衍生化 2min，正己烷萃取 2min 等条件对水中的五氯酚有较好的萃取效果，不仅灵敏度高，并且快速、准确可靠，用于环境水样中五氯酚的测定，结果满意。

关键词　五氯酚　正己烷　衍生化　气相色谱法

五氯酚及其钠盐常被用作杀菌剂和木材防腐剂，由于它化学性质稳定、残效期长、毒性高，对生物体具有广谱毒性和致突变性，目前已被我国、美国等国家列入水中优先控制的污染物[1]，减轻环境中氯苯酚类化合物的污染已成为一项日益受到重视的课题。

目前，对五氯酚分析一般采用衍生化－气相色谱法，例如我国生活饮用水卫生标准（2006）推荐的液液萃取衍生化气相色谱法[2]使用的水样及有机萃取剂量较大；而该标准推荐的顶空固相微萃取气相色谱法[2]的固相微萃取装置会增加实验投资费用，分析耗时长。为此本研究建立了一种液液萃取－气相色谱检测地表水体中五氯酚的方法，现将测定结果报道如下。

一、实验部分

（一）仪器与试剂

岛津 GC－2010 气相色谱仪/电子捕获检测器（配备自动进样器）；SPB－5 石英毛细管柱（30m×0.32mm×0.25μm）；五氯酚储备液 0.95mg/ml（介质甲醇），碳酸钾、乙酸酐、正己烷均为分析纯（上色谱分析测定无干扰峰即可使用）。重蒸水应用前检查无色谱干扰峰。

（二）色谱条件

程序升温：初温为 80℃，保持 2min，以 10℃/min 升至 210℃；进样口温度 250℃；检测器温度 300℃，电流 0.50mA；载气为高纯氮（99.999%）；柱流量为 3.0ml/min；尾吹流量 60ml/min；进样方式：自动进样；进样量：1μl；分流比：10∶1。

（三）样品检测

1. 样品采集及保存

由于待测物五氯酚不稳定，在阳光照射下易分解，因此用棕色玻璃瓶收集水样，放于暗处，4℃下保存。如需保存超过 24h，可将五氯酚衍生化后萃取到正己烷中，置于暗处，4℃下保存。

2. 样品的预处理

于 10ml 比色管中加入 2mol/L 碳酸钾 500μl，然后加入均匀水样至刻度，摇匀后加入 500μl 乙酸酐，振摇 2min 再用 1ml 正己烷萃取生成的五氯苯乙酸酯 2min，有机物收集在 2ml 样品瓶中待分析测定。

3. 工作曲线

将 0.95mg/ml 五氯酚储备逐级液稀释为 0.005μg/L、0.01μg/L、0.05μg/L、0.10μg/L、0.20μg/L、0.50μg/L 标准溶液，按照 1.3.2 方法进行处理后上机测定后绘制工作曲线。

二、结果与讨论

（一）前处理条件的优化

1. 衍生化试剂体积的影响

用乙酸酐对五氯酚进行乙酰化，不仅选择性高、本底低，一般不需要净化，而且其价廉易得[3]，因此本实验选用乙酸酐作为衍生化试剂。图1考察了不同乙酸酐体积对衍生物生成量的影响，发现在50～600μl范围内随着乙酸酐体积的不断增加，衍生物的生成量也不断增加，但到了500μl以后衍生物的增加量趋于平稳，因此我们选择乙酸酐的加入量为500μl。

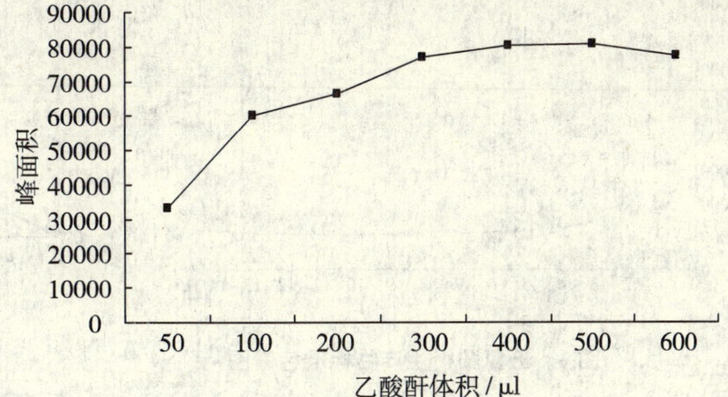

图1　乙酸酐体积对衍生物萃取量的影响

2. 衍生化时间的选择

衍生化时间的长短直接影响乙酸酐与五氯酚的衍生物五氯苯乙酸酯的产生量，因此选择合适的衍生化时间可以得到较佳的衍生物产量，提高方法的灵敏度。图2考察了衍生化时间0.5min、1min、2min、3min、4min对衍生物产生量的影响。在其他条件都不变的条件下（乙酸酐加入量为500μl），随着衍生化时间的延长，萃取量逐渐增加，2min后达到最大，之后衍生产物增加量趋于缓慢。这表明在乙酸酐加入量一定的情况下，随着衍生化时间的延长，衍生物产量会随之增加。另外，考虑到节约样品前处理的时间，最终确定衍生化时间为2min。

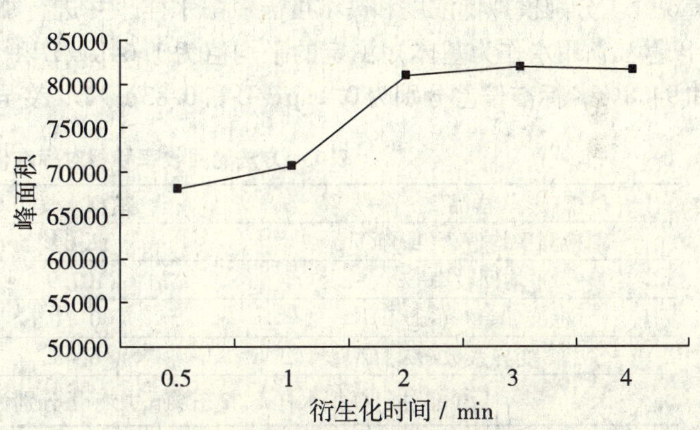

图2　衍生化时间对衍生物萃取量的影响

3. 衍生产物溶剂萃取时间的选择

图3考察了利用正己烷萃取时间1min、2min、3min、4min对衍生物萃取吸附量的影响。在其他条件都不变的条件下，随着正己烷萃取时间的延长，吸附量逐渐增加，2min后达到最大，之后趋于平衡。另外，考虑到节约样品前处理的时间，最终萃取时间确定为2min。

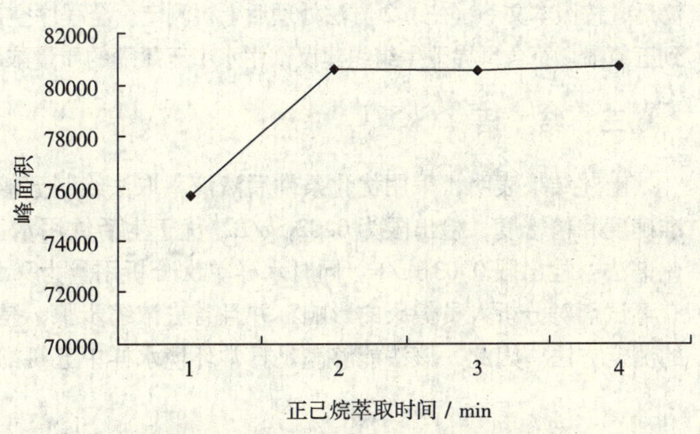

图3　溶剂萃取时间对衍生物萃取量的影响

（二）方法的评价

1. 线性范围和检出限

在上述优化条件下，萃取出的衍生产物五氯苯乙酸酯在13.351min出峰，色谱见图4。在上述优化条件下，以0.5μg/L、1.0μg/L、5.0μg/L、10.0μg/L、20.0μg/L、30.0μg/L、50.0μg/L浓度的五氯酚对峰面积作图，见图5。工作曲线的相关系数为0.9992，线性范围为0.5～50.0μg/L。方法检出限为0.02μg/L（以3倍的基线噪声计）。

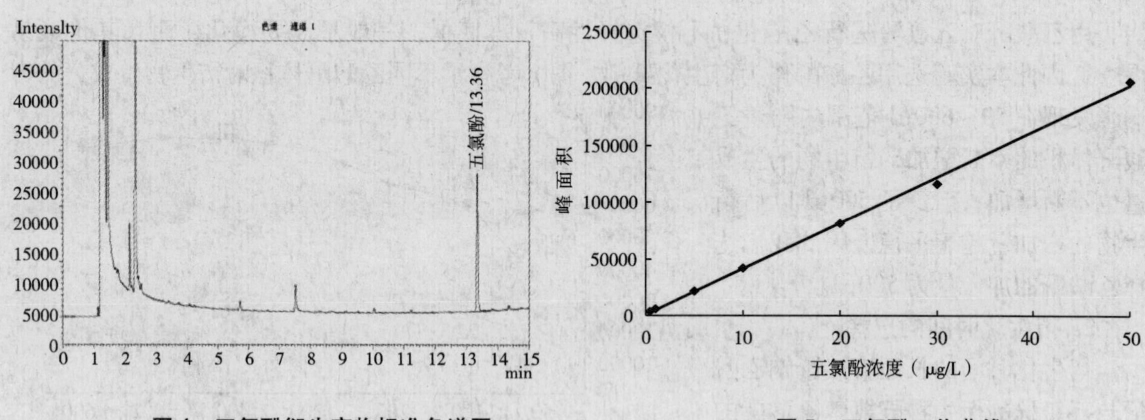

图4 五氯酚衍生产物标准色谱图　　图5 五氯酚工作曲线

2. 精密度和准确度

采用外标法进行定量分析，实验中要求严格控制乙酸酐用量和振荡萃取时间，以获得较好的重现性。分别模拟低浓度和高浓度五氯酚水样，并进行加标回收试验（见表1），两个模拟水样（以邕江饮用水作为基体）测定的平均值为1.64μg/L和9.65μg/L，平均回收率分别为107.9%和94.8%，标准偏差分别为0.11μg/L和0.83μg/L，变异系数分别为6.48%和8.56%。

表1 方法的回收率和相对标准偏差（n=5）

样品	模拟水样1	模拟水样2
检测平均值/（μg/L）	1.64	9.65
平均回收率/%	107.9	94.8
标准偏差/（μg/L）	0.11	0.83
变异系数/%	6.48	8.56

备注：模拟水样1、2五氯酚加标量分别为14.25ng，190.0ng。

3. 实际样品测定

将所建立的方法应用于地表水体中五氯酚的测定。采集邕江饮用水源地环境水样，用定性滤纸过滤后，按照本文一（三）2方法处理后上机测定。全程序空白以及所采集的5个环境样品中均未检测到五氯酚。符合世界卫生组织建议饮用水中五氯酚的质量浓度不要超过0.01mg/L[4,5]的标准。

三、结　语

上述结果表明，采用优化条件后液液萃取法绘制五氯酚的工作曲线相关线性好，具有良好的准确度和精密度，检出限为0.02μg/L，优于生活饮用水卫生标准（2006）液液萃取衍生化气相色谱法[2]检出限0.03μg/L。同时水样单次分析用量为9.5ml，萃取剂正己烷仅需1ml，不仅降低有毒试剂对分析人员健康的影响，并且省去浓缩步骤，是一种快速、准确可靠的水环境中五氯酚的测定方法。因此，该法能够满足日常环境水样中五氯酚的监测和痕量分析工作的要求。

参考文献

[1] 奚旦立，孙裕生，刘修英．环境监测［M］．北京：高等教育出版社，1998：6-7.

[2] 生活饮用水卫生标准（GB/T 57549—2006），399-404.

[3] 王学东，熊珺，李爱民，等．环境中五氯酚残留检测方法的优化研究［J］．华中师范大学学报（自然科学版），2006（4）：540-547.

[4] 冯亚平．环境中五氯酚监测研究［J］．四川环境，1992，11（1）：23-25.

[5] 周颖，吴显芳，屈卫东，等．水中五氯酚测定方法的研究［J］．卫生研究，2007，36（3）：287-288.

大连市饮用水水源地水环境监控预警体系研究

徐　辉　王日东　夏　莹

（大连市环境监测中心　辽宁　大连　116023）

摘　要　本文从水质在线监测系统监测点位的选择及设置等技术集成、预警监测网络主要建设内容、水质监控预警管理与决策系统的构建、突发性污染事故应急预案系统建立等方面介绍了大连市饮用水水源地水环境监控预警体系研究，为大连市饮用水水源地水环境监控预警提供示范。

关键词　水源地　监测　预警

一、前　言

在经济发展日益加速的当今社会，人类对水的依赖性越发明显，水源的科学保护和风险管理受到了前所未有的关注。大连市三面环海，地形狭窄，是一个水资源极为紧缺的城市。人均占有水资源量540m^3，仅为全世界人均占有量的1/16，为全国人均占有量2700m^3 的1/4。随着我市经济的快速发展、人口的不断增加和城镇化进度的加快，水资源的需求量日益增加，饮水安全状况关系到人民群众切身利益。大连市虽未发生水资源污染事故，但是饮水安全形势十分严峻，存在供水保证率低等问题。目前碧流河及英那河水库水质监测的条件和监测手段不能够实时、准确地掌握水库及入库河流水质的状况，也就不能及时发现水库及其上游入库河流水质的变化情况。为了随时掌握大连市重要的饮用水水源地的动态，确保水库水质安全，加强水质自动监测能力，建立水库水质监控与预警体系迫在眉睫。该体系的建立可以保障水库水质的安全，为改善水质提供科学依据，还可以警示人们开发利用活动对水质造成的影响、规范人们的开发行为。

二、碧流河及英那河水库基本情况及水质现状

（一）水库自然概况

碧流河水库位于辽宁省普兰店、庄河、盖州三市交界处，距大连市区170km。碧流河发源于盖州境内的棋盘岭山。河源海拔高程为1045m，流域位置在东经122°10′~122°53′，北纬39°24′~40°20′，是大连地区最大的河流。碧流河干流全长156km，平均比降1.89‰，坝址距入海口55km。水库最大库容9.34亿m^3，正常库容7.14亿m^3，死库容0.7亿m^3，正常水位线高度69.0m是一座以城市供水为主，兼有防洪、发电、灌溉、养殖、旅游等综合效益的大型国家水利枢纽工程。

英那河水库位于庄河市，距大连市区200km。英那河水库的主要来水是英那河。英那河发源于鞍山市岫岩县龙潭乡老北沟，海拔高程653m。河流全长94.4km，平均比降2.31‰，流域面积1004km^2，总库容2.87亿m^3，正常库容2.31亿m^3，是一座以城市供水为主，兼有防洪、灌溉、养殖、旅游等综合效益的大型国家水利枢纽工程。

（二）水库监测现状

碧流河水库库区水质监测共设5个断面（A、B、C、D、E）；英那河水库库区水质监测共设3个断面（入库、库中和坝前）。监测项目为：必测项目及选测项目34项，监测频次为枯、丰两个水期。每年进行一次挥发性、半挥发性有机物、有机氯农药、有机磷农药和重金属等80项的全面分析。

（三）水库水质现状

多年监测结果显示，碧流河及英那河水库库区水质状况较好，各项常规监测指标均符合国家

《地表水环境质量标准》Ⅱ类标准，挥发性有机物、半挥发性有机物、有机氯农药和有机磷农药均未检出；重金属检出项目的监测值均低于国家《地表水环境质量标准》Ⅱ类标准。

碧流河水库及英那河水库库区的营养状态为贫营养和中营养之间。

（四）水域环境状况

碧流河水库入库水主要为碧流河，英那河水库入库水为英那河。依据《地表水环境质量标准》（GB 3838—2002），按枯水期、丰水期、全年期对其水质进行监测、评价。碧流河及英那河水质状况良好，尚未受到工业污染。但存在跨界污染隐患及附近一些小型加工企业和三产企业对其构成潜在威胁。

三、国内外研究现状与技术发展趋势

随着全球经济飞速发展造成的水环境的巨大破坏与污染，水质监控预警技术越来越受到国内外环境管理部门的高度重视。水质模型是水环境预警预报系统的核心，其实际应用是过去 20 多年才迅速开展的，经过不断完善，直到今天，数学模型已相当成熟。

目前，很多发达国家均已建立水质监测及污染事故紧急处理系统。我国的水质监控预警技术起步较晚，但近年来取得了显著进展。由北京安恒公司承担的大连英那河水库水质实时预警系统已于 2005 年 11 月 20 日正式运行。该水质预警监测系统可实现对 pH、电导率、溶解氧、浊度、蓝绿藻、化学需氧量、氨氮、总磷等水质的实时监测及预警，采用美国哈希公司先进的无膜溶氧测量及蓝绿藻等最新监测技术、配合先进的自清洗、自校正技术，极大地减少了后期的维护量，同时监测系统从数据管理至水质监测设备采用易操作、免维护、高可靠性及易拓展结构，避免了传统自动站的弊端，对于实现水质预警、直到水厂运行、保障大连市供水管网安全起到了至关重要的作用。

四、大连市饮用水水源地预警监测网络主要建设内容

针对大连市重要的饮用水水源地碧流河和英那河水库的实际情况，实现全方位、全天候的水质监测，水质污染早期报警和快速及时的应急处理，做到早发现、早制止，最大限度地降低经济损失和社会、环境影响。拟在水库建设监控与预警体系，主要包括 4 部分建设内容。在入库河流上建设水质在线监测系统；同时在 GIS 技术支持下，进行污染物扩散模拟技术研究，构建水质安全警情报警与识别系统、水污染事故应急预案系统。

（一）水质在线监测系统

水质在线监测系统采用两种方案。生物监测与水自动站监测相结合的方法。

1. 监测点位的选择及设置

本次建设水质自动在线监测系统的目的是监控碧流河水库和英那河水库的水质质量状况，因此监测点位应考虑建在水库上游主要入库河流的断面及下游的出库断面，以便随时掌握水库水质状况，实现水质实时连续监测和远程监控，为水质安全预警、流域性水质污染事故应急提供技术支持。

由于水库管理权限等问题，水质自动监测站的具体设置应得到水务局等有关单位的支持。

2. 生物监测

生物监测是利用水生生物自动发生行为学上的改变（如逃避），进行水质监测的方法。在遭遇有毒化学物质污染或水质恶化时，生物监测系统会根据预先设置好的警级实现报警，同时进行自动采样，接到报警的实验室人员赶到现场，取回自动采集到的水质样品后，回实验室进行详细分析，定量地确定污染物情况。

目前使用的在线化学监测仪器可以快速分析出的水质参数十分有限，监测结果并不能够直接

反映水体内含有化学物质的毒性大小，尤其是未知化学物质及其毒性。水质的在线生物监测和预警系统（BEWS）是通过活生物个体的异常生理或行为变化来警报污染事件，是生物监测技术与环境科学技术相结合，运用生物学方法和毒理学方法对环境污染进行分析评估。

生物预警系统是基于低压电信号技术采集生物行为学变化的水质安全在线生物预警设备：①生物行为学变化会导致一定范围低压电场变化，结合低压电场的变化，分析生物行为生态学变化；②分析不同污染物对生物行为单一或联合毒性作用，掌握一定环境压力下生物行为学变化规律；③实现生物行为学变化与污染物毒性之间关系，在线预警水体突发性污染事故。

水质在线生物安全预警体系安装在各水库的入库河流的汇水区及水库出库口，对水质突发性变化能够实时监测和预警。可以对水体质量进行综合分析；对突发性事故初始发生的时间以及水体内污染物的综合毒性浓度做出判断；误差不高于15%。所有监测点位的数据通过无限传输的方式，传到市监测中心数据监控中心，并传到相应的手机上，实时监测水质变化情况。

3. 水质自动监测站

水自动站以自动在线监测为核心，运用相关技术手段形成自动监测系统，实现水质实时连续监测和远程监控，达到及时掌握目标水域的水质状况的目的。

以碧流河水库及英那河水库上游的特异污染物为主要监测指标。碧流河水库地处大连市和营口市的交接处，碧流河为碧流河水库主要入库河流。根据碧流河水库上游污染源调查，碧流河上游营口境内有5家7处浮选金矿厂，利用氰化钠法工艺进行置换，加之金矿开发及尾矿堆放可导致一定范围内受到重金属污染。英那河为英那河水库主要入库河流，上游的塔岭金矿尾矿坝虽然关闭，但持久性重金属及鞍山岫岩地区鞍山轮胎厂的生产废水，虽然进行了治理并实现了闭路循环，但其在事故状态下仍然会对英那河水库造成危害。因此碧流河水库及英那河水库主要以金矿及轮胎制造为主要工业污染源，其水质自动站监测选取COD、氨氮、总氮、总磷、氰化物、砷、石油类、蓝绿藻、砷、汞、铜、锌、铅、镉（六价铬）及五参数（浊度、溶解度、电导率、pH、温度）为监测指标。当发生突发性污染事故或水质恶化时，生物监测系统定性的发出报警，通过水质自动站的实时监测数据半定量的找出污染指标和浓度。最后实验人员到现场进行样品采集、实验室分析，最终确定污染物浓度。水质自动站连续实时的监测数据将对污染物扩散模型提供数据支持，通过模拟计算得出污染物影响范围、浓度变化、持续时间等，为环境管理决策做技术支持。

（二）水质安全警情报警与识别系统

建立水质安全警情报警与识别系统，在一定范围内，对一定时期的水质状况进行分析。通过污染物浓度变化和水生生物的反映，依托于地表水环境质量标准、生活饮用水卫生标准等国家标准和生物毒性单位，确定水质和水生态指标阈值，建立警级标准。在某项污染指标浓度发生变化，达到某类警级时迅速发出信息，使技术人员和环境管理部门，及时掌握水质状况，在水质进一步发生恶化前，提前采取行动。同时编制碧流河水库及英那河水库水质安全警报发布流程和管理办法。

（三）水质监控预警管理与决策系统

依托地理信息系统，利用水环境容量、污染物入库总量以及监测点位污染物通量实现水库水质评估和预测，建立“污染源—入库河流—水库水质”的多尺度、多信息源的水质监控预警与管理决策支持平台。同时，连接突发性应急事故管理信息系统，建设全市突发环境事故应急指挥系统和视频会议系统，提高环境突发事件的应急能力和判断能力，形成污染事故的“预防、预警、应急”三位一体的管理决策体系。

基于GIS系统下，研制一套适合碧流河水库及英那河水库的污染物扩散模型，建立水库水质相关信息数据库和地理信息数据库，按需要适时地给出变化或恶化的各种警戒信息及相应的综合性对策，即对已出现的问题提出解决措施，对未出现或即将出现的问题给出防范措施及相应级别的警戒信息。该系统集成实时数据采集系统、数值模拟系统、管理信息系统、办公自动化系统和决策支持系统，可实现智能化的系列快速分析，决策功能。

系统接收环境污染事故信息后，立即自动启动应急辅助处置系统；在系统中准确定位事故现场，分析最有可能的污染源所在企业、位置；同时分析可能会影响到的人群、空间范围；得到这些资料后在指派环境监测检查车辆走最佳路线以最短的时间去现场；向相关部门、领导、相关人员汇报事故现在情况；自动调用专家库、预案库、应急库、设备库、模型库等应急救援指挥数据库，对现场进行仿真模拟，给出最佳处理方案；经过论证的处理方案变成行动命令，进行事故紧急处理；处理后要向相关部门、领导、相关单位和社会公布处理结果。

（四）突发性污染事故应急预案系统

1. 系统提取接警信息中的有效信息，自动判断事件的类别、级别信息，判断是否需要启动已有的预案。

2. 根据已有的预案或事故级别、类别，事故的位置等，系统在专网内，自动给相关的人员发布内部短消息，提示通知相应的负责人。同时给出需要系统操作或指挥人员电话通知的相关人员的名单。

3. 根据事故的位置，系统自动检索现场周边的医疗卫生机构，分析其实力情况，包括医疗水平、医师情况、库存血液情况、病床数量情况等，并指定距离现场最近的、最具有救助实力的治疗救护机构，给出其到达现场的最优路径。指挥决策者也可以调整参与救助的医疗单位；

4. 系统自动分析距离现场最近的需要参与事故处理的专业和责任单位，给出各单位到达现场的最佳路径。同时指挥决策者可以调整需要参与事故处理的单位；

5. 根据事故的类别，系统自动分析事故处理的合理方式方法，需要的专业设备、设施的种类、数量、所在的单位、位置等建议。指挥决策者还可以任意进行调整；

6. 根据事故的位置，结合水文地理等参数，系统自动分析事故的污染扩散情况、影响范围等，提前做好防护准备，降低损失；

7. 根据事故的位置、类别、级别、污染范围等，系统自动搜索已有的污染源数据库，给出最有可能的污染事故制造单位，快速切除污染源；

8. 根据实时记录的事故现场实时处理情况，系统提供调整、修改处理方案。

五、结　论

综上所述，大连市饮用水水源地环境预警体系应包含：生物监测水质安全警情报警与识别系统、水质监控预警管理与决策系统和突发性污染事故应急预案系统等。

参考文献

[1] 大连市饮用水水源地污染控制及区划研究. 大连市环境科学设计研究院.
[2] 安全饮用水保障技术 [M]. 北京：中国建筑工业出版社.

气候变化催生低碳经济，环境监测如何从容应对

周　旌[1]　谢剑峰[1]　徐远春[1]　魏　君[1]　冯艳丽[2]　魏亚楠[1]

（1. 河北省环境监测中心站　050051；2. 大名县环境监测站）

摘　要　本文阐述了在全球气候变化的背景下，发展低碳经济的战略给环境监测带来机遇和挑战，提出“十二五”期间环境监测拓展、调整和发展的方向。

关键词　种植业结构　面源污染　污染控制

在全球气候变化的背景下，以低排放、低能耗、低污染为特征的新的经济发展模式——“低碳经济”，成为了国际经济发展的新趋势。低碳经济既是后危机时代的产物，也是中国可持续发展的机遇。如何化解经济快速发展对资源、能源消耗的高度依赖，如何跨越资源、能源的瓶颈约束成为这一时期我国面临的主要难题。低碳之路无疑为中国的可持续发展提供了一条新的途径。发展低碳经济，成为促进国内节能减排和应对全球气候变化的重要战略选择。

2009 年 11 月 26 日，中国政府宣布控制温室气体排放的行动目标，到 2020 年单位国内生产总值 CO_2 排放比 2005 年下降 40% ~45%，这一承诺也作为约束性指标写入国民经济和社会发展中长期规划，受到国际舆论的广泛好评。

环境监测工作应该根据国家提出的目标要求，研究制订应对气候变化、减缓温室气体排放、适应低碳经济的中长期规划和行动计划，以“说清环境质量状况和变化趋势、说清污染物排放情况、说清潜在的环境风险”为目标，全面、科学、充分地反映环境与经济协调发展的成果，为政府宏观决策服好务。

目前，我国已制定各类国家环境标准 410 项，覆盖了大气、水质、土壤、噪声、辐射、固体废物、农药等领域。已开展了环境质量监测、环境质量周报、日报、预报监测，污染源监测、污染事故应急监测、污染物总量控制监测、污染源解析监测，环境污染治理工程效果监测等。但是，这些工作还远不能满足形势的需要，监测范围比较窄，监测项目涵盖面还不够宽，无法做到三个“说清”。

国家环保部提出“十二五”期间，建立先进的环境监测预警体系。当前形势下，环境监测预警体系进入了从“平面”向“立体”发展的新阶段，由较窄领域监测向全方位领域监测的方向发展，由单纯的地面环境监测向与遥感环境监测相结合的方向发展，由本地、本省监测向流域、区域和洲际合作监测的方向发展。

一、在污染减排指标领域上，进一步延伸和扩展

2010 年 3 月 10 日，环境保护部副部长张力军就节能减排和应对气候变化问题答记者问时就“为什么二氧化硫、化学需氧量两项主要污染物完成减排任务，环境质量仅是局部改善了，总体还在恶化?”的质疑明确表示“我们仅靠两种污染物的总量控制要改变中国整体的环境质量是不够的”。我们要根据第一次污染源普查的成果，适当地增加主要污染物总量控制的指标种类，同时，要把农业污染包含在内。

要使我国的环境质量真正全方位地得到改善，环境监测的项目和频次应该根据污染减排的实际需要不断增加、调整和完善。

（一）大气质量和大气污染物排放

为应对目前在大气质量方面所面临的严峻挑战，要研究和制定新大气环境质量指标。将大气

环境质量信息拓展至包括其他近实时关键大气质量参数，特别是颗粒物质和二氧化氮数据，强化关于大气污染物排放和大气质量之间的关联分析。实施防止大气污染物大范围跨界排放与转移监测与评估制度。

（二）水环境质量和水污染物排放

“十二五”期间我国的水资源政策发展将进入一个新阶段，涉及建立详细的流域管理方案和评估计划。环境监测要提供面向水资源和水环境功能区划目标的（生态、化学、数量方面）的相关指标数据，确保水资源和水环境达到功能区划要求的目标得以实现。增加重金属和有机污染物等监测和总量控制指标，进一步将农业污染（化肥、畜禽养殖、面源污染等）纳入监测范围。

二、发展遥感和远程监测，密切关注气候变化

现有的监控体系有时不能真实反映污染情况，与公众感受有较大差距。其中一个重要的原因就是环境监测和污染监控的尺度较小，无法反映流域、区域、大气环流、生态环境的整体状况。随着遥感技术的不断发展，在环境监测中利用遥感技术对研究区域的生态环境状况、水土流失情况、土地沙漠化、气候变化等方面进行研究，实现了由定性向定量转化，进而能够客观、快速、全面地评价区域的环境状况。

（一）污染远程实时监测

实现监测自动化、智能化和网络化，在现有大气和水质自动监测系统的基础上，大力发展有机污染物、光化学烟雾等自动连续监测系统，监测大范围的环境污染状况。如监测江河、湖海的污染物传输和扩散；河上、海上溢油；监测跨界各排污口排污状况；远距离监测污染源烟尘、烟气排放情况以及发生赤潮的面积、程度等。实现环境预报监测。

（二）气候变化和温室气体监测

贯彻落实《国务院关于印发中国应对气候变化国家方案的通知》，发射专门用于监测气候变化的卫星，组织编制温室气体排放清单，摸清我国二氧化碳排放情况，逐步建立和完善有关温室气体排放的统计监测和分解考核体系，切实保障实现控制温室气体排放行动目标。实施碳排放监测试点，进行二氧化碳和甲烷、臭氧、一氧化碳等气体项目的监测。探索不同自然阈值之间的关系及其同行业温室气体排放之间的潜在关联。与世界其他国家开展气候变化和温室气体监测的合作与研究。

（三）生物多样性和生态环境监测

开展生态监测，将“3S”［地理信息技术（GIS）、遥感技术（RS）和全球卫星定位技术（GPS）］技术和地面监测相结合，优先监测：全球气候变暖所引起的生态系统或植物区系位移的监测；生物多样性的变化监测；珍稀濒危动植物物种的分布及其栖息地的监测；水土流失、沙漠化面积及其时空分布和环境影响的监测；人类活动对陆地生态系统包括森林、草原、农田和荒漠等结构和功能影响的监测；水体污染对水体生态系统包括湖泊、水库、河流和海洋等结构和功能影响的监测。从宏观和微观角度来全面审视生态质量，监测全球生态质量变化，加强国与国之间的合作，就生态系统在应对气候变化和低碳经济未来挑战方面的重要性问题进行积极交流，同时为国际－区域政策的制定提供技术支持。

三、提升公共服务能力，开展环境与健康监测

随着经济社会的快速发展，灰霾、光化学烟雾、汽车尾气对呼吸道的伤害，室内装饰、装修可能引起急性白血病，恶劣的工作环境罹患“尘肺病”导致的“开胸验肺”事件，重金属污染导致的癌症高发，以及影响更为长远的持久性污染物 POPs、环境激素等，这些问题严重威胁着公众的生命安全，保护环境、保障健康成为人民群众最紧迫的需求。着力解决人民群众关心的、

危害人民群众健康的环境问题是环境保护工作的重点。因此，开展环境与健康监测势在必行。

我国正在实施《国家环境与健康行动计划（2002—2015）》，将形成饮水安全与健康、空气污染与健康、土壤环境与健康、极端天气气候事件与健康、公共场所卫生和特定场所生物安全五大国家级环境与健康监测网络，开展实时、系统的环境污染及其健康危害监测。

开展环境与健康监测，原有的监测和指标体系必须加以修改和完善。

（一）饮水安全与健康监测网络

开展水源地污染指标、灌溉水水质指标、饮用水水质卫生指标、水性疾病监测范围及其对健康影响的监测和研究。

（二）空气污染与健康监测网络

筛选通过空气直接影响居民健康和通过农、牧、渔业产品等间接影响人体健康的重点控制污染物，研究确定人群健康监测指标，制订国家空气污染与健康监测计划。

（三）土壤环境与健康监测网络

根据重点环境危害指标和人群暴露水平情况以及区域人口、社会和发展特征，设置典型区域土壤环境与居民健康监测点，制订国家及区域监测计划。

（四）极端天气气候事件与健康监测网络

对发生的极端天气气候事件所致健康危害进行实时监测、分析和评估，加强对洪涝、干旱、风暴、沙尘暴、寒潮等极端天气气候事件的预报能力。

（五）公共场所卫生和特定场所生物安全监测网络

开展针对公共场所、医院、生物实验室、高危职业环境等特定场所的生物污染及健康危害风险监测。

（六）持久性有机污染物监测

要积极与国际接轨，监测12种持久性有机污染物（POPs），艾氏剂、氯丹、狄氏剂、异狄氏剂、七氯、灭蚁灵、毒杀芬、滴滴涕、六氯代苯、多氯联苯、二恶英和呋喃。

四、结　语

环境监测是一项复杂的系统工程，环境监测的最终结果是对环境质量进行评价从而提出污染治理方案、环境规划和设计方案，为环境管理和决策部门服务，建立天地人和的美好环境。

总之，随着经济的发展，人口、资源、环境问题的日益严峻，在全球气候变化的大背景下，低碳经济是必然选择，适应、调整和拓展是环境监测发展的必然趋势，必将发挥越来越重要的作用。

参考文献

[1] 余刚，黄俊，张彭义，清华大学环境科学与工程系．持久性有机污染物：备受关注的全球性环境问题[J]．环境保护，2001（4）．

[2] 钦佩，南京大学生命科学学院．气候变化对生态环境的影响及其监测［J］．2009，11.

[3]《国家环境与健康行动计划（2007—2015）》，卫生部、环保总局、发展改革委、教育部、科技部、财政部等18个部委联合印发，2007，11.

[4] 石田耕三．环境监测技术的现状及发展趋势［J］．中国环境监测，2005，21（1）．

[5] 何建坤．发展低碳经济应对气候变化［N］．光明日报，2010－02－15.

环境监测中抱怨处理探讨

石美珠 陆黔生

（河池市环境保护监测站 河池市南新西路72号 547000）

摘 要 环境保护监测站是向社会提供环境监测公证数据的产品质量检验机构，独立承担第三方公证检测，为环境管理和社会各界提供服务的职能越来越突出和重要。因此，对来自各方面抱怨，必须依照质量管理程序提出具体要求和执行程序进行处理，并通过对抱怨处理使监测管理水平得到不断提升。

关键词 环境监测 计量认证 质量控制 公证 抱怨

环境保护监测站是向社会提供环境监测公证数据的产品质量检验机构，独立承担第三方公证检测，为环境管理和社会各界提供服务的职能越来越突出和重要。随着服务方业务水平的提高和法律意识的增强，对监测数据的要求也不断提高。从20世纪90年代初开始，我国各级环境保护监测站按照国家环境保护局的要求开展计量认证工作，并按《产品质量检验机构计量认证评审准则》（以下简称《准则》）进行评审，提升了环境保护监测站的社会服务职责，使环境监测数据更科学，更具有法律效力。《准则》中明确规定了产品质量检验机构的抱怨内容，并对抱怨处理提出了具体要求和执行程序，随着市场经济的发展以及与国际接轨，有关处理抱怨的规定将更加法制化。

一、正确认识抱怨

《准则》中抱怨的内容：①实验室应在质量文件或程序文件中，作出处理委托方或其他单位对实验室工作提出抱怨的规定。记录和保存所有抱怨及处理意见。②当抱怨或其他任何事项是对实验室是否符合其方针或程序、或者是否符合本准则要求、或者是对其他有关实验室检验质量提出疑问时，实验室应确保按本准则5.3条的要求，立即对涉及的范围和职责进行审核。

《准则》5.3条：实验室应定期对其工作进行审核，以证实其运作能持续地符合质量体系的要求。这种审核应由受过培训和有资格的人员承担；审核人员应与被审核工作无关。当审核中发现检验结果的正确性和有效性可疑时，实验室应立即采取纠正措施并书面通知可能受到影响的所有委托方。按规定程序处理委托方对环境保护监测站所为社会提供公证数据的质量活动的抱怨和意见，是环境保护监测站接受监督和保证监测数据公正性的必要性措施。受理抱怨是计量认证对监测站质量保证程序建设的要求，也是监测站对委托方和社会负责的体现。处理抱怨，既是监测站自我完善的需要，也是适应我国市场经济建设的需要，更是社会法制化建设的需要。通过建立和完善抱怨及其处理的制度，及时纠正质量体系中出现的问题，维护环境监测工作的公正性和权威性。

二、处理抱怨程序

监测站应重视来自委托方或其他单位对涉及监测检验质量活动的抱怨和意见，及时、认真、有效地对待和处理委托方或其他单位的抱怨，纠正监测站质量体系中出现的问题，为完善监测站的质量管理体系及提高实验室的权威性提供帮助。

环境保护监测站按照计量认证复审的要求，对质量管理体系文件进行修改和完善，对抱怨的制度和工作程序作出了详细的规定。将抱怨分为监测技术质量抱怨和监测服务质量抱怨，对外受理抱怨的责任科室为质量管理室。处理抱怨有以下程序。

（一）抱怨的受理

1. 质量管理室负责接待反映委托方或其他单位抱怨的来人、来电、来函，详细、完整地记录其抱怨的种类、内容及意见，填写“抱怨处理报告”并及时向站领导汇报。

2. 对委托方的电话受理必须记录：来电话人的单位、姓名、电话号码等联系方式及抱怨内容、来电话时间、接电话人等内容。

3. 对委托方的来信、传真、电报的受理必须记录：来信（函）的单位或人员姓名、邮编、地址等联系方式及抱怨内容、来信（函）时间、受理人等内容，连同来信（函）等文件同时存档。

4. 对来人向监测站反映问题的受理必须记录：来人单位或姓名、电话及其他联络方式及反映内容、要求、接待人姓名、接待时间等内容。

5. 监测站定期（每年至少一次）向委托方发函征求抱怨意见，将征集到的抱怨意见分析整理后向质量负责人汇报。

6. 对于重大抱怨，质量负责人应向站长汇报，站长批准后，负责组织监测站质量控制的内审人员对抱怨内容进行调查。

（二）抱怨的处理

1. 抱怨的分类

将委托方或其他单位对监测站产生的各种抱怨，按不同时间、种类、内容进行分类整理，以便查阅。

2. 对抱怨的审核及处理

（1）委托方抱怨监测站质量方针和工作质量方面的问题，监测站质量负责人必须根据需要组织内审人员对有关影响检验质量的环节进行内部质量审核，必要时由站长组织评审，并将评审结果以书面形式告知委托方。

技术人员组成及资质符合《准则》规定：监测站有足够的技术人员，这些人员通过与其承担的任务相适应的教育、培训，并有相应的技术知识和经验；站长、技术主管、质量主管及各科室都有任命文件；技术主管具有工程师以上技术职称，熟悉检验业务；检验人员考核合格并持证上岗；技术人员有资格、培训、技能和经历等方面的技术业绩档案。

（2）若抱怨内容涉及监测数据和鉴定结果的，质量负责人组织有关技术人员根据相关的规程、规范等技术文件，对原使用的检测仪器、环境监测记录、监测方法、原始记录、监测报告等进行认真复查，必要时应组织技术人员对原受检对象进行再测。

（3）若抱怨内容涉及收费的，技术负责人或监测室主任要与站财会人员一道对收费情况进行复查，调查、核实收费标准、协议、协商文件等内容，证实是乱收费的，要向对方道歉并退还多收款。

（4）若抱怨内容涉及工作时间的，监测室主任要调查核实待测时间是否符合协议时间或有关规定，若不符合，应查明原因，采取措施予以纠正，并向抱怨方道歉；若符合，应向抱怨方做好解释工作。

（5）若抱怨内容涉及服务态度、服务质量的，质量负责人要调查抱怨的真实性及原因，责任在监测站的，要做好补救工作，并向抱怨方道歉。

（6）若由于监测站工作过失，给抱怨方造成损失的，应依法给予赔偿。

（7）发生（1）至（5）所述内容的，应追究直接责任人及其所在科室负责人的责任，必要时，可并处罚款。

（三）抱怨的答复

1. “抱怨处理报告”一式二份，交站长审批。报告审批后，一份送达抱怨方，一份与抱怨记录、复查报告等相关文件同时送站档案室存档。

2. 若抱怨方接到本站“抱怨处理报告”后，对本站抱怨处理结果有异议的，可按规定向上级主管部门投诉或申请仲裁。

（四）编制、保存抱怨相关文件

质量管理室负责组织编制并按规定整理好一切关于委托方或其他单位抱怨的记录及本站对抱怨处理意见的报告等文件，最后移交本站档案室存档。

质量管理室受理抱怨后，按照监测站处理抱怨程序，根据抱怨性质和各科室职责，将抱怨处理工作分工，责任科室按照站质量管理体系的要求查找原因，提出纠错意见，相关站领导协调纠正工作，纠正结果经审核批准，由质量管理室通知抱怨方，如果属于监测质量问题，则限期整改。应当注意的是，即使抱怨不成立，也应当对服务方作出合理解释。对于个人或非专业部门委托监测结果的抱怨，主要对一些专业术语、环境常识、标准范围耐心解释，必要时在监测报告备注栏增加监测频次，提高监测数据的代表性，使环保管理措施更加合理，针对性更强。

三、监测部门受理的抱怨来源及处理方式

（一）抱怨来源

长期以来，一般监测部门受理的抱怨主要来自以下方面：

1. 环保管理部门或上级环境监测对上报的监测结果的质疑；

2. 受监督企业对污染物排放监测结果的抱怨；

3. 社会委托服务方对监测报告的咨询，主要涉及环境质量评定、环境影响评估、企业认证等方面。

（二）抱怨处理方式

对抱怨主要有以下处理方式：

1. 对监测报告或数据进行解释；

2. 对污染原因进行分析，必要时扩大监测范围或增加监测点位，重新监测复查；

3. 出示监测质量保证结果报告或相关现场采样记录，证明监测结果的正确性；

4. 增加或补充监测报告信息量；

5. 审核监测全程序，若发现错误则及时纠正，更换监测报告并向服务方致歉；

6. 解释监测工作流程及相关法律。总之，应本着实事求是、科学负责的态度，使抱怨得到圆满解决。

参考文献

[1] 国家质量技术监督局认证与实验室评审管理司．计量认证/审查认可（验收）评审准则宣贯指南［S］．北京：中国计量出版社，2001.

[2] 国家论证认可监督管理委员会．计量认证和审查认可工作文件汇编［S］．北京：中国计量出版社，2006.

[3] 实验室资质认定评审准则（国认实函［2006］141 号）.

用二苯碳酰二肼分光光度法测定水中六价铬标准样品质量控制探讨及应用

王　津

（河北省环境监测中心站）

摘　要　对二苯碳酰二肼分光光度法测定水中低浓度和高浓度六价铬试剂的配制、密码标准样品的测定步骤及方法进行了探讨，详细总结了实验中可能引起影响实验结果的因素，对该方法在各个领域的应用做出了归纳。

关键词　二苯碳酰二肼分光光度法　水中六价铬　标准样品　应用

六价铬离子是一种强氧化剂和致敏剂，腐蚀、刺激作用强，除可致皮肤、黏膜的局部损伤外，对全身也具有强烈的毒性，容易被人体吸收并能在体内蓄积，已确认为是致癌物，对人体健康危害很大。因此，我国已把六价铬规定为实施总量控制的指标之一。六价铬的工业污染源主要是含铬矿石的加工、金属表面的处理、皮革鞣制、印染、照相材料等行业。当水中六价铬的浓度≥1mg/L时，水呈黄色并有涩味。由于六价铬的污染源很多，且有一定毒性，因此，六价铬是一类污染物。

河流、集中式饮用水源地、湖泊水库六价铬都是必测项目。钢铁工业、铬盐无机原料、橡胶、颜料、油漆、纺织染整业（皮革、毛皮、羽绒服）及其制品业、船舶工业等行业的工业废水六价铬也是必测项目。

因此，各级环境监测部门将六价铬的监测及实验室的标准样品考核即质量控制列为了最重要的管理工作。对于新建各级环境监测站和开展六价铬监测相对较少的单位及实验人员，二苯碳酰二肼分光光度法测定水中六价铬的分析方法是必备测试手段，现结合河北省环境监测中心站水质分析实验室在对六价铬标准样品考核过程的质量控制进行探讨。

一、实验试剂、仪器

（一）水、试剂和标准样品的制备及配制

1. 水的要求

不含铬的蒸馏水或同等纯度的水、去离子水。

2. 所有试剂应不含铬。

3. 硫酸溶液（1+1）：将100ml硫酸缓缓加入100ml水中，注意有放热，混匀。

4. 磷酸溶液（1+1）：将100ml磷酸与100ml水混合。

5. 六价铬标准贮备液：称取于120℃干燥2h的重铬酸钾（$K_2Cr_2O_7$，优级纯）0.2829g，用水溶解后，全部移入1000ml容量瓶中，用水稀释至标线，摇匀。其六价铬质量浓度为0.100mg/ml。

6. 1.00μg/ml六价铬标准溶液（Ⅰ）：取5.00ml铬标准溶液，置于500ml容量瓶中，用水稀释至标线，摇匀。其六价铬质量浓度为1.00μg/ml，使用当天配制。

7. 5.00μg/ml六价铬标准溶液（Ⅱ）：吸取25.00ml铬标准溶液，置于500ml容量瓶中，用水稀释至标线，摇匀。其六价铬质量浓度为5.00μg/ml，使用当天配制。

8. 显色剂（Ⅰ）：称取二苯碳酰二肼（$C_{13}H_{14}N_4O$）0.2g，溶于50ml丙酮中，加水稀释至100ml，摇匀。贮于棕色瓶置冰箱中保存，色变深后不能使用。

9. 显色剂（Ⅱ）：称取二苯碳酰二肼（$C_{13}H_{14}N_4O$）1g，溶于50ml丙酮中，加水稀释至100ml，摇匀。如该溶液在短时间内不能完全溶解，可放入热水浴中使其溶解。贮于棕色瓶置冰箱中保存，色变深后不能使用。

（二）标准样品及密码标准样品的制备及配制

1. 六价铬标准样品A的配制（低浓度）：取国家环境保护部标准样品研究所《GSBZ 50027—1994 水质 六价铬》批号为203331（标准样品瓶中）的原液10.00ml，用水定容于250ml容量瓶中，该标准样品的标准值及不确定度为49.2μg/L±4.0μg/L。分别取50.00ml该溶液于三个50ml具塞比色管中。

2. 六价铬标准样品B的配制（高浓度）：取国家环境保护部标准样品研究所《GSBZ 50027—1994 水质 六价铬》批号为203332（标准样品瓶中）的原液10.00ml，用水定容于250ml容量瓶中，该标准样品标准值及不确定度为0.507μg/L±0.016μg/L。分别取50.00ml该溶液于三个50ml具塞比色管中。

3. 密码标准样品的配制：仔细阅读样品说明书，严格按样品说明书上的方法进行稀释配制。按标准取样体积从标准瓶中取原液定容，在限定体积的容量瓶中，否则不能正确判定分析水平及样品的准确度。分别取50.00ml该溶液于三个50ml具塞比色管中。

（三）玻璃器皿的校正

（1）具塞比色管为A级，必须经过体积校正的、同一规格的50ml的成套比色管。

（2）准备清洗干净的50ml具塞比色管，用无分度吸管准确吸取50.00ml水，全量移入50ml具塞比色管中，检验比色管上所标刻度的准确度，选用合格的比色管。

（3）将水准确注入清洗控干的50ml具塞比色管中，根据水的温度和当时温度下水的密度，计算出50.00ml水的质量，检验比色管的准确度。

用上述方法选出一系列比色管，备用。

（四）测试仪器的选择和调试

1. 分光光度计的选择：在检定有效期内的、吸光度范围为0~2吸光度，最小分度值0.001吸光度。选用光谱系列光度计，仪器的光谱带宽可满足大多数分析测试项目的要求，数字显示吸光度值，以便准确读取小数点后第三位的吸光度值，提高仪器的灵敏度和数据的准确度。

2. 分光光度计的调试：按光度计使用技术要求，接通电源，待测量系统稳定后，开始测量。当开机时间较长时，应注意开机时间，是否影响光度计的稳定性。用已知质量浓度的校准溶液测定吸光度值代入计算公式，在合格范围内，证明光度计仍可使用，否则应重新测定。将波长由大于540nm处调至540nm，调透光率为0或100%，而吸光度为100%和0，进行比色皿的校正。

3. 比色皿的校正：用已经预热20min光度计，将多个同型同批购买的比色皿中注入水，用擦镜纸或白色绸子布轻轻擦试干净比色皿外壁，以其中比色皿吸光度最小的作为调零比色皿，测定其他比色皿的吸光度，同组比色皿之间吸光度相差应小于0.005，否则需对差值进行校正。

二、实验步骤及标准样品测定结果

（一）二苯碳酰二肼分光光度法方法（Ⅰ）（方法Ⅰ—低浓度六价铬的测定）：

1. 校准曲线的绘制

（1）向标有管号的50ml系列具塞比色管中分别加入0.00ml，0.20ml，0.50ml，1.00ml，2.00ml，4.00ml，6.00ml，8.00ml和10.00ml 1.00μg/ml六价铬标准溶液，用水稀释到标线即定容为50.00ml。可作两个空白，取其平均值作为曲线的空白值。由于做标准曲线是一项辛苦、耗时、细致的工作，为降低出错率，提高工作效率，可在比色管上除了标有管号外，也可以将所加入六价铬标准溶液的毫升数标出，以利于准确加入六价铬标准溶液。

（2）分别加入硫酸溶液（1+1）0.5ml和磷酸溶液（1+1）0.5ml，摇匀。

（3）分别加入2ml显色剂（Ⅰ），迅速摇匀。5~10min后，将波长由大于540nm处调至540nm，选用30mm的比色皿，以水作参比，测定空白及标准系列溶液的吸光度，建立校准曲线，如表1所示。

表1　1.00μg/ml六价铬标准溶液的校准曲线

序号（管号）	六价铬标准溶液体积/ml	六价铬标准溶液的质量/μg	A	A标-A0
1	0.00	0.00	0.004	
2	0.00	0.00	0.004	
3	0.20	0.20	0.007	0.003
4	0.50	0.50	0.014	0.010
5	1.00	1.00	0.029	0.025
6	2.00	2.00	0.060	0.056
7	4.00	4.00	0.127	0.123
8	6.00	6.00	0.199	0.195
9	8.00	8.00	0.264	0.260
10	10.00	10.00	0.338	0.334
$\gamma=0.9996$		$a=-8.36\times10^{-3}$	$k=0.0338/$（mg/L）	
$A_i-A_0=k\rho$（Cr^{+6}）$+a$		ρ（Cr^{+6}）$=(A_i-A_0-a)/k$		

在标准曲线中，如果用六价铬标准溶液的质量作为X回归，则代入标准曲线中所得的质量数，再除以溶液的体积，得试样的浓度值，即：

$$\rho'(Cr^{+6})=\rho(Cr^{+6})/V$$

表2　计算公式中变量的单位及意义

公式及变量	单位及含义
$\rho'(Cr^{+6})=n\rho(Cr^{+6})$	(1)
$A_i-A_0=k\rho(Cr^{+6})+a$	(2)
$\rho(Cr^{+6})=(A_i-A_0-a)/k\cdots$	(3)
$\rho'(Cr^{+6})$	样品中六价铬的质量浓度/（mg/L）
$\rho(Cr^{+6})$	试样中六价铬的质量浓度/（mg/L）
n	水样稀释倍数
A_i	试样相应吸光度值
A_0	空白样品相应吸光度
k	灵敏度/（mg/L）$^{-1}$
a	吸光度值为纵坐标校准曲线上的截距

2. 标准样品的测定结果

已知标准样品A（203331）测定结果为：吸光度分别为0.077、0.076、0.077，减去空白后代入标准曲线后，得样品浓度值分别为0.048mg/L、0.048mg/L、0.048mg/L，在标准样品合格范围内。同样测定出三个密码标准样品的结果值。

（二）二苯碳酰二肼分光光度法（Ⅱ）（方法Ⅱ—高浓度六价铬的测定）

1. 校准曲线的绘制

（1）向 50ml 系列具塞比色管中分别加入 0.00ml，0.20ml，0.50ml，1.00ml，2.00ml，4.00ml，6.00ml，8.00ml 和 10.00ml 5.00μg/ml 六价铬标准溶液，用水稀释到标线即定容为50.00ml。

（2）分别加入硫酸溶液（1+1）0.5ml 和磷酸溶液（1+1）0.5ml，摇匀。

（3）分别加入2ml 显色剂（Ⅱ），迅速摇匀。5~10min 后，于722 型分光光度计，将波长由大于540nm 处调至540nm，用10mm 的比色皿，以水作参比，测定空白及标准系列溶液的光度值，建立校准曲线，如表3 所示。

表3 5.00μg/ml 六价铬标准溶液的校准曲线

序号（管号）	六价铬标准溶液体积/ml	六价铬标准溶液的质量/μg	A	$A_{标}-A_0$
1	0.00	0.00	0.002	
2	0.00	0.00	0.002	
3	0.20	1.00	0.009	0.007
4	0.50	2.00	0.024	0.022
5	1.00	5.00	0.055	0.053
6	2.00	10.00	0.115	0.113
7	4.00	20.00	0.234	0.232
8	6.00	30.00	0.361	0.359
9	8.00	40.00	0.472	0.470
10	10.00	50.00	0.605	0.603
$\gamma=0.9996$		$a=-5.90\times10^{-3}$	$k=0.0121/(\text{mg/L})$	
$A_i-A_0=k\rho(\text{Cr}^{+6})+a$		$\rho(\text{Cr}^{+6})=(A_i-A_0-a)/k$		

计算公式及方法同方法（Ⅰ）。

2. 标准样品的测定结果

已知标准样品 B（203332）测定结果为：吸光度分别为0.301、0.302、0.301，减去空白后代入标准曲线，得样品值分别为0.507mg/L、0.509mg/L、0.507mg/L，都在标准样品范围内。同样测定出三个密码标准样品的结果值。

三、方法（Ⅰ）与方法（Ⅱ）的区别

方法（Ⅰ）与方法（Ⅱ）的区别见表4。

表4 方法（Ⅰ）与方法（Ⅱ）主要参数的区别

参数	方法（Ⅰ）	方法（Ⅱ）
六价铬标液质量浓度/（μg/ml）	1.00	5.00
标准系列中六价铬的最大质量浓度/（μg/ml）	0.2	1
标准系列中六价铬的最大质量/μg	10	50

参数	方法（Ⅰ）	方法（Ⅱ）
比色皿规格	30	10
方法检出限/（μg/ml）	0.004	0.005
试样测定下限/（μg/ml）	0.005	0.013
试样测定上限/（μg/ml）	0.2	1.0

四、方法的应用范围

方法的应用范围见表5。

表5　各类水质排放标准　单位：mg/L

水质类别	Ⅰ	Ⅱ	Ⅲ	Ⅳ	Ⅴ
地表水	0.01	0.05	0.05	0.05	0.1
地下水	≤0.005	≤0.01	≤0.05	≤0.1	>0.1
城镇污水	0.05				
污水综合					0.5
纺织行业工业污水	0.5	0.5	0.5		
钢铁行业工业污水	0.5	0.5	1.0		

地表水、地下水、城镇污水测定水中六价铬可用方法（Ⅰ），综合污水和各行业污水中六价铬测定用方法（Ⅱ）。测定污水处理厂入口废水六价铬时，可将废水先在容量瓶中按一定比例稀释后，再取50ml进行测定。

五、结　论

1. 样品取样体积的估算：最好先试测一个盲样品后，根据其大致浓度估算取样体积后再测定。若可能，尽量调整取样体积使所测组分的量接近工作曲线中段，尽量多取样品溶液，减少样品的稀释倍数，以提高准确度，测定中一般将溶液的吸光度调到0.4左右为佳。

2. 根据试测的六价铬浓度值高低，选用方法（Ⅰ）或（Ⅱ），使所取密码标准样品体积与所测组分的量接近工作曲线中段，以准确测定密码标准样品的六价铬浓度。

3. 密码标准样品要测定三个以上的平行样，提高样品测定的准确度。

4. 地表水、地下水、城镇污水测定水中六价铬可用方法（Ⅰ），综合污水和各行业污水中六价铬测定用方法（Ⅱ）。

参考文献

[1] 国家环境保护总局．水和废水监测分析方法（第四版）[M]．北京：中国环境科学出版社，2008.

五、环境信息

浅谈水污染总量控制管理信息系统

倪　蕾　张　静

（石家庄市栾城县环境保护监测站　051430）

摘　要　水污染总量控制管理系统是一种以政府环保部门为主导的可持续发展的针对水环境管理的以总量控制为核心的管理和运行的新模式。本文在总量控制管理模式的基础上，设计了水污染总量控制管理信息系统，并且明确了水污染总量控制的业务范围、业务形式，详细描述了其中四种核心业务的管理模式，设计了总量控制的整体业务流程。

关键词　水环境管理　总量控制　控制管理系统　流程设计

传统的环境管理体系是以浓度控制为准则，实施污染物达标排放。但就某一地区或某一行业而言，即使所有污染源普遍达标排放，污染物总量仍在继续增加，而环境可容纳的污染物是有限的，因此污染加剧的趋势仍不可避免[1]。根据《水污染防治法》，在水污染防治方面实行将水污染物排放量控制在水环境质量允许限度内的总量控制制度[2]。与排放浓度控制相比而言，总量控制具有明显优点，比如：避免不合理的废水稀释；对污染企业控制宽严适度，利于实现环境治理目标；强化区域污染治理费用使用效果等[3]。因此总量控制制度在我国得到了长足的发展，并逐渐建立起一套适合我国国情的管理体制。

随着信息化时代的到来，人们更加关注对信息的掌握和利用。然而，目前人们对水污染总量控制管理过程中的各种有效信息及利用研究相对较少，还未建立起完善的总量控制管理信息系统。在这样的情况下，本文结合水污染总量控制管理过程，对有效信息的利用，建立了水污染总量控制管理信息系统[4]，明确了水污染总量控制的业务范围、业务形式，详细描述了四种核心业务的管理模式，设计了总量控制的整体业务流程。

一、总量控制管理信息系统

水污染总量控制管理信息系统综合运用现代信息技术、管理技术和环境技术，以总量控制为核心，将有关水环境管理的各种方法有机集成，从而提供有用信息以支撑相关组织的水环境管理与决策活动。污染总量控制管理信息系统应当从宏观的角度对一个系统涉及的范围、管理的方法、开发的目标和方法进行规范，并以此为准则，指导信息系统设计和开发的全过程。

如图1所示，设计了总量控制管理信息系统的总体体系结构逻辑模型。系统共分为四个层次：决策层、执行层、服务层、支持层。决策层用于为政府环保部门提供水环境管理宏观决策的工具，支持其做出合理可行的计划和规章；执行层是日常水环境管理执行工具，也是总量控制管理信息系统最重要的层次，担负着搜集下层信息，执行上级任务的重任；服务层主要通过动态跟踪水域、污染源的状态，为管理者提供水环境基础信息；支持层主要指计算机网络、数据库、地理信息系统等底层工具，通过这些载体，才能使总量控制管理信息系统顺利运行起来。

有效数据管理用于管理总量控制实施过程中涉及的非空间结构化信息，是整个总量控制管理信息系统运行的重要基础，有效数据管理实现整个系统数据格式的统一化和标准化，为系统集成和扩展提供保障。

环境监测与管理是环境保护体系中的重要组成部分，承担着为环境管理与决策提供技术支持，为环境执法提供技术监督，为经济建设提供技术服务等重要任务。环境监测与评估管理平台实现对环境主要检测数据和重点物资的及时数据采集，并根据环境规划要求进行环境评估。它的建立是全面实施总量控制的必要前提。

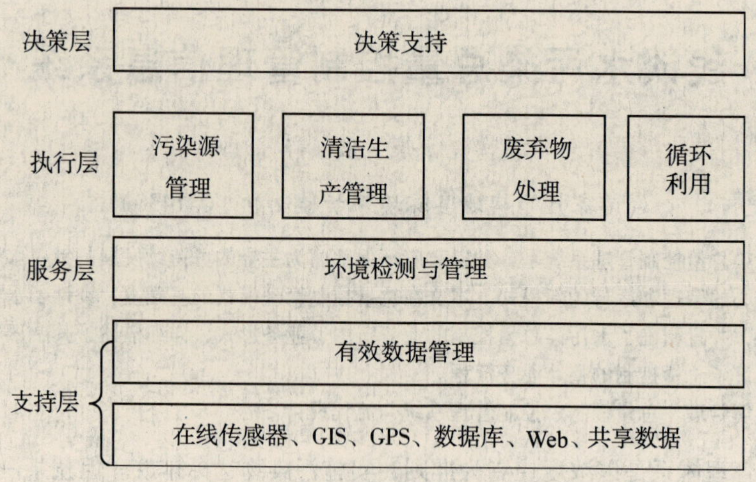

图1　水污染总量控制管理信息系统总体逻辑结构

决策支持部分实现对政府环保部门提供辅助决策支持的功能，提供了对危险源、污染源等一系列问题的规划，还对未来一段时间的环境状况进行预测，从而为政府部门更好地进行环保规划提供决策支持，同时该系统还具有与上级主管部门的信息系统实时传输、交换数据的功能。

总量控制是一整套系统管理方法，涉及到众多管理业务，其中有四种业务是核心：污染源管理、清洁生产管理、污染物循环利用与废弃物处理。这四种业务涵盖了总量控制四种最重要的方法和手段，下面将详细描述这四个部分。

二、污染源管理部分

对某区域的污染源管理实质就是总量分配。制定科学的总量分配方案，是实施水污染物总量控制的技术关键。对于每一片管理范围内的水域，政府环保部门都针对性地设定了其应该达到的水质要求，以满足该块水域的特定功能。因此，对于有既定功能的水域，其水中各种物质的含量都需控制到一定范围内，才能满足服务对象的要求。而在现实中，排入该水域的污染物是由不同的污染源造成的，且各种污染物的排入量并不相同。因此环保部门需要根据实际排污情况将各种污染物的目标总量分配到各污染源，要求各污染源的排污量不能超出某一水平。总量分配是总量控制的源头，也是总量控制的重点。

污染物总量分配后，由排污许可证管理进行后续监督。排污许可证是总量分配结果在法律意义上的确认。每个许可证上规定了该污染源在一定期限内各种污染物的允许排放量。每个污染源都需要向环保部门提出排污许可证申请，待取得许可证后才能合法排放污染物，并且在过期之后必须申请新的排污许可证才可继续排放。

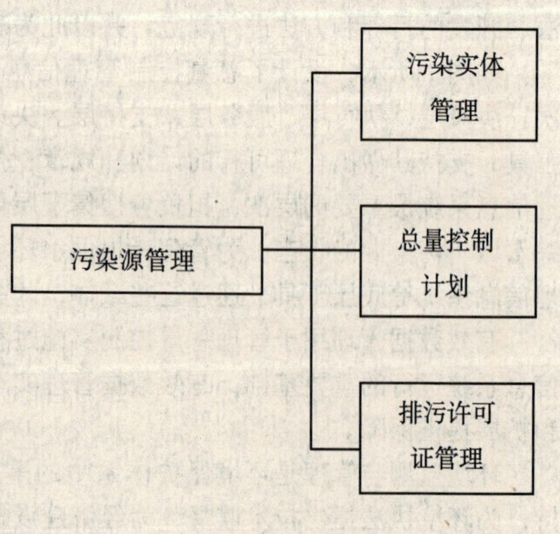

图2　污染源管理功能

在排污许可证的使用中，只有极少数污染企业能够在使用期限内恰好用完许可证规定的排放量，而大部分企业会出现排放量短缺或剩余的情况。此时，这些企业可在环保部门的监督下进行排污权的自由交易。环保部门可建立交易平台，提供有交易需求的企业信息，并审核双方的交易申请，在不造成某一水域总量超支的前提下批准双方进行交易。总量分配、排污许可证及排污权交易这一管理序列的配套使用使总量控制核心的计划和控制工作得以实施，且总量分配的下发奠定了后续总量交易、循环利用、企业清洁生产审核和无用废弃物处理的基础，是总量控制中必不可少的一环。图2描述了污染源管理的结构与功能。

三、清洁生产管理部分

清洁生产要求工业企业在生产过程中注重节约能源和物料，改善产品结构和工艺流程，减少污染物的排放，实现“节能、降耗、减污、增效”的目的。这是从源头治理环境污染、保护水环境的思想，除企业本身提高经营效率外，更直接减少了进入自然界的污染物的总量，这比污染物的循环利用和废弃物的处理更加简单适用，因此，清洁生产现已成为水环境总量控制中一种必不可少的重要手段。

清洁生产审核主要指对工业企业的检查与监督，要求其实现清洁生产。一般由政府部门立项后进行调查与评价，或委托环评单位进行环境影响评价，根据评价结果对受评企业提出审核要求，并在企业进行相关改善的同时，不断监督与记录。在企业进行清洁生产改造后，重新评价验收。之后，环保部门会对已经审核过的企业进行长期的持续清洁生产审核，以长期监督并控制其污染影响状况。图3描述了清洁生产管理的结构与功能。

审核计划管理的主要功能是帮助环保部门制定各类计划。其中，新建项目计划用于规划下一阶段新建项目的类型、数量和审核指标；审核项目计划用于指定必须执行清洁生产审核的企业，预计全部审核企业的数量、行业，以及完成审核所需全部步骤；持续审核计划用于指定下一阶段对已进行清洁生产审核的企业执行后续检查的方法和步骤。

新建项目审批管理实现对清洁生产建设工程的登记与审批管理。系统登记并核实新建项目申请信息，根据项目计划和各项环保政策规定，结合地区经济发展和清洁生产推行情况，进行集中审批处理。

审核运作管理是各项目验收时进行的管理，主要负责检查新建单位或清洁生产审核后企业的能耗、物耗、排污水平和环境影响。

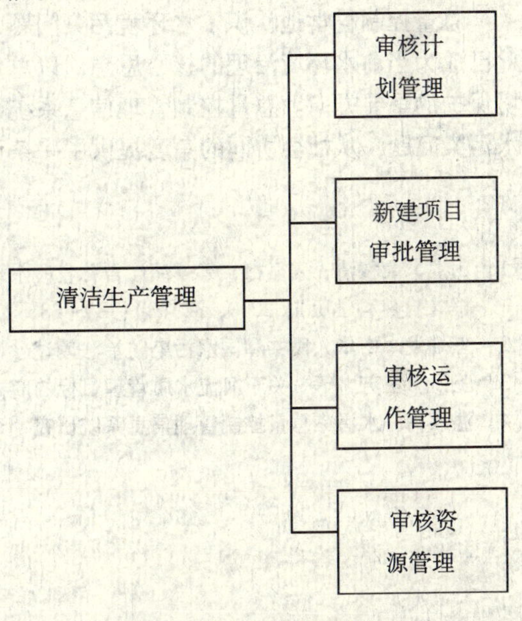

图3　清洁生产管理功能

审核资源管理是所需资源的有效管理，是新建项目和审核项目得以顺利实施的前提和保证。各项目用到的资源主要有专业人员、设备设施、原材料、图纸文件、资金、合作伙伴等。确定项目所需资源，以及在项目所需资源不能完全满足全部运行需要时，如何合理配置稀缺资源的使用，是审核资源管理的重要功能。

四、废弃物处理部分

源头治理可以从根本上杜绝污染物的产生，有用污染物的循环利用也能达到治理污染和促进经济的作用，而对无利用价值的废弃物的处理将成为污染治理的最后一道关卡。目前废弃物处理单位主要有两类，一类是环保部门组建的污染处理设施，如污水处理厂、固体废弃物填埋场、焚烧厂等，主要由政府来运行。另一类是独立的废弃物处理企业，在政府的监督下独立经营废弃物处理业务。对废弃物的最终处理，直接减少了排入自然环境的污染物的数量，是总量控制末端治理最主要的一种方法。

五、循环利用部分

总量控制的另一种有效手段是促进污染物的循环利用。不管从经济效益还是社会、环境效益角度，循环利用都是可行的方法。污染物循环利用的执行主体是共生类企业，即存在交易需求的企业，这些企业负责互相结为合作伙伴并执行交易行为，这一点类似于普通企业的独立经营规则，但是在污染物的交易行为中，还必须由政府环保部门来规划、调节和监督，才能实现环境效益，使循环利用成为环境保护的有力工具。因此污染物的循环利用是由政府带头监督，企业在环保规划的原则下，自主进行交易的过程。

环保部门可以分析各类生产企业生产过程和产出污染物，寻找存在污染物联系的企业群，并在此基础上，结合上级对循环利用能力的规划，环保部门建立一个污染物供需平台，方便企业选择合适的对象进行交易。在实际循环过程中，企业选择交易伙伴后，交易双方制定循环计划并且独立实施交易过程。双方还会不定期地进行交易分析，分析循环计划或执行过程中的不足，以提高交易效率。

六、结　论

总量控制科学地认识了水环境污染问题，并提出一套科学、合理的方法来实施污染防治，因此已成为当前水环境治理的核心思想。以总量控制为核心，全面协调水环境治理各种方法是水环境保护的重要方向。总量控制管理信息系统，为扩展总量控制的研究思路和研究方法，综合解决水污染问题，从社会协同的角度提供了一条可行的途径。

参考文献

[1] 田卫，俞穆清，朱显梅，等. 浑江吉林省段水环境容量及其在总量控制中的利用研究［J］. 东北师大学学报（自然科学版），2000，32（3）：84－88.

[2] 王灿发. 中华人民共和国水污染防治法阐述［M］. 北京：中国环境科学出版社，1997：24－25.

[3] 王研，王芳，等. 关于河流水质管理目标的商榷［J］. 水利水电技术，2003，4：50－52.

[4] 温永梅. 水污染总量控制管理信息系统研究［D］. 南京理工大学硕士学位论文，2008.

浅谈企业环境行为信息公开化

莫艾青

（宿迁市环境保护局　宿迁市湖滨新城开发区工业园区办公室　223800）

摘　要　本文阐述了企业环境行为信息公开化制度的基本概念及包含的内容，并简要叙述了该制度的发展历程。分析了该制度如何实施及目前实施过程中存在的问题并提出了解决对策，着重谈了企业环境行为信息公开化对防范信贷风险、保护环境、循环经济发展及公众参与环保决策的重要意义。

关键词　企业　环境　信息公开化　防范信贷风险　循环经济

一、前　言

2010 年 1 月 5—6 日，第一次全国环境信息化工作会议在京举办，环境保护部部长周生贤出席会议并讲话，他强调，要充分认识当前形势下加强环境信息化建设的重要意义，主动顺应信息化发展的潮流，采取有力措施，加快构建先进完备“数字环保”体系，为探索中国环保新道路提供重要信息支撑。

环境信息化是国家信息化建设的重要组成部分，深入推进环境信息化建设是全球信息化发展的客观要求，是建设服务型机关的重要手段，是实现环境管理科学决策和提升监管效能的基本保障。

信息手段的引入改变了传统的环境管理模式，企业环境行为信息公开化制度是“数字环保”体系最重要的一环，我国从 1999 年开始采用了企业环境行为信息公开化这一有效的措施，该措施通过对企业的环境行为进行分析、评价、分级和公众曝光的方式，促进企业改善其环境行为。

二、简述企业环境行为信息化制度

（一）企业环境信息化制度的定义及内容

企业环境行为信息公开化是政府环境信息公开的一项重要内容，也是一项重要的环境管理手段，是建立公众参与、提高企业环保自律的有效措施。企业环境信息，是指企业以一定形式记录、保存的，与企业经营活动产生的环境影响和企业环境行为有关的信息。具体包括 18 个方面的环境信息：①“环评”及“三同时”执行情况；②污水纳管处理情况；③排污申报及排污许可证申领情况；④排污费缴纳情况；⑤排污口整治是否符合规范化要求，是否按规定安装自动监控在线装置及是否正常使用；⑥污染治理设施正常运转情况和治理设施运行台账记录是否齐全；⑦环保组织机构是否健全，是否有完善的制度和齐全的环保档案。⑧固体废物、危险废物、放射源安全规范处置情况；⑨排污总量削减情况；⑩企业各种污染物达标排放情况；⑪有效环境投诉信访情况；⑫是否制定污染突发事件应急预案，做好环境污染事故防范和应急处置；⑬是否发生环境污染事故；⑭限期治理完成情况；⑮厂容厂貌及厂区周边环境是否整洁有序；⑯行政处罚情况及行政处罚自觉履行情况；⑰ISO 14000 认证及清洁生产审核情况；⑱是否积极创建成环境友好型企业。

（二）企业环境行为信息公开化等级的评定

企业环境行为评价信息，主要揭示不同企业的环境信誉等级，通常用不同色彩表示，是一个企业环境信息的综合指标，包括：企业基本情况指标、污染行为指标、环境一项指标、环境管理指标、清洁生产指标以及信任度指标。企业环境行为评价可以根据其等级来判断该企业在生产经营活动中是否存在环境风险。企业环境行为评级标准为：绿色等级（一级）——满意色、蓝色等级（二级）——标志色、黄色（三级）——警告色、红色（四级）——违章色、黑色（五级）——危害色。

（三）企业环境行为信息公开化的发展历程

企业环境行为评价制度从 1999 年开始在江苏镇江和内蒙古呼和浩特开展试点，2000 年 9 月江苏省环保厅发布文件，要求全省在镇江试点的基础上，分阶段推行企业环境行为信息公开化制度。2003 年 11 月国家环保总局发文，在内蒙古、江苏、安徽、山东、重庆、甘肃等地开展公开试点工作，这项制度开始向全国范围推广，2005 年 8 月这几个试点城市都相继建立起了企业环境行为信息公开化制度。2005 年 11 月为指导各地开展企业环境行为评价，在试点工作的基础上，编制了《企业环境行为评价技术指南》。从 2007 年 4 月 1 日起，国家环保总局将把环境执法信息纳入人民银行征信管理系统，与人民银行形成信息联动，借助金融等部门力量加强环境监管。在此基础上，2007 年 7 月 12 日，国家环保总局、中国人民银行以及中国银行业监督管理委员会联合发布《关于落实环保政策法规防范信贷风险的意见》（环发［2007］108 号），此次纳入企业信用信息基础数据库的环保信息，其范围得到扩大，形成了更为完整的环境信息系统，标志企业环境行为信息化公开化制度正式在全国范围内开展。

三、如何实施企业环境行为信息化制度及所面临的困境

（一）如何实施

企业环境行为信息化制度的实施由政府环保部门牵头负责，其他相关政府单位负责协助，并协同环保部门保证数据真实性及可靠性。建立部门合作的工作机制，即建立环保部门和金融监管部门的联席会议制度，定期召开协调会交换信息。为了保障该项制度能够贯彻落实，必须从以下几个方面着手开展：

1. 加强组织领导

要充分认识实施企业环境行为信息公开化制度的重大意义，把这项工作作为事关改善区域环境质量，提高企业素质，增强发展能力的大事抓好落实。即省级政府部门必须把地方对此制度落实情况纳入年度目标考核机制。

2. 规范工作程序

按照国家和省相关文件的要求，根据环保部制定的指导意见和评定标准，组织严密科学的评判，确保企业环境行为信息公开化制度公平、公正、公开实施。

3. 强化基础工作

认真做好各项准备工作。参评企业要准确填报本单位的环保情况，努力加大环保投入，切实搞好环境管理，打牢企业的环保工作基础，不断优化和改进环境行为，争取社会效益和经济效益的双赢。各级环保部门要积极增强获取、处理企业环境行为信息的能力，建立健全企业环境行为信息库，有效、及时地采集信息，确保实施企业环境行为信息公开化制度的公正性、权威性。

4. 广泛宣传引导

让广大人民群众依法享有对环境的知情权、参与权和监督权。在执法部门、社会公众、企业之间建立新颖的、良好的合作关系，共同对环境污染进行预防、监督和控制，形成企业、公众、社会都来关心环境保护的浓郁氛围。

（二）实施过程中的问题及对策

环境问题具有流通性、复杂性，环境问题的特性决定了环境信息公开制度建立的必要性。

1. 遇到的问题

目前该制度从试点实施到大范围实施遇到的问题是：①企业环境信息数据的准确性是该制度实施的第一大难题，目前环保部门掌握的企业环境信息包括年度季度的环境统计、全国第一次污

染源普查的数据、化工行业风险源调查、污染源在线监测系统、排污收费系统、日常环保工作信息等。可以说环保部门掌握的企业环境信息很全面，但是部分数据信息还是需要考证的。如何合理利用这些信息，把这些信息综合利用起来，保障企业环境信息公开化的实施，需要环保部门及其他政府部门进一步合力协作；②环保部门评级及公众参与度的难题，环境这一公共物品属性客观上要求在环境这一公共事务领域内要有更多的力量来参与解决，这也是要求环境信息公开的基础。公众如何实现真正参与环保决策是制度有效实施，发挥功效的关键一环。

2. 解决对策

在每年环保部门评级时，可以举行听证会、公众投票等更多可以让公众更好决策的办法。作为承担环境污染危险的公众对污染企业或个人及政府部门进行监督，保障该制度的合理实施。

四、实施企业环境信息行为公开化的意义

（一）推动企业家提高企业环保意识

要保障社会持续发展，并惠及子孙后代，企业家就需要更自觉地节约资源、保护环境。严格按照落实环保措施，加大环保投入力度，发展循环经济，通过优化、合理利用资源，实施节能减排，来实现企业与社会可持续发展。

通过该制度的实施，有助于不断推动企业家提高企业环保意识，积极推进企业完善环保设施及运营，提高企业达标率。把企业家应承担的社会责任进一步制度化、法律化。进一步推动企业家严格执行环保法律法规，使企业家深刻认识到环保本身就是一种社会责任，多尽义务，谋求与社会、自然的和谐统一。只有社会的持续性发展才能使企业的持续性发展成为可能。企业应自觉地为社会多尽些义务，使之与区域经济发展和谐统一。企业在加快自身发展的同时，要积极承担社会责任，促进当地经济的协调发展。企业必须充分认识到，企业的经营活动对其所处的地区经济发展将会产生很大影响，而地区经济发展同样会影响企业追求成功的能力。

（二）防范信贷风险

企业存在的各类环境风险对于一个企业的生存发展将不可避免地带来重大影响，在一定程度上也同样影响到一个企业清偿债务的能力。现代企业的生产经营离不开商业银行，没有银行的信贷支持，企业生产经营活动无法开展。但是，不可否认的事实是，近年来，我国商业银行不良贷款比率一直居高不下，严重威胁着整个金融体系的安全。特别是企业面临的日益加大的环境风险，也直接威胁着商业银行信贷安全。

如果银行知道企业面临着不利的环境风险就不可能冒很大风险进行贷款。但事实上，尽管银行在主观上并不想将资金借贷给存在严重环境风险的企业，然而致命的问题是，银行并不能在现实中准确地区分哪些企业环境风险小，哪些企业环境风险大，这主要取决于银行能否真实而准确地获知企业与环境风险等有关的企业环境信息。此制度广泛实施正好可以弥补银行的这一缺陷，环保部门全面完整地收集企业所有环境信息，向银行提供一定范围的有价值的企业环境信息，便于银行有取舍地放贷，进一步防范信贷风险，保障整个金融系统的安全。

（三）推动“绿色信贷”及循环经济低碳经济的发展

该制度的实施实际上是“绿色信贷”的实施：指商业银行和政策性银行等金融机构依据国家的环境经济政策和产业政策，对研发、生产治污设施，从事生态保护与建设，开发、利用新能源，从事循环经济生产、绿色制造和生态农业的企业或机构提供贷款扶持并实施优惠性的低利率；而对污染生产和污染企业的新建项目投资贷款和流动资金进行贷款额度限制并实施惩罚性高利率的政策手段，有利于推动循环经济低碳经济的发展：①严格按照国家相关规定禁止“三高一资”类项目，着力优化贷款结构；②对不符合重点产业调整和振兴规划以及相关产业政策要求、未按规定程序审批或核准的项目，尤其是国家明令限期淘汰的产能落后、违法违规审批、未

批先建、边批边建等项目，不得提供任何形式的信贷支持；③大力发展绿色信贷，以“信贷调结构”推动“经济调结构”，发挥了绿色信贷的杠杆作用，支持具有自主创新、循环经济、节能减排等特点的企业，支持科学发展示范区和产业集聚区；④绿色信贷对经济发展方式转变的催化作用已经显现。通过合理的信贷支持循环经济发展，充分发挥信贷杠杆效应，推动经济可持续、有效益的“绿色”增长。

（四）推动政府信息公开利于公众参与

1. 企业环境信息公开化制度有利于公众积极参与环境保护和可持续发展，是可持续发展领域的一项新的制度，公众舆论会促使政府加强对污染企业或个人的环境管理，防止更大的污染事故发生，从而促进环境保护和社会经济的可持续发展。

2. 企业环境信息公开化制度有助于环境决策的科学与民主在环境保护领域，对于负有环境保护职责的政府来说，只有切实掌握环境状况特征和变化情况，才能做出科学的分析决策。对公众而言，知情的公众对问题更敏感，更善于对政府或企业的决策者的假设提出质疑，也更可能组织起来推动社会和政治变革。对消费者而言，充分的环境信息能够帮助消费者避免或减少自己可能受到的伤害，也可以避免或减少由个人行为引起对他人造成的环境损害。对民间团体和组织来说，信息是决定其发挥作用和影响大小的关键。而企业则需要各种与环境保护相关的信息来实现最大化企业的利润。于是政府的科学决策就取决于与公众、消费者、企业等利益相关者的信息互动。

五、结　语

随着经济的飞速发展，我国目前面临着日益严重的环境问题。如何实现经济发展与保护环境的双赢成为摆在发展道路上的一道坎，企业环境信息是企业循环发展、社会可持续发展的必要因素，企业环境信息公开化这一制度的实施必将进一步有利于政府管理企业、防治污染、保护环境，同时促进企业家承担应尽的社会责任。

参考文献

[1] 浅论环境信息公开制度的现实意义.
[2] 企业环境信息与银行信贷安全保障.
[3] 环保总局首度联手人民银行银监会，以绿色信贷遏制高耗能高污染行业扩张.
[4] 环境信息公开办法（试行）.

国家生物物种资源共享服务平台构想与实践

李　顺　徐富春　孙　强　李　阳　王利强

（环境保护部信息中心　北京　100029）

摘　要　生物物种信息采集和共享是生物多样性保护和生物资源持续利用的基础性关键工作。通过构建基于系统支撑、数据资源、信息服务平台和决策支持4大体系的国家生物物种资源共享服务平台，为管理机构生物物种资源管理以及公众科普教育提供高效服务。目前系统已完成整体框架搭建，并建设面向环境保护部的生物物种资源数据库平台，16个物种信息数据库完成设计工作，收录编目数据近14万余条，集成各类文档成果1500余篇，整理入库数据、图片、文档、报告量约80GB。

关键词　生物物种　生物多样性　数据库平台　信息系统

一、引　言

由于人口的快速增长、对生物物种资源的过度开发、外来物种的引进、环境污染、气候变化等原因，我国生物物种资源丧失和流失情况严重。生物物种资源的保护和持续利用必须以充分、准确的数据和信息为依据。联合国《生物多样性公约》特别明确要求“以某种方式组织和维护从查明和监测活动所获得的生物多样性数据”[1-4]。《全国生物物种资源保护与利用规划纲要》中也将建设和完善全国生物物种资源信息网络系统和数据资源体系列为优先行动项目，因此建立全国生物物种信息管理系统就成为当务之急。

近年来，我国的生物物种信息系统的建设取得了初步的成果。王献溥提出生物多样性保护信息系统的数据应分为物种、基本区域、过程、知识和经验来源以及其他五方面[5]。徐海根和薛达元等也对自然保护区管理系统和生物多样性系统的设计原则、结构功能以及物种信息元数据等方面做了研究[6]。中国科学院利用世界银行贷款和“八五”研究项目的支持，建立了中国生物多样性信息系统（CBIS）[7]；农业部建立了农作物种质资源信息系统（CGRIS），并向57个国家和国际机构提供了种质信息[8]；林业部建立了森林资源监测中心、林业信息中心以及中国林业研究科学院计算机科研网（CAFNET）[9]。与此同时，各地方政府及科研单位也建立了各具特色的生物物种信息系统和数据库[10-16]。虽然各部门在生物多样性信息系统的建设方面取得了一定进展，但我国还没有建立国家级生物多样性信息系统与信息网络。现有系统存在着物种信息不完善，以及跨库信息兼容性等问题[17,18]，无法适应当前生物物种资源管理的要求。

2003年5月，我国成立了由环境保护部（原国家环境保护总局）牵头，国务院17个部委参加的“生物物种资源保护部际联席会议”制度。2004年根据国务院《关于加强生物物种资源保护和管理的通知》（国办发［2004］25号）的要求，在财政部“全国生物物种资源联合执法检查和调查”专项的支持下，环境保护部组织有关部门开展了全国生物物种资源保护联合执法检查、全国生物物种资源编目与调查、生物物种资源评估体系研究、建立国家生物物种资源数据库和信息平台以及全国生物多样性评价等工作。国家生物物种资源共享服务平台的建立对于汇总、规范整个调查工作的成果，提高我国对于生物物种资源管理的质量和效率，推动我国生物物种资源的信息交换和公共宣传教育，具有深远意义，也是我国履行《生物多样性公约》的重要载体和保障。

二、总体设计

（一）总体目标

依托“全国生物物种资源联合执法检查和调查”的数据成果，研究并建设国家级权威的生物物种资源编目数据库以及辅助决策信息数据库，并在此基础上分别建设面向环境保护部的生物物种资源数据库平台和面向公众的生物物种资源共享服务门户网站，为管理机构以及公众提供生物物种信息决策和科普教育服务的平台。总体目标如下：

1. 以生物物种编目及相关信息数据库建设为主线，收集、分析、研究和规范全国生物物种保护和利用信息，建成并逐步完善国家生物物种资源共享服务平台；

2. 为环境保护部生物物种管理提供技术和数据支持，提高生物物种资源管理的质量和效率；

3. 推动生物物种资源信息交换和公共宣传教育，促进生物多样性保护和可持续发展领域的国际国内合作。

（二）系统框架

国家生物物种资源共享服务平台依托于全国生物物种资源调查项目的数据成果，建设国家级权威的生物物种资源编目数据库、重点调查数据库以及专家知识数据库，建立实用化的信息检索技术和评价分析模型，完善的分布式网络共享环境，以及生物安全风险评估技术准则、风险管理规范，在此基础上通过分别建设面向环境保护部的生物物种资源数据库平台和面向公众的生物物种资源共享服务门户网站，为生物物种保护管理部门和公众提供科学高效的生物物种信息服务。系统总体结构如图 1 所示。

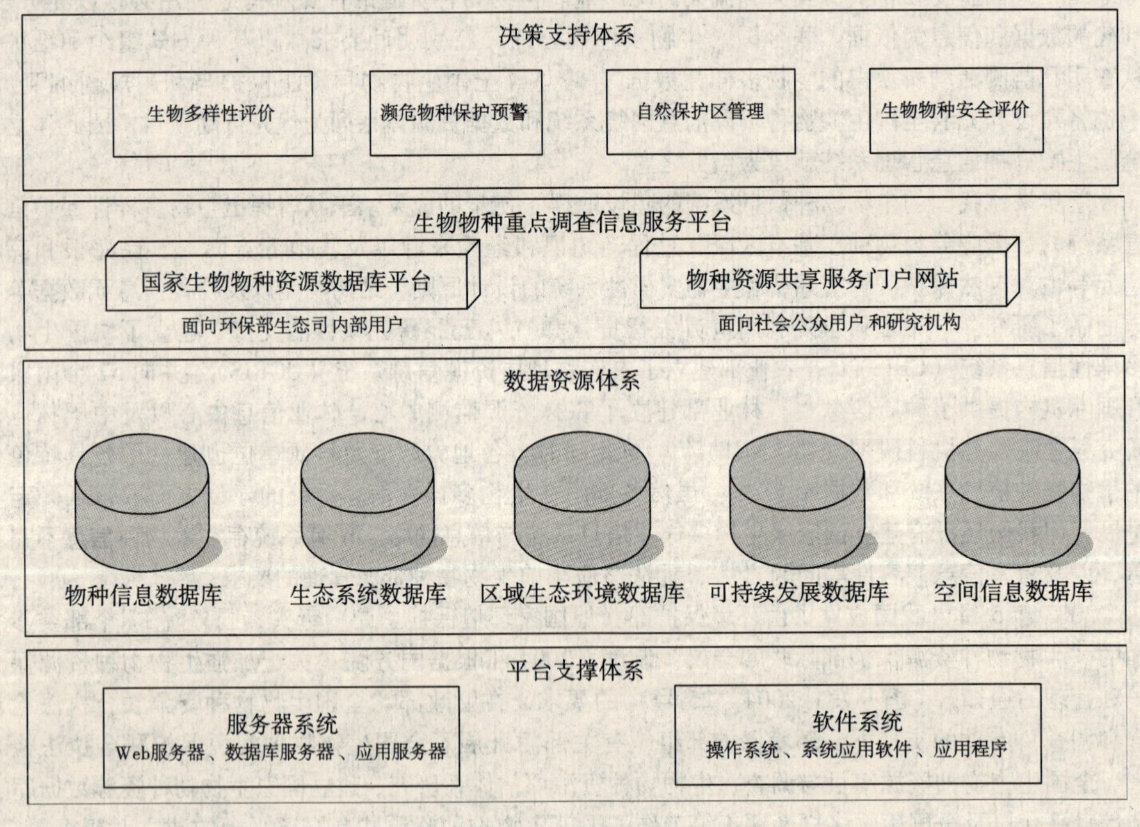

图 1　系统框架

1. 平台支撑体系

基础软硬件支撑体系包括服务器系统和系统软件。国家生物物种信息系统的服务器系统平台，应具有强大的处理能力、快速的磁盘访问和高可靠性、高可用性的特点，能满足大量用户同时上网使用服务的角度考虑；同时体系结构应符合开放标准，具有扩充余地，充分满足持续快速的业务发展需要。软件系统由计算机系统软件、系统应用软件和应用程序三部分组成：计算机系统软件主要是操作系统及必备的系统工具；系统应用软件是空间分析和数据库系统软件；应用程序是为完成共享服务平台决策支持功能和特定分析任务而编制的程序。

2. 数据资源体系

（1）物种信息数据库

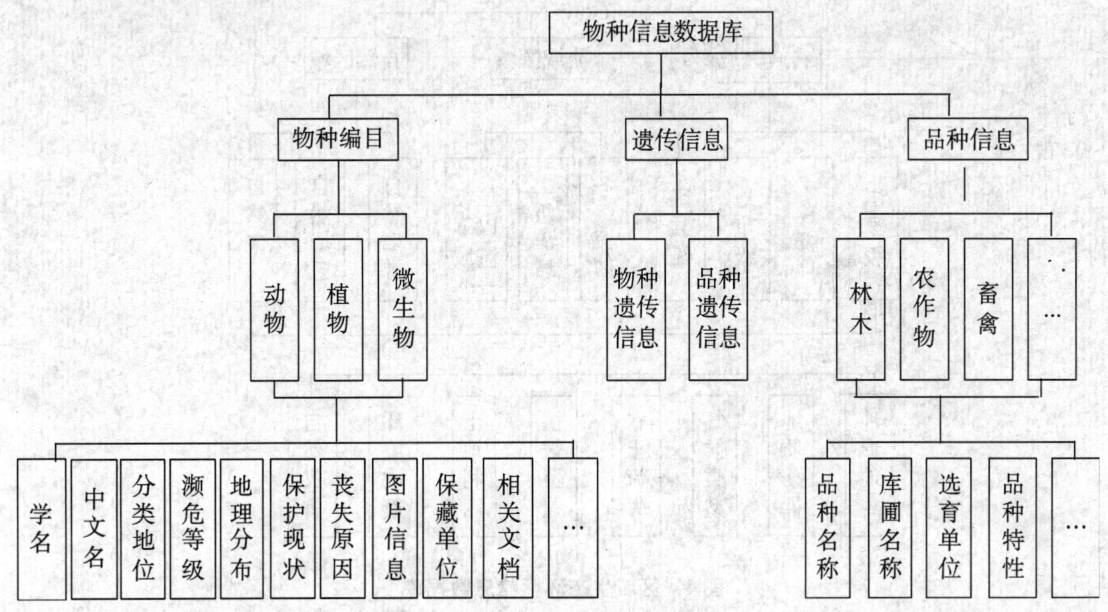

图 2 物种信息数据库

该数据库收录与生物物种保护和利用有关的物种水平的信息（见图 2）。物种编目数据为动物、植物和微生物的基础编目信息，如：中文名、别名、拉丁名、濒危类别、保护等级、分布范围、分类地位、保护措施、丧失原因、图片、研究报告等。品种信息包括林木、农作物、畜禽等品种资源特有编目信息，如：品种名称、库圃名称、选育单位、品种特性等。遗传信息包括物种和品种遗传资源调查与编目信息。

（2）生态系统数据库

该库收录了与生物物种保护和利用有关的生态系统信息（图 3）。生态系统类型分为森林生态系统、草原生态系统、荒漠生态系统、湿地与水域生态系统、海洋与海岸生态系统以及其他生态系统（包括农业、林业、牧业等生态系统），各生态系统类型的数据库包括生境条件、群落特征、系统价值、生产力、生物量以及生态系统的结构信息等。

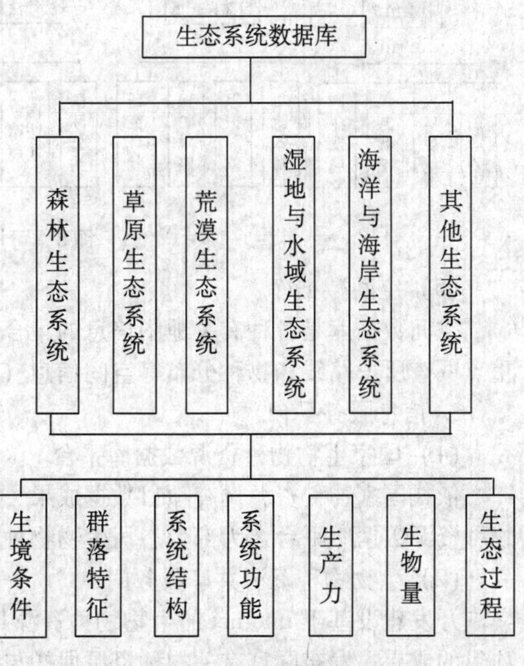

图 3 生态系统信息数据库

（3）区域生态环境数据库

该数据库收录了与生物物种保护和利用有关的生态环境信息（见图 4），分为行政区域、流域区域和自然区域三种类型。每种区域又进行了分级，行政区域分为国家、省级、地市和区县四级；流域区域分为一级、二级和二级以下流域三级。自然区域分为自然地带、自然地区和自然区三级。各级各类区域的数据库包括地形地貌、地质、土壤、气候、植被、土地利用、水土流失、自然灾害以及大气、水体和土壤环境质量等信息。

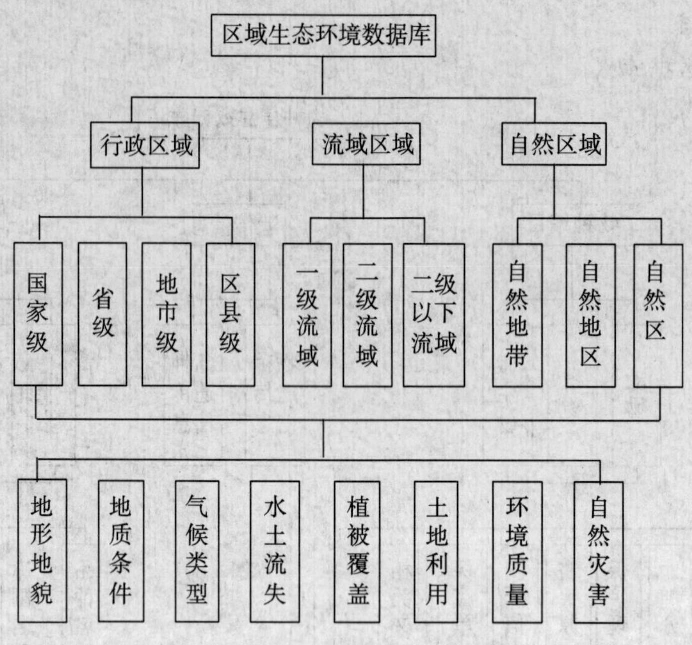

图4　区域生态环境信息数据库

（4）可持续发展数据库

该数据库收录了与生物物种保护和利用有关的经济社会活动信息、自然保护区信息、已颁布实施的相关法律法规、保护名录、专家信息以及相关利用信息和与生物物种调查、生物多样性有关的模型方法信息（见图5）。

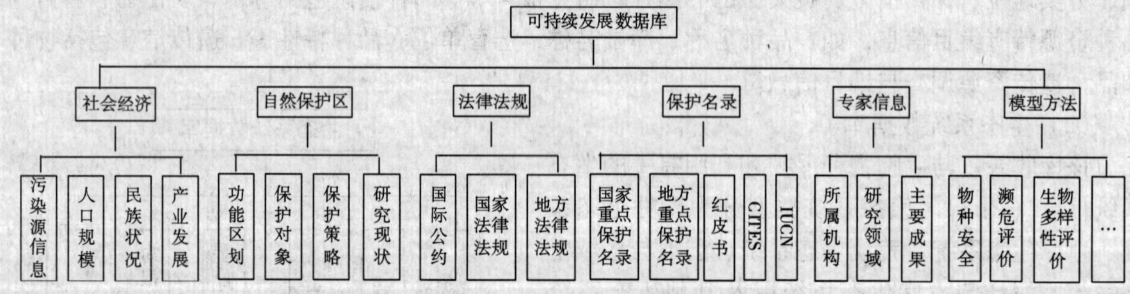

图5　可持续发展信息数据库

（5）空间数据库

空间数据库是各种有关地图信息的集合，该数据库包括所描述的地域的有关属性数据，以及重点调查所得路线和物种分布等空间信息（见图6）。

3. 信息服务平台

（1）国家生物物种资源数据库平台

依托国家物种资源调查项目数据成果，在环境保护部办公内网开发建设面向部生态司的生物物种资源数据库平台，为部生态司生物物种资源管理工作提供灵活多样的数据服务。

（2）生物物种资源共享服务门户

开发建设基于 Internet 的生物物种资源共享服务门户网站，全面展示全国生物物种资源调查项目的成果，发布国家有关物种资源保护与管理的政策法规，为相关部委和公众提供生物物种资源交流共享和宣传教育的信息平台。

4. 决策支持体系

在国家生物物种资源数据库平台基础上，建设生物物种管理决策支持体系，为管理部门提供高效的技术与数据支持，提高生物物种资源管理的质量和效率。

（1）生物多样性评价决策支持系统

根据植物、动物和微生物的物种在分类阶元上的多样化，系统演化的多样化作出物种多样性的评价。

（2）濒危物种保护预警系统

通过对物种濒危等级的评价，根据物种重要程度、生境的稀有性、消失率和不同自然植被类型及淡水与海岸生境的保护程度，做出濒危物种保护预警判断。

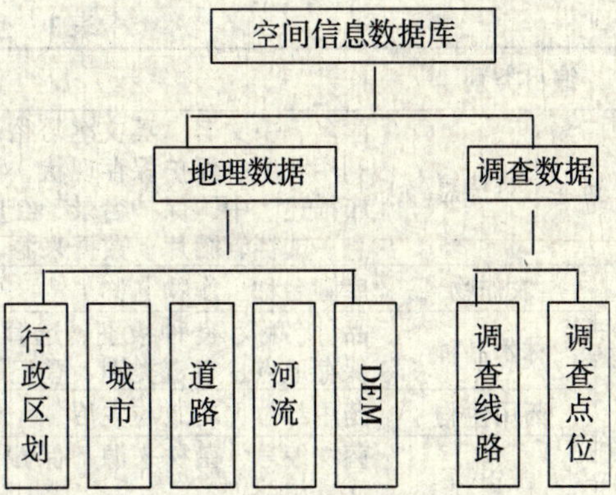

图6 空间信息数据库

（3）自然保护区决策支持系统

根据降雨强度、坡度、土壤类型以及环境容纳量和人类活动对环境的压力，对区域生物物种生存状况做出评价。

（4）生物物种安全评价支持系统

对前三种评价进行综合分析，划定区域生物物种安全图谱，对高风险地区加强保护措施，以防进一步侵扰生态系统。

三、建设实施

国家生物物种资源共享服务平台的建设是一个长期的过程，在系统总体目标的要求下，系统的建设以数据为主线，采用点面结合的方式进行。面上的工作以健全生物物种编目数据为主，点上的工作则以区域重点调查为基础。

（一）技术体系架构

考虑到经济可行和后期可扩展性，目前操作系统平台选用 Windows Server 2003，后台数据库采用 Microsoft SQL Server 2000，采用 ArcSDE 服务访问地理信息数据库，采用 IIS、ArcGIS Server 进行数据、地图发布服务，系统运行于 Microsoft . NET Framework SDK v1. 1 支撑平台之上。

（二）数据资源体系建设

参照环保部自然生态保护司《物种资源编目参考标准》、环保部信息中心《国家环境保护总局电子政务综合平台环境数据中心数据库设计规范》、《国家环境保护总局电子政务综合平台环境数据中心数据字典规范》以及生物物种编目相关知识，设计规范的编目数据库及相关代码库，物种编目数据见表1。

平台汇总包括重点农作物、家养动物、林木、观赏花卉、药用动植物、水生生物、重点微生物、自然保护区野生动植物等16个领域的汇交数据成果，数据整理内容主要包括各领域物种编目数据、研究报告、统计图表、物种照片等。同时收集整理生物物种资源管理相关法律法规、技术规范和“全国生物物种资源联合执法检查和调查”项目等文档成果，并对500余个重点调查物种的相关资料文档与编目数据进行了关联。累计整理集成各类文档成果1500余篇，收录编目数据近14万余条（表2），整理入库数据、图片、文档、报告量约80GB左右。

建立编目物种分布信息与空间数据关联信息。完成生物物种资源相关空间数据（1∶25万国家基础空间数据）的整理准备，主要包括行政区、海域、重点流域、重点城市等图层。并以报表、GIS专题图等方式将物种资源编目数据在国家生物物种资源数据库平台发布。

表 1　生物物种编目数据

编目类别		编目信息
基本编目信息		学名、中文名、英文名、俗名、引进来源、引进时间、物种原产地、经济价值、开发利用状况、保护保存现状、物种属性、分类地位、分类地位描述、地理分布、地理分布描述、中国保护名录、红皮书濒危等级、CITES、IUCN、保护措施和建议、采样点信息、文档、图片、数据来源、数据上报年份、数据核查人
特有编目信息	农作物	库圃名称、作物名称
	林木品种	品种名称、良种级别、选育单位、选育时间、选育人员、品种特性、适合推广范围、保存地点、审定类别、登记编号
	药用生物	药用部位、功效与主治
	微生物	菌株编号、菌株来源、保藏单位、菌株主要用途、菌株主要特点、关于菌株的原始文献
	保护区重点生物	保护区名称、中国特有、栖息地类型、生境类型、海拔上下限、种群现状、生活习性、识别特征、驯养繁殖、调查记录
	海洋生物	产地、底质、生物分类、定名人

表 2　生物物种数据

序号	数据库名称	物种数据量（条）
1	重点农作物	1853
2	重点动物	1446
3	重点野生果树	541
4	重点林木品种	1000
5	重点林木物种	1315
6	重点观赏植物	6008
7	重点药用生物	1797
8	重点水生生物	3104
9	重点菌种	15996
10	重点微生物	3750
11	保护区重点物种	332
12	重点植物本底数据库	31557
13	海洋生物物种	336
14	湖北省物种资源	6783
15	微生物菌株编目	62141
16	西南喀斯特动物	1244
合计		139203

（三）国家生物物种资源数据库平台

围绕环保部生态司物种资源管理的需求和项目形成的数据和文档资料成果为基础，以数据库技术、Web 技术、WebGIS 技术等为核心，在环保部电子政务办公内网开发生物物种资源数据库平台，为生态司生物物种资源管理工作提供灵活多样的数据服务。系统采用 B/S 结构，以网站的方式呈现，主要功能设计如下：

1. 数据展示的功能

以数据报表、GIS 专题图的方式组织和展示物种资源编目数据。

2. 数据查询的功能

可以通过资源的名称（包括学名、中文名、俗名、英文名）、空间分布状况以及地区物种资源状况、物种分类（门、纲、目、科、属、种）、物种属性（野生、家养和半驯化），濒危等级、经济价值等分类查询物种资源。

3. 数据统计的功能

根据各种统计方法，统计物种资源数据，如：根据物种分类层级关系，统计物种资源编目数据库中每一层包含的物种资源数；根据产地和分布、濒危等级、经济价值等进行物种资源统计等。

（四）生物物种资源共享服务门户网站建设

生物物种资源共享服务门户网站基于 Internet 建设，服务于社会公众，采用 B/S 结构，是物种资源调查项目成果展示的平台，也是环保部生态司生物物种资源编目数据共享服务和宣传物种资源保护的窗口。网站提供的数据内容和服务功能均是内网生物物种资源数据库平台的延伸。

生物物种资源共享服务门户网站围绕生物物种资源编目数据共享和生物物种资源宣传保护设计，主要包括部级联席会议、战略与规划、法律与法规、标准与规范、管理制度、保护动态、生物物种资源调查项目成果等栏目，为公众提供信息浏览、物种编目数据查询统计、站内全文检索、留言、资料下载等功能。

四、结论与展望

国家生物物种资源共享服务平台是集物种编目数据、生态系统数据、区域生态环境数据、可持续发展数据、空间信息数据于一体的综合系统，为国家级生物物种保护、可持续利用和生态安全决策提供科学的管理依据，同时也为相关部委和公众提供生物物种资源交流共享和宣传教育的信息平台。

国家生物物种资源共享服务平台的建设是跨学科知识的综合集成，涉及多方面知识和专业技术，随着科学技术的发展，特别是 GIS 技术、数据挖掘技术以及生物、生态学等科学的发展，今后应加大区域信息的收集整理，在建设完善的生物物种信息数据资源支撑体系的基础上，通过对物种或特有物种的动态分布、资源现状及其生存环境的相互关系的研究，建立决策支持体系，对自然保护区、物种及其栖息生物多样性环境的未来变化和发展进行科学预测，为管理部门提供科学的技术和数据支持。

参考文献

[1] UNEP. Biodiversity Data Management (Document 1): Data Flow Model [R]. UNEP, 1995.

[2] UNEP. Biodiversity Data Management (Document 2): Guidelines for a National Institutional Survey [R]. UNEP, 1995.

[3] UNEP. Biodiversity Data Management (Document 3): Guidelines for Information Management [R]. UNEP, 1995.

[4] UNEP. Biodiversity Data Management (Document 4): Resource Inventory [R]. UNEP, 1995.

[5] 王献溥．建立生物多样性保护信息系统的意义和途径［J］．植物资源与环境学报，1996，1：15－19.

[6] 徐海根．我国生物多样性信息系统建设若干问题研究［J］．农村生态环境，1998，14（4）：11－15，28.

[7] 黎斌，陈建平，陈彦生，等．生物多样性信息系统的研究进展［J］．计算机与农业，2003，10：101－113.

[8] 徐海根，薛达元．生物多样性信息系统研究［J］．环境保护，1999，7：27－29.

[9] 李应国，周天元，彭松波，等．中国生物多样性管理信息系统功能扩充实施方案［J］．林业资源管理，2004，1：55－57.

[10] 高秀梅，顾姻，凌萍萍，等．活植物收集圃信息系统［J］．植物资源与环境，1994，3（4）：1－4.

[11] 刘演，文和群，廖宏，等．广西主要经济植物的多媒体信息系统［J］．广西植物，2000，20（1）：94－96.

[12] 魏英，沈观冕，潘晓玲．中国西北荒漠植物区系信息系统［J］．干旱区资源与环境，1999，13（3）：65－68.

[13] 岳建英，关芳玲，赵邑，等．山西高等植物数据库信息系统结构与功能［J］．山西大学学报，2001，24（4）：377－375.

[14] 张英才，侯子宁．宁夏野生经济植物信息系统的结构与功能［J］．植物学通报，1999，16（6）：705－707.

[15] 彭明春，杨树华，闫海忠．云南生物多样性保护信息系统（YBCIS）设计研究［J］．云南大学学报，1999，21（2）：132－140.

[16] 袁小凤．三峡库区珍稀濒危植物信息系统［D］．西南师范大学生命科学学院，2002.

[17] 王长水，薛达元．加强国家生物多样性数据管理和信息交流能力建设［J］．农村生态环境，14（3）：44－47，53.

[18] Xu HaiGen, Wang DeHui, Sun XueFeng. Biodiversity Clearing－House Mechanism in China: present status and future needs [J]. Biodiversity and conservation, 2000, 9 (3): 361－337.

浅论环境保护管理中的信息化与物联网

汪彬彬 朱 琦

（环境保护部信息中心 北京市朝阳区育慧南路1号 100029）

摘 要 浅论信息化管理在政府职能中的转变，信息化和物联网手段在环境保护中的管理需求和总量控制中的应用，为环境保护事业铺路架桥。

关键词 空气 颗粒物 成分 气象条件

一、前 言

信息对于我们每个人来说，并不陌生。在实际生活中，每个人每时每刻都在不断地接收信息、加工信息和利用信息，都在与信息打交道，尤其在环境保护中，信息的分析利用更为重要。现代管理者在管理方式上的一个重要特征就是：他们很少同“具体的事情”打交道，而更多的是同“事情的信息”打交道。管理系统规模越大，结构越是复杂，对信息的渴求就越加强烈。实际上，任何一个组织要形成统一的意志，统一的步调，各要素之间必须能够准确快速地相互传递信息。管理者对组织的有效控制，都必须依靠来自组织内外的各种信息。无论是环境保护，还是人才、原料和能源信息等都一样，被视为生存发展的重要资源，成了管理活动赖以展开的前提。一切管理活动都离不开信息，一切有效的管理都离不开信息化的管理。

二、信息化管理与职能转变

无论是信息化的战略管理，还是战术管理，都需要有人管理。传统的、工业时代的政府没有这些管理职能，随着信息化和电子政务的发展，政府与信息化相关的管理职能不断增加，信息化不仅正在改造政府，也逐渐成为政府职能转变的一个重要因素和驱动力，信息化的有效管理成为政府职能转变的内容之一。

在工业时代的政府编制和体系架构中，虽然找不到一个专属信息化的管理部门，但是随着政府信息化的发展，政府也在逐渐调整和加强对于信息化的管理。20 世纪 70 年代中后期，管理信息系统和决策支持系统已经获得了广泛的应用，由数据管理走向了信息管理，政府和企业的各个组成部门都利用计算机来协助管理部门的业务流程和支持相关的决策活动，以提高部门的劳动生产率和管理的有效性和竞争力，计算机的应用范围大大地扩大了。计算机应用的管理部门升级为与各个业务部门平行的机构，但主要职责还停留在以技术支持为主的状况。

20 世纪 90 年代中期以后，互联网、网内网（Intranet）和网外网（Extranet）技术的应用，为信息化的发展开拓了全新的天地，企业信息化向电子商务发展，政府信息化向电子政务发展，使现代信息技术成为政府、企业或任何组织机构业务运行和管理过程中的一个战略要素，信息化不再是政府或企业的下属部门一个一个地考虑他们要利用信息技术干什么、解决什么业务问题，而是政府或企业作为一个整体去研究。在信息时代的背景下，信息化战略是什么，如何贯彻实施这个战略，如何更合理、更有效地利用政府和企业资源的问题。现代信息技术所扮演的角色由管理层上升到决策层，对于网络和计算机应用的管理也提升到决策层面，转变为信息化的管理部门，首席信息官（Chief Information Officer，CIO）制度应运而生。随着政府或企业信息化主管部门职能的转变，信息化中的许多高度技术化问题，政府或企业自身几乎没有应对能力，而采取“外包”的办法，将信息系统的建设和升级中的设计、运行、维护、操作层面等业务直接交给专业公司去做，这样有利政府和企业提高信息化的应用水平，降低信息化成本，而且还有利于产业的发展。信息化主管部门由信息系统的技术支持转为信息化的战略管理、信息管理和知识管理，以研究信息化的发展战略、总体构思、信息资源的开发利用、专门知识（包括竞争性情报）的组织和利用为管理重点。信息化的有效管理成为一个值得从管理科学的角度加以重视和研究的新问题。

在社会发展中，信息社会与工业社会的主要差别是在人类世界和物理世界之间出现了一个信息世界（Cyberspace），因此，物理世界与信息世界之间的交互界面、人类世界与信息世界的交互界面就成为构建信息社会必须关注的科学技术问题。物理世界通过各种传感器系统获得源源不断的信息，连接各种物体的“物联网”的规模将大大超过连接人的互联网。微型传感芯片将嵌入各种物体实时监测，对这些嵌入式设备和传感器发送的海量信息进行存储、搜索、校对、汇总和分析，将提出大量没有碰到的科学技术问题，而如何科学地管理和解决这些问题，这是21世纪信息领域最繁重的任务。

三、让信息化和物联网为环境保护事业铺路架桥

国家环境保护“十二五”规划思路，是将削减总量、改善质量、防范风险作为三个着力点。从改善环境质量作为切入点，以削减总量为重要抓手，着力形成机制体制，在实现环境形势趋好的同时，严格防范环境风险，保障环境安全，改善民生。

随着国家经济建设的迅速发展，改善环境质量成为我们的需求，面对日益严重的资源和环境压力，如何节能减排、总量控制，如何面对能源压力、环境污染与生态破坏、交通拥堵治理、安全生产、屡禁不止的经济发展建设中的违法违规现象、难以监管的公共安全、规模过快增长的城市人口等，这些国家经济建设管理中最为突出的矛盾，制约着国家的经济发展，急需具有科学发展的新理念、新思路、新技术手段来解决。世界银行曾对由于污染造成的健康成本和生产力的损失做出估算，指出其损失大约相当于国内生产总值的1% ~5%。

在科学技术发展史上，科技进步可分为两大类。一类是基本创新（Basic innovation），具有划时代的重大技术发明，如蒸汽机和内燃机、发电机和马达、电子计算机与集成电路、Internet和Web等。基本创新往往形成全人类的通用技术平台，带动约半个世纪的经济长波。另一类是在现有通用技术平台上的技术改进，即应用创新或渐进创新（Incremental innovation）。应用创新也包括我们常说的集成创新。应用创新对提高效率和市场竞争力具有累积效应，其累进的总效果可能超过一次大的创新。

许多人认为科学发展的动力主要来自科学家的好奇心，重大的科学发现往往出自科学家的奇思妙想或灵机一动。但是，与个人的好奇心相比，社会的迫切需求可能是科学技术发展更强大的动力，信息技术尤其如此。信息科学技术是替代与放大人的脑力活动而不是体力活动，这可能存在与过去不同的发展规律，它是人的智能的延伸，让信息设备善解人意，实现人机界面的智能化是人类不懈的追求。但一项革命性技术（包括信息技术）对社会的推动作用总是有限的，渐进式的技术改良对经济发展的作用更小。

Internet的设计者绝不会想到今天全球有十几亿人上网，互联网会成为不可或缺的信息基础设施，更不会想到音视频内容会成为网上的主要流量，需要保证实时的服务质量。互联网的开放宗旨和信任上网用户的原始假定也导致今天很难解决的网络安全问题。其他的信息技术，例如存储和显示等，大约20年之后也会遇到类似的技术壁垒。预计到2030年左右，光子可能会逐步取代电子，成为主流的信息载体。同样在器件、系统、网络都会出现难以逾越的“技术墙”，例如“功耗墙”、“可靠性墙”、“复杂性墙”等，现有互联网将面临性能、安全、网络管理、能耗问题的挑战。这其中蕴涵一些本质性的科学问题，渐进性的小改进无济于事。要成数量级地降低功耗，就不能只靠一点一滴的精细电源管理，应当在理论的指导下进行，建立功耗复杂性理论。综

上所述，现有的互联网在性能、安全、可管理性以及能耗等方面都存在巨大问题。而传统对互联网进行优化的演进方式难以从根本上解决上述问题，因此亟须开展基于“从零开始”设计方法的后 IP 技术的相关研究。

1993 年美国克林顿政府的“信息高速公路”政策出台，韩国政府在信息技术领域，寻找促使经济增长的技术热点。“韩国 U – City 项目”是通过建设遍布整个城市的高速有线和无线网络，让市民方便地使用各项社会服务，了解城市环境和交通状况，遥控家电，甚至追踪未成年子女的动向。在 U – City 城市的建设中，IT 基础设施，包括传感器网络、触摸屏终端、RFID 读卡器等等，作为城市构成的基本要素被应用于居住、经济、交通、公共设施等各个领域。韩国的 U – City 计划有两个特点。一是通过建立样板城市和现实应用，拉动物联网和泛在计算基础设施建设，给予人们直观感受。二是政府把泛在计算上升到国家经济发展的战略高度，推动其在全社会范围内的迅速实现。

2008 年 11 月，美国 IBM 公司总裁彭明盛在纽约对外关系理事会上发表了题为《智慧地球：下一代领导人议程》的讲话，正式提出“智慧地球”（Smarter Planet）设想。2009 年 1 月 28 日，奥巴马就任美国总统后与美国工商业领袖举行了一次“圆桌会议”，彭明盛推销“智慧地球”这一概念，建议新政府投资新一代的智慧型基础设施，阐明其短期和长期效益。奥巴马对此给予了积极的回应。认为“智慧地球”有助于美国的“巧实力”（Smart Power）战略，是继互联网之后国家发展的核心领域。“物联网/传感网”是“智慧地球”的核心技术之一。

2009 年 8 月，温家宝总理考察中科院无锡高新微纳传感网工程技术研发中心，明确指示要早一点谋划未来，早一点攻破核心技术，并且明确要求尽快建立中国的传感信息中心，或者叫“感知中国”中心。2009 年 11 月 3 日，温家宝在首都科技界讲话中将“物联网/传感网”列入 5 大必争产业制高点之一 。

在国际上，物联网技术被认为将引发全球第三次技术浪潮。环境感知，成为泛在计算技术的核心。它不仅节省用户的注意力资源，同时在传感器与智能算法的帮助下，自动探测用户需求，并做出应对。曾于数年间全球蓬勃发展的“基于位置服务”，其实就是环境感知技术的一个应用。我们所了解的一些未来产品概念，如智能家庭、自动驾驶汽车等，也是环境感知技术在不同环境中应用的例子。国内被炒到火热的物联网概念，只不过是 20 年前提出的泛在计算框架下一个小小分支。大概是因为诞生于一种预言式研究动机的缘故，国外不少学者对泛在计算，尤其是环境感知技术存在一个疑问，那就是它能否真正被用户接受。而数月前开始在国内大行其道的物联网概念，也是泛在计算重要的组成部分。目前世界各国对泛在计算将成为新一波信息产业革命的主题这一判断，基本没有异议。但大家选择的切入点，却不尽相同。网络基础设施完善、互联网与移动互联网应用高度发达的日、韩等国，均选择了基础设施与上层服务整体推进，通过普及新型应用拉动信息产业升级的战略，其目标定位在更加便利的国民生活，强调科技的人性化。

物联网在信息化管理中是一个具有挑战性的应用领域，它涉及了器件、设备、系统、网络、服务、电子商务和电子政务模式等诸多方面。无处不在的网络基础设施建设，使海量的基础部件信息自动进入网络，面对涉及规划、管理、协调、合作等方方面面的问题，对管理中不同部门间的需求，如何实现计算资源、数据资源、软件资源的广泛共享和透明使用，以及涉及的科学技术、标准体系、信息安全、法律保护、道德伦理等都将使实现物联网在产业经济和应用方面具有挑战性。

在环境保护中，海量的环境数据的准确采集，包括水、大气、区域环境、自然保护区等数据，利用传感器采集通过网络传到综合数据平台，利用软件对这些环境数据进行监控和对比分析，作出如何减少排放，节约能源等的管理决策分析，并实时将这些分析结果提供给管理者，为改善我们的环境翻开新的篇章。

四、展　望

“物联网”概念的问世，打破了之前的传统思维。过去的思路一直是将物理基础设施和 IT 基础设施分开：一方面是机场、公路、建筑物；另一方面是数据中心，个人电脑、宽带等。而在“物联网”时代，钢筋混凝土、电缆将与芯片、宽带整合为统一的基础设施，在此意义上，基础设施更像是一块新的地球工地，世界的运转就在它上面进行，其中包括经济管理、生产运行、社会管理乃至个人生活。

比如，建一个物联网污水处理厂，就是将物联网技术应用于污水处理厂各个污水处理设施、设备当中，污水处理物联网系统可以占到污水处理厂建设投资的 10%，通过传感网络，实现对污水处理厂的感知，可进行各个污水处理单元水质、水量信息的采集、各个污水处理设备运行情况的采集、各个污水处理设备远程控制，利于污水处理厂运行管理，实现时时监控，污水处理厂运行数据更加透明化，又保证了污水处理厂高效的运行。污水处理物联网系统的应用是社会的趋势，坐在办公室就能控制管理污水处理厂；便于技术人员、专家、教授现场进行指导服务，节省了管理成本，提高了管理效率，保证了污水处理厂的良好运行。目前国内污水处理厂已开始应用物联网技术，如贵州遵义 4 万 t 城市生活污水处理厂在 2009 年 11 月物联网工程开始投资建设。苏州科技学院于 2009 年 11 月建立开放性的物联网污水处理实验室。

未来的信息化管理，将充分利用网络信息，日常的许多工作可依据网络进行，利用移动通信等平台，实现信息随时浏览、随时追踪，利用可视电话等，将会有更多创新信息交流媒介，可节约大量的人工和工作量，减少环境污染，为能源的合理利用，提供了更广阔的空间。

未来的世界将为政府、群体、公众等科技现代化活动提供一个健康和谐的环境。

参考文献

[1] 周宏仁．信息化论［M］．北京：人民出版社，2008，8.

[2] 黄孝斌，魏剑平，樊勇，等．物联网助力城市信息化发展——探索城市管理新模式．中科院院刊，2010（1）：64.

[3] 封松林，叶甜春．物联网/传感网发展之路初探．中科院院刊，2010（1）：50.

[4] 李国杰．21 世纪上半叶信息科学技术展望．中科院院刊，2010（1）：78.

山东省环境管理地理信息系统解决方案

谢 琨 汪先锋

（山东省环境信息中心 山东省济南市制锦市街12号 250012）

摘 要 运用3S技术将空间技术、传感器技术、卫星定位与导航技术和计算机技术、通信技术相结合，多学科高度集成的对空间信息进行采集、处理、管理、分析、表达、传播和应用。环境管理地理信息系统将利用先进的网络、通信、信息技术、3S（GPS、GIS、GRS）技术，整合各类环境信息资源，建立统一的环境信息资源数据库，将环境数据中心汇集的各级、各类环境业务信息，完整、准确的定位于信息相关的地理环境中，为环境管理提供直观、高效、便捷、综合性的管理手段，提高山东省环保厅的环境业务管理能力、应急处理能力、执法水平、为民众服务水平、综合管理与分析决策能力。

关键词 环境 管理 地理信息系统 解决方案

一、系统设计目标

环境管理地理信息系统将利用先进的网络、通信、信息技术、3S（GPS、GIS、GRS）技术，整合各类环境信息资源，建立统一的环境信息资源数据库，将环境数据中心汇集的各级、各类环境业务信息，完整、准确的定位于信息相关的地理环境中，为环境管理提供直观、高效、便捷、综合性的管理手段，提高山东省环保厅的环境业务管理能力、应急处理能力、执法水平、为民众服务水平、综合管理与分析决策能力。

二、系统的实施

环境管理地理信息系统是一项复杂的工程，当管理信息系统的规模越大，实施阶段的任务也越复杂。一般来说，系统实施阶段主要有以下几个方面的工作：物理系统的实施、程序设计、系统调试、人员培训、系统切换。

系统实施首先进行物理层面的实施，要根据计算机物理系统配置方案购买和安装计算机硬、软件系统和通信网络系统，还包括计算机机房的准备和设备安装调试等一系列活动，要熟悉计算机物理系统的性能和使用方法，同时进行的工作是程序设计；接着进行的工作是收集有关数据并进行录入工作；然后是系统调试；最后是人员培训和系统切换。

在系统实施过程中主要解决的问题有：

（一）数据的集中管理

没有数据的集中就没有系统整合的可能，系统的价值不是用了什么样的软件，而是由数据的集中程度来体现的。包括系统中机构的设立、人员的权限管理是由软件统一实现和完成的，这是一部分。监测数据、普查数据；动态数据、静态数据、异构数据库数据的共享和交互，这些都是数据集中管理的内容，是解决信息孤岛问题、充分发挥现有数据库价值的最根本的前提。这一部分在下面的“异构数据库管理”中将进一步介绍。

（二）建立信息门户

建立信息门户网站，是将数据集中和信息资源整合的成果展现的主要方式，为系统提供一个可以使用户从单一的渠道访问其所需的信息，可以将该系统信息发布在门户网站上。

（三）实现信息资源整合

信息资源整合是指将某一范围内的，原本离散的、多元的、异构的、分布的信息资源通过逻辑的或物理的方式组织为一个整体，使之有利于管理、利用和服务。我们也可以这样来理解信息资源整合，就是把分散的资源集中起来，把无序的资源变为有序，使之方便用户查找信息、方便信息服务于用户。这也是广义的信息资源整合概念，它包含了信息采集、组织、加工以及服务等过程。

（四）完成信息的共享

信息共享指不同层次、不同部门信息系统间，信息和信息产品的交流与共用，就是把信息这一种在互联网时代中重要性越趋明显的资源与其他人共同分享，以便更加合理地达到资源配置，节约社会成本，创造更多的财富。是提高信息资源利用率，避免在信息采集、存贮和管理上重复浪费的一个重要手段。其基础是信息标准化和规范化，并用法律或法令形式予以保证。信息共享的效率依赖于信息系统的技术发展和传输技术的提高，必须严格在信息安全和保密的条件下实现。

三、环境管理地理信息系统的概念及其应用

环境管理地理信息系统（Geographic Information System for Environmental Protection，EPGIS）是收集、存储、管理、综合分析和处理空间信息和环境信息的计算机软硬件系统。它是GIS技术在环境领域的延伸，是GIS技术与环境监测技术、环境管理技术等各种环境信息分析和处理技术的集成。环境管理地理信息系统的主要功能有：

1. 基本功能包括对空间和属性数据的输入、存储、编辑，以及制图和空间分析等功能。编辑功能允许用户添加、修改、删除点、线、面或修改其属性信息；制图功能可以灵活多样地制作和显示及输出各种专题地图，如污染分布图、水功能区划图、环境规划图等，地理要素可放大缩小以显示不同的细节内容，并能够测量地图上线段的长度或指定区域的面积。

2. 空间统计分析（Spatial Statistics Analysis）是指对空间数据库中的专题数据进行统计分析。包括各种属性数据的集中特征数、离散特征数及其分类分级统计等。

3. 叠加分析（Overlay Analysis）功能允许两个或多个图层在空间上比较各空间要素和属性，分为合成叠加和统计叠加。合成叠加得到一个新图层，它将显示原图层的全部特征，交叉的特征区域仅显示共同特征；统计叠加可以统计一种空间要素在另一种空间要素中的分布特征。对不同的图层进行叠加分析，从而获得各种感兴趣信息，如利用类型叠加分析获取新的类型。如土壤图与植被图叠置，以分析土壤与植被的关系，可以计算某一区域内的植被类型的数量及面积，即通过对同一地区、相同属性、不同时间的栅格数据的叠置，可以分析由时间引起的变化，通过与所需提取的范围的叠加运算，快速地进行范围内信息的提取等。

4. 缓冲区分析（Buffer Analysis）是GIS的基本空间操作功能之一。例如，某地区有危险品仓库，要分析一旦仓库爆炸所涉及的范围，这就需要进行点缓冲区分析，结合与居民地图层的叠加分析，可以获取需要疏散的人口数等。

综上所述，空间分析是地理信息系统软件的核心，空间统计分析、叠加分析、缓冲分析等功能为环境管理地理信息系统提供了强大的环境分析功能与广阔的应用空间。随着其功能的不断完善和发展，环境管理地理信息系统将为环境各部门提供一个功能强大的空间信息服务和管理工具，成为各部门日常工作不可或缺的工作手段。

四、环境管理地理信息系统解决方案

为了满足系统在技术上具有业务变化的适应性、高度的安全性、大容量数据存储处理等特点，因而在系统的技术框架中采用三层或多层体系架构，同时引入数据仓库技术。系统利用中间件技术，把业务逻辑、表示逻辑和数据资源分为三个不同的处理层次：

1. 表示逻辑（客户层）为第一层：它的主要功能是实现用户之间的交互与数据表示，为以后的数据处理、业务逻辑调用应用支撑服务提供支持，并显示数据处理结果。

2. 业务逻辑（应用服务器组件）为第二层：这些组件由中间件管理，实现核心业务逻辑服务，同时将这些服务按名字管理；一旦客户提出服务请求，则这些服务就会向资源管理器提交数据操作请求，并将处理结果返回请求者——客户或其他服务器。

目前主流的应用服务器的解决方案包括两种——J2EE 标准架构与 . NET 架构。可根据项目建设的实际需求和架构本身的特点具体选择。

3. 数据资源（资源管理器）为第三层：包括数据库、数据仓库和各种文件（如多媒体文件），负责管理应用系统的数据资源，完成数据操作。应用服务器组件在完成服务的过程中通过资源管理器存取管理的数据。

应用系统的总体技术架构如图 1 所示：

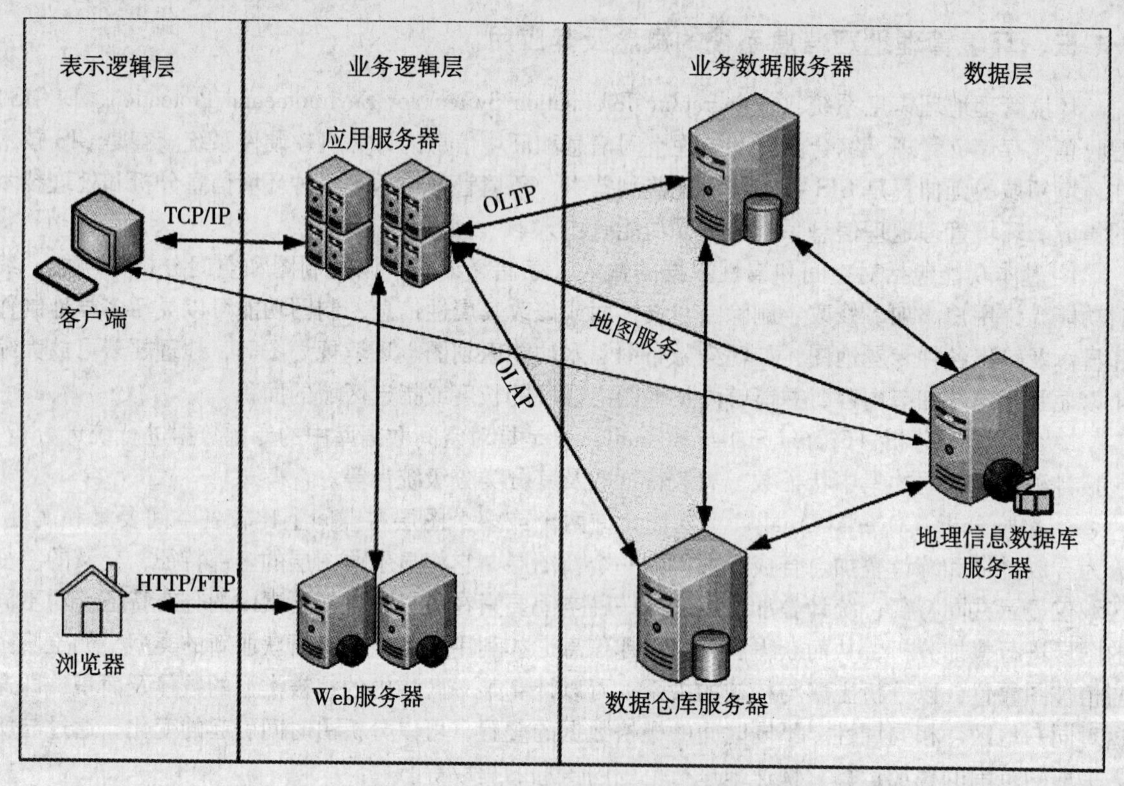

图 1　环境综合业务系统技术框架

（一）系统建设的硬件平台

硬件平台层能够为应用系统的运行提供基础硬件支持，是信息化建设的基础。由基础网络设备和基础服务器组成，包括对这些设备的维护和管理。

1. 基础网络设备由各种网络硬件组成，并通过网管软件对这些设备进行管理，对网络状态进行调整，使网络能正常、高效地运行，使网络中的各种资源得到更加高效的利用，当网络出现故障时能及时做出报告和处理，并协调、保持网络的高效运行等。

2. 服务器是提供网络管理、业务应用和数据服务的核心部件，需要提供不间断的访问服务，服务器系统应具有高的可扩展性，当业务量增加或增加新业务时，服务器能以增加节点、处理器、内存等方式提供更高的性能来满足新的需求。

（二）系统建设的软件平台

服务器系统软件层主要提供系统运行所必需的软件，并对其进行管理，包括操作系统软件、地理信息系统软件以及数据库管理系统。

1. 操作系统

操作系统是系统建设中必不可少的系统软件。环境保护应用体系中拟采用 Windows 架构的企业版作为各数据中心服务器的操作系统。

2. GIS 平台选择

本项目的 GIS 应用一般是从基础空间管理、专题应用开始，逐步深化到综合应用、辅助决策，是一个循序渐进、逐步扩展的过程，因此在选择 GIS 平台时还需要考虑以下几个因素：① 体系结构的伸缩性；②系统功能强度；③系统开放性；④系统成熟性。

在本项目中采用 ArcGIS Engine + ArcGIS Server 作为系统的基础 GIS 平台软件。ArcGIS 软件采用的是全面的、可伸缩集成的体系结构，可提供多层次的产品解决方案。

（1）GIS 选型基础

考虑到本系统的应用领域，在对比几种 WebGIS 专业软件后，本次选择 Arcgis 系列产品为开发平台，ArcIMS 作为网络地图服务，ArcSDE 作为空间数据库引擎等产品。

（2）ArcGIS 产品选择

①嵌入式的开发组件 ArcGIS Engine

ArcGIS Engine 是基于开发的用于搭建及配置 ArcGIS 解决方案的产品。ArcGIS Engine 基于 ArcObjects 构建，并提供跨平台的，C + + 组件技术框架用于构建 ArcGIS。通过 ArcGIS Engine，开发商可以为用户搭建及配置 ArcGIS 解决方案，而不需要在同一机器上安装 ArcGIS 桌面应用（ArcMap，ArcCatalog）。

ArcGIS Engine 支持全部标准开发环境，包括 .NET，组件对象模型（COM），Java 和 C + + 以及所有主流操作系统，如 Windows，UNIX 和 Linux。此外，开发商还可以嵌入部分 ArcGIS 扩展模块中提供的功能。

②空间数据引擎 ArcSDE

ArcSDE 在 GIS 和 RDBMS 间提供一个数据通路，通过该通路可以实现在数据库中对空间数据的共享与管理。由于在种类繁多的数据库环境中，ArcSDE 提供了地理信息的统一公共模型，用户可以在充分利用现有 RDBMS 的基础上，实现对 GIS 信息的整合。

按照空间数据库的共享规模越来越巨大、范围越来越广泛的趋势，ArcSDE 体现的主要优点有以下几个方面：

一是数据库的链接：ArcSDE 允许用户在数据库服务器、客户端以及 ArcSDE 应用服务器之间实现 GIS 应用的分布式处理。对于支持服务器端应用，建立同 ArcSDE 服务器间的链接，既是一种空间数据的访问机制，也是利用 ArcSDE 强大处理效能的手段。同时，应用程序也可以不通过 ArcSDE 应用服务器而建立同数据库服务器间的直接链接。例如，直接链接手段的采用允许用户建立同 Oracle Spatial Database 的直接访问机制。数据库链接的灵活使用可以给用户配置最佳的软件性能的选择。

二是空间数据的表达：ArcSDE 空间数据的表达是建立在 RDBMS 的标准数据类型基础之上。RDBMS 使用扩展的空间数据类型，ArcSDE 通过访问与使用这些数据类型实现对地理要素的管理。ArcSDE 负责提供管理地理要素的机制，这些存储机制提供了空间数据快速及紧凑的表达方式。

三是数据库的灵活性：通过使用 ArcSDE，用户可以在不同的数据库系统之间转移数据，ArcSDE 数据的导入导出能力保证了在这个过程中信息的无损传递。这个能力在大多数的空间数据库设计中都是非常重要的。

四是应用的灵活性：在数据的物理存储模型之上，ArcSDE 定义了空间数据的逻辑模型。

五是数据的完整性：ArcSDE 负责管理存储在数据库中点、线、面信息的完整性。不允许非标准的数据插入到数据库中（例如：面的边界信息必须是闭合的）。

③ArcIMS

ArcIMS 是一个基于 Internet 的 GIS，它允许集中建立大范围的 GIS 地图、数据和应用，并将这些结果提供给组织内部的或 Internet 上的广大用户。ArcIMS 包括了客户端和服务器端两方面的技术。它扩展了普通站点，使其能够提供 GIS 数据和应用服务。

ArcIMS 在创建、设计、管理 GIS 站点上提出了一套简便易行的解决方案。它的便捷而强大的管理构架可以帮助完成建立 Web 服务以及优化站点的工作。从客户端到服务器再到快速地建立、组织、维护制图网站，ArcIMS GIS 提供了我们所需要的一切。

五、结　论

GIS 是环境保护中的一项重要技术，在环境管理和环境决策中发挥着越来越大的作用。通过该环境管理地理信息系统的建设，GIS 技术在环境中的作用主要体现在以下两点：

1. GIS 应用需要与环境业务紧密结合。如果环境业务和 GIS 貌合神离，GIS 仅充当锦上添花的作用，不能发挥 GIS 的强大作用。传统的环境管理只是用图表的方式分析环境数据之间的关系，实际上环境数据 85% 与空间信息相关，环境管理更重要的一面是需要分析环境数据在不同时间和不同类别在空间上的关系，发现环境管理数据之间潜在的联系，为环境管理和决策服务。

2. GIS 应用需要考虑环境业务的变化。在本系统中，采用了基于空间的查询模板的设计思路，开发了环境专题模板系统。通过系统管理采用灵活配置的方式来适应环境数据类别动态变化的特性，从而提高了系统的灵活性；同时将模板根据不同角色和部门授权，形成各种不同的表现丰富的模板实例，从而满足了不同角色对查询和统计的个性化需求，使 GIS 在环境中展现了很强的生命力。

总之，在环境保护中，需要 GIS 技术来提供强大的分析手段；另外一个方面需要将 GIS 技术与业务紧密结合。GIS 是一个平台，也是一个工具，还可以起到不同业务之间衔接的作用。但 GIS 还需要通过一定的技术手段来满足业务不断变化的需求，使 GIS 技术能够在环境保护中发挥更大的作用。

参考文献

[1] 张清宇，田伟利，沈旭．环境管理信息系统［M］．北京：化学工业出版社，2005：47 - 53.
[2] 张瑞菊，陶华学．GIS 与空间数据挖掘技术集成问题的研究［J］．勘察科学技术，2003，127 - 133.
[3] 朱光，季晓燕，戎只．地理信息系统基本原理及应用［M］．北京：测绘出版社，1997：171 - 173.
[4] 潘代远．地理信息系统与现代生态学［J］．科技导报，7 - 13.
[5] 吴咏蓓，张恩迪．地理信息系统（GIS）在动物生态学中的应用［J］．生态科学，227 - 243.
[6] 陈述彭．地理系统与地理信息系统［J］．地理学报，237 - 244.

GIS 在环境保护中的应用开发思路

樊小龙　李月彬

（石家庄环境信息中心　河北　石家庄　050021）

摘　要　环境地理信息系统（环境 GIS）是分析和处理环境空间信息的最有效工具。本文简述了环境 GIS 的三种开发技术路线和三种开发模式，对开发环境 GIS 应用系统有一定的指导意义。

关键词　环境信息　地理信息系统　GIS 开发路线　开发模式

一、前　言

环境信息一般是指来自环境保护和社会相关部门，采用一定的技术手段或方法采集的反映环境空间系统里的环境质量状况、污染物排放、自然生态和环境保护工作等各种数据资料的总体集合。环境信息除了具有一般信息的基本属性（如事实性、等级性、传输性、扩散性、分享性）外，还特别具有社会性、地区性、综合多样性、从量变到质变的时间连续性以及变化的随机性。另外一个非常突出和重要的特性为空间性。而环境地理信息系统（环境 GIS）恰是分析和处理环境空间信息最有效的工具。

环境 GIS 是以遥感、地理信息系统和全球定位系统技术为手段，进行环境空间信息的获取、分析、处理、存储和表达并为环境保护管理工作提供环境空间信息支持和管理决策依据的地理信息系统。环境 GIS 在环境保护领域已经开始得到越来越多的应用，目前已经广泛应用于环境监测、环境规划、环境预测、污染事故应急处理等。环境 GIS 开发人员已探索出一些较为有效的开发路线和开发模式。

二、环境 GIS 的开发路线

环境 GIS 开发可以采用 3 种实现方式：

（一）独立开发

独立开发是指不依赖于任何 GIS 工具软件，从环境空间数据的采集、编辑到数据的处理分析及结果输出，所有的算法都由开发者独立设计，然后选用某些程序设计语言，如 C + +、VC、VB 等，在一定的操作系统平台上编程实现。这种方式的好处在于无须依赖任何商业 GIS 工具软件，减少了开发成本。但人力、时间、财力等投入较多，开发出来的产品很难在功能上与基于商业化 GIS 的软件相比。

（二）单纯二次开发

单纯二次开发是指完全借助于 GIS 工具软件所提供的开发语言进行应用系统开发。GIS 工具软件大多提供了可供用户进行二次开发的宏语言，如美国环境系统研究所（ESRI）开发的 ArcView 提供的 AVENUE 语言；美国 MapInfo 公司研制的 MapBasic 语言等。用户可以利用这些宏语言，以原 GIS 工具软件为开发平台，开发出自己环境 GIS。这种方式省时省力，但进行二次开发的宏语言限制很多，能够实现的功能相当有限。

（三）集成二次开发

集成二次开发是指利用工具软件（如 ArcView、MapInfo 等）实现 GIS 的基本功能，以通用软件开发工具尤其是可视化开发工具（如 VB、Delphi、PowerBuilder 等）为开发平台，进行二者的集成开发。集成二次开发目前主要有两种方式：采用 OLE Automation（对象连接嵌入自动化）技术和利用 DDE（动态数据交换）技术。用软件开发工具开发前台可执行应用程序，以 OLE 自动化方式或 DDE 方式启动 GIS 工具软件在后台运行，实现应用程序中的地理信息系统功能；利用 GIS 工具软件生产商所提供的，建立在 ActiveX 技术上的 GIS 功能控件，在 VC + + 等编程语言编制的应用程序中，直接将 GIS 功能嵌入其中，实现环境 GIS 的各种功能。集成二次开发既可以充分利用可视化软件开发工具的高效、方便的编程功能，又可以充分利用地理信息系统工具软件、完备的空间数据可视化分析处理功能，集二者之所长，不仅能大大提高应用系统的开发效率，而且使用可视化软件开发出来的应用系统具有更好的外观效果，更强大的数据库功能，且可靠性好、易于移植、便于维护。尤其是使用 ActiveX 技术利用 GIS 功能控件进行集成开发，更能表现出这些技术的优势。

三、环境 GIS 的开发模式

环境 GIS 开发模式和常规的信息系统开发模式一样，主要有生命周期法、原型法和面向对象法。

生命周期法，也称为结构化系统开发法、瀑布法，是一种传统的信息系统开发方法。生命周期法的主要思想是将开发过程视为一个生命周期，也就是几个相互连接的阶段，每个阶段有每个阶段明确的任务，要产生相应的文档。上一个阶段的文档就是下一个阶段工作的依据。生命周期法的整个过程分为 5 个基本阶段：系统规划、系统分析、系统设计、系统实施和系统维护。这是一种传统的方法，但在系统建设过程中，各阶段的人员组成不一，各功能部分相对独立，系统建立的效率较低。

原型法的基本思想是假定系统的使用者缺乏计算机的使用背景，开发者和使用者在讨论系统的构成等问题时存在许多障碍。在此情况下，解决问题的办法是开发者急于和用户的交流，得到对于系统的基本认识，构筑一个能够反映系统特色的原型系统。然后在此基础上，和用户进一步讨论，得出用户对系统真正的需求，直到开发者确信已经完全掌握了用户的需求时，才进行正式的开发。采用原型法进行系统开发需要经过 4 个阶段，即确定用户的基本需求、开发初步的系统原型、评价修改原型、正式开发。原型法的最大优点就是可以有效避免因为开发者与使用者的认识差异所造成的系统开发失败。开发者在正式开发之前就得到真正的用户需求，而用户在比较短的时间内能够看到系统的模样。用户能够与使用者友好合作，使得人力资源得到有效的利用。这种开发不需要大队人马，少数人就可以完成，因此成本比较低。缺点则是系统需求的得到需要花费很长的时间。

面向对象法的基本思想是认为客观事物都是由对象组成，任何复杂的事物都可以通过对象的一定组合构成，对象具有属性和方法，对象不必公开这些属性和操作，其内部细节是隐藏的，既具有封装性，也具有集成性和类比性。在系统分析方法上首先可以对对象进行必要的抽象概化，外部只要知道其方法和属性就可对其操作；其次还可对对象进行必要的封装、集成。程序设计由数据结构和功能两方面组成，对象概念把这两方面结合起来，使程序设计思想更接近人们的思维方式。从面向对象法的基本思想出发，出现了面向对象的数据库管理系统、面向对象的系统分析、面向对象的系统设计，目前已经发展为一套完整的信息系统开发方法。

一般来说，环境 GIS 的开发一般可划分为 4 个主要步骤：

（1）前期准备：立项、调研、可行性分析、用户需求分析；

（2）系统设计：总体设计、标准的制定、系统详细设计、数据库设计；

（3）系统实施：软件开发、建库、集成、试运行、测试；

（4）系统运行：系统交付使用和更新维护。

我市开发的环境保护 WebGIS 系统是通过网络发布电子地图来进行信息查询，它通常包含基本地图操作功能和地图查询功能。本系统功能需求有地图放大、地图缩小、全图显示、地图平移

(漫游)、回退视图（前后图)、地图选择查询、图层控制、图例显示、地图打印等。开发平台应用 ArcInfo、ArcSDE、ArcIMS 等，目前开发的图层包括：自动监测站点查询、重点污染源查询、功能区划查询、控制区域查询、水质监测断面查询、污水处理厂查询、垃圾处理厂查询、危险源点查询、企业排污口查询、在线监测排污口查询、功能区划中监测点查询、地表水厂查询、城市地下水监测井查询、地下水源区划查询、热力锅炉查询、建筑工地查询、交噪监测点查询、区域噪声监测点查询、周边情况分析等，软件正在测试阶段，功能初见成效。

四、总　结

地理信息系统近年来发展迅速，其内涵和外延正在不断变化。其在各领域的应用极大地推动了社会生产力的发展，成为各国激烈竞争的高科技热点之一，我国也把它列为“九五”重中之重的科技攻关项目。现在世界的环境问题也越来越突出，成为人类面临的主要挑战之一。地理信息系统可将表格式的信息和地图式的信息结合起来，在计算机内组织成一个既反映数量特征又反映拓扑特征的地理信息数据库，在相应软件工具作用下，GIS 既对数值又对图形作各种分析处理。在 GIS 中，信息处理的方式主要是图形方式，它直观醒目，各地理要素的分布态势及彼此之间的拓扑关系一目了然，往往是“一幅图胜过千言万语”，使人能从宏观上迅速把握全局。因此，地理信息系统在环境保护领域中的应用，将有力地促进环境保护工作，与人类共同迎接环境污染的挑战。随着计算机技术、信息技术、空间技术的发展与完善，利用环境地理信息系统所进行的环境保护研究与应用已深入环境保护的许多领域。环境地理信息系统是环境保护的必然趋势，应用前景将十分广阔。

国内外环境信息系统建设及研究进展

张学敏

（厦门市环境监测中心站　福建省厦门市湖滨南路56号　361004）

摘　要　融合遥感和GIS、GPS及环境自动监测技术的城市环境信息系统在环境监测、科学研究、规划决策、环境预测和评价等各个领域发挥着重要的作用，是现代环境管理所必备的技术手段。本文综述了国内、外环境信息系统研究成果及其进展，并对我国在环境信息系统建设中存在的普遍问题进行阐述，展望了今后国内在该领域的研究发展方向。

随着经济的不断发展，环境质量的持续恶化已成为不争的现实，而凸显出来的环境生态问题引起的社会资源的不断减少更成为全球范围关注的主要问题，因而如何发展经济而又不以破坏环境为代价、如何依赖不断发展的科学技术保护现有的环境质量状况将成为目前环境保护的主要任务。城市环境信息系统这一信息组织的技术手段和平台，便随着20世纪80年代以来信息技术的迅猛发展应运而生。其中的技术成分，以遥感、地理信息系统（GIS）及环境自动监测技术为关键。前二者作为环境信息采集手段，后者作为信息处理、信息服务和决策支持的平台，三者有机融合构成的环境信息系统，已成为现代科学管理环境、保障城市经济可持续发展的必要工具。

一、国外环境信息系统发展现状

国外在环境信息系统建设方面已经取得长足的发展。其中美国20世纪70年代就有利用GIS专业技术软件及RS手段进行环境方面的管理及研究的相关报道。如美国国家环保局从1989年起用ARE/INFO进行了大量科学研究和应用，范围覆盖环境影响评价、地下水保护点源和面源污染分析、酸沉降分析、危险废物泄漏紧急响应等。GIS在环境评价方面已有许多成功的应用。如美国犹他大学的一个科研小组利用GIS技术对墨西哥与美国接壤地区进行了环境影响评价，建立了地表水和地下水污染路径模型，并用GIS的空间分析能力（如缓冲区分析）对该地区经济发展造成的环境影响进行了分析；美国加州大学、海军研究生院、茫特雷湾水科学研究所共同研究开发的REINAS（实时环境信息网络与分析系统），则是根据本国的实际需要而开发的区域性海洋环境与资源立体、动态监测和信息服务系统[1]。

欧洲环保署（EEA）早在1985年就建立了欧洲共享环境信息系统（SEIS）[2]，该系统经过了三个阶段的演化：1985—1995年为“独立”的信息系统阶段，1995—2005年属于“报告式”的环境信息阶段，即欧盟各成员国向欧洲环保署上报本国的环境信息；2005年至今逐步形成真正意义的环境信息共享，各成员国所形成的环境信息子系统之间与EEA的中央数据库之间可以直接访问、可以共享和互通环境信息，该信息的创建目的是为了非政府组织、研究机构、大学以及对环境感兴趣的公众方便和自由的获取环境信息创造条件，这种信息共享制度也为区域范围内环境质量综合分析提供了良好的数据基础。就SEIS的公共服务系统，奥地利政府已经在“数字奥地利”的基础上成立了一个专门针对环境信息的电子政府工作小组，建立环境信息的一站式服务体系[3]。德国也在20世纪70年代开始环境信息资源的建立，其中环境规划信息系统及综合的公众环境信息系统为公众了解国家的环境监测计划、环境参考文献及环境质量的相关数据信息搭建了一个平台，便于公众及时了解环保信息动态，同时公众也可以将自已的建议通过该平台反馈给政府[4]。

加拿大也在20世纪80年代开始环境信息系统的研究，其中由加拿大国家的Envista公司开发的一个环境信息系统主要用来管理安大略湖沿岸矿产企业所产生的污染对沿岸环境可能产生的影响及周边环境的变化等，该信息有助于各区域环境例行监测计划的设立及环境管理及规划构建，减少环境监测的重复及资源的浪费，同时系统所提供的环境保护的条例及规定共享制度也有助于相邻区域之间的所产生的环境问题的快速协调[5]。

印度政府环境信息系统网络已经建立起来，以处理环境数据和信息的收集、校对、存储、分析、交换和发布（印度政府1995年）。在通过卫星图像进行生态系统监测方面，已有一些令人振奋的成就。在澳大利亚，联邦、州和地方环境部门和机构越来越多地使用遥感数据（澳大利亚联邦1999f）。澳大利亚还正在应用模型技术，利用环境数据指示具有较高环境价值的地区作为资源规划活动的一部分，例如原始森林的综合性区域评价（澳大利亚联邦1999f）。一些国家还确定了一些环境指标来帮助进行国家环境状况报告。

联合国亚洲及太平洋统计研究所和UNEP，正在参与加强机构管理环境信息的能力，并帮助一些国家编写国家和地区的环境状况报告。SPREP和联合国亚洲及太平洋经济社会委员会(UNESCAP)，在环境与可持续发展机构间委员会成员的帮助下，每5年编写一份地区环境状况报告。

二、国内环境信息系统发展

我国的总体环境信息系统，环境自动监测、数据的阐释、服务于环境管理决策，以及公众知情权的享有等方面，与发达国家相比还是有一定差距。但近年来随着国家对环保工作的重视，特别是自“十五”期间，我国确定了“以信息化带动工业化”信息化发展战略后，国家环保部加大了环境信息化建设的力度，努力推动环境监测、污染控制、生态保护的信息化、科学化和规范化，环境信息系统建设取得明显成效。

我国环境信息系统发展分为3个阶段：1980—1990年属于探索阶段，期间初步建成了一些研究型的环境信息系统，如国家水质管理信息系统（NWQMIS）/国家环境信息系统以及一些地方性环境管理系统：如吉林省环境管理信息系统、常州环境管理信息系统。20世纪90年代至世纪末国内环境信息系统逐步走向成熟，国家环境信息系统领域得到很多的发展，各级环保部门将先进的计算机信息技术应用于日常的环境管理和环境决策支持中。如1994年江苏省环保局和清华大学环境工程系合作开发完成了我国第一个基于客户/服务器结构的省级先进环境管理信息系统——江苏省环境信息系统[6]，该系统的建立在将客户/服务器体系结构应用于环境信息系统方面作出了有益的探索。在同一时期，我国还自行研制了一些适合本地特点和管理需要的地方环境信息系统，如大连市环保管理信息系统、苏州河环境信息系统、无锡市建立了太湖流域区域环境信息系统及福建省的罗源湾海洋环境信息系统等，此外，国家还针对我国的两条重要河流长江与黄河分别建立了黄河水环境地理信息系统[7]及长江口潮滩环境信息系统[8]，这一阶段的研究与实际开发使得环境信息系统的理论、方法和技术得到了进一步的充实和完善。进入21世纪，由国家环保部组织开发的国家环境监测信息系统（NESMIS）标志着国内的环境信息系统逐步走向市场化阶段[9]，该系统是在国家环保部的部署和指导下，由西安交大长天软件开发基地负责研制的，整个过程按照政府干预和市场机制相结合的运作方式，建成后的环境信息系统为环保产业提供信息和可行性方案，为企业提供环境影响评价、环境治理措施，而收益后的环保产业及生产企业又可以为环境信息系统的建设提供资金和技术支持，两者相辅相成，将是今后环境信息系统普及和发展的趋势。

三、目前环境信息系统建设方面存在的问题

（一）空间数据标准化一直难以满足实际应用和技术发展的需要

数据的标准化是空间信息共享和系统集成的重要前提，但目前我国空间数据标准化一直难以

满足实际应用和技术发展的需要，但是迄今为止，大部分的数据资料仍然分散在各个部门，甚至相当部分的资料仍为纸质储存，数据管理也缺乏统一的规范和标准。可以说目前还没有一个能够真正有效管理并集成现有的这些数据和成果、大量建成系统资源不能相互共享，互相集成。目前发达国家已经完成了一些空间数据互操作规范制定，并推出了原型产品，我们应当采纳和吸收国外的先进标准和技术，大力加快我国国家空间数据操作规范与标准，争取早日实现不同信息系统真正意义的共享。

（二）已建成系统通用性能较差，部分系统没有达到预期建设目标

由于之前的技术手段落后和管理模式不同，各部门基本上都是根据本部或某一特定业务编制了相应的软件，各相应软件的工作平台、开发工具、后台数据库不尽相同，使得各软件系统彼此之间的通用性、数据共享性很差，大量的环境数据只停留在查询检索和统计功能上，并未转化为环保工作人员和管理人员所需要的具有分析和决策功能的数据，此外部分地区信息系统建设持续资金投入比例失调，只注重前期建设投入，缺乏系统建成后设备更新和人员及能力建设培训，使得系统建设的效益和作用未能充分发挥。

（三）未能实现信息系统与专家知识的有机结合

在系统环境评价中，专家知识的应用也很重要，尤其对于环境影响评价，专家的概率思维和模糊思维尤其重要。目前多数环境影响专家系统直接建立在 WINDOWS 平台上，且系统本身也不完善，利用 GIS 强大的空间数据管理和分析功能构造空间分析 GIS 模型，并结合专家知识建立基于 GIS 平台的环境评价专家决策支持系统也是不断努力的方向。

四、今后我国环境信息系统发展方向

充分吸纳国内、外的先进的信息系统建设技术与经验，建设符合我国实际需要的环境信息系统。3S 技术与计算机网络技术的有机结合是今后我国信息系统建设的平台基础，而将专家智能库的引用建成的智能决策信息系统是今后环境信息系统的发展方向。

建设一个开放性的、公众性的环境信息系统。今后的环境信息系统不只是为环境科研部门、政府管理与决策部门提供信息的平台，它更是为普通百姓提供环境知识、了解环境质量的一个信息平台，通过该平台，实现公众与政府的沟通与互动，从而推动环保工作更好、更快的发展。

参考文献

[1] 网址：http：//ec. europa. eu/wnvironemta/seis.

[2] 朱云，吴乾钊，等．从美国加州环保署环境信息系统建设情况思考中国城市环境信息系统的建设［J］．环境保护科学，2003，119（29）：47－50.

[3] 刑黎闻编译，奥地利与欧洲“共享环境”［J］．信息化建设，2009（7）：52－53.

[4] McClarty，D，V，B. Environmental information system assists in tailings management. Min，Eng.（Litteton，Colo）. 1999，51（3）：47.

[5] Bernd Page；Kristina Voigt. Recent history and development of environmental information systems and databases in Germany . Online Information Review，2003，27.

[6] 王学军，刘文．南京市大厂区水环境管理信息系统建设［J］．环境科学研究，2003，16（4）：83－85.

[7] 刘真，孙德宝，杨绪华，等．黄河水环境信息系统的研制与开发［J］．华北水利水电学院学报，2002，23（3）：53－56.

[8] 王军，陈振楼，许世远，等．长江口潮滩环境信息系统功能设计研究［J］．地理与地理信息科学，2004，20（4）：36－39.

[9] 陈明亮，林宜雄，孙波，等．国家环境监理系统（NESMIS）的开发［J］．西安交通大学学报（社会科学版），2001，21（1）：48－52.

基于.net的污染治理设施运营资质管理系统的设计与实现

胡　昊　李国良　朱　琦　汪彬彬　周　兵

（环境保护部信息中心　北京西直门内南小街115号　100035）

摘　要　随着我国环境保护事业的发展，为提升环境保护污染治理设施运营资质管理的工作效率，需要通过信息化手段实现环境保护污染治理设施运营资质管理的科学化和规范化。本文基于.net构建了染治理设施运营资质管理系统，详细阐述了系统的设计目标、原则及系统的总体架构；在此基础上实现了污染治理设施运营资质管理系统，介绍了该系统的主要功能。

关键词　.net　污染　资质　信息化

将现代信息技术应用于污染治理设施运营资质的管理和分析领域，以资质信息的数字化、自动化为出发点，全面、准确、快速地分析资质的业务管理流程，为各级环境保护运营资质管理人员提供基础工作平台和信息支持，实现治理设施运营资质管理的科学化和规范化具有重要意义。

一、.net技术简介

.net代表一个集合，一个环境，一个可以作为平台支持下一代Internet的可编程结构[1]，即.net=新平台+标准协议+统一开发工具。.net可以让用户在任何地方、任何时间，以及利用任何设备都能访问所需的信息、文件和程序，而不需要知道所需资源的位置，可以遮蔽后台操作的复杂性。

.net Framework是由Microsoft公司提供的，实现了语言开发、代码编译、组件配置、程序运行、对象交互等各个层面的功能的开发框架，是一个托管、安全、高效的执行环境。

.net Framework主要包含了公共语言运行库（CLR）和.net框架类库（FCL）。

CLR为多种开发语言提供了一种统一的运行环境，是实现.net跨平台、跨语言、代码安全等核心特性的关键，它可以抽象操作系统服务并负责为应用程序运行时提供服务[2]；FLC是一个与公共语言运行库紧密结合的可重用的类型集合[3,4]，它提供各类面向对象的API，应用.net框架应用程序时不必考虑MFC、ATL、COM或其他工具，只需使用FCL，以XML及SOAP等标准通信协议，将各种不同环境所组成的应用程序及组件整合在一起。同时将各种开发语言整合，构建多层架构，提供较安全的互联网应用程序。

二、系统设计

为提高治污设施运营资质管理的效率，2006年，国家开展了治污设施运营资质信息管理系统的建设，以单机版方式实现了对环境保护设施运营资质证书以及相应的企业申请资料、省级环保部门和专家审核材料等数据的管理，提高了环境保护设施运营资质信息管理的工作效率。但单机版的使用和管理都集中在国家层面，工作量较大，信息的获取和更新都存在严重的滞后现象。针对这一现状，迫切需要利用现代计算机和网络技术建立基于浏览器/服务器（B/S）结构的资质管理系统，提高资质管理的及时性、高效性，实现运营资质管理工作流程的完全电子化管理。

（一）设计目标

挖掘现有软硬件潜力，充分利用网络资源，建设基于B/S架构的污染治理设施运营资质管理信息系统，实现治污设施运营资质申报，审批自动化流程，对企业申请资料、资质证书等数据建立标准数据库进行规范化管理，并扩充自动统计汇总及信息的分析功能，从而实现污染治理设施运营资质管理的信息化、科学化、规范化，保证资质管理的正确性和透明度，方便数据的存储和调用检索，减轻管理人员的工作强度，以达到提高工作效率的目的。

（二）设计原则

1. 标准与规范性原则　系统设计应符合环境保护部的相关标准规范，包括《环境数据库设计与运行管理规范》、《环境信息系统集成技术规范》等。

2. 实用性原则　系统的设计必须符合污染治理设施运营资质管理的业务需求，充分利用成熟的先进技术，防止因设计上的缺陷而造成系统处理效率和功能性存在问题。

3. 可扩展性及开放性原则　随着资质管理业务的不断深入，各种新的需求会不断出现，资质管理系统将面临功能增加、与其他系统进行集成的问题。系统设计要能适应将来的发展，实现模块化、组件化，以适应变化的情况。

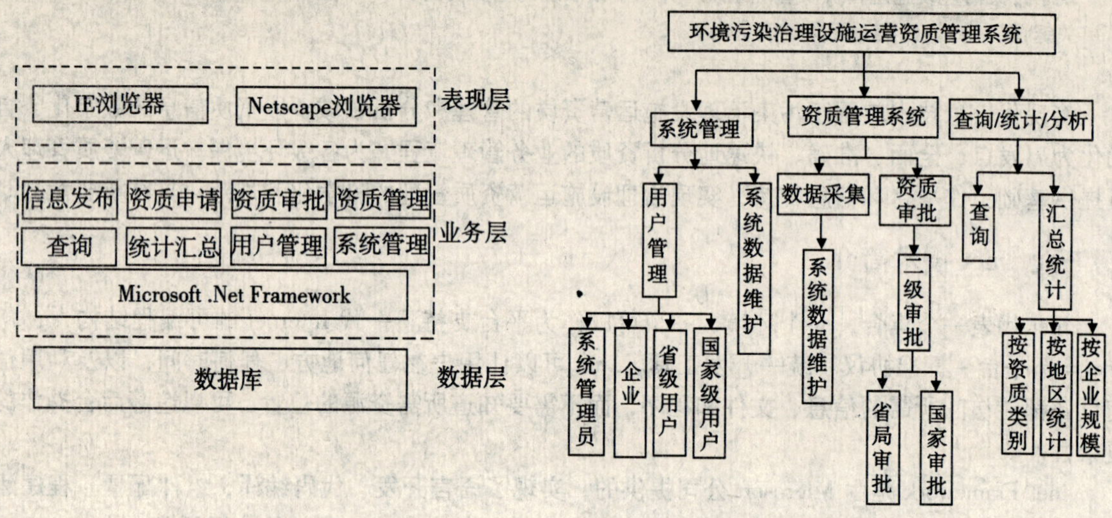

图1　系统技术架构图　　　　**图2　系统功能结构图**

4. 稳定性原则　资质管理系统是一个面向全国的软件系统，使用对象是全国各级环境保护管理机构的资质管理人员及各申请资质企业。系统的设计应采取主流产品和技术，以保证系统安全稳定运行。

5. 安全可靠性原则　系统设计和数据库系统的设计要符合国家相关信息系统建设的安全标准和规范，防止系统受到外部入侵和数据丢失。

（三）系统总体架构

系统架构在技术上采取 . net 的三层体系结构，即表现层、业务层和数据层。

表现层主要是向用户展示数据并接受用户输入的数据；业务逻辑层居于位于表现层和数据层之间，是表现层和数据层之间沟通的桥梁，一方面业务层调用函数将数据从数据库中取出，在进行一系列的规则转化之后通过表现层展现给用户，另一方面将用户输入的数据按照相关业务规则进行处理之后保存到数据库中[5]；数据层的任务是为接受 Web 服务器对数据库操纵的请求，实现对数据库查询、修改、更新等功能，并将运行结果提交给 Web 服务器，数据库分为系统数据库和业务数据库，系统数据库存储访问控制信息、日志和系统相关信息等，业务数据库包含资质管理的相关数据。

三、系统功能

污染治理设施运营资质管理系统主要包括资质管理模块、查询统计分析模块、系统管理模块。

资质管理模块主要包括数据采集和资质审批。数据采集模块采用企业在线提交数据模式，实现企业登录，企业申报表单录入，并等待审批。企业申请需要提交以下资料：申请单位基本情况、公司主要管理和技术人员、现场管理及操作人员概况、主要技术装备及实验设备情况、主要环境保护运营项目、申请资质情况、运营管理实例。

审批流程包括企业所在的省资质主管部门审批和环保部资质主管部门审批。省资质主管部门根据企业的填报信息对资质申请作出审批，通过则进入环保部审批，不通过则退回，并返回审批意见；环保部资质主管部门对省提交的资质申请作出审批，并可对证书的相关内容进行修改和变更操作。

查询功能可以按资质类别分类查询浏览，包括按证书类型，证书登记，地区，企业规模，年度；可以根据资质信息的重要字段，包括企业机构代码，企业名称，设施名称，申请日期等进行查询；也可以联合资质分类和资质信息重要字段进行自定义查询。

汇总统计功能包括按企业规模汇总、按资质类别汇总、按地区汇总以及自定义汇总。

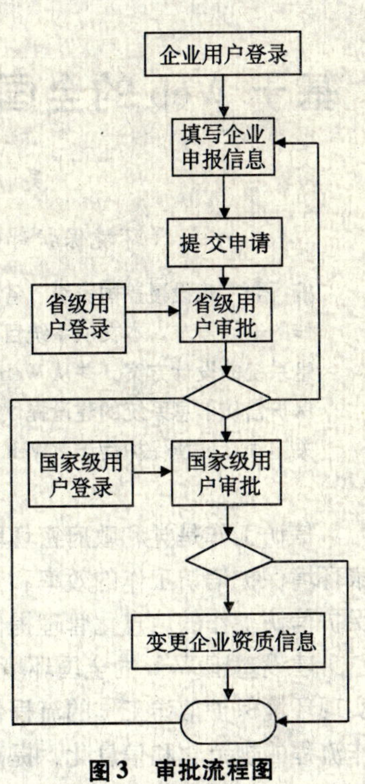

图3　审批流程图

系统管理包括企业用户，省环保局，科技标准司，系统管理员的管理以及对系统字典的维护。由系统管理员统一管理国家级用户，国家级用户管理省级用户，省级用户管理企业用户。

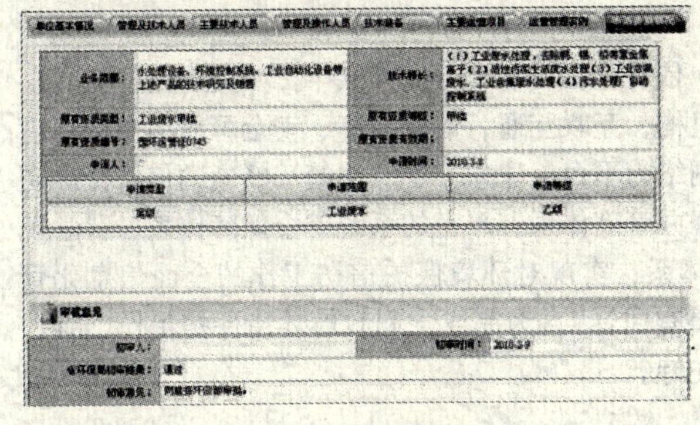
图4　资质审批界面

四、结　论

基于 . net 的 B/S 开发架构，已成为目前信息系统构建的主流技术路线之一。采用基于 . net 构建污染治理设施运营资质管理系统是实现资质管理信息化、规范化的必然选择，是优化资质申报流程、实现资质申报电子化、提高工作效率、保证资质管理的正确性和透明度的有效途径。目前，该系统已经在全国正式上线运行，并实现了平稳运行。为污染治理设施运营资质管理提供了可靠的基础平台。

参考文献

[1] Jeffrey R. Microsoft，李建忠译 . . net 框架程序设计（第一版）［M］. 北京：清华大学出版社，2003：1－34.

[2] 刘艳丽 . 基于 . net 平台的电力营销管理信息系统架构设计［J］. 安徽建筑工业学院学报（自然科学版），2009，17（5）：104－106.

[3] 金灿，陈绪君，等 . . net 框架中三种数据访问技术及效率比较［J］. 计算机应用研究，2003，20（4）：155－157.

[4] DonnyMack，DougSeven. 林琪，张伶，朱涛江译 . . ASP. net 数据驱动 Web 开发［M］. 北京：中国电力出版社，2003.

[5] 邹捷，耿国华，周明全 . 在 . net 平台下建立田野考古数字化平台［J］. 计算机技术与发展，2006，16（10）：194－198.

基于 Web 的全国环境保护信访信息系统的设计与实现

吴 班 朱 琦 尚 屹 沈 磊 孙美博

（环境保护部信息中心　北京西直门内南小街 115 号　100035）

摘　要　建设覆盖国家级、省级、地市级、县级的全国环境保护信访信息系统是当前环境保护信访工作的迫切需求。本文从系统目标、设计访案、技术架构和功能实现等方面论述了全国环境保护信访信息系统的设计方案，并从 Web 体系架构的角度出发详细论证了系统实现的技术可行性，为全国环境保护信访信息系统的建设提供了技术依据。

关键词　环境保护信访　Web 体系架构　信息系统

信访工作是党和政府密切联系群众、倾听群众意见、接受群众监督的重要方式。为了提高国家环境保护信访工作的效率和工作质量，迫切需要建立全国环境保护信访信息系统，为全国环境保护信访工作的信息化管理提供基础平台。

建设基于 Web 的全国环境保护信访信息系统，将充分利用国家环境保护电子政务基础网，实现环境保护信访工作的流程化管理和数据动态交换，实现全国环境保护信访系统业务处理和工作流程的规范化和信息化，提高业务管理工作效率，实现群众信访渠道的通畅，群众投诉问题快速办理和反馈，环境信访信息快速流转，环境信访统计实时便捷，为环境保护信访工作的管理提供强有力的支持。

一、系统设计

全国环境保护信访信息系统的建设目标是：依托全国环保电子政务专网，构建覆盖国家级、省级、地市级、县级的 4 级环境保护信访工作机构，互联互通、信息共享、安全可靠的全国环境保护信访信息基础网络；以环境保护信访信息网络为平台，建立方便、快捷、畅通的信访投诉受理体系、统一规范的信访业务处理体系、督查督办管理体系、严密的系统安全保障体系、科学规范的标准化体系以及方便可靠的系统运行维护体系；实现对环境保护信访工作的全面信息化管理，做到环境保护信访事项“件件有着落，事事有回音”，为完成党和政府环境保护工作、维护社会稳定、构建绿色和谐社会提供全方位技术支持。

（一）系统结构设计

全国环境保护信访信息系统体系结构采用分层设计，见图 1。

基础设施平台提供基础的网络通信和系统服务。服务器、存储设备等基础硬件设施由网络设备连接起来，形成基础网络层，为环境信访信息交换和传输提供数据通道，是系统与其他各类环境保护业务应用系统交互的基础。

资源管理层管理存放环境保护信访信息系统的各类基础数据和汇总数据，通过数据转换、加工、提取和过滤等过程，向应用支撑层提供数据。

应用支撑平台为信访信息系统提供基础的技术、服务及单一业务支持。其中基础技术平台提供了纯粹的技术支持，包括 AOP、统一数据访问接口、对象工厂、事务、配置、对象池等方面的支持。应用支撑框架建立于基础技术平台之上，提供了构件级的框架服务、为客户（在这里，即意指程序开发人员）提供成熟与统一的 API 支持，包括组织机构模型、工作流服务、数据持久化、消息中间件服务、安全服务、数据交换服务、日志服务，以及其他的一些服务；在基础应用服务层，基于应用支撑框架，为信访信息系统提供了一些层次更高的应用级服务，包括文档处理器、公文处理模板定制器、报表应用服务、数据项定制服务等。

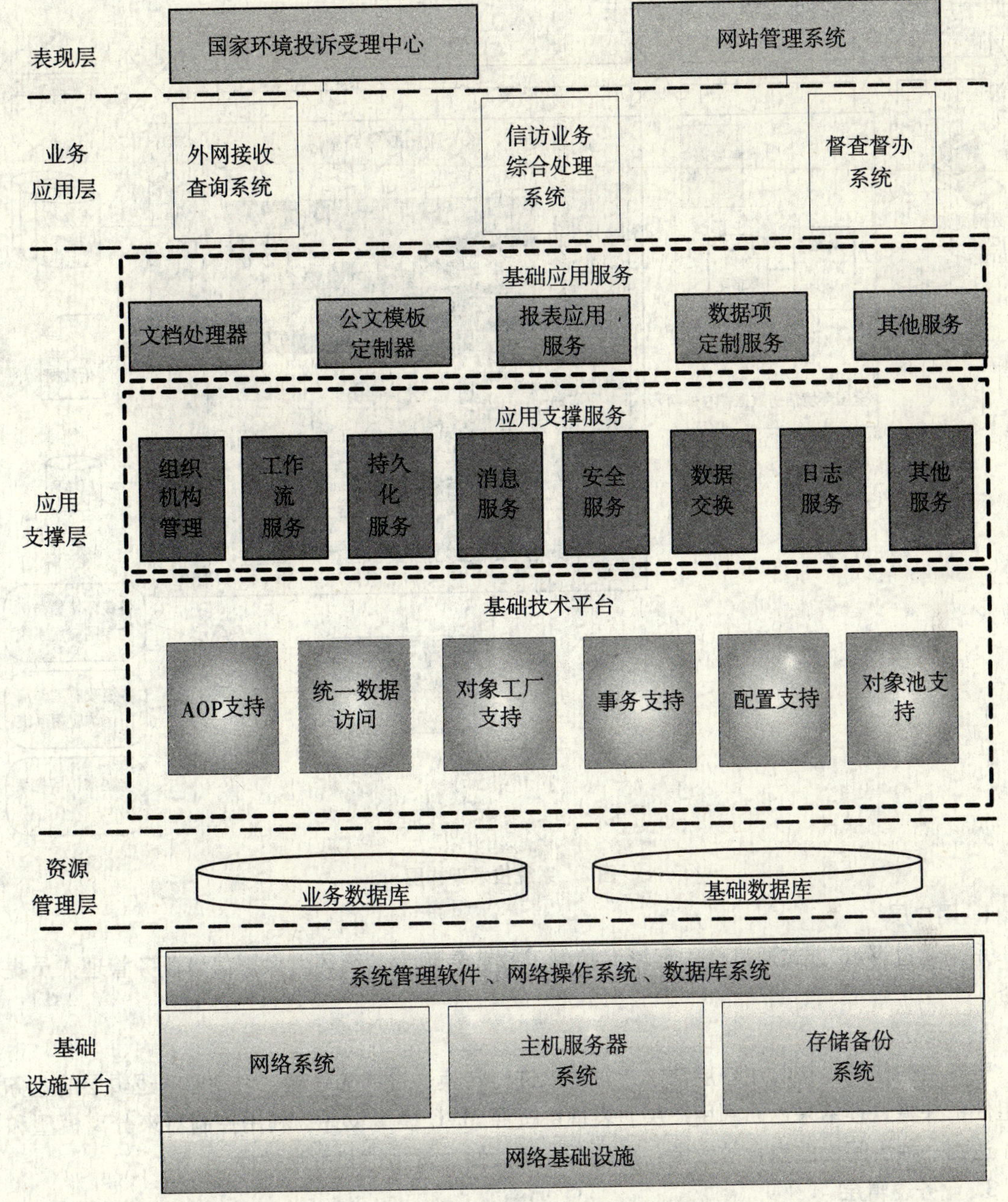

图1　全国环境保护信访信息系统体系结构图

业务应用层包括各信访信息系统的各子系统，集中运行业务逻辑流程。各子系统相互联系，功能互补，在业务系统间支持大粒度的软件功能复用。如信访业务综合处理系统为其他业务系统提供信访业务处理功能，而信访外网接收查询系统为信访业务系统提供更多的数据来源。

表现层又称用户访问层，提供系统与用户交互功能，接受信访信息系统的各类用户对系统的服务请求，并把业务应用层的处理结果展现给用户。

在信访信息系统建设过程中，国家和环境保护部门的各类电子政务法律法规标准规范体系、电子政务安全体系以及系统管理维护体系贯穿系统各个层次，保证全国环境保护信访系统的建设符合标准和安全可靠。

（二）系统架构设计

按照 Web 体系架构，系统的技术构架划分为用户层、表现逻辑层、业务逻辑层、资源管理层四个层次。系统技术架构如图2所示。

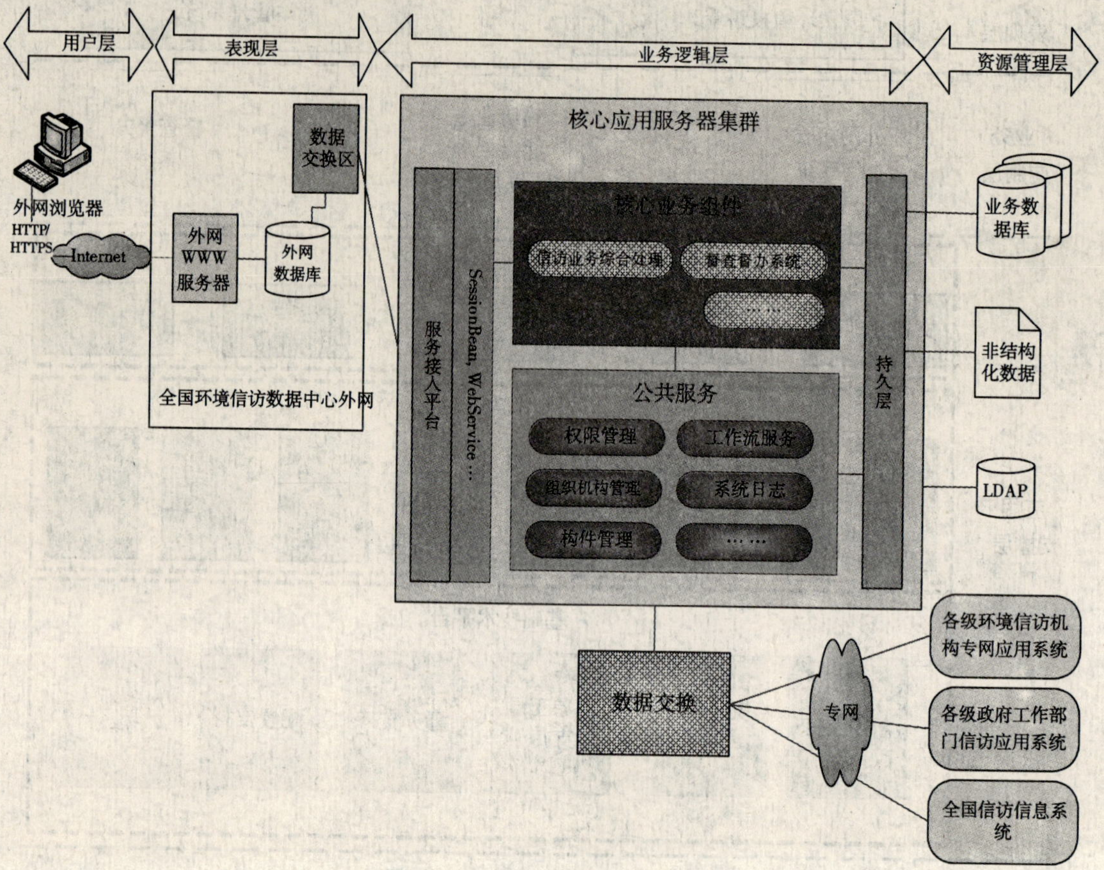

图2　系统技术架构图

1. 用户层

系统通过Web方式通过全国环境保护电子政务专网为各级环境保护信访业务管理人员提供服务。

2. 表现层

表现层的作用是接收用户层请求，对请求进行转换、过滤等处理，启动业务逻辑层的业务逻辑组件，并将处理结果返回到用户层。表现层按照MVC模型设计，利用控制器来分离模型和视图，达到一种层间松散耦合的效果，提高系统灵活性、复用性和可维护性。

3. 业务逻辑层

业务逻辑层用于部署应用系统的核心业务逻辑，是整个系统的核心层次。业务逻辑层，按照横向（系统）、纵向（技术实现层次）两个维度进行规划。

按照横向划分，将该层划分为业务基础平台与核心业务组件两大部分，其中核心业务组件按照系统、模块进行组织。业务组件通过定义对外服务接口供表现层调用或其他业务组件调用，完成业务处理过程。通过划分系统和业务组件，可以实现各系统的灵活部署，既可以将所有业务组件集中部署，也可以按照系统划分单独进行部署。

业务基础平台由一组抽象出来的与具体业务无关的公用服务组成，为业务逻辑层的组件提供支撑服务，该平台的主要服务功能包括：服务接入管理、数据访问服务、工作流服务、用户权限管理、日志管理服务、安全审计服务等。

4. 资源管理层

资源管理层用来保存持久型的数据资源。使用3种不同的形式来保存各种不同的持久型数据资源，它们分别是：数据库、目录服务器和文件系统。

业务数据库通过使用数据库系统来保存系统的业务信息、审计信息以及一些重要的日志信息。对于数据库的类型，可以使用成熟、稳定的关系型数据库，也可以使用最新的面向对象型数据库。

目录服务器（LDAP）保存系统中的用户档案信息。用户档案信息包括用户的姓名、系统用户名、密码以及功能权限和数据权限等信息。使用目录服务器来统一保存用户档案信息，从而支持系统的单点登录功能。

使用文件系统来保存系统的日志信息，可以使得用户更简单、灵活的操作和管理日志文件。同时一些数据也可能保存在文件系统中，譬如遗留系统产生的文件、手工生成的一些文件等，系统也要访问这部分数据。另外，系统也需要保存大量在业务系统中产生的非结构化数据。

二、系统的实现

（一）信访业务基础数据库

基于国家环境保护电子政务专网建设国家级、省级、地市级、县级4级环境信访管理工作平台，根据各级环境保护信访管理的业务要求建设分级信访工作平台，支持环境保护信访日常管理，形成国家级、省级信访基础数据库，实现环境信访工作信息共享、互联互通。

（二）信访业务综合处理子系统

信访业务综合处理是全国环境保护信访信息系统的核心部分。基于各级环境信访业务管理的工作流程实现了国家级、省级、地市级、县级信访综合业务处理系统，主要功能包括信访事项登记受理、复查业务处理、复核业务处理子系统、信访公文处理、重大紧急信访事项管理、信访档案管理、督察督办等业务功能，实现信访业务管理统一流程管理。

（三）信访投诉受理子系统

通过环境保护信访投诉受理子系统，实现环境保护信访业务的政务公开，基于互联网和环境保护电子政务专网，实现网上受理，网内办理，网上反馈全过程信息化管理，包括网上受理、民意征集、信息反馈等功能，为信访工作的政务公开提供技术支持。

（四）信访数据交换子系统

基于国家环境保护电子政务专网，结合专网数据交换中心的统一要求，建立环境保护信访数据交换子系统，实现国家级与省级信访数据动态上报和数据交换，实现全国环境保护信访数据的统一汇总，支持全国信访数据的动态汇总和传输及数据审核。

（五）信访数据统计分析子系统

通过信访数据统计分析决策子系统，实现了基于信访基础数据库的各类统计分析功能，为各级环境保护信访管理部门进行动态管理和决策提供信息支持。主要功能包括信访来源统计、违法情况统计、污染类型统计、重复举报统计、重要信访统计、反馈时效统计、满意率统计等功能，并根据需要自定义统计分析条件进行相关业务数据的统计。

（六）系统维护与日志子系统

系统维护与日志子系统实现了全国环境保护信访信息系统的系统安全和权限管理，系统管理分为权限管理、组织机构管理、日志管理、系统配置、流程管理、公文模板管理。

三、小　结

通过建设基于Web技术的全国环境保护信访信息系统，将先进的计算机技术和环境保护信访业务管理有机地结合起来，将为全国环境保护信访工作提供了信息化基础支撑，为方便群众环境信访活动，畅通环境信访渠道提供便利；为领导科学决策，指导环境信访工作提供服务；为促进环境保护信访管理部门工作的科学化和规范化提供支持。

基于GIS的苏州工业园区环境应急指挥系统

姚敏德　钱文杰　王　强

（苏州工业园区环境监察大队　苏州工业园区苏虹中路389号　215027）

摘　要　借助信息技术开发的环境应急指挥系统可以有效地应对环境突发事件。本文从开发环境应急指挥系统的必要性入手，介绍了系统使用的信息技术，最后以苏州工业园区环境应急指挥系统为例，介绍了系统整个流程以及系统特色。

关键词　环境应急　WEBGIS　高斯模型　ES

随着工业化发展的加速，我国环境污染最为严重的时期已经到来，特别是污染严重时期与生产事故高发时期叠加，突发性环境事件进入高发时期，成为影响社会稳定、社会经济发展的重要因素[1]。2005年11月13日，吉林石化公司双苯厂发生爆炸事故，造成大量苯类污染物进入松花江水体，引发重大水环境污染事故，近400万哈尔滨市民在缺水中生活4天，给松花江沿岸特别是大中城市人民群众生活和经济发展带来严重影响[2]。

因此，做好环境突发事件的预防和应急处置工作，建立运行有效、行动快速的环境应急指挥系统，是各级环保部门的迫切任务。

一、开发环境应急指挥系统势在必行

在环境突发事件中，传统的应急模式难以实现事件的快速报告和应急资源力量的及时调动，政府、职能机构和社会公众不能在第一时间了解事件情况，获取突发环境污染事件中有害物质的处理信息，各部门间缺乏快速有效的信息交流，使得应急工作的开展时效性差，延误应急救援的最佳战机，应急准备和灾难反应存在信息传达滞后的问题，难以满足社会公众对事件应急的需求。在应对2003年的开县井喷事件时，层层上报的管理模式使有关应急部门未能在第一时间了解事件情况，信息传达滞后和交流不畅，现场群众和应急人员在事件发生后未能获取危险物质及自我防护的信息，没有及时有效地采取应急措施，导致人员伤亡惨重[3]。

实践证明：缺乏环境应急指挥系统的支撑，在突发事件的应急处理上，往往容易出现人力、物力缺乏统一调度，信息、数据交换速度缓慢，决策、指挥缺乏客观支撑，现场处置人员缺乏对整体应急预案的了解及操作流程的指导等问题，难以保证“预防管得了、接警联得上、现场找得准、措施针对强”的良好效果[4]。

二、信息技术支撑环境应急指挥系统

建立环境应急指挥系统可以有效应对环境突发事件。在危机出现时，可以缩短反应时间，快速采取应急预案，在综合信息的基础上，迅速做出正确决策，采取切实有效的处置措施。

（一）WebGIS实现信息共享

地理信息系统（GIS）是以空间数据库为基础，在计算机软硬件的支持下，采用地理模型分析方法，适时提供多种空间和动态的地理信息所建起来的，为多种决策提供服务的计算机技术系统。由于空间显示和数据管理方面的强大功能，GIS在应急方面的应用已经越来越受重视。

WebGIS是Internet技术应用于GIS开发的产物。可以完善和扩展传统的地理信息系统功能，使各个联动部门实现数据共享[5]。因此，基于WebGIS开发环境应急指挥系统，可以集成分散在各个部门的资源，实现数据共享，协同应急决策，WebGIS的环境应急指挥系统已成为信息技术应用于环保领域的必然趋势和发展方向。

（二）高斯烟羽扩散模型模拟污染事故

高斯烟羽扩散模型（简称烟羽模型）是国际原子能机构推荐使用于重气云扩散模型的数学模型。该模型通常用来描述大气突发性污染事故中污染物质量浓度的分布。

高斯模型可以快速模拟有毒泄漏物的扩散过程，显示空间上受其影响的范围，而且有利于及时、准确地掌握决策信息，最大限度地减少损失。另外，由于大气本身变化较为频繁，尤其在近地面受到温度、地形等影响，需要对模型参数及适用性不断修正，才能进行准确的过程模拟，提供可靠的决策服务。

（三）ES 技术辅助决策

专家系统（ES）是一种以知识为基础，能对某一专门领域的问题提供“专家级”解决办法的计算机程序。它面向现实世界中那些需要专家来分析、求解的半结构化或非结构化的复杂问题，强调利用专家的专门知识和推理方法来实现专家水平上的问题求解[6]。利用 ES 可确保一切有关的信息都能得到考虑，并使少数专家的知识更容易为决策者所利用。

在 GIS 中集成 ES，不仅能充分发挥 GIS 技术与 ES 技术的各自所长，满足环境应急指挥的要求，提高突发性环境污染事故应急管理的科学性、合理性及智能化程度，而且两者的集成将有助于弥补彼此缺陷，扩展了各自的应用范围。

三、园区环境应急指挥系统开发

苏州工业园区是中国和新加坡两国合作的国家级开发区，在 $288km^2$ 的面积上有近万家外资企业，两万多家三产企业。生产经营活动密集而频繁，事故发生概率高且影响面广。为了有效防止环境事故发生，保证在事故发生后及时发现和处置，园区正着手开发环境应急指挥系统。

在充分调研的基础上，园区提出了“预防和应急相结合”的原则，强化预防措施，积极防止环境事故发生；对已发生的环境事故，力争减轻或消除危害。做到事前预防、事中应急、事后评价。

园区环境应急指挥系统的结构框如图 1 所示。

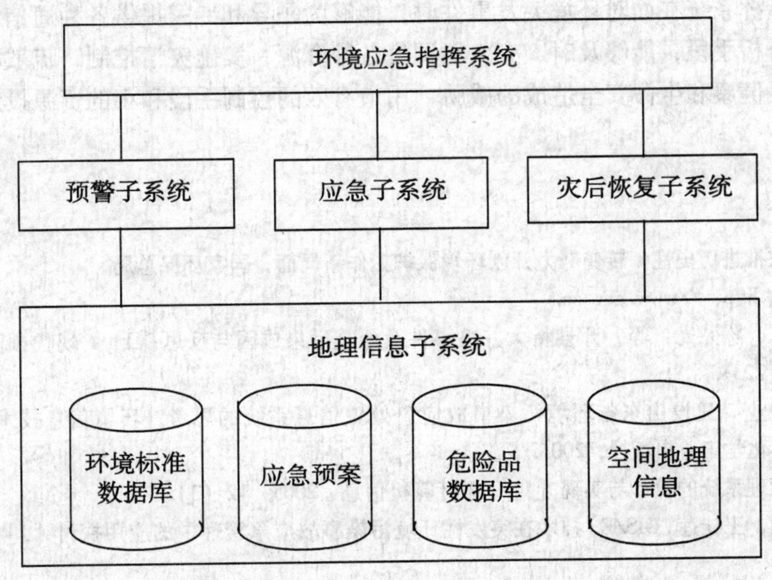

图 1

（一）园区环境应急指挥系统基本框架

1. 地理信息子系统。环境应急指挥系统中各项功能的实现，离不开基础环境信息的支持。

地理信息子系统不仅包括地理空间信息，还包括应急处置涉及的环境信息、人员信息、设备信息、预案信息、监测信息、评估信息、政策法规、专家知识以及各种模型信息。

2. 预警子系统。工作重心是尽可能早地获取事件发生的信息，争取事件处理的主动，对预警级别进行有效管理。因此，环境应急指挥系统集成 12369 环保热线电话以及环境保护网站；拓展环境事件预警信息的来源途径，与 110、119 等实现联动；环境质量在线监测和视频监控异常情况的报警，对重点企业的危险源进行实时监控。

3. 应急子系统。事件预测模拟和分析是关键，依据气象条件、地理信息等对突发事件的发展进行模拟预测，并对后果的危险性进行分析和评估，进行预警分级和快速发布，在此基础上优化应急方案，并辅助决策和给出处置建议。

4. 灾后恢复子系统。主要是降低突发环境事件造成的负面影响，开展受污染生态环境的修复，进一步加强和完善环境应急能力。应急事件处置情况的分析、评估；应急事件全过程的资料归档及演变分析；修复方案的管理，特别是对应急预案和系统的改进。

（二）园区环境应急指挥系统特色

园区环境应急系统具有“平战”结合的特点，在平时，统一管理重点危险源企业；实时监控企业的气体泄漏；模拟演练环境应急事件。在环境事件突发时，迅速启动应急程序，协调处置环境应急事故。

1. 借助 WEBGIS 定位报警信号。自动监控报警与视频监控联动，当报警信号出现后，触发 GIS 联动服务器与视频服务器，GIS 监控报警系统开始进行事故地点定位，与此同时视频服务器指示打开附近视频监控器，在 GIS 监控报警系统界面弹出视频回放窗口。报警电话接入后，先通过电话号码监控服务器解析出报警电话号码，之后电话号码监控服务器发出信号触发 GIS 联动服务器，GIS 监控报警系统自动切换显示地理位置显示报警信息，进行事故地点定位[7]。

2. 应用高斯模型模拟污染事故。在 GIS 平台上进行高斯模型分析，预报事故影响范围、影响程度，显示可能污染的区域、人口，以及优先撤离区域，针对污染事件迅速提供相关数据，为环境突发应急决策事件提供分析、决策功能，并自动生成应急指挥报告。

环境应急指挥系统在面对环境突发事件时，能够为领导和专家提供各种通信和信息服务，提供决策依据和分析手段，能够及时、有效地调集各种资源，实施灾情控制，疏散群众，减轻环境突发事件对居民健康和生命安全造成的威胁，用最有效的控制手段和小的资源投入，将损失控制在最小范围内。

参考文献

[1] 周生贤. 加快推进历史性，转变努力开创环境保护工作新局面. 国家环保总局.

[2] 中国政府网站 http: //www. gov. cn.

[3] 陈新，张华东，陈荣光，等. 开县特大井喷事件及严重后果成因与反思 [J]. 现代预防医学，2007，34 (12)：2229－2231.

[4] 王宾勇，顾立业. 建设山东省环境污染事故应急处置信息系统的思考，环境信息技术应用与管理实践 [M]. 北京：化学工业出版社，2005.

[5] 环境污染源管理系统的设计与实现 [J]. 微计算机信息，2005，12 (3).

[6] 许健，吕永龙，王桂莲. GIS/ES 技术在突发性环境污染事故应急管理中的应用探讨 [J]. 环境科学学报，1999，19 (5).

[7] 杨昆. GIS 与企业消防监控报警系统的集成方法研究 [J]. 测绘通报，2006 (5).

整合资源打造环保数字化信息化运维体系

张　林　连　锋

（陕西省环境信息中心　陕西　西安　710000）

摘　要　环保三大体系能力建设已经完成主干，保持系统稳定运行是我们信息化建设的一个重要问题，稳定运行的核心是运维。这个维护保障系统的运行是否流畅，是否便捷高效，是否节约成本直接关系到为环保专网系统稳定运行的好与坏。因此打造一个环保数字信息化的运维体系是当务之急，也是我们使其环保数字化信息化发挥巨大作用的首要任务。本文就陕西省环保厅省－市－县三级运营情况，浅析整合资源打造数字化信息化环境运维体系。

一、概　述

陕西省环境专网是一个集环境在线监控、污染源在线监控、环境监测站业务、环保行政办公业务信息等环保综合业务信息的专网。

一个信息网络体系的建设只要建设资金到位，规划与设计合理，建设难度不大。但是确保其稳定高效节能的运行确是一个难度很大工作，它涉及到环保每个环节，从领导层到应用层、从主流业务到非主流业务、从核心主干网到辅助非主干网等。要实现最大范围和深层次的应用，就要确保环保信息网络体系稳定高效节能运行，而要做到这一步，运维是关键。

（一）运维是关键

系统的运维难易是与系统内部各个节点的数量成正比例关系。节点数量越少，系统结构越简单，运维保障越易，反之亦然。以陕西省环保专网为例，目前环保专网覆盖范围达到省市县三级，省本级10个地级市1个杨凌农业示范区32个县（区市）建有环境监控中心，业务范围目前涉及到环境在线监控、污染源在线监控、突发环境事件应急指挥、环境地理信息系统、污染物总量控制、环境监测站业务管理等10应用方面的模块。在“十一五”结束时，将达到2个省级中心10个地市级中心，1个杨凌示范区和1个省环保厅驻陕北督查中心与约87个县级中心，覆盖陕西省80%的环保系统（行政区）的环保专网并且在此专网运行的除前面所述的功能模块外还要延伸涉及到环保综合业务。在这样一个复杂涉及范围广的信息网络体系中，两个方面的因素极为重要，首先是稳定运行，其次是应用人员的培训。

（二）稳定运行是基础

运维体系的建立就是要确保环保数字化信息化系统稳定运行，使其发挥最大效能和作用。因此环保数字信息化系统的稳定运行是基础，不能确保稳定运行，我们建立这一系统的目的就失去了意义，要实现“数字环保”就要围绕稳定运行这一基础去建立为其保驾护航的运维体系。

（三）资源整合是趋势

每个系统或体系其内部的资源是最为珍贵的，资源的浪费是最具影响的浪费。同时也是不易重视的浪费，特别是在目前大力推进环保数字信息化工作进程中，资源的浪费即不符合我们以科学发展观建立和谐社会、节约社会的宗旨，也不符合我党一贯倡导多快好省建设具有中国特色社会主义这一目标。因此系统内资源的重新规划整合是我们实现稳定高效运行的发展趋势。通过系统内资源的整合，实现环保专网的稳定高效，资源最大化利用。

（四）稳定高效节能是目标

打造一个确保环保数字化信息化发挥巨大作用的运行维护体系，通过对环保数字化信息化系统的资源整合，最大化利用资源，从而使系统达到节约成本，结构更加优化合理，减少节点，最终实现环保数字化信息化系统稳定高效节能是运维体系的最终目标。

二、目前状况

“三大能力”建设，使其环保在全国范围内已建成基本覆盖全国到省市（地级市）的部省市三级环保专网体系，在一些有能力的省已覆盖到县级，并且率先在污染源在线自动监控范围内广范应用，其环保数字化信息化体系已初具规模。但我们必须清楚地认识到为确保这一体系发挥作用与功能的运行维护体系没有形成，呈现出比较混乱的局面，各省市存在的主要致命节症首先各省本级数字化信息化人员管理技术素质参差较大，地级市和县级范围人员的差别就更大。其次不重视运维，没有将运维体系的建设与环保数字化信息化体系建设等同。人才是我们建立环保数字化信息化运维体系的致命伤。

（一）人力资源分布

人力资源是个首要的资源。就我们而言，环保数字化信息化人力资源主要集中在部级和省级这二个层面上，地级市和县级层面上可以讲基本没有环保数字化信息化人力资源，特别是没有具有管理规划方面的人才。以陕西省为例，具有全面管理规划环保数字化信息化人才都集中在省级层面，各地级市及县级基本不具备这方面人才，当发展与建设需要这类人才（具备中小规模信息集成与各系统整合理念）时，一则与省级没有很好的全面详细的沟通，二则听从各类信息公司的一面之言，从而造成所建设的系统规划粗并与国家和省级互联互通时发生这样或那样问题，增加了系统不稳定的环节，同时也增大了运维成本。

（二）系统资源分布

“三大能力”建设使环保数字化信息化资源发生翻天覆地的变化，这是个非常巨大的成就，随着时间的推移，这一变化的巨大社会效益将越来越凸显。但我们也同样面对着信息资源分布与人力资源分布严重脱节的局面。与信息资源的重要设备服务器和其相应的 CPU 而言，大头在地市级和县级。陕西省也同样是这样，省市县三级具体分布见下表：

	监控中心	服务器数量	服务器总数	CPU 数量	CPU 核数	总核数
省　级	2	34	34	70	4	280
陕北督查中心	1	8	8	16	4	64
杨凌示范区	1	6	6	12	4	48
地级市	10	10	100	200	4	400
县（区、市）	87	3	261	522	4	2088
总　计			409	820		3280

从表上可以看出，陕西省“十一五”结束后，其全省环保专网 CPU 数量达到 820 个，CPU 核数达 3280 个。同样网络设备、安全设备等具有 IP 性质的设备也是大头在地级市和县级环保局，可以看资源分布与运行维护是成反比的。

（三）资源利用率

资源利用是指为达到某个设定目标而投入的所有直接或间接的人才、智力、财力、物力等各类资源的使用。资源利用率直接与运维成本相关。资源的利用率高则运维成本就小。目前的环保“三大能力”建设中同样也存在这一个问题，造成这个问题的因素和环节很多，其原因主要有这几个方面：

1. 数字化信息化技术

在实施数字化信息化中，由针对其各种环节开发的功能各异的应用软件、操作系统等对服务器等设备要求的基本实施平台要求也各自不同，为其提供的实施平台——硬件设备发展快，其性能远大于其要求。另一方面，这些应用软件放置同一台服务器时常发生不兼容等问题，为克服这类问题，不同的应用系统安装在不同服务器，我们看省级监控配置。有些服务器的 CPU 资源除数据库服务器和通讯服务器利用率水平较高外，大部都是处于闲置状态。由于设备资源利用率低，就造成了单位项目运维成本高。

$$单位项目运维成本=\frac{运行项目数+\text{CPU}\ 核数（确保稳定运行所需数量）}{每台服务器运行维护费用}$$

2. 人为因素

人为或体制上也是造成资源利用率低的一个主要方面。我们不少地区的在实施数字化信息化系统时没有从这几个方面去规划和实施，只考虑建设，没有考虑运维，认为这一系统的运维就如同家电设备那样，设备厂商售后服务部门派个人即可解决出现的问题。殊不知，这一系统的不稳定或故障是和所有与此系统运行的环境紧密关联的，不稳定或故障属性是系统性的不是单一性的。为保障运行，不计成本地投入资源解决问题，造成运维成本急剧上升。

3. 规划或设计方案因素

我们目前许多项目的前期规划或设计方案没有跟上科技管理的先进理念，仍处于较落后的水平，这不是指项目建设和要达到的目标不先进，而是没有将运维体系的运行与建设目标放在一起进行项目的规划与设计。这就容易造成建设运行与运维脱节，使其运维强度大且复杂，运维资源消耗大，成本上升。

（四）运维强度

运维的强度是指在实施运维时所要完成目标的难易。运维成本与运维强度成正比关系。以陕西而言，县级监控平台的运维强度最大，省级最小。其原因是运维强度与交通、地域、人员密切相关，与实施运维的可调动资源密切相关，与运维实施对象的运维环境密切相关。处于边远地区的运维强度就大，同样的道理，运维资源贫乏地区运维强度也大。

（五）运维成本

运维成本主要是指单位范围内在某个时间段保障系统稳定运行的各种资源的总投入（按一定规则将所有运维投入的资源进行量化并计算）。目前运维成本主要有几个方面。

1. 人员成本

人员成本在这里我们不谈工资等费用，而主要议一下各地监控中心的运维保障中的值班，以陕西为例，目前共有省市县（区）监控中心 45 个，每晚值班 45 人。按国家劳动法规定结合具体实际，以 150 元/晚·人，则有一个晚上 $45\times150=6750$ 元，$365\times6750=2463750$ 元/年·全省的成本。

2. 网络线路成本

网络线路主要是租赁电信或联通或移动的数字专线费用，这个方面的费用如果规划设计合理是可以降下来的。三大通讯运营商就数字电路（SDH 专线）共分三种计费模式“长途、区间、本地”，可巧妙利用三种的较大差异，减少费用。

3. 设备维护保障成本

设备维护保障成本比较难确定和具体量化，但根据电子产品使用运行的规律，故障一般都在使用三年左右开始发生。由于计算机信息技术是一个硬件与软件紧密相结合的技术，二者缺一不可，也因此造成了故障难判断，维护强度和成本具体呈现的是运维人员对故障的准确判断上，可采取灵活多样的运维高级人才储备方式减少其成本。

4. 运维人员培养成本

人员的培养是一个战略性的问题，没有运维和应用的人员，环保数字化信息化系统的建立就没有存在的价值。因此在这方费用不能没有。

三、整合资源创建环保数字化信息化运维体系

一支技术素质过硬的运维队伍，一个较完善的符合环保需求的运维体系可从6个方面入手。下面以陕西省环保信息综合网络系统的运维体系就这6个方面进行阐述。

（一）人才的培养和高技术素质人员的储备

人类各种力量与实力的竞争最核心的竞争是人才资源竞争或可以讲是智力。这种竞争不是以个体呈现的而是以团体或群体形式呈现的，也就是常讲的团队精神、集体主义。这种团队精神不是与生具有的，是通过培养、实践、碰撞、磨合形成的团队内部成员各尽所长、互为补充呈现充满激情与创造力的团队精神。

（二）运维资源的整合优化

运维资源的整合优化主要的目标是尽可能地减少环保数字化信息化系统运行中的不稳定节点和运维流程中的障碍点和拐点，使其系统稳定高效节能，运维体系运行快捷流畅。

（三）数字化信息化资源利用率的最大化

目前按照“三大能力”建设的基本配置是，省市二级监控中心各类属性用途的服务器在10台左右，而使用效率较高的是数据库和GIS服务器，其它按其针对的使用应用软件，基本配置较高，使用率不高。我们采取了将视频会议服务器、机房环境监管服务器、动态资产监管服务器、邮件服务器等进行了整合。我们根据这种状况，其一针对在线监控点的数量；其二针对县（区）级平台数量分别计算SDH线路带宽需求，合理规划。

针对省市县三级监控中心模式，尽量减少使用网络电路“长途”模式，大量利用其地市级平台使用“区间和本地”模式，既减少了运费成，又提高了运行的稳定。利用动态分布式数据库的先进性能，在省市二级监控中心布置，增加了数据库运行的稳定性和可靠性，极大减少了市级数据库的现场维护次数，减少了运维成本，提高了系统的利用率。

（四）运维成本的控制与优化

实施省市县三级监控中心机房环境监管高度集中，全省利用其机房环境自动监管，在市县二级非重大时期实现机房自动值班，以我们目前的状况，按每晚值班费用150元计算，可实现自动值班的中心共有45个，则 $150 \times 365 \times 45 = 2463750$ 元即可，节省运维成本246万元之多。

（五）运维管理模式的高度集中

利用IP封装技术、网络综合网管技术、机房环境自动监管技术、动态资产监管技术在省级监控中心建立运维中心，将全省的环保数字化信息化系统运维集中管理与实施。依全省运维中心为核心与系统设备、网络电路厂商就运维成本和响应时间及服务方式进行谈判协商。在此模式建立运维三级联动与响应，确保系统稳定运行。

（六）运维信息共享的程序化流程化

建立运维信息交换平台，利用录播系统、双流可视培训系统、运维信息申报流程，实现运维信息共享和交流程式化。

六、室内环境与健康

室内空气污染的危害及研究简析

王　玮

（石家庄市环境监测中心　石家庄市体育南大街槐岭路 32 号　050022）

摘　要　以“室内空气污染”为标志的第三个污染时期已悄然来临，而室内空气质量的好坏及空气净化程度密切关系到人们的生存质量和生命健康。本文通过总结室内空气污染的危害及国内外室内空气污染研究进展，简述了室内空气污染中 VOCs 的控制及净化技术。

关键词　室内空气污染　危害　控制　研究

由于人们对于室内生产环境和生活环境的要求不断提高，室内空气质量的问题已引起各有关部门科学领域的广泛重视和关注，对于造成室内空气质量变差的污染物种类及来源、空气品质的评价方法和室内空气净化的技术等正在形成研究和开发的热点。综合起来，室内空气污染主要有以下 4 类：①来自燃料燃烧的炭化物、硫化物、氮化物等；②来自烟草的烟雾、尼古丁、焦油、甲醛、氰化物等；③来自建筑材料及室内装修、装饰材料等放出的甲醛、氨气、甲苯、二甲苯等；④来自悬浮颗粒包括灰尘、人与动物毛发、皮屑、花粉孢子及细菌粒子等。人们长期生活在这种含有大量污染物的空气中，会感到身体不适，刺激耳鼻喉、头晕目眩、身体衰弱以及慢性病的发生。例如，建筑材料中的混凝土、墙体、装饰材料中的合成板材、油漆、化工涂料、黏合剂等释放出带异味的氨气、甲醛、甲苯等，长期吸入会引起咳嗽、哮喘、慢性鼻炎等呼吸道疾病，严重的甚至会引发癌症。可见，空气质量的好坏及空气净化程度密切关系到人们的生存质量和生命健康。

一、国内外室内空气污染的研究进展

20 世纪，随着西方发达国家的人们在非产业环境（例办公室、居室）中度过的时间加长，越来越多的人出现了不适症状，如：头疼、恶心、疲劳、烦躁不安、呼吸系统疾病等，这主要因为 20 世纪 70 年代以后，能源危机使人们为了节能而进一步提高了建筑物的密闭性和绝热性，降低最小新风量标准，建筑物透气性变差，换气量减少，使得室内空气中的微生物和可吸入颗粒物大大超过标准。在各大城市中心的商业区中的大型商场、写字楼建筑普遍采用封闭的中央空调系统，在封闭环境中，污染物很难扩散，而在这些环境中人员较密集，极易发生“建筑病综合征”。

在西方发达国家，人们已经意识到室内环境的好坏不仅关系到人们自身的健康，更进而影响到整个社会生产力。因此，各研究单位、高等院校以及政府组织等众多机构投入了大量的人力和财力来从事室内环境问题的研究和开发工作。如何改善空调系统以解决室内空气污染成为目前国外室内空气污染研究的热点问题。

国外室内空气研究的另一个热点是室内空气二次污染，由于检测技术的不断提高，室内可检出的污染物越来越多。既然室内环境中存在着各种各样的污染物，这些污染物是否会发生反应产生新的污染物，这些新的污染物会不会对人类的健康带来更大的危害，危害的程度有多高，这些都是室内空气研究者需要解决的问题[8]。

由于国情及国力的限制，我国室内环境的研究才刚刚起步，目前，国内只有少数几家科研单位和大专院校做了一些关于室内环境的研究工作，且仅限于某些特定污染源排放的特定污染物；由于室内活动时间相对不长且密闭结构的写字楼和办公楼数量不多，绝大多数人尚未意识到建筑病综合征（SBS）的存在。在我国，有关室内环境方面的系统研究尚未见报道。国内目前从事的主要研究工作集中在对燃料燃烧、吸烟等以及不同场合的 VOC 的排放、室内装修及家具带来的污染、室内环境污染的治理与对人体的健康效应以及对氡的监测等几个方面的研究上。与国外相比，在研究手段、研究广度和深度上及研究的系统性差距较大。

目前提高室内空气质量的措施主要有：

1. 设计合理的建筑结构。建筑设计时，要做到起居室、卧室都能进行自然通风，厨房、卫生间应在夏季主导风向的下风侧，以免有害气体散发到居室内。

2. 控制污染源，改革燃料结构。不同类型的燃料产生单位能量所生成的污染物排放量不同，燃煤＞煤气＞液化气＞天然气＞电能。消除或减少室内污染源是改善室内空气品质，提高舒适性的最经济最有效的途径。因此，建议城市在增加气体燃料的同时，有条件的可使用电炊具；在农村应逐步减少生物性燃料的比率，推广使用液化气、电等商品性能源。

3. 加强通风换气。国内外的调查和实验均已表明，加强通风换气是改善室内空气品质的最简单而有效的办法。对于有空调的居室，当伴有充足的室外空气进入后，70%的循环使用空气对人群不会造成不良的健康影响。许多空调室内的污染物，如可吸入粒子、NO_x、CO、CO_2 以及甲醛等都可通过改善通风而加以降低。具体来说就是对新风首先要有量的要求，同时还要有质的要求，这一技术正是目前暖通专业致力解决的问题。

4. 改变生活习惯。不健康的生活习惯，如吸烟、高温烹调都是造成室内空气质量下降的重要原因。因此，应少吸烟或不吸烟，少食煎炸食品，这样可以大大降低污染。

5. 慎重选择建筑、装饰材料以及生活日化用品。如前所述，一些建筑、装饰以及某些日化用品含有多种污染物，所以在选择装修材料时，应考虑环保性材料，并尽量减少使用杀虫剂、空气清新剂等物。

6. 发展新型净化材料。目前发展最快的是光催化材料如二氧化钛和新型吸附材料如活性炭纤维，通过对其进行各种改性，能有效地消除多种室内低浓度的有害恶臭气体。

7. 使用空气净化装置。空气净化装置是改善室内空气质量的有效方法，且无副作用，建议进一步加以推广。

二、国内外室内空气 VOCs 的控制标准

室内挥发性有机化合物成分复杂繁多，难以检测，并且浓度存在很大差异，逐一测定无疑十分费时和昂贵，1986 年丹麦学者 Iars Molhave 提出采用一个量化指标“总挥发性有机化合物浓度（Total Volatile Organic Compounds，TVOCs）”来表示室内空气中 VOCs 的总污染水平。具体讲即，TVOCs 是指室内空气中，利用 Tenax GC 或 Tenax TA 采样，非极性色谱柱（极性指数小于 10）进行样品分析，保留时间在正己烷和正十六烷之间的有机化合物的总质量浓度。德国学者 Bernd Seifert 于 1990 年推荐了一套 VOCs 的室内空气浓度指导限值，详见表 1。其中要求单个化合物的质量浓度不超过所属分类的 50%，也不超过 VOCs 总量的 10%，此外，对致癌化合物要求进行单独评价。1993 年瑞典学者 Uif Renholt[13] 针对室内 TVOCs 提出的指导限值为：一类空气质量：TVOC ≤ 0.2 mg/m^3；二类空气质量：TVOC ≤ 0.5 mg/m^3。

表 1 Bernd Seifert 推荐的室内空气 VOCs 浓度指导限值

VOCs 的化学分类	推荐浓度限值/（μg/m^3）
烷 类	100
芳烃类	50
萜烯类	30
卤烃类	30
酯 类	20
醛类和酮类	20
其他化合物	50

在我国室内 VOCs 的控制指标主要执行《民用建筑工程室内环境污染控制规范（GB 503525—2001）》和《室内空气质量标准》（GB/T 18883—2002）两个国家标准[14]。其中主要

VOCs 控制指标见表 2。

表 2　我国室内空气中主要 VOCs 浓度限制

VOCs	《室内空气质量标准》（GB/T 18883—2002）		《民用建筑工程室内环境污染控制规范》（GB 503525—2001）	
	标准值/（mg/m³）	备注	I 类标准值/（mg/m³）	II 类标准值/（mg/m³）
甲醛	0.10	1h 均值	≤0.08	≤0.12
苯	0.11	1h 均值	≤0.09	≤0.09
甲苯	0.20	1h 均值	—	—
二甲苯	0.20	1h 均值	—	—
TVOCs	0.60	8h 均值	≤0.5	≤0.6

三、室内空气中 VOCs 的控制及净化技术

与颗粒污染物不同，气态污染物与空气可形成均相体系。颗粒物可以用机械的或简单的物理方法，通过作用在颗粒物上的各种外力（如重力、离心力、电场力等），使其与空气分离；而气态污染物则必须利用污染物与空气二者在物理、化学性质上的差异，经过物理、化学变化，使污染物的物相或物质结构改变，从而实现分离或转化。因此，气态污染物的净化技术较颗粒物净化技术更复杂，所需代价也更高。国内外处理 VOCs 的传统技术很多，也较成熟。传统技术主要是应用于工业 VOCs 废气的净化；随着室内空气中 VOCs 污染的日益严重，人们在改进传统技术的同时，开始研发一些更适于室内 VOCs 净化的新技术。

工业领域 VOCs 废气的控制与净化技术多种多样。按照净化原理区分，净化方法可分为 7 类：冷凝法、燃烧法、溶剂吸收法、吸附法、热催化转化法、膜分离技术和光催化净化法。目前室内空气中 VOCs 的控制及净化技术主要是光催化净化法。

（一）冷凝法

冷凝法是用来回收 VOCs 中有价值成分的一种处理方法。其基本原理是利用气态污染物在不同温度和压力下具有不同的饱和蒸汽压，通过降低温度或增加压力，使某些有机物凝结出来，从而使 VOCs 得以净化和回收。由于冷凝法对温度和压力的特殊要求；所以实际应用中常将该法与吸收、吸附、燃烧等法联合使用，以达到降低运行费用，提高净化率的目的。该法适宜于处理高浓度和组分比较纯的 VOCs；一般情况下，去除率在 80% ~90% 以上。

（二）燃烧法

燃烧法是利用 VOCs 易燃烧性质进行处理的一种方法。VOCs 气体进入燃烧室，在足够高的温度和过量的空气高温湍流条件下，进行完全燃烧，最终生成 CO_2、H_2O 后外排。一般情况下，VOCs 中空气的比例较大，这就要求根据废气的温度、体积、化学组成、露点以及进出口浓度等因素，来选择燃烧方式。通常采用的燃烧方式有直接燃烧法、热力燃烧法和催化燃烧法。

（三）溶剂吸收法

溶剂吸收法是采用低挥发或不挥发性溶剂对 VOCs 进行吸收，再利用有机分子和吸收剂物理性质的差异进行分离的 VOCs 控制技术。该法适用于浓度较高、温度较低和压力较高的 VOCs 的处理。

（四）吸附法

吸附法是一种常见的气态污染物净化方法。该法是利用多孔固体吸附剂将气体混合物中的一种或数种组分积聚或凝缩在其表面上，从而达到污染物分离的目的。因为吸附剂的选择性高，吸附法能分开其他方法难以分开的混合物，有效去除浓度很低的有害成分，因此吸附操作已被广泛应用于有机化工、石油化工等生产部门，成为一种必不可少的单元操作。吸附方法特别适用于处

理低浓度、大流量、高净化要求的场合，该技术在环境工程中也得到广泛应用。

（五）热催化转化法

热催化转化法是在催化剂的作用下，将有机废气中的污染物通过化学反应转化为非污染物或容易分离的物质的方法。热催化转化可分为催化氧化和催化还原。热催化转化法在空气污染控制中已得到较多应用，近年来发展也很快。

（六）膜分离技术

膜分离技术的基本原理是根据混合气体中各组分在压力的推动下透过膜的传递速率不同，从而达到混合气体分离和净化的目的。膜分离技术的核心是膜，膜材料是发展膜分离技术的关键问题之一。有机膜分离技术已开始被应用于用其他方法难以回收的有机物的分离领域中，如医院消毒用的 CFC212 和环氧乙烷、制冷设备（如冰箱等）使用过程中排放回收 CFCs 等。采用该方法回收有机废气中的丙酮、四氢呋喃、甲醇和甲苯等（浓度低于 50%），回收率可达 97%。无机膜分离技术目前也已经被应用于空气分离、天然气分离、二氧化碳回收、炼气、石油化工、合成氨尾气中氢的回收和酸性气体脱除等领域。由于膜技术具有热稳定性好，化学性质稳定，并且不被微生物降解，以及较大的机械强度，容易控制孔径尺寸等特点，将膜技术用做室内空气净化的主体有着巨大的潜力。

（七）光催化净化法

光催化净化是基于光催化剂在紫外线照射下具有的氧化还原能力而净化污染物。自 1972 年 Fujishima 和 Honda 发现在受照射的 TiO_2 上可以持续发生水的氧化还原反应，并产生 H_2 以来，人们对这一催化反应过程进行了大量的研究。结果表明，光催化氧化技术是在光的作用下，以半导体为催化剂，采用化学氧化法去除气态污染物的空气净化技术。半导体材料具有分裂的导带和价带，当用能量等于或大于半导体带隙宽度的光照射半导体时，其价带上的电子（e－）可被激发进入导带，同时在价带留下相应的空穴（h＋），形成光生电子—空穴对。光生空穴具有极强的氧化能力和还原能力，可与表面羟基基团（OH－）反应生成羟基自由基（·OH）或直接氧化吸附在其表面上的有机污染物分子。光生电子具有极强的还原能力，对于有氧气存在体系，氧气捕获光生电子避免光生载流子的无效复合，同时也可产生多种活性氧物种，如 $\cdot O_2$（超氧自由基），·O（氧自由基）、$\cdot O_2H$（过氧羟基自由基）等。这些自由基都具有很强的氧化能力，它们可以引发一系列自由基链式反应，促进对污染物的去除和矿化。在所有半导体材料中，TiO_2 因其较高的化学稳定性及合适的带边电位而备受青睐，是目前研究最多的一种半导体材料。这一技术不但在废水净化处理方面具有巨大潜能，在净化空气中存在的气相污染物也具有广阔的应用前景，成为各国研究和开发的热点。

参考文献

[1] Fujishima A, Honda K. Electrochemical photolysis of water at a semiconductor electrode [J]. Nature, 1972, 238: 37－380.

[2] Krzyzanowski M, Quackenboss J J, Lebowitz M D. Chronic respiratory effects of indoor formaldehyde exposure [J]. Environmental Research, 1990, 52 (2): 117－125.

[3] 樊兴君，尤进茂，谭干祖，等．微波促进有机化学反应研究进展［J］．化学进展，1998，10（3）：286－290.

[4] 杨瑞，张寅平，王新珂，等．纳米光催化空气滤网处理空气中微量甲苯效果的实验研究［J］．暖通空调，2003（5）：28－31.

[5] 朱登磊．挥发性有机化合物的生物净化技术［J］．中国科技信息，2006（3）：52－53.

[6] 龚圣，黄肖容，隋贤栋，等．室内空气净化技术［J］．环境污染治理技术与设备，2004，5（4）：55－57.

谈谈室内环境的变化对妇女儿童的影响

余文卓　杨　倩

（苏州市环境监测中心站　江苏苏州市三香路102号　215004）

摘　要　本文针对室内装修对环境造成的污染，着重对妇女及儿童造成的种种影响进行了系统的分析，并且提出了应对措施。

关键词　室内环境　装修　污染　妇女　儿童

随着人们生活质量的不断提高，对家居环境的装修越来越讲究。但是值得人们深思的是，在室内装修业进行得如火如荼的同时，室内装修对环境造成的污染也越来越严重。室内环境空气污染物主要分为几类：燃料燃烧生成物、烹调油烟；人体体味、吸烟产生的烟雾；家具、建材释放的有毒化学物质；家用电器、办公用品、日用品等产生的有害物质；细菌及微生物等。本文较着重论述装修污染。

一、室内环境对儿童的影响

（一）室内装修造成的污染

室内环境专家的一项调查表明，现代人平均有90%的时间在室内，65%的时间在家里。而现代城市中室内空气污染的程度则比室外高出许多倍！那么，谁是经常在室内并受到室内空气污染危害的呢？是那些儿童、孕妇、老人和慢性病人，特别是儿童比成年人更容易受到室内空气污染的危害。这是因为：①儿童的身体正在成长中，呼吸量比成人高50%。②儿童有80%的时间生活在室内。由法制晚报与北装协环保委组织的“北京市首次儿童房室内环境污染情况调查”活动，共有630户家庭进行了免费测试。据环保委发布最新数字，95%的儿童房存在不同程度的室内环境污染问题。油漆和涂料过于鲜艳、使用大理石板材、铺塑胶拼图地板、装修材料过多都是造成污染重要原因。

（二）室内环境污染会对儿童健康造成伤害

1. 诱发儿童的血液性疾病。医学研究证明，室内环境污染已经成为诱发白血病的主要原因。哈尔滨血液肿瘤研究所去年就收治了1 500多例儿童血液病患者。其中白血病患者高达80%，以4岁儿童居多。为什么儿童成了目前白血病的高发人群？该所马军所长说，除了儿童的免疫功能比较脆弱这一内因之外，室内装修材料散发的甲醛等有害气体是“杀手”之一。

2. 增加儿童哮喘病的发病率。从美国专家对由于室内空气污染造成的哮喘病调查中可以看到，在美国儿童中，患哮喘病的占美国总人口的12.4%。此病影响到每个年龄段的儿童，65%的儿童不同程度的患有哮喘。世界卫生组织宣布：全世界每年有10万人因为室内空气污染而死于哮喘病，而其中35%为儿童。据统计，我国儿童哮喘患病率为2%～5%，其中1～5岁儿童患病率高达85%！甲醛成为儿童哮喘病的主要诱因。

3. 导致儿童铅中毒。日益严重的环境铅污染是造成人们特别是儿童铅中毒的根本原因。特别是随着经济迅猛发展，城市交通发展迅速，各种室内装饰装修材料层出不穷，室内装饰装修进入千家万户，儿童玩具日渐丰富，来自汽油和油漆中的铅构成了对室内环境的污染。据英国某室内卫生调查组织的调查发现，住宅内空气中平均含铅量比公园土壤高出1倍，这对常常在室内地上活动的幼童威胁很大。据调查，仅北京地区就有百分之二十的儿童血铅浓度超标。

4. 使儿童的智力大大降低。2001年，英国投资1 500万英镑进行的“全球环境变化问题”

研究小组，在总结各国科学家的研究报告，进行了大量调查分析之后，公布了一个令人震惊的结论：环境污染使人类特别是儿童的智力大大降低！参与研究的伦敦大学教育研究所的威廉斯博士说："这个结果超出了人们以前的估计，人类的大脑在被人类自己的行为损坏。"

二、室内环境对妇女的影响

（一）室内装修对孕妇的影响

母腹中胎儿的生长发育是借胎盘的血液循环和母体进行物质交换的，母亲接触到有害物质，有些会通过母体血液循环输送到胎儿体内，危害胎儿。更为严重的是，危害还可以发生在胎儿形成之前，当有毒有害物质损害精子、卵子或早期的胚胎时，都会使胎儿发育异常。

（二）室内环境的污染对孕妇的影响

在人类发生的先天性畸形中，有10%是由于环境因素引起的，而对另外80%的先天性畸形，环境因素也起着重要作用。从胚胎形成到分娩近10个月的时间中，新生命对环境的敏感性并不是一样的。一般来说，最敏感的时期是在怀孕的头三个月中。孕妇在怀孕期间，一定要注意周围的环境，比如远离化学物质，避免辐射等。要尽可能让你的宝宝在优良的环境中生长。

（三）室内环境的污染对妇女的影响

白领阶层由于精神紧张，压力过大也会影响健康。另外，他们长期工作在写字楼中，长时间处于密闭的环境中，容易患"空调病"或写字楼综合征。至于在电脑视屏前作业，除了已知的易出现视疲劳综合征和颈肩腕综合征等症状外，对妇女的生育功能有无影响，目前各国仍在做大量的调查，尚无明确的结论。而精神紧张对人体，特别是对于孕妇的影响主要是容易造成流产。因此，在还没有弄明白电脑对妇女的生育功能有无影响之前，我们主张还是应该采取一定的保护措施，即：孕妇每周在电脑前工作不要超过20小时；在电脑前连续工作40~50分钟时，就应站起来活动活动。同时，还应该抓紧一切机会到室外去活动，晒太阳，呼吸新鲜空气。

三、对于室内环境的变化对妇女儿童的影响提出建设性的意见

1. 在室外空气质量较好的时候，要带领儿童多做一些户外活动；

2. 在室内活动学习时，如条件允许，可经常开窗通风换气，但要防止室外污染的侵入和冷风对儿童身体的伤害；

3. 一般的家庭和幼儿园、学校，最好配备室内空气净化器，让我们的下一代享有呼吸新鲜空气的权利，这是一个比照顾好儿童衣食住行更重要的问题，应该尽快引起大家的重视，为什么美国霍尼维尔公司的专家要研制专为儿童房间配置的空气净化器，道理就在这里。

4. 要加强对儿童生活和学习场所的室内空气质量检测，特别是对那些新建或新装修的家庭、幼儿园和学校，在儿童入住前，一定要进行室内空气质量检测，听取专家意见后，方可入住。

5. 在没有弄明白电脑对妇女的生育功能有无影响之前，我们主张孕妇每周在电脑前工作不要超过20小时；在电脑前连续工作40~50分钟上，就应站起来活动一下。同时，还应该抓紧一切机会到室外活动。

参考文献

[1] 国家环保局《空气和废气监测分析方法》编委会．空气和废气监测分析方法（第四版）[M]．北京：中国环境科学出版社，2002：211-222.

[2]《空气和废气监测分析方法指南》编委会．空气和废气分析方法指南[M]．北京：中国环境科学出版社，1990：225-238.

[3] 江苏省环境保护局．江苏省环境空气监测技术规范．1989，06.

《烟草控制框架公约》框架下控烟支持环境的构建与探讨

邓发基　罗良德　徐成银

（湖北省房县疾病预防控制中心　442100）

摘　要　目前全球已有190多个国家参与了《烟草控制框架公约》的谈判、签署和承诺，但各国履约力度和进展情况却大相径庭……究其原因，主要是因为社会“吸烟环境”的持续存在和“有效的控烟局面”尚未形成所致。而综观我国“吸烟环境”的复杂程度和总体趋势，中国早已面临全球最大烟草生产国和消费国的严峻形势，并存在烟草业长盛不衰的垄断经营格局、过分依赖“烟草经济增长模式”、烟品沦为社交触媒、助长吸烟行为的歪理邪说泛滥、吸烟行为几乎不受限制、戒烟缺乏支持环境等一系列问题。必须通过立法控烟、建立政府主导机制、取缔“烟草经济增长模式”、锁定“禁烟目标人群”、增强二手烟受害者的控烟意识和能力等综合手段，逐步构建社会控烟支持环境。

关键词　烟草危害　控烟　公约　支持环境　构建

吸烟危害健康，控烟已呈国际趋势。但是，由于人类吸烟行为的历史悠久，致使“吸烟环境”无处不在，难以根除。尤其是个体吸烟的动机、成因和成瘾的程度各不相同，而现有的“戒烟行为”尚缺乏强有力的“社会支持环境”。因此，实践中尽管全球已有190多个国家参与了《烟草控制框架公约》（以下简称《公约》）的谈判、签署和承诺，但各国履约力度和进展情况却大相径庭……烟草流行与烟草危害形势仍然严峻。在我国，《公约》于2006年1月9日正式生效，翌年1月香港特别行政区率先实施《吸烟（公众卫生）条例》，要求在2009年6月30日前实现“无烟香港”目标，所有室内公共场所和工作场所全面禁烟；随后，2009年5月卫生部发布《关于2011年起全国医疗卫生系统全面禁烟的决定》，要求“医务人员劝阻吸烟”、“医务人员应做不吸烟的表率”，并寄希望于通过大众媒体传播活动，带动其他行业主动参与控烟，自觉远离烟草。此举在我国履约进程中虽然具有划时代意义，但是对于全民控烟的社会支持环境而言，这仅仅是“万里长征的第一步”，并不足以证明和确保我国《公约》框架基调下“控烟支持环境”的构建已经形成或日趋完善。据此，我们认为社会“吸烟环境”的持续存在和有效的控烟局面尚未形成，才是我国乃至世界烟草流行的症结所在。

一、对我国“吸烟环境”的客观阐述与评价

（一）中国是全球最大的烟草生产国和消费国

据2006年卫生部疾病控制局和中国CDC发布的《中国慢性病报告》表明：中国是烟草生产和消费大国，生产和消费均占全球的1/3以上。目前全国约有3.5亿吸烟者，2000年由吸烟导致（相关疾病）的死亡人数近100万，超过艾滋病、结核病、交通事故以及自杀死亡人数的总和，占全部死亡的12%[1]。如果吸烟流行状况得不到有效遏制，草烟对中国居民健康危害将进一步加重。世界卫生组织2008年预测，2030年之后年将有1/3的男性死于吸烟相关疾病，而其中的一半死于65岁之前[2]。因此，中国沦为烟草受害第一大国毋庸置疑，吸烟对公众健康已造成严重危害。

（二）“烟草专卖”体制促成烟草业“垄断保护”地位

“国家对烟草专卖品的生产、销售、进出口依法实行专卖管理，并实行烟草专卖许可证制度”由来已久，在严格规范行业行为的同时，也逐渐助长和形成了烟草业长盛不衰的垄断经营格局。在长期的“烟草专卖”体制下，一方面造成了我国卷烟的实际价格和现行卷烟税率

偏低，而更加有利于刺激、引导、保护并提高消费者对卷烟的消费欲望和购买能力；另一方面，又促使烟草业处于“独一无二”、免予市场竞争和外部冲击的“优越”地位，并最终形成了高度的垄断经营格局。而“高度垄断”的利益诱惑，必将派生来自烟草行业之外的社会利益集团的“渗透”与“突破”，甚至见利忘义、铤而走险，沦为滋生腐败的“温床”和违法犯罪的“高发区域”。因此，倘若仅从烟草走私与制、售假烟现象一度“猖獗”或“屡有披露”这一侧面来看，也足以反衬我国乃至世界烟草业的“兴旺”状态和社会“吸烟环境”的恣意肆掠和无限蔓延的态势。

（三）过分依赖“烟草经济增长模式”现象客观存在且难以改变

“从经济学的角度来看，吸烟是典型的存在‘负外部性’的行为，其造成的外部成本并没有反映在价格中”[3]。因此，迄今为止，各国政府、财政和税务等相关部门乃至社会公众，对于高额的卷烟税收、可观的卷烟产值、鼓励性的烟草种植措施等，仍然具有普遍的、广泛的认同趋势。在我国，随着国民经济的发展，烟草经济所占比重虽然正在逐步降低，但是许多地方依赖“烟草经济增长模式”的情况不仅长期存在，而且相当严重。尤其是因受根深蒂固的烟草种植、生产、销售与贸易所形成的庞大产业链制约，尽管“吸烟危害健康”的观念连 3 岁的小孩儿都可能喊得出口，但是为了发展经济、脱贫致富，人们往往还是依然置健康、环境、资源于不顾而种植烟叶、生产卷烟、消费烟草。丝毫没有顾虑“控制烟草能够改善人群健康、降低疾病带来的经济损失和疾病负担，有利于国家发展”的最高目标的实现。

（四）烟品是当今世界波及范围最广、使用频率最高的社交手段与沟通媒介之一

据有关资料表明，目前全世界吸烟人数约有 13 亿，每年有 490 万人死于烟草相关疾病，占总死亡构成的 1/10。烟草相关死亡跃居全球死因构成第一位，到 2025 年其死亡总数将超过肺结核、疟疾、生产和围产期并发症及艾滋病的总和。WHO 比拟吸烟的危害猛于“非典”和海啸[4]。在我国，烟草使用已经有 400 多年的历史，吸烟、敬烟既是成人的普遍认同行为，也是重要的社交手段。烟品不仅成为个人和家庭日常消费、接人待物的必需品，而且还是公务接待、公款消费的主要内容之一。而烟品作为社交手段与沟通媒介，没有什么能够替代“烟是介绍信……”的独特功用和“烟酒（或烟茶）不分家……”那样充足的“亲和力”。甚至将烟品作“礼品”馈赠、送人，以烟品的价格衡量或体现吸烟者的身份、地位、贫富、尊卑等。所有这些，均毋庸置疑地表明了烟品作为现实生活中的感情纽带和社交触媒的现实基础与必然属性。

（五）吸烟导致成瘾、歪理邪说盛行、戒烟缺乏支持环境

科学证明，吸烟的“成瘾性”特征十分明显。什么“烟能提神……”、“饭后一支烟、赛过活神仙……”等，都不过是自欺欺人的借口而已，其实质无疑是“打发闲暇无聊”、“找点事儿消遣时光”、“甘当世俗的奴隶”、“危害健康的帮凶”。甚至还有瘾君子竟然大言不惭、冠冕堂皇地宣扬：“不吸烟不像男人”、“不吸烟者谨慎（吝啬）”、“不吸烟与人不合群”、“不接受敬烟等于瞧不起人”之类的歪理邪说来竭力显耀吸烟行为的“高雅”、“优越”之处。因此，经受如此糟糕的“吸烟环境”氛围的熏陶、教唆与嘲弄，一方面未吸烟者一旦置身于“烟枪”林立之中反倒显得“不合时宜地惶恐”；另一方面，倘若有吸烟成瘾者试图戒断，也将面临烟瘾自控和外界敬烟、劝烟、吸烟的双重困扰。这同时也更加表明，作为曾经的吸烟者，要维护自身的“戒烟形象”必须赢得足够而又来自外界、公众的“无烟环境”支撑。但事实恰恰相反，由于种种原因，我国社会“控烟支持环境”状况仍然不佳，甚至远远尚未形成。以致戒烟、禁烟的呼吁与行动，就某种意义而言，仅仅只是“单兵突击”的“微弱行为”，缺乏摧枯拉朽式地“大兵团作战”的“战役性行动”及“战略性效应”。

二、对《公约》框架下控烟支持环境的构建与探讨

（一）立法控烟势在必行

国际控烟成功经验显示，立法是遏制烟草全球流行、实现室内环境无烟化的关键。许多国家禁止吸烟的公共场所已从公共交通工具、医院、学校、影剧院、展览馆、购物中心等，逐步扩展到办公场所（包括政府办公楼、公司写字楼等），进而又扩展到大众餐饮娱乐场所（包括餐厅、酒吧、夜总会、按摩房等）[5]。我国目前尚缺乏专门的针对公共场所禁止吸烟的法律法规，有关规定仅只是出现在相关法律法规的某些条款或细则中。如国务院颁布的《公共卫生管理条例》、全国人大会议通过的《烟草专卖法》和《未成年人保护法》以及全国爱卫会、卫生部、铁道部、交通部、建设部、民航总局颁布的《关于在公共交通工具及其等候室禁止吸烟的规定》等，虽然均分别对公共场所禁止吸烟提出明确要求，但法规内容限定模糊而又过于分散，且执法主体不明，可操作性不强。因此，中国要摘掉世界“最大烟草生产国和消费国”的双重帽子，理应出台专门而又系统的“禁烟法规”对全国烟草生产、消费现状采取严厉措施和明文规定。

（二）建立政府主导下的控烟机制

由政府主导控烟工作，无疑会快速而又充分地形成“多部门合作、全社会参与”的控烟局面。但现阶段我国寄希望于通过“医务人员劝阻吸烟”，要求“医务人员应做不吸烟的表率”……带动其他行业主动参与控烟的愿望固然无可非议，但是能不能够“带动”？什么时候“带动”？究竟能“带动”到何等“境界”？一切皆无定数。值得注意的是中国 CDC 近年披露的一项调查结果表明，“我国医务人员吸烟状况令人堪忧，参与劝阻戒烟更为薄弱。在某些地区医生吸烟率高达55%，正确掌握吸烟危害知识的医生不足50%，掌握戒烟技巧和提供戒烟服务的医生为数不多。证明医疗卫生行业内部至今存在“打铁本身不够硬”的实际问题，更不用说现实工作中所面临的“控烟专业队伍能力薄弱、各级控烟协会作用甚微、社会性戒烟知识宣传不够经常化、大众媒体公益性控烟宣传频率偏低、公款消费烟草已经成为社会通病等一系列热点、难点问题的存在，仅靠某一部门的勉强“带动”，显然是杯水车薪。因此，必须尽快建立政府主导下的控烟长效机制，进而实现对烟草危害的遏制态势。

（三）取缔“烟草经济增长模式”

就某种意义而言，“烟草经济增长模式”对我国跃居世界最大烟草生产国和消费国的“贡献”功不可没。因此，政府应旗帜鲜明地通过限制卷烟生产总量、控制烟草种植面积等方式予以“压缩限量”，同时辅以“大幅度提高烟税与卷烟价格”的措施，进而向吸烟这样的不良行为传递一个“负担过重”或“负担不起”的强烈信息。尤其是要使吸烟者在确信吸烟危害健康的同时，还会由烟品价格唤起自身对吸烟成本付出绝非“物有所值”的理性认识……促使其早日做出“不再吸烟”的考虑。试想，在一顿早餐和一支香烟的成本价值同等、二者又只能选择其一的前提下，你会做出“吸一支烟、饿一顿饭”的愚蠢之举吗？那么，同样地唯有我们彻底放弃固有的“烟草经济增长模式”，才不愧是遵循“以人为本”的科学发展观规律的明智之举。

（四）将成年吸烟男性锁定为“禁烟目标人群”

据2002年全国吸烟行为流行病学调查显示，男性人群现在吸烟率为57%，吸烟行为几乎不受限制。这是造成不吸烟者在多种场所接触二手烟的主要原因；也是青少年效仿吸烟的环境基础。从目前的实际情况来看，在“过于强调青少年人群控烟工作及宣传教育”的同时，竟然“一味地放任成年人的吸烟行为”而“不予以有效地干预”，已是当前控烟工作中的诸多误区之一。对于整个成年群体而言，如果我们自身都不能做到完全拒绝烟草，又怎么能保证、避免或教育下一代人远离烟草呢？事实上，面对烟草危害，作为成人我们总觉得有必要加强对青少年吸烟行为的防范与控制，但却很少考虑如何致力于为其提供从家庭到学校乃至社会的“无烟环境”。

因此，只有锁定“应该禁烟的人群”，致力于打造无烟家庭、无烟学校、无烟单位与无烟场所等戒烟微环境的构建，并促使其微环境内的吸烟者角色彻底转向不吸烟的行列，才能达到事半功倍、立竿见影的效果。

（五）增强二手烟受害者的控烟意识和能力

从吸烟者的数量来看，我国约有3.5亿烟民，非吸烟者在总人口中占有绝对优势。但是，由于绝大多数不吸烟者难免受二手烟的侵害。以致我国经受烟草危害的实际人数成倍增长，形势倍加严峻。因此，必须动员、呼吁最广大的二手烟受害者，面对吸烟者的“吞云吐雾”行为勇于说“不”、敢于阻止、乐于劝告，而不是熟视无睹、麻木不仁、听之任之。唯有达成共识，形成“老鼠过街，人人喊打”的“高压态势”，使吸烟者深受“吸烟不受欢迎”、“吸烟极不文明”、“吸烟招人唾弃”而不得不转变其固有的吸烟行为。当然，要增强二手烟受害者的控烟意识和能力，并促使其早日加入“控烟支持阵营”，除了采取专业的健康信息传播等干预措施之外，更重要的是有赖于来自社会政治、经济、文化等各个领域的控烟支持环境的构筑与建立。

参考文献

[1] 卫生部疾病预防控制局，中国疾病预防控制中心．中国慢性病报告，2006，5：11.

[2] 卫生部．2009年中国控制吸烟报告［EB］．http：//www.chinacdc.net.cn/n272442/n272530/n3246177/index.html，2009-06-04.

[3] 美兰德调研．从烟草消费大国到积极控烟大国［EB］．http：//www.cmmr.com.cn/_d269715297.htm，2009-07-20.

[4] 新探健康发展中心控烟频道．世界卫生组织：烟草或健康现状描述［EB］．http：//www.tcalliance.org.cn/home/?action-viewthread-tid-2559，2009-09-19.

[5] 张楚南．解读《烟草控制框架公约》［M］．湖北省健康教育所，湖北省健康促进与控制吸烟学会编印，2007.12：28-29.

室内大气氡污染年度时空变化规律及防治措施初步研究

郑　逆　李德辉　杨　渊　邬　健　张　赟

（内江市环境监测站　四川　内江　641100）

摘　要　本文通过对内江市大气环境中室内空气氡污染现状的调查，了解氡环境污染年度时空变化规律。在此基础上对氡污染防治技术方法进行研究，提出环境管理上的建议和措施。

关键词　氡　污染防治　环境保护

氡是空气中的天然放射性元素，由土壤、岩石、水、天然气、建材等介质中镭－226衰变而成，并通过介质的空隙透析。氡的存在与人们生活密切相关，直接危害着人们的身体健康。世界卫生组织（WHO）公布氡是19种人类重要的致癌物质之一[1]。世界多项辐射研究表明，氡及其子体气体吸入，是造成人体暴露于所有辐射中最主要的危害源[2,3]。世界各国致力于控制室内环境氡及其子体浓度控制标准及管理规则的制定，降低居民氡及其子体的辐射[4,5]。我国环境氡污染，尤其是室内环境污染情况相当严峻。

一、室内大气氡污染现状调查

（一）调查方法

调查于2008年1月至2009年12月在内江市东兴区蟠龙路环保局底楼和四楼内进行，每两小时测定一次室内氡浓度值。室内外无其他大气污染源，测量仪器为FD216环境氡测量仪。

（二）调查结果与分析

1. 四季变化

表1　2008年、2009年四季室内氡浓度均值

年份	季节	浓度范围	均值/（Bq/m³）
2008	春季	10.4～39.0	24.3
2008	夏季	10.3～57.9	37.7
2008	秋季	50.0～80.2	58.9
2008	冬季	35.3～78.3	53.4
2009	春季	36.6～54.9	45.5
2009	夏季	32.3～84.3	49.1
2009	秋季	47.6～81.5	59.8
2009	冬季	48.5～82.4	55.3

由表1可见，2008年和2009年全年氡浓度值范围在10.4～84.3Bq/m³，其中春季氡浓度平均值为最低，2008年为24.3Bq/m³，2009年为45.5Bq/m³，明显低于2008年秋季氡浓度平均值58.9Bq/m³和2009年秋季氡浓度平均值59.8Bq/m³水平，分析原因可能是由于内江地区春秋季节气象参数不同造成的，如与降水量（春季为枯水期，秋季为丰水期）、温度、大气压、相对湿

度、风速等相关，具体原因有待进一步分析。

2. 日变

表2　24小时氡浓度均值

时间	均值/（Bq/m^3）
0:00	57.02
2:00	60.51
4:00	70.54
6:00	53.4
8:00	45.5
10:00	49.1
12:00	49.8
14:00	36.25
16:00	35.26
18:00	33.54
20:00	54.26
22:00	40.25

由表2氡浓度平均值可见，凌晨4点氡浓度值最高，为70.54Bq/m^3；傍晚18点氡浓度值最低，为33.54Bq/m^3。氡浓度在24小时中，白天浓度值明显低于夜晚浓度值。

3. 高度变化

表3　底楼与四楼氡浓度均值比较　单位：Bq/m^3

2008年	底楼	48.7
2008年	四楼	40.5
2009年	底楼	49.8
2009年	四楼	42.3

由表3可见，底楼2008年和2009年氡浓度平均值分别为48.7Bq/m^3和49.8Bq/m^3，四楼氡浓度平均值分别为40.5Bq/m^3和42.3Bq/m^3。底楼的氡浓度明显比四楼的氡浓度高，分析原因是由于氡在空气中运移是一种扩散过程，随着高度的增加，浓度降低。

4. “5·12”地震前后变化

分别对2008年5月11日、5月12日、5月13日氡浓度测定值进行分析发现：2008年5月11日氡浓度均值为67.2Bq/m^3；5月12日氡浓度均值为66.7Bq/m^3，5月13日氡浓度均值为76.7Bq/m^3。同时将“5·12”地震后氡浓度测定值与地震前氡浓度测定值进行分析，地震后氡浓度测定值明显高于地震前测定值近10Bq/m^3，分析原因可能是在强烈地震或者地壳运动频繁的时候，地应力活动加强，氡气不仅运移增强，含量也会发生异常变化。由于“5·12”汶川大地震，强烈的地壳运动使内江地区氡气含量增加。

二、防治措施

室内空气质量标准（GB/T 18883—2002）中氡的标准为400Bq/m^3（年平均值）。2008年和

2009年氡浓度测定平均值均满足室内空气质量标准中氡的标准要求。但随着近年来建筑物密闭性增加，氡在室内聚集随之加剧，氡危害性越来越大，如不及时治理，氡污染将严重影响人们生活健康。氡污染防治已成为大气污染治理重要工作之一。

（一）加大宣传力度，提高居民对氡污染自我保护意识

氡污染一直未引起重视，随着近年来国家对环保事业的关注，生活环境中氡的危害才逐渐引起人们的重视。现阶段，城市居民了解氡危害的人极少，氡污染防治工作的首要事情就是要加大宣传力度。在当地新建住房广告栏处布置关于氡污染源的宣传栏，向当地居民发放宣传手册，让居民意识到氡污染的危害严重性，了解氡污染产生来源、产生途径，在购买装修、装饰材料时避免采用氡危害高的产品，采取相应的防治措施，防患于未然，尽可能减少氡对环境污染，减少氡对人体产生的危害。

（二）合理规划，科学布局，减少室内空气氡的危害

在城市规划和建筑选址时应注意避开高氡地质背景区，如构造带和放射性元素含量高的地段；不可避免时，应加强地基处理和室内通风，减少地基土壤氡对室内的影响。重点加强室内通风，室内通风是室内降氡的主要方法之一。室内通风方式有自然通风和人工通风（如排风扇、空调等）。章晔等人报道通过几种通风方法降氡效果的实验，结果证明自然通风的效果最好。采用装有降氡装置的室内空气交换器，在空气交换过程中，将空气中的氡子体过滤掉。其次是采用涂装的方法，在室内氡污染控制方面，主要为国防和核工业中用大掺量重晶石（大于70%，做浆体骨料）和高分子材料（如沥青，加量大于10%）的材料或经过复杂的多层施工方法（如CN－95110815，CN－01106724）。房屋结构最好能在地基与一层地板之间留有一定空间，使地基土壤释放的氡能被大气稀释，同时要密封地面裂缝和地下管道与一层地板的接缝处，减少地下氡向室内的运移。

（三）建立和健全防治氡污染政策法规

完善产品认证机制，加强对建材的监督和管理力度。从源头控制室内环境污染，目前已出台的建筑、装修材料污染物限量标准，对正规楼盘的验收较有保障，但对一些装修“游击队”则不起作用，市场上装修材料的质量参差不齐，一些不法商人基于经济利益的驱使销售假冒伪劣产品危害民众。完善产品认证机制，依靠科技进步，大力开发和推广使用绿色环保产品。室内有毒有害污染物大多来源于建筑装修材料，虽然我国已出台室内装饰装修材料有害物质释放限量标准，但建筑装修材料生产和销售市场仍处于较混乱的状态，缺乏统一监管，市场上严重超标的建材鱼目混珠，难以辨认，受害的仍然是消费群体。造成这种局面的原因主要包括：产品认证机制不健全、技术含量低、合格产品价格昂贵、产品管理不统一、市场经济利益驱使等。因此，必须建立和健全产品认证机制，通过增加科技投入和引进先进技术，开发绿色环保产品，降低生产成本，树立企业品牌，抢占市场。同时，必须建立建筑装修材料监管体系，健全法规建设，加强市场监管力度，对违法违规行为严厉处罚，从源头杜绝污染。建材在使用前最好能先检测，严禁使用放射性元素含量高的建筑材料。通过政府立法，公众参与，加强监督，共同杜绝室内环境污染。

（四）完善室内环境监测体系

为有效地控制室内环境污染，保障人们身体健康，建立完善的室内环境监测体系，开展室内环境污染特征及其健康危害研究刻不容缓。严格执行GB 18871—2002《电离辐射防护与辐射源安全基本标准》规定，在满足公众个人年剂量为1mSv的要求下，对环境各个项目进行约束。制定相应的氡及其子体浓度和氡析出率限值标准并严格执行。环境大气中氡浓度限值为37Bq/m^3，居住室内氡浓度限值为200Bq/m^3。居住区地表氡析出率不应超出本地区氡析出率均值范围。加强对环境介质氡析出率以及空气中氡及其子体的监测，随时掌握环境大气质量状况。必要时应对

发现的异常情况进行跟踪监测，查明原因，及时采取有效的措施加以解决。要有效控制室内环境污染，首先必须了解室内环境污染的程度和特征。因此，迫切需要建立完善的室内环境监测体系，尤其加强污染的应急监测，在全市范围内开展室内环境质量现状调查研究，在此基础上开展室内环境污染的健康危害及其防治措施研究，建立环境与健康监测网及数据库，为室内环境污染的防治和政府环境管理提供科学依据。关注和改善室内环境，杜绝和防止室内环境污染，已经不仅是为了提高人们的生活质量，而且直接关系广大人民群众的身体健康和生命安全，直接关系国家的经济发展和民族的振兴。

（五）加大资金投入力度，改善区域环境大气质量状况

将铀、钍矿冶企业的废石厂、尾矿库永久性与环境隔离，防止氡及其子体的析出、污染大气。还应加强周围环境的绿化，适当增加地面湿度，改善区域小气候，有效地减少氡的析出。建议建立专项资金，加强对氡及其子体防护技术的科学研究，控制氡的析出量，降低氡及其子体对公众的照射，确保公众的安全和健康。

参考文献

[1] 朱力，周银芬，陈寿生，等. 放射性元素氡与室内环境［M］. 北京：化学工业出版社，2004.

[2] UNSCEAR（United Nations Scientific Committee on the Effects of Atomic Radiation），1993. Sources and Effects of Ionizing Radiation. Report to the General Assembly，United Nations，New York.

[3] UNSCEAR（United Nations Scientific Committee on the Effects of Atomic Radiation），2000. Sources and Effects of Ionizing Radiation. Report to the General Assembly，United Nations，New York.

[4] Sinnaeve J，Olast M. Commision of the European Communities，200 Rue de la Loi，B－1049［M］. Belgium，1990.

[5] Swediemark G A. S wedish perspective on radon［A］. In：Proc. Fifth Int. Conf. on indoor Air Quality and Climate［C］，Toronto，1990. 5：297－305.

住宅厨房卫生间空气污染控制与环境质量改善研究

王岳人　唐艾玲　宋嘉林

（沈阳建筑大学环境学院　辽宁　沈阳　110168）

摘　要　本文根据目前住宅室内环境污染中最主要的污染源“厨房、卫生间”污染问题进行分析与实验研究。针对厨房卫生间内的各种环境因素进行详细分析，提出控制住宅厨房卫生间空气污染的具体措施；通过建立厨房集中排气系统实验系统的测试分析研究，优化厨房集中排气系统的结构与截面尺寸；并对住宅室内气流组织形式及厨房集中排气系统进行模拟计算与实验对比分析。从而得出控制室内环境污染和可用于指导住宅厨房卫生间设计的建议。

关键词　住宅厨房卫生间　室内环境　空气污染　集中排风系统

引　言

室内空气污染程度高出室外 5 ~ 10 倍；68% 的疾病来源于室内空气污染——这是中国标准化协会日前公布的一份调查报告所揭示的事实。其中厨房油烟是我国居室内重要的环境污染物之一，与居民健康密切相关，尤其是女性人群的健康受到严重威胁已日益成为社会广泛关注的热点问题。据国内流行病学调查资料和试验室研究结果提示，厨房油烟产生的挥发性有机化合物中存在着致变物质，有一定的致变性。世界卫生组织（WHO）在《2002 世界卫生报告》中指出：“居室环境对人的日常生活有着重大影响，居室的选址、设计、建设以及传统的烹调和取暖造成的室内环境污染都会对人类健康产生重大影响”[1]。室内的主要污染物如下：

表 1　住宅中常见的室内空气污染物质

室内空气污染源	室内空气污染物质
香烟烟雾	CO、可吸入颗粒物、有机污染物
人群活动产生的污染	CO_2、臭气、细菌和病毒
日用品、家具	甲醛、挥发性有机化合物
旧的油漆物品、漆木材料	气态重金属（铅尘和汞）
电气设备	
户外污染空气渗入	SO_x、NO_x、CO_x、O_3、VOCs、颗粒物质
厨房油烟	油烟烟雾
胶水、杀虫剂、化妆品	

随着各种空气传染性疾病的产生，对于室内空气污染问题已给予相当大的关注，各个地方的各种环境检测部门也相继做出回应，室内空气环境的检测所也应运而生[5]。而厨房、卫生间的环境污染是室内最大的污染源之一，目前室内烹饪主要燃料以燃煤为主，煤气燃烧产生的 CO、CO_2、氮氧化物等，而油烟烟雾的主要成分是苯并芘，苯并芘是一种常见的高活性间接致癌物，目前尚无人体接触致癌的直接证据，但是已有研究表明烹调油烟是肺癌发生的可疑因子[2]。图 1 为某地区住宅吸油烟机实况图。

在国家“十一五”科技支撑计划课题《厨房卫生间污染控制与环境功能改善技术研究》中，相关单位已经提出了各种措施对于厨卫环境的改善，其中对于厨卫设备摆放位置的各种模数都一一得到结论，还有一些节能环保类型的灶具等，排风管道的各种形式及在机械排风状态下形成的气流组织形式等，通过计算机模拟及现场实验相对比得出结论。

图1　厨房抽油烟机实况图

图2　实验用集中排气系统

一、厨房及卫生间内各种污染物因素分析

（一）厨房内污染物因素分析

厨房内的环境影响因素主要包括5个方面：空气环境因素、声环境要素、热湿环境要素、放射性环境要素及设备环境要素。

空气环境要素主要包括厨房内各种气体污染物浓度，其中主要包括油烟烟雾、煤气燃烧产物（CO、CO_2、氮氧化物）、挥发性有机物等，新风量的补充。

声环境要素主要包括来自于室外背景噪声音乐、炊事活动噪声、家用电器的设备噪声。

热湿环境要素主要包括室内温湿度、空气流速。

放射性环境要素主要是微波辐射，以微波炉的辐射度最大。电磁污染对于孩子的智力成长、癌细胞的生长及生殖系统都有严重的危害[8]。

设备环境要素也就是对室内污染直接影响小的因素，其中包括排油烟机的选择、排气措施、烹饪物种类、燃料种类、清洁制剂的使用频率、厨房的隔音效果、空间大小、布置形式及家庭的烹饪、饮食习惯。

综合以上的各种因素中主要因素还是排风量的大小、新风量的补充、油烟烟雾及煤气燃烧产物。

（二）卫生间内环境因素分析

卫生间内的污染物主要有氨气（标准值0.2mg/m^3）、硫化氢及二氯苯（标准值1.0mg/m^3）。氨具有很强的刺激性，可对皮肤、呼吸道和眼睛造成刺激，严重时可出现支气管痉挛及肺气肿，硫化氢有剧毒。

卫生间内的通风很多都是通过管道井来实现，这其中一重大问题就是像厨房一样出现串味的问题。还有很多用户反映，卫生间的地漏时常会出现异味。洗衣机等设备也都有放在卫生间，卫生间内的二氯苯主要是清洁制剂产生的，一些使用燃气热水器的家庭很容易出现煤气中毒现象。

二、控制住宅厨房空气污染的集中排气系统研究与应用

现阶段厨房内主要问题是串烟、串味问题，这也是目前居民反映最多的问题。由于目前许多建筑形式都是共用同一管道，所以在楼下厨房工作的时候可能对楼上没有工作的厨房产生很大的影响。所以，不同的厨房排风形式对其的影响很大[6]。

厨房的主要排风形式：

1. 自然排风形式：农村的大部分厨房排风形式主要采用自然排风，即利用风压和热压来进

行自然通风组织。

2. 机械排风形式：最简单的机械排风方式是直接在厨房外墙安装轴流式排风扇。

3. 住宅厨房集中排风形式：住宅厨房的集中排风按作用动力分成三种类型，即“集中式”、“混合式”和“分散式”系统。

根据一些研究显示，目前比较认可的标准的厨房排风量为250m³/h，如果用户要求比较高的话可以采用300m³/h。在集中排气系统中，影响排风效果的因素主要包括排风道尺寸、管道内壁粗糙度、排风帽局部阻力、排油烟机开机率、排油烟机空气动力特性等。

沈阳建筑大学环境学院课题组搭建了可改变流通截面的集中排气管道系统实验台（见图2），并对不同截面的排风管道及不同开机形式进行实验分析。

由于场地及实验条件的原因，实验装置不能竖向搭建，故只能水平搭建一个长约90m的集中排气系统，每层连接一台排油烟机。通过对于管道截面积为400mm×500mm时，进行分析得出的结论是系统中的排风效果极差（见图3、图4、图5），倒烟现象明显。

对于在各种不同的开机率下，将各层开机排油烟机的进风量与进风风压进行综合平均计算，可以看出排油烟机开机率从30%～100%的范围内，各层排风的平均能力可保持在250～376m³/h的范围内，进风风压随着开机率的增加而增加，保持在16～80.7Pa范围内，当开机率为100%情况下，可达到80.7Pa。风量和风压随开机率的变化的波动幅度较大，说明排风道的设计不合理。然后通过改变管道截面面积，经过实验最终得到合理的设计[3]。

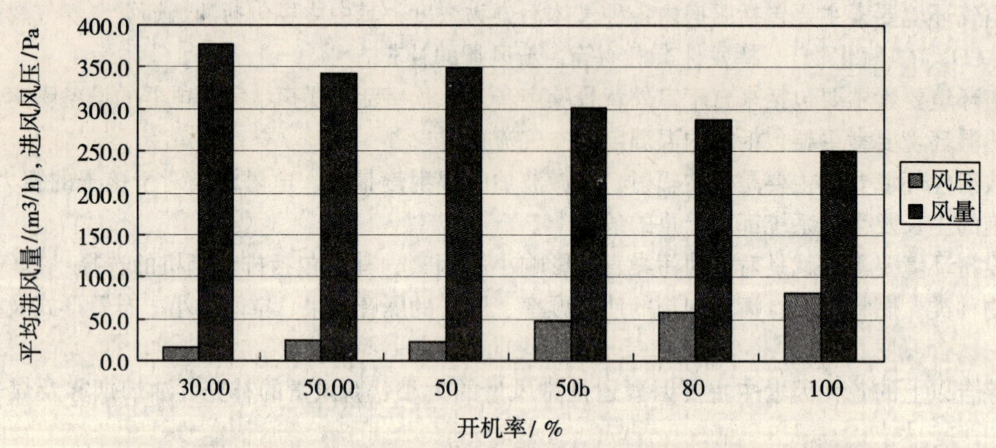

图3 20层、截面为400mm×500mm时全开机工况排风道平均综合排风能力图

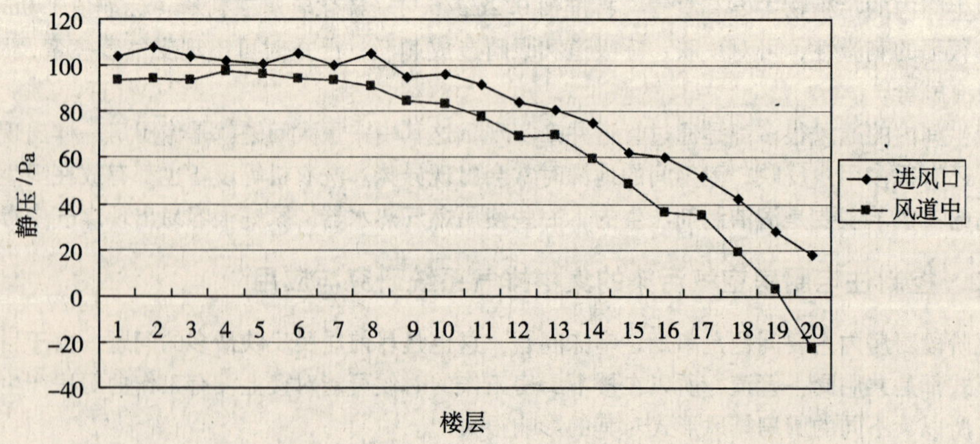

图4 20层、截面为400mm×500mm时全开机工况静压分布曲线图

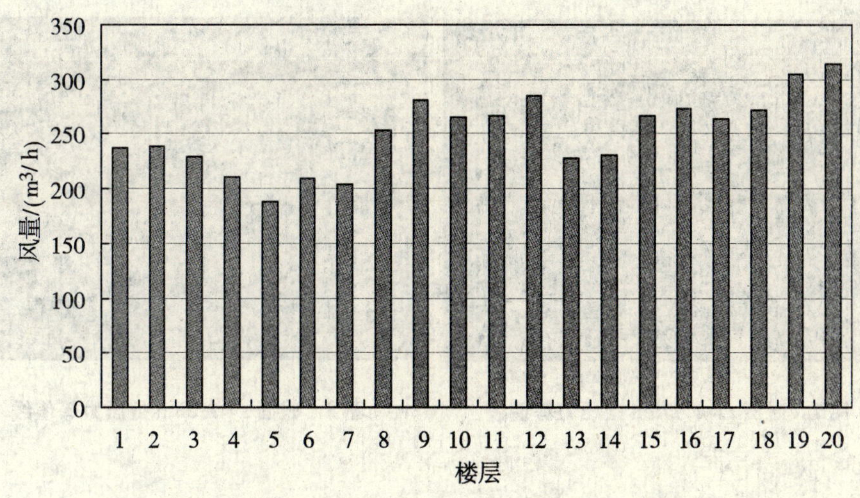

图5　20层、截面为400mm×750mm时全开机工况各层风量分布图

三、控制住宅厨房空气污染的室内气流组织研究

影响厨房控制油烟污染物的一个重要因素是厨房的排风量。设计上，既要考虑到污染物的有效排放（满足换气次数的要求），同时也要考虑到建筑节能的要求。在冬季，过大的排风量会增加采暖热负荷，而在夏季，对于空调房间，同样由于排风量过大会增加房间冷负荷[5-7]。现代建筑的密闭性越来越好，通过门窗渗风量不能满足排风的要求，导致实际排风量不能满足设计要求，使污浊的空气倒灌和串味。为了排出厨房操作过程中产生的大量空气污染物及卫生间的气味，目前民用住宅常见的气流组织设计情况是在厨房设有排油烟机，在卫生间设有排气扇向外排气，而补风仅仅靠门窗缝隙等在压差作用下的渗风。下例是沈阳建筑大学的同学利用FLUNET模拟一个$50m^2$的普通住宅的压力场，了解厨卫空间的压力状况。

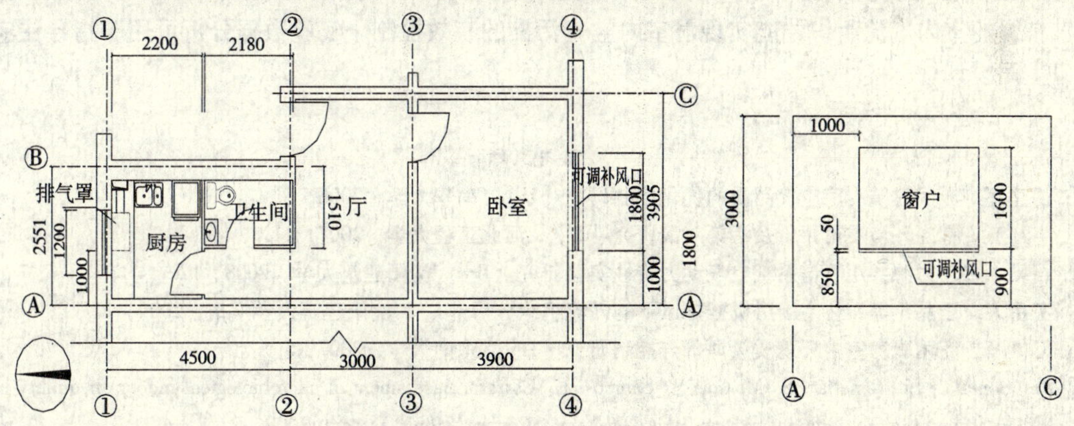

图6　典型住宅小户型气流组织模拟分析条件图

模拟状况是在人员活动比较密集的卧室内设置补风口，在厨房及卫生间设置排风口。通过对其进行模拟得出压力场分布图[4]。

从图7中可以看出压力在入口处大小为-7.48Pa，从图8中可以看出在出口处的压力大小为-7.83Pa，可见，压力从入口到出口逐渐减小，整个室内的压力都为负压，在厨房处的负压绝对值大于客厅及卧室的负压绝对值。这样的压力分布满足卫生要求，使得气流方向从卧室到厨房，厨房的油烟及气味不会倒流回客厅及卧室[4-6]。

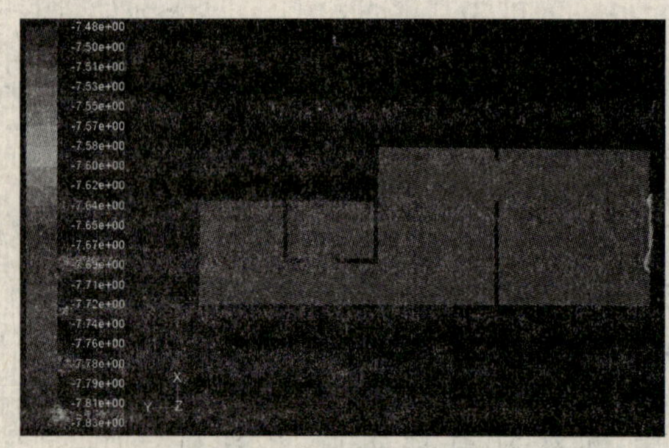

图7　截面 $z=0.775$m 处压力等值线

图8　截面 $z=1.85$m 处压力等值线

四、结　论

1. 厨房及卫生间各种环境因素非常复杂，它包括空气品质环境、热湿环境及重要污染物之间复杂的联系，而空气品质环境本身就含有诸多难以量化的因素。目前住宅室内环境的污染控制方法除对建筑材料、装饰材料和家用电器等的源头控制外，更为有效实用的是通风换气技术措施。

2. 我国城镇住宅室内空气污染控制主要措施是通过机械排气，所以节能环保的吸油烟机起到主要作用。农村住宅主要是自然排气，夏季门窗开放排气效果较好；而冬季门窗封闭，油烟及煤烟不能及时地排除，对室内空气的影响非常大，需要研究开发更有效的通风换气措施。

3. 经对高层住宅厨房集中排气系统实验系统的测试分析可知，厨房集中排气系统的结构与截面尺寸需要根据不同的总层数进行优化设计，方能满足控制污染排除量并且不发生窜烟的要求。

4. 经实验与模拟分析可知，单纯的集中排风系统往往难以达到有效排除污染物，合理的进、排气布置的室内气流组织才能实现对室内空气污染的有效控制。实验数据分析可用于指导住宅厨房卫生间设计。

参考文献

[1] 胡建军．居民建筑厨房空气品质的优化控制研究［D］．南华大学，2006，5.

[2] 牛红亚．室内环境质量评价及污染对策研究［D］．河北工程大学，2007，11.

[3] 石阳．多动力源共用管道系统空气动力特性实验研究［D］．沈阳建筑大学，2008，12.

[4] 王岳人，于晶，等．住宅厨房机械排风下的气流组织分析［J］．沈阳建筑大学学报，2009，11.

[5] 万雄峰，商用厨房室内环境质量评价与控制研究［D］．中南大学，2007，5.

[6] Sa. Bonetta · Si. Bonetta · S. Mosso · S. Sampò · E. Carraro. Assessment of microbiological indoor air quality in an Italian office building equippedwith an HVAC system . Environ Monit Assess，2009，2：2－4.

[7] Foluso Ladeinde，Michle D. Nearon. CFD application in the HVAC&R industry. ASHRAE Journal，1997，1：44－48.

[8] 李颜颐，康浩，等．大型建筑厨房通风节能设计［J］．节能，2007（3）.

控制厨房污染的集中排风道设止逆阀测试分析

王艳成　王岳人　李　博

（沈阳建筑大学环境学院　辽宁　沈阳　110168）

摘　要　通过实验测定控制厨房污染的集中排风道设止逆阀后的排气效果，对其在不同截面积，不同工况下系统中的压力分布及流量分布进行了测试。通过测试数据分析，得到在实验条件下集中排风道内的压力、流量分布规律。其中在本管道结构条件下，对排气量的最不利工况即排油烟机开机率为100%时，各支管道排气都大于250m³/h，可满足住宅厨房控制油烟污染的基本要求。为有效解决高层住宅厨房的烟气污染控制提供有实用价值的参考数据。

关键词　厨房污染　止逆阀　抽油烟机　集中排风道

城市住宅厨房排油烟，经历了最初的通过门窗开启的无组织排气到现代建筑设计上普遍采用的集中排气方式的演变。集中排气方式分为自然通风方式和机械通风方式。在自然通风方式中，热压是迫使油烟通过风道排出的唯一动力。但是由于其作用压头不稳定，有时很难排出油烟，油烟反灌到厨房是经常发生的事情，因此该方式基本上被淘汰。机械排气是由抽油烟机把油烟通过管道排至室外。相形之下，机械排气方式就成了用户们的首选。但是采用机械集中排气管道系统时，特别是对于现在众多的高层建筑，若某一用户抽油烟机不开启时，油烟很可能会从主风道进入该用户厨房，造成各户之间的交叉污染。而使用止逆阀能较好地解决这一问题，当用户不使用抽油烟机时，止逆阀处于关闭状态，阻止主风道的油烟反灌。安装止逆阀后整个排气系统的排气量能否达到用户要求以及防止油烟倒灌的效果如何，是本文主要在实验的基础上加以探讨的，以期为有效解决高层住宅厨房的烟气污染控制提供有实用价值的参考数据。

一、实验装置及其过程

（一）实验装置

如图1所示为实装置示意图，由镀锌钢板做成的可变截面矩形管道系统1，并设有多档排油烟机2，止逆阀3，塑料圆管4，侧面静压测试孔5，流速及压力测试孔6和微压传感器7等组成。

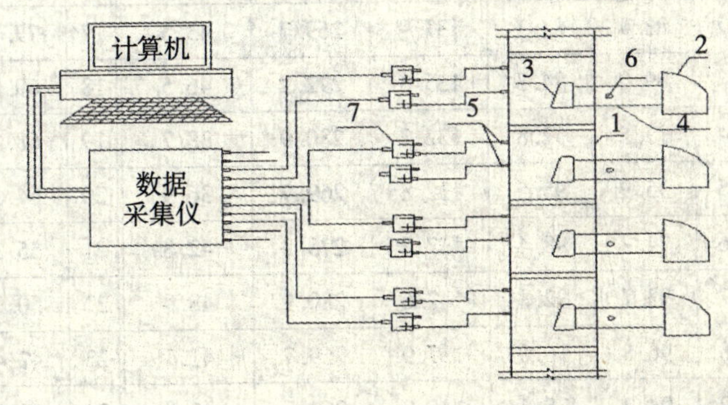

图1　实验系统示意图

其中1为用来模拟主风道的矩形管道，长90m。为得到不同楼层数它可以组合变换其长度，如组合成30层、25层、20层等楼层的长度；还可以通过改变横截面得到不同的管道截面如400mm×750mm、400mm×600mm、400mm×500mm、400mm×400mm等尺寸的横截面；同时为使其更接近实际主风道阻力系数内表面刷一层纤维素来增加排风管道内部的粗糙度。2为有两个风量挡位的排油烟机。3为止逆阀其阻力系数为2.69，开启压力为19.8Pa，运行时完全打开（达到最大的开度20°）阻力为7.94Pa。此止逆阀的数据也符合住宅厨房使用止逆阀的实际参数。4为直径为150mm的塑料圆管，上开一测试孔用来测量支管内压力，风量及风速。5为静压测试孔对应测点，用来测量主风道内的大致压力分布。6为流速和压力测试孔。7为用来测量管道内静压的微压变送器，其测量到的静压由数据采集仪接收，进行A/D转换，经计算机采集汇总。

（二）实验过程

按照高层住宅排风道设置情况，以其实际使用状况和条件，水平设置放置29层的高层住宅排风道实际系统，在每层对应的厨房排风道上安装相同的吸油烟机。在各层风道接口处与风道内设置检测点，设定吸油烟机在各种开机率条件下的工况，模拟排风道的各种使用状态，检测排风道中及吸油烟机与排风道接口处在各种工况下空气的流速、静压等物理参数，以期确定该排风道对高层住宅实际使用要求的排风能力和效果。

支管内压力、进口风速和风量是由支管上小孔6测得。5处的微压测孔通过胶管连接微压传感器与数据采集仪连接，把数据采集仪一段时间获得的压力数据取平均。

本测试是按1∶1的实型尺寸加工，主管道为可变截面的集中排气系统。该系统中主管道的一侧为可移动面，这样可以任意改变排气道截面积。由于实验条件所限，系统水平放置，用水平风管模拟竖向高层集中排风道。

在组成集中排气系统的多台吸油烟机同时开机率工况的确定时，是根据我国住宅居住调查，高层住宅楼内同一排风道系统的吸油烟机同时开机率一般在30%～60%之间，多数情况为20%～55%的开机率。考虑到排风道工作的可能极端情况和集中使用情况，我们也对抽油烟机的开机率100%的工况做了测试。

二、实验数据及其分析

实验针对多种不同截面积和在不同开机率30%、50%、60%、70%、80%、100%情况下进行了测试。测试结果因篇幅所限不一一列举，部分测试数据如下。

表1 测试数据（条件：29层，管道截面400mm×600mm，开机率100%）

楼层	测点1/Pa	测点2/Pa	进口风压/Pa	进口流量/Pa	进口风压与测点1的压差	楼层	测点1/Pa	测点2/Pa	进口风压/Pa	进口流量/Pa	进口风压与测点1的压差
1	86.4	83.9	132.0	269.7	45.6	16	79.9	83.3	130.8	297.8	50.9
2	88.4	83.3	131.9	269.7	43.5	17	77.4	81.9	127.5	280.9	50.1
3	89.0	84.3	135.5	292.2	46.5	18	69.8	75.7	123.8	303.4	54.0
4	93.5	92.8	132.2	280.9	38.7	19	68.4	75.3	123.1	280.9	54.7
5	95.9	95.5	132.8	269.7	36.9	20	64.1	68.1	115.7	303.4	51.6
6	94.2	93.4	137.0	275.3	42.8	21	55.3	58.7	113.8	325.9	58.5
7	93.7	92.8	142.6	280.9	48.9	22	50.2	56.3	104.0	303.4	53.8
8	96.8	96.0	137.9	269.7	41.1	23	42.4	52.0	98.3	280.9	55.9
9	94.2	95.6	136.0	264.1	41.8	24	32.9	41.8	89.8	309.0	56.9
10	92.8	94.0	131.0	264.1	38.2	25	25.7	50.5	84.2	286.5	58.5
11	91.9	95.2	135.9	269.7	44.0	26	11.8	18.9	69.4	331.5	57.6
12	89.6	92.8	135.4	286.5	45.8	27	1.6	10.4	60.8	342.7	59.2
13	87.3	90.2	132.5	286.5	45.2	28	-9.9	3.0	60.0	331.5	69.9
14	56.9	90.5	127.7	275.3	70.8	29	-24.5	-13.5	44.8	348.3	69.3
15	82.7	87.2	128.6	264.1	45.9						

1.29层，400mm×600mm截面带止逆阀集中排气系统，在100%开机率条件下，各层排风量

如图2所示，最低风量为264.1m^3/h，最高风量出现在最后一层为348m^3/h。

可见各层排风量都基本满足现行规定的250m^3/h的要求。

2. 流量曲线并未呈现理论上的由底层到顶层逐渐增大的一致性，而是呈现由低到高再到低的分布，由此说明上层用户的抽油烟机在排出该用户的油烟的同时，也对比之下层用户的油烟有引流作用。但是，前述的“高”流量楼层之间相互比较却呈现了理论上的流量逐渐增大的一致性，“低”流量楼层之间相互比较也呈现了相同现象。

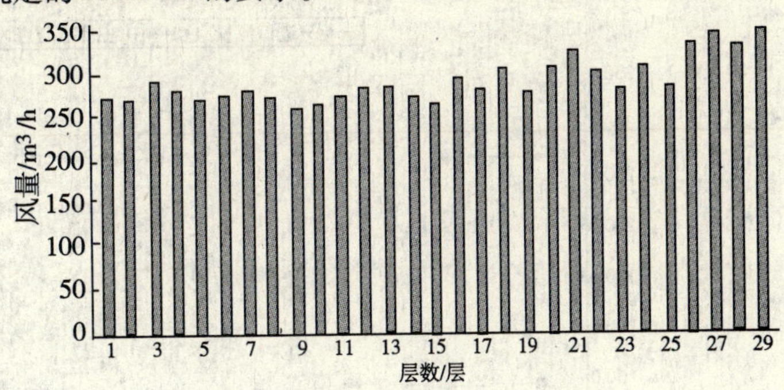

图2　100%开机率下进风口风量

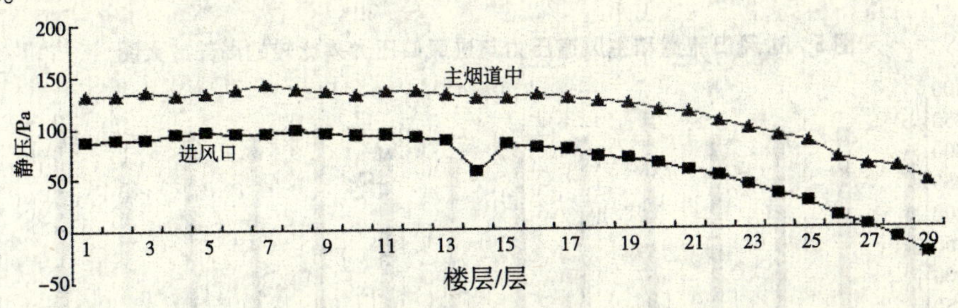

图3　进风口压力与主风道压力比较

3. 进风口压力与主风道压力由图3可知，在开机率为100%条件下，进风口处的压力均大于主风道中的压力，说明排油烟机在29层，400mm×600mm截面带止逆阀集中排气系统的极端条件下均可向排风道排风。

4. 如图4所示为进风口压力和主风道压力差与各层风量比较图，图5为图4的局部放大图，可以清楚地看到压差与流量变化曲线基本上处于一致的状态，也就是说呈现由低到高再由高到低的现象。

5. 如图6所示为29层，400mm×600mm截面带止逆阀集中排气系统，在50%开机率条件下，各层风量。可以看出该条件下排烟道系统的排烟能力较为显著，排风量都在300m^3/h以上。

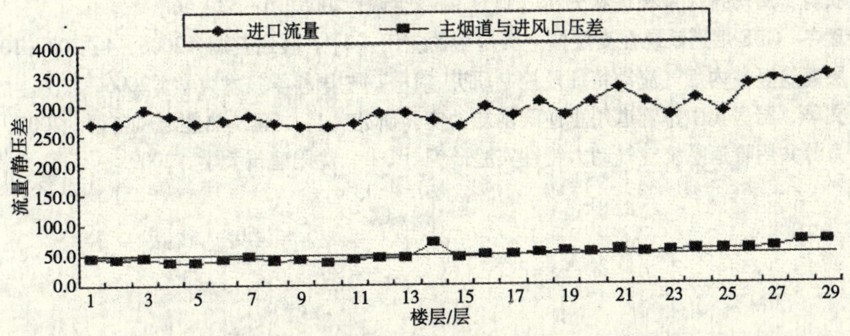

图4　进风口流量和主风道压力与进风口压力差比较

三、结　语

1. 本实验条件下，400mm×600mm截面带止逆阀集中排气系统在100%开机条件各楼层排风量和排风风压较为稳定，风量保持在 264 ~ 348m³/h 之间，符合高层住宅排气使用要求；当达到 50% 开机率条件时，排风量都在 300m³/h 以上。

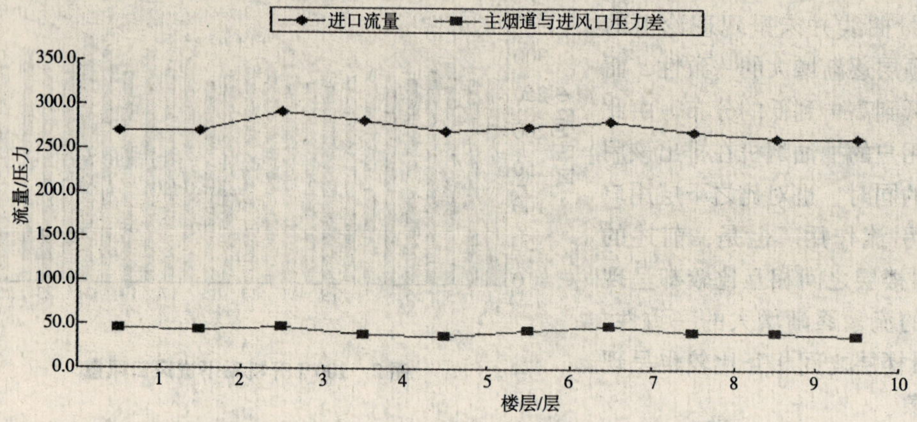

图 5　进风口流量和主风道压力与进风口压力差比较的局部放大图

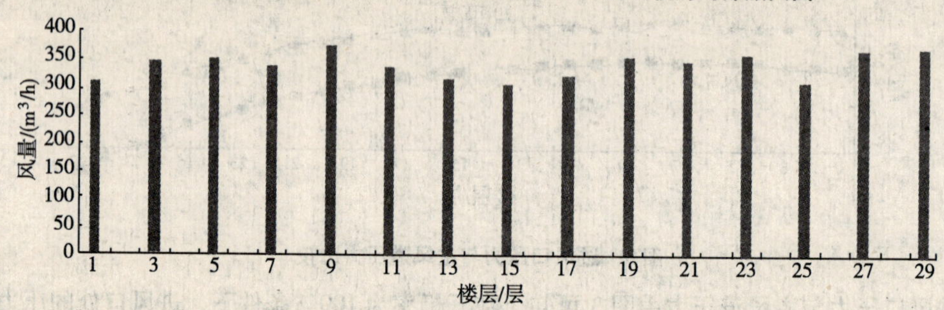

图 6　进风口风量（条件：400mm × 600mm 截面，50% 开机率）

2. 风道中加入止逆阀会增加排气系统的阻力，在相同排气效果下，需要加大排油烟机压头。但是，与增大排风道面积来达到相同效果相比较而言还是更易于被用户接受。

3. 本实验数据未有高层住宅热压因素的影响作用。在实际使用中除夏季使用空调制冷的住宅，全年绝大多数时间会因为热压的作用而更加有利于排气。

参考文献

[1] 胡建军，王汉青．厨房排风系统现状分析 [J]．制冷空调，2005，6：53 - 56.

[2] 谭小军，靳瑞冬．GBF 烟道系统在高层住宅厨房中的应用 [J]．暖通空调，2006，4：103 - 105.

[3] 张靖岩．高层建筑竖井内烟气流动特征及控制研究 [D]．中国科学技术大学，2006.

[4] 辛月琪，徐文华．厨房集中排管道用止逆阀性能的实验研究 [J]．建筑热能通风空调，2005，1：79 - 83.

[5] 石阳．多动力源共用管道系统空气动力特性实验研究 [D]．沈阳建筑大学，2009.

住宅厨卫污染物控制模拟分析与实验的对比研究

王岳人　王鹏程

（沈阳建筑大学环境学院　辽宁　沈阳　110168）

摘　要　对可变截面的集中排气系统运行特性进行数值模拟与实验对比研究。探讨更合理控制住宅厨房卫生间空气污染的方式，以解决高层住宅厨房卫生间的排气不畅、串气等问题，改善高层住宅的空气环境质量。对系统在不同截面积常见工况下工作的压力分布及流量分布进行数据分析。通过模拟与实验对比，表明采用数值模拟的方法对多动力源集中式排气系统在常见工况和开机率下的运行特性分析是可行的，并总结出住宅集中式排气系统的运行特性。

关键词　住宅　污染控制　集中排气系统　数值模拟

本文利用数值模拟方法分析高层住宅厨房与卫生间排风系统在常见工况和开机率情况下的运行效果，并与实验结果进行对比分析，找出数值模拟与实验测试各自的缺点与不足，以更加完善研究方法与手段。通过更精确地分析多动力源集中式排气系统的运行特性，提高其排气效率。

一、多动力源集中式排气系统

集中排气系统是将每层的一个排气装置通过支风道排入一竖向的主风道，烟气由设于屋顶的主风道排气口排入大气，这种排气方式克服了分散式排气的缺点，因而新建住宅大都采用这种排气方式。集中排气系统的形式比较多，如带导流叶片和带导向弯管的变压式或者止逆阀等系统形式。对于高层住宅排气道不管采用哪种形式的集中排气系统，各层厨房排油烟机或卫生间排气扇与各自的集中排气系统相连通后，即分别组成了多动力源的管网系统。

二、本研究的实验测试与计算机模拟

相对于实验，仿真模拟软件的优势在于，可以建立最接近真实情况的模型，可以将实验中只能水平放置的风道竖直，模拟真实的建筑结构，由此可以将风道水平放置时忽略的各楼层之间由高度产生的风压、热压及气流特征差异考虑在内，模拟出各种常见的和不利的工况。但也有其不利的一面。数值模拟所采用的模型过于理想化，而在实际的系统运行中许多不利因素的影响，比如管道中杂物、灰尘对管道阻力的影响，油烟机或排气扇具体运行特性与用户使用习惯，漏风与渗风等实际因素都会对系统运行特性产生影响。

本课题组进行实验研究的装置是按 1∶1 的实型尺寸加工，主管道为可变截面的集中排气系统。该系统中主管道的一侧为可移动面，这样可以任意改变排气道截面积。系统水平放置，用水平风管模拟竖向高层集中排风道。如此制作实验装置，并且在此基础上再进行模拟分析，其考虑的因素如下：

1. 住宅集中排气系统中的压力分布范围一般为数十帕。微压传感器的精度大多在 1 帕左右，因而不能用将试验装置按比例缩小的方法来测试，只能按实型制作实验管道系统。

2. 考虑到前述因素的限制，按实型制作实验管道系统，就要受空间和资金方面影响。比如 30 层的风道应该仿照真实情况将其竖立，难以实现；倘若在已建成的建筑内实测，风道又无法改变截面积。所以只能采取将风道水平放置的实型实验管道系统。

3. 多动力源的管网系统运行组合工况太多。由于楼层多，根据真实情况，各户开机时间不同，再加上要改变不同截面，导致工况非常多，所有工况测量是无法实现的。

4. 实验环境和介质与实际使用有差别。实验中，测量气体为空气，与实际的热烟气有差别，并且没有类似厨房的封闭空间，排油烟机暴露在外界空气中等。

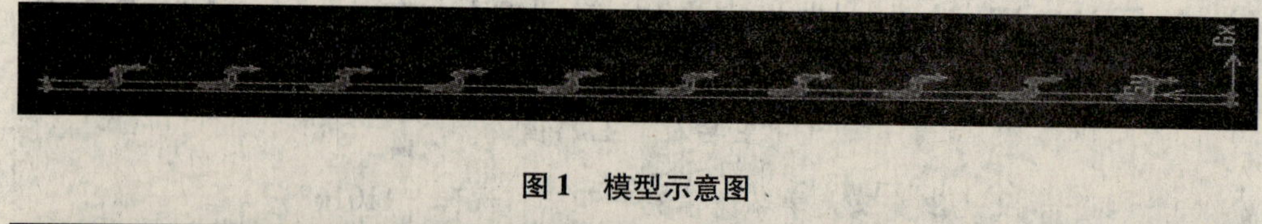

图 1　模型示意图

图 2　网格示意图

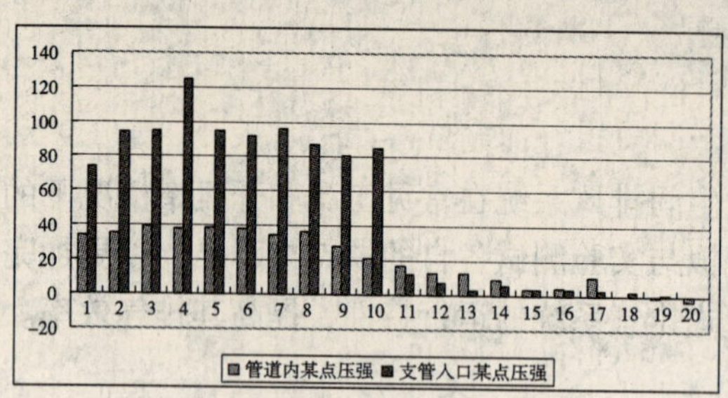

图 3　管道压力分布

（20 层 400×500mm 开机率 50%）

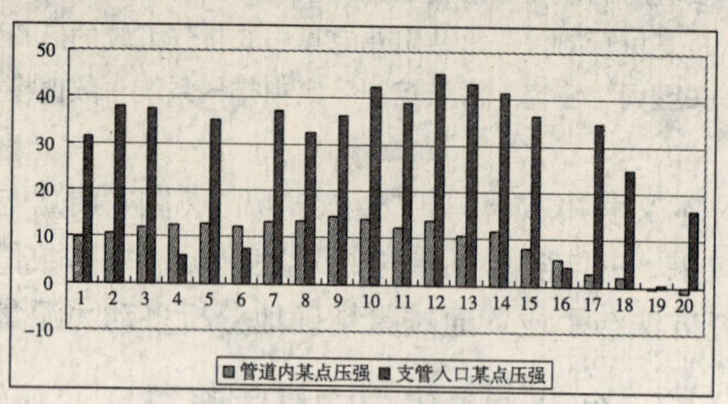

图 4　管道压力分布

（20 层 400×750mm 开机率 80%）

（一）多动力源集中式排气系统的模拟

根据实际情况使用 GAMBIT 建立层高分别为 20 层的住宅厨房主支式集中排风系统的三维模型；采用实际尺寸，主排风管道截面积分别为 400mm×500mm、400mm×750mm，排油烟机入口距离地面为 1.6m，层高 3m，支风管道直径 150mm。分析模型示意见图 1，网格示意见图 2。

以集中排气管道横截面积 400mm×500mm、400mm×750m，典型的开机率 50% 和 80% 为例，利用 FLUENT 软件进行数值模拟计算，所得结果（部分）如图 3 和图 4 所示。

图 5　实验平台实景图

（二）多动力源集中式排气系统的实验研究

建立排风系统的模型，模型尺寸完全按照真实情况，包括建筑物及风道的尺寸和结构等，在实验室水平搭建长约 90m 的集中排气风道，风道横截面形状为长方形，每相隔 3m 设置一台抽油烟机组成多动力源集中排气系统。主风道设测压点，支管设测压测速点。利用已搭建好的实验平台按设计的方案进行相关实验，由于为水平放置，将结果进行修正。实验平台实景图见图 5，所得结果如表 1、表 2 所示。

表 1　实测数据（20 层 400mm×500mm、开机率 50%）

楼层	状态	测点 2/Pa	测点 3/Pa	进口风压/Pa	进口流量/（m^3/h）
1	K	30.5	32.7	48.0	340.8
2	K	37.5	38.2	55.0	310.9
3	K	38.6	37.0	51.0	278.5
4	K	41.3	39.9	52.0	249.3
5	K	40.0	39.0	50.0	293.1
6	K	40.3	38.6	53.0	291.9

楼层	状态	测点 2/Pa	测点 3/Pa	进口风压/Pa	进口流量/（m^3/h）
7	K	37.8	34.7	51.0	317.3
8	K	34.2	31.2	45.0	308.4
9	K	27.1	23.9	26.0	286.1
10	K	24.8	21.1	37.0	334.5
11		21.6	14.1	11.0	66.1
12		15.5	6.0	6.0	50.2
13		14.7	10.4	7.0	47.7
14		10.2	9.2	7.0	47.1
15		3.4	-0.1	5.0	42.0
16		7.7	4.8	3.0	33.7
17		3.9	3.3	3.0	30.5
18		3.3	-0.1	2.0	21.0
19		-0.1	-1.2	0.0	3.8
20		-2.1	-4.0	0.0	11.4

表2 实测数据（20层400mm×750mm、开机率80%）

楼层	状态	测2/Pa	测3/Pa	进口风压/Pa	进口流量/（m^3/h）
1	K	11.0	17.8	33.0	292.2
2	K	12.8	18.2	45.8	320.2
3	K	13.6	19.4	40.8	348.3
4	D	15.4	17.9	10.1	78.7
5	K	15.5	20.0	42.8	331.5
6	D	13.9	17.2	10.0	95.5
7	K	16.9	17.9	42.7	309.0
8	K	15.3	16.4	37.0	314.6
9	K	15.1	19.4	36.9	359.6
10	K	15.1	17.3	8.1	89.9
11	K	12.5	13.4	36.3	354.0
12	K	12.6	15.9	7.2	78.7
13	K	11.2	11.6	41.5	354.0
14	K	10.0	12.8	40.5	348.3
15	K	8.4	8.3	38.2	348.3
16	D	6.2	9.8	3.8	44.9
17	K	5.2	10.5	34.6	331.5
18	K	1.6	2.1	27.0	359.6
19		4.8	5.3	0.0	5.6
20	K	-3.1	-1.0	24.4	359.6

注：表中“K”代表开机，“D”代表未开机用户倒烟，无表示未开机用户不倒烟。

（三）模拟结果与实验结果的分析与对比

将数值模拟与实验得出的数据进行比较，可以看出模拟数据与实验数据基本上是吻合的，有个别楼层出现相差较大的现象，是在实验测试过程中的误差及当实验条件等因素造成，这些相差较大的楼层也在合理的误差范围之内。对比结果见图6，图7。

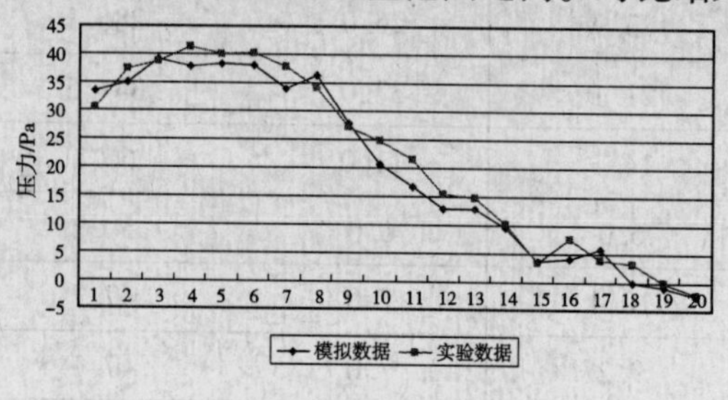

图6　管道压力分布

（400mm×500mm、开机率50%对比）

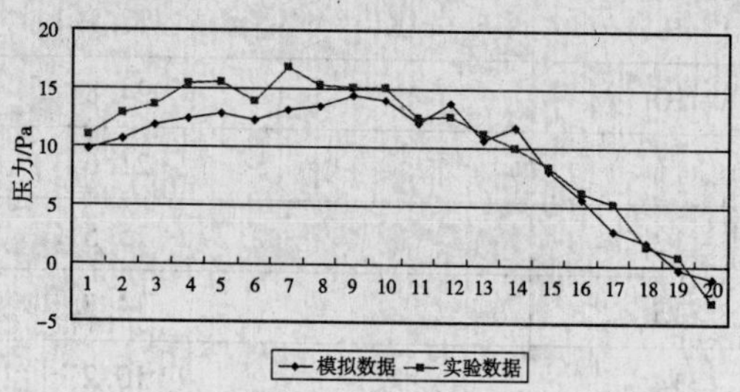

图7　管道压力分布

（400mm×750mm、开机率80%对比）

（四）多动力源集中式排气系统常见工况与开机率下运行特性

多动力源集中式排风系统管道中的压强分布从底层到顶层，呈现低—高—低的趋势。下层的用户由于上层排气气流的引射带动作用，不易出现窜气；上层的用户由于需要克服管道内的阻力较小，窜气也不严重；而中间层未开机用户的窜气程度较上下层相对严重。400mm×500mm 的主排风管道截面积基本无法满足20层建筑在通常情况下的排风要求，最好是采用更大截面的排风道；400mm×750mm 的排风道可以满足20层建筑在高开机率时的排风要求，是较为理想的排风道截面尺寸。系统排气效果受管道截面尺寸、总楼层数、用户开机率、室外热压等因素影响。

三、结　论

1. 对于住宅厨房卫生间控制油烟的污染，集中式排风系统是较为理想和适合大多数住宅的排风系统形式，但要有合理的管道构造及其流通截面尺寸；400mm×750mm 的排风道仅可以满足20层建筑在高开机率时的排风要求，是适用于多数情况下的排风道截面尺寸。

2. 用数值模拟方法对多动力源集中排风系统进行模拟计算与实验所得结果较为接近，在由于空间、资金等方面原因造成无法进行实验研究的时候，可用数值模拟方法进行计算。

3. 多动力源集中式排风系统管道中的静压分布从底层到顶层，呈现低—高—低的运行特性。

参考文献

[1] 林豹，等. 集中排气系统住宅厨房排气系统空气动力分析［J］. 沈阳建筑工程学院学报，1997，13（3）.

[2] 黄锐，杨立中，范维澄. 主支式排气道中主风道横截面尺寸的确定. 中国科学技术大学火灾科学国家重点实验室，2001.

[3] 龚延风，陈丽萍，国君杰. 住宅厨房集中排气道内烟气流动特性分析［J］. 南京建筑工程学院学报，2002（3）.

[4] 刘鑫. 住宅集中排风系统的模拟分析研究［D］. 沈阳建筑大学环境学院，2010.

[5] 冯墨. 住宅厨房集中排气管道系统构造及其运行特性实验研究［D］. 沈阳建筑大学环境学院，2010.

[6] Kabashima H，Tsuji T，Nakata S，et al. Activity for basecatalyzed reactions and characterization of alumina 2 supported KF catalysts［J］. Appl Cata A，2000.

[7] 王福军. 计算流体动力学分析——CFD 软件原理与应用.

环保部门加强环境与健康工作的切入点

段小丽

（中国环境科学研究院）

摘　要　环境与健康工作的范畴是从人体暴露环境污染物到健康风险的评估、预测和有效管理、防范的过程，是环保和卫生部门当前工作的空白点，也是二者工作的交叉点。当前我国的环境与健康类型已经由“传统型”转变为“现代型”，也即由基础设施等不良造成的生物性污染的健康影响转化为由于工业化、城市化发展过程中造成的化学性污染的问题，因此，环保部门在环境与健康工作中应当发挥更为重要的作用。但环境与健康工作的重点不是具体采取措施去管理问题，而是要通过综合的判断，发出信号，为其他职能部门提出科学有效的建议。在这个过程中，监测是基础，评价是主要手段，信息反馈是主要职能。建议环保部门能够建立健全监测网络；开展全国性的人群暴露调查；建立暴露和健康风险评估的系列技术规范；建立信息交流平台；重视暴露评价学科建设等，结合自身优势和特点切入环境与健康工作，有效防治环境健康风险。

环境污染对人体健康的影响是长期累积的结果，具有一定的“潜伏期”。经过了30多年高速工业化过程，当前我国已经进入环境污染对人群健康的累积危害事件的频发期和凸显期。近年来重金属污染健康损害事件此起彼伏，仅2009年就相继发生了陕西凤翔铅污染、湖南武冈铅污染等多起重大事件，引发了群体性事件的发生，成为影响社会安定团结的主要矛盾之一。在周生贤部长“探索环境保护新道路”的指引下，本文将探讨环保部门如何切入环境与健康工作，有效防范环境污染的健康风险。

一、环境与健康工作的范畴

人作为环境中的重要组成部分，生活在环境中，无时无刻不在与外界环境进行着物质和能量的交换，在通过人类活动改造和影响着环境的同时，也无时无刻不在受着外界环境的影响。环境污染物对人体健康的影响是以环境作为载体，以暴露为界面而产生的。如图1所示。

化学性、物理性和生物性污染物经污染源排放后进入空气、水、土壤等各种环境介质，在这些介质中以一定的浓度和形态，人体通过呼吸、饮食和皮肤等过程接触到这些污染物后，经过吸收和代谢等而在体内产生了一定的暴露剂量；当这一剂量超过人体可以承受的程度之后，在环境污染因子的暴露剂量和宿主因素（如年龄、性别、基因等）的共同作用下，而对人体健康产生一定的影响[1]。

保护人体健康是环境保护工作的宗旨，更是卫生管理工作的最终目标。在当前的环境管理各环节中无不渗透着对人体健康保护目标的考虑，在当前的疾病预防和控制工作中也无不体现着“以人为本”的出发点。从污染源到环境部分是环境管理关注的对象；一旦产生健康效应后疾病的救治则是卫生部门工作的重点。而二者的交叉，即“人体暴露”则是当前环境保护工作和卫生管理的空白，也正是当前“环境与健康”工作应当所关注的问题。环境与健康工作的范畴是从人体暴露环境污染物到健康风险的评估、预测和有效管理、防范的过程。其基本特点为：

1. 关注的是次生环境污染问题。环境与健康专指由于人类活动和工业化发展导致的环境污染问题而引发的健康影响问题，而非原生环境问题；

2. 关注的是人群而非个体。环境与健康工作关心的是人群问题，即某环境污染状况下人群的健康影响问题，而非个体；

3. 关注的是风险防范问题。环境与健康工作是要更加科学合理地建立起人体暴露评估、健康风险预测和风险管理的机制，有效评价和合理防范由于环境污染导致的健康风险，体现了“防患于未然”的工作理念，理论上来讲其工作核心并非是对既成事实的环境污染健康损害的关系判断。

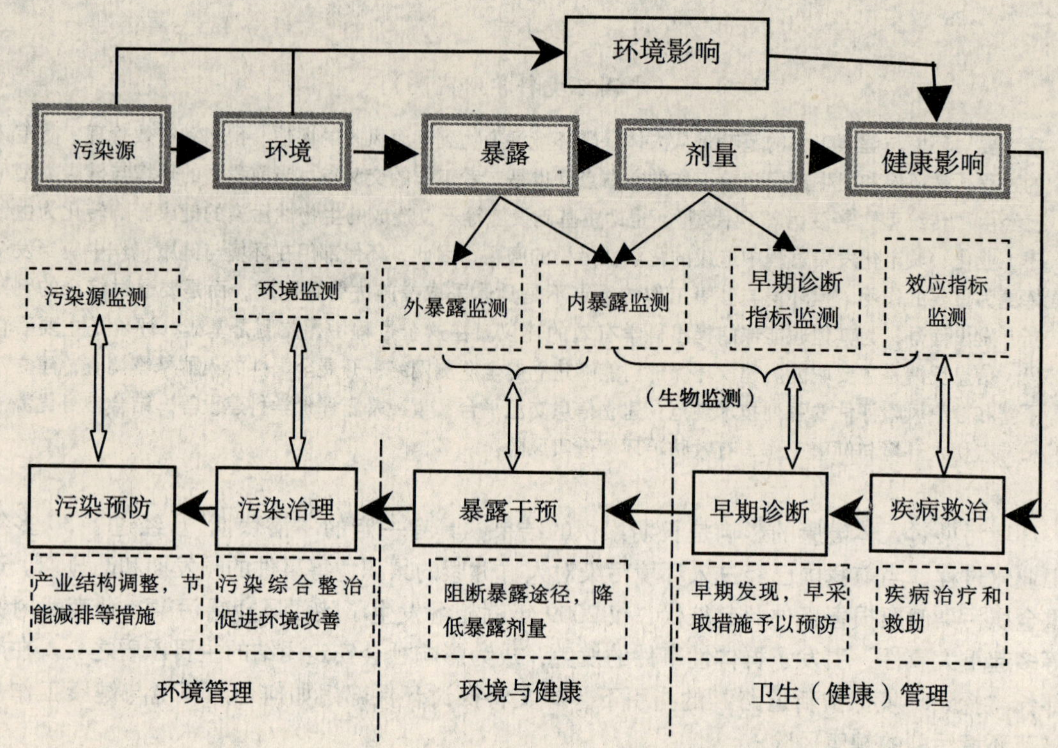

图 1　环境污染对健康影响的过程及管理环节示意图

4. 体现的是“综合”。人体对环境污染物的暴露是多介质、多途径、多种污染物长期累积的过程，单一介质、单一环境污染物的质量评价和管理并不能够根本性地体现到保护人体健康的目的。以铅污染为例，其暴露途径非常广泛，呼吸空气、饮水、食物，以及接触生活日用品都有可能造成铅的暴露和风险，即使空气、水、土壤都做到质量达标，也不能说明其多途径综合暴露下的安全性。而环境与健康工作则更加体现“以人为本”，即以人体暴露为出发点，综合分析所有的人体可能的暴露情形，得出影响人体健康的主要环境污染的来源、途径和种类，分析人体的不良暴露行为和生活方式等，提出双面的信号，即为环境管理工作提出更加有针对性的、科学的污染防治等措施；为疾病防治工作提出关注的重点人群、疾病种类和暴露干预的重点内容等。可见，环境与健康工作体现的是“综合”，是当前环境管理与卫生管理的有效补充和完善，是解决当前环境与健康问题的必要组成部分。

2007 年 11 月，卫生部、环境保护部牵头联合国务院的 18 个部委局共同签署的《环境与健康行动计划（2007—2015）》，将环境与健康工作提到了议事日程。环境与健康问题，已成为党中央、国务院高度关心，人民群众普遍关注的核心，也是体现生态文明、保障民生的关键问题。

二、环保部门应当在环境与健康工作中承担更多的责任

环境污染只是影响人体健康的诸多因素之一，自有人类以来，环境因素对健康的影响就无时无刻不在发生，而之所以近年来才得到越来越多的关注，主要是由于我国近年来的环境污染因素在影响健康的因素中的比重在逐渐增大，各类环境污染导致的健康损害事件的媒体报道、社会关注度提高。究其原因，客观上，一方面是由于近 30 多年环境污染形势的加剧以及其对人体健康

影响积累效应的表现日益显现；另一方面是随着我国居民经济生活水平和营养条件的改善，其他影响健康条件的控制，则环境污染的比重相对加大，由于人们环境保护意识的提高，对环境污染问题的关注度更为加大。

世界卫生组织将环境对健康的影响分为传统型和现代型两类。传统型环境健康问题是由于缺乏安全饮水、基础设施不良和发展不足等而引发的，环境因素以生物性污染为主，疾病类型主要是传染病和寄生虫病等；现代型环境健康问题指在工业化、城市化发展中不注意环境和生态保护，走不可持续发展的道路而产生的，环境因素以化学性污染为主，相应的疾病类型主要是慢性病（如肿瘤、心血管疾病、糖尿病、慢性阻塞性肺疾患等）[2,3]。在20世纪五六十年代之前，我国面临的主要是传统型的环境健康问题。随着20世纪后期工业化、城市化进程的不断加速，大量的化学品的生产和使用在给人们生活带来便利的同时，也经废气、废水和废渣等排泄到环境介质中，并经人体呼吸、饮水和食物链等进入人体，对人体健康产生潜在的威胁。我国的环境健康问题也逐渐由传统型向现代型转变，并呈现出了在不同区域存在不同类型的“混合型”，即在广大农村地区，传统型仍占主导地位，而在城市和工业较发达地区，则以现代型为主。全国第三次死因回顾调查结果显示[4]，当前我国第一类疾病，也就是由于传统型环境污染问题为主引发的传染病和寄生虫病等的死亡率在呈现下降的趋势，已由20世纪90年代的49.5/10万下降到了2005年的33.1/10万，第三类疾病（损伤和中毒）和其他原因导致的死亡率也呈现下降的趋势；然而由于第二类疾病即慢性病导致的死亡率却在逐年攀升，已由20世纪90年代的461.1/10万上升到了2005年的502.5/10万。这说明环境污染因素在影响我国人群健康的比重在逐渐加大。

可见，当前我国的环境与健康类型已经由“传统型”转变为“现代型”，也即由于基础设施等不良造成的生物性污染已经得到基本的控制，而由于工业化、城市化发展过程中造成的化学性污染的形势在日益加剧；相应的，疾病谱由寄生虫和传染病为主向慢性病为主的变化也反映出当前改善人民健康状况，环境污染已经成为不得不考虑的重要因素之一。而在这个过程中，环保部门应当也不得不承担更多的责任。

表1　我国不同阶段环境与健康工作的重点

		1990年之前	当前以及今后相当长一段时间
环境与健康类型		“传统型”	“现代型”
主要特征	污染来源	基础设施不良等造成	工业化、城市化等过程造成
	污染类型	生物性污染为主	化学性污染为主
	健康风险的终点（疾病类型）	寄生虫和传染病等	慢性病（“环境相关性疾病”）为主
	风险防范措施	改善基础设施	加强污染防治
主要牵头部门		卫生部门	环保部门

三、环境保护部门加强环境与健康工作的切入点

环境与健康科研工作体现的是学科交叉，而环境与健康管理工作体现的是部门交叉，分清两部门的职责和分工是保证该工作有效运转的首要条件。

事实上，环境与健康工作的重点不是具体采取措施去管理问题，而是要通过综合的判断，去发现问题，发出信号，为其他职能部门提出科学有效的建议，而在这个过程中，环境保护和卫生部门的作用缺一不可。既然要发出信号，首先就要有发出信号的信息来源、数据基础和评价方法。所以，监测是环境与健康工作的基础，评价是环境与健康工作的主要手段，信息反馈是环境与健康工作的主要职能。详见表2。

表2　环保部门和卫生部门在环境与健康工作中的职责与分工

	环保部门	卫生部门
监测是基础	主要是环境监测（依托当前环境监测网络，结合人群暴露参数等信息，预测和评估健康风险） 要求：环境监测的点位、指标和监测频次等能够反映人群的暴露特征	主要是生物监测（定期监测人群体内的污染物负荷，综合评价多种暴露途径下的暴露水平） 要求：人群的代表性；监测指标的科学性
评价是工具	应当发布人群暴露参数手册；发布暴露评价系列技术规范；发布健康风险评估系列技术规范	应当发布污染物生物监测系列技术规范等
信息反馈是主要职能	发出双面信号： （1）识别我国当前的主要环境健康风险，并对风险进行排序，明确现阶段的工作重点； （2）明确暴露干预的重点和措施，明确疾病防治工作的重点	

具体而言，环保部门可以依托当前的环境监测网络，利用空气、水、土壤等大环境中的污染物的监测数据，结合人群暴露参数等信息，评价处于该环境中的人群的暴露水平和健康风险，一旦发现风险已经超过了可以接受的水平，就要发出信号，去指导相关部门尽快采取相应的措施，降低污染水平，改善环境质量，保护人体健康；而卫生部门则需要借助其人群工作的优势，定期、抽样对人群体内环境污染物的负荷进行生物监测（如监测血液中的铅等重金属），以此反映出人群对多介质、多途径的污染的综合暴露水平，一旦发现有生物负荷超标现象，就要及时反馈给环境保护等有关部门，以指导其尽快查找污染来源，尽快采取综合措施来降低污染物浓度，降低人群污染物体内负荷，同时要对重点关注人群采取必要的措施，阻断暴露，防范风险，保护人体健康。

对于环境保护部门当前加强环境与健康工作要从以下几个方面入手：

第一，建立健全当前环境与健康工作的信息基础，也就是监测网络，主要是要适当调整当前的环境监测点位、指标和监测频次等，使其能够以反映人群暴露特征为目标；

第二，开展全国性的人群暴露调查，包括暴露参数、主要污染物的人群暴露水平，并与卫生部门联合开展人群暴露污染物的体内负荷的调查，摸清底数；

第三，建立暴露和健康风险评估的系列技术规范，使其在环境标准制定、环境影响评价、环境规划、环境监测评价等过程中都能够发挥作用，把环境风险评估的工具渗透到环境管理的各个层面，由此逐步体现环境风险管理的理念；

第四，建立信息交流平台。使得环境与健康发出的“信号”能够很好地“传导”到环境管理的各个环节；

第五，重视暴露评价学科建设，把对暴露评价和健康风险评估方法作为重点支持方向，增加对其的资金、人员、设备等的投入力度，加强对外交流和合作，积极建设国家级的人体暴露研究实验室，充分发挥暴露评价学科为环境管理的科技支撑作用。

参考文献

[1] Zhang Junfeng and Paul Lioy. Human exposure assessment in air pollution systems [J]. The Scientific World Journal, 2002, 2: 497-513.

[2] 苏志. 关于环境卫生工作和学科发展的思考——关注社会，解决问题 [J]. 环境与健康，2004，21（1）：4-7.

[3] WHO. Quantification of the disease burden attributable to environmental risk factors. China country profile. Geneva: World Health Organization. 2009.

[4] 陈竺. 全国第三次死因回顾抽样调查报告 [M]. 北京：中国协和医科大学出版社，2008：48-49.

第八章

环境污染防治技术研究与开发

一、水环境污染防治与措施

水域的概念、功能、权属

何文学　陈晓东　李荼青

（浙江水利水电专科学校　浙江　杭州　310018）

摘　要　水域因其在自然、经济、社会发展中具有防洪排涝等多种功能而成为公共资源的重要组成部分。水域保护与管理涉及水利、国土、海洋、渔业、农业、林业、城建、环保等诸多部门，而水域的概念、功能、权属等又是当前开展水域调查与水域保护工作必须予以明确的基本问题。在分析不同法规、文献水域概念的基础上，对水域的功能与权属等问题进行探讨，建议从立法角度进一步明确水域概念，构建水域保护与管理的法规体系、水域功能综合评估体系以及占用水域补偿机制，力求以良好的水域环境支撑当地经济社会的可持续发展。

关键词　水域　水域概念　水域功能　水域权属

一、前　言

土地是资源，水域同样是资源，某种程度上是具有更大经济价值和诱惑力的资源。但近几十年来，由于不合理的开发、盲目围垦、水资源过度利用、水环境污染、建设项目占用等原因，导致水域面积减少，也使水域在防洪、排涝、蓄水、养殖、景观、生态、环境等方面的诸多功能趋于弱化甚至丧失。不仅影响到整个区域水环境质量与水生态系统健康，而且会影响当地的社会经济发展水平，并对当地的防洪安全、用水安全构成潜在威胁。此外，水域也是维持人与自然和谐相处、经济和环境协调发展的最重要的、不可替代的自然资源，是维持经济社会可持续发展的重要的公共资源。在市场经济条件下，占用水域资源已成为不同利益团体趋之若鹜的行为，水域数量减少与质量降低已成为不争的事实。只有尽快开展全国范围的水域调查工作，才能比较全面地了解水域现状，摸清水域家底，掌握真实的水域数量和质量，为进一步实施水域保护与管理工作提供依据。但由于“水域”二字包含了太多的内容，在实际工作中又存在概念交叉、功能分类不全、权属不明等问题，有必要对其概念、功能、权属等问题进行探讨，以更好地理解水域概念的内涵与外延，更好地开展水域保护与水域管理工作。

二、相关文献中的水域概念

1.《汉语词典》中水域的释义：①指江、河、湖、海从水面到水底的一定范围。②港湾和河道中供船舶航行、停靠或作业的水面。

两个释义关注了水域概念的两个方面。释义①关注水域所在空间的几何特征，隐含着水面面积、水域体积等概念，是水域的空间概念解释。释义②关注水域的功能用途或利用领域，是水域使用功能的解释。

2.《中华人民共和国水法》首次将“水资源、水域和水工程的保护”并列成章，凸显水域保护与水资源保护、水工程保护同等重要。其第三十一条明确规定：从事水资源开发、利用、节约、保护和防治水害等水事活动，应当遵守经批准的规划；因违反规划造成江河和湖泊水域使用功能降低、地下水超采、地面沉降、水体污染的，应当承担治理责任。

虽然《水法》提到了水域概念，但并未给出严格的法规意义上的准确定义。因此，只能按水域词义释义理解。水位涨落必然引起水面面积与水体体积的变化，而水域的使用功能又与其水

浙江省水利厅资助项目（RB　0823）.

域面积或体积密切相关。此外，水利工程又明确要求划定管理范围，其管理区域与水域面积之间可能存在空集，水域调查等实际工作也迫切需要从立法角度给出水域概念。

3.《中华人民共和国渔业法》对水域的规定：国家对水域利用进行统一规划，确定可以用于养殖业的水域和滩涂。单位和个人使用国家规划确定用于养殖业的全民所有的水域、滩涂的，使用者应当向县级以上地方人民政府渔业行政主管部门提出申请，由本级人民政府核发养殖证，许可其使用该水域、滩涂从事养殖生产。显然，《渔业法》重点关注的是养殖水域，兼有水域的空间概念与使用功能，但其更关注是否适合养殖。

4.《中华人民共和国河道管理条例 》规定的河道实质上还包括湖泊、人工水道、行洪区、蓄洪区、滞洪区等区域。该条例从河道保护的角度出发，还规定了河道保护范围：有堤防的河道，其管理范围为两岸堤防之间的水域、沙洲、滩地（包括可耕地）、行洪区，两岸堤防及护堤地。无堤防的河道，其管理范围根据历史最高洪水位或者设计洪水位确定。河道的具体管理范围，由县级以上地方人民政府负责划定。《中华人民共和国防洪法》确定的河道管理范围与此相同。都是关注河道的管理范围，水域只是管理范围内的一部分。

5.《中华人民共和国土地管理法》中的农用地是指直接用于农业生产的土地，包括耕地、林地、草地、农田水利用地、养殖水面等。其中，农田水利用地、养殖水面与水域概念密切相关。

6.《中华人民共和国耕地占用税暂行条例》规定：占用林地、牧草地、农田水利用地、养殖水面以及渔业水域滩涂等其他农用地建房或者从事非农业建设的，比照本条例的规定征收耕地占用税。但水域在生态系统中的作用未受到重视或体现，事实上，占用水域带来的经济价值往往比普通耕地高。

7.《中国渔港水域交通安全管理条例》中渔港水域是指渔港的港池、锚地、避风湾和航道。虽未明确提到相应的水域管理界，但不少的内河河口就是港口，港口水域的管理与保护应该纳人水域保护与管理范畴。

8.《土地利用现状分类》（GB/T 21010—2007）将“水域及水利设施用地”列为第 11 个一级分类，包括了河流水面、湖泊水面、水库水面、坑塘水面、沿海滩涂、内陆滩涂、沟渠、水工建筑用地、冰川及永久积雪共 9 个二级分类。并将“水域及水利设施用地”调查列入了全国第二次土地调查范畴。但与水利工程管理方面要求的水域调查还存在一定距离，有些操作上也不是很明确。

9.《浙江省水域调查技术导则》中水域的定义：水域是陆域范围内由一定边界约束所形成并发挥一定水功能作用的水体容纳范围。此定义比较抽象，在实际工作中具有较大的操作空间。但有一点比较明确，即强调陆域范围的水域，以便与海域相区别。

10.《浙江省建设项目占用水域管理办法》所称水域：指江河、湖泊、运河、渠道、水库、水塘及其管理范围，不包括海域和在耕地上开挖的鱼塘。此水域定义除了列出具体的水域内容之外，又强调了管理范围，但涉及水域的其它内容未必全部包括。

11. 文献[1]给出的水域概念：水域是指现状或规划条件下，具有一定规模的承泄地表淡水水体的区域范围。文中给出的陆地水域边界概念：指承载多种功能水域周边的外轮廓线。水域功能不同，满足该功能要求的水域外轮廓线不同；对于承载多种功能的水域，水域边界是指满足多种功能要求的多个水域外轮廓线的外包线（或称并集）。文中同时强调：陆地水域边界是水域管理单位依法直接管理的区域范围。包括承泄水体的区域、沙洲、滩地（包括可耕地）、行洪区、水工程及其保护地等。文中还给出了水域边界的确定方法。文献[2]对通航水域的概念进行了探讨。文献[3]对海域与陆域的分界进行探讨。

12. 湿地水域

由于湿地既不像陆生系统那样干，也不像水生系统那样有永久性深水层，而是经常处于土壤水分饱和或有浅水层覆盖。积水湿地和水域的界线、无水湿地与陆地的界线至今仍然是一些地理学家、土壤学家、水文学家、生物学家、社会学家及经济学家争论的热点。湿地与水域的概念区别以及管理界限的合理划分，是水域保护与管理工作中需要尽快解决的问题之一。目前较为广泛接受的湿地概念源自“美国湿地深水栖息地分类”，其定义是陆地和水域的交汇处，水位接近或处于地表面，或有浅层积水，至少有一至几个以下特征：①至少周期性地以水生植物为植物优势种；②底层土主要是湿土；③在每年的生长季节，底层有时被水淹没。此定义与水域之间有太多联系，但又很难准确界定。

从上述水域的相关概念可以看到：各职能部门都在根据各自的实际情况，从各自工作方便与水域利用的目的出发，界定水域概念或者直接引用水域名词。但通常给出的水域定义都比较抽象，使得实际操作存在一定困难。也有的水域定义采取肯定式列举法，逐一列出具体的水域类型，但又往往会漏掉部分内容或出现概念交叉。之所以出现这样的情况，主要是由于水域概念比较复杂，其内涵与外延的界定相当困难。而采用如此的处理方法，一则便于实际操作，二则在应用上也有一定的弹性和灵活性。

三、水域功能

不同水域的公共资源属性是其共性，但不同水域在自然生态系统中的功能各不相同，在当地社会经济发展中的使用功能也不相同。目前，与水域自然属性相适宜的水域功能划分尚未有统一标准。《地表水环境质量标准》（GB 3838—2002）是适用于中华人民共和国领域内江河、湖泊、运河、渠道、水库等具有使用功能的地表水水域质量标准。该标准根据地表水水域的环境功能和保护目标，明确提出了“水域功能和标准分类”，按功能高低依次划分为五类。显然，《地表水环境质量标准》是对有使用功能的水域按环境功能和保护目标提出的分类标准。功能类别高的标准值严于水域功能类别低的标准值。同一水域兼有多类使用功能的，执行最高功能类别对应的标准值。其分类是以水质状况为核心指标，重点在满足人们的使用功能，对水域的其他功能并未涉及或过多考虑。

《浙江省水域调查技术导则》条文说明中对“水域功能使用状况调查”做如下规定：水域功能包括：行洪排涝、水量调蓄、航运交通、环境美化、生态保护、资源利用、灌溉引水等。其分类更多关注的是水域的使用价值，但分类的具体依据以及分类标准不是很严密。比如，灌溉引水和资源利用并列出现，是否恰当。此外，水域的文化传承功能尽管比较抽象，但作为水域的内涵之一，赋予了水域环境功能之外的人文理念，是水文化关注的重点，也是水域功能的重要体现。

鉴于水域在水文循环与生态系统中不可替代的作用，在水域概念的界定过程中，必须兼顾水域的使用功能与文化传承特性，并有利于水域功能的正常稳定发挥。

四、水域权属

水域是公共资源的重要组成部分，自然涉及管理权属问题，但与水域完全对应的权属法规尚无。

《水法》第三条规定：水资源属于国家所有，即全民所有。农业集体经济组织所有的水塘、水库中的水属于集体所有。水域是水资源的载体，其权属也一定符合《水法》规定，具有国家所有或集体所有这一属性。

《民法通则》第八十一条规定：国家所有的森林、山岭、草原、荒地、滩涂、水面等自然资源，可以依法由全民所有制单位使用，也可以依法确定由集体所有制单位使用。国家保护它的使用、收益的权利；使用单位有管理、保护、合理利用的义务。即只要在“不损坏物的本身或不改变其性质的情形下”，从事渔业、航运、水力发电、供水等开发利用，都是允许并受到保护的。这阐明了水域的使用权，同时也规定了相应的责任与义务。

五、结　语

水域是公共资源的重要组成部分。单从管理部门来看，就涉及水利、交通、国土、农业、林业、城建、港口、渔业、旅游等诸多政府职能部门。不同的政府部门从各自保护与管理水域的需要出发，出台了一些与水域保护相关法规，如《江苏省湖泊保护条例》、《武汉市湖泊保护条例》等。针对建设项目占用水域情况，浙江省人民政府出台了《浙江省建设项目占用水域管理办法》。《中华人民共和国水法》也首次将“水资源、水域和水工程的保护”并列成章，凸显水域保护与水资源保护、水工程保护同等重要。但从目前的实际情况来看，不同行业、不同部门往往从自身利益或工作方便出发，制定相关规定，履行各自管理职责。在实际工作中，交叉管理、多头管理的问题客观存在，在一定程度上影响了水域保护与管理工作的有序开展。为此，很有必要对水域的概念、功能、权属进行讨论。建议从立法角度进一步明确水域概念，构建相对完善的水域保护与管理法规体系、水域功能综合评估体系以及占用水域补偿机制，尽快开展水域年度调查与动态监测工作，力求以良好的水域环境支撑当地经济社会可持续发展。

参考文献

[1] 王士武，汪跃宏，胡玲．对陆地水域及其边界的探讨［J］．中国水利，2007（12），44－45.

[2] 张晋文．何谓“通航水域”？［J］．中国水运，2004（8），32－33.

[3] 戴泽衡，韩曾翠．海域与陆域分界的探讨［J］．浙江水利科技，2004（2）.

水污染经济损失评估

王顺庆　张　莺

（南京财经大学　江苏　南京　210046）

摘　要　本文探讨水污染造成经济损失的评估问题，从七个方面讨论了经济损失的计算，借鉴前人研究的成果，结合我国当前的水污染状况，对已有模型进行改进，给出相应的水污染经济损失的计算公式。

关键词　水污染　经济损失评估　计算公式

一、水资源承载力问题

社会经济的发展应该以生态承载力为基础。人类对水资源利用强度和需求量的持续增加，严重污染了江河、湖泊、乃至地下水源的水质，淡水资源越来越稀缺，迫使人类不得不对水资源进行重新评估，我们要考虑一个地区的水资源到底可以承载多少人口，可以支持多大的工农业生产规模和强度，这就是生态学理论中的水资源承载力。崔凤军（1995）提出水资源承载力应为某一时期、某种环境状态下的水环境条件，对该座城市的经济发展和生活需求的支持能力。

二、水污染经济损失界定

根据研究目的不同，对于水污染经济损失可以分为两种：第一种为水体被污染以后，对于社会生活的各个方面产生副作用，导致了经济损失，研究的着眼点是水污染现状对于社会生活的副作用；第二种是社会生活各个方面产生的污染物对水体本身产生的影响，进而影响社会生活而造成的经济损失，研究的着眼点是社会生活对于水体的负面影响。本文所指的水污染经济损失是水污染情况下对社会生活产生的负面影响所造成的经济损失。

三、水污染经济损失计算

实地调查累加法应该是精确的水污染经济损失计算方法，但这需要耗费大量的人力、物力和财力。我国相关的统计体系没有真正建立起来，常用的只是物理统计量，并且年份数据存在缺失。由这些物理量过渡到经济损失值，要借助严密的统计方法以及科学、合理的转换计算，考虑多种影响因素计算的损失值必然有一定的误差。从宏观角度看，各种影响因素越多，水污染物理量与最终损失值之间的对应关系越脆弱。由于水污染损失的构成较为复杂，为便于操作，本文采用分类计算法，主要关注以下几个方面的直接经济损失。

（一）人体健康经济损失及计算

水污染对人体健康的影响主要包括以下几个方面：急性或慢性中毒，致癌，以水为媒介的传染病或接触性感染等间接的影响。直接影响表现为水体受有毒化学物质污染后，污染物通过饮水或者食物链的积累，可能造成摄入者中毒，如砷中毒、氰化物中毒、铬中毒、农药中毒等；某些有致癌作用的化学物质污染水体后，可以在水生生物体内、悬浮物和淤泥蓄积，长期饮用含有这些物质的水和食用体内蓄积有这类物质的生物就可能诱发癌症；人畜粪便等生物性污染物污染水体，可能引起细菌性肠道传染病如肠炎、痢疾、伤寒、霍乱等，肠道内常见病毒，如传染性肝炎病毒等，皆可通过水污染引起传染病，某些寄生虫病也可通过水传播；间接影响表现为，水体污染后，可引起对水的感官性状变化，如某些污染物在一般浓度下，可使水发生异色、异味、呈现泡沫等，妨碍水体的正常利用。锌、镍、铜等物质在一定浓度下能抑制可净化水的微生物的生长和繁殖，从而影响水中有机物的分解和生物的氧化，使水体的天然自净能力受到抑制，从而影响水质。

本文采用人力资本法，对水污染造成长期累积和突发事故对人体损害的价值进行估算，积累性和突发性事故造成的人体损害有一定的交叉，并且积累性水污染对人体健康造成的损害因素复杂，难以精确计算，本文所设模型仅考虑污染造成的：①患者的直接劳力损失；②医疗费用开支；③陪床人员的间接劳动损失三部分。对夏光等（1995）所建立的模型改造如下：

$$L_{jk} = M(P\sum_{i=1}^{n} T_i L_i + \sum_{i=1}^{n} Y_i L_i + P\sum_{i=1}^{n} H_i L_i) \tag{1}$$

式中：L_{jk}为环境污染对人体健康的损失值（万元/a）；M为受影响人群数量（万人）；P为人力资本，取人均产值（元/年·人）；T_i为i种疾病患者人均丧失劳动时间（年）；Y_i为i种疾病患者平均医疗费用（元/人）；H_i为i种疾病患者陪床人员的平均误工（a）；L_i为疾病的发病率（%）。

突发性的水污染造成的人员伤害损失比较明确，根据《中华人民共和国国家赔偿法》及其他相关法律、法规中有关人体致伤致残，甚至死亡的损害赔偿规定，主要包括以下几个方面：

1. 误工费。当事人有固定收入的，按照本人因误工减少的固定收入计算，对收入高于污染事故发生地人均生活费3倍以上的，按照3倍计算；无固定收入的，按照污染事故发生地人均年收入与误工时间（a）的乘积计算。

2. 医疗费。按照医院对当事人的污染事故所必需的费用计算。

3. 护理费。受害者住院期间，护理人员有收入的，按照误工费的规定计算；无收入的，按照污染事故发生地人均年收入与误工时间（a）的乘积计算。

4. 因当事人死亡给予直系亲属的家庭经济损失补偿费、精神赔偿费。经济损失可以参照水污染事故发生地人均年收入计算，精神补偿费用可参照民法和侵权责任法中关于民事侵权精神损害赔偿责任的有关规定，结合实际情况进行计算。

计算时直接将这四部分的实际费用相加即可计算出，如下式所示：

$$L_{jk} = \sum(L_1 + L_2 + L_3 + L_4) \tag{2}$$

式中：L_{jk}为突发性水污染事故造成的人体健康损失；L_1，L_2，L_3，L_4表示前文所述各项因污染引起人体健康损失的费用。

（二）工业经济损失及计算

水污染对工业生产造成的影响表现在以下几个方面：首先是增加了生产成本，工业企业都有一定的用水标准，由于水质下降，企业就要再付出一部分成本对水进行处理，提高水质，或者额外向供水部门付费购买符合要求的用水；其次水质下降会影响产品品质、质量，进而降低产品在市场上的竞争力；三是污水对设备的腐蚀，由于污水中含有各种化学物质，会对设备产生化学反应，加快设备的损耗，缩短设备的使用寿命，从而对工业企业造成损失；四是缺水性损失，由于水源受到污染，造成工业企业原料不足，不能按照已有的生产能力进行生产，导致产量下降。

与夏光等人（1995）的研究不同，本文采用机会成本法来计算这一部分的经济损失，该法是用环境资源的机会成本来计量环境质量变化带来的经济效益或损失，仅从水污染造成的缺水量角度出发，假设水污染造成的缺水影响全部发生在使工业失去获得净产值的机会上，而且把失去的这部分净产值就视为污染造成的工业经济损失，供水短缺量（用A表示）乘以每年每缺一吨水造成的工业净产值损失（用γ表示），求出水污染造成的工业经济损失值，其公式如下：

$$L_{gy} = \gamma \cdot A \tag{3}$$

（三）农业经济损失及计算

农业生产对水资源具有较强的依赖性，农业生产既是水污染的主要制造者，也是直接受害者，可归结为水污染会对以下两个行业造成严重影响：

1. 种植业　种植业是农业的主要组成部分之一，种植业对水资源需求量大，如果水质太差，就会颗粒无收，甚至生产出的粮食带毒，无法食用。

2. 养殖业　养殖业与草地、粮食是相互联系的，水污染首先会影响草地、粮食，然后对它产生影响。另外，基于渔业本身的特点，污染对渔业的危害主要表现为养殖水体水质恶化，病菌、病毒、有毒有害物质导致水生物患病，甚至大量死亡，有些水体的养殖功能甚至完全丧失。

水污染造成的农业经济损失主要是指水污染使农牧渔业产量减少，质量下降导致的经济损失。参考夏光和赵毅红（1995）的研究，本文认为在计算这一部分的损失时可采用市场价值法，计算公式如下：

$$L_{ny} = \sum_{i=1}^{3} \alpha_i P_i + \sum_{i=1}^{3} \beta_i S_i \text{ , } i = 1,2,3 \tag{4}$$

式中：α_i 为水污染导致的第 i 产业减产的数量；β_i 为水污染导致的第 i 产业价格降低的幅度；P_i 为第 i 产业产品价格；S_i 为第 i 产业水污染面积；$i = 1,2,3$ 分别代表种植业、畜牧业、渔业。

（四）市政工业经济损失及计算

水污染对市政建设影响主要体现在以下几个方面：首先增加城市供水成本；其次增加城市污水处理费用；再次增加市政水污染治理工程投资建设；最后城市自来水厂因水源地水质下降，而新建搬迁，从而增加市政投资。其中，水厂搬迁和水污染治理工程投入可以归类为因水污染所带来的防御性投资开支。该项目的计算较适合用影子工程法。影子工程法就是当某一环境被污染（或破坏）后，建造一个工程来替代原来的环境资源的功能，然后用建造该新工程的费用来估算环境污染（或破坏）造成的经济损失的一种方法，它是恢复费用法的一种特殊形式。本文参考闫伟（2008）的研究，考虑到计算公式的可操作性，采用自来水供水成本（用 C 表示）与污水处理费用（用 D 表示）之和来进行损失计算，公式如下：

$$L_{sz} = C + D \tag{5}$$

（五）旅游业经济损失及计算

水污染对于旅游景观影响是十分严重的，这主要体现在对河流水资源的休闲娱乐功能的影响方面，随着生活质量的提高，人们对河流自然景观游玩的需求不断增长，一旦流域被污染，河流景观的观赏功能将受到破坏，经济损失主要表现为与水相关的娱乐项目无法进行，导致游客人数减少或水域两岸的土地贬值等。

损失计算采用旅游费用法来进行，本文对洪滨（2007）的研究模型进行改进，通过门票收入等旅行费用资料来估算服务的价值。由于水污染问题导致旅游景观退化或消失，引起消费者对旅游场所需求的减少量进行推算，旅游经济损失可以通过调查水污染对旅游地相关旅游项目的影响，确定水污染对这些项目的影响情况，考虑到景观保护、营造、改观费用，可用下式计算：

$$L_{ly} = \theta Y + G \tag{6}$$

式中：θ 为旅游收入损失系数；Y 为全年完成旅游总收入；G 为保护、修复以及改善景观等的投入费用。

（六）环境系统损失及计算

人类和一切生物的生长与生存都离不开水资源，水资源一旦受到污染，必将导致生态系统生物地化循环紊乱。例如，研究表明，人为活动使贵阳水质恶化逐年严重，水污染引起水生态变化，改变了碳的生物地球化学循环及碳同位素组成[1]。

采用成本核算法[2]计算环境损失，参考刘成武和黄利民（2005）的研究，本文根据水资源产品开发、水资源保护和修复过程中的投入的资本和劳动推算水污染造成环境经济损失，如式（7）所示：

$$L_{st}=\frac{r_0+r_1+(c_0+c_1+c_2)(1+p)}{i} \tag{7}$$

式中：r_0 为水资源的稀缺性决定的垄断租金，即垄断地租；r_1 为由水质差别决定的级差地租Ⅰ；c_0 为维持水质达到一定标准所投入的必要劳动力和物质资料的价值；c_1 为水资源产品的直接生产成本；c_2 为被破坏的生态环境的修复费用；p 为资本的平均利润率；i 为还原率，以存贷款利息率代替。

（七）突发性水污染经济损失的研究

对于环境损害风险一般有两种界定：一种是“突发的、意外的”；另一种是“渐进的、累积的”，其界定如表1所示。

表1 环境损害风险的分类[4]

种类	事故起因	对人身、财产影响	举 例
(1)	突发	突发	化学工厂爆炸，有毒气体和污水在居民区扩散
(2)	突发	渐进	污水管突然破裂，有害物质逐渐渗入饮用水
(3)	渐进	突发	煤气管道受到侵蚀致使气体泄漏，在居民区造成爆炸，发生人员伤亡；慢性中毒致毒素富集超过临界点，使人突发疾病
(4)	渐进	渐进	垫圈老化使污水管逐渐渗漏而污染饮用水

目前环境责任保险市场中主要承保的范围为突发性事件所造成污染的损失，即表中（1）（3）项所示进行承保，对于表中（2）（4）项累积性结果的损失不予承保，有待于保险业继续发展成熟，再将它们纳入承保范围。所以本文在讨论水污染经济损失的过程中，也只考虑的均是突发性的事件造成的经济损失。根据洪滨（2007）的研究结论，本文认为突发性水污染造成的经济损失可以分成两方面：一方面为突发性水污染的预警系统和应急水源地的建设费用，另一方面为突发性水污染造成的经济损失，这一部分在水污染没有发生的时候为零。可用式（8）进行计算。

$$Q=Q_1+Q_2 \tag{8}$$

式中：Q 为突发性水污染所造成的经济损失；Q_1 为水域安全预警预案的费用和水源地建设，若建设时间较长，可以在每一年进行分摊；Q_2 为突发性水污染造成的经济损失。

为了更好地建立水污染经济损失计量标准，必须要制定水污染评估标准体系，加强多部门广泛合作和共同行动，建立相关法律制度并逐步完善。多学科、技术交叉与整合研究，信息和数据资源共享。

参考文献

[1] 李思亮．碳同位素和水化学在示踪贵阳地下水碳的生物地球化学循环及污染中的应用［J］．地球化学，2004，33（2）：10.

[2] 刘成武，黄利民．资源科学概论［M］．北京：科学出版社，2005：114－116.

[3] 夏光，赵毅红．中国环境污染损失的经济计量与研究［J］．管理世界，1995，35（6）：198－205.

[4] 闫伟．黑龙江省水污染经济损失评估研究［D］．哈尔滨：哈尔滨理工大学，2008.

[5] 洪滨．发达地区水污染经济损失计量研究［D］．南京：河海大学，2007.

论流域污染物总量监控

李宇斌[1]　胡　成[2]　李　璇[2]

（1. 辽宁省环境保护厅　沈阳崇山东路34号　110033；

2. 辽宁省环境科学研究院　沈阳泰山路88巷3号　110031）

摘　要　以改善流域水环境质量为目标，运用TMDL技术，建立流域跨界断面水质标准体系和监控体系，加强对重要污染源的自动流量监控，实现可监测的总量控制。通过加强流域监测基础能力，实现流域总量控制目标。

关键词　流域污染　总量监控

《中华人民共和国国民经济和社会发展第十一个五年规划纲要》提出了“十一五”期间单位国内生产总值能耗降低20%左右，主要污染物排放总量减少10%的约束性指标 。地方各级人民政府积极采取措施，落实节能减排的任务，节能减排已经成为家喻户晓的名词，出现在各种会议、媒体及相关文件、领导讲话当中。纵观以往的污染物总量控制实践，要实现“十一五”期间的污染物总量控制目标，科学核定和监控总量指标确有许多深思的问题。

一、流域污染物总量控制的历史进展

从法律层面上，1996年5月通过的中华人民共和国水污染防治法规定，省级以上人民政府对实现水污染物达标排放仍不能达到国家规定的水环境质量标准的水体，可以实施重点污染物排放的总量控制制度。并对有排污量削减任务的企业实施该重点污染物排放量核定制度。国务院环境保护部门会同国务院水利管理部门和有关省级人民政府，可以根据国家确定的重要江河流域水体的使用功能以及有关地区的经济、技术条件，确定该重要江河流域的省界水体适用的水环境质量标准。以后的1996年8月，国务院关于环境保护若干问题的决定，特别是2000年3月发布的中华人民共和国水污染防治法实施细则对水污染物总量控制制度的实施做出了详细的规定。国家环保总局还制订了“九五”期间全国主要污染物排放总量控制实施方案。可以说，国家已经基本建立起水污染物总量控制的法律法规体系。

相比较，总量控制制度在技术、监控和实践方面却显得薄弱，我国水污染物总量控制研究起步于20世纪70年代，经过“六五”、“七五”、“八五”的不断深化，对水环境的容量计算、水环境功能区划、排污许可证等方面进行了探索，2002年国家环保总局发布了《水污染物排放总量监测技术规范》（HJ/T92—2002），并结合国家环保总局总量控制试点、2000年的“一控双达标”等重点任务进行了实际应用。虽然在点源控制方面采取了重点行动，但没有把环境质量与污染物排放很好的关联，进而形成以环境质量达标为基础的总量控制与考核制度，现在看来，流域总量控制技术体系、监控体系还没有真正建立起来，恐怕这也是“十五”期间环保指标没有完成的主要原因。尽管还有其他多方面的原因，但没有建立起以水环境质量标准为基础的水污染物总量控制技术与监控体系是根本原因。

二、建立流域污染物总量控制技术体系

流域总量控制的作用是实现水污染物减排，总量控制是手段，水环境质量改善和达标是目的。

从流域总量控制的角度应首先制定跨省、跨市、跨县三个级别的跨界水质标准体系。省界断

面水质标准由国家根据全流域水质目标，制定相应的国家标准并监控，市界断面水质标准由省根据省内水质目标和省界断面水质标准，制定相应的省级标准并监控，县界断面水质标准由市根据市界断面水质标准和市内水质目标以及流入干流的重要一级支流对水环境质量的影响，制定相应的市级标准并监控，应完善现有国家环境标准管理体系，增加跨界断面水质标准[1]。通过建立跨界断面水质标准体系，考核流域上游地区的减排责任落实情况，为流域总量控制提供技术依据。

建立以跨界断面水质标准为控制目标的流域水环境质量与污染源排放相关联的排放控制技术体系。要通过跨界断面的水环境质量上推上游的污染源排放，确定污染源对断面水质的影响程度并采取相应的控制措施。在源的控制上，通常讲点源、线源、面源等，从流域总量控制角度，我们可分为已知的确定污染源（Identified Source，IS）和不确定的污染源（Unidentified Source，UIS)。确定的污染源可以认为是那些可以直接确定的排污者落实减排控制责任的，如工业污染源及城市集中污水处理设施、重要市政排污口等。而不确定的污染源是那些不能直接确定的排污者，无法落实减排责任的，如农村化肥、农药、粪便等面源污染等，同时包括环境背景值。这种分类的好处是直接与总量控制相关联，对确定的污染源采取直接的管理与控制，对不确定的污染源则采取综合的管理与控制措施。

可借鉴美国的日允许最大排放负荷技术（Total Maximum Daily Loads，TMDL）建立流域排放控制技术体系。即通过跨界断面水质上推上游控制区的排放总量和最大允许排放量。如式（1）：

$$\mathrm{TMDL} = \mathrm{WLA} + \mathrm{LA} + \mathrm{MOS} \tag{1}$$

式中：TMDL为最大允许排放负荷（通量），公斤或吨/日；WLA为点源（确定的污染源）负荷，公斤或吨/日；LA为非点源（不确定的污染源包括环境背景值）负荷，公斤或吨/日；MOS为安全余量，公斤或吨/日。

日最大允许排放负荷是一个时间的概念，也可根据实际需要选择日、月、季、年等为时间单位确定最大允许排放负荷。

如某一跨界断面的年平均水质为COD 64mg/L，但标准要求为40mg/L，经统计，上游控制区的污染物排放总量为COD 25 600t/a，则以此推出其年最大允许排放量TMDL为：

TMDL = 25 600 × 40/64 = 16 000（t/a），以此可继续推出上游污染物最小削减量为：25 600 − 16 000 = 9 600（t/a），或：25 600 ×（64 − 40）/64 = 9 600（t/a），考虑安全余量（MOS），可取断面最大允许排放负荷的5% ~10%。通过这种计算，可以核定流域各控制区域上报排放总量的合理性和科学性，避免编数甚至人为造假。

同样，若已知点源的排放量，即可推出非点源的排放量。我们也可以根据总量控制的要求，将式（1）改写为：

$$\mathrm{TML} = \mathrm{IS} + \mathrm{UIS} + \mathrm{MOS} \tag{2}$$

式中：TML为最大允许排放负荷（通量），公斤或吨/日或月或季或年；IS为确定的污染源负荷，公斤或吨/日或月或季或年；UIS为不确定的污染源负荷，公斤或吨/日或月或季或年；MOS为安全余量，公斤或吨/日或月或季或年。

在有充分的统计数据和监测数据基础的情况下，可依据上述公式方便快捷地推断出控制区域内各污染源对监控断面的排污贡献、允许排放量等排污信息，进而制订相应的污染控制计划。但在大多数情况下，基础统计和监测还不足以提供可靠及时的污染排放数据，因此需要从跨界断面水质情况及河流径流上推污染源排放，为制订相应的污染控制计划提供技术支持。式（2）改为：

$$\mathrm{TML} = C_0 \times M \text{ 或 } TML = C \times M \tag{3}$$

$$V = P \times C / C_0 \tag{4}$$

式中：C_0 为跨界断面水质标准，mg/L；C 为跨界断面水质，mg/L；M 为断面流量 m^3/d，根据需要取日、月、季、年等平均径流量；V 为控制区域的最大允许排放量；P 为控制区域的排放总量。

取 C 时，TML 为污染物通量，取 C_0 时 TML 为最大允许污染物通量。

在缺少上游污染源排放数据的情况下，我们可以根据式（3）确定最大允许排放负荷。这时，TML 实际上是断面允许的污染物通量。考虑污染物的自然降解，式（3）改为：

$$C \times M = \sum_{i=1}^{n} \frac{IS_i}{K_i} + UIS + MOS \tag{5}$$

式中：IS_i 为某一确定污染源的排污负荷；K_i 为该确定污染源至跨界断面的自然降解系数，可通过某一污染物的扩散模型计算或实验获得；C、M 意义同上。

例如，监测某一跨界断面的水质为 COD 64mg/L，断面平均年径流量为 $7 \times 109m^3$。

根据式（3），该断面污染物通量为：

$TML = C \times M = 64 \times 10^{-6} \times 7 \times 10^9 = 448\ 000t/a$。

若取断面水质标准为 $C_0$40mg/L，则该断面最大允许通量为：

$TML = C_0 \times M = 40 \times 10^{-6} \times 7 \times 10^9 = 280\ 000t/a$。

假定在上游确定的污染源有 3 处，IS_1、IS_2、IS_3，其年污染物排放量经自动在线监测分别为 150 000t/a、200 000t/a、350 000t/a，其污染物自然降解系数分别为 0.3、0.4、0.5，则通过断面通量可知不确定污染源的排放贡献为：

$$UIS + MOS = C \times M - \sum_{i=1}^{3} \frac{IS_i}{K_i} = 448\ 000 - (150\ 000 \times 0.3 + 200\ 000 \times 0.4 + 350\ 000 \times 0.5) = 148\ 000t/a$$

不确定的污染源贡献值为 148 000t/a，以此可推算跨界断面上游的其他污染源的排放量，即通常说的面源和背景贡献。

如取背景断面Ⅱ类水体水质为背景通量计算标准，安全余量取最大允许排放通量的 10% 计算，则背景贡献为：$TML = C_{Ⅱ} \times M = 15 \times 10^{-6} \times 7 \times 10^9 = 105\ 000t/a$，面源贡献为 148 000 − 105 000 = 43 000t/a，若考虑自然降解系数 1/3，则推断上游面源排放总量为：43 000 × 3 = 129 000t/a。

安全余量 MOS 为断面最大允许排放负荷的 10%，MOS = 280 000 × 10% = 28 000t/a。若考虑自然降解系数 1/3，相当于减少排放量 78 000 万 t/a。

据此推断上游污染物排放总量为：

150 000 + 200 000 + 350 000 + 105 000 + 129 000 = 934 000t/a。

其断面控制区的最大允许排放量（COD）为：

$V = 934\ 000 \times 40/64 = 583\ 750t/a$。

综上所述，可以确定上游允许排放总量为：583 750 − 78 000 = 505 750t/a。其污染物的最低削减量为：934 000 − 505 750 = 428 250t/a。若考虑背景贡献，则上游允许排放总量为 505 750 − 105 000 = 400 000t/a，其污染物最低削减量为：934 000 − 400 000 = 534 000t/a。

上一个监控断面对下游监控断面同样有污染物输入，可以简化为确定的污染源（IS），其污染物通量即为排污量。对上例，假定上一个监控断面的径流量为 $5 \times 10^9 m^3$，水质为 COD70mg/L，则其污染物通量为 $70 \times 10^{-6} \times 5 \times 10^9 = 350\ 000t/a$，对下游监控断面即为确定的污染源 IS = 350 000t/a。其污染物最低削减量为 534 000 + 350 000 = 884 000t/a。

通过 TMDL 或 TML 技术可以帮助分析确定源和不确定污染源对水环境质量的影响，为污染物总量控制提供技术支持。

三、建立流域污染物总量监测技术体系

建立以跨界断面水质标准为控制目标的流域水环境质量与污染源排放相关联的排放控制技术体系后，关键是要通过建立流域级污染物总量监测技术体系以保证流域总量监控体系的实施和预警。

首先，优化各级监控系统的跨界监控断面布点。目前大多数地表水监测断面的选取考虑到交通、采样等条件的限制，往往就近交通要道、桥梁或水文站等设置，尤其是跨界断面的选择还有重复现象，个别的还没有实现对监控的区域完全监控。流域级污染物总量监测体系以监控流域上游各行政区排放总量（通量）为目的，以各级行政区界为依据确定跨界监测断面，不以支流入河口等为依据，同时兼顾交通、采样条件等确定国家、省、市、县四级监控断面。跨界断面不重复设立，即一条河上下游相邻行政区仅设一个跨界断面，不设所谓的出省（市、县）和入省（市、县）断面，避免上下游监测数据不一致引起污染纠纷和管理上的困难。各级监控系统的监控断面分级建设、分级管理。除监测总量控制因子外，应增加流量、流速等水文参数。

各级监控断面应根据实际需要按计划进行建设，建设相应的道路、采样设施，配备必需的分析仪器设备、数据传输设备等，树立明显的断面标志。

国家级监控断面由国家负责监测控制，省级监控断面由省负责监测控制，市级监控断面由市负责监测控制，县级监控断面由县负责监测控制。国家、省、市、县四级跨界监控断面建设应是国家环境监测基础能力建设的重中之重。

运用3S技术管理各级跨界监控断面。运用卫星遥感技术（RS）对监控断面上下游最邻近监控断面范围内的地形地貌进行监控，以此提供大面积、宏观图像。运用地理信息系统（GIS）提供监控断面周围人文、社会、交通等自然概况和水文数据以及相关的模型数据库等。运用全球定位系统（GPS）对监控断面进行精确定位[2,3]。

要对确定的污染源实施监测，实现可监控的污染物总量控制。除了已确定的工业污染源外，还应对重要的城市集中污水排放口、污水处理设施排放口等实施自动在线流量（水质）监测，对总量控制区域内的重要支流、排污渠等也要实施自动在线流量（水质）监测，以此确定污染物的通量，把总量控制建立在可靠的监测基础上。

通过对跨界水质的例行监测，及时反映水质水量的变化动态，以此推算上游污染物总量排放动态。同样，这也可以为各级政府建立跨界污染事故预警系统提供技术支持。

四、建立辽河污染物总量监控体系

辽河是我国七大江河之一，也是国家重点治理的三河三湖之一，由西辽河、东辽河以及发源于内蒙古、吉林两省区的招苏台河、条子河等，在辽宁省昌图县福德店汇合而成。在辽宁省境内流经铁岭、沈阳、鞍山和盘锦四市，于盘锦市盘山县注入渤海，全长1 345km。根据上述方法，制定辽河水污染物总量监控系统。

辽河入省断面为昌图县境内的三门郭家（西辽河）、焦家街（东辽河）、张家桥（招苏台河）、陈家（条子河）四个断面，出省断面为盘锦市的赵圈河。这五个断面应是国家级预警系统重点控制的。而省级重点控制的市界断面为朱尔山（铁岭—沈阳）、红庙子（沈阳—鞍山）、九台子（兴安）（鞍山—盘锦）及出省断面赵圈河（曙光大桥）四个断面。

市级主要控制县（区）界断面，县级主要控制区域内入辽河干流的支流入河断面或乡（镇）界断面。对于河流沿相邻行政区流动而未穿越行政区的可选取入干流的支流入河口断面为监控断面。如盘山县与大洼县交界面、台安县与盘山县交界面等。

市级控制断面取铁岭市为例如表1所示，通江口断面（昌图县招苏台河入辽河）、贾家屯断面（亮子河昌图—开原）、三家子断面（亮子河开原入辽河）、松树断面（寇河西丰—开原）、

榆树屯断面（碾盘河西丰—开原）、石人沟断面（清河开原—清河区）、老城断面（清河区—开原）、大盘岭断面（柴河开原—铁岭县）、董孤家子断面（清河—铁岭县）、药王庙断面（凡河铁岭县入辽河），总计10个控制断面。县级控制断面为简化在此省略。

表1　辽河水污染物总量监控系统监控断面（市级以铁岭市为例）

控制断面名称	行政交界	级别
三门郭家	西辽河入省	国家
焦家街	东辽河入省	国家
张家桥	招苏台河入省	国家
陈　家	条子河入省	国家
赵圈河	出省入辽东湾	国家（省）
朱尔山	（铁岭—沈阳）	省
红庙子	（沈阳—鞍山）	省
九台子（兴安）	（鞍山—盘锦）	省
通江口	昌图县招苏台河入辽河	市
贾家屯	亮子河昌图—开原	市
三家子	亮子河开原入辽河	市
松　树	寇河西丰—开原	市
榆树屯	碾盘河西丰—开原	市
石人沟	清河开原—清河区	市
老　城	清河区—开原	市
大盘岭	柴河开原—铁岭县	市
董孤家子	清河—铁岭县	市
药王庙	凡河铁岭县入辽河	市

以辽河省级总量监控为例，运用TML技术对流经的铁岭、沈阳、鞍山、盘锦实施总量监控。国家级及市级总量监控可类比省级的做法，本文不再赘述。

总量监控因子选取COD（如表1所示），取朱尔山断面（监控铁岭市）、红庙子断面（监控沈阳市）、兴安断面（监控鞍山市）、赵圈河（曙光大桥）断面（监控盘锦市），上述四个跨界监控断面的水质标准，根据其所处的环境功能区及水质现状，暂按V类标准即COD 40mg/L。表2为辽河省级总量监控结果。表中的水质数据以2004年为基准，断面流量为多年平均径流量，也可取月、季或枯、丰、平三个水期进行监测、分析与控制。

表2中确定污染源（IS）以各市上报的数据为主，也可根据污染源排放强度和其扩散到监控断面的贡献逐一计算累加获得，在此从略，污染物自然降解系数取0.3。铁岭市的上游监控断面应为西辽河、东辽河以及招苏台河三个跨省界河流监控断面，考虑水文数据等相关数据，暂取控制上述三个监控断面的三合屯断面为铁岭市上游的监控断面，以三合屯断面的水质数据和流量数据计算污染物输入通量。也可将东辽河、西辽河、招苏台河视为确定点源计算，本文不再赘述。为简化起见，各监控断面的背景值取Ⅱ类水体水质为背景通量计算标准，安全余量取最大允许排放通量的10%计算。断面流量通过平均径流量转换至年平均流量或季、月平均流量等，相应的断面通量为年、季、月通量。

表 2　辽河省级水污染物总量监控

监控断面	基础数据				计算与核定数据			
	背景值/（mg/L）	监测水质/（mg/L）	控制水质/（mg/L）	流量/（m^3/s）	污染物通量（TML）/万 t	确定污染源（IS）/万 t	不确定污染源（UIS）/万 t	允许排放量/万 t
朱尔山	15	79.6	40	124	32	1.1	51.9	25.2
红庙子	15	59.1	40	138	28	1.7	24.5	27.7
兴　安	15	54.9	40	138	26	0.2	27	27.7
赵圈河	15	62.9	40	128	25	0.3	32.7	25.2
总　计	—	—	—	—	—	3.3	134.1	105.8

五、结　论

本文运用污染物日最大允许负荷技术（TMDL），针对流域污染物总量控制的实际，提出以改善流域水环境质量为目标，建立流域跨界断面水质标准体系和监控技术体系，加强对重要污染源的自动流量监测，实现可监测的总量控制。建立国家、省、市、县四级总量监控体系，通过加强流域基础监测能力，实现流域总量控制目标，以辽河为例，详细探讨了流域总量监控体系的建立，总量核定与控制方法。

参考文献

[1] 李宇斌，王恩德．建立流域危险废物污染事故监控技术体系［J］．气象与环境学报，2006，22（1）：43－47.

[2] 李宇斌，王恩德．基于 3S 技术的危险废物污染事故预警系统［J］．安全与环境学报，2006，6（4）：55－58.

[3] 李宇斌．辽宁省危险废物污染事故的环境影响和预警系统研究［D］．沈阳：东北大学，2006，9：213－214.

对海河流域水生态修复工程政策研究的探讨

丛黎明

（海河水利委员会 天津 300170）

摘 要 本文针对海河流域水生态修复政策进行研究，分析水生态修复工程的合理投资机制和水源地保护生态补偿机制，提出保障生态工程正常运行的政策保障措施、水资源保障措施及管理体制和机制建议，探索政府补贴、供需双方协商、政策指导的生态用水补偿办法，为海河流域生态环境的修复，实现可持续发展提供科学依据。

关键词 水生态 修复 政策 探讨

一、水生态修复工程分类及管理现状分析

（一）水生态修复相关定义

生态修复指停止人为干扰，解除生态系统所承受的超负荷压力，依靠生态系统自身规律演替，通过其休养生息的漫长过程，使生态系统向自然状态演化的一系列活动。

（二）水生态修复工程的定义

为实现水生态修复目标，投资建设并形成建筑物或建筑物和设施的一次性活动或一个任务。改/新建拦河闸坝、扩挖及疏浚河道、修建抽水及输水建筑、修建污水处理设施、水土保持措施等，均属水生态修复工程项目。与水生态修复工程概念相比，水生态修复工程项目仅是其中一项工作或任务。

（三）海河流域水生态修复工程的分类

在海河流域，按水生态修复区与修复后的受益区是否相统一，可将水生态修复工程分为两大类：流域型水生态修复工程和地区型水生态修复工程。

1. 流域型水生态修复工程：指在同一个或两个不同流域上，水生态修复区在同一个流域的上游地区，或在不同流域的调水区，而修复工程实施后的受益区在同一个流域的下游地区，或在不同流域的受水区。如北京永定河流域水生态修复工程和引滦入津工程。

2. 地区型水生态修复工程：包括地表水生态和地下水生态修复工程。指水生态修复区和受益区在同一地区的这类修复工程。如邯郸市生态水生态修复工程和沧州地下水恢复工程。

（四）海河流域水生态修复的内容和措施

1. 河道水面恢复。不同河道水面恢复措施不尽相同，一般的措施有：改/新建拦河闸坝、扩挖、疏浚、清淤和改善河道水质等。

2. 湿地恢复。主要措施是采取工程、管理等手段补充水源。

3. 平原地下水恢复。主要措施是寻找水源，替代地下水，逐步消除地下水超采现象。

4. 城市河湖环境综合治理。海河流域26个地级以上城市，城市河湖环境综合治理内容和措施各不相同，一般内容为：修建控制河道水面工程、疏浚、清淤、护砌、修建水源补充工程等。

5. 水土保持。其措施包括，山区水土流失治理措施：建设基本农田、人工造林、草地建设、封禁治理和塘坝建设等；平原风沙水土保持治理措施：防风固沙、营造林带林网、治沙改碱，引黄沙化治理等。

6. 水污染防治。主要措施有：工业点源厂内治理、集中污水处理设施建设。

（五）海河流域水生态修复面临的政策制度问题

水生态修复是随经济社会发展而出现的新问题。实践表明，其不仅需要技术层面上的合理规

划，科学实施，而且在管理层面上也迫切需要政策制度的支持，以解决水生态修复工程项目实施建设资金获得，以及工程建成后，确保其正常运行。这其中包含的基本问题有：水生态修复问题涉及不同行政区划，甚至还可能是跨省（市），或跨市县的，如何组织；水生态修复工程项目的投融资机制、水生态修复工程项目建设管理体制、水生态修复工程运行补偿机制；水生态修复工程的管理是一项长远的任务，需要制定相关制度，建立长效管理机制等。

二、水生态修复工程政策研究的技术方法和研究路线

（一）技术方法

通过理论分析，识别海河流域水生态修复工程类型、利益相关方；在管理学、经济学理论指导下，结合国内外水生态修复工程的实践，研究水生态修复项目投融资机制、水生态修复工程补偿机制和水生态修复工程管理体制机制。其中，投融资机制研究主要依据的理论有：公共经济学；水生态恢复工程运行补偿研究依据的主要理论有：生态环境价值论、外部性理论、公共物品理论；水生态修复工程管理体制和机制研究主要依据：项目管理学、制度经济学。

（二）研究路线

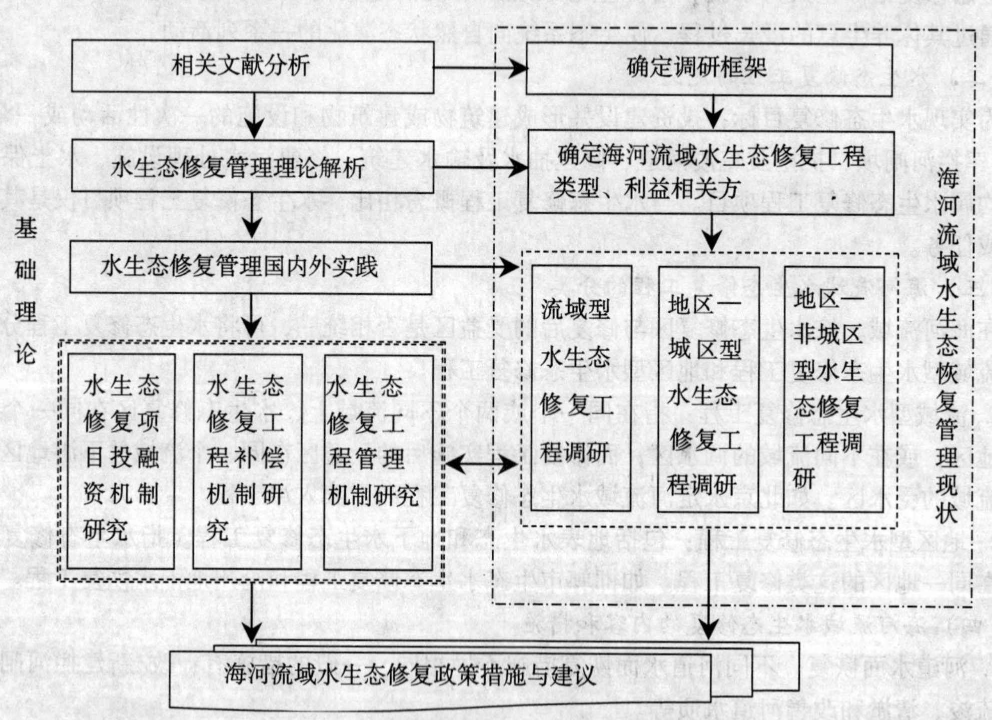

图1　研究技术路线

三、水生态修复工程项目与投融资政策分析

（一）流域型水生态修复工程项目投融资机制

流域型水生态修复工程项目，规模一般较大，其投资分摊通常需要从3个层次来进行讨论：首先，水生态修复工程项目具有公共产品的特征和属性，需要探讨政府、企业与社会的投资比重；其次，作为一项跨地区，甚至跨省市的项目，需要探讨中央政府与地方政府的投资比重；再者，由于各地经济实力与工程项目内容的不同，需要探讨各地的投资与转移支付的比重。

总体而言，流域型水生态修复工程项目公共属性十分明显，项目投资应由政府负责，但这里

所涉及的政府包括：中央政府、流域上游地区政府、流域下游受益区政府，因此存在着项目投资在这三个政府间分摊的问题。

流域型水生态修复工程项目总体而言属公益性项目，其融资方案一般有下列几种：

1. 政府直接投资，即政府作为投资主体，直接通过财政拨款对水生态修复工程进行投资的一种方式。

2. 财政投融资，包括贷款、发行地方债券等方式。

3. 市场化融资方式，或 PPP（Public Private Partnership）融资方式。包括 BOT 方式、PFI 方式、BT 方式。

（二）地区—城区型水生态修复工程项目投融资机制

地区—城区型水生态修复工程项目服务对象十分清晰，如为一段河道，范围不大的湖泊等。因此，根据“谁污染，谁治理”和“谁受益，谁付费”的原则，地区—城区型水生态修复工程的投资主体也十分明确：所在城市政府。企业污水处理工程，则十分明确，由企业负责投资，并做到达标排放。

四、水生态修复工程运行补偿机制研究

（一）水生态修复工程运行补偿的原则

1. 破坏者付费原则（DPP）。主要针对行为主体对生态环境施加不良影响从而导致生态系统服务功能的退化行为进行的补偿。

2. 使用者付费原则（UPP）。生态资源是稀缺资源，生态资源的占用者应向国家或公众利益代表提供补偿。

3. 受益者付费原则（BPP）。对水生态，在流域上下游或地区之间，受益者应该向水生态环境服务功能提供者支付相应的费用。

4. 保护者得到补偿原则。对生态环境建设、修复作出贡献的集体和个人，对其投入的直接成本和丧失的机会成本应给予补偿和奖励。

（二）水生态修复工程运行补偿的补偿方式

流域—跨省水生态修复工程运行补偿方式有：

1. 公共支付。即建立流域水生态修复工程运行补偿专用基金。由国家、上下游省市三方共同出资建立跨省流域水生态修复工程运行补偿基金，将基金专门账户设在上游省份，基金专用于流域上游的水生态修复工程运行，并落实到具体项目，流域机构有权审计基金的使用情况，上下游相关部门对基金的使用进行全程监督。

2. 市场交易补偿。在海河流域，永定河官厅水库上下游、滦河潘家口水库上下游等，水生态修复工程区和工程运行的服务区较为明显，而且生态服务供需矛盾较为尖锐。上游河北张家口、承德地区发展经济的愿望十分迫切，不可避免地会设法开矿、办企业等，加重水质污染；而下游北京、天津地区将上述水源作为饮用水，对水质要求较高。下游为了获得优质水源或合适的水量等生态效益，当然有必要考虑向上游支付一定的水生态修复工程运行补偿费用，对上游生态保护形成激励机制，同时也可以通过协议形式对上游付费，要求上游按生态保护的要求组织生产。

3. 技术与产业转移补偿。海河流域的官厅水库、密云水库和潘家口水库上游经济发展较下游的北京、天津市相对落后。针对这一特点，北京、天津市可向这些上游地区提供经济发展上的技术支持，并借鉴由经济发展梯度差异而引发的产业转移机制来解决上游的生态补偿和发展经济中的污染问题，以增强上游自身的造血功能，发展上游地区的低污染产业，壮大上游地区的经济。

在生态修复工程运行初级阶段，考虑到对各方补偿的认识和补偿制度的驱动因素，上述3种补偿方式可同时启用，并适当加大公共支付的力度。随着上游经济社会的发展，以及补偿年度得到上下游双方的认同，公共支付逐步应隐退，市场交易补偿趋于规范，并应充分发挥技术与产业转移补偿的作用。

（三）流域—跨省水生态修复工程运行补偿机制

根据我国现行涉水管理体制，流域—跨省水生态修复工程责任主体分为流域机构、流域上下游相关省市和水源地保护区。他们的具体责任为：

1. 流域机构的责任：建立流域生态共建基金；制定流域生态补偿相关制度；组织编制流域上下游相关省市的生态保护与修复规划；定期或不定期组织上下游相关省市生态补偿联席会议；仲裁生态补偿利益相关方的纠纷。

2. 流域上游相关省市的责任：对水源地保护区税收政策上的优惠；在财政转移支付中增加对水源地保护和修复的补偿；按区域生态功能，调整相关源区的产业结构；建立水源地保护区生态补偿行政责任制。

3. 流域下游相关省市的责任：积极参与生态共建基金的筹措；对水源地保护区经济、技术和开发提供支持；对上游补偿的实施状况进行监督，以提高补偿效率。

4. 水源地保护区的责任：把补偿资金用在规定范围内；建立生态修复工程运行的质量保证体系，加强自我监督和控制；开展宣传教育，提高广大群众的生态意识。

（四）地区—城区水生态修复工程运行补偿机制

针对城市经济社会发展和水生态修复工程的特点，水生态修复工程运行补偿方式有：

1. 公共支付。即城市政府从财政中拿出部分资金用于补偿水生态修复工程运行成本。

2. 提高污水处理费标准。将增收的污水处理费部分用于补偿水生态修复工程运行成本。

3. 水生态修复工程项目经营的盈利。当水生态修复工程项目部分可用于经营时，可将经营的盈利全部用于补偿水生态修复工程运行成本。

五、水生态修复工程管理体制和机制研究

（一）水生态修复工程的主管部门

1. 流域—跨省型水生态修复工程的主管部门。这类工程的主管部门理应为水利部所属流域机构。

2. 流域—跨市县型水生态修复工程的主管部门。这类工程的主管部门应为上一级水行政主管部门。

3. 地区型水生态修复工程的主管部门。这类工程的主管部门应为所在城市的人民政府。

（二）水生态修复工程运行管理机制

水生态修复工程运行管理，即水生态修复工程建成后，开始提供生态服务的管理。由于流域型水生态修复工程运行过程中，提供服务方和服务对象不属同一主体，客观上存在“供方—客户”的问题，因而流域型水生态修复工程运行管理较为复杂。而对于地区型水生态修复工程运行管理，服务供应方和客户方为同一主体，不存在“供方—客户”的问题，因而运行管理相对较为简单。

1. 流域型水生态修复工程运行管理机制

流域型水生态修复工程运行管理，服务供应方和客户主体不一。流域型水生态修复工程的运行，客户主体与服务供应方之间，客观上存在着委托代理关系。对此，双方有必要通过合约来明确各自的权利、义务和责任。

流域型水生态修复工程运行管理机制的核心问题有：如何确定修复工程运行应实现的目标，

即如何确定修复工程生态服务的质量目标？如何评价建立修复工程生态服务质量考核体系？如何评价修复工程生态服务质量水平？如何根据修复工程生态服务质量水平进行奖罚？管理机制设计中通常包括下列内容：

（1）流域型水生态修复工程服务质量目标。应根据流域水生态现状、修复工程设计目标等因素，采用科学方法，确定不同年份、不同河段、不同季节水生态修复工程服务的水质目标，并在合约中明确。

（2）流域型水生态修复工程服务质量（水质）检测。检测断面：省际或市县际交界处；检测机构：独立于利益相关方的第三方，上级水行政主管部门确定；检测频率和标准：由合约确定。

（3）评价分析。将水质实测值与设计值（或合约中确定的值）进行比较。若出现水质超标，则检测机构应会同服务方分析超标原因。

（4）水质控制。当水质超标时，在分析原因的基础上，水生态修复服务方应及时采取措施控制水质。

（5）流域型水生态修复工程服务质量考核（奖励和索赔）。对服务质量优于合约规定者，被补偿主体（上游）应得到奖励；对服务质量次于合约规定者，补偿主体应可以提出索赔。奖励或索赔具体标准，应由合约规定；并由工程主管部门监督执行。

有关服务方（供方）内部工程运行管理机制与下面地区型水生态修复工程运行管理机制类似。

2. 地区水生态修复工程运行管理机制

地区水生态修复工程运行管理，不涉及跨地区的问题，属于一个行政体系内部的管理问题，但涉及一个（地级）市的多个县（市），或一个县（市）的多个乡镇的管理问题。由于工程区内排污和水生态服务具有公共性，以及存在多个利益主体，如包括了多个县市。因此，上一级政府每年有必要借助于合约或责任书的方式，明确各县市（或各乡镇）在水生态工程运行过程中的权利、责任和义务。与此同时，按合约或责任书的规定，定期或不定期进行考核，并建立水生态修复工程运行管理激励机制，对履行合约或责任书，并作出贡献者，在政绩上加分、经济上奖励；对没有履行或没有完全履行合约或责任书者，在政绩上减分、经济上罚款。

六、对生态修复方面的政策性建议

1. 建议国家加大对水生态修复工程建设的投资，在每年国家基本建设项目立项中应增加水生态修复工程项目。

2. 合理调整水生态修复工程的投资分摊比例，根据工程的性质，服务对象、受益区和地区经济发展水平合理确定各级的投资分摊比例。

3. 建立流域水生态修复工程运行补偿专用基金。由国家、上下游省市（或县市）三方共同出资建立跨省流域水生态修复工程运行补偿基金，设专门账户专用于流域上游的水生态修复工程运行。

4. 规范化管理水生态修复工程。用合约方式、目标管理思想和激励措施指导水生态修复工程运行管理。

5. 完善水生态修复相关法律法规。目前国家有关水生态修复的法律法规较少，建议根据水生态修复的大量建设和取得的经验建立相关法律法规，建立《生态环境补偿法》等。

衡水湖湿地水环境现状及治理措施研究

崔希东　尹新明　尹俊岭

（河北省衡水水文水资源勘测局　河北　衡水　053000）

摘　要　衡水湖是河北省国家重点湿地自然保护区之一，是衡水市区生活用水、电厂工业用水及周围灌区的重要水源地，对衡水市的持续发展具有极其重要的作用。研究衡水湖生态保护与环境功能，对维护居民饮水安全和保护湿地资源具有重要的现实意义。本文将就衡水湖的工程概况、湖区资源、水环境状况进行评价与分析，对如何加强衡水湖湿地的管理，提出对策与建议。

关键词　衡水湖　湿地　水环境　趋势分析　治理措施

一、前　言

衡水湖旧称“千顷洼”，自1958年筑堤建闸蓄水后始称衡水湖。衡水湖位于衡水市境内，是一个同时拥有草甸、沼泽、滩涂、水域、林地等多种生态系统的天然湿地，在保护水生态环境，维护华北平原内陆淡水湿地生态系统的典型性、稀有性以及重要生态功能等方面具有非常重要的意义。

二、衡水湖湿地水资源现状

（一）工程概况

衡水湖是衡水市唯一的一座大型平原水库，位于衡水市桃城区与冀州市之间的一块菱形区域内，总面积75km^2，一条中隔堤把它分为东、西两库区。东湖湖底高程相对较低，高程一般为18m，设计水位21m、相应库容1.23亿m^3，最大水面面积42.5km^2；西湖湖底高程相对较高，一般为19m，设计水位21m、相应库容0.65亿m^3，最大水面面积32.5km^2。湖周边地面由北向南渐高[1]。

衡水湖旧称千顷洼，原为缓洪滞沥洼地，1958年改称衡水湖，并开始兴建衡水湖蓄水工程。1978年开辟了冀码渠西线引水工程，1985年兴建“卫运河—千顷洼”东线引水工程（简称卫千渠），东库周边长31km，人工筑围堤25.6km，共有进水、退水建筑物5座，供水泵站2座[2,3]。

（二）衡水湖来水情况分析

衡水湖来水主要有流域自产径流量、过境洪沥水、跨流域引水组成。通过对1974—2008年35年系列资料调节计算，衡水湖流域多年平均自产沥水452万m^3，1973年自产沥水最多为3 756万m^3，有8个年份自产沥水为0，这部分水主要入蓄小库，用于农业灌溉和生态用水。滏阳河、滏东排河、滏阳新河多年平均可引水量为3 300万m^3，有6个年份能够完全满足衡水湖引水要求，有15个年份无水可引。卫运河多年平均可补水量为4 900万m^3，引卫运河水后有16个年份能够完全满足衡水湖引水要求，15个年份卫运河不能完全满足衡水湖引水要求。只有1979年和1999年两个年份可引黄壁庄水库弃水，多年平均可补水量为312万m^3。有15个年份可以挤占黄壁庄水库农灌用水，并能够满足衡水湖引蓄水要求，多年平均挤占农灌用水量为1 358万m^3，如果遇到农业特别缺水的情况，可考虑引黄河水或岳城水库水作为补充[4]。按适当保证率进行水文分析，衡水湖各类水源可引水量见表1。

表1　各类水源可引水量分析成果表

水源地	自产沥水	卫运河	黄河	滏东排河	滏阳新河	滏阳河	黄壁庄水库
保证率	多年平均	50%	75%	50%	50%	50%	25%
引水口	南关闸	和平闸	刘口闸	东羡闸	东羡闸	零藏口涵洞	曹园闸
年可引水量（104m^3）	452	16 735	9 867	1 500	3 000	3 600	7 223

（三）衡水湖水质分析

衡水湖水质受引水水源水质和当地污染源的影响。现状衡水湖通过东线卫千渠和西线冀码渠向湖内引水：卫千渠引蓄卫运河水和黄河水，冀码渠引蓄滏东排河水、滏阳新河深槽水、滏阳河水、黄壁庄水库水。

洼内、冀县两断面分别设在衡水湖周边大赵闸、南关闸附近，现根据2008年监测资料进行分析，污染最严重的时段为12月。主要污染物及最大超标倍数为硫化物（7.4倍）、总镉（2.8倍）、高锰酸盐指数（0.7倍），超标率分别为100%、100%、67%[5]。

湖内站主要污染物为高锰酸盐指数、总磷、硫化物，究其原因，除受衡水湖自身有机污染影响外，人为影响也较大。尤其近几年旅游开发力度加大，湖内站断面附近人为活动频繁，从而使水体水质受到影响。

冀县站主要受总磷和硫化物的影响，几个污染较重的月份均为总磷或硫化物严重超标，如12月份硫化物超标达7.4倍，致使水体为严重污染。冀县监测断面为南关闸闸下，而闸上即为工业及生活排放的污水，从实测资料可以看出，只要控制好南关闸上污水的侧渗和下泄，就可以有效地减轻断面附近水域的污染。

三、衡水湖湿地水质趋势分析

此次趋势分析分别运用综合污染指数法及季节性肯德尔检验法分析综合污染变化趋势及单项污染变化趋势。

（一）综合污染变化趋势分析

洼内、冀县两断面为常设断面，资料系列较完整，此次选用两断面1991—2008年共18年资料系列进行分析。结果见表2，变化趋势见图2。

表2　1991—2008年衡水湖综合污染指数评价结果统计表

年份	洼内	冀县	年份	洼内	冀县
1991	0.75	0.68	2000	0.52	1.22
1992	0.63	0.59	2001	0.66	1.78
1993	0.75	1.49	2002	0.67	1.25
1994	0.53	1.64	2003	0.64	1.22
1995	0.46	1.94	2004	0.49	0.49
1996	0.63	3.09	2005	0.52	0.67
1997	0.47	0.88	2006	0.51	0.92
1998	0.44	0.52	2007	0.69	0.72
1999	0.57	0.78	2008	0.48	0.66

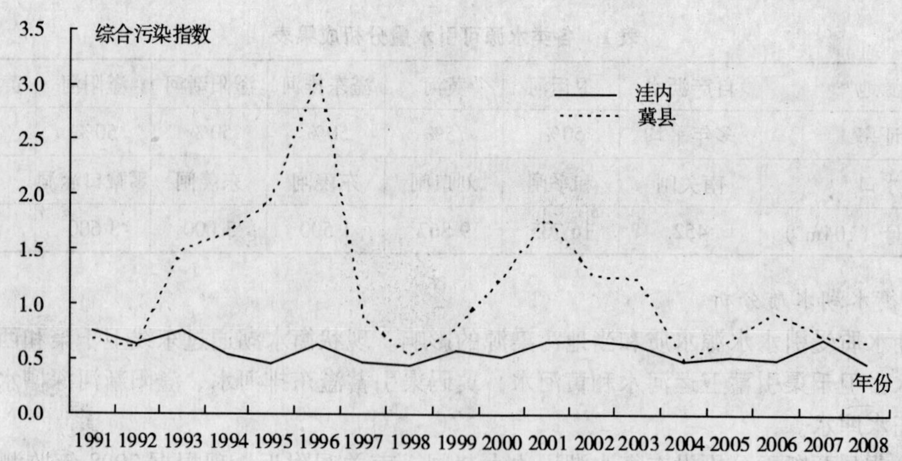

图 1　综合污染指数变化趋势图

图 1 可见，1992—1996 年冀州站污染呈快速增长趋势，年平均增幅 54.5%；1996 年污染最为严重，污染指数达 3.09；1997—2001 年污染呈加重趋势，但幅度减缓，年平均增幅 19.2%；2001 年后污染呈逐年减轻的趋势。洼内站多年来变化基本平缓，1991—1998 年略有下降，年平均降幅为 4.4%；1999—2002 年之后反呈上升趋势，年平均增幅同样为 5.8%；2003 年以后污染继续呈逐年好转。分析原因，冀县站 1996 年以前主要受上游排污影响，污染较重，1997 年控制排污，水质好转。1998 年之后一方面受闸门上游污水侧渗影响，另一方面水体本身富营养程度加剧，致使水质污染呈加重趋势。洼内站 1998 年之前一方面人为活动影响较小；另一方面受引黄影响水质有所好转，但 1999 年之后，大赵闸附近已逐渐发展成为旅游码头，人为活动频繁，致使水质污染略呈加重趋势；2003 年后，管理部门采取了抛撒蟹苗等生物措施，水质有所好转。

（二）单项污染变化趋势分析

结合衡水湖实际情况，1997 年，冀州市修建二环路时，为改善衡水湖水质状况，把原向大湖排放的所有排污口堵死，改道向冀码渠或小库排放，所以此次肯德尔趋势分析资料系列选为 1997—2008 年，趋势检验项目选用高锰酸盐指数、氨氮、总磷、氯化物、硫酸盐五项[6]。评价结果见表 3。

表 3　衡水市地表水主要监测断面污染趋势　季节性肯德尔检验表

监测断面	趋势分析	氯化物	硫酸盐	氨氮	COD_{Mn}	总磷
				mg/L		
洼内	变化趋势	无	上升	下降	上升	无
	变化速率/%		16.6	−28.6	27.6	
冀县	变化趋势	下降	无	无	下降	下降
	变化速率/%	−12.8			−14.4	−34.3

由表 3 可见：洼内站高锰酸盐指数上升趋势明显，应合理地开发利用水资源，遏制污染趋势的加剧。冀县站总磷下降趋势明显，充分体现了控制排污（尤其是冀州市生活污水）对改善水质的明显作用。

四、衡水湖治理规划

1994 年 11 月国家引黄入冀工程建成通水，衡水市提出了“引黄入冀衡水湖配套工程”项目并开展项目建议及可行性研究工作，研究重点是把衡水湖功能由灌溉向为城市用水、电厂用水、工业用水方面转化，并根据衡水市及衡水湖的水资源现状，提出了清污分流、分引分蓄分供的规划思想。1998年，随着衡水市"引湖入衡"工程的实施，在原研究的基础上，进一步完善"分别水质分引分蓄供"的规划原则，并提交了《衡水湖水源地改造项目初步设计报告》、《海河流域水污染防治衡水市引卫农灌项目可行性研究报告》。

（一）规划布局

衡水湖保护区系以调蓄水库类型的人工湿地生态系统为基础、以生物多样性保护为主要任务、以珍稀鸟类资源为特色的特殊类型的城郊型湿地自然保护区。是一处有着凝聚着悠久的自然与人文历史的华北平原代表性湿地，有着华北平原保存相对完好的内陆淡水湿地生态系统。根据生态保护的需要及周边地区人类活动对衡水湖湿地的影响程度的不同，划定"特别保护圈"、"综合示范圈"、"战略协同圈"和"流域协作圈"四个圈层。特别保护圈包括了保护区的核心区和缓冲区，综合示范圈包括了实验区和由保护区管理的示范区，战略协同圈包括了与保护区在空间上有着密切联系的衡水、冀州和枣强三个城市化地区，流域协作圈则包括了衡水湖所在流域的几个上下游主要城市。见图2。

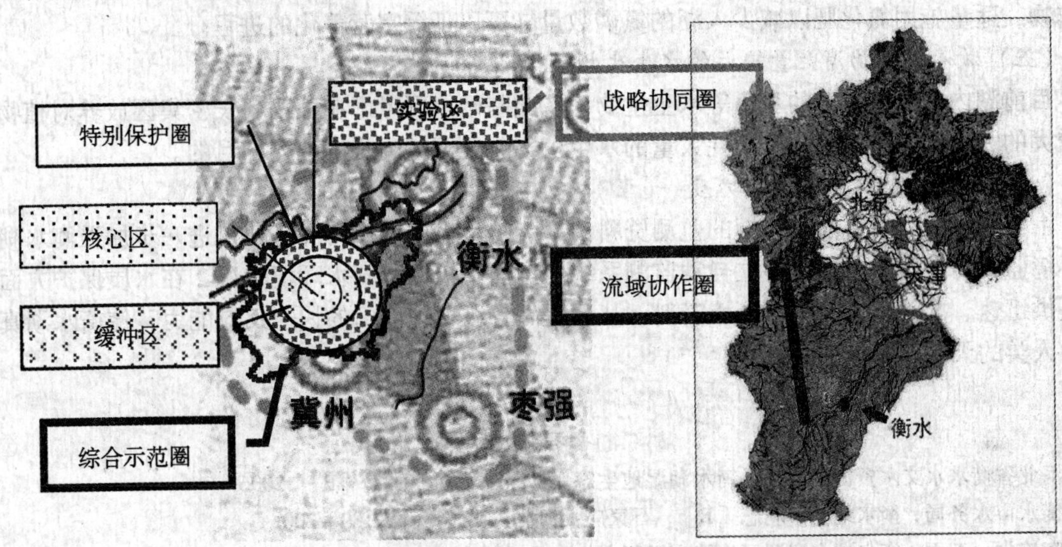

图2　衡水湖湿地圈层式战略布局示意图

（二）工程布置

将衡水湖东库分为南库区和北库区。北库区面积19.5km^2，总库容5 850万m^3，专门用于向市区供生活用水，从清凉江（河北引黄总干）油故闸至衡水湖王口闸开辟一条专用引黄线路，将黄河水引蓄于北库区，严格控制水质和保护水环境；南库区总面积23km^2，总库容6 600万m^3，通过长5.11km的截沟与电厂取水口和大赵闸游览区连为一体，用于向电厂和市区工业供水，通过冀码渠和新开辟的西线引水工程引蓄水质较好的滏东排河、滏阳新河、滏阳河来水以及黄壁庄水库弃水或应急调水，也可利用卫千渠和新开辟的引卫输水工程引蓄汛期卫运河水；衡水湖不再接纳卫运河和冀码渠非汛期来水，而是通过新开辟的输水工程，将其引蓄于江江河、西支流、索泸河、滏东排河等河系用于农灌；通过工程措施和适当调度，将枣强县污水导入索泸河，将冀州市的污水及冀码渠的污水导入滏东排河及滏阳新河深槽，水质允许时用于农灌。

五、衡水湖湿地保护建议

（一）科学决策，合理引蓄

按照"清污分流、分引分蓄分供"的指导思想，优质引水入蓄东湖北库区，用于城市生活用水；水质次之入蓄东湖南库，用于衡丰电厂及市区工业用水；其余水量引蓄于周边及下游河渠，水质允许时用于农灌。引水思路是，首先考虑本流域自产沥水，其次是滏阳河、滏阳新河、滏东排河过境洪沥水，第三是卫运河汛期洪沥水，第四是黄壁庄弃水，第五是合理挤占黄壁庄水库农灌用水。在以上水源仍不能满足要求时，可以考虑引黄河水和岳城水库应急调水。按照上述方案能够满足衡水湖引蓄供水要求，并能够尽量减少高价黄河水等水源的引水量，降低引水成本。

（二）定期清除底泥

由于每年的沉积，目前湖内底泥中富含大量适宜植物生长的营养盐类物质，要定期清除底泥。清除部分底泥可有效地抑制植物，特别是藻类的过度生长。

（三）对水生植物进行收割

当湖内植物生长到一定的时间时应予以收割，使部分氮磷等营养物质退出水循环，从而降低水中的营养盐含量，达到抑制水生植物过度生长的目的。

（四）在衡水湖周边发展高效无污染农业

合理施用氮肥磷肥，提高农作物根部吸收率，减少淋溶流失等；利用固氮肥料和大量种植豆科作物，适量施用氮化肥以减少入湖的氮磷数量，可以延缓富营养化的进程。

（五）放养对植物消耗量较大的水生生物

目前湖内已投放大量的草鱼等水生生物。在此基础上可考虑在植物生长密集区放养对植物食量较大的大型水生生物，既可消耗大量的水生植物，又可起到旅游观光的目的。

（六）进一步加强水质监测力度

由于条件所限，目前衡水湖的监测资料尚不能满足水质保护需要。建议进一步加强衡水湖的水环境监测力度，有条件时建立自动监测系统，全面掌控衡水湖水环境状况，在水质保护方面能够提供迅速、准确、详细的水环境资料，从而提高各级管理部门的快速反应能力，使衡水湖真正成为人类的天堂、鸟类的福祉。

参考文献

[1] 河北省衡水水文水资源勘测局．衡水湖湿地生态保护与环境功能研究［R］. 2006.

[2] 衡水市水务局．衡水地区水利志［R］．石家庄：河北人民出版社，189-200.

[3] 车连常，王丽．衡水湖水资源可持续利用研究与实践［J］．河北水利水电技术，2002（B12）：83-85.

[4] 崔希东，尹俊岭．衡水湖来水、蓄水、退水能力及可调控性分析［J］．海河水利，2008（3）：8-10.

[5] 熊洋，张彦增，尹俊岭，等．衡水湖水环境质量分析［J］．海河水利，2006（6）：9-11.

[6] 王淑香．季节性肯德尔检验法在河流污染趋势分析中的应用［J］．河北水利科技，1996，17（2）：27-30.

海南岛削减陆源污染物污染海洋环境研究

周祖光
（海南省环境科学研究院　海南省海口市龙昆南路12号　570206）

摘　要　随着社会经济的迅速发展，海南岛各种陆源污染物污染近岸海域也越来越突出，给海洋环境带来了严峻的压力和冲击。研究削减陆源污染物对海洋环境的污染，确保海洋可持续发展具有重大而现实的意义。2010 年较 2004 年海南岛陆源污染物削减入海量分别为：COD 75 542 t/a、无机氮 10 516 t/a、磷酸盐 1 527t/a。

关键词　海南岛　陆源　污染物　削减　研究

海南岛是我国仅次于台湾岛的第二大岛，处于东经 E108°37′～111°03′，北纬 N18°10′～20°10′，总面积约 3.41 万 km^2。随着海南社会经济的迅速发展，各种陆源污染问题对海南岛近岸海域也带来了越来越严峻的压力和冲击；研究和分析海南岛海洋环境保护，掌握陆源对近岸海域的污染规律，提出削减陆源污染物行动，为海洋环境管理提供科学依据，确保海南岛海洋可持续发展具有重大而现实的意义。本文通过分析全岛的工业废水、城镇生活污水、畜禽养殖、面源、高位池养殖 5 种类型主要陆源的 COD、无机氮、磷酸盐三种主要污染物的入海量，提出 2010 年受陆源污染的局部近岸海域污染物入海量控制目标和水质功能管理目标。

一、材料与方法

（一）污染物经河流入海量

根据国内外研究成果表明，河流水体温度高，污染物降解系数大，且二者之间定量关系已经有较为可靠的研究成果[1]；但对于海南岛来说，河流短小且急流入海，采用降解系数计算污染物入海量显然不妥。因此，采用污染物入海通量估算海南岛污染物经河流入海量比较实际和准确，具体计算公式如下[2]：

$$P_i = \sum_{j=1}^{n} P_{ij}，(j=1，2，3\cdots，n) \tag{1}$$

$$P_{ij} = 31536 C_{ij} \cdot v_j \tag{2}$$

式中：P_i为 i 污染物入海总量（t/a）；P_{ij}为 j 河流 i 污染物入海量（t/a）；C_{ij}为 j 河流 i 污染物浓度（mg/L）；v_j为 j 河流入海径流量（m^3/s）。

（二）污染源污染物经河流入海量

对于工业废水、城镇生活污水、畜禽养殖、面源等主要陆源污染物入河后再进入近岸海域的，先计算各自的入河量，再根据各自入河量的比例计算陆源污染物入海量[3]。其计算公式为：

$$W_{im} = k_{im} \cdot P_i \tag{3}$$

$$k_{im} = \frac{g_{im}}{G_i} \times 100 \tag{4}$$

式中：W_{im}为 m 陆源 i 污染物入海量（t）；k_{im}为 m 陆源 i 污染物入河系数（%）；G_i为陆源 i 污染物入河总量（t）；g_{im}为 m 陆源 i 污染物入河量（t）。

（三）污染物入海总量

对于高位池海水养殖，其均分布于沿海的近海岸边，污染物的入海量均以排放量的 100% 参与计算（$Q_{i高}$）；对于城镇生活污水、工业废水直接排放近岸海域部分，污染物的入海量以直接排放近岸海域量的 100% 参与计算（$Q_{i生}$、$Q_{i工}$）；对于面源污染物入海量的计算，在考虑入河量后再进入近岸海域量外，还考虑受雨水的冲刷而直接径流进入近岸海域的量，也即面源污染物直接径流入海量（$Q_{i面}$）计算为：

$$Q_{i面} = q_{i面} \cdot r \tag{5}$$

式中：$q_{i面}$为面源 i 污染物总排放量（t）；$Q_{i面}$为面源 i 污染物直接径流入海量（t）；r 为面源污染物直接径流入海系数，海南岛取值0.02。

这样，污染物入海总量为：

$$Q_i = P_i + Q_{i高} + Q_{i生} + Q_{i工} + Q_{i面} \tag{6}$$

式中：Q_i为 i 污染物入海总量（t）。

（四）污染物入海量预测方法

1. 工业废水中污染物入海量

按已规划已开展环境影响评价和已规划未开展环境影响评价的建设项目测算 2010 年海南岛工业污染物入海新增量，并根据《海南省环境保护“十一五”规划》要求，最终核定出 2010 年海南岛工业废水中污染物处理（削减）达标后向近岸海域排放新增量（不包括工业废水处理达标后向深海排放的量）。

2. 城镇生活污水中污染物入海量

根据《海南省城镇污水处理控制性规划》和多年人均排污系数，估算生活污水及其污染物入海量数据，污染物入海系数以 COD 为 72g/（d · 人）、无机氮为 13g/（d · 人）、磷酸盐为 3.2g/（d · 人）计算，再根据 2010 年海南岛城镇人口数，从而计算出 2010 年城镇生活污水中污染物预测入海量。

3. 畜禽养殖污染物入海量

根据有关海南省畜禽养殖发展规划，畜禽发展及其规模化养殖的治理要求与污染物入河量的关系，从而估算出 2010 年畜禽养殖污染物入海量[4]。

4. 面源污染物入海量

根据有关海南省农业发展规划，分析面源的影响形势，着重对化肥使用情况分析，利用现状的每吨化肥使用排放污染物系数计算，从而估算出 2010 年面源污染物入海量的预测值。

5. 高位池养殖污染物入海量

根据海南省对高位池海水养殖发展的限制规定，从 2005 年后海南省不再扩大高位池海水养殖规模，也即高位池海水养殖规模不能超过 2005 年的规模，因此，以 2005 年的高位池海水养殖规模作为 2010 年高位池海水养殖污染物入海量的预测依据，并求出其污染物入海量。

（五）污染物削减依据

海南岛陆源污染物削减以《海南生态省建设规划纲要》和《海南省环境保护“十一五”规划》中的要求、控制指标、规划目标等为主要依据，重点削减小局部近岸海域出现较严重环境污染的污染物，以达到该局部海水水质的功能目标。

以 2004 年的各种数据资料作为削减参数。

二、结果与分析

（一）2004 年污染物入海量

从全岛近岸海域来看，2004 年 COD 入海量最大的是东部海域，为 67248t；其次是北部海域，为 57320t；最小的是西部海域，为 49622t。无机氮入海量最大的是北部海域，为 8610t；其次是西部海域，为 7257t；最小的是南部海域，为 3292t。磷酸盐入海量最大的是北部海域，为 1558t；其次是西部海域，为 1211t；最小的是南部海域，为 646t（表 1）。

表1　2004年海南岛近岸海域不同陆源污染物入海量比较　　单位：t

	污染物	工业	城镇生活	畜禽养殖	面源	高位池养殖	总入海量
全岛海域	COD	8546	56556	50949	12595	101005	229651
	无机氮	782	7802	14655	2320	89	25648
	磷酸盐	138	1830	1939	531	34	4472
北部海域	COD	4788	21340	13675	5317	12200	57320
	无机氮	334	2942	4493	830	10.672	8610
	磷酸盐	68	718	579	189	4.09	1558
西部海域	COD	2663	13594	11020	760	21585	49622
	无机氮	431	1913	4654	240	18.87	7257
	磷酸盐	66	474	600	64	7.228	1211
东部海域	COD	1002	13488	18648	5290	28820	67248
	无机氮	16	1885	3610	953	26.24	6490
	磷酸盐	3	358	474	211	10.05	1056
南部海域	COD	93	8134	7606	1228	38400	55461
	无机氮	1	1062	1898	297	33.584	3292
	磷酸盐		280	286	67	12.86	646

（二）近岸海域水质变化趋势及其功能目标

海南岛近岸海域水质状况以南部的海湾近岸海水水质最好，近几年来均维持在国家《海水水质标准（GB 3097—1997）》的Ⅰ类标准。海南岛近岸海域水质类别变化体现为：北部海滨浴场近岸海域海水水质逐年趋向好转，白沙门基本在Ⅱ类和Ⅲ类海水水质之间波动；南部的亚龙湾、大东海、三亚湾、天涯海角除了少数年份处于Ⅱ类海水水质标准外，均处于Ⅰ类海水水质标准；东部八门湾、椰林湾从往年基本上呈Ⅰ类海水水质变为近两年来的Ⅱ类海水水质，清澜港海水水质在Ⅱ类和Ⅲ类海水水质之间波动；西部八所港、洋浦港海水水质总体上恶化，尤其是洋浦港，这是由于近几年来洋浦开发区有了较大的发展，洋浦港的货运量也大大增加，给洋浦港海水带来了较大的压力（表2）。

表2　2010年海南岛局部近岸海域水质功能目标

海　域	北部海域		南部海域				东部海域			西部海域	
局部海域	海滨浴场	白沙门	亚龙湾	大东海	三亚湾	天涯海角	八门湾	椰林湾	清澜港	八所港	洋浦港
功能目标	Ⅱ	Ⅲ	Ⅱ	Ⅱ	Ⅱ	Ⅱ	Ⅱ	Ⅱ	Ⅲ	Ⅲ	Ⅲ

（三）污染物入海量控制目标

为改善海南岛局部受污染的近岸海域海水水质污染问题，2010年较2004年COD入海量按不同陆源所污染的局部海域分别削减：工业废水经处理达标后向近岸海域排放量12547 t/a；城镇生活污水削减量19000 t/a；畜禽养殖削减量25000 t/a；面源保持2004年状况，即削减0 t/a；高位池海水养殖较基准年（2004年）削减量35543t/a。氮、磷入海量按不同陆源所污染的局部海域分别削减：工业废水经处理达标后向近岸海域排放量分别为991 t/a、138 t/a；城镇生活污水分别削减3696 t/a、1000 t/a；畜禽养殖分别削减7000 t/a、1000t/a；面源保持2004年状况，即分别削减0t/a、0 t/a；高位池海水养殖分别削减29 t/a、11 t/a（表3）。

表 3　海南岛 2010 年较 2004 年污染物分陆源类别入海量控制目标　　单位：t/a

污染物	控制指标	工业	城镇生活	畜禽	面源	高位池养殖	合计
COD	2004 年入海总量	8546	56556	50949	12595	88334	216980
	2010 年入海削减量	-4001	19000	25000	0	35543	75542
	2010 年削减后入海量	12547	37556	25949	12595	65462	154109
无机氮	2004 年入海总量	782	7802	14655	2320	89	25648
	2010 年入海削减量	-209	3696	7000	0	29	10516
	削减后入海量	991	4106	7655	2320	60	15132
磷酸盐	2004 年入海总量	138	1830	1939	531	34	4472
	2010 年入海削减量	0	516	1000	0	11	1527
	2010 年削减后入海量	138	1314	939	531	23	2945

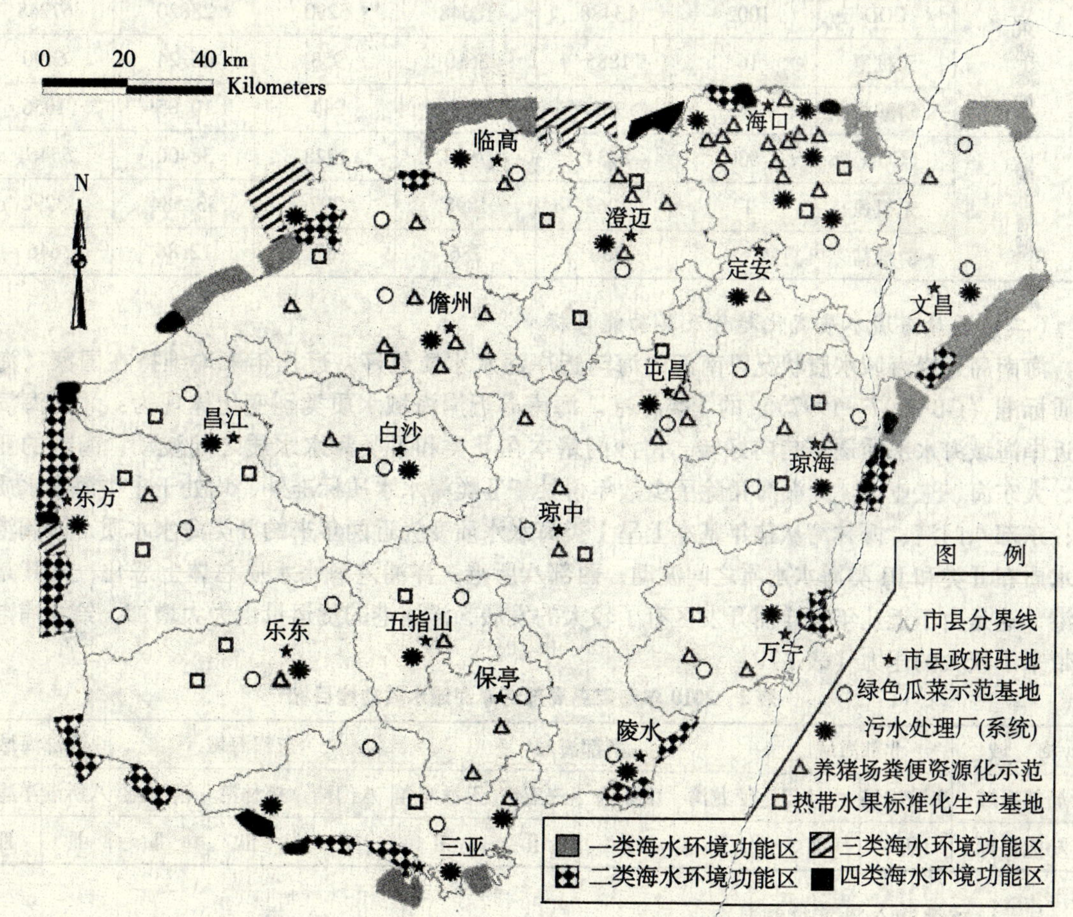

图 1　削减陆源污染物措施与近岸海域功能区

（四）污染物削减措施

2007—2010 年，各市县共拟建设城镇污水处理设施 24 座，年处理污水 25313 万 t，总投资约需 24.73 亿元，可削减 COD 入海量 3.00 万 t/a 左右；2010 年全面禁止销售和使用含磷洗涤用品；工业发展在继续实施“三同时”等环保制度的条件下，新上的产生较大污水和污染物排放的工业项目都应治理（削减）达标后向深海排放；海水养殖业，尤其是高位池养虾产业朝着生态养殖和工程养殖方面发展；开展生态农业，建设少废农田，减少化肥的施用量和防治水土流

失、加快林草等植被的恢复，使2010年保持在2004年的污染物排放水平；大中型集约化畜禽养殖场废水必须全部按照有关污染物排放标准的要求达标排放（图1）。

三、结　论

随着海南社会经济的迅速发展，海南岛各种陆源污染物污染近岸海域也越来越突出；研究和掌握陆源对近岸海域的污染规律，提出削减陆源污染物行动，确保海南岛海洋可持续发展。海南岛对近岸海域的陆源污染源主要有工业废水、城镇生活污水、畜禽养殖、面源、高位池养殖废水5种类型，其2004年COD、无机氮、磷酸盐的入海量分别为8546t/a、56556t/a、50949t/a、12595t/a、88334t/a。2010年海南岛陆源污染物控制目标分别为：2010年较2004年削减入海量COD为75542t/a、无机氮为10516t/a、磷酸盐为1527t/a。

参考文献

[1] 陈金泉. 淮河中游地区地表水环境容量核算研究［J］. 江苏环境科技，2005（S1）：12-13.
[2] 海南省环境科学研究院. 海南省碧海行动计划［R］. 2007.
[3] 周祖光. 海南岛河流水体纳污分析［J］. 资源科学，2006，28（6）：141-145.
[4] 周祖光. 海南省畜禽养殖污染及其治理分析［J］. 生态环境，2006，15（4）：885-888.

黄河干流水库群对河流生态系统功能影响的价值评估

蒋晓辉　蔡大应

（黄河水利委员会黄河水利科学研究院　河南　郑州　450003）

摘　要　黄河干流水库群在为流域带来巨大的社会和经济效益的同时，也对黄河河流生态系统的功能产生了显著的影响；本文建立了一套河流生态系统的评价指标，运用生态经济学、环境经济学和资源经济学的方法，计算了黄河干流大型控制水库群对河流生态系统的价值影响，计算结果表明，黄河干流龙羊峡、刘家峡、三门峡及小浪底增加的河流生态功能服务价值为142.694亿元/a。

关键词　水库群　生态系统　价值评估

黄河是我国第二大河，目前黄河干流已建在建水利水电工程22座，总库容577.5亿m^3，总装机容量1700万kW。上述水利工程的兴建，为开发利用黄河水资源提供了重要的基础设施，在抗御旱、涝、洪、碱等自然灾害、工农业及城乡生活供水、发电、调水调沙和改善生态环境等方面发挥了显著作用，产生了巨大的社会和经济效益。然而，兴建水库大坝通常会产生诸多的生态环境问题，黄河干流水库群影响了河流生态系统的结构和生态过程，除了黄河上游人烟稀少的局部河段之外，黄河的原始景观已经发生了较大程度的改变，生物多样性也受到极大的影响，河流生态系统的结构发生了改变，相应的河流生态系统功能也发生了变化。

到目前为止，尽管对淡水生态系统服务价值评估做了一些工作，但对河流生态系统服务尤其是水利工程对河流功能影响的关注与研究甚少[1]。本研究通过建立一套河流生态功能评价指标体系，对黄河干流水库群对河流生态系统服务功能的影响进行评价。通过评价，可以全面权衡水库的直接社会经济效益与生态系统服务功能损失之间的利弊得失，为在黄河干流实施生态调度提供技术支持。

一、黄河河流生态系统功能分类

河流生态系统一方面为人类提供产品、娱乐、消遣、休闲、保护人类健康等，这可归结为河流生态系统的使用功能；另一方面河流生态系统需要维持自身的良性循环，以保持河流生态系统为人类提供可持续服务，这可归结为河流生态系统的非使用功能。河流水库的兴建极大提高了河流为人类提供产品、娱乐等使用功能，同时水库的兴建和运行影响了河流生态系统非使用功能，诸如生物多样性降低、河道断流、乡土物种灭绝等。因此，研究水库对河流生态系统功能的影响分为两个大的方面，一是研究水库对河流生态系统使用功能的影响，二是研究水库对河流生态系统非使用功能的影响。

河流生态系统功能包括使用功能和非使用功能，使用功能包括河流提供产品的功能和文化娱乐功能，非使用功能包括河流的支持功能和调节功能。

二、黄河河流生态系统功能评价指标的构建

（一）评价指标的原则

由于生态系统功能的多形态性、作用的复杂性使生态系统服务功能评价成为一个极其复杂的过程，因此选取的评价指标应该能够准确地反映生态系统的现实状况，反映在人类活动作用下生态系统服务功能的具体表现，即建立指标体系应该遵循以下原则：①系统性。所选指标必须形成一个完整体系，全面地反映出生态环境的本质特征。各指标之间应具有不可替代性。即每个指标应该是独立的、相对稳定的，并能够反映生态系统的组成成分尤其是作用机制，能够反映指标之

间的相互联系、度量服务功能的大小；②指标差异性。选择的指标应尽可能地反映不同服务功能的差异以确保选取的指标反映河流生态系统不同的过程特征及其服务功能；③功能相似性。尽管河流生态系统的组成要素不同，但它们可能表现出相似或一致的服务功能。服务功能的相似性和共同点是我们建立评价指标体系的前提和基础。选取的指标应能充分体现河流的各种功能，并用最具代表性的指标来反映同一类功能；④指标定量化。选取的指标要能够定量化，主要从两方面进行定量化：第一，实物定量化。用实物量如生产量或消费量、生态系统服务功能损害的后果事实等实物指标可以更加明确地反映生态系统对人类的物质功益，并避免生态服务功能经济价值评估中人为因素成分较多对价值评估差异大的缺点；第二，价值量化。对于无法用实物量化的指标尽可能地采取各种环境经济学方法对生态系统的服务功能进行经济价值评估和价值量化。通过经济价值度量生态功能就可能减少社会经济活动对它们的影响和损害，也可以减少和避免损害生态服务功能的短期经济行为；⑤可操作性。所选指标的原始数据具有易获取性，即通过调查、统计、遥感等手段可迅速获得，并且易于计算，现实意义明确。

（二）评价指标的建立

在人类经济活动压力下，河流生态系统所体现的各种缓冲和适应功能是系统本身对人类胁迫或压力响应的综合体现。水库修建隔断了河流系统的自然时空分布，从而改变了河流系统的结构，使河流系统生态服务功能也随之发生变化。因此，评价水利工程对河流生态系统各种服务功能的指标可划分为两类，一类是反映生态环境物理特征的自然指标，另一类是反映生态系统在人类胁迫下的响应指标。本文根据河流生态系统的服务功能分类，选取易于量化、可操作性强的相应指标来评价水利工程对河流生态系统服务功能的影响。指标体系分为四类：①河流生态系统提供产品功能类指标；②支持功能类指标；③调节功能类指标；④文化功能类指标（见表1）。

表1　水利工程对河流生态系统服务功能影响的评价指标体系

功　能	指　标
提供产品功能	供水、渔业生产、发电
支持功能	物种多样性维持
调节功能	调蓄洪水、泥沙输送、河流自净能力变化
文化功能	休闲娱乐

（三）指标的量化方法

1. 使用功能

(1) 提供产品功能类指标

①供水。大型水利工程建成后，改变了河流径流变化过程，对河流径流过程进行丰枯调节，提高供水保证率，增加供水量；如果没有水利工程调节，各用水户的缺水就会增加，因此以无水利工程调节时缺水量造成用水户的损失作为水利工程供水提供的服务价值。供水的服务价值表示为：

$$V_1 = V_w \times Q_w \tag{1}$$

式中：V_1 为年供水的价值，元/a；V_w 为单方水的经济效益，元/m^3；Q_w 为年缺水量，m^3/a。

②渔业生产。一方面拦河坝的兴建，阻隔了鱼类的洄游路线，引起鱼类数量的减少；另一方面，一些水库也进行经济鱼类的人工养殖，增加了鱼类的产量；水利工程建设对提供鱼类产品的影响可以用水库建成后鱼类年产量的变化数量价值来表示。

$$V_2 = P_f \times Q_f \tag{2}$$

式中：V_2 为渔业生产价值变化量（增加或减少），元/a；P_f 为鱼价，元/kg；Q_f 为鱼类年产量的变化（增加或减少），kg/a。

③发电。水电工程实现河流的发电功能，发电效益可用电价与年发电量的乘积来表示。

$$V_3 = P_e \times Q_e \tag{3}$$

式中：V_3 为年发电的价值，元/a；P_e 为影子电价，元/（kW·h）；Q_e 为电站的年均发电量，（kW·h）/a。

（2）文化功能类指标

水库修建改变了周围的自然景观。一方面，蓄水后，一些水库可能会开发成为旅游区，提高河流的文化娱乐价值；另一方面，开发建设也可能淹没周围的景观、风光和古迹，可能会破坏生态环境提供给人类的舒适性服务。对河流文化娱乐功能的影响可以用旅行费用法等环境经济学的价值评估方法[2]。

$$V_4 = V_t \times Q_t \tag{4}$$

式中：V_4 为文化娱乐功能增加的旅游收益，元/a；V_t 为旅客的每人次旅行平均支出，元/（人·次）；Q_t 为旅游人数的年增加量，（人·次）/a。

2. 非使用功能

（1）支持功能类指标

物种多样性维持：河流沿岸的湿地对维持河流水体生物多样性和河流沿岸地区生物多样性具有非常重要的作用，以水利工程建成后沿岸湿地面积的变化及单位湿地的生物多样性价值的乘积来表示。

$$V_5 = V_b \times A_b \tag{5}$$

式中：V_5 为物种多样性价值；V_b 为单位湿地的生物多样性价值，元/（hm^2.a）；A_b 为湿地面积的变化，hm^2。

（2）调节功能类指标

① 调蓄洪水。水电工程建设改变河流的自然水文过程，水库巨大的库容可以蓄洪调枯，控制洪水。水库调蓄洪水的效益可以利用其削减洪水减少损失的价值来进行估算。

$$V_6 = X \times P_s \times C_a \times V_r \tag{6}$$

式中：V_6 为水库调蓄洪水的价值，元/a；P_s 为单位耕地的粮食平均产值，元/（hm^2·a）；C_a 为单位库容保护的耕地面积，hm^2/m^3；V_r 为水库的库容，m^3；X 为调蓄洪水的效益分摊系数。

② 泥沙输送。自然河流有输送泥沙的功能，修建水库改变了河流的水流状况，使得河流泥沙的冲淤形式发生了改变。可以用恢复费用法计量泥沙冲淤造成收益或损失。

$$V_7 = P_1 \times Q_1 \tag{7}$$

式中：V_7 为泥沙冲淤的价值损失，元/a；P_1 为每吨泥沙的清除费用，元/t；Q_1 为泥沙淤积量，t/a。

③水质恢复能力。水质的恢复能力是指水资源所赋存的水体在水文循环过程中，遭受自然或人为污染后，通过水体的自净功能使水质得到恢复的一种能力。水库对水质恢复能力影响价值用影子工程法计算，假定由污水处理工程来处理所花费的处理成本来计算。

$$V_8 = V_C \times Q_W \tag{8}$$

式中：V_8 为水质恢复价值，元/a；V_C 为污水处理厂处理单位污水的成本，元/t；Q_W 为水利工程年入库径流量，m^3/a。

三、黄河干流水库对河流生态系统服务功能影响的价值评估

本研究分别对黄河干流上游龙羊峡－刘家峡、下游三门峡－小浪底梯级水库对河流生态系统

服务功能影响进行价值评估。

（一）价值计算

1. 供水。黄河河道外供水农业用水比重较大，约占85%以上，与其他用水行业相比，相对边际效益较低；因此，干流水库供水价值可用农业缺水损失法计算[3]。根据黄河下游灌区灌溉与产量关系分析，在适度缺水情况下灌溉单方水的边际效益约0.46元/m^3，考虑到黄河上中游地区降水较少，对黄河水的依耐性比较大，边际效益较大，取0.60元/m^3。根据相关资料，2005水平年，在没有龙羊峡、刘家峡、三门峡水库和小浪底水库调节的情况下，黄河河道外用水户多年平均农业缺水量约为65亿m^3，其中上中游31亿m^3，下游34亿m^3；因此，供水价值为34.24亿元。

2. 渔业生产。大型水利工程建设对渔业产量影响主要体现在两个方面，一方面水利工程的修建导致部分鱼类生境的变化和阻隔洄游鱼类的洄游路径，导致鱼类的产量减少；另一方面大部分水库都进行了渔业人工养殖，增加了渔业产量。据统计，龙羊峡、刘家峡、三门峡水库和小浪底水库每年人工养殖渔业年均产量2000吨左右，黄河河道内野生鱼类年均产量减少约200吨；每吨鱼价值以8000元计，每年新增渔业产值0.144亿元。

3. 发电。根据《水库补偿效益理论与实践》（博士论文，赵麦换），到2004年，龙羊峡、刘家峡、三门峡水库和小浪底水库的年均发电量分别为：59.24亿kW·h、57.6亿kW·h、10亿kW·h和51亿kW·h[3]，影子电价上下游统一按0.4元/（kW·h）计算，则年发电效益为71.136亿元。

4. 物种多样性价值。根据我国生态系统生物多样性维持价值年平均单价分别为：森林1622.8元/hm^2、农田474.1元/hm^2、湿地1301元/hm^2、水体生态系统1101.7元/hm^2（李加林等，2004）[4]。龙羊峡、刘家峡、三门峡水库和小浪底水库建成后大流量洪水显著减少，导致黄河河道内季节性湿地减少约280000hm^2，合计减少物种多样性价值为3.64亿元。

5. 调蓄洪水。根据《2000年水利统计公报》公布数据，2000年全国已建成水库85120座，已建水库总库容达到$5183\times10^8m^3$，保护耕地5.9×10^8亩，单位库容保护耕地C_a为0.001138亩/m^3；调蓄洪水的效益分摊系X数取0.1；龙羊峡、刘家峡、三门峡水库和小浪底水库防洪库容分别为45亿m^3、14.7亿m^3、15亿m^3和40.5亿m^3，保护的耕地面积为1311万亩，每亩耕地产值为1000元，故调蓄洪水效益为13.11亿元。

6. 泥沙输送。根据《21世纪黄河泥沙处理的基本思路和对策》（黄河水利科学研究院，赵业安），刘家峡水库和龙羊峡水库投入运行后，导致宁蒙河段、黄河下游河道年均增加泥沙淤积量分别为0.65亿t和0.60亿t，加上其他河段淤积量0.2亿t左右，共计增加黄河河道内泥沙淤积量约1.45亿t。小浪底水库从建成运行至2006年，通过库区拦沙和调水调沙试验，下游河道泥沙淤积量年均减少1.5亿t左右。至2006年底，龙羊峡水库、刘家峡水库、三门峡水库和小浪底水库年均泥沙淤积量分别为0.23亿t、0.46亿t、0.7亿t和3.02亿t。根据调查，人工清理河道的成本费用为1.5（北方）~4.7（南方）元/t，本研究取3.1元/t；故龙羊峡、刘家峡、三门峡水库和小浪底水库对黄河河道泥沙输送价值为-13.826亿元。

7. 水质净化价值。刘家峡水库多年平均径流量为276亿m^3，根据黄玉胜等研究成果，龙羊峡、刘家峡水库建成后，其下游积石峡断面生物需氧量从1.7mg/L降低到未检出，减少了1.7mg/L[5]；小浪底水库多年平均径流量422亿m^3，根据杨艳春等研究成果，小浪底水库建成后，其下游水质化学需氧量从40mg/L降低到20mg/L。减少了20mg/L[6]；根据调查，处理1t化学需氧量或生物需氧量需投入资金4000元左右，因此，龙羊峡、刘家峡、三门峡水库和小浪底水库对黄河水质净化价值为35.53亿元。

8. 文化娱乐功能。据统计龙羊峡、刘家峡、三门峡水库和小浪底水库相关旅游景点年均接待游客200余万人次，人均花费以300元计，年均增加旅游收入6亿元。

（二）计算结果分析

根据上述价值计算结果，对黄河干流上游龙羊峡－刘家峡、下游三门峡－小浪底梯级水库对河流生态系统服务功能影响进行价值评估。黄河干流水库对河流生态系统服务功能影响的价值评估结果见表2。水库对河流生态系统的价值影响有正面的，也有负面的，正面影响体现在供水、渔业、发电、调蓄洪水、水质净化及文化娱乐等，负面影响主要是物种多样性和泥沙淤积。总体来看，黄河干流龙羊峡、刘家峡、三门峡和小浪底修建所增加的河流生态系统服务功能价值为142.694亿元/a。

四、结　语

黄河干流水库群的兴建改变了河流生态系统的结构，对黄河河流生态系统的服务功能产生了重要影响。本研究建立的水库对河流生态系统服务功能影响的评价指标体系，既包括物理量指标，也包括价值量指标，既包括定量指标，也包括定性指标，力图较全面地反映水库对河流生态功能的影响，通过对指标的量化，计算了黄河干流主要控制性水库修建运行后增加的河流生态系统服务功能价值为142.694亿元/a。

由于时间和资料所限，所选取的指标还不够包罗河流生态系统的所有功能，一些生态功能评估方法也不能全面反映黄河的实际情况，有待在今后研究中进一步改进和完善。

表2　黄河干流水库对河流生态系统服务功能影响的价值评估

功能类型	价值量/（10^8 元/a）
供　水	34.24
渔　业	0.144
发　电	71.136
物种多样性	-3.64
调蓄洪水	13.11
河道泥沙淤积	-13.826
水质净化	35.53
文化娱乐	6
合　计	142.694

参考文献

[1] 赵同谦，欧阳志云，王效科，等．中国陆地地表水生态系统服务功能及其生态经济价值评估［J］．自然资源学报，2003（4）．

[2] 莫创荣，孙艳军，高长波，等．生态价值评估方法在水电开发环境评价中的应用研究［J］．水资源保护，2006（5）．

[3] 赵麦换．水库补偿效益理论与实践［D］．西安：西安理工大学，2004.

[4] 李加林，许继琴，童亿勤，等．杭州湾南岸滨海平原生态系统服务价值变化研究［J］．经济地理，2005（6）．

[5] 黄玉胜，牛天祥．黄河龙羊峡－刘家峡河段梯级水库对水环境的改善作用［J］．水电站设计，2007（3）．

[6] 杨艳春，徐志修，何智娟，等．小浪底水库对其以下河段有机污染的影响［J］．人民黄河，2007（9）．

基于灰色关联的乌梁素海叶绿素 a 影响因子分析

姜忠峰　李畅游　张　生　贾克力　朱冬楠

（内蒙古农业大学水利与土木建筑工程学院　内蒙古　呼和浩特　010018）

摘　要　运用灰色系统理论对草型浅水湖泊乌梁素海中叶绿素 a 与环境因子的关系进行研究，采用灰色关联方法分析探讨乌梁素海的部分理化因子对叶绿素 a 浓度影响的大小排列顺序。结果表明，影响乌梁素海叶绿素 a 浓度的“优势”因子依次为气温、光照、电导率、透明度。

关键词　灰关联分析　叶绿素 a　环境因子

一、前　言

乌梁素海是于 1850 年由黄河改道而成的河迹湖，位于内蒙古巴彦淖尔市乌拉特前旗境内（图 1），是黄河流域最大的湖泊，它是河套灌区排灌水系的重要组成部分。近年来由于乌梁素海水质不断恶化，现已处于富营养化状态。受富营养化影响已演变成为典型的以大型水生植物过量生长为主要特征的草型湖泊[1]。

对于富营养化湖泊而言，浮游植物浓度越高，标志着湖泊水库富营养化程度越严重[2-4]。浮游植物是一般水体中的主要初级生产者，是一类独立生活的自养型生物。由于浮游植物种类繁多，不同种类之间的个体差异较大，而叶绿素 a（Chlorophyll - a，Chl - a）是浮游植物进行光合作用的主要色素，因此当前将水体中的 Chl - a 的含量作为研究浮游植物量和其动态变化的主要指标[5,6]。而浮游植物生长的整个新陈代谢过程中，需要充足的阳光、适宜的水温、充足的营养盐等因素，所以 Chl - a 起着中心传递体的作用，其含量的高低与水环境质量密切相关，是水体理化性质动态变化的综合反映指标，因此通过测定 Chl - a 的含量能够在一定程度上反映水质状况[7-9]。本文通过灰色理论来研究乌梁素海 Chl - a 与部分环境因子之间的关系。

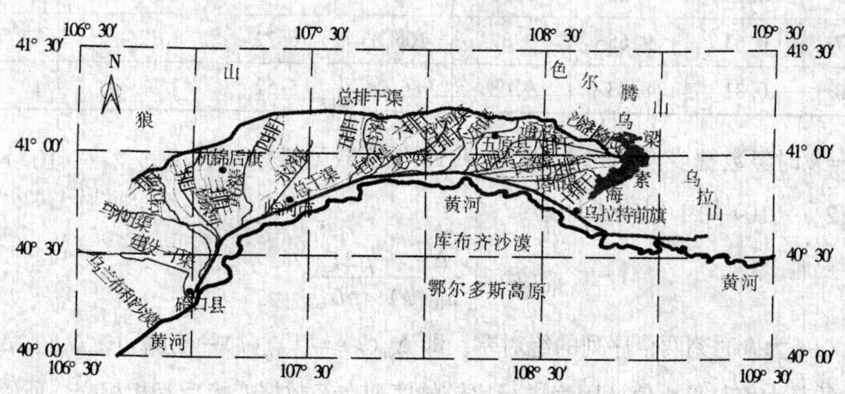

图 1　巴彦淖尔市河套灌区灌排系统

二、材料与方法

（一）样品采集与测试

按照我国水环境及湖泊湿地调查规范，根据乌梁素海污染源的分布和水动力特征，将乌梁素海在空间上以 2km × 2km 的正方形网格剖分，使用网格的交点，以梅花形布置取样监测点（图 2），每次取样点位置利用 GPS 定位。采样时间为 2008 年 5—10 月中旬。监测点及所取水样的主要监测项目分为野外监测指标和室内实验指标，其中野外监测的主要指标有：采样点位置的定位、采样时间、天气描述、采样点周围环境描述及照片记录、水温、气温、水深、泥深、透明度、流速、植物类型、植物形态指标、芦苇生物量、不同水体水草所对应的反射光谱、水色、气味、电导率（EC）、酸碱度（pH）、溶解氧（DO）、氧化还原电位（ORP）。室内实验所测主要指标有：浊度、总氮、氨氮、亚硝态氮、硝态氮、总磷、可溶性磷、化学需氧量（COD）、五日生化需氧量（BOD_5）、叶绿素、总硬度、悬浮物、芦苇植株内营养物质的测定等。样品分析测试方法按相关文献进行。如表 1 所示为部分水质监测数据。

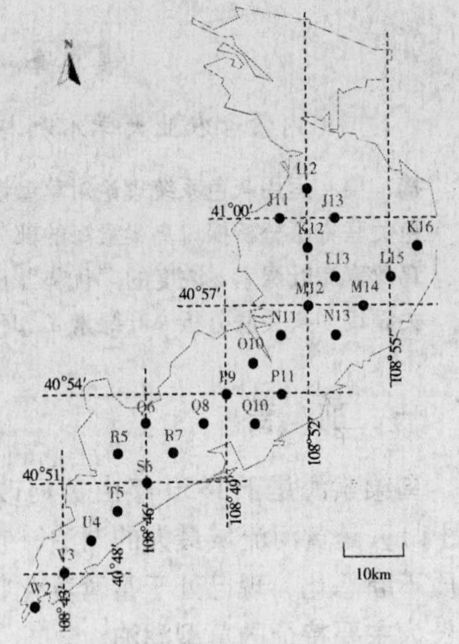

图 2　乌梁素海采样点布置

（二）数据分析

运用灰色关联分析方法对 Chl－a 与环境因子的关系进行分析。以 Chl－a 为母序列 $\{X_0(t)\}$，以气温 T、透明度、pH、溶解氧 DO、化学耗氧量 COD_{Cr}、生化需氧量 BOD_5、光照、电导为子序列 $\{X_i(t)(i=1,2,\cdots,10)\}$。

表 1　乌梁素海 2008 年 5 月至 10 月水质监测数据

月份	气温/℃	透明度/m	pH	DO/(mg/L)	COD_{Cr}/(mg/L)	BOD_5/(mg/L)	光照/(h/d)	EC/(mS/cm)	Chl－a/(mg/L)
5	14.12	0.80	7.94	3.85	94.11	6.71	8.10	4.34	17.74
6	27.28	0.94	8.61	2.19	101.09	6.03	9.37	4.24	51.87
7	30.22	0.78	8.01	8.34	93.37	5.33	8.69	3.96	66.10
8	25.69	0.73	9.27	2.80	98.64	8.96	8.22	4.14	45.32
9	23.47	0.63	9.65	3.37	105.83	6.72	8.12	3.77	37.63
10	22.03	0.81	8.83	9.08	86.04	5.52	7.88	4.19	23.43

在时刻 $t=k$ 时经数据变换的母数列 $\{X_0(t)\}$ 与子数列 $\{X_i(t)(i=1,2,\cdots,10)\}$ 的关联系数 $\zeta_{0i}(k)(i=1,2,\cdots,10)$ 用下列式子计算：

$$\zeta_0(k)=\frac{\Delta_{\min}+\rho\Delta_{\max}}{\Delta_{0i}(k)+\rho\Delta_{\max}} \tag{1}$$

式中：$\Delta_{0i}(k)$ 为 k 时刻两个序列的绝对差，即 $\Delta_{0i}(k)=|X_0(k)-X_i(k)|$；$\Delta_{\max}$，$\Delta_{\min}$ 为各个时刻的绝对差中的最大值与最小值，因为进行比较的序列在经数据变换后互相相交，所以一般 $\Delta_{\min}=0$；ρ 为分辨系数，其作用在于提高关联系数之间的差异显著性，$\rho\in(0,1)$，本文取 $\rho=0.1$。

两序列的关联度可用两两比较序列各个时刻的关联系数的平均值计算（反映全过程的关联程度）。即：

$$Y_{0i}=\frac{1}{n}\sum_{k=1}^{n}\zeta(k) \tag{2}$$

式中：Y_{0i} 为子序列 i 与母序列 0 的关联度；n 为序列的长度，即数据个数。在将数据代入运算时，首先将数据进行均值化处理。设原始数列 $X(0)=\{X(0)X(1),X(0)X(2),\cdots,X(0)X(n)\}$ 的平均值为 $X(0)$，则

$$X(0) = \frac{1}{n}\sum_{k=1}^{n} X(0)(k) \tag{3}$$

对 $X(0)$ 作均值化处理，得 $Y(0)$ 为：

$$Y(0) = Y(0)Y(1), X(0)(2), \cdots, Y(0)Y(n) = \left\{\frac{X(0)(1)}{X(0)}, \frac{X(0)(2)}{X(0)}, \cdots, \frac{X(0)(n)}{X(0)}\right\} \tag{4}$$

由于关联度不是唯一的，所以关联度本身并不是关键，而关联度大小的排列顺序即关联序则更为重要。均值化处理后所得各因子间的关联度的计算结果见表2。各因子对叶绿素 a 的浓度影响大小的排列顺序是：气温 > 光照 > 电导率 EC > 透明度 > pH > 化学耗氧量 COD_{Cr} > 生化需氧量 BOD_5 > 溶解氧 DO。

表2　乌梁素海各环境因子对叶绿素 a 的灰色关联度及排序

环境因子	气温/℃	透明度/m	pH	DO/(mg/L)	COD_{Cr}/(mg/L)	BOD_5/(mg/L)	光照/(h/d)	EC/(mS/cm)
关联度	0.482	0.345	0.330	0.288	0.329	0.300	0.385	0.384
排序	1	4	5	8	6	7	2	3

从灰色理论的角度来分析，两者的不同原因是序列不同，所以关联度不同。这体现了关联空间的整体性[10-14]。整体性表明：当关联比较是在一定的环境中进行时，不同参考序列的取舍意味着环境不同，由于各因素之间的相互影响并不是等价可逆的，因此比较结果不一定符合对称原理。各湖泊的研究结果应有差异，乌梁素海的研究结果是：各因子对叶绿素 a 含量影响从数据的差异进行判断，气温 T、光照、电导率 EC、透明度，属于“优势”因素。

三、结果与讨论

（一）叶绿素 a 含量的变化与气温之间的关系

气温通过对藻类光合作用与呼吸代谢速度及藻类繁殖需要的热量的控制而影响叶绿素 a的含量。研究区四季分明，气温变化较大，对 Chl-a 产生较大的影响。从图3中可见叶绿素 a 含量变化与水温的变化密切相关，随着温度逐渐升高，藻类的生长繁殖渐趋旺盛，叶绿素 a 的含量也逐渐升高，从而在7月份叶绿素 a 含量形成最大峰值，8月份以后，随着水温的下降，叶绿素 a 含量也逐渐下降。

（二）叶绿素 a 含量的变化与光照和透明度的关系

光照是水体生态系统的主要能量来源，它不仅决定浮游植物和沉水植物的生物量，还会影响它们的种群结构，是水体初级生产力的限制因子。而水体透明度又影响光照对植物的光合作用，透明度低的地方，悬浮物的浓度也较高，悬浮物对水下光照的吸收和散射使得光照衰减，从而抑制其光合作用[15-16]。但是，实际上由于浅水湖泊中悬浮物浓度较高，因此透明度很低。在一般正常湖泊中，浮游植物数量的增加，也会直接影响湖泊的透明度。因此，乌梁素海的光照对叶绿素 a 的浓度的影响排在第二位，透明度对叶绿素 a 的浓度的影响排在第四位，均属“优势”因素。从图4中可见叶绿素 a 含量变化与每月日平均光照的变化密切相关。随着日光照时数逐渐增加，藻类的光合作用充分，叶绿素 a 的含量也逐渐升高，7月份以后随着日照时数的减小，叶绿素 a 的浓度也在下降。

（三）叶绿素 a 含量的变化与电导率 EC 之间的关系

电导率 EC，代表了湖泊水体中离子的数量与活动程度，通过测定水的电导率，可以推测水中离子的总浓度或含盐量。电导率可以间接反映出水体受酸、碱、盐等化学物质污染的情况，污染越重电导率越高。一般天然水的电导率在 50～500μS/cm 之间。乌梁素海电导率最大值为

9.88mS/cm，最小值为1.544mS/cm，湖泊水体中含盐量很高，因为在河套灌区内大多数的土地属于盐碱地，大部分灌区内含有大量盐分的农田灌溉排水和退水、工业废水和生活污水排入乌梁素海，加之地处干旱地区，降雨量少，蒸发强度大，这也是干旱半干旱地区湖泊的一个重要特性。乌梁素海的EC值对叶绿素a的浓度的影响排在第三位。

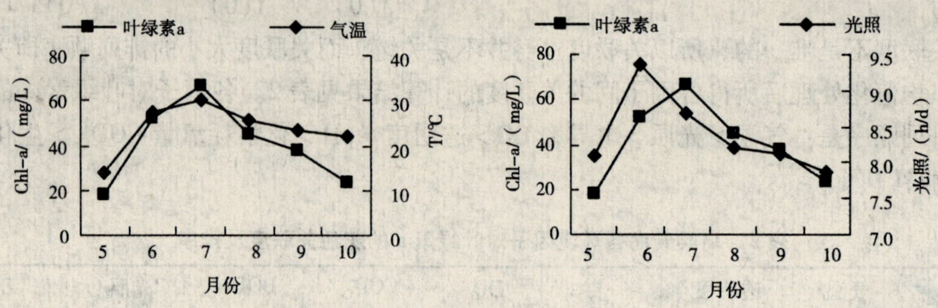

图3　2008年5-10月叶绿素a与气温变化　图4　2008年5-10月叶绿素a与光照变化

参考文献

［1］史小红，李畅游，等．乌梁素海污染现状及驱动因子分析［J］．环境科学与技术，2007，30（4）：37-39.

［2］Reynolds C S The ecology of fresh water phytoplankton［M］．London：Cambridge Univ. press，1984.

［3］Pan Y L．Chlorophyll-a and the primary productivity in ocean［J］．Ocean science，1987，11：62-65.

［4］周宏．杭州西湖水体中叶绿素a含量与水质的关系［J］．浙江大学学报，2001.

［5］游亮，崔莉凤，等．藻类生长过程中DO、pH与叶绿素相关性分析［J］．环境科学与技术，2007，30（9）：41-44.

［6］徐效军，张鹰海，等．海州湾叶绿素a与水环境因子的多元分析［J］．水利渔业，2007，27（2）：79-81.

［7］章宗涉．水生高等植物——浮游植物关系和湖泊营养状态［J］．湖泊科学，1998，10（4）：83-86.

［8］鲁北伟，王荣春，季东海．表层水叶绿素a含量分布特征［J］．海洋与湖沼，1996，27（5）：487-491，（4）：439-442.

［9］张巍，王学军，江耀慈．太湖水质指标相关性与富营养化特征分析［J］．环境污染与防治，2002，24（1）：50-53.

［10］邓聚龙．灰色控制系统［M］．武汉：华中理工大学出版社，1985.

［11］杜宝汉，等．用灰色关联度模型评价湖泊富营养化［J］．四川环境，1999，18（4）：48-52.

［12］朱庆峰，廖秀丽，等．用灰色聚类法对荔湾湖水质富营养化程度评价［J］．中国环境监测，2004，20（2）：47-50.

［13］徐晓民，李畅游，等．灰色关联分析在湖泊水环境评价中的应用研究［J］．内蒙古农业大学学报，2006，27（4）：118-121.

［14］黄伟建，齐雨藻．大鹏湾生态因子灰关联分析［J］．生态科学，1997，16（1）：34-39.

［15］张运林，秦伯强，陈伟民，等．湖水体透明度的分析、变化及相关分析［J］．海洋湖沼通报，2003b，2：30-36.

［16］乐成峰，李云梅，等．太湖水色因子空间分布特征及其对水生植物光合作用的影响［J］．应用生态学报，2007，18（11）：2491-2496.